W9-DED-745

EVANGELICA

F. NEIRYNCK

BIBLIOTHECA EPHEMERIDUM THEOLOGICARUM
LOVANIENSIUM

LX

EVANGELICA

GOSPEL STUDIES — ÉTUDES D'ÉVANGILE

COLLECTED ESSAYS

BY

FRANS NEIRYNCK

EDITED BY F. VAN SEGBROECK

UITGEVERIJ PEETERS
LEUVEN

LEUVEN
UNIVERSITY PRESS

1982

ISBN 90 6186 132 2

Dépôt légal 1982/1869/11

Leuven University Press/Presses Universitaires de Louvain
Universitaire Pers Leuven
Krakenstraat 3, B-3000 Leuven-Louvain (Belgium)

Uitgeverij Peeters, Bondgenotenlaan 153, B-3000 Leuven (Belgium)

PREFACE

During the last twenty years Professor Dr Frans Neirynck has published a great number of exegetical studies. He has been a regular contributor to the *Colloquium Biblicum Lovaniense*, to the Louvain journal of theological studies, *Ephemerides Theologicae Lovanienses*, and to some other journals and occasional publications. On several occasions it has been suggested by his colleagues that his articles on the Gospels be reprinted in a volume of Collected Essays. It is my privilege now, as his former student (beginning in 1961) and his collaborator (since 1969), to present this volume of *Evangelica* as a token of gratitude on the 20th anniversary of his appointment as *professor ordinarius*.

The selection of the articles was submitted to the author for approval. For most of them he provided additional notes, with bibliographical data up to 1982. The articles are reprinted as they originally appeared : 27 are in French, 14 in English and 2 in Dutch.

Part I contains a basic study concerning each of The Four Gospels : on the structure of Matthew, the duplicate expressions in Mark, the Markan material in Luke, and the epanalepsis in John.

The gospel stories of The Empty Tomb form the main topic of Part II : Mk 16 and the parallel texts in Matthew, Luke and John, and some related passages (in Mark : 14,51-52; in John : 18,15-16; 19,27b). Mt 28,9-10 and, more particularly, Lk 24,12 are studied in their relationship to John 20, and Johannine dependence on the Synoptic gospels is a general concern in all these studies. It receives a more formal treatment in *Jean et les Synoptiques* (BETL, 49), 1979.

Part III groups several studies on The Gospel of Mark. Special attention is given to problems of Markan style and redaction, in constant dialogue with recent commentaries. This Part III forms a complement to the author's earlier publication on *Duality in Mark. Contributions to the Study of the Markan Redaction* (BETL, 31), 1972. Two passages are studied more in detail, the eschatological discourse in Mk 13 and the sabbath saying of Mk 2,27 and its context.

Literary-critical problems of Matthew and Luke are treated in Part IV : the relative order of the gospels, the Q hypothesis, the tradition of the sayings of Jesus, the minor agreements of Matthew and Luke against Mark and Markan priority. Compare his monograph on *The Minor Agreements of Matthew and Luke against Mark with a Cumulative List* (BETL, 37), 1974. A contribution on the miracle stories in Acts is also included in this part.

Part V, on The Text of the Gospels, deals extensively with the gospel text of Nestle-Aland^{26} and with the synopsis and concordances which are based on this new Textus Receptus.

Neirynck's work is marked by thoroughness and, as it is shown by the index of names, by an almost impeccable acquaintance with the pertinent literature, ancient and very recent. It is my hope that the complete Index onomasticus and the more selective lists of biblical references, of literary themes and Greek words may facilitate the consultation of this book.

July 1982 F. VAN SEGBROECK

CONTENTS — TABLE DES MATIÈRES

I
THE FOUR GOSPELS—LES QUATRE ÉVANGILES

II
THE EMPTY TOMB STORIES
(JOHN AND THE SYNOPTICS)

LES RÉCITS DU TOMBEAU VIDE
(JEAN ET LES SYNOPTIQUES)

III
THE GOSPEL OF MARK — L'ÉVANGILE DE MARC

IV
MATTHEW AND LUKE — MATTHIEU ET LUC

ACKNOWLEDGEMENT

Thanks are hereby expressed to the editors of the journal *Ephemerides Theologicae Lovanienses* (*ETL*) and the *Analecta Lovaniensia Biblica et Orientalia* (*ALBO*) and to the publishers of the *Bibliotheca Ephemeridum Theologicarum Lovaniensium (BETL)*, Leuven University Press and Uitgeverij Peeters, who granted permission for the reprinting of the essays that originally appeared in their publications.

Acknowledgement is made also to the following for permission to use copyrighted material: Cambridge University Press for nº 8, E. J. Brill (Leiden) for nº 10, Herder Verlag (Freiburg) for nº 33, the editors of *Concilium* for nº 34, and the editors of *Orientalia Lovaniensia Periodica* for nº 9.

The essays originally appeared in:

1. *ETL* 43 (1967) 41-73. — I. DE LA POTTERIE (ed.), *De Jésus aux évangiles. Tradition et rédaction dans les évangiles synoptiques. Donum natalicium Josepho Coppens*, II (BETL, 25), Gembloux & Paris, 1967, 41-73.
   Colloquium Biblicum Lovaniense, 16, 1965.
2. F. NEIRYNCK (ed.), *L'évangile de Luc. Problèmes littéraires et théologiques. Mémorial Lucien Cerfaux* (BETL, 32), Gembloux, 1973, 157-201.
   Colloquium Biblicum Lovaniense, 19, 1968.
3. *ETL* 48 (1972) 150-209. — F. NEIRYNCK, *Duality in Mark. Contributions to the Study of the Markan Redaction* (BETL, 31), Leuven, 1972, 11-72.
   Colloquium Biblicum Lovaniense, 22, 1971: "Duality in Mark and the Limits of Source Criticism".
4. *ETL* 56 (1980) 303-338. — *ALBO*, VI, 1.
5. *ETL* 54 (1978) 70-103. — *ALBO*, V, 29.
6. *ETL* 55 (1979) 43-66. — *ALBO*, V, 39.
7. *ETL* 56 (1980) 56-88. — *ALBO*, V, 48.
8. *NTS* 15 (1968-69) 168-190.
   Studiorum Novi Testamenti Societas, Gwatt, 1967.
9. *Orientalia Lovaniensia Periodica* 6/7 (1975-76), 427-441.
   Miscellanea in honorem Josephi Vergote (eds. P. NASTER, H. DE MEULENAERE & J. QUAEGEBEUR), Leuven, Departement Oriëntalistiek, 1976.
10. T. BAARDA & A.F.J. KLIJN & W.C. VAN UNNIK (eds.), *Miscellanea Neotestamentica*, I (Supplements to Novum Testamentum, 47), Leiden, Brill, 1978, 45-60.
    Studiorum Novi Testamenti Conventus, Ede, 1975.
11. *ETL* 48 (1972) 548-553.
12. *ETL* 51 (1975) 113-141.

13. M. DE JONGE (ed.), *L'évangile de Jean. Sources, rédaction, théologie* (BETL, 44), Gembloux & Leuven, 1977, 73-106.
Colloquium Biblicum Lovaniense, 26, 1975.

14. *ETL* 53 (1977) 113-152.

15. *ETL* 54 (1978) 104-118. — *ALBO*, V, 30.

16. *ETL* 55 (1979) 357-365. — *ALBO*, V, 46.

17. *ETL* 57 (1981) 83-106. — *ALBO*, VI, 4.

18. *ETL* 53 (1977) 153-181. — *ALBO*, V, 42.

19. *ETL* 55 (1979) 1-42. — *ALBO*, V, 42: *L'évangile de Marc. À propos du Commentaire de R. Pesch.*

20. *ETL* 56 (1980) 442-445.

21. J. LAMBRECHT (ed.), *L'Apocalypse johannique et l'Apocalyptique dans le Nouveau Testament* (BETL, 53), Gembloux & Leuven, 1980, 369-401.
Colloquium Biblicum Lovaniense, 30, 1979.

22. *ETL* 45 (1969) 154-164.

23. *ETL* 57 (1981) 163-171. — *ALBO*, VI, 6.

24. *ETL* 57 (1981) 144-162. — *ALBO*, VI, 6.

25. J. DUPONT (ed.), *Jésus aux origines de la christologie* (BETL, 40), Leuven & Gembloux, 1975, 227-270.
Colloquium Biblicum Lovaniense, 24, 1973.

26. *ETL* 54 (1978) 119-125. — *ALBO*, V, 31.
ETL 55 (1979) 382-383. — *ALBO*, V, 46.

27. M. DIDIER (ed.), *L'évangile selon Matthieu. Rédaction et théologie* (BETL, 29), Gembloux, 1971, 37-69.
Colloquium Biblicum Lovaniense, 21, 1970.
Society for Biblical Literature Seminar. Los Angeles (Ca.), 1972: L.C. MCGAUGHY (ed.), *SBL 1972 Seminar Papers*, 147-179.

28. *ETL* 55 (1979) 404-409.

29. *ETL* 52 (1976) 350-357. — *ALBO*, V, 21. — F. NEIRYNCK, avec la collaboration de J. DELOBEL, T. SNOY, G. VAN BELLE, F. VAN SEGBROECK, *Jean et les Synoptiques. Examen critique de l'exégèse de M.-É. Boismard* (BETL, 49), Leuven, 1979, 375-383.

30. *ETL* 49 (1973) 784-815. — *ALBO*, V, 13. — F. NEIRYNCK, in collaboration with T. HANSEN and F. VAN SEGBROECK, *The Minor Agreements of Matthew and Luke against Mark with a Cumulative List* (BETL, 37), Leuven, 1974, 291-322.
SNTS Seminar on the Synoptic Problem, Southampton, 1973.

31. *ETL* 56 (1980) 397-408. — *ALBO*, VI, 2.

32. *ETL* 50 (1974) 215-230.
SNTS Seminar on the Synoptic Problem, Sigtuna, 1974.

33. P. HOFFMANN, N. BROX & W. PESCH (eds.), *Orientierung an Jesus. Zur Theologie der Synoptiker. Für Josef Schmid*, Freiburg, Basel, Wien, Herder, 1973, 253-266.

34. *Concilium* 2 (1966) n° 10, 62-73: «De overlevering van de Jezuswoorden en Mk. 9,33-50».

Translations in the editions of *Concilium*: The Tradition of the Sayings of Jesus. A Discussion Based on Mark 9,33-50 (T.H. WESTOW), 33-39. — La tradition des paroles de Jésus et Marc 9,33-50 (Y. HUON), 57-66. — Die Überlieferung der Jesusworte und Mk 9,33-50 (H.A. MERTENS), 774-780. — La tradición de los dichos de Jesús. Estudio basado en Marcos 9,33-50, pp. 420-433. — A tradiçao das sentenças de Jesus. Um estudo baseado em Mc. 9,33-50 (M.M. MORAIS), 57-67. — E. T. in *The Dynamism of Biblical Tradition* (Concilium, 20), New York, Paulist Press, 1966, 62-74.

35. V. HEYLEN (ed.), *Mislukt huwelijk en echtscheiding. Een multi-disciplinaire verkenning* (Sociologische verkenningen, 2), Leuven, University Press, 1972, 127-142.

Colloquium Faculteit der Godgeleerdheid, Leuven, 1971.

36. J. KREMER (ed.), *Les Actes des Apôtres. Traditions, rédaction, théologie* (BETL, 48), Gembloux & Leuven, 1979, 169-213.

Colloquium Biblicum Lovaniense, 28, 1977.

37. *ETL* 52 (1976) 364-379. — *ALBO*, V, 21.

38. *ETL* 55 (1979) 331-356. — *ALBO*, V, 45.

39. *ETL* 55 (1979) 373-381. — *ALBO*, V, 46.

40. *ETL* 56 (1980) 390-396. — *ALBO*, VI, 2.

41. *ETL* 52 (1976) 358-363. — *ALBO*, V, 21.

42. *ETL* 55 (1979) 366-372. — *ALBO*, V, 46.

43. Pages 955-990: *ETL* 52 (1976) 134-142; 54 (1978) 323-345; 55 (1979) 152-155. — *ALBO*, V, 36.
Pages 990-996, 996-998, 998-1002: *ETL* 56 (1980) 132-138; 57 (1981) 360-362; 56 (1980) 438-442.

I
THE FOUR GOSPELS
LES QUATRE ÉVANGILES

ETL 43 (1967) 41-73

LA RÉDACTION MATTHÉENNE ET LA STRUCTURE DU PREMIER ÉVANGILE

Étant donné l'importance qu'on attache généralement aux livres-programmes de Conzelmann et de Marxsen, on croirait que le premier évangile a été tenu quelque peu à l'écart de la nouvelle méthode. Mais cela ne pourrait être qu'une première impression. En effet, le livre « Ueberlieferung und Auslegung im Matthäusevangelium »[1] date de 1960, mais l'article de Günther Bornkamm sur l'eschatologie et l'ecclésiologie matthéennes parut déjà en 1954 et les dissertations de Gerhard Barth et de Heinz Joachim Held furent présentées à Heidelberg en 1955 et 1957. Indépendamment de l'école de Bornkamm (si, à cet égard, on peut parler d'école), des monographies sur la théologie de Matthieu étaient en préparation en d'autres endroits. En 1958, Poul Nepper-Christensen lança une thèse nouvelle, énoncée modestement par l'interrogation : « Das Matthäusevangelium ein judenchristliches Evangelium ? »[2]. C'était un livre *sui generis*, principalement consacré

1. G. Bornkamm, G. Barth, H. J. Held, *Ueberlieferung und Auslegung im Matthäusevangelium* (Wissenschaftliche Monographien zum Alten und Neuen Testament, 1), Neukirchen, 1960 ; 4e éd., 1965. Deux aspects importants de l'interprétation matthéenne y sont longuement examinés : G. Barth, *Das Gesetzesverständnis des Evangelisten Matthäus*, p. 54-154, et H. J. Held, *Matthäus als Interpret der Wundergeschichten*, p. 155-287. Par ce titre, Held se situe dans le sillage du maître : *Matthäus als Interpret der Herrenworte*, dans *Theol. Literaturzeitung*, 79 (1954), col. 341-346, une étude qui a été reprise et développée sous le titre *Enderwartung und Kirche im Matthäusevangelium* pour les Mélanges C. H. Dodd de 1956 et finalement réimprimée dans le présent volume, p. 13-47. On y trouve également du même G. Bornkamm, *Die Sturmstillung im Matthäusevangelium*, p. 48-53 (paru en 1948) et, dans la dernière édition, une étude plus récente (voir n. 7) sur *Mt.*, XXVIII, 16-20.

2. P. Nepper-Christensen, *Das Matthäusevangelium ein judenchristliches Evangelium* ? (Acta Theologica Danica, 1), Aarhus, 1958.

au témoignage de la tradition et associant trop intimement le problème de la langue originale sémitique à celui du caractère judéo-chrétien. Ce livre, dont la partie proprement exégétique fut certainement la moins satisfaisante, mettait en question une opinion communément acceptée. Il était de mise de parler du rédacteur judéo-chrétien du premier évangile, de l'église judéo-chrétienne à laquelle cet évangile fut destiné et dont il reflétait la vie et les problèmes. Mais, si dans cet évangile l'élément judaïque est indéniable, est-ce bien le fait de l'évangéliste lui-même ? Ne doit-on pas distinguer, sur ce point aussi, entre tradition et rédaction ? Nepper-Christensen l'a suggéré [3], et cette même année, la thèse fut soutenue dans deux dissertations qui présentaient un examen plus général de la théologie matthéenne : celle de Wolfgang Trilling [4] à Munich et celle de Georg Strecker [5] à Bonn. A ces noms déjà cités, il faudrait ajouter celui d'un auteur plus récent qui, dans la ligne de Bornkamm, procède à une re-judaïsation de Matthieu : Reinhart Hummel [6]. Ainsi, on peut parler d'une prolifération de monographies en langue allemande sur la rédaction et la théologie du premier évangile. La liste deviendrait plus impressionnante encore, si nous ajoutions les

3. Voir déjà K. W. CLARK, *The Gentile Bias in Matthew*, dans *Journal of Biblical Literature*, 66 (1947), p. 165-172. L'auteur n'est évidemment pas le premier à remarquer une certaine « tension » dans l'évangile de Matthieu, car, depuis F. C. Baur, plusieurs critiques font la distinction entre l'évangile judéo-chrétien primitif et la rédaction de l'évangile canonique. Voir W. TRILLING, *Das wahre Israel* (cité dans la note suivante), p. 215, n. 10.

4. W. TRILLING, *Das wahre Israel. Studien zur Theologie des Matthäusevangeliums* (Erfurter Theologische Studien, 7), Leipzig, 1959 ; 2e éd., 1961 ; troisième édition revue (Studien zum Alten und Neuen Testament, 10), Munich, 1964. D'autres études du même auteur complètent le livre : *Die Täufertradition bei Matthäus*, dans *Biblische Zeitschrift*, n.s., 3 (1959), p. 271-289 ; *Hausordnung Gottes. Eine Auslegung von Matthäus 18*, Düsseldorf, 1960 ; *Zur Ueberlieferungsgeschichte des Gleichnisses vom Hochzeitmahl*, dans *Biblische Zeitschrift*, 4 (1960), p. 251-265 ; *Der Einzug in Jerusalem Mt 21, 1-17*, dans J. BLINZLER, O. KUSS, F. MUSSNER (éd.), *Neutestamentliche Aufsätze. Festschrift J. Schmid*, Ratisbonne, 1963, p. 303-309. Pour une « lecture » de l'évangile : *Das Evangelium nach Matthäus* (Geistliche Schriftlesung, 1), 2 vol., Düsseldorf, 1962-1965.

5. G. STRECKER, *Der Weg der Gerechtigkeit. Untersuchung zur Theologie des Matthäus* (FRLANT, 82), Goettingue, 1962. Au Congrès d'Oxford de septembre 1965, le professeur de Bonn a présenté une excellente synthèse de son livre : *The Concept of History in Matthew* [cf. *JAmAcRel*, 35 (1967), p. 219-230]; voir maintenant *Das Geschichtsverständnis des Matthäus*, dans *Evangelische Theologie*, 26 (1966), p. 57-74 ; *Der Weg der Gerechtigkeit*, 2e éd., 1966.

6. R. HUMMEL, *Die Auseinandersetzung zwischen Kirche und Judentum im Matthäusevangelium* (Beiträge zur evangelischen Theologie, 33), Munich, 1963 ; 2e éd., 1966.

nombreux articles publiés sur le sujet [7] ou les dissertations non publiées telles celles de Fiedler [8], Waetjen [9] et autres [10].

I

Devant cette littérature qui s'étale sur les dix dernières années, une première question se pose : peut-on parler d'une certaine unité de vue, d'une tendance commune dans l'exégèse de Matthieu? Il nous semble que c'est surtout dans la méthode que l'unité se manifeste. *Primo*, dans tous ces travaux nous constatons un principe méthodologique

7. Par exemple, O. MICHEL, *Der Abschluss des Matthäusevangeliums. Ein Beitrag zur Geschichte der Osterbotschaft*, dans *Evangelische Theologie*, 10 (1950-51), p. 16-26 ; E. HAENCHEN, *Matthäus 23*, dans *Zeitschrift für Theologie und Kirche*, 48 (1951), p. 38-63 (= *Gott und Mensch. Gesammelte Aufsätze*, Tubingue, 1965, p. 29-54) ; H. GREEVEN, *Die Heilung des Gelähmten nach Matthäus*, dans *Wort und Dienst. Jahrbuch der Theologischen Schule Bethel*, n.s., 4 (1955), p. 65-78 ; N. A. DAHL, *Die Passionsgeschichte bei Matthäus*, dans *New Test. Studies*, 2 (1955/56), p. 17-32 ; G. SCHILLE, *Bemerkungen zur Formgeschichte des Evangeliums*. II. *Das Evangelium des Matthäus als Katechismus*, dans *New Test. Studies*, 4 (1957/58), p. 101-114 ; G. BORNKAMM, *Der Auferstandene und der Irdische. Mt 28, 16-20*, dans E. DINKLER (éd.), *Zeit und Geschichte. Dankesgabe an R. Bultmann*, Tubingue, 1964, p. 171-191 (voir n. 1). Sur la finale de l'évangile, il faut signaler aussi l'étude de A. VOEGTLE, *Das christologische und ekklesiologische Anliegen von Mt. 28, 18-20*, dans F. L. CROSS (éd.), *Studia Evangelica*, vol. 2 (Texte und Untersuchungen, 87), Berlin, 1964, p. 266-294. Du même auteur : *Messiasbekenntnis und Petrusverheissung. Zur Komposition Mt 16, 13-23*, dans *Biblische Zeitschrift*, 1 (1957), p. 252-272 ; 2 (1958), p. 85-103 ; *Die Genealogie Mt 1, 2-16 und die matthäische Kindheitsgeschichte*, dans *Biblische Zeitschrift*, 8 (1964), p. 45-58 ; 239-262 ; 9 (1965), p. 32-49. Voir encore R. PESCH, *Eine alttestamentliche Ausführungsformel im Matthäus-Evangelium. Redaktionsgeschichtliche und exegetische Beobachtungen*, dans *Biblische Zeitschrift*, 10 (1966) 220-245 ; 11 (1967) 79-95.

8. M. J. FIEDLER, *Der Begriff δικαιοσύνη im Matthäusevangelium auf seine Grundlagen untersucht*, Diss., Halle, 1957 ; cf. *Theol. Literaturzeitung*, 83 (1958), col. 531-2. Comp. A. DESCAMPS, *Le christianisme comme justice dans le premier évangile*, dans *Eph. Theol. Lov.*, 22 (1946), p. 5-33 ; *Les Justes et la Justice dans les évangiles et le christianisme primitif hormis la doctrine proprement paulinienne*, Louvain-Gembloux, 1950.

9. H. C. WAETJEN, *The Transformation of Judaism according to St. Matthew. An Examination of the Theology of the First Gospel*, Diss., Tubingue, 1958 ; cfr *Theol. Literaturzeitung*, 84 (1959), col. 145-146.

10. Du côté anglo-saxon : E. P. BLAIR, *Jesus in the Gospel of Matthew*, New York-Nashville, 1960 ; W. D. DAVIES, *The Setting of the Sermon on the Mount*, Cambridge, 1964 ; C. F. D. MOULE, *St. Matthew's Gospel : Some Neglected Features*, dans *Studia Evangelica*, vol. 2, Berlin, 1964, p. 91-99 ; sans oublier les commentaires récents de F. V. Filson (*Black's N. T.*, 1960), R. V. G. Tasker (*Tyndale N.T.*, 1961), K. Stendahl (*Peake*, 1962), A. W. Argyle (*Cambridge Bible*, 1963), J. C. Fenton (*Pelican*, 1963). — Sur les publications en langue allemande, voir maintenant J. ROHDE, *Die redaktionsgeschichtliche Methode*, Hambourg, 1966.

commun : la théorie des Deux Sources est l'hypothèse de travail qui doit permettre de déceler la rédaction et la théologie matthéennes. *Secundo*, cette exégèse on peut l'appeler *post-formgeschichtlich*. L'intérêt pour la communauté dans l'étude de la formation des traditions s'est déplacé sur le plan de la rédaction évangélique. Tous ces auteurs s'efforcent de définir l'insertion de l'évangile dans l'Église de Matthieu et de déterminer les besoins auxquels il doit répondre. Quelle que soit la diversité dans l'élaboration concrète du projet, il importe de noter dès maintenant cette option méthodologique et de s'interroger sur son bien-fondé.

Et tout d'abord le *problème synoptique*. Le Président des XVIes Journées Bibliques de Louvain, consacrées à la *Redaktionsgeschichte* des évangiles synoptiques, s'est montré fort bien inspiré quand il a prévu deux leçons pour l'étude de la question synoptique. En effet, pour la *Redaktionsgeschichte* de Matthieu telle qu'elle est pratiquée par une fraction importante de la critique actuelle (et dont nous venons d'évoquer quelques noms), la théorie des Deux Sources est l'instrument de recherche indispensable : c'est dans le remaniement de l'évangile de Marc et d'une source évangélique que Matthieu a en commun avec Luc, dans les abréviations, les omissions, les additions, les inversions et transpositions, les redoublements et autres arrangements littéraires, dans cette variété très riche d'interventions dites rédactionnelles que se lit une intelligence nouvelle de la tradition évangélique. Ces remaniements, que l'étude des parallèles synoptiques permet de dépister, ne constituent peut-être qu'une étape dans la recherche de la théologie matthéenne, mais c'est la première, celle qui doit donner les indices les plus sûrs et qui doit diriger ultérieurement l'étude du *Sondergut* matthéen.

De ce caractère secondaire de la rédaction matthéenne, nos auteurs ne doutent guère. Un simple avertissement dans l'introduction de l'ouvrage est jugé suffisant [11]. C'est un présupposé, le résultat de la critique littéraire du 19e siècle [12], et, on le sait, ce ne sont pas les Bultmann et les Dibelius, qui auraient apporté sur ce point un changement quelconque. D'ailleurs, ce point de vue est partagé par l'immense majorité

11. « Das Folgende wird die Zweiquellentheorie voraussetzen, nach der Matthäus und Lukas das Markusevangelium und daneben die Logienquelle benutzten. Diese Hypothese hat in der Geschichte der Forschung ihre Brauchbarkeit erwiesen » (G. STRECKER, *Der Weg der Gerechtigkeit*, p. 11). « Innerhalb der Tradition ist mit Sicherheit der ganze Markus im wesentlichen wohl in der uns bekannten Fassung, ferner... » (W. TRILLING, *Das wahre Israel*, p. 214).

12. Il est presque symbolique qu'en exégèse synoptique l'on doit toujours se servir de l'instrument de travail de J. C. HAWKINS (*Horae Synopticae. Contributions to the Study of the Synoptic Problem*, Oxford, 1898 ; 2e éd., 1909). On comprendra facilement les regrets exprimés par Trilling : « ... das Fehlen grundlegender Arbeiten zum matthäischen Stil, Sprachgebrauch usw. macht sich hier schmerzlich bemerkbar » (*Das wahre Israel*, p. 14).

des exégètes allemands, protestants [13] et catholiques [14] (le Père Gaechter [15], rappelons-le, étant autrichien), et parmi les anglo-saxons [16], les protestations qui se font entendre, sont plutôt rares et isolées [17].

13. Est-ce par pure fidélité au « système » ? On a voulu le suggérer. « Bien plus, des chercheurs, fidèles par ailleurs au système, retirent certains textes, par eux étudiés, à l'empire du principe. Par exemple, G. Bornkamm estime que dans l'épisode sur le double commandement (Mt. 22, 34-40), Matthieu et Luc en accord contre Marc représentent une tradition plus ancienne. L'auteur semble regretter une telle indépendance et, pour n'être pas infidèle au système des Deux-sources, il évoque un fantôme, le Proto-Marc, édition supposée antérieure du second évangile, qui pourtant n'a laissé aucune trace dans la littérature. Il est sans doute difficile de se libérer de certains préjugés ; mais n'est-il pas fâcheux que l'analyse soit systématiquement influencée par une hypothèse qui, de toute évidence, brutalise les faits ? » (X. LÉON-DUFOUR, *Études d'Évangile*, Paris, 1965, p. 32). Cfr G. BORNKAMM, *Das Doppelgebot der Liebe*, dans *Neutestamentliche Studien für Rudolf Bultmann* (Beihefte ZNW, 21), Berlin, 1954 ; 2e éd., 1957, p. 85-93. L'article risque de devenir un *Schulbeispiel* parmi les opposants à la priorité de Marc (voir *Recherches de Science Religieuse*, 44 (1956), p. 55-56 ; *Introduction à la Bible*, t. 2, 1959, p. 316). Rappelons ici que G. Bornkamm s'est exprimé très prudemment, de manière hésitante même (« Wie immer, deutlich ist jedenfalls, dass die Zielsetzung der Perikope... », p. 92), et qu'il n'a pas été suivi dans sa propre « école » (cfr G. BARTH, *Das Gesetzesverständnis*, p. 71, n. 5 ; R. HUMMEL, *Die Auseinandersetzung*, p. 51, n. 91). A la fin de l'article (p. 93 : « so wird man fragen dürfen, ob Lc 10, 25-28 nicht die relativ älteste Gestalt der Ueberlieferung bewahrt hat »), G. Bornkamm lui-même semble se rapprocher de la solution classique qui voit en *Mt.*, 22, 34-40 un doublet condensé (Marc et *Quelle*). Cfr J. C. HAWKINS, dans W. SANDAY (éd.), *Studies in the Synoptic Problem*, Oxford, 1911, p. 41-45 ; K. STENDAHL, *The School of St. Matthew* (voir n. 16), p. 72-76 ; G. STRECKER, *Der Weg der Gerechtigkeit*, p. 135-136.

14. Cfr A. WIKENHAUSER, *Einleitung in das Neue Testament*, 5e éd., Fribourg, 1963, p. 162-182. C'est surtout Josef Schmid qui s'est fait le porte-parole des catholiques allemands : *Matthäus und Lukas. Eine Untersuchung des Verhältnisses ihrer Evangelien* (Biblische Studien, 23, 2-4), Fribourg, 1930 ; *Markus und der aramäische Matthäus*, dans *Synoptische Studien. Fs. A. Wikenhauser*, Munich, 1953, p. 148-183 ; *Neue Synoptiker-Literatur*, dans *Theologische Revue*, 52 (1956), p. 49-62 ; *Synoptische Frage*, dans *Lexikon für Theologie und Kirche*, 2e éd., t. 9, Fribourg, 1964, col. 1240-1245,

15. P. GAECHTER, *Das Matthäus-Evangelium*, Innsbruck, 1964, p. 18. L'auteur reste partisan de l'hypothèse de la tradition orale et de l'indépendance des évangiles synoptiques ; cfr *Summa Introductionis in Novum Testamentum*, Innsbruck, 1938, p. 122-128. D'après l'auteur, l'évangile canonique de Mt. serait la traduction d'un original hébreu dont il refléterait encore, de manière imparfaite, l'ordonnance artistique (dispositions numérique, symétrique, chiastique etc.). Voir *Die literarische Kunst im Matthäus-Evangelium* (Stuttgarter Bibelstudien, 7), Stuttgart, (1965).

16. Ce sont deux ouvrages anglo-saxons qui, dans l'exégèse actuelle de l'évangile de Matthieu, ont assuré la continuité avec l'ancienne *Literarkritik* : B. W. BACON, *Studies in Matthew*, Londres, 1930 ; G. D. KILPATRICK, *The Origins of the Gospel according to St. Matthew*, Oxford, 1946. Signalons ici également le livre de l'actuel professeur à l'Université de Harvard : K. STENDAHL, *The School of St. Matthew and its Use of the Old Testament* (Acta Seminarii Neotestamentici Upsaliensis, 20), Upsala, 1954.

17. Retenons le livre, très remarqué en Angleterre, de B. C. BUTLER, *The Originality of St Matthew. A Critique of the Two-Document Hypothesis*, Cambridge, 1951.

Plus proche de nous, l'accueil des ouvrages sur Matthieu fut beaucoup plus réservé [18]. Nous citons la *Revue Biblique*, dans une recension du livre de Strecker : « Ces conclusions sont obtenues grâce à des analyses minutieuses, en relevant spécialement des modifications que Mt fait subir à ces deux sources : Mc et Q. L'hypothèse des Deux Sources, admise sans discussion, conditionne donc en partie le présent travail. Mais est-il vrai que Mt dépende de Mc, et uniquement de Mc, dans les sections appartenant à la triple tradition ? On peut en douter et ce doute obligerait à considérer sous un jour quelque peu différent les diverses données du problème » [19]. — Prenons les *Recherches de Science Religieuse* de 1962 : « Trilling admet la théorie de la dépendance immédiate de Matthieu par rapport à Marc ; le clivage entre tradition et rédaction en serait singulièrement facilité, trop sans doute... » Et à propos de Bornkamm, il est question de « l'erreur initiale du postulat des Deux Sources » [20]. — Dans *Verbum Domini*, une observation analogue, quoique plus nuancée, sur la méthode de Hummel : « Haec methodus est nitida et admodum fecunda, tamen notetur oportet eam eiusque fructus participare in indole hypothetica suppositionis tacite factae Matthaeum ob oculos habere et modificare nostrum textum evangelii Marci. Haec suppositio probabilis quidem est, sed fortasse quaestionem synopticam debito simplicius solutam habet » [21].

Le problème synoptique reste posé. La théorie des Deux Sources simplifie les choses ! Est-ce réellement un reproche qu'on doit faire à ces auteurs ? Ils pourraient répondre qu'il se mettent simplement dans l'hypothèse qui a droit de cité et que leurs analyses semblent bien montrer que c'est une théorie qui ne paraît pas infructueuse. La réponse serait suffisante pour justifier leur travail. Mais nous, avons-nous le

Surtout sa critique de Q (déjà en 1939 : *St. Luke's Debt to St. Matthew*, dans *Harvard Theological Review*, 32 (1939), p. 237-308) a reçu un certain écho ; voir la recension de Austin Farrer, dans *Journal of Theol. Studies*, 3 (1952), p. 102-106, et plus tard son article *On Dispensing with Q*, dans D. E. NINEHAM (éd.), *Studies in the Gospels. Essays in Memory of R. H. Lightfoot*, Oxford, 1955, p. 55-58. La priorité de Marc est mise en question par P. PARKER, *The Gospel before Mark*, Chicago, 1953 (l'hypothèse d'un proto-Matthieu) et par W. R. FARMER, *The Synoptic Problem. A Critical Analysis*, New York-Londres, 1964 (la théorie de Griesbach).

18. Cela tient sans doute en grande partie au courant exégétique suscité par l'hypothèse Mg (un Matthieu grec précanonique, source commune des trois synoptiques). Exposée d'abord dans les articles de L. Cerfaux et L. Vaganay (entre autres dans les *Eph. Theol. Lov.*), elle s'est fait connaître surtout par le livre de L. Vaganay (*Le problème synoptique*, 1954), par le commentaire de P. Benoit (*Bible de Jérusalem*) et la première édition de l'ouvrage de J. Dupont sur *Les Béatitudes* (Bruges-Louvain, 1954).

19. M. E. BOISMARD, dans *Revue Biblique*, 71 (1964), p. 448-9.

20. X. LÉON-DUFOUR, *Théologie de Matthieu et paroles de Jésus*, dans *Recherches de Science Religieuse*, 50 (1962), p. 90-111, spéc. p. 97 et 94.

21. M. ZERWICK, dans *Verbum Domini*, 41 (1963), p. 218.

droit de stigmatiser ce travail d'hypothétique, de bâti sur une hypothèse simpliste ? A ce propos nous voudrions faire deux remarques.

Primo, il nous paraît abusif de parler de « dépendance directe, immédiate », quand on veut décrire la théorie des Deux Sources telle qu'elle est en usage dans la *Redaktionsgeschichte* actuelle. Nous ne sommes plus au 19e siècle et dire que tout ce courant d'études matthéennes néglige le *Sitz im Leben* de l'évangile serait injuste. Devons-nous rappeler le livre de Kilpatrick [22] qui a inauguré en quelque sorte ce courant nouveau ? Certes, la critique n'a pas été favorable à son explication liturgique, mais n'oublions pas que l'instruction homilétique de Kilpatrick n'était somme toute qu'une variante, une forme de la prédication chrétienne, et que sa thèse ne concernait pas tellement l'intention de l'évangéliste, mais plutôt ce stade d'utilisation liturgique de l'évangile qui a précédé la rédaction de Matthieu [23]. On pourrait citer d'autres noms [24]. Ainsi par exemple l'article de N. A. Dahl [25] sur le récit de la passion, qui a bien remarqué ce stade intermédiaire. Vraiment, on ne peut pas dire que la tradition, que l'Église de Matthieu est négligée par un Trilling [26], qui ne cache pas ses difficultés à définir, dans la théologie de Matthieu, ce qui revient finalement au rédacteur, ou par un Strecker [27], chez qui on constate même parfois un recours trop facile à la tradition.

22. Voir n. 16.

23. Cfr p. 80-98. Quoique le point de départ reste hypothétique (lecture liturgique et utilisation homilétique de l'évangile de Marc), l'effort de Kilpatrick fut méritoire, mais on hésitera à le suivre dans ses distinctions de plusieurs stades de composition (associations liturgiques, doublets, citations, etc.), et on regrettera que son intérêt pour le vocabulaire matthéen semble s'estomper dans ce chapitre.

24. On songera à K. Stendahl (voir n. 6), dont l'étude technique des citations est encadrée d'une hypothèse sur « l'école de Matthieu » qui devrait expliquer sa méthode exégétique. On retiendra surtout qu'une notion rétrécie de prédication ne pourra suffire comme *Sitz im Leben* de l'évangile de Matthieu et que l'alternative de Kilpatrick, « catéchèse prébaptismale ou liturgie », ne devrait pas être posée.

25. Voir n. 7.

26. « Es scheint beim gegenwärtigen Stand der Erforschung... nicht möglich zu sein, mit Genauigkeit anzugeben, welche Anschauungen insgesamt vor der Endredaktion anzusetzen sind und welche auf Kosten des letzten griechischen Verfassers gehen, jedenfalls so, dass man von beiden Phasen ein geschlossenes und über schwach begründete Hypothesen hinausführendes Bild erhielte » (*Das wahre Israel*, p. 14). Les conceptions théologiques qu'on peut retrouver à travers tout l'évangile, ont le plus de chance de relever du rédacteur final (*ibid.*). Elles constituent l'objet propre de l'examen de Trilling, mais le bien-fondé des recherches à la Kilpatrick est reconnu expressément dans la conclusion (p. 215 et 223).

27. Voir surtout *Der Redaktor - ein Judenchrist* ? (*Der Weg der Gerechtigkeit*, p. 15-35). Le « judéo-christianisme » du premier évangile est prérédactionnel : « Der jüdische Einfluss ist danach ein fester Bestandteil der vormatthäischen mündlichen Ueberlieferung » (p. 17). Et plus loin, il conclut : « Wahrscheinlicher ist, dass die Judenchristen eine ältere Entwicklungsstufe des Gemeindelebens repräsentieren » (p. 35).

D'autre part, il est vrai que cette étude de la rédaction matthéenne se rattache à la critique littéraire du siècle précédent. Qui dit priorité de Marc, se met dans l'obligation d'étudier et d'expliquer l'activité rédactionnelle du premier évangéliste. Ainsi, dans l'exposé classique de Paul Wernle, *Die synoptische Frage* [28], cette activité est longuement analysée et l'auteur conclut par deux pages de synthèse sur la théologie de Matthieu, dont on pourrait dire qu'elles contiennent tout le programme du livre de Trilling [29].

Mais nous voudrions en venir à une autre remarque. Si la *Redaktionsgeschichte* a donné un regain d'actualité au problème synoptique, elle peut aussi apporter une aide considérable dans l'étude de ce problème. La *Redaktionsgeschichte* [30] et la *Quellenkritik* sont en effet des fonctions complémentaires. Ainsi, les auteurs qui résistent à l'hypothèse de la priorité de Marc paraissent impressionnés surtout par les particularités de l'évangile de Matthieu, par son vocabulaire plus archaïque, son style plus sémitique, dont l'explication requiert une tradition propre, indépendante de l'évangile de Marc. Le représentant le plus typique de cette tendance est peut-être Ernst Lohmeyer dans le commentaire édité par W. Schmauch [31]. Eh bien, il nous semble qu'un exégète qui veut mener une étude plus poussée des procédés rédactionnels, replaçant chaque péricope dans l'ensemble de l'évangile, et qui peut s'imaginer un rédacteur, rédigeant assez librement et théologiquement, dans une langue grecque à résonance biblique, devra rejeter pour plusieurs textes cette argumentation à la Lohmeyer. Nous avons été amené à diriger de telles recherches [32], et chaque fois, le résultat est apparu assez probant. Per-

28. P. WERNLE, *Die synoptische Frage*, Fribourg, 1899.

29. *Op. cit.*, p. 193-195. Il est question de l'intention de l'évangéliste (« Jesus für die Christen aus dem Judentum als den Messias nach der Schrift zu erweisen ») et des caractéristiques de l'évangile : « 1. Sein schriftgelehrter, theologischer ; 2. Sein universalistischer, antijüdischer ; 3. Sein kirchlicher Charakter ».

30. Dans sa communication du 2 septembre 1965 à Heidelberg, C.-H. Hunzinger proposa de parler de *Kompositionskritik*. Le terme marquerait mieux l'indépendance vis-à-vis de la *Formgeschichte* et deviendrait facilement international (en anglais : *source criticism, form criticism, composition criticism*).

31. E. LOHMEYER-W. SCHMAUCH, *Das Evangelium des Matthäus* (Krit.-exeget. Kommentar über das Neue Testament, Sonderband), Gœttingue, 1956 ; 3e éd., 1962.

Ce commentaire contient des pages excellentes et fort personnelles, mais il est incomplet et par endroits il ressemble à une collection de logia pieusement recueillis par le disciple. Néanmoins la thèse de l'indépendance de Matthieu semble avoir séduit certains esprits. X. Léon-Dufour le cite comme « l'un des meilleurs commentateurs du premier évangile » (*Études d'Évangile*, p. 32). On trouvera un bon dossier des notes de Lohmeyer sur *Mt.*, XXVI-XXVII dans l'article *Passion*, dans DBS, t. 6, Paris, 1960, col. 1450-1452.

32. S. MCLOUGHLIN, *The Synoptic Theory of Xavier Léon-Dufour. An Analysis and Evaluation*, Diss. Doct., Louvain, 1965 ; J. DELOBEL, *De zalvingsverhalen.*

sonnellement, nous ne partageons donc pas les appréhensions que certains ressentent sur le point de départ méthodologique de cette *Redaktionsgeschichte* matthéenne, mais c'est là bien sûr un problème qui doit être envisagé dans un contexte plus vaste. Toutefois, une solution du problème synoptique doit se vérifier dans le concret, dans l'exégèse de chaque péricope ; peut-être notre travail en séminaire fera-t-il ressortir quelque nouvelle lumière sur ce point [33].

* * *

Il est évident que le courant dit *redaktionsgeschichtlich* a renouvelé l'intérêt du principe critique élémentaire qui consiste à interpréter chaque texte à la lumière de l'ensemble de l'ouvrage (vocabulaire, style, théologie, etc.). Avant de conclure avec Lohmeyer [34] qu'un génitif absolu incorrect est un indice de l'indépendance de Mt, on fera l'examen du style matthéen sur ce point. Toutefois, cet examen devra se faire avec circonspection. Citons un exemple, emprunté à un livre récent. « Quant au rapport de Matthieu avec Marc *(à propos de Mt., VIII, 14-15)*, il n'est pas aussi clair qu'on le dit souvent. Dans l'hypothèse classique, selon laquelle Matthieu aurait travaillé sur le texte de Marc, deux questions demeurent ici sans réponse. Pourquoi Matthieu néglige-t-il le verbe « s'approchant » *(proselthôn)* qu'il utilise trois fois pour caractériser un acte de Jésus (XVII, 7 ; XXVI, 39 ; XXVIII, 18), acte suivi précisément d'un « toucher » lors de la Transfiguration ? Deuxième difficulté : pourquoi Matthieu écarte-t-il ici les témoins du fait, alors qu'il les maintient dans les deux épisodes précédents : les foules et ceux qui le suivent (*Mt.*, VIII, 1.10) ? Ces motifs, parmi d'autres, battent en brèche l'hypothèse d'un contact littéraire direct entre Matthieu et Marc dans ce récit » [35]. A la deuxième difficulté, l'auteur lui-même semble avoir donné la réponse : « Selon sa technique habituelle, il réduit les dialogues à deux partenaires ... Un tel dépouillement de l'anecdotique donne à la personne du Christ un relief saisissant » [36]. D'ailleurs, on ne peut oublier que dans Marc la journée de Capharnaüm est reliée à la vocation des

Bijdrage tot de redactiegeschiedenis van de evangeliën, Diss. Doct., Louvain, 1965 ; F. POTTIE, *Het synoptisch echtscheidingslogion in de hedendaagse exegese*, Diss. Lic., Louvain, 1965. [Ajouter D. SENIOR, *The Passion Narrative according to Matthew. A Redactional Study* (BETL, 39), Louvain, 1975; Diss. Doct., 1972.]

33. Les séminaires consacrés au cours des XVIes Journées Bibliques de Louvain, à *Mt.*, III, 13-17 (M. SABBE) et à *Mt.*, IX, 9-13 (B. VAN IERSEL) semblent avoir montré que, dans ces deux péricopes, une rédaction très personnelle de la part de Matthieu n'exclut nullement la priorité de Marc.

34. *Op. cit.*, p. 384, n. 1 et 2.

35. X. LÉON-DUFOUR, *Études d'Évangile*, p. 142. Cfr E. LOHMEYER, *op. cit.*, p. 159.

36. *Op. cit.*, p. 140. Cfr H. J. HELD, *Wundergeschichten*, p. 160.

quatre disciples (I, 16-20) par *καὶ εἰσπορεύονται εἰς Καφαρναούμ* (v. 21). Le contexte de Matthieu est différent. La péricope du centurion est un texte de la double tradition (disons un texte Q), et c'est dans un ensemble de « paroles », fidèlement transmis par Matthieu (VIII, 8-10, par. Lc), que nous trouvons la mention de « ceux qui suivent » (VIII, 10). Quant à *Mt.*, VIII, 1, il s'agit d'une formule de transition rédactionnelle, en dehors du récit de miracle (comp. VIII, 1a et V, 1 ; VIII, 1b et IV, 25a). Reste donc la première difficulté, l'omission de *προσελθών*. Des trois textes de Mt[37], il faut éliminer XXVI, 39, où nous lisons *προελθων* (P37 B *ϕ al* latt sa bo), et non pas *προσελθων* (leçon imprimée par Tischendorf sur l'autorité du Sinaïticus, *lectio marginalis* dans Westcott-Hort). En *Mc.*, XIV, 35, la leçon *προελθών* (fermement attestée par B ℵ W *ϕ al* lat sa bo) semble requise par le contexte, interprété correctement par *Lc.*, XXII, 41. Dans Matthieu, le sens doit être le même *(et progressus pusillum)* et on peut admettre que le rédacteur a accepté ce hapaxlegomenon par fidélité à Marc (d'ailleurs assez étonnante dans ce passage : voir les présents historiques dans les vv. 36bis, 38, 40ter, 45 bis). Donc, sur les 51 emplois du verbe *προσέρχομαι* dans Matthieu (*Mc :* 5 ; *Lc :* 10), deux fois seulement c'est Jésus qui s'approche et cela dans des passages propres à Matthieu et d'un étrange parallélisme (XVII, 6-7 et XXVIII, 17-18) :

Et, ayant entendu,	Et, l'ayant vu,
les disciples tombèrent sur leur face	ils se prosternèrent (v. 16 : les onze disciples)
et furent fort effrayés.	et (cependant) doutèrent [38].
Et s'approcha Jésus	Et, s'approchant, Jésus
et les ayant touchés, dit...	leur parla, disant...

Jamais Jésus ne « s'approche » d'un malade dans l'évangile de Matthieu. On lui « apporte » les malades (*προσφέρω* : IV, 24 ; VIII, 16 ; IX, 2.32 ; XII, 22 ; XIV, 35 ; cf. XVII, 16) et ceux-ci (ou leurs assistants) « s'approchent » de lui (*προσέρχομαι* : VIII, 2.5 ; IX, 18.20.28 ; XVII, 14 ; XXI, 14). C'est dire le caractère exceptionnel qui reviendrait à un *προσελθών* en *Mt.*, VIII, 14-15 !

Il apparaît ainsi que la critique des sources ne peut se passer d'un examen rigoureux du style de Matthieu. Mais la même rigueur sera exigée d'une étude de la théologie matthéenne : elle ne pourra négliger la « petite » stylistique. Qu'on me permette de donner encore un exemple.

37. Cfr M.-J. LAGRANGE, *Évangile selon saint Matthieu* (Études Bibliques), Paris, 1923 ; 8e éd., 1948, p. CVII.

38. Cfr G. STRECKER, *Der Weg der Gerechtigkeit*, p. 208. Pour le rapprochement *φοβεῖσθαι/διστάζειν*, cf. *Mt.*, XIV, 30, 31 ; *Ep. Arist.* 53 et FLAV. JOS., *Ant.*, 12, 61.

On souligne volontiers, et à juste titre, la coloration eucharistique des récits de la multiplication des pains. Il est dit que « le récit de Matthieu est mieux calqué sur celui de l'institution eucharistique » [39], entre autres dans la description des gestes de Jésus : *καὶ κλάσας ἔδωκεν* (XIV, 19) [40], *ἔλαβεν... καὶ εὐχαριστήσας* (XV, 36) [41]. Avant de faire ce rapprochement, mettons en parallèle les textes de Mc et Mt :

Mc : *εὐλόγησεν καὶ κατέκλασεν τοὺς ἄρτους καὶ ἐδίδου τοῖς μαθηταῖς*
Mt : *εὐλόγησεν καὶ κλάσας ἔδωκεν τοῖς μαθηταῖς τοὺς ἄρτους*

Quels sont les changements opérés par Matthieu ? Du point de vue stylistique, il a remplacé un imparfait par un aoriste [42], il a évité la parataxe en utilisant le participe [43] et il a écrit un verbe simple au lieu du verbe composé [44] : trois mouvements qui sont parfaitement dans les habitudes stylistiques de Matthieu.

Mc : *καὶ παραγγέλλει ... καὶ λαβὼν ... εὐχαριστήσας ἔκλασεν*
Mt : *καὶ παραγγείλας ... ἔλαβεν ... καὶ εὐχαριστήσας ἔκλασεν*

Matthieu doit avoir évité le présent historique [45] et ce premier participe peut avoir amené l'indicatif *ἔλαβεν* ... Ces considérations ne seront certainement pas le dernier mot de l'exégète sur ces textes, mais elles sont de nature à nuancer certains arguments.

II

L'étude de la rédaction ne peut négliger la *structure* de l'évangile [46]. En effet, n'est-ce pas dans l'ordonnance qu'il impose à la matière évan-

39. X. LÉON-DUFOUR, *Études d'Évangile*, p. 240. Cfr B. VAN IERSEL, *Die wunderbare Speisung und das Abendmahl in der synoptischen Tradition*, dans *Novum Testamentum*, 7 (1964), p. 167-195, spéc. p. 170-1.

40. Comp. *Mt.*, XXVI, 26 (Léon-Dufour ; cfr E. LOHMEYER, *Matthäus*, p. 237) ; *Lc.*, XXIV, 30 ; *Act.*, XX, 11 ; *Mc.*, XIV, 22 ; *Lc.*, XXII, 19 (Van Iersel).

41. « Was eine weitere Angleichung an die Abendmahlsformel in I Kor. XI 24 sein dürfte » (VAN IERSEL, *art. cit.*, p. 171).

42. Comp. *Mt.*, VIII, 16, 32, 34 ; X, 1 ; XII, 14, 16 ; XIII, 3, 34 ; XIV, 5, 19, 36 ; XVII, 10, 12 ; XIX, 13 ; XX, 31bis, 34 ; XXI, 8, 17 ; XXII, 22, 23, 46 ; XXVI, 39, 60, 67. 72, 75 ; XXVII, 18, 34, 55. Cfr W. C. ALLEN, *The Gospel according to S. Matthew* (ICC), Édimbourg, 1907, p. XX-XXI.

43. Comp. *Mt.*, VIII, 3 ; IX, 18, 23, 25 ; X, 1, 5 ; XIII, 53 ; XIV, 3, 12bis, 13, 19 ; XVI, 13 ; XXI, 2, 6, 23 ; XXVI, 26, 67, 69 ; XXVII, 27-31, 33, 55, 58 ; XXVIII, 7. Cfr P. WERNLE, *Syn. Frage*, p. 150-1.

44. Comp. *Mt.*, IV, 18 ; VIII, 26, 29 (*Mc.*, I, 23) ; IX, 1, 22 ; XII, 9, 29 ; XIII, 7 (var.) ; XIV, 9, 26 ; XVI, 13, 23 ; XIX, 15 ; XXI, 2, 24 ; XXII, 22, 24 ; XXIV, 1 ; XXVI, 35, 58, 73, 75 ; XXVII, 30, 37, 47, 60.

45. Cfr J. C. HAWKINS, *Horae Synopticae*, p. 144-148.

46. L'intérêt pour la structure des livres du N.T., activé sans doute par la *Redaktionsgeschichte* (voir les conférences de J. Delorme et A. George sur Marc

gélique que le rédacteur exprime sa conception fondamentale ? Il semble bien que c'est l'opinion des exégètes qui proposent une division en cinq livres, réplique du Pentateuque de Moïse. Surtout B. W. Bacon [47] s'est fait le propagateur de cette idée, reprise par Kilpatrick [48], Stendahl [49] et bien d'autres [50]. On connaît l'hypothèse dans sa forme classique : chaque livre comprend une partie narrative qui prépare un discours de Jésus, clôturé par la formule de transition bien caractéristique (VII, 28 ; XI, 1 ; XIII, 53 ; XIX, 1 ; XXVI, 1) qui marque la fin du discours et du livre (*Mt.*, III-IV, V-VII ; VIII-IX, X ; XI-XII, XIII ; XIV-XVII, XVIII ; XIX-XXII, XXIII, XXIV-XXV), l'ensemble des cinq livres étant encadré par un prologue et un épilogue (*Mt.*, I-II ; XXVI-XXVIII). D'aucuns veulent maintenant libérer cette hypothèse de toute idée typologique du nouveau Moïse [51], d'autres au contraire (sans doute impressionnés par l'objection que les récits de l'enfance et de la passion ne peuvent tomber en dehors du schème fondamental de l'évangile) s'en inspirent pour élaborer une nouvelle structure pentateu-

et Luc, faites aux XVIes Journées Bibliques de Louvain), ne se limite pas aux seuls synoptiques, comme le prouvent les ouvrages de A. Vanhoye (sur *Hebr.*), R. Ruijs (sur *Rom.*), J. Willemse (sur *Jn*).

47. L'idée est née dans la discussion à propos du *Liber Testimoniorum* et des *Logia* du Témoignage de Papias (et son ouvrage en cinq livres !) : cfr E. NESTLE, *Die Fünfteilung im Werk des Papias und im ersten Evangelium*, dans *ZNW*, 1 (1900), p. 252-254 ; B. W. BACON, *The Five Books of Matthew against the Jews*, dans *The Expositor*, 8 (1918), 56-66 ; J. A. FINDLAY, *The Book of Testimonies and Structure of the First Gospel*, dans *The Expositor*, 8 (1920), p. 388-400. Dans son livre *Studies in Matthew* (Londres, 1930), Bacon en a fait une vraie théorie littéraire ; voir entre autres p. XIV-XVII, 80-83. Dès le début, la thèse rencontra de l'opposition : M. S. ENSLIN, *The Five Books of Matthew*, dans *Harvard Theol. Review*, 24 (1931), p. 67-97.

48. *The Origins*, p. 99 et 135-6.

49. *The School*, p. 24-27. A noter ses réserves : « On the other hand it is hardly possible to make a detailed division of the gospel into five consistent books with five distinct headings, as Bacon and Findlay do, for they fail to recognize strongly enough Matthew's nature as a revised Gospel of Mark » (p. 27).

50. Par ex. F. W. Green, Sh. E. Johnson, G. M. Camps e.a. Dans son commentaire récent, P. Bonnard reste sceptique envers les structures détaillées (« tous les « plans » sont dangereux »), et au plan biographique il préfère un plan didactique (les cinq grandes instructions relatives au Royaume des cieux). Cfr *L'évangile selon saint Matthieu* (Commentaire du N.T., 1), Neuchâtel, 1963, p. 7. Il renvoie à A. SCHLATTER *Die Kirche des Matthäus*, Gütersloh, 1929. Voir aussi notre n. 54.

51. D. GUTHRIE, *New Testament Introduction. The Gospels and Acts*, Londres, 1965, p. 27-29.

52. La dernière en date est sans doute celle de H. B. Green qui au Congrès d'Oxford de septembre 1965 proposa une structure chiastique (*The Structure of St. Matthew's Gospel*, dans *Studia Evangelica*, t. 4, 1968, p. 47-59) :

cale[52]. Déjà au 19e siècle, F. Delitzsch[53] avait défendu une telle structure, tandis que d'autres[54] furent frappés par les cinq discours que Matthieu aurait repris tels quels à une *Redenquelle*. En élargissant cette source de

	XI	
Deutéronome	X	XII-XIII
Nombres	VIII-IX	XIV-XVIII
Lévitique	V-VII	XIX-XXIII
Exode	III-IV	XXIV-XXV
Genèse	I-II	XXVI-XXVIII

On admettra facilement l'influence de son compatriote J. C. Fenton :

(vv. 1-35)	XIII	(vv. 36-52)
XI-XII		XIII, 53-XVII, 27
IX, 35-X, 42		XVIII
VIII, 1-IX, 34		XIX-XXII
IV, 18-VII, 29		XXIII-XXV
I, 1-IV, 17		XXVI-XXVIII
(I, 23)		(XXVIII, 20)

Cfr *Inclusio and Chiasmus in Matthew*, dans *Studia Evangelica*, t. 1, Berlin, 1959, p. 177-9, spéc. 179 ; *The Gospel of St. Matthew* (The Pelican Gospel Commentaries), Hardmonsworth, 1963, p. 15-16. Structure chiastique également d'après P. Gaechter (*Die literarische Kunst*, p. 13). De son côté, A. Farrer ajoute un sixième livre pour arriver à l'Hexateuque suivant : *Gen.* (*Mt.*, I, 1ss.), *Ex.* (*Mt.*, II, 16 ss.), *Lev.* (*Mt.*, X), *Num.* (*Mt.*, 13), *Deut.* (*Mt.*, XVIII), *Jos.*, (*Mt.*, XX, 29ss). Cfr *St. Matthew and St. Mark*, Londres, 1954, p. 179 ss. ; *On Dispensing with Q* (voir n. 17), p. 75 ss.

53. Franz Delitzsch, *Das Matthäusevangelium*, dans *Neue Untersuchungen über Entstehung und Anlage der kanonischen Evangelien*, t. 1, 1853, p. 59ss. La typologie propre au premier évangile devrait prouver son indépendance vis-à-vis de Marc ; *Gen.* (*Mt.*, I, 1-II, 15) ; *Ex.* (*Mt.*, II, 16-VII, 29) ; *Lev.* (*Mt.*, VIII, 1ss.) ; *Num.* (*Mt.*, X, 1ss.) ; *Deut.* (*Mt.*, XIX, 1ss.). Parmi les réactions négatives des contemporains, voir surtout F. C. Baur, dans *Theol. Jahrbücher*, 13 (1854), 235-243, et cette remarque dans le commentaire de Meyer : « ein rabbinisches Geistesspiel mit Phantasien höchst willkürlicher Typologie » (5e éd., p. 33).

54. La théorie des Deux Sources nous a familiarisés avec l'hypothèse des Logia, source commune de Mt et Lc et probablement suivant l'ordre de Lc. Mais n'oublions pas ses origines. Avant de devenir une théorie synoptique, la source des Logia fut présentée comme source de Matthieu seul : d'abord à propos du témoignage de Papias (Schleiermacher, 1832), puis à partir de l'analyse de l'évangile de Matthieu. « ex collectis et quasi contextis domini Iesu Christi orationibus compositum primo, cui postmodum alii narrationes inferserunt » (Lachmann, 1835). A la fin du siècle, F. Godet semble retrouver le point de départ : les seuls cinq grands discours de Matthieu remontent à un document didactique dont « l'idée générale était : la fondation par Jésus du Royaume des cieux sur la terre. Il comprenait les cinq chapitres suivants qui forment un tout : 1. Jésus législateur (V-VII) ; 2. Jésus fondateur au moyen de ses envoyés, les apôtres (X) ; 3. Jésus souverain (les paraboles) (XIII) ; 4. Jésus organisateur (de l'Église son instrument pour préparer ici-bas le Royaume) (XVIII) ; 5. Jésus consommateur (du Royaume, comme juge d'Israël, de l'Église et du monde) (XXIV-XXV) (p. 219). Et de citer les titres des *Logia*, empruntés à A. Réville (qui cependant ne s'arrêtait pas au nombre de cinq discours : *Mt.*, XII, 25-45 et XXIII !) : *Περὶ τῆς δικαιοσύνης, — ἀποστολῆς, — βασιλείας, —*

sermons à un véritable récit évangélique, on obtient l'hypothèse des cinq livrets du *Matthieu grec*, prôné par L. Cerfaux [55], L. Vaganay [56] et P. Benoit [57]. Pour eux, la structure pentateucale serait en effet prérédactionnelle, l'ordonnance même de la source commune des trois synoptiques.

Dans les études que nous avons citées au début de cet article, la thèse des cinq livrets ne rencontre guère de sympathie [58]. La partie narrative du deuxième livre semble poser une difficulté majeure : comment nier en effet que c'est avec le discours précédent que *Mt.*, VIII, 1-IX, 34 forme une unité littéraire [59] ? Sur cette question, il faut signaler surtout

ἐκκλησίας, — *συντελείας τοῦ αἰῶνος*. Cfr F. GODET, *Introduction au Nouveau Testament, II, 1. Les trois premiers évangiles*, Neuchâtel, 1897, p. 199-200. 217-220. Pour l'évangile de Matthieu, il admet un plan de sept parties : I-II ; III-IV, 11 ; IV, 12-XVIII ; XIX-XX ; XXI-XXV ; XXVI-XXVII ; XXVIII (p. 146-7).

55. L. CERFAUX, *La voix vivante de l'Évangile au début de l'Église*, Tournai-Paris, 1946, p. 44ss. Le plan de Matthieu comporte cinq livres : III, 1 - IX, 34 ; IX, 35 - XI, 1 ; XI, 2 - XVII, 22 ; XVII, 22 - XXI, 22 ; XXI, 23 - 27. Ce n'est pas, on le voit, la division classique. « Sans être du remplissage, le reste de l'Évangile sera subordonné aux discours : il les introduira ou marquera leurs effets » (p. 48). Chaque tome devient une trilogie : introduction, discours, récit de voyage. Au tome II, le « récit » est constitué par le seul verset XI, 1 et au tome V, par le récit de la passion. La partie narrative qui prépare le discours se réduit à IX, 35 - X, 4 pour le tome II, XVII, 22-27 (tome IV), XXI, 23 - XXII, 46 (tome V).

56. L. VAGANAY, *Le problème synoptique. Une hypothèse de travail* (Bibliothèque de Théologie, III/1), Tournai-Paris, 1954. Voir aussi *Eph. Theol. Lov.*, 28 (1952), p. 238-256 ; 31 (1955), p. 343-356. Vaganay admet un *Proto-Marcus longior* (comp. H. J. Holtzmann, 1863), l'évangile de Marc élargi par le sermon sur la montagne et les narrations qui le suivent (comp. *Lc.*, VII, 1-10, 18-35), cfr *Revue Biblique*, 58 (1951), p. 5-46 ; *New Test. Studies*, 1 (1954-55), p. 192-200. Dans l'évangile canonique de Matthieu, les cinq livrets de ce Mg ont subi des transformations importantes : des récits du 1er livret *Mc.*, I, 29-34, 40-45 ; II, 1-22 sont transmis dans le 2e livret (*Mt.*, VIII-IX) et *Mc.*, II, 23-III, 12 dans le 3e livret (*Mt.*, XII, 1-16) ; et le rédacteur a inverti l'ordre du 2e (*Mc.*, III, 22-35 et le discours en paraboles, IV, 1-34) et du 3e livret (*Mc.*, IV, 35-V, 43 ; VI, 1-6 et le discours de mission, VI, 7-11). Il en résulte une division de Mt en cinq livres qui rejoint celle de B.W. Bacon.

57. P. BENOIT, *L'Évangile selon saint Matthieu* (Bible de Jérusalem), Paris, 1950 ; 3e éd., 1961 (avec une introduction dans le sens de l'hypothèse de L. Vaganay).

58. Cfr G. BORNKAMM, *Enderwartung und Kirche*, p. 32, n. 2 ; comp. G. BARTH, *Das Gesetzesverständnis*, p. 143-149 ; G. STRECKER, *Der Weg der Gerechtigkeit*, p. 147, n. 2 ; *Das Geschichtsverständnis des Matthäus*, p. 62, n. 10 ; W. TRILLING, *Das wahre Israel*, p. 217. Ce dernier auteur (cfr *Das Evangelium nach Matthäus*) propose un plan dit géographique : *Mt.*, I-II ; III-XVIII ; XIX-XXV ; XXVI-XXVIII ; nous reparlerons encore de ses subdivisions.

59. On insiste communément sur l'inclusion de *Mt.*, IV, 23 et IX, 35, cfr J. SCHMID, *Markus und der aramäische Matthäus*, p. 151 ; J. LEVIE, *L'évangile araméen de S. Matthieu*, p. 709. Dans l'hypothèse des cinq livrets, *Mt.*, VIII-IX prépare le discours de mission. On aurait tort de rejeter cette idée de « préparation » (cfr VIII, 19-22 ; IX, 9) ; seulement il faut l'élargir à toute la section de *Mt.*, IV, 23-IX, 34.

l'examen judicieux de W. D. Davies (dans son livre sur le sermon sur la montagne)[60], qui à juste titre, me semble-t-il, n'écarte pas pour autant une insistance spéciale sur le nombre de cinq « discours », avec allusion possible au Pentateuque[61]. Ceci, bien entendu, au plan de la rédaction[62] ! Là seulement se situe la répétition de la formule de *Mt.*, VII, 28a (comp. *Lc.*, VII, 1a) et, on l'a constaté depuis longtemps, c'est uniquement pour le sermon sur la montagne que Matthieu ne pouvait trouver dans l'évangile de Marc un discours ou une ébauche de discours (*Mc.*, VI, 7-11 ; IV, 1-34 ; IX, 35-50 ; XIII), à développer avec des textes de la double tradition. Vraisemblablement, le sermon sur la montagne lui a servi de modèle. Songeons par exemple à la parabole finale (*Mt.*, VII, 24-27 ; *Lc.*, VI, 47-49). Non seulement Matthieu a ajouté des paraboles à la fin des chapitres XIII, XXIV, XXV, mais c'est devenu un procédé matthéen de conclure un ensemble littéraire par une parabole, généralement avec un verset de conclusion rédactionnel qui exprime la nouvelle application. Ainsi par exemple, la parabole des ouvriers dans la vigne (*Mt.*, XX, 1-16) qui conclut l'exposé sur le mariage, la bénédiction des enfants et les richesses de *Mc.*, X, 1-31. Si l'on peut suivre la structure bipartite de *Mt.*, XVIII, proposée par W. Pesch[63], là aussi c'est par une parabole que Matthieu conclut chaque section (vv. 12-14 et 23-35).

60. W. D. Davies, *The Setting of the Sermon on the Mount*, p. 14-25.

61. Le motif pentateucal serait purement littéraire (p. 25), et d'un examen des thèmes du Nouvel Exode et du Nouveau Moïse (p. 25-93), on devrait conclure que ces thèmes, s'ils ne sont pas totalement absents, sont restés en sourdine dans la rédaction matthéenne. Sans contester la conclusion de l'auteur (pour Matthieu, Jésus est plus grand qu'un Nouveau Moïse), on peut se demander si certaines indications, que Davies admet d'ailleurs (par ex. dans *Mt.*, I-II), ne sont pas plus significatives qu'il ne le croit : la transcendance de la loi messianique n'exclut point le thème d'un Nouveau Moïse ; cfr E. P. Blair, *Jesus in the Gospel of Matthew*, p. 124-135 (qui repousse également la division en cinq livres) ; F. Hahn, *Christologische Hoheitstitel. Ihre Geschichte im frühen Christentum* (Frlant, 83), Goettingue, 1963, p. 400-402 (qui reste favorable à la thèse de Bacon). Il insiste surtout sur « les cinq discours » et l'absence de la formule de conclusion en *Mt.*, XI, 7-19 et XXIII, 1-39 ; ajoutons aussi *Mt.*, XII, 25-45.

62. L'exposé de Davies semble avoir convaincu P. Benoit : « Je m'associe tout à fait à sa conclusion : cette disposition réglée sur cinq discours est un fait littéraire certain, qui ne doit pas être sous-estimé ; mais *Mt* ne l'a pas trouvée dans ses sources, c'est lui qui en est l'auteur. Le rapprochement avec le Pentateuque ne dépasse guère l'arrangement par cinq... » (*Revue Biblique*, 72 (1965), p. 596). Comp. encore la troisième édition de l'*Évangile selon saint Matthieu* (1961) : « Prenant pour base la division en cinq discours de sa source principale, l'évangile araméen... » (p. 29).

63. W. Pesch, *Die sogenannte Gemeindeordnung Mt* 18, dans *Biblische Zeitschrift*, 7 (1963), p. 220-235. « Mt hat Kapittel 18 in zwei Lehrstücken aufgebaut, die wir verhältnismässig gut erkennen können. Bis Vers 14 reicht das Lehrstück von den wahren Wert der « Kleinen » in der Gemeinde. Diese Lehren hatte er aus Mk IX,

C'est également sur la répétition d'une formule matthéenne que se base une autre division de l'évangile, défendue par A. H. McNeile [64], N. B. Stonehouse [65], E. Lohmeyer [66] et surtout dans un article récent de E. Krentz [67] : I, 1 — IV, 16 : le prologue ; Fils de David, Fils d'Abraham ; IV, 17 — XVI, 20 : la prédication du Royaume des cieux (IV, 17 : *ἀπὸ τότε ἤρξατο... κηρύσσειν...*) ; XVI, 21 — XXVIII, 20 : la révélation du Fils de l'homme (XVI, 21 : *ἀπὸ τότε ἤρξατο... δεικνύειν...*).

En ce qui concerne *Mt.*, IV, 17, leur position est assez originale. La plupart des exégètes tiennent compte de « la trilogie synoptique » (III, 1 — IV, 11) et font commencer la première partie de l'évangile avec IV, 12 [68]. Dans l'hypothèse des cinq livres, c'est *Mt.*, III, 1 — IV, 25 qui constitue la partie narrative du premier livret [69]. D'autres insistent sur le parallélisme IV, 23 = IX, 35 et intitulent *Mt.*, III, 1 — IV, 22 : le début de l'activité de Jésus [70].

Pour *Mt.*, XVI, 21 également, Krentz se sépare de la majorité des critiques. S'il est assez généralement admis dans l'interprétation de l'évangile de Marc de faire commencer une nouvelle division avec la confession de Pierre et la prédiction de la passion (*Mc.*, VIII, 27-33), la même signification n'est pas donnée à cette péricope quand on propose une structure de Matthieu. Certains [71] y voient tout de même le commencement d'une subdivision, mais il la font débuter avec la confession de Pierre (*Mt.*, XVI, 13), comme c'est le cas dans Marc (VIII, 27). Signalons toutefois que le commencement en *Mt.*, XVI, 21 est partiel-

33-50... heraus gelesen... Das zweite Lehrstück XVIII, 15-35 behandelt die wahre Brüderlichkeit. Veranlasst vielleicht durch das letzte Wort des Mk-Textes und das Zitat des von Lk bezeugten Kontextes aus Q... » (p. 232).

64. A. H. McNeile, *The Gospel according to St. Matthew*, Londres, 1915, p. 45, 244.

65. N. B. Stonehouse, *The Witness of Matthew and Mark to Christ*, Philadelphie, 1944, p. 130-1.

66. E. Lohmeyer, *Matthäus*, 1956, p. 7*-10*, 65 et surtout 264.

67. E. Krentz, *The Extent of Matthew's Prologue. Towards the Structure of the First Gospel*, dans *Journal of Bibl. Literature*, 83 (1964), p. 409-414. L'idée n'est pas nouvelle, cfr Th. Keim, *Die Geschichte Jesu von Nazara*, t. 1, Zürich, 1867, p. 52ss.

68. Par ex., H. A. W. Meyer, F. Godet, Th. Zahn, P. Wernle, W. C. Allen, E. Klostermann, M.-J. Lagrange, P. Feine-J. Behm, W. Michaelis, A. Wikenhauser, W. G. Kümmel, etc.

69. Voir n. 47-51, 55-57. Pour P. Gaechter et W. Trilling, *Mt.*, III-IV forment une première section : la préparation et le début du ministère de Jésus.

70. H. J. Holtzmann, B. Weiss, A. Schlatter. Voir aussi n. 72.

71. A. Schlatter : *Mt.*, XVI, 13-XVIII, 35 (la sixième des onze sections) ; E. Klostermann, P. Feine-J. Behm : *Mt.*, XVI, 13-XX, 34 (la seconde moitié de *Mt.*, XIV-XX) ; W. Trilling : *Mt.*, XVI, 13-XVII, 27 (la deuxième partie de *Mt.*, XIII, 53-XVII, 27).

lement retenu par P. Gaechter [72] et que X. Léon-Dufour [73] le considère comme un exorde solennel, en parallèle avec IV, 17 ; « les deux ' commencements ' essentiels dans le ministère de Jésus » [74].

On ne pourra nier que cette manière de voir repose sur une observation valable. Dans la formule répétée ἀπὸ τότε ἤρξατο, Matthieu semble avoir donné au verbe ἄρχεσθαι son sens fort [75]. Est-ce à dire que les versets IV, 17 et XVI, 21 sont des incipits qui coupent son évangile ? Dans Matthieu, il y a un troisième emploi de ἀπὸ τότε qui pourra nous guider : καὶ ἀπὸ τότε ἐζήτει εὐκαιρίαν (XXVI, 16 ; Mc et Lc : καὶ ἐζήτει). A partir de ce moment, Judas commence à chercher (Matthieu a gardé l'imparfait !) une occasion pour livrer Jésus : c'est la conclusion de la démarche décrite dans les vv. 14-15, et en même temps de la péricope qui prépare la passion (XXVI, 1-16). De même, il faut rattacher le ἀπὸ τότε de IV, 17 à la péricope précédente (IV, 12-17), où l'apparition en Galilée est solennellement appuyée par une citation matthéenne. Jésus s'établit à Capharnaüm en Galilée : c'est à partir de ce moment que Jésus commence sa prédication. Dans *Mt.*, XVI, 21, l'expression ἀπὸ τότε donne sans doute à la péricope de la prédiction de la passion une consistance qu'elle n'a pas dans Marc, mais elle la relie en même temps à la confession messianique qui précède. Ce lien entre les deux volets, confession

72. P. Gaechter admet pour une série de péricopes la double fonction de conclusion de la section précédente et de transition à la section suivante : *Mt.*, IV, 23-25 ; IX, 32-34 ; XII, 46-50 ; XIII, 53-58 ; XVI, 13-20. Cfr *Das Matthäus-Evangelium*, p. 547.

73. *Introduction à la Bible*, t. 2, p. 176. Il distingue deux sections en *Mt.*, XIV-XX : *a*) XIV, 1 - XVI, 20 : trois mouvements de retraite et en finale, l'annonce de l'Église ; *b*) XVI, 21 - XX, 34 : trois séquences d'enseignements (les trois annonces de la Passion) et une conclusion-transition (XX, 29-34).

74. X. Léon-Dufour, *Vers l'annonce de l'Église. Étude de structure* (*Mt. 14,1-16-20*), dans *L'homme devant Dieu* (Mélanges H. de Lubac), Paris, 1963, p. 37-49 ; repris dans *Études d'Évangile*, p. 229-254, spéc. 251. Il importe de noter sa manière de rapprocher XVI, 21 et IV, 17 : la section XIV, 1 - XVI, 20 (un groupement matthéen entre le ministère en Galilée, soldé par un échec, et la partie centrée sur la Passion) est mise en parallèle avec la péricope IV, 12-17 : la retraite de Jésus qui commence en XIV, 13 (comp. IV, 13) et qui couvre ici toute la section (XV, 21 ; XVI, 4), est suivie d'un commencement nouveau (XVI, 21 ; comp. IV, 17).

75. C'est, avec le ἀπὸ τότε, l'interprétation matthéenne de *Mc.*, VIII, 31 : καὶ ἤρξατο διδάσκειν. On hésitera toutefois devant l'exégèse de M.-J. Lagrange, dans son commentaire sur Marc (p. 216) : « *Ἤρξατο* a ici toute sa valeur ; c'est le début d'un enseignement nouveau ». Dans Mc, le verbe ἄρχεσθαι avec infinitif (26 fois) est un simple auxiliaire et les quelques exceptions relevées par les commentateurs (X, 47 ; XIV, 19, 33 ; XV, 8) justifient tout au plus une traduction par « se mettre à » ; cfr M.-J. Lagrange, *Marc*, p. XCIII ; J. W. Hunkin, dans *Journal of Theol. Studies*, 25 (1924), p. 390-402 ; C. H. Turner, *ib.*, 28 (1927), p. 352-353 ; V. Taylor, *The Gospel according to St. Mark*, Londres, 1957, p. 48, 63-64.

de Pierre et prédiction de la passion, devient indéniable, si l'on tient compte du contraste relevé par B. C. Butler [76] :

μακάριος εἶ, Σίμων Βαριωνά,	*ὕπαγε ὀπίσω μου, σατανᾶ,*
ὅτι σάρξ καὶ αἷμα οὐκ ἀπεκάλυψεν σοι	*ὅτι οὐ φρονεῖς τὰ τοῦ θεοῦ*
ἀλλ' ὁ πατήρ μου ὁ ἐν τοῖς οὐρανοῖς.	*ἀλλὰ τὰ τῶν ἀνθρώπων.*

La formule conserve ainsi toute sa valeur de « commencement solennel », mais, comme en XXVI, 1-16, il faut parler plutôt d'une péricope d'ouverture : IV, 12-17 et XVI, 13-23. Du reste, la mise en garde de G. Strecker [77] à propos du contraste entre les deux parties, « prédication du royaume et révélation du Fils de l'homme », mérite d'être entendue. La thématique du Fils de l'homme apparaît déjà dans la première partie (par ex. XII, 8,32 etc.) et le thème du royaume revient en XVIII, 23ss. ; XXI, 33 ss. ; XXII, 1ss. ; XXV, 1ss. Et dire avec Lohmeyer que Jésus quitte la Galilée pour « ein Wandern in die Fremde » serait négliger les notices de XVII, 22,24 [78].

* * *

Le plan classique [79] de l'évangile de Matthieu est à base géographique : I, 1-II, 23 : Prologue ; III, 1-IV, 11 : Préparation du ministère de Jésus ; IV, 12-XIII, 58 : Jésus en Galilée ; XIV, 1-XX, 34 : Autour de la Galilée

76. *Mt.*, XVI, 17 et 22-23. Cfr B.C. BUTLER, *The Originality of St. Matthew* p. 131-133. Sur la conclusion que Butler croit pouvoir tirer de cette constatation, voir G. SNOY, *Le contexte littéraire de Mt. 16, 17-19. État de la question.* Diss. Lic. Louvain, 1965 ; S. MCLOUGHLIN, *The Synoptic Theory*, p. 169, n. 1.

77. G. STRECKER, *Der Weg der Gerechtigkeit* p. 92, n. 1 ; *Das Geschichtsverständnis*, p. 62, n. 10.

78. On ajoute un autre indice : le titre *Jésus-Christ*, exceptionnel en Mt (XVI, 21 ; cfr I, 1). Si Wescott-Hort ont admis cette leçon (ℵ*B*bo), c'est entre autres en raison de son aptitude pour marquer le début de la seconde partie du ministère de Jésus (*Notes on Selected Readings*, p. 14). Imprimée dans Huck-Lietzmann et Nestle-Aland, la leçon est retenue par McNeile, Taylor, Lagrange, Lohmeyer, Léon-Dufour, F. Hahn ; non encore mentionnée dans la *Bible de Jérusalem*, elle est maintenant imprimée dans la Synopse de Benoit-Boismard. Le *Textus Receptus ο Ιησους* (C K W *Θ λ φ pl* ; *Ιησους*, D ; *om.*, ℵ² 892 Iren^lat Orig) est repris par Tischendorf, Souter, Vogels, NEB, Allen, Bacon, Klostermann, Gaechter, Trilling, etc. L'examen de la rédaction matthéenne semble plaider en sa faveur : d'une part, l'insertion de *ὁ Ἰησοῦς* dans le texte de Marc est très fréquente, et d'autre part, *Mt.*, I, 18 est au moins douteux et notre contexte narratif ne peut être comparé à *Mt.*, I, 1 (voir d'ailleurs *Mc.*, I, 1 !). Pour G. Strecker qui admet la leçon *Jésus-Christ* en XVI, 21, l'usage typiquement matthéen *Ἰησοῦς ὁ λεγόμενος Χριστός* (XVI, 16 ; XXVII, 17, 22) révèle une « Depravation zum Namen » (*Der Weg der Gerechtigkeit*, p. 126).

79. Cfr les introductions de P. Feine-J. Behm, W. Michaelis, A. Wikenhauser, W. G. Kümmel, etc.

et vers Jérusalem ; XXI, 1-XXVIII, 20 : Jésus à Jérusalem (variante : XIX, 1ss)[80]. X. Léon-Dufour[81] s'en inspire pour le transformer en un plan plus dynamique et plus matthéen, avec deux grandes sections : 1. Le peuple juif refuse de croire en Jésus (III-XIII) ; avec III, 1-IV, 11 comme introduction ; 2. La passion et la Gloire : vers Jérusalem (XIV-XX), à Jérusalem (XXI-XXVIII).

Cette division présente le grand avantage de bien délimiter une première section IV, 12-XIII, 58, à l'intérieur de laquelle Matthieu s'est permis une ordonnance très personnelle de la matière évangélique. Il est en effet frappant de constater qu'à partir de *Mt.*, XIV, 1, l'ordre de Marc est fidèlement suivi. Les omissions de péricopes y sont rares : à part les deux guérisons de *Mc.*, VII, 32-37 et VIII, 22-26[82], il n'y a que *Mc.*, IX, 38-41, 49-50[83] (par. *Mt.*, XVIII : le discours ecclésiastique) et XII, 40, 41-44 (par. *Mt.*, XXIII : le sermon contre les Pharisiens) ; et en dehors des discours de *Mt.*, XVIII, XXIII, XXIV-XXV, le récit de Marc n'y est pas interrompu par des textes de la double tradition[84]. Si l'on constate l'une ou l'autre transposition, elle se place à l'intérieur d'une péricope (ou unité littéraire) et s'explique par un procédé de composition matthéenne qui nous servira aussi à comprendre l'ordonnance de *Mt.*, IV, 12-XIII, 58. Dans la discussion sur la pureté de *Mt.*, XV[84a], les vv. 3-6 (*Mc.*, VII, 9-13) sont avancés de manière à ce que, dans les vv. 7-9, la citation d'*Is.*, XXIX, 13 fait presque figure de *Reflexionszitat*, comparable à *Mt.*, XIII, 14-15, dont on ne devrait d'ailleurs pas mettre en doute l'authenticité[85]. Dans la péricope sur le divorce (*Mt.*, XIX, 3-9), plusieurs indices plaident en faveur de la priorité de *Mc.*, X, 2-9, 10-12[86].

80. « Der Einschnitt lag bei Markus 10, 1 ; bei Matthäus liegt er entsprechend bei 19, 1 », ainsi W. Trilling (*Matthäus*, t. 2, p. 153), qui distingue deux grandes sections : en Galilée (III-XVIII) et en Judée (XIX-XXV). Même insistance sur la notice de XIX, 1 (ἀπὸ τῆς Γαλιλαίας) chez G. Strecker (*Der Weg*, p. 92, n. 1 ; 97). De même déjà H. A. W. Meyer et F. Godet (IV, 22-XVIII), H. J. Holtzmann (XIV-XVIII), W. C. Allen (XV, 21-XXVIII), etc.

81. Voir n. 73 et 74.

82. Sur les motifs de cette omission, cf. p. 73 ; voir H. J. Held, *Wundergeschichten*, p. 195-199.

83. Comp. *Mc.*, IX, 38-39 à *Mt.*, VII, 22 ; v. 40 : *Mt.*, XII, 30 ; v. 41 : *Mt.*, X, 42 ; v. 50a : *Mt.*, V, 13 ; v. 50b : *Mt.*, XVIII, 15ss. (cfr n. 63).

84. Nous ne parlons pas ici des ajoutes proprement matthéennes qui sont parfois très importantes pour la théologie du rédacteur (par ex. XXI, 43 ; XXVII, 24-25) et parmi lesquelles les textes pétriniens ne sont certainement pas les moins significatifs (XIV, 28-31 ; XVI, 17-19 ; XVII, 24-27 ; cfr XV, 15 ; XVIII, 21).

84a. Cfr J. Schmid, *Markus und der aramäische Matthäus*, p. 182-3.

85. Cfr F. van Segbroeck, *Le scandale de l'incroyance. La signification de Mt XIII, 35*, dans *Eph. Theol. Lov.*, 41 (1965), p. 344-372, spéc. 349-351.

86. Cfr J. Schmid, *Markus und der aramäische Matthäus*, p. 172-182 ; J. Dupont, *Mariage et divorce dans l'Évangile. Matthieu XIX, 3-12 et parallèles*, Bruges, 1959,

Ici, les vv. 4-6 sont anticipés, avec la répétition de ἀπ' ἀρχῆς (par manière d'inclusion) et le rapprochement antithétique Moïse — Jésus qui nous rappelle le contexte de *Mt.*, V, 31-32 [87]. Le troisième cas se présente au chap. XXI. Matthieu organise à sa manière ce qui chez Marc est réparti sur trois jours (*Mc.*, XI, 11, 12-19, 20-25) : la purification est rapprochée de la première visite au temple (XXI, 12-13), la conversation sur le figuier se trouvant ainsi immédiatement liée au récit de la malédiction (XXI, 18-22) [88]. Dans les trois cas, Matthieu a donc avancé quelques versets (XV, 3-6 ; XIX, 4-6 ; XXI, 12-13), et c'est ce même mouvement d'anticipation que nous retrouverons dans les transpositions de *Mt.*, IV-XIII.

Cette constatation de l'ordre marcien en *Mt.*, XIV-XXVIII est de toute première importance dans la discussion de la structure de l'évangile de Matthieu. On a peut-être tort de postuler pour l'ensemble de l'évangile un édifice raisonné, porteur de conceptions matthéennes. Dans la mesure où celles-ci sont exprimées dans la structure, c'est surtout dans *Mt.*, IV-XIII qu'il faudra les chercher. Dans *Mt.*, XIV-XXVIII, par contre, les grandes articulations, que les interprètes de Matthieu se plaisent à souligner, ont leur équivalent dans Marc : la confession de Pierre (XVI, 13 ; *Mc.*, VIII, 27), le départ pour la Judée (XIX, 1 ; *Mc.*, X, 1), l'entrée à Jérusalem (XXI, 1 ; *Mc.*, XI, 1), le discours eschatologique (XXIV, 1 ; *Mc.*, XIII, 1), le récit de la passion (XXVI, 1 ; *Mc.*, XIV, 1) [89]. Faut-il donc se résigner à voir dans le plan de *Mt.*, XIV-XXVIII un décalque fidèle de celui de Marc? Pas nécessairement. Si la correspondance ne fait aucun doute pour *Mt.*, XXVI, 1, ce n'est plus aussi

p. 27-34, 87ss ; comp. F. Neirynck, dans *Collationes Brug. Gand*, 4 (1958), p. 25-46 ; 6 (1950), p. 123-130. Épinglons la remarque de J. Dupont : « Ce qu'on sait de la formation de la tradition évangélique permet de penser qu'une présentation fragmentaire est normalement plus ancienne qu'une composition continue. A cet égard, c'est l'évangile de Matthieu qui représente l'état le plus élaboré de la tradition synoptique » (*op. cit.*, p. 38, n. 2). La démonstration de l'unité originale de la péricope de *Mc.*, X, 2-9, tentée par l'auteur (à la suite de D. Daube), paraît peu convaincante. Cfr F. Pottie, *Het synoptisch echtscheidingslogion in de hedendaagse exegese*, Diss. Lic., Louvain, 1965, p. 72-85. — Ajoutons au dossier un effort récent pour libérer la péricope « from the Babylonian captivity of the Two Document Hypothesis » (sic) dans l'ouvrage de A. Isaksson, *Marriage and Ministry in the New Temple. A Study with special Reference to Mt. XIX, 3-12 and 1. Cor. XI, 3-16* (Acta Sem. Neotest. Upsal., 24), Lund, 1965, p. 96-104.

87. « Dans le récit de Matthieu, l'autorité de Moïse doit s'effacer devant celle du Fils de Dieu » (J. Dupont, *op. cit.*, p. 34). Ainsi compris le rapprochement matthéen Moïse — Jésus semble à l'abri des objections récemment émises par G. Barth, W. Trilling et autres ; cfr n. 60 et 61.

88. Cfr J. Schmid, *Markus und der aramäische Matthäus*, p. 168-9.

89. Pour être complet, il faudrait signaler encore *Mt.*, XVII, 22 ; XVIII, 1 ; XX, 29 ; XXI, 23 ; XXIII, 1 (par ex. les divisions de L. Cerfaux, W. Trilling e.a.).

évident pour le début du « ministère à Jérusalem ». D'après la plupart des commentateurs, cette section commence à *Mt.*, XXI, 1 (*Mc.*, XI, 1), mais ici B. Weiss, M.-J. Lagrange et P. Gaechter semblent mieux respecter la disposition rédactionnelle. En effet, *Mt.*, XXI, 1 ne révèle aucune intervention spéciale du rédacteur, et la matière de XX, 17-34, nettement séparée du contexte antécédent (XIX, 1-XX, 16) [90], prépare directement cette entrée à Jérusalem. Dans la première prédiction de la passion, Matthieu avait ajouté (δεῖ)αὐτὸν εἰς Ἱεροσόλυμα ἀπελθεῖν (XVI, 21), et avec la troisième prédiction débute la réalisation : ἰδοὺ ἀναβαίνομεν εἰς Ἱεροσόλυμα (XX, 18 ; par. *Mc.*, X, 33). Matthieu est seul à le souligner : μέλλων [91] δὲ ἀναβαίνειν (XX, 17 ; diff. Mc). Le parallélisme avec la prédiction de *Mt.*, XXVI, 1-2 ne peut que confirmer l'impression que, pour Matthieu, il s'agit d'un début de section (XX, 17-XXV, 46). C'est avec la première prédiction de la passion que commence la section antérieure (XVI, 13-XX, 16). Nous avons déjà dit qu'on fait fausse route en coupant cette prédiction de la confession de Pierre. Si le rédacteur n'a que légèrement retravaillé le premier verset (XVI, 13), il a abondamment corrigé, dans la finale qui précède, le οὔπω συνίετε de Marc par le procédé habituel de l'inclusion (vv. 6,11) et par le motif matthéen de l'intelligence des disciples, qui laisse une excellente impression de « conclusion » (comp. XIII, 51-52 ; XVII, 12). Ainsi nous arrivons pour *Mt.*, XIV-XXVIII à la division suivante :

90. N'est-ce pas en XIX, 1 que se situe le grand tournant ? Cfr n. 80 (le départ pour la Judée) et n. 47-53 (le quatrième livret). C'est en effet par la même formule que commence le récit de la Passion (XXVI, 1), mais le cas est assez différent : *Mc.*, XIV, 1-11 y constitue l'introduction évidente du récit de la Passion et c'est clairement ainsi que Matthieu l'a comprise (ἀπὸ τότε en XXVI, 16) et renforcée par la prédiction explicite de XXVI, 1b-2. Par contre, en *Mc.*, X, 1a (comp. VII, 24 !) le récit évangélique poursuit (on pourrait presque dire ὡς εἰώθει, v. 1) par trois péricopes (X, 2-31 : mariage, enfants, richesse) qui relèvent d'une préoccupation « ecclésiastique » fort semblable à celle de la section précédente (IX, 33-50), les deux ensembles étant encadrés par les prédictions de la passion de IX, 30-32 et X, 32-34 (avec ici, pour la première fois, le motif de la montée vers Jérusalem). Quelle est la réaction de Matthieu ? D'abord l'addition de la parabole de XX, 1-16 par manière de conclusion (voir p. 55) et en XIX, 1-2 la construction d'un bref sommaire à partir de *Mc.*, X, 1 (*Jesus sanans*, cfr XIV, 14 et XXI, 14, diff. Mc). Cette notice est à comparer à VII, 28-29 et XI, 1, qui sont des conclusions plutôt que des incipits. Nous parlerons plus loin de XIII, 53-58. Certes, on ne peut négliger l'ajoute matthéenne ἀπὸ τῆς Γαλιλαίας en XIX, 1 (ainsi que la notice de XVII, 22 : ἐν τῇ Γαλιλαίᾳ) : elle doit *préparer* le grand tournant qui viendra avec la montée vers Jérusalem (XX, 17).

91. D'après la leçon de B λ sy^p sa bo Orig., admise par Westcott-Hort, Nestle-Aland, Huck-Lietzmann, Merk, NEB. Dans cette anticipation de la prédiction du v. 18, l'influence des formules μέλλει ὁ υἱὸς τοῦ ἀνθρώπου (XVI, 27 et XVII, 22, diff. Mc ; XVII, 12, propre à Mt) se comprend facilement (voir encore XI, 14 ; XX, 22).

XIV, 1-XVI, 12 : la section des pains ; XVI, 13-XX, 16 : la section ecclésiastique ; XX, 17-XXV, 46 : Jésus à Jérusalem ; XXVI, 1-XXVIII, 20 : Passion et résurrection.

On reconnaîtra facilement le caractère de transition qui revient à la section des pains. Il importe de regarder maintenant de plus près le commencement de cette section, car certains la font commencer en *Mt.*, XIII, 53 (le quatrième livret), d'autres portent leur choix sur *Mt.*, XIV, 13 (R. Cornely, B. Weiss). Il est en effet convenu de délimiter la section des pains de *Mt.*, XIV, 13 à XVI, 12 [92]. Sans entrer dans la problématique ultérieure de l'origine présynoptique de cette unité littéraire, disons simplement qu'elle se constate clairement dans l'évangile de Marc : VI, 31-VIII, 26. Auparavant, la notice sur l'opinion d'Hérode et le récit de la mort de Jean-Baptiste (VI, 14-20) sont encadrés par le motif de l'activité missionnaire des disciples (VI, 12-13) et de leur retour à Jésus (VI, 39), un artifice littéraire bien à la manière de Marc. Si l'on peut supposer que, dans la logique du récit, « la manifestation du nom de Jésus » (v. 14) n'est pas étrangère à la prédication des disciples, la mort de Jean-Baptiste par contre apparaît indubitablement comme un *flash-back*.Dans Matthieu, la situation est différente. La mission des disciples (*Mc.*, VI, 7-11) est donnée au chap. X et les versets 12-13 de *Mc.*, VI sont restés sans parallèle. Ainsi, la notice sur Hérode (XIV, 1-2) fait suite à l'épisode de Nazareth (XIII, 53-58), mais reste nettement séparée : *ἐν ἐκείνῳ τῷ καιρῷ* est une formule rédactionnelle pour introduire une unité littéraire (comp. XI, 25 ; XII, 1). D'après XIV, 2, la mort du Baptiste appartient déjà au passé (comme chez Marc), mais aux vv. 12-13, elle est renouée à la situation actuelle de *Mt.*, XIV : les disciples du Baptiste l'annoncent à Jésus qui, l'ayant apprise, se retire de là. Matthieu a bloqué les versets 29 et 30 de *Mc.*, VI et le *ἀπήγγειλαν αὐτῷ* des apôtres est passé aux disciples de Jean-Baptiste. Ainsi, *Mt.*, XIV, 13 devient inséparable du récit antécédent et vouloir opérer ici une division irait à l'encontre de la rédaction matthéenne. Celle-ci s'éclaire encore mieux à partir de *Mt.*, IV, 12 :

Ἀκούσας δὲ ὅτι Ἰωάννης παρεδόθη ἀνεχώρησεν εἰς τὴν Γαλιλαίαν	*Ἀκούσας δὲ ὁ Ἰησοῦς* (cf. XIV, 12) *ἀνεχώρησεν ἐκεῖθεν...*

Mt., XIV, 1-12,13 est mis en parallèle avec le commencement du ministère de Jésus de *Mt.*, IV, 12 : chaque fois Jésus se retire, ayant entendu l'événement survenu à Jean-Baptiste. C'est un nouveau commencement

92. Cfr L. CERFAUX, *La section des pains (Mc 6, 31-8, 26 ; Mt 14, 13-16, 12)*, dans *Synoptische Studien. Fs. A. Wikenhauser*, Munich, 1953, p. 64-77 ; = *Recueil L. Cerfaux*, t. 1, Gembloux, 1954, p. 471-485.

dans la narration de Matthieu [93] qui, à partir de ce moment (*Mc.*, VI, 14), se tiendra strictement à l'ordre marcien.

* * *

La première partie de *Mt* (IV, 12-XIII, 58) nous met devant une tout autre situation. Les textes de la double tradition y occupent une place plus importante, dans les trois grands discours d'abord (V-VII : la source presque exclusive ; X : la source principale ; XIII : de manière subsidiaire pour les vv. 16-17.31-33), auxquels sont à ajouter les sermons de XI, 2-19 et XII, 25-45, et d'autres apports de la *Quelle* dans VIII, 5-13, 19-22 ; IX, 32-33, 37-38 ; XI, 20-27. Dans les textes de la triple tradition, l'ordonnance des péricopes paraît tellement différente de celle de Mc qu'on se base sur l'ordre de cette section pour prouver l'indépendance de Matthieu vis-à-vis de Marc [94]. Depuis K. Lachmann [95], seule une lecture intelligente de la synopse est arrivée à découvrir ici l'acolouthie marcienne, en tenant compte de transpositions rédactionnelles très importantes. Dans l'étude de la structure, on ne pourra négliger cette question des sources. Elle nous conduit tout d'abord à une première distinction : IV, 12-XI, 1 et XI, 2-XIII, 58. A partir de XI, 2, l'ordre marcien est respecté, comme il apparaît d'un simple regard sur la synopse [96] :

93. Comp. l'étude de X. Léon-Dufour sur *Mt.*, XIV, 1 - XVI, 20, dans *Études d'Évangile*, p. 229-254. Le rapprochement de XIV, 13 et XVI, 21, à partir de IV, 12-17, se défendra difficilement, puisqu'en IV, 12-17 il n'y a pas de retraite qui *précède* le commencement, mais il est vrai que les deux textes, pris isolément, peuvent s'éclairer à partir de cette péricope.

94. Cfr X. Léon-Dufour, dans *Recherches de Science Religieuse*, 42 (1954), p. 567-9. « Si Mc. est primitif, la seule transposition des discours B et C orchestrée par des déplacements de récits, ferait de Mt. un vrai remanieur de textes » (p. 567). Ce refus de l'hypothèse de L. Vaganay (la priorité de l'ordonnance de Mc, cfr n. 56) est suivi d'une contre-épreuve, avec conclusion : « Le premier évangile pourrait donc fort bien refléter l'ordonnance de Mg » (p. 569). La suppression du sermon sur la montagne dans Mc devrait expliquer la situation de *Mc.*, I, 40-45 et l'inversion du discours de mission et de celui des paraboles. Les séquences marciennes telles que II, 1 - III, 6, bien qu'antérieures à Mg, ne se trouvent peut-être pas dans Mg, car on peut supposer une évolution des « unités partielles » en des directions différentes (Mg-Mt et Mc). — Sur *Mc.*, II, 1 - III, 6, rappelons l'hypothèse de L. Cerfaux : *Mt.*, XII, 1-14, 22-48 a conservé un groupement de quatre « controverses » de Mg (*La mission en Galilée*, dans *Eph. Theol. Lov.*, 27 (1951), p. 380-385 ; = *Recueil L. Cerfaux*, t. 1, p. 438-443) et la réponse de J. Dupont, dans *Les Béatitudes*, Bruges-Louvain, 1954, p. 22-26.

95. C. Lachmann, *De ordine narrationum in evangeliis synopticis*, dans *Theol. Studien und Kritiken*, 8 (1835), p. 570-590.

96. Le *Sondergut* matthéen est indiqué par des chiffres en italique. Les sections A B C D de Mt répondent alternativement à *Quelle* et Mc, avec une conflation plus

		Mt XI, 2-XIII, 58	Lc (Q)		Mc	Anticipations
(A)		XI, 2-19	VII, 18-35			
		20.21-23a.*23b-24*	X, 13-15			
		25-27.*28-30*	X, 21-22			
(B)		XII, 1-8 (*5-7*)			III, 23-28	
		9-14 (*11-12*)			III, 1-6	
		15-16.*17-21*			III, 7-12	III, 13-19
(C)		XII, 22-23	XI, 14		(III, 20-21)	
		24-28	XI, 15-20	+	III, 22-26	
		29	(XI, 21-22)		III, 27	
		30	XI, 23			
		31-32	[XII, 10]	+	III, 28-29.*30*	
		33-35.*36-37*	[VI, 43-45]			
		38	XI, 16			
		39	XI, 29-32			
		43-45a.*45b*	XI, 24-26			
		XII, 46-50	(XI, 27-28)		III, 31-35	
(D)	a	XIII, 1-9			IV, 1-9	
	b	10-13.*14-15*			IV, 10-12	
	a′	16-17	[X, 23-24]			
		18-23			IV, 13-20	
		(12)			IV, *21-24*.25	
	a	24-30			(IV, 26-29)	
		31-32	XIII, 18-19	+	IV, 30-32	
		33	XIII, 20-21			
	b	34.*35*			IV, 33-34a	
	a′	36a.*36b-43*			(IV, 34b, 36)	IV, 35-V, 43
		44.45-46.47-50				
		51-52				
		XIII, 53-58			VI, 1-6a	VI, 6b-11

Plusieurs enseignements sont à tirer de ce tableau. On peut y distinguer les deux grands discours de XII, 22-45 et XIII, 1-52, l'un et l'autre étant suivis d'une péricope plus ou moins parallèle, XII, 46-50 et XIII, 53-58. Dans la rédaction matthéenne de XII, 1-21, les controverses aussi sont presque des petits discours : à noter les paroles aux vv. 5-7.11-12 et l'abréviation radicale aux vv. 15-16. Des discours également se trouvent au chap. XI, dans trois unités littéraires clairement distinguées. Dans cette structure que Matthieu a soulignée par des interventions rédactionnelles à la fin de chaque section [97], le respect des sources est évident. A partir de *Mc.*, II, 23, le problème de l'ordre marcien en Mt se ramène à celui des transpositions de *Mc.*, III, 13-19 ; IV, 35-V, 43 ; VI, 6b-11 [98]. La concordance relative entre Mt et Lc semble indiquer que Matthieu respecte également l'ordre de sa deuxième source : *Lc.*, VI, 20-49 ; VII, 1-10 ; IX, 57-60 ; X, 1-12 ; VII, 18-35 ; X, 13-15 etc. [99]. Le retardement de la section sur le Baptiste pourrait s'expliquer par la composition du cycle des miracles de *Mt.*, VIII-IX qui doit préparer la réponse de Jésus (*Lc.*, VII, 22-23 ; *Mt.*, XI, 4-6) [100], l'élément central de la section comme le souligne Matthieu par l'inclusion de XI, 2 et 19 (τὰ ἔργα τοῦ Χριστοῦ/τῶν ἔργων αὐτῆς).

Puisqu'il y a donc en *Mt.*, XI-XIII combinaison et, par endroits, conflation de deux sources, ce n'est finalement qu'en *Mt.*, IV, 12-XI, 1 que l'acolouthie marcienne pose un problème. Précisons encore. *Mt.*, IV, 12-22 est parallèle à *Mc.*, I, 14-15, 16-20, la première péricope recevant un développement typiquement matthéen avec la *Reflexionszitat*

ou moins importante dans la troisième et la quatrième section. Pour le double schème a b a' dans *Mt.*, XIII, (parabole-réflexion-explication, cfr *Mc.*, IV, 1-20), voir F. VAN SEGBROECK, *Le scandale de l'incroyance* (cfr n. 85).

97. Voir les chiffres en italique auxquels il faut ajouter XI, 19 (l'inclusion rédactionnelle ἔργων) ; surtout XI, 23b-24, 28-30 ; XII, 17-21, 45b ; XIII, 51-52.

98. Et donc à l'examen de *Mt.*, IV, 23 - XI, 1, où sont reportés ces textes !

99. L'ordre plus ou moins identique des péricopes de la double tradition dans Mt et Lc (ainsi que le phénomène des doublets, cfr A. VAN DULMEN, *De doubletten in het evangelie van Lucas*, Diss. Lic., Louvain, 1966) ne permet guère la réduction de la source commune à une simple documentation orale et informe (J. Jeremias e.a.), cfr W. G. KUEMMEL, *Einleitung in das Neue Testament*, p. 33-35 ; V. TAYLOR, *The Order of Q*, dans *Journal of Theol. Studies*, 4 (1952), p. 27-31 ; *The Original Order of Q*, dans A. J. B. HIGGINS (éd.), *New Testament Essays. Studies in Memory of T. W. Manson*, Manchester, 1959, p. 246-269. A noter que l'argument de l'ordre est repris dans une théorie de deux sources moins classique : Mg et Sg (cfr L. VAGANAY, *Le problème synoptique*, p. 135).

100. Voir plus loin n. 105. — La plupart des reconstructions de la *Quelle* suivent l'ordre de Lc et admettent donc en Mt une interversion de *Lc.*, VII, 18-35 et *Lc.*, IX, 57-60 ; X, 1-12. Pour d'autres, Mt aurait conservé l'ordonnance de la source ; par ex. P. WERNLE, *Die synoptische Frage*, Freiburg, 1899, p. 224 ; A. HARNACK, *Sprüche und Reden Jesu. Die zweite Quelle des Matthäus und Lukas* (Beiträge zur Einleitung in das Neue Testament, 2), Leipzig, 1907, p. 125-6.

et la deuxième étant simplement rédigée dans le style du rédacteur et mieux séparée du contexte subséquent qu'elle ne le fut en Mc [101]. Elles sont en quelque sorte le titre de la section :

	IV , 12-17 :	Jésus en Galilée ;
	IV , 18-22 :	la vocation des disciples ;
IV, 23-25		l'activité de Jésus,
	V, 1-VII, 27.28-29	son enseignement,
	VIII, 1-IX , 34	ses miracles ;
IX, 35-38 ; X, 1-5a		la mission des disciples,
	X, 5b-42 ; XI, 1	le discours de mission.

La délimitation, proposée ici, des unités littéraires ne permet guère de doute : les deux discours et leurs introductions ainsi que le cycle des miracles se distinguent par trop visiblement. Mais, puisque tel quel ce conglomérat de textes ne peut venir de Mc, l'on doit se demander s'il remonte à un évangile plus primitif ou s'il s'agit d'une composition personnelle du rédacteur, à l'aide de ses sources principales, Marc et la *Quelle*. Dans ce cas, nous aurions ici la seule section de Mt, où l'évangéliste s'est libéré de l'acolouthie marcienne.

Cette liberté toutefois n'est que relative. Si l'on part du parallélisme entre *Mc.*, I, 22 et *Mt.*, VII, 28-29, on peut poursuivre l'ordre de Mc (avant *Mc.*, II, 23 = *Mt.*, XII, 1) dans *Mt.*, VIII, 14-16 et IX, 1-17 (*Mc.*, I, 29-34 ; II, 1-22) et, d'après une autre ligne de textes, l'ordre marcien apparaît en *Mt.*, VIII, 2-4.18.23-34 ; IX, 18-26,35 ; X, 1,5a, 9-11,14 (*Mc.*, I, 40-44 ; IV, 35-V, 43 ; VI, 6b-11). Cette constatation de Lachmann [102] nous invite à dresser la synopse des deux évangiles [103].

101. Le rapprochement de *Mt.*, IV, 18-22 avec X, 2 ne peut constituer un indice de la priorité du premier évangile (canonique) que pour un interprète qui néglige systématiquement tout examen du style rédactionnel dans les textes parallèles à Mc, cfr N. VAN BOHEMEN, *L'Institution des Douze. Contribution à l'étude des relations entre l'évangile de Matthieu et celui de Marc*, dans *La formation des évangiles* (Recherches Bibliques, 2), 1957, p. 116-151, spéc. 135-6.

102. Le tableau synoptique de Lachmann (*De ordine narrationum*, p. 574-6) présente en effet la concordance qui exprime le plus fidèlement les procédés de la composition matthéenne : *Mc.*, I, 21-22 en parallèle avec le sermon sur la montagne et *Mc.*, I, 40-45 ; IV, 35 - V, 43 ; VI, 6b-11 anticipés en Mt. Même arrangement dans le panorama de A. BARR, *A Diagram of Synoptic Relationships*, Édimbourg, 1938. Dans la synopse de Huck-Lietzmann (suivie par W. G. KUEMMEL, *Einleitung*, p. 29), le sermon sur la montagne est inséré entre *Mc.*, I, 39 (= *Mt.*, IV, 23) et *Mc.*, I, 40-45 (= *Mt.*, VIII, 1-4), avec la postposition en Mt de *Mc.*, I, 21-22 et 1, 29-34. Par contre, P. Wernle et W. C. Allen sont d'accord avec Lachmann sur la place du sermon sur la montagne (*Mc.*, I, 21-22) mais mettent le discours de mission également en parallèle avec Mc : P. Wernle, avec l'institution des Douze de *Mc.*, III, 13-19, de manière à ce que *Mc.*, II, 23 - III, 6 soit postposé en Mt (*Die synoptische Frage*, p. 127) ; W. C. Allen, avec le discours de mission de *Mc.*, VI : *Mc.*, IV, 35 - 43 ; VI, 6b-11 sont en parallèle, *Mc.*, II, 1 - IV, 34 sont postposés en Mt, « réservés

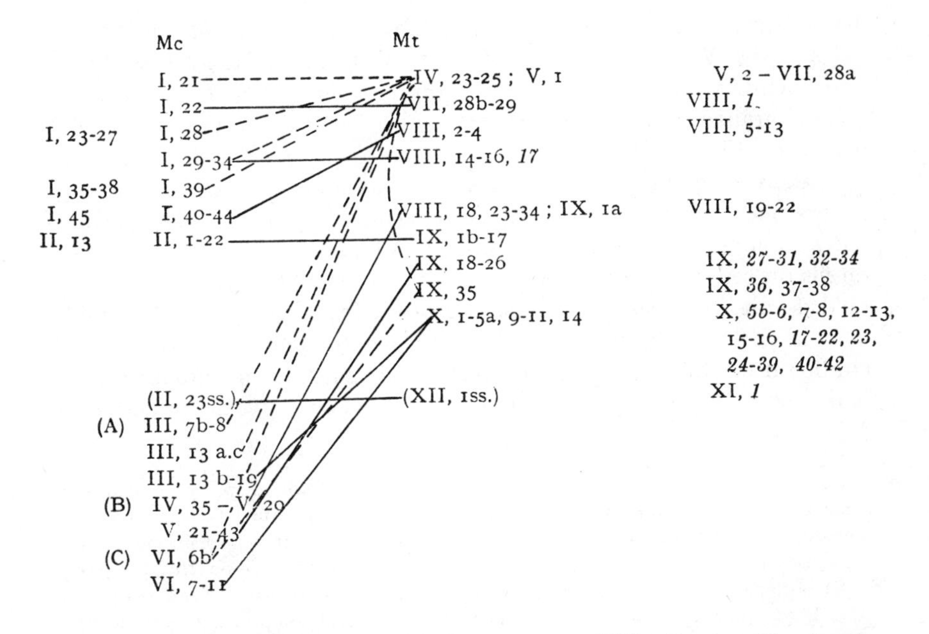

1. La conclusion du sermon sur la montagne (VII, 28-29 = *Mc.*, I, 22) permet de penser que la première mention de l'enseignement de Jésus en *Mc.*, I, 21 fut l'occasion d'insérer le discours inaugural. Pour l'introduire, Matthieu a composé un sommaire très solennel dans lequel il a s'est servi des différents sommaires des premiers chapitres de Mc :

pour des contextes appropriés » (*St. Matthew*, Édimbourg, 1907, p. XIV). — Un coup d'œil sur les synopses permet de constater un accord général sur le parallèle *Mc.*, I, 39 = *Mt.*, IV, 23. Pour le reste, la disposition de Huck-Lietzmann est reprise par J. Keulers, L. Deiss et J. Schmid (voir cependant *Markus und der aramäische Matthäus*, p. 156-7 : Mc I, 21-22 = Mt. V-VII). Innovation (peu heureuse) dans la synopse de K. Aland (1964) : *Mt.*, IV, 24-XII, 21 se trouve inséré entre *Mc.*, III, 19 et III, 30 ; de toute la section de *Mc.*, I, 21 - III, 19, seul le verset I, 39 est en parallèle avec Mt (IV, 23). Même disposition dans la synopse de P. Benoit-M.-E. Boismard (1965), légèrement corrigée dans le sens de l'hypothèse de L. Vaganay (sur l'omission du sermon sur la montagne par Mc) : *Mc.*, III, 7-12 — *Mt.*, IV, 25

Mc., III, 7-12	*Mt.*, IV, 25
III, 13	V, 1-2
III, 14-19	
	V, 3ss.

L'avantage technique de pouvoir imprimer *Lc.*, VI, 20-49 en parallèle à *Mt.*, V-VII peut aussi avoir joué dans la confection de la synopse. [Cf. *infra*, p. 729-736.]

103. Dans les colonnes extérieures : d'un côté, les versets de Mc que Mt n'a pas repris mais dont certains ont laissé des traces dans la rédaction matthéenne : *Mc.*, I, 23b-24 en *Mt.*, VIII, 29 ; *Mc.*, I, 45 en *Mt.*, IX, 31 ; *Mc.*, II, 13 en *Mt.*, IX, 9 ; de l'autre côté, la double tradition en *Mt.*, IV-XI et, en italique, des versets rédactionnels et des utilisations d'autres contextes de Mc (*Mt.*, IX, 27-31, 36 ; X, 17-22, 40, 42) et de la *Quelle* (IX, 32-34 ; X, 24-39).

Mt., IV, 23 : *Mc.*, I, 14-15, 21, 39; VI, 6b ; *Mt.*, IV, 24 : *Mc*, I, 28 et 32-34 ; *Mt.*, IV, 25 : *Mc.*, III, 7b-8 ; *Mt.*, V, 1 : *Mc.*, III, 13. C'est une vraie synthèse, bien caractéristique du premier évangile, qui révèle une très grande familiarisation avec l'évangile de Mc et un style personnel dans son utilisation [104].

2. Dans le discours même, le texte de la *Quelle* (cfr *Lc.*, VI, 20-49) est presque entièrement conservé. Cette même source peut avoir suggéré l'idée d'une série de miracles de Jésus (*Lc.*, VII, 1-10 et 18-23 : la guérison du fils du centurion et la réponse à Jean-Baptiste !) [105]. Mais c'est à Mc qu'il devait emprunter les récits. D'abord, *Mc.*, I, 40-45 et 29-34 qui, avec la péricope du centurion, forment une trilogie, soulignée par la citation d'*Is.*, LIII, 4 (*Mt.*, VIII, 1-17). Pour un deuxième groupement, le recours à *Mc.*, IV, 35-V, 43 s'imposait [106]. Ici de nouveau, on ne peut

104. Comp. J. SCHMID, *Markus und der aramäische Matthäus*, p. 158 (l'analyse serait à compléter). La nature même des notices générales permet facilement à Mt d'enlever ces motifs aux contextes où ils se trouvent en Mc, pour en faire un sommaire condensé. *Mc.*, I, 39 a été utilisé en *Mt.*, IV, 23, mais l'influence de *Mc.*, I, 14-15 et VI 6b dans ce même verset ne recommande pas un rapprochement exclusif avec *Mc.*, I, 39, qui risquerait de négliger l'ensemble de cette composition matthéenne (IV, 23-25) et de volatiser un autre parallélisme : *Mc.*, I, 22 et *Mt.*, VII, 28-29. Le contexte qui précède le sommaire est *Mc.*, I, 16-20 : il se peut fort bien que le motif de l'enseignement dans la synagogue de Capharnaüm (*Mc.*, I, 21) donne lieu à une notice plus abstraite (comp. la manière d'utiliser *Mc.*, I, 28,32-34). — Pour ce qui est la scène de la montagne qui prolonge le contact de *Mt.*, IV, 25 avec *Mc.*, III, 7-12, une seule remarque : l'acceptation d'une part de composition rédactionnelle dans la péricope de l'institution des Douze (cfr L. CERFAUX, *La mission en Galilée*, p. 446 : anticipation du récit de la mission) ne contredit pas la dépendance de Mt ; voir W. BURGERS, *De instelling van de Twaalf in het evangelie van Marcus*, dans *Eph. Theol. Lov.*, 36 (1960), p. 625-654, spéc. 638-9.

105. « ... ne frustra, hoc est sine exemplis, Iohanni renuntiatum esse videretur » (K. LACHMANN, *art. cit.*, p. 578). Luc peut avoir été guidé par le même intérêt dans la composition du sommaire de VII, 21 (H. J. Cadbury, J. Schmid, H. Conzelmann e.a. ; récemment J. DELOBEL, *De zalvingsverhalen*, p. 219 ; W. OTT, *Gebet und Heil. Die Bedeutung der Gebetsparänese in der lukanischen Theologie* (STANT, 12), Munich, 1965, p. 38). Dans le bloc marcien qui précède le sermon, Lc avait déjà donné les récits de miracle de *Mc.*, I, 23-28, 29-31, 32-34, 40-45 ; II, 1-12 ; III, 1-6 ; Dans Mt par contre, si *Lc.*, VII, 1-10, 18-35 faisait suite au sermon sur la montagne, la notice générale de IV, 23-24 serait la seule allusion aux miracles avant la réponse de Jésus au Baptiste. La réaction de Mt ne diffère guère de celle de Lc qui ajoute encore le récit de Naïn à celui du centurion.

106. A part le chap. I, la seule collection de miracles en Mc ! Il lui restait encore *Mc.*, I, 23-28 (qu'il semble avoir connu et dont nous avons déjà signalé son utilisation du v. 24 et du contexte, les vv. 22 et 28), mais Mt peut avoir eu ses raisons pour l'omettre. Dans le texte parallèle à *Mc.*, I, 34 et III, 11-12, il évitera également le motif de la connaissance des démons. Les deux miracles de *Mc.*, II, 1 - III, 6 sont plutôt des controverses, sur la rémission des péchés et sur le sabbat, peu aptes à introduire une série de miracles. Pour compléter le dossier : *Mc.*, VII, 31-37 ; VIII, 22-26 ; IX, 14-29 ; X, 46-52 (dans des contextes distants).

définir la structure de Mt qu'en tenant compte de ses sources. *Mt.*, VIII-IX est généralement divisé en trois séries de trois récits de miracles, mais ne doit-on pas distinguer plutôt VIII, 1-17 et VIII, 18-IX, 34 ? Des deux côtés, il y a une conclusion rédactionnelle : d'une part, la *Reflexionszitat* de VIII, 17, et de l'autre, les deux péricopes de IX, 27-34, fortement travaillées par le rédacteur [107]. Une lecture suivie des deux chapitres semble confirmer cette impression, car ce n'est qu'en VIII, 18 qu'on ressent un certain hiatus [108] dans le récit évangélique, à l'endroit notamment où Matthieu a quitté son premier contexte marcien de *Mc.*, 1 pour le conglomérat des miracles de *Mc.*, IV, 35-V, 43. Dans l'introduction au récit de la tempête apaisée (VIII, 18 = *Mc.*, IV, 35 !), Matthieu a inséré les logia sur les disciples (VIII, 19-22 ; *Lc.*, IX, 57-60) qui donnent au récit de miracle une allure plus catéchétique [109]. Au chap. IX, il a procédé à une autre insertion (*Mc.*, II, 1-22) [110], entre l'exorcisme de Gadara et le récit de Jaïre. Il est plus exact de dire : dans l'introduction même du dernier récit, *καὶ ἐμβὰς εἰς πλοῖον* (= *Mc.*, V, 18a) *διεπέρασεν* (= *Mc.*, V, 20a) (*Mt.*, IX, 1a ; comp. VIII, 18 !) [111].

107. Du point de vue rédactionnel, c'est surtout la guérison des aveugles qui est importante : le dernier récit (assez fidèlement d'après la *Quelle*, cfr *Lc.*, XI, 14) lui est simplement ajouté par une formule de transition typiquement matthéenne (v. 32a), et dans le doublet de XII, 22, il y a même conflation des deux récits. Dans IX, 27-31, Mt s'inspire de *Mc.*, X, 46-52, dont il développe spécialement le motif de la foi qu'il vient d'illustrer dans le récit précédent (Cfr H. J. Held, *Wundergeschichten*, p. 207-213 ; il paraît plus exact de parler de deux réactions *parallèles* en *Mt.*, IX et XX). L'influence de *Mc.*, I, 43-45 (*Mt.*, VIII, 1-4 et IX, 27ss : une inclusion matthéenne ?) explique parfaitement la finale de la péricope, le motif du silence imposé aux malades n'étant nullement *unmatthäisch* (cfr XII, 16 diff. Mc ; il convient de bien interpréter les « omissions » : *Mc.*, VII, 36 et VIII, 26, omis avec l'ensemble de la péricope ; *Mc.*, I, 43-44 : cfr *Mt.*, VIII, 4 et IX, 30 ; *Mc.*, V, 43 : vu le parallélisme *Mt.*, IX, 26 et 31, c'est au v. 30 qu'on peut retrouver ce motif ; contre G. Strecker, *Der Weg*, p. 199, n. 4).

108. Sur ce point, l'accord est général : à cause de la notice généralisante du v. 16 (avec une reprise de *λόγῳ* de VIII, 8) et de la *Reflexionszitat* du v. 17. A noter toutefois que Mt relie les récits (*ἰδών*..., cfr V, 1) et que, dans la logique matthéenne, l'ordre de passer de l'autre côté de la mer après une scène dans (et autour de) de la maison ne doit pas trop étonner : cfr XIII, 1, diff. Mc !

109. Cfr G. Bornkamm, *Die Sturmstillung*, cfr n. 1 ; X. Léon-Dufour, *Études d'Évangile*, p. 149-182.

110. Il revient au récit de Mc, où il l'avait quitté en recourant au cycle des miracles de *Mc.*, IV, 35ss.

111. Ce travail de « remaniement » de la part du rédacteur de *Mt.*, VIII-IX est largement accepté, même dans l'hypothèse de L. Vaganay. En vue de certaines objections contre la vraisemblance d'un tel procédé de rédaction, il peut être utile de faire un effort pour entrer dans l'esprit de ce « remanieur ». « In qua re exploranda quamquam ne forte nimiae curiositatis poenas demus cavendum est... » (Lachmann, *art. cit.*, p. 578). Partons de la combinaison de *Lc.*, VII, 1a (Q, ou Mg dans l'optique de L. Vaganay) et *Mc.*, I, 22 dans la conclusion du sermon (*Mt.*, VII, 28-29). Dans

3. Une nouvelle section commence en *Mt.*, IX, 35, qui est une reprise de IV, 23, avec une réminiscence plus accusée de *Mc.*, VI, 6b (τὰς πόλεις πάσας καὶ τὰς κώμας). Ceci nous amène à une troisième anticipation : *Mc.*, VI, 6b-11. Dans le discours de mission, Matthieu s'est inspiré en

les deux sources, le contexte qui suit, attire l'attention du rédacteur sur les miracles de Jésus à Capharnaüm : *Lc.*, VII, 1b-10 et *Mc.*, I, 23-28, 29-34, (40-45). Mt les donne dans l'ordre suivant : *Mc.*, I, 40-44 ; Lc VII, 1b-10 ; *Mc.*, I, 29-34. Une raison particulière peut expliquer l'omission de l'exorcisme dans la synagogue (cfr n. 106). D'autre part, la situation de la montagne (VIII, 1, cfr V, 1) peut faire retarder l'entrée à Capharnäum (*Lc.*, VII, 1b) et créer l'occasion d'un miracle « en cours de route » (cfr IX, 1-8, diff. Mc ; IX, 20-22, par. Mc). La guérison du lépreux convenait très bien comme premier récit, vu son insistance sur les obligations légales juives qui correspond bien à l'intérêt de Mt au début des discours (V, 17 ; X, 5b-6). — Dans le deuxième cycle (VIII, 18 - IX, 34), c'est l'insertion de *Mc.*, II, 1-22 qui fait difficulté : sa séparation de *Mc.*, II, 23 - III, 6 et sa place ici à l'intérieur de *Mc.*, IV, 35 - V, 43. Le texte de Mc se prêtait-il à une telle opération ? La réaction de Lc, qui s'en tient à l'ordre de Mc, peut nous instruire. En *Lc.*, V, 17, un καὶ ἐγένετο marque le début de la péricope du paralytique, à laquelle est liée d'un simple μετὰ ταῦτα la vocation de Lévi qui introduit la *Tischszene* de V, 29-39 ; par contre, c'est de nouveau un ἐγένετο δέ qui introduit en VI, 1 et 6 les deux péricopes sur le sabbat. Mt a suivi ce même mouvement d'intensification de l'unité littéraire de *Mc.*, II, 1-22 : l'omission de *Mc.*, II, 13 relie la vocation de Matthieu à la première péricope (καὶ παράγων ... ἐκεῖθεν, cfr IX, 27) et ce qui suit est une scène de table, avec les interventions des Pharisiens (v. 11), des disciples de Jean (v. 14) et finalement (c'est l'enchaînement matthéen) du chef de *Mc.*, V, 21 (v. 18). Mais pourquoi cette insertion ici, entre *Mt.*, IX, 1a et 18 ? Pour donner une réponse (forcément hypothétique) à pareille question, il faut tenir compte des associations qu'il peut y avoir entre les différents récits dans l'esprit du rédacteur. Dans ce problème délicat de l'intelligence rédactionnelle des sources évangéliques, nous n'avons d'autre parallèle que Lc : il serait téméraire de le négliger. Dans Lc, on constate un rapprochement évident entre le centurion, bâtisseur de la synagogue, qui intervient en faveur de son serviteur (VII, 7 : ὁ παῖς) et Jaïre, le chef de la synagogue, qui recourt à Jésus pour obtenir la guérison de sa fille (VIII, 51, 54 : ἡ παῖς). Les deux malades, l'un « lui était cher » et l'autre est une fille unique, étaient sur le point de mourir (VII, 2 ; VIII, 42). L'assimilation rédactionnelle des deux récits se manifeste d'une part dans les ambassades du centurion (VII, 3-4), et de l'autre, dans le motif de *l'entrée* dans la maison de Jaïre (VIII, 41, 51). Dans la rédaction de Mt, le récit du centurion se rapproche plus clairement de celui du paralytique (*Mc.*, II, 1-12). Certaines ressemblances peuvent avoir frappé le rédacteur : la localisation à Capharnaüm (II, 1), l'insistance sur la foi (II, 5) et peut-être un hapax terminologique : στέγη (II, 4 ; cfr *Mt.*, VIII, 8). En tout cas, dans Mt, le malade devient un paralytique (βέβληται... παραλυτικός, VIII, 6 ; cfr IX, 2), et les évangiles ne connaissent pas d'autre paralytique que celui de Capharnaüm. Quel enseignement sur l'ordre des péricopes peut-on maintenant tirer de tout cela ? Dans l'ordonnance matthéenne, le récit du centurion a pris la place de *Mc.*, II, 1-12 : il fait suite à la guérison du lépreux. Cela nous permet peut-être de franchir un pas de plus : le récit de Jaïre (*Mc.*, V, 21 = *Mt.*, IX, 1a) pouvait évoquer celui du centurion (cfr Lc), et donc pour Matthieu : celui du paralytique de Capharnaüm (IX, 1b-8). Si l'on sait l'importance qui revient à Capharnaüm dans la rédaction de Mt, on dira difficilement qu'un tel rapprochement dépasse les possibilités rédactionnelles.

premier lieu du texte plus long de la *Quelle* (cfr *Lc.*, X, 1-12), mais l'influence de *Mc.*, VI, 8b-11 sur *Mt.*, X, 9-11.14 est indéniable, et dans l'introduction (X, 1,5a), il dépend clairement de *Mc.*, VI, 7-8b, auquel il a donné un ordre plus logique (la mission *après* le don du pouvoir). Au v. 1, on peut admettre une contamination avec *Mc.*, III, 13-15 et c'est finalement la liste des Douze de *Mc.*, III, 16-19 dont Matthieu s'est servi dans la parenthèse de X, 2-4. Les deux contextes marciens sur les disciples, l'institution des Douze et l'envoi en mission (*Mc.*, III, 13-19 et VI, 6b-11), se trouvent ainsi rapprochés et combinés dans la composition matthéenne de IX, 35-X, 16 [112].

Si cette analyse peut se défendre, l'on devra conclure que la section IV, 23-XI, 1 est la seule de tout l'évangile à laquelle Matthieu a donné une ordonnance vraiment originale. Encore faut-il rappeler que, dans ce remaniement même, le rédacteur pouvait s'inspirer de ses sources. D'abord, le grand diptyque *Iesus docens et sanans*. Déjà dans la *Quelle*, le premier sermon de Jésus fut suivi de miracles (cf. *Lc.*, VII, 1-10, 18-23), et dans Mc, il devait retrouver le même schème : dès la journée de Capharnaüm, enseignement (*Mc.*, I, 21-22) et activité thaumaturgique (I, 23-26) se juxtaposent (cfr I, 27b). Ce double aspect est clairement souligné par le sommaire de I, 39. Matthieu le reprend, avec une insistance particulière sur les guérisons (*Mt.*, IV, 23 ; IX, 35) [113]. *Secundo*, à la présentation de l'enseignement et des miracles de Jésus, Matthieu fait suivre la mission des disciples (IX, 35-XI, 1). Si en cela il ne reste que partiellement fidèle à l'ordre de la *Quelle* (où cette deuxième instruction *suivait* probablement la section du Baptiste), cette disposition rédactionnelle n'est pas sans lien avec Mc. Nous avons déjà remarqué que l'ensemble

112. Comp. H. Schuermann, *Mt X, 5b-6 und die Vorgeschichte des synoptischen Aussendungsberichtes*, dans *Neutestamentliche Aufsätze. Festschrift J. Schmid*, Ratisbonne, 1963, p. 270-282. Bon exposé sur la composition rédactionnelle de Mt et sur ses sources. Dans son exégèse personnelle (*Lc.*, X, 1 et *Mt.*, X, 5b-6 : l'introduction de *Lc.*, X, 8-12), on ne pourrait toutefois suivre l'auteur qu'après un examen moins rapide de la « rédaction » dans l'introduction de Lc et dans le logion de Mt.

113. Plusieurs auteurs comparent à la journée-programme de Mc la péricope de Nazareth en Lc et le sermon sur la montagne en Mt. Ce dernier rapprochement serait à compléter : c'est plutôt la section entière entre les deux sommaires de *Mt.*, IV, 23 et IX, 35 qu'il faut considérer, tout en se rappelant qu'une deuxième venue à Capharnaüm est signalée en *Mc.*, II, 1. Dans Mt., toutes les péricopes entre les sommaires s'enchaînent dans un récit «biographique» qui décrit une double journée de Jésus, avec deux venues à Capharnaüm (VIII, 5 et IX, 1). Après une première journée (le discours sur la montagne, la descente, la guérison du lépreux, l'entrée à Capharnaüm où il rencontre le centurion et entre dans la maison de Pierre, guérit la belle-mère et, *le soir venu*, plusieurs malades ; cfr n. 111, sur le premier cycle de miracles), Jésus se retire (cfr *Mc.*, I, 35), et le parallèle de la marche sur les eaux permet de croire que, pour Mt, la tempête apaisée se passe pendant la nuit (cfr v. 24b et par. Mc .

de *Mt.*, IV, 23-XI, 1 est précédé d'une double péricope : le début de la prédication de Jésus et la vocation des disciples (IV, 12-17, 18-22). Cette association Jésus — disciples est reprise à *Mc.*, I, 14-15, 16-20, et E. Schweizer a justement observé que, dans Mc, l'institution des Douze et l'envoi en mission des disciples sont également précédés d'un sommaire sur Jésus : III, 7-12, 13-19 et VI, 6b, 7-11 [114]. Dans Mt, ces deux contextes sur les disciples sont combinés au chap. X et introduits par le sommaire de IX, 35, qui résume le développement solennel sur l'activité de Jésus (IV, 23-IX, 34). Cette activité messianique de Jésus sera aussi celle des disciples (X, 1b.7-8 !).

Pour conclure ces remarques sur IV, 23-XI, 1, disons que les idées directrices de cette structure matthéenne sont parfaitement traditionnelles. Le rédacteur a réalisé ici une composition très systématique : l'enseignement de Jésus (V-VII) et puis ses miracles, d'abord avec un intérêt plutôt christologique (VIII, 1-17) puis avec une tendance nettement catéchétique (VIII, 18-IX, 34), préparant ainsi dès VIII, 18ss. la mission des disciples (IX, 35-XI, 1). Ce n'est qu'après avoir associé les disciples à l'œuvre de Jésus que la question sera posé sur *τὰ ἔργα τοῦ Χριστοῦ* (XI, 2). Cette anticipation (et combinaison) des textes sur les disciples, tant d'après l'ordre de Q que d'après celui de Mc [115], donne ici à l'intention catéchétique du rédacteur son expression dans la structure même de l'évangile.

III

L'examen de la structure nous a permis de conclure que l'ordre marcien des péricopes est largement conservé dans le premier évangile. A part les introductions aux sermons (IV, 23ss. ; IX, 35ss.), le cycle des miracles s'est révélé comme la seule intervention importante dans l'ordre des récits. Mais encore plus caractéristique est le travail rédactionnel à l'intérieur même des récits de miracles. Il a fait l'objet d'une étude spéciale de H. J. Held [116], dont voici les traits essentiels. La réaction matthéenne sur le texte de Mc peut prendre trois formes différentes : abréviation, élargissement, omission, et dans chaque cas, il s'agit d'une véritable *Neu-Erzählung*, d'une relecture interprétative. L'abréviation

114. E. SCHWEIZER, *Anmerkungen zur Theologie des Markus*, dans *Neotestamentica et Patristica. Eine Freundesgabe O. Cullmann* (Supplements Nov. Test., 6), Leyde, 1962, p. 35-46, spéc. p. 42, n. 3 (= *Neotestamentica*, Zürich-Stuttgart, 1963, p. 100, n. 32).

115. Notons encore qu'on ne peut parler d'une simple interversion de l'ordre des deux discours (paraboles et mission). D'ailleurs, déjà dans Mc, l'envoi en mission des disciples est anticipé dans la péricope de l'institution des Douze (III, 13-19).

116. Voir n. 1.

permet une concentration de la narration sur la personne du Christ (VIII, 2-4, 14-15, 16-17, 28-34 ; IX, 2-8), une orientation sur les thèmes de la foi (IX, 18-26, 27-31) et des disciples (XIV, 15-21 ; XV, 32-38 ; XVII, 14-20). Dans d'autres récits, ces mêmes centres d'intérêt doivent expliquer les élargissements : le motif de la foi en VIII, 5-13 et XV, 21-28, et celui des disciples en VIII, 18-27 et XIV, 22-33. Quant à *Mc.*, VII, 31-37 et VIII, 22-26, omis par Mt, l'on doit y constater l'absence d'un point d'attache pour un tel développement. Nous disions « les récits de miracle » dans Mt, mais du point de vue « formel », la définition de récit de miracle ou récit novellistique ne semble plus convenir. A partir d'une analyse de trois récits-types (VIII, 2-4, très semblable à Mc ; IX, 20-22, fort écourté ; IX, 27-31, sans parallèle strict), H. J. Held arrive à distinguer les caractéristiques formelles suivantes : une narration en formules stéréotypées, surtout au début et en finale ; l'élimination des circonstances et personnages secondaires ; la forme d'un dialogue entre deux personnes *(oratio directa)* ; unité du récit renforcée par des *Stichworte* ; insistance sur la foi, particulièrement dans les formules proprement matthéennes de VIII, 13 ; IX, 29 et XV, 28. Il en résulte un genre de récit qui se rapproche du paradigme/apophthegme, une forme de *Lehrgespräch* (cfr XVIII, 1-4 ; XIX, 3-9), dont la pointe n'est plus la guérison elle-même mais plutôt la parole de Jésus sur la foi.

Nous ne poursuivrons pas ici l'examen de la rédaction matthéenne. Nous avons simplement évoqué le travail de Held, par manière d'exemple, pour montrer comment l'orientation catéchétique que nous semble révéler la structure de Mt, se constate plus clairement encore dans la rédaction des récits. Notre article ne voulait être qu'une entrée en matière, une prise de position dans une discussion que d'aucuns appellent « innerkatholisch ». Il nous semble en effet que le refus de la dépendance envers Mc ne peut se justifier ni dans l'étude du style matthéen ni dans l'examen de la structure de notre évangile de Matthieu.

NOTE ADDITIONNELLE

L'article a paru dans les rapports des XVIes Journées Bibliques de Louvain (1965) : I. DE LA POTTERIE (éd.), *De Jésus aux Évangiles. Tradition et rédaction dans les évangiles synoptiques.* Donum natalicium J. Coppens II (BETL, 25), Gembloux-Paris, 1967, p. 41-73 (en traduction italienne : *La redazione matteana e la struttura del primo vangelo*, dans *Da Gesù ai Vangeli*, Assisi, 1971, p. 60-96). Les contributions de X. Léon-Dufour et de S. McLoughlin sur la question synoptique (cf. *supra*, p. 6), de M. Sabbe, B. van Iersel (cf. p. 11, n. 33), J. Delorme et A. George (cf. p. 13, n. 46) sont publiées dans le même volume.

Depuis 1967 J.D. KINGSBURY a étudié la structure de l'évangile : *The Structure of Matthew's Gospel and His Concept of Salvation-History*, dans *CBQ* 25 (1973) 451-474; l'article est repris et complété dans le premier chapitre de son livre : *Matthew : Structure, Christology, Kingdom*, Philadelphia, 1975, p. 1-39. L'auteur défend le point de vue de

Lohmeyer-Stonehouse-Krentz : 1,1-4,16 ; 4,17-16,20 ; 16,21-28,20 (cf. *supra*, p. 18). Il est suivi entre autres par L. SABOURIN, *Il Vangelo di Matteo. Teologia e esegesi. Vol. I : Introduzione generale. Commentario 1,1-4,16*, Marino, 1975, p. 48-64 : *La struttura del vangelo di Matteo* (cf. *ETL* 54, 1978, p. 189-190). Kingsbury note avec raison à propos de Mt 16,21-28,20 : «Matthew is dependent upon the outline of Mark's Gospel, supplementing it at prescribed points with logia, parables, and occasional narrative» (*Matthew*, p. 22), mais il a tort de négliger la dépendance matthéenne envers Marc dans la première moitié de l'évangile. Je reste convaincu que la division à 4,17 et 16,21 repose sur une mauvaise interprétation de la formule ἀπὸ τότε ἤρξατο (cf. 26,16 ἀπὸ τότε) : on ne peut la séparer de la péricope précédente à laquelle elle donne un caractère de «péricope d'ouverture» (4,12-16.17 ; 16,13-20.21-23). L'explication des trois ἀπὸ τότε matthéens qu'on trouve dans le commentaire de Lucas Brugensis n'a pas vieilli : «ex eo tempore, quo, Johanne tradito, venerat in Galilaeam et habitationem transtulerat Capharnaum» (4,17) ; «ex eo tempore, quo suam illis divinitatem dignitatemque declaraverat» (16,21) ; «ex eo tempore, quo promissa ipsi fuit a principibus, hujusmodi, qua contentus fuit, argenti summa» (26,16). Kingsbury, qui insiste beaucoup sur les liens de 4,12-16 avec 1,1-4,11, admet au moins que ces versets ont *aussi* pour fonction «to ready Jesus for the beginning of his public ministry» (p. 16).

Les structures chiastiques ou concentriques, surtout celles qui mettent le chap. 13 au centre (des cinq discours et) de l'évangile (cf. *supra*, n. 52 : Fenton et Gaechter), semblent garder une certaine attirance. Cf. J. MURPHY-O'CONNOR, dans *RB* 82 (1975), p. 370, à la suite de C.H. LOHR, dans *CBQ* 23 (1961), p. 427-430. Comme dans l'hypothèse des cinq livrets, ils insistent sur l'alternance des récits et discours :

1-4 5-7 8-9 10 11-12 13 14-17 18 19-23 24-25 26-28

P. ROLLAND, dans *BTB* 2 (1972) 157-178 (dans l'édition anglaise : 155-176) reste fidèle aux cinq livrets (discours-récits) mais complique inutilement l'hypothèse. Voir encore H. FRANKEMÖLLE, *Jahwebund und Kirche Christi* (Neutest. Abh., 10), Münster, 1974, p. 342. — L. RAMAROSON, *La structure du premier évangile*, dans *Science et esprit* 26 (1974) 69-112.

Signalons enfin le recueil d'études matthéennes publié par J. LANG, *Das Matthäus-Evangelium* (Wege der Forschung, 525), Darmstadt, 1980. Plusieurs articles auxquels nous référons y sont réunis : Bacon (cf. *supra*, n. 47), Bornkamm (n. 1 : bis), Clark (n. 3), Greeven, Haenchen, Michel (n. 7), Krentz (n. 67), Trilling (n. 4), Strecker (n. 5). Dans l'introduction, l'auteur parle de la structure de l'évangile et approuve notre conclusion : «Allen genannten Deutungsversuchen ist überdies die eine Schwäche gemeinsam : sie messen der Tatsache zu wenig Gewicht bei, dass der Mt-Evangelist das Mk-Evangelium übernommen und nach Aufriss und Inhalt doch letztlich zur Grundlage seines Werkes gemacht hat» (p. 11 ; la note 56 renvoie aux pages 66 ss. de l'article).

BETL 32 (1973) 157-201

LA MATIÈRE MARCIENNE DANS L'ÉVANGILE DE LUC

I. Marc : source de Luc

Il est assez exceptionnel que l'on puisse parler d'un consensus universellement accepté parmi les exégètes du Nouveau Testament, mais sur le fait que le troisième évangéliste a connu et a utilisé un évangile antérieur [1], l'accord est pratiquement unanime. Rarissimes sont les tenants d'une théorie de la tradition orale qui n'ont pas admis une telle exception à leur hypothèse [2], et dans l'optique de la théorie de Griesbach, Luc succède à Matthieu et l'a largement utilisé [3]. Mais la thèse à laquelle l'immense majorité des exégètes s'est ralliée est indubitablement celle d'une certaine dépendance envers Marc. Formulée d'une manière aussi générale, on peut la retrouver dans presque tous les systèmes en cours. En effet, la priorité de Marc (par rapport à Luc) n'est pas l'apanage exclusif de la théorie des deux sources. Ceux qui, comme B. C. Butler et A. Farrer, ont contesté l'existence de la source Q, ne nient pas pour autant la dépendance de Luc envers Marc [4]. De même, dans l'hypothèse

1. Un des évangiles canoniques ou un évangile primitif : évangile apostolique, proto-Matthieu, proto-Marc ou proto-Luc.

2. Voir, par exemple, A. G. DA FONSECA, *Quaestio synoptica*, Rome, 3e éd., 1952 : « Ipse Lucas qui scripta evangelica esse noverat, et haec a traditione orali orta esse asserit, et suum eodem modo ortum videtur innuere. ... Ipsae sectiones « marcanae » in multis ita differunt ut alium fontem, si minus a Mco, certe praeter Mcum supponant ; in his ipsis sectionibus, et magis in illis, non pauca sunt quae Lcs logice vix scriberet, si Mcm fontem prae oculis haberet » (p. 220).

3. Cfr W. R. FARMER, *The Synoptic Problem*, New York /Londres, 1964, p. 220-225. Sur les rapports Marc-Luc, voir la critique de J. A. FITZMYER, *The Priority of Mark and the « Q » Source in Luke*, in *Jesus and Man's Hope* (Perspective 11, 1-2), Pittsburgh, 1970, p. 131-170.

4. B. C. BUTLER, *The Originality of St Matthew*, Cambridge, 1951, p. 70 : « I agree, in fact, with the adherents of Marcan priority that Luke is dependent on Mark, and if it emerges from our study of the Matthew-Mark pair that Mark is dependent on Matthew, Luke's dependence on Mark follows automatically. » A. M. FARRER, *On Dispensing with Q*, in *Studies in the Gospels. Essays in Memory of R. H. Lightfoot* (éd. D. E. NINEHAM), Oxford, 1955, p. 55-86, spéc. p. 65 : « To follow two sources with equal regularity is difficult. Anyone who holds that St. Luke

d'un évangile primitif, source commune des trois synoptiques, il n'est pas exclu de voir en Marc la source principale de Luc [5]. On peut dire, il est vrai, que les rapports entre les deux évangiles ne seront plus les mêmes dès qu'on admet, pour la matière marcienne, une source supplémentaire (Matthieu, un évangile primitif, la tradition orale), mais c'est là une discussion qui se situe tout aussi bien à l'intérieur de la théorie des deux sources. Marc est-il la source unique des sections de triple tradition ou faut-il admettre que Luc avait accès à des traditions parallèles ? On ne peut séparer cette question du problème connexe du texte de Marc. Luc a-t-il connu un texte de Marc identique à celui du Marc canonique que nous connaissons, ou bien témoigne-t-il d'une recension postérieure (deutéro-Marc) ou remonte-t-il à un stade antérieur (proto-Marc) ? En critique littéraire, les théories sont tenaces, et il apparaît maintenant que le *Requiescat Urmarcus* a été prononcé quelque peu prématurément [6]. C'est du moins l'avis de M.-É. Boismard qui, dans son récent *Commentaire*, a fait un gros effort pour le ranimer [7].

knew St. Matthew is bound to say that he threw over St. Matthew's order (where it diverged) in favour of St. Mark's. He made a Marcan, not a Matthaean, skeleton for his book ». Sur les accords mineurs Matthieu /Luc contre Marc : « Now this is just what one would expect, on the supposition that St. Luke had read St. Matthew, but decided to work direct upon the more ancient narrative of St. Mark for himself. He does his own work of adaptation, but small Matthaean echoes keep appearing, because St. Luke is after all acquainted with St. Matthew » (p. 61).

5. L. VAGANAY, *Le problème synoptique*, Tournai, 1952, p. 312-313 : « Bien loin que les éléments marciens soient superficiels chez Lc., c'est la triple tradition, assez bien représentée par Mc., qui constitue la trame de son évangile. ... A notre avis Lc devait avoir pour source principale Mc., pour source secondaire Mg, pour source complémentaire Sg. » Comp. p. 281 : « En somme, il est certain que Lc. dépend de Mc : plusieurs transpositions, additions, omissions, retouches opérées par Mc. sur Mg se retrouvent chez Lc. C'est seulement l'étendue de cette dépendance qui reste imprécise par suite de la perte de Mg. » — Sur les réserves de L. Cerfaux, voir n. 12.

6. X. LÉON-DUFOUR, *Les évangiles synoptiques*, dans *Introduction à la Bible*, t. 2, 1959, p. 143-334, spéc. p. 281. Cf. N. P. WILLIAMS, *A Recent Theory of the Origin of St. Mark's Gospel*, dans *Studies in the Synoptic Problem* (éd. W. SANDAY), Oxford, 1911, p. 389-421, p. 421 (la conclusion d'une présentation critique du livre de E. Wendling) ; C. H. TURNER, *Marcan Usage. VI. The Use of Numbers in St Mark's Gospel*, JTS, 26 (1925), 337-346, p. 346 : « One more nail has been driven into the coffin of that old acquaintance of our youth, *Ur-Marcus*. He did enough harm in his time, but he is dead and gone : let no attempts be made to disinter his skeleton. » Voir, cependant, la remarque de V. TAYLOR, *The Gospel according to St. Mark*, Londres, 1952, p. 76. — X. Léon-Dufour, qui préfère renoncer à une dépendance littéraire immédiate, se rapproche lui-même de la théorie du proto-Marc en maintenant des contacts littéraires partiels entre Luc et les sources de Marc, notamment des groupements de péricopes comme II, 1-III, 6 ; IV, 1-34 ; IV, 35-V, 43 ; VI, 6-44 ; VIII, 27-IX, 29 ; IX, 30-X, 52 ; XI, 27-XII, 14 ; XIII, 1-31. Voir p. 283.

7. M.-É. BOISMARD, *Commentaire*, dans *Synopse des quatre évangiles en français* (éd. P. BENOIT et M.-É. BOISMARD), t. 2, Paris, 1972.

Puisque Luc reproduit les matériaux de Marc dans un ordre foncièrement identique, il est permis de voir dans l'évangile de Marc l'écrit fondamental qui est à la base de la composition lucanienne. Certains, toutefois, font valoir que *Lc.*, VI, 20-VIII, 3 et IX, 51-XVIII, 14 contiennent une documentation importante de matériaux non-marciens, textes de la double tradition aussi bien que passages propres à Luc, et que les sections du « début » et de la passion (*Lc.*, III, 1-IV, 30 et XXII, 14-XXIV, 53) présentent des divergences notables vis-à-vis de Marc. Cette constatation est à l'origine de l'hypothèse du proto-Luc : Luc remonte à un évangile Q + S, constitué déjà avant l'insertion de la matière marcienne. B. H. Streeter en proposa la reconstitution suivante : III, 1-IV, 30 ; V, 1-11 ; VI, 14-16 ; VI, 20-VIII, 3 ; IX, 51-XVIII, 14 ; XIX, 1-27 ; XIX, 37-44 ; XXI, 18.34-36 ; XXII, 14-XXIV, 53 [8]. L'hypothèse a rencontré des sceptiques, mais V. Taylor n'a cessé de la défendre et, même dans la contestation, le proto-Luc a gardé l'auréole des deux grands de l'exégèse britannique [9]. J. Jeremias l'a introduit en Allemagne [10] et son élève F. Rehkopf s'est essayé à lui fournir une base linguistique [11]. Ces auteurs ne nient nullement la dépendance de Luc envers Marc, mais ce n'est qu'au second stade de

8. B. H. STREETER, *The Four Gospels*, Londres, 1924, p. 199-222, spéc. p. 222. Le récit de la passion contient les passages marciens suivants : XXII, 18.22.42. 46-47.52-62.(69).71 ; XXIII, 3.22.25-26.33-34b.(35).44-46.(49).(51).(52-53) ; XXIV, (1-3).6.(9-10). (Entre parenthèses : probablement marcien, ou proto-lucanien partiellement assimilé au parallèle marcien).

9. Dans des commentaires de vulgarisation, elle est encore présentée comme l'hypothèse la plus probable : voir G. B. CAIRD, *The Gospel of St Luke* (The Pelican Gospel Commentaries), Harmondsworth, 1963, p. 27 : « As a working hypothesis for our present study, then, we shall assume that Luke began his literary undertaking by collecting information about Jesus from eyewitnesses and others, probably during the years when Paul was imprisoned at Caesarea. At the same time, or shortly afterwards, he combined the material he had accumulated with the teaching tradition of Q, so as to form the first draft of a gospel. Subsequently, when a copy of Mark came into his hands, he augmented his original document with Markan insertions. He then added the infancy stories and the prologue to bring his work into its final form. »

10. J. JEREMIAS, *Die Abendmahlsworte Jesu*, Goettingue, 3e éd., 1960, p. 91-93 ; comp. *Perikopen-Umstellungen bei Lukas ?*, dans NTS, 4 (1957-1958), 115-119 ; = *Abba*, p. 93-97.

11. F. REHKOPF, *Die lukanische Sonderquelle. Ihr Umfang und Sprachgebrauch* (WUNTS 5), Tubingue, 1959, spéc. p. 86-99 (« Der vorlukanische Sprachgebrauch im Lukas-Evangelium »). Voir p. 85 : « Ferner vermag dieser (der Sprachgebrauch in der Passionsgeschichte) die Zugehörigkeit des lukanischen Passionsberichtes zu der lukanischen Sonderquelle sicherzustellen. » Titre original de la dissertation : *Zwei Perikopen der lukanischen Passionsberichte. Ein Beitrag zum Problem der lukanischen Sonderquelle*, Goettingue, 1956 (examen de *Lc.*, XXII, 21-23 et 47-53).

la rédaction, pensent-ils, que des blocs marciens ont été interpolés dans l'évangile (proto-) lucanien [12].

Ainsi, un large accord sur la dépendance envers Marc n'empêche pas les exégètes de se poser des questions sur l'importance, l'étendue et la pureté de la *traditio marciana* dans l'évangile de Luc. On aurait tort de négliger ces problèmes de critique littéraire. La dissertation de T. Schramm l'a justement souligné : ils touchent directement à l'étude de la rédaction lucanienne [13]. Un presupposé tacite de l'exégèse lucanienne donne à la matière marcienne une valeur d'exemple. Puisque la source de Luc nous est conservée dans l'évangile de Marc, la rédaction lucanienne y est strictement contrôlable et l'examen de la matière marcienne nous procure les critères pour l'interprétation des autres parties de Luc et Actes [14]. Cette méthode, qui apparaît surtout dans les études sur les caractéristiques linguistiques et stylistiques, n'est pas rejetée par Schramm, mais il la veut plus rigoureuse : il propose de se limiter à la matière marcienne au sens strict (les blocs marciens) et aux seules péricopes qui ne trahissent pas l'influence de traditions parallèles. Après analyse, la liste suivante est retenue : IV, 31-44 ; V, 27-32 ; VI, (1-5).6-11 ; VIII, 11-15.19-21.26-39.40-56 ; IX, 7-9.46-50 ; XVIII, 15-17.18-30.35*b*-43 ; XIX, 45-48 ; XX, 1*b*-8.20-26.41-47 ; XXI, 1-4.37-38 ; XXII, 1-13. Dans les autres textes, il faudrait tenir compte que les divergences envers Marc pourraient s'expliquer comme des éléments non-marciens, repris à la tradition [15].

L'auteur nous recommande donc une nouvelle précision de la méthode. Au début, l'argument tiré de la statistique du vocabulaire était basé sur le nombre global des emplois dans l'évangile de Luc. C'est le critère statistique de J. C. Hawkins, quoique sa subdivision en « Chaps. i, ii ; Other Peculiar Parts » et « Common Parts » dirige déjà la recherche

12. *Lc.*, IV, 31-VI, 11 ; VIII, 4-IX, 50 ; XVIII, 15-43 ; XIX, 29-XXII, 13 (J. Jeremias). — Comparer la réaction de L. Cerfaux : « Le proto-Matthieu que nous avons essayé de décrire possède déjà les notes que l'école anglaise attribue à son proto-Luc. ... Pour nous comme pour Streeter, *Lc.* serait bâti sur un évangile antérieur, dans lequel il aurait intercalé les trois sections marciennes. » Cfr *A propos des sources du troisième Évangile : proto-Luc ou proto-Matthieu ?*, dans *Eph. Theol. Lov.*, 12 (1935), 5-27 ; = *Recueil Lucien Cerfaux*, t. I, Gembloux, 1954, p. 389-414, spéc. p. 413-414.

13. T. SCHRAMM, *Der Markus-Stoff bei Lukas. Eine literarkritische und redaktionsgeschichtliche Untersuchung* (SNTS Mon. Ser., 14), Cambridge, 1971. Il s'agit d'une dissertation doctorale préparée sous la direction de C.-H. Hunzinger (Hamburg, 1966).

14. *Ibid.*, p. 6-8. Voir le titre de la section . « Die exemplarische Bedeutung des Mk-Stoffes bei Lk » (dissertation, p. 4 ; le titre n'est pas repris dans l'édition). Voir n. 17.

15. *Ibid.*, p. 186 (conclusion).

vers une argumentation plus nuancée [16]. Plus tard, H. J. Cadbury étudie les divergences vis-à-vis des sources (« Common Parts ») et fait soigneusement la distinction entre les passages parallèles à Marc et ceux qui sont parallèles à Matthieu [17]. Puis, dans l'utilisation des « parallèles à Marc », H. Schürmann se montre particulièrement prudent quand il s'agit de *Lc.*, III, 1-IV, 30 et XXII, 15-XXIV, 9 [18]. La récente discus-

16. J. C. Hawkins, *Horae Synopticae. Contributions to the Study of the Synoptic Problem*, Oxford, 1898 ; 2e éd., 1909 (= 1968). Sont considérés comme caractéristiques de Luc les 151 mots et expressions qui sont attestés en Luc au moins quatre fois et qui sont ou bien absents de Matthieu et Marc ou bien deux fois plus fréquents en Luc qu'en Matthieu-Marc (p. 15-23 et 35-51). Ajouter la liste de caractéristiques moins strictes (p. 24) et deux listes complémentaires qui tiennent compte du livre des Actes (p. 27-29). — Hawkins note qu'il ne parvint pas à trouver des expressions caractéristiques d'un source (lucanienne, par exemple) (p. 26). Sur ce point, voir B. S. Easton, *Linguistic Evidence for the Lucan Source*, dans JBL, 29 (1910), 139-189 (vocabulaire L, la *Sonderquelle* de Luc, à partir des études de B. Weiss), et, plus tard, l'essai de F. Rehkopf sur le vocabulaire « L » = Q + S (n. 11 et 19). Sur le vocabulaire de Q, voir A. Harnack, *Sprüche und Reden Jesu*, Leipzig, 1907.

17. H. J. Cadbury, *The Style and Literary Method of Luke.* Part II. *The Treatment of Sources in the Gospel* (Harvard Theol. Studies, 6), Cambridge (Mass.), 1920, p. 73-205. Son introduction : « The starting point for any study of Luke's method of using sources is a comparison of Luke and Mark. In the second Gospel is preserved to us, substantially as it was in the hands of our Evangelist, one of those " accounts concerning the things fulfilled among us, " to which he refers, and the one which he used as his chief single source. The survival of this source gives us an unusually secure basis for the study of editorial method. In most other cases the source is known only through the derivate work, and the editorial method can be inferred only from the finished product. In the Gospel of Luke we can confront the author's work with his source, so that the changes, rearrangements, and additions which he has made can be certainly known. » Comp. F. C. Burkitt, *The Use of Mark in the Gospel according to Luke*, dans F. J. Foakes Jackson et K. Lake (éd.), *The Beginnings of Christianity.* Part I, *The Acts of the Apostles*, Londres, 1922, p. 106-120, voir p. 106 : « In the following pages it is assumed that the author of the third Gospel used the Gospel of Mark practically in its extant form, and also that where he does thus follow Mark he had no other source available. The differences between ' Luke ' and Mark in these parallel narratives are consequently regarded as due to the literary manner of the later writer, in a word, to his style and methods of writing history, not to fresh, independent information. »

18. Comp. H. Schürmann, *Der Paschamahlbericht. Lk 22, (7-14). 15-18* (Neut. Abhandl., XIX, 5), Münster, 1953 ; *Der Einsetzungsbericht. Lk 22, 19-20* (Neut. Abhandl., XX, 4), Münster, 1955 ; *Jesu Abschiedsrede. Lk 22, 21-38* (Neut. Abhandl., XX, 5), Münster, 1957. Voir *Einsetzungsbericht*, p. 1-2, n. 1 (1, c, fin) : « Der literarkritische Vergleich arbeitet mit der hier nicht zu beweisenden (vgl. jedoch den Nachweis bei Schmid, Mt und Lk 84-182 ; anders verschiedentlich Vertreter einer « Synoptischen Grundschrift » wie teilweise die der Protolukas-Hypothese) Voraussetzung, dass in Lk 4, 31-22, 14 dort, wo die Mk-Akoluthie eingehalten wird (dazu noch Lk 6, 17-19 ; 8, 19-21), *luk Mk-R* (vgl. Mk 1, 21-14, 18a) vorliegt. » Comp. *Die Dubletten im Lukasevangelium*, dans ZKTh, 75 (1953), 333-345 ; = *Traditionsgeschichtliche Untersuchungen zu den synoptischen Evangelien*, Düsseldorf, 1968, p. 272-278, spéc. p. 273 : « Ganz offensichtlich lässt Lukas die Mk-Vorlage

sion F. Rehkopf-H. Schürmann semble avoir suggéré un raffinement ultérieur [19] : seuls les textes de tradition marcienne pure offrent une base suffisamment sûre pour l'étude de la rédaction lucanienne. L'observation est valable, mais la question se pose s'il y a vraiment lieu de se cantonner dans les 137 versets déclarés « purs » par T. Schramm.

II. « Traditio marciana pura » dans Lc., IV, 31-IX, 50

En ce qui concerne *Lc.*, IV, 31-IX, 50, le commentaire de H. Schürmann confirme généralement les conclusions de T. Schramm sur les péricopes dites de tradition marcienne pure (IV, 31-44 ; V, 27-32 ; VI, 1-5.6-11 ; VIII, 11-15.19-21.26-39.40-56 ; IX, 7-9.46-50) [20]. Une seule exception : *Lc.*, IV, 31-44. H. Schürmann maintient son hypothèse à propos de la tradition parallèle à *Mc.*, I, 21-28.32-39 [21]. L'argument

insofern seine Hauptvorlage sein, als er sie im eigentlichen Korpus seines Evangeliums Lk 4, 31-22, 14 (= Mk 1, 21-14, 18a) bei einiger Kürzungen, aber ohne jede Umstellungen von Perikopen zum tragenden Skelett macht. »

19. Rehkopf, étudiant le vocabulaire de la source L (Q + S), compte parmi les 78 cas de vocabulaire proto-lucanien des mots qui, d'après Hawkins, sont caractéristiques de Luc : *ἀδικία, ἄνθρωπός τις, βαλλάντιον, δικαιόω, εὐφραίνω, ἰδοὺ γάρ, καὶ αὐτός, κεῖμαι, κλαίω, ὁ κύριος, μιμνήσκομαι, νομικός, ὁμοίως, πλήν, στραφείς, φίλος, φοβέομαι, χαίρω* (p. 92-98). H. Schürmann a soumis la tentative de Rehkopf à une critique serrée : d'une part le récit de la passion, l'évangile de l'enfance et les *Sonderverse* de Q ne peuvent être considérés comme matière « L », et, d'autre part, pour qu'un mot soit caractéristique de « L », il est nécessaire que (1) il apparaît en Q et S, (2) il n'est pas typique de Luc, (3) il ne s'explique pas par recours à l'araméen (*vox ipsissima Jesu*). Cfr *Protolukanische Spracheigentümlichkeiten* ?, in BZ, 5 (1961), 266-286 ; = *Traditionsgeschichtliche Untersuchungen*, p. 209-226. T. Schramm se réfère à Schürmann et à son plaidoyer pour « eine verfeinerte quellenkritische Methodik » (*ibid.*, p. 209) ; cfr *Markus-Stoff*, p. 63-66.

20. H. SCHÜRMANN, *Das Lukasevangelium. Erster Teil. Kommentar zu Kap. 1, 1-9, 50* (Herders Theol. Kommentar zum N.T., 3), Fribourg, 1969. A plusieurs reprises il marque explicitement son accord avec T. Schramm : p. 305, n. 35 (*Lc.*, VI, 1-5) ; p. 465, n. 156 (*Lc.*, VIII, 11-15 ; contre Spitta) ; p. 471, n. 203 (*Lc.*, VIII, 19-21 ; contre B. Weiss) ; p. 487, n. 110 (*Lc.*, VIII, 26-39 ; contre Spitta et Bussmann) ; p. 497, n. 184 (*Lc.*, VIII, 40-56 ; contre Bussmann) ; p. 508, n. 82 (*Lc.*, IX, 7-9 ; contre Rengstorf, Bundy, Dausch, Bussmann, Grundmann) ; p. 579, n. 35 (*Lc.*, IX, 49-50 ; sur IX, 46-48, voir p. 577, n. 19 : contre Spitta, Bussmann, Lohmeyer, Rengstorf). — A noter, cependant, que d'après Schürmann la *traditio marciana pura* s'étend largement en dehors des limites que Schramm lui impose (cfr *infra*).

21. *Ibid.*, p. 245, 246-247, 250 (*Lc.*, IV, 31-37) ; 254, 256 (*Lc.*, IV, 42-43). Cfr « *Der Bericht vom Anfang* ». *Ein Rekonstruktionsversuch auf Grund von Lk 4, 14-16*, dans *Studia Evangelica* II (TU 87), Berlin, 1964, p. 242-258 ; = *Traditionsgeschichtliche Untersuchungen*, p. 69-79 (avec *Nachtrag*, p. 79-80) spéc. p. 71 (I, 2b) ; p. 73 (II, 2bc) ; 74-75 (III, 2a). — Comp. T. SCHRAMM, *Markus-Stoff*, p. 90, n. 1 (= dis-

repose principalement sur quelques accords mineurs Matthieu-Luc. *Lc.*, IV, 31 : *καὶ κατῆλθεν εἰς Καφαρναούμ* (cfr *Mt.*, IV, 13a) ; *πόλιν τῆς Γαλιλαίας* (cfr *Mt.*, IV, 13b + 14-16 : *Is.*, IX, 1-2) ; IV, 36 : *ἐν... δυνάμει* (anticipé au v. 14) ; IV, 37 : l'absence du nom de la Galilée (ajouté en *Mc.*, I, 28) ; IV, 40 : *ἀσθενοῦντας νόσοις* (cfr *Mt.*, VIII, 17 : *Is.*, LIII, 4) ; IV, 41 : un texte plus complet que *Mc.*, I, 34 ; IV, 42 : *οἱ ὄχλοι* (cfr *Mt.*, IV, 25) ; IV, 43 : *εὐαγγελίσασθαι... τὴν βασιλείαν* (cfr *Mt.*, IV, 23) [22]. Pour une plus ample information, et la discussion de ces « traces », nous renvoyons à l'article de J. Delobel [23].

Il peut être utile de confronter encore les conclusions de Schramm à celles d'un autre critique. M.-É. Boismard signale *Lc.*, IV, 31-44 ; V, 27-32 ; IX, 7-9 comme « sections où l'ultime rédaction lucanienne ne dépend, semble-t-il, que du Mc-intermédiaire » [24]. Toutefois, on ne peut perdre de vue que, d'après Boismard, le « Marc intermédiaire » est un proto-Marc qui, également dans ces passages, a été remanié par l'ultime rédacteur. Ainsi, en *Mc.*, I, 21-39 : v. 28a : *ἐξῆλθεν* (*loco ἐξεπορεύετο*) ; 28b : *πανταχοῦ* (add.) ; 28c : *τὴν περίχωρον* (add.) [25] ; v. 29 : *καὶ Ἀνδρέου μετὰ Ἰακώβου καὶ Ἰωάννου* (add.) ; v. 31 : *ἤγειρεν αὐτήν* (*loco ἠγέρθη/ἀναστᾶσα* après *ἀφῆκεν*) [26] ; v. 32 : *ὀψίας δὲ γενομένης, πάντας* (*loco πολλούς*), *ποικίλαις νόσοις* (om., cfr v. 34), *καὶ τοὺς δαιμονιζομένους* (add. Mt-int.) ; v. 33 : add. ; v. 34 : *πολλούς* (*loco πάντας*), *κακῶς ἔχοντας ποικίλαις νόσοις* (add., cfr v. 32) [27] ; v. 39 : *καὶ τὰ δαιμόνια ἐκβάλλων* (add.) [28]. — *Mc.*, II, 13-17 : v. 15b : *ἦσαν γὰρ πολλοί καὶ ἠκολούθουν αὐτῷ* (add.) ; v. 16a : *ἰδόντες ὅτι ἐσθίει μετὰ τῶν ἁμαρτωλῶν καὶ τελωνῶν* [29]. — *Mc.*, VI, 14-16 : v. 14a : *φανερὸν γὰρ ἐγένετο τὸ ὄνομα αὐτοῦ* (add.) ;

sertation, note 327) : toutes les divergences vis-à-vis de Marc peuvent être rédactionnelles.

22. L'affirmation de Schürmann est plus nette dans le commentaire (1969) que dans l'article (1964 ; Conférence d'Oxford de 1961). Voir, par exemple, sa remarque : « Auch ist es erstaunlich, dass Luk das Beten Jesu Mk 1,35 gegen seine sonstige Gewohnheit nicht erwähnt » (p. 250) ; à comparer à la note 34 de l'article : « So wird man das auffällige Fehlen des bei Lukas sonst so beliebten Betens Jesu 4, 42 diff. Mk nicht zum Anlass nehmen können, auch hinter Lk 4, 42 schon die Nicht-Mk-Vorlage zu vermuten » (p. 75). Comp. également la note 32 sur *Lc.*, IV, 43.

23. Dans ce volume, p. 203-223. Sur *Lc.*, IV, 42-43, comp. F. NEIRYNCK, *The Gospel of Matthew and Literary Criticism. A Critical Analysis of A. Gaboury's Hypothesis*, dans M. DIDIER (éd.), *L'Évangile selon Matthieu. Rédaction et Théologie* (Bibl. Eph. Theol. Lov., 29), Gembloux, 1972, p. 37-69, spéc. p. 61, n. 39.

24. *Commentaire*, p. 44. En outre : *Lc.*, VI, 17-19 et IX, 37-43a (Schramm : « unter dem Einfluss von Traditionsvarianten »). — Pour *Lc.*, IV, 31-44 : voir p. 44 (§§ 32 à 36 : « Lc *4* 31 à *6* 19 » est à corriger) et la Note § 37 sur *Lc.*, IV, 44 (p. 99).

25. *Ibid.*, p. 94 (Note § 33).

26. *Ibid.*, p. 96-97 (Note § 34).

27. *Ibid.*, p. 97-99 (Note § 35).

28. *Ibid.*, p. 99-100 (Note § 37).

29. *Ibid.*, p. 112 (Note § 42).

v. 14b : ὁ βαπτίζων ; v. 14c : καὶ διὰ τοῦτο ἐνεργοῦσιν αἱ δυνάμεις ἐν αὐτῷ [30]. Il résulte de cette liste que l'évangile de Luc est considéré comme un témoin valable du Marc intermédiaire, car ce sont les « omissions » en Luc (et l'accord négatif avec Matthieu pour I, 29.33.39 ; II, 15.16) qui font apparaître les ajouts rédactionnels en Marc. De plus, Luc peut rester plus proche de la formulation « marcienne » que l'ultime rédacteur de Marc (par exemple, ἐξεπορεύετο en *Lc.*, IV, 37). Par contre, il n'est pas exclu que la rédaction marcienne soit plus « lucanienne » que la version de Luc lui-même : πανταχοῦ, qui est absent du parallèle en *Lc.*, IV, 37, est attribué au « rédacteur marco-lucanien » précisément en vertu de son caractère lucanien.

Mais pareille pureté marcienne de Luc n'est-elle pas trop paradoxale pour être réellement convaincante ? Il est vrai que πανταχοῦ est employé une fois ailleurs en Luc et trois fois en Actes [31], plus spécialement dans des formules paronymiques : πάντας πανταχοῦ (XVII, 30), πάντῃ τε καὶ πανταχοῦ (XXIV, 3 ; comp. XXI, 28 : πάντας πανταχῇ) [32], mais ce n'est pas une raison pour le retirer du vocabulaire de Marc. L'emploi de I, 28 est unique dans l'évangile, mais d'autres hapaxlegomena dans le même contexte rendent πανταχοῦ εἰς... [33] un peu moins exceptionnel : ἀλλαχοῦ εἰς... (I, 38) et πάντοθεν (I, 45). D'ailleurs, l'expression parallèle de Luc pourrait en garder une vague réminiscence : εἰς πάντα τόπον τῆς περιχώρου, comp. πανταχοῦ εἰς ὅλην τὴν περίχωρον τῆς Γαλιλαίας [34].

Est-il exclu que la rédaction lucanienne ait remplacé un ἐξῆλθεν par ἐξεπορεύετο ? Dans les deux autres emplois de ἐκπορεύεσθαι, Luc est tributaire de ses sources (*Lc.*, III, 7 = *Mc.*, I, 5 ; *Lc.*, IV, 22 = *Deut.*, VIII, 3 LXX, cf. *Mt.*, IV, 4). En IX, 5 il modifie ἐκπορευόμενοι en ἐξερχόμενοι, mais ce verbe lui est suggéré par le contexte de Marc lui-même (VI, 10 : ἐξέλθητε ἐκεῖθεν) et par le parallèle de Q (*Lc.*, X, 10 : ἐξελθόντες, cf. *Mt.*, X, 14 : ἐξερχόμενοι), auquel le complément ἀπὸ τῆς πόλεως ἐκείνης (*loco* ἐκεῖθεν) semble renvoyer [35]. Il est moins exact de dire qu'en *Lc.*, XXI, 37 ἐξερχόμενος est substitué au verbe ἐκπορεύεσθαι [36], car le double motif de *Mc.*, XI, 11 et 19 (ἐξῆλθεν / ἐξεπορεύοντο), plus que *Mc.*, XIII, 1, est à l'arrière-plan du sommaire lucanien. *Mc.*, X, 17

30. *Ibid.*, p. 217-218 (Note § 146).

31. *Lc.*, IX, 6 diff. *Mc.* ; *Act.*, XVII, 30 ; XXIV, 3 ; XXVIII, 22.

32. Pour les allitérations rhétoriques πανταχοῦ avec πᾶς : comp. Flavius Josèphe, *Bell.* 5, 310 ; *Ant.* 17, 143 ; *Contra Apionem* II, 41, 294.

33. À noter que l'emploi de *Mc.*, I, 28 diffère de celui de Luc et Actes en tant qu'il exprime une nuance de mouvement ; de même, ἀλλαχοῦ au v. 38.

34. Comme en plusieurs autres cas, Luc peut avoir éliminé l'expression double de Marc. Cfr F. NEIRYNCK, *Duplicate Expressions in the Gospel of Mark*, dans *Eph. Theol. Lov.*, 48 (1972), 150-209.

35. Sur l'influence de Q, voir le commentaire de H. Schürmann.

36. T. SCHRAMM, *Markus-Stoff*, p. 35, n. 4.

et 46 sont sans parallèles en Luc, mais c'est le motif même, plus que le verbe employé, qui est omis (*Lc.*, XVIII, 18) ou transformé (*Lc.*, XVIII, 35, cfr XIX, 1). Ajoutons à cela que cinq des onze emplois en Marc se trouvent en *Mc.*, VII, 15-23, sans parallèle en Luc. Un tel dossier ne permet guère de conclusion bien ferme, surtout si l'on n'oublie pas les trois emplois en Actes. Boismard suppose que le rédacteur de *Mc.*, I, 28 a emprunté ἐξῆλθεν à la variante de *Lc.*, IV, 14b/*Mt.*, IX, 26, mais l'inverse reste plus probable : ἐξῆλθεν, ἐξεπορεύετο, διήρχετο, ἐξῆλθεν sont plutôt des variations lucaniennes sur la formule de *Mc.*, I, 28 (*Lc.*, IV, 14.37 ; V, 15 ; VII, 17) [37].

Encore moins acceptable est le raisonnement de l'auteur à propos de τὴν περίχωρον : terme lucanien (cinq fois en Luc et une fois en Actes) introduit des deux côtés, par le rédacteur lucanien et par le rédacteur marco-lucanien. Il est assez curieux de constater que le type d'explication que l'auteur refuse quand il s'agit des accords mineurs Matthieu/Luc, ne semble pas le gêner ici. En effet, les accords mineurs Matthieu/Luc contre Marc régissent la théorie synoptique de Boismard : les accords négatifs sont à la base de l'hypothèse du Marc intermédiaire (un proto-Marc synoptique) et les accords positifs lui font supposer un contact direct entre Matthieu et Luc [38], plus exactement, entre le Matthieu intermédiaire (ce qui permet d'échapper à l'objection que les parties rédactionnelles de Matthieu n'ont pas laissé de trace en Luc) et le Luc intermédiaire. [L'appellation de proto-Luc [39] prête à confusion, en raison de l'usage consacré de désigner ainsi le soi-disant proto-Luc des Anglais : Q + L (ou S) ; le Luc intermédiaire de Boismard n'est pas cet évangile non-marcien, ou plutôt il n'est pas seulement cela : il est aussi un évangile « para-marcien », basé sur une tradition matthéenne parallèle aux récits de Marc.] L'hypothèse du Matthieu intermédiaire, source de Luc (proto-Lc) et de Marc (l'ultime rédacteur) et remanié par l'ultime rédacteur matthéen en fonction de Marc (Mc-intermédiaire), reste dans la ligne de la théorie proto-matthéenne : le Mg de Cerfaux-Vaganay-Benoit, source commune de Matthieu, Marc et Luc et à l'origine des accords Matthieu/Luc. Seulement l'hypothèse est doublée de celle d'un proto-Marc qui doit expliquer les accords mineurs négatifs.

37. Voir la discussion dans l'article de J. Delobel (cfr *infra*, n. 181).

38. *Commentaire*, p. 30-32 (II C lc), 41-42 (II E ld) : « Sauf pour les récits de la résurrection, la source principale du proto-Lc fut le Mt-intermédiaire. On en a pour preuve les nombreux accords Mt/Lc contre Mc qui ne peuvent s'expliquer par des retouches marciennes » (II E 2a ; p. 42).

39. Boismard parle de Matthieu intermédiaire, de Marc intermédiaire et de Proto-Luc. Proto-Matthieu, Proto-Marc et « Luc intermédiaire » seraient des appellations plus aptes à exprimer la place que l'auteur attribue aux évangiles « intermédiaires ».

L'accord mineur entre Marc et Luc (*τὴν περίχωρον*) reçoit donc une explication rédactionnelle. Ici encore, la question se pose : pourquoi retirer l'expression à l'évangile de Marc, source de Luc ? Les cinq emplois de Luc demandent un examen plus précis : *Lc.*, IV, 37 est le parallèle direct de *Mc.*, I, 28 et *Lc.*, IV, 14 et VII, 17 sont des réemplois du même sommaire ; l'expression de *Lc.*, III, 3 *περίχωρος τοῦ Ἰορδάνου* (cfr *Mt.*, III, 5), empruntée peut-être à la LXX [40], fut suggérée par *Mc.*, I, 5 (*πᾶσα ἡ Ἰουδαία χώρα*) et celle de *Lc.*, VIII, 37 (*περίχωρος τῶν Γερασηνῶν*) est une variante de *ἡ χώρα τῶν Γερασηνῶν* de *Mc.*, V, 1 (= *Lc.*, VIII, 26).

D'après Boismard, l'ultime rédacteur de *Lc.*, IV, 31-44 ; V, 27-32 ; (VI, 17-19) ; IX, 7-9 ; (IX, 37-43a) dépend du seul Marc intermédiaire. On ne peut songer ici à une discussion détaillée de l'hypothèse du proto-Marc. D'ailleurs, puisque ce sont surtout les additions rédactionnelles, absentes de Luc, qui distinguent le Marc canonique du proto-Marc, l'hypothèse ne contredit pas formellement la conclusion de Schramm (et Schürmann). Elle augmenterait encore la fidélité marcienne de Luc, en ce sens qu'il ne serait plus nécessaire de supposer un nombre important d'omissions et d'abréviations. Pour les péricopes de *Lc.*, VI, 1-5.6-11 ; VIII, 11-15. 19-21. 26-39. 40-56 ; IX, 46-50 aussi, Boismard admet une influence du proto-Marc, mais non exclusive et fort inégale. Ainsi, en *Lc.*, VI, 1-5, les accords Matthieu/Luc font supposer que le rédacteur lucanien se base sur un récit proto-lucanien, dépendant du Matthieu intermédiaire, tandis que, pour *Lc.*, VI, 6-11, l'emprunt (proto-lucanien) à Matthieu semble se limiter au v. 11. Parfois, le proto-Luc dépend d'une source plus primitive que (proto-) Marc, le document B (*Lc.*, VIII, 19-21 et VIII, 40-56), mais, en général, c'est la dépendance envers Matthieu qui caractérise le récit proto-lucanien.

Les accords mineurs entre Matthieu et Luc contre Marc sont pour T. Schramm aussi un premier critère dans la recherche de traditions non-marciennes. Les deux autres « indicateurs » sont les éléments propres à Luc *(Sonderelemente)* et les sémitismes. Sous une quatrième rubrique, il examine toutes les autres divergences de Luc vis-à-vis de Marc. Après la description des critères, l'auteur fait une analyse systématique de chaque péricope de la matière marcienne (*Lc.*, IV, 31-44 ; V, 12-VI, 19 ; VIII, 4-IX, 50 ; XVIII, 15-43 ; XIX, 28-XXII, 13). C'est la partie essentielle de son livre [41]. Sa conclusion : l'influence de traditions variantes (non-marciennes) apparaît en V, 12-16.17-26.33-39 ; VI, 12-19 ; VIII, 4-8.(9-10).16-18.22-25 ; IX, 1-6.10-17.18-22.(23-27).28-36.37-43a.

40. Cfr F. NEIRYNCK, *Une nouvelle théorie synoptique. (À propos de Mc., I, 2-6 et par.)*, dans *Eph. Theol. Lov.*, 44 (1968), 141-153, spéc. p. 150-151 (cfr *Gen.*, XIII, 10).

41. T. SCHRAMM, *Markus-Stoff*, p. 70-184.

43b-45 ; XVIII, 31-34.(35a) ; XIX, 28-38 ; XX, (1a).9-19.27-40.(46) ; XXI, 5-36 ; (XXII, 3) [42].

III. Les éléments propres de Luc

S'il est vrai que des traditions parallèles ont influencé l'évangéliste, il n'est guère pensable que les traditions étaient strictement identiques et n'ont pas laissé de traces dans la rédaction lucanienne : d'où l'importance qui, en critique littéraire, revient aux *Sonderelemente* [43]. Mais la question est de savoir si, comme le propose T. Schramm, les éléments propres à Luc sont tels qu'ils permettent de faire la distinction entre des péricopes de tradition marcienne pure et des péricopes de tradition mixte.

La liste de Hawkins [44] comporte sept passages qui, d'après Schramm, appartiennent à la tradition marcienne pure :

VI, 11a : *αὐτοὶ δὲ ἐπλήσθησαν ἀνοίας* [45].
VIII, 12b : *ἵνα μὴ πιστεύσαντες σωθῶσιν* [46].

42. *Ibid.*, p. 186.
43. *Ibid.*, p. 78.
44. J. C. HAWKINS, *Horae Synopticae*, p. 194-197 (« The Smaller Additions in St. Luke's Gospel »). Hawkins en propose une classification. Les passages de la matière marcienne se retrouvent surtout dans les catégories suivantes : « (*e*) Among the additions which may be editorial, some bring out the prayerfulness which is assumed to be the constant habit of Jesus... (*f*) Others emphasize the right use of wealth, the duty of liberality, etc. ... (*g*) Other such additions may be described as merely heightening the effect of the narrative... (*h*) Pauline expressions, introduced by Luke because so familar to himself... (*i*) Other additions, of various kinds, which may be regarded as probably editorial. »
45. Hawkins : catégorie (*g*). Schramm (p. 112) : « Typisch luk ist auch der Abschluss V 11 als Ersatz für die verfrühte Notiz Mk 3,6. » Et encore : « πλήθειν in NT überhaupt nur bei Mt 2 x und Lk 13 x, Act 9 x ; von Personen nur bei Lk » (note 3) ; on ajoutera, avec Boismard : « spécialement au passif, suivi d'un génitif pour marquer un sentiment, cf. Lc *4* 28 ; *5* 26 ; Ac *3* 10 ; *5* 17 ; *13* 45 » (p. 118). D'après Boismard, *Lc.*, VI, 11 ne dépend pas littérairement de Marc (« Lc semble ignorer Mc *3* 6 dans l'exemplaire marcien qu'il suit », p. 118), mais : « on peut se demander seulement si son v. 11 ne serait pas un écho du proto-Lc, et donc du Mt-intermédiaire », (p. 119). Sans discuter ici cette hypothèse proto-matthéenne, on peut observer que l'emploi de εὐθύς et la mention des Hérodiens sont les seuls éléments de quelque importance qui différencient le texte de Marc de celui de Matthieu (encore : *δέ loco καί* ; *ἔλαβον loco ἐδίδουν*). Sur l'omission lucanienne des Hérodiens, voir la remarque de Schürmann (*Lukasevangelium*, p. 309).
46. Hawkins : Pauline expression (*h*). Schramm (p. 122, n. 2) : « πιστεύειν : spezifisch luk » ; (comp. p. 117 : « Nachtrag aus Mk 4, 12 »). Voir les commentaires et surtout J. DUPONT, *La parabole du semeur dans la version de Luc*, dans *Apophoreta. Festschrift für E. Haenchen* (BZNW, 30), Tubingue, 1964, p. 97-108, spéc. 101-102.

IX, 9b : καὶ ἐζήτει ἰδεῖν αὐτόν [47].
XVIII, 43b : δοξάζων τὸν θεόν. καὶ πᾶς ὁ λαὸς ἰδὼν ἔδωκεν αἶνον τῷ θεῷ [48].
XX, 20b : ὥστε παραδοῦναι αὐτὸν τῇ ἀρχῇ καὶ τῇ ἐξουσίᾳ τοῦ ἡγεμόνος.
XX, 26a : καὶ οὐκ ἴσχυσαν ἐπιλαβέσθαι αὐτοῦ ῥήματος ἐναντίον τοῦ λαοῦ [49].
XXI, 37-38 : ἦν δὲ τὰς ἡμέρας ἐν τῷ ἱερῷ διδάσκων, τὰς δὲ νύκτας ἐξερχόμενος ηὐλίζετο εἰς τὸ ὄρος τὸ καλούμενον ἐλαιῶν. καὶ πᾶς ὁ λαὸς ὤρθριζεν πρὸς αὐτὸν ἐν τῷ ἱερῷ ἀκούειν αὐτοῦ [50].

En accord avec la plupart des commentaires, T. Schramm admet en *Lc.*, IV, 41b une anticipation lucanienne de *Mc.*, III, 11b.(12) : κρ[αυγ]-άζοντα καὶ λέγοντα ὅτι σὺ εἶ ὁ υἱὸς τοῦ θεοῦ [51]. Par contre, il pense qu'en *Lc.*, VI, 1 et XXII, 3, il pourrait s'agir d'une tradition parallèle.

Lc., VI, 1 : (καὶ ἤσθιον τοὺς στάχυας) ψώχοντες ταῖς χερσίν serait une remarque qui n'apporte rien à l'intelligence de la scène [52]. Toutefois, l'avis de A. Schlatter, auquel l'auteur fait appel, s'oppose à une opinion commune beaucoup plus vraisemblable : « Luc est ici plus circonstancié que Mc., mais c'est pour que l'épisode soit plus clair » [53]. Finalement,

47. Hawkins : catégorie (*i*). Sur la préparation de *Lc.*, XXIII, 7-12, voir les commentaires. H. Schürmann (*Lukasevangelium*, p. 508-509) attire l'attention sur les réminiscences de *Mc.*, VI, 17-29 en *Lc.*, IX, 7-9 (comme en *Lc.*, III, 19-20) spécialement *Mc.*, VI, 20 : ἠπόρει, comp. διηπόρει, (v. 7) ; ἀκούσας αὐτοῦ πολλά, comp. περὶ οὗ ἀκούω τοιαῦτα (v. 9b) ; καὶ ἡδέως αὐτοῦ ἤκουεν, comp. καὶ ἐζήτει ἰδεῖν αὐτόν (v. 9c). (Sur les contacts de *Lc.*, XIII, 31 avec *Mc.*, VI, voir l'article de A. Denaux, p. 265-268).

48. Hawkins : catégorie (*g*). Schramm (p. 143, n. 3) : « typisch luk Abschlussbildung in 43b, vgl. nur Lk 5, 25f. ; 7, 29 ; 9, 43a. » D'autres renvoient à *Lc.*, V, 25 ; VII, 16-17 ; XVII, 15 (les personnes guéries glorifient Dieu) et V, 26 ; XIII, 17 (les autres joignent leurs louanges).

49. Hawkins : catégorie (*i*). Schramm (p. 170) : « Nur in den Rahmenversen, besonders in der Einleitung (Lk 20,20f), zeigen sich gewichtigere Abweichungen von Mk. Daraus ist allerdings nicht zu schliessen, dass Lk die ganze Perikope aus einer Sonderquelle entnommen hat (*contre B. Weiss*), denn sprachliche Form und inhaltliche Ausrichtung des Rahmens sind wo nicht spezifisch luk, so doch luk gut möglich. »

50. Hawkins : catégorie (*i*). Schramm (p. 182) : « Die Abschlussbildung Lk 21, 37f. gilt allgemein und sicher zu recht als luk redaktionell, eine ' aus der Feder des Lk stammende Sammelnotiz ' als ' Klammer, die Jesu Tätigkeit vor seiner Verhaftung ausleitend überblickt und zugleich die Situation der folgenden Ereignisse einleitend vorbereitet ».

51. T. Schramm, *Markus-Stoff*, p. 88 : « Lk ist dabei deutlich an Mk 3, 11 b orientiert ». Comp. les commentaires, e.a. H. Schürmann et M.-É. Boismard (p. 98). D'après Schürmann (p. 254, n. 243), l'influence de *Mc.*, III, 12 sur ἐπιτιμῶν n'est pas certaine : voir IV, 35-39.

52. *Markus-Stoff*, p. 111 : « Was auf zusätzliche Information hinweist » (cfr Schlatter).

53. M.-J. Lagrange, *Luc*, p. 176. Cfr W. Grundmann, *Lukas*, p. 135 : « das Ahrenausraufen der Jünger..., das durch den Zusatz ψώχοντες ταῖς χερσίν aus-

Schramm lui-même admet que la base est trop étroite pour permettre une conclusion certaine sur la péricope de *Lc.*, VI, 1-6 [54].

Lc., XXII, 3 : εἰσῆλθεν δὲ σατανᾶς εἰς Ἰούδαν. Il est sans doute trop simpliste de dire que le caractère traditionnel est prouvé par le parallèle de *Jo.*, XIII, 27 [55]. Boismard apporte déjà la précision que « Satan entra en Judas » est un détail qui se lit en *Jo.*, XIII, 27 « par influence lucanienne » et que, d'autre part, la tradition attestée par son équivalent en *Jo.*, XIII, 2 aurait influencé Luc [56]. Mais la question se pose : n'est-il pas également « par influence lucanienne » que le motif est exprimé en *Jo.*, XIII, 2, en préparation du v. 27 ? [57] Quoiqu'il en soit, le parallèle johannique ne nous dispense pas de lire *Lc.*, XXII, 3 dans le contexte de l'évangile de Luc. D'après Schramm, σατανᾶς relève du vocabulaire non pas lucanien, mais prélucanien : il s'agit d'un mot que Luc n'utiliserait pas s'il rédige librement [58]. Mais il faut s'entendre sur ce qu'on appelle rédactionnel. On ne peut pas réduire le vocabulaire du rédacteur aux mots dits caractéristiques et exclure de l'activité rédactionnelle un certain réemploi du vocabulaire des sources. Concrètement, le problème posé est celui-ci : si on admet, comme le fait Schramm, que *Lc.*, XXII, 1-13 n'a d'autre *Vorlage* que Marc, faut-il avoir recours à une *Sondertradition* pour expliquer le motif du v. 3a ? Εἰσέρχεσθαι εἰς, employé en Marc pour désigner la possession démoniaque (V, 12.13), est repris

drücklich als verbotene Erntearbeit bezeichnet wird. » Comp. J. Weiss, E. Klostermann, T. Zahn, J. Schmid, H. Schürmann et autres.

54. *Markus-Stoff*, p. 112 : « Ein sicherer Nachweis ist bei der relativ schmalen Argumentationsgrundlage nicht zu führen ».

55. *Ibid.*, p. 182 : « Durch Joh 13, 27 als traditionell erwiesen ».

56. *Commentaire*, p. 374. Sous l'influence de cette tradition, Luc aurait précisé le nom propre « Iskariôth » de Marc (alors qu'il ne le fait pas *Lc.*, VI. 16, où il garde la forme sémitique de Marc). Matthieu a la forme grécisée aux deux endroits (X, 4 ; XXVI, 14) : pourquoi Luc, après avoir suivi Marc en VI, 16, n'aurait-il pas pu préférer la forme grecque en XXII, 3 sans être influencé pour cela par la tradition johannique ?

57. Voir, après H. J. Holtzmann, W. Bauer et autres, J. A. Bailey, *The Traditions Common to the Gospels of Luke and John* (Supplements to Novum Testamentum, 7), Leyde, 1963, p. 3-31 : « As far as the Jn. 13.27 statement is concerned, there is no question that John derived it from Luke. As we have seen, John knew Luke's gospel ; that he drew on it here is ensured by its use of the Lucan σατανᾶς, a use which indicates that he was so struck by Luke's statement that the wording of it remained in his mind. ... Nevertheless, he was also impressed by the location of Luke's statement, providing as it does part of the framework for the account of the last supper. He therefore inserted at the corresponding point in his gospel (i.e. at 13.2) a statement which he composed on the basis of his indication on Lk. 22.3 and which, in that it prepared the reader of the gospel for 13.25, he used to reinforce that statement. » L'auteur remarque encore que *Lc.*, XXII, 3a pourrait provenir « possibly from his own theological reflection. »

58. *Markus-Stoff*, p. 183, et note 1.

par Luc dans le texte parallèle (VIII, 32.33) et appliqué à l'homme possédé (VIII, 30 diff. *Mc.*)[59]. En *Lc.*, XI, 26 (par. *Mt.*) εἰσελθόντα (sans la préposition) est dit également des démons. Il est vrai que le mot σατανᾶς est remplacé par διάβολος en *Lc.*, VIII, 12 (diff. *Mc.*, IV, 15). La même substitution se constate en parallèle de *Mc.*, I, 13, mais ici l'accord avec Matthieu (*Mt.*, IV, 1 /*Lc.*, IV, 2), la répétition de διάβολος en *Mt.*, IV, 5.8 (add. *Lc.*) et en *Lc.*, IV, 3 (diff. *Mt.* : πειράζων) et encore l'accord en conclusion de la péricope (*Mt.*, IV, 11 /*Lc.*, IV, 13) semblent suggérer une influence de la source commune. La péricope de *Mc.*, VIII, 32-33 (avec σατανᾶ au v. 33) est absente de Luc et *Mc.*, III, 23 est sans parallèle, mais l'emploi en *Mc.*, III, 26 a son écho en *Lc.*, XI, 18 (par. *Mt.*, XII, 26). En outre, Luc emploie encore trois fois σατανᾶς dans des passages propres (*Lc.*, X, 18 ; XIII, 16 ; XXII, 31) et deux fois en Actes (V, 3 ; XXVI, 18). On comprend dès lors les réserves exprimées par H. Schürmann concernant le caractère proto-lucanien prôné par F. Rehkopf [60] : d'une part, l'emploi en Actes défend de l'appeler « non lucanien » et d'autre part le terme est attesté dans différentes traditions (Marc, Q et *Sondergut* lucanien) [61]. En *Lc.*, XIII, 16, les traits lucaniens dans la péricope (*Lc.*, XIII, 10-17) ne permettent pas d'exclure un emploi rédactionnel. Quant à *Lc.*, XXII, 3, une certaine analogie avec *Act.*, V, 3 [62] et surtout le rapport avec *Lc.*, IV, 13 (où le diable quitte Jésus ἄχρι καιροῦ) [63] recommandent une exégèse qui ne sort pas du cadre habituel de la rédaction lucanienne sur Marc.

59. Ce langage trouve sa confirmation dans l'emploi de ἐξέρχεσθαι ἀπό dans les récits d'exorcisme chez Luc : IV, 35 (bis) (par. *Mc.*, I, 25-26 : ἐκ) ; IV, 36 (comp. *Mc.*, I, 27 : ὑπακούουσιν) ; IV, 41 (comp. *Mc.*, I, 34 : ἐξέβαλεν) ; VIII, 2 ; VIII, 29 (par. *Mc.*, V, 8 : ἐκ) ; VIII, 33 (par *Mc.*, V, 13) ; VIII, 35 (comp. *Mc.*, V, 15 : τὸν δαιμονιζόμενον) ; VIII, 38 (comp. *Mc.*, V, 18 : ὁ δαιμονισθείς) ; XI, 14 (diff. *Mt.*, IX, 33 : ἐκβληθέντος) ; XI, 24 (bis) (par *Mt.*, XII, 43-44).

60. F. Rehkopf, *Sonderquelle*, p. 96.

61. H. Schürmann, *Protolukanische Spracheigentümlichkeiten* ?, p. 216-219.

62. H. Schürmann, *Jesu Abschiedsrede* (voir n. 18), p. 102-103 : « An allen Stellen, wo Luk die Satan-Bezeichnung von sich aus schreibt, ist die Rede von Menschen, die ihm auf Grund einer Fehlentscheidung verfallen sind, so dass der Satan Gewalt über sie und ihr Herz hat (Lk 22,3 diff Mk ; vgl. Apg 5,3 ; 26, 18). »

63. H. Schürmann, *Lukasevangelium*, p. 217 : « Die Abwehr des Teufels war eine grundlegende Tat, da sie den von Versuchungen und Nachstellungen freien Raum des « Heute » (4, 21) aus dem « Machtbereich des Satans » (vgl. Apg 26, 18) ausgespart hat (vgl. 4,13 ; 22, 3.31.53) : die Messiaszeit, in der es kein Bussfasten geben kann (5, 33ff), in der Gottes Vorsorge sich in unerhörter Weise auswirkte (22, 35), der Geist wirksam war (12, 10) und Dämonenaustreibungen (so pointiert als erste Tat Jesu 4, 33-37 ; vgl ferner 4, 41 ; 11, 14. 19f) und damit Schädigungen der Macht des Teufels (vgl. 10, 17f ; 11, 17f) möglich wurden. » L'auteur est délibérément plus nuancé que H. Conzelmann. Comp. *Die Mitte der Zeit*, Tubingue, 5e éd., 1964, p. 22 : « Der Ausdruck συντελέσας πάντα πειρασμόν kann kaum scharf genug interpretiert werden. Er besagt wirklich, dass fortan im Leben Jesu keine Versu-

Passons maintenant aux péricopes dans lesquelles l'influence d'une tradition non-marcienne est admise par T. Schramm. Tout d'abord, il est à noter que l'auteur ne s'oppose pas au caractère rédactionnel de certains éléments propres de Luc :

V, 15-16 : *διήρχετο δὲ μᾶλλον ὁ λόγος περὶ αὐτοῦ, καὶ συνήρχοντο ὄχλοι πολλοὶ ἀκούειν καὶ θεραπεύεσθαι ἀπὸ τῶν ἀσθενειῶν αὐτῶν· αὐτὸς δὲ ἦν ὑποχωρῶν ἐν ταῖς ἐρήμοις καὶ προσευχόμενος* [64].

V, 17b-d : *καὶ ἦσαν καθήμενοι Φαρισαῖοι καὶ νομοδιδάσκαλοι, οἳ ἦσαν ἐληλυθότες ἐκ πάσης κώμης τῆς Γαλιλαίας καὶ Ἰουδαίας καὶ Ἰερουσαλήμ, καὶ δύναμις κυρίου ἦν εἰς τὸ ἰᾶσθαι αὐτόν* [65].

VI, 12-13a : *ἐγένετο δὲ ἐν ταῖς ἡμέραις ταύταις ... προσεύξασθαι, καὶ ἦν διανυκτερεύων ἐν τῇ προσευχῇ τοῦ θεοῦ. καὶ ὅτε ἐγένετο ἡμέρα* [66].

VI, 17a : *καὶ καταβὰς μετ' αὐτῶν ἔστη ἐπὶ τόπου πεδινοῦ* [67].

XIX, 28 : *καὶ εἰπὼν ταῦτα ἐπορεύετο ἔμπροσθεν ἀναβαίνων εἰς Ἱεροσόλυμα* [68].

chungen vorkommen. » Voir la réaction de F. Schütz : « Hätte Lukas hier eine Vollendung schlechthin aller Versuchungen gemeint, wäre eine präzisere Formulierung zu erwarten. Gewiss wird durch « *ἀπέστη ἀπ' αὐτοῦ ἄχρι καιροῦ* » die Verbindung mit der Passion hergestellt (22, 3). Aber das entspricht der lukanischen Konzeption, in dem Leiden den Hintergrund des Wirkens Jesu zu sehen. So geht es hier um die positive Verknüpfung von Versuchung und Passion, « Anfang » und « Ende » (Vgl. RENGSTORF, *Lukas*, 65f ; SCHLATTER, *Lukas*, 481 ; HAUCK, *Lukas*, 61), aber nicht um eine Aussage darüber, ob die Zwischenzeit nun von Satan und Versuchungen frei sei oder nicht ». Cfr *Der leidende Christus. Die angefochtene Gemeinde und das Christuskerygma der lukanischen Schriften* (BWANT, 89), Stuttgart, 1969, p. 85. — Voir n. 169.

64. *Markus-Stoff*, p. 93 (sur le vocabulaire lucanien, cfr n. 5) ; comp. BOISMARD, *Commentaire*, p. 105 ; SCHÜRMANN, *Lukasevangelium*, p. 277-278. Le sommaire qui remplace *Mc.*, I, 45 (« an die Stelle von Mk I, 45 », Schramm) garde des contacts réels avec Marc : v. 15a : *Mc.*, I, 45a (*ὁ λόγος*), comp. I, 28 ; v. 15b :*Mc.*, I, 45d, comp. II, 2a (cfr *Lc.*, IV, 42 = *Mc.*, I, 37) ; v. 15c : cfr *Lc.*, VI, 17d (diff. *Mc.*, III, 8b) ; *Mc.*, I, 45c ; v. 16b : cfr *Mc.*, I, 35.

65. *Markus-Stoff*, p. 100-101. L'auteur ne renonce pas à l'idée d'une tradition parallèle pour v. 17d (p. 101, n. 2 : cfr A. Schlatter). Cependant, v. 17b : *Mc.*, II, 6a ; v. 17c : *Mc.*, III, 7b-8a et 22a (cfr VII, 1) ; v. 17d : cfr *Lc.*, VI, 19b ; VIII, 46 = *Mc.*, V, (29-)30. Boismard note l'inspiration commune de *Lc.*, VI, 17-19 en V, 15 et 17 (p. 105). Par cette association de *Mc.*, I, 45 et II, 1-2, Luc n'avait qu'à suivre son modèle (*τὸν λόγον, ὥστε μηκέτι* + inf., l'affluence de la multitude). Sur l'influence de *Mc.*, II, 13, voir l'observation de A. Denaux, p. 247, n. 8. [Cfr *L'hypocrisie des Pharisiens*, dans *BETL* 32, 1973, p. 245-285.]

66. *Ibid.*, p. 113. Parallèle à *Mc.*, III, 13a. Pour la prière nocturne sur la montagne, voir *Mc.*, VI, 46 et la rédaction lucanienne des récits de la transfiguration et de l'agonie de Gethsémani.

67. *Ibid.*, p. 114 : « luk Verknüpfung mit der vorangehenden Bergszene ». Comp. *Mc.*, IX, 9a, par. *Lc.*, IX, 37.

68. *Ibid.*, p. 146 : « luk redaktionell, wobei die Formulierung von Mk 10, 32 mitbestimmt sein dürfte. »

Par contre, les *Sonderelemente* de *Lc.*, V, 33.36a.39 ; VIII, 5 ; IX, 28b. 29a.30-32.36 ; IX, 43-45 ; XVIII, 31b.34 ; XIX, 37-38 ; XX, 17-18 ; XX, 34-36. 38b et plusieurs versets de XXI, 8-36 seraient des traces de traditions parallèles.

V, 33.36a.39 : *La question sur le jeûne* [69].

Le v. 33 comporte plusieurs éléments propres à Luc : (*οἱ δέ*), *πυκνά, καὶ δεήσεις ποιοῦνται, ὁμοίως*, (*ἐσθίουσιν καὶ πίνουσιν*). La mention de la prière des disciples de Jean correspond à l'information fournie ailleurs dans l'évangile (XI, 1). L'emploi du vocabulaire n'exclut nullement la main de Luc [70]. Son intervention principale fut de faire un lien intime entre la question sur le jeûne et le repas dans la maison de Lévi. Il change le pluriel impersonnel de *Mc.*, II, 18 et attribue la réflexion aux Pharisiens et scribes du v. 30 (*οἱ δέ*). Après avoir complété, dans le même verset 30, le *ἐσθίει* de Marc en *ἐσθίετε καὶ πίνετε* appliqué aux disciples, il substitue *ἐσθίουσιν καὶ πίνουσιν* à *οὐ νηστεύουσιν* de *Mc.*, II, 18. Cette insertion de la question sur le jeûne dans la situation du repas transforme l'ensemble de *Lc.*, V, 29-39 en scène symposiaque. La parabole et l'introduction lucanienne au v. 36 (*ἔλεγεν δὲ καὶ παραβολὴν πρὸς αὐτούς*) [71] y sont bien en place. Luc complète le petit discours de Jésus par un logion final ; cette règle du vin qui nous rappelle la situation du repas (*πίνετε — πίνουσιν — πιών*), et qui pourrait refléter l'expérience personnelle de l'évangéliste [72].

69. *Ibid.*, p. 105-110.

70. *οἱ δέ* : H. Schürmann, *Der Paschamahlbericht*, p. 87 (dossier), 92 (« luk Sprachgebrauch conform ») ; *Jesu Abschiedsrede*, p. 22 : « Luk bringt *ὁ* (*οἱ*) *δέ* (Mk ca. 44 x ; Mt ca. 70 x) ca. Lk 71 x, ferner in Apg ca. 18/12 x » ; — *εἶπαν πρὸς αὐτόν* : H. Schürmann, *Der Paschamahlbericht*, p. 4 ; — *πυκνά* : comp. *Act.*, XXIV, 26 (*πυκνότερον*) ; — *δέησις* : comp. *Lc.*, I, 13 ; II, 37 (*νηστείαις καὶ δεήσεσιν*) ; — *δέησιν ποιεῖν* : cfr *Phil.*, I, 4 ; 1 *Tim.*, II, 1 ; aussi 3 *Macc.*, II, 1 ; — *ὁμοίως* : *Lc.*, III, 11 ; V, 10 (*καί*) ; VI, 31 (diff. Mt) ; X, 32 (*καί*) ; X, 37 ; XIII, 3 ; XVI, 25 ; XVII, 28 (diff. Mt). 31 ; XXII, 36 (*καί*) ; — *ἐσθίειν καὶ πίνειν* et *φαγεῖν καὶ πιεῖν*, cfr H. Schürmann, *Jesu Abschiedsrede*, p. 49.

71. *Lc.*, XII, 41 (*πρός*) ; XIII, 6 ; XIV, 7 (*πρός*) ; XVIII, 1 (*πρός*) ; XX, 9 (*πρός* ; diff. *Mc.*). Sur la parabole dans le cadre du symposium, voir J. Delobel, *L'onction de Jésus par la pécheresse*, dans *Ephem. Theol. Lov.*, 42 (1966), 415-475, spéc. p. 461, Cfr *Lc.*, V, 30-39 ; VII, 40-47 ; XIV, 7-24 ; XV, 3-32 ; XIX, 11-27.

72. Comp. M.-É. Boismard, *Commentaire*, p. 115 : « C'est probablement à l'ultime Rédacteur lucanien qu'il faut attribuer le logion final du v. 39, qui répond moins à la situation des disciples de Jean mais reflète une expérience personnelle : celle du missionaire, compagnon de Paul, qui voit les Juifs refuser le vin nouveau de l'évangile sous prétexte que le vin ancien de la loi mosaïque est bon, voire meilleur ». Comp. H. Schürmann, *Lukasevangelium*, p. 300 : « Schwerlich ist auszumachen, ob Luk diese Weinregel einer urchristlichen Tradition entnommen hat. Der aufgewiesene radikale Aussagewille des Luk erlaubt es ebensowenig wie die von Luk abhängige Komposition Ev Thom 48, sie als sicheren Bestandteil einer Variante zu 5, 33-39 zu verstehen ». Comp. *Das Thomasevangelium und das lukanische*

VIII, 5 : *καὶ κατεπατήθη* [73].

Est-ce un doublet du motif des oiseaux qui mangèrent le grain tombé le long du chemin ? J. Dupont se demande si ce trait n'a pas une portée allégorique (la négligence coupable des Juifs), [74] mais finalement il s'en tient à la remarque de Lagrange : « Luc a pensé que le chemin appelait logiquement des passants » [75].

IX, (28-29).30-32.36 : *La transfiguration* [76].

L'hypothèse d'un récit prélucanien de la transfiguration a trouvé beaucoup d'adhérents. Boismard la propose aussi dans son récent commentaire : *Lc.*, IX, 28a.c.29.30a.31.32-33a.36b serait la forme la plus archaïque du récit, harmonisée d'abord avec un récit proto-matthéen (les ajouts des v. 28b.33-35 et la suture du v. 36a) et remaniée ensuite en fonction du récit marcien [77]. Schramm n'entre pas dans de telles précisions, mais ne doute pas de l'influence d'une tradition variante. La réponse est donnée par Schürmann : les vv. 30-33a s'expliquent intégralement comme rédaction lucanienne. Nous renvoyons à son commentaire pour le dossier des parallèles [78]. Boismard élimine du récit primitif l'emprunt à Marc : *συνελάλουν αὐτῷ, οἵτινες ἦσαν Μωϋσῆς καὶ Ἠλίας, οἳ* (v. 30-31a). On y ajoutera *ὀφθέντες* qui, dans un second mouvement, reprend *Mc.*, IX, 4 pour expliciter l'objet de l'entretien :

Sondergut, dans BZ, 7 (1963), 236-260 ; = *Traditionsgeschichtliche Untersuchungen*, p. 228-247, spéc. 230-231.

73. *Markus-Stoff*, p. 116.

74. *Ibid.*, p. 100. H. Schürmann se montre sensible à la suggestion (p. 453). Cfr W. C. ROBINSON, *On Preaching the Word of God* (Luke 8 : 4-21), dans *Studies in Luke-Acts* (ed. L. E. KECK-J. L. MARTYN), Nashville, 1966, 131-138, p. 134 : « ' to be trodden under foot ' is a biblical term indicating utter destruction, and as such may correspond with the emphasis upon destruction which Luke has added to the interpretation by means of the clause *ἵνα μὴ πιστεύσαντες σωθῶσιν* ».

75. J. DUPONT, *La parabole du semeur*, p. 100 : « un enjolivement, malencontreux, mais que la mention du chemin suggérait assez naturellement ». L'auteur insiste sur le fait que le trait « n'est pas repris dans l'explication de la parabole et que dans la suite du récit parabolique on ne découvre aucune intention allégorique dans les retouches de l'évangéliste. » Cfr *καταπατεῖν* en *Lc.*, XII, 1 (introduction rédactionelle) et *πατεῖν* en *Lc.*, X, 19 ; XXI, 24.

76. *Markus-Stoff*, p. 137-139.

77. M.-É. BOISMARD, *Commentaire*, p. 252. — Comp. F. SPITTA, *Die evangelische Geschichte von der Verklärung Jesu*, dans *Zeitschr. für wiss. Theologie*, 53 (1911), 96-167, spéc. p. 121-122 ; E. HIRSCH, *Frühgeschichte des Evangeliums*, t. 2, Tubingue, 1941, p. 94-96 ; J. BLINZLER, *Die neutestamentlichen Berichte über die Verklärung Jesu*, Münster, 1937. Références bibliographiques, *ibid.*, p. 41-42 ; pour les auteurs plus récents, voir H. SCHÜRMANN, *Lukasevangelium*, p. 563, n. 72 (B. Weiss, V. Taylor, M.-J. Lagrange, K. H. Rengstorf, A. Schlatter, F. Hauck, W. E. Bundy, W. Grundmann, W. Dignath, X. Léon-Dufour).

78. H. SCHÜRMANN, *Lukasevangelium*, p. 559.

καὶ ὤφθη	καὶ ἰδοὺ	ὄφθεντες
συλλαλοῦντες	συνελάλουν	ἔλεγον...

Le contexte subséquent du récit, *Mc.*, IX, 11-12, peut avoir suggéré le thème (la mort de Jésus) et le motif de la δόξα est annoncé déjà en *Lc.*, IX, 26, par. *Mc.*, VIII, 38. « Pierre et ses compagnons » et « (Jésus) et les deux hommes » sont des expressions qui s'harmonisent bien avec *Mc.*, IX, 4 et 5 (l'intervention de Pierre). La remarque de *Mc.*, IX, 6 doit évoquer *Mc.*, XIX, 40 et c'est précisément le rapprochement avec le récit de Gethsémani qui explique ἦσαν βεβαρημένοι ὕπνῳ (*Mc.*, XIV, 40 : καθεύδοντας, ἦσαν... καταβαρυνόμενοι) et διαγρηγορήσαντες (*Mc.*, XIV, 34.37.38 : γρηγορεῖν). C'est encore le motif de la prière de Jésus, séparé des disciples, en *Mc.*, XIV, 32 (dans l'interprétation lucanienne : sur le mont des Oliviers, *Lc.*, XXII, 39ss.), auquel Luc se rapproche en IX, 28-29 (voir aussi *Mc.*, VI, 46) [79].

IX, 43b-45 et XVIII, 31b-34 : *Prédictions de la passion* [80].

IX, 45 : (οἱ δὲ ἠγνόουν τὸ ῥῆμα) τοῦτο,
καὶ ἦν παρακεκαλυμμένον ἀπ' αὐτῶν ἵνα μὴ αἴσθωνται αὐτό,
(καὶ ἐφοβοῦντο ἐρωτῆσαι αὐτὸν) περὶ τοῦ ῥήματος τούτου.

XVIII, 34 : καὶ αὐτοὶ οὐδὲν τούτων συνῆκαν,
καὶ ἦν τὸ ῥῆμα τοῦτο κεκρυμμένον ἀπ' αὐτῶν,
καὶ οὐκ ἐγίνωσκον τὰ λεγόμενα.

Le parallélisme des deux notices sur l'incompréhension des disciples est évident. Luc semble vouloir rapprocher ainsi les deux prédictions qui se trouvent fort éloignées l'une de l'autre suite à l'insertion de la section centrale de *Lc.*, IX, 51-XVIII, 14. *Lc.*, XVIII, 34 n'a pas de parallèle immédiat en Marc, mais *Lc.*, IX, 45 est une amplification de *Mc.*, IX, 32. En Marc, l'inintelligence semble se porter sur l'annonce de la (mort et) résurrection (comp. IX, 10), tandis que Luc, après la forme brève de IX, 44, vise le mystère de la passion. La réinterprétation lucanienne reste donc dans la ligne de sa rédaction du récit de la transfiguration, où l'entretien sur la mort de Jésus avait lieu devant des disciples endormis (IX, 31-32). Il est difficile de voir en *Lc.*, IX, 45 autre chose qu'un remaniement du texte de *Mc.*, IX, 32 par l'addition d'un troisième membre : καὶ ἦν παρακεκαλυμμένον ἀπ' αὐτῶν ἵνα μὴ αἴσθωνται

79. Cfr F. NEIRYNCK, *Minor Agreements Matthew-Luke in the Transfiguration Story*, dans *Festschrift J. Schmid*. [Cfr *infra*.] — Sur les huit jours en *Lc.*, IX, 28 : « Wie Joh 20, 26 meinen die « 8 Tage » wohl den « Oktavtag ». ... Vielleicht halten die « 6 Tage » (des Mk) für Palästinenser den gleichen Sinn ; vgl. DALMAN, Orte und Wege, 216 » (H. SCHÜRMANN, *Lukasevangelium*, p. 555, n. 7). Sur les « sémitismes » en IX, 28.29 et 36, cfr *infra*.

80. *Markus-Stoff*, p. 132-136. Sur les sémitismes dans ces versets, cfr *infra*.

αὐτό. Le contraste avec la révélation des mystères du royaume (*Lc.*, VIII, 10) saute aux yeux. En XVIII, 34, les trois membres deviennent οὐ- συνῆκαν, κεκρυμμένον, οὐκ ἐγίνωσκον. Variation stylistique sans doute, mais qui rend également encore plus étroit le rapprochement avec la section des paraboles : ἵνα ... μὴ συνιῶσιν (VIII, 10), κρυπτὸν / ἀπόκρυφον, γνωσθῇ (VIII, 17 ; comp. le doublet en XII, 2). En XVIII, 34, Luc reprend l'expression τὸ ῥῆμα τοῦτο, mais en parallèle à τούτων et τὰ λεγόμενα. *Lc.*, IX, 45 ne présente pas la même variation, sinon dans l'introduction du v. 44a : τοὺς λόγους τούτους.

XIX, 38b : ἐν οὐρανῷ εἰρήνη καὶ δόξα ἐν ὑψίστοις [81].

Le texte propre à Luc (comp. II, 14) appartiendrait à une tradition variante de l'entrée à Jérusalem : XIX, 29a (καὶ ἐγένετο ὡς ἔγγισεν). 37-38 (πρὸς τῇ καταβάσει...). 39-44. Luc aurait combiné le récit prélucanien avec la matière marcienne (XIX, 28.29b-36) [82].

L'argument repose sur une analyse du vocabulaire du v. 37 [83]. Mais est-il exact que Luc aurait dû écrire τὸ ὄρος τὸ καλούμενον ἐλαιῶν ? Il le fait en XIX, 29 (diff. *Mc.*), mais c'est la première mention et on comprend qu'il ne répète pas τὸ καλούμενον dans la même péricope (v. 37). Il le fera plus loin en XXI, 37. Ce sommaire précède immédiatement le récit de la passion et décrit une situation à laquelle renvoie la parole de Jésus de XXII, 53a, mais également la remarque de l'évangéliste en XXII, 39 (κατὰ τὸ ἔθος !) : on comprend dès lors que, comme en XIX, 37, il peut se passer de τὸ καλούμενον (par. *Mc.*). Par contre, dans un contexte nouveau, il écrira encore τὸ καλούμενον (*Act.*, I, 12). *Πρός* c. dat. est unique en Luc-Actes (en *Lc.*, VIII, 32, il remplace ἐκεῖ πρὸς τῷ ὄρει de *Mc.*, V, 11 par ἐκεῖ ... ἐν τῷ ὄρει), mais ἐγγίζειν πρός ne peut étonner après le v. 29 : ἤγγισεν εἰς ... πρὸς τὸ ὄρος ... (par. *Mc.*) ; le datif est un emploi lucanien plus normal [84], qui explique peut-être πρός c. dat. en XIX, 37. Ἅπαν (πᾶν) τὸ πλῆθος : est propre à Luc [85] (comp. ὄχλος πολὺς μαθητῶν αὐτοῦ, *Lc.*, VI, 17 diff. *Mc.*). Nous reviendrons encore sur ἄρχεσθαι c. inf. [86]. Il est plus important de noter que le motif du v. 37b peut être rapproché de *Lc.*, IX, 43b (add. *Mc.*) et XIII, 17b. L'emploi (prélucanien ?) de αἰνεῖν τὸν θεόν en *Lc.*, II, 13.20 [87] (et le parallèle de XIX, 38b en II, 14) n'est pas un argument suffisant pour conclure au caractère prélucanien de *Lc.*, XIX, 37-38.

81. *Ibid.*, p. 145.
82. *Ibid.*, p. 148.
83. *Ibid.*, p. 147.
84. Cfr *Lc.*, VII, 12 ; XV, 1.25 ; XXII, 47 diff. *Mc.* ; *Act.*, IX, 3 ; X, 9 ; XXII, 6.
85. Cfr *Lc.*, I, 10 ; VIII, 37 diff. *Mc.* ; XIX, 37 add. ; XXIII, 1 diff. *Mc.* ; *Act.*, VI, 5 ; XV, 12 ; XXV, 24 ; πλῆθος : *Lc.* 8 x ; *Act.* 17 x ; *Mc.*, III, 7.8.
86. Cfr *infra*.
87. Cfr *Act.*, II, 7 ; III, 7-8.

XX, 18 : πᾶς ὁ πεσὼν ἐπ' ἐκεῖνον τὸν λίθον συνθλασθήσεται·
ἐφ' ὃν δ' ἂν πέσῃ, λικμήσει αὐτόν [88].

Luc qui abrège la citation de *Mc.*, XII, 10b-11 (= *Ps.* CXVIII, 22-23) serait influencé par une tradition variante, ou bien il aurait simplement remplacé le texte de Marc par *Lc.*, XX, 17b et 18, associés déjà dans cette tradition (*ad vocem* λίθος). L'Évangile de Thomas confirme cette hypothèse : la parabole y est également suivie par le seul verset *Ps.* CXVIII, 22. La citation s'y trouve encore relativement isolée, reliée simplement par un « Jésus disait » (ET 65 et 66). C'est l'état dans lequel la tradition serait parvenue à Luc et, d'après le modèle du texte de Marc, Luc aurait voulu réaliser une plus grande intégration de la citation par la composition des vv. 16b-17a [89].

Nous ne discuterons pas ici la valeur du témoignage de l'Évangile de Thomas [90]. Le texte de Marc est tel qu'il peut avoir provoqué une double correction de la part de Luc : d'une part, un rattachement plus soigné à la parabole (v. 16b-17a) et d'autre part le remplacement du v. 23 du Psaume par *Lc.*, XX, 18 [91].

XX, 34b-36.38b : *La question des Sadducéens* [92].

Luc a donné à la réponse de Jésus un élargissement personnel qui, entre autres, remplace la double allusion à l'erreur des adversaires (*Mc.*, XII, 24b et 27b). Le rapprochement avec l'exposé sur l'immortalité de *IV Macc.* est particulièrement éclairant pour la pensée de Luc : πιστεύοντες ὅτι θεῷ οὐκ ἀποθνήσκουσιν, ὥσπερ οὐδὲ οἱ πατριάρχαι ἡμῶν Αβρααμ καὶ Ισαακ καὶ Ιακωβ, ἀλλὰ ζῶσιν τῷ θεῷ (VII, 19) [93]. *Lc.*, XX, 38b (πάντες γὰρ αὐτῷ ζῶσιν) donne l'impression d'être un commentaire ajouté au texte de Marc et *Lc.*, XX, 34b-36 semblent supposer *Mc.*, XII, 25 [94].

88. *Markus-Stoff*, p. 150-151.

89. *Ibid.*, p. 165.

90. Cfr la contribution de B. Dehandschutter, p. 297. [Cfr *L'Évangile selon Thomas : témoin d'une tradition prélucanienne?*, dans *BETL* 32, 1973, p. 287-297.]

91. Voir A. Suhl, *Die Funktion der alttestamentlichen Zitate und Anspielungen im Markusevangelium*, Gutersloh, 1965, p. 141 : « Lukas redet wirklich über den Stein. *Darum* fehlt bei ihm ebenso wie Apg 4, 11 (und I Petr 2, 7) Ps 118, 23, die zweite Hälfte des Zitats. » M. Rese, *Alttestamentliche Motive in der Christologie des Lukas* (StNT, 1), Gütersloh, 1969, p. 173 : « In der markinischen Form des Zitats fehlt jeder Bezug auf das Gericht, das diejenigen trifft, die sich gegen den Sohn gewendet haben. Mit v 18 hat Lk diesen Bezug geliefert. »

92. *Markus-Stoff*, p. 170.

93. Encore XVI, 25 : ἔτι δὲ καὶ ταῦτα εἰδότες ὅτι οἱ διὰ τὸν θεὸν ἀποθνήσκοντες ζῶσιν τῷ θεῷ ὥσπερ Αβρααμ καὶ Ισαακ καὶ Ιακωβ καὶ πάντες οἱ πατριάρχαι. Cfr E. Klostermann, *Die Synoptiker*, Tubingue, 1919, p. 560 ; J. M. Creed, *Luke*, Londres, 1930, p. 250 ; et surtout M.-É. Boismard, *Commentaire*, p. 349. Boismard signale aussi l'emploi de καταξιοῦσθαι en *Lc.*, XX, 35 et *IV Macc.*, XVIII, 3 (θείας μερίδος κατηξιώθησαν).

94. J. Schmid, *Lukas*, p. 298 : « Der Gedanke von Mk 12, 25 aber wird in V. 34-36

Pour conclure dans le style de Schramm : une tradition variante est peu probable.

XXI, 8-36 : *Le discours apocalyptique* [95].

T. Schramm admet une source non-marcienne pour *Lc.*, XXI, 10-11. 12-15.18-19.20.21b-22.23b-26a.28.29-31.34-36. On peut comparer cette position à celle de l'étude de L. Gaston [96]. Celui-ci réduit la source proto-lucanienne originale à XXI, 20.21b-22.23-24.10-11.25-26a.28 ; les versets 12-15.18-19 seraient une insertion dans la source de Luc, tandis que la finale (v. 29-36) dépendrait de Marc. Schramm ne signale pas encore le travail de A. Salas, qui défend une hypothèse semblable mais retient les v. 10-19 et 29-33 comme dépendant de Marc [97]. Dans la même ligne, M.-É. Boismard admet une source propre à Luc. Il est en accord avec les autres auteurs sur les v. 20.21b-22.23b-26a.28, auxquels il ajoute encore les v. 10-11 et 29-30.34-36 ; le proto-Luc aurait ajouté à cette source les v. 12a.14-15. 18 [98]. D'après cette hypothèse, la matière marcienne pure ne comprend que quelques insertions : les v. 8-9.16-17.21a.23a. 26b-27.32-33 (Schramm) ; en plus : 12b.13.31 (Boismard).

A première vue, l'hypothèse paraît vraisemblable : l'élimination de ces quelques versets de Marc permettrait de reconstruire une source homogène. Toutefois, la question se pose : pourquoi Luc aurait-il détruit cette belle homogénéité par quelques emprunts à Marc, laissant de côté des motifs comme *Mc.*, XIII, 10 (εἰς πάντα τὰ ἔθνη) et 11b (τὸ πνεῦμα τὸ ἅγιον). Un nombre important d'exégètes se déclarent ici pour une explication rédactionnelle, sans recours à une source prélucanienne [99]. Luc semble avoir adapté et restructuré le discours apocalyptique par une distinction entre l'événement historique et la perspective eschatologique. Sous cet aspect, le v. 12a comporte une modification importante : πρὸ δὲ τούτων πάντων. De ce fait, ce que décrivent les v. 10-11 est mis à part et replacé dans un temps ultérieur [100]. Par l'introduction du v. 10a (τότε ἔλεγεν αὐτοῖς), les versets sont séparés du contexte précédent et l'addition du v. 11b (φόβητρα ... ἔσται) montre clairement qu'ils se

... deutlicher formuliert und erläutert ». Dans le même sens, J.-M. LAGRANGE, *Luc*, p. 517 et J. M. CREED, *Luke*, p. 250.

95. *Markus-Stoff*, p. 171-182.

96. L. GASTON, *Sondergut und Markusstoff in Luk. 21*, dans *Theologische Zeitschrift*, 16 (1960), 161-172.

97. A. SALAS, *Discurso Escatologico Prelucano. Estudio de Lc.* XXI, 20-36 (Biblioteca la Ciudad de Dios 16), El Escorial, 1967.

98. M.-É. BOISMARD, *Commentaire*, p. 361.

99. Cfr E. GRÄSSER, *Das Problem der Parusieverzögerung* (BZNW 22), Berlin, 1957, p. 152-170. Voir aussi J. Wellhausen, R. Bultmann, H. Conzelmann, J. Schmid, E. Haenchen.

100. E. GRÄSSER, *Parusieverzögerung*, p. 158 ; H. CONZELMANN, *Mitte der Zeit*, p. 118-119 ; E. HAENCHEN, *Der Weg Jesu*, p. 455 ; J. SCHMID, *Lukas*, p. 302.

rapportent aux événements de la fin (cfr v. 25ss.) [101]. Luc reprend le passage sur les persécutions de *Mc.*, XIII, 9-13 [102], mais l'orientation eschatologique que Marc lui avait donnée au v. 13b (*ὁ δὲ ὑπομείνας εἰς τέλος, οὗτος σωθήσεται*) reçoit une accentuation différente en *Lc.*, XXI, 19 (*ἐν τῇ ὑπομονῇ ὑμῶν...*) [103], précédé par l'expression proverbiale au v. 18 [104]. En parallèle de *Mc.*, XIII, 14-20, la tendance historicisante de Luc apparaît clairement : *κυκλουμένην ὑπὸ στρατοπέδων...* [105]. Les allusions daniéliques (*Mc.*, XIII, 14-19) sont remplacées par une description historique et par le motif explicite de l'accomplissement des Écritures (v. 22 : cfr *Deut.*, XXXII, 35). Au v. 24 (cfr *Zach.*, XII, 3) il n'est pas exclu de voir une réminiscence verbale de *Mc.*, XIII, 10, omis en XXI, 13 (*εἰς τὰ ἔθνη πάντα*), qui permet à Luc de conclure le passage par une ouverture sur ce qui est pour lui le temps présent (*καιροὶ ἐθνῶν*). Personne ne conteste la dépendance envers Marc pour *Lc.*, XXI, 26b-27. Mais l'influence de Marc peut être observée également aux v. 25-26a (*ἡλίῳ, σελήνῃ, ἄστροις* : cfr *Mc.*, XIII, 24-25a). *Lc.*, XXI, 25b-26a qui s'insère entre *Mc.*, XIII, 25a et b, reprend les v. 10-11. Au v. 28, Luc s'oriente vers la parabole de *Mc.*, XIII, 28-29 et s'en inspire : *διότι ἐγγίζει ἡ ἀπολύτρωσις ὑμῶν* — *ὅτι ἐγγύς ἐστιν ἡ βασιλεία τοῦ θεοῦ* [106].

101. Selon L. Gaston, *Sondergut*, p. 161-172, les v. 10-11 auraient précédé immédiatement le v. 25 dans la *Sonderquelle* et Luc lui-même serait responsable d'un déplacement maladroit. Notons cependant la remarque de l'auteur : « The weakest part of the reconstruction lies in the transposition of Vs 10f before Vs 25 » ; cfr *No Stone upon Another. Studies in the Significance of the Fall of Jerusalem in the Synoptic Gospels* (Suppl. N.T. 23), Leyde, 1970, p. 357.

102. Pour Luc, la prédication universelle de l'évangile n'est plus un des signes avant-coureurs de la fin. On comprend donc l'omission de *Mc.*, XIII, 10. Le remplacement de *τὸ πνεῦμα τὸ ἅγιον* (*Mc.*, XIII, 11) par *ἐγὼ γὰρ δώσω ὑμῖν στόμα καὶ σοφίαν...* correspond bien à la présentation de Pierre, Paul, Étienne et autres devant les tribunaux (cfr *Act.*). Voir aussi E. Grässer, *Parusieverzögerung*, p. 160 ; H. Conzelmann, p. 119 ; J. M. Creed, *Luke*, p. 255.

103. E. Grässer, *Parusieverzögerung*, p. 161 ; H. Conzelmann, *Die Mitte der Zeit*, p. 119. E. Haenchen est peut-être trop explicite quand il interprète le v. 19 : « Lk will zeigen, dass die Seelen beim Sterben gerettet werden » (cfr *Der Weg Jesu*, p. 455). J. Schmid voit dans ce verset l'influence des expériences des apôtres décrites dans les Actes. Pour l'insistance de Luc sur *ὑπομονή* comp. VIII, 5.

104. H. J. Cadbury note ce verset comme un des exemples de répétition (« repetition with variation ») dans des contextes éloignés. Voir aussi *Lc.*, XXI, 34 *μερίμναις βιωτικαῖς*), cfr *Lc.* VIII, 14 ; *Lc.*, XXI, 35 (*ἐπὶ πρόσωπον πάσης τῆς γῆς*), cfr *Act.*, XXVII, 26 (voir *Four Features of Lucan Style*, dans *Studies in Luke-Acts* (ed. L. E. Keck-J. L. Martyn), Nashville, 1966, p. 87-102, spéc. p. 95-97.

105. Cfr Lagrange, Hauck, Grundmann, Schmid, Grässer, etc.

106. Pour l'association des versets 28b (*ἡ ἀπολύτρωσις ὑμῶν*) et 31b (*ἡ βασιλεία τοῦ θεοῦ*), cfr *Lc.*, XXIV, 21 : *ἠλπίζομεν ὅτι αὐτός ἐστιν ὁ μέλλων λυτροῦσθαι τὸν Ἰσραήλ* ; II,38 : *τοῖς προσδεχομένοις λύτρωσιν Ἰερουσαλήμ* ; XXIII, 51 : *ὃς προσεδέχετο τὴν βασιλείαν τοῦ θεοῦ*.

On peut donc conclure [107] que les éléments propres à Luc en XXI, 5-36 ne semblent pas constituer un « discours » que Luc aurait combiné avec celui de *Mc.*, XIII. C'est l'impression que nous retenons de l'ensemble des *Sonderelemente* dans la matière marcienne. Ils font partie du remaniement du texte de Marc. Certains éléments sont des amplifications, des petites compositions rédactionnelles à partir de Marc ; d'autres ont une origine étrangère à Marc mais on les appelle justement rédactionnels parce que le même rédacteur semble responsable de leur formulation et de la place qui leur est donnée dans le récit marcien. Je pense ici plus particulièrement à *Lc.*, V, 39 et XX, 18, dont l'origine restera sans doute obscure. Tous deux ont un certain caractère de *Sprichwort* [108] et sont rattachés au texte de Marc par le moyen d'un mot-crochet. Pareilles additions sont une des manières lucaniennes de réinterpréter le texte de sa source. En *Lc.*, V, 36a il insère l'introduction *ἔλεγεν δὲ καὶ παραβολὴν πρὸς αὐτοὺς ὅτι* et en *Lc.*, XX, 17 la citation est précédée par *ὁ δὲ ἐμβλέψας αὐτοῖς εἶπεν· τί οὖν ἐστιν τὸ γεγραμμένον τοῦτο.* On a voulu y voir la trace d'une tradition parallèle à *Mc.*, II, 21-22 et XII, 10-11 [109]. N'est-ce pas plutôt un trait lucanien qui sert à introduire des logia auxquels les additions de V, 39 et XX, 18 ont donné une interprétation nouvelle ? [110]

IV. Les sémitismes

T. Schramm veut justifier son étude des sémitismes en Luc par une observation méthodologique. La *Redaktionsgeschichte* lucanienne qui considère les sémitismes comme des « septantismes » provenant de la main de Luc [111], serait basée sur un à priori. On prend comme point de référence les divergences vis-à-vis de Marc, dont, au contraire, le caractère purement rédactionnel serait à prouver. L'étude du style lucanien doit se référer plutôt à des textes où Luc rédige plus librement et où l'influence des sources semble exclue : *Act.*, XVI-XXVIII, et plus spécialement les sections « nous » et les discours. Le style de Luc y

107. Même A. Salas et L. Gaston admettent que dans les v. 29-36 Luc n'a d'autre source que Marc.

108. Voir *supra*, sur *Lc.*, XXI, 18.

109. T. SCHRAMM, *Markus-Stoff*, p. 175 (cfr 108. 165).

110. Comp. aussi *Lc.*, XXI, 10-11 : l'insertion de *τότε ἔλεγεν αὐτοῖς* (v. 10a) et l'addition du v. 11b.

111. H. F. D. SPARKS, *The Semitisms of St. Luke's Gospel*, dans JTS, 44 (1943), 129-138 ; *The Semitisms of the Acts*, dans JTS, 1 (1950), 16-28. T. Schramm (p. 81, n. 2) ajoute : « So durchweg die redaktionsgeschichtliche Forschung, vgl. etwa Conzelmann, *Mitte*, S. 30 Anm. ; ders., *Apgsch.* S. 3f. ; Haenchen, *Apgsch.* S. 66 ; Wilckens, *Missionsreden* S. 11 ; auch Kümmel, *Einleitung* S. 26 und 82 ff. »

apparaît comme un style littéraire et grécisant, dépourvu de la coloration sémitisante de certains passages de l'évangile [112]. A la suite de J. V. Bartlet [113] et E. Schweizer [114], T. Schramm concentre alors son étude sur sept sémitismes ou hébraïsmes caractérisés, qui sont pratiquement absents du livre des Actes et ne relèvent donc pas du style personnel de Luc. L'emploi isolé d'une telle expression ne prouve rien [115], mais la présence de plusieurs sémitismes dans un même passage, surtout s'ils sont accompagnés d'accords avec Matthieu et d'éléments propres à Luc, devient un argument de convergence particulièrement sûr en faveur d'une tradition non-marcienne [116]. Dans un tableau (p. 181) nous avons réparti les sémitismes relevés par Schramm d'après la division des péricopes : V, 12-16 ; V, 17-26 ; VIII, 22-25 ; IX, 18-22 ; IX, 28-36 ; IX, 37-43a ; IX, 43b-45 ; XVIII, 31-34 ; (XVIII, 35a ; XIX, 29a ; XX, 1a).

Le tableau montre clairement que les sémitismes sont attestés surtout dans les ouvertures de péricopes : V, 12a *(1, 3, 4, 5, 6)* ; V, 17-18a *(1, 2, 3, 4, 6, 7)* ; VIII, 22 *(1, 3, 4, 7)* ; IX, 18 *(2, 3, 5)* ; IX, 28 *(3)* ; IX, 37-38a *(1, 3, 6)* ; XVIII, 35 *(3, 6)* ; XIX, 29 *(3)* ; XX, 1 *(3, 5)*. Les huit versets d'introduction mis à part, le dossier se réduit à quelques sémitismes isolés et à une certaine concentration dans le récit de la transfiguration en IX, 28-36 *(1, 2, 3, 5, 6, 7)* et dans les notices sur l'incompréhension des disciples en IX, 45 *(1, 2)* et XVIII, 34 *(1, 2, 7)*.

C'est ici que les limites d'un travail comme celui de T. Schramm se font sentir. L'auteur a fait un effort honnête d'énumérer, par péricope et dans l'ordre, accords mineurs, éléments propres, sémitismes et autres divergences vis-à-vis de Marc, mais il ne prend guère en considération leur place dans la péricope ou dans l'ensemble de la composition lucanienne. En particulier, les introductions des péricopes avaient droit à un examen spécial. On se rappelle la constatation de K. Grobel : « Die « Form » der lukanischen Einleitungen besteht aus ganz bestimmten Lieblingswörtern und -konstruktionen » [117]. Son examen portait sur les 21 « lucanismes » marqués par un astérisque dans la liste de Haw-

112. *Markus-Stoff*, p. 81.

113. J. V. Bartlet, *The Sources of St. Luke's Gospel*, dans *Oxford Studies*, Oxford, 1911, p. 313-363.

114. E. Schweizer, *Eine hebraisierende Sonderquelle des Lukas ?*, dans *Theologische Zeitschrift*, 6 (1951), 161-185.

115. *Markus-Stoff*, p. 127 (à propos de *Lc.*, VIII, 40-42 ; contre E. Schweizer). La *coniugatio periphrastica* serait rédactionnelle en *Lc.*, IV, 31.38.44 ; V, 17.29 ; VIII, 40 ; XIX, 47 ; XXI, 37 (p. 101-102, 104, 149 n. 1). Cfr *infra*, n. 137.

116. « Der literarkritischen Analyse ist damit eine wichtige Hilfe verschafft : Vorlukanischer und luk Sprachgebrauch lassen sich bis zu einem gewissen Grade präzise trennen » (p. 80).

117. K. Grobel, *Formgeschichte und synoptische Quellenanalyse* (FRLANT 53), Goettingue, 1937, p. 74.

Sémitismes										
1. parataxe	V, 12	V, 17 21 24 26	VIII, 22		IX, 34 36	IX, 38 ss.	IX, 45	XVIII, 34		XX, 34 36
2. coniugatio periphrastica	V, 16	V, 17 (3x)		IX, 18	IX, 32		IX, 45	XVIII, 34		
3. *ἐγένετο* + (*καί*) verbum fin.	V, 12	V, 17	VIII, 22	IX, 18	IX, 28 29 33	IX, 37			XVIII, 35 XIX, 29 XX, 1	
4. *ἐν μιᾷ τῶν*	V, 12	V, 17	VIII, 22							
5. *ἐν τῷ* + inf.	V, 12			IX, 18	IX, 29 33 34 36				XX, 1	
6. *καὶ ἰδού*	V 12	V, 18			IX, 30	IX, 38 39			XVIII, 35	
7. *καὶ αὐτός*	V, 14	V, 17	VIII, 22		IX, 36			XVIII, 34		
Autres sémitismes		V, 21					IX,44a 45	XVIII, 34	XIX, 37	XX, 11 12

kins (« the most distinctive and important instances ») [118]. Dix-sept mots ou expressions se trouvent dans les versets d'introduction (180 versets sur les 1149 de l'évangile : 15 %) [119], avec une fréquence qui dépasse largement la fréquence moyenne (143 sur 484 : 29 %). Une autre approche statistique, dont les données sont moins faciles à vérifier, arrive à un résultat parallèle. T. R. Rosché étudie les péricopes marciennes en Luc qui contiennent des paroles de Jésus [120]. La proportion des mots en Luc qui ont un parallèle en Marc est la suivante : l'introduction : 25 %, le corps du récit : 45 %, la conclusion : 35 %, les paroles de Jésus : 78 % [121]. Ce sont donc les versets d'introduction qui s'éloignent le plus du texte de Marc. N'est-ce pas une indication que Luc rédige plus librement les introductions ? [122] La présence des mots et expressions caractéristiques de Luc semble le suggérer. La plupart des dix-sept

118. *Horae Synopticae*, p. 2. Cfr p. 16-23 : *δὲ καί*, *ἐγένετο* + *καί* + verb. fin., *ἐγένετο* + verb. fin., *ἐγένετο* + infin., *εἶπεν δέ*, *ἐν τῷ* + infin., (*ἐνώπιον*), (*ἐπιστάτης*), *Ἰερουσαλήμ*, *καλούμενος*, *ὁ κύριος* in narrative, *λίμνη*, *παραχρῆμα*, *πρός* used of speaking to, *τις with nouns*, *τοῦ* + infin., *ὑπάρχω*, *ὑποστρέφω*, (*φίλος*), (*χάρις*), *ὡς* = « when ». Quatre mots seulement, mis ici entre parenthèses, ne sont pas attestés dans les versets d'introduction.

119. Pour les chiffres : 1149 est donné d'après Streeter et 180 est un chiffre approximatif : 163 péricopes dans la synopse de Huck, dont certaines n'ont pas d'introduction et d'autres ont une introduction de deux ou plusieurs versets.

120. T. R. Rosché, *The Words of Jesus and the Future of the « Q » Hypothesis*, dans JBL, 79 (1960), 210-220, spéc. p. 212. La liste des péricopes : IV, 31-37 ; V, 12-16. 17-26. 27-32 ; VI, 1-5. 6-11 ; VIII, 19-21. 22-25. 26-39. 40-56 ; IX, 1-6. 10-17. 18-22. 37-43a. 43b-44. 46-48. 49-50 ; XVIII, 15-17. 18-30. 31-34. 35-43.

121. L'auteur s'intéresse plus directement à la différence entre récits et paroles. Cfr *ibid.* : « The dichotomy in Luke's treatment between Markan sayings and narratives is substantiated by the distribution of « characteristically Lukan words and phrases » in Luke. Since the works of H. J. Holtzmann, Wernle, Cadbury, Hawkins, and others, it has been reasonable to assume that these words are a valid indication of Luke's editorial presence (or absence). However, the assumption that these words are scattered uniformly among Luke's narratives and sayings alike has never been tested. He used about 413 verses taken from Mark of which 184 contain words of Jesus and 229 do not. Using the test of John Hawkins, 82 % of Luke's characteristic words and phrases are found in narrative verses while only 18 % are found in Markan sayings of Jesus. Luke's editorial hand is less evident in sayings of Jesus taken from Mark than is the case in narrative sections taken from the same source. »

122. Comp. J. Jeremias, *Tradition und Redaktion in Lukas 15*, dans ZNW, 62 (1971), 172-189, spéc. p. 188 (à propos de XV, 1-3) : « Die Annahme, dass Lukas eine von ihm vorgefundene Situationsangabe durch eine von ihm selbst formulierte ersetzte, bereitet keine Schwierigkeit, da seine Markusbearbeitung eine ganze Reihe von Belegen für dieses Verfahren bietet. » En note 52 il donne les exemples suivants : *Lc.*, V, 17, comp. *Mc.*, II, 2-3 ; *Lc.*, VI, 12-13a, comp. *Mc.*, III, 13 ; *Lc.*, IX, 18a, comp. *Mc.*, VIII, 27a ; *Lc.*, IX, 43b, comp. *Mc.*, IX, 30 ; *Lc.*, XIX, 28, comp. *Mc.*, XI, 1 ; *Lc.*, XX, 20, comp. *Mc.*, XII, 13 ; *Lc.*, XXII, 3, comp. *Mc.*, XIV, 10.

lucanismes [123] sur lesquels K. Grobel s'est basé, sont expressément reconnus comme tels par T. Schramm : δὲ καί [124], ἐγένετο + *infin.* [125], (εἶπεν δέ) [126], Ἰερουσαλήμ [127], καλούμενος [128], (λίμνη) [129], παραχρῆμα [130], πρός avec *verba dicendi* [131], τις *with nouns* [132], τοῦ + *infin.* [133], ὑπάρχω [134],

123. Cfr n. 118, ὁ κύριος (narratif) n'apparaît pas dans la matière marcienne examinée par Schramm.

124. *Markus-Stoff*, p. 38 (V, 10) ; p. 88 : « spezifisch luk » (IV, 41) ; p. 107, n. 2 : « Typisch luk ist δὲ καί (vgl. Plummer, *Lk* S. 90 ; Hawkins, *Horae*, S. 17) » (V, 36). Comp. J. JEREMIAS, *Tradition und Redaktion*, p. 174.

125. *Ibid.*, p. 95 : « eine im Ev relativ seltene (5 x), in den Act. aber häufige (13 x) und somit wahrscheinlich luk Wendung » ; p. 112 (VI, 1. 6).

126. εἶπεν δέ n'est pas discuté par Schramm, mais il apparaît dans plusieurs versets qui, d'après l'auteur, sont de tradition marcienne pure : VI, 8.9 ; IX, 9.50 ; XVIII, 19. 26. 28 ; XX, 41. Comp. J. JEREMIAS, *Tradition und Redaktion*, p. 180.

127. A la p. 41, n. 1, Schramm exprime son accord avec Cadbury : « Darin wird man dem Verfasser weithin zustimmen, etwa wenn er sich gegen eine Quellenscheidung mit Hilfe des wechselnden Ἰερουσαλήμ und Ἱεροσόλυμα wendet ». Toutefois, à la p. 135, n. 2, quand il reconstruit la tradition prélucanienne de *Lc.*, XVIII, 31, il semble avoir oublié ce bon principe : « Ἰερουσαλήμ (!, MtMk : Ἱεροσόλυμα). »

128. *Ibid.*, p. 130, n. 1 (IX, 10) ; p. 146, n. 4 (XIX, 19) ; p. 147 (XXI, 37 ; *Act.*, I, 12) ; p. 183, n. 3 : « typisch luk » (XXII, 3).

129. L'auteur ne se prononce pas, mais il admet une influence de Marc dans les versets en question (*Lc.*, V, 1. 2 : p. 38-39 ; VIII, 22. 23 : p. 124-125 ; VIII, 33, dans une péricope de tradition marcienne pure : p. 126).

130. *Ibid.*, p. 88 (IV, 39) ; p. 103 (V, 25) ; p. 127, n. 3 (VII, 44. 47. 55) ; p. 143, n. 3 (XVIII, 43).

131. *Ibid.*, p. 107, n. 2 (V, 36) ; p. 112, n. 3 (VI, 11) ; p. 175, n. 2. Comp. J. JEREMIAS, *Tradition und Redaktion*, p. 181.

132. *Ibid.*, p. 126, n. 3 (VIII, 27 : ἀνήρ τις) ; p. 128 (IX, 9. 19 : προφήτης τις τῶν ἀρχαίων) ; comp. XVIII, 18. 35b ; XXI, 2 (tradition marcienne pure). Par contre, ἄνθρωπός τις serait caractéristique du *Sondergut* lucanien (X, 30 ; XII, 16 ; XV, 11 ; XVI, 1.19) et du milieu qui l'a transmis (XIV, 16 ; XIX, 12 diff. *Mt.*) (p. 155-156). Ajouter *Lc.*, XIV, 2. L'auteur y ajoute encore XX, 9 : Luc pourrait avoir éliminé le τις sous l'influence de *Mc.* (p. 155, n. 2). Voir aussi J. JEREMIAS, *Tradition und Redaktion*, p. 174. Cfr F. REHKOPF, *Sonderquelle*, p. 91. Contra : H. SCHÜRMANN, *Protolukanische Spracheigentümlichkeiten ?*, p. 220-221 : « Für eine protolukanische Redaktion spricht höchstens eine schwache Vermutung ; sie bleibt nicht erweisbar, ja ist weniger wahrscheinlich, solange Lk 14, 16 ; 19, 12 in dem gut begründeten Verdacht stehen, dem lukanischen Sondergut anzugehören ». H. Schürmann ne veut y voir de la rédaction lucanienne (malgré *Act.*, IX, 33 et *Lc.*, XIV, 16 ; XIX, 12 diff. *Mt.*), mais il n'est toujours pas démontré, me semble-t-il, qu'on peut isoler ἄνθρωπός τις d'autres expressions comme ἀνήρ τις dont le caractère rédactionnel n'est pas mis en doute. Dans *Jesu Abschiedsrede*, H. Schürmann citait encore de manière non différenciée les chiffres de Hawkins pour les cas de « τις with nouns » : *Act.* 63 x et *Lc.* 38 (le texte imprimé « Lk 30 x » est sans doute à corriger). Comp. G. SCHNEIDER, *Verleugnung, Verspottung und Verhör Jesu nach Lukas 22, 54-71. Studien zur lukanischen Theologie* (StANT, 22), Munich, 1969, p. 79 : « das dem Substantivum nachgestellte τις (ist) dem Luk eigentümlich ; Mt 0, Mk 1, Lk 26, Jh 2, Apg 25. »

133. *Ibid.*, p. 89 (IV, 42).

134. *Ibid.*, p. 127 (VIII, 41) ; p. 140, n. 5 (IX, 48).

ὑποστρέφω [135], ὡς temporel [136]; en plus, ἐν τῷ + *infin.* est « possible pour Luc » [137]. Dans ces conditions, il lui serait difficile de refuser la conclusion de Grobel.

T. Schramm ne refuse qu'un seul des lucanismes de Hawkins-Grobel : ἐγένετο + (καί) *verbum finitum*. Le tableau de Grobel [138] ne permet pas de douter : il s'agit d'une formule typique d'introduction :

(*1*) ἐγένετο + καί + *verb. fin.* : 12 sur 12 en *Lc.* (100 %)
V, 1.12.17 ; VIII, 1.22 ; IX, 28 [?].51 ; [X, 38] ; XIV, 1 ; XVII, 11 ; [XVIII, 35] ; XXIV, 15
(*2*) ἐγένετο + *verb. fin.* : 13 sur 22 en *Lc.* (54 %)
I, 41 ; II, 1 ; VII, 11 ; [VIII, 40] ; IX, 18.37 ; XI, 1.14.27 ; XVII, 35 ; XIX, 29 ; XX, 1 ; XXIV, 51
(*3*) ἐγένετο + *infin.* : 4 sur 5 en *Lc.* (80 %)
III, 21 (cfr *Mc.*) ; VI, 1 (= *Mc.*) ; VI, 6.12.

Quelques corrections s'imposent : (*1*) X, 38 *v. l.* est à éliminer [139] et XVIII, 35 rentre dans la deuxième catégorie (sans καί) ; par contre, il y a deux autres emplois : XIX, 15 et XXIV, 4 (donc : 10 sur 12) ; — (*2*) VIII, 40 *v. l.* est à éliminer [140] ; les neuf autres emplois en *Lc.* sont : I, 8.23.59 ; II, 6.15.46 ; IX, 33 ; XVII, 14 ; XXIV, 30 (donc : 12 sur 21) [141] ; — (*3*) le cinquième emploi en *Lc.* : XVI, 22 (donc : 4 sur 5).

Vingt-six emplois (sur un total de 38) se trouvent au début d'une péricope. Mais cette constatation de K. Grobel ne donne qu'une faible idée de la signification rédactionnelle de la construction ἐγένετο dans l'évangile de Luc. Son importance pour la structure de *Lc.* mérite d'être

135. *Ibid.*, p. 126 (VIII, 40) ; p. 130, n. 1 (IX, 10).

136. *Ibid.*, p. 127 (VIII, 47). Par contre ἐγένετο ὡς en XIX, 29 (et dans le *Sondergut* en I, 23. 41 ; II, 15) serait un hébraïsme qui remonte à la tradition non-marcienne. Sur *ὡς temporis*, voir les réserves de J. JEREMIAS (*Tradition und Redaktion*, p. 172-173).

137. *Ibid.*, p. 96 : « ἐν τῷ c. inf. ist luk möglich, sicher nicht charakteristisch lukanisch » (contre H. SCHÜRMANN, *Jesu Abschiedsrede*, p. 10, n. 40) ; p. 127 : « Bei der coniugatio periphastica und bei ἐν τῷ c. inf. handelt es sich... um Semitismen, die sich wiederholt als luk möglich erwiesen haben » (VIII, 40, 42).

138. *Formgeschichte*, p. 73. Comp. J. C. HAWKINS, *Horae Synopticae*, p. 37. K. Grobel ajoute deux cas : *Lc.*, X, 38 *v. l.* (+ καί) et VIII, 40 *v. l.* (sans καί) ; voir n. 139 et 140 ; sont catalogués par Hawkins dans la deuxième catégorie (sans καί) : IX, 28 (voir n. 141) et XVIII, 35.

139. Sans ἐγένετο : $P^{45.75}$ 𝔥 pc ; ἐγένετο + καί + *verb. fin.* : C 𝔎 A W Θ pl lat ; ἐγένετο + *verb. fin.* λ φ it ; ἐγένετο + *infin.* : D.

140. Sans ἐγένετο : P^{75} B λ pc ; ἐγένετο + *verb. fin.* : ℵ* 𝔎 A D W Θ λ φ pl. latt.

141. Hawkins compte IX, 28 dans cette catégorie (d'où le total de 22 cas) : le καί devant παραλαβών est omis dans l'édition de Westcott-Hort (leçon marginale) ; il est mis entre parenthèses par von Soden et *Greek New Testament* (om. P^{45}Bℵ* 𝔥 pc it sy^{p} sa bo).

soulignée. Il me semble que, mis à part les récits du début, on peut distinguer trois périodes dans l'évangile [142] :

I, 1-4 ; I, 5-II, 52 ; III, 1-20 ;
III, 21-IX, 50 : Jésus en Galilée ;
IX, 51-XIX, 28 : la montée à Jérusalem ;
XIX, 29-XXIV, 53 : Jésus à Jérusalem.

L'on notera que chaque période s'ouvre par la formule : ἐγένετο δέ + ἐν τῷ... + *infin.* (III, 21) ; ἐγένετο δέ + ἐν τῷ... + καί + *verbum finitum* (IX, 51) ; καὶ ἐγένετο + ὡς... *verbum finitum* (XIX, 29). Le fait que les trois types différents sont employés ne saurait mettre en question le rapprochement. L'importance se confirme quand on délimite les sections de III, 21-IX, 50 : les grandes unités littéraires s'ouvrent presque toutes par ἐγένετο (les versets sont soulignés) : III, 21-IV, 44 ; V, 1-VI, 11 ; VI, 12-49 ; VII, 1-50 ; VIII, 1-21 ; VIII, 22-56 ; IX, 1-17 ; XI, 18-27 ; IX, 28-36 ; IX, 37-45.46-50. La formule est absente en VII, 1, où Luc semble avoir conservé la transition traditionnelle du discours au récit du centurion (VII, 1-10), mais au début de la péricope suivante on retrouve la formule (dans l'introduction du récit de miracle : VII, 11-17). La section de V, 1-VI, 11 est particulièrement éclairante. Elle contient une péricope propre à *Lc.* (V, 1-11), suivie d'un bloc marcien (*Mc.*, I, 40-III, 6). Dans le texte de *Mc.*, la guérison du lépreux et chacune des cinq controverses ont gardé une indépendance propre. Luc relie la vocation de Lévi à la péricope précédente par une formule de transition (V, 27 : μετὰ ταῦτα) et il rattache la controverse sur le jeûne au repas chez Lévi (V, 33 : οἱ δὲ εἶπαν). Dans l'unité de *Lc.*, V, 17-26.27-39, ainsi constituée, il n'y a pas de place pour un emploi parallèle de la formule en *Mc.*, II, 15 ; par contre, là où l'indépendance des péricopes

142. Sur la structure de l'évangile de Luc, voir A. GEORGE, *Tradition et rédaction chez Luc. La construction du troisième évangile*, dans *De Jésus aux Évangiles*, p. 100-129. Nous adoptons la division proposée par l'auteur. Il suit l'opinion commune (XIX, 28), pour la fin de la section centrale. — Dans son étude *Het lucaanse reisverhaal (Lc 9, 51-19, 44)*, A. Denaux a proposé de voir la fin de la section en XIX, 44 ; cfr *Coll. Brug. et Gand.*, 14 (1968), 214-242 ; 15 (1969), 464-501 ; spéc. p. 467-475. — Il y a hésitation parmi les auteurs devant XIX, 27/28 ou 28/29. Il me semble qu'on peut dire que le ἐγγίζουσιν εἰς Ἱεροσόλυμα de *Mc.*, XI, 1 a été anticipé en *Lc.*, XIX, 11 et 28 (le cadre de la parabole) et se prépare déjà dès XVIII, 35 (approche de Jéricho ; cfr XIX, 1 : à Jéricho). *Lc.*, XVIII, 35-XIX, 28 forme ainsi une unité littéraire et c'est le verset allégé de *Mc.*, XI, 1 qui sert de parallèle à *Lc.*, XIX, 29. — Pour l'opinion 28/29, cfr J. A. Bengel, A. Plummer et A. George ; pour les autres opinions, voir l'article de A. Denaux, sur 27/28, p. 468, n. 8 ; on y ajoutera H. SCHÜRMANN, *Lukasevangelium*, p. VIII ; B. RIGAUX, *Témoignage de l'Évangile de Luc*, Bruges, 1970, p. 268 ; et, semble-t-il, J. JEREMIAS, *Tradition und Redaktion*, p. 188, n. 52, où le v. 28 est cité comme introduction (!) basée sur *Mc.*, XI, 1.

est observée, Luc emprunte la formule à *Mc.* (II, 23) ou il l'introduit : V, 1-11 ; V, 12-16 ; V, 17-26.27-39 ; VI, 1-5 ; VI, 6-11 [143]. Dans la partie centrale de l'évangile (IX, 51ss.), l'emploi de la formule est moins systématique, mais elle sert toujours à ouvrir des unités littéraires bien définies : XI, 1-13 ; XI, 14-36 (et XI, 27-28) ; XIV, 1-35 ; XVII, 11-19. Une division tripartite (IX, 51ss. ; XIII, 22ss., XVII, 11ss.) [144] donne encore plus de relief à ce dernier emploi en XVII, 11. En *Lc.*, XVIII, 35, le début du récit marcien de la guérison de l'aveugle (*Mc.*, X, 46-52) devient l'ouverture d'une section plus large (XVIII, 35-XIX, 28) : la formule y est bien en place. Et encore, dans la troisième partie : XIX, 29-48 ; XX, 1-XXI, 38 ; XXII, 1-XXIV, 53. Au chap. XXIV, les articulations des récits sont marquées par καὶ ἐγένετο : au v. 4 pour XXIV, 1-12 ; au v. 15 et 30 pour XXIV, 13-35 ; et au v. 51 pour XXIV, 36-53. On reconnaîtra une même fonction littéraire de la formule dans le récit de la transfiguration (IX, 33) et dans celui de la guérison des dix lépreux (XVII, 14b), dans la parabole des mines (XIX, 15, add. *Mt.*) et, à plusieurs endroits, dans les récits de l'enfance : au v. 8, 23, 41 et 59 dans le premier chapitre et, après II, 1 (!), au v. 6, 15 et 46 [145].

En plus, il est important de ne pas se borner à distinguer entre formule « hébraïque » et formule « grecque » (ἐγένετο + *infin.*), mais de relever les variations multiples de l'emploi lucanien.

1) *L'introduction :*

— καὶ ἐγένετο : I, 23.41.59 ; II, 15.46 ; V, 12 ; VII, 11 ; VIII, 1 ; IX, 18.33 ; XI, 1 ; XIV, 1 ; XVII, 11.14 ; XIX, 15.29 ; XX, 1 ; XXIV, 4.15.30.51 ;

— ἐγένετο δέ : I, 8 ; II, 1.6 ; III, 21 ; V, 1 ; VI, 1.6.12 ; VIII, 22 ; IX, 28.37.51 ; XI, 14.27 ; XVI. 22 ; XVIII, 35.

2) *L'expression de temps* [146] *:*

(*a*) — ἐν τῷ + infinitif : I, 8 ; II, 6 ; III, 21 ; V, 1 (deux verbes). 12 ; IX, 18.33.51 ; XI.1.27 ; XIV, 1 ; XVII, 11.14 ; XVIII, 35 ; XIX, 15 ; XXIV, 4.15.30.51.

143. Voir R. Pesch, *Der reiche Fischfang, Lk 5, 1-11/Jo 21, 1-14*, Dusseldorf, 1969, p. 66, sur la « Gliederungsfunktion » de la construction καὶ ἐγένετο dans ce contexte. La présentation de *Lc.*, VI.1.6.12 comme une deuxième série après V,1. 12. 17 néglige un peu le caractère propre de VI, 1. 6 (un sabbat, un autre sabbat) et VI. 12 (début plus solennel d'une section).

144. Sur XIII, 22 et XVII, 11, comme césures dans le récit, voir A. Denaux, *Het lucaanse reisverhaal*.

145. Un seul emploi n'a pas été mentionné : XVI, 22. A l'intérieur de la parabole (comp. XIX, 15), il a la même fonction (v. 19-21. 22 ss.).

146. Absente en XVI, 22.

Le verbe est suivi du sujet, normalement un pronom personnel, et en III, 21 et IX, 51 un substantif ; il est précédé d'un substantif en V, 1 et il est sans sujet en XVII, 11 [147].

— génitif absolu : III, 21 (deux participes) ; IX, 37 ; XI, 14 ; XX, 1 (deux participes) ;

— ὡς temporel : I, 23.41 ; II, 15 ; XI, 1 ; XIX, 29 ;

(*b*) — préposition ἐν : I, 59 ; II, 1 ; V, 17 ; VI, 1.6.12 ; VII, 11 ; VIII, 1 ; VIII, 22 ; XX, 1 ; μετά : II, 46 ; IX, 28 ;

— datif : IX, 37 ;

— nominatif : IX, 28.

On associera aisément VI, 1 et 6 (sabbat) ; VII, 11 et VIII, 1 (comp. IX, 37) ; V, 17 ; VIII, 22 et XX, 1 (ἐν μιᾷ τῶν ἡμερῶν) ; II, 1 et VI, 12 (pluriel) ; I, 59 ; II, 46 ; IX, 28 et IX, 37 (chronologie relative).

3) *L'apodose :*

Il semble que A. Plummer a été le premier à distinguer les trois formes de la construction : (*a*) ἐγένετο suivi de καί (et verbe fini), (*b*) suivi d'un temps fini, (*c*) suivi de l'infinitif [148]. La troisième forme, employée cinq fois dans *Lc.*, est surtout attestée dans le livre des Actes [149], et, d'après Schramm, elle serait caractéristique de la langue grécisante de l'évangéliste. Cette position a peut-être l'avantage de grouper ensemble les formes très proches (*a*) et (*b*), mais on voit mal comment on peut les soustraire à la rédaction lucanienne. M. Johannessohn a suffisamment montré comment l'usage évangélique est apparenté à celui de la Septante et comment on peut expliquer l'emploi des Actes « als eine Fortentwicklung der dort erreichten Stufe in der Entwicklungsgeschichte der alttestamentlichen Formel..., nicht aber als ein einfaches Seitenstück » [150]. Ce texte même est cité par Schramm qui

147. P[75] B ℵ L pc ; αὐτόν est attesté par ℜ A D W Θ λ φ pl.

148. D'après M.-J. LAGRANGE, *Luc*, p. XCVII. Voir A. PLUMMER, *Luke* (1898), p. 45. Il est suivi par J. C. HAWKINS, *Horae Synopticae*, p. 38 et J. H. MOULTON, *A Grammar of New Testament Greek*. Vol. I. *Prolegomena*, 3e éd., Édimbourg, 1908, p. 16. G. Dalman (*Die Worte Jesu*, I, Leipzig, 1898, p. 25-26) ne fait pas encore la distinction. Dans la grammaire de G. B. Winer la construction est mentionnée dans une note comme un ἐγένετο pléonastique, qui précède le verbe principal, avec ou, plus fréquemment, sans copule : « Lucas hat diese Wendung im Evangelium am öftersten ». La construction ἐγένετο + inf. n'y est pas considérée. Voir *Grammatik des neutestamentlichen Sprachidioms*, 6e éd., Leipzig, 1855, p. 536, n. 1.

149. *Act.*, IV, 5 ; IX, 3. 32. 37. 43 ; XI. 26 ; XIV, 1 ; XVI, 16 ; XIX, 1 ; XXI, 1. 5 ; XXII, 6. 17 ; XXVII, 44 ; XXVIII, 8. 17. T. Schramm fait une 4e catégorie pour les cas où ἐγένετο ne se trouve pas au début de la phrase (IX, 3) ou est précédé par ὡς ou ὅτε (XXI, 1. 5 ; encore X, 25, non repris dans la liste de Hawkins : ὡς δὲ ἐγένετο τοῦ εἰσελθεῖν τὸν Πέτρον) ; cfr *Markus-Stoff*, p. 95.

150. *Das biblische ΚΑΙ ΕΓΕΝΕΤΟ und seine Geschichte*, dans *Zeitschrift für vergleichende Sprachforschung*, 53 (1925), 161-212, spéc. p. 211. Voir aussi K. BEYER,

(à l'exemple de P. Winter ?)[151] semble en conclure : « Nicht Lk hat seinen Stil entwickelt, sondern : hier spricht er selbst, da gibt er den Wortlaut von ' Quellen ' wieder »[152]. Il est sans doute utile de rappeler les faits suivants : 1. la construction qui est, dans l'Ancien Testament, utilisée comme expression temporelle aussi bien à l'intérieur qu'au début des récits, apparaît en *Lc.* comme une formule d'introduction ; 2. elle s'y trouve fréquemment accompagnée de locutions comme ἐν τῷ ou καὶ αὐτός, qui lui donnent un caractère encore plus stéréotypé ; 3. la transformation grécisante se manifeste déjà dans certains emplois de la construction « hébraïque » (en *Lc.*, VIII, 1, par exemple, le sens duratif du verbe διώδευεν serait impossible en hébreu)[153] ; 4. la fonction littéraire de ἐγένετο + infin. ne diffère en rien de celle de ἐγένετο suivi d'un temps fini (avec ou sans καί) (III, 21 ; VI, 1.6.12) ; 5. dans des cas où elle est dépourvue d'une expression temporelle, elle semble avoir repris elle-même ce caractère d'un complément temporel qui précède l'action principale (*Act.*, X, 25 ; XXI, 1.5)[154]. A ce propos, K. Beyer se plait à paraphraser la phrase de Johannessohn : « Ausserdem entwickelt sich unsere Konstruktion im NT so stetig über Zeitbestimmung + Inf. zu blossem Inf., dass man sicher nur von immer mehr gräzisierender Fortentwicklung der atl. Konstruktion im griech. Sprachbereich reden darf (LXXismus) »[155].

Semitische Syntax im Neuen Testament. I (Studien zur Umwelt des Neuen Testaments, 1), Goettingue, 1962, p. 29-62 : « Satzeinleitendes καὶ ἐγένετο mit Zeitbestimmung ».

151. P. WINTER, *On Luke and Lucan Sources*, dans ZNW, 47 (1956), 217-242, spéc. p. 233 : « The tendency to be less ' literal ' in rendering a ' biblicism ' gradually prevailed over the use of turns borrowed from sources or based on models. This does not support the view of the Third Evangelist's " imitating the Septuagint ", but on the contrary indicates that his solecisms were introduced from his sources ». Pourquoi le « modèle » ne serait-il pas le grec de la Septante ?

152. *Markus-Stoff*, p. 95, n. 3 (p. 96).

153. Comparer l'examen de K. Beyer. Citons ici sa conclusion (en ordre inverse) : les septuagintismes certains sont *Lc.*, VIII, 1 (!) ; XVI, 22 (+ inf., sans expression de temps) ; *Act.*, IX, 43 ; XI, 26 ; XIV, 1 ; XVII, 44 ; XXVIII, 8 ; septuagintismes très probables : *Lc.*, III, 21 ; VI, 1 ; IX, 18 ; XI, 1 ; XVII, 11 ; XIX, 15 ; *Act.*, IX, 3 ; X, 25 ; XXI, 1.5 (p. 60, comp. p. 62, n. 1). Les autres sont suffisamment proches de l'hébreu pour qu'on puisse les concevoir comme des traductions : *Lc.*, I, 23. 41. 59 ; II, 1. 6. 46 ; V, 12. 17 ; VI, 6. 12 ; VII, 11 ; IX, 33. 37 ; XI, 14. 27 ; XVII, 14 ; XIX, 29 ; XX, 1 ; XXIV, 4. 30. 51 ; *Act.*, IV, 5 ; IX. 32. 37 ; XXII, 17 ; XXVIII, 17 (à noter que la construction ἐγένετο + inf. n'est pas exclue, cfr VI, 6. 12 et *Act.* : « soweit der Infinitiv voransteht und sie nicht eine Dauer ausdrücken oder die Zeitbestimmung fehlt ») ; avec certaines libertés qui seraient encore tolérables de la part d'un traducteur : *Lc.*, I, 8 ; II, 15 ; V, 1 ; VIII, 22 ; IX, 28. 51 ; XIV, 1 ; XVIII, 35 ; XXIV, 15 ; *Act.*, V, 7 ; XVI, 16 ; XIX, 1 ; XXII, 6 (p. 60).

154. Comp. M. JOHANNESSOHN, *Das biblische ΚΑΙ ΕΓΕΝΕΤΟ*, p. 197 (à propos de *Mc.*, II, 23).

155. K. BEYER, *Semitische Syntax*, p. 51, n. 2.

A. Plummer qui, pour *ἐγένετο* suivi d'un temps fini, donne une double liste d'exemples, sans ou avec *καί*, a fait l'observation que dans cette dernière catégorie *καί* est presque toujours suivi par *αὐτός* ou *αὐτοί* [156]. L'auteur semble vouloir apporter une nuance quand il dit que *καί* peut introduire l'apodose de *ἐγένετο*, mais qu'il peut aussi introduire une proposition coordonnée ou une phrase epexégétique. M.-J. Lagrange comprend *καὶ αὐτός*... en *Lc.*, V, 1 comme une sorte de parenthèse et, d'après lui, l'apodose de *ἐγένετο* est seulement à *καὶ εἶδεν* : « La péripétie se produit lorsque Jésus voit les deux barques » [157]. Telle est aussi l'exégèse du commentaire plus récent de H. Schürmann [158]. D'après K. Beyer, auquel l'auteur renvoie, la phrase *καὶ αὐτός*... fait partie de la *Zeitbestimmung* qui précède l'apodose en V, 1.17 ; XIV, 1 ; XVII, 11 [159]. Cet emploi caractéristique de *καὶ αὐτός* [160] rentre dans une tendance lucanienne plus générale. La locution temporelle devient en *Lc.* une description de la situation qui comporte plusieurs éléments. L'infinitif de la phrase *ἐν τῷ* + inf. est redoublé (V, 1) ou accompagné d'un participe (IX, 18 ; XI, 1 ; XIX, 15). Le génitif absolu se construit à deux participes en III, 21 et XX, 1 ; dans les deux cas la construction s'ajoute à une expression temporelle précédente (de même, IX, 37 ; d'autres combinaisons en IX, 28 et XI, 1). En V, 17, *καὶ αὐτὸς ἦν διδάσκων* est suivi de *καὶ ἦσαν*... et *καὶ δύναμις*... et on peut considérer *καὶ ἰδοὺ*... du v. 18 comme l'apodose réelle de la construction *καὶ ἐγένετο*. Après *καὶ αὐτοί* de XIV, 1 c'est encore avec *καὶ ἰδού* que commence la péripétie (voir aussi V, 12 et XXIV, 4). En XVII, 11 nous rencontrons une situation analogue, comparable à *καὶ ἰδού* (*ἀνήρ*) : *καὶ αὐτός*... est suivi d'un génitif absolu (l'entrée dans le village : élément descriptif ?) et de *ἀπήντησαν*... *ἄνδρες*. Dans certains cas toutefois c'est bien *καὶ αὐτός* que semble introduire l'apodose : VIII, 22 (*καὶ αὐτὸς ἀνέβη*... ou est-ce *καὶ εἶπεν* ?) et IX, 51 (*καὶ αὐτὸς*... *ἐστήρισεν* ; ou est-ce encore ici *καὶ ἀπέστειλεν* ?). En VIII, 1, on ne peut guère en douter (*καὶ αὐτὸς διώδευεν*...), mais le cas est exceptionnel à d'autres égards (sens duratif du verbe) et la question peut être posée si ce n'est pas l'ensemble de VIII, 1-3 qui doit s'entendre comme une *Zeitbestimmung* plus développée, suivie du génitif absolu de VIII, 4. Dans cette optique, il convient d'ajouter encore un mot

156. A. Plummer, *Luke*, p. 45.

157. M.-J. Lagrange, *Luc.*, p. 156.

158. *Lukasevangelium*, p. 267, n. 30.

159. K. Beyer, *Semitische Syntax*, p. 49-51. Comp. M. Johannessohn, *Das biblische ΚΑΙ ΕΓΕΝΕΤΟ*, p. 204-206.

160. Dans *Lc.*, *καὶ αὐτός* ne se rapporte pas seulement à un sujet précédemment mentionné (comme dans la LXX) mais aussi à un sujet différent (LXX : *καὶ οὗτος*). Cfr M. Johannessohn, *Das biblische ΚΑΙ ΕΓΕΝΕΤΟ*, p. 190-204 ; K. Beyer, *Semitische Syntax*, p. 55, n. 1. Notons d'ailleurs que dans la LXX ce double usage n'est attesté que rarement.

sur ἐγένετο avec infinitif. La remarque de M. Johannessohn à propos de *Mc.*, II, 23 [161] peut s'appliquer à certains passages lucaniens. En VI, 6, l'entrée dans la synagogue et l'enseignement (le double infinitif) font partie d'une description qui doit situer l'action qui commence avec καὶ ἦν... (ou avec le v. 7). En VI, 12, la mention de la prière sur la montagne (l'infinitif final après ἐξελθεῖν) est complétée par καὶ ἦν διανυκτερεύων... et l'introduction ne s'achève qu'avec καὶ ὅτε ἐγένετο ἡμέρα (comp. ὡς ἐπαύσατο en XI, 1). La définition que S. R. Driver a donnée à la construction biblique ויהי comme « a clause specifying the circumstances under which an action takes place » [162], exprime parfaitement la manière dont Luc l'a comprise et lui a donné une amplification très personnelle. C'est sans doute la Bible grecque qui lui a prêté le modèle et il n'y a pas besoin de sources écrites dans un grec hébraïsant pour expliquer un usage artistique qui est des plus rédactionnels en *Lc.* Une même observation peut s'appliquer aux autres « hébraïsmes » qui normalement accompagnent la construction. Ils sont soulignés dans le texte imprimé ci-dessous [163].

161. Voir n. 154.

162. S. R. DRIVER, *A Treatise on the Use of the Tenses in Hebrew and some other Syntactical Questions*, 3e éd., Oxford, 1892, § 78.

163. Dans le Codex Bezae la construction ἐγένετο est attestée aussi en VII, 12 ; VIII, 40. 42 ; IX, 29. 57 ; X, 38 et XIX, 5 (sur VIII. 40 et X, 38 voir les n. 140 et 139). Par contre, quatre omissions (II, 6 ; VII, 11 ; XI, 14) et un nombre de variantes qui affectent la construction sont à signaler :

I, 23 τοτε add ante απηλθεν. I, 59 εν om. II,6 ως δε παρεγινοντο ετελεσθησαν pro εγενετο — επλησθησαν. II, 15 και οι ανθρωποι add ante οι ποιμενες, ειπον pro ελαλουν. V, 1 του ακουειν pro και ακουειν, εστωτος αυτου pro αυτος ην εστως. V, 17 αυτου διδασκοντος συνελθειν τους φαρισαιους... ˙ησαν δε συν- pro και αυτος — ησαν. VI, 1 και εγενετο pro εγενετο δε, δευτεροπρωτω add post σαββατω. VI, 6 και εισελθοντος αυτου παλιν εις την συναγωγην σαββατω, εν η ην pro εγενετο — ην. VI, 12 εκειναις pro ταυταις. VII, 11 εγενετο om, τη pro .εν τω. VII, 12 εγενετο δε ως ηγγισεν τη πυλη της πολεως εξεκομιζετο. VIII, 22 αναβηναι αυτον pro και αυτος ενεβη. VIII, 40 εγενετο δε εν τω υποστρεψαι τον Ιησουν απεδεξατο αυτον ο οχλος. VIII, 42b και εγενετο εν τω πορευεσθαι αυτον οι οχλοι συνεπνιγον αυτον. IX, 18 αυτους pro αυτον προσευχομενον. IX, 29 και εγενετο εν τω προσευχεσθαι αυτον η ιδεα του προσωπου αυτου ηλλοιωθη. IX, 33 διαχωρισθηναι pro διαχωριζεσθαι. IX, 37 δια της ημερας pro τη εξης ημερα, κατελθοντα αυτον συνελθειν αυτω οχλον πολυν pro κατελθοντων — πολυς. IX, 57 και εγενετο πορευομενων αυτων εν τη οδω ειπεν τις προς αυτον. X, 38 εγενετο δε εν τω πορευεσθαι αυτον εισελθειν. XI, 1 και add ante ως. XI, 14b και εκβαλοντος αυτου pro εγενετο — κωφος (cfr 14a). XI, 27 γυνη τις επαρασα φωνην pro επαρασα τις φωνην γυνη. XIV, 1 εισελθειν pro ελθειν. XVII, 11 αυτον add post πορευεσθαι. XVII, 14b εγενετο δε pro και εγενετο. XIX, 5 και εγενετο εν τω διερχεσθαι αυτον ειδεν και ειπεν. XIX, 15 εν τω om. XX, 1 εγενετο δε pro και εγενετο. XXIV, 4 αυτου ιδου δυο ανδρες pro τουτου και ιδου ανδρες δυο. XXIV, 15 και ο Ιησους pro και αυτος Ιησους. XXIV, 30 μετ αυτων om. XXIV, 51 απεστη pro διεστη απ αυτων.

La construction ἐγένετο en Lc.

I, 8 ἐγένετο δὲ
ἐν τῷ ἱερατεύειν αὐτὸν ἐν ... θεοῦ,
9 κατὰ ... ἔλαχε...
I, 23 καὶ ἐγένετο
ὡς ἐπλήσθησαν αἱ ἡμέραι τῆς λειτουργίας αὐτοῦ,
ἀπῆλθεν...
I, 41 καὶ ἐγένετο
ὡς ἤκουσεν τὸν ἀσπασμὸν τῆς Μαρίας ἡ 'Ελισάβετ,
ἐσκίρτησεν τὸ βρέφος ... αὐτῆς
I, 59 καὶ ἐγένετο
ἐν τῇ ἡμέρᾳ τῇ ὀγδόῃ
ἦλθον περιτεμεῖν ... καὶ ἐκάλουν...
II, 1 ἐγένετο δὲ
ἐν ταῖς ἡμέραις ἐκείναις
ἐξῆλθεν...
II, 6 ἐγένετο δὲ
ἐν τῷ εἶναι αὐτοὺς ἐκεῖ
ἐπλήσθησαν αἱ ἡμέραι τοῦ τεκεῖν αὐτήν,
II, 15 καὶ ἐγένετο
ὡς ἀπῆλθον ἀπ' αὐτῶν ... οἱ ἄγγελοι,
οἱ ποιμένες ἐλάλουν...
II, 46 καὶ ἐγένετο
μετὰ ἡμέρας τρεῖς
εὗρον...
III, 21 ἐγένετο δὲ
ἐν τῷ βαπτισθῆναι ἅπαντα τὸν λαὸν
καὶ 'Ιησοῦ βαπτισθέντος καὶ προσευχομένου
ἀνεῳχθῆναι τὸν οὐρανόν,
22 καὶ καταβῆναι τὸ πνεῦμα...,
καὶ φωνὴν ἐξ οὐρανοῦ γενέσθαι...
V, 1 ἐγένετο δὲ
ἐν τῷ τὸν ὄχλον ἐπικεῖσθαι αὐτῷ
καὶ ἀκούειν τὸν λόγον τοῦ θεοῦ,
καὶ αὐτὸς ἦν ἑστὼς παρὰ τ.λ.Γ.,
2 καὶ εἶδεν...
V, 12 καὶ ἐγένετο
ἐν τῷ εἶναι αὐτὸν ἐν μιᾷ τῶν πόλεων
καὶ ἰδοὺ ἀνὴρ...
V, 17 καὶ ἐγένετο
ἐν μιᾷ τῶν ἡμερῶν
καὶ αὐτὸς ἦν διδάσκων,
καὶ ἦσαν καθήμενοι Φαρισαῖοι... οἳ ἦσαν...
καὶ δύναμις κυρίου ἦν εἰς τὸ ἰᾶσθαι αὐτόν.
18 καὶ ἰδοὺ ἄνδρες...
VI, 1 ἐγένετο δὲ
ἐν σαββάτῳ
διαπορεύεσθαι αὐτὸν...
VI, 6 ἐγένετο δὲ
ἐν ἑτέρῳ σαββάτῳ
εἰσελθεῖν αὐτὸν εἰς τὴν συναγωγὴν
καὶ διδάσκειν.
καὶ ἦν...

VI, 12 ἐγένετο δὲ
ἐν ταῖς ἡμέραις ταύταις
ἐξελθεῖν εἰς τὸ ὄρος προσεύξασθαι,...

VII, 11 καὶ ἐγένετο
ἐν τῷ ἑξῆς
ἐπορεύθη...

VIII, 1 καὶ ἐγένετο
ἐν τῷ καθεξῆς
καὶ αὐτὸς διώδευεν...

VIII, 22 ἐγένετο δὲ
ἐν μιᾷ τῶν ἡμερῶν
καὶ αὐτὸς ἐνέβη... καὶ εἶπεν...

IX, 18 καὶ ἐγένετο
ἐν τῷ εἶναι αὐτὸν προσευχόμενον κατὰ μόνας
συνῆσαν αὐτῷ οἱ μαθηταί,...

IX, 28 ἐγένετο δὲ
μετὰ τοὺς λόγους τούτους
ὡσεὶ ἡμέραι ὀκτώ,
[καὶ] παραλαβὼν... ἀνέβη...

IX, 33 καὶ ἐγένετο
ἐν τῷ διαχωρίζεσθαι αὐτοὺς ἀπ' αὐτοῦ
εἶπεν ὁ Πέτρος...

IX, 37 ἐγένετο δὲ
τῇ ἑξῆς ἡμέρᾳ
κατελθόντων αὐτῶν ἀπὸ τοῦ ὄρους
συνήντησεν αὐτῷ ὄχλος πολύς.

IX, 51 ἐγένετο δὲ
ἐν τῷ συμπληροῦσθαι τὰς ἡμέρας τῆς ἀναλήμψεως αὐτοῦ,
καὶ αὐτὸς τὸ πρόσωπον ἐστήρισεν... 52 καὶ ἀπέστειλεν...

XI, 1 καὶ ἐγένετο
ἐν τῷ εἶναι αὐτὸν ἐν τόπῳ τινὶ προσευχόμενον,
ὡς ἐπαύσατο,
εἶπέν τις...

XI, 14b ἐγένετο δὲ
τοῦ δαιμονίου ἐξελθόντος
ἐλάλησεν ὁ κωφός...

XI, 27 ἐγένετο δὲ
ἐν τῷ λέγειν αὐτὸν ταῦτα
ἐπάρασά τις φωνὴν γυνὴ... εἶπεν αὐτῷ...

XIV, 1 καὶ ἐγένετο
ἐν τῷ ἐλθεῖν αὐτὸν εἰς... τῶν Φαρισαίων σαββάτῳ φαγεῖν ἄρτον,
καὶ αὐτοὶ ἦσαν παρατηρούμενοι αὐτόν.
2 καὶ ἰδοὺ ἄνθρωπός τις ἦν...

XVI, 22 ἐγένετο δὲ
ἀποθανεῖν τὸν πτωχὸν
καὶ ἀπενεχθῆναι αὐτὸν...

XVII, 11 καὶ ἐγένετο
ἐν τῷ πορεύεσθαι εἰς Ἰερουσαλήμ,
καὶ αὐτὸς διήρχετο...
12 καὶ εἰσερχομένου αὐτοῦ... ἀπήντησαν

XVII, 14b καὶ ἐγένετο
ἐν τῷ ὑπάγειν αὐτοὺς
ἐκαθαρίσθησαν.

XVIII, 35 ἐγένετο δὲ
ἐν τῷ ἐγγίζειν αὐτὸν εἰς Ἰεριχὼ
τυφλός τις ἐκάθητο...

XIX, 15 καὶ ἐγένετο
ἐν τῷ ἐπανελθεῖν αὐτὸν λαβόντα τὴν βασιλείαν
καὶ εἶπεν...

XIX, 29 καὶ ἐγένετο
ὡς ἤγγισεν εἰς Βηθφαγὴ καὶ Βηθανίαν πρὸς...,
ἀπέστειλεν...

XX, 1 καὶ ἐγένετο
ἐν μιᾷ τῶν ἡμερῶν
διδάσκοντος αὐτοῦ ... καὶ εὐαγγελιζομένου
ἐπέστησαν οἱ ἀρχιερεῖς... καὶ εἶπαν...

XXIV, 4 καὶ ἐγένετο
ἐν τῷ ἀπορεῖσθαι αὐτὰς περὶ τούτου
καὶ ἰδοὺ ἄνδρες δύο ἐπέστησαν αὐταῖς...

XXIV, 15 καὶ ἐγένετο
ἐν τῷ ὁμιλεῖν αὐτοὺς καὶ συζητεῖν,
καὶ αὐτὸς Ἰησοῦς ἐγγίσας συνεπορεύετο αὐτοῖς.

XXIV, 30 καὶ ἐγένετο
ἐν τῷ κατακλιθῆναι αὐτὸν μετ' αὐτῶν
λαβὼν τὸν ἄρτον εὐλόγησεν...

XXIV, 51 καὶ ἐγένετο
ἐν τῷ εὐλογεῖν αὐτὸν αὐτοὺς
διέστη ἀπ' αὐτῶν.

V. Les accords mineurs Matthieu-Luc contre Marc

Dans son exposé général sur les accords mineurs entre Matthieu et Luc contre Marc [164], T. Schramm fait preuve d'un jugement sage et pondéré. Il veut les évaluer à l'intérieur d'une position qui lui semble le résultat acquis de la critique littéraire, — utilisation indépendante de Marc et Q par Matthieu et Luc, — refusant l'hypothèse d'une dépendance commune envers un *Ur-Marcus*. Il n'est pas prêt à suivre Streeter dans un recours trop facile à la critique textuelle (harmonisation des copistes). D'autre part, il se déclare d'accord sur le fait que nombre des accords s'expliquent par un souci commun de correction stilistique : des substitutions de parataxes, de présents historiques, de sémitismes, etc., des omissions d'éléments pléonastiques ou des abréviations du récit de Marc. Du point de vue de la critique littéraire, on ne peut que souscrire à cette distinction entre les accords non-significatifs et les accords significatifs [165].

164. T. SCHRAMM, *Markus-Stoff*, p. 72-77.
165. S. MCLOUGHLIN, *Les accords mineurs Mt-Lc contre Mc et le problème synoptique. Vers la théorie des deux sources*, dans *De Jésus aux Évangiles*, p. 17-40.

D'après l'auteur, la possibilité d'une explication de critique littéraire (une source commune) doit être envisagée si les accords mineurs ne se laissent pas éliminer par un examen de critique textuelle, et s'ils se trouvent groupés (p.e. dans les péricopes *Lc.*, V, 33-39 ; IX, 1-6.10-17). Sans doute, une solution *literarkritisch* ne peut être repoussée sans examen sérieux, mais on peut se poser la question si la priorité méthodologique ne revient pas à l'explication rédactionnelle, c.-à-d. l'intelligence des modifications du texte de Marc à la lumière des tendances littéraires et théologiques de chacun des évangélistes. C'est d'ailleurs le point de vue adopté par l'auteur dans les péricopes de la *traditio marciana pura*. En plus, le lecteur se trouve un peu mal à l'aise quand il constate que accords mineurs Matthieu-Luc, *Sonderelemente* lucaniens et sémitismes sont rassemblés pour former un argument de convergence en faveur d'une tradition parallèle à Marc. On se demande s'il n'y a pas lieu de mieux apprécier le caractère spécifique de chacun de ces phénomènes. S'il faut recourir, pour les accords mineurs, à une explication de type *literarkritisch*, ne serait-il pas une dépendance subsidiaire de Luc envers Matthieu qui semble se recommander plutôt que l'idée très vague de traditions parallèles à Marc ? On comprend que des auteurs qui, comme T. Schramm, admettent une dépendance fondamentale de Luc envers Marc ne s'opposent pas à la possibilité de certains contacts avec Matthieu. L'opinion est actuellement partagée par des auteurs qui admettent Q (R. Morgenthaler, dans la ligne de E. Simons et W. Larfeld) et par d'autres qui s'en « dispensent » (dans la ligne de A. Farrer). L'hypothèse ne semble pas tenter T. Schramm qui englobe les accords mineurs dans un faisceau d'indicateurs en faveur de *Nebentraditionen*, sans donner un relief spécial au fait que sur ces points Luc s'accorde avec Matthieu.

C'est surtout la fréquence des accords dans certains passages qui l'impressionne. Il est vrai que l'auteur, parlant de la fréquence des accords, ne se reprend pas sur la concession initiale, c.-à-d. qu'il y a une distinction à faire entre accords significatifs et non-significatifs. S'il évite ainsi le défaut commun des anti-Streeter, il reste que ce n'est pas en comptant les accords qu'on les explique, mais en replaçant chaque cas individuel dans le contexte général de l'évangile. Nous avons montré ailleurs ce que, dans ce domaine, un travail comme celui de J. Schmid a encore de valable [166].

166. F. NEIRYNCK, *Minor Agreements Matthew-Luke in the Transfiguration Story*, dans *Festschrift J. Schmid* (voir n. 79). Une liste exhaustive des accords mineurs (positifs et négatifs) est donnée dans la dissertation de T. HANSEN, *De overeenkomsten Mt-Lc tegen Mc in de drievoudige traditie* (Diss. Doct.), Louvain, 1969. [Elle a été révisée et mise à jour dans F. NEIRYNCK, avec la collaboration de T. HANSEN et F. VAN SEGBROECK, *The Minor Agreements of Matthew and Luke against Mark with a Cumulative List* (BETL, 37), Louvain, 1974.]

VI. Marc dans les « blocs non-marciens »

Il est important de noter que T. Schramm lui-même n'a nullement l'intention de limiter l'influence marcienne aux textes de tradition marcienne pure, ni même aux soi-disant blocs marciens. La combinaison des sources est en effet le thème majeur de son livre. Dans la deuxième partie, il traite explicitement l'influence de la matière marcienne sur des « péricopes non-marciennes » [167]. Les passages se situent dans des contextes différents : d'une part, dans des sections où des textes Q et S sont combinés (III, 1-IV, 30 ; VI, 20-VIII, 3 ; IX, 51-XVIII, 14), et d'autre part, dans le récit de la passion.

L'auteur est partisan de l'hypothèse d'une source écrite particulière du récit de la passion, expliquant ainsi les douze cas de divergence par rapport à l'ordre de Marc, signalés déjà par J. C. Hawkins [168]. Comme, dans les blocs marciens, le texte de Marc a été influencé et enrichi par des traditions parallèles, c'est ici la source particulière de la passion qui aurait été complété par des insertions marciennes. On s'étonne un peu que, dans un ouvrage sur la matière marcienne dans l'évangile de Luc, l'auteur ne consacre que vingt-cinq lignes au récit de la passion [169]. Même dans l'hypothèse d'un évangile proto-lucanien (Streeter) ou d'un récit de la passion propre à Luc (Schürmann), les insertions marciennes gardent une certaine importance. On peut s'en convaincre à partir du tableau suivant [170].

167. *Markus-Stoff*, p. 32-51.

168. J. C. Hawkins, *Luke's Passion-Narrative and the Synoptic Problem*, dans *Exp. T.*, 15 (1903-04), 122-126. 273-276 ; repris dans *Three Limitations to St. Luke's Use of St. Mark's Gospel*. 3. *St. Luke's Passion-Narrative Considered with Reference to the Synoptic Problem*, dans *Studies in the Synoptic Problem* (n. 6), p. 76-94.

169. *Markus-Stoff*, p. 50-51. Signalons toutefois qu'il compte XXII, 1-13 parmi les passages de tradition marcienne pure, à l'exception de la tradition particulière au v. 3 (p. 182-184). Cfr *supra*, p. 167-168.

170. Les huit auteurs signalés nous semblent être représentatifs. — L'article de J. C. Hawkins sur le récit lucanien de la passion (1903) fut le point de départ de beaucoup d'études ultérieures ; voir dans *Oxford Studies*, p. 77 (la liste des « smaller structural and verbal similarities to Mark »).

B. H. Streeter, *The Four Gospels* (n. 8), p. 214-222 : « The Reconstruction of Proto-Luke », spéc. p. 222. L'auteur fait une distinction entre les passages provenant probablement de Marc (indiqués dans notre liste par M) et d'autres qui « may be derive from Mark, or represent Proto-Luke partially assimilated to the Marcan parallel » (sigle m). A la p. 216, il signale les cas mentionnés par Hawkins et en ajoute d'autres, dont seul XXII, 33-34a (entre parenthèses dans notre liste) n'est pas repris dans sa conclusion (p. 222).

V. Taylor est sans doute le défenseur le plus assidu de l'hypothèse proto-lucanienne. Un livre posthume vient encore d'être publié : *The Passion Narrative of Luke. A Critical and Historical Investigation* (éd. O. E. Evans) (SNTS Mon. Ser., 19), Cambridge, 1972. Dans la conclusion, p. 119, les éléments marciens en

	Hawkins	Streeter	Taylor	Schürmann	Jeremias	Rehkopf	Schneider	Grundmann
XXII, 1-2	M	M	M	M	M	M	m	M
3-6	M	M	M	M	M	M	m	M
7-13	M	M	M	M	M	M	m	M
14				M				
18	M	M						
19a			m					
20b				m		M		
21				M			M	M
22	M	M	M	M			M	M
23				M			M	M
33		(m)		M			M	M
34a		(m)	M	M			M	M
34b			M	M			M	M
39			(m)					
42	M	M						
46a	M	M						
46b	M	M	M					
47	M	M	m	m				m
50b			M					
52a	M	M						
52b	M	M	M	m		M	M	M
53a	M	M	M			M	M	M
53b	M	M						
54b	M	M	M	m			M	
55		M	M				M	
56		M	M				M	
57		M	M				M	
58		M	M				M	
59		M	M				M	
60		M	M				M	
61	M	M	M				M	
62		[m]						
66			(m)					
69		m	m				M	m
70							M	
71	M	M	m				M	

Lc., XXII-XXIV, notamment XXII, 1-13 ; XXII, 54b-61 (le reniement) ; XXIII, 50-54 (l'ensevelissement) et d'autres ' insertions ' et ' additions ' sont énumérées (sigle M dans notre liste). Il y signale aussi quelques passages qui « appear to reflect the influence of Mark » (sigle m). Cette énumération correspond *grosso modo* à sa prise de position initiale, dans *Behind the Third Gospel. A Study of The Proto-Luke Hypothesis*, Oxford, 1926 ; voir aussi *The Formation of the Gospel Tradition*, Londres, 1933 ; 2e éd., 1935, p. 51. On constate un glissement à propos de XXII, 19a : dans *Behind*, p. 37, il présente le v. 19a comme une insertion dont l'origine marcienne est indubitable, mais dans *The Passion Narrative*, p. 52, il donne raison à Schürmann concernant l'origine non-marcienne de 19a et le verset n'est pas repris dans la liste de la p. 119 ; toutefois il se reprend à la p. 124 et associe le verset aux passages qui reflètent l'influence linguistique de Marc (m). Aux insertions marciennes dans le récit de la mort de Jésus (XXIII, 44-49 : les v. 34b. 38. 44-45) il ajoute maintenant

	Hawkins	Steeter	Taylor	Schürmann	Jeremias	Rehkopf	Schneider	Grundmann
XXIII, 3		M	M					M
22	M	M						
25		M	m					
26a	M	M	M					m
26b	M	M	M			M		m
33		M	(m)					
34b	M	M	M					M
35		m						M(b)
38		M	M					M
44	M	M	M					M
45	M	M	M					M
46	M	M						
47								M
49		m	M					
50			M					
51		m	M					M(b)
52	M	M	M					M
53	M	M	M					M(a)
54			M					
XXIV, 1		m	m				m	
2		m	m	m			M	M
3		m	m				m	
4							m	
5							m	
6a	M	[M]					M	M
6b		M					M	m
7							m	
8							m	
9		m [ ]					m	
10a		m	M				M	
10b		m					M	

le v. 49 (p. 96, voir aussi, p. 119 et 124). A la p. 124, XXIII, 25 est signalé pour la première fois comme « marcien » ; dans la discussion du passage il est dit seulement qu'il y a des indices de composition lucanienne et que le v. est ajouté au stade final de la rédaction (p. 89). Les passages XXII, 39. 66 ; XXIII, 33 (entre parenthèses dans notre liste), signalés comme « marciens » dans *Modern Issues in Biblical Studies : Methods of Gospel Criticism*, dans *Exp. T.*, 71 (1959-60), 68-72, p. 69, ne sont plus retenus dans *The Passion Narrative* (p. 119, n. 1).

H. Schürmann : sur XXII, 14 voir *Paschamahlbericht* (n. 18), p. 104-110 ; sur XXII, 20b : *Einsetzungsbericht*, p. 78-79 ; sur XXII, 21-23 : *Jesu Abschiedsrede*, p. 3-21 ; sur XXII, 33-34 : *ib.* p. 21-35. En outre, l'auteur signale des réminiscences de *Mc.* en XXII, 47. 52. 54 (sigle m) et XXIII, 1. 2. 4a. 9. 10 ; 19 ; XXIV, 2 : cfr *Sprachliche Reminiszenzen* (voir n. 19), p. 114.

J. Jeremias, *Die Abendmahlsworte* (n. 10), p. 92-93 (sur XXII, 14, voir, p. 93, n. 3). Voir cependant *Neutestamentliche Theologie. I. Die Verkündigung Jesu*, Gutersloh, 1971, p. 48 (sur les blocs non-marciens) : « Lediglich bei dem letzten,

Les éléments marciens jouent un rôle tout particulier dans la théorie de la source prélucanienne. V. Taylor y voit un triple argument en faveur du caractère écrit du document [171] : les éléments marciens apparaissent comme « insertions » et « additions » dans un récit continu (*a*), ils présentent des exemples d'inversions de l'ordre, suite à leur introduction dans un document préexistant (*b*), et ils se suivent dans l'ordre de la source marcienne : *Mc.*, XIV, 1-2.10-11.12-16.21.30.38.47b.48b-49.54. 66-72 ; XV, 2.15.21.24b.26.33.38.40.42-47 ; XVI, 1 (*c*) [172]. Évidemment, cette dernière observation (assez paradoxale comme argument en faveur du proto-Luc) n'a rien de surprenant en dehors de cette hypothèse. Par contre, on ne saurait éviter le problème classique des transpositions en *Lc.*, XXII-XXIV. Nous l'examinons plus en détail dans une autre étude [173]. Il suffit de reproduire ici la liste des éléments marciens d'après Taylor et d'indiquer les péricopes dont ces versets font partie, pour constater qu'il n'y a que deux endroits où Luc abandonne l'ordonnance marcienne des péricopes : XIV, *1-2.10-11.12-16.17.18-21.*[ ]*.29-31. 32-42.43-52.54.*[ ]. *66-72* ; XV, *1-5.6-15.21.23-32.33-41.42-47* ; XVI, *1-8*. Le récit de l'institution eucharistique (*Lc.*, XXII, 18.19-20 = *Mc.*, XIV, 25.22-24) est suivi de l'annonce de la trahison de Judas (XXII, 21-23), qui, en *Mc.*, XIV, 18-21, le précède. L'ordre du procès de Jésus devant le Sanhédrin (*a*), de la scène des outrages (*b*) et du reniement de Pierre (*c*) de *Mc.*, XV, (55-61a).61b-64.65.66-72 est inverti en *Lc.*, XXII, 55-62 (*c*). 63-65 (*b*). 66-71 (*a*). Ainsi Luc fait suivre les récits du reniement de Pierre et du procès devant le Sanhédrin (XXII, 54b-62. 63-65 et 66-71) qui, dans le texte de Marc, sont imbriqués l'un dans l'autre : *Mc.*, XIV, 54.66-72 et XIV, 55-64.(65) et XV.1. Quant à la première transposition, M.-É. Boismard formule bien l'intention rédactionnelle de Luc : « A l'inverse de Mt/Mc, Lc place l'annonce de la trahison de Judas, non pas avant, mais après le récit de l'institution eucharistique. Son intention est de constituer une sorte de « discours après la Cène » (cf. Jn 13-17) comprenant : l'annonce de la trahison de Judas [*Mc.*, XIV, 18-21], un enseignement sur l'obligation pour tous de « servir » [*Mc.*, X, 42-45], un logion sur la récompense eschato-

der Passionsgeschichte (22, 14-24, 53), kann man an einigen Stellen fragen, ob gemein-urchristliche Tradition vorliegt oder Markuseinfluss ».

F. REHKOPF, *Sonderquelle* (n. 11), p. 84, n. 3.

G. SCHNEIDER, *Verleugnung* (n. 130), p. 152-156.

W. GRUNDMANN, *Lukas*, p. 388 ss. (*passim*).

171. *The Passion Narrative*, p. 122-125, comp. *Behind the Third Gospel*, p. 72.

172. La liste (p. 124) correspond aux références M du tableau ci-dessus ; sur XXIII, 25 (m), voir n. 168. Les passages qui seulement reflètent une influence linguistique de *Mc.* (m), se présentent dans un ordre différent, en raison du contexte non-marcien (XXII, 19a. 47. 69. 71 ; XXIV, 1-3).

173. Cfr F. NEIRYNCK, *Les transpositions dans l'évangile de Luc et l'acoluthie marcienne*, à paraître dans *Eph. Theol. Lov.* [Cfr *infra*, p. 757-768.]

logique promise aux Douze [*Mt.*, XIX, 28], l'annonce du reniement de Pierre [*Mc.*, XIV, 29-31], enfin un logion sur les difficultés qui attendent les missionnaires de l'évangile... La plupart de ces péricopes se lisent dans Mt/Mc en d'autres contextes : Lc a voulu les rassembler afin de constituer un ensemble dominé par deux thèmes théologiques découlant du repas eucharistique : l'un christologique et l'autre ecclésiastique » [174].

C'est sur l'argument des transpositions que beaucoup d'auteurs se décident pour une source non-marcienne en *Lc.*, XXII-XXIV. Je ne puis me défaire de l'impression que, sur ce point, on a exagéré le contraste avec *Lc.*, IV, 31-XXI et que l'argument des transpositions a orienté certaines analyses du récit de la passion. Il me semble plutôt que l'évangile de Marc n'est pas abandonné en *Lc.*, XXII, 14 (ou 15), mais qu'il continue de guider l'évangéliste jusqu'en XXIV, 12. Je le sais, je ne puis me contenter d'exprimer cette opinion : elle est contestée et doit donc devenir un programme d'études ultérieures [174a].

Un problème analogue est posé à propos de *Lc.*, III, 1-IV, 30, autre section à laquelle la théorie du proto-Luc a donné une importance capitale. H. Schürmann défend une position moyenne : l'utilisation d'une source non-marcienne dans cette section ne permet pas de conclure que les blocs marciens de IV, 31 à XXII, 14 ne sont que des insertions dans un évangile proto-lucanien, mais il semble bien que Luc dépend ici d'un récit parallèle à *Mc.* : III, 3-17 (21-22) ; IV, 1-13.14-15.16-30 (31-44) [175]. Pour T. Schramm aussi, *Mc.*, I, 1-20 n'est pas la source principale de Luc. Il signale comme influences marciennes : *Lc.*, III, 3b-4.16 (*Mc.*, I, 46.2a.3.7) ; IV, 1b-2a (*Mc.*, I, 12-13a) ; V, 2-3.10.11 (*Mc.*, III, 9 ; IV, 1 ; I, 18.19.20) [176]. L'auteur a sans doute raison de parler de « combinaison », car il est évident que *Lc.*, III, 7b-9.16-18 ; IV, 3-12 (par. *Mt.*) et III, (10-14 ?).23-38 viennent d'une source non-marcienne, mais il n'est pas prouvé que les textes de Q faisaient partie d'un véritable récit évangélique parallèle à *Mc.* T. Schramm note lui-même que le « début » de *Mc.*, I, 1 semble avoir suggéré à Luc la composition de la notice chronologique de III, 1-2a [177], et la transformation de *Mc.*, I, 1-6 en *Lc.*, III, 2b-6 peut très bien être rédactionnelle, en

174. M.-É. BOISMARD, *Commentaire*, p. 385.

174a. Sur *Lc.*, XXIV, 12, voir J. MUDDIMAN, *Note on Reading Lk xxiv. 12*, et F. NEIRYNCK, *Additional Note : The Uncorrected Historic Present in Lk xxiv.12*, dans *Eph. Theol. Lov.*, 48 (1972), 542-548 et 548-553.

175. Voir les conclusions de l'auteur dans *Lukasevangelium*, p. 319 et 449. Le récit aurait sa continuation dans le texte de Q en VI, 12-16 (17). 20-49 ; VII, 1-10. 18-35 ; VIII, 1 (avec des insertions dans le récit prélucanien en VII, 11-17. 36-50 ; VIII, 2-3).

176. *Markus-Stoff*, p. 34-40.

177. *Ibid.*, p. 34. Sur la rédaction de Luc en III, 1-2, voir aussi H. SCHÜRMANN, *Lukasevangelium*, p. 153.

accord partiel avec *Mt*[178]. L'introduction de *Lc.*, III, 7a contient une réminiscence de *Mc.*, I, 5 (cfr aussi *Lc.*, III, 21a) et *Lc.*, III, 19-20 (où se révèle la main de Luc, voir aussi III, 16 et 18) doit se comprendre à partir de *Mc.*, I, 14a et VI, 17-18. Quant au récit du baptême (*Lc.*, III, 21-22), il ne contient aucun élément qui ne s'explique pas comme rédaction lucanienne basée sur *Mc.*, I, 9-11 [179], et ce n'est que par manière de conjecture, à partir de la christologie du Fils dans le texte des tentations, que l'appartenance du baptême à la source Q semble se défendre [180]. Pour *Lc.*, IV, 14-15, je me permets de renvoyer à une contribution de J. Delobel [181] et les données sur V, 1-11 peuvent être complétées par les études de R. Pesch [182]. Nous ne pouvons entrer ici dans une analyse détaillée de la péricope de Nazaret (IV, 16-30 ; comp. *Mc.*, VI, 1-6a), mais on peut difficilement nier que la scène de Jésus dans la synagogue de Capharnaüm (*Mc.*, I, 21 ss.), qui constitue le contexte subséquent en *Lc.*, IV, 31 ss., peut avoir suggéré le rapprochement des deux scènes d'enseignement dans une synagogue. L'exégète qui étudie la matière marcienne en *Lc.*, III, 1-IV, 30 ; V, 1-11 devra tenir compte de certaines transpositions (III, 2b-3.19-20 ; IV, 14b.15.16-30 ; V, 1-11), mais il y retrouvera l'acolouthie de *Mc.*, I, 1-6.7-8.9-11.12-13.14-15.(21-39). 16-20. Si l'on veut reconstruire un « récit du début » non-marcien, ce sera une source nécessairement « parallèle à *Mc.* » dans un sens littéral du mot. Dans ces conditions, est-il encore justifié de ne pas vouloir qualifier *Mc.* comme source principale ?

A partir de *Lc.*, IV, 31 ss., le fait n'est guère contesté. On est d'accord que le bloc marcien s'étend jusqu'à VI, 11, mais là encore il est plus exact de dire : jusqu'à VI, 12-20 (*Mc.*, III, 13-19.7-12) [183]. Seule la section de *Mc.*, III, 20-21.22-30 (comp. *Lc.*, XI, 14-15.17-22) a été omise et remplacée par *Lc.*, VI, 20 ss. Les réminiscences marciennes ne sont pas absentes dans les récits du chap. VII, en *Lc.*, VII, 1-10 mais surtout en *Lc.*, VII, 36-50 (cfr *Mc.*, XIV, 3-9), plus spécialement dans les vv. 48-50 (cfr *Mc.*, II, 5-7 ; V, 34) [184]. *Mc.*, III, 31-35, qui est déjà à l'horizon de *Lc.*, VIII, 1-3 (voir aussi *Mc.*, III, 14 ; XV, 41), servira de conclusion de la section des paraboles (VIII, 19-21), première partie d'un nouveau « bloc marcien ».

178. Cfr F. NEIRYNCK, *Une nouvelle théorie synoptique* (voir n. 40).

179. Voir aussi F. LENTZEN-DEIS, *Die Taufe Jesu nach den Synoptikern*, Francfort, 1970, p. 31-53. Sur les accords *Mt.-Lc.*, voir G. O. WILLIAMS, *The Baptism in Luke's Gospel*, dans JTS, 45 (1944), 31-38.

180. H. SCHÜRMANN, *Lukasevangelium*, p. 197, 218-219.

181. Dans ce volume, p. 203-223 : *La rédaction de* Lc., *IV, 14-16a et le « Bericht vom Anfang »* [dans BETL, 32 ; 1973].

182. Dans ce volume, p. 225-244 : *La rédaction lucanienne du logion des pêcheurs d'hommes (Lc., V, 10c)* [dans BETL, 32 ; 1973]. Cfr *supra*, n. 143.

183. Voir l'étude sur les transpositions (n. 173).

184. *Markus-Stoff*, p. 40-45.

Conclusion

Revenons au livre de T. Schramm. Il ne semble pas que les trois indicateurs de sources parallèles (les éléments propres de Luc, les sémitismes et les accords mineurs Matthieu-Luc) soient un critère valable qui permettrait de circonscrire la tradition marcienne. La recherche de la tradition marcienne *pure* risque d'ailleurs d'imposer une vue un peu courte de l'activité rédactionnelle de l'évangéliste. C'est une orientation fort semblable à celle des exégètes du proto-Luc. En effet, la théorie des « blocs marciens » n'est-elle pas basée sur une certaine conception du travail de l'évangéliste qui se tiendrait servilement à l'ordre de sa source ? Il me paraît difficile d'exclure *Lc.*, III, 1-IV, 30 (V, 1-11), VI, 12-19 et XXII, 14-XXIV, 12 de la matière marcienne et de renoncer à l'idée que l'évangéliste s'est basé sur *Mc.* comme le récit évangélique fondamental. Les « insertions » en *Lc.* sont VI, 20-VII, 50 et IX, 51-XVIII, 14. Et si certains doublets des logia ont exercé une influence sur la version lucanienne des paroles de Jésus dans la « tradition marcienne » [185], il n'est pas moins vrai que les éléments narratifs en IX, 51-XVIII, 14 ont reçu une coloration marcienne. T. Schramm donne quelques exemples de réminiscences : X, 1 (*τόπος* : *Mc.*, VI, 11) ; X, 25b (*Mc.*, X, 17).27 (*Mc.*, XII, 30) ; XI, 16 (*Mc.*, VIII, 11) ; XI, 17.18.22 (*Mc.*, III, 24-25.30.27) ; XII, 10 (*Mc.*, III, 28-29) ; XIII, 18 (*Mc.*, IV, 30) [186]. On peut allonger cette liste par une étude des versets d'introduction qui forment le cadre rédactionnel des complexes de logia [187]. La tradition marcienne pure (les 137 versets) n'est donc qu'une fraction de la tradition marcienne et une *Redaktionsgeschichte* qui la prend comme base risque de devenir une *Redaktionsgeschichte* partielle.

NOTE ADDITIONNELLE

Aux études de J. Jeremias qui sont citées dans l'article (n. 10, 122, 170; cf. *infra*, p. 332 et 757-759), on ajoutera son ouvrage posthume, *Die Sprache des Lukasevangeliums. Redaktion und Tradition im Nicht-Markusstoff des dritten Evangeliums* (KEK, Sonderband), Göttingen, 1980. Jeremias compte 3,1-4,30 et 22,14 ss. parmi les blocs non-marciens, mais il admet ici la vraisemblance d'une influence marcienne sur le récit de la passion (p. 7 : «wahrscheinlich ... zumindest beeinflusst»). En ce qui concerne les «blocs marciens» (4,31-44; 5,12-6,19; 8,4-9,50; 18,15-43; 19,28-38; 19,45-21,33; 22,1-13), l'auteur rejoint notre point de vue : il s'agit de tradition marcienne pure, et les cas de «diff. Mk» sont de première importance dans l'étude du style lucanien. Ainsi, à propos de «das

185. *Ibid.*, p. 23-32.
186. *Ibid.*, p. 45-49.
187. On trouve un bon exemple, à propos de *Lc.*, XV, 1-3, dans un récent article de J. Jeremias, *Tradition und Redaktion* (voir n. 122).

periphrastische ἐγένετο»: «der Umstand, dass Lukas die Konstruktion nicht weniger als 10mal in seinen Markusstoff eingefügt hat, zeigt mit Sicherheit, dass wir es mit einer Eigenart des Evangelisten zu tun haben» (p. 26). De même, ἐν τῷ + inf. (p. 28); εἶναι + participe présent (p. 43); καὶ ἰδοὺ ἀνήρ (p. 135), etc.

Depuis 1973 plusieurs commentaires sur Luc ont paru: J. ERNST, *Das Evangelium nach Lukas* (Regensburger NT), Regensburg, 1977; G. SCHNEIDER, *Das Evangelium nach Lukas* (ÖTKNT, 3/1-2), Gütersloh-Würzburg, 1977 (sur les deux commentaires, voir *ETL* 54, 1978, 191-193); I.H. MARSHALL, *The Gospel of Luke. A Commentary on the Greek Text* (The New International Greek Testament Commentary), Exeter, 1978 (cf. *ETL* 56, 1980, 174-176); W. SCHMITHALS, *Das Evangelium nach Lukas* (Zürcher Bibelkommentar NT, 3/1), Zürich, 1980 (cf. *infra*, p. 617).

Le commentaire qui se rapproche le plus de nos propres travaux (sur les questions de la matière marcienne, les transpositions, les accords mineurs et les sémitismes) est celui de J.A. FITZMYER, *The Gospel According to Luke (I-IX). Introduction, Translation, and Notes* (The Anchor Bible, 28/1), Garden City (N.Y.), 1981. Sur ces questions, voir p. 66-73 et 114-125. Le commentaire se distingue par une très longue introduction, dont le chapitre sur la théologie lucanienne occupe la moitié de ces pages: *A Sketch of Lucan Theology*, p. 143-270. Comparer F. BOVON, *Luc le théologien. Vingt-cinq ans de recherches (1950-1975)*, Neuchâtel-Paris, 1978 (cf. *ETL* 56, 1980, 173-174).

Fitzmyer écarte l'hypothèse d'une tradition variante non-marcienne pour la plupart des péricopes de 4,31-44; 5,12-6,19; 8,4-9,50. L'argument des accords mineurs est repoussé également à propos de 3,1-6; 3,21-22; 4,14-15.16. Il se montre moins bien inspiré à propos de 9,10-17: «basically Marcan, but influenced by another tradition known to Luke (not that of Mark 8:1-10)» (p. 763). Le récit de Jn 6 remonterait lui aussi à une tradition indépendante (p. 763). Cf. *Jean et les Synoptiques*, p. 182-187 et (sur Mt 14,12-14) p. 348-354; sur Lc 9,11b, cf. *infra*, p. 775, n. 16.

Son exposé sur les «hébraïsmes» mérite une mention spéciale (p. 118-123). Un seul regret: il ne semble pas avoir saisi l'importance des constructions καὶ ἐγένετο pour la structure de l'évangile (voir *supra*, p. 65): cf. 3,21-22; 19,29; et surtout 8,1-3, qu'il explique comme «closing episode» de l'interpolation (voir *infra*, p. 766!). Par fidélité au style lucanien, Fitzmyer a traduit ἐγένετο par le verbe «happen» (cf. p. 119: «constantly»; voir cependant 1,8.23.41.59; 2,6.15; 9,33), mais au lieu d'écrire, comme il le fait pour 2,46, «it happened that», il traduit normalement: «Now ... an edict happened to be issued ...» (2,1); «Then when ... the heavens happened to open ...» (3,21), etc. J'ai l'impression que la traduction de A et R: «and it came to pass that» rendait mieux la construction lucanienne. Le début de l'apodose est correctement indiqué en 5,1-2: «he happened to see ...». Par contre, 5,17 «the power of the Lord happened to be ...» est à corriger (cf. *supra*, p. 69: v. 18 καὶ ἰδοὺ ...). Il adopte notre suggestion à propos de 8,22 («he happened to say ...») et 9,51-52 («he happened to send ...»). Le cas de 8,1 est plus délicat («there happened to be with him the Twelve»): voir notre remarque sur l'ensemble de 8,1-3.

ETL 48 (1972) 150-209

DUPLICATE EXPRESSIONS IN THE GOSPEL OF MARK

In 1967, in an article on the passion predictions in the Gospel of Mark, G. Strecker stated : " Eine Aufarbeitung des methodologischen Problems der Redaktionsgeschichte ist bisher noch nicht erfolgt und dringend erforderlich ". [1] The following year, R. H. Stein gave a tentative response to that request in a doctoral dissertation presented at Princeton under the title : *The Proper Methodology for Ascertaining a Marcan Redaktionsgeschichte.* [2] The author especially discusses the Markan seams and summaries and attempts to show how we might be able to distinguish between the pre-Markan tradition and the Markan redaction. There is no single test to achieve such an objective, he observes, but in order to answer the question a number of " guides " (or canons) can be applied to each particular text. Besides vocabulary, style, Markan theme and general scheme or pattern, unnecessary redundancy is one of those guides. " There are certain verses in which the Evangelist has apparently inserted a phrase to express his own point of view where his phrase is redundant and unnecessary. " [3] " Redundancy witnesses to a Marcan redaction. " [4] In this contribution, I would like to examine that criterion for redaction criticism. It may be obvious from the title given to the paper [5] that the so-called Markan redundancy will be studied here in a more specific description as the phenomenon of " duality " in the Gospel of Mark.

1. G. Strecker, ' Die Leidens- und Auferstehungsvoraussagen im Markusevangelium ', *ZTK* 64 (1967) 16-39, p. 17.

2. R. H. Stein, *The Proper Methodology for Ascertaining a Marcan Redaktionsgeschichte* (Doct. Diss.), Princeton (N.J.), 1968. Cf. ' The " Redaktionsgeschichtlich " Investigation of a Markan Seam (Mc 1 21f) ', *ZNW* 61 (1970) 70-94. The quotations are taken from the article. See also ' The Proper Methodology for Ascertaining a Markan Redaction History ', *Novum Testamentum* 13 (1971) 181-198 ; ' What is Redaktionsgeschichte ? ', *JBL* 88 (1969) 45-56.

3. *Ib.*, p. 77 (in the dissertation, p. 118).

4. *Ib.*, p. 77, n. 27 (in the dissertation, p. 118, n. 2). For the author's conclusion on Mk i. 21-22 : " As a result we do not find in these verses an unnecessary redundancy " (p. 85 ; in the dissertation, p. 129).

5. ' Duality in Mark and the Limits of Source Criticism ' was the original title of the paper read during the Louvain Colloquium on the Gospel of Mark (September 1, 1971).

I. Duality in Markan Exegesis

The subject we are dealing with is one of the traditional topics in the study of Mark. First of all, it played an important role in the synoptic criticism of the nineteenth century. The first part of that century was dominated by the Griesbachian hypothesis. The theory took its origin in a consideration of the phenomenon of the order of the pericopes. Since the Augustinian view of the dependence of Mark upon Matthew proved unsatisfactory for those parts where the Markan order is divergent from the order of Matthew, it has been complemented by the admission of Mark's dependence upon Luke. [6] Later on, in the presentation given by De Wette and Bleek, the argument of order was simply repeated, but the discussion was centered on the conflate character of the text of Mark as a result of the combination of the two sources. With this new approach, the duplicate expressions became particularly relevant. They were detected by De Wette in his commentary on Mark [7] and the list of them he presented in his *Einleitung* [8] became in some way a *locus communis*. [9] Mk i. 32 is always at the top of the list : ὀψίας

6. J. J. Griesbach, *Commentatio qua Marci Evangelium totum e Matthaei et Lucae Commentariis decerptum esse monstratur*, Jena, 1789-1790 ; in *Griesbachii Opuscula Academica* (ed. P. Gabler), vol. II, Jena, 1825, spec. *Sectio II*, pp. 369-385. Cf. p. 370 : „ ordinem a Matthaeo observatum ita retinuit, ut, sicubi ab eo recederet, Lucae vestigiis insisteret et hunc ordinemque narrationis eius κατα ποδα sequeretur ".

7. W. M. L. de Wette, *Kurze Erklärung der Evangelien des Lukas und Markus* (Kurzgefasstes exegetisches Handbuch zum N.T., I. 2), Leipzig (1st ed., 1836), 3rd ed., 1846. Cf. p. 3 : " so bestätigt sich... die Hypothese, dass es [Mark] aus denen des Matth. u. Luk. zusammengeschrieben ist, vollkommen selbst bis ins Einzelne des Textes hinein, welcher fast immer den Charakter eines combinirten (1, 32. 42. 2, 11. 19. 24 u. ö.) öfters eines erweiterten und modificirten (1, 2. 15. 20. 29. 41. 43. 2, 9. 16. 19. 25f. u. ö.) zuweilen eines epitomirten (1, 12. 13. 16, 12-14.) hat. "

8. W. M. L. de Wette, *Lehrbuch der historisch-kritischen Einleitung in die kanonischen Bücher des Neuen Testaments*, Berlin (1st ed., 1826), 5th ed., 1848 pp. 135-136 ; 6th ed., 1860, pp. 148-149 : " Marcus hat öfters einen Text, der aus dem der beiden Andern zusammengewebt zu sein scheint. Beispiele : i. 11, 32, 42, 44 ; ii. 11, 13-14, 19, 21-22, 23-24 ; iii. 2 ; iv. 15, 21, 41 ; v. 1-2, 22-23, 25-28 ; vi. 7, 14-15, 36 ; viii. 27, 30, 33, 37-38 ; ix. 5-6, 18, 22, 42 ; x. 29-31, 33-34, 46 ; xi. 1-3, 15 ; xii. 1, 8, 11, 14, 26 ; xiii. 3-4 ; xiv. 1-2, 12-16, 70. "

9. Comp. F. Bleek (ed. J. F. Bleek), *Einleitung in das Neue Testament*, Berlin, 1862 ; 4th ed. (ed. W. Mangold), 1886, pp. 187-189. The author discusses Mk i. 32, 34, 42 ; iv. 15 ; xi. 1 ; xii. 14 and refers to the instances listed by De Wette " zu denen sich noch manche andere hinzufügen liessen ". — F. J. Schwarz, *Neue Untersuchungen über das Verwandtschafts-Verhältniss der synoptischen Evangelien* mit besonderer Berücksichtigung der Hypothese vom schöpferischen Urevange-

δὲ γενομένης (Mt) and δύνοντος δὲ τοῦ ἡλίου (Lk) combined in Mark's duplicate statement : ὀψίας δὲ γενομένης, ὅτε ἔδυσεν ὁ ἥλιος. Mk i. 42 is another example : ἀπῆλθεν ἀπ' αὐτοῦ ἡ λέπρα (parallel to Lk) καὶ ἐκαθαρίσθη (the verb used by Mt). The striking character of these duplications is undoubtedly one of the reasons why in the debate with the Markan priorists, the argumentation of the Griesbachian theory was unduly reduced to the discussion of a limited number of such duplicate expressions. [10]

It cannot be said that the proponents of the Markan priority remained unaware of that characteristic of the style of Mark. K. A. Credner, in his Introduction to the New Testament (1836), noticed Mark's fondness for repeating the same idea with similar or identical words for the sake of precision and emphasis : e.g., repetition of the substantive instead of the relevant pronoun (δαιμόνια πολλὰ ἐξέβαλεν, καὶ οὐκ ἤφιεν λαλεῖν τὰ δαιμόνια i. 34), double negatives (οὐκέτι οὐδείς v. 3), adverbs with supplementary explicitation (τότε ἐν ἐκείνῃ τῇ ἡμέρᾳ ii. 20), association of synonymous expressions (χρείαν ἔσχεν καὶ ἐπείνασεν ii. 25), repetition of the statement tautologically (πολλοὶ τελῶναι καὶ ἁμαρτωλοὶ ... ἦσαν γὰρ πολλοί ii. 15) or by the addition of the opposite (οὐ δύναται στῆναι ἀλλὰ τέλος ἔχει iii. 26). [11] In his turn, C. G. Wilke showed particular interest in the correspondences within the same pericope between sayings and narrative, between expository statement and question, command and fulfilment. [12] B. Weiss listed a variety of repetitions in Mark's use of

lium, Tübingen, 1844, p. 293, n. 1 (De Wette's list). Specially mentioned are iv. 15 (pp. 154-155) ; xi. 1 (p. 292, n. 1) ; xiv. 1-2, 12-16 (pp. 322-333) ; xv. 42 (p. 321 : in addition to De Wette's list), and the author's attention is devoted more particularly to the " Durchgangspunkte " where Mark passes over from Luke to Matthew (spec. xiv. 1-2 : p. 320 ; also iii. 7-8 : p. 292). — H. U. MEIJBOOM, *Geschiedenis en critiek der Marcushypothese*, Amsterdam, 1866, pp. 184-193. Additional examples of mixed text (*tekstvermenging, Textmischung*) : i. 7, 21-22 ; iii. 7-12, 13-19 ; vi. 31 ; xiii. 1, 9 ; xiv. 30 ; xv. 32, 36, 39 ; xvi. 1.

10. Comp. J. C. HAWKINS, *Horae Synopticae*. Contributions to the Study of the Synoptic Problem, Oxford, 1st ed., 1898, p. 112 ; 2nd ed., 1909, (= 3th ed., 1968), p. 142 : " This section [duplicate expressions in Mark] has an important bearing on a point which was much discussed before the priority of Mark to Matthew and Luke had obtained its present acceptance. It used to be thought that in such passages as i. 32, 42 ; xiv. 30 Mark had put together phrases from Matthew and Luke... ". Cf. B. WEISS, ' Zur Entstehungsgeschichte der drei synoptischen Evangelien ', *Theol. Studien und Kritiken* 34 (1861) 29-100, 646-713, spec. pp. 683-685 ; H. J. HOLTZMANN, *Die synoptischen Evangelien*. Ihr Ursprung und geschichtlicher Charakter, Leipzig, 1863, pp. 113-115 ; W. MANGOLD, in Bleek's *Einleitung* (see n. 9), pp. 238-239.

11. K. A. CREDNER, *Einleitung in das Neue Testament*, vol. I, Halle, 1836, pp. 104-105.

12. C. G. WILKE, *Die neutestamentliche Rhetorik*. Ein Seitenstück zur Grammatik des neutestamentlichen Sprachidioms, Dresden-Leipzig, 1843, pp. 436-438 : " die

verbs and of pronominal, adverbial, and other types of expressions. [13] Finally, in 1863, H. J. Holtzmann collected the material gathered by the previous authors in his synthetic work on the synoptic gospels. [14]

The characterization given to these phenomena by B. Weiss was also taken over by Holtzmann : " eine gewisse nachdrückliche Umständlichkeit, " [15] well fitting another quality of Markan style : " eine gewisse Frische und Lebendigkeit der Erzählungsweise. " [16] Discussing the duplicate expressions of De Wette, B. Weiss still observes that " diese nachdrückliche Verdoppelung " [17] is a Markan characteristic, but duality or duplication is no longer the primary description. And in this they are followed by later authors. W. Larfeld, for instance, in 1925, in clear dependence upon Holtzmann, gives a systematic description of the Markan style under three headings : " Ausdrücke lebhafter Schilderung — Verstärkte Ausdrucksweise — Einförmigkeit und Umständlichkeit des Ausdrucks. " [18] Some, however, prefer to call it " duality ". I would like to quote here E. A. Abbott, from his famous article in the *Encyclopaedia Britannica* (1879) : " The first thing that strikes us in Mark is his duality. Verbosity we might be tempted to call it at the first sight ; but though there is a certain disproportion in the space assigned to detail, duality, and not verbosity, is the better word. " And further : " Duality is a part of Mark's style. " [19]

eigenthümliche Weise die Reden Jesu und anderer Personen durch Vor- oder Zwischenbemerkungen über die veranlassenden Umstände zu erläutern, und zwar so, dass die Worte der Vor- oder Zwischenbemerkung in der darauf folgenden Anführung der Rede wiedertönen " (p. 436). Cf. by the same author, *Der Urevangelist*, oder exegetisch-kritische Untersuchung über das Verwandtschaftsverhältnis der drei ersten Evangelien, Dresden, 1838, passim.

13. B. Weiss, ' Zur Entstehungsgeschichte ' (see n. 10), pp. 646-651.

14. H. J. Holtzmann, *Die synoptischen Evangelien* (see n. 10), pp. 280-284.

15. B. Weiss, ' Zur Entstehungsgeschichte ', p. 648 ; H. J. Holtzmann, *Die synoptischen Evangelien*, p. 280 : " populäre und nachdrückliche Umständlichkeit ".

16. B. Weiss, *ib.*, p. 646 ; comp. K. A. Credner, *Einleitung* (see n. 11), p. 102.

17. B. Weiss, *ib.*, p. 683.

18. W. Larfeld, *Die neutestamentlichen Evangelien*, Gütersloh, 1925, pp. 261-270. See also pp. 33-34 on the characteristics of the Markan style (" Wiederholungen einzelner Wörter, Tautologien, Pleonasmen ").

19. E. A. Abbott, *art.* ' Gospels (Synoptical) ', in *Encyclopaedia Britannica*, 9th ed., vol. X, Edinburgh, 1879, pp. 789-818, spec. p. 802. The author remains hesitant in his explanation of the phenomenon : " Some of Mark's *dualities of expression* might be explained as double renderings of the same original " (p. 802) ; " In Mark the *reduplication* for the most part is confined to passages expressive of strong emotion " (p. 802, n. 2) ; " The other additions peculiar to Mark consist either of *dual expressions* and amplifications of detail, or of realistic details which would naturally be subordinated in later times, as likely to be stumbling-blocks " (p. 802) ; " The excrescences and redundancies of one who trusted his memory

From authors who maintain the priority of Mark and reject the idea of the combination of two sources, it is unreasonable to expect special attention for the phenomenon of duality in that gospel. So, for instance, Mark remains out of their perspective when they treat the doublets in the synoptic gospels. Only two examples from Mark are mentioned by C. H. Weisse : ix. 1 comp. xiii. 30 ; ix. 35 comp. x. 43-44, and he did not find any reason to depart from the harmonistic view according to which the saying was repeated by the Lord on different occasions. [20] So also Holtzmann. [21] And indeed the absence of real doublets in Mark has been seen, until recent times, as a sure indication that Mark did not use a second source. I quote L. Vaganay : " Au reste la contre-épreuve est péremptoire. Mc n'a pas de doublet. Le seul qu'on a signalé n'en est pas un, puisque les deux formes appartiennent à deux épisodes différentes de la triple tradition. " [22] M.-J. Lagrange refers to oral tradition : " la tradition orale, gardant le souvenir du même enseignement donné dans

rather than his judgement " (p. 802) (the underlining is ours). — It may be noted that the author is still mindful of the combination hypothesis : " It is this *duality* which gave rise (see above p. 789) to the erroneous supposition that Mark had borrowed from Matthew and Luke " (*ib.*).

20. C. H. WEISSE, *Die Evangelienfrage in ihrem gegenwärtigen Stadium*, Leipzig, 1856, p. 156 ; comp. *Die evangelische Geschichte kritisch und philosophisch bearbeitet*, 2 vols., Leipzig, 1838, vol. I, pp. 82-83 (and passim). Cf. H. J. HOLTZMANN, *Die synoptischen Evangelien*, pp. 254-258 : " Es gehört mit zu den feinsinnigsten Entdeckungen Weisse's, wenn er zuerst auf gewisse, von ihm als " Doubletten " bezeichnete, Erscheinungen aufmerksam gemacht... hat " (pp. 254-255) ; " Hauptsächlich... versteht man unter Doubletten solche, in demselben Evangelium doppelt stehende, Sentenzen, welche für die Duplizität der Quellen, aus welchen das Evangelium zusammengearbeitet ist, unwiderstehliches Zeugnis ablegen " (p. 256). — For a historical survey of the argument, cf. A. VAN DULMEN, *De doubletten in het Evangelie van Lukas* (Lic. Diss.), Leuven, 1966 ; M. DEVISCH, *De geschiedenis van de Quelle-hypothese*. Van J. G. Eichhorn tot B. H. Streeter (Lic. Diss.), Leuven, 1968.

21. H. J. HOLTZMANN, *Die synoptischen Evangelien*, p. 256.

22. L. VAGANAY, *Le problème synoptique*. Une hypothèse de travail (Bibliothèque de Théologie III, 1), Tournai, 1954, p. 190. The only doublet is Mk ix. 35 and x. 43-44. — Cf. J. C. HAWKINS, *Horae Synopticae*, p. 99 : " There is no other instance to be entered here ". Mk ix. 23 and xi. 23 ; xiii. 5-6 and 21-23 (less close resemblances) and the predictions of the passion in Mk viii. 31 ; ix. 31 and x. 33-34 (" expressly assigned to three distinct occasions ") are not included among the doublets. The saying ὃς (εἴ τις) ἔχει ὦτα ἀκούειν ἀκουέτω in Mk iv. 9 and 23 (" as being merely an adjunct to other sayings ") is treated separately from the doublets (p. 106). On the " formulas " in Mk (p. 169), see n. 26. — See also B. DE SOLAGES, *A Greek Synopsis of the Gospels*. A New Way of Solving the Synoptic Problem (French edition : *Synopse grecque des évangiles*), Leiden-Toulouse, 1959, pp. 1012-1014 and 1069 : „ Il n'y a, par contre, qu'un seul doublet chez Marc " ; R. MORGENTHALER, *Statistische Synopse*, Zurich, 1971, p. 140 : " die hier in Uebereinstimmung mit Hawkins und de Solages dargestellte einzige Mk-Dublette ".

deux circonstances différentes. " [23] And before him, V. H. Stanton had concluded : " From the latter [Mark]... such repetitions are almost wholly absent, the reason being, as it is natural to assume, that it is not composite, at least in the sense that the others are. " [24]

Others have contested the source-critical value of the doublets. For these authors, they are not source doublets but simply historical words of Jesus or redactional repetitions (or even " editorial cross-references "[25]) and, in their opinion, Mark is not devoid of such repetitions. So it is only in a broad sense, referring to all kinds of repetitions of formulae, that they retain the notion of doublet. [26] The notion has been extended also in other directions. The doubling of persons in the Gospel of Matthew is one example ; [27] the transfer from saying material to narrative material is another. [28] The article of J. Knackstedt (1963) on the two stories of the multiplication of the loaves [29] can serve as a witness for the per-

23. M.-J. LAGRANGE, *Évangile selon saint Luc* (Études Bibliques), Paris (1st ed., 1921), 7th ed., 1948, p. LII : " Il y en a au moins un dans Mc. (IX, 35 et X, 43-44) qui ne doit pas avoir d'autre origine que la tradition orale... ".

24. V. H. STANTON, *The Gospels as Historical Documents*. Vol. II. *The Synoptic Gospels*, Cambridge, 1909, pp. 45-46. The author gives two examples of doublets in Mark : ix. 35 and x. 43-44 and the accounts of the feeding of the multitudes (p. 54). See also P. WERNLE, *Die synoptische Frage*, Freiburg i. Br., 1899, pp. 214-215. He discusses also ix. 36 and x. 16 (see n. 26 : repetition of formulas).

Comp. A. TITIUS, ' Das Verhältnis der Herrnworte im Markusevangelium zu den Logia des Matthäus ', in *Theologische Studien. Fs. B. Weiss*, Göttingen, 1897, pp. 284-331, pp. 303-305. The presence of doublets in Mk is one of the data in the discussion of Mk's relationship to Q. Besides vi. 34 and viii. 2 (and the feeding stories) and ix. 35 and x. 43-44 he cites also xiii. 33 and 35.

25. Spec. B. C. BUTLER, *The Originality of St Matthew*. A Critique of the Two-Document Hypothesis, Cambridge, 1951, pp. 138-146.

26. Cf. F. PRAT, ' Les doublets et la critique des évangiles ', *RB* 7 (1898) 541-553, spec. p. 542, n. 1 : " Les doublets de saint Marc... En voici quelques-uns. En cherchant on pourrait allonger la liste... Marc, V, 34, cfr X, 52. — VIII, 31, cfr IX, 31 et X, 33-34. — IX, 35, cfr X, 43-44. — XIII, 26, cfr XIV, 62 ". — A. G. DA FONSECA, *Quaestio synoptica*, Rome, 3rd ed., 1952, pp. 199-215. He adds instances from Hawkins's list of " repetition of formulas " and concludes : " Plura ex hisce exemplis sunt e Mco. Critici tamen unum tantum agnoscunt duplicatum proprie dictum apud Mcum " (p. 202). Comp. J. C. HAWKINS, *Horae Synopticae*, p. 169 : Repetition of " formulas ", peculiar to Mark : iii. 20 and vi. 31 ; iv. 2 and xii. 38 ; vi. 20 and xii. 37 ; vii. 24 and ix. 30 ; ix. 6 and xiv. 40 ; ix. 36 and x. 16.

27. H. J. HOLTZMANN, *Die synoptischen Evangelien*, p. 255.

28. *Ib.*, p. 255 : " Matthäus hat..., wenigstens in einem nachweisbaren Fall, auch ein Erzählungsstück doppelt gegeben, veranlasst durch seine verschiedenartigen Quellen " (xii. 22-24 comp. ix. 32-34 ; xii. 38-39 comp. xvi. 1-4).

29. J. KNACKSTEDT, ' Die beiden Brotvermehrungen im Evangelium ', *NTS* 10 (1963-1964) 309-335 ; comp. *Verbum Domini* 41 (1963) 39-51, 140-153. Comp. M.-J. LAGRANGE, *Évangile selon saint Marc* (Études Bibliques), Paris (1st ed., 1911), 6th ed., 1942, p. 204 : " Il s'agit d'un même auteur, de Mc., qui puise aux meilleures sources et a des souvenirs immédiats, et qui n'aurait certainement pas

sistence of the historical interpretation of double narratives in Mark. Nevertheless, already in the nineteenth century there was a growing tendency to regard the feeding stories as *Traditionsvarianten* in the Gospel of Mark. [30]

Reluctance to admit duality in the original gospel text is in some way at the origin of the Proto-Mark hypothesis. The saying doublet (ix. 35) and the narrative doublet (viii. 1-10) are eliminated as editorial interpolations by C. G. Wilke, [31] and the initiator of the Markan priority has ruled out a great number of duplicate expressions on the basis of variant readings and even without any textual support. [32] This most questionable part of Wilke's work has been attacked from both sides, by F. J. Schwarz [33] and H. J. Holtzmann, [34] but literary criticism

conservés deux récits s'il n'avait cru les faits distincts. Les règles de la critique obligent à conclure à deux événements ".

30. Comp. H. J. HOLTZMANN, *Die synoptischen Evangelien*, p. 85 : " Zum mindestens muss zugestanden werden, dass die Referate über beide Speisungen in noch höherem Grade, als die Facta ähnlich waren, sich ähnlich gestaltet haben [n. 10 : Meyer]. Wahrscheinlicher aber wurde dasselbe Factum so mannigfach wiedererzählt, dass schon der Concipient von A zwei abweichende Gestalten des Berichts aufnehmen konnte [n. 11 : Schleiermacher, Schulz, Kern, Credner, Hase, De Wette, Neander, Ewald, Hilgenfeld]. " B. Weiss admits a double transmission, by a written source and by oral tradition (*Lehrbuch der Einleitung in das Neue Testament*, Berlin, 3th ed., 1897, p. 485). Contra, P. Wernle, in *Die synoptische Frage*, p. 215.

31. C. G. WILKE, *Der Urevangelist*, pp. 567-568 and p. 672.

32. *Ib.*, p. 672 : " Wo an bestimmten Orten innere Gründe Abscheidungen von dem ächten Texte zu machen gebieten, (müssen) die Gründe ihr Gewicht ebenso gut da behalten..., wo die *codices* übereinstimmen, als sie es da behalten sollen, wo die Nichtübereinstimmung der letzteren doch nur, wie meistens, ein Zufälliges ist. "

33. F. J. SCHWARZ, *Neue Untersuchungen* (see n. 9), p. 168 : " Stellen aber, wie Mark. 2, 19. als nicht zum Urtexte des Markus gehörend anzusehen, heisst die Spracheigenthümlichkeiten des zweiten Evangeliums ganz verkennen. Aehnliches zu wiederholen liebt Markus des Nachdrucks wegen überhaupt ; daher fügt er zu dem Gesagten oft die Verneinung des Gegentheils hinzu, wie z. B. 2, 27. (welche Stelle übrigens Wilke aus gleichem Grunde anstössig findet) und noch viele andre Stellen ; oder er ist geradezu tautologisch, wie in der schon angeführten Stelle und ähnlichen, z.B. 2, 15. 8, 17. Aus dem gleichen Grunde sieht man auch ein, dass Mark. 10, 30. nicht Interpolation ist. Die Wiederholung des Wortes οἰκιας — διωγμων ist der Ausdrucksweise des zweiten Evangeliums ganz angemessen. Dazu kommt noch, dass die bezeichneten Stellen an äusserer Bezeugung gar keinen Mangel leiden — und sollte diess auch der Fall seyn, müsste der Nachweis der Aechtheit oder Unächtheit bloss auf innere Gründe gestützt werden so ist der Grund, den Wilke für die letztere anführt, so viel als gar keiner, der Grund : " was nicht zum Urtypus gehört, wie will man beweisen, dass diess von der Hand des Markus sey ? " — (!) das sind einige Worte ohne Sinn, um das Wenigste zu sagen. "

34. H. J. HOLTZMANN, *Die synoptischen Evangelien*, p. 111 : " Vorschnell also erklärt Wilke eine Reihe solcher, zu seiner Theorie freilich nicht passender, Partien

never completely renounced this approach. [35] Omissions in the Western text [36] and negative agreements between Matthew and Luke [37] constitute the evidence on which again and again the Proto-Mark hypothesis has been postulated. In opposition, a canon has been formulated by K. R. Köstlin, A. Hilgenfeld, H. J. Holtzmann and others who maintain that pleonastic or tautological phrases which are not explanatory ("Züge, die für sich allein bedeutungslos sind") cannot be erased from the vulgar style of the gospel which forms the basis of Matthew and Luke. [38]

At the end of the century, when synoptic research became more intensive in England, it was in that direction that the duality in Mark

für Glosse". For some part, however, Holtzmann replaces the distinction between the evangelist and the glossator by that between the primitive gospel (A = *Urmarcus*) and the redactor of the gospel of Mark to whom he assigns additions and complements. Examples are: i. 1 (*υἱοῦ θεοῦ*); i. 2 (Mal.); i. 7 (*κύψας*); i. 13 (*ἦν μετὰ τῶν θηρίων*); ii. 14 (*τὸν τοῦ Ἀλφαίου*); ii. 25 (*χρείαν ἔσχεν*); iii. 17 (*καὶ ἐπέθηκεν — υἱοὶ βροντῆς*); iv. 7 (*καὶ καρπὸν οὐκ ἔδωκεν*); iv. 8 (*ἀναβαίνοντα καὶ αὐξανόμενα*); iv. 11 (*τοῖς ἔξω*); iv. 19 (*καὶ αἱ περὶ τὰ λοιπὰ ἐπιθυμίαι*); vii. 2 (*τοῦτ' ἔστιν ἀνίπτοις*); vii. 3-4; x. 46 (*ὁ υἱὸς Τιμαίου*); xv. 21 (*τὸν πατέρα Ἀλεξάνδρου καὶ Ῥούφου*); xv. 40 (*Μαρία ἡ Ἰακώβου τοῦ μικροῦ*, cf. xvi. 1).

35. For an almost extreme development of this position, see the list of later additions in Deutero-Mark given by J. H. SCHOLTEN, *Das älteste Evangelium*, Elberfeld, 1869 (see n. 41), pp. 151-168. Some of them are from Matthew: i. 15 (*καὶ ἤγγικεν — μετανοεῖτε*); ii. 17b (*οὐκ ἦλθον — ἁμαρτωλούς*); viii. 38b (*ἐν τῇ γενεᾷ — μοιχαλίδι*); ix. 37b (*καὶ ὃς ἂν — ἀποστείλαντά με*); ix. 41; xii. 33 (*συνέσεως*); xiv. 3 (*ἐν τῇ οἰκίᾳ Σίμωνος τοῦ λεπροῦ*); xiv. 28; xv. 2 (*σὺ λέγεις*).

36. Comp. P. WERNLE, *Die synoptische Frage*, pp. 54-56 and 220-221. Omissions in D: ii. 19 (*ὅσον χρόνον — νηστεύειν*); ii. 26 (*ἐπὶ Ἀβιάθαρ ἀρχιερέως*); ii. 27; iv. 15 (*τὸν λόγον*); iv. 19 (*αἱ περὶ τὰ λοιπὰ ἐπιθυμίαι*); v. 15 (*τὸν ἐσχηκότα τὸν λεγιῶνα*); ix. 35; see further i. 7-8; iv. 10; x. 24-25; x. 29-30.

37. *Ib.*, pp. 56-58. Comp. C. WEIZSAECKER, *Untersuchungen über die evangelischen Geschichte, ihre Quellen und den Gang ihrer Entwicklung*, Tübingen-Leipzig (1st ed., 1864), 2nd ed., 1901. Cf. on the "Erweiterungen des Markus" (additions to Proto-Mark): "sie ändern nicht leicht etwas am Gedanken, sie sind vielmehr fast durchaus lediglich formeller Natur, umschreibend und weiter ausführend, so dass bei ihm sachlich kaum etwas hinzugetreten, aber auch in der Form besonders in der Durchführung von Parallelismen, Synonymen, Tautologien, so wie der anschaulichen Beschreibung wahrscheinlich die Eigenthümlichkeiten der Quelle selbst nur gesteigert sind" (p. 33). — J. WEISS, *Das älteste Evangelium*. Ein Beitrag zum Verständnis des Markus-Evangeliums und der ältesten evangelischen Ueberlieferung, Göttingen, 1903; see also *Die drei ältesten Evangelien* (Die Schriften des Neuen Testaments, 1), Göttingen, 1905; 'Die synoptischen Evangelien II, Markus Fragen', *Theol. Rundschau* 11 (1908) 122-133. In addition: '"Zum reichen Jüngling" Mk 10, 13-27', *ZNW* 11 (1910) 79-83, cf. p. 79: "Diese Züge sind Wucherungen, Zusätze, Ausschmückungen des alten Markustextes"; still '*ΕΥΘΥΣ* bei Markus', *ZNW* 11 (1910) 124-133.

38. K. R. KOESTLIN, *Ursprung und Composition der synoptischen Evangelien*, Stuttgart, 1853, pp. 336ff.; A. HILGENFELD, *Die Evangelien nach ihrer Entstehung und geschichtlichen Bedeutung*, Leipzig, 1854, p. 147; H. J. HOLTZMANN, *Die synoptischen Evangelien*, p. 111.

was studied. Hawkins' list of " duplicate expressions in Mark, of which one or both of the other synoptists use one part, " [39] constitutes the form under which the phenomenon has been conveyed to the scholars of the twentieth century. W. C. Allen, M.-J. Lagrange and V. Taylor [40] have assured its continuation in their approach to the pleonasms in Mark. One of their preoccupations was the alleged Semitic character of that feature of style, and the question whether the repetitions are merely redundant, pleonastic and tautological or, rather, are due to Mark's emphatic manner of writing. The main interest, however, was synoptic comparison and the study of the Matthean and Lukan avoidance of pleonasm and repetition. In his commentary on Mt (1907) W. C. Allen gave a careful description of Mt's relation to Mk and he collected " words omitted by Mt. because they are verbally or in substance repeated in an adjacent clause. " Obviously Allen (and Hawkins) remained unaware of the more complete classifications published as early as 1868 and 1870 by J. H. Scholten. [41] In 1920, H. J. Cadbury

39. J. C. HAWKINS, *Horae Synopticae* (see n. 10), Oxford, 1898, pp. 110-112; 2nd ed., 1908 (reprinted, 1968), pp. 139-142. See also, ' Hawkins's Additional Notes to his „ Horae Synopticae " ', ed. F. NEIRYNCK, *Ephem. Theol. Lovan.* 46 (1970) 78-111 (= Analecta Lovaniensia Biblica et Orientalia, V, 2), pp. 99-100. — List of duplicate expressions : i. 32, 42 ; ii. 20, 25 ; iii. 26 ; iv. 5, 21, 39 ; v. 15, 19, 19b, 23, 33, 39 ; vi. 4, 36 ; vii. 15, 21 ; viii. 17 ; ix. 2 ; x. 22, 29, 38 ; xii. 14, 23, 44 ; xiii. 28, 29 ; additions in the 2nd edition : iv. 40 ; x. 30 ; xi. 2 ; xiv. 1 ; in the Notes : xv. 42. — Duplicate expressions in which " something is added by each part " : i. 15 ; iii. 5, 29 ; vi. 30 ; viii. 11 ; ix. 12 ; x. 46 ; xiv. 44 ; xv. 32 ; additions in the 2nd edition : ix. 35 ; x. 16 ; xiv. 7 ; xv. 42 ; in the Notes : xii. 3 ; xiv. 65 ; xv. 47 ; " also (though less forcibly) x. 33-34 ; v. 30 ". — Instances of Mark's pleonastic way of writing : i. 35, 45 ; iv. 2, 8 ; v. 5, 26 ; vi. 25 ; additions in the 2nd edition : i. 28, 38 ; vii. 33 ; viii. 28 ; xv. 26 ; in the Notes : iii. 34. — The paper of W. ROBINSON SMITH to which Hawkins refers in his unpublished notes may be identified with ' Fresh Light on the Synoptic Problem ', *The Hibbert Journal* 10 (1911-1912) 615-625. He refers also to W. C. ALLEN, *The Gospel according to Saint Mark*, London, 1915, pp. 12-15.

40. W. C. ALLEN, ' The Aramaic Element in St. Mark ', *Expository Times* 13 (1902-1902) 328-330 (spec. p. 329). Cf. *The Gospel according to S. Matthew* (I.C.C.), Edinburgh, 1907, pp. XXIV-XXVI (on the reaction of Matthew). For Mk, see the previous note. — M.-J. LAGRANGE, *Marc* (see n. 29), pp. LXXII-LXXV : " Pléonasmes " ; see also his treatment of Mark's style, pp. LXXV-LXXXIII. — V. TAYLOR, *The Gospel according to St. Mark*, London-New York (1st ed., 1952), 2nd ed., 1966, pp. 50-52 (" Pleonasms "). See also p. 46 on multiplication of participles and double negatives, and pp. 55-66 on the Semitic background : parallelism, tautology (p. 57), redundant pronoun (p. 58), resumptive pronoun, numerals and distributives (p. 60), Hebrew infinitive absolute (p. 61), redundant use of the participle, ἤρξατο with infinitive, redundant use of the participle, etc. (p. 63).

41. J. H. SCHOLTEN, *Het oudste evangelie*, Leiden, 1868 ; in German translation : *Das älteste Evangelium*, Elberfeld, 1869, pp. 105-107 : „ Pleonasmen im Ausdruck des Markus von Matthäus vermieden " ; comp. also pp. 131-138 : " Malerische

will refer to Scholten's study " as a mine of interesting and suggestive material " when he presents his " similar investigations " on Lk's treatment of sources. Here also " avoidance of repetition " is one of the characteristic changes. [42]

Avoidance of pleonasm and repetition [43]

i. 12 : εἰς τὴν ἔρημον Lk ; i. 13 : καὶ ἦν μετὰ τῶν θηρίων Mt Lk ; i. 15 : πεπλήρωται ὁ καιρός, πιστεύετε ἐν τῷ εὐαγγελίῳ Mt ; i. 16 : Σίμωνος Mt (αὐτοῦ) ; i. 21 : ἐδίδασκεν Lk ; i. 28 : πανταχοῦ Mt Lk ; i. 32 : ὀψίας δὲ γενομένης Lk, ὅτε ἔδυσεν ὁ ἥλιος Mt ; i. 34 : τὰ δαιμόνια Lk (αὐτά) ; i. 35 : ἔννυχα λίαν Lk ;

Züge und kleine Eigenthümlichkeiten im Marcus, die bei Matthäus nicht gefunden werden " and pp. 151-168 : " Spätere Hinzufügungen in den kanonischen Text des Marcus. " — For Lk-Mk, see J. H. SCHOLTEN, *Het paulinisch Evangelie*. Critisch onderzoek van het Evangelie naar Lukas en zijne verhouding tot Marcus, Mattheus en de Handelingen, Leiden, 1870 ; in German translation : *Das Paulinische Evangelium*, Elberfeld, 1881 (with a new chapter on Acts and Lk), pp. 24-25, and 112-116 : " Weggelassene überflüssige Worte ".

42. H. J. CADBURY, *The Style and Literary Method of Luke* (Harvard Theological Studies 6), Cambridge (Mass.), 1920. Part II : " The Treatment of Sources in the Gospel ", pp. 73-205. Cadbury's purpose is to replace the fragmentary examination of Lk's relation to Mk (following the order of the text) by a collective treatment after the classification of the changes. He refers to the work of Scholten as „ the most complete study of the sort here attempted ", " a mine of interesting and suggestive material " (p. 75, n. 1). He continues : " And, as it is but little known to modern English reading students of the question, the publication of similar investigations made independently does not seem superfluous. A few of Scholten's lists have been added with proper acknowledgment and references have been given to some others ". — " Avoidance of repetition " is treated on pp. 83-90 : In passages derived from Mark : by use of pronouns, 83 ; by omission of repeated word, 84 ; by substitution of synonym, 85 ; by omission of article, 85. Omissions of synonymous and duplicate expressions in Mk, 88. Omission of unnecessary expressions in Mk, 89. — See also : avoidance of the double adverbial expressions (pp. 151-152), the repeated article (p. 197), the double negative (p. 201).

43. A cumulative list of the words avoided by Mt and Lk, compiled from the works of Scholten, Hawkins, Allen, Cadbury (see n. 39-42) and J. Schmid, in *Matthäus und Lukas*. Eine Untersuchung des Verhältnisses ihrer Evangelien (Biblische Studien XXII, 2-4), Freiburg i. Br., 1930, pp. 64-69. The list is not exhaustive (see ' Duality in Mark '), but shows clearly that the phenomenon in Mark was studied in view of Mt and Lk. It includes almost all the " pleonasms " collected in the introductions to Mark (cf. Allen, Lagrange and Taylor : n. 40) : i. 28, 32, 35, 38, 42, 45 ; ii. 20, 25a ; iii. 26b ; iv. 2, 5, 39a, 40 ; v. 12, 15, 19b, 19c, 23, 39a ; vi. 3, 4, 25 (εὐθὺς μετὰ σπουδῆς) ; vii. 13, 21, 33 (ἀπὸ τοῦ ὄχλου κατ' ἰδίαν) ; viii. 17 ; ix. 2b ; x. 22, 30a ; xii. 44 ; xiii. 19, 20, 29 ; xiv. 1, 6, 15, 18, 30, 43, 61 ; xv. 26 ; xvi. 2. — For a brief exposition of Mark's style, see the recent introduction to the Gospel of Mark by B. RIGAUX, *Témoignage de l'évangile de Marc* (Pour une histoire de Jésus, 1), Bruges, 1965. On the style of Mark, cf. pp. 89-92 (" Parallélismes, redondances, répétitions des mêmes mots ").

i. 38 : *ἀλλαχοῦ* Lk ; i. 39 : *εἰς ὅλην* Lk ; i. 40 : (*λέγων*) *αὐτῷ* Lk ; i. 42 : *ἀπῆλθεν ἀπ'* Mt, *καὶ ἐκαθαρίσθη* Lk ; i. 44 : *μηδέν* Mt Lk ; i. 45 : *ἔξω* Lk ; ii. 5 : *τῷ παραλυτικῷ* Lk ; ii. 6 : *ἐν ταῖς καρδίαις αὐτῶν* Lk ; ii. 7 : *οὕτως* Mt Lk ; ii. 8 : *τῷ πνεύματι αὐτοῦ* Mt Lk ; ii. 9 : *τῷ παραλυτικῷ* Mt Lk ; ii. 9 : *καὶ ἆρον τὸν κράβατόν σου* Mt Lk ; ii. 11 : *σοὶ λέγω* Mt ; ii. 12 : *ἄρας τὸν κράβατον* Mt ; ii. 15 : *ἦσαν γὰρ πολλοί, καὶ ἠκολούθουν αὐτῷ* Mt Lk ; ii. 16 : *ἰδόντες ὅτι* (Mt) *ἐσθίει μετὰ τῶν ἁμαρτωλῶν καὶ τελωνῶν* Mt Lk ; ii. 18 : *καὶ ἦσαν — νηστεύοντες* Mt Lk ; ii. 18 : *οἱ μαθηταὶ Ἰωάννου* Mt, *μαθηταί* Mt Lk, *μαθηταί* Lk ; ii. 19 : *ὅσον χρόνον — νηστεύειν* Mt Lk ; ii. 20 : *ἐν ἐκείνῃ τῇ ἡμέρᾳ* Mt ; ii. 22 : *ὁ οἶνος* Mt, *ὁ οἶνος* Lk (*αὐτός*) ; ii. 25[a] : *χρείαν ἔσχεν* Mt Lk ; ii. 25 : *αὐτός* Mt ; iii. 5 : *τῷ ἀνθρώπῳ* Lk (*αὐτῷ*) ; iii. 5 : *ἐξέτεινεν* Lk (*ἐποίησεν*) ; iii. 8 : *πλῆθος πολύ* Lk ; iii. 13 : *καὶ ἀπῆλθον πρὸς αὐτόν* Lk ; iii. 16 : *καὶ ἐποίησεν τοὺς δώδεκα* Lk ; iii. 17 : *τοῦ Ἰακώβου* Mt (*αὐτοῦ*) ; iii. 22 : *ὅτι Βεεζεβοὺλ ἔχει* Mt ; iii. 26 : *ἀνέστη* (Mt Lk) ; iii. 26[b] : *ἀλλὰ τέλος ἔχει* (Mt Lk) ; iii. 28 : *ὅσα ἐὰν βλασφημήσωσιν* Mt ; iii. 29 : *ἀλλὰ ἔνοχός ἐστιν αἰωνίου ἁμαρτήματος* Mt ; iii. 30 : *ὅτι ἔλεγον· πνεῦμα ἀκάθαρτον ἔχει* Mt ; iii. 31 : *ἔξω στήκοντες* Lk ; iii. 33 : *τίς ἐστιν ἡ μήτηρ μου καὶ οἱ ἀδελφοί* Lk ; iv. 1 : *πρὸς τὴν θάλασσαν* Mt ; iv. 2 : *ἐδίδασκεν, ἐν τῇ διδαχῇ αὐτοῦ* Mt Lk ; iv. 5 : *ὅπου οὐκ εἶχεν γῆν πολλήν* Lk ; iv. 5 : *διὰ τὸ μὴ ἔχειν βάθος γῆς* Lk ; iv. 7 : *καὶ καρπὸν οὐκ ἔδωκεν* Mt Lk ; iv. 8 : *ἀναβαίνοντα καὶ αὐξανόμενα* Mt Lk (*φυέν*) ; iv. 8 : *καὶ ἔφερεν* Mt Lk ; iv. 9 : *ἀκούειν* Mt ; iv. 11 : *τοῖς ἔξω* Mt Lk ; iv. 14 : *ὁ σπείρων τὸν λόγον σπείρει* Mt (Lk) ; iv. 15 : *ὅπου σπείρεται ὁ λόγος* (Mt) Lk ; iv. 16 : *ὁμοίως* Mt Lk ; iv. 19 : *αἱ περὶ τὰ λοιπὰ ἐπιθυμίαι* Mt ; iv. 20 : *τήν* Mt Lk ; iv. 30 : *ἢ ἐν τίνι αὐτὴν παραβολῇ θῶμεν* Mt ; iv. 31 : *ὅταν σπαρῇ* Mt ; iv. 31 : *τῶν ἐπὶ τῆς γῆς* Mt ; iv. 35 : *ὀψίας γενομένης* Lk ; iv. 39[a] : *σιώπα, πεφίμωσο* Mt Lk ; iv. 39 : *καὶ ἐκόπασεν ὁ ἄνεμος* Mt ; iv. 40 : *τί δειλοί ἐστε οὕτως* Lk ; v. 1 : *εἰς τὸ πέραν* Lk ; v. 2 : *ἐκ τῶν μνημείων* Lk ; v. 3, 4 : *καὶ οὐδὲ ἁλύσει οὐκέτι οὐδεὶς ἐδύνατο αὐτὸν δῆσαι, καὶ οὐδεὶς ἴσχυεν αὐτὸν δαμάσαι* Lk ; v. 9 : *ὄνομά μοι* Lk ; v. 12 : *πέμψον ἡμᾶς εἰς τοὺς χοίρους* Lk, *ἵνα εἰς αὐτοὺς εἰσέλθωμεν* Mt ; v. 13 : *ἐν τῇ θαλάσσῃ* Lk ; v. 14 : *αὐτούς* Mt Lk ; v. 15 : *τὸν ἐσχηκότα τὸν λεγιῶνα* Lk ; v. 19 : *αὐτῷ, αὐτοῖς* Lk ; v. 19[b] : *πρὸς τοὺς σούς* Lk ; v. 19[c] : *καὶ ἐλέησέν σε* ; v. 23 : *ἵνα σωθῇ* Mt ; v. 24 : *καὶ ἀπῆλθεν μετ' αὐτοῦ* (Mt) Lk ; v. 26 : *πολλὰ παθοῦσα, ἀλλὰ μᾶλλον εἰς τὸ χεῖρον ἐλθοῦσα* Lk ; v. 31 : *καὶ λέγεις· τίς μου ἥψατο* Lk ; v. 33 : *φοβηθεῖσα* Lk ; v. 34 : *καὶ ἴσθι ὑγιὴς ἀπὸ τῆς μάστιγός σου* Lk ; v. 36 : *τὸν λόγον λαλούμενον* Lk ; v. 36 : *τῷ ἀρχισυναγώγῳ* Lk (*αὐτῷ*) ; v. 37 : *οὐδένα* Lk (*τινα*) ; v. 38 : *τοῦ ἀρχισυναγώγου* Lk ; v. 39[a] : *θορυβεῖσθε* Lk ; v. 39 : *τὸ παιδίον* Lk ; v. 41 : *τοῦ παιδίου* Mt Lk (*αὐτῆς*) ; v. 42 : *τὸ κοράσιον* Lk ; v. 42 : *ἐκστάσει μεγάλῃ* Lk ; vi. 3 : *ὧδε* Mt ; vi. 4 : *καὶ ἐν τοῖς συγγενεῦσιν αὐτοῦ* Mt ; vi. 11 : *μηδὲ ἀκούσωσιν ὑμῶν* Lk ; vi. 11 : *εἰς μαρτύριον αὐτοῖς* Mt ; vi. 18 : *τὴν γυναῖκα τοῦ ἀδελφοῦ σου* Mt (*αὐτήν*) ; vi. 28 : *τὸ κοράσιον* Mt ; vi. 30 : *καὶ ὅσα ἐδίδαξαν* Lk ; vi. 35 : *ἤδη ὥρας πολλῆς, καὶ ἤδη ὥρα πολλή* Mt Lk ; vi. 36 : *κύκλῳ ἀγρούς* Mt ; vi. 41 : *τοὺς ἄρτους* Lk (*αὐτούς*) ; vi. 41, 43 : *καὶ τοὺς δύο ἰχθύας ἐμέρισεν πᾶσιν, καὶ ἀπὸ τῶν ἰχθύων* Mt Lk ; vi. 44 : *οἱ φαγόντες τοὺς ἄρτους* Mt (*οἱ ἐσθίοντες*) Lk (*v.* 14) ; vi. 45 : *πρὸς Βηθσαϊδάν* Mt ; vii. 12 : *οὐκέτι* (*οὐδέν*) Mt (*οὐ μή*) ; vii. 13 : *ᾗ παρεδώκατε* Mt ; vii. 15 : *ἔξωθεν* Mt ;

vii. 18 : ἔξωθεν Mt ; vii. 21 : ἔσωθεν Mt ; viii. 1 : πολλοῦ ὄχλου ὄντος καὶ μὴ ἐχόντων τί φάγωσιν Mt ; viii. 12 : τῇ γενεᾷ ταύτῃ Mt (αὐτῇ) ; viii. 17 : οὐδὲ συνίετε Mt ; viii. 27 : τοὺς μαθητὰς αὐτοῦ Lk (αὐτούς) ; viii. 29 : αὐτός Mt Lk ; viii. 31 : τῶν, τῶν Mt Lk ; viii. 34 *v.l.* : ἀκολουθεῖν Mt Lk ; viii. 38 : τῶν ἁγίων Mt Lk (ἁγίων) ; ix. 2 : τόν, τόν Mt Lk ; ix. 2[b] : μόνους Lk ; ix. 8 : οὐκέτι (Mt) οὐδένα... εἰ μή Lk ; ix. 20 : καὶ ἤνεγκαν αὐτὸν πρὸς αὐτόν Mt Lk ; ix. 31 : ἀποκτανθείς Mt ; ix. 38 : ὃς οὐκ ἀκολουθεῖ ἡμῖν Lk ; x. 6 : κτίσεως Mt ; x. 16 : καὶ ἐναγκαλισάμενος αὐτὰ κατευλόγει (Mt) τιθεὶς τὰς χεῖρας ἐπ' αὐτά Lk ; x. 22 : στυγνάσας Mt Lk ; x. 24 : πῶς δύσκολόν ἐστιν — εἰσελθεῖν Mt Lk ; x. 27 : ἀλλ' οὐ παρὰ θεῷ Mt Lk ; x. 29 : καὶ ἕνεκεν Mt Lk ; x. 30[a] : νῦν Lk ; x. 30 : οἰκίας καὶ — διωγμῶν Lk ; x. 38, 39 : ἢ τὸ βάπτισμα — βαπτισθῆναι, καὶ τὸ βάπτισμα — βαπτισθήσεσθε Mt ; x. 46 : εἰς Ἰεριχώ Mt, ἀπὸ Ἰεριχώ Lk ; x. 49 : καὶ φωνοῦσιν τὸν τυφλόν Lk ; x. 51 : τυφλός Mt Lk ; x. 52 : ἐν τῇ ὁδῷ Mt Lk ; xi. 1 : καὶ Βηθανίαν Mt ; xi. 2 : τήν Lk ; xi. 2 : εὐθύς Lk, εἰσπορευόμενοι εἰς αὐτήν Mt ; xi. 2 : οὔπω Lk (πώποτε) ; xi. 6 : καὶ ἀφῆκαν αὐτοῖς Lk ; xi. 14 : μηδείς Mt ; xi. 17 : καὶ ἐδίδασκεν Mt Lk ; xi. 23 : ἐν τῇ καρδίᾳ αὐτοῦ — γίνεται Mt ; xi. 28 : ἵνα ταῦτα ποίῃς Mt Lk ; ix. 29 : καὶ ἐρῶ ὑμῖν ἐν ποίᾳ ἐξουσίᾳ ταῦτα ποιῶ Lk ; xi. 30 : ἀποκρίθητέ μοι Mt Lk ; xii. 2 : παρὰ τῶν γεωργῶν Mt Lk ; xii. 3, 8 : λαβόντες Lk ; xii. 8 : αὐτόν Mt Lk ; xii. 14 : καὶ οὐ μέλει σοι περὶ οὐδενός Lk ; xii. 14 : δῶμεν ἢ μὴ δῶμεν Mt Lk ; xii. 15 : ἵνα ἴδω Mt Lk ; xii. 16 : οἱ δὲ ἤνεγκαν Lk ; xii. 23 : ὅταν ἀναστῶσιν Mt Lk ; xii. 27 : πολύ πλανᾶσθε Mt Lk ; xii. 37 : αὐτός Mt (cf. *v.* 43) Lk ; xii. 41, 43 : κατέναντι τοῦ γαζοφυλακείου, εἰς τὸ γαζοφυλακεῖον Lk ; xii. 42 : πτωχή Lk (πενιχράν) ; xii. 44 : πάντα ὅσα, αὐτῆς Lk ; xiii. 8 : ἔσονται Mt Lk ; xiii. 15 : μηδὲ εἰσελθάτω Mt ; xiii. 19 : ἣν ἔκτισεν ὁ θεός Mt ; xiii. 20 : οὓς ἐξελέξατο Mt ; xiii. 28 : καὶ ἐκφύῃ τὰ φύλλα Lk ; xiii. 29 : ἐπὶ θύραις Lk ; xiii. 33 : βλέπετε, ἀγρυπνεῖτε Mt (γρηγορεῖτε) ; xiv. 1 : καὶ τὰ ἄζυμα Mt ; xiv. 3 : νάρδου πιστικῆς Mt ; xiv. 6 : ἄφετε αὐτήν Mt ; xiv. 12 : ὅτε τὸ πάσχα ἔθυον Mt ; xiv. 15 : ἕτοιμον Lk ; xiv. 16 : καὶ ἦλθον εἰς τὴν πόλιν Mt (ἐποίησαν) Lk ; xiv. 18 : καὶ ἀνακειμένων Mt (cf. *v.* 20) ; xiv. 23 : καὶ ἔπιον ἐξ αὐτοῦ πάντες Lk ; xiv. 25 : οὐκέτι Mt Lk ; xiv. 30 : σήμερον Mt, ταύτῃ τῇ νυκτί Lk ; xiv. 35 : ἵνα εἰ δυνατόν ἐστιν παρέλθῃ ἀπ' αὐτοῦ ἡ ὥρα Mt Lk ; xiv. 37 : καθεύδεις Mt, οὐκ ἴσχυσας μίαν ὥραν γρηγορῆσαι Lk ; xiv. 43 : εὐθύς Mt Lk ; xiv. 44 : καὶ ἀπάγετε ἀσφαλῶς Mt ; xiv. 45 : ἐλθών Mt ; xiv. 48 : συλλαβεῖν με Lk ; xiv. 54 : (ἕως) ἔσω εἰς Mt Lk (cf. Mk *v.* 66) ; xiv. 60, 61 ἐπηρώτησεν, ἐπηρώτα αὐτόν Mk ; xiv. 61 : καὶ οὐκ ἀπεκρίνατο οὐδέν Mt ; xiv. 68 : οὔτε ἐπίσταμαι Mt Lk ; xiv. 68 : ἔξω Mt ; xv. 16 : τῆς αὐλῆς (ὅ ἐστιν) Mt ; xv. 21 : παράγοντα Mt Lk ; xv. 24 : ἐπ' αὐτὰ τίς τί ἄρῃ Mt Lk ; xv. 26 : ἡ ἐπιγραφή Mt, ἐπιγεγραμμένη Lk ; xv. 32 : ἵνα ἴδωμεν (Mt) καὶ πιστεύσωμεν Lk ; xv. 34 : καὶ τῇ ἐνάτῃ ὥρᾳ Lk ; xv. 39 : ὅτι οὕτως ἐξέπνευσεν Mt Lk ; xv. 42 : καὶ ἤδη ὀψίας γενομένης Lk, ἐπεὶ ἦν — προσάββατον Mt (Lk : *v.* 54) ; xv. 44-45 : ὁ δὲ Πιλᾶτος ... ἐδωρήσατο τὸ πτῶμα τῷ Ἰωσήφ Lk ; xvi. 2 ; ἀνατείλαντος τοῦ ἡλίου Mt Lk.

At the beginning of this century, the publications of W. Wrede, [44] J. Weiss, [45] J. Wellhausen [46] and E. Wendling [47] opened a new era for the exegesis of Mark. They prepared the form-critical approach to the gospel, but it was only with the more recent redaction criticism that the significance of that turning point has been fully recognized. The book of Wendling on the *Ur-Marcus* hypothesis is especially important for our topic of duality in Mark. With it the study of the doublets entered definitively into the field of Markan exegesis, [48] and since Wendling did not consider them as source or tradition doublets, [49] his work still has some relevance for present-day redactional study. He criticized the double tradition complex advanced as the solution to the problem of the so-called " dublettenartigen Parallelismus " in Mk vi. 31 — viii.

44. W. Wrede, *Das Messiasgeheimnis in den Evangelien.* Zugleich ein Beitrag zum Verständnis des Markusevangeliums, Göttingen, 1901. — Wendling's appreciation : " Wenn Wrede mit seiner glänzenden und scharfsinnigen Kritik auch in einigen Punkten zu weit gegangen ist, so hat er doch jedenfalls das eine unwiderleglich bewiesen, dass die Erzählung des Mc in manchen Partien durchaus nicht die frischen Farben eines originalen Berichtes trägt, sondern unter dem Banne dogmatisierender Spekulation steht. " Cf. *Ur-Marcus* (see n. 47), p. 34.

45. J. Weiss, *Das älteste Evangelium* (see n. 37). — Again Wendling's evaluation can be espoused : " Seine Hypothese, wonach ein Bearbeiter (der jünger als Mt und Lc sein müsste) den Mc-Text erweitert haben soll, ist nicht nur überflüssig, sondern... tatsächlich unrichtig " ; " ... das Buch (enthält) im einzelnen zahlreiche gute Beobachtungen " (*ib.*).

46. J. Wellhausen, *Das Evangelium Marci*, Berlin, 1903 ; 2nd ed., 1909 ; *Einleitung in die drei ersten Evangelien*, Berlin, 1905 ; 2nd ed., 1911. — Wendling's evaluation : " Sehr wertvoll sind zumeist die kurzen Bemerkungen Wellhausens über Zusätze des Redaktors " (*ib.*).

47. E. Wendling, *Ur-Marcus.* Versuch einer Wiederherstellung der ältesten Mitteilungen über das Leben Jesu, Tübingen, 1905 ; *Die Entstehung des Marcus-Evangeliums.* Philologische Untersuchungen, Tübingen, 1908. For a reconstruction, see *Ur-Marcus*, pp. 42-60 (*Urbericht* : Mk¹ and Mk²), pp. 60-61 (*Zusätze des Evangelisten*) and the correction in *Die Entstehung*, p. 238.

48. The study of Wendling could not be ignored. This is evident from Lagrange's introduction to *Marc* (1st ed., 1911), pp. LXXVII-LXXIX. He refers to Mk i. 21, 22, 27 (Mk¹) and vi. 1, 2 (Mk²) ; i. 23, 24, 25, 26, 27 (Mk¹) and v. 2, 7, 8, 13, 20 (Mk²) ; vi. 35-44 (Mk²) and viii. 1-10 (Evangelist) ; vii. 32-37 and viii. 22-26 (both from the Evangelist) ; xi. 1-6 and xiv. 12-16 (both from Mk²). For the reaction of Lagrange : " Ces scènes si vivantes ont été jetées dans le moule d'une pensée très simple, incapable de varier ses procédés " (p. LXXVII) ; " Un auteur a le droit de s'imiter lui-même " (p. LXXIX) ; " De ce fait on doit conclure à l'unité d'auteur " (p. LXXIX). And on the feeding stories : " C'est même le seul cas où M. Wendling me semble avoir prouvé d'une manière décisive que l'auteur qui a raconté la seconde multiplication avait déjà sous les yeux le récit de la première. Pour nous rien d'étonnant, puisque nous admettons que c'est le même auteur " (p. LXXVII).

49. See the examples in note 48 : imitation of Mk¹ in Mk² ; imitation of Mk² (and Mk¹) by the Evangelist ; repetitions within Mk² or within the redaction of the Evangelist.

26, [50] and it seems to me that for too long his critique has been neglected. In his opinion, the evangelist is responsible for the redaction of Mk vi. 45 — viii. 26. Moreover, a number of additions would have been inserted by the same redactor, among which is found an important part of sayings material (thus, the *Logienreihen* iii. 23-29 ; iv. 21-25 ; vi. 7-11 ; viii. 34 — ix. 1 ; ix. 40-50 ; xi. 22-25 ; xiii. 9-13). The personal effort of Wendling is concentrated much more on the delimitation of that redactional level than on the distinction of the double layer in *Ur-Marcus* (Mark I : apophtegmatic ; Mark II : story material in a more poetic form). [51] Tautology, repetition, anticipation, duplication serve as criteria. So in Mk ii. 19-20, the redactor supposedly repeated the original sentence (*v.* 19a) with slight variation in *v.* 19b in order to prepare for the real addition, the prediction of the death in *v.* 20. [52] In regard to iii. 23-26, the observation is made that tautological expressions and repetitions are characteristic of the Markan form of the sentences. [53] For some sayings it is assumed that the traditional form was a twofold sentence of which the redactor retained only one member but joined it to another logion in order to form a new duplication of sentences. This can be illustrated by iv. 21 linked with 22 ; iv. 24 and 25 ; [54] the parable of the mustard seed separated from the parable of the leaven and associated with the parable of the seed growing secretly (iv. 26-29, 30-32). [55] Further examples are vi. 4, 5 ; [56] viii. 34, 35 ; [57] x. 11, 12. [58] In the narrative material, too, the duplication of the motif can be the

50. Cf. H. VON SODEN, ' Das Interesse des apostolischen Zeitalters an der evangelischen Geschichte ', in *Theologische Abhandlungen für K. von Weizsäcker*, Freiburg i. Br., 1892, pp. 111-169, p. 147 ; H. J. HOLTZMANN, in *Die Synoptiker*, 3rd ed., 1901, p. 78 (he refers to C. H. Weisse 1838, C. Wittichen 1870, B. Weiss 1872, W. Soltau 1899). See J. WEISS, *Das älteste Evangelium*, pp. 204-226. For Wellhausen, Mk vi. 32-52 and viii. 1-26 are " Gruppen von Varianten ".

51. In regard to this distinction, he refers repeatedly to von Soden (see n. 50), in *Theologische Abhandlungen*, pp. 14ff. ; *Die wichtigsten Fragen im Leben Jesu*, Berlin, 1904, pp. 22-23, 40-41. He departs from von Soden by accepting a third layer in Mark, that of the Evangelist (" Ergänzungen des Redaktors oder Evangelisten, beherrscht von dogmatisierenden Theorien und, soweit sie Erzählung erhalten, in trockener, unklarer Form ", in *Ur-Marcus*, p. 13). — M. Dibelius, who distinguishes " Sachkritik " from " Literarkritik ", is greatly indebted to von Soden and Wendling in the description of the paradigmatic and novelistic style ; cf. *Die Formgeschichte des Evangeliums*, Tübingen, 3rd ed., 1959, pp. 38-39.

52. *Die Entstehung*, p. 7 ; *Ur-Marcus*, p. 36, n. 16.

53. *Ib.*, p. 25.

54. *Ib.*, p. 34 ; cf. *Ur-Marcus*, pp. 35-36, n. 12.

55. *Ib.*, p. 36, n. 2.

56. *Ib.*, pp. 54-55.

57. *Ib.*, p. 110.

58. *Ib.*, p. 126.

sign of a redactional addition : [59] the theme of the expulsion of demons added to the activity of healing (i. 32-34) or to preaching (i. 39). [60] Especially characteristic are the *Anschlussdoubletten.* [61] Perhaps the best illustration of redactional doubling of motifs can be found in the Gethsemane story (xiv. 35b, 38, 41c). [62] So, according to Wendling, the phenomenon of duality is intimately connected with redactional activity. This corresponds to a more general feeling in modern criticism. Outside the *Ur-Marcus* hypothesis, however, the pre-Markan tradition is not considered to be one primitive gospel, but a collection of blocks of pericopes or even individual sayings and stories. Thus, the redaction of Mark is often studied in isolation from the perspective of the gospel as a whole. This may be the reason why the division of the two members of double expressions between tradition and redaction is often made rather incidentally, without any discussion of the total evidence in the gospel. [63]

59. In his second book, Wendling shows a clear tendency to spread a greater number of duplicate expressions over *Urbericht* and *Evangelist* (see *Berichtigungen,* p. 38). Was that due to the influence of Wellhausen ?

60. *Ib.*, p. 4.

61. *Ur-Marcus*, p. 7 and p. 36, n. 16.

— The insertion of iii. 22-30 within iii. 21/31-35 (Mk I) : ἔλεγον ὅτι (*v.* 21) is repeated in *v.* 22 (the opinion of the scribes) and again, at the conclusion of the insertion, in *v.* 30 (before *vv.* 31-35, as it was in the original sequence). Cf. *Die Entstehung*, p. 23.

— The anticipation of viii. 28 within vi. 14/17-29 (Mk II) : the double expression ἄλλοι δὲ ἔλεγον ὅτι in *v.* 15 repeats the ἔλεγον ὅτι of *v.* 14 and the motif of *v.* 14 is entirely repeated in *v.* 16, with some explicitation of the original connection with *vv.* 17-29 (ὃν ἐγὼ ἀπεκεφάλισα is added). Cf. *Die Entstehung*, pp. 61-62.

— The insertion of xiv. 58 : the original *v.* 56 (Mk II) serves as a frame, *v.* 57 being the repetition of *v.* 56a and *v.* 59 repeating *v.* 56b. Cf. *Die Entstehung*, p. 173.

— In ii. 15b ἦσαν γὰρ πολλοί repeats the content of *v.* 15a (Mk I) in order to introduce the addition of καὶ ἠκολούθουν — Φαρισαῖοι. See also ii. 19b, 20 (n. 52). Cf. *Die Entstehung*, p. 7.

62. *Die Entstehung*, pp. 170-172.

63. The rather atomistic treatment of the topic leads to a variety of subjective appreciations. This becomes clear from an example such as iv. 35. K. L. Schmidt had already made the observation : " Die Forscher scheinen mir hier einem gewissen Impressionismus zu huldigen... " (*Der Rahmen der Geschichte Jesu.* Literarkritische Untersuchungen zur ältesten Jesusüberlieferung, Berlin, 1919 ; anast. repr., Darmstadt, 1964, p. 137, n. 1). Ἐν ἐκείνῃ τῇ ἡμέρᾳ : " Eine schon in der älteren Ueberlieferung bestehende Verbindung dieser Geschichte mit der Parabelszene " (J. WEISS, *Das älteste Evangelium*, p. 181) ; " Der durch 4, 35 geschaffene Zusammenhang stammt erst von der Redaktion " (J. WELLHAUSEN, *Das Evangelium Marci*, p. 38). Ὀψίας γενομένης : " Gewiss eine Detaillierung des Bearbeiters, in dessen Manier solche Genauigkeiten liegen " (J. WEISS, *ib.*) ; " Die Nacht gehört durchaus dazu, wegen der Schauerlichkeit und auch, weil Jesus schläft " (J. WELLHAUSEN, *ib.*). — More recently : " Die Erwähnung der Abendzeit dürfte im Hinblick auf das Schlafen Jesu zur Tradition der Geschichte gehören. Dagegen wird das

I could not conclude this survey without mentioning the place given to duplications in the theory of E. Hirsch. [64] In this author's view, some result from additions of the glossator, others from additions of Mk II to the text of Mk I. But not a few are the result of the redactional combination of Mk I and Mk II : [65]

i. 35 (ἔννυχα λίαν / πρωΐ) ; i. 36 (Σίμων / οἱ μετ' αὐτοῦ) ; i. 41a (ὀργισθεὶς *v.l.*) and 41b-42 ; i. 43 and 44 ; ii. 27 and 25-26, 28 ; iii. 21 and 22 ; iii. 31 (καὶ ἔξω στήκοντες ἀπέστειλαν πρὸς αὐτόν) and 32 ; iii. 33b-34 and 35 ; iv. 1b-2a (καὶ ἐδίδασκεν αὐτούς) and 2b (καὶ ἔλεγεν αὐτοῖς ἐν τῇ διδαχῇ αὐτοῦ) ; iv. 35 (ὀψίας γενομένης / ἐν ἐκείνῃ τῇ ἡμέρᾳ) ; iv. 40 (τί δειλοί ἐστε οὕτως / πῶς οὐκ ἔχετε πίστιν) ; v. 3a (ὃς — ἐν τοῖς μνήμασιν) and 2b (ἐκ τῶν μνημείων) ; v. 3b (καὶ οὐδὲ — δῆσαι) and 4 (διὰ τὸ — δαμάσαι) ; v. 29 (ἔγνω — μάστιγος / ἐξηράνθη — αὐτῆς) ; v. 32 and 31 ; v. 33 (φοβηθεῖσα καὶ τρέμουσα / εἰδυῖα — αὐτῇ) ; v. 34 (ἴσθι ὑγιὴς ἀπὸ τῆς μάστιγός σου / ὕπαγε εἰς εἰρήνην) ; vi. 2 (πόθεν τούτῳ ταῦτα / τίς ἡ σοφία — γινόμεναι) ; vi. 4 (ἐν τοῖς συγγενεῦσιν αὐτοῦ καὶ ἐν τῇ οἰκίᾳ αὐτοῦ / ἐν τῇ πατρίδι αὐτοῦ) ; vi. 32 and 31 ; vii. 9-13 and 6-8 (espec. 9,13 and 8) ; vii. 21-22 ; viii. 1-10 and vi. 35-

" Flickwort " ἐν ἐκείνῃ τῇ ἡμέρᾳ auf das Konto des Markus gehen " (K. Kertelge, *Die Wunder Jesu im Markusevangelium.* Eine redaktionsgeschichtliche Untersuchung (StANT 23), Munich, 1970, p. 91 ; with reference to R. Bultmann, *Die Geschichte der synoptischen Tradition*, Göttingen (1st ed., 1921 ; 2nd ed., 1931), 7th ed., 1967, p. 230 ; E. Klostermann, *Das Markusevangelium* (Handbuch zum Neuen Testament, 3), Tübingen, 3rd ed., 1936, p. 46. Comp. P. J. Achtemeier, ' Toward the Isolation of the Pre-Markan Catenae ', *JBL* 89 (1970) 265-291, p. 275 : " On the other hand, some have been impressed by the fact that the phrase " on that day ", while characteristic of the editorial activity of Matthew and Luke, is not a characteristic of Mark's literary additions. That vs. 35 comes from the tradition is supported by the detail that reference to its becoming evening (vs. 35) provides motivation for Jesus' sleeping (vs. 38). However, it could equally be argued that Mark felt it necessary to add mention of the evening in vs. 35 precisely to account for Jesus' sleeping. " See also J. Schreiber, *Theologie des Vertrauens.* Eine redaktionsgeschichtliche Untersuchung des Markusevangeliums, Hamburg, 1967, pp. 12-13 : " Es ist erstaunlich, mit welcher Naivität hier historisch argumentiert wird... Warum sollte Jesus (man ist versucht, ironisch zu werden) nicht auch einmal ein Mittagsschläfchen gehalten haben ?... Mag man also auch die beiden Zeitbestimmungen von 4, 35 auf Tradition und Redaktion verteilen, die Argumentation von Klostermann ist für dieses Vorgehen jedenfalls keine hinreichende Begründung. "

64. E. Hirsch, *Frühgeschichte des Evangeliums.* Vol. I. *Das Werden des Markusevangeliums*, Tübingen (1st ed., 1941), 2nd ed., 1951. For a reconstruction of the sources, see pp. 214-269 : " Das Markusevangelium verdeutscht und nach Schichten geordnet. " Comp. H. Helmbold, *Vorsynoptische Studien*, Stuttgart, 1953. For a recent critique of Hirsch's exegesis, see M. Lehmann, *Synoptische Quellenanalyse und die Frage nach dem historischen Jesus* (Beihefte ZNW 38), Berlin, 1970.

65. Several critical remarks on his treatment of duplications can be found in E. Haenchen, *Der Weg Jesu* (Sammlung Töpelmann, II, 6), Berlin, 1966 ; for example, on Mk i. 32 (p. 90, n. 1), on Mk i. 35 (p. 92).

44 ; viii. 22-26 and vii. 31-37 ; viii. 35 (τοῦ εὐαγγελίου / ἐμοῦ) ; ix. 3 (στίλβοντα / λευκὰ λίαν, οἷα γναφεὺς — λευκᾶναι) ; x. 1 (τῆς Ἰουδαίας / πέραν τοῦ Ἰορδάνου) ; x. 3b-9 and 11-12 ; x. 24 (τέκνα, πῶς δύσκολον — εἰσελθεῖν) and 23 (πῶς δυσκόλως — εἰσελεύσονται) ; xii. 5b and 6-8 ; xii. 13 (τῶν Ἡρῳδιανῶν / τῶν Φαρισαίων) ; xii. 14 (καὶ οὐ μέλει σοι περὶ οὐδενός / οὐ γὰρ βλέπεις εἰς πρόσωπον ἀνθρώπων) ; xii. 23 (ὅταν ἀναστῶσιν / ἐν τῇ ἀναστάσει) ; xii. 28 (ἀκούσας αὐτῶν συζητούντων / εἰδὼς ὅτι — αὐτοῖς) ; xii. 32-34 and 28b-31 ; xiv. 4b (εἰς τί — γέγονεν) and 5 (ἠδύνατο — τοῖς πτωχοῖς); xiv. 8 (ὃ ἔσχεν ἐποίησεν...) and 6b-7 (καλὸν ἔργον ἠργάσατο ἐν ἐμοί...) ; xiv. 33-34 and 32b ; xiv. 35b (ἵνα εἰ δυνατόν ἐστιν παρέλθῃ ἀπ' αὐτοῦ ἡ ὥρα) and 36 (καὶ ἔλεγεν· ἀββὰ ὁ πατήρ, πάντα δυνατά σοι· παρένεγκε τὸ ποτήριον τοῦτο ἀπ' ἐμοῦ) ; xiv. 37 (... οὐκ ἴσχυσας μίαν ὥραν γρηγορῆσαι) and 38 (γρηγορεῖτε...) ; xiv. 42 and 41 (ἐγείρεσθε, ἄγωμεν· ἰδοὺ ὁ παραδιδούς με ἤγγικεν / καθεύδετε — ἰδοὺ παραδίδοται ὁ υἱὸς τοῦ ἀνθρώπου...) ; xiv. 49 and 48b ; xiv. 57-59 and 56 ; xv. 3-5 and 2 ; xiv. 8 (καὶ οὐδενὶ οὐδὲν εἶπαν, ἐφοβοῦντο γάρ / εἶχεν γὰρ αὐτὰς τρόμος καὶ ἔκστασις).

The assigning of the two members of doublets to different sources is not peculiar to Hirsch and those other authors who for the whole of the gospel, [66] or at least for the passion narrative [67] and the section with the

66. P. Thielscher, *Unser Wissen um Jesus.* Ein neuer Weg der Quellenuntersuchung. I. Selbstentfaltung des Stoffes in den vier Evangelien, Gotha, 1930. Three sources based mainly on doublets : 1. sayings on the leaven, 2. feeding of the four thousand, 3. feeding of the five thousand ; — 1. refusal of a sign from heaven, 2. miracle of the stilling of the storm, 3. Jesus' walking upon the sea, etc...

A. T. Cadoux, *The Sources of the Second Gospel*, London, 1935. Reconstruction of three sources taking as the point of departure the three predictions of the passion ; on the doublets, see his introduction.

R. Thiel, *Drei Markus-Evangelien* (Arbeiten zur Kirchengeschichte, 26), Berlin, 1938. Three sources : the three predictions of the passion (A, B, C) ; the feedings of the five thousand (C) and the four thousand (B) ; the healings of the deaf-mute (C) and the blind (B) ; the miracles of the stilling of the storm (A) and of the crossing of the sea (B and C), etc... Cf. p. 7 : " die Beweise für die Existenz von Markusquellen... Hauptsächlich handelt es sich um Wiederholungen ". The author distinguishes between " Wiederholungen " (pp. 9-10 ; doublets in Mark) and " Wiederholungen im selber Atemzug " (pp. 10-12 ; duplicate expressions).

67. E. R. Buckley, ' The Sources of the Passion Narrative in St. Mark's Gospel ', *Journal of Theological Studies* 34 (1933) 138-144.

V. Taylor, *Mark* (see n. 40), pp. 653-664 : ' Additional Notes J. The Construction of the Passion and Resurrection Narrative ' (two stages, A and B ; on linguistic evidence supplied by possible Semitisms).

J. Schreiber, *Theologie des Vertrauens* (see n. 63). The author distinguishes two traditions in Mk xv. 20b-41 : (A) *vv.* 20b-22a, 24, 27 ; (B) *vv.* 25, 26, 29a, 32c, 34a, 37, 38 ; and redactional additions in *vv.* 23, 29, 30-32, 34-36, 39-41. His analysis starts from the observation of the doublets in *vv.* 24a and 25 ; 30 and 31-32 ; 34 and 37 (φωνὴν μεγάλην) (pp. 24-26).

C. Masson, ' Le reniement de Pierre. Quelques aspects de la formation d'une tradition ', *RHPR* 37 (1957) 24-35. — See also n. 69, 70, 259 and 262.

two feeding miracles, [68] defend a twofold (or threefold) gospel source. In a good number of recent special studies we find the same source-critical method applied to particular pericopes. The article of K. G. Kuhn, ' Jesus in Gethsemane ' (1952) is perhaps the best known example. [69] After eliminating the redactional elements, the author concludes that two independent traditions have been combined : A. *vv.* 32. 35. 40 and 41, a christological tradition with the *Stichwort* ὥρα (in *v.* 35 and 41) ; B. *vv.* 33-34. 36-38, a more parenetical admonition on the need to be vigilant (γρηγορεῖτε). The first gives the prayer of Jesus in indirect discourse (*v.* 35), the second presents it in direct speech in *v.* 36. In later studies, the hypothesis of Kuhn has been adopted, with slight variations, by H. E. Tödt, W. Ott, P. Benoit, T. Lescow and, more recently, R. S.

68. See n. 50. Cf. E. KLOSTERMANN, *Das Markusevangelium* (see n. 63), p. 74 : " eine Reihe von Dubletten " ; F. HAUCK, *Das Evangelium des Markus* (Theologischer Handkommentar zum N. T., 2), Leipzig, p. 74 : " ursprünglich anscheinend zwei Erzählungsreihen, die an sich parallel sind, von Mr aber hintereinander geordnet sind " ; W. GRUNDMANN, *Das Evangelium nach Markus* (Theologischer Handkommentar zum N. T., 2), 2nd ed., Berlin, 1959, p. 138 : " zwei Ueberlieferungszusammenhänge " (with some variations) :

	" Speisung –	Ueberfahrt –	Streitgespräch –	Gespräch über das Brot –	Heilung "
I	vi. 34-44	45-52,53-56	vii. 1-23	24-30	31-37
II	viii. 1-9	10	11-13	14-21	22-26

E. Klostermann's comment : " Am wenigsten ähneln sich *7* 24-30 und *8* 13-21, während *6* 45-52 gar nichts in c. *8* entspricht : oder gehörte erstmals die Stillung des Sturms *4* 35-41 zu der Geschichtsquelle von c. *8* ? " (p. 74).

Comp. P. J. ACHTEMEIER, ' Toward the Isolation ' (see n. 63). The author insists on the parallelism of the miracles on the sea and would replace vi. 35 — vii. 37 and viii. 1-26 by iv. 35ff. and vi. 45ff. :

I	iv. 35-41	v. 1-20	v. 25-34	v. 21-23, 35-43	vi. 34-44, 53
II	vi. 45-51	viii. 22-26	vii. 24b-30	vii. 32-37	viii. 1-10

Stilling of the storm	Jesus walks on the sea
The Gerasene demoniac	The blind man of Bethsaida
The woman with a hemorrhage	The Syrophenician woman
Jairus' daughter	The deaf-mute
Feeding of the 5.000	Feeding of the 4.000

" Mark has incorporated these two catenae into his narrative, adapting them to his own plan for his gospel, but limiting his interpolation into them to two large blocks of material (*6* 1-33 into the first ; *7* 1-23 into the second), in each instance material characterized by teaching / disputing activity of Jesus. There remain a number of points to be considered... " (!) (p. 291).

— The question is treated with greater reserve by V. TAYLOR, *Mark*, pp. 628-632 : Note C : ' The relationship between Mk. vi. 30 — vii. 37 and viii. 1-26 ', on p. 631 : " Our investigation suggests that vi. 30 — vii. 37 and viii. 1-26 do contain duplicate accounts of the same incidents, but not that the whole of one section is a doublet of the other. "

69. K. G. KUHN, ' Jesus in Gethsemane ', *Evangelische Theologie* 12 (1952-1953) 260-285. In the introduction, he opposes the view of Hirsch to that of E. Lohmeyer who considers the story as " in sich einheitlich ".

Barbour. [70] There are other examples. The pericope of the epileptic boy (ix. 14-29) is considered by X. Léon-Dufour as " un récit à deux tiroirs : deux dialogues avec le père de l'enfant (16-19 et 21-24), deux venues de la foule (15 et 25), deux présentations du possédé (17-18 et 21-22). Son unité est mise en question. " [71] The author, however, concludes : " Il ne s'agit pas d'une composition littéraire à partir de deux documents, mais d'une symbiose, au cours de la prédication probablement ". [72] For the Gerasene exorcism the multiplication of motifs is even stronger (e.g., v. 3, 4 : οὐδεὶς ἐδύνατο αὐτὸν δῆσαι / οὐδεὶς ἴσχυεν αὐτὸν δαμάσαι), and also this duplication of the motifs has suggested a double tradition. I refer here to a recent article of B. Van Iersel. [73] Other authors could be

70. H. E. Tödt, *Der Menschensohn in der synoptischen Ueberlieferung*, Gütersloh, (1st ed., 1959), 2nd ed., 1963, p. 184 ; W. Ott, *Gebet und Heil*. Die Bedeutung der Gebetsparänese in der lukanischen Theologie (StANT 12), Munich, 1965, pp. 82-83 ; P. Benoit, ' Les outrages à Jésus prophète ', in *Neotestamentica et Patristica*. Fs. O. Cullmann (Suppl. N. T., 6), Leiden, 1962, pp. 92-110 = *Exégèse et Théologie*, Paris, vol. III, 1968, pp. 251-269, spec. p. 262 ; *Passion et Résurrection du Seigneur*, Paris, 1966, spec. pp. 30-31 ; T. Lescow, ' Jesus in Gethsemane ', *Evangelische Theologie* 26 (1966) 141-159 ; R. S. Barbour, ' Gethsemane in the Tradition of the Passion ', *NTS* 16 (1969-1970) 231-251, spec. p. 232, n. 4. See further Y.-B. Trémel, ' L'agonie de Jésus ', *Lumière et Vie* 13 (1964), n. 68, 79-103 ; F. Pelcé. ' Jésus à Gethsemani ', *Foi et Vie* 4 (1966) 89-99.

71. X. Léon-Dufour, ' L'épisode de l'enfant épileptique ', in *La formation des évangiles* (Recherches Bibliques, 2), Louvain, 1957, pp. 85-115, spec. p. 95. See also *Études d'Évangile*, Paris, 1965, pp. 183-227.

Comp. R. Bultmann, *Die Geschichte*, p. 226 : " 1. Die Jünger spielen nur in V. 14-19 eine Rolle und sind dann verschwunden, während mit V. 21ff. der Vater zum Hauptperson wird, der in V. 17-19 nur eine Nebenrolle spielte. 2. Die Krankheit wird doppelt beschrieben V. 18 und 21f. 3. Das Volk, das nach V. 14 schon anwesend ist, strömt nach V. 25 erst herbei. Reinliche Scheidung ist nicht mehr möglich ; die erste Geschichte scheint etwa V. 14-20, die zweite V. 21-27 zu umfassen... Ferner... die Reaktion des Dämons V. 20 und 26. "

72. *Ib.*, p. 113.

73. B. M. F. Van Iersel, ' Jezus, duivel en demonen. Notities bij Mt 4, 1-11 en Mk 5, 1-20 ', in *Annalen van het Thijmgenootschap* 55, 3 (1967-1968) 5-22.

Id., ' Legioen verslagen door een man ', *Schrift* 1 (1969) 8-12. See already A. Titius, ' Ueber Heilung von Dämonischen im Neuen Testament ', in *Theologische Festschrift für G. N. Bonwetsch*, Leipzig, 1918, pp. 35-47, p. 31, n. 8 : " Ich erblicke daher in der Häufung von zweimaligem μνήματα nebst einmaligem μνημεῖα (V. 2.3.5), in dem nachschlagenden und neben 3b entbehrlichen V. 4 ein Zeichen dafür, dass der Evangelist hier (wie an anderen Stellen) verschieden umlaufende, wahrscheinlich schriftliche Ueberlieferungen zusammengestellt hat. Dafür spricht auch der Gegensatz von V. 6 (der Kranke kommt von fern gelaufen) und V. 2 (er ist an der Landungsstelle wie Matth. 8,28) und die Konkurrenz von παρεκάλει und παρεκάλεσαν (V. 10.12), wovon das erste im heutigen Texte völlig entbehrlich ist, also vermutlich auf einen anderen Ausgang der Erzählung vorbereitete. Auch das macht den Eindruck eines, allerdings durch die Formulierung des Schreies (V. 7) notwendig gewordenen Einschubes ". Van Iersel added the doublet of v. 14b and 15-16.

mentioned.[74] In using duplications as criterion for the identification of the sources in Mark, some of them refer to the parallel texts of Matthew and Luke. In so far as their reconstruction of the pre-Markan traditions and sources is based upon that comparison, it proves that I was right when I started this survey on duality and duplication in Mark with the combination theory. In fact, the use of duality as a source-critical criterion appears still to be operating in Markan studies.

We may conclude from this introduction that the phenomenon of duality has its place in Markan exegesis, and that it calls forth a variety of evaluations. The duplicate character of the historical saying of Jesus and duplications in the first collections of sayings, the peculiar style of the primitive evangelist, additions to a pre-existing tradition by the author of a proto-Markan source, by the evangelic redactor or even by a glossator, the repetitious style of the Markan (or eventually proto-Markan) redaction — these are, besides the combination hypothesis, the solutions advanced by literary criticism for elements which are usually designated with some general appellation as redundancy and repetition.

II. Duality in Mark

For a redaction-critical interpretation, the first task should be the collection of the evidence. The authors I mentioned previously have already done a great deal of that work, but, as far as I know, no complete description of the phenomenon is yet available, and it seems to

74. We may cite here the influential commentary of E. Lohmeyer. Mk i. 40-45 includes the combination of two recensions of the cleansing of the leper : *καὶ εὐθὺς ἀπῆλθεν ἀπ' αὐτοῦ ἡ λέπρα / καὶ ἐκαθαρίσθη* (*v.* 42).

In Mk iv. 30-32, two variants of the same parable of the mustard seed :
πῶς ὁμοιώσωμεν τὴν βασιλείαν τοῦ θεοῦ / ἐν τίνι αὐτὴν παραβολῇ θῶμεν
ὅταν σπαρῇ ἐπὶ τῆς γῆς / ἐπὶ τῆς γῆς... ὅταν σπαρῇ
ἀναβαίνει / γίνεται μεῖζον.

Mk vi. 45-52 gives the conflation of two stories, the stilling of the storm and the walking on the sea :
εἰς τὸ πέραν / πρὸς Βηθσαϊδάν
καὶ λέγει αὐτοῖς / ὁ δὲ εὐθὺς ἐλάλησεν μετ' αὐτῶν
θαρσεῖτε / μὴ φοβεῖσθε.

Cf. *Das Evangelium des Markus* (Kritisch-exegetischer Kommentar über das Neue Testament, I, 2), Göttingen, 1937 (= 10th ed. Meyer's Komm.) 15th ed., 1957, pp. 44-45, 88 and 130-132.

Another example from the more recent commentary of E. Schweizer : *καὶ λίαν πρωῒ / ... ἀνατείλαντος τοῦ ἡλίου* (Mk xvi. 2). „ Die Zeit ist doppelt angegeben ; vielleicht hat man beim Erzählen bald dies, bald jenes gesagt, und Markus stellt beides nebeneinander. " Cf. *Das Evangelium nach Markus* (Das Neue Testament Deutsch 1 ; 11th ed.), Göttingen, 1967, p. 215.

me that some questionable positions were adopted because the evidence was not considered in its entirety. Consequently, in the *Ephemerides Theologicae Lovanienses* (1971), the Greek text of Mark has been presented in a typographical arrangement so as to make the reader attentive to duplications in Markan phrases and to repetitions within the same pericope. In a second contribution, each category of duplications is illustrated by an extensive list of instances from the text of Mark. I hope that this work may be useful to students of Mark, although I am conscious of its limitations and I recommend it to the reader for emendation and supplement.

A first group concerns grammatical usage :

1. compound verbs followed by the same preposition (*παράγων παρά*) ; [75]
2. adverbs ending in -*θεν* (*μακρόθεν*) with a pleonastic preposition or a compound verb (*ἀπό* - or *ἐκ* -) ; [76]
3. verbs used with a verbal substantive (*φωνῆσαν φωνῇ μεγάλῃ*) ; [77]
4. the multiplication of cognate verbs within the same context : repetition of the same verb (*ἐγένετο ... ἐγένετο*) or of its compound (*ἔρχεται ... συνέρχεται*), two compounds with identical preposition (*εἰσπορεύονται ... εἰσελθών*) or with the same verbal root (*ἐξῆλθεν ... ἀπῆλθεν*), and in an additional note, some non-verbal repetitions (*γὰρ ... γάρ*) ; [78]

75. B. Weiss, ' Zur Entstehungsgeschichte ' (see n. 10), p. 649 ; H. J. Holtzmann, *Die synoptischen Evangelien* (see n. 10), p. 283 ; W. C. Allen, *Matthew* (see n. 40), pp. XXV-XXVI ; W. Larfeld, *Die neutestamentlichen Evangelien* (see n. 18), p. 263.

76. B. Weiss, ' Zur Entstehungsgeschichte ', p. 649 ; H. J. Holtzmann, *Die synoptischen Evangelien*, p. 283 ; M.-J. Lagrange, *Marc* (see n. 29), p. LXXIII ; W. Larfeld, *Die neutestamentlichen Evangelien*, p. 263.

77. B. Weiss, ' Zur Entstehungsgeschichte ', p. 649.

78. B. Weiss, ' Zur Entstehungsgeschichte ', p. 649 ; H. J. Holtzmann, *Die synoptischen Evangelien*, p. 283 ; W. Larfeld, *Die neutestamentlichen Evangelien*, pp. 263, 265, 266-267 ; J. Sundwall, *Die Zusammensetzung des Markusevangelium* (Acta Academiae Aboensis. Humaniora IX, 2), Åbo, 1934, passim (" Wortresponsion ").

The additional note can be supplemented with the use of *εὐθύς* in Mk : i. 12 (cf. *v.* 10) ; i. 20 (cf. *v.* 18) ; i. 21 and 28 (cf. *v.* 23) ; i. 29 and 30 (cf. *v.* 23) ; i. 43 (cf. *v.* 42) ; ii. 8 (cf. *v.* 12) ; (iii. 6) ; iv. 5 and 15, 16, 17 ; (iv. 29 ; v. 2) ; v. 30 (cf. *v.* 29) ; v. 43 (cf. *v.* 42) ; vi. 25 and 27 ; vi. 45 (cf. *v.* 50) ; vi. 54 (cf. *v.* 50) ; (vii. 25 35 ; viii. 10) ; ix. 15 (cf. *v.* 20 and 24) ; xi. 2 and 3 (cf. x. 52) ; xiv. 43 (cf. *v.* 45) ; xv. 1 (cf. xiv. 72). — For *Stichworte* (and *Responsionsworte*) within the same pericope see also no. 12 (Repetition of the motif) and nos. 18-27 (correspondences in the pericope). *Stichworte* as connecting links between different pericopes (cf. J. Sundwall) are not directly taken into consideration. Some examples may be cited here. In Mk i : *v.* 9, 12, 13, 14, 15, see nos. 4, 10, 11, 20, 24, 27 ; in addition, *v.* 12 : *τὸ πνεῦμα*, cf. *v.* 10 ; *v.* 15 : *μετανοεῖτε*, cf. *v.* 4 (*μετανοίας*) ; *v.* 16 : *τῆς Γαλιλαίας*, cf. *v.* 14a ; *v.* 21, 23, 29 : *καὶ εὐθὺς ... εἰς τὴν* (*ἐν τῇ* / *ἐκ τῆς*) *συναγωγήν* (-*ῇ* / -*ῆς*) ; (see also nos. 7, 27) ; *v.* 45 : *τὸν λόγον, ὥστε μηκέτι, εἰς ... εἰσελθεῖν*, cf. ii. 1-2. For

5. double participles (*φοβηθεῖσα καὶ τρέμουσα*) ; [79]
6. double imperatives (*γρηγορεῖτε καὶ προσεύχεσθε*) ; [80]
7. the repetition of the antecedent, such as a substantive instead of a pronoun (*Σίμωνος* for *τὸν ἀδελφὸν αὐτοῦ*), redundant pronouns (*ἡ μήτηρ αὐτοῦ καὶ οἱ ἀδελφοὶ αὐτοῦ*), instances of a resumptive pronoun preceded by a relative (*ἧς … τὸ θυγάτριον αὐτῆς*) ; [81]
8. the use of double negatives (*οὐκ οὐδείς*). [82]

A second group is constituted by duplicate expressions and double statements :

9. negative-positive : a negative followed by *εἰ μή* or *ἐὰν μή* (*οὐδεὶς ἀγαθὸς*

Mk ii. 1 — iii. 6 : *ἁμαρτίαι* — *ἁμαρτωλοί* (ii. 5,7,9,10 and 16,17) ; *τελώνιον* — *τελῶναι* (ii. 14 and 15,16) ; *ἐσθίει* — *νηστεύειν* (ii. 16 and 18-20) ; *ἀπαρθῇ ἀπ'* — *αἴρει ἀπ'* (ii. 20 and 21) ; *νεός* (*καινός*), *παλαιός* (ii. 21,22) ; *νηστεύειν* — *ἐπείνασεν* (ii. 18-20 and 25) ; *τοῖς σάββασιν* (ii. 23-24, 27-28 and iii. 2). See further Mk vi. 31 — viii. 21 : *φαγεῖν*, *ἄρτοι* (vi. 31, 35-44, 52 ; vii. 2,3,5,9,19,27-28 ; viii. 1-9,13-21).

79. W. LARFELD, *Die neutestamentlichen Evangelien*, p. 264 : " Häufung von unverbundenen Partizipien " ; V. TAYLOR, *Mark* (see n. 43), p. 46 ; L. HARTMAN, *Testimonium Linguae*. Participial Constructions in the Synoptic Gospels. A Linguistic Examination of Luke 21, 23 (Coniectanea Neotestamentica, 19), Copenhagen, 1963, pp. 15-27 ; H. B. SWETE, *The Gospel according to St. Mark*, London, 1898, p. XLVIII.

80. On paratactic imperatives without a connecting particle, cf. J. WELLHAUSEN, *Einleitung* (see n. 46), p. 20 ; F. BLASS-A. DEBRUNNER, *Grammatik des neutestamentlichen Griechisch*, Göttingen, 12th ed., 1965, § 461 ; M. BLACK, *An Aramaic Approach to the Gospels and Acts*, Oxford, 3rd ed., 1967, pp. 64-65 ; V. TAYLOR, *Mark*, pp. 57-58.

81. Repetition of the antecedent instead of a pronoun : K. A. CREDNER, *Einleitung* (see n. 11), p. 104 ; C. G. WILKE, *Der Urevangelist* (see n. 12), p. 458 ; B. WEISS, ' Zur Entstehungsgeschichte ', p. 649 ; H. J. HOLTZMANN, *Die synoptischen Evangelien*, pp. 282-283 ; H. J. CADBURY, *The Style and Literary Method of Luke*, pp. 83-84 ; W. LARFELD, *Die neutestamentlichen Evangelien*, p. 266 ; E. P. SANDERS, *The Tendencies in the Synoptic Gospels* (S.N.T.S. Monograph Series, 9), Cambridge, 1969, pp. 173-174 (" The appearance of a noun in one Gospel where a pronoun appears in another ").

Redundant pronouns : B. WEISS, ' Zur Entstehungsgeschichte ', p. 649 ; H. J. HOLTZMANN, *Die synoptischen Evangelien*, p. 283 ; M.-J. LAGRANGE, *Marc*, p. XCV ; W. LARFELD, *Die neutestamentlichen Evangelien*, p. 268 ; V. TAYLOR, *Mark*, p. 58 ; J. C. DOUDNA, *The Greek of the Gospel of Mark* (JBL Monograph Series, 12), Philadelphia, 1961, pp. 98-104.

Resumptive pronoun : B. WEISS, ' Zur Entstehungsgeschichte ', p. 649 ; H. J. HOLTZMANN, *Die synoptischen Evangelien*, p. 283 ; M.-J. LAGRANGE, *Marc*, p. XCV ; W. LARFELD, *Die neutestamentlichen Evangelien*, p. 268 ; V. TAYLOR, *Mark*, p. 60.

82. K. A. CREDNER, *Einleitung*, p. 104 ; H. J. HOLTZMANN, *Die synoptischen Evangelien*, p. 284 ; H. B. SWETE, *Mark*, p. XLVIII, W. C. ALLEN, *Matthew*, p. XXV ; M.-J. LAGRANGE, *Marc*, pp. LXXIII, XCIX ; H. J. CADBURY, *The Style*, p. 201 ; W. LARFELD, *Die neutestamentlichen Evangelien*, p. 263 ; V. TAYLOR, *Mark*, p. 46 ; R. H. STEIN, ' Markan Seam ' (see n. 2), p. 75, n. 17.

εἰ μὴ εἷς ὁ θεός) and a negative followed by the opposite in an οὐ ... ἀλλά construction (οὐκ ἀπέθανεν ἀλλὰ καθεύδει) ; [83]
10. a double temporal statement (πρωΐ / ἔννυχα λίαν) or local statement (ἀλλαχοῦ / εἰς τὰς ἐχομένας κωμοπόλεις) ; [84]
11. general and special : in some indications of time and place a first general expression is followed by a more specific one, likewise in connection with indications of persons (πᾶσα ἡ Ἰουδαία χώρα καὶ οἱ Ἱεροσολυμῖται) ; [85]
12. repetitions of the motif in narrative and discourse material (thus in iii. 14, 16 : καὶ ἐποίησεν δώδεκα ... καὶ ἐποίησεν τοὺς δώδεκα) ; [86]
13. synonymous expressions, or repetition of the motif in one duplicate expression (ἀναβαίνοντα καὶ αὐξανόμενα) ; [87]
14. an Aramaic word followed by the Greek translation (Βοανηργές, ὅ ἐστιν υἱοὶ βροντῆς) ; [88]
15. a substantive followed by an apposition (Ἰούδας Ἰσκαριὼθ ὁ εἷς τῶν δώδεκα) ; [89]
16. a double group of persons (οἱ περὶ αὐτοῦ σὺν τοῖς δώδεκα), two individuals (the two brothers) and, in an additional note, the use of distributives (δύο δύο); [90]
17. series of three (for the sake of completeness). [91]

The third group concerns correspondence within one pericope :

18. correspondence in the narrative, as for instance reference to the exposition within the story (iii. 32, 34 : ἐκάθητο περὶ αὐτὸν ὄχλος / περιβλεψάμενος τοὺς περὶ αὐτὸν κύκλῳ καθημένους) ; [92]

83. *Εἰ μή* : M.-J. LAGRANGE, *Marc*, p. XCIX ; *οὐ ... ἀλλά* constructions : K. A. CREDNER, *Einleitung*, p. 105 ; C. G. WILKE, *Der Urevangelist*, p. 458 ; H. J. HOLTZMANN, *Die synoptischen Evangelien*, pp. 283-284 ; W. LARFELD, *Die neutestamentlichen Evangelien*, p. 266. Comp. on *οὐ ... ἀλλά* in Paul, N. SCHNEIDER, *Die rhetorische Eigenart der paulinischen Antithese*, Tübingen, 1970, pp. 47-52 (" Die correctio ").
84. For no. 10-13, see the general list of Hawkins and other authors (nn. 39-43) ; K. A. CREDNER, *Einleitung*, p. 104 ; C. G. WILKE, *Rhetorik* (see n. 12), pp. 449-450 : " Nebenbestimmungen " ; B. WEISS, ' Zur Entstehungsgeschichte ', p. 689 ; H. J. HOLTZMANN, *Die synoptischen Evangelien*, pp. 262-263, 269 ; H. J. CADBURY, *The Style*, pp. 151-152 ; V. TAYLOR, *Mark*, p. 51.
85. C. G. WILKE, *Rhetorik*, p. 449.
86. K. A. CREDNER, *Einleitung*, p. 105 : " Wiederholung : tautologisch " ; H. J. HOLTZMANN, *Die synoptischen Evangelien*, p. 282 ; J. H. SCHOLTEN, *Das älteste Evangelium* (see n. 41), pp. 151-168 ; W. LARFELD, *Die neutestamentlichen Evangelien*, pp. 266-269 ; J. SUNDWALL, *Die Zusammensetzung*, passim.
87. K. A. CREDNER, *Einleitung*, p. 105 ; H. J. HOLTZMANN, *Die synoptischen Evangelien*, pp. 110-111, 282 ; J. H. SCHOLTEN, *Das älteste Evangelium*, pp. 105-107 ; M.-J. LAGRANGE, *Marc*, p. LXXIV ; W. LARFELD, *Die neutestamentlichen Evangelien*, pp. 266-269 ; V. TAYLOR, *Mark*, p. 51.
88. C. G. WILKE, *Rhetorik*, p. 448.
89. Comp. E. P. SANDERS, *The Tendencies*, pp. 163-165 (" Adjectives and adjectival clauses in one Gospel but not in another ").
90. W. LARFELD, *Die neutestamentlichen Evangelien*, pp. 258, 267 (Distributives).
91. Comp. E. VON DOBSCHÜTZ, ' Paarung und Dreiung in der evangelischen Ueberlieferung ', *Neutestamentliche Studien Georg Heinrici zu seinem 70. Geburtstag*, Leipzig, 1914, pp. 92-100.
92. See n. 93 and 94 on the categories no. 19 and 20.

19. correspondence between exposition and discourse, or direct speech, in the pericope (i. 22, 27 : ἦν ... διδάσκων αὐτοὺς ὡς ἐξουσίαν ἔχων / διδαχὴ καινὴ κατ' ἐξουσίαν) ; [93]
20. correspondence between narrative (in general) and discourse (v. 38, 39 : θεωρεῖ θόρυβον καὶ κλαίοντας / τί θορυβεῖσθε καὶ κλαίετε) ; [94]
21. command and fulfilment (i. 25, 26 : ἔξελθε ἐξ αὐτοῦ / καὶ ἐξῆλθεν ἐξ αὐτοῦ) and, in addition, the execution of a command in indirect speech (vi. 39, 40 : ἐπέταξεν αὐτοῖς ἀνακλιθῆναι / καὶ ἀνέπεσαν) ; [95]
22. request and realization (i. 40, 41 : ἐὰν θέλῃς δύνασαί με καθαρίσαι / θέλω, καθαρίσθητι) ; [96]
23. direct discourse preceded by qualifying verb (i. 25 : ἐπετίμησεν αὐτῷ ὁ Ἰησοῦς / λέγων· φιμώθητι ...) ; [97]
24. quotation and comment (i. 3, 4 : φωνὴ βοῶντος ἐν τῇ ἐρήμῳ / ἐγένετο Ἰωάννης ὁ βαπτίζων ἐν τῇ ἐρήμῳ) ; [98]
25. double questions (xii. 14 : ἔξεστιν δοῦναι κῆνσον Καίσαρι ἢ οὔ ; δῶμεν ἢ μὴ δῶμεν) ; [99]
26. correspondences in discourse, as between question and answer (ii. 7, 10 : τίς δύναται ἀφιέναι ἁμαρτίας ... / ἐξουσίαν ἔχει ὁ υἱὸς τοῦ ἀνθρώπου ἀφιέναι ἁμαρτίας). [100]

A fourth grouping can be distinguished which is more concerned with the structuring of the gospel :

27. inclusion within individual pericopes ; [101]
28. sandwich arrangement of pericopes ; [102]

93. C. G. Wilke, *Rhetorik*, pp. 436-437 ; H. J. Holtzmann, *Die synoptischen Evangelien*, pp. 280-282 ; W. Larfeld, *Die neutestamentlichen Evangelien*, p. 267.

94. C. G. Wilke, *Rhetorik*, pp. 436-437 ; H. J. Holtzmann, *Die synoptischen Evangelien*, pp. 280-282 ; W. Larfeld, *Die neutestamentlichen Evangelien*, p. 267.

95. C. G. Wilke, *Rhetorik*, p. 438 ; H. J. Holtzmann, *Die synoptischen Evangelien*, pp. 281-282 ; H. J. Cadbury, *The Style*, p. 98 ; W. Larfeld, *Die neutestamentlichen Evangelien*, p. 267.

96. H. J. Holtzmann, *Die synoptischen Evangelien*, pp. 281-282.

97. H.-W. Kuhn, *Aeltere Sammlungen im Markusevangelium* (Studien zur Umwelt des Neuen Testaments, 8), Göttingen, 1971, p. 138 (for iv. 2 ; ix. 31 ; xi. 17).

98. For i. 3, 4, cf. E. Lohmeyer, *Markus* (see n. 74), p. 10.

99. C. G. Wilke, *Rhetorik*, p. 448 ; W. Larfeld, *Die neutestamentlichen Evangelien*, p. 262 ; M. Zerwick, *Untersuchungen zum Markus-Stil.* Ein Beitrag zur stilistischen Durcharbeitung des Neuen Testaments (Scripta Pontificii Instituti Biblici), Rome, 1937, p. 24 ; R. Pesch, *Naherwartungen.* Tradition und Redaktion in Mk 13 (Kommentare und Beiträge zum Alten und Neuen Testament), Düsseldorf, 1968, pp. 103-104 ; G. Schneider, ' Das Bildwort von der Lampe. Zur Traditionsgeschichte eines Jesus-Wortes ', *ZNW* 61 (1970) 183-209, p. 197, n. 61.

100. W. Larfeld, *Die neutestamentlichen Evangelien*, pp. 266-269.

101. J. Lambrecht, *Die Redaktion der Markus-Apokalypse* (Analecta Biblica, 28), Rome, 1967, p. 272, n. 2.

102. E. von Dobschütz, ' Zur Erzählerkunst des Markus ', *ZNW* 27 (1928) 193-198 ; R. Stein, *The Proper Methodology* (diss., see n. 2), pp. 213-221 ; in *Novum Testamentum*, pp. 193-194 ; J. Lambrecht, *Die Redaktion*, p. 33, n. 4.

29. parallelism in sayings : the " parallelismus membrorum ", synonymous and antithetic parallelism (one example of climactic) ; [103]
30. doublets in Mark (pericopes, logia and repetition of formulae). [104]

Clearly, it is not my intention here to discuss all these data. But before concentrating upon what are usually called ' duplicate expressions ', I would like to make a more general remark. My first observation is that, on the whole, the evidence is rather impressive, especially the fact that a kind of general tendency can be perceived in vocabulary and grammar, in individual sayings and in collections of sayings, in the construction of pericopes and larger sections ; there is a sort of homogeneity in Mark, from the wording of sentences to the composition of the gospel. After the study of these data one has a strong impression of the unity of the gospel of Mark. It can be formulated as a methodological principle that the categories we distinguished hold together and that no pericope in Mark can be treated in isolation.

III. Duplicate Expressions and the Original Text of the Gospel

As we come now to the ' duplicate expressions ', the first question is whether they were in the original text of Mark. Omissions in Matthew or in Luke, and especially negative agreements between these gospels, as well as omissions in textual witnesses gave rise to the supposition that the duplications could be the result of deutero-Markan redaction or editorial interpolation. In fact, according to some scholars, the negative minor agreements, or joint omissions of Matthew and Luke, have their origin in a common text of Mark, previous to and slightly different from our Mark. [105] Still, the observation has been made by W. Sanday that " the great majority of the coincidences seem... to belong to a

103. R. Schütz, *Der parallele Bau der Satzglieder im Neuen Testament und seine Verwertung für die Textkritik und Exegese* (FRLANT, 28), Göttingen, 1920 ; C. F. Burney, *The Poetry of Our Lord*. An Examination of the Formal Elements of Hebrew Poetry in the Discourse of Jesus Christ, Oxford, 1925 ; A. Denaux, *De sectie Lc., XIII, 22-33 en haar plaats in het lucaanse reisbericht* (Doct. Diss.), Leuven, 1967, pp. 215-222 ; J. Jeremias, *Neutestamentliche Theologie*. Vol. I. *Die Verkündigung Jesu*, Gütersloh, 1971, pp. 24-30 (" Der antithetische Parallelismus ").

104. E. Wendling, *Ur-Marcus* and *Die Entstehung* ; M.-J. Lagrange, *Marc*, pp. LXXVII-LXXIX ; R. Thiel, *Drei Markus-Evangelien*. See n. 20-26 and 48.

105. For a historical survey on the question of the minor agreements, cf. T. Hansen, *De overeenkomsten Mt-Lc tegen Mc in de drievoudige traditie* (Doct. Diss.), Leuven, 2 vols., 1969, vol. I, pp. 1-79 : " Historisch overzicht ". — In regard to the hypothesis of the synoptic Proto-Mark, see n. 37 and the authors mentioned there ; also L. Vaganay, *Le problème synoptique* (cf. n. 22), p. 74 (besides Mk an older gospel source, " résumé de catéchèse ", is at the disposal of Mt and Lk and explains the negative agreements).

later form of the text rather than an earlier. " [106] More recently, J. P. Brown has developed that observation into the elaborate text-critical hypothesis of " an early revision of the gospel of Mark ". [107] For Sanday's supposition of " a recension of the text of Mk different from that from which all extant MSS of the Gospel are descended ", Brown estimated that the Western text of D, proposed by T. F. Glasson, [108] was " not a very plausible candidate " and that the solution was to be found in the Caesarean witnesses (unknown to Sanday !), particularly in fam. 13. The usual assumption that some readings in Mark are assimilations to Matthew and /or Luke is abandoned for a " more obvious conclusion that scribes had trouble with Mark's Greek very early, and that Matthew and Luke found the corrections already made. " [109] Although that hypothesis was gratefully received by some people labouring with the problem of the minor agreements, [110] O. Linton re-examined the question in 1968. [111] He thinks that we have good reasons for accepting that

106. W. SANDAY, ' The Conditions under which the Gospels were written, in their bearing upon some Difficulties of the Synoptic Problem ', in *Studies in the Synoptic Problem*, Oxford, 1911, pp. 3-26, p. 21 : " And I call this form of text a recension, because there is so much method and system about it that it looks like the deliberate work of a particular editor, or scribe exercising to some extent editorial changes. " On the reactions of J. C. Hawkins, C. S. Patton, C. H. Turner, T. Stephenson and B. H. Streeter and, later on, T. F. Glasson and J. P. Brown, see T. HANSEN, *De overeenkomsten Mt-Lc*, vol. I, pp. 30ff. — According to Sanday, the presumed revision of Mk was known and used by Matthew and Luke ; so his position is quite different from the possibility suggested by Stanton who proposes a later textual harmonization with Matthew and Luke as partial explanation of the phenomenon of the duplicate phrases in Mark : " It is true that in some instances phrases, or whole sentences, occurring separately in St. Matthew and St. Luke but conjointly in St. Mark, might have been intentionally combined in the way that Griesbach's theory assumes. " Cf. *The Gospels* (see n. 24), p. 33.

107. J. P. BROWN, ' An Early Revision of the Gospel of Mark ', *JBL* 78 (1959) 215-227. A revised text of Mark (Mk^{com}) is the common source of Matthew and Luke. Compare the author's position on Q : the revision of Q (Q^{rev}) is the common source of Mark and Matthew ; cf. ' Mark as Witness of an Edited Form of Q ', *JBL* 80 (1961) 29-44 ; ' The Form of ' Q ' known to Matthew ', *NTS* 8 (1961-1962) 27-42.

108. T. F. GLASSON, ' Did Matthew and Luke use a ' Western ' Text of Mark ', *Expository Times* 55 (1943-1944) 180-184 ; 57 (1945-1946) 53-54 ; 77 (1965-1966) 120-121 ; contra C. S. C. WILLIAMS, ' Did Matthew and Luke use a ' Western ' Text of Mark ? ', *Expository Times* 56 (1944-1945) 41-45 ; 58 (1946-1947) 251 (D influenced by Tatian). See also, T. F. GLASSON, ' An Early Revision of the Gospel of Mark ', *JBL* 85 (1966) 231-233.

109. ' An Early Revision ', p. 226.

110. E. g. J. GNILKA, *Die Verstockung Israels. Isaias* 6, 9-10 *in der Theologie der Synoptiker* (StANT 3), Munich, 1961, p. 123, n. 14.

111. O. LINTON, ' Evidences for a Second-Century Revised Edition of St Mark's Gospel ', *NTS* 14 (1967-1968) 321-335. The author gives no bibliographical references and the name of J. P. Brown is not mentioned.

the text found in our modern editions is on the whole identical with the original, and from his analysis he infers that a first revision of Mark's Gospel took place in the second century and that the reviser had a text before him which was very near to the original. The reviser was not unfaithful to Mark's work : " he intended only to express what Mark meant — or was supposed to mean — in a more idiomatic Greek than Mark himself was able to provide. " [112] " Very characteristic is his aversion against repetitions and superfluous words. If possible he simply removes a second or third occurrence of the same word or replaces it with *αὐτοῦ, αὐτῆς, ἐκεῖ,* etc... He omits *αὐτοῦ,* etc., if it is unnecessary... He handles a *parallelismus membrorum* as if it were only unnecessary repetition. On the whole he is... against verbosity. " [113] The MSS supporting the revision, Western and Caesarean witnesses, display a mixed text, with many harmonistic readings, but the harmonizations often belong to a later period and many corrections are totally independent from Matthew and Luke. [114] O. Linton declares that the material he discussed in his paper " is only part of a much richer collection. " [115] In fact, more evidence is needed in order to make it clear that there was a single reviser at the origin of those readings, but the evidence he provided is eloquent enough to indicate that Matthew and Luke could correct independently what they regard as unnecessary repetition. [116]

112. *Ib.*, p. 351.
113. *Ib.*, p. 352.
114. *Ib.*, p. 353.
115. *Ib.*, p. 350.
116. Some illustrations of scribal avoidance of repetition taken from the study of O. Linton. The author treats them in the order of the Gospel, with a brief discussion of the textual alterations. Here the instances of ' duality ' are classified in the order of our list of categories : 1. *εἰσελθὼν ... εἰς* (ii. 1) ; 2. *ἐκ παιδιόθεν* (ix. 21) ; 3. *φωνῆσαν φωνῇ* (i. 25) ; 4. *ἐξῆλθεν ... ἀπῆλθεν* (i. 35) ; *σπεῖραι ... ἐν τῷ σπείρειν* (iv. 3-4) ; *ἐξήνεγκεν* (viii. 23) ; *ἐγένετο* (ix. 7) ; *ἦλθεν ... καὶ ἐλθών* (xi. 13) ; 6. *σιώπα, πεφίμωσο* (iv. 39) ; 7. *ἐν τῇ ἐρήμῳ* (i. 13) ; *κακῶς ἔχοντας* (i. 34) ; *τὰ δαίμονια* (i. 34) *πάντας* (ii. 12) ; *τὸ πλοῖον* (iv. 37) ; *αὐτῆς* (vii. 25) ; *τῶν γεωργῶν* (xii. 2) ; *ὁ υἱὸς τοῦ ἀνθρώπου* (xiv. 21) ; *οἱ δὲ ἀρχιερεῖς* (xv. 11) ; 9. *ἀλλὰ οἶνον — καινούς* (ii. 22) ; *εἰ μὴ ... οὐκ* (viii. 14) ; 10. *πρωΐ / ἔννυχα λίαν* (i. 35) ; *ἀλλαχοῦ / εἰς ...* (i. 38) ; *εὐθὺς / μετὰ σπουδῆς* (vii. 25) ; *ἀπὸ Ἰεριχώ* (x. 46) ; 12. *πλῆθος πολύ* (iii. 8) ; 13. *ὅσα ἐὰν βλασφημήσωσιν* (iii. 28) ; *λίαν ἐκ περισσοῦ* (vi. 51) ; 19. *ἐσθίουσιν* (vii. 2) ; 20. *ἐν ὁδῷ* (ix. 34) ; 21. *ἀπῆλθον πρὸς αὐτόν* (iii. 13) ; 23. *ᾐτήσατο* (vi. 25) ; 25. *ἢ τίς σοι ἔδωκεν — ποιῇς* (xi. 28) ; 28. *οἱ παρ' αὐτοῦ* (iii. 21) ; 29. *ὅσον χρόνον — νηστεύειν* (ii. 19). — When Hawkins's list of duplicate expressions was first published, K. Lake made the observation that in at least six of those places (i. 32, 42 ; vi. 36 ; vii. 21 ; x. 30 ; xiv. 43) the Sinaitic-Syriac text of Mark gives only one part of the expression. Cf. K. LAKE, *The Text of the New Testament*, Oxford, 1900, p. 38. In the second edition of *Horae Synopticae*, Hawkins has added : " See also xii. 14 (in xii. 44 the Syr^{sin} text seems to be imperfect) " (p. 142, n. 3). In other instances the Sinaitic-Syriac text supports the longer reading, e.g. in Mk xii. 23 and xiii. 15. Cf. C. H. TURNER,

In recent times, the broader question of the criteria for determining the laws of development of gospel tradition was examined by E. P. Sanders in his book on *The Tendencies of the Synoptic Tradition* (1969).[117] He rightly observes that the history of the text is generally accepted as a source for such criteria.[118] In his exposition of the evidence from the textual tradition, he occasionally adds the comment " perhaps to avoid repetition " to some of the shorter readings of the text of Mark.[119] I noted only once that same remark for the text of Matthew in parallel to Mark,[120] and it is only at the end of the book, when he treats the phenomenon of conflation, that he discusses the question. Then he states : " That what Hawkins suggested to have happened in Matthew's and Luke's use of Mark[121] actually did happen in the use of Mark in the

' Western Readings in the Second Half of St Mark's Gospel ', *JTS* 29 (1928) 1-16. Evidence of Markan usage is a criterion of variants in the tradition of the text. " Mark's fondness for tautological expressions suggests that the fuller text is right " (p. 15) : ἐν τῇ ἀναστάσει ὅταν ἀναστῶσιν (xii. 23) ; μὴ καταβάτω εἰς τὴν οἰκίαν μηδὲ εἰσελθάτω ἆραι τι (or τι ἆραι) ἐκ τῆς οἰκίας αὐτοῦ (xiii. 15) (pp. 8-9).

117. E. P. Sanders, *The Tendencies* (see n. 81). Cf. spec. pp. 29-35 (" The textual tradition "). The main categories examined in detail by the author are : increasing length (pp. 46-87) ; increasing detail (pp. 88-189) ; diminishing Semitism (pp. 190-255). A last chapter deals " with two somewhat different categories " : the use of direct discourse (pp. 256-262) and conflation (pp. 262-271). For the different phenomena in each category the evidence (additions and omissions) is given from the post-canonical tradition (i.e., the textual tradition for Mt i-xv and Mk ix-xvi and the apocryphal and patristic traditions) and from the synoptic gospels.

118. *Ib.*, p. 17, with reference to form-criticism and especially R. Bultmann, *Die Geschichte* (see n. 63), p. 7 (E. T., p. 6).

119. On p. 56 : xi. 10 om. " Blessed is the coming kingdom " ; on p. 136 : xi. 15 " in it " for " in the temple " ; xii. 2 " from them " for " from the tenants " ; xv. 11 " and these " for " and the chief priests " ; xv. 46 " in it " for " in the linen " ; on p. 143 : x. 32 om. " and (those who followed) were afraid ".

120. Mt ix. 15, ctr. Mt ii. 20 (and Lk v. 35) : " ' in those day (s) '. Mt may be avoiding redundancy. " (p. 161). His remarks are in the other sense : Mk ii. 7, ctr. Mt (" Explains , he blasphemes '. ") ; ii. 19, ctr. Mt (" Answers the preceding rhetorical question. ") (p. 72) ; ix. 39, ctr. Lk (" Explanatory. ") ; xii. 23, ctr. Mt and Lk (" Redundant. ") ; xvi. 6, ctr. Mt (" Gives the point to the following speech. ") (p. 73) ; i. 30 (and Lk), ctr. Mt (" Perhaps explanatory. ") (p. 76). — Avoidance of repetition is noted for Luke vi. 49, ctr. Mt vii. 26 " these words of mine, them " (p. 155) ; xvii. 33, ctr. Mt x. 39 : " his life " (p. 156) ; viii. 30, ctr. Mk v. 9 : " my name [is] Legion " (p. 154) ; xvii. 1, ctr. Mt xviii. 7 : " the scandal comes " (p. 153),

121. Cf. *Horae Synopticae* (see n. 10), p. 142 : " But after looking through all these instances of Mark's habitual manner of duplicate expression, it will appear far more probable [note 2 : So Plummer, on Lk iv. 40, agreeing with E. A. Abbott] that he had here used two phrases in his customary way, and that in these cases Matthew happened to adopt one of them and Luke the other, whereas in some other cases, e.g. Mk ii. 25 ; xiv. 43..., they both happened to adopt the same one. '

post-canonical tradition cannot be denied. " [122] There are some original double terms in Mark, each of which is omitted by various MSS. But the author continues : " This is, then, possible, and can be seen frequently to have happened in the manuscript tradition where there are hundreds of scribes and thus hundreds of possibilities. If we selected, however, any two manuscripts of Mark, I doubt if we would find a single instance in which, *on more than one occasion*, one copied one half of a double Markan phrase and the other the other half. The difficulty with Hawkins's explanation is the frequency with which Matthew and Luke independently would have had to decide to select one half of a Markan double phrase and would have, by happenstance, selected different halves. " [123]

Two remarks on Sanders' work may suffice here. First, the main categories he uses are too general. His statistical approach of increasing or diminishing length, increasing or diminishing detail as possible tendencies in the gospel tradition leads to no conclusion at all. A closer examination of the phenomena he enumerates and especially the application of the category of duplication could modify somewhat the result of his inquiry. [124] Secondly, the scribal activity shows some analogy with the editorial work of the evangelist, but it is not that analogy which can decide on the probability or improbability of the accidental agreements between Matthew and Luke. There is a common tendency in both gospels (which, to some extent, is demonstrated also in the textual tradition) to reduce reduplications, but in so far as the phrase each evangelist adopts proves to be in harmony with his personal redactional manner, one cannot say that the agreements or disagreements in the selection happened by chance. Here again, a close analysis of the text, and not the statistical approach, is the appropriate method. Let us examine briefly the three examples given by Hawkins and quoted by Sanders.

Mk i. 32 : ὀψίας δὲ γενομένης, ὅτε ἔδυσεν ὁ ἥλιος. The parallel text in Mt viii. 16 is : ὀψίας δὲ γενομένης. The brief notice on exorcism and healing activity is followed by the quotation from Isaiah liii. 4 and it concludes the trilogy of miracles after the Sermon on the Mount, the healing of the leper (par. Mk i. 40-44), the son of the centurion (par. Lk vii. 1-10) and Peter's mother-in-law (par. Mk i. 29-31). This composition (v. 1 — viii. 17) produces the Matthean parallel to Mark's Day of Jesus

122. *The Tendencies*, p. 271. The examples from Mk ix-xvi are ix. 2, 25, 43 ; x. 34 ; xi. 27 ; xii. 14 ; xiii. 30 ; xiv. 3 (p. 266).

123. *Ib.*, p. 271.

124. See e.g. speeches longer in Mark : i. 15 (p. 72) ; v. 34 (p. 72) ; ix. 45 ; x. 24 30, 38, 39 ; xiv. 6 (p. 73) ; details in Mark : ii. 16 (p. 156) ; v. 19 (p. 161) ; x.29 (cf. viii. 38) (p. 162).

at Capernaum, Mk i. 21-34 (35-39). [125] Yet, the preaching in the synagogue is replaced by the Sermon on the Mount and there is no further mention of the Sabbath. Thus, the specific reason for the motif of sunset (ὅτε ἔδυσεν ὁ ἥλιος) has disappeared. In viii. 18 Matthew passes to another Markan context: the stilling of the storm (Mk iv. 35-41) followed by the miracles of Mk v. The motif of the evening time may have facilitated this transition : ὀψίας δὲ γενομένης in Mt viii. 16 not only replaces the fuller expression of Mk i. 32 (before Jesus' departure at night : i. 35) but also the introduction of Mk iv. 35 : ἐν ἐκείνῃ τῇ ἡμέρᾳ ὀψίας γενομένης (before the nightly crossing of the lake). [126] This combination highlights the expression ὀψίας δὲ γενομένης which becomes a sort of formula in the Matthean redaction. [127] In Luke the sunset at the end of the day in Capernaum retains its full meaning. Since the Sabbath in Capernaum (cf. iv. 31) is preceded in Luke by the Sabbath in Nazareth (iv. 16-30), we can suppose that he was not unconscious of the Markan motif. [128] On the other hand, Luke, although he never has the expression

125. Cf. F. NEIRYNCK, 'La rédaction matthéenne et la structure du premier évangile', *Ephem. Theol. Lovan.* 43 (1967) 41-73, spec. pp. 63-72 ; 'The Gospel of Matthew and Literary Criticism. A Critical Analysis of A. Gaboury's Hypothesis', in M. DIDIER (ed.), *L'Évangile selon Matthieu.* Rédaction et théologie (Bibl. Ephem. Theol. Lovan., 29), Gembloux, 1972, p. 37-69 (espec. 'The Summaries in Matthew', p. 56-67).

126. Such transition from one context to another is not exceptional in Matthew. In Mk the healing of the leper was followed by Jesus' entry into Capernaum and the healing of the paralytic (ii. 1ff.). In viii. 5, Matthew deserts the Markan context for the Q text of the centurion : this transition was facilitated by the common motif of the entry into Capernaum and the influence of the story of the paralytic still appears in Matthew's description of the sick.

127. Matthew has the expression in the exact form of Mk i. 32 four times with a Markan parallel (xiv. 15, 23 ; xxvi. 21 ; xxvii. 57) and once in a peculiar text (xx. 8). Cf. W. R. FARMER, *The Synoptic Problem.* A Critical Analysis, New York, 1964, pp. 155-156. Comp. also Mt xxvii. 1 : πρωΐας δὲ γενομένης (Mk : καὶ ... πρωΐ). Perhaps the formulalike character should not be overemphasized. In the four instances Matthew shows his habitual preference for δέ instead of the Markan καί, in xxvii. 57 he omits ἤδη together with ἐπεὶ ἦν προσάββατον (cf. *v.* 62 !) and in xiv. 15 the Markan repetition (καὶ ἤδη ὥρας πολλῆς γενομένης ... καὶ ἤδη ὥρα πολλή is avoided : ὀψίας δὲ γενομένης ... καὶ ἡ ὥρα ἤδη παρῆλθεν. Mt xx, with πρωΐ (*v.* 1), the third hour (*v.* 3), the sixth and the ninth hour (*v.* 5) and ὀψίας δὲ γενομένης (*v.* 8), can be compared to the chronology of the passion in Mk xv : πρωΐ (*v.* 1), the third hour (*v.* 25), the sixth hour (*v.* 33), the ninth hour (*v.* 34) and καὶ ... ὀψίας γενομένης (*v.* 42). Finally, the expression in Mk i. 32 (the 'Matthean' form with δέ) becomes less exceptional if *v.* 29 (the entry in the house, comp. πρὸς τὴν θύραν in *v.* 33), and not *v.* 32a, is the beginning of the pericope : i. 29-34 (with δέ in *v.* 30 and 32).

128. Against H. SCHÜRMANN, *Das Lukasevangelium.* I (Herders Theologischer Kommentar zum Neuen Testament, III), Freiburg i. Br., 1969, p. 253, n. 242 : "Luk versteht den Sinn der Notiz des Mk "nach Sonnenuntergang", d. h. nach Beendigung der Sabbatruhe, nicht mehr". But how that understanding can be refused to the author who wrote in xxiii. 56 : καὶ τὸ μὲν σάββατον ἡσύχασαν κατὰ τὴν

ὀψίας δὲ γενομένης (diff. Mk iv. 35 ; xiv. 17 ; xv. 42), may be reflecting this grammatical form when he writes *δύνοντος δὲ τοῦ ἡλίου* and perhaps he was still under the influence of the Markan expression when he wrote *γενομένης δὲ ἡμέρας* in iv. 42.

Mk i. 42 : *καὶ εὐθὺς ἀπῆλθεν ἀπ' αὐτοῦ ἡ λέπρα καὶ ἐκαθαρίσθη*. Matthew has a predilection for the use of a motif word : [129] the Markan sequence (*καθαρίσαι, καθαρίσθητι, ἐκαθαρίσθη*) was too fine an example to be spoiled. Matthew conflated the double expression of Mark, at the cost of a slight error in formulation : not the *λεπρός* is cleansed, but the *λέπρα* (*ἐκαθαρίσθη αὐτοῦ ἡ λέπρα*, viii. 3). Luke, for his part, has preserved all the elements of the first phrase of Mark. Yet, he has changed the order of the words : the subject (*ἡ λέπρα*) is put before the verb. [130] This is in accord with the exposition of the story : *ἀνὴρ πλήρης λέπρας* (v. 12) — which is a characteristic Lukan wording instead of the simple noun *λεπρός* and seems somewhat to personify the sickness. In Mk, it is said : the leprosy left him (*ἀπῆλθεν ἀπ' αὐτοῦ*), just as the fever left Peter's mother-in-law (*ἀφῆκεν αὐτήν* : Mk i. 31). In both stories Luke has reinforced the idea. In iv. 39 Jesus rebukes the fever as if it were an unclean spirit.

Mk xiv. 30 : *σήμερον ταύτῃ τῇ νυκτί*. " This night before the cock-crow " (Mt xxvi. 34, cf. *vv.* 74-75) is a precise indication of time in line

ἐντολήν ? Comp. E. KLOSTERMANN, *Das Lukasevangelium* (Handbuch zum Neuen Testament, 5), Tübingen, 2nd ed., 1929, p. 430 : " Lc hat statt des doppelten Ausdruckes bei Mc nur den feineren ; *δύνοντος* = gleich mit dem Augenblick, in dem der Sabbat sein Ende erreichte ". Commentators of Lk, in so far as they do not merely refer to Mk (e.g., J. Schmid, J. M. Creed, A. R. C. Leaney, W. Grundmann) notice here an allusion to the end of the Sabbath (e.g., J. Knabenbauer, H. J. Holtzmann, A. Plummer, T. Zahn, K. H. Rengstorf ; so also G. B. Caird, with some overemphasis : ,, The crowds were more scrupulous than Jesus and waited until sunset... "). Exceptions are M.-J. Lagrange, *Évangile selon saint Luc* (Études Bibliques), Paris, 4th ed., 1927, p. 152 : " le coucher du soleil, circonstance qui marque la fin du travail [sic !] et le retour des hommes à la maison ", and H. A. W. MEYER, *Handbuch über die Evangelien des Markus und Lukas* (Kritisch exegetischer Kommentar über das Neue Testament, I, 2), Göttingen, 4th ed., 1864, p. 311, n. 2 : " Bis zu Abend hatte sich Jesus im Hause Simon's aufgehalten ; daher brachte man erst jetzt die Kranken zu ihm [resic]. Also weder um die Sonnenhitze zu vermeiden, noch, wie *Lange* vermuthet, aus dem " feineren Gefühle ", für die öffentliche Ausstellung der Gebrechen die Dämmerung zu wählen ". One might ask which is the Lukan meaning of the motif according to H. Schürmann !

129. See H. J. HELD, ' Matthäus als Interpret der Wundergeschichten ', in G. BORNKAMM, G. BARTH, H. J. HELD, *Ueberlieferung und Auslegung im Matthäusevangelium* (WMANT, 1), Neukirchen, 1960, pp. 224-227.

130. Comp. J. SUSMADYA MADYASUSANTA, *De transposities in Lukas*. Het probleem der verplaatsingen in de Markus-stof van het derde evangelie (Lic. Diss.), Leuven, 1968. Comp. H. J. CADBURY, *The Style and Literary Method of Luke*, p. 153 : Changes in the order of words, espec. the order verb-subject in Lk v. 13, 24, 34 ; ix. 35 ; xvii. 2 ; xviii. 39 ; xx. 38 ; xxi. 11 ; xxiii. 3 (diff. Mk) ; xii. 30, 34 ; xvii. 37 (diff. Mt).

with other temporal indications in the passion narrative of Mark and Matthew, between *ὀψίας δὲ γενομένης* in Mt xxvi. 20 and *πρωΐας δὲ γενομένης* in xxvii. 1 (comp. also xxvi. 40, 43, 45 and 55). Thus, Matthew might have simply dismissed *σήμερον* as superfluous. Luke retains only the first element *σήμερον* in the prediction of the denial (xxii. 34). In the citation of the saying of Jesus in *v.* 61 he adds *σήμερον* to the text of Mark. In xxiii. 43, *σήμερον* is used with emphasis in the word of Jesus to the *κακοῦργος* on the cross. In fact, in the gospel of Luke, *σήμερον* not only denotes the time of the passion, but is used also in connection with the birth of Christ (ii. 11), the baptism (iii. 22), the inaugural preaching in Nazareth (iv. 21) and some high points in the life of Jesus (v. 26 ; xiii. 33 ; xix. 5, 9). [131] The text under consideration is not the only one in the passion narrative where a temporal notice receives a theological connotation. In xxii. 14 *ὅτε ἐγένετο ἡ ὥρα* replaces the Markan *ὀψίας γενομένης* (xiv. 17). In xxii. 45, it is by *ἀπὸ τῆς λύπης* that the sleep of the disciples is motivated and not by their fatigue at night time (Mk xiv. 40).

Thus, when one part of the double expression is selected by Matthew and another by Luke, this is not merely accidental. The analysis of the context and the study of the general redactional manner of the evangelist can give some information on the motivation behind the choice. [132]

In the light of this study of the redaction of Matthew and Luke and of the evaluation of the data of textual tradition, I would conclude that there is no reason why we should reject from the original text of Mark those characteristic duplicate expressions. Neither the hypothesis of the so-called ' synoptic ' Proto-Mark on the basis of the negative agreements between Matthew and Luke nor the supposition of a deutero-Markan recension, known to Matthew and Luke, can be established with the help of the phenomenon of the double phrases in Mark. I would call this a first limitation imposed on source-criticism.

131. See B. Prete, ' Prospettive messianiche nell'espressione *semeron* del Vangelo di Luca ', in *Il Messianismo* (Atti della XVIII Settimana Biblica), Brescia, 1966, pp. 269-284 ; H. Schürmann, *Das Lukasevangelium* (see n. 128), p. 233.

132. J. Schmid, in *Matthäus und Lukas*, pp. 66-69, gives some more examples and concludes : ,, Stellt man nun neben diese Stellen [i. 32, 42 ; iii. 7-8 ; v. 12, 24, 30 ; vi. 11 ; ix. 33 ; xi. 2 ; xiv. 12-13, 30, 37 ; xv. 42] und die vorher angeführten, wo Mt und Lk den gleichen Mk-Ausdruck auslassen [see pp. 64-66, on i. 13 ; ii. 8, 9-12, 16a, 18, 19, 25 ; iii. 17 ; iv. 2, 7, 8, 14, 16, 19, 38, 39 ; v. 26, 34b, 36a, 41b ; x. 27, 29, 30, 32, 52 ; xi. 17, 28b, 30b, xii. 2, 14, 15, 23 ; xv. 24], als dritte Klasse alle jene, an welchen nur der eine Evangelist, bald Mt [ii. 20 ; iv. 39 ; vi. 36 ; ix. 28 ; xiv. 1], bald Lk [iv. 5, 40 ; xiii. 28, 29] kürzt, während der andere den Doppelausdruck des Mk beibehält und nimmt man — was doch allein methodisch richtig ist — diese drei Klassen zusammen, so spricht der ganze Tatbestand mit zwingender Kraft für die Annahme, dass die Aenderungen durch Lk und Mt ganz unabhängig voneinander vorgenommen wurden. "

IV. Temporal and Local Statements : Two-Step Expressions

If we accept the double expressions as part of the original text of the gospel, then the further question arises : how can we distinguish between tradition and redaction ? Many authors treat this question with the help of some general principles. In their opinion, there is little difference between scribal glosses and redactional additions. [133] The important thing is that the secondary character of additional elements appears from the application of some general law of tradition history. Form critics maintain that individualization, specification and differentiation are signs of secondary formulation. [134] " Bei Dubletten und Zusätzen ist das sekundäre Gut an den Verdeutlichungen kenntlich, die ursprünglich allgemeinere Aussagen immer mehr spezifizieren. " [135] Explanatory phrases are supposed to be secondary. " Erläuterung, nachträgliche Verdeutlichung, Korrektur, Interpretament " are the usual qualifications. [136]

The traditional view on the gospel of Mark countered this explanation by pointing to the vividness of eyewitness description and the pleonastic style of the evangelist. J. C. Hawkins, however, had already provided a list of cases in which " it may be said that something is added by each part of Mark's duplicate expression, so that one part does not merely repeat the other. " [137] M.-J. Lagrange distinguishes apparent pleonasms (which give a fuller expression of the idea or add precision to some temporal or local statement) and real pleonasms : " Mais dans ces cas mêmes la redondance n'est pas sans appuyer utilement sur l'idée ". [138] He gives special attention to those which provide " un reflet animé des circonstances : ... soit comme traits pittoresques, soit pour ne laisser aucune échappatoire, soit comme expression de sentiments intérieurs. " [139] Lagrange is followed by V. Taylor who adds : " It is therefore open to question whether too much has not been made of the alleged redundancies of Mark's style. " [140]

133. So, among others, E. Hirsch, *Frühgeschichte* (see n. 64), p. 208 : " Man wird finden, dass es sich im ganzen um Zusätze gleichen Typus handelt wie bei R. Um der Art der Zusätze willen wäre es nicht nötig gewesen, Gl von R zu unterscheiden ".

134. R. Bultmann, *Die Geschichte* (see n. 63), p. 337 (E.T., p. 309).

135. M. Lehmann, *Synoptische Quellenanalyse* (see n. 64), p. 96.

136. E. Wendling, *Die Entstehung* (see n. 47), *passim*. Cf. spec. pp. 49 and 105, n. 2.

137. J. C. Hawkins, *Horae Synopticae* (see n. 10), p. 141 : i. 15 ; iii. 5, 29 ; vi. 30 ; viii. 11 ; ix. 12, 35 ; x. 10, 46 ; xiv. 7, 44 ; xv. 32, 42.

138. M.-J. Lagrange, *Marc* (see n. 29), p. LXXIV.

139. *Ib.*, p. LXXIV.

140. V. Taylor, *Mark* (see n. 43), p. 52.

In fact, it can be maintained that pure redundancy is extremely rare in Mark. The instances of *temporal expressions* we mentioned previously may serve as an example. Ὀψίας δὲ γενομένης (i. 32) is a general term for evening, including the time before sunset : when Mark adds ὅτε ἔδυσεν ὁ ἥλιος he makes it more definite that the day was over. Thus, Mark's statement is more than a pleonastic combination of two expressions. That was the response already formulated in the nineteenth century to answer the combination theory of De Wette and Bleek. [141] It should be reasserted in regard to the hypotheses of R. Thiel and E. Hirsch (combination of Mk I and Mk II). [142] On this, W. R. Farmer is not especially decisive : " The point is that such duplicate expressions do not by themselves constitute evidence for or against Marcan priority. They are susceptible to different interpretations, and possibly they are better explained on one hypothesis than on another. But it has never been shown that they can be explained best on the Marcan hypothesis, and, until that is done, they cannot justly be considered as evidence for the priority of Mark. " [143] The observation was made above that Mark's duplicate expression in i. 32 is not simply juxtaposition of synonyms but a progressive two-step expression, in the present case giving further refinement and precision to the indication of time. The same can be said for the prediction of Peter's denial : " today, this night, before the cock crows twice " (xiv. 30) [144] and that observation seems to be applicable

141. B. WEISS, *Das Marcusevangelium und seine synoptischen Parallelen*, Berlin, 1872, p. 67 : " Man meint am Eingang dieser Perikope den Marcus auf einer Combination der Matthäus... und Lucas... betroffen zu haben ; allein ganz ähnliche doppelte Zeitangaben finden sich auch 1, 35. 14, 12. 16, 2, wo eine solche Vermuthung garnicht entstehen kann und die scheinbar pleonastische Ausdrucksweise ist... völlig motiviert... ". — D. W. MANGOLD, in the 4th ed. of F. BLEEK, *Einleitung* (see n. 9), p. 187, n. 2, in reaction to Bleek's statement " dass Marcus die Ausdrücke der beiden anderen unbefangen verbunden hat ". See also E. P. GOULD, *A Critical and Exegetical Commentary on the Gospel according to St. Mark* (I.C.C.), Edinburgh, 1896, p. 26.

142. E. Haenchen notes against Hirsch : " Mk hat öfter solche Doppelbezeichnungen, die nicht so tautologisch sind, wie sie zuerst aussehen (so richtig V. Taylor 182). An unserer Stelle zeigt die zweite Angabe, dass der Sabbat zu Ende ist... " (in *Der Weg Jesu*, p. 90, n. 1). — Comp. V. TAYLOR, p. 180 : " The phrase ὅτε... defines the time more precisely. Thus, as is often the case in Mk, the double phrase is not so tautologous as it appears " ; C. E. B. CRANFIELD, *The Gospel according to St. Mark*, Cambridge, 1963, p. 87 : " ὅτε ... indicates the time more exactly and so is not really tautologous after the preceding phrase " ; W. GRUNDMANN, *Markus* (see n. 68), p. 47 ; D. E. NINEHAM, *The Gospel of St Mark* (The Pelican Gospel Commentaries), Harmondsworth, 1963, p. 82.

143. W. R. FARMER, *The Synoptic Problem*, p. 155.

144. H. A. W. MEYER, *Markus und Lukas*, p. 183 : " affektvolle Klimax : heute, in dieser Nacht " (= B. WEISS, p. 199) ; comp. E. KLOSTERMANN, *Das Markusevangelium* (Handbuch zum N.T. 3), Tübingen, 1907, p. 125 : " klimaktisch geordnet " (3rd ed., p. 149 : " in Stil des Mc ") ; C. E. CRANFIELD, p. 429 : " The time is

to a great number of similar instances : [145] πρωΐ / ἔννυχα λίαν (i. 35) ; [146]

defined with ascending accuracy " ; J. JEREMIAS, *Die Abendmahlsworte Jesu*, Göttingen, 1935 ; 2nd ed., Zurich, 1949, p. 12 ; 3rd ed., Göttingen, 1960, p. 12 (identically in the 4th ed. from 1967) ; V. TAYLOR, *Mark*, p. 550 : " The ' tautology ' in σήμερον and ταύτῃ τῇ νυκτί is only apparent. The former (om. in Mt) marks the Jewish day which began at sundown ; the latter (om. in Lk) the night of that day " ; D. E. NINEHAM, *Mark*, p. 388. On the triple temporal statement of xiv. 30, see E. LOHMEYER, *Markus* (cf. n. 74), p. 313 ; W. GRUNDMANN, *Markus* (see n. 68), p. 289. — E. Klostermann notes the omission of σήμερον in Mt D codd it and shows some doubt (" wenn richtig ").

145. The ancient discussion about Mk i. 32 could have opened the way to a true understanding of Mark's double temporal statements. Holtzmann cites Mk i. 32, 35 ; xiv. 12 and xvi. 2 : " alle diese Fälle (gehören) unter ein bestimmtes Capitel des originalen Sprachcharakters der Quelle A. Ja noch mehr ! Jener doppelte Ausdruck ist ein unverwerflicher Zeuge für die Ursprünglichkeit des Marcus, indem die allgemeine Angabe ὀψίας γενομένης nothwendig näher bestimmt werden musste durch ὅτε ἔδυσεν ὁ ἥλιος, weil ja da der Tag ein Sabbat war 1, 21... " (*Die synoptischen Evangelien*, p. 114). See also B. WEISS, *Markusevangelium* (cf. n. 141), p. 67. For Holtzmann, the double statement is a Markan characteristic, but it is not always clear that the greater precision in the second member of i. 32 is already for him part of the characteristic : " Der Ausdruck entspricht einer stilistischen Eigenthümlichkeit des Mc (vgl. 1. 35, 14. 12, 16.2) und *überdies* (1st ed. : *zweitens*) ist seit 1. 21 Sabbat... ", in *Die Synoptiker* (Handcommentar zum Neuen Testament, 1), Freiburg i. Br., 1889, p. 77 ; 2nd ed., 1892, p. 76 (in the 3rd ed., 1901, p. 117, he simply adds i. 42 to the list of instances). Also Hawkins mentions only one temporal statement (xv. 42) among the duplicate expressions of which one part does not merely repeat the other (*Horae Synopticae*, p. 141). Some progress was made by Lagrange who gives a list of temporal statements pleonastic only in appearance (" il s'agit de marquer une précision " : i. 32 ; i. 35 ; xvi. 2 ; and further ii. 20 ; x. 30 ; xiii. 29 ; also vi. 25 ; xiv. 30) (*Marc*, p. LXXIV). An important contribution was brought by J. Jeremias in his study *Die Abendmahlsworte Jesu* (see n. 144), 1st ed., p. 6 ; 2nd, 3rd and 4th ed., pp. 11-12) : " Es gilt für Mk 14, 12, wie so oft für Markus, die Regel : wenn zwei Zeitbestimmungen scheinbar pleonastisch aufeinanderfolgen, so bestimmt die zweite die erste näher ". In addition to xiv. 12, he mentions i. 32, 35 ; iv. 35 ; xiii. 24 ; xiv. 30 ; xv. 42 ; xvi. 2. Since the third edition, Mk x. 30 and xiv. 43 are inserted in the list. V. Taylor who is clearly dependent upon Lagrange in the introduction to his commentary (*Mark*, p. 51), seems to be influenced by the exposition of J. Jeremias. It is in the notes to Mk xiv. 12 that the list of instances of double temporal statements is quoted and the identity of references may indicate the influence of *Die Abendmahlsworte Jesu* (1st and 2nd ed.). Taylor interprets the specific cases in the line of J. Jeremias. The influence of J. Jeremias is also verifiable in a number of individual studies, e.g. H. Schürmann for xiv. 12 (see n. 151) ; J. Lambrecht for xiii. 24 (see n. 150) ; L. Schenke for xvi. 2 (see n. 154). Cf. also J. SCHREIBER, *Theologie des Vertrauens* (see n. 63), p. 84 : Mk i. 32, 35 ; iv. 35 and xiv. 43 (" an denen wirklich ein pleonastischer Sprachgebrauch vorliegt ") are clearly redactional, but the rule proposed by Jeremias is not applicable in the cases of Mk xiv. 12 ; xv. 42 and xvi. 2. The reader must be cautious in regard to the author's own symbolical interpretation (p. 88 : xv. 42 ; p. 122 : iv. 35, etc.).

146. B. WEISS, *Markusevangelium*, p. 69 ; E. P. GOULD, *Mark*, p. 28 : " πρωΐ denotes the last watch of the night from three to six, and ἔννυχα λίαν, the part of

τότε / ἐν ἐκείνῃ τῇ ἡμέρᾳ (ii. 20) ; [147] ἐν ἐκείνῃ τῇ ἡμέρᾳ / ὀψίας γενομένης (iv. 35) ; [148] νῦν / ἐν τῷ καιρῷ τούτῳ (x. 30) ; [149] ἐν ἐκείναις ταῖς ἡμέραις / μετὰ τὴν θλῖψιν ἐκείνην (xiii. 24) ; [150] τῇ πρώτῃ ἡμέρᾳ τῶν ἀζύμων / ὅτε τὸ πάσχα ἔθυον (xiv. 12) ; [151] καὶ εὐθὺς / ἔτι αὐτοῦ λαλοῦντος (xiv. 43) ; [152] καὶ ἤδη ὀψίας γενομένης / ἐπεὶ ἦν παρασκευή (xv. 42) ; [153] λίαν πρωῒ / ἀνατείλαντος τοῦ ἡλίου (xvi. 2). [154]

this watch which reached back very much into the night " ; J. JEREMIAS, *Die Abendmahlsworte Jesu*, p. 11 ; E. HAENCHEN, *Der Weg Jesu*, p. 92 : " Hirsch schliesst aus der doppelten Zeitbestimmung (deren zweite genauer ist) wieder auf eine Bearbeitung. Aber weil es völlig dunkel war, konnte Jesus — so stellt sich Markus die Szene vor — unbemerkt in die Einsamkeit fortgehen ".

147. H. A. W. MEYER, *Markus und Lukas*, p. 34 (= B. WEISS, p. 38) : " ἐν ἐκείνῃ τῇ ἡμέρᾳ nicht *Nachlässigkeit* (De Wette), nicht *Unmöglichkeit* des Ausdrucks (Fritzsche), sondern : τότε ist *allgemeinere* Zeitangabe : *alsdann*, wenn nämlich der Fall der Wegnahme eingetreten sein wird, und ἐν ἐκείνῃ τ. ἡμέρᾳ ist die dem τότε untergeordnete *besondere* Zeitbestimmung : *an jenem Tage*, wobei ἐκεῖνος eine deiktische Kraft und somit einen *tragischen* Nachdruck hat (an jener *atra dies* !) " ; B. WEISS, *Markusevangelium*, p. 95 : " ... so entspricht das ganz der Weise des Marcus, die reine Zeitbestimmung (hier das τότε noch näher zu qualificiren (vgl. 1. 32. 35) " ; V. TAYLOR, *Mark*, p. 211 : " The phrase ἐν ἐκείνῃ τῇ ἡμέρᾳ after τότε... is formally redundant, but it adds a peculiar impressiveness to the forecast which is lost by its omission in Mt. ix. 15. "

148. E. P. GOULD, *Mark*, p. 84 : " ἐν ἐκείνῃ τ. ἡμέρᾳ — *that day*, viz. the day on which Jesus uttered the parables. ὀψίας — *evening*. It is either the time between three and six, or that between six and dark. Probably the former is meant here, as the latter time would not allow for the events that follow " ; V. TAYLOR, *Mark*, p. 273 : " The precision of the opening temporal statement... recalls i. 32 and 35 ".

149. M.-J. LAGRANGE, *Marc*, p. LXXIV : " ... avec une allusion mystérieuse aux derniers temps : ... νῦν ἐν τῷ καιρῷ τούτῳ (par opposition à l'autre éon). " Comp. J. JEREMIAS, *Die Abendmahlsworte Jesu*, 3rd ed., p. 12 ; V. TAYLOR, *Mark*, p. 51 (" add precision ").

150. W. M. L. DE WETTE, *Lukas und Markus* (see n. 7), p. 236 : " Mit μετ' τ. θλῖψ. ἐκ. wird der Zeitpunkt genauer bestimmt " ; J. LAMBRECHT, *Die Redaktion* (see n. 101), p. 174 : " Das doppelte ἐκείναις — ἐκείνῃ ist anaphorisch und begründet eine enge Zeitverknüpfung. Die zweite Bestimmung bringt gegenüber der vorausgehenden, weitergefassten eine nähere Festlegung " (with reference to J. Jeremias in note 145).

151. J. JEREMIAS, *Die Abendmahlsworte Jesu*, p. 11 (see n. 144) ; H. SCHÜRMANN, *Der Paschamahlbericht Lk 22 (7-14.) 15-18.* I. Teil (Neut. Abh. XIX, 5), Münster, 1953, p. 78 ; V. TAYLOR, *Mark*, p. 536 (see note 145) ; W. GRUNDMANN, *Markus*, pp. 279-280 ; C. E. B. CRANFIELD, *Mark*, p. 420.

152. B. WEISS, *Markusevangelium*, p. 465, n. 1 : " Das ἔτι αὐτοῦ λαλοῦντος, welches hier das εὐθύς näher bestimmt " ; J. JEREMIAS, *Die Abendmahlsworte Jesu* (3rd ed.), p. 12.

153. J. C. HAWKINS, *Horae Synopticae*, p. 141 ; E. LOHMEYER, *Markus*, p. 349 : " Die doppelte Zeitbestimmung hat auch hier wie etwa 1, 32 ihren guten Sinn ; die erste beschliesst die Ereignisse dieses Tages, die zweite begründet das Vorgehen des Joseph " ; V. TAYLOR, *Mark*, p. 599 ; J. JEREMIAS, *Die Abendmahlsworte Jesu*, p. 11 : " die zweite Zeitbestimmung zeigt, dass mit ὀψία hier die Zeit vor dem Anbruch des Sabbats, also vor Sonnenuntergang gemeint ist ".

154. B. WEISS, *Markusevangelium*, p. 509 : " das λίαν πρωῒ wird dadurch einiger-

Thus, the conclusion may be justifiable (and it has been accepted in many studies on Markan redaction) that we are faced here with one of Mark's most characteristic features of style. [155] If this is so, the double expression might have been conceived as an original unity, typical for Mark's way of thinking and writing. So it is not suitable to assign to different sources each half of such expressions. But it seems to me that the objection we are raising here against the combination theory [156] is also applicable to some sort of mechanical distribution between tradition and redaction as it is found here and there in the literary criticism of our century. [157] In fact, is it so clear that the so-called expla-

massen beschränkt, dass die Sonne schon aufgegangen war" ; J. JEREMIAS, *Die Abendmahlsworte Jesu*, p. 11 ; D. E. NINEHAM, *Mark*, p. 444 : " ... it is quite in St. Mark's manner to qualify a vague note of time with a more precise one... ". Reference to Jeremias is made, with reservations, by L. SCHENKE, *Auferstehungsverkündigung und leeres Grab* (Stuttgarter Bibelstudien, 33), Stuttgart, 1968, p. 59, n. 7 (see n. 157).

155. See the preceding notes 145-154 : " ... für Markus die Regel" (Jeremias) ; " Mark's hand" (Taylor) ; " eine Eigentümlichkeit des Mk" (Schürmann) ; " St. Mark's manner" (Nineham).

156. For Mk as combination of Mt and Lk (Bleek and De Wette ; and Farmer), cf. *supra*. For Hirsch and Thiel, e.g., Mk i. 32 : A and C (Thiel) ; i. 35 : Mc I and II (Hirsch) ; iv. 35 : Mc I and II (Hirsch) ; xiv. 12 : C and B (Thiel) ; xiv. 43 : A and B (Thiel) ; xv. 42 : C and B (Thiel).

157. Mk i. 32 : E. HIRSCH, *Frühgeschichte*, p. 6 : " ὀψίας (δε) γενομένης, die gewöhnliche Bestimmung des Abends beim ersten Erzähler, ist das Ursprüngliche (Mk I). In ὅτε ἔδυσεν ὁ ἥλιος hat die Hand gebessert, die die Heilung des Dämonischen am Sabbath einfügte... " ; cf. E. GÜTTGEMANNS, *Offene Fragen zur Formgeschichte des Evangeliums* (Beiträge zur evangelischen Theologie, 54), Munich, 1970, p. 160, n. 51 : " Die Entscheidung *(Mk i. 32-34 pre-Markan or Markan redaction)* ist z.T. davon abhängig, ob man ὅτε ἔδυσεν ὁ ἥλιος (Mk 1, 32) für einen sekundären Zusatz zu ὀψίας δὲ γενομένης hält... Doch sind diese stilistischen Fragen noch viel zu sehr vom persönlichen Geschmack des Exegeten abhängig, um bereits gesicherte Ergebnisse zu haben. Auch Vermutungen sind hier noch viel zu subjektiv. "

Mk ii. 20 : E. LOHMEYER, *Markus*, pp. 60-61 : " ... der von Mk stammende Zusatz ' an jenem Tage ' " ; W. GRUNDMANN, *Markus*, p. 66 ; E. SCHWEIZER, *Markus*, p. 37 : " Das merkwürdig nachhinkende an ' jenem Tage '... " ; H. W. KUHN, *Aeltere Sammlungen* (see n. 97), p. 70, n. 105 : " ... Auf einer dritten Traditionsstufe ist dann das Apophtegma in der Auseinandersetzung mit dem Judentum zur Rechtfertigung des christlichen Fastens am Freitag gebraucht worden (in diesem Zusammenhang Einfügung der Pharisäer und der Zusatz ' an jenem Tage '). "

Mk iv. 35 : see n. 63.

Mk xiii. 24 : R. PESCH, *Naherwartungen* (see n. 99), p. 157 : " Mit μετὰ τὴν θλῖψιν ἐκείνην wird nach markinischer Manier die Zeitangabe verdoppelt. Die Dopplung dient hier, wie auch sonst bei Markus (vgl. 1, 32. 35 ; 4, 35 ; 10, 30 ; 14, 30. 43 ; 15, 42 ; 16, 2), der Neuinterpretation der alten Einleitung" ; H. W. KUHN, *Aeltere Sammlungen*, p. 44 : " In der umständlichen Einleitung V. 24 stossen sich aber ἐν ἐκείναις ταῖς ἡμέραις und μετὰ τὴν θλῖψιν, so dass das letztere offenbar ein korrigierender Zusatz ist. " Comp. J. WELLHAUSEN, *Das Evangelium Marci* (see n. 46), p. 106 : „ Das μετὰ τὴν θλῖψιν klappt bei Mc nach und ist vielleicht aus Matthäus

natory character of the second half of the expression betrays the intervention of a redactor ? What is alleged to be a redactional correction, clarification or interpretation might be part of the original expression As far as I know, no reconstruction of Proto-Mark or proto-Markan sources has been proposed from which the phenomenon of duplication is totally ruled out. [158] So the duplicate character in itself is not accepted as the adequate criterion. It would be no criterion whatsoever, if the double phrase proves to be the author's own double-step expression.

This may be the case not only with temporal statements. Some *local expressions* reflect the same scheme of a vague indication followed by a more precise definition : [159] πανταχοῦ / εἰς ὅλην τὴν περίχωρον τῆς Γαλιλαίας (i. 28) ; [160] ἀλλαχοῦ / εἰς τὰς ἐχομένας κωμοπόλεις (i. 38) ; [161] ἔξω /

entlehnt. " According to E. Wendling, μετὰ τὴν θλίψιν ἐκείνην comes from the source (*Apokalypt. Quelle*) and ἐν ἐκείναις ταῖς ἡμέραις is added by the evangelist (*Ur-Marcus*, p. 70 ; see, however, the correction in *Die Entstehung*, pp. 160 and 238) ; E. Hirsch makes a similar distinction between Mk II and Redactor (*Frühgeschichte*, p. 70).

Mk xiv. 30 : E. HIRSCH, *Frühgeschichte*, p. 261 : σήμερον (Mk I), ταύτῃ τῇ νυκτί (R).

Mk xv. 42 : E. HIRSCH, *Frühgeschichte*, p. 176 : καὶ ἤδη ὀψίας γενομένης (= Mk I), ἐπεὶ... (= Mk II). „ Wellhausen hat unwidersprechlich recht, wenn er den ἐπεί – Satz als nachträglichen Einschub rein zu dem Zweck, den Freitag als Kreuzigungstag festzulegen versteht " ; E. WENDLING, *Die Entstehung*, pp. 174 and 238 : ὀψίας γενομένης (Mk II) (ἐπεὶ ἦν παρασκευή ?) ὅ ἐστιν προσάββατον (Evangelist) (= correction to *Ur-Marcus*).

xvi. 2 : E. HIRSCH, *Frühgeschichte*, p. 268 : λίαν πρωΐ (Mk I), ἀνατείλαντος τοῦ ἡλίου (gloss, so also C. G. WILKE). Contra, L. SCHENKE, *Auferstehungsverkündigung* (see n. 154), p. 59 : ἀνατείλαντος τοῦ ἡλίου is traditional and λίαν πρωΐ redactional.

158. From the same source or redactional level : i. 32 (Kertelge) ; i. 35 : Mk I (Wendling), A (Thiel) ; ii. 20 : Mk II (Hirsch), B (Thiel), Ev. (Wendling) ; iv. 35 : A (Thiel), Mk II (Wendling) ; x. 30 : Mk II (Hirsch), Ev. (Wendling) ; xiii. 24 ; Apok. Quelle (Wendling : *Die Entstehung*), B (Thiel) ; xiv. 12 : Mk II (Hirsch), Mk II (Wendling) ; xiv. 30 : C (Thiel) ; xiv. 43 : Mk I (Hirsch), Mk I (Wendling) ; xv. 42 : source A (Taylor) ; xvi. 2 : C (Thiel), Mk II (Wendling : *Ur-Marcus*).

159. Much less consideration has been given to these local expressions than to temporal statements. See, however, J. C. HAWKINS, *Horae Synopticae*, p. 142 (i. 28, 39, 45 : " instances of pleonastic writing ") and M.-J. LAGRANGE, *Marc*, pp. LXXIV-LXXV (for i. 28, 38, 45 : " Il s'agit de marquer une précision... par rapport au lieu " ; also vi. 3). V. Taylor refers to the same instances (*Mark*, p. 52 : " add precision ") ; see also on i. 28 : " the redundancy is characteristic of Mark's style " (p. 177).

160. B. WEISS, *Markusevangelium*, p. 63 : " Der hyperbolische Ausdruck... (vgl. 1, 5) erhält seine nähere Begrenzung dadurch, dass die ganze galiläische Umgegend nach allen Seiten hin gemeint ist " ; comp. *Markus und Lukas*, p. 26. See also n. 159.

161. H. A. W. MEYER, *Markus und Lukas*, p. 25 : " Das folgende εἰς τὰς ἐχομ. κωμοπ... ist Näherbestimmung von ἀλλαχοῦ " (= B. WEISS, *Markus und Lukas*, p. 28). See also n. 159.

ἐπ' ἐρήμοις τόποις (i. 45) ;[162] εἰς τὸ πέραν τῆς θαλάσσης / εἰς τὴν χώραν τῶν Γερασηνῶν (v. 1) ;[163] ἐκεῖ / πρὸς τῷ ὄρει (v. 11) ; ὧδε / πρὸς ἡμᾶς (vi. 3) ; εἰς τὸ πέραν / πρὸς Βηθσαϊδάν (vi. 45) ;[164] ὧδε / ἐπ' ἐρημίας (viii. 4) ;[165] πρὸς θύραν ἔξω / ἐπὶ τοῦ ἀμφόδου (xi. 4) ;[166] εἰς τὸ ὄρος τῶν ἐλαιῶν / κατέναντι τοῦ ἱεροῦ (xiii. 3) ; ἕως ἔσω / εἰς τὴν αὐλὴν τοῦ ἀρχιερέως (xiv. 54) ; κάτω / ἐν τῇ αὐλῇ (xiv. 66) ; ἔξω / εἰς τὸ προαύλιον (xiv. 68).[167]

At the beginning of the pericopes in Mark, the connecting link is often topographical and probably the observation we made concerning adverbial local expressions should be extended to these introductory formulae. So Mk xi. 1 : καὶ ὅτε ἐγγίζουσιν εἰς Ἱεροσόλυμα / εἰς Βηθφαγὴ καὶ Βηθανίαν πρὸς τὸ ὄρος τῶν ἐλαιῶν.[168] The precision added to εἰς Ἱερο-

162. B. WEISS, *Markusevangelium*, p. 75 : " doppelte Localbestimmung wie V. 28. 38 " ; comp. E. LOHMEYER, *Markus*, p. 48 : " Der Gegensatz... scheint doppelt bestimmt : öffentlich und geheim, bewohnte Gegenden und einsame Stätten ". See also n. 159.

163. B. WEISS, *Markusevangelium*, p. 171 : " Hier ist also τὸ πέραν nicht das jenseitige Land ; es muss vielmehr die Landschaft, in die sie kamen, noch ausdrücklich bezeichnet werden, und das geschieht durch εἰς τὴν χώραν τῶν Γερασηνῶν. "

164. See n. 74 and 167.

165. B. WEISS, *Markusevangelium*, p. 267 : " das ὧδε näher bestimmende ἐπ' ἐρημίας ".

166. E. LOHMEYER, *Markus*, p. 230 : " Der Esel findet sich an der bezeichneten Stelle, nur eines ist genauer hinzugefügt : ' auf der Strasse '. " The author, however, neglects here the Markan style : " Die Bestimmung ἀμφόδου ist überflüssig, wenn schon gesagt ist, dass das Tier aussen angebunden sei. Deshalb liegt es nahe, ἀμφόδου in ἀμπέλου zu ändern " (*ib.*, p. 4).

167. In opposition to temporal statements, it is rather exceptional that the two members of these double expressions are attributed to different sources or to the different stages of tradition and redaction. On Mk vi. 45 (εἰς τὸ πέραν / πρὸς Βηθσαϊδάν), see R. Thiel (C/B), E. Hirsch (Mk/Redactor) and also E. Lohmeyer (cf. n. 74) On Mk xi. 1, cf. n. 168. — The history of the text shows some scribal hesitation regarding the " tautologous " expressions : πανταχοῦ (i. 28), ἀλλαχοῦ (i. 38), εἰς τὸ πέραν (vi. 45), Βηθφαγὴ (καὶ Βηθανίαν) (xi. 1). This gave rise to the admission of editorial glosses : ἀλλαχοῦ in i. 38 (G. WOHLENBERG, *Das Evangelium des Markus* (Kommentar zum N.T., 2), Leipzig, 1910, *ad loc* ; also F. Hauck ; contra E. HAENCHEN, *Der Weg Jesu*, p. 93 : " Aber eher verdiente " in die angrenzenden Marktflecken " als eine erklärende Glosse betrachtet zu werden ") ; εἰς τὸ πέραν in vi. 45 (F. C. Burkitt, F. Hauck, V. Taylor ; contra P.-L. Couchoud who omits πρὸς Βηθσαϊδάν) ; on xi. 1, see n. 168.

168. W. M. L. DE WETTE, *Lukas und Markus*, p. 225 : " εἰς Βηθφ. κ. Βηθανίαν, was er als nähere Bestimmung zu jenem hinzusetzt : sie näherten sich nicht unmittelbar Jerus. sondern zunächst Bethph. und Bethan. " ; H. A. W. MEYER, *Markus und Lukas*, p. 147 : " εἰς Βηθφ. κ. Βηθ. : nähere örtliche Bestimmung zu εἰς Ἱεροσ... Vrgl. das doppelte εἰς V. 11 " ; = B. WEISS, *Markus und Lukas*, p. 161 ; E. KLOSTERMANN, *Die Synoptiker*, 2nd ed., p. 93 : „ Neben εἰς Ἱεροσόλυμα scheint das näher bestimmende εἰς Βηθφαφή... nicht unerhört (s.v. 11) " ; M.-J. LAGRANGE, *Marc*, p. 287 : „ Jérusalem est le terme du voyage ; l'endroit plus précis où l'on va arriver est spécifié par une autre préposition εἰς, comme au v. 11 ".

— Βηθφαγή (= Mt) is omitted by D 700 lat Or. So also Lachmann and Tischen-

σόλυμα (with the repetition of the preposition *εἰς*) has been compared with xi. 11 : *καὶ εἰσῆλθεν εἰς Ἱεροσόλυμα εἰς τὸ ἱερόν.* [169] The entry into Jerusalem and into the temple is repeated in xi. 15 and 27. [170] It may recall the entry into Capernaum and into the synagogue in i. 21 (comp. into Jesus' *πατρίς* and into the synagogue in vi. 1-2) [171] and into Capernaum and the house in ii. 1 (comp. ix. 33). [172]

dorf, followed by E. P. Gould, G. Wohlenberg, M. Goguel, K. Lake, F. Hauck, E. Lohmeyer, W. Grundmann, E. Haenchen. Comp. K. L. SCHMIDT, *Der Rahmen* (see n. 63), pp. 296-297 : " Recht unklar... ist Mk : als sie Jerusalem (und Bethphage) und Bethanien näherten. Man würde bei Mk umgekehrt erwarten : als sie sich (Bethphage und) Bethanien und Jerusalem näherten... Sinn hat nur der Mk-Text mit Bethanien allein und der Mt-Text mit Bethphage allein. " See, however, H. J. HOLTZMANN, *Die Synoptiker*, 3rd ed., p. 161 : " sie (die ältesten Uncialen) bestimmen die Stationen vom Endziel aus " ; comp. Mk x. 1, " wobei Peräa... als ersterreichte Station so gut gedacht sein kann, wie *11* 1 Bethanien vor Bethphage und dieses wieder vor Jerusalem " (p. 156). V. TAYLOR, *Mark*, p. 453 : " Bethphage is probably original ; cf. Streeter, 318 ; Lagrange, 287 ; Turner, 53 ; Rawlinson, 152 ; Branscomb, 196. "

169. See n. 168. On Mk xi. 11 : H. A. W. MEYER, *Markus und Lukas*, p. 148 : " das zweite *εἰς* ist als Näherangabe zu fassen, ähnlich wie V. 1 " (= B. WEISS, *Markus und Lukas*, p. 162) ; B. WEISS, *Markusevangelium*, p. 368 : " das epexegetische *εἰς* wie V. 1 ".

170. *Καὶ ἔρχονται εἰς Ἱεροσόλυμα / καὶ εἰσελθὼν εἰς τὸ ἱερόν* (xi. 15) ; *καὶ ἔρχονται πάλιν εἰς Ἱεροσόλυμα / καὶ ἐν τῷ ἱερῷ...* (xi. 27). F. Lentzen-Deis compares these introductions with x. 46 and comments : " Die Formel *καὶ ἔρχονται (πάλιν) εἰς Ἰεριχὼ (Ἱεροσόλυμα)* ist markinisch... Nach diesem... Einleitungssatz folgt aber bei Mk noch die genauere Beschreibung der Bewegung, die dann die folgende Erzählung unmittelbar einführt " (p. 41). Other examples are : i. 21-22 and v. 1-2. The author refers to the Semitic usage of a general phrase preceding the detailed narrative (" ... nachdem in einem ersten Satz das Geschehen bereits zusammenfassend umrissen worden war "). Although this cannot be considered as an adequate description of the passage under consideration (Mk i. 10), the phenomenon of a general phrase followed by a more special one is rightly qualified as a Markan characteristic (" so dass diese Eigenart mit der gebotenen Vorsicht als Anzeichen seiner Redaktionsarbeit angesehen werden kann. Das gilt vor allem, wenn beim Beginn der Einzelschilderung richtige Wiederholungen, " Doppelausdrücke ", wie Hawkins formuliert, vorkommen. " Cf. F. LENTZEN-DEIS, *Die Taufe Jesu nach den Synoptikern. Literarkritische und gattungsgeschichtliche Untersuchungen* (Frankfurter Theologische Studien, 4), Frankfurt, 1970, p. 40.

171. *Καὶ εἰσπορεύονται εἰς Καφαρναούμ / καὶ εὐθὺς τοῖς σάββασιν εἰσελθὼν εἰς τὴν συναγωγήν* (i. 21) ; *καὶ ἔρχεται εἰς τὴν πατρίδα αὐτοῦ / καὶ ... ἐν τῇ συναγωγῇ* (vi. 1-2).

172. *Καὶ εἰσελθὼν πάλιν εἰς Καφαρναοὺμ / ... ἐν οἴκῳ ἐστίν* (ii. 1) ; *καὶ ἦλθον εἰς Καφαρνάουμ / καὶ ἐν τῇ οἰκίᾳ γενόμενος* (ix. 33) ; comp. *εἰς τὰ ὅρια Τύρου εἰς οἰκίαν* (vii. 24) ; *ἐν Βηθανίᾳ / ἐν τῇ οἰκίᾳ...* (xiv. 3). Compare the observation made by J. SCHREIBER, *Theologie des Vertrauens*, p. 163 : " Das Hausmotif ist somit in 2, 1 ; 7, 24 in ähnlicher Weise von Markus zur Darstellung des Messiasgeheimnis benutzt worden wie in 8, 26 ; 9, 33 ; das Haus *steht in Spannung* zu einem Dorf, zu Kapernaum oder zur Gegend von Tyrus ". *Ib.* : " ... das Kennzeichen der markinischen Redaktion die dualistische-antithetische Plazierung der Ortsangaben " ; and in note 24 : "Mk setzt die Oertlichkeiten also immer wieder dualistisch-antithetisch an."

This motif, especially with the setting in the house, seems to suggest that the double-step scheme might also have influenced the Markan arrangement of materials. The sequence of the entry into Capernaum (i. 21) and into the house (i. 29) gave rise to source-critical reconstructions (i. 21a, 29ff.), [173] but is it not significant on the level of the Markan redaction that the first day of Jesus' ministry is typified by a double activity, first in the synagogue and then " in the house of Simon and Andrew with James and John ? ". [174] In Mk iv, after the parable teaching to the multitudes, the explanation of the parable is given ὅτε ἐγένετο κατὰ μόνας (iv. 10) and the scheme of public teaching and private explanation delivered to the disciples in the house is repeated in vii. 14-15, 17-23 ; ix. 14-27, 28-29 and x. 1-9, 10-12. It is generally accepted as typical of Markan redaction. Thus, by means of the motif of the retirement into the house, topographical precision serves as a vehicle for the progression in Jesus' teaching, from parable to explanation, from a general audience to the selected group of the disciples. [175]

173. K. Kertelge, *Die Wunder Jesu* (see n. 63), p. 50, n. 53, with reference to the interpretation of R. Pesch and to K. L. Schmidt's statement : " Die Sabbaterzählung ist allerdings nicht unbedingt an Kapernaum gebunden, dagegen das Folgende, insbesondere die Erwähnung des Hauses des Petrus ". See also E. Hirsch : i. 21a, 29b-31 (Mk I) and i. 21b-29a (Mk II) ; comp. R. Thiel : i. 21-22, 27b, 29-31 (A) and i. 23-27a, 27c-28 (C).

174. Cf. J. Roloff, *Das Kerygma und der irdische Jesus*. Historische Motive in den Jesus-Erzählungen der Evangelien, Göttingen, 1971, p. 132, n. 91 : " Für Mk ist das Haus Stätte esoterischer Jüngerbelehrungen (7, 17 ; 9, 28. 33 ; 10, 10), für die vormarkinische Ueberlieferung jedoch bereits die Stätte des dem Blick der Oeffentlichkeit entzogenen Wunders (Mk. 1, 29ff. ; 2, 1-12 ; 5, 38-43 ; vgl. auch 7, 24-30). " It should be noted that the " pre-Markan " tradition is still in the text of Mark ! Even when it is traditional, it has been integrated in the presentation of the evangelist. — The mention of the four disciples in i. 29 becomes even more significant in reference to the presence of Peter, John and James in the miracle story of Mk v (see *v.* 37). In this connection, one might mention the hypothesis of E. Rasco who identifies the four men in the story of the paralytic (ii. 3) with the four disciples (cf. i. 35 : *Σίμων καὶ οἱ μετ' αὐτοῦ*) ; cf. E. Rasco, ' " Cuatro " y " la fe " : quiénes y de quién ? (Mc 2, 3b. 5a), *Biblica* 50 (1969) 59-67. In any case, the fact that Mark presents Peter, James, John and Andrew as the audience for the esoteric teaching of the apocalyptic sermon (xiii. 3) makes it clear that the esoteric miracle in the house (traditional for Roloff) and the esoteric instruction for the disciples (Markan) are not unrelated for the evangelist.

175. Cf. R. Bultmann, *Die Geschichte*, p. 358 : " Das *Haus* ist in der Regiekunst des Mk die typische Kulisse, wenn nach einer vor dem ὄχλος spielenden Szene eine geheime Jüngerbelehrung folgen soll : 7, 17 ; 9, 28 ; 10, 10 " ; E. Wendling, *Die Entstehung*, p. 123 :" 9, 28f. Dieser verrät seine Herkunft durch den schablonenhaften Szenewechsel zum Zweck esoterischer Belehrung (vgl. *4* 10-34 ; *7* 17 ; *9* 33) " ; cf. W. Wrede, *Das Messiasgeheimnis*, p. 52. — J. Dupont argues for the traditional character of the scheme ; cf. J. Dupont, *Mariage et divorce dans l'évangile*, Bruges, 1959, pp. 39-41 (cf. p. 41 : " ce schéma d'un exposé en deux temps "). He refers to the form of rabbinic teaching (following D. Daube) and to the twofold scheme of

V. Double Questions and Antithetic Parallelism

The sequence of parable and explanation (and public teaching and private instruction) is a first example of the double step scheme in sayings material. The same scheme can also be verified in formulations that come closer to the duplicate phrase we noted previously in temporal (and local) statements. The *double question* is perhaps the best illustration. In recent times, much study has been devoted to the discourse of Mk xiii [176] and the understanding of the opening question in xiii. 4 benefited from those investigations : πότε ταῦτα ἔσται, καὶ τί τὸ σημεῖον ὅταν μέλλῃ ταῦτα συντελεῖσθαι πάντα; The climactic character of this text was noted long ago [177] and some authors were inclined to speak about is as " twofold... in form, and not in content ". [178] Now, the broader formulation of the second question, the precization of πότε into τί τὸ σημεῖον ὅταν and the comprehensivess of ταῦτα πάντα (instead of ταῦτα) are more clearly perceived as the expression of the Markan " sense of climax ". [179] It has been compared to the analogous case in

apocalyptic revelation (cf. L. Cerfaux). See D. Daube, *The New Testament and Rabbinic Judaism*, London, 1956, pp. 141-150 (" Public Retort and Private Explanation ") and L. Cerfaux, ' " L'aveuglement d'esprit " dans l'évangile de saint Marc ', *Le Muséon* 59 (1946) 267-279 (= *Recueil Lucien Cerfaux*, II, Gembloux, 1954, pp. 3-15) ; ' La connaissance des secrets du Royaume d'après Matt. xiii. 11 et parallèles ', *NTS* 2 (1955-1956) 238-249 (= *Recueil*, III, 1962, pp. 123-138). — More recently, H. W. Kuhn considers the appended explanation to the disciples as pre-Markan, with similar introduction, in iv. 10, 13 ; vii. 17-18 ; ix. 28-29 and x. 10-11. Cf. *Aeltere Sammlungen*, p. 189. Only the motif of the house (vii. 17 ; ix. 28, 33 ; x. 10) and the theme of separation would come from the evangelist (pp. 113, 167, 183, 188).

176. L. Hartman, *Prophecy Interpreted.* The Formation of some Jewish Apocalyptic Texts and of the Eschatological Discourse of Mark 13 Par. (Coniectanea Biblica, NT Series 1), Lund, 1966 ; J. Lambrecht, *Die Redaktion* (see n. 101) ; R. Pesch, *Naherwartungen* (see n. 99). Cf. F. Neirynck, ' Le discours anti-apocalyptique de Mc xiii ', *Ephem. Theol. Lovan.* 45 (1969) 154-164.

177. Comp. H. A. W. Meyer, *Markus und Lukas*, p. 168 : " Uebrigens ist das Verhältnis *klimaktisch* ; daher vorher : ταῦτα, jetzt πάντα ταῦτα (wobei πάντα den Nachdruck hat) ; vorhin : ἔσται, jetzt συντελεῖσθαι (vollendet werden) " ; = B. Weiss, *Markus und Lukas*, p. 184.

178. G. R. Beasley-Murray, *A Commentary on Mark Thirteen*, London, 1957, p. 27 ; comp. E. Klostermann, *Markusevangelium*, p. 133 : " Die überleitende Frage nach dem Wann und den Vorzeichen ist nur formell eine doppelte ; man kann auf das πότε gar nicht antworten, ohne σημεῖα anzugeben. "

179. R. Pesch, *Naherwartungen*, p. 104 : " Sodann ergibt sich, dass Mk 13, 4 wohl richtig interpretiert ist, wenn man die Doppelfrage nicht in zwei verschiedene auf zwei verschiedene Ereignisse gerichtete Fragen auflöst [n. 172. So auch zutreffend *L. Hartman*, Mk 13, S. 221], sondern die zweite Frage als die umgreifende, präzisierende, steigernde (ταῦτα πάντα) versteht. Markus komponiert mit einem " sense of climax " [n. 174. *G. R. Beasley-Murray*, Commentary, S. 27]. " See also J. Lambrecht, *Die Redaktion*, pp. 86-88.

Mk xi. 28 : ἐν ποίᾳ ἐξουσίᾳ ταῦτα ποιεῖς ; ἢ τίς σοι ἔδωκεν τὴν ἐξουσίαν ταύτην ἵνα ταῦτα ποιῇς ; [180] Here, as well, the two questions cannot be isolated : [181] the second gives further precision to and explains the first. [182] Mk iii. 4 and xii. 14 present a double disjunctive question :

ἔξεστιν τοῖς σάββασιν ἀγαθὸν ποιῆσαι ἢ κακοποιῆσαι
ψυχὴν σῶσαι ἢ ἀποκτεῖναι ;
ἔξεστιν δοῦναι κῆνσον Καίσαρι ἢ οὔ ;
δῶμεν ἢ μὴ δῶμεν ;

In xii. 14, the theoretical question is complemented by a practical one : Should we pay or should we not. [183] In iii. 4, there is also a progression from the general ethical principle (to do good or to do evil) to the application on healing. [184] The word ἀποκτεῖναι seems to allude directly to

180. R. Pesch, *Naherwartungen*, p. 103 : " Mit der Frage nach der Herkunft der Vollmacht Jesu ist die grundsätzliche Ebene erreicht, und das ταῦτα der zweiten Frage bekommt damit umfassenden Charakter (auch wenn kein πάντα hinzugesetzt ist). " He refers also to Mk vi. 2 (" rather statement than question ") : " das unbestimmte ταῦτα, das zunächst auf das Lehren Jesu (6, 1) bezogen werden muss, wird durch σοφία präzisiert und durch δυνάμεις gesteigert " (pp. 102-103). Further instances of double questions : ix. 19 and xii. 14 (on p. 102, referring to B. Rigaux, M. Black and W. Larfeld. In line 18 : read 11, 28 instead of 11, 18 ; in line 2 from foot : 2, 8-9 instead of 8, 9).

181. E. P. Gould, *Mark*, p. 218 : " The second question... is different in form, but substantially the same " ; E. Lohmeyer, *Markus*, p. 241 : " Eine Frage, doppelt in der Form, aber einheitlich in der Richtung " ; contra J. Weiss, *Die drei ältesten Evangelien*, p. 171 : " Die zweigliedrige Form der Frage ist nicht bloss Umständlichkeit : entweder muss er eine sachlich zu begründende Vollmacht oder einen Auftraggeber gehabt haben " ; also B. Weiss, *Marcusevangelium*, p. 379 ; M.-J. Lagrange, *Marc*, p. 302.

182. W. Grundmann, *Markus*, p. 236 : " die zweite Frage als Präzisierung und Explikation der ersten (ἤ)... Bei der Explikation wird nicht nach einer menschlichen Instanz gefragt, sondern die Antwort muss letztlich lauten : entweder von Gott oder von Satan ist die Vollmacht gegeben ". Comp. G. Wohlenberg, *Markus*, p. 306 : " Vielmehr will das ἤ nur den Sinn der ersten Frage näher formulieren (vgl. V. 29b) " (with reference to A. Klostermann : " das Oder der Selbstkorrektur ").

183. H. A. W. Meyer, *Markus und Lucas*, p. 159 : „ Die vorherige Frage war *theoretisch und allgemein*, diese ist *praktisch und bestimmt* " ; = B. Weiss, *Marcus und Lucas*, p. 173 ; cf. B. Weiss, *Marcusevangelium*, p. 391 : " Diese allgemeine theoretische Frage gewinnt dann ihre practische Spitze in der Parallelfrage " ; cf. G. B. Winer, *Grammatik des neutestamentlichen Sprachidioms*, Leipzig, 6th ed., 1855, § 58, 1 (p. 421) on οὐ and μή : „ wo das erste Mal nach der objectiven Begründung der Steuerzahlung gefragt, das zweite Mal eine subjective Maxime ausgedrückt wird : *sollen* wir geben u.s.w. " ; see also J. Weiss, E. Klostermann, G. Wohlenberg, M.-J. Lagrange, E. Lohmeyer, W. Grundmann, *ad locum*.

184. E. P. Gould, *Mark*, p. 53 : " But he deals more directly and boldly with their fallacy in the second part of the question, showing that not to heal is in any case to be classed with killing " ; H. J. Holtzmann, *Die Synoptiker*, p. 124 : " Das... Wort... stellt zunächst die umfassenden Begriffe des sittlich gut oder bös Handelns,

the intention of the adversaries : " to watch for the life of another, as they were doing at the moment. " [185] If this interpretation may be followed, then the double question reaches its culmination in that ἀποκτεῖναι.

In regard to the opening formula of the parable of the mustard seed in Mk iv. 30, commentators are almost unanimous in noting the Semitic character of the parallelism. [186] E. Lohmeyer observes that the double question has " die Form semitischer Poesie *ohne inneres Recht* " and he explains it as the combination of two sources. [187] According to J. Schmid and E. Schweizer Mark used the Semitic form in order to win the attention of the audience and stress the difficulty of speaking about the kingdom of God. [188] One may add that in this case, too, the second part of the phrase brings the question to precision. [189]

dann, als diesen Begriffen untergeordnet, die dem Specialfall, um das es sich handelt, näher rückenden Begriffe der Lebenserrettung oder Lebenszerstörung einander gegenüber " ; G. WOHLENBERG, *Markus* p. 98 ; E. KLOSTERMANN, *Markusevangelium*, p. 27 ; M.-J. LAGRANGE, *Marc*, p. 59 (contra Fritzsche and Swete, see note 185) ; D. E. NINEHAM, *Mark*, p. 109 ; C. E. B. CRANFIELD, *Mark*, p. 120.

185. H. B. SWETE, *Mark*, p. 52 ; E. LOHMEYER, *Markus*, p. 69 : " " Leben retten " zielt wieder auf die heilende Tat Jesu, " töten " aber auf die geheime Absicht der Feinde, die am Schluss offen ausgesprochen wird " ; J. SCHMID, *Markus*, p. 73 ; V. TAYLOR, *Mark*, p. 222 (contra Turner, Bartlet, Klostermann) ; W. GRUNDMANN, *Markus*, p. 73 ; see also H. W. KUHN, *Aeltere Sammlungen*, p. 219.

186. J. WELLHAUSEN, *Das Evangelium Marci*, p. 35 ; E. KLOSTERMANN, *Markusevangelium* p. 38 ; M.-J. LAGRANGE, *Marc*, p. 118 ; E. LOHMEYER, *Markus*, p. 88 ; V. TAYLOR, *Mark*, p. 269 ; J. SCHMID, *Markus*, p. 103 ; W. GRUNDMANN, *Markus*, p. 100. Some refer to rabbinic parallels (cf. Lagrange, Taylor, Grundmann a.o. : comp. F. FIEBIG, *Altjüdische Gleichnisse und die Gleichnisse Jesu*, Tübingen, 1904, p. 17), and for J. Weiss : " Die umständliche Einleitung im Parallelismus der Vers-Glieder, die auch bei Lukas erhalten ist, hat offenbar von Anfang an in der Ueberlieferung an der Parabel gehaftet " (*Die drei ältesten Evangelien*, p. 116). The more original Q form of the double question is generally recognized in Lk xiii. 18 (comp. also vii. 31). For a different view on the relationship of Luke to Mark, see H. B. SWETE, *Mark*, p. 86 : " Lc. retains the double question, which Mt. has lost " ; also E. LOHMEYER, *Markus*, p. 88 : " Lk hat sie bewahrt, Mt in seine gewohnte kürzere Formel verwandert ". In fact, there exist more instances where Luke retains the double question of Mark (Mk ii. 7, 8-9 ; iii. 4 ; xi. 28 ; xiii. 4) and for the assumed double question in Q (Lk vii. 31 ; xiii. 18) the Matthean parallel offers a simple question in xi. 16 and a simple statement in xiii. 31.

187. E. LOHMEYER, *Markus*, p. 88 ; see note 74.

188. J. SCHMID, *Markus*, p. 103 : " rhetorische Doppelfrage, welche die Aufmerksamkeit der Zuhörer auf das Folgende hinlenken soll " ; E. SCHWEIZER, *Markus*, p. 57 : " Die Einführung entspricht semitischer Art, betont aber, jedenfalls im Sinn des Markus, die Schwierigkeit vom Gottesreich angemessen zu reden. "

189. B. WEISS, *Marcusevangelium*, p. 161 : " Diese Frage wird... im Parallelismus sofort dahin erläutert : In welchem Gleichniss sollen wir es darstellen ? Die Vergleichung soll also ebenfalls mittelst eines Gleichnisse vollzogen werden (bem. die Erläuterung des ὁμοιοῦν durch ἐν παραβολῇ τιθέναι) und die... Voranstellung des

The explanation of the sower parable is also prefaced by a double phrase. Mk iv. 13 : *οὐκ οἴδατε τὴν παραβολὴν ταύτην, καὶ πῶς πάσας τὰς παραβολὰς γνώσεσθε* ; cannot be understood as one sentence. [190] The punctuation of *v.* 13a as a question, [191] and not as a statement, is highly recommended from the usage of Mark we noted in other instances of double questions. Nevertheless, the two questions are not unrelated, but the first may be viewed as a conditional clause in connection with the second, [192] or even more exactly, the first stands as a question implying blame on the disciples' lack of insight and forms the non-expressed protasis in *καὶ πῶς — γνώσεσθε*. [193] Jesus' rebuke of the incomprehension of the disciples is one of the characteristic themes of Markan theology. Mk vii. 18-19 presents a similar context and, again, the explanation of the parable is introduced by the blame on the disciples' lack of understanding in the form of a double question. [194] The theme is more extensively treated in Mk viii. 14-21 and there a concatenation of double questions may be detected in *vv.* 17-20. [195] The couplet of questions in

αὐτήν gleich hinter das *ἐν τίνι* soll auf dieses den Hauptnachdruck legen, so dass es sich bei dem *πῶς* nur darum handelt, in *welchem* Gleichniss dieselbe vollzogen werden soll. " Cf. also G. Wohlenberg, *Marcus*, p. 141.

190. As it was proposed by H. A. W. Meyer, *Marcus und Lucas*, p. 55 : " V. 13 ist als *eine Frage* zu lesen, und zwar so, dass *καὶ πῶς* etc. noch mit *οὐκ οἴδατε* zusammenhängt (vgl. *Ewald*) " ; = B. Weiss, *Marcus und Lucas*, p. 61 ; *Marcusevangelium*, p. 146 (also n. 1).

191. So in the English versions (AV, RV, ASV, RSV, NEB ; also *Bible de Jérusalem*) and in most of the commentaries, rarely in the editions of the text (TR, Bover). Some commentators are undecided : E. P. Gould, *Mark*, p. 74 ; M.-J. Lagrange, *Marc*, p. 106 ; C. E. B. Cranfield, *Mark*, p. 161.

192. Comp. G. Wohlenberg, *Markus*, p. 129 : " V. 13a hat... einen kondizionalen Sinn (vgl. 5, 31). " A. Fridrichsen translates : " Wenn Ihr nicht dieses Gleichnis versteht, wie sollt Ihr dann überhaupt irgend welche Gleichnisse begreifen ? ", in *Coniectanea Neotestamentica* 4 (1936) pp. 44-45 ; in appendix to : H. S. Nyberg, ' Zum grammatischen Verständnis von Matth. 12, 44-45 ', *Coniectanea Neotestamentica* 4 (1936) 22-35, on the asyndetic conditional sentence (in the N.T. : „ Bisweilen kommt reine Parataxe vor, der erste Satz ist aber dem Scene nach klarer Bedingungssatz ", p. 28). See already Fritzsche : " V. 13a... ist keine Frage für sich, sondern bildet den Grund der Frage ' so aber läge aller Nachdruck auf dem Vorwurfe der Unfähigkeit " (from de Wette, *Lucas und Marcus*, p. 185).

193. Cf. K. Beyer, *Semitische Syntax in Neuen Testament*, vol. I (Studien zur Umwelt des Neuen Testaments, I), Göttingen, 1962, pp. 93-95 : " Die Verkürzung von Konditionalsätzen : Die Auslassung der Protasis im einfachen Konditionalsatz. " On p. 95 : " Ihr versteht schon dieses Gleichnis nicht ; wie wollt ihr dann (aber) erst die weiteren Gleichnisse verstehen ? " ; J. Lambrecht, *Marcus interpretator*. Stijl en boodschap in Mc. 3, 20 — 4, 34, Bruges-Utrecht, 1969, p. 112, n. 28 : " Het eerste lid dient onderverstaan te worden als voorwaardelijke protasis. Geen zuivere symmetrische herhaling dus, er is voortgang in de gedachte. "

194. Mk vii. 18-19a : *οὕτως καὶ ὑμεῖς ἀσύνετοί ἐστε ; οὐ νοεῖτε ὅτι....*

195. See category n° *25* : Double question. — In regard to some instances mentioned there, one might discuss whether we have a question or a statement (i. 24 ;

v. 17b especially is noteworthy : *οὔπω νοεῖτε οὐδὲ συνίετε ; πεπωρωμένην ἔχετε τὴν καρδίαν ὑμῶν ;* The progression in this double sentence can be illustrated from vi. 52.[196]

The construction of Mk vi. 52, just mentioned, deserves our special attention. The scheme *οὐ ... ἀλλά*, employed here in a narrative statement, is particularly frequent in Markan sayings material. The observation has been already made by C. F. Burney and, more recently, by J. Jeremias that *antithetic parallelism* is a striking feature of the words of Jesus.[197] " This form of parallelism [*i.e. antithetic*] characterizes our Lord's teaching in all the Gospel-sources "[198]. And further : " In this [*i.e.* Mk v. 39] and in similar forms of antithesis we may surely believe that we possess our Lord's *ipsissima verba* more nearly than in any sentence otherwise expressed. "[199] J. Jeremias, who arrived at the same conclusion, added to it an important remark : The antithetic parallelism in the sayings of Jesus shows a peculiar feature when compared to the usage of the Old Testament. There the second stichos normally illustrates the first by a contrasting statement. In the words of Jesus, there are no instances where the accent is equally placed on the

i. 27 ; xiv. 60), but in i. 24 and 27 the duplicate character is clear enough. The Vulgate (and Old Latin MSS) render xiv. 60 as one sentence : " non respondes quicquam ad ea quae tibi obiciuntur ab his ? ", but " the double question is more in accord with Mark's style (cf. viii. 17f.)... " (V. TAYLOR, *Mark*, p. 567). Double question, with question mark after *οὐδέν* : Textus receptus, Westcott-Hort, Bover, Greek NT (AV, RV, ASV, RSV, TT, Jerusalem, Segond) ; Meyer, A. Klostermann, Blass, Swete, Wohlenberg, Plummer, Lagrange, Lohmeyer, Branscomb, Cranfield, Nineham, Schweizer, Uricchio-Stano. Comp. E. LOHMEYER, *Markus*, p. 328 : " Er stellt zwei Fragen, die erste aus der Verwunderung über Jesu bisheriges Schweigen, das für den Gericht den Verdacht des Schuld bestärkt, die zweite konkret nach Inhalt und Bedeutung des eben vorgebrachten Tempelwortes. " — Other instances of progressive double questions :

iv. 40 : *τί δειλοί ἐστε οὕτως ;*
πῶς οὐκ ἔχετε πίστιν ;

ix. 19 : *ἕως πότε πρὸς ὑμᾶς ἔσομαι ;*
ἕως πότε ἀνέξομαι ὑμῶν ;

On iv. 21, see note 212.

196. Mk vi. 52 : *οὐ γὰρ συνῆκαν ἐπὶ τοῖς ἄρτοις, ἀλλ' ἦν αὐτῶν ἡ καρδία πεπωρωμένη.*

197. C. F. BURNEY, *The Poetry of Our Lord* (see n. 103), 1925, pp. 71-88 ; J. JEREMIAS, *Neutestamentliche Theologie*. Vol. I. *Die Verkündigung Jesu*, Gütersloh, 1971, pp. 24-30.

198. C. F. BURNEY, *op. cit.*, p. 184 ; cf. J. JEREMIAS, *op. cit.*, p. 25.

199. C. F. BURNEY, *op. cit.*, p. 184. According to J. Jeremias : 30 instances of antithetic parallelism in Mark, 34 in sayings Matthew-Luke, 44 peculiar to Matthew and 30 peculiar to Luke (*op. cit.*, pp. 25-26). The author concludes " Der Befund zeigt, dass keinesfalls die Redaktion und nur vereinzelt die Tradition für diese grosse Zahle der antithetischen Parallelismus in den Worten Jesu verantwortlich gemacht werden können. Wir werden daher die Häufung der Belege auf Jesus selbst zurückzuführen haben " (p. 28).

two stichos and it is only exceptional that the accent falls on the first half.[200] " Da von diesen Fällen abgesehen werden kann, ergibt sich, dass die Verwendung des antithetischen Parallelismus in den Worten Jesu einheitlich dadurch gekennzeichnet ist, dass *der Ton auf der zweiten Zeile liegt.* "[201] Thus, the sayings of Jesus in the Gospel of Mark (J. Jeremias noted 30 instances of antithetic parallelism in Mark, and only 34 in Matthew-Luke material)[202] offer new evidence for the double step scheme in Mark. One may be tempted to find here an illustration of what H. Schürmann has described as the phenomenon of the " Christussprache. "[203] Actually, H. Schürmann was referring to the antithesis *οὐ* (*οὐδείς*) — *ἀλλά* :[204] in the gospels, it is predominantly used in the sayings of Jesus and there are only two texts parallel to Mk where the expression has not been preserved (Mt diff. Mk xiii. 11a and xiv. 49). He believes that the gospel tradition preserved that expression faithfully because it was characteristic of the language of Jesus and he assumes that Mt and Lk may have fashioned some sayings in analogy to the *Christussprache.*[205] Schürmann, however, gave no consideration to the fact that *οὐ ... ἀλλά* is extremely rare in the Matthew-Luke material[206] compared to its frequency in Mark. So, when it does happen

200. J. JEREMIAS, *op. cit.*, p. 28. So Mk ii. 19-20. For Mk ii. 27 and Mt vi. 43, there are talmudic parallels ; Mt v. 43 gives a popular maxim and Lk xii. 47-48a may be dependent upon proverbial wisdom.

201. J. JEREMIAS, *op. cit.*, p. 28.

202. Jeremias' list of instances of antithetic parallelism in Mark (*op. cit.*, p. 25, n. 5) : ii. 19b/20, 22a/c, 27a/b ; iii. 28/29, 33/34 ; iv. 4-7/8, 11b/c, 21a/b, 25a/b, 31/32 ; vi. 10/11 ; vii. 6b/c, 8a/b, 10a/b, 10/11-12, 15a/b ; viii. 12b/c, 35a/b ; x. 18a/b, 27b/c, 31a/b, 42/43-44 ; xi. 17b/c ; xii. 44a/b ; xiii. 11a/b, 20a/b, 31a/b ; xiv. 7a/b, 38b/c, 58b/c.

203. H. SCHÜRMANN, ' Die Sprache des Christus. Sprachliche Beobachtungen an den synoptischen Herrenworten ', *Biblische Zeitschrift* 2 (1958) 54-84 ; = *Traditionsgeschichtliche Untersuchungen zu den synoptischen Evangelien*, Düsseldorf, 1968, pp. 83-108. We quote from the republished text.

204. *Ib.*, pp. 102-103. The use of this antithetic expression (in Mk : 25 x in sayings of Jesus ; 4 x in narrative ; 2 x in sayings of other persons) coincides only partly with that of antithetic parallelism : only 5 from the 30 instances listed by J. Jeremias use *οὐ ... ἀλλά* (ii. 22 ; vii. 15 ; x. 27, 43 ; xiii. 11, 20).

205. *Ib.*, p. 102, n. 232 : Mt xvi. 12 and xvii. 12 (diff. Mk) ; Lk viii. 16 (diff. Mk) ; possibly here or there in Mt iv. 4 ; v. 39 ; vi. 13 ; vii. 21 ; xviii. 21 (diff. Lk), and in the *Sondergut* : Mt v. 17 ; vi. 18 ; xvi. 17 ; xix. 11 ; Lk xiii. 3, 5 ; xiv. 10, 13 (xvi. 30 ; xviii. 13) ; xxii. 26 (comp. Mk x. 43) ; xxiv. 6 (comp. Mk xvi. 7).

206. Besides Mt v. 15 = Lk xi. 33 there are only two cases in Mt where the normal *οὐ ... ἀλλά* is complete (viii. 8 ; x. 34) and it cannot be said that there the expression is preserved in Luke. In parallel to Mt viii. 8 (the word of the centurion : *οὐκ εἰμὶ ἱκανὸς — ἀλλά*) *ἀλλά* has been separated from the preceding *οὐ* by the addition *διὸ — ἐλθεῖν* and, as it is placed before the imperative *εἰπέ*, it gives the impression of being understood as an interjection (Lk vii. 7). In parallel to Mt x. 34, Luke has transformed *οὐκ — ἀλλά* into his typical phrase, preceded by an interrogative :

that Matthew and Luke preserve the expression, [207] it must be observed that it is an inheritance from Mark. The author is inclined to accept " Analogiebildung " in Mt and Lk, but is it analogy to the language of Jesus or to the usage of Mark ? The phenomenon is not limited to the words of Jesus. In fact, is it correct to present Mt xvi. 12 (οὐκ εἶπεν...) as indirect discourse and is it not modelled on Mk vi. 52 (in narrative) ? Mt xxvii. 24 (obviously narrative) is indeed peculiar to Mt, but the phrase may be borrowed from Mk v. 26. [208] Thus, two of the four Markan employments in narrative (Mk i. 45 and v. 19 are without parallel in Mt) may have some trace in the Matthean redaction. Luke's tendency to avoid the expression in narrative cannot be restricted to that material. [209]

In Mk, the editorial character of the narrative passages with οὐ ... ἀλλά (i. 45 ; v. 19 ; v. 26 [?] ; vi. 52) is widely acknowledged. [210] In

οὐχὶ λέγω ὑμῖν ἀλλ' (ἤ) (Lk xii. 51 ; comp. xiii. 3, 5 ; xvii. 8 [ἀλλ' οὐχί] ; see also i. 60 and xvi. 30). This is close to another Q text where, after an interrogative, the preceding negative is to be supplied (Mt xi. 8, 9 = Lk vii. 25, 26).

207. See, however, the Matthean parallel not only to Mk xiii. 11a and xiv. 49 (Schürmann, p. 102), but also to Mk vii. 5 ; ix. 37 (Mt x. 40 ?) ; x. 27 ; xii. 14 ; xiii. 20. Schürmann did not note Lukan avoidances in parallel to Mark ; see, however, Mk iv. 17 (Lk viii. 13) ; iv. 22 (Lk viii. 17) ; v. 19 in narrative (Lk viii. 38); ix. 37 (Lk ix. 48) ; x. 27 (Lk xviii. 26) ; x. 45 (Lk xxii. 27) ; xii. 25 (Lk xx. 36) ; xiii. 11 (Lk xxi. 15 ; even xii. 11-12 ?). — The inverse only in parallel to Mk iv. 21 : Lk viii. 16, the doublet of the unique clear instance in Q witnessed by Mt and Lk (xi. 33).

208. Mt xxvii. 24 : οὐδὲν ὠφελεῖ ἀλλὰ μᾶλλον and Mk v. 26 : μηδὲν ὠφεληθεῖσα ἀλλὰ μᾶλλον [For ἰδὼν ... ὅτι ... θόρυβος γίνεται ... κατέναντι τοῦ ὄχλου, comp. the same pericope : Mk v. 38-39 and par. Mt ix. 23 : ἰδὼν ... τὸν ὄχλον θορυβούμενον].

209. See n. 206.

210. For the editorial character of Mk i. 45 : J. Weiss, *Das älteste Evangelium*, p. 152 ; E. Wendling, *Die Entstehung*, pp. 5-6 ; W. Wrede, *Das Messiasgeheimnis*, pp. 126, 137-138 ; M. Dibelius, *Die Formgeschichte*, p. 70 ; R. Bultmann, *Die Geschichte*, pp. 227, 366 ; J. Sundwall, *Die Zusammensetzung des Markusevangelium* (Acta Academiae Aboensis. Humaniora IX, 2), Åbo, 1934, pp. 11-12 ; K. Kertelge, *Die Wunder Jesu*, pp. 63-64 ; E. Schweizer, *Markus*, p. 48, n. 1. In favor of the editorial character of *v.* 45b alone (ὥστε μηκέτι ... πάντοθεν) : K. L. Schmidt, *Der Rahmen*, pp. 65-66 ; E. Lohmeyer, *Markus*, p. 48, n. 1 ; V. Taylor, *Mark*, pp. 190-191.

In favor of the editorial character of Mk v. 19 : M. Dibelius, *Die Formgeschichte*, p. 70 ; R. Bultmann, *Die Geschichte*. Ergänzungsheft, p. 33 ; V. Taylor, *Mark*, p. 284 ; W. Burgers, ' De instelling van de twaalf in het evangelie van Marcus ', *Ephem. Theol. Lovan.* 36 (1960) 625-654, p. 644 ; E. Delorme, ' Aspects doctrinaux du second évangile ', *Ephem. Theol. Lovan.* 43 (1967) 74-99, pp. 82-87 ; J. Schreiber, *Theologie des Vertrauens*, p. 166, n. 42 ; J. Craghan, ' The Gerasene Demoniac ', *The Catholic Biblical Quarterly* 30 (1968) 522-536, pp. 527-528.

For the editorial character of Mk vi. 52 : E. Wendling, *Die Entstehung*, p. 86 ; M. Dibelius, *Die Formgeschichte*, p. 77 ; W. Wrede, *Messiasgeheimnis*, pp. 104-105 ; R. Bultmann, *Die Geschichte*, p. 231 ; E. Lohmeyer, *Markus*, p. 134 ; V.

regard to sayings we are more unsure because of the higher degree of tradition involved there and due to our uncertainty concerning the pre-Gospel stage of the tradition. Only in a few cases a comparison is possible with Q doublets. If it is permissible to explain Mk iv. 21 as the reworking of a more original Q logion, [211] then Mark has eliminated here *οὐ ... ἀλλά*. [212] But this would be only a partial view of the redaction of Mark. He transformed the statement into a characteristic double question, [213] and it is not unusual in Mk that the same speaker passes from a rhetorical question to a statement. [214] So, Mk iv. 21-22 should be taken as a unit. The double question is followed by a double statement about the meaning of secrecy (*ἵνα ... ἵνα*) preparing for the parables of iv. 26-29 and 30-32. The antithesis *οὐ ... ἀλλά* (and *οὐ ... ἐὰν μή*) is the appropriate form for this statement : It has not been eliminated but only transposed by a reflective redactor. [215] In Mk iii. 26 [216] and iii. 29 [217] Mark may have introduced (*οὐ*) *ἀλλά* together with the reduplication. [218] For Mk ix. 37, it is generally assumed that the antithesis *οὐ ... ἀλλά* was imposed upon a Q saying similar to Mt x. 40 = Lk

TAYLOR, *Mark*, p. 330 ; E. SCHWEIZER, *Markus*, pp. 79-80 ; K. KERTELGE, *Die Wunder Jesu*, p. 189 ; T. SNOY, ' La rédaction marcienne de la marche sur les eaux (Mc., VI, 45-54) ', *Ephem. Theol. Lovan.* 44 (1968) 205-241, 433-481, pp. 447-456 and 447, n. 217 ; P. J. ACHTEMEIER, ' Toward the Isolation ' (see n. 63), p. 284.

211. Mt v. 15 = Lk xi. 33 ; comp. Lk viii. 16 (par. Mk) : *ἀλλ'* and *βλέπωσιν τὸ φῶς* are from the Q version.

212. Cf. G. SCHNEIDER, ' Das Bildwort von der Lampe ' (see n. 99), spec. pp. 197-198.

213. *Ib.*, p. 157, n. 61 : on the Markan double question. For the progression from negative to positive in Mk, see p. 198 : " Es geht um die Frage, ob sie zu ihrer eigentlichen Zweckbestimmung kommen. Zuerst werden die negativen Möglichkeiten der Verwendung genannt... Dann erst wird — gewichtig am Ende — die wahre Bestimmung genannt ". The author makes a comparison with Mk iv. 3-7, 8 and iv. 15-19, 20.

214. *Ib.*, p. 197, n. 61 : i. 24, 27 ; ii. 7, 9-10 ; iv. 13-14, 21-22 ; viii. 12, 36-38 ; ix. 19 ; xii. 15 ; xiv. 37-38, 63-64.

215. Mk iv. 22 (*οὐ ... ἐὰν μή, οὐδὲ ... ἀλλ'*), diff. Lk viii. 17, comp. Lk xii. 2 and Mt x. 26.

216. Mk iii. 26 : *οὐ δύναται στῆναι ἀλλὰ τέλος ἔχει* comp. Mt xii. 26 and Lk xi. 18.

217. Mk iii. 29 : *οὐκ ἔχει ἄφεσιν εἰς τὸν αἰῶνα, ἀλλὰ ἔνοχός ἐστιν αἰωνίου ἁμαρτήματος*, comp. Mt xii. 31, 32 and Lk xii. 10.

218. Cf. B. WEISS, *Marcusevangelium*, p. 128 : „ sondern ein Ende hat : wie Marc. nach seiner Vorliebe für die Gegenüberstellung des negativen und positiven Ausdrucks hinzufügt, vgl. 1, 22. 2, 17. 27 " ; E. WENDLING, *Die Entstehung*, p. 26 ; J. LAMBRECHT, *Marcus Interpretator*, p. 69 : " Het evident ontkennend antwoord... wordt einde v. 26 negatief en positief uitgedrukt... De ' duplicate expressions ' *ἀνέστη ἐφ' ἑαυτόν — ἐμερίσθη*, en *οὐ δύναται στῆναι — ἀλλὰ τέλος ἔχει* doen marciaans aan en zijn derhalve waarschijnlijk secundair. " Also on p. 67 : " de (redunderende) herhaling van einde v. 28 en einde v. 29, typisch voor Marcus' stijl " (n. 216 : comp. *v.* 26).

x. 16, [219] just as in the case of Mk xiii. 11 (comp. Lk xxi. 14-15 and xii. 11-12) ; for the latter, however, the textual support for a Q logion (only in Lk) is rather weak. [220]

In recent times, it has been suggested that the antithesis οὐ ... ἀλλά in Mk ix. 37 and xiii. 11b is only a relative one, as an illustration of the Semitic dialectic negation. [221] F. Blass mentioned the case : " Οὐ ... ἀλλά = ' not so much ... as ' in which the first element is not entirely negated, but only toned down. " [222] In fact, the discussion about this " Hebraism " is much older and it might be wise not to forget Winer's exposition on this matter. [223] Mk ix. 37 and xiii. 11b do not diverge from the absolute negation the οὐ ... ἀλλά antithesis normally implies in the other instances of Markan usage. [224] Since this οὐ ... ἀλλά (and οὐ

219. B. WEISS, *Marcusevangelium*, p. 307 : " in welchen Marcus einen Spruch der apostol. Quelle (Matth. 10, 40 = Luc. 10, 16), nur durch die Antithese, wie er sie liebt (vgl. 1, 22. 2, 27. 3, 26, 29), erläutert ". — Comp. Lk ix. 48b καὶ ὃς ἂν ἐμὲ δέχεται, δέχεται τὸν ἀποστείλαντά με (diff. Mk) : assimilation to the Q text (cf. Mt x. 40) or Lukan avoidance of οὐ ... ἀλλά (see n. 207) ? Mt x. 40, 42 : original sequence or Matthean dependence upon Mk ix. 37, 41 ? For the second alternative, generally neglected, see W. C. ALLEN, *Matthew*, pp. 112-113.

220. Lk xii. 11-12 is closer to Mk in wording than Lk xxi. 14-15. Comp. A. FUCHS, *Sprachliche Untersuchungen zu Matthäus und Lukas.* Ein Beitrag zur Quellenkritik (Analecta Biblica, 49), Rome, 1971, pp. 37-44 (survey of the opinions), 171-191. The conclusion : Luke removed Lk xii. 11-12 from its original place (Mk xiii. 11) and inserted it in the context of ch. xii with the help of key-words ; in parallel to Mk xiii. 11, he composed xxi. 14-15 without any non-Markan tradition. For the author's supposition of a deutero-Markan redaction, however, the agreements between Lk xii. 11-12 and Mt x. 19 may be an insufficient basis.

221. H. SCHÜRMANN, ' Die Sprache des Christus ', p. 103, with reference to H. KRUSE, ' Dialektische Negationen als semitisches Idiom ', *Vetus Testamentum* 4 (1954) 385-400, p. 390 : " der Deutlichkeit halber (muss) die Relativität der Verneinung sprachlich zum Ausdruck gebracht werden, aber nicht einfach durch ' nicht nur, sondern auch ', sondern eher durch ' nicht so sehr, als (vielmehr) ' (' non tam, quam ') oder auch durch ein ' eher ' oder ' vielmehr ' (plutôt, rather) im positiven Glied. "

222. BLASS-DEBRUNNER-FUNK, *A Greek Grammar of the New Testament and other Early Christian Literature*, Cambridge, 1961, § 448, 1 (p. 223).

223. G. B. WINER, *Grammatik*, 6th ed., 1855 (1st ed., 1822), § 55, 8 (pp. 439-441) : " Allein genauer erwogen, ist an den aus dem N.T. hieher gezogenen Stellen *a*) entweder die *unbedingte* Verneinung geradezu beabsichtigt, wie sich aus sorgfältiger Betrachtung des Contextes ergiebt... *b*) In anderen Stellen ist aus *rhetorischen* Grunde die absolute Negation statt der bedingten (relativen) gewählt, nicht um reell (logisch) die erste Vorstellung schlechthin aufzuheben, sondern *um alle Aufmerksamkeit ungetheilt auf die zweite hinzulenken*, so dass die erste gegen sie verschwinde. " His advice to the Bible translators is still valid : " Ich glaube daher, dass überall οὐκ — ἀλλά, wo es *non tam-quam* dem logischen Sinne nach heisst, dem rhetorischen Colorit anheimfällt und deshalb in der Uebersetzung (wie es von allen bessern Uebersetzern geschehen) beibehalten werden müsse " (p. 441).

224. H. A. W. MEYER, *Markus und Lukas*, p. 122, on Mk iv. 37 : " nicht *non tam-quam*, sondern mit bewussten rednerischen Nachdruck wird das ἐμὲ δέχεται

... εἰ μή) [225] is so well fitting to Mark's proclivity to progressive double phrases, one could raise the question if it is not Mark himself who, by the application of this device, has often reinforced the antithetic character of the sayings of Jesus.

VI. Oratio Obliqua and Oratio Recta

As a result of the study of temporal and local statements, double questions and antithetic parallelism in the Gospel of Mark, it may be suggested that the progressive double phrase be placed on the list of the characteristics of Markan usage. Duality, however, is not restricted within the limits of these categories, but it pervades the different parts and strata of the gospel. [226] One more example : the doublet of *oratio obliqua* and *oratio recta*. At the end of part I, I mentioned the article of K. G. Kuhn on the Gethsemane pericope as an illustration of the source-critical use of the doublets in Mark. The repetition of the prayer of Jesus, first told in indirect speech and then in *oratio recta*, is understood by K. G. Kuhn and some recent critics as one of the sure indications that two traditions of the story were combined in Mk xiv. 32-42. Kuhn's interpretation is not unrelated to the theory of E. Hirsch. Mk xiv. 35, 36 is indeed one of the four incongruities (" Widersprüche ") upon which the reconstruction of the two recensions of the passage, Mk I and Mk II, is based : *vv.* 42 and 41 ; 37 and 38a ; 35 and 36 ; 34 and 32. According to Hirsch, the direct form of Mk II in *v.* 36 is a correction of Mk I [227] and under that aspect Hirsch's position is closer to a more generally accepted view of this doublet. In fact, A. Loisy, [228] M. Dibelius and R. Bultmann, followed by many authors, prefer to distinguish between pre-Markan tradition (the prayer in indirect discourse) and the Markan redaction (the repetition in direct discourse). For M. Dibelius, the lament (*v.* 33) as well as the prayer (*v.* 35) were repeated by the

absolut verneint (vgl. Matth. 10, 20) " (see also p. 169 on Mk xiii. 11) ; cf. B. Weiss, *Markus und Lukas*, pp. 138 and 186. — Contra M.-J. Lagrange, *Marc*, p. 246 (on Mk ix. 37) : " ... ne reçoit pas seulement le Christ (οὐκ ἐμέ ne doit pas être pris absolument), mais aussi celui qui l'a envoyé, Dieu lui-même ".

225. Cf. category no. 9A : Negative followed by εἰ μή or ἐὰν μή.

226. Cf. part II : Duality in Mark.

227. E. Hirsch, *Frühgeschichte*, p. 157 : " Auch der dritte [Widerspruch] ist unausweichlich, weil er sich auf das gleiche Gebet bezieht und keiner verkennen kann, dass das " Alles ist dir möglich " eine Korrektur des " wenn es möglich ist " darstellt. "

228. A. Loisy, *Les évangiles synoptiques*, 2 vols., Ceffonds, 1907-1908, vol. II, p. 563 : " Mais il y a double emploi de la formule d'introduction avec la formule de prière. Ne serait-ce pas que la première vient de source, et que la seconde, qui est parallèle à la coupe de la nouvelle alliance (*v.* 24) appartient, comme le développement paulinien de la scène eucharistique, au rédacteur du second évangile. "

evangelist in direct speech (*vv.* 34 and 36).[229] R. Bultmann considers only the doublet of the prayer : " die zweite Fassung, die das Gebet in direkter Rede angibt, ist nach den Analogien die sekundäre. "[230] His argument is the tendency of the tradition to substitute direct speech for indirect. Bultmann quotes examples mostly from Matthew and then from Luke and the apocryphal literature. " Natürlich, " he says, " kann man nicht von einem Naturgesetz reden, " but " ... the opposite tendency can be observed only very occasionally... So it is in fact possible to talk of something like a law (" einer gewissen Gesetzmässigkeit ") and to judge particular references in terms of it... So the direct form must be secondary in Mk viii. 2 (comp. vi. 34), xiv. 36 (comp. *v.* 35) and xv. 34 (comp. *v.* 37). "[231]

In his recent book on *The Tendencies of the Synoptic Tradition*, E. P. Sanders refers to Bultmann's description of that tendency.[232] He observes that Bultmann's selective listing of instances is somewhat misleading and concludes that Matthew and Luke " stand at opposite poles in this matter. "[233] Nevertheless, the use of direct discourse and changes to first person from second or third is a " considerable tendency of later transmitters " (especially in the apocryphal gospels).[234] This tendency appears to have been fairly common and in the catalogue of the relative strength of the useful criteria " direct discourse and first person " is the only one that is characterized as " very strong. "[235]

229. M. Dibelius, ' Gethsemane ' (first published in *The Croser Quarterly* 12 (1935) 254ff.), in *Botschaft und Geschichte*, vol. I, Tübingen, 1953, pp. 258-271, p. 265 : " Er [*Markus*] hat ferner zum Bericht von Klage und Gebet in indirekter Rede, der ihm überliefert war (Mark 14, 33. 35), die direkte Rede gefügt " ; p. 259 : " Der Erzähler hat es demnach für sehr wichtig gehalten, das Ringen Jesu, wie es sich in Klage und Gebet ausdrückt, zu zeichnen. " Comp. *Die Formgeschichte*, p. 214 : " Er [*Markus*] hat auch das Gebet Jesu *14* 36 in direkter Rede ausgeführt, unter Verwendung des wohl schon üblichen Bildes vom Becher des Leidens und unter Betonung dessen, was ihm die Hauptsache war : der Unterordnung Jesu unter den göttlichen Willen. "

230. R. Bultmann, *Die Geschichte*, p. 289 (= 1st ed., 1921, p. 162).

231. *Ib.*, pp. 340-342 (= 1st ed., pp. 189-190) ; E.T., pp. 312-313 (" the use of direct speech "). Comp. *Die Erforschung der synoptischen Evangelien* (Aus der Welt der Religion, N.F. 1), Berlin, 3rd ed., 1960 (1st ed., 1925), p. 23.

232. *The Tendencies* (see n. 81), pp. 256-262 : " The use of direct discourse ".

233. *Ib.*, pp. 259 and 262. This observation is not new : cf. J. Schmid, *Matthäus und Lukas* (see n. 43), 1930, p. 46 : " Die Vermischung direkter und indirekter Rede Mk v. 23 verbessert jeder auf die für ihn charakteristische Art : Mt liebt die direkte, Lk die indirekte Rede." — There is only one reference to Schmid in Sanders' book (p. 96 : on the addition of the subject or object) !

234. *Ib.*, p. 283.

235. *Ib.*, p. 275. This conclusion of Sanders (" die einzige ganz deutliche Tendenz in der nachkanonischen Ueberlieferung ") is mentioned in the new Appendix to Bultmann's *Die Geschichte* : G. Theissen and Ph. Vielhauer, *Ergänzungsheft*, 4th ed., Göttingen, 1971, pp. 111 and 112 (" Direkte Rede ").

R. Bultmann's list includes ten examples in which Matthew has direct where Mark has indirect discourse (Mt xv. 15, 22, 25 ; xvi. 22 ; xvii. 9 ; xviii. 1 ; xxvi. 2, 15, 27, 66) and only one instance of Mark's use of direct discourse where Matthew has indirect (xxiv. 1). [236] In 1949, J. Jeremias, discussing the secondary character of xxvi. 27, added other instances of direct discourse (Mt iii. 2 ; x. 9-10 ; xii. 10 ; xiii. 10 ; xxi. 33a) and also three examples of the opposite (viii. 18 ; xx. 20, 32). [237] The cumulative list of E. P. Sanders [238] gives one new entry : viii. 32 [239] and three new instances of direct discourse omitted in Mt (viii. 26b ; [240] xiv. 7 ; xxi. 3). Summary : Matthew has direct speech, Mark indirect 15 times ; Mark has direct speech, Matthew indirect 7 times. [241] So the figures become already less impressive : 10 : 1 for Bultmann, 13 : 3 for Jeremias and 15 : 7 for Sanders.

Is that evidence enough in order to conclude that there is a tendency in Mt to substitute direct speech for indirect ? Pure transformation from

236. *Die Geschichte*, pp. 340-342. In Lk : direct speech in viii. 46 and ix. 14 (diff. Mk) ; x. 11 (diff. Mt) ; xxii. 48 = Mt xxvi. 50 and xxii. 28-31 (add. Mk) ; indirect speech (diff. Mk) in viii. 32 and xxi. 5 (comp. Mt xxiv. 1).

237. J. JEREMIAS, *Die Abendmahlsworte Jesu*, 2nd ed., Zürich, 1949, p. 84, n. 3. In the 3rd ed. (Göttingen, 1960, p. 163, n. 6 ; 4th ed., 1967) Mt x. 9 is omitted and two instances appear for the first time : xv. 25 (not *v.* 22) and xvi. 22 (without reference to Bultmann). — In the 1st ed. (Göttingen, 1935, p. 60), the attempt to harmonize the words over the bread and the wine was presented as the motive of the secondary formulation in Mt (*πίετε* instead of *ἔπιον* : comp. *λάβετε*). The possible influence of the rite (*Spendeformel :* formula of distribution) is added to it in the second edition, but a new sentence forms the introduction to the passage : " Matthäus liebt es, erzählenden Bericht des Markus in direkte Rede umzusetzen " (p. 84). In the 3rd ed. (pp. 163-164) the stylistic argument is retained, but the rewriting of the passage shows a clear preference for the other motives : " It is, however, difficult to regard the change to direct speech as merely a stylistic alteration... " (cf. *The Eucharistic Words of Jesus*, London, 1966, p. 171).

238. H. Schürmann (unknown to Sanders) composed a first cumulative list from those of Bultmann (1921), Schmid (1930) and Jeremias (1949) in *Der Einsetzungsbericht Lk 22, 19-20* (Neutest. Abh. 20/4), Münster, 1955, p. 5. J. Schmid (in *Matthäus und Lukas*, see n. 233) had treated the tendency in Mt when discussing the anacoluthon in Mk v. 23 and vi. 8-9 (p. 46) and the use of *ἵνα* in Mk (p. 54 : cf. Mt ix. 18 ; x. 9 ; xv. 25 ; also xiv. 8) ; see also p. 139 (on Mt xxi. 26b, 33a). — Mt ix. 8 (diff. Mk : Schmid, Schürmann) is listed as par. Mk by Sanders ; comp. M. ZERWICK, *Graecitas Biblica*, 4th ed., Rome, 1960, p. 416 : " Hoc posito (*ἵνα in exhortatione independente*) etiam Mc 5, 23 non necessario habenda est contaminatio orationis directae (*ἐπιθῇς*) et indirectae (*ἵνα*), sed *ἵνα ἐλθὼν ἐπιθῇς τὰς χεῖρας αὐτῇ* esset simpliciter : ' veni et impone manus ei ' ".

239. But Mt ix. 8 = Mk v. 23 contra Lk (see n. 238) and Mt xviii. 1 = Mk ix. 33 contra Lk (comp. Bultmann e.a. : diff. Mk ix. 34).

240. Comp. J. SCHMID, *Matthäus und Lukas*, p. 109 : " Bei V 39 [Mk iv. 39, diff. Mt viii. 26 and Lk viii. 24] lassen beide die Apostrophierung des Meeres weg, Lk aus seiner Neigung, die directe Rede zu vermeiden. " Cf. *infra*, n. 253.

241. *The Tendencies*, pp. 260-261.

oratio obliqua into *oratio recta*, such as in Mt xvii. 9, is rather exceptional. Mt iii. 2 gives the preaching of the Baptist in direct discourse, but it is rather an assimilation to the preaching of Jesus (iv. 17 = Mk. i. 15) than the transposition of the report of Mk i. 4. Mt x. 9-10 obviously corrects the strange transition from indirect speech into direct (Mk vi. 8-9), not without influence from the Q source. [242] Mt xii. 10 is not only in parallel to Mk iii. 2, but also to the question in Mk iii. 4 (ἔξεστιν). In Mt, it becomes a scholastic question (εἰ ἔξεστιν) to which the answer is given in *v.* 12b (ὥστε ἔξεστιν). Mt xviii. 1-4 shows the same form of " Lehrgespräch " [243] and there the direct form in *v.* 1 replaces the indirect question of Mk ix. 34, but it may be insinuated by Mk ix. 33 (omitted in Mt). In other cases, the inspiration comes from a more distant Markan context. The double request of Bartimaeus (Mt xx. 30, 31) was not only the model for Mt ix. 27, but also for the Matthean redaction in the pericope of the Syrophenician woman (xv. 22, 25). [244] In Mt xiii. 10 and xv. 15 [245] the analogous cases of Mk ix. 28 and x. 10 and the verb (ἐπ-) ἐρωτάω could have suggested the use of direct speech. Mt xvi. 22b explicitates the verb ἐπιτιμάω of Mk viii. 32, [246] but on the other hand an explicitation added to the same verb in Mk iv. 39b and ix. 25b is omitted by Mt viii. 26b and xvii. 18.

242. The inversion of the Markan order πήραν / χαλκόν and the use of ὑποδήματα : comp. Lk x. 4. — The reference to Mt x. 9-10 disappeared in the third edition of *Die Abendmahlsworte*.

243. Cf. H. J. Held, ' Matthäus als Interpret ' (see n. 129), 4th ed., Neukirchen, 1965, p. 223.

244. *Ib.*, p. 224. The conclusion of the author may be quoted : " Dieser Ueberblick lässt erkennen, wie sehr der Evangelist Matthäus in der Form des Gespräches denkt und schreibt. Es ist nicht verwunderlich, dass er diese Form auch in der Wiedergabe der Wundergeschichten verwendet bzw. herausarbeitet. Es sei aber auch hier hervorgehoben, *dass er nur dann so verfährt, wenn der Markustext ein Wechselgespräch mit dem Bittsteller berichtete* (vgl. Mt. 8 2-4 ; Mt. 9 20-22 ; Mt. 15 21-28). Er unterlässt es, wenn das nicht der Fall war (etwa Mt. 9 18ff.). "

245. Mk iv. 10 (ἠρώτων) and vii. 17 (ἐπηρώτων). In Mt the verb (ἐπ-) ἐρωτάω is almost invariably employed to introduce a question in direct speech (xii. 10 ; xv. 23 [request : cf. Mk vii. 26] ; xvi. 13 ; xxii. 23, 35, 41 ; xxvii. 11) or with reference to it (xix. 17 ; xxi. 24 ; xx. 46) ; see, however, xvi. 1 (request ; cf. xii. 38 : direct question). Comp. also the use of direct speech in parallel to Mk vii. 5 ; ix. 28 ; x. 17 ; xiii. 3 ; xiv. 60-61 (ἐπερωτάω).

246. Mt xxvi. 72 is an analogous case : the verb ἀρνέομαι is followed by ὅτι οὐκ οἶδα τὸν ἄνθρωπον ; comp. Lk xxii. 58. Cf. G. Schneider, *Verleugnung, Verspottung und Verhör Jesu nach Lukas 22, 54-71.* Studien zur lukanischen Darstellung der Passion (StANT 22), Munich, 1969, p. 165 (" Einführung der direkten Rede " : " entsprechend einer allgemeinen Tendenz in der synoptischen Ueberlieferungsgeschichte (p. 52, n. 16) ; " entspricht gleicher Arbeitsweise der beiden Evan - listen " (p. 85, n. 58 d. 5). " On Lk, however, see n. 233 and 253 !

From this, it is manifest that it is hard to draw a fair conclusion on the basis of statistical comparison of the simple use of *oratio recta* and *oratio obliqua*. Upon the examination of concrete texts, it becomes obvious that more than that is involved. So, for instance, direct questions of Jesus quoted in the text of Mk (v. 9, 30 ; vi. 38 ; ix. 16, 21, 33) are omitted by Matthew, but counterquestions not denoting a lack of knowledge are retained (Mt ix. 15 ; xii. 3-4, 5 ; xvii. 25 ; xxi. 24-25a ; xxii. 20, 43-45). [247] Matthew replaces the command of Jesus (in *oratio recta*) by ἐκέλευσεν in viii. 18 (diff. Mk iv. 35) and by ἐφώνησεν in xx. 32 (diff. Mk x. 49 ; comp. Lk xviii. 40) ; and, in opposition, ἐπέτρεψεν of Mk v. 13 is rendered by καὶ εἶπεν αὐτοῖς· ὑπάγετε. [248] In some instances, there is not only a change in the stylistic form, but even more, the content itself receives further development. [249] In any case, no use of *oratio recta/obliqua* can be isolated from the consideration of the text and its context. [250] Mt xxvi. 27 is a much debated case. Jeremias and Schürmann have appealed to the Matthean tendency of substituting indirect speech by direct. [251] In fact, the employment of the imperative πίετε may derive from Matthew, but the attempt to harmonize the words on the bread and the wine may account fully for this redactional intervention.

Of course the speech material from Q constitutes the distinctiveness of the First Gospel, the dialogue form of the Markan stories has been reinforced in the Matthean redaction, some new sayings are produced and it happens that a report is transposed into direct discourse, but to present this as a law of substitution of *oratio recta* for *oratio obliqua* may be an oversimplification of Matthew's editorial intervention. Following Bultmann's description of *oratio recta* as a means of popular speech, Sanders concluded too readily that " in this instance the First Gospel is closer to popular speech than the Second. " [252] And it is a questionable

247. H. J. Held, ' Matthäus als Interpret ', pp. 252-253, n. 5 : only two " exceptions ", the question in Mk viii. 5 (= Mt xv. 34) and, on the other hand, Mk x. 3 (omitted by Mt).

248. Following the demand πέμψον ἡμᾶς the verb ἐπέτρεψεν could be objectionable to Mt. In correspondence to ἀπόστειλον ἡμᾶς (comp. Mk v. 10), Mt gives the " order " in *oratio recta* : ὑπάγετε (comp. the sending formula in Mk xi. 2 and xiv. 13 = Mt xxvi. 18 ; see also Mk xvi. 7 ; Mt xxviii. 10).

249. Mt xxvi. 2, 15, 66.

250. Mt xxi. 33.

251. For J. Jeremias, see n. 237 ; for H. Schürmann, see n. 238.

252. *The Tendencies*, p. 262.

K. G. Kuhn, with reference to Bultmann (' Jesus in Gethsemane ', p. 268, n. 17), finds a further illustration of the tendency in Mt's reaction on Mk xiv. 35. Mt xxvi. 39, however, brings the conflation of Mk xiv. 35 and 36 and is rather the result of Mt's avoidance of the Markan doublet.

statement that, in this matter, there is a strong opposition in the redactional manner of Matthew and Luke. [253]

253. In Luke the opposite tendency has been observed (see n. 233). E. P. Sanders gives the following figures : Mark has indirect speech, Luke direct : 6 times ; Mark has direct and Luke indirect : 11 times (p. 261). He refers to the statement of H. J. Cadbury on Josephus' paraphrasis of 1 Macc. : " Like Luke he often turns direct discourse into indirect " (*The Making of Luke-Acts*, London, 1927 ; 2nd ed., 1958, p. 171). — In his previous study, *The Style and Literary Method of Luke* (see n. 42), 1920, H. J. Cadbury quoted " a number of instances where Luke by omission, by combination, or by putting into indirect form, considerably shortens the dialogue of his source " (pp. 79-81). In 1930, J. Schmid, with reference to the list of Cadbury, noted the following examples of Lukan avoidances of direct discourse : Mk i. 44 ; iv. 39 ; v. 8, 12, 23 ; viii. 29b ; xi. 33 ; xiii. 1 ; xv. 14b ; and he added " u. oft. ", cf. *Matthäus und Lukas*, p. 109, n. 5 (on Mk iv. 39) ; see also p. 203, n. 2 (Lk x. 5b diff. Mt : the direct form must be pre-Lukan) ; p. 46 (diff. Mk v. 23) ; p. 54, n. 5 (infinitive instead of ἵνα in Mk v. 18, 23, 43 ; viii. 30 ; xv. 21). Comp. H. Schürmann, *Der Paschamahlbericht* (Neutest. Abh. 19/5), Münster, 1953, p. 31, n. 135 (on Lk xxii. 17) and p. 97, n. 432 (on Lk xxii. 11) ; in clear dependence upon Schmid : the same list of instances is quoted without the insertion of iv. 39 ! Sanders, without referring to Cadbury (*The Style*), Schmid or Schürmann, mentions 11 instances : iv. 39 ; v. 8, 12, 23 ; xi. 33 ; xiii. 1 ; xiv. 14 (comp. Schmid and Schürmann who have also i. 44 and viii. 29b ; only v. 8, 12 and xiii. 1 are quoted by Bultmann) ; ix. 33 ; x. 49 (cf. Cadbury) and vi. 14, 15. Here also the question may be raised : is that evidence enough in order to speak of a Lukan tendency ?

Luke normally retains the *oratio recta* he finds in his source : Mk i. 2-3, 7-8, 11, 15 (indirect in Lk), 17 (cf. Lk v. 10), 24, 25, 27, 37 (omitted in Lk), 38, 40, 41, 44a (indirect in Lk), 44b ; ii. 5, 7, 8-11, 12, 14, 16, 17, 18, 19-22, 24 (27-) 28 ; iii. 3, 4, 5, 11 (cf. Lk iv. 41), etc... This situation is hardly comparable to the manifest tendency in the writings of Flavius Josephus, as it appears from his paraphrasis of the *Letter of Aristeas* in *Jewish Antiquities*, Book xii, §§ 12-118 (comp. *Letter of Aristeas*, §§ 9-82, 172-187, 200-202, 293-294, 301-321). There all instances of direct discourse are put in indirect (*Aristeas* : § 10a b c, 11c, 19b d, 26a, 177b, 178a, 179, 180, 181a, 185, 200b, 201, 293c-294a, 310b, 312c, 313, 314-315, 316), with only one exception in § 19a c (besides longer reports and letters in §§ 15-16, 22-25, 29-32, 35-40, 41-46). For a synopsis of the texts, see A. Pelletier, *Flavius Josèphe adaptateur de la lettre d'Aristée*. Une réaction atticisante contre la koine (Études et commentaires, 45), Paris, 1962, pp. 307-327.

The 11 (or 13) instances listed by Schmid and Sanders are not necessarily the expression of a general redactional tendency. Let us examine briefly these cases :

1. Mk i. 44a, diff. Lk v. 14 (not in Sanders). In two other injunctions to silence the same verb παραγγέλλω with infinitive is employed instead of ἵνα (diff. Mk) in Lk viii. 56 and ix. 21 and once more it replaces the *oratio recta* of Mk in viii. 29. The transition from indirect speech to direct after the verb παραγγέλλω (v. 14) is not without parallels in Acts : i. 4 and xxiii. 22 (comp. vii. 6-7 ; xxv. 4-5). The verb παραγγέλλω always with infinitive : 4 times in Lk and 11 times in Acts.

2. Mk iv. 39, diff. Lk viii. 24 (= Mt viii. 26b). The *oratio recta* addressed to the sea is omitted by Lk and Mt : " mit majestätischer Geste — so wird sich Mt die Szene vorgestellt haben — bringt er den Sturm und das Meer zum Schweigen " (E. Haenchen, *Der Weg Jesu*, p. 186) ; comp. ἐπετίμησεν in Mt xvii. 18 = Lk ix. 42

So it is clear that Mk xiv. 35, 36 is not to be judged in terms of a

(diff. Mk ix. 25). For a common reaction in the other sense, see Mk xiv. 70 (ἠρνεῖτο, comp. *v.* 68) : Lk xxii. 58 and Mt xxvi. 72 (add.).

3. Mk v. 8, diff. Lk viii. 29. On the use of παραγγέλλω with infinitive, see Lk v. 14 (no. 1). — Furthermore, Mk v. 9b, diff. Lk viii. 30b : " Lk lässt (diff. Mk) die Dämonen nicht selbst den Namen erklären ; sie sollen auch vielmehr den Anschein einer Sieghaftigkeit zeigen dürfen " (H. Schürmann, *ad loc.*).

4. Mk v. 12, diff. Lk viii. 32. The formulation of Mk is pleonastic and it repeats partly *v.* 10. Luke's correction was suggested by the Markan context : ἐπέτρεψεν in *v.* 13 and παρακαλέω ἵνα in *v.* 10 (comp. *v.* 18).

5. Mk v. 23, diff. Lk viii. 42. Luke may have understood Mk v. 23 as a contamination of indirect and direct discourse (ἵνα ἐλθὼν ἐπιθῇς). Παρακαλέω with infinitive (cf. Mk v. 17) : 12 times in Acts. It is to be noted that in the same pericope Luke introduces *oratio recta* in *v.* 46 (diff. Mk v. 30).

6-7. Mk vi. 14, 15, diff. Lk ix. 7, 8. Cf. C. H. Turner, in *Journal of Theological Studies* 28 (1927) p. 11, on ὅτι recitativum in Mk : " Luke retains ὅτι, but in each case he has aorist tenses after ὅτι, so that *oratio obliqua* is more easily suggested than by the present tenses of Mark " ; comp. *Bible de Jérusalem, New English Bible e.a.* See, however, Westcott-Hort and *Greek New Testament* : *oratio obliqua* also in Mk and, on the other hand, the translations of J. Schmid, K. H. Rengstorf, H. Schürmann, *et al.* : *oratio recta* in Lk.

8. Mk viii. 29b, diff. Lk ix. 20 (not in Sanders). In Lk as well as in Mk the answer is in direct discourse, but it includes an *oratio obliqua* : (ἡμεῖς λέγομέν σε εἶναι) τὸν χρίστον τοῦ θεοῦ (comp. *v.* 19, par. Mk).

9. Mk ix. 33, diff. Lk ix. 46. Mk ix. 33 is cited as omitted by Luke (Cadbury) or in parallel to the indirect speech in Lk ix. 46 (Sanders). This text, however, has its parallel in Mk ix. 34 (τίς μείζων, indirect form) and the question of Jesus in Mk ix. 33 is not omitted but transformed into Lk ix. 47 (christological explicitation: εἰδώς...).

10. Mk x. 49, diff. Lk xvii. 40. Parallel abbreviation in Mt xx. 32. On the contrary, in Lk ix. 14 the *verbum iubendi* with infinitive is replaced by *oratio recta* (diff. Mk vi. 39).

11. Mk xi. 33, diff. Lk xx. 7. Note, however, the transposition of the immediately preceding *v.* 32b into direct speech in Lk xx. 6 (par. Mt xxi. 26).

12. Mk xiii. 1, diff. Lk xxi. 5 (= Mt xxiv. 1).

13. Mk xv. 14b, diff. Lk xxiii. 23. Avoidance of the repetition of *v.* 21 (Mk xv. 13) ? In the same pericope Luke introduces the *oratio recta* in *v.* 18 (diff. Mk xv. 11).

In fact, Luke has substituted the *oratio obliqua* in some cases, but the number of instances is rather limited and counterbalanced by some substitutions of *oratio recta* for indirect discourse : viii. 46 ; ix. 3, 14 ; xix. 34 ; xx. 13 ; xxii. 58 (Sanders). [Also ix. 32, diff. Mk viii. 31 : recitativum in Lk but not in Mk, cf. Westcott-Hort, *Greek New Testament, Bible de Jérusalem, New English Bible* ; E. Klostermann, M.-J. Lagrange, C.H. Turner, V. Taylor, *et al.* Contra M. Zerwick, *Untersuchungen zum Markus-Stil* (see n. 99), p. 44 : " Hervorzuheben ist vielleicht noch das ὅτι in allen drei Leidensweissagungen, und zwar ist es recitativum unzweifelhaft 10, 33, ziemlich deutlich 9, 31 und darum wohl auch 8, 31 als solches anzunehmen " ; see, however, the *oratio obliqua* in Mt xvi. 21 (αὐτόν) and the *oratio recta* in Mt xvii. 22 and xx. 18]. The provocative character of the text of Mk (cf. the parallel reaction of Mt and Lk : nos. 2, 10 and 12) or some peculiar Lukan usage (cf. no. 1) and not a general redactional tendency may be at the origin of the changes into *oratio obliqua.*

general tendency in the gospel tradition.[254] Here again, the Markan usage must be studied before the elements of the doublet are separated and a decision made on what is primary and what is secondary. For E. Wendling the prayer in direct speech (*v.* 35) is the redactional addition (" vom Redaktor hinzugefügte Vorbemerkung ").[255] He compares it with Mk x. 32, where the content of the saying is first indicated as (λέγειν) τὰ μέλλοντα αὐτῷ συμβαίνειν and then quoted in *oratio recta.*[256] Leaving here aside the discussion of Wendling's redactional hypothesis, it may be said that his approach contains a suggestion deserving further development. In Mk iv. 2 ; ix. 31 and xi. 17, καὶ ἔλεγεν + *oratio recta* is preceded by the verb ἐδίδασκεν which gives a first characterization of the following speech.[257] And the verb διδάσκω is not the only example. The preaching of Jesus quoted in i. 15 is summarized in the introductory words κηρύσσων τὸ εὐαγγέλιον τοῦ θεοῦ (*v.* 14) and in other instances the content of the *oratio recta* is defined by the use of verbs as ἐπιτιμάω (i. 25 ; iv. 39 ; viii. 33 ; ix. 25) *e.a.*[258] The Gethsemane pericope itself offers a clear illustration of that usage :

καὶ ἤρξατο ἐκθαμβεῖσθαι καὶ ἀδημονεῖν
καὶ λέγει αὐτοῖς· περίλυπός ἐστιν ... (*vv.* 33b, 34).[259]

It normally implies a progression from a first description of the content to a more explicit expression in the *oratio recta.* So the sequence of *vv.* 35, 36 is not unparalleled in the gospel. It leads us back to the double phrase

254. Contra R. Bultmann (see n. 231).

255. E. Wendling, *Die Entstehung*, p. 172.

256. *Ib.*, pp. 172, n. 1 and 133. According to Wendling, the use of *oratio obliqua* is characteristic for the redaction of the evangelist : Mk viii. 30, 31, 32 (p. 119), especially the indirect questions as iv. 10 and vii. 17 (p. 236, n. 1) and ἐρωτάω εἰ in viii. 23 ; x. 2 (p. 127) and xv. 44 (p. 175).

257. Comp. H.-W. Kuhn, *Aeltere Sammlungen*, p. 138 : " ... aus dem doppelten Vorkommen eines Verbs des Sagens (καὶ ἐδίδασκεν ... καὶ ἔλεγεν αὐτοῖς) (darf man) nicht auf sekundäre Zusammensetzung zweier Einleitungen schliessen, vielmehr weist die Einführung von Rede mit διδάσκειν + λέγειν auf den Evangelisten selbst hin. "

258. Further examples in category no. *23* : Direct discourse preceded by qualifying verb.

259. Cf. M. Dibelius, ' Gethsemane ' (see n. 229). He compares the ' doublet ' of *vv.* 33b, 34a with that of *vv.* 35b, 36 (indirect/direct). Comp. A. Suhl, *Die Funktion der alttestamentlichen Zitate und Anspielungen im Markusevangelium*, Gütersloh, 1965, p. 49 : " Somit ist in jedem Falle Markus für die direkte Rede im jetzigen Zusammenhang in V. 34 und 36 und somit auch für das Psalmwort V. 34 verantwortlich zu machen... ". For A. T. Cadoux (see n. 66) *v.* 33 is from source B and *v.* 34 from source C, but in most source-critical hypotheses *vv.* 33b-34a are from the same source : R. Thiel (source A), E. Hirsch (Mk I), K. G. Kuhn (source B), P. Benoit (source B : cf. ' Les outrages ' [see n. 70], p .103, n. 8 ; see, however, in the same note : " Rattacher 34a (mon âme est triste) à A plutôt qu'à B ".

in Mark and to the characteristic double-step scheme. The observation was made by others that *v.* 35 gives first in indirect form the substance of the prayer and prepares the reader for the full impact of *v.* 36.[260] Progression, and even correction of εἰ δυνατόν ἐστιν, is perceptible in *v.* 36 : πάντα δυνατά σοι.[261]

CONCLUSION

Pleonasms, redundancies and repetitions in Mk were never a neglected topic in synoptic studies. The main interest, however, was a source-critical one. Markan priorists listed the duplicate expressions in Mk in order to demonstrate that avoidance of duplication is a Matthean or/and Lukan tendency. In the gospel of Mk itself duality was understood as the result of the combination of two sources or as clear evidence for the double stage of tradition and redaction. When I treated the problem in a paper at the Louvain Colloquium (1971), I gave it the title : Duality in Mark and the Limits of Source Criticism. It was not my primary intention, however, to open a discussion either on the editorial tendencies in Mt and Lk or on the sources of Mk. My purpose was to offer a full description of the phenomenon of " pleonasm " in Mk as a contribution to the search for criteria in redaction criticism. Two valuable observations may be reassessed : 1. duality is in many instances a much better definition than pleonasm, redundancy and repetition ; 2. in some double phrases of Mk, the first is a general statement and the second adds further precision. The survey of temporal and local statements, double questions, antithetic parallelism and the use of *oratio recta* and *oratio obliqua* has shown that the progressive

260. Cf. E. LOHMEYER, *Markus*, p. 315 : „ Was er betet, ist zunächst berichtet, dann erst fallen die direkten Gebetsworte ; es ist, als müsse der Hörer erst vorbereitet werden, ehe die heiligen Worte des Meisters selbst wiedergegeben werden " ; C. E. B. CRANFIELD, *Mark*, p. 432 : „ To prepare the reader for the full impact of *v.* 36, Mark gives first in indirect form the substance of the prayer ".

261. G. WOHLENBERG, *Markus*, p. 355 : " Hatte es vorher geheissen : εἰ δυνατόν ἐστιν, so bekennt der Sohn seinem Vater nunmehr : " Alles ist dir möglich ", als wolle er dem Missverständnis wehren, als habe er mit jener konditionalen Wendung irgendwelchen Zweifel in das göttliche Können und Vermögen setzen wollen, während das Möglichsein nur im Sinne der göttlichen Zulassung gemeint war. " Cf. E. HIRSCH (n. 227). — Comp. Mk ix. 22-23 : εἴ τι δύνῃ, βοήθησον ἡμῖν ... τὸ εἰ δύνῃ, πάντα δυνατὰ τῷ πιστεύοντι ; x. 26-27 : καὶ τίς δύναται σωθῆναι ; ... πάντα γὰρ δυνατὰ παρὰ τῷ θεῷ. So here also εἰ δυνατόν ἐστιν is followed by πάντα δυνατά σοι and ἀλλὰ τί σύ (θέλεις). — Less convincing is the explanation of Wendling who holds *v.* 35 as redactional : " Die Tendenz dieser Wiederholung ergibt sich aus εἰ δυνατόν : aber, so will der Evangelist andeuten, es war ja nicht möglich, das Schreckliche *musste* (nach dem göttlichen Plane) geschehen : 8 31 δεῖ ... Das ist eine Umbiegung des Gedankens πάντα δυνατά σοι " (p. 172).

double-step expression is a more general Markan characteristic. This does not exclude indebtedness to tradition and sources, but in each particular case the source critic has to reckon with the possibility that the composite expression reflects the author's own manner of writing. This statement may raise further questions for some literary theories in so far as they are based upon duality in Mark as a source-critical criterion by itself. [262]

ADDITIONAL NOTE

Page 103: both contributions published in *ETL* 47 (1971), *Mark in Greek* (144-198) and *Duality in Mark* (394-463), are reprinted in the volume *Duality in Mark* (BETL, 31), 1972, as Part II, *Duality in Mark* (73-136) and Part III, *Mark in Greek* (137-191), with an *Appendix* on the variant readings N^{25}/$GNT^{1.2}$ (compared with TR T H h S V M B) and the punctuation in N^{25} and $GNT^{1.2}$ (193-201).

Page 105, note 83: pp. 128-133: *Antithetic parallelism.* — Note 84: pp. 115-123: *Temporal and local statements*; cf. *infra*, pp. 191-202: *La double notation chronologique en Mc 16,2.* — Note 88: cf. *infra*, pp. 541-543: *Les traductions.* — Note 91: cf. *infra*, pp. 546-561: *Les triades et la composition de Marc.* — Page 106, note 97: pp. 133-141: *Oratio obliqua et oratio recta.* — Note 99: pp. 124-128: *Double questions*; cf. *infra*, pp. 516-517, 590: *La question double.* — Note 102: cf. *infra*, pp. 514-517, 552-553: *Les intercalations.* — Page 107, n. 104: cf. *infra*, pp. 528-532: *Les doublets.*

Page 135, note 237, line 2: «Mth. 10,9 habe ich gestrichen, weil mir ein Zusammenhang mit Markus sehr unwahrscheinlich ist» (J. Jeremias, letter 9.8.72).

262. M.-E. BOISMARD's newly published *Commentaire* (Volume II of *Synopse des quatre évangiles en français*, ed. P. BENOIT and M.-E. BOISMARD, Paris, 1972) will be examined in a later issue. The author admits a second redaction of Mk (*l'ultime rédacteur marco-lucanien*) under the influence of Paul, Matthew (*Mt-intermédiaire*) and Luke (*Proto-Lc*). The gospel of Mark (*Mc-intermédiaire*) results from the combination of three sources : A (Palestinian origin, ca. 50), B (reinterpretation of A for pagano-christians : the main source of Mk) and C (less important for Mk). Source doublets in Mk : the prediction of the passion in ix. 12b (B), ix. 31 (A) and xiv. 41 c (C) ; the feeding miracle in vi. 30-44 (A) and viii. 1-10 (B) ; the mission of the disciples in iii. 14-15 (B) and vi. 7 (A) ; the beginning of the ministry of Jesus in i. 21-22a.27b.28.39 (B) and vi. 1-2.6b (A). The parallel texts of A and B are combined in the following pericopes : iii. 31-35 ; v. 21-43 ; vi. 14-16, 30-34, 45-52 ; x. 23-27 ; xiv. 3-9, 12-16, 17-21, 22-25, 32-42 (+ C), 55-64, 65 (+ C), 66-72 (+ C) ; the exorcism of the source C is combined with B in i. 21-28 and v. 1-20 ; with A in ix. 14-29. Duplicate expressions (temporal and local) : i. 28 MkR + Mk ; i. 32 MkR : Mt (= A) + Mk ; iv. 35 Mk (= A) + MkR ; v. 1 MkR + Mk ; x. 30 MkR + Mk ; xi. 1 Mk : A + B ; xiv. 12 Mk : A + B.

ETL 56 (1980) 303-338

L'EPANALEPSIS ET LA CRITIQUE LITTÉRAIRE
À PROPOS DE L'ÉVANGILE DE JEAN

Dans l'ouvrage sur *Jean et les Synoptiques*, nous avons consacré une section à la «reprise et répétition avec οὖν» en Jn 4,40; 4,45; 18,8; 18,37[1]. Il s'agit d'un procédé rédactionnel que M.-É. Boismard a étudié d'abord dans une contribution au Colloque de Louvain de 1975, puis dans le Commentaire sur Jean et, plus récemment, dans une initiation à la critique littéraire[2]. Boismard le signale parmi les signes qui permettent de déceler d'éventuelles additions à un texte primitif: «Lorsqu'un auteur insère un passage plus ou moins long dans un texte antérieur, il est souvent obligé de 'reprendre' après l'insertion qu'il vient d'effectuer, des expressions du texte primitif qui se lisent avant le passage ajouté». Boismard le présente comme «le procédé rédactionnel que les Allemands appellent la *Wiederaufnahme*, c'est-à-dire la 'reprise'»[3]. Nous avons préféré de parler de «reprise et répétition», afin de la distinguer d'une simple «reprise» du fil du récit interrompu sans répétition d'expressions[4].

1. *La « Wiederaufnahme »*

C'est surtout Curt Kuhl, dans un article publié dans *ZAW* 1952, qui a défini le sens technique de la *Wiederaufnahme* comme principe de critique littéraire[5]. À la différence des autres types de *Wiederholungen*, le terme *Wiederaufnahme* est choisi par Kuhl pour caractériser

1. F. NEIRYNCK, avec la collaboration de J. DELOBEL, T. SNOY, G. VAN BELLE, F. VAN SEGBROECK, *Jean et les Synoptiques. Examen critique de l'exégèse de M.-É. Boismard* (BETL, 49), Leuven, 1979, pp. 260-271.

2. M.-É. BOISMARD, *Un procédé rédactionnel dans le quatrième évangile: la* Wiederaufnahme, dans M. DE JONGE (éd.), *L'évangile de Jean. Sources, rédaction, théologie* (BETL, 44), Gembloux & Leuven, 1977, pp. 235-241; M.-É. BOISMARD & A. LAMOUILLE, avec la collaboration de G. ROCHAIS, *L'évangile de Jean. Commentaire* (Synopse des quatre évangiles en français, III), Paris, 1977, surtout pp. 12b-13a (Introduction, *1f*); M.-É. BOISMARD & A. LAMOUILLE, *La vie des évangiles. Initiation à la critique des textes*, Paris, 1980, pp. 16-19: «Le procédé littéraire de la 'reprise'» (en traduction allemande: *Aus der Werkstatt der Evangelisten. Einführung in die Literarkritik*, München, 1980, pp. 29-34; voir également, dans la note bibliographique ajoutée par B. Lang, la rubrique «Kuhlsches Prinzip», p. 150).

3. *Synopse*, t. III, p. 12b; *Un procédé*, p. 235; *La vie*, p. 16.

4. Sur la «reprise» en Jn, souvent appuyée par un οὖν *resumptivum*, voir *Jean et les Synoptiques*, pp. 257-260; et la liste des οὖν *resumptivum*, p. 281 (comp. pp. 272-277).

5. C. KUHL, *Die « Wiederaufnahme » — ein literarkritisches Prinzip?*, dans *ZAW* 64 (1952) 1-11.

les cas où «die Wiederholung dadurch bedingt ist, dass in den ursprünglichen Text ein Einschub erfolgt ist, und dass nach solchem Einschub der ursprüngliche Faden der Erzählung durch Wiederholung der letzten Worte, ja ganzer Sätze und zum Teil sogar grösserer Abschnitte, wieder aufgenommen wird»[6]. Après avoir exposé plusieurs exemples tirés des livres prophétiques, il note que la même observation confirme la *Quellenscheidung* de certains passages du Pentateuque (par exemple, la même phrase «Noé fit tout ce que Dieu/Yahvé lui avait commandé» en Gn 6,22 et 7,5 isole la source J du contexte de P), et peut servir dans les livres historiques à départager la source ou le texte primitif d'adjonctions plus tardives. La *Wiederaufnahme* n'est certes pas le seul critère d'analyse auquel recourir, et elle ne résout évidemment pas toutes les difficultés du texte, mais elle peut être «ein einigermassen brauchbares und in etwa objektives Hilfsmittel, ... spätere Zusätze und Ergänzungen leichter zu erkennen»[7].

Déjà en 1929 Kuhl avait signalé le phénomène dans le compte-rendu d'une étude de Harold M. Wiener[8]. Celui-ci l'appelle la *resumptive repetition*: «nach einem Einschub von späterer Hand (wird) der ursprüngliche Faden der Erzählung durch Wiederholung des letzten Satzes wieder aufgenommen». Le cas est très fréquent en 1-2 Samuel. Wiener renvoie en outre à Ex 6,10-12:28-30; Nb 21,25:31; Jg 9,16:29; 2 R 17,33-34:41. Kuhl évoque la position de Wiener et il la critique sur un certain nombre de passages (ainsi 1 S 2,11b:18a). Un an plus tard, dans un livre sur Daniel 3, il remarque que la *resumptive repetition* se retrouve en Dn 3,24(25)26:51-52[9]. Le terme de *Wiederaufnahme* n'apparaît qu'en 1952[10].

Deux réactions sont à noter. En 1962 Isac Leo Seeligmann se réfère à l'article de Kuhl et accepte la *Wiederaufnahme* comme *literarkritisches*

6. *Ibid.*, p. 2.

7. *Ibid.*, p. 11. C. Kuhl s'y réfère à propos de 1 S 8,10-21 dans *Die Entstehung des Alten Testaments*, Bern-München, 1953, p. 25, n. 42 ([2]1960, éd. G. FOHRER); *Inleiding tot het Oude Testament* (Aula, 268), Utrecht-Antwerpen, 1966, p. 27, n. 48.

8. H. M. WIENER, *The Composition of Judges II 11 to I Kings II 46* (Beigabe zur OLZ, 32), Leipzig, 1929. Compte-rendu de Kuhl dans *TLZ* 54 (1929) 345-347, esp. c. 346.

9. C. KUHL, *Die drei Männer im Feuer (Daniel 3 und seine Zusätze). Ein Beitrag zur israelitisch-jüdischen Literaturgeschichte* (BZAW, 55), Giessen, 1930, p. 163.

10. Récemment Bernhard Lang a noté une nouvelle application de ce qu'il appelle «la loi de Kuhl»: Ez 21,33, avec la répétition de *wʾmrt*. Cf. *A Neglected Method in Ezekiel Research: Editorial Criticism*, dans *VT* 29 (1979) 39-44, spéc. p. 43. Il rapproche le principe de critique littéraire préconisé par Kuhl de «la règle de Brinkmann»: cf. A. BRINKMANN, *Ein Schriftgebrauch und seine Bedeutung für die Textkritik*, dans *Rheinisches Museum für Philologie* 57 (1902) 481-497; M. GRONEWALD, *Platonkonjekturen nach der 'Brinkmannschen Regel'*, *ibid.*, 119 (1976) 11-13. Sans nier l'analogie, l'on peut se poser des questions sur le glissement, effectué par Lang, de la critique textuelle à la critique littéraire.

Prinzip[11]. Le procédé n'a pas encore été assez exploité dans la critique des sources. Il convient d'en approfondir l'examen «in den Prozess der Verschachtelung von Erzählungen» et de l'utiliser avec prudence: «Freilich ist die Erscheinung nicht eindeutig und ihre Handhabung bisweilen mit Unsicherheit belastet»[12]. Se limitant aux livres historiques, Seeligmann passe en revue une série d'exemples (Gn 37,36 et 39,1; 43,17b et 24a; Ex 6,10-12 et 28-30; Jos 24,28-31 et Jg 2,6-9; 1 S 10,10a et 13b LXX; 2 S 3,1 et 6a; 14,24b et 28). En conclusion, il formule sa propre définition: «Die Wiederaufnahme besteht darin, dass der Verfasser in mündlicher oder schriftlicher Rede den Satz oder Gedanken wiederholt, der der Unterbrechung unmittelbar voranging». Avec plus de précision que Kuhl, Seeligmann affirme la double origine de l'*Unterbrechung*: «eine Abschweifung vom Hauptthema durch den Verfasser selbst (sei es z. B. die Erörterung einer Situation, sei es die Anknüpfung der Worte einer der auftretenden Personen), oder auch die Einlage fremden Stoffes aus einer anderen Quelle». Par ailleurs, la définition de la *Wiederaufnahme* exclut les cas où la répétition est «bloss Stilmittel» (Gn 22,6:8) ou résulte «aus dem Vorliegen von Parallelberichten» (ainsi les récits alternés et synchronisés concernant les rois de Juda et d'Israël, cf. 2 R 17,6; 18,10-11)[13].

Wolfgang Richter signale le phénomène décrit par Kuhl et Seeligmann[14]. Quant à lui, il emploie plutôt le terme *Ringkomposition*. À propos d'additions dans un texte, il écrit: «Bisweilen sind sie am Anfang und Ende eingegrenzt durch die Wiederholung einer Wortverbindung oder eines Satzes. Hier liegt Einfügung durch Ringkomposition vor. [Il renvoie à Jg 6,2b:6a; 7,1c:8d.] Anfügung und Ringkomposition sind nicht literarisches Kriterium — die Uneinheitlichkeit ergibt sich aus anderen Kriterien». Mais il ajoute tout de même: «sondern Kriterium zur Erkenntnis des zeitlichen Verhältnisses der Einheiten. Später ist sicher der anknüpfende Text»[15].

11. I. L. SEELIGMANN, *Hebräische Erzählung und biblische Geschichtsschreibung*, dans *TZ* 18 (1962) 305-325, spéc. pp. 314-324.

12. *Ibid.*, p. 314.

13. *Ibid.*, p. 324.

14. W. RICHTER, *Exegese als Literaturwissenschaft. Entwurf einer alttestamentlichen Literaturtheorie und Methodologie*, Göttingen, 1971, p. 70, n. 81.

15. *Ibid.*, p. 70. Sur la *Ringkomposition*, cf. *infra*, § 7. La *Wiederaufnahme* et la *Ringkomposition* ont été rapprochées également par S. TALMON, *The Textual Study of the Bible — A New Outlook*, dans F. M. CROSS Jr. & S. TALMON, *Qumran and the History of the Biblical Text*, Cambridge (Mass.) & London, 1975, pp. 321-400, spéc. p. 363 et 395 (n. 174), à propos de 1 S 18,15-16.29-30.

Au cours du Colloque de Louvain sur le livre de Jérémie (1980), E. Tov et P.-M. Bogaert ont étudié le problème des suppléments de la rédaction B (MT) par rapport à la rédaction A (la *Vorlage* des LXX; cf. 4QJer[b]). E. Tov se réfère à l'article de C. Kuhl et signale la «Wiederaufnahme» («resumptive repetition») parmi les techniques littéraires de la seconde rédaction: «From time to time, when editor II

2. *La technique de l'insertion dans l'évangile de Jean*

Le même phénomène a été remarqué par Emanuel Hirsch dans ses études sur le quatrième évangile, *Studien zum vierten Evangelium* (1936). Il distingue entre l'évangile primitif (E) et la rédaction ecclésiastique (R) et note à plusieurs reprises la technique de l'insertion utilisée par R : 3,31bc; 4,22-23; 4,44-45a; 5,22-24; 6,53b-56b; 8,46; 10,25b-26a; 15,10-12; 17,11c-13a; 18,5b-6a; 19,26b-28a [16]. Ainsi à propos du dernier cas : «Zur Technik der Einfügung haben wir wieder, wie schon mehrfach, das Endenlassen des Einschubs in eben den Worten, hinter denen er beginnt» [17]. La plupart de ces passages se situent dans des paroles de Jésus. Dans un article publié en 1951 (mais rédigé en 1942), Hirsch signale encore 6,35b-36; 8,23b-24b; 10,11b-13 et il ajoute à son analyse de 1936 l'insertion de 1,31b-33a [18]. Selon Hirsch, le texte actuel des discours du quatrième évangile manifeste une rupture stylistique : alors que les dialogues sont d'une grande sobriété, les discours par lesquels ils se prolongent «gehen zum grossen Teil in gewundener, an Wiederholung reicher Unform daher». Hirsch explique la chose par les amplifications et additions apportées par R et poursuit : «Als einen der Anlässe für diesen Redestil habe ich die ... Technik des gleichendigen Einsatzes aufgezeigt : der Einschub endet, oft wörtlich, bei einer Aussage entsprechend der, bei der er den ursprünglichen Text unterbrach» [19].

inserted several new elements, and when he feared that the idea of the original text might be lost because of the long insertion, he *repeated* the lead phrase». Exemples : Jér 27,21; 28,3-4; 41,42-43; 41,10. De son côté, P.-M. Bogaert s'en tient à un vocabulaire moins technique. À propos de 10,1-16 (LXX 10,1-4.5a.9.5b.11-12), il parle du «mécanisme simple de dédoublement servant à enrober l'addition», «un procédé comportant dédoublement et inclusion». Ainsi, le rédacteur dédouble la description des idoles (vv. 3-5 et 8-9) autour de l'addition doxologique des vv. 6-7. Voir également «œuvre» au v. 9c et f. Cf. P.-M. BOGAERT (éd.), *Le Livre de Jérémie*, à paraître dans *BETL*, 1981 : E. TOV, *Some Aspects of the Textual and Literary History of the Book Jeremiah* (spéc. III,b : «Wiederaufnahme»); P.-M. BOGAERT, *Les mécanismes rédactionnels en Jér 10,1-16 (LXX et TM) et la signification des suppléments* (spéc. A : «Le mécanisme du dédoublement»).

16. E. HIRSCH, *Studien zum vierten Evangelium (Text/Literarkritik/Entstehungsgeschichte)* (Beiträge zur historischen Theologie, 11), Tübingen, 1936, pp. 52-53, 54, 55, 56, 65, 80, 84-85, 112, 116, 118, 124.

17. *Ibid.*, p. 124.

18. E. HIRSCH, *Stilkritik und Literaranalyse im vierten Evangelium*, dans *ZNW* 43 (1950-51) 128-143, p. 133. Cf. *infra*, n. 21, 23 et 25.

19. *Ibid.*, p. 133. Dans une note d'éditeur en appendice à l'article de C. Kuhl, J. Hempel établit un rapprochement entre cette phrase de Hirsch et le procédé de la *Wiederaufnahme* : l'étude de Kuhl montre que la même technique de l'insertion (Hirsch : «die — auch sonst im hellenistischen Zeitalter nachweisbare — Technik») est attestée également dans l'Ancien Testament (*ZAW*, 1952, p. 11).

Dans la liste ci-dessous[20] les parenthèses indiquent les insertions de R. L'astérisque signale un passage narratif :

1,31a κἀγὼ οὐκ ᾔδειν αὐτόν (31b-32.33a κἀγὼ οὐκ ᾔδειν αὐτόν)[21]
3,31aα ὁ ἄνωθεν ἐρχόμενος (31aβ-b.c ὁ ἐκ τοῦ οὐρανοῦ ἐρχόμενος)[22]
4,21 προσκυνήσετε τῷ πατρί (22-23 τοὺς προσκυνοῦντας αὐτόν)
*4,43 ἐξῆλθεν ἐκεῖθεν εἰς τὴν Γαλιλαίαν· (44.45a ὅτε οὖν ἦλθεν εἰς τὴν Γαλιλαίαν)
5,21 ἐγείρει τοὺς νεκροὺς καὶ ζωοποιεῖ (22-24 μεταβέβηκεν ἐκ τοῦ θανάτου εἰς τὴν ζωήν)
6,35a (35b-36)[23]
6,53a ἀμὴν ἀμὴν λέγω ὑμῖν (53b-56 D ἀμὴν ἀμὴν λέγω ὑμῖν)[24]
8,23a ἐγὼ ἐκ τῶν ἄνω εἰμί (23b-24a.bβ ὅτι ἐγώ εἰμι)[25]
8,45 οὐ πιστεύετέ μοι (46 οὐ πιστεύετέ μοι)
10,11a ἐγώ εἰμι ὁ ποιμὴν ὁ καλός (11b-13.14a ἐγώ εἰμι ὁ ποιμὴν ὁ καλός)
10,25a οὐ πιστεύετε (25b.26 ἀλλὰ ὑμεῖς οὐ πιστεύετε)
15,9 κἀγὼ ὑμᾶς ἠγάπησα· μείνατε ἐν τῇ ἀγάπῃ τῇ ἐμῇ (10-12 ἵνα ἀγαπᾶτε ἀλλήλους καθὼς ἠγάπησα ὑμᾶς)
17,11a κἀγὼ πρὸς σὲ ἔρχομαι (11b-12.13a νῦν δὲ πρὸς σὲ ἔρχομαι)
*18,5a ... λέγει αὐτοῖς· ἐγώ εἰμι. (b εἱστήκει δὲ καὶ Ἰούδας ὁ παραδιδοὺς αὐτὸν μετ᾽ αὐτῶν. 6a ὡς οὖν εἶπεν αὐτοῖς· ἐγώ εἰμι,)
*19,26aα Ἰησοῦς οὖν ἰδὼν (26aβ-27.28a μετὰ τοῦτο ἰδὼν ὁ Ἰησοῦς)[26].

L'on notera que la répétition à la fin de l'insertion de R peut marquer le début d'une nouvelle phrase se continuant par le texte primitif de E (1,33a; 3,31c; *4,45a; 10,14a; 10,26a; 17,13a; *18,6a; *19,28a).

Au sujet des insertions rédactionnelles dans les discours, la position de Hirsch n'a guère trouvé d'écho dans les études johanniques. Les

20. Voir la présentation du texte de Jn dans *Studien*, pp. 3-41.

21. L'insertion n'est pas encore notée dans *Studien* (cf. p. 4: 1,31b-33a = E).

22. Hirsch lit ὁ ἐκ τοῦ οὐρανοῦ ἐρχόμενος comme le sujet de μαρτυρεῖ, sans ἐπάνω πάντων ἐστίν: om. ℵ* D it sy^c (p. 7). Ajouter P⁷⁵ *f*¹ 565 sa; om. T h; [S] [N²⁶]. Cf. Boismard, *Synopse*, t. III, pp. 111-112.

23. L'insertion est notée dans le texte évangélique de *Studien* (p. 13), mais elle ne comporte pas de répétition.

24. Hirsch lit le texte long de D en 6,56b: + (καθὼς ἐν ἐμοὶ ὁ πατὴρ κἀγὼ ἐν τῷ πατρί. ἀμὴν ἀμὴν λέγω ὑμῖν,) ἐὰν μὴ λάβητε τὸ σῶμα τοῦ υἱοῦ τοῦ ἀνθρώπου ὡς τὸν ἄρτον τῆς ζωῆς, οὐκ ἔχετε ζωὴν ἐν αὐτῷ.

25. Dans *Studien*, il attribue 8,24b ἐὰν (γὰρ) μὴ πιστεύσητέ μοι à E (p. 18) et explique ἐγώ εἰμι en 8,24 (+ ὅτι) et 28 (+ καί) comme une anticipation de 8,58 (p. 74).

26. Hirsch justifie ainsi le choix de ἰδών en 19,28 (contre ℵ B *al.* εἰδώς); «Es ist wahrscheinlicher, dass der Redaktor den Einschub in dem Stichwort hat auslaufen lassen, bei dem er den Text unterbrach, als dass er ein bloss verwandtes wählte» (p. 38).

additions du rédacteur ecclésiastique que proposent Bultmann et autres ne coïncident que partiellement avec les insertions notées par Hirsch (ainsi par exemple 4,22, et non pas 4,22-23)[27] et ne reposent pas sur le principe de la répétition à la fin de l'insertion. Certaines répétitions n'ont cependant pas échappé à l'attention des commentateurs. C'est le cas par exemple en ce qui concerne 3,31, beaucoup discuté à cause du problème textuel :

a ὁ ἄνωθεν ἐρχόμενος ἐπάνω πάντων ἐστίν·
c ὁ ἐκ τοῦ οὐρανοῦ ἐρχόμενος [ἐπάνω πάντων ἐστίν·]

Deux tendances se manifestent. D'une part, et fort correctement, le recours au style johannique : «In echt joh. Stil, schon Gesagtes wieder aufnehmend, variierend und verdeutlichend»[28], et d'autre part, des solutions de critique littéraire qui, comme Hirsch, attribuent les deux phrases à deux niveaux différents, mais sans reprendre son hypothèse de l'insertion de 3,31bc[29]. Boismard note le doublet de 8,45 et 46, mais il attribue le v. 46b à Jn II-A et les vv. 45-46a à Jn II-B[30]. En 10,11, la phrase ἐγώ εἰμι ὁ ποιμὴν ὁ καλός qui «fait doublet avec la phrase identique qui commence le v. 14» serait une glose de Jn-III[31].

Cependant, on ne peut dire que la récente critique littéraire du quatrième évangile ait négligé la technique de l'insertion. À l'encontre de Hirsch, elle l'étudie surtout dans les parties narratives de l'évangile. Robert T. Fortna y fait allusion dans sa reconstruction du *Gospel of Signs*[32] :

27. R. Bultmann, *Johannes*, p. 139, n. 6; et plus récemment, J. Becker, *Das Evangelium nach Johannes. Kapitel 1-10* (ÖTKNT, 4/1), Gütersloh-Würzburg, 1979, p. 167 et 174-176 (contre F. Hahn et R. Schnackenburg). Cf. *infra*, n. 44a et 138.
Autre exemple : l'insertion de 17,11c-13a (Hirsch). Selon Boismard, 17,12b ἐφύλαξα ... serait une glose de Jn III (p. 393). Le thème de Jésus qui «vient au Père (vv. 11a et 13a)» (p. 398b) appartient au texte de Jn II-B. Dans le même sens, R. Schnackenburg, t. 3, p. 207.

28. R. Schnackenburg, *Das Johannesevangelium* I, 1965, p. 396. Cf. C. K. Barrett, *John*, ²1978, p. 225 : «It is rightly remarked that v. 31c merely repeats v. 31a : but this is in fact perhaps the strongest argument in favour of the longer reading. John's style is marked by repetition, and the repetitiousness which here offends the modern reader may have already offended the ancient copyist, and perhaps especially the ancient translator» (= 1955, p. 188).

29. R. Bultmann, *Johannes*, p. 117, n. 1 : «Am wahrscheinlichsten ist mir, dass V. 31a eine vom Evangelisten aus V. 31d [= c] vorausgenommene Neubildung ist». Solution semblable chez Boismard : 3,31a est une addition de Jn III pour faire le lien entre les vv. 27-30 (II-B) et 31b-34 (II-A). «Le thème 'Celui qui vient d'en haut' annonce le v. 31c 'Celui qui vient du ciel...'» (p. 117). À l'encontre de Bultmann, il lit le texte court au v. 31c (comme Hirsch); les mots «est au-dessus de tous» au v. 31a seraient la continuation de la pensée de 3,30.

30. *Ibid.*, p. 235.

31. *Ibid.*, pp. 266-267.

32. R.T. Fortna, *The Gospel of Signs. A Reconstruction of the Narrative Source Underlying the Fourth Gospel* (SNTS Monograph Series, 11), Cambridge, 1970, p. 31, 41, 53 n. 4, 78, 120.

2,3b λέγει ἡ μήτηρ τοῦ Ἰησοῦ (3c-4.5a λέγει ἡ μήτηρ αὐτοῦ) τοῖς διακόνοις

4,(47b ἠρώτα ἵνα καταβῇ... -48) 49 λέγει...· κύριε, κατάβηθι...

5,9 καὶ εὐθέως ἐγένετο ὑγιὴς... (9b-13.14a ... ἴδε ὑγιὴς γέγονας)

11,4 ἀκούσας δὲ ὁ Ἰησοῦς (εἶπεν· ... -6.7aα ἔπειτα μετὰ τοῦτο) λέγει τοῖς μαθηταῖς (7b-10.11a ταῦτα εἶπεν, καὶ μετὰ τοῦτο λέγει αὐτοῖς·)[33]

18,18b ἦν δὲ καὶ ὁ Πέτρος μετ᾽ αὐτῶν ἑστὼς καὶ θερμαινόμενος (19-23.25a ἦν δὲ Σίμων Πέτρος ἑστὼς καὶ θερμαινόμενος.) εἶπον οὖν αὐτῷ· ...

À propos de 11,4-6, il donne une bonne définition de cette technique: «Each time John resumes the source after an interpolation he back-tracks, repeating or paraphrasing a few words from before the interruption, and usually adds a temporal connective phrase»[34]. Selon James M. Robinson, de telles interpolations peuvent fournir une indication certaine de l'emploi d'une source écrite[35].

C'est du même phénomène que parle M.-É. Boismard dans sa conférence de 1975: «Un procédé rédactionnel dans le quatrième évangile: la *Wiederaufnahme*»[36], et, de façon indépendante, Urban C. von Wahlde dans l'article intitulé «une technique rédactionnelle dans le quatrième évangile»[37]. Il l'appelle *repetitive resumptive*: «By this I mean simply that when the editor finished an insertion into the text he repeated a brief section of the prior text in his effort to resume the original narrative sequence»[38]. Von Wahlde traite plus en détail les trois exemples les plus frappants: 6,22-24; 4,43-45; 4,30-40. Son argumentation se base toujours sur les mêmes observations qui se cumulent: 1° Le texte actuel fait problème et le matériel inséré (4,31-38; 4,44;

33. Il note également le doublet des vv. 3-4 et 5-6: 3 ... ἴδε ὃν φιλεῖς ἀσθενεῖ. 4 ἀκούσας δὲ ὁ Ἰησοῦς (4b.5 ἠγάπα ... τὸν Λάζαρον. 6 ὡς οὖν ἤκουσεν ὅτι ἀσθενεῖ) (pp. 77). Cf. *infra*, n. 44d.

34. *Ibid.*, p. 78.

35. J. M. ROBINSON, *The Johannine Trajectory*, dans J. M. ROBINSON & H. KOESTER, *Trajectories Through Early Christianity*, Philadelphia, 1971, pp. 232-268, spéc. 244-246. Il se réfère à l'étude de Fortna, et plus particulièrement aux exemples de Jn 2,3b-5a; 4,47b-49a (pp. 245-246) et 18,19-24 (p. 245). Cf. p. 244: «It would seem to be redactional policy, when splitting up a source in order to interpolate material, that one provide an overlapping or repetitious comment, as if one ought to resume the source with some reference to where one left off». Il renvoie à 2 Co 2,12-13:7,5; 1 Co 12,31a:14,1 (peut-être); Mc 2,5:10 (cf. *infra*, n. 160).

36. Cf. *supra*, n. 2.

37. U. C. VON WAHLDE, *A Redactional Technique in the Fourth Gospel*, dans *CBQ* 38 (1976) 520-533. L'auteur développe le même point de vue dans sa thèse: *A Literary Analysis of the* Ochlos *Passages in the Fourth Gospel in Their Relation to the Pharisees and Jews Material*, Diss. Marquette University, 1975. Cf. pp. 160-167 (Jn 6,22-24); 243-244 (Jn 11,3-6); 309-312 (Jn 4,43-45).

38. *Ibid.*, p. 520. Von Wahlde se réfère à Fortna et Robinson (pp. 520-521).

6,22b-23) contient des apories (vocabulaire inhabituel en Jn, lourdeurs de style, incohérences); en en faisant abstraction, on retrouve une séquence plus homogène et satisfaisante. 2° La même tournure ὅτε οὖν (4,45; 6,24) ou ὡς οὖν (4,40.45 *v.l.*) se rencontre chaque fois, ainsi que la reprise répétitive d'éléments précédant l'insertion. 3° La particule ὅτε/ὡς ne marque pas la suite temporelle entre deux actions comme c'est le cas normalement, mais fonctionne comme «a redactional marker»[39]:

4,30 ἐξῆλθον ἐκ τῆς πόλεως καὶ ἤρχοντο πρὸς αὐτόν. (31-38.40a ὡς οὖν ἦλθον πρὸς αὐτὸν οἱ Σαμαρῖται) ἠρώτων ...
4,43 ἐξῆλθεν ἐκεῖθεν εἰς τὴν Γαλιλαίαν· (44,45a ὅτε οὖν ἦλθεν εἰς τὴν Γαλιλαίαν) ἐδέξαντο αὐτὸν ...
6,22 τῇ ἐπαύριον ὁ ὄχλος ... εἶδον [ἰδόντες?] (22b-23.24a ὅτε οὖν εἶδεν ὁ ὄχλος) ὅτι Ἰησοῦς οὐκ ἔστιν ἐκεῖ ...

3. *Le point de vue de M.-É. Boismard*

À son tour, M.-É. Boismard a défini le phénomène[40]. Les exemples les plus significatifs en Jn seraient, dans les «récits»: 18,33-37; 7,6-9; 4,30-40; 11,3-6; 18,5-6; et dans un «discours» du Christ: 12,49-50[41]. Dans cinq des six exemples la reprise contient la conjonction οὖν (4,40; 11,6; 12,50; 18,6.37). En 7,9, c'est la formule ταῦτα δὲ εἰπών qui doit faciliter la reprise du récit primitif[42].

Hirsch, nous l'avons vu, l'avait présenté comme une technique du rédacteur ecclésiastique. Selon Fortna, l'évangéliste s'en sert pour amplifier sa source. D'après le Commentaire de Boismard et Lamouille, c'est le procédé «classique» employé à chaque niveau rédactionnel. Jean II-A s'en sert pour ses insertions dans le récit de l'évangile primitif, Jn I = le Document C (4,31-34.40a; 11,31b-32a; 18,36-37a; 20,3b-4a), mais «ce procédé rédactionnel est surtout utilisé par Jean II-B» (p. 447b). On le retrouve également dans des gloses de

39. En Jean, cinq des neuf passages où on lit ὅτε οὖν en font un usage *repetitive resumptive* (4,45; 6,24; 13,12.31; 21,15) et trois des sept passages avec ὡς οὖν (4,40.45 *v.l.*; 11,6) (p. 521), mais la particule garde son sens temporel en 13,12.31; 21,15 (ὅτε) et 11,6 (ὡς) (p. 532, n. 24, et 533).

40. *Un procédé*, p. 235: «Lorsqu'un interpolateur veut insérer une glose de longueur moyenne dans un texte déjà constitué, il est souvent obligé de 'reprendre', après la glose qu'il a insérée, des expressions qui se lisaient avant cette glose dans le récit primitif, afin de pouvoir renouer le fil du récit interrompu par l'insertion qu'il a pratiquée».

41. Trois exemples sont repris dans *La vie des évangiles* (1980): 18,33-37 (p. 29); 11,3-6 (p. 104); 7,6-9 (p. 126). Un quatrième exemple y est ajouté: 11,25-26, dans une parole de Jésus (p. 111). Deux cas ne sont plus retenus dans *Synopse*, t. III: 12,49.50 (cf. *infra*, n. 74) et 18,5-6 (cf. *infra*, n. 78).

42. *Un procédé*, p. 241 et 237. Comparer *Synopse*, t. III, sur les chevilles rédactionnelles, p. 13 (*1h*) et p. 65a (*8a*).

Jean III (3,15-16a; 11,25d-26a). Dans la liste ci-dessous[43], nous indiquons chaque fois le niveau du texte primitif et celui de l'insertion[44].

1,1c-2

H 1 ἐν ἀρχῇ ἦν ὁ λόγος, καὶ ὁ λόγος ἦν πρὸς τὸν θεόν

II-B (καὶ θεὸς ἦν ὁ λόγος. | 2 οὗτος ἦν ἐν ἀρχῇ πρὸς τὸν θεόν)

3,4-8

II-B (4 λέγει πρὸς αὐτὸν [ὁ] Νικόδημος· πῶς δύναται... - 8)

II-A 9 ἀπεκρίθη Νικόδημος καὶ εἶπεν αὐτῷ· πῶς δύναται...

3,15-16a

III (15 ἵνα πᾶς ὁ πιστεύων ἐν αὐτῷ ἔχῃ ζωὴν αἰώνιον. 16a)

II-A 16b ἵνα πᾶς ὁ πιστεύων εἰς αὐτὸν μὴ ἀπόληται ἀλλ' ἔχῃ ζωὴν αἰώνιον.

4,14b

II-A 14 ὃς δ' ἂν πίῃ ἐκ τοῦ ὕδατος οὗ ἐγὼ δώσω αὐτῷ

II-B (οὐ μὴ διψήσει εἰς τὸν αἰῶνα, ἀλλὰ τὸ ὕδωρ ὃ δώσω αὐτῷ γενήσεται ...

4,22-23a

II-B 21 ... ἔρχεται ὥρα ὅτε... προσκυνήσετε τῷ πατρί.

III (22.23 ἀλλὰ ἔρχεται ὥρα καὶ νῦν ἐστιν, ὅτε)[a]

4,31-34.40a

I 30 ἐξῆλθον ἐκ τῆς πόλεως καὶ *ἤρχοντο πρὸς αὐτόν.

II-A (31-34. | 40a ὡς οὖν ἦλθον πρὸς αὐτὸν οἱ Σαμαρῖται)[b]

4,31-36.39

I 29 δεῦτε ἴδετε ἄνθρωπον ὃς εἶπέν μοι πάντα ὅσα ἐποίησα ...

II-B (31-36.39 ... ὅτι εἶπέν μοι πάντα ἃ ἐποίησα. ...)

4,44-45a

I 43 ἐξῆλθεν ἐκεῖθεν εἰς τὴν Γαλιλαίαν

II-B (44. | 45a ὅτε οὖν ἦλθεν εἰς τὴν Γαλιλαίαν)[c]

5,33-37a

II-A 31-32 ... μαρτυρεῖ περὶ ἐμοῦ.

II-B (33-36.37a ... μεμαρτύρηκεν περὶ ἐμοῦ)

43. Voir la référence dans l'Introduction du Commentaire (p. 13a: *1f*) et dans l'Index, *s.v.* Reprise rédactionnelle (p. 556).

44. I, II-A, II-B, III. Les sources de Jn II-B sont: Jn I (par l'intermédiaire de Jn II-A); Jn II-A (les amplifications de Jn I); H (l'hymne de 1,1.3-5); L (logia johanniques).

Les variantes textuelles par rapport à N^{26} sont marquées par les signes ⸀ et ⸆.

44a. Cf. *infra*, n. 138.

44b. Comparer n. 39 (von Wahlde). Cf. *Jean et les Synoptiques*, pp. 265-268.

44c. Comparer n. 20 (Hirsch) et 39 (von Wahlde). Cf. *Jean et les Synoptiques*, pp. 263-265.

7,6c-9a
I 6 λέγει (οὖν) αὐτοῖς ὁ Ἰησοῦς· ὁ καιρὸς (ὁ ἐμὸς) οὔπω πάρεστιν
II-B (6c-8 ὅτι ὁ ἐμὸς καιρὸς οὔπω πεπλήρωται. | 9a ταῦτα δὲ εἰπών)
8,55b-c[a]
II-A 55a... ἐγὼ δὲ οἶδα αὐτόν.
III (55b κἂν εἴπω ὅτι οὐκ οἶδα αὐτόν, ἔσομαι ὅμοιος ὑμῖν ψεύστης· c ἀλλὰ οἶδα αὐτόν)
9,21b
II-A 21a πῶς δὲ νῦν βλέπει οὐκ οἴδαμεν,
II-B (21b ἢ τίς ἤνοιξεν αὐτοῦ τοὺς ὀφθαλμοὺς ἡμεῖς οὐκ οἴδαμεν)
9,22-23
II-A 21 ... αὐτὸν ἐρωτήσατε, ἡλικίαν ἔχει, αὐτὸς περὶ ἑαυτοῦ λαλήσει.
II-B (22-23 διὰ τοῦτο ... ἡλικίαν ἔχει, αὐτὸν ἐπερωτήσατε)
9,24b-26a
II-A ... εἶπαν αὐτῷ·
II-B (24b-25.26a εἶπον οὖν αὐτῷ·)
11,4b-6a
I 3 ʹἀπέστειλεν (οὖν ʹΜαρία) πρὸς αὐτὸν ʹλέγουσα· κύριε, ἴδε ὃν φιλεῖς ἀσθενεῖ. 4 ἀκούσας δὲ ὁ Ἰησοῦς
II-B (4b-5. | 6a ὡς οὖν ἤκουσεν ὅτι ἀσθενεῖ, τότε μέν)[d]
11,7b-11a cf. Fortna
I ἔπειτα μετὰ τοῦτο λέγει
II-B (7b-10.11a ταῦτα εἶπεν, καὶ μετὰ τοῦτο λέγει αὐτοῖς)
11,12.14-16
I 11 ἀλλὰ πορεύομαι ʹπρὸς αὐτόνʾ.
II-B (12.14-15 ἀλλὰ ἄγωμεν πρὸς αὐτόν. 16)

44d. *La vie*, p. 85, n. 25: «L'insertion des vv. 4-5 dans un récit plus ancien est reconnue par P. WILKENS, *Die Entstehungsgeschichte*..., p. 56; R. T. FORTNA, ... pp. 77-78; R. SCHNACKENBURG, ... p. 399. R. Bultmann ne retirait du récit primitif que le v. 4; ... p. 302, note 7». Cf. *Synopse*, t. III, p. 282b. À propos de «l'insertion» des vv. 4-5, notons cependant que les trois auteurs attribuent à l'évangéliste également le v. 6. Ce n'est donc pas au v. 6, comme le veut Boismard, qu'il revient au récit primitif. Quant à Wilkens, on corrigera le nom (le prénom est Wilhelm, non pas P. : une erreur fort tenace, de *Synopse*, t. III, p. 535, à *La vie*, n. 25 et 26, et *Aus der Werkstatt*, n. 33) et l'hypothèse de l'auteur: «Nicht dagegen darf man V. 4 aus dem Grundbestand der Perikope ausscheiden. 11,4 gehört wie 9,3 zum Grundevangelium» (p. 56). Il compare ὡς οὖν ἤκουσεν (v. 6a) avec ἀκούσας δέ du v. 4a pour écarter le v. 6 (*ibid.*). De son côté, Bultmann tient ἀκούσας δέ (v. 4a) pour une anticipation du ὡς οὖν ἤκουσεν de la source. Selon Fortna, ἀκούσας δὲ ὁ Ἰησοῦς au v. 4a appartient au récit primitif (cf. Boismard), mais le récit de la source ne continue pas par le v. 6b.

11,25d-26a
II-B 25 ἐγώ εἰμι ἡ ἀνάστασις^T· ὁ πιστεύων εἰς ἐμὲ
III (κἂν ἀποθάνῃ ζήσεται, | 26a καὶ πᾶς ὁ ζῶν καὶ πιστεύων εἰς ἐμέ)

11,31b-32a
I 29 ἠγέρθη ταχὺ καὶ *ἤρχετο πρὸς αὐτόν.
II-A (31b οἱ ὄντες ... αὐτήν, d ἠκολούθησαν ... ἐκεῖ. | 32a ἡ οὖν Μαριὰμ ὡς ἦλθεν ὅπου ἦν Ἰησοῦς)

12,26b
L ἐὰν ἐμοί τις διακονῇ, ἐμοὶ ἀκολουθείτῳ, καὶ
II-B (ὅπου εἰμὶ ἐγὼ ἐκεῖ καὶ ὁ διάκονος ὁ ἐμὸς ἔσται· | ἐάν τις ἐμοὶ διακονῇ)
τιμήσει αὐτὸν ὁ πατήρ.

12,38-39a
II-A 37 ... οὐκ ἐπίστευον εἰς αὐτόν,
II-B (38. | 39a διὰ τοῦτο οὐκ ἠδύναντο πιστεύειν)

18,5b-8a
II-A 5 λέγει αὐτοῖς· ἐγώ εἰμι
II-B (5b-8a ἀπεκρίθη Ἰησοῦς· εἶπον ὑμῖν ὅτι ἐγώ εἰμι)[e]

18,19-25a cf. Fortna
I 18 ... ἦν δὲ καὶ ὁ Πέτρος μετ᾽ αὐτῶν ἑστὼς (καὶ θερμαινόμενος)
II-B (19-24. | 25a ἦν δὲ Σίμων Πέτρος ἑστὼς καὶ θερμαινόμενος)
εἶπον (οὖν) αὐτῷ

18,36-37a
I 33 ὁ Πιλᾶτος (.) εἶπεν (αὐτῷ)· σὺ εἶ ὁ βασιλεὺς τῶν Ἰουδαίων; (36. | 37a εἶπεν οὖν αὐτῷ ὁ Πιλᾶτος· οὐκοῦν βασιλεὺς εἶ σύ;)[g]

19,39-40a
I 38 ... ⸀ἦλθον οὖν καὶ ⸀ἦραν
II-B (⸀αὐτόν.39.40a ἔλαβον οὖν)
τὸ σῶμα τοῦ Ἰησοῦ.

20,4
I 3 ἐξῆλθεν οὖν ὁ Πέτρος (καὶ ὁ ἄλλος μαθητὴς) καὶ *ἤρχοντο εἰς τὸ μνημεῖον
II-A (4ab.4c καὶ ἦλθεν πρῶτος εἰς τὸ μνημεῖον)[h]

44e. Cf. *infra*, n. 79; *Jean et les Synoptiques*, pp. 268-271.
44f. Cf. *supra*, n. 32 (Fortna), et *infra*, n. 136 (Schmid).
44g. Cf. *infra*, n. 101; *Jean et les Synoptiques*, pp. 261-263.
44h. Cf. *Jean et les Synoptiques*, pp. 81-83.

La «reprise» porte normalement sur des éléments qui précèdent l'insertion et sont répétées ou bien après l'insertion (4,45a ὅτε οὖν...; 11,6a ὡς οὖν ...) ou bien à la fin de l'insertion même (7,8b, suivi par ταῦτα δὲ εἰπών). Plus rarement, la répétition se fait par anticipation, au début de l'insertion, d'éléments qui la suivent: 3,4-8; 3,15[45]. Le Commentaire présente de la même façon deux autres répétitions:

4,30 Ils sortirent de la ville et (ils venaient vers lui ...) 40 vinrent vers lui.	20,3 Pierre sortit donc, (et ils venaient au tombeau...) 4 et vint (le premier) au tombeau.

Mais la présentation du cas analogue de 11,29.32 est différente et plus conforme au commentaire même. L'aoriste du texte primitif (ἦλθεν) a été remplacé par l'imparfait qui, en vue de l'insertion, rend l'action inachevée, et il réapparaît dans la «reprise» après l'insertion: ἠγέρθη ταχὺ καὶ *ἤρχετο πρὸς αὐτὸν (... ἡ οὖν Μαριὰμ ὡς ἦλθεν ὅπου ἦν Ἰησοῦς). Nous avons harmonisé ainsi les trois insertions, dont l'analogie est fort soulignée par le Commentaire[47].

À propos de 4,30ss., il est encore à remarquer que l'explication s'est précisée dans le Commentaire. L'article de 1975 se contente de parler de la reprise des vv. 29-30 aux vv. 39-40 et de l'insertion des vv. 31-38 par l'évangéliste[48]. Le Commentaire y distingue trois niveaux: vv. 31-34 (Jn II-A), 35-36.39 (Jn II-B) et 37-38 (Jn III). La reprise du verbe «venir» du v. 30 au v. 40 se situe au niveau de Jn II-A, et elle se double, au niveau de Jn II-B, de la reprise du thème du v. 29 au v. 39.

Il est plus significatif de noter comment le Commentaire corrige l'interprétation des «reprises» en 12,50 et 18,6a. Nous en parlerons dans la section 5.

4. *La « Wiederaufnahme » chiastique*

L'introduction du terme *Wiederaufnahme* dans la critique littéraire du quatrième évangile risque de poser un problème de vocabulaire. E. Schweizer a utilisé le mot *Wiederaufnahme* dans sa liste des caractéristiques stylistiques johanniques pour désigner un autre type de répétition de mots: «die Wiederaufnahme eines Satzendes mit denselben Wörtern in umgekehrter Reihenfolge»[49]; en abrégé: «die Wiederaufnahme» (Schweizer, nº 11; Ruckstuhl, nº 7)[50]. La traduction

45. Cf. p. 115b: une reprise «d'un type un peu spécial».

46. *Ibid.*, p. 129 et 453.

47. Voir p. 134a, 281b, et surtout 455. Dans l'Introduction: «les trois 'reprises' effectuées de façon analogue par Jean II-A» (p. 13a).

48. *Un procédé*, p. 238. Cf. *supra*, n. 44b.

49. E. SCHWEIZER, *Ego Eimi*, 1939, p. 92. Voir l'abréviation: p. 104, 106, 108.

de F.-M. Braun ne reprend pas le mot *Wiederaufnahme* : «succession de deux phrases dont l'une finit et l'autre commence par les mêmes mots, en sens inverse»[51]. W. Nicol le dit plus simplement : «Inversion of previous sentence ending»[52].

Le cas le plus typique est celui de 18,36. Schweizer en compte six en Jn, et nul autre exemple dans le Nouveau Testament[53] :

1,1 ἦν ὁ λόγος, | καὶ ὁ λόγος ἦν
3,32-33 τὴν μαρτυρίαν αὐτοῦ οὐδεὶς λαμβάνει. | ὁ λαβὼν αὐτοῦ τὴν μαρτυρίαν
8,15-16 ἐγὼ οὐ κρίνω οὐδένα. | καὶ ἐὰν κρίνω δὲ ἐγώ
12,35 ἵνα μὴ σκοτία ὑμᾶς καταλάβῃ· | καὶ ὁ περιπατῶν ἐν τῇ σκοτίᾳ
16,27-28 παρὰ [τοῦ] θεοῦ ἐξῆλθον. | ἐξῆλθον παρὰ τοῦ πατρός
18,36 ἡ βασιλεία ἡ ἐμὴ οὐκ ἔστιν ἐκ τοῦ κόσμου τούτου· | εἰ ἐκ τοῦ κόσμου τούτου ἦν ἡ βασιλεία ἡ ἐμή.

Ruckstuhl ajoute deux cas en 2 Jn[54] :

2-3 μεθ' ἡμῶν ἔσται εἰς τὸν αἰῶνα. | ἔσται μεθ' ἡμῶν
10-11 χαίρειν αὐτῷ μὴ λέγετε· | ὁ λέγων γὰρ αὐτῷ χαίρειν.

50. E. RUCKSTUHL, *Die literarische Einheit*, 1951, p. 204. Cf. p. 215 (dans les discours).

51. F.-M. BRAUN, *Jean le Théologien*, t. 1, Paris, 1959, p. 401.

52. W. NICOL, *The Sēmeia in the Fourth Gospel* (Suppl. NT, 32), Leiden, 1972, p. 17. Cf. G. VAN BELLE, *De Semeia-bron in het vierde evangelie* (SNTA, 10), Leuven, 1975, p. 150 : «Herneming van het voorgaande zinseinde in omgekeerde woordorde».

53. *Ego Eimi*, p. 97, n. 110. Le texte de 18,36 et 3,32-33 est cité à la page 45, n. 243. Pour les autres cas, il se contente de donner les références. De l'avis de B. Noack, deux de ces exemples (12,35; 14,27) seraient «weniger deutlich», et 8,15-16 serait à rejeter. Cf. B. NOACK, *Zur johanneischen Tradition. Beiträge zur literarkritischen Analyse des vierten Evangeliums*, København, 1954, p. 50, n. 126. Mais l'auteur cite le texte de 12,35 b/c (au lieu de 12,35 c/d) et celui de 14,27 (Schweizer : 16,27-28). Quant à 8,15-16, il néglige l'inversion de ἐγὼ κρίνω / κρίνω ἐγώ. A l'encontre de Schweizer, Noack distingue entre «Wiederaufnahme» chiastique (seulement 18,36 et 3,32-33) et «Wiederaufnahme überhaupt».

Schweizer lui-même signale dans la même note 110 des cas analogues de chiasme (cf. *infra*, n. 55) qu'il ne compte cependant pas au n° 11 :

6,37 πρὸς ἐμὲ ἥξει, | καὶ τὸν ἐρχόμενον πρὸς ἐμέ
7,18 τὴν δόξαν τὴν ἰδίαν ζητεῖ· | ὁ δὲ ζητῶν τὴν δόξαν τοῦ πέμψαντος αὐτοῦ
7,22-23 ἐν σαββάτῳ περιτέμνετε ἄνθρωπον. | εἰ περιτομὴν λαμβάνει ἄνθρωπος ἐν σαββάτῳ
1 Jn 2,19 οὐκ ἦσαν ἐξ ἡμῶν· | εἰ γὰρ ἐξ ἡμῶν ἦσαν
1 Jn 2,24 ὑμεῖς ὃ ἠκούσατε ἀπ' ἀρχῆς, ἐν ὑμῖν μενέτω. | ἐὰν ἐν ὑμῖν μείνῃ ὃ ἀπ' ἀρχῆς ἠκούσατε

W. Nicol s'en tient aux six exemples de Schweizer (*The Sēmeia*, p. 17). Le point d'interrogation dans la formule «6/?» (le reste du Nouveau Testament) n'est certainement pas dans l'esprit de Schweizer qui insiste particulièrement sur le «spezifisch joh.» (p. 97, n. 110; cf. p. 45 : «der sonst wohl nicht zu konstatierende joh. Zug»).

54. *Die literarische Einheit*, p. 229.

Les six exemples de ce trait «spécifiquement johannique» forment la première catégorie d'une caractéristique plus générale : le chiasme (Schweizer n° 33 ; Nicol n° 68)[55]. La figure chiastique, et plus particulièrement la «Wiederaufnahme», n'apparaît que dans les *Redestücke*, et Schweizer s'appuie spécialement sur la présence de la «Wiederaufnahme» en 18,36 pour suggérer que le style des discours est celui de l'évangéliste[56]. À ce propos, B. Noack critiquera plus ouvertement la position de Bultmann qui attribue 3,32-33 à la source des *Offenbarungsreden* et 18,36 à l'évangéliste[57]. Quant au rapprochement avec les écrits mandéens[58], l'observation de Noack est à retenir : «bei Joh. ist sie ein besonderes Ausdrucksmittel, in den mandäischen Schriften durchgängig überflüssiger Schmuck der Rede»[59].

Cela nous ramène au Commentaire de Boismard et Lamouille. Il signale «la même contradiction apparente» en 3,32-33 ; 8,15-16 et 1,11b-12a (οἱ ἴδιοι αὐτὸν οὐ παρέλαβον. ὅσοι δὲ ἔλαβον αὐτόν)[60]. Il traite du chiasme dans l'Introduction, au sujet du style de Jn II. La phrase de 18,36 y est citée. Et puis : «Lorsqu'il s'agit de simples phrases, de telles structures sont fréquentes, non seulement chez Jean II, mais aussi dans les évangiles synoptiques et les Actes ; contrairement à certains auteurs, nous ne les considérons pas comme des caractéristiques

55. *Ego Eimi*, pp. 96-97. Schweizer compte 23 exemples de chiasme en Jn : 1,1* ; 3,12.20-21.31.32-33* ; 5,31-32 ; 6,37(*).47 ; 7,18(*).22-23(*) ; 8,15-16*.18 ; 10,4-5.14-15.38 ; 12,35*.35-36 ; 13,31 ; 14,1 ; 15,2.4 ; 16,27-28* ; 18,36* ; et deux en 1 Jn : 2,19(*).24(*). Cf. p. 97, n. 110 et 111 (l'astérisque * indique une *Wiederaufnahme* et (*) un cas analogue : cf. *supra*, n. 53). Cf. W. NICOL, *The Sēmeia*, p. 24 : n° 68, «Chiasmus : 23+2/?».

Ruckstuhl ne reprend pas la caractéristique n° 33 de Schweizer (Nicol n° 68). Il en parle à propos de 2 Jn (p. 230, n. 1). Pour sa part, il attache une très grande importance à l'enchaînement chiastique en 1,1-2 ; 6,54-55 ; 18,36 et 2 Jn 5-6 : «Wer diese 4 Fälle von Chiasmen prüft, muss gestehen, dass man sich hier nur den gleichen Schriftsteller an der Arbeit denken kann» (p. 230, cf. p. 69 et 245, n. 1 : «eine ganz hervorragende Eigentümlichkeit des Jhev (+ 2. Brief)»). Il présente également une liste de chiasmes plus simples, «Doppelte Wiederaufnahme in einfacher Form (zwei Tonwörter in Kreuzstellung je einmal wiederaufgenommen)» : 3,31b.32-33* ; 4,17 ; 5,36-37 ; 6,37(*).41-42.46 ; 7,18(*).41-42.46 ; 8,13-14.15-16*.47 ; 11,25-26 ; 15,16 ; 16,27.27-28* ; 17,1b.16 (p. 69, n. 3) (* cf. Schweizer n° 33).

56. *Ego Eimi*, p. 100 et 102.

57. *Zur johanneischen Tradition*, p. 36.

58. Cf. *Ego Eimi*, p. 45 : «ein typisches Merkmal der mand. Literatur» (et note 244). Sur l'influence mandéenne, voir encore p. 108 : «Wenn wir von 'mand.' Analogien reden, dann heisst das, dass der Verfasser sich in dieser Sprache bewegt und in ihr denkt».

59. *Zur johanneischen Tradition*, p. 57. Il fait remarquer «dass die Figur [die Wiederaufnahme] nicht ganz dieselbe ist wie die johanneische, dass jene sehr oft, ja in der Regel, einfach wiederholt, wo diese wirklich wieder aufnimmt, verschlingt und den Gedanken weiterführt».

60. *Synopse*, t. III, p. 73b et 114a. Comparer R. SCHNACKENBURG, *Das Johannesevangelium*, t. 1, p. 99.

johanniques»[61]. Nous touchons ici une des lacunes dans l'étude des caractéristiques stylistiques, pourtant fort développée par Boismard et Lamouille. Un trait johannique dont la fréquence en Jean reste inférieure au nombre total des emplois en Mt, Mc, Lc et Ac, n'a aucune chance de trouver une place dans la liste des caractéristiques stylistiques. Un mot comme πάλιν échappe ainsi à l'attention des commentateurs (43 sur 96 emplois dans les évangiles et Actes)[62]. Le *casus pendens* fournit un autre exemple : les pronoms αὐτός et ἐκεῖνος sont signalés, mais le *casus pendens* construit sur οὗτος ne l'est pas[63]. La structure chiastique des phrases subit le même sort.

La reprise chiastique (Schweizer n° 11 ; Ruckstuhl n° 7) n'est évidemment qu'une des formes de *Wiederaufnahme*. C. G. Wilke parle de cette catégorie plus générale de «Wiederaufnahme des so eben gebrauchten Wortes» : «wo ein den Satz abschliessendes Wort unmittelbar darauf, behufs der Fortsetzung der Rede, wieder aufgenommen wird»[64]. R. Schnackenburg l'énumère parmi les moyens relevant de la technique des discours dans l'évangile et les épîtres johanniques : «die Wiederholung als kurze Rekapitulation der letzten Worte bzw. des letzten Gedankens»; «Wiederaufnahme, so dass es zu einer Anreihung oder Kette kommt (Konkatenation)»[65]. Dans la terminologie de la rhétorique ancienne, cette *Wiederaufnahme* s'appelle la figure de l'ἀναδίπλωσις ou *reduplicatio* : «cum ea, quae in priore membro postrema ponuntur, in posteriore prima repetuntur»[66]. La *Wiederaufnahme* dont parle Boismard est plutôt une ἐπανάληψις.

61. *Ibid.*, p. 64b. Le Commentaire ne s'intéresse qu'aux chiasmes «qui portent sur des sections entières, plus ou moins étendues» (*ibid.*).

62. Cf. *Jean et les Synoptiques*, p. 241, n. 624.

63. Jn 1,33b; 3,26.32; 5,19.38; 6,46; 7,18; 8,26; 10,25; 14,13; 15,5. Boismard peut omettre le τοῦτο du texte Alexandrin en 3,32 (om. ℵ D it sy$^{s.c}$) sans la moindre allusion au style johannique (p. 112a). Il en fait mention une seule fois au sujet de 5,38 : «la proposition relative est construite en *casus pendens* sur le démonstratif *houtos* ('à lui'), ce qui dénote plutôt le style de Jean II-B» (p. 173a). Cf. *Jean et les Synoptiques*, p. 48, n. 68 (replacer 5,19.38 sous οὗτος). Nicol n° 79 compte les 27 cas de Burney.

64. *Die neutestamentliche Rhetorik*, Dresden & Leipzig, 1843, § 49, pp. 184-187.

65. *Die Johannesbriefe*, ²1963, p. 5; *Das Johannesevangelium*, t. 1, p. 99.

66. Voir les définitions d'*anadiplosis* (ou *epanadiplosis*) citées par H. LAUSBERG, *Handbuch der literarischen Rhetorik*, München, 1960, § 619, p. 314. Sur l'*anadiplosis* chiastique, cf. § 621,2, p. 315. Cf. *Elemente der literarischen Rhetorik*, München, 1949, § 40, p. 40.

Dans sa révision de la grammaire de Blass-Debrunner (¹⁴1976), F. Rehkopf donne une définition plus large d'*epanadiplosis* : «die nachdrückliche Verdopplung eines wichtigen Wortes» (§ 493,1; p. 423; par exemple, σφόδρα σφόδρα). Dans l'ancienne *Rhetorica Sacra* (voir les références dans la note 68), la définition était plus précise : «*Anadiplosis*, *reduplicatio* Latine, est, qua eadem vox repetitur in fine praecedentis, et principio sequentis sententiae, vel partis etiam ejusdem» (GLASSIUS, p. 954); «repetitio ejusdem vocis in fine praecedentis et principio sequentis membri, ex. gr. Joh. 18,37, Συ λεγεις, ότι βασιλευς εἰμι ἐγω. ἐγω εἰς τουτο γεγεννημαι» (BURKIUS, p. 1087). Voir

5. *L'epanalepsis johannique*

Dans son traité *De stylo Sacrarum Litterarum*, qui date de 1567, M. Flacius énumère les caractéristiques du style de Jn : «Quarto, multae admodum sunt in hoc Apostolo repetitiones... Quinto, habet crebras Epanalepses propter prolixitatem aut obscuritatem praecedentis membri»[67]. Ailleurs, il cite la définition courante de la figure de l'*epanalepsis* : «cum eadem vox et initio et in fine versus ponitur» (le procédé que nous appelons inclusion)[68]. Mais il ajoute : «Epanalepsin etiam vocant, cum ob interposita aliqua, aut verborum multitudinem vel alioqui prolixitatem prioris membri, eius initium longius distat, quam ut commode ei sequentia adiungi queant. Ideoque initium illud brevissime repetitur, vel ad verbum, vel tantum ad sensum, ut appareat sequentia cum praecedentibus cohaerere, totaque oratio sit eo magis perspicua»[69]. D'autres diront plus simplement qu'il y a *epanalepsis* «cum Antecedens post Parenthesin repetitur»[70]. Ainsi le phénomène de la répétition rendue nécessaire par une insertion (la *Wiederaufnahme* ou *resumptive repetition*) est remarqué déjà par les auteurs anciens, en dehors de toute perspective de critique littéraire.

Boismard lui-même recommande la prudence dans l'utilisation de la *Wiederaufnahme* comme critère de critique littéraire : «pour être certain qu'une 'reprise' est le signe d'une insertion dans un texte plus ancien, il faudra faire appel à d'autres critères», stylistiques ou théologiques. Les répétitions d'expressions analogues peuvent correspondre au procédé littéraire de l'inclusion (et du chiasme)[71]. Et surtout : ce qui

encore WILKE, p. 404. Rehkopf (p. 424) renvoie à «Wilke 396», mais celui-ci y parle de l'ἐπίζευξις (cf. p. 403 : «die Verdoppelung oder Verdreifachung desselben Wortes, gewöhnlich ἐπίζευξις, *subjunctio* genannt»), et il se réfère à Glassius (p. 953 : «*Epizeuxis, subjunctio* Latine, est, qua ejusdem continue, in eadem sententia, fit repetitio»). Cf. H. LAUSBERG, § 617, p. 312 (Bède : «*epizeuxis* est eiusdem verbi in eodem versu sine aliqua dilatatione geminatio»).

67. M. FLACIUS, *Clavis Scripturae seu de Sermone Sacrarum Litterarum*, t. 2, Basel, (1567), 1581, pp. 301-304, spéc. p. 302.

68. Comparer S. GLASSIUS, *Philologiae sacrae ... libri quinque*, Amsterdam, 1694, p. 955 : «*Epanalepsis, resumtio* latine, est, qua eadem vox in principio et fine sententiae repetitur». Définition reprise par J.A. Burkius (*Index terminorum technicorum*, en appendice au *Gnomon Novi Testamenti* de J.A. Bengel, Tübingen, [3]1773; éd. London, [5]1862, p. 1095) et par C.G. Wilke (*Die neutestamentliche Rhetorik*, 1843, p. 404).

69. *Clavis*, p. 173.

70. J.A. BURKIUS (cf. n. 68). Comparer la définition d'*epanalepsis* que donne la grammaire de Buttmann : «the resumption of a word or a thought after intervening matter». Cf. A. BUTTMANN, *A Grammar of the New Testament Greek* (trad. J. H. Thayer), Andover, 1880, p. 471. Par contre, il appelle *epanadiplosis* : «The use of the same word both at the beginning and at the end of a sentence», ce qui est communément la première définition d'*epanalepsis*. Le nom d'ἐπαναδίπλωσις lui est donné par Ps.-Rufin : «Latine dicitur *inclusio*». Cf. LAUSBERG, § 625, p. 317. Sur (*ep*)*anadiplosis*, cf. *supra*, n. 66.

71. *Jean*, p. 13a. Cf. *Un procédé*, p. 241; *La vie*, p. 19 (*Aus der Werkstatt*, p. 33).

semble être une glose ajoutée par un rédacteur peut être une parenthèse de l'auteur[72].

Dans deux cas, Boismard a abandonné l'explication qu'il avait présentée en 1975 : 12,49b-50a et 18,5b.

12,49b-50bα
49 ὅτι ἐγὼ ἐξ ἐμαυτοῦ οὐκ ἐλάλησα, ἀλλὰ
(49b-50a|b ἃ οὖν ἐγὼ λαλῶ)
50bβ καθὼς εἴρηκέν μοι ὁ πατήρ, οὕτως λαλῶ.

La phrase ἃ οὖν ἐγὼ λαλῶ «ressemble fort à une cheville rédactionnelle»[73].

La possibilité d'une insertion des vv. 49b-50a n'est plus mentionnée dans le Commentaire[74]. Deux observations semblent l'exclure : le thème de Dt 18,18 repris au v. 49a et b (et aux vv. 47a.48b) et la structure en chiasme des vv. 49-50. Fallait-il abandonner ainsi l'idée de «reprise»? La phrase ἃ οὖν..., la structure chiastique, l'inspiration vétérotestamentaire et le sens du texte sont plutôt en faveur d'une «reprise», non pas après l'insertion des vv. 49b-50a, mais après le v. 50a :

49 A ὅτε ἐγὼ ἐξ·ἐμαυτοῦ οὐκ ἐλάλησα, — Dt 18,18
B ἀλλ' ὁ πέμψας με πατὴρ αὐτός μοι ἐντολὴν δέδωκεν
C τί εἴπω·καὶ τί λαλήσω.
50 D (καὶ οἶδα ὅτι ἡ ἐντολὴ αὐτοῦ ζωὴ αἰώνιός ἐστιν) — Dt 12,46-47
C ἃ οὖν ἐγὼ λαλῶ,
B καθὼς εἴρηκέν μοι ὁ πατήρ,
A οὕτως λαλῶ.

On peut y voir un cas d'*epanalepsis* après l'incise du v. 50a : «*Ergo* continuativum est : nam quia interposuerat haec verba : *Et scio quia mandatum ejus vita aeterna est*, jungit id quod sequitur praecedentibus» (Lucas Brugensis)[75]. L'hypothèse de Hirsch qui tient le v. 50a pour une addition du rédacteur mérite d'être mentionnée, mais la distinction entre l'évangéliste et le rédacteur repose ici sur un argument peu convaincant[76].

72. Boismard et Lamouille l'ont souligné fort heureusement dans leur dernière contribution : «Mais il faut être prudent. Une telle répétition n'est pas toujours le résultat d'une insertion; elle peut être due au fait qu'un auteur, au fil de la plume, éprouve le besoin de préciser sa pensée». Ils citent l'exemple de 2 Co 5,2(3)4. Cf. *La vie*, pp. 18-19 (*Aus der Werkstatt*, p. 32).

73. *Un procédé*, p. 240. C'est l'hypothèse de R. Bultmann : une insertion de l'évangéliste dans sa source, et «Mittels des ἃ οὖν ἐγὼ λαλῶ lenkt er zum Text der Quelle zurück» (*Johannes*, p. 263, n. 4).

74. *Synopse*, t. III, p. 315b.

75. Cf. *Jean et les Synoptiques*, p. 280, n. 730.

76. *Studien*, p. 99. Voir la réaction de Bultmann (*Johannes*, p. 263, n. 7).

18,5b-6a
5a ... λέγει αὐτοῖς· ἐγώ εἰμι.
(b εἱστήκει δὲ καὶ Ἰούδας ὁ παραδιδοὺς αὐτὸν μετ' αὐτῶν.
| 6a ὡς οὖν εἶπεν αὐτοῖς· ἐγώ εἰμι,)
6b ἀπῆλθον εἰς τὰ ὀπίσω καὶ ἔπεσαν χαμαί.

Cette explication[77] est corrigée dans le Commentaire : les vv. 5b-6a sont une addition, mais le récit primitif ne reprend pas au v. 6b. C'est l'ensemble des vv. 5b-8a qui est une insertion de Jn II-B dans le récit de Jn II-A, entre les vv. 5a et 8b. Les vv. 7-8a sont la «reprise» des vv. 4c-5a («un véritable dédoublement du texte primitif») afin de renouer le fil du récit[78].

Nous avons dit ailleurs que ce n'est pas l'attribution des vv. 5b-8a à l'évangéliste (le Jn II-B de Boismard) qui fait problème, mais la reconstruction du récit primitif des vv. 4a.c.5a.8b[79]. Il nous suffit ici de constater que, selon la nouvelle hypothèse de Boismard, Jn II-B peut utiliser le procédé de la reprise, non pas pour renouer le fil du récit de la source, mais pour reprendre sa propre narration : «quand donc il leur dit : Je le suis, ils reculèrent et tombèrent à terre...» (v. 6).

Quant à 18,8, les critiques n'y distinguent généralement pas deux niveaux rédactionnels différents. L'on comprend donc qu'ils peuvent voir dans la répétition des vv. 4c-5a aux vv. 7-8a un autre exemple d'une reprise au niveau du récit de l'évangéliste : «... worauf er in V. 7 das Motiv von V. 5 wiederaufnimmt, um daran V. 8 knüpfen zu können» (Bultmann)[80].

Cette possibilité est explicitement reconnue par Boismard à propos de Jn 20, 21a :

20,19c καὶ λέγει αὐτοῖς· εἰρήνη ὑμῖν.
20 καὶ τοῦτο εἰπὼν
ἔδειξεν τὰς χεῖρας καὶ (τὴν πλευρὰν) αὐτοῖς.
ἐχάρησαν οὖν οἱ μαθηταὶ ἰδόντες τὸν κύριον.
21a εἶπεν οὖν αὐτοῖς [ὁ Ἰησοῦς] πάλιν· εἰρήνη ὑμῖν.

«La 'reprise', au v. 21a, des expressions qui se lisent à la fin du v. 19 se justifie par le fait que, après avoir composé le v. 19, Jean II-B insère dans sa narration le v. 20a ; au v. 21a, il reprend donc le fil de sa *propre* narration»[81].

77. *Un procédé*, p. 240. C'est l'hypothèse de E. Hirsch (*Studien*, p. 118); cf. *supra*, p. 307.

78. *Synopse*, t. III, p. 403.

79. *Jean et les Synoptiques*, pp. 268-271. Sur la composition johannique de 18,4-9, et contre l'hypothèse d'une source (Fortna : vv. 4a.c.5a ; Bultmann : + 5b; Boismard : + 8b), voir les études de A. Dauer et M. Sabbe (références aux notes 715-716).

80. *Johannes*, p. 493.

81. *Synopse*, t. III, p. 470. Selon Haenchen, il s'agit d'une insertion et reprise du rédacteur : cf. E. HAENCHEN, *Das Johannesevangelium. Ein Kommentar* (éd. U. BUSSE),

Il est vrai qu'on se fera une idée différente de la «source» de Jn 20,19-20 si l'on admet l'authenticité textuelle de Lc 24,36b et 40[82]. On ne contestera pas l'attribution du v. 21 à l'évangéliste (Boismard : Jn II-B). Mais peut-on confondre la *reprise* du fil du récit à l'aide d'un ὡς οὖν (cf. 18,6) et la *poursuite* d'une narration par la mention d'une action nouvelle qui est la répétition d'une action antérieure (comme en 18,7 : πάλιν οὖν ἐπηρώτησεν)? Le récit de Lc 24,36ss. a été dédoublé par Jean en 20,19-23 et 26-29, mais également à l'intérieur de 20,19-23 où il mentionne deux salutations :

λέγει αὐτοῖς· εἰρήνη ὑμῖν.
καὶ τοῦτο εἰπὼν ἔδειξεν...
εἶπεν οὖν αὐτοῖς ... πάλιν· εἰρήνη ὑμῖν· καθὼς ...
καὶ τοῦτο εἰπὼν ἐνεφύσησεν...[83].

Jn 21,20-22 nous fournit un meilleur exemple de reprise. Le cas n'est pas signalé par Boismard et Lamouille (les trois versets sont entièrement de la main de Jn II-B), mais F. Spitta et R. Bultmann ont noté la *Wiederaufnahme* :

21,20b-21a
20a ἐπιστραφεὶς ὁ Πέτρος βλέπει τὸν μαθητὴν ὃν ἠγάπα ὁ Ἰησοῦς (ἀκολουθοῦντα),
(20b ὃς καὶ ἀνέπεσεν ἐν τῷ δείπνῳ...
| 21a τοῦτον οὖν ἰδὼν ὁ Πέτρος)
λέγει τῷ Ἰησοῦ...

«Der Zusatz wird dadurch offenbar, dass der Bearbeiter den durch seine Einschaltung ausser Sicht gekommenen Anfang der Periode : ὁ Πέτρος βλέπει τὸν μαθητήν, in v. 21 wieder aufnehmen musste : τοῦτον οὖν ἰδὼν ὁ Πέτρος» (l'antécédent ἀκολουθοῦντα serait du même interpolateur; il aurait omis un καὶ devant λέγει)[84]. Deux

Tübingen, 1980, p. 572 : «Damit die durch V. 20 unterbrochene Erzählung weitergehen kann, lässt der Ergänzer Jesus den Friedensgruss wiederholen».

82. Cf. *Jean et les Synoptiques*, pp. 126-130.

83. Sur Jn 20,19-23, voir I. DE LA POTTERIE, *Parole et Esprit dans S. Jean*, dans M. DE JONGE (éd.), *L'évangile de Jean*, pp. 177-201, spéc. 195-201. L'auteur met bien en relief le parallélisme des deux scènes, vv. 19-20 et 21-23 (p. 198). Son interprétation «relativement nouvelle» qui consiste à détacher les mots λάβετε πνεῦμα ἅγιον (v. 22 fin) de la remise de péchés (v. 23) est plus discutable. Par rapport à 20,19.20, les deux mouvements du schéma A B reçoivent un complément en 20,21 (καθὼς...) et 22-23 (ἄν τινων...), et l'asyndète au début du v. 23 ne permet pas de séparer les vv. 22 et 23 en deux mouvements B' et A''. «Jetzt erhalten die Jünger diese Taufe 'mit heiligem Geist' sowie die Vollmacht zur Sündenvergebung. Man wird V 22 und V 23 eng zusammen sehen müssen» (R. SCHNACKENBURG, *Das Johannesevangelium*, t. 3, p. 386). Voir le commentaire de Boismard et Lamouille sur l'influence de Lc 24,47.49 (p. 471a).

84. F. SPITTA, *Das Johannes-Evangelium als Quelle der Geschichte Jesu*, Göttingen, 1910, p. 10. Cf. R. BULTMANN, *Johannes*, p. 553, n. 5 (même formulation : «nahm den

commentaires peuvent suffire ici : «Parenthetical reminders are very Johannine»[85], et : «Durch die Rückblende konzentriert sich die Aufmerksamkeit auf ihn (anders als in 21,7)»[86].

L'identification de Marie en 11,2 est un cas analogue :

11,2
1 ἦν δέ τις ἀσθενῶν, Λάζαρος ἀπὸ Βηθανίας, ἐκ τῆς κώμης Μαρίας καὶ Μάρθας τῆς ἀδελφῆς αὐτῆς.
(2 ἦν δὲ Μαριὰμ ἡ ἀλείψασα τὸν κύριον... | ἧς ὁ ἀδελφὸς Λάζαρος ἠσθένει.)
3 ἀπέστειλαν οὖν...

«Das Ungeschick seines Einschubes zeigt sich besonders deutlich in der relativischen Wendung, durch die er wieder zur unterbrochenen Geschichte zurückbiegen will : ἧς ὁ ἀδελφὸς Λάζαρος ἠσθένει»[87]. La position de Spitta est encore plus complexe : le v. 1b (ἐκ τῆς...) serait également de la main du rédacteur qui, en plus, aurait remplacé un ἄνθρωπος par ἀσθενῶν au v. 1a, «worauf dann ἠσθένει noch einmal zurückweist»[88].

Selon Boismard, le procédé littéraire de 11,2 (cf. 12,3) est le même qu'en 18,14 (cf. 11,50), et donc johannique[89]. Jn II-B aurait remanié un récit en cette forme : 1a ἦν δέ τις ⸀Μαριὰμ ἀπὸ Βηθανίας, 2 ἧς ὁ

Zshg dann wieder auf...»). Selon B. Lindars, «Bultmann may well be right in supposing that it is an early gloss» (*John*, p. 638). Wilkens, p. 162, n. 600 : «Interpolation des Redaktors».

85. R.E. Brown, *John*, p. 1109. Cf. p. 940 : Jn 11,2 ; 12,1 ; 12,21 ; 19,39 ; 21,2 ; 21,20.

86. R. Schnackenburg, *Das Johannesevangelium*, t. 3, p. 440. Cf. n. 50 (contre Bultmann) : «Aber ehe man zu einer solchen Erklärung greift, muss man sich doch fragen, ob nicht der Erzähler eine Absicht mit dem Rückverweis verfolgen kann» ; comparer A. Kragerud, *Der Lieblingsjünger im Johannesevangelium*, Oslo, 1959, p. 40, n. 109 : «Aber ehe man so radikal verfahren kann, muss man fragen, ob nicht die scheinbare Überflüssigkeit im Gegenteil ein Zeichen für ihre Unentbehrlichkeit ist!»

87. F. Spitta, *Das Johannes-Evangelium*, pp. 231-232 (à la suite de J. Wellhausen et E. Schwartz). Cf. R. Bultmann, *Johannes*, p. 302, n. 1 : «Glosse der kirchlichen Red.» Il est suivi par Wilkens (p. 56, n. 206), et par les commentateurs Brown, Schnackenburg, Lindars et autres ; R. Schnackenburg, t. 2, p. 403, n. 3 : «(der Relativsatz) soll zu der Aussage von V 1 zurücklenken und verrät so, dass V 2 nur eine Parenthese ist». Voir la réaction de Haenchen (cf. *supra*, n. 81) : «Aber der Erzähler hat die Eigenart, Personen, die durch eine besondere Tat in den Gemeinden bekannt sind, eben mit diesem Zuge bei ihrem ersten Auftreten vorzustellen» (p. 398). Sur la répétition (reprise) au v. 2 : «V. 2 stimmt genau mit den Eingangsworten von V. 1 überein. Mit dem Ende von V. 2 ist so die erste kleine Untereinheit, V. 1f., in sich abgeschlossen» (*ibid.*).

88. *Ibid.*, p. 232.

89. *Synopse*, t. III, pp. 279-280 : impossible d'attribuer le v. 20b au récit préjohannique (contre Fortna ; cf. *The Gospel of Signs*, p. 77 : «probably an editorial addition of the author of Sq»). L'observation est également valable contre l'hypothèse de la glose post-johannique (Bultmann et ceux qui l'ont suivi) ; elle l'est moins contre Spitta qui attribue 18,14 au rédacteur.

ἀδελφὸς Λάζαρος ἠσθένει, et les mots ἀσθενῶν Λάζαρος (*loco* Μαριάμ) seraient une anticipation du v. 2c[90]. Il explique l'emploi exceptionnel de ὁ κύριος par l'influence lucanienne sur Jn II-B (cf. Lc 10,39 : Marie est assise πρὸς τοὺς πόδας τοῦ κυρίου)[91]. En effet, le problème du rédacteur en Jn 11,2 n'est plus le même si l'on accepte la dépendance envers Lc au niveau de l'évangéliste. C'est, je crois, l'hypothèse la plus vraisemblable. Il est beaucoup moins probable qu'on puisse reconstituer, comme le propose Boismard, un récit primitif pré-johannique[92].

Il nous reste à signaler deux cas de *Wiederaufnahme* qui n'ont pas été retenus comme tels par Boismard : 13,12 et 19,23.

13,6-11.12a

4-5 5b ἤρξατο νίπτειν τοὺς πόδας τῶν μαθητῶν ...
(6-11)
12-17 12a (ὅτε οὖν ἔνιψεν τοὺς πόδας αὐτῶν) [καὶ] ἔλαβεν...

C'est l'hypothèse de Bultmann : un commentaire de l'évangéliste inséré dans le récit de la source, entre la description de l'action et son interprétation. Le v. 12a est un «Rückgriff auf V. 4f.» de la main de l'évangéliste, avec «ὅτε οὖν, das nach der Unterbrechung den Faden von V. 4f. wieder aufnimmt»; il remplace un simple εἶτα... de la source[93]. Boismard reprend l'hypothèse et la précise : le récit de la source est composé des vv. 4-5.12.17. Au v. 12, il note les parallèles de ὅτε οὖν en 19,30 et de οὖν... καὶ... καί (même sujet) en 9,7 et 20,2 (au niveau du Document C), et traduit : «Lors donc qu'il leur eut lavé les pieds, et qu'il eut repris ses vêtements et qu'il se fut remis à table»[94]. Il ne répond pas à l'objection formulée déjà par E. Hirsch

90. La mention de Marthe et la leçon αὐτῆς (au lieu de -οῦ) au v. 1b auraient été ajoutées par un réviseur (pp. 276-277). Voir nos observations critiques dans *Jean et les Synoptiques*, pp. 38-39.

91. *Synopse*, t. III, p. 280. Il lit ὁ Ἰησοῦς en 4,1 (N^{26}, contre N^{25}) et omet εὐχαριστήσαντος τοῦ κυρίου en 6,23. Sur les trois «non-Johannine glosses» avec ὁ κύριος, cf. J. H. BERNARD, *John*, 1928, p. xxxiii; R. BULTMANN, *Johannes*, p. 128, n. 4 : 4,1 ἔγνω ὁ κύριος ὅτι «eine schlechte Glosse»; p. 160, n. 5 : 6,23 εὐχ. τ. κ. «eine späte Glosse»; p. 302, n. 1 : 11,2 «Glosse der kirchlichen Red.»; R. SCHNACKENBURG, t. 1, p. 457, n. 1 : 4,1 «schon die Redaktion könnte das [ὁ Ἰησοῦς] durch ὁ κύριος ersetzt haben, als sie V 2 einfügte»; t. 2, p. 45 (6,23); p. 399 (11,2); J. BECKER, *Johannes*, t. 1, 1979, p. 166 : «Die Herrenbezeichnung des Irdischen [4,1] ist nur noch 6,23; 11,2; 13,13f. in Nachträgen zu finden und bei E dem Auferstandenen vorbehalten (20,20)»; p. 203 (6,23).

92. Cf. *Jean et les Synoptiques*, pp. 90-91 (sur le récit de l'onction en Jn 12,1-11) et 95-96 (Jn 11,1-2).

93. *Johannes*, p. 361, n. 6.

94. *Synopse*, t. III, pp. 330-333. (Sur οὖν... καὶ... καί, voir *Jean et les Synoptiques*, p. 231, n. 580).

contre Wellhausen: «Der Einsatz in *12* ὅτε οὖν ἔνιψεν τοὺς πόδας ist als Anschluss an *5* unmittelbar nicht denkbar; er verrät durch den sprachlichen Ausdruck, dass zwischen *5* und *12* etwas erzählt gewesen ist»[95].

19,19-22.23a

18 ὅπου αὐτὸν ἐσταύρωσαν, καὶ μετ' αὐτοῦ ἄλλους δύο ἐντεῦθεν καὶ ἐντεῦθεν, μέσον δὲ τὸν Ἰησοῦν.

(19.20-22)

23 οἱ οὖν στρατιῶται, (ὅτε ἐσταύρωσαν τὸν Ἰησοῦν)

Selon R. Bultmann, suivi par R.T. Fortna et R. Schnackenburg, les vv. 20-22 seraient une insertion de l'évangéliste dans la source: «Die umständliche Wiederaufnahme ist notwendig geworden, weil der Evangelist V. 20-22 in die Quelle eingefügt hat»; «durch das eingefügte ὅτε ἐσταύρωσαν τὸν Ἰ. muss der Evangelist den Anschluss an V. 19 wiederherstellen»; ou de manière plus précise: «Über V. 19-22 schliesst V. 23 an V. 18 an»[96]. Auparavant, et pour en tirer une autre conclusion, E. Hirsch avait noté au sujet des vv. 23-24: «Ihr richtiger Platz wäre hinter *18*»[97]. A. Dauer reconstruit ainsi la source de Jn: 19,16b-18.23-24; l'évangéliste y aurait inséré le v. 19, qu'il trouve plus loin dans la source, et les vv. 20-22, composés par lui. Le v. 23a οἱ οὖν... Ἰησοῦν serait également de la main de l'évangéliste[98].

La «reprise» en 19,23a permet donc de reconstituer l'ordre des épisodes dans la source johannique: la crucifixion de Jésus est suivie par le partage des vêtements. Cela correspond à la disposition du récit synoptique (Mc 15,24 et par.)[99], et c'est une des raisons pour lesquelles, selon Dauer, la source serait postsynoptique. La nécessité de postuler une «source» autre que les Synoptiques disparaît si Jean dépend directement des évangiles synoptiques. Boismard l'admet pour l'épisode de l'inscription sur la croix, composé par Jn II-B (19,19-22), mais il maintient l'hypothèse d'un récit primitif pour 19,17a.18.23a. Au v. 23a, seul le sujet, οἱ στρατιῶται, serait une addition de Jn II-B, et, assez curieusement, la «reprise» ὅτε (οὖν) ἐσταύρωσαν τὸν Ἰησοῦν appartient au récit primitif[100].

Nous avons présenté ailleurs le cas analogue de la reprise après un

95. *Studien*, p. 100.

96. *Johannes*, p. 515 et 519, n. 1. L'hypothèse est reprise par R.T. FORTNA, *The Gospel of Signs*, p. 129, n. 5 (le v. 20b pourrait être pre-johannique); R. SCHNACKENBURG, t. 3, p. 316.

97. *Studien*, p. 123. Il les attribue au rédacteur.

98. A. DAUER, *Die Passionsgeschichte*, pp. 166-191, spéc. 174 et 191.

99. Jn 19,18 est à rapprocher de Lc 23,33b.

100. *Synopse*, t. III, p. 441-442: c'est surtout le problème du sujet qui retient l'attention du commentateur (Doc. C: les Juifs; Jn II-B: les soldats romains, dans un but d'harmonisation avec le récit de Mt/Mc).

développement johannique en Jn 18,33-37 (cf. Mc 15,2). Pas plus qu'ici, il n'y a lieu de distinguer deux niveaux rédactionnels[101].

6. *Le problème de Jn 6,22-24*

6,22 a τῇ ἐπαύριον ὁ ὄχλος ὁ ἑστηκὼς πέραν τῆς θαλάσσης εἶδον
b (ὅτι πλοιάριον ἄλλο οὐκ ἦν ἐκεῖ εἰ μὴ ἓν
c καὶ ὅτι οὐ συνεισῆλθεν τοῖς μαθηταῖς αὐτοῦ ὁ Ἰησοῦς
εἰς τὸ πλοῖον
ἀλλὰ μόνοι οἱ μαθηταὶ αὐτοῦ ἀπῆλθον·
23 a ἄλλα ἦλθεν πλοι[άρι]α ἐκ Τιβεριάδος
b ἐγγὺς τοῦ τόπου ὅπου ἔφαγον τὸν ἄρτον
c ⸀εὐχαριστήσαντος τοῦ κυρίου.⸌
24 a^{α} |ὅτε οὖν εἶδεν ὁ ὄχλος)
a^{β} ὅτι Ἰησοῦς οὐκ ἔστιν ἐκεῖ οὐδὲ οἱ μαθηταὶ αὐτοῦ,
b (ἐνέβησαν αὐτοὶ εἰς τὰ πλοιάρια)
c καὶ ἦλθον εἰς Καφαρναοὺμ ζητοῦντες τὸν Ἰησοῦν.
25 a καὶ εὑρόντες αὐτὸν (πέραν τῆς θαλάσσης)
b εἶπον αὐτῷ· ῥαββί, πότε ὧδε γέγονας;

La disposition du texte[102] suit l'hypothèse de R. Schnackenburg: l'insertion rédactionnelle des vv. 22b-23, avec la *Wiederaufnahme* au v. $24a^{\alpha}$, dans le récit de l'évangéliste (vv. $22a/24a^{\beta}$.c)[103]. L'explication de Schnackenburg est reprise par U. C. von Wahlde, dans l'article déjà cité, avec deux modifications: l'on devrait lire ἰδόντες (au lieu de εἶδον), et le v. 24b ἐνέβησαν... relèverait du récit de l'évangéliste[104]. Dans son récent commentaire, J. Becker retient également la solution de Schnackenburg[105]. Mais, à la différence de celui-ci[106], il fait re-

101. *Jean et les Synoptiques*, pp. 261-263. C'est le premier exemple de «reprise» cité par Boismard: cf. *Un procédé*, p. 235: «un exemple très clair»; *Synopse*, t. III, p. 13a; *La vie*, p. 16 (*Aus der Werkstatt*, p. 29).

102. Au v. 22a, le texte primitif lisait εἶδεν au singulier (= la reprise au v. 24a) au lieu du pluriel εἶδον qui est rédactionnel.

Le v. 23c εὐχαριστήσαντος τοῦ κυρίου pourrait être une glose (p. 45, n. 2). C'est l'avis presque unanime des auteurs signalés ici (cf. n. 91).

103. *Das Johannesevangelium*, t. 1, 1965, p. 45; t. 2, 1971, pp. 44-45.

104. *A Redactional Technique*, pp. 522-527. Son argument: le parallélisme entre la structure de $6,22a.24a^{\beta}$.b.c et celle de 12,12-13 (p. 525), avec (ἰδόντες)/ἀκούσαντες et ἐνέβησαν.../ἔλαβον... Objection: le v. 24b se comprend difficilement sans les deux antécédents, l'embarquement des disciples (v. 22c) et les autres barques (v. 23a). La variante ἰδόντες au v. 24, sur laquelle s'appuie von Wahlde (p. 526, n. 12), est à négliger. Dans ℵ*, καὶ ἰδόντες remplace ὅτε οὖν εἶδεν ὁ ὄχλος du texte courant. Dans sy^{s}, le v.24a est absent; voir l'article de M. Roberge, p. 282 (cf. *infra*., n. 110). Sur la leçon ἰδών au v. 22, cf. *infra*, n. 121-123.

105. *Das Evangelium des Johannes. Kapitel 1-10* (ÖTKNT, 4/1), Gütersloh-Würzburg, 1979, p. 203.

106. *Das Johannesevangelium*, t. 2, p. 44: «Wir gehen davon aus, dass diese Verse in keiner Quelle standen, der Seewandel ist mit V 16 abgeschlossen».

monter le *Grundstock* de 6,22-25 à la *Semeiaquelle*, rejoignant ainsi Bultmann et Fortna qui tiennent 6,22.25 pour la conclusion du miracle de la marche sur les eaux[107].

Bultmann et Fortna sont à peu près les seuls critiques qui excluent du récit le v. 24c sur le retour à Capharnaüm[108]. Dans le récit actuel, la foule rentre à Capharnaüm par voie de mer, mais sans les vv. 23 et 24b, l'on peut interpréter le v. 24c d'un voyage par voie de terre. E. Schwartz distingue ainsi deux récits différents qui auraient été fusionnés dans le texte actuel[109] :

I 22 (sans τῇ ἐπαύριον).24c (par la terre)
II 22a$^{\alpha}$ (τῇ ἐπ.).23.24ab. 24c (par la mer).

L'on peut retrouver le récit I dans l'hypothèse proposée récemment par Michel Roberge[110] : 6,22a.c.24c. Le récit de l'évangéliste tel que Schnackenburg le reconstitue[111] en est une variante : 6,22a.24a$^{\beta}$.c. Le récit II, plus récent selon Schwartz, devient le récit primitif de l'évangéliste chez E. Hirsch[112] : 6,22a$^{\alpha}$ (τῇ ἐπαύριον).23a (sans ἄλλα).b.24abc. L'hypothèse est adoptée par W. Wilkens[113]. Il tient ὅτε οὖν pour «charakteristisch johanneisch»[114], mais dans un récit qui n'a pas le doublet du v. 22, l'expression du v. 24a n'a plus rien d'une «reprise».

Le caractère johannique de ὅτε οὖν fut souligné également par Bultmann. Dans l'insertion de l'évangéliste (vv. 23-24), les mots ὅτε οὖν εἶδεν ὁ ὄχλος reprennent et réinterprètent le v. 22 de la source[115], mais le v. 24a$^{\alpha}$ ne marque pas, comme chez Schnackenburg, la fin de l'insertion. C'est le cas aussi, au niveau de la rédaction, dans l'hypothèse de Roberge (la glose des vv. 23ab.24ab)[116].

107. R. BULTMANN, *Johannes*, p. 160 : «V. 22.25 enthalten das typische Motiv der Wunderbeglaubigung»; R. T. FORTNA, *The Gospel of Signs*, p. 67. La comparaison avec Mc 6,53ss. est reprise par Becker («Speisung, Seewandel, Rückkehr zum Volk»).

À noter cependant que Bultmann attribue les vv. 23-24 à l'évangéliste (p. 160; cf. n. 7 sur ὅτε οὖν); pour Fortna, ils sont «Johannine or later» (p. 67; cf. p. 68 : le v. 23 pourrait être «a late gloss»), tandis que Becker ne fait pas intervenir l'évangéliste et rend le *KR* responsable du texte actuel de 6,22.25 (p. 203).

108. Selon Bultmann, la foule du v. 22a se trouve déjà «de l'autre côté» par rapport au lieu de la multiplication des pains : cf. v. 25 (p. 160). Fortna corrige son explication de πέραν τῆς θαλάσσης (vv. 22 et 25) : «in each case a different place is meant»; au v. 25, le récit suppose que la foule soit rentrée à Capharnaüm (p. 69, cf. 67).

109. *Aporien im Vierten Evangelium*, I, 1908, pp. 497-560, spéc. 502-503.

110. M. ROBERGE, *Jean VI,22-24. Un problème de critique littéraire*, dans *Laval Théologique et Philosophique* 35 (1979) 139-159.

111. *Das Johannesevangelium*, t. 2, p. 44 : «er dachte wahrscheinlich an einen Fussmarsch».

112. *Studien*, p. 12.

113. *Die Entstehungsgeschichte des vierten Evangeliums*, Zollikon, 1958, pp. 45-46. Cf. *Zeichen und Werke* (ATANT, 55), Zürich, 1969, p. 38.

114. *Ibid.*, p. 45.

115. *Johannes*, p. 160, n. 7.

116. Cf. *supra*, n. 110.

Dans la théorie de Boismard[117], il ne reste rien d'une «reprise». Le récit primitif serait une composition de l'évangéliste Jn II-B, qui n'a pas été changée par le rédacteur (Jn III) : 6,22a.24a$^{\beta}$.23ab.24bc. On y trouve la jonction des vv. 22a et 24a$^{\beta}$ (adoptée par après par Schnackenburg), mais aussi les vv. 23ab et 24b (attribué au rédacteur par Schnackenburg). Le texte johannique ne connaît pas encore le v. 22bc, dont l'addition secondaire devrait expliquer la transposition du v. 24a$^{\beta}$ à la place qu'il occupe dans le texte actuel (Alexandrin). Ce n'est qu'à ce stade que l'expression du v. 24a$^{\alpha}$ a pris forme : ὅτε (addition) οὖν (qui viendrait du v. 24b : ἐνέβησαν *οὖν) εἶδεν (du v. 22a où il est remplacé par εἶδον) ὁ ὄχλος (du v. 22a : ὁ ὄχλος... *εἶδεν)[118].

Boismard élimine ainsi, de façon radicale, le verbe εἶδον (v. 22a) du texte johannique. Τῇ ἐπαύριον... εἶδον est en effet la difficulté principale de 6,22-24 : «Ce n'est pas le lendemain que la foule *vit* qu'il n'y avait là qu'un seul bateau, puisque le bateau était parti dans la nuit»[119]. La plupart des commentateurs y lisent un plus-que-parfait, parfois sans bien saisir la difficulté[120]. Un participe ἰδών prend plus facilement le sens d'un plus-que-parfait : la foule qui était encore là avait vu la veille... Le récit de ce qui se passe le lendemain vient au v. 24, avec la reprise ὅτε οὖν εἶδεν. C'est la leçon du Textus Receptus (Ψ 063 $f^{1.13}$𝔐)[121] et la leçon marginale de Westcott-Hort : ἰδὼν ὅτι... κυρίου· — ὅτε. L'anacoluthe devrait expliquer l'origine de la leçon εἶδον : «Dieses empfohl sich, weil es den Abbruch des Satzes aufhob»[122]. Les commentateurs récents préfèrent la leçon εἶδον (var. εἶδεν)[123] comme la mieux attestée et la moins suspecte d'être une

117. *Synopse*, t. III, pp. 189-190. Cf. *Problèmes de critique textuelle concernant le quatrième évangile*, dans *RB* 60 (1953) 347-371, spéc. 359-371. Voir la critique de M. ROBERGE, *Jean VI,22-24. Un problème de critique textuelle?*, dans *Laval Théologique et Philosophique* 34 (1978) 275-289.

118. Le texte primitif aurait été combiné avec un texte différent, attesté principalement par Tatien et Chrysostome, caractérisé par l'omission du v. 24a et par l'insertion du v. 23, simplifié, dans la deuxième partie du v. 24. Comparer le texte johannique reconstitué par F. Blass : ἐνέβησαν εἰς πλοιάρια ἐπελθόντα ἐκ Τιβεριάδος, καὶ ἦλθον... (*Evangelium secundum Iohannem cum variae lectionis delectu*, Leipzig, 1902, p. 29).

119. *Problèmes*, p. 360.

120. Voir par exemple J. SCHNEIDER, *Das Evangelium nach Johannes* (ThHNT), Berlin, 1976, p. 143 : «Übersetzt man ihn [den Aorist εἶδον], wie das mit Recht vorgeschlagen worden ist, als wenn ein Plusquamperfekt dastünde ('sie hatten gesehen'), dann ergibt sich ein guter Sinn». Voir l'observation critique de l'éditeur du commentaire dans la note 3.

121. Les mêmes témoins lisent au v. 23a : ἄλλα δέ.

122. A. SCHLATTER, *Der Evangelist Johannes*, Stuttgart, 1930, p. 169. Cf. W. M. L. DE WETTE, ³1846, p. 83. En faveur de la leçon ἰδών : T. ZAHN, *Johannes*, ⁵⁻⁶1921, p. 330, n. 18 ; R. T. FORTNA, *The Gospel of Signs*, p. 68.

123. εἶδον P^{75} A B L N W Θ 33 1010 *al* it sy^{h} ; εἶδεν P^{28} ℵ D lat. Voir M. ROBERGE (cf. *supra*, n. 110) : «La leçon εἶδεν serait une exception dans le style de l'évangéliste» (p. 114). Le verbe qui précède le collectif ὁ ὄχλος est normalement au singulier (6,24a

correction secondaire. Certains essaient d'échapper à la difficulté du plus-que-parfait. On fait observer que εἶδον peut s'entendre d'une information indirecte : le lendemain, ils apprirent (P. Schanz)[124]. L'explication plus complexe de B. Weiss décrit bien la difficulté de la construction sans en apporter une solution vraiment satisfaisante[125].

Schnackenburg y répond par une hypothèse de critique littéraire : le rédacteur aurait remplacé le εἶδεν de l'évangéliste par un εἶδον au sens d'un plus-que-parfait (la parenthèse de εἶδον à ὅτε οὖν... ὁ ὄχλος). La solution fut préconisée déjà par Lagrange : «On peut supposer, d'après notre typographie moderne, une parenthèse qui encadrerait le verset en commençant à εἶδον. De cette façon le sens du plus-que-parfait serait suggéré assez naturellement»[126]. Dans l'esprit de Lagrange, la parenthèse ne serait pas une addition rédactionnelle mais une digression de l'évangéliste, et au v. 24 : «Tout étant expliqué, la phrase reprend son cours»[127]. Schnackenburg envisage aussi, comme solution de rechange, l'insertion rédactionnelle du seul v. 23. Dans cette hypothèse, le v. 22bc serait de l'évangéliste, et, plus curieusement, «auch die Wiederaufnahme am Anfang von V 24 (ὅτε οὖν...) würde vom Evangelisten stammen»[128]. L'exégèse ancienne qui attribue le v. 24a à l'évangéliste y voit plutôt une «reprise» après la parenthèse du v. 23 : «durch die Einschaltung ward die *resumtio* nöthig gemacht V. 24» (Wilke)[129], ou, pour citer les mots de F. Blass (dans la section sur les *Zwischensätze*) : «das τῇ ἐπαύριον ὁ ὄχλος des Anfangs wird in 24 durch ὅτε οὖν εἶδεν ὁ ὄχλος wiederaufgenommen,

εἶδεν ὁ ὄχλος : cf. 6,2; 7,20; 12,9.17.18.34), mais, «en règle générale», le verbe qui le suit est au pluriel : cf. 6,2b; 6,24b; 7,49; 12,9.12.18 (exceptions : 6,5; 12,29). Le leçon εἰδώς est une conjecture de H. Ewald, imprimée dans le texte de F. Blass (1902) sur la base du témoignage de *e* : *cum scirent* (cf. ZAHN, p. 331, n. 22 : «kann sinngemässe Paraphrase von ἰδών sein»). Blass fut suivi par J. Belser (1905, p. 218) et E.A. Abbott (*Grammar*, 1906, p. 339), et sa *Grammatik* a assuré une longue vie à la variante : ²1902, § 57, 6 («besser εἰδώς nach e»); cf. BLASS-DEBRUNNER, § 330 (Funk : «εἰδώς following e is better»). F. REHKOPF (¹⁴1975) se contente de citer εἶδον, sans variantes (p. 271).

124. P. SCHANZ, *Johannes*, 1885, p. 271. L'explication est reprise par Lagrange (p. 170), suivi par M. Roberge (cf. *supra*, n. 110).

125. B. WEISS, *Die vier Evangelien* (Das Neue Testament, 1), Leipzig, 1902, p. 492 : «Das ειδον will berichten, woraus sie endlich ersahen, dass eine Rückkehr Jesu nicht mehr zu erwarten seï, nämlich weil kein Fahrzeug da war, mit dem er hätte übersetzen können. Die Verwirrung der Konstruktion entstand dadurch, dass der Evang. durch das αλλο — ει μη εν auf das eine Fahrzeug reflektiert, das gestern dagewesen war und in das Jesus nicht mit eingestiegen war...». Cf. *Das Johannes-Evangelium* (KEK, 2), Göttingen, ⁹1902, pp. 202-203; *Das Johannesevangelium als einheitliches Werk*, Berlin, 1912, p. 120.

126. *Jean*, p. 170.

127. *Ibid.*, p. 171.

128. Cf. *supra*, n. 103.

129. C.G. WILKE, *Die neutestamentliche Rhetorik*, p. 230.

in einer auch bei Klassikern begegnenden Weise, wobei ein Vergessen gar nicht einmal vorläge; vgl. I J 1 1-3»[130].

Note de critique textuelle : Jn 6,22-24

La solution de critique textuelle proposée par M.-É. Boismard en 1953 et reprise dans son commentaire de 1977, a été critiquée par M. Roberge (cf. *supra*, n. 117). À propos du texte pré-alexandrin (le texte court primitif), il peut citer l'auteur même : «Malheureusement, faute de citations patristiques suffisantes, nous ne pouvons faire que des conjectures» (280 et 289 ; cf. *RB*, 1953, 369). En ce qui concerne le texte de Tatien et Chrysostome (cf. *supra*, n. 118), il croit devoir conclure que «loin d'être le témoin d'un texte court, (il) se présente plutôt comme une relecture narrative du texte actuel» (289). «La caractéristique de cette relecture : le blocage du v. 23 dans le v. 24b, sans doute pour rendre le texte plus clair en lui enlevant son caractère asyndétique» (288). M. Roberge a examiné surtout le témoignage de sy^s et de Tatien. Je n'ai pas a refaire cet examen ici, si ce n'est peut-être sur un seul point : le témoignage du Diatessaron néerlandais dont il est dit qu'il est «caractérisé par l'omission de la reprise du v. 24a» (286). Quant au texte de Chrysostome, Roberge se contente de noter que «la reconstitution ... comporte elle aussi des incertitudes» (289).

1. *Diatessaron de Liège*, c. 104 (éd. Plooy, 202 ; De Bruin, 100-102 ; Bergsma, 103)

22a	Des anders dags *na din dat hi dat volc hadde ghesaedt in der wustinen,*
	dat selve volc dat noch in die wustine daer was,
b	*alst* vernam dat *des dags tevoren* nemmeer schepe en hadden aldaer ghewest
	dan allene dat schep
($22c^{\beta}$)	dar die ijongren mede en wech ghevaren waren,
(*24a*?)	*so wonderde hen allen waer si Ihesum verloren hadden,*
	want si wale wisten
$22c^{\alpha}$	dat hi mit sinen ijongren nin was ghescheept.
24b	Doe saten si in andre schepen
23a	die *dis dags* waren comen van Tiberien,
b	al daer ter stat daer si gheten hadden van din broden,
24c	ende voeren over ende sochten Ihesum te Capharnaum.

J'ai ajouté en marge les références au texte actuel. L'insertion du v. 23ab après le v. 24b ne fait pas de doute, mais peut-on dire que «le texte ... ne contient la moindre trace de la reprise du v. 24a» (286)? La phrase insérée au v. 22 : «so wonderde hen allen waer si Ihesum verloren hadden» semble correspondre au contenu du v. 24a. Et l'emploi des verbes «alst *vernam*» et «want si wale *wisten*» pourrait être l'écho du doublet εἶδον (ἰδών) et εἶδεν des vv. 22 et 24. Une dépendance par rapport à un texte «qui n'offrait pas la reprise du v. 24a» (286) restera donc fort douteuse. Par contre, on peut souscrire à l'autre conclusion de Roberge : le texte se présente comme «la relecture narrative, somme toute, libre, d'un texte plus figé où le v. 23 devait être reproduit à sa place normale». La

130. *Grammatik*, ²1902, § 79,9. Blass parle ainsi du v. 24a d'après le texte courant, pour ajouter : «Indessen halte ich diesen Anfang von 24 samt Anderm für Interpolation, und das vom Verf. Geschriebene für etwas ganz einfaches und regelrechtes, vgl. Chrysost. und Syr. Lewis» (cf. *supra*, n. 118 et 123 : εἰδὼς ὅτι ... ἐνέβησαν ...). Le passage cité dans le texte est repris par Debrunner : «nach der gewöhnlichen LA...», sans la référence à l'option personnelle de Blass (§ 467).

«correction» de la parenthèse du v. 23 n'a en effet rien d'étonnant. L'on peut citer d'autres exemples dans le Diatessaron. La parenthèse de 4,9b (οὐ γάρ ...) est introduite par: «Dit sprac dat wijf om dat ...» (c. 115). L'exemple de 11,5 se rapproche de celui de 6,23. La phrase ἠγάπα δὲ ... a été insérée dans le verset suivant: «Ende alse Ihesus, die minde Marien ende Marten ende Lazarum, van dire sikheit hadde vernomen ...» (c. 183).

Signalons encore quelques corrections à apporter dans la traduction et l'utilisation du Diatessaron par Boismard (*RB*, 1953). Il traduit «alst vernam» par «*audientes*» (365, 367), sans doute sous l'influence de la traduction de A. J. Barnouw («when they heard»). Mais le verbe *audire* au lieu de *videre* ne peut se justifier ici, et le pluriel est incorrect: *alst* = «als het» (quand il), c.-à-d. «dat volc». L'expression «alst vernam» correspond à ὅτε εἶδεν, mais elle traduit sans doute le participe ἰδών du texte reçu. — «Au lieu de συνεισῆλθεν, on lira ἦν, soutenu par Ta^N» (367). Comparer $22c^a$: «dat hi mit sinen ijongren nin was ghescheept»! — «Au lieu du πέραν τῆς θαλάσσης des manuscrits, Chrys. (Mosc.) et Ta^N lisent ἐκεῖ» (367). N'oublions pas que le Diatessaron est une harmonie des évangiles. Il traduit Jn 6,1 ἀπῆλθεν ... πέραν τῆς θαλάσσης par «voer ov' dat water» mais ajoute «in der wstinen» (cf. Mc 6,32), et cette localisation est maintenue ici: «dat noch in die wustine daer was». Le Diatessaron ne permet guère d'en douter: il s'agit «dat selve volc» (cf. la glose: «na din dat hi dat volc hadde ghesaedt in der wustinen»). Le sens que Boismard croit pouvoir donner au texte de Chrysostome («les foules qui étaient là, à l'endroit où viennent d'abord les disciples ... ne sont pas celles qui ont bénéficié, la veille, de la multiplication des pains»; *Synopse*, t. III, p. 189b) est formellement contredit par le Diatessaron de Liège: «dat selve volc»!

2. *Le texte de Chrysostome* (PG 59,246)

L'étude des citations de Jean dans les Homélies de Chrysostome n'a guère progressé, semble-t-il, depuis l'édition de Henry Savile (Eton, 1612, t. 2, p. 734). Boismard s'est basé sur le texte de Migne, c.-à-d. le texte de B. de Montfaucon (1728, t. 8) et les variantes empruntées par celui-ci aux éditions de Savile (1612) et Morel (1636). Boismard se réfère également aux variantes «données par Blass dans son édition critique de saint Jean et tirées de manuscrits conservés à Moscou» (366). Les variantes de l'apparat de F. Blass (1902) sont reprises de C. F. MATTHAEI, *Evangelium secundum Ioannem Graece et Latine*, Riga, 1786. On y trouve des variantes (d'après sept manuscrits) qui se lisent déjà dans l'édition de Savile:

A. *Texte de Savile*	B. *Leçons marginales*
1 οἱ δὲ ὄχλοι οἱ ὄντες ἐκεῖ εἶδον	τῇ ἐπαύριον ὁ ὄχλος ὁ ἑστηκὼς ἰδὼν
2 ὅτι ἄλλο πλοιάριον οὐκ ἦν ἐκεῖ,	
3 εἰ μὴ ἕν, εἰς ὃ ἐνέβησαν οἱ μαθηταὶ αὐτοῦ,	
4 καὶ ὅτι Ἰησοῦς οὐκ ἀνέβη εἰς τὸ πλοῖον,	καὶ ὅτι ὁ Ἰησοῦς οὐκ συνεισῆλθεν
5 ἀλλ' οἱ μαθηταὶ αὐτοῦ	ἐνέβησαν καὶ αὐτοὶ εἰς ἕτερα πλοιάρια ἐλθόντα ἀπὸ Τιβεριάδος
6 εἶδον... ὅτι πλοιάριον ἄλλο οὐκ ἦν ἐκεῖ εἰ μὴ ἕν,	
7 καὶ ὅτι Ἰησοῦς οὐ 'συνανέβη τοῖς μαθηταῖς'	συνεισῆλθε
8 καὶ ἐμβάντες εἰς τὰ ἐκ Τιβεριάδος πλοιάρια,	καὶ ἀπελθόντες
9 ἦλθον ζητοῦντες τὸν Ἰησοῦν'	εὗρον αὐτὸν πρότερον
10 εἰς Καπερναούμ.	εἰς Καπερναούμ
11 ἓν γὰρ ἦν... εἰς ὃ ἐνέβησαν οἱ μαθηταὶ αὐτοῦ.	

Pour le fragment I, le texte de Matthaei est identique à celui de Savile (= A). Le texte B est devenu le texte courant des éditions depuis Morel (repris par de Montfaucon). Dans le fragment II, le texte de Matthaei combine A (lignes 6-7) avec B (lignes 8-9): «Omnia [vv. 23-25a] Chrys. ita contrahit» (p. 107). Par contre, le texte courant combine συνεισῆλθε (= B; Morel: συνανέβη) avec καὶ ἐμβάντες κτλ. du texte A.

Le texte reconstitué par Boismard combine le texte courant (cf. B, ligne 5) avec celui «des manuscrits de Moscou» (cf. A, ligne 1). L'on notera cependant, dans ces manuscrits (cf. Matthaei), l'absence du motif des autres bateaux venus de Tibériade (B ligne 5 = A ligne 8). Comment justifier alors cette confiance dans les mêmes témoins au sujet du v. 22a: οἱ δὲ ὄχλοι οἱ ὄντες ἐκεῖ? «Le pluriel était sûrement la leçon de Chrysostome. ... les manuscrits de Moscou ont le pluriel; par la suite, même dans Migne, c'est le pluriel qui est utilisé» (366, n. 4). S'il est vrai que le pluriel ὄχλοι et l'adjectif ἕτερος «sont peu en harmonie avec le style de Jn» (*Synopse*, t. III, p. 190a), la lecture du commentaire de Chrysostome nous apprend qu'il peut citer d'abord Jn 6,2 ἠκολούθει αὐτῷ ὄχλος πολύς et puis le reprendre au pluriel: διὸ καὶ ἠκολούθουν αὐτῷ ὄχλοι πολλοί, θεωροῦντες κτλ. (239). Quant à l'emploi de ἕτερος, le contexte immédiat de c. 246 en fournit plusieurs exemples, dont ἑτέρῳ πλοίῳ (à côté de ἄλλο πλοῖον de la citation). Il n'est donc pas étrange qu'il cite Jn 6,22a ὁ ὄχλος (texte B) et continue son commentaire par οἱ ὄχλοι. Et s'il a lu le pluriel εἶδον au v. 22, il peut avoir remplacé, dans la «citation» même, le sujet ὁ ὄχλος par οἱ ὄχλοι (texte A).

L'utilisation des «manuscrits de Moscou» dans l'article de Boismard est à corriger sur plusieurs points. Cf. 366, n. 2 et 3: οὐ συνανέβη τοῖς μαθηταῖς (Savil. = Mosc., c.-à-d. ligne 7!); p. 367: «les mots εἰς τὸ πλοῖον, omis par Chrys.» (cf. A, ligne 4); «il faut omettre les mots ἀλλὰ μονοὶ οἱ μαθηταὶ αὐτοῦ ἀπῆλθον, avec ... Chrys.» (cf. A, ligne 5 ἀλλ' οἱ μαθηταὶ αὐτοῦ). Mais il est plus important de voir le sens qu'il donne au v. 22a: «les gens qui étaient là (à l'endroit où les disciples ont abordé, et non ceux de la multiplication des pains)» (309).

Cette interprétation est basée sur le commentaire que donne Chrysostome de 6,21: «Au moment où ils s'apprêtent à le prendre avec eux dans la barque, le Christ disparaît et le bateau atteint le rivage», et Boismard ajoute: «probablement à un endroit autre que Capharnaüm» (*ibid.*). C'est ainsi qu'il entend la citation de Jn 6,21b: καὶ εὐθέως τὸ πλοῖον ἐγγὺς τῆς γῆς ἐγένετο (comparer N^{26} καὶ εὐθέως ἐγένετο τὸ πλοῖον ἐπὶ τῆς γῆς εἰς ἣν ὑπῆγον). On comprend généralement (T. Zahn, il est vrai, est d'un avis différent) εἰς ἣν ὑπῆγον, «vers laquelle ils allaient», en rapport avec le v. 17, ἤρχοντο ... εἰς Καφαρναούμ. Doit-on conclure de l'absence de ces mots dans le commentaire de Chrysostome qu'il suppose que les disciples aient abordé à un autre endroit? Je ne le crois pas, car Chrysostome ajoute: οὐ γὰρ μόνον ἀσφαλῆ, ἀλλὰ καὶ ἐξ οὐρίων αὐτοῖς παρέσχε τὸν πλοῦν (c. 245). Jésus n'a pas monté dans le bateau, ἵνα τὸ θαῦμα μεῖζον ἐργάσηται (c. 246). Cela implique, semble-t-il, que, selon Chrysostome, le bateau arrive aussitôt à sa destination. Rien n'indique qu'il songe à un endroit «autre que Capharnaüm, leur destination première». Il n'y a donc pas lieu de supposer, «bien que le texte ne le dise pas explicitement»(!), que les gens de cet endroit partent «en compagnie des apôtres» pour chercher Jésus (369). S'il y a des manuscrits de la version éthiopienne qui ont au v. 24:

«les disciples montèrent en barque avec les gens ...» (*ibid.*), il n'est guère pensable que Chrysostome les associe ainsi dans un passage où il insiste plutôt sur leur distancement: il s'agit d'un des miracles que les disciples ont vus καθ' ἑαυτούς, οὐ μετὰ τοῦ ὄχλου (c. 245).

À propos de la citation de Jn 6,22 dans le texte de Chrysostome, la note de B. de Montfaucon n'a pas vieilli: «Savil. et Morel. Scripturae versum varie efferunt, mss. vero cum neutro consentiunt, neque etiam Graeca vulgaris editio: etsi verbis solum, non re differant omnes». Nous n'avons toujours pas d'édition critique des Homélies de Chrysostome sur l'évangile de Jean. L'hypothèse de M.-É. Boismard sur le texte (Tatien-)Chrysostome de Jn 6,22-24 montre que nous en avons grandement besoin. Sur l'étude des manuscrits, cf. P. W. HARKINS, *The Text Tradition of Chrysostom's Commentary on John*, dans *Theological Studies* 19 (1958) 404-412; et *Studia Patristica VII*, 1966, 210-220.

7. *La «Ringkomposition»*

Le phénomène de la reprise-et-répétition, qu'on peut désigner par le nom traditionnel d'*epanalepsis*, apparaît dans la critique littéraire comme une technique d'insertion, d'interpolation ou de glose, sous des noms différents: *resumptive repetition* (Wiener), *repetitive resumptive* (von Wahlde), *Wiederaufnahme* (Kuhl, Boismard), *Technik des gleichendigen Einsatzes* ou *Einschubs* (Hirsch). Le phénomène a été défini également comme *Ringkomposition*. W. A. A. van Otterlo, qui l'a étudiée dans l'ancienne littérature grecque, distingue[131] deux types de *Ringkomposition*. L'une serait *einrahmend* (ou *inklusorisch*), l'autre serait *wiederaufnehmend* (ou *anaphorisch*) et aurait pour fonction «nach einem in die Erzählung eingelegten Exkurs die Darstellung erst nach der Wiederaufnahme des der Bruchstelle vorhergehenden Schlussglieds der Hauptlinie wieder fortzusetzen»[132]. Norbert Schmid, qui s'est appliqué à dépister les formes de la *kleine Ringkomposition* dans le Nouveau Testament (évangiles et Actes)[133], tient la «reprise» pour

131. W. A. A. VAN OTTERLO, *Untersuchungen über Begriff, Anwendung und Entstehung der griechischen Ringkomposition*, Amsterdam, 1944 (pp. 1-46 = Mededelingen der Koninklijke Nederlandse Akademie van Wetenschappen. Afd. Letterkunde, Nieuwe Reeks dl. 7, pp. 131-176). Du même auteur: *Beschouwingen over het archaïsche element in den stijl van Aeschylus* (Diss. Leiden), Utrecht, 1937, spéc. pp. 18-26 et 76-105; *De ringcompositie als opbouwprincipe in de epische gedichten van Homerus* (Verhandelingen Kon. Akad. Wet., Afd. Lett. 51/1), Amsterdam, 1948.

Voir en outre Ingrid BECK, *Die Ringkomposition bei Herodot und ihre Bedeutung für die Beweistechnik* (Spudasmata, 25), Hildesheim & New York, 1971. Le nom de *Ringkomposition* semble remonter à H. FRÄNKEL, *Eine Stileigenheit der frühgriechischen Literatur*, dans *NGG* (1924) 63-126, p. 97.

132. *Untersuchungen*, p. 7 (= 137).

133. N. SCHMID, *Kleine ringförmige Komposition in den vier Evangelien und der Apostelgeschichte* (Diss.), Tübingen, 1961. Cf. *TLZ* 87 (1962), c. 787. Dans *ZNW* 46 (1955), H. Hommel, le directeur des thèses de Schmid et Beck (cf. n. 131), avait noté comme exemples de la «kleine ringförmige Komposition» dans le Nouveau Testament:

une «*uneigentliche* Ringkomposition» (au sens impropre)[134] et préfère parler d'une *Exkurstechnik* : «die Ausgrenzung einer Digression durch sinn- bzw. wortgleiche Glieder vor und nach der Digression»[135]. Jn 18,5-6; 18,18-25; 11,1-2; 21,20-21 sont parmi les exemples cités par Schmid[136]. Il retrouve la même figure dans des paroles de Jésus : la reprise après la question de Judas en 14,21.23 et après celle des disciples en 16,16.19[137], et surtout 4,21.23 où le v. 22 répond à la question de la femme (v. 20)[138].

D'autres «insertions» avec reprise apparaissent dans la classification de Schmid comme des *Ringkompositionen* au sens propre[139] :

V	1,1ab.c.2	Boismard	V	7,6.7-8a.b	Boismard
II	3,31a.b.c	Hirsch (var. 31a[a])	III	9,21.22.23	Boismard
I	5,32.33-36.37a	Boismard	I	10,25a.b.26	Hirsch

On y retrouve également des passages qui ne sont pas signalés comme des reprises dans le Commentaire de Boismard et Lamouille mais dont

Ac 17,19-20, et Jn 13,34 (ἀγαπᾶτε ἀλλήλους). Il s'agit de la «Kurzform, die noch genauer untersucht werden müsste» (p. 175, n. 64). Les deux exemples sont repris par Schmid : p. 102 (Jn 13,34) et 108 (Ac 17,19-20); cf. p. 1.

134. *Ibid.*, p. 15, n. 2 : «Man kommt nicht, wie bei der eigentlichen RK, von selbst wieder zum Hauptgedanken der Erzählung zurück».

135. *Ibid.*, p. 70. Cf. 15-17.

136. *Ibid.*, pp. 73-75 : les exemples en Jn. Les quatre passages sont signalés comme insertions ou «reprises» : 11,2 par Spitta (cf. *supra*, p. 322); 18,5b.6a, par Hirsch (p. 307) et Boismard, *Un procédé* (p. 320); 18,19-24.25a, par Fortna (p. 309) et Boismard (p. 313); 20,20b-21a, par Spitta et Bultmann (p. 321).

137. Comparer Bultmann : 16,17-18.19 serait une insertion dans la source 16,16/20 (p. 444, n. 3).

138. Cf. p. 73. Schmid fait suivre 4,21-23 d'une nouvelle structure A B A' (pp. 111-112) :

21 A πίστευέ μοι, γύναι, ὅτι ἔρχεται ὥρα ὅτε
οὔτε ἐν τῷ ὄρει τούτῳ οὔτε ἐν Ἱεροσολύμοις προσκυνήσετε τῷ πατρί.
22 B [ὑμεῖς προσκυνεῖτε ὃ οὐκ οἴδατε·
ἡμεῖς προσκυνοῦμεν ὃ οἴδαμεν,
ὅτι ἡ σωτηρία ἐκ τῶν Ἰουδαίων ἐστίν.
23 A' ἀλλὰ ἔρχεται ὥρα καὶ νῦν ἐστιν, ὅτε]
A οἱ ἀληθινοὶ προσκυνηταὶ προσκυνήσουσιν τῷ πατρὶ ἐν πνεύματι καὶ ἀληθείᾳ·
B [καὶ γὰρ ὁ πατὴρ τοιούτους ζητεῖ τοὺς προσκυνοῦντας αὐτόν.
24 πνεῦμα ὁ θεός,
A' καὶ τοὺς προσκυνοῦντας αὐτὸν ἐν πνεύματι καὶ ἀληθείᾳ δεῖ προσκυνεῖν.]

L'on notera que les éléments B A' et *B A'* coïncident avec les gloses de Jn III admises ici par Boismard (voir les crochets). Cf. *Synopse*, t. III, p. 133a : «L'insertion du v. 22a a entraîné la répétition, au v. 23a, des mots du v. 21 : 'l'heure vient où'». C'est par l'inclusion de la reprise (v. 23a) dans l'insertion que l'hypothèse de Boismard se distingue de celle de Bultmann et J. Becker (cf. *supra*, n. 27).

139. Le chiffre romain renvoie à la classification de Schmid, d'après la fonction de B par rapport à A A' : I. *Beweis* (en Jn : pp. 92-95); II. *Nähere Ausführung* (102-103); III. *Begründung* (110-112); IV. *Folge* (121-123); V. *Ergänzung* (126-127); VI. *Einwand* (134-135). Un tri plus sévère des 46 cas en Jn s'imposerait.

Comme dans les notes 137-139, les «insertions» (Boismard, Hirsch) comprennent l'élément central (B) et la répétition de A (A').

en fait l'élément A appartient au récit primitif et l'élément central (B) et la répétition (A') forment l'insertion secondaire :

6,41.42a.b (I)
A II-A 41 ἐγόγγυζον... ὅτι εἶπεν· ἐγώ εἰμι ὁ ἄρτος ὁ καταβὰς ἐκ τοῦ οὐρανοῦ,
B II-B 42 καὶ ἔλεγον· οὐχ οὗτός ἐστιν... μητέρα;
A' πῶς νῦν λέγει ὅτι ἐκ τοῦ οὐρανοῦ καταβέβηκα;

8,24a.b.c (III)
A II-A 24 εἶπον οὖν ὑμῖν ὅτι ἀποθανεῖσθε ἐν ταῖς ἁμαρτίαις[140] ὑμῶν·
B II-B ἐὰν γὰρ μὴ πιστεύσητε ὅτι ἐγώ εἰμι,
A' ἀποθανεῖσθε ἐν ταῖς ἁμαρτίαις ὑμῶν.

10,28.29a.b (I)
A II-A 28 ... καὶ οὐχ ἁρπάσει τις αὐτὰ ἐκ τῆς χειρός μου.
B II-B 29 ὁ πατήρ μου ὃ δέδωκέν μοι πάντων μεῖζόν ἐστιν,
A' καὶ οὐδεὶς δύναται ἁρπάζειν ἐκ τῆς χειρὸς τοῦ πατρός.

15,18.19a.b (III)
A II-B 18 εἰ ὁ κόσμος ὑμᾶς μισεῖ, γινώσκετε ὅτι ἐμὲ πρῶτον ὑμῶν μεμίσηκεν.
B III 19 εἰ ἐκ τοῦ κόσμου ἦτε...·
ὅτι δὲ ἐκ τοῦ κόσμου οὐκ ἐστέ, ...
A' διὰ τοῦτο μισεῖ ὑμᾶς ὁ κόσμος.

Mais on y rencontre aussi des passages où le Commentaire ne distingue pas deux niveaux rédactionnels différents. J'en cite un exemple de chaque catégorie : I. 14,10a.b.11 (II-A)[141]; II. 16,20.21.22 (II-B); III. 16,14.15a.b (II-B)[142]; IV. 17,11a.11b-12.13 (II-B); V. 16,23b.24a.b (II-B); VI. 8,31.32.33-35.36 (II-B).

Le cas de 16,23-24 demande un bref commentaire. Schmid fait observer que l'élément central (B) y forme un contraste avec A et A'. De l'avis de Boismard, l'évangéliste (II-B) aurait utilisé Lc 11,9-10[143] :

23b ἄν τι αἰτήσητε	cf. Lc 11,9a αἰτεῖτε
τὸν πατέρα	
ἐν τῷ ὀνόματί μου	
δώσει ὑμῖν.	καὶ δοθήσεται ὑμῖν
24a ἕως ἄρτι οὐκ ᾐτήσατε οὐδὲν	
ἐν τῷ ὀνόματί μου·	
24b αἰτεῖτε	10a πᾶς γὰρ ὁ αἰτῶν
καὶ λήμψεσθε	λαμβάνει
ἵνα ἡ χαρὰ ὑμῶν ᾖ πεπληρωμένη.	

140. Boismard lit τῇ ἁμαρτίᾳ. Cf. *Jean et les Synoptiques*, pp. 37-38.

141. Le v. 11 serait rédactionnel selon Hirsch (*Studien*, p. 30). Il fait observer que «*11a* keinen eignen Inhalt gegen *10* hat» (p. 105).

142. Selon Bultmann, le v. 15 serait une insertion de l'évangéliste dans la source : «In einer Anmerkung (V. 15) kommentiert der Evangelist das V. 14 Gesagte» (p. 444).

143. *Synopse*, t. III, p. 391 (cf. 354b).

Le double logion sur la prière, qui semble s'inspirer des Synoptiques[144], est à rapprocher d'un autre doublet : 14,13.14. Schmid y retrouve la structure A B A' (catégorie I), mais Boismard pense que le logion de II-B (v. 13) a été dédoublé par Jn III :

13a καὶ ὅ τι ἂν αἰτήσητε ἐν τῷ ὀνόματί μου
τοῦτο ποιήσω,
13b ἵνα δοξασθῇ ὁ πατὴρ ἐν τῷ υἱῷ.
14 ἐάν τι αἰτήσητέ με ἐν τῷ ὀνόματί μου
ἐγὼ ποιήσω.

Boismard compte *cinq* logia sur la prière au niveau de Jn II-B (14,13; 15,7.16; 16,23b.24) et *sept* au niveau de Jn III (il aurait ajouté 14,14 et 16,16)[145]. Mais puisque «la formulation la plus ancienne» se lit en 16,23-24, ne fallait-il pas, au niveau de l'évangéliste même, comparer le doublet de 14,13a.14 aux deux logia de 16,23b.24b, comme il le fait pour 15,16 et 7[146]?

Il n'est guère possible d'entrer ici dans une discussion détaillée des cas particuliers. Si j'ai opposé la *Ringkomposition* de Schmid à la *Wiederaufnahme* de Boismard, c'est pour replacer la reprise-et-répétition dans un contexte plus large que celui des critères de critique littéraire. On aurait tort, semble-t-il, de l'isoler des autres phénomènes de répétition qui caractérisent le style du quatrième évangile : «multae admodum sunt in hoc Apostolo repetitiones»[147].

8. *Un corollaire sur l'évangile de Marc*

Dans *La vie des évangiles*, Boismard et Lamouille citent comme exemples types de «reprise» les passages Jn 18,33.37a (cf. Lc 23,3) et Mc 7,1.5a (cf. Mt 15,1)[148]. À propos de Mc 14,54.66-67, ils introduisent même le néologisme de «récit 'reprisé'»[149]. Ils notent

144. Cf. R. SCHNACKENBURG, *Tradition und Interpretation im Spruchgut des Johannes-evangeliums*, dans J. ZMIJEWSKI & E. NELLESSEN (éd.), *Begegnung mit dem Wort. FS H. Zimmermann* (BBB, 53), Bonn, 1980, pp. 141-159. Parmi les logia qui s'inspirent («mit Anlehnung an») de la tradition synoptique : 14,13-14; 15,7; 16,23-24; cf. Mk 11,25/ Mt 21,22 (p. 148). On y ajoutera Lc 11,9-10 et par.

145. *Synopse*, t. III, p. 391.

146. *Ibid.*, p. 355a.

147. G. Van Belle prépare une étude d'ensemble sur les phénomènes de répétition et leur signification pour l'exégèse de l'évangile de Jean.

Du point de vue de la terminologie, il serait souhaitable de maintenir la distinction entre ce que T. Veijola (*Die ewige Dynastie*, Helsinki, 1975, p. 96) appelle «wirkliche '*Wiederaufnahme*' im literartechnischen Sinn» et la figure de la *Ringkomposition*. La distinction disparaît chez F. Langlamet (à propos de 2 S 7,9-11) : «Encadrés par la double mention des 'ennemis' (vv. $9^{a\beta}$, $11^{a\beta}$), formant, autrement dit, une *Ringkomposition* (avec 'reprise' rédactionnelle, sous une forme légèrement différente, de la dernière phrase, du texte ancien interrompu par le texte inséré), les vv. 9^{b}-11^{a} ne seraient-ils pas entièrement secondaires?» (*RB*, 83, 1976, p. 130).

148. *La vie*, pp. 17-18.

149. *Ibid.*, p. 79 : «Un récit 'reprisé'»; en traduction allemande, p. 98 : «Ein 'wiederaufgenommener' Bericht». (Le Robert ne connaît ce dérivé de reprise qu'au sens de

encore, dans le procès devant le Sanhédrin, «deux insertions, délimitées chacune par une 'reprise'»: Mc 14,56.57-59 et 60a.61b[150]. Le dédoublement de 14,56ab dans les vv. 57 et 59 («une utilisation particulière du procédé rédactionnel de la 'reprise'») a retenu l'attention de John R. Donahue. À partir de cet exemple, il a étudié «The Markan Insertion Technique» dans toute une série de passages[151].

La «découverte de Donahue»[152] semble avoir joué un rôle important dans l'exégèse marcienne de Norman Perrin et de son école[153].

«repriser des chaussettes».) Ailleurs les auteurs utilisent le titre: «Une 'reprise' dans le texte» (p. 84) ou «Un texte avec 'reprise'» (p. 91, 104).

150. *Ibid.*, p. 73. — Voir encore pp. 39-49: «Un cas de 'reprise' très caractéristique» dans Ac 2, où «la reprise du v. 11 et surtout du v. 12a invite à penser que les versets 7b-11 ont été ajoutés dans un récit plus ancien «où il était question de «parler en langues». Dans l'insertion des vv. 7b-12a, il s'agit de «parler en d'autres langues», et pour introduire cette notion de xénoglossie, l'auteur des Actes aurait dû insérer ἑτέραις au v. 4, ajouter le v. 5, et insérer εἷς ἕκαστος et αὐτῶν au v. 6 (p. 47). La reprise serait double:

6b ὅτι ἤκουον εἷς ἕκαστος 'λαλοῦντας ταῖς γλώσσαις αὐτῶν.'
7a ἐξίσταντο δὲ καὶ ἐθαύμαζον λέγοντες· (...
11b ἀκούομεν λαλούντων αὐτῶν ταῖς ἡμετέραις γλώσσαις τ. μ. τ. δ.
12a ἐξίσταντο δὲ πάντες καὶ διηπόρουν ... λέγοντες·)

Une reprise plus simple, qui se situe à l'intérieur du discours, est signalée par J. A. Bengel, dans *Gnomon Novi Testamenti*:

8 καὶ πῶς ἡμεῖς ἀκούομεν ἕκαστος τῇ ἰδίᾳ διαλέκτῳ ἡμῶν ἐν ᾗ ἐγεννήθημεν
11b ἀκούομεν λαλούντων αὐτῶν ταῖς ἡμετέραις γλώσσαις τ. μ. τ. δ.

«Periodus concluditur v. 11. Nam illud: *quomodo nos audivimus...*, per se abrupte sonans, coll. v. 6, post longam parenthesim, qua oratio decore suspenditur, reassumitur his verbis: *audimus eos loquentes* etc. Admirationi eximie congruit sermo» (p. 394).

L'hypothèse de Boismard et Lamouille semble négliger le rôle du v. 8, suite à une option de critique textuelle discutable au v. 6 (la leçon dont D est le seul témoin grec). L'hypothèse néglige également les traits lucaniens aux vv. 12-13 (cf. H. Conzelmann, J. Kremer, e.a.).

151. J. R. DONAHUE, *Are You the Christ? The Trial Narrative in the Gospel of Mark* (SBL, Diss. 10), Missoula (Montana), 1973, pp. 77-84: «The Markan Insertion Technique»; pp. 241-243: «Appendix: The Marcan Insertions». La liste des 22 insertions (les cas qui méritent un examen ultérieur sont marqués par †):

2,6b.8b	5,10.23	8,17.21	11,11.15	14,18.22†
2,9b.11b	5,29.34	8,29; 9,5	13,5a.9.23.33	14,56.59†
3,7.8	6,14.16†	9,12.13b	13,33b.35b	15,2.4
3,14.16†	6,31.32	10,23b.24b	13,35.37	15,24.25†
4,31.32†	7,20.23.			

Voir aussi p. 243: les 25 autres cas de répétitions.

152. N. PERRIN, *The Christology of Mark. A Study of Methodology*, dans *Journal of Religion* 51 (1971) 173-187; repris dans *A Modern Pelgrimage in New Testament Christology*, Philadelphia, 1974, pp. 104-121, p. 108, n. 13: «Donahue's own discovery»; p. 116, n. 24: «the Markan insertion technique identified by John Donahue». Cf. DONAHUE, *op. cit.*, p. 79, n. 1: «The identification of and the study of the function of the Marcan insertions had not been made before».

153. Voir les références dans l'ouvrage de Werner H. KELBER (éd.), *The Passion in Mark. Studies on Mark 14-16*, Philadelphia, 1976, p. 29, n. 21 et 22 (V. K. Robbins: 14,18:22); p. 67, n. 19 (J. R. Donahue: 14,56b:59; cf. p. 65, n. 15); p. 92, n. 30

Dans une première présentation, il s'agit de «tautologous repetition of key words or phrases as in verses [14,]56,59 (forty-seven instances of this in Mark)», identifiée comme «a Markan insertion technique»[154]. De ces 47 cas de répétitions, Donahue lui-même ne retient que 22 passages qui répondent aux trois conditions requises pour qu'on puisse parler d'insertion: 1° La seconde phrase répétée est superflue et pourrait être omise sans compromettre le sens du passage. 2° Il y a correspondance littérale entre les deux phrases. 3° Mt et Lc modifient la tautologie[155]. Dans la conclusion de sa dissertation, l'auteur introduit une nuance nouvelle: «Continued study of this phenomenon in Mark has convinced me that it is a very important compositional technique used by Mark for a variety of functions, *and not simply to call attention to the 'inserted' material*»[156]. Kim E. Dewey y fait allusion au sujet de 14,54.66-67a[157], mais élargit le phénomène de façon considérable: «a basic pattern of repetition, a *doubling* or extension *technique*, by reusing words or phrases found in previous verses (in some cases traditional material), incorporating them into the narrative and thereby expanding it»[158].

En parcourant la liste de Donahue[159], l'on notera les cas de 3,14.16;

(N. Perrin: 2,9:11); p. 98, n. 8 (K.E. Dewey); et dans J.D. CROSSAN, *The Seed Parables of Jesus*, dans *JBL* 92 (1973) 244-266, p. 256, n. 46.

154. N. PERRIN, *A Modern Pelgrimage*, p. 108, n. 13.

155. *Are You the Christ?*, p. 79 (cf. p. 98). Voir également p. 241, où il modifie l'ordre et change «the second repeated phrase is superfluous» en «... one of the phrases».

156. *Ibid.*, p. 241 (c'est moi qui souligne). À ce moment, l'auteur avait pu prendre connaissance de la documentation publiée dans F. NEIRYNCK, *Duality in Mark. Contributions to the Study of the Markan Redaction* (BETL, 31), Leuven, 1972. Cf. p. 79, n. 1; p. 243, n. 1 (référence aux articles de *ETL* 1971 et 1972).

157. Donahue ne compte pas 14,54.66-67 parmi les exemples de la *insertion technique*, mais N. Perrin a fait le rapprochement (*A Modern Pelgrimage*, p. 108, n. 8). Donahue lui-même distingue entre *insertion* (p. 43: une «autre» technique) et *intercalation*. L'on notera cependant qu'aux six exemples classiques d'intercalation ou *Verschachtelung* en Mc (3,20ss.; 5,21ss.; 6,7ss.; 11,12ss.; 14,1ss.; 14,54ss.), il ajoute le «double sandwich» de 14,10-11[12-16]17-21[22-25] (p. 42 et 58-62) et place la réputation de 14,18.22 (καὶ ἐσθιόντων) dans la liste des «Marcan insertions» (p. 241). Pourquoi donc pas également 14,54.66-67?

158. Dans W.H. KELBER (éd.), *The Passion in Mark*, p. 98. (c'est moi qui souligne). Dans la note 8, il distingue, il est vrai, entre «the doubling technique» (dont il trouve des exemples en 3,7-12; 14,27-31.32-42) et d'autres techniques «such as framing, intercalation and insertion». L'école de Perrin est, semble-t-il, riche en «découvertes» (cf. *supra*, n. 152): «This [doubling] technique has gone unnoticed, although Mk makes good use of it, as, for example, in the denial story» (Dewey).

159. Cf. n. 151. Assez curieusement, Donahue ne se réfère pas aux listes des parenthèses en Mc: C.H. TURNER, *Parenthetical Clauses in Mark (Marcan Usage, IV)*, dans *JTS* 26 (1925) 145-156. Cf. F. NEIRYNCK, *The Minor Agreements of Matthew and Luke against Mark* (BETL, 37), Leuven, 1974, pp. 220-221: «Parenthesis and Anacoluthon in Mark» (voir n. 170: J. Schmid, M.-J. Lagrange, V. Taylor, M. Zerwick, N. Turner). Ajouter Nigel TURNER, *Style (A Grammar of New Testament Greek, vol. IV)*,

4,31.32; 6,14.16; 14,18.22; 14,56.59; 15,2.4 (à rapprocher de 14,60.61); 15,24.25. Mais on est frappé par certaines absences: 2,5.10; 7,1.5; 8,30.33, pour ne citer que les «insertions» notoires de l'exégèse marcienne[160]. D'autre part, on voit mal comment se justifie la présence de 5,18.23 et 8,29; 9,5. Mais, comme pour l'évangile de Jean, le problème se pose: insertion rédactionnelle ou parenthèse de l'auteur?

NOTE ADDITIONNELLE

À propos de Jn 13,1-20 (cf. p. 163: Jn 13,6-11.12): T. ONUKI, *Die johanneischen Abschiedsreden und die synoptische Tradition. Eine traditionskritische und traditionsgeschichtliche Untersuchung*, dans *Annual of the Japanese Biblical Institute* 3 (1977) 157-268.

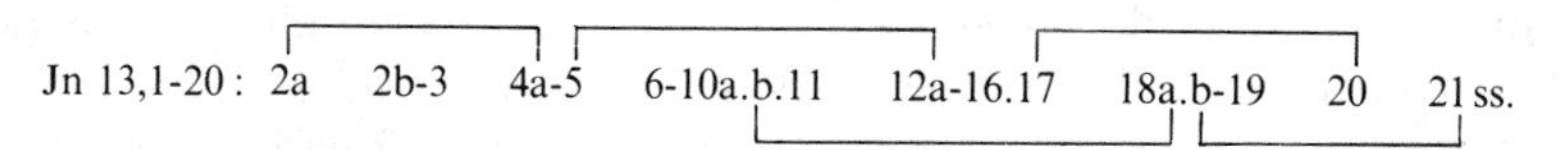

«In allen diesen vier Fällen wiederholt sich immer dieselbe literarische Operation, nach einer Zufügung einer Texteinheit in einen andersartigen Erzählungszusammenhang die der Zufügung gleich vorangehende Darstellung in der Weise wiederaufzunehmen, dass man ein gleiches Motiv gleich vor und nach der Zufügung wiederholt. ... Die literarische Operation der 'kettenartigen' Verbindung ... gehört einwandfrei zum geliebten Kompositionsstil des Johannes des Evangelisten selber» (p. 162-163: cf. 1,5.6-8.9; 4,13.14-15.16; 4,19-20.21-24.25; 11,7.8-10.11; 11,23.24-27.28; 12,(1b).2b. 3-8.9-10; 18,18.19-24.25).

D.A. CARSON, *Current Source Criticism of the Fourth Gospel: Some Methodological Questions*, dans *JBL* 97 (1978) 411-429, p. 427: «Von Wahlde may indeed have discovered a resumptive technique; but it does not follow that he has uncovered literary sources».

Edinburgh, 1976, p. 26; E.J.P. PRYKE, *Redactional Style in the Marcan Gospel. A Study of Syntax and Vocabulary as Guides to Redaction in Mark* (SNTS Monogr. Ser., 33), Cambridge, 1978, pp. 32-61: «Parenthetical Clauses».

160. Le commentaire de Boismard signale aussi des cas moins apparents (6,41; 11,13). Cf. M.-É. BOISMARD, *Synopse*, t. II, Paris, 1972: *ad* Mc 2,5b-10b; 4,31-32; 6,41; 7,1-5; 11,13; 14,18-22; 14,54b.66-67a; 14,56.57-59; 14,60a.61b. De son côté, J. Dupont se réfère à l'étude de J. Donahue à propos de 4,31-32 et ajoute les exemples de 4,8 et 5,4. Cf. *Le couple parabolique du sénevé et du levain. Mt 13,31-33; Lc 13,18-21*, dans G. STRECKER (éd.), *Jesus Christus in Historie und Theologie*. FS H. Conzelmann, Tübingen, 1975, pp. 331-345, spéc. p. 340, n. 32.

II
THE EMPTY TOMB STORIES
JOHN AND THE SYNOPTICS
LES RÉCITS DU TOMBEAU VIDE
JEAN ET LES SYNOPTIQUES

ETL 54 (1978) 70-103

ΑΝΑΤΕΙΛΑΝΤΟΣ ΤΟΥ ΗΛΙΟΥ (Mc 16,2)

1

L'hypothèse d'un Sitz im Leben *cultuel de Mc 16,1-8*

L'hypothèse d'une étiologie cultuelle fut proposée d'abord par G. Schille en 1955[1], puis précisée par W. Nauck en 1956[2] et reprise et développée dans les années 1968-69, de manière indépendante, par L. Schenke[3], B. van Iersel[4] et J. Delorme[5]. La critique s'est montrée assez réservée à l'égard de l'étude de Schille[6], et malgré la diffusion

1. G. Schille, *Das Leiden des Herrn. Die evangelische Passionstradition und ihr «Sitz im Leben»*, dans *ZTK* 52 (1955) 161-205. Voir aussi *Osterglaube* (Arbeiten zur Theologie, 51), Stuttgart, 1973, p. 50.

2. W. Nauck, *Die Bedeutung des leeren Grabes für den Glauben an den Auferstandenen*, dans *ZNW* 47 (1956) 243-267, p. 260-262.

3. L. Schenke, *Auferstehungsverkündigung und leeres Grab. Eine traditionsgeschichtliche Untersuchung von Mk 16,1-8* (Stuttgarter Bibelstudien, 33), Stuttgart, 1968, spéc. p. 56-93: «Kapitel III: Die ursprüngliche Tradition und ihr 'Sitz im Leben'»; traduit en français par F. Grob: *Le tombeau vide et l'annonce de la résurrection* (*Mc* 16,1-8) (Lectio divina, 59), Paris, 1970, p. 57-93: «Chap. III: La tradition primitive et son cadre d'origine».

4. B.M.F. van Iersel, *Jezus' verrijzenis in het Nieuwe Testament: Informatie of interpretatie?*, dans *Vox Theologica* 38 (1968) 131-143, p. 138-140; repris dans *Concilium* 6 (1970) nº 10, p. 53-65, p. 59-60; traduit en français: *La résurrection de Jésus: information ou interprétation?*, *ibid.*, p. 51-62; en anglais: *The Resurrection of Jesus-Information or Interpretation?*, *ibid.*, p. 54-67. Voir aussi: *Bezoek aan het graf*, dans *Schrift* 2 (1970) 15-17; repris dans *Een begin. Aantekeningen bij het evangelie volgens Marcus*, Bilthoven, 1973, p. 88-92.

5. J. Delorme, *Résurrection et tombeau de Jésus: Marc 16,1-8 dans la tradition évangélique*, dans P. de Surgy (éd.), *La résurrection du Christ et l'exégèse moderne* (Lectio divina, 50), Paris, 1969, p. 105-151.

6. Sur l'ensemble de l'hypothèse du *Sitz im Leben* cultuel du récit de la passion, voir G. Iber, *Zur Formgeschichte der Evangelien*, dans *TR* 24 (1957-58) 283-338, p. 318: «kaum wahrscheinlich»; R. Bultmann, *Die Geschichte der synoptischen Tradition. Ergänzungsheft zur 3. durchgesehenen Auflage*, Göttingen, 1958, p. 43: »Die Argumentationen Schilles sind aber so problematisch, dass sie nicht überzeugen» (repris dans la 4ᵉ édition par G. Theissen et P. Vielhauer, 1971, p. 102); X. Léon-Dufour, art. *Passion*, dans *DBS*, t. 6, Paris, 1960, col. 1419-1492, spéc. col. 1427: «L'hypothèse ne semble pas avoir rencontré un accueil favorable», et col. 1438: «Mais comment fonder, sans textes clairs à l'appui, ces hypothèses, pourtant fort suggestives?»; H. Conzelmann, *Historie und Theologie in den synoptischen Passionsberichten*, dans F. Viering (éd.), *Zur Bedeutung des Todes Jesu*, Gütersloh, 1967, p. 37-53, spéc. p. 39, n. 5; = *Theologie als Schriftauslegung*, München, 1974, p. 76, n. 5: «Aber diese Liturgie ist ein Phantasieprodukt. Gewiss ist vorauszusetzen, dass im Gottesdienst die Passion vergegenwärtigt wird, aber nicht durch kultische Wiederholung, sondern eben indem sie erzählt wird». Une réaction plus positive est à signaler: W. Grundmann, *Das Evangelium nach Markus* (THNT, 2), Berlin, 1959, p. 274;

plus large que lui a donnée le livre de Schenke[7], l'hypothèse ne semble pas pouvoir s'imposer[8]. Et pourtant, dans un récent ouvrage

et É. TROCMÉ, *La formation de l'évangile selon Marc* (Études d'histoire et de philosophie religieuses, 57), Paris, 1963, p. 50: «Cette théorie [de Schille] est trop conjecturale pour qu'on s'y rallie sans réserve. [n. 192 et 194] ... Notre conclusion personnelle se situera donc à mi-chemin entre les thèses de Carrington et de Schille». Pour une réponse à Trocmé (le récit de la passion est un texte liturgique), voir T.A. BURKILL, *New Light on the Earliest Gospel*, Ithaca-London, 1972, p. 180-264 (sur Schille, p. 247-249).

7. Voir E.L. BODE, *A Liturgical* Sitz im Leben *for the Gospel Tradition of the Women's Easter Visit to the Tomb of Jesus?*, dans *CBQ* 32 (1970) 237-242, p. 237: «While such a position is interesting, our judgment can only be that it is an imaginative conjecture lacking solid foundation»; cf. *The First Easter Morning: The Gospel Accounts of the Women's Visit to the Tomb of Jesus* (Analecta biblica, 45), Rome, 1970, p. 130-132: «Liturgical Worship at Jesus' Tomb» (Schenke et ses précurseurs, Schille et Nauck; sur J. Kremer, cf. n. 8). Plusieurs auteurs renvoient à cette critique: X. LÉON-DUFOUR, *Résurrection de Jésus et message pascal*, Paris, 1971, p. 159, n. 15; B. RIGAUX, *Dieu l'a ressuscité. Exégèse et théologie biblique*, Gembloux, 1973, p. 288 (et 303); R. SCHNACKENBURG, *Das Johannesevangelium*, t. 3, Freiburg, 1975, p. 362, n. 14. Une réaction négative également de la part de G. DELLING, dans *TLZ* 95 (1970), p. 26: «Gleichwohl hat er den Rez. von seiner Hypothese nicht überzeugt»; P. BENOIT, dans *RB* 78 (1971), p. 141, sur l'hypothèse de Schenke: «j'estime qu'elle est plausible, voire intéressante, mais qu'elle ne s'impose pas. On a parfaitement bien pu écrire 'Il n'est pas ici. Voici le lieu où on l'avait placé', sans se trouver sur les lieux autrement que par le souvenir ou l'imagination»; même remarque chez R. MAHONEY, *Two Disciples at the Tomb. The Background and Message of John 20,1-20* (Theologie und Wirklichkeit, 6), Bern-Frankfurt, 1974, p. 153: «if the participants at a service could be called upon to imagine before them an angel who was not there, they might be expected to call up before their mind's eye the mere walls of an empty tomb»; D. DORMEYER, *Die Passion Jesu als Verhaltensmodell. Literarische und theologische Analyse der Traditions- und Redaktionsgeschichte der Markuspassion* (Neutest. Abh., 11), Münster, 1974, p. 232-233: «Sch[enke] hat Schilles Ansatz aufgenommen, doch erweist sich die Ausgestaltung dieses Ansatzes als undurchführbar»; sur Schille, cf. p. 14-15 et 224, n. 956 («es sei denn, man nimmt die Existenz liturgischer Passionsspiele für die Frühzeit des NT an, also Oberammergau bereits für die marzinische Gemeinde»); G. SCHNEIDER, *Die Passion Jesu nach den drei älteren Evangelien* (Biblische Handbibliothek, 11), München, 1973, p. 145-146: «Doch eine alljährliche liturgische Begehung christlicher Stätten in Jerusalem ist uns erst durch die Pilgerin Ätheria um 400 n. Chr. bezeugt»; W. SCHENK, *Der Passionsbericht nach Markus. Untersuchungen zur Überlieferungsgeschichte der Passionstraditionen*, Berlin, 1974, p. 271 (avec renvoi à Delling); A. VÖGTLE, dans *Bibel und Leben* 15 (1974), p. 120, n. 35: «scheint mir Mk 16,1-8 nicht voll befriedigend erklären zu können»; R. PESCH, *Das Markusevangelium* (HThK, 2), t. 2, Freiburg, 1977, p. 537: il fait remarquer que «die deutlich einwirkende Gattung 'Suche nach dem Leichnam und dessen Nichtauffindbarkeit' ein Interesse am Grab eher ausschliesst als anzeigt».

8. Avant la publication de Schenke, J. Kremer s'est montré favorable à une interprétation cultuelle: «Es ist nicht ganz ausgeschlossen, aber auch nicht mit Sicherheit zu behaupten, dass der Lk 24,5 fehlende Hinweis 'siehe der Ort ...' (Mt 28,6: 'hier seht') auf eine kultische Verehrung des Grabes Jesu in der Urgemeinde hinweist»; cf. *Die Osterbotschaft der vier Evangelien. Versuch einer Auslegung der Berichte über das leere Grab und die Erscheinungen des Auferstandenen*, Stuttgart, 1968, p. 18. Cette phrase,

de christologie, elle est présentée comme l'exégèse nouvelle du récit du tombeau vide[9]. Il est sans doute utile d'entrer quelque peu dans le détail de l'argumentation.

La suggestion d'une célébration commémorative annuelle au tombeau de Jésus a été faite par G. Schille dans le cadre d'une étude sur l'ensemble du récit de la passion. D'après l'auteur, les données topographiques et surtout les indications chronologiques, très caractéristiques du récit de la passion, ainsi que les nombreux traits dramatiques, seraient d'origine liturgique. Il distingue trois unités qui relèvent d'un stade antérieur au récit suivi: une anamnèse de la dernière nuit de Jésus au cours d'une agape annuelle (14,18-72; cf. 1 Co 11,23-26), une commémoration de la crucifixion (15,2-41; cf. 1 Tim 6,12-13) et une liturgie du matin de Pâques (15,42-16,8; cf. 1 Co 15,4 et Ac 13,29-30: ensevelissement et résurrection). C'est sans doute dans l'interprétation cultuelle des récits du tombeau que Schille se montre le plus original[10]. Il est d'avis que plusieurs éléments s'expliquent

fort timide, lui a valu une place en compagnie de Schille, Nauck et Schenke (cf. E.L. BODE, *art. cit.*, p. 237, n. 1; B. RIGAUX, *Dieu l'a ressuscité*, p. 303, n. 15). Ayant pris connaissance des études de Schenke, van Iersel et Delorme, l'auteur est devenu encore plus réservé: «Diese Argumente vermögen allenfalls zu zeigen, dass bei der Prägung unseres Textes im einzelnen vielleicht ähnliche Motive mitgewirkt haben wie bei der Entstehung einer ätiologischen Legende. Doch rechtfertigen sie nicht die Einordnung unseres Textes bzw. der ihm zugrunde liegenden Tradition unter die ätiologischen Legenden»; cf. *Zur Diskussion über 'das leere Grab'*, dans E. DHANIS (éd.), *Resurrexit. Actes du Symposium international sur la Résurrection de Jésus* (*Rome 1970*), Rome, 1974, p. 137-159, spéc. p. 149-150; publié déjà dans ... *denn sie werden leben. Sechs Kapitel über Tod, Auferstehung, Neues Leben*, Stuttgart, 1972, p. 59-84: *Die Überlieferung vom leeren Grab*, spéc. p. 72-73. Le refus semble définitif dans son ouvrage récent: «diese Kategorie trifft auf die Grabesüberlieferung nicht zu, allein schon deshalb nicht, weil der Text selbst keinen Anhaltspunkt für eine kultische Verehrung des Grabes bietet und eine solche auch sonst nicht bezeugt ist»; cf. *Die Osterevangelien — Geschichten um Geschichte*, Stuttgart-Klosterneuburg, 1977, p. 43-44.

9. E. SCHILLEBEECKX, *Jezus, het verhaal van een levende*, Brugge-Bloemendaal, 1974, p. 272 et 274-275 (voir aussi les notes p. 571-572). «De oudheid van deze overlevering wordt nu algemener geaccepteerd dan vroeger. Het nieuwe probleem is, of het om een traditie van een 'leeg graf' gaat, dan wel om een traditie van het 'heilig graf' (m.a.w. een kultustraditie)» (p. 572, n. 32). L'auteur se réfère à Schille, Schenke, van Iersel et Delorme. Il corrige Schenke dans le sens de Schille: «Met deze correctie [*c.-à-d. 15,42-47 conçu en vue du récit de Mc 16*] lijken me de andere argumenten van L. Schenke echter wel dwingend» (p. 274).

10. Sur le récit de la Cène, voir par exemple H. SCHÜRMANN, *Die Anfänge christlicher Osterfeier* (1951), dans *Ursprung und Gestalt*, Düsseldorf, 1970, p. 199-206, spéc. p. 205: «So sind die synoptischen Abendmahlberichte und die in ihnen verarbeiteten frühen Traditionen aller Wahrscheinlichkeit nach ein Spiegelbild urchristlicher Paschafeier im apostolischen Zeitalter»; voir aussi p. 208. On comprend la réaction de G. Iber (cf. *supra*, n. 6): «Sie [la solution de Schille] hat ihren einzigen Anhaltspunkt in der Abendmahlsszene». Voir cependant la critique de D. Dormeyer, *Die Passion Jesu* (cf. *supra*, n. 7), p. 120-124; et surtout R. PESCH, *Das Abendmahl und Jesu Todesverständnis*, dans K. KERTELGE (éd.), *Der Tod Jesu. Deutungen im Neuen Testament*

au mieux dans le cadre d'une célébration pascale qui serait probablement un pèlerinage au tombeau: les remarquables indications chronologiques dans le texte de Marc, la formule «il est ressuscité», mais également le fait curieux que les femmes «cherchent» le corps de Jésus (Lohmeyer); en outre, le culte du tombeau explique certains traits des récits johanniques (Kundsin) et les développements légendaires qui sont donnés à ces scènes dans Matthieu et dans l'évangile de Pierre. C'est ainsi que Schille lui-même résume son argumentation [11].

D'après l'auteur, il y a un lien primitif entre le récit de la mise au tombeau et celui du tombeau vide: 15,42 «Déjà le soir était venu et, comme c'était la Parascève, c'est-à-dire la veille du sabbat» et 16,2 «Et de grand matin, le premier jour de la semaine, comme le soleil se levait» forment le cadre d'une narration dans laquelle le motif de l'onction du corps de Jésus est essentiel: pour donner à Jésus une sépulture honorable, les femmes veulent compléter l'enterrement dès que possible [12]. L'épisode de 15,42-47 prépare ainsi le récit de Mc 16 qui atteint son sommet dans le v.6. L'*angelus interpres* y annonce la résurrection dans une formule traditionnelle qui suppose ici la

(Quaestiones disputatae, 74), Freiburg, 1976, p. 137-187; *Das Markusevangelium*, t. 2, p. 364-377: la «narration» de Mc 14,22-25 se distingue de la *Kultätiologie* de 1 Co 11,23-26 qui est plus récente et dépend de *die berichtende Erzählung* du récit de la passion. — Schille lui-même est moins affirmatif à propos du récit de la Crucifixion: «Anders der relativ lose Zusammenhang der Karfreitagserinnerung. Hier spielen die drei Gebetsstunden eine Rolle, an welche sich die Gemeinde noch Did 8,3 hält» (*Das Leiden des Herrn*, p. 199; cf. p. 195, 197-198). Cf. *infra*, n. 153 et 158.

11. *Art. cit.*, p. 199: «Die Grablegenden hätten nach der entsprechenden Vermutung ihre Entstehung einer frühen Osterfeier (einer Begehung am Grabe Jesu selbst?) zu verdanken. Die merkwürdigen Zeitangaben, der Abschluss mit einer Auferstehungsformel, die legendare Ausschmückung der Szenen im Matthäus- und Petrusevangelium, welche sich bald auch vor einer Schilderung der Auferstehung nicht mehr scheuen, der von Kundsin behauptete Grabkult als Hintergrund der johanneischen Grabeserzählungen und E. Lohmeyers Beobachtung, dass die Frauen merkwürdigerweise schon bei Markus den Leichnam 'suchten', das alles erklärt sich am besten aus der Situation einer solchen Osterfeier». Cf. *infra*, n. 17 (Kundsin) et 30 (Lohmeyer).

12. *Ibid.*, p. 182-183. Les motifs du linceul (nouveau) et de la tombe taillée dans le roc seraient des éléments secondaires qui ont obscurci le motif primitif de l'onction, «das verdeckte ältere Motiv» (p. 183, et n. 3); comp. p. 179: «Der Bericht vom leeren Grab wird nur dann verständlich, wenn die Salbung Jesu durch den raschen Einbruch der Sabbatnacht verhindert wurde, also im primären Bericht keine Salbung stattfand. Was 16,1 ff. offen lässt, füllt später Mc 14,3ff. aus: Jesus war schon vor dem Leiden (als König und zum Tode) gesalbt». Pour l'enterrement provisoire («man wirft ihn in ein naheliegendes Grab»), il renvoie à «die von J.N. Bakhuizen genannte Legende vom Wiederfinden des weggeworfenen Leichnams Jesu» (p. 183, n. 2). Cf. J.N. Bakhuizen van den Brink, *Eine Paradosis zu der Leidensgeschichte*, dans *ZNW* 26 (1927) 213-219. L'auteur y compare une inscription grecque chrétienne du 6ᵉ siècle (l. 10 γυμνὸς καὶ ἄταφος ἀποριπτεῖται) avec Mc 12,8 ἀπέκτειναν αὐτὸν καὶ ἐξέβαλον αὐτὸν ἔξω τοῦ ἀμπελῶνος. L'idée du tombeau tout proche vient de Jn 19,41-42; comp. M. Goguel, *La foi à la résurrection de Jésus dans le christianisme primitif*, Paris, 1933, p. 124-125.

zustimmende Gemeinde[13] et conclut sur une notation dramatique qui s'adresse à la *begehende Gemeinde*: «Il n'est pas ici. Voici le lieu où on l'avait placé»[14].

C'est donc sur 16,2 et 6 que repose l'essentiel de l'argument de Schille. Notons également la manière dont il traite de la topographie. En vertu de la constatation générale que le récit de la passion contient plusieurs indications de lieu (Gethsémani, le palais du Grand-Prêtre, Golgotha), il conclut que 14,28 et 16,7-8 sont des ajouts de Marc parce qu'ils ne s'harmonisent pas avec la perspective hiérosolymitaine du récit, et que la scène de Jésus devant le Sanhédrin doit être secondaire en raison de l'absence d'une localisation. Dans ces conditions, on s'étonne quelque peu devant l'argument de l'auteur: le tombeau n'est pas localisé avec précision, ou bien parce que le lieu était inconnu, ou bien, et on devine le choix de l'auteur, parce qu'on pouvait se passer de donner une indication topographique puisque la commémoration se tenait sur le lieu même[15]. Par contre, dans les récits du tombeau de l'évangile de Jean, c'est l'intérêt pour la topographie qui est indice d'un *Grabkult*[16]. Il se réfère à Kundsin, qui lui-même n'a pas employé le mot. Kundsin parle d'une vénération du tombeau de Jésus: «die schriftliche Darstellung (hat) eine fromme Betrachtung der denkwürdigen Stätte zur Voraussetzung», mais sans envisager la possibilité d'une célébration liturgique[17]. W. Nauck qui reprend la référence à l'étude de Kundsin prend soin d'en donner une citation directe. Si l'impression que pouvait donner la présentation de Schille est ainsi corrigée, il est bon d'ajouter ici que la connaissance des lieux dont parle Kundsin[19] n'est pas celle de la «älteste

13. *Ibid.*, p. 192 (et 193; pour l'expression, cf. p. 191).

14. *Ibid.*, p. 194: «Auch hier werden die Hörer aufgefordert, die genannte Nachforschung mitzumachen ... Wir vermuten, dass diese Wendungen für den Hörer bestimmt sind. Sie sollen ihn offenbar auf bestimmte Tatbestände aufmerksam machen, die *gerade jetzt und hier* zu beachten sind: ... Seht hin, wo sie ihn hinlegten!». Cf. *infra*, n. 30.

15. *Ibid.*, p. 196 (voir aussi p. 194).

16. Cf. *supra*, n. 11.

17. K. KUNDSIN, *Topologische Überlieferungsstoffe im Johannes-Evangelium. Eine Untersuchung* (FRLANT, 39), Göttingen, 1925, p. 43-45: «Das Grab Christi als Mittelpunkt des johanneischen Begräbnis- und Auferstehungsberichts. 19,38-20,18»; spéc. p. 45.

18. W. NAUCK, *Die Bedeutung des leeren Grabes* (cf. *supra*, n. 2), p. 260-261.

19. Kundsin semble compter avec une polémique sur la localisation du tombeau: «Wenn man die zweimalige Konstatierung einer und derselben topographischen Tatsache beachtet, kann man sich kaum dem Eindruck verschliessen, als würde damit zugleich eine gegenteilige Annahme als irrig hingestellt, derzufolge man das Grab Jesu weiter ab von Golgotha und der Stadt suchte» (p. 44). Dans un même sens: I. BROER, *Die Urgemeinde und das Grab Jesu. Eine Analyse der Grablegungsgeschichte im Neuen Testament* (SANT, 31), München, 1972, p. 239-240; voir aussi dans la conclusion: «Darüber hinaus scheint das Jo-Evangelium sogar eine Auseinandersetzung über den

Gemeinde»[20]. Dans la théorie de l'auteur, — et il l'a exposée encore en 1935, — les données topographiques sont celles de l'évangéliste-pèlerin qui aurait visité les lieux de l'histoire évangélique[21]. Cette interprétation de Jn 19,41-42 n'est certainement pas la seule possible[22], et une exégèse pour le moins discutable du quatrième évangile n'est pas le meilleur point de départ lorsqu'il s'agit de définir le milieu d'origine de Mc 16. Le nom de Kundsin n'apparaît plus chez Schenke, van Iersel et Delorme. Ce dernier s'en tient aux données du texte de Marc, mais Schenke reprend l'argument, par l'intermédiaire de J. Blinzler[23], en le généralisant: «die exakten topographischen Vorstellungen in den Evangelien über das Grab»[24]. Il se réfère aussi à Schille qui avait pourtant bien souligné l'absence d'une localisation du tombeau dans Marc[25]. De son côté, van Iersel[26] n'a pas peur de pousser à l'extrême la suggestion de Kundsin à propos de Jn 20[27].

Ort des Grabes Jesu zu spiegeln» (p. 249). R. Mahoney, dans *Two Disciples* (cf. *supra*, n. 7), p. 136, n. 107, semble avoir mal lu le texte de Broer à la p. 240: si l'auteur ne veut pas «aller si loin», cela se rapporte à la théorie spécifique de Blinzler.

20. Voir la première référence à Kundsin dans l'article de Schille: «weil die Berichte vielleicht der Anschauung des Pilgers, aber nicht mehr der Ortsansässigen, d.h. der Ortsgemeinde, entstammen» (p. 197).

21. K. KUNDSIN, *Autopsie oder Gemeindeüberlieferung?*, dans *Studia Theologica I*, Mélanges Immanuel Benzinger, Riga, 1935, p. 101-117, sur Jn, p. 111-113: «der 4. Evangelist (hat es) mit der zerstörten Stadt zu tun, auf deren Trümmern er den Spuren der Vergangenheit, nämlich der heiligen Geschichte, nachgeht» (p. 113).

22. Voir I. BROER, *Die Urgemeinde* (cf. *supra*, n. 19), p. 230-249.

23. J. BLINZLER, *Der Prozess Jesu*, Regensburg, [3]1960, p. 296: «Manche der weiteren Angaben der Evangelisten, besonders des Johannes, verraten eine so feste und exakte topographische Vorstellung, dass man annehmen muss, die denkwürdige Stätte sei schon im ersten Jahrhundert von den Christen besucht und verehrt worden. [n. 68:] Darauf hat vor allem Kundsin o.a.O. 43-45 aufmerksam gemacht» (= [4]1969, p. 401, et n. 72). L'appréciation de Rengstorf est plus nuancée, voire contradictoire: cf. *infra*, n. 41.

24. L. SCHENKE, *Auferstehungsverkündigung* (cf. *supra*, n. 3), p. 98. Comparer le texte cité dans la note précédente: en omettant «besonders des Johannes» et la référence à Kundsin, Schenke élimine la part de vérité dans l'affirmation de Blinzler. (Notons en passant que cela apparaît moins clairement dans la traduction française du livre de Schenke: «les évangiles n'hésitent pas sur la topographie du tombeau», p. 100.)

25. Sur les scènes du tombeau: «deren genaueres Lokal nicht bezeichnet ist» (p. 194); «ohne genaue Lokalangabe» (p. 196). Cf. *supra*, n. 15. — On a d'ailleurs l'impression que les références à Nauck (*260ff*) et Schille (*99*) dans la note 18 (p. 98) sont simplement reprises à Blinzler (p. 296, n. 68).

26. Van Iersel ne cite pas les noms de ses précurseurs, Schille et Nauck; cf. *Jezus' verrijzenis*, 1968, p. 138 («... heb ik een andere hypothese ontwikkeld»). Voir par contre L. SCHENKE, *op. cit.*, p. 93, n. 98; J. DELORME, *Résurrection*, p. 126 et 128, n. 76.

27. *Ibid.*, p. 140: «De hypothese gaat uit van de veronderstelling, dat reeds vrij vroeg christelijke pelgrims het graf van Jezus bezoeken... [n. 2:] Het is verleidelijk,

Dans l'hypothèse de Schille, l'unité traditionnelle des «récits du tombeau» (*Grablegenden*) commence par la notation chronologique de 15,42. Il tient l'ensevelissement pour un présupposé indispensable du récit du tombeau vide[28], mais il donne peu d'explication sur la fonction de la mise au tombeau dans la liturgie. Nauck, Schenke, van Iersel et Delorme seront tous d'avis que Mc 16,1-8 contient une tradition indépendante et que le *Sitz im Leben* liturgique dont ils parlent concerne uniquement le récit de la venue des femmes au tombeau[29]. Ce n'est d'ailleurs pas la seule réserve qu'ils expriment à l'égard de la théorie de Schille[30]. Pour sa part, W. Nauck essaie d'élargir la notion d'une célébration liturgique de Pâques: puisque dans l'Église ancienne chaque 'Jour du Seigneur', chaque dimanche, était célébré comme jour de la résurrection, on peut imaginer des rassemblements plus fréquents au tombeau[31]. Schille répond qu'une liturgie du dimanche ne doit pas nécessairement avoir lieu au tombeau

zich voor te stellen, dat Joh. 20:5-7 dingen beschrijft, die in zijn tijd nog in het graf te zien zijn. Ook de steen zou er nog te zien kunnen zijn, 20:1». On croit se souvenir d'une exposition biblique de la *H. Landstichting*! Lorsque Kundsin parle (à propos de Jn 20) de la «Voraussetzung, dass dem Verfasser eine solche Anlage vor dem Auge gestanden hat», il s'agit de la disposition du tombeau dont il admet (à tort, me semble-t-il) que, d'après les données de Jn 20, il doit comporter une *Vorhalle* séparée de la *Grabkammer* (p. 45). Sur cette question, voir mon article ΠΑΡΑΚΥΨΑΣ ΒΛΕΠΕΙ. *Lc 24,12 et Jn 20,5*, dans *ETL* 53 (1977) 113-152, p. 117, n. 16.

28. L'argument de Schille se ramène à cette observation: «Das Stück beginnt, wo es einsetzen muss, wenn man fragt: Wieviel ist als Exposition und Vorbereitung der Auferweckungsbotschaft zu erzählen?» (p. 183). Il n'a pas tort d'insister sur le lien entre les notations chronologiques de 15,42 et 16,2 (p. 182), il est vrai que enterrement et résurrection forment une unité dans des textes kérygmatiques, (p. 183), mais Schille n'a pas fourni la preuve d'une «gesonderte Einheit» (15,42-16,8) dans le récit de la passion.

29. Tous reviennent ainsi à la position combattue par Schille (p. 182); NAUCK, p. 249, n. 31: «der Grabesbericht ursprünglich unabhängig von dem voraufgehenden Passionsbericht»; SCHENKE, p. 11-30, spéc. p. 29: «unabhängig voneinander entstandene Traditionsstücke»; VAN IERSEL, p. 138: «voorgegeven traditie ... door Marcus gebruikte traditie-eenheid»; DELORME, p. 120: pour lui, comme pour les autres auteurs, la double mention des femmes en 15,47 et 16,1 est l'indication principale de l'indépendance des récits. Cf. *infra*, n. 47.

30. Voir par exemple son observation sur ζητεῖτε en 16,6: Comment les femmes peuvent-elles «chercher» le corps de Jésus à un moment du récit où il n'a pas encore été dit qu'elles ont constaté son absence? Schille répond: «Die begehende Gemeinde setzt bei den Frauen unwillkürlich voraus, was sie weiss» (p. 199, n. 2). Cf. *supra*, n. 11. Comparer E. LOHMEYER, *Das Evangelium des Markus* (KEK, I/2), Göttingen, [10]1937-[16]1963, p. 354-355. L'argument n'est pas repris par Nauck, van Iersel ou Delorme, et L. Schenke fait observer contre Lohmeyer que l'accent n'est pas sur ζητεῖν mais sur ἐσταυρωμένος (*Auferstehungsverkündigung*, p. 74, n. 45). Voir aussi R. MAHONEY, *Two Disciples* (cf. *supra*, n. 7), p. 149, n. 37: «the difficulties... are largely imaginary».

31. W. NAUCK, *Die Bedeutung des leeren Grabes*, p. 261, n. 94.

de Jésus[32]. Schenke signale la suggestion de Nauck et insère prudemment un «au moins» dans la formulation de l'hypothèse d'une célébration annuelle: «eine *zumindest jährlich* am Gedächtnistag der Auferstehung Jesu... stattfindende kultische Feier der Gemeinde»[33]. Delorme est encore plus prudent: «comment reconstituer une liturgie pascale à partir de données aussi discrètes?». Il compte, à l'origine du récit des femmes au tombeau, avec une visite du lieu et une commémoration religieuse, mais «sans aller jusqu'à parler d'une célébration pascale chrétienne, encore moins jusqu'à la décrire»[34]. Pour van Iersel, l'hypothèse d'une célébration annuelle de la communauté de Jérusalem (Schenke) ne serait pas sans problème: «Voici le lieu où on l'avait placé» semble indiquer que le passage s'adresse à des pèlerins qui ne viennent pas régulièrement au tombeau[35]. Les nuances ont leur importance, et, à parler strictement, on devrait désigner la célébration pascale annuelle comme l'hypothèse de Schille-Schenke. G. Schille s'était encore permis de répéter la suggestion de L. Brun pour qui la datation de 16,2 («le premier jour de la semaine, comme le soleil se levait») pourrait être une allusion à la fête du dimanche[36], mais L. Schenke est formel: elle n'a rien à voir avec le dimanche chrétien. Le sens de la datation serait de fonder le moment de la commémoration annuelle de la résurrection qui avait lieu le matin de Pâques au lever du soleil[37].

Nos cinq auteurs se retrouvent dans l'acceptation d'un présupposé commun: l'intérêt religieux et populaire pour les tombeaux de saints personnages attesté dans le milieu juif de l'époque. Schille et Nauck se réfèrent à l'étude de J. Jeremias sur Golgotha et le tombeau de Jésus (1925)[38], et les trois autres prennent comme point de départ

32. G. SCHILLE, *Osterglaube* (Arbeiten zur Theologie, 51), Stuttgart, 1973, p. 50, n. 190: «Aber diese (wöchentliche Begehung) geschah doch nicht notwendig am Grabe!». Mais il écrit dans le texte: «Möglicherweise enthält die Grabeserzählung die judenchristliche Kultätiologie für die Einführung der Sonntagsbegehung im bethanischen Raum».

33. L. SCHENKE, *Auferstehungsverkündigung*, p. 88; le passage de Nauck y est cité dans la note 88.

34. J. DELORME, *Résurrection*, p. 128-129. On y trouve une référence à Nauck (p. 128, n. 76).

35. B. VAN IERSEL, *Bezoek aan het graf* (cf. *supra*, n. 4), p. 91: «Het lijkt er meer op dat de passage werd gebruikt voor mensen die niet regelmatig bij het graf komen. Het graf wordt hun aangewezen».

36. G. SCHILLE, *Das Leiden des Herrn*, p. 188, n. 1. Cf. *infra*, n. 123, 128, 129.

37. L. SCHENKE, *Auferstehungsverkündigung*, p. 57-63, spéc. p. 63. Le contraste avec Delorme est frappant: «Nous ne pouvons sans plus la [la date fixant la venue des femmes au matin du 'dimanche'] mettre en relation avec quelque liturgie pascale déjà bien structurée, puisque les preuves décisives en ce sens nous échappent» (*art. cit.*, p. 132).

38. J. JEREMIAS, *Golgotha* (Angelos, Beiheft 1), Leipzig, 1926, surtout la première partie: «Wo lag Golgotha und das Heilige Grab? Überlieferung und Formgeschichte» (p. 1-33); étude publiée dans *Angelos* 1 (1925) 141-173, sous le même titre (avec

l'ouvrage plus récent du même auteur sur les *Heiligengräber* (1958)[39] et l'opinion y exprimée à propos du tombeau de Jésus: «Le monde des tombeaux de saints faisait partie de l'environnement concret où vivait l'Église primitive. Il est impensable que, vivant dans ce monde, elle ait abandonné à l'oubli le tombeau de Jésus»[40]. Jeremias y répond à une objection: comment concilier le culte des souvenirs historiques avec l'attente eschatologique des premiers chrétiens? Ou, comme il est dit par d'autres, la foi à la résurrection laisse-t-elle encore une place à cet intérêt pour le tombeau de Jésus[41]? W. Nauck se demande si le οὐκ ἔστιν ὧδε de Mc 16,6 n'est pas déjà une réaction contre le culte du tombeau[42]. Van Iersel a une observation semblable, en soulignant que par là Mc 16,6 se distingue des autres traditions topographiques[43]. P. Stuhlmacher voit le sens même de la péricope

le sous-titre: «Die Überlieferung im Lichte der Formgeschichte»). Cf. G. SCHILLE, p. 108, n. 2; et surtout W. NAUCK, p. 262, n. 96.

39. J. JEREMIAS, *Heiligengräber in Jesu Umwelt (Mt. 23,29; Lk. 11,47). Eine Untersuchung zur Volksreligion der Zeit Jesu*, Göttingen, 1958. Cf. L. SCHENKE, p. 98, n. 17 (voir aussi p. 19, n. 24); B. VAN IERSEL, p. 139: «Deze hypothese gaat uit van twee gegevens. Het eerste is het door J. Jeremias aangetoonde feit, dat in die tijd vrij druk gepelgrimeerd werd naar de graven van Israëls heiligen»; J. DELORME, p. 123-125.

40. Cf. L. SCHENKE, p. 98; J. DELORME, p. 125. Voir *Heiligengräber*, p. 144-145: «Anhang: Heiligengräber und Heiliges Grab»; texte beaucoup cité dont voici la finale: «Diese Welt der heiligen Gräber war ein realer Bestandteil der Umwelt, in der die Urgemeinde lebte. Es ist undenkbar, dass sie, in dieser Welt lebend, das Grab Jesu der Vergessenheit anheimgegeben haben sollte. Es ist um so weniger denkbar, als für sie Der, der in diesem Grabe gelegen hatte, mehr war als einer jener Gerechten, Märtyrer und Propheten und sein Grab für sie nicht nur die Stätte war, die seinen Leichnam geborgen hatte, sondern — wie Eusebius es formuliert — τὸ σεμνὸν καὶ πανάγιον τῆς σωτηρίου ἀναστάσεως μαρτύριον». — Comparer *Golgotha*, p. 8, avec la citation de K. SCHMALTZ, *Die drei 'mystischen' Christushöhlen der Geburt, der Jüngerweihe und des Grabes*, dans *ZDPV* 42 (1919) 132-165, p. 135: «Es sollte in Jerusalem eine Christusgemeinde auch nur einige Jahre bestanden haben, die nicht alsbald nach dem Grabe Christi gesucht und nicht bald auch seine Stelle zu zeigen gewusst hätte? Wer auch nur eine Ahnung von dem Wesen antiker, sei es hellenistischer, sei es orientalischer Volksfrömmigkeit hat, dem wird das einfach undenkbar sein»; cité également par E. BURGER, *Die Anfänge des Pilgerwesens in Palästina. Zur Geschichte der christlichen Frömmigkeit in den ersten vier Jahrhunderten*, dans *Palästinajahrbuch* 27 (1931) 84-111, p. 93; voir aussi p. 87, n. 1: «Am meisten Wahrscheinlichkeit hat die Annahme Kundsins für das Grab Christi».

41. Cf. K.H. RENGSTORF, *Die Auferstehung Jesu. Form, Art und Sinn der urchristlichen Osterbotschaft*, Witten, [4]1960, p. 53, n. 33: «das Gewicht des Auferstehungsglaubens (liess) für ein selbständiges Interesse an ihm [*dem Grabe*] gar keinen Raum».

42. W. NAUCK, p. 262, n. 96. L'auteur parle du danger de considérer le tombeau comme «eine Art Kultheiligtum, an dem man der Offenbarung der Gottheit gewiss zu sein hoffte».

43. B. VAN IERSEL, p. 140: «Hij is er niet zoals de andere doden in hun graven zijn, omdat Hij verrezen is. Zo worden de pelgrims van het graf weggewezen en moeten zij het stellen met het kerygma, dat daar verkondigd wordt (v. 6)».

dans la critique d'un *Märtyrerkult*[44]. Avec plus d'assurance, W. Nauck explique la formulation de Lc 24,5: «Pourquoi cherchez-vous parmi les morts celui qui est vivant?», et la suppression de «Voici le lieu où on l'avait placé», comme l'expression d'une opposition contre ce culte des chrétiens de Jérusalem[45].

Pour terminer cette présentation de l'hypothèse, un mot encore sur le problème liturgie et histoire. Schille finit son exposé par poser la question[46]. Avec des nuances diverses, Nauck, Schenke et Delorme croient que la tradition qui est à la base de Mc 16[47] non seulement témoigne de la vénération du tombeau de Jésus à une date fort ancienne, mais remonte finalement au fait historique de la constatation du tombeau vide par les femmes. J. Delorme note que ses conclusions rejoignent celles de U. Wilckens: «le récit par les femmes de leur découverte du tombeau vide, récit connu de la communauté primitive de Jérusalem, est devenu un récit cultuel d'annonce de la résurrection, dans lequel le 'sens' de la découverte des femmes, c'est-à-dire le tombeau vide comme signe terrestre de la Résurrection, a été stylisé comme message de l'ange»[48]. C'était déjà la position de W. Nauck: une légende cultuelle n'est pas nécessairement ajoutée

44. P. Stuhlmacher parle d'une «ätiologische Grabauffindungslegende» dont le rôle ne serait pas de servir de fondement à un culte, mais plutôt le contraire: «Ihre Intention ist es, in ätiologischer Form zu begründen, weshalb die Christen am Grabe Jesu gerade keinen solchen Märtyrerkult entfalten dürfen, wie er zur Zeit Jesu an jüdischen Märtyrer- und Prophetengräbern in Jerusalem und anderswo üblich geworden war»; cf. *Das Bekenntnis zur Auferweckung Jesu von den Toten und die biblische Theologie*, dans *ZTK* 70 (1973) 365-403, p. 381, n. 31; = *Schriftauslegung auf dem Wege zur biblischen Theologie*, Göttingen, 1975, p. 144, n. 31); voir aussi *Kritischer müssten mir die Historisch-Kritischen sein*, dans *ThQ* 153 (1973) 245-251, p. 248.

45. W. NAUCK, p. 262, et n. 97.

46. G. SCHILLE, p. 200: «Inwieweit spiegelt die Begehung das Historische wider?». Sur l'intérêt historique, voir p. 199: «Die eucharistische Begehung dürfte von Anfang an den Rückblick und damit ein gewisses historisches Interesse gepflegt haben».

47. La reconstruction de la tradition prémarcienne est la plus précise chez Schenke: 16,2 (+ 1 les noms des femmes).5-6.8a (*op. cit.*, p. 30-55, spéc. p. 54-55). Sur la rédaction de Mc dans les versets 7-8: cf. SCHILLE, p. 196; DELORME, p. 115-116; VAN IERSEL, p. 138 (v. 7); SCHENKE, p. 43-53 (v. 7.8b).

48. J. DELORME, p. 143, n. 117. Voir dans le texte: «le souvenir d'un fait, la venue au tombeau des femmes qui n'ont pas retrouvé le corps de Jésus...» (*ibid.*). Comp. U. WILCKENS, *Die Überlieferungsgeschichte der Auferstehung Jesu*, dans F. VIERING (éd.), *Die Bedeutung der Auferstehungsbotschaft für den Glauben an Jesus Christus*, Gütersloh, 1966, p. 41-63, spéc. p. 60. Il est à noter cependant que Wilckens ne parle pas du *Sitz im Leben* cultuel de la péricope; il s'agit du récit de la passion dont la péricope forme la conclusion: «Sie wurde in der Ausbildung der Passionsüberlieferung zum Erzählungsrahmen der kultischen Osterverkündigung...» (voir *ibid.*: «Der Sitz im Leben der Passionsgeschichte ist ... sehr wahrscheinlich der Kult»; «der Überlieferungszweck ... die Rezitation im Zusammenhang eines kultischen Passionsgedächtnisses»).

a posteriori[49]; et si l'intérêt cultuel a influencé le récit du tombeau vide dans sa formation et son développement[50], l'origine même de ce récit ne s'explique pas par le *Sitz im Leben* cultuel[51]. À première vue, l'approche de L. Schenke peut paraître assez différente: l'étiologie est toujours postérieure au culte qu'elle explique[52]. Il se défend de rechercher le noyau historique du récit, mais néanmoins il admet que «la précision des noms des trois femmes citées en 16,1 permet d'affirmer avec quelque certitude que, derrière la tradition, se trouve le souvenir d'un événement précis, quelle qu'en soit la nature»[53], et plus loin il fait appel à Jn 20 où il suppose retrouver «le noyau historique des récits du tombeau»[54]. Van Iersel ne semble pas partager cet optimisme: le récit de Mc 16 nous renseigne sur les pèlerinages au tombeau de Jésus, mais ne livre pas d'information historique sur le tombeau vide[55].

2

La double notation chronologique en Mc 16,2

À la suite de G. Schille[56], mais dans une approche assez différente, L. Schenke attache beaucoup d'importance à la «curieuse datation»

49. W. NAUCK, p. 263: «die Annahme (ist) nicht zulässig, Kultlegenden seien stets zu schon bestehenden heiligen Stätten nachträglich hinzugefügt worden, dass also jede Kultlegende a limine sekundär sein müsse». Il renvoie à J. Jeremias, *Golgotha*, p. 22; on peut y lire: «Jede solche heilige Stätte hat von Anfang an ihre Kultlegende. ... ein morgenländisches Heiligtum ohne Heiligtumserzählung ist nicht vorzustellen».

50. *Ibid.*, p. 263: «das kultische Interesse am leeren Grabe (hat) den Bericht mit geformt»; p. 265, n. 111: «durch einen ganz bestimmten 'Sitz im Leben' der urchristlichen Gemeindetradition geprägt».

51. *Ibid.*, p. 262-265. Il énumère les indications du fait historique: 1. le caractère même du récit, non apologétique et non théologique; 2. des femmes comme témoins, 3. «le troisième jour»; 4. l'ancienneté du récit et sa présence dans les quatre évangiles; 5. absence d'une contestation de la part des adversaires des chrétiens; 6. la prédication de la résurrection à Jérusalem. (Sur ce dernier point, voir la réaction de DELORME, p. 146, n. 124.) Les mêmes «arguments» sont répétés par E. L. BODE, *A Liturgical* Sitz im Leben (cf. *supra*, n. 7), p. 239, n. 8. D'après lui, le récit historique est à l'origine du dimanche chrétien, et il parle de *Sitz im Leben* liturgique dans le sens que «the tradition of the Easter visit to the tomb of Jesus *most probably* was the source of the liturgical commemoration of Jesus' resurrection on the first day of the week».

52. L. SCHENKE, p. 93-94 (contre Nauck; cf. p. 94, n. 1; corriger la pagination: 263; dans la traduction française, p. 96).

53. *Ibid.*, p. 94 (n. 3).

54. *Ibid.*, p. 96-97.

55. VAN IERSEL, p. 140: «het verhaal over Jezus' graf (kan) niet langer gehanteerd worden als informatie omtrent gebeurtenissen, en de betekenis (wordt) gereduceerd tot die van het daar verkondigde kerygma».

56. Cf. *supra*, n. 12. Sur l'importance des indications temporelles: «Wohl das wesentlichste Kriterium für den kultischen Charakter der ältesten Passionstraditionen bilden die Zeitangaben» (p. 197).

de Mc 16,2[57]. La précision λίαν πρωΐ («très tôt») s'accorde mal avec la deuxième indication de temps, ἀνατείλαντος τοῦ ἡλίου («le soleil étant levé»): pour cette raison, et tenant compte de l'emploi marcien des mots πρωΐ et λίαν à d'autres endroits, et du lien avec le motif de l'onction au v. 1, également secondaire, Schenke tient λίαν πρωΐ pour une addition rédactionnelle de Marc[58].

Le problème des deux précisions temporelles en 16,2 n'est pas nouveau: ἀνατείλαντος τοῦ ἡλίου est en désaccord avec λίαν πρωΐ dans le même verset, mais également avec πρωΐ σκοτίας ἔτι οὔσης de Jn 20,1 et ὄρθρου βαθέως de Lc 24,1. La solution harmonisatrice la plus commune consiste à distinguer deux moments dans la démarche des femmes: elles *partent* de chez elles très tôt, avant l'aube, et *arrivent* au tombeau «le soleil étant levé». La distance n'est peut-être pas très grande, «tamen mulieribus (spatium) satis magnum erat»[59]. Cette explication, qui est souvent citée comme l'opinion de Swete[60], fut la *vulgaris interpretatio* au 16e siècle[61]. Pour B. Rigaux c'est «la plus mauvaise» des hypothèses[62]. Par contre, un auteur récent comme R. Pesch ne la refuse pas[63]. Une tentative d'harmonisation

57. L. SCHENKE, p. 57-63, spéc. p. 63.

58. *Ibid.*, p. 59; cf. p. 54 (entre crochets dans le texte).

59. J. MALDONATUS, *Commentarii in quatuor evangelistas* (1596), éd. 1855, p. 492 (cf. p. 488 et 491-492). Voir aussi le commentaire de Menochius: «sententia est, valde mane domo discessisse, sed ad monumentum non pervenisse nisi orto jam sole; lente enim mulieres progredi solent» (éd. 1839, p. 212).

60. H.B. SWETE, *The Gospel according to St Mark*, London, 1898, p. 395: «It is better to regard Mc.'s note as a statement of two facts, the two women started just before daybreak and arrived just after sunrise (ἔρχονται = ἐξελθοῦσαι ... ἦλθον)». Cf. E. KLOSTERMANN, *Markus*, 1907, p. 145: «Unmöglich aber kann man mit Swete...» (²1926, p. 190; le nom de Swete n'est plus mentionné à partir de ³1936, p. 171); V. TAYLOR, *Mark*, 1952, p. 604: «not satisfactory; the distance from Jerusalem is too short». L'explication de Swete (sans le nommer) est reprise dans W. GRUNDMANN, *Markus*, Berlin, 1959, p. 322.

61. L'expression vient de Maldonatus (cf. n. 59). L'*Harmonia Evangelica* de Clericus (Amsterdam, 1699, p. 479-480), citée plus loin dans le texte, n'est qu'un exemple parmi beaucoup d'autres. Jansenius (*Tetrateuchus*, éd. 1776, p. 301, *ad* Mt 28,1) signale cette interprétation des *diversa tempora* comme l'opinion de Denys d'Alexandrie; cf. *PG* 10, col. 1276: Παρέτειναν δὲ κατά τε τὴν πορείαν καὶ περὶ τὸ μνημεῖον διατρίβουσαι μέχρις ἀνατολῆς ἡλίου. P. Schanz (*Marcus*, 1881, p. 415) la trouve chez Ritschl et Bisping. Pour citer un auteur plus récent: R. GROB, *Einführung in das Markus-Evangelium*, Zürich-Stuttgart, 1965, p. 286: «gehen jetzt 'morgens sehr früh' zum Grabe und kommen dort an, 'als die Sonne aufgegangen'».

62. B. RIGAUX, *Dieu l'a ressuscité* (cf. *supra*, n. 7), p. 190 (il renvoie à Swete et Grundmann).

63. R. PESCH, *Der Schluss der vormarkinischen Passionsgeschichte und des Markusevangeliums: Mk 15,42—16,8*, dans M. SABBE (éd.), *L'évangile selon Marc. Tradition et rédaction* (BETL, 34), Leuven-Gembloux, 1974, p. 365-409, spéc. p. 380 (I.3.3.2): «Die Zeitangaben in V. 2 stehen nicht in Spannung zueinander; die Schlussstellung von ἀνατείλαντος τοῦ ἡλίου vermittelt den Eindruck, die Frauen, deren Weg der Hörer sich vorstellt, seien gerade bei Sonnenaufgang zum Grab gekommen». Sur la signification symbolique, cf. *infra*, n. 126.

moins heureuse fait une distinction entre deux groupes de femmes: «*Valde mane, orto sole.* Alterum pertinet ad Mariam Magdalenam, Joh. 20,1. alterum ad ceteras» (Bengel)[64]. Devant le problème posé par *orto sole*, les solutions du désespoir n'ont pas manqué. Je songe à la conjecture de T. de Bèze («*nondum* orto sole»)[65] et aux tentatives d'explication plus récentes qui ont recours à la ponctuation différente dans un original araméen[66] ou à une faute de traduction[67]. La difficulté ne pouvait échapper aux critiques littéraires. Leur solution reste dans la ligne de l'ancienne harmonisation: λίαν πρωΐ (cf. Jean et Luc) appartient à la tradition ancienne, et ἀνατείλαντος τοῦ ἡλίου doit être une addition secondaire. Dans l'hypothèse de Griesbach, c'est un des traits caractéristiques de l'évangéliste Marc[68], tandis que

64. J.A. Bengel, *Gnomon Novi Testamenti*, éd. London, 1862, p. 187 (voir, p. 153, n. 1, l'extrait de *Harmonia Evangelistarum*). L'opinion est signalée par P. Schanz: «die Annahme verschiedener Frauen (Eus., Vict.)» (*Marcus*, 1881, p. 414) et défendue par S.T. Bloomfield: «two parties of women» (*The Greek Testament*, London, ^{6}1845, t. 1, p. 253). Cf. *infra*, n. 85.

65. C'est sans doute dans ce sens (= οὔπω) qu'il entend la négation οὐ qu'il y insère. Voir la critique de Meyer: «Beza's Conjectur οὐκέτι ἡλίου ἀνατείλ. war unbefugt und sinnlos (οὔπω)» (*Markus*, p. 204). Sur la conjecture οὐκ, voir aussi la réaction de Maldonatus (cf. *supra*, n. 59), p. 491. C.H. Turner semble avoir plus de sympathie pour la conjecture (*Mark*, 1928, p. 82: «not yet»).

66. C.C. Torrey, *The Four Gospels. A New Translation*, London, 1933 (= ^{2}1947), p. 108 et 304 (note): «There must be a period after 'came to the tomb' (vs. 2); and the conjunction at the beginning of vs. 4 [καί] must be omitted». Il traduit donc: «When the sun had risen, and they were saying..., they looked...». Comparer la manière dont le génitif absolu est rattaché au verset suivant dans *q* («*Et* sole oriente dicebant ad invicem...»), et dans le Diatessaron (cf. *infra*, n. 86-87); voir aussi l'interprétation de B. Weiss (n. 120).

67. M. Black, *An Aramaic Approach to the Gospels and Acts*, Oxford, 1946 (= ^{2}1954), p. 100; ^{3}1967, p. 137-138: «G.F. Moore thought that Mark's version 'may have originated in the desire to make clearer or to put into better Greek such an expression as τῇ ἐπιφωσκούσῃ which we have in Matthew'». Cf. G.F. Moore, *Conjectanea Talmudica*, dans *Journal of Oriental Society*, t. 26, p. 328. Black poursuit: «We would require, in that case, to assume that Matthew is here independent of Mark, drawing on the original tradition [aram. *n^{e}gah* = «the 'drawing on' of the following day after sunset»] which Mark, perhaps through a misunderstanding, is seeking to 'improve'». Et pour ceux qui pourraient croire que l'ère des harmonies évangéliques est révolue: «Such a view helps to resolve the contradictions in the several accounts of the Evangelists»! Cependant, le sens de ἀνατείλαντος τοῦ ἡλίου est, comme Black le reconnaît, «quite unambiguous», et les expressions de Lc 24,1 ὄρθρου βαθέως et Jn 20,1 πρωΐ σκοτίας ἔτι οὔσης ne sont pas moins claires: peut-on les faire remonter, à cause de τῇ ἐπιφωσκούσῃ de Mt 28,1, à une tradition qui situe la visite au tombeau le samedi soir? Selon J. Kremer (*Die Osterevangelien*, p. 61), Matthieu lui-même ne l'entend pas ainsi, puisqu'il suppose en 28,13 l'intervalle d'une nuit: νυκτὸς ... ἡμῶν κοιμωμένων. Sur le sens du verbe ἐπιφώσκω, voir F. Neirynck, *Les femmes au tombeau. Étude de la rédaction matthéenne* (*Matt. xxviii.1-10*), dans *NTS* 15 (1968-69) 168-190, p. 190, n. 4.

68. W.M.L. de Wette, *Kurze Erklärung der Evangelien des Lukas und Markus* (Kurzgefasstes exegetisches Handbuch zum N.T., I/2), Leipzig, ^{3}1846, p. 252: «Mark. hat sich von seiner Liebe zur anschaulichen Ausführlichkeit verleiten lassen etwas Unpassendes zu sagen».

les partisans d'un Proto-Marc[69] ou d'un récit prémarcien de Mc 16[70] l'attribuent au dernier rédacteur. Certains y voient même l'ajout d'un glossateur[71]. L. Schenke renverse maintenant l'hypothèse: c'est ἀνατείλαντος τοῦ ἡλίου qui est traditionnel, et λίαν πρωΐ est ajouté par Marc[72]. Il est suivi sur ce point par I. Broer[73] et D. Dormeyer[74].

Mais les deux expressions de Mc 16,2 sont-elles donc vraiment inconciliables? Les auteurs ne manquent pas qui estiment que, s'il y a peut-être quelque négligence dans l'expression, il est clair que Marc veut dire que dès l'aube les femmes se rendent au tombeau[75]. Lagrange

69. H.J. HOLTZMANN, *Die synoptischen Evangelien*, Leipzig, 1863, p. 99: «Dem Marcus selbst könnte angehören das störende ἀνατείλαντος τοῦ ἡλίου 2 (BLEEK, *Synopsis*, II, p. 497.)»; É. TROCMÉ, *La formation* (cf. *supra*, n. 6), 1963, p. 182, n. 30 (cf. *infra*, n. 135); M.-É. BOISMARD, *Commentaire* (*Synopse*, t. 2), Paris, 1972, p. 442 (§ 359, II B 1 c): «probablement une addition de l'ultime Rédacteur marcien».

70. J. KREMER (cf. *supra*, n. 8), *Zur Diskussion*, p. 152; *Die Osterevangelien*, p. 46. Pour sa reconstruction de la tradition (16,1a.2a.5.6.8a), il renvoie à I. Broer (*Zur Diskussion*, p. 153, n. 55); voir cependant n. 73. Il est moins courant d'y voir la conflation de deux traditions; cf. E. SCHWEIZER, *Das Evangelium nach Markus* (NTD, 1), Göttingen, 1967, p. 215: «Die Zeit ist doppelt angegeben; vielleicht hat man beim Erzählen bald dies, bald jenes gesagt, und Markus stellt beides nebeneinander».

71. E. HIRSCH, *Frühgeschichte des Evangeliums*, Tübingen, t. 1, 1941, p. 179: «eine nachträgliche Verdeutlichung von 'sehr früh' ... von derselben Hand wie die Glosse in 3» (vv. 2b, 3 et 4b seraient ajoutés par le glossateur); V. TAYLOR, *Mark*, 1952, p. 605: «the phrase may be a very early scribal gloss». Taylor a la sagesse d'ajouter: «but... there is no textual evidence to support this suggestion, which accordingly can be no more than a conjecture». Voir aussi P. DAUSCH, *Die drei älteren Evangelien* (Die heilige Schrift des N.T., 1), Bonn, ³1923, p. 396; ⁴1932, p. 420: «Vielleicht sind diese auffällig nachhinkenden Worte erst später im Interesse einer abweichenden Fastenpraxis eingeschoben worden».

72. Cf. *supra*, n. 58. La même année, cette possibilité est suggérée également par R. Pesch, dans *Ein Tag* (cf. *infra*, n. 102), p. 263, n. 6.

73. I. BROER, *Zur heutigen Diskussion der Grabesgeschichten*, dans *Bibel und Leben* 9 (1968) 40-52, p. 46, n. 33: «Allerdings könnte wegen der für Markus typischen doppelten Zeitangabe λίαν πρωΐ (V.2) red. sein; vgl. *Schenke*». Il est moins précis dans *Zur historischen Frage nach der Auferstehung Jesu*, dans *Anzeiger für die katholische Geistlichkeit* 80 (1971) 424-434, p. 429: «Mag hier [16,1-2] die eine oder andere Zeitangabe auch später eingefügt sein...». Il est à noter que le livre de I. Broer sur la *Grablegungsgeschichte*, publié en 1972 (cf. *supra*, n. 19), est à l'origine d'un renversement semblable dans l'explication de l'expression de 15,42 (cf. *infra*).

74. D. DORMEYER, *Die Passion Jesu* (cf. *supra*, n. 7), p. 222: «Die Angabe ist Rmk vorgegeben, der zusätzlich zu ihr die ihm geläufigere Zeitbestimmung πρωΐ einsetzt». D'après Dormeyer, [τῇ] μιᾷ τῶν σαββάτων serait également un doublet rédactionnel (cf. v. 1 διαγενομένου τοῦ σαββάτου). Par contre, W. Schenk, dans *Der Passionsbericht* (cf. *supra*, n. 7), p. 260-261, qui ne voit pas de contraste entre les deux expressions (cf. *infra*, n. 117), les attribue à l'évangéliste: «Ist die erste Zeitangabe aber redaktionell, so auch die darauf bezogene tautologische dritte».

75. Cf. *infra*, n. 117. Voir aussi P. SCHANZ, *Marcus*, 1881, p. 414: «Diese (Differenz) ist... getrost auf Rechnung der ungenau referirenden Schriftsteller zu setzen». Voir aussi G.B. WINER, *Grammatik des neutestamentlichen Sprachidioms*, Leipzig, ⁶1855, p. 307 (§ 45,1): «Solche kleine Differenzen in der evang. Erzählung [diff. Jn 20,1; Lc 24,1] muss man das Herz haben zu ertragen».

fait valoir qu'«en ajoutant λίαν Mc. a voulu indiquer qu'il était de très bonne heure pour se mettre en route, plutôt que le début de l'aurore, d'ailleurs relativement courte à Jérusalem»[76]. Pour Burkitt, λίαν πρωΐ veut dire «as early as they possibly could»[77]. On notera aussi que λίαν (omis par D W) n'apparaît pas dans certaines versions anciennes (it^{d,k,n} syr^{s,p,pal} arm)[78]. Le sens de ἀνατείλαντος τοῦ ἡλίου fait l'objet d'une discussion plus intense. La Vulgate traduit par *orto iam sole*, mais des témoins de la vieille latine ont *oriente sole*, au présent, qu'on rapproche de la leçon du Codex Bezae (ἀνατέλλοντος)[79]. Lagrange a sans doute raison lorsqu'il explique le succès de cette leçon moins par le besoin de «mettre Mc. d'accord avec lui-même» que par celui d'harmoniser Marc avec Jn 20,1[80]. Il est largement admis que les deux variantes, ἀνατέλλοντος (D) et ἔτι ἀν. (W Θ 1 565 *al*) sont des harmonisations[81], et la grammaire de Winer qui rejette la traduction *oriente sole* pour la même raison[82] est suivie par beaucoup

76. M.-J. LAGRANGE, *Marc*, p. 444.

77. F.C. BURKITT, 'ΕΠΙΦΩΣΚΕΙΝ, dans *JTS* 14 (1913) 538-546, p. 544: «I do not see any real incongruity between λίαν πρωΐ and ἀνατείλαντος τοῦ ἡλίου in xvi 2: I doubt if λίαν πρωΐ here means more than 'as early as they possibly could'».

78. *d* mane una sabbati (D πρωΐ μιᾶς σαββάτου), *k* prima sabbati mane dicentes, *n* mane postera die sabbatorum. Cf. *c* una sabbati, *q* valde prima sabbati.

79. Oriente sole: *c* (om. valde mane), *d* et *n* (om. valde), *q* (et venerunt valde prima sabbati ad monumentum et sole oriente dicebant...). Cf. Augustin: «*oriente iam sole*, id est, cum caelum ab orientis parte iam albesceret, quod non fit utique nisi solis orientis vicinitate; eius enim est ille fulgur, qui nomine aurorae appellari solet. ideo non repugnat illi qui ait: cum adhuc tenebrae essent» (*De consensu evangelistarum* 3,65; cf. *PL*, 34, col. 1198); Tichonius: «nam Marcus dicit *oriente sole*, non *orto* sed *oriente*, id est ad ortum eunte; Lucas autem *diluculo*. Sed ne de hac locutione ambigeretur, alteri evangelistae aperte noctem fuisse testantur, nam Matheus nocte dicit venisse mulieres ad monumentum et vidisse Dominum, Iohannes vero *cum adhuc tenebrae essent*» (*De septem regulis* 5,61; éd. Burkitt). Legg, Taylor (*Mark*, p. 604), B. Rigaux (p. 217, n. 18) et autres signalent encore *ff* comme témoin de la leçon *oriente*. Mais le Codex Corbeiensis est lacuneux à cet endroit et on ne peut se fier au texte reconstitué par l'éditeur E.S. Buchanan: [*oriente sole et dic*]*ebā* (Oxford, 1907, p. 96). L'argument «ex spatio» ne permet pas de décider entre *oriente* et *orto iam*.

80. *Marc*, p. 445 (à propos de S. Augustin). Cf. H.J. VOGELS, *St Augustins Schrift De consensu evangelistarum unter vornehmlicher Berücksichtigung ihrer harmonistischen Anschauungen* (Biblische Studien, 13/5), Freiburg, 1908, p. 37. Cf. *supra*, p. 79 (les textes cités d'Augustin et Tichonius).

81. Cf. Grotius: «Quare duae illae lectiones... natae sunt ex interpretamento» (*Critici Sacri*, c. 197). Mill se réfère à Grotius (note *ad* Mc 16,2) et ajoute dans ses *Prolegomena*, § 811: «Caeterum haud dubium, quin natum fuerit istud ἔτι, ex interpretamento: quo propius scilicet accederet Marcus ad caeteros Evangelistas». Comparer H.J. VOGELS, *Die Harmonistik im Evangelientext des Codex Cantabrigiensis. Ein Beitrag zur neutestamentlichen Textkritik* (TU, 36/1A), Leipzig, 1910, p. 9: «Dadurch wird die Differenz in der Zeitangabe, die zwischen dem 2. und dem 4. Evangelium am grössten ist..., gemildert».

82. *Grammatik* (cf. *supra*, n. 75), § 45,1: «Missbrauch des Parallelismus ist es... zu übersetzen: *als die Sonne aufging*... weil Jo. 20,1. vgl. Lc. 24,1. steht σκοτίας ἔτι οὔσης» (p. 307).

de commentateurs[83]. La tendance à assimiler λίαν πρωΐ... ἀνατείλαντος τοῦ ἡλίου à πρωΐ σκοτίας ἔτι οὔσης est trop bien attestée pour qu'on puisse la contester[84]. Mais on oublie facilement que l'harmonie évangélique peut aussi influencer le texte dans l'autre sens, en accentuant comme deux moments nettement distincts «cum adhuc tenebrae essent» et «orto *iam* sole» (*vg aur 1*). Cette distinction est essentielle pour ceux qui réfèrent Mt 28,1; Jn 20,1; Lc 24,1 et Mc 16,2 à différents groupes de femmes qui, dans cet ordre, se rendent au tombeau. Ainsi, par exemple, Hésychius de Jérusalem qui cite le texte de Marc comme ἔτι ἀνατέλλοντος, mais, dans le commentaire, explique le silence des femmes (16,8) par la peur des Juifs, διὰ τὸ ἀνατεῖλαι λοιπὸν τὸν ἥλιον[85]. Il est aussi tout indiqué de

83. Cf. P. SCHANZ, *Marcus*, 1881, p. 414: «nachdem die Sonne aufgegangen war (Winer 45,1, 322. Reischl, Meyer, Schegg, Weiss u.a.)». Voir aussi de Wette, Holtzmann, J. Weiss, Gould («the sun having risen»), Lagrange («le soleil étant déjà levé»), e.a. Parmi les traductions: «le soleil étant levé» (Crampon, *TOB*); «après le lever du soleil» (Osty-Trinquet); «when the sun had risen» (*RSV*), «just after sunrise» (*NEB*); «toen de zon was opgegaan» (Brouwer, Keulers), «na het opgaan van de zon» (Poukens).

84. Un bon exemple chez Tichonius (cf. *supra*, n. 79).

85. Cf. *Quaestio 50* (PG 93, 1433-1437), spéc. c. 1436. Sur les quatre temps et les quatre visites au tombeau (Mt ὀψὲ σαββάτων, Jn ἐν τῷ σκότει πρὸ τῆς ἕω, Lc κατὰ ταὐτὸν τὸν ὄρθρον, Mc ἀνίσχοντος ἡλίου), voir aussi l'homélie pascale du Pseudo-Grégoire de Nysse (PG 46,627-659: *In sanctum Pascha sive in Christi resurrectionem oratio II*), attribuée à Hésychius de Jérusalem par F. Combefis (*Novum Auctarium*, Paris, 1648, c. 743-774); A. Gallandius (*Bibliotheca Veterum Patrum*, t. 11, Venice, 1776, p. 219-226: «Severi Archiepiscopi Antiocheni Concordantia Evangelistarum circa ea quae in sepulcro Domini contigerunt...»; comp. p. 221, n. 1; *Prolegomena*, caput III, p. VI-VII: «Severo Antiocheno plane abjudicandum atque Hesychio restituendum»); mais à Sévère d'Antioche par B. de Montfaucon (*Bibliotheca Coisliniana*, Paris, 1715, p. 68-75; J.A. Cramer (*Catenae Graecorum Patrum in Novum Testamentum*, t. 1, Oxford, 1844, p. 243-351); et M.A. Kugener, dans *ROC* 3 (1898) 435-451 (cf. J. QUASTEN, *Patrology*, t. 3, 1960, p. 277). De Wettstein à Tischendorf, cette homélie est citée parmi les témoins de la leçon ἔτι (avec Hésychius ἔτι ἀνατέλλοντος, cf. *PG* 93, 1433; et Eusèbe ἔτι ἀνατείλαντος, cf. *PG* 22, 764), d'abord comme Hésychius, puis comme Pseudo-Nyssenus, mais il s'agit du même texte. Le passage sur ἔτι n'est pas sans problème. *PG* 46, 641: Καὶ λίαν πρωΐ τῆς μιᾶς σαββάτων ἔρχονται ἐπὶ τὸ μνῆμα. Ἔτι τοῖς ἀκριβεστέροις τῶν ἀντιγράφων ἐμφέρεται δηλοῦν, ὡς πρὸς ταῖς ἤδη γεγενημέναις, καὶ αὕτη τῶν γυναικῶν ἡ ἐπὶ τὸ μνῆμα ἄφιξις γέγονεν. Τὸ δὲ, Λίαν πρωΐ, σαφηνίζων ὁ Μάρκος, Ἀνατείλαντος τοῦ ἡλίου, προσέθηκεν. On trouve un texte identique chez Combefis (col. 761), avec une ponctuation légèrement différente (μνῆμα ἔτι... et ἐμφέρεται,), mais avec la traduction latine suivante: «*Et valde mane... ad monumentum adhuc*. Ita in exactioribus ac plenioribus exemplaribus...» (c. 762). Le texte de Montfaucon (p. 72), Gallandius (p. 225) et Cramer (p. 248) présente quelques variantes: τῇ μιᾷ τῶν, μνημεῖον, οὕτως γὰρ ἐπί (*loco* ἔτι), om. ὡς. Wettstein cite comme texte d'Hésychius: τὸ γὰρ ἔτι ἐν... (*ad* Mc 16,2), ce qui, quant au sens, ne diffère guère de οὕτως γὰρ ἐπί... De ces données assez confuses, on peut conclure que l'auteur du Sermon a connu un texte de Mc 16,2 avec ... μνῆμα | ἔτι ἀνατείλαντος τοῦ ἡλίου, mais, au lieu de lire ἔτι avec ἀνατείλαντος, il l'a rattaché à la phrase qui précède («*encore*» une visite au tombeau: voir la traduction de Combefis, qui, sur cet *adhuc*, ajoute la note marginale: «Rara lectio auctori probata»).

traduire par «le soleil étant déjà levé» dans une harmonie qui fait la distinction entre le temps du départ des femmes et celui de leur arrivée au tombeau: «summo mane antequam sol ortus esset, ... ad monumentum se contulerunt, ad quod orto demum sole pervenerunt» (Clericus). Cette solution diffère de celle du Diatessaron qui rattache ἀνατείλαντος τοῦ ἡλίου à ἔλεγον (v. 3). Je cite le Codex Fuldensis: «Vespere autem sabbato quae lucescit in prima sabbati cum athuc tenebrae essent venit maria magdalene et altera maria et salomae ad monumentum portantes quae paraverant aromata. Et *orto iam sole* dicebant ad invicem...»[86]. Dans pareille disposition du texte, la version «et sole oriente...» (*q*) serait mieux en place que celle de la Vulgate. On la trouve effectivement dans le Diatessaron de Liège: «Des snachts na den saterdach in de margenstonde van den sondaghe, doet noch donker was,... Ende te sonne opgange, alst begonste te clerne van den daghe, so spraken si...»[87]. Certes, le souci d'harmonisation avec Jn 20,1 n'y est pas absent[88], mais ce n'est pas une raison suffisante pour retenir la traduction «le soleil étant déjà levé», car, dans un autre type d'harmonie évangélique, c'est elle plutôt qui se prête le mieux à l'harmonisation. La traduction «comme le soleil se levait» (*BJ*) n'a jamais été complètement abandonnée[89]. Pour la justifier, on a eu recours à un sémitisme[90], mais il suffit sans

86. Éd. E. RANKE, Marburg-Leipzig, 1868, p. 158.

87. Éd. C.C. DE BRUIN, Leiden, 1970, p. 272.

88. L'harmonisation avec Jn 20,1 est plus manifeste encore dans le Diatessaron de Haaren (éd. C.C. DE BRUIN, Leiden, 1970, p. 117): «...doet nochtan donker was, ... Ende ter sonnen op ganc, *doet nochtan donker was* ende begonde te claren vanden daghe...». Dans le Diatessaron arabe, Mc 16,2b est omis (éd. A.-S. MARMADJI, Beyrouth, 1935, p. 504-505); dans celui de Venise: «E levando za lo sole, disca...»; mais dans le Diatessaron toscan: «E già era levato di sole, e diceano...» (éd. V. TODESCO-A. VACCARI-M. VATASSO, Rome, 1937, p. 159 et 359). Le Diatessaron persan présente le texte de Mc 16 sans harmonisation (éd. G. MESSINA, Rome, 1951, p. 364-365). Il est absent parmi les éléments du Diatessaron contenus dans le commentaire d'Ephrem; voir L. LELOIR, *Le témoignage d'Ephrem sur le Diatessaron* (CSCO, 227; Subsidia, 19), Louvain, 1962, p. 68-69 (la section 75 = Jn 20,1-17; Mt 28,2.13).

89. Meyer cite parmi les anciens: Grotius, Heupel, Wolf, Heumann, Paulus, Volkmar, Ebrard, Hug. Cf. R. Simon: «le soleil ne faisait que de se lever»; H.E.G. Paulus traduit: «während die Sonne aufzugehen anfieng». Dans la traduction de Luther: «als/da die Sonne aufging», cf. Wellhausen, Klostermann, Schniewind, Grundmann, Schweizer, Pesch; «als eben die Sonne aufging»: Schmid, Wilckens, *BJ*, Einheitsübersetzung 1972; «bei Sonnenaufgang»: Haenchen. En anglais, *KJV*: «at the rising of the sun»; Phillips: «just as the sun was rising»; en néerlandais, Statenvertaling et *NBG*: «als/toen de zon opging»; Leidse: «bij zonsopgang» (cf. Canisius); en français, Huby et *BJ*: «comme le soleil se levait»; Pernot: «dès le lever du soleil»; Pléiade: «au lever du soleil».

90. F. HITZIG, *Über Johannes Markus und seine Schriften*, Zürich, 1843, p. 99; cf. H.J. HOLTZMANN, *Die synoptischen Evangelien* (cf. *supra*, n. 69), p. 99: «wenn es nicht als ein Hebraismus von A gelten darf (Hitzig)». Comp. G. VOLKMAR, *Marcus*

doute de lire ἀνατείλαντος comme un aoriste inchoatif[91]. On n'a donc pas besoin de la variante ἀνατέλλοντος[92] pour traduire par le présent *oriente sole*. J. Delorme fait remarquer que la leçon «le soleil se levant» ne supprime pas la difficulté[93], mais il devra admettre que le contraste qu'il observe entre «très tôt (le matin)» et «le soleil étant déjà levé» est moins évident si l'on peut traduire par «de grand matin, dès le lever du soleil» (H. Pernot).

* * *

L'expression temporelle de Mc 16,2 a été bien définie dans l'homélie pascale du Pseudo-Grégoire de Nysse: τὸ δέ, Λίαν πρωΐ, σαφηνίζων ὁ Μάρκος, Ἀνατείλαντος τοῦ ἡλίου, προσέθηκεν[94]. Il s'agit en effet d'une de ces caractéristiques expressions doubles, dont le second élément précise le premier. Elles avaient été signalées par J. Jeremias[95], et leur importance pour l'étude du style de Marc a été soulignée dans *Duality in Mark*[96]. L. Schenke tient λίαν πρωΐ pour un ajout rédac-

und die Synopse der Evangelien, Zürich, ²1876, p. 615: «Aber gemäss λιὰν πρωΐ hat Mc. hier wohl so hebraisirt, wie sonst; der aor. ist dann allgemein erzählendes Tempus». Il renvoie à Hitzig et conclut: «Schon it. verstand richtig 'beim Aufgang der Sonne'». Voir aussi A.H. M'Neile, *The Gospel according to St. Matthew*, London, 1915, p. 430: «at sunrise (a timeless partcp.)».

91. G.F. Heupel, *S. Marci Evangelium notis grammatico-historico-criticis illustratum*, Strasbourg, 1715, p. 542: «cum Aoristus tam praesentis quam praeteriti significationem habeat»; J.C. Wolfius, *Curae philologicae et criticae*, Hamburg, 1725, p. 538-539; I.T. Krebsius, *Observationes in Novum Testamentum e Flavio Josepho*, Leipzig, 1755, p. 77: «Commodissime genuinam Aoristi vim ita exprimere licet: *cum Sol oriri inciperet*». Même traduction introduite par Krebsius dans son édition de C. Schoettgen, *Novum Lexicon Graeco-Latinum in Novum D.N.I.C. Testamentum*, Leipzig, 1765, p. 54. Voir aussi J. Schmitt, *Le récit de la résurrection dans l'évangile de Luc. Étude de critique littéraire*, dans *Revue des Sciences Religieuses* 25 (1951) 119-137.219-242, p. 122, n. 1: «aoriste inchoatif».

92. Quant à la leçon du Codex Bezae, on constate encore un changement en sens inverse en Lc 4,40, de δύνοντος (*d* occidente) à δύσαντος (D), peut-être sous l'influence du texte parallèle de Mc 1,32 ὅτε ἔδυσεν D (*d* cum occidisset). Cf. H.J. Vogels, *Die Harmonistik* (*supra*, n. 81), p. 88. Comparer, cependant, l'interprétation lucanienne de ὅτε ἔδυ(σεν) par le présent δύνοντος avec la traduction de ἀνατείλαντος par «oriente» en *d* (ἀνατέλλοντος D)!

93. *Art. cit.* (cf. *supra*, n. 5), p. 112, n. 19.

94. Cf. *supra*, n. 85.

95. J. Jeremias, *Die Abendmahlsworte Jesu*, Göttingen, 1935, p. 6; ²1949, Zürich; ³1960, ⁴1967, p. 11-12 (à propos de 14,12). Sur 16,2: «die zweite Zeitbestimmung zeigt, dass hier mit πρωΐ die Zeit *nach* Sonnenaufgang gemeint ist»; comp. B. Weiss, *Das Marcusevangelium und seine synoptischen Parallelen*, Berlin, 1872, p. 509: «das λίαν πρωΐ wird dadurch einigermassen beschränkt, dass die Sonne schon aufgegangen war». (Sur cette traduction, nous avons exprimé nos réserves dans le texte.)

96. F. Neirynck, *Duality in Mark. Contributions to the Study of the Markan Redaction* (BETL, 31), Leuven, 1972, spéc. p. 46-51 (voir p. 47, n. 145, sur J. Jeremias); = *ETL* 48 (1972), p. 183-186 (p. 184, n. 145).

tionnel, mais il semble d'accord avec J. Jeremias pour dire qu'au niveau de la rédaction de Marc, ἀνατείλαντος τοῦ ἡλίου précise la première indication, λίαν πρωΐ[97]. De son côté, D. Dormeyer transforme la règle de Jeremias en principe de critique littéraire: ce n'est pas la première notation qui est précisée par la deuxième, mais «die ältere (Zeitangabe) wird durch die neuere interpretiert». Il emprunte ce principe à R. Pesch, tout en prenant soin d'en limiter la portée: «Bei bereits vorgegebenen Zeitangaben...»[98]. Dans le cas de 16,2, c'est donc la donnée traditionnelle, ἀνατείλαντος τοῦ ἡλίου, qui serait complétée et expliquée par πρωΐ, une notation chronologique courante en Marc[99].

Les deux auteurs, L. Schenke et D. Dormeyer, se réfèrent à la constatation de Jeremias: «wenn zwei Zeitbestimmungen scheinbar pleonastisch aufeinanderfolgen, so bestimmt die zweite die erste näher» (cf. 1,32.35; 4,35; 10,30; 13,24; 14,12.30.43; 15,42; 16,2)[100]. À propos de ces mêmes passages, R. Pesch a fait observer: «Die Dopplung dient... zur Neuinterpretation der alten Einleitung»[101]. Cela semble vouloir dire (et c'est ainsi que Dormeyer l'a compris) que, dans toutes ces expressions doubles, un élément est traditionnel et l'autre rédactionnel; et en outre, que le rédacteur a interprété la notation traditionnelle en la précisant. Telle fut sans doute la pensée de Pesch concernant 13,24 (et 4,35), mais en 1,32.35; 15,42; 16,2, c'est la première expression, la plus générale, qu'il attribue au rédacteur[102]. Depuis 1968, la thèse de l'évangéliste conservateur a progressé, et Pesch ne voit plus aucune raison pour faire intervenir l'évangéliste

97. L. SCHENKE, p. 59: «nur eine Verdeutlichung und Veranschaulichung des λίαν πρωΐ... Für die Markus-Redaktion mag das zutreffen». (Ici la traduction de F. Grob ne rend pas bien l'idée de l'auteur: «Ce pourrait être exact s'il s'agissait de la rédaction de Marc»; p. 61.)

98. D. DORMEYER, *Die Passion Jesu* (cf. *supra*, n. 7), p. 114, n. 319. Quand une des deux expressions est traditionnelle: cela *peut* être la première (13,24; 14,30), mais c'est la seconde qui vient de la tradition en 1,32; 15,42; 16,2. Ailleurs, les deux sont rédactionnelles (1,35; 4,35; 10,30; 14,1.43) et, dans un seul cas, les deux sont traditionnelles (14,12). Sur R. Pesch, cf. *infra*, n. 101.

99. Cf. *supra*, n. 74.

100. *Op. cit.* (*supra*, n. 95), p. 11. Les cas de 10,30 et 14,43 sont ajoutés à la liste à partir de ^{3}1960.

101. R. PESCH, *Naherwartungen. Tradition und Redaktion in Mk 13*, Düsseldorf, 1968, p. 157 (à propos de 13,24). L'absence d'une référence à l'étude de J. Jeremias peut étonner, mais l'omission de 14,12 semble indiquer que la liste des exemples est celle des parallèles de 14,12, donnée par Jeremias (*loc. cit.*). Ailleurs une liste moins complète inclut 14,12 et également 14,1; cf. *Ein Tag vollmächtigen Wirkens Jesu in Kapharnaum* (*Mk 1,21-34.35-39*), dans *Bibel und Leben* 9 (1968) 114-128.177-195.261-277; spéc. p. 188, n. 33.

102. Voir *Naherwartungen*, p. 157 (13,24); *Ein Tag*, p. 188 (1,32; cf. 4,35; 15,42: ὀψίας rédactionnel); p. 263 (1,35; cf. 16,2: πρωΐ rédactionnel); sur 16,2: «die erste, ungenauere, dürfte vom Evangelisten gesetzt sein» (p. 263, n. 6).

dans ces expressions temporelles[103]. D. Dormeyer reste plus proche de Pesch première manière: à une exception près (14,12), il rend Marc responsable de la *Dopplung*[104]. L. Schenke aussi, dans ses publications plus récentes, s'en tient à une position pareille: le premier élément est rédactionnel en 1,32.35; 4,35; 14,43; 15,42; 16,2; le second en 14,12; les deux en 14,1.30[105]. Il est vrai qu'il a écrit que la règle de Jeremias est *unbrauchbar* parce qu'elle ne nous dit rien sur la répartition entre tradition et rédaction[106], mais il continue de l'employer comme indication d'une certaine intervention rédactionnelle dont la nature reste à préciser à la lumière d'autres indices. Ce point de vue, qui est partagé par beaucoup de commentateurs, n'est plus celui de Pesch. «Dopplungen sind... häufig traditionell»[107]: l'évangéliste les aurait trouvées dans différentes collections prémarciennes, notamment la Journée de Capharnaüm (1,32.35), le Cycle des miracles (4,35), la Collection catéchétique (10,30), le Discours apologétique (13,24), le Récit de la passion (14,12.30.43; 15,42; 16,2)[108]. L'observation de Jeremias sur le style de Marc n'aurait donc plus aucune signification.

À ce propos, Pesch se déclare d'accord avec une affirmation de T. Snoy: «La double notation chronologique du v. 32 [en Mc 1] est certes typique du style de Mc, mais elle ne constitue en soi un argument ni pour ni contre l'élaboration de la phrase par l'évangéliste»[109]. On notera cependant que, par ces mots, l'auteur se prépare à réfuter la position de Pesch qui tenait uniquement la phrase ὀψίας γενομένης pour rédactionnelle. D'après Snoy lui-même, les notations

103. Cf. *Das Markusevangelium* (HThK, 2), t. 1, Freiburg, 1976, p. 133 (1,32); p. 137 (1,35); p. 269, n. 4 (4,35); t. 2, 1977, p. 301 (13,24); de même, pour 10,30; 14,12.30.43; 15,42; 16,2 (*ad loc.*). Cf. Die *Verleugnung des Petrus. Eine Studie zu Mk 14,54.66-72* (*und Mk 14,26-31*), dans J. GNILKA (éd.), *Neues Testament und Kirche. Fs. R. Schnackenburg*, Freiburg, 1973, p. 43-62, spéc. p. 56 (14,30); *Der Schluss* (cf. *supra*, n. 63), 1974, p. 375 (15,42) et 380 (16,2).

104. Un des éléments ou les deux étant rédactionnels (cf. *supra*, n. 98).

105. L. SCHENKE, *Studien zur Passionsgeschichte des Markus. Tradition und Redaktion in Markus 14,1-42* (Forschung zur Bibel, 4), Würzburg, 1971, p. 25 (14,1); 155 (14,12); 415 (14,30); *Der gekreuzigte Christus. Versuch einer literarkritischen und traditionsgeschichtlichen Bestimmung der vormarkinischen Passionsgeschichte* (SBS, 69), Stuttgart, 1974, p. 79 (15,42); 117 (14,43); *Die Wundererzählungen des Markusevangeliums*, Stuttgart, 1974, p. 79, p. 25-27 (4,35); 112 (1,32); 115 (1,35).

106. *Studien*, p. 155, n. 1. Se référant à Jeremias et Pesch (cf. *supra*, n. 95 et 101), l'auteur donne la même liste de notations temporelles doubles (*Studien*, p. 415, n. 2; *Die Wundererzählungen*, p. 26, n. 62). Dans l'étude sur 1,32, il reprend la petite liste de Pesch (*Ein Tag*, p. 188, n. 33), mais en retranche 14,1 (*Die Wundererzählungen*, p. 112: «vgl. 1,35; 14,12; 15,42; 16,1f.»).

107. *Das Markusevangelium*, t. 1, p. 133-134, n. 2.

108. Cf. *supra*, n. 103.

109. *Das Markusevangelium*, t. 1, p. 134, n. 2. Cf. T. SNOY, *Les miracles dans l'évangile de Marc*, dans *RTL* 3 (1972) 449-466; 4 (1973) 58-101; spéc. p. 65.

temporelles «pourraient être rédactionnelles» en 1,32.35; 4,35; 13,24; 14,12.43; 15,42; 16,2[110]. Et puisqu'il admet que «la fréquence de tel mot ou de telle expression qu'utilise Marc... fournit des indices valables en faveur de l'origine rédactionnelle de l'un ou l'autre passage»[111], comment pourrait-il ne pas tenir compte de la présence d'un trait qui est «typique du style de Mc»? Le sens de l'intervention de Snoy ne peut être que de réagir (comme Dormeyer le fait à sa façon) contre la répartition systématique des deux éléments d'une expression double entre tradition et rédaction. Dans l'exégèse de Pesch nouvelle manière, ce principe trop méchanique n'est plus d'application: les notations temporelles doubles sont entièrement traditionnelles[112]. On se heurte maintenant à un refus, non moins systématique, d'envisager la possibilité d'un style propre de l'évangéliste[113].

Voyons 16,2 λίαν πρωῒ... ἀνατείλαντος τοῦ ἡλίου, et ses parallèles les plus proches:

1,32 ὀψίας δὲ γενομένης, / ὅτε ἔδυ ὁ ἥλιος
1,35 καὶ πρωῒ / ἔννυχα λίαν
4,35 καὶ... ἐν ἐκείνῃ τῇ ἡμέρᾳ / ὀψίας γενομένης

Chacun des trois passages renferme un parallèle unique avec 16,2. Le génitif absolu en post-position se trouve en 4,35 et 16,2, et nulle part ailleurs dans l'évangile de Marc. Le temps du soir est précisé par le coucher du soleil en 1,32, et le matin est défini par le lever du soleil en 16,2, et cette notation du lever ou du coucher du soleil n'est pas utilisée ailleurs dans la narration (cf. 4,6 ὅτε ἀνέτειλεν ὁ ἥλιος dans la parabole). Finalement, λίαν πρωῒ (16,2) se rapproche de 1,35, où πρωῒ est également complété par une précision (cf. πρωῒ en 11,20; 13,35; 15,1); en outre, ce sont les seuls emplois de λίαν avec un adverbe temporel (cf. 6,51; 9,3). Ces rapprochements sont-ils purement fortuits et devra-t-on, avec R. Pesch, répartir les expressions de 1,32.35; 4,35; 16,2 entre trois sources distinctes? Certes, on pourrait s'imaginer une source de la Journée de Capharnaüm, mais serait-ce vraisemblable d'y trouver la double notation chronologique de 1,32, après une introduction topographique (1,21a.29b) et un bref récit de guérison (1,30-31)? D'après Pesch, elle indique «die Zeit..., zu der Krankentransporte möglich wurden». On voudrait savoir ce qu'il entend par cela, car il est d'avis qu'avant l'insertion rédactionnelle de 1,21b-28, il n'y était pas question d'un jour de sabbat[114]. Quant

110. *Ibid.*, p. 65-66, n. 34.

111. *Ibid.*, p. 69-70. L'auteur note à juste titre (et encore contre Pesch) que «le raisonnement ne vaut pas en sens inverse» (p. 70).

112. Sur 4,35, cf. *infra*, n. 115.

113. Cf. F. NEIRYNCK, *L'évangile de Marc. À propos d'un nouveau commentaire*, dans *ETL* 53 (1977) 153-181, spéc. p. 172-179.

114. *Das Markusevangelium*, p. 133-134. Pour sa reconstruction (nouvelle) de 1,32 (*ibid.*, n. 2), il renvoie à K. KERTELGE, *Die Wunder Jesu im Markusevangelium*

à 4,35, «ce jour-là» ne peut être attribué au rédacteur prémarcien du cycle des miracles que sur la base bien fragile d'un *Traditionssplitter* hypothétique en 4,1 qui devrait relier 3,7-12 et 4,35ss.[115].

Avant d'entamer l'examen de 15,42 et ses rapports avec 16,2, je voudrais encore faire une remarque plus générale sur les doubles notations chronologiques en Marc. Dans les trois passages cités (1,32.35; 4,35), L. Schenke (et d'autres avec lui) tient la première partie de l'expression pour une addition du rédacteur, pour des raisons diverses: l'emploi des appellations communes en Marc pour le soir et le matin (1,32.35) ou la connexion avec le contexte précédent (4,35). On peut se demander s'il prend suffisamment au sérieux ce qu'il appelle «la règle de Jeremias». Une progression dans l'expression qui résulte un peu au hasard de l'amalgame d'un texte traditionnel et de l'intervention du rédacteur n'a plus beaucoup d'une caractéristique du style de Marc dans le sens où l'entend Jeremias. Un examen plus poussé des dualités stylistiques en Marc doit mener, me semble-t-il, à la conviction que la «règle» est plus *brauchbar* que Schenke ne l'admet.

3

Le sens de ἀνατείλαντος τοῦ ἡλίου

Nous avons déjà fait état des différentes solutions que propose la critique littéraire à propos de ἀνατείλαντος τοῦ ἡλίου[116]. L'éventail devient plus complexe encore si l'on tient compte aussi du sens de l'expression et de son rôle dans le récit. (*a*) Un premier groupe de commentateurs l'acceptent sans beaucoup de problèmes comme une notation chronologique qui sert à illustrer et préciser λίαν πρωΐ[117].

(SANT, 23), München, 1970, p. 31-32. Cependant, on peut y lire: «Die doppelte Zeitangabe am Anfang scheint redaktionelle Bearbeitung zu verraten. Aber es ist nicht sicher, dass eine der beiden Zeitangaben oder gar beide auf Markus zurückgehen. Denn die Angabe über den Sonnenuntergang verdeutlicht nur, dass der Tag, der nach V.32 zu Ende geht, ein Sabbat ist (vgl. V.21) und daher erst nach Sonnenuntergang die Kranken getragen werden» (p. 31). Il se base donc sur une observation qui, dans l'hypothèse de Pesch, ne peut se faire qu'au niveau de la rédaction de Marc!

115. *Ibid.*, p. 269. Pesch semble attribuer ὀψίας γενομένης au même rédacteur. «Es gibt also keinen Grund, ὀψίας γενομένης für mk-redaktionelle Zutat zu haben» (n. 4): on peut en conclure qu'il le tient pour «vormarkinisch-redaktionell», avec la plupart des éléments de l'introduction de 4,35-36.

116. Voir les références dans les notes 68-74.

117. E. KLOSTERMANN: «Veranschaulicht werden soll lediglich die Morgenfrühe» (*Markus*, 1907, p. 145; [5]1971, p. 171). Cf. W. SCHENK, *Der Passionsbericht* (cf. *supra*, n. 7), p. 260: «Vielleicht war er [Markus] nicht so ein Frühaufsteher wie die Exegeten, die ihm hier einen Widerspruch ankreiden. Er will mit beiden Zeitangaben die Morgenfrühe betonen». Plusieurs commentateurs n'ont aucune observation sur le sens de l'expression; cf. Wellhausen, Schniewind, Schmid, Schweizer, Haenchen et autres. Certains se réfèrent à Jeremias: E.L. BODE, *op. cit.*, p. 11; H. ANDERSON, *The Gospel of Mark* (New Century Bible), London, 1976, p. 354-355.

(*b*) D'autres cependant y voient une insistance spéciale de la part de l'évangéliste, car ils trouvent l'expression trop précise, trop solennelle, ou trop en désaccord avec λίαν πρωΐ, pour être un simple détail descriptif. Par rapport à λίαν πρωΐ, le lever du soleil doit indiquer le moment de l'arrivée au tombeau[118]. Ou bien on la met en relation avec d'autres motifs du récit: l'intention des femmes d'oindre le corps de Jésus, un travail qui ne peut se faire dans l'obscurité de la nuit (v. 1)[119]; la constatation des femmes qui «voient» la pierre roulée (v. 4)[120]; ou d'une façon plus générale et avec une pointe apologétique: les femmes ont réellement vu tout cela[121]. D'autres se réfèrent à ἀνατείλαντος τοῦ ἡλίου dans l'explication du v. 8: les femmes ont peur parce qu'elles peuvent être vues par les Juifs[122]. (*c*) Un troisième groupe de commentateurs donnent à l'expression une portée théologique. Au moment où les femmes arrivent au tombeau, Jésus est déjà ressuscité: «die Sonne ist der Grabesnacht entstiegen»[123]. Pour ce sens symbolique, ils ont recours

118. Cf. *supra*, n. 59-61.

119. Cf. A. JONES, *The Gospel According to St Mark. A Text and Commentary for Students*, New York, 1963, p. 245: «the work of the anointing needed light, it was useless to arrive before sunrise: hence Mk's 'very early' means at the earliest useful moment. As usual Mk explains a first time-indication ('very early') by a second ('when the sun had risen')». Comp. R. MAHONEY, *Two Disciples* (cf. *supra*, n. 7), 1974, p. 146: «Neither can we exclude the possibly intended implication that this was why the women waited before coming to anoint Jesus, namely until they had more light for their task» (note 17: «We have found no opinions on this possibility»; cf. Jones!).

120. B. WEISS, *Die vier Evangelien im berichtigten Text mit kurzer Erläuterung*, Leipzig, 1900, p. 275: «Die Zeitangabe wird eingeschränkt durch ανατ. τ. ηλ. wegen v. 4. ... Eben weil der Stein sehr gross war, konnten sie im ersten Sonnenstrahl (v. 2) sehen, dass der Stein nicht mehr in der Oeffnung, sondern neben derselben lag». Comparer l'hypothèse de Torrey sur la ponctuation du texte original (cf. *supra*, n. 66) et, d'autre part, la réaction de Klostermann (*ad loc.*).

121. H. GROTIUS, *ad* Mt 28,1 (*Critici Sacri*, c. 985): «Quod iam illuxerat nonnihil cum ad sepulchrum ventum est, eo facit ut certa oculorum fide comperta constet quae mulieres renuntiarunt»; P. SCHANZ, *Marcus*, p. 414: «Marcus hat ein Interesse daran, den Einwand als ob der Vorgang auf einer Sinnestäuschung beruhen könnte, unmöglich zu machen».

122. HESYCHIUS, cf. *supra*, n. 85.

123. W. GRUNDMANN, *Markus*, 1959, p. 322: «Möglicherweise hat die Zeitbestimmung einen symbolischen Sinn ...». Cf. L. BRUN, *Die Auferstehung Christi in der urchristlichen Überlieferung*, Oslo, 1925: «die dem Mk eigentümliche Bemerkung vom Sonnenaufgang (16,2). Ist damit auf den dies solis hingedeutet (vgl. Justin, Ap. I 67, 37)? Oder spielt der Gedanke hinein, der Herr sei eben bei Sonnenaufgang auferstanden? Oder ist der Zug nur ganz volkstümlich, ohne tieferen Sinn?»; J. KREMER (cf. *supra*, n. 8), avec une conviction qui va en décroissant: «Es ist nicht ausgeschlossen, ja sehr wahrscheinlich ... eine verhüllende und symbolische Andeutung der sonst nicht geschilderten Auferstehung» (*Die Osterbotschaft*, p. 16); «Ob da nicht sogar ein allegorischer Sinn vorliegt?» (*Zur Diskussion*, p. 152); «stellt sich zumindest die Frage ...» (*Die Osterevangelien*, p. 34). Voir déjà LUCAS BRUGENSIS, éd. 1712, p. 145: «Nisi forte

au «soleil de justice» de Mal 4,2 (3,20)[124], à la prophétie de Nb 24,17[125], ou au motif de l'aide divine au matin dans les Psaumes[126]. D'autres se délectent un peu abusivement dans le symbolisme de l'antithèse nuit-jour[127]. (*d*) Finalement, pour un quatrième groupe, ἀνατείλαντος τοῦ ἡλίου prend une signification cultuelle. Ils s'insèrent dans une tradition exégétique qui explique la datation de Mc 16,2 et parallèles, «le premier jour de la semaine», par la célébration

Evangelista, mystico loquendi modo, taxare occulte voluerit, frustraneum mulierum laborem, quod properarint ad unguendum solem illum, mundi lucem, (Johan. 8. v. 12.) tamquam occiduum, qui jam surrexisset ab occasu, suoque ortu solis planetae ortum antevenisset: hunc sensum subindicat Scholiastes Hieronymianus». C'est encore le commentaire de A. G. Hebert (cf. *infra*, n. 124): «So then the Sun has risen, though the world is still in darkness, and the women walking in the darkness are unaware that their Sun has risen» (p. 67). Il semble s'inspirer de R. H. LIGHTFOOT, *The Gospel Message of St. Mark*, Oxford, 1950, p. 96: «the sun, the light of the world, having now risen». Mais on ne peut pas dire que Lightfoot y défend l'allusion à Mal 4,2; contre W. L. LANE, *The Gospel according to Mark*, Grand Rapids (Mich.), 1974, p. 585, n. 10.

124. A. G. HEBERT, *The Resurrection Narratives in St. Mark's Gospel*, dans *ScotJT* 15 (1962) 66-73, p. 67. L'article fut publié d'abord dans *The Australian Biblical Review* 8 (1959). Sur Mal 4,2, voir déjà L. R. DE PRADO, *Pentecontarchus*, Hamburg, 1712, p. 246 (cf. WOLFIUS, *Curae*, p. 539: «sed ista quidem longius petita esse, nemo non videt»).

125. M.-É. BOISMARD, *Commentaire* (cf. *supra*, n. 69), p. 442: «d'après la Septante: 'Un astre s'élèvera (*anatelei*) de Jacob et un homme se lèvera (*anastèsetai* = aussi 'ressuscitera') d'Israël».

126. R. PESCH, *Der Schluss* (cf. *supra*, n. 63), p. 396 (II.3.2.1), 409 (IV.2.11.2): «Sie signalisieren die Rettung, die Gott seinem Gerechten zukommen liess»; en note: cf. Ps 30,6; 59,17; 90,14; 143,8; et Mc 6,48 (n. 64); *Das Markusevangelium*, t. 2, p. 531: cf. Ps 17,15; 143,8; Lm 3,22-23. Il y renvoie à l'étude de J. ZIEGLER, *Die Hilfe Gottes 'am Morgen'*, dans *Alttestamentliche Studien. Fs. F. Nötscher*, Bonn, 1950, p. 281-288.

127. J. SCHREIBER, *Theologie des Vertrauens. Eine redaktionsgeschichtliche Untersuchung des Markusevangeliums*, Hamburg, 1967, p. 100-102: «πρωΐ bezeichnet mehr den Heilsaspekt in der 'Parusie' des Gekreuzigten (13,35). Der wichtigste Beleg hierfür ist 16,2. Denn λίαν πρωΐ, und indem die Sonne aufgeht, wird Jesu Auferstehung und seine Gegenwart in Galiläa offenbar (16,1-8)» (p. 100); «Die Osterbotschaft kann erst nach der 'Nacht' des Sabbats am Morgen des Ostertages bei Sonnenaufgang offenbar werden (16,1 f.). Dem entspricht in 1,32, dass die Heilungen erst *nach* dem Sabbat und seiner 'Nacht' einsetzen» (p. 102; cf. p. 101, sur les rapports entre 1,32 et 16,2). (Cf. R. PESCH, *Ein Tag*, p. 193, n. 48: «messerscharfer Unsinn des Autors, der die simpelsten Textbestände und Sachverhalte ignoriert».) Voir aussi L. MARIN, *Les femmes au tombeau. Essai d'analyse structurale d'un texte évangélique*, dans *Langages* 6 (juin 1971) 39-50, p. 41: les oppositions du profane (le premier jour de la semaine) et du religieux (après le sabbat), du judaïque et du chrétien, de la lumière («comme le soleil se levait») et de la nuit («de très bonne heure»)! Cela rappelle les idées de Schreiber (*op. cit.*, p. 88: «die markinische Gleichung Sabbat = Nacht»), mais s'en distingue par un enchevêtrement de motifs empruntés aux quatre évangiles. Il est suivi par E. GÜTTGEMANNS, *Linguistische Analyse von Mk 16,1-8*, dans *Linguistica Biblica* 11-12 (janvier 1972), 13-53, p. 49 (2.6.2.2.2.4.2). Comp. J. VAN DER VEKEN, *Theologische Sprachlogik der Auferstehungsverkündigung*, dans U. GERBER & E. GÜTTGEMANNS, *Linguistische Theologie* (Forum Theologiae Linguisticae, 3), Bonn, 1972, p. 176-189.

liturgique du dimanche[128]: «le soleil levant» serait une allusion au *dies solis*[129]. L. Schenke écarte cette possibilité[130] et la remplace par la fête annuelle de la commémoration de la résurrection qui avait lieu le matin de Pâques «au lever du soleil»[131].

L'explication liturgique fut proposée bien avant Schenke par B.W. Bacon: la datation précise de 16,2 indiquerait le jour et l'heure d'une célébration eucharistique qui se tenait à l'aube *on this special* (*Easter*) *Sunday*[132]. Cette datation serait d'ailleurs la dernière de toute une série d'indications rituelles dans le récit de la passion: «These dates can have no other object than to determine with precision, even to the hour of the day, the successive events commemorated by ritual observance in the sacred three-day period of fasting and feasting which covered Good Friday and Easter»[133]. D'après É. Trocmé, la célébration de la Semaine Sainte comporterait une «octave», commençant un dimanche (11,1-11) et se terminant le dimanche suivant par l'évocation de la résurrection du Christ (16,2-8). Le rédacteur, peu familiarisé avec le comput juif, placerait le début de la journée au *lever du soleil*, à la façon des Romains[134].

128. Voir, par exemple, E. SCHWARTZ, *Osterbetrachtungen*, dans *ZNW* 7 (1906) 1-33, p. 31: «am Sonntag ist das Grab leer gefunden, weil der Sonntag der echte und rechte christliche Festtag ist, nicht umgekehrt»; L. BRUN, *Die Auferstehung Christi* (cf. *supra*, n. 123), p. 23: «ja vielleicht soll die so datierte Geschichte geradezu zur Erklärung und Rechtfertigung der kirchlichen Sonntagsfeier dienen».

129. Cf. L. BRUN, dans le passage cité (n. 123); G. WOHLENBERG, *Markus*, Leipzig, [3]1930, p. 383: «Vielleicht hat Mr die Rücksicht auf die Leser, denen die Feier des Sonntags schon eine gewohnte Sache sein möchte, veranlasst, diese beiden Zeitbestimmungen durch betonte Stellung zu Anfang und zum Schluss des Satzes hervorzuheben: λίαν πρωῒ... ἀνατείλαντος τοῦ ἡλίου — die Solis»; G. SCHILLE, *art. cit.*, p. 188, n. 1 (cf. *supra*, n. 36).

130. L. SCHENKE, p. 63: parce que la tradition sous-jacente à Mc 16 remonterait à un milieu judéo-chrétien de Jérusalem qui restait encore attaché au sabbat.

131. *Ibid.*, p. 63: «die Zeitangabe in Mk 16,2 (ist) durch kultischen Brauch entstanden und bestimmt»; voir aussi p. 88.

132. B.W. BACON, *The Beginnings of the Gospel Story*, New Haven, 1909, p. 230.

133. B.W. BACON, *The Gospel of Mark: Its Composition and Date*, New Haven, 1925, p. 172. Cf. n. 7 («the subdivision by 'watches'»).

134. É. TROCMÉ, *La formation de l'évangile* (cf. *supra*, n. 6), 1963, p. 182-183, spéc. n. 30. (Trocmé attribue les notations chronologiques au rédacteur du Marc canonique, qui aurait soudé deux documents existants, un récit de la passion et le Mc primitif, chap. 1-13.) Voir aussi D.E. NINEHAM, *The Gospel of St Mark*, Harmondsworth, 1963, p. 290: «the early Church was already celebrating an annual 'Holy Week', and St Mark wanted his account of the final period of the Lord's life (chapters 11-16) to conform to the pattern of it»; voir cependant p. 444: «St. Mark's desire to make clear to Gentile readers, whose day began at sunrise, that Jesus rose on the *third* day».

a. La Semaine Sainte

L'opinion que nous touchons ici est très largement acceptée par les critiques[135]. Les événements de la section de Mc 11-16 (Jésus à Jérusalem) seraient arrangés par Marc dans le cadre quelque peu artificiel d'une semaine de huit jours[136]:

dimanche	11,1-11	11 ὀψίας... τῆς ὥρας
lundi	11,12-19	12 τῇ ἐπαύριον 19 ὀψέ
mardi	11,20-13,37	20 πρωΐ
mercredi	14,1-11	1 ἦν... μετὰ δύο ἡμέρας
jeudi	14,12-72	12 τῇ πρώτῃ ἡμέρᾳ τῶν ἀζύμων, ὅτε τὸ πάσχα ἔθυον 17 ὀψίας
vendredi	15,1-47	1 πρωΐ 42 ὀψίας
samedi	16,1	1 διαγενομένου τοῦ σαββάτου
dimanche	16,2-8	2 λίαν πρωΐ τῇ μιᾷ τῶν σαββάτων

On complétera ce schéma par les notations horaires entre 15,1 et 42 (25 ὥρα τρίτη, 33 ὥρας ἕκτης, 34 τῇ ἐνάτῃ ὥρᾳ), et ἐκ δευτέρου ἀλέκτωρ ἐφώνησεν en 14,72, que plusieurs auteurs rapprochent de 13,35 (les quatre veilles: 14,17; [ ]; 14,72; 15,1)[137].

135. Plusieurs auteurs en font mention d'une façon peu précise, mais ils s'accordent sur le caractère rédactionnel du schématisme de la semaine; voir, entre autres, J. WELLHAUSEN, *Das Evangelium Marci*, Berlin, ²1909, p. 88: «Der Versuch des Mc, den Aufenthalt in eine Woche zusammenzudrängen»; R. BULTMANN, *Die Geschichte*, p. 365: «etwas unbeholfen in die Folge von sieben Wochentagen gepresst...; M. DIBELIUS, *Die Formgeschichte*, p. 225, n. 1: «die von Markus angestrebte Verteilung der Ereignisse auf die Tage der Karwoche» (à propos de 11,11). Voir déjà G. VOLKMAR, *Marcus* (cf. *supra*, n. 90), 1876, p. 447 et 502: «die Leidenswoche... gestaltet nach den 6 Wochentage vom Palmsonntag bis zum Kreuzesfreitag» (10,46; 11,12; 11,20; 14,1; 14,12; 15,1); et la réaction de B. WEISS, *Das Marcusevangelium*, Berlin, 1872, p. 375, n. 1 (*ad* 11,20); 409, n. 1 (*ad* 13,1); 437, n. 1 (*ad* 14,1); 467, n. 1 (*ad* 14,49).

136. La division reproduite ici est celle de E. KLOSTERMANN, *Markus*, 1907, p. 92-93; complétée en ²1926, p. 124-125; = ⁵1971, p. 110-111 (l'interprétation liturgique de Loisy y est signalée avec un point d'interrogation).

137. Quant au μεσονύκτιον, cf. J. WEISS, *Das älteste Evangelium*, Göttingen, 1903, p. 335: «für die Verhaftung [14,43ss.] bliebe dann Mitternacht übrig»; E. WENDLING, *Die Entstehung des Marcus-Evangeliums*, Tübingen, 1908, p. 203: «14,41 ἦλθεν ἡ ὥρα (= Mitternacht?) Verrat»; M. DIBELIUS, *Herodes und Pilatus* (1915), dans *Botschaft und Geschichte*, t. 1, Tübingen, 1953, p. 281: «14,30 fällt jedenfalls nicht später als die zweite»; R. BULTMANN, *Die Geschichte*, p. 365: 14,27ss.; E. KLOSTERMANN, ²1926, p. 124: 14,26ss. ou 14,43ss.; R.H. LIGHTFOOT, *The Gospel Message* (cf. *supra*, n. 123), 1950, p. 53: «Is it possible that there is here [13,35] a tacit reference to the events of that supreme night before the Passion?... the scene in Gethsemane, and still more the arrest, which... finally dates the arrival of 'the hour'»; K.E. DEWEY, *Peter's Curse and Cursed Peter* (*Mark 14:53-56,66-72*), dans W.H. KELBER (éd.), *The Passion in Mark. Studies on Mark 14-16*, Philadelphia, 1976, p. 96-114, spéc. p. 102: «14,41?». Il est moins indiqué de situer le μεσονύκτιον à 14,55ss., comme le fait J. Wellhausen (*op. cit.*, p. 126: § 79). Cf. J. SCHREIBER, *Theologie des Vertrauens*, p. 99: «Gethsemane und die Gefangennahme dürften ... in der zweiten Nachtwache spielen (vgl. 13,35: μεσονύκτιον), zumal die Verurteilung Jesu mitsamt die Verleugnung in der dritten Nachtwache geschieht».

Cependant, la variation ne manque pas dans l'énumération des jours de la semaine de «Jésus à Jérusalem»[138]:

Volkmar	*Loisy*	*Schreiber*	*Schenke*	*Dormeyer*
(*1*) 10,46	(*1*) 11,1-11	(*1*) 11,1-11		(*1*) 11,1-11
(*2*) 11,12	(*2*) 11,12-19	(*2*) 11,12-19	(*1*) 11,12-19	(*2*) 11,11.12-19
(*3*) 11,20	(*3*) 11,20—14,11	(*3*) 11,20—13,37	(*2*) 11,20—13,37	(*3*) 11,19.20—13,37
(*4*) 14,1		(*4*) 14,1-11	(*3*) 14,1-11	(*4*) 14,1-11
		(*5*) —		
(*5*) 14,12	(*4*) 14,12-72	(*6*) 14,12-72	(*4*) 14,12-72	(*5*) 14,12—15,47
(*6*) 15,1	(*5*) 15,1-47	(*7*) 15,1-47	(*5*) 15,1-47	
	(*6*) 16,1		(*6*) 16,1	(*6*) 16,1a
	(*7*) 16,2-8		(*7*) 16,2-8	(*7*) 16,1b-8

On peut y ajouter la liste de neuf(!) jours, à partir de 10,32, suggérée par J. Lambrecht: 10,32—11,11; 11,12-25; 11,27—13,37; 14,1-11; un jour creux; 14,12-16; 14,17ss.; sabbat; résurrection[139]. D'autres, comme T.W. Manson, font commencer la semaine par 10,46ss.: «On one Sunday morning Jesus, leaving Jericho for Jerusalem, heals blind Bartimaeus; on the following Sunday morning the women find the empty tomb»[140]. D'autres encore estiment que la journée de 11,20—13,37 est surchargée et ils la divisent en deux (12,17/18)[141].

Quelques observations s'imposent. Nous les ferons dans l'ordre du texte de Marc.

11,1-11: La fin d'une journée est expressément notée en 11,11, mais le récit de Marc nous laisse dans le vague concernant le début de ce jour: est-ce 11,1, ou 10,46, ou même 10,32? Pour cette raison, Schenke pense que l'évangéliste ne peut l'avoir conçu comme le premier des sept jours de la semaine[142].

138. G. VOLKMAR (cf. *supra*, n. 135), 1876 (comp. F. HAUCK, *Das Evangelium des Markus* (THNT, 2), Leipzig, 1931, p. 129: 11,1ss.); A. LOISY, *L'évangile selon Marc*, Paris, 1912, p. 386-387; J. SCHREIBER, *Theologie des Vertrauens*, 1967, p. 119; L. SCHENKE, *Studien zur Passionsgeschichte*, 1971, p. 28; D. DORMEYER, *Die Passion Jesu*, 1974, p. 66.

139. J. LAMBRECHT, *Die Redaktion der Markus-Apokalypse* (Analecta Biblica, 28), Rome, 1967, p. 58, n. 2. J'ai corrigé la référence «10,23?» en 10,32.

140. T.W. MANSON, *The Cleansing of the Temple*, dans *BJRL* 33 (1951) 271-282, p. 271. Cf. M. WEISE, *Passionswoche und Epiphaniewoche im Johannes-Evangelium*, dans *Kerygma und Dogma* 11 (1965) 48-62, spéc. p. 48-50: «vom sog. Palmsonntag [10,46—11,11] bis zum Auferweckungssonntag». Voir aussi Volkmar (n. 135) et, plus récemment, R. Pesch (n. 142).

141. Du moins, au niveau du Marc primitif; cf. E. HIRSCH, *Frühgeschichte*, t. 1, 1941, p. 131-134 (cf. p. 121-122); W. GRUNDMANN, *Markus*, 1959, p. 223-234. Ils ont recours à l'ancienne hypothèse de H.J. Holtzmann qui plaçait Jn 7,53—8,11 (cf. v.2 ὄρθρου δέ) avant Mc 12,18 (*Die Synoptiker*, 1889 = [2]1892, p. 244). D'après Hirsch, le récit se trouvait en Mc I, mais fut omis par Mc II. D'après ce même auteur, 11,20-25(26) serait un ajout du Rédacteur qui emprunta le πρωΐ de 11,20 à 11,27 (dans Mc I et II).

142. R. Pesch croit pouvoir affirmer que Jésus arrive à Jéricho le vendredi (10,46a), y passe le jour du sabbat, et quitte Jéricho pour Jérusalem le dimanche (10,46b—11,11). Cf. *Das Markusevangelium*, t. 2, p. 323-328: *Zur Chronologie der Passion Jesu*, spéc.

11,12-19: La délimitation de τῇ ἐπαύριον à ὅταν ὀψὲ ἐγένετο est clairement indiquée. Il est exclu d'y ajouter le matin suivant (Lambrecht: 11,12-25), et on peut difficilement supposer que Marc compte ici les jours selon le comput juif (Dormeyer: 11,11.12-19)[143].

11,20—13,37: L'unité de la section est moins basée sur des notations chronologiques (11,20 πρωΐ) que sur la localisation: Jésus vient dans le temple (11,27), il enseigne dans le temple (12,35), il y est assis face au trésor (12,41), il quitte le temple (13,1), il est assis sur le mont des Oliviers en face du temple (13,3). Ce n'est qu'à la lumière de 11,11b.19 que les indications de 13,1.3 peuvent suggérer que Jésus quitte le temple à la fin d'un jour. Et séparer la longue section en deux jours relève de la pure hypothèse. Dans ces conditions, est-il vraisemblable que l'évangéliste ait réellement conçu 11,20—13,37 comme une (troisième) journée d'activité de Jésus à Jérusalem? Il n'aurait donc pris soin ni d'«ouvrir» le premier jour ni de «fermer» le troisième jour de la semaine[144]? Cette chronologie des trois jours

p. 323; voir aussi p. 169-170. L'hypothèse d'un séjour à Jéricho est basée sur la double indication en 10,46: καὶ ἔρχονται εἰς Ἰεριχώ. καὶ ἐκπορευομένου αὐτοῦ ἀπὸ Ἰεριχώ (p. 323, n. 1: «die auffällige Doppelung der Reisenotiz»). Pesch a peut-être raison de réagir contre l'opinion commune qui explique la «difficulté» du doublet en 10,46 par une répartition des deux propositions entre tradition et rédaction: pour la plupart des critiques (à la suite de Dibelius), καὶ ἔρχονται εἰς Ἰεριχώ serait une addition rédactionnelle; pour d'autres, l'addition serait plutôt καὶ ἐκπορευομένου αὐτοῦ ἀπὸ Ἰεριχώ (L. Schenke, M.-É. Boismard). Mais avant de faire, sur la base de Mc 10,46, une reconstruction conjecturale de la suite des événements dans la vie de Jésus (car c'est de cela qu'il s'agit dans le récit de la passion d'avant 37: cf. p. 21 et 23), le commentateur devrait s'efforcer de comprendre le texte au niveau de l'évangile de Marc. Dans le style de Marc, la répétition du nom de Jéricho est peut-être moins *auffällig* qu'on ne le dit. Comparer par exemple la répétition du nom de Simon en 1,16: Σίμωνα καὶ Ἀνδρέαν τὸν ἀδελφὸν Σίμωνος (cf. *Duality in Mark*, n° 7: «Repetition of the antecedent»). Ici encore Pesch ne tient pas compte du style de Marc: il parle de la *Vorrangsrolle* de Simon: «er wird ... als einziger zweimal genannt» (t. 1, p. 110), mais il passe sous silence une répétition semblable du nom de Zébédée en 1,20. Mt remplace le nom de Simon par αὐτοῦ (4,18) et il omet le nom de Zébédée (4,22). Le Codex Bezae qui lit αὐτοῦ en Mc 1,16 et corrige l'expression ἀπὸ Ἰεριχώ en Mc 10,46 par ἐκεῖθεν (*inde*) rend parfaitement le sens du texte de Marc. On aurait tort de surcharger une telle répétition. Quant à la mention de l'arrivée à Jéricho, n'est-elle pas inévitable dans l'introduction d'un récit qui situe le miracle à la *sortie* de cette ville? Loin de suggérer un *Sabbat-Ruhetag* à Jéricho, la façon dont les deux propositions se suivent en 10,46 révèle que Marc veut décrire Jésus en route pour Jérusalem διὰ Ἱεριχοῦντος (Jos.), sans s'arrêter à cette «letzte Station vor Jerusalem». La situation est différente dans le parallèle lucanien, mais on ne peut pas supposer que Pesch ait voulu expliquer Mc 10,46 à la lumière de Lc 19,5.7 (μεῖναι, καταλῦσαι).

143. La difficulté apparaît chez Pesch: il compte d'après le comput romain dans l'exposé sur la chronologie de la passion (p. 323), mais dans le commentaire sur les textes, il parle des deux jours de Jésus à Jérusalem: 11,12-19 et 11,20ss. (p. 189-190).

144. La première observation vient de L. Schenke (*Studien*, p. 28, n. 1); l'autre fut déjà faite par E. Lohmeyer (*Markus*, p. 227): «Mit 11 20 beginnt der dritte Tag; wenn er endet, ist nicht mehr gesagt». Lohmeyer rejette la «semaine» de Mc 11-16,

repose finalement sur les seules données de 11,11.12 et 11,19.20 (ὀψέ, τῇ ἐπαύριον et ὀψέ, πρωΐ), dont il n'est toujours pas demontré qu'elles aient une signification qui s'étend en dehors du cadre de la purification du temple.

14,1-11: À cause de l'expression «après deux jours», certains commentateurs comptent un jour supplémentaire entre 14,11 et 12. Mais on comprendra μετὰ δύο ἡμέρας au sens de τῇ ἐχομένῃ ἡμέρᾳ (le lendemain), comme Marc entend μετὰ τρεῖς ἡμέρας du troisième jour (8,31; 9,31; 10,34). Par contre, si Marc comptait effectivement 11,20—13,37 comme un seul jour (comme tous ces auteurs le supposent), il y aurait beaucoup à dire en faveur du point de vue de Loisy qui place 14,1-11 dans cette même journée. Le repas dans la maison de Simon serait un repas du soir, et la localisation à Béthanie (14,3), s'ajoutant aux données de 13,1 (Jésus sort du temple) et 13,3 (il est assis au mont des Oliviers), pourrait compléter le parallèle avec 11,11 et 19[145]. En plus, la décision des chefs du peuple juif de mettre à mort Jésus (14,1-2.10-11) y fait suite au discours de Jésus qui annonce la catastrophe de Jérusalem et la destruction du temple, et correspond ainsi à 11,18. Toutefois, on ne peut pas négliger en 14,1a la datation très spéciale, orientée vers l'avenir, qui distingue 14,1-2 du refrain-conclusion de 3,6; 11,18; 12,12.

14,12-72: D'après le comput juif, l'expression «le premier jour des azymes» serait inexacte, mais on la considère volontiers comme une désignation populaire du jour «où l'on écartait tout levain des maisons». «Sachlich falsch, in der Umgangssprache aber möglich», écrit Dormeyer, et il réussit lui-même à subtiliser ce jour dans sa division des jours de la semaine: 14,1-11; 14,12—15,47[146]. Si Marc compte

mais il maintient un schéma (modifié) de trois jours: 11,1-11; 11,12-19; 11,20—12,12(!). Voir déjà ces objections formulées contre Volkmar (cf. *supra*, n. 90) par B. Weiss, dans *Das Marcusevangelium*, p. 409, n. 1 (sur 11,20—13,37; cf. G. VOLKMAR, *Marcus*, p. 447, n. 1: «Einzig daran könnte man anstossen...»), et 437, n. 1: «Da aber durchaus nicht angedeutet, dass der Einzugstag der erste Wochentag war, so kann diese Rechnung nicht vom Evangelisten beabsichtigt sein».

145. Cela est plus vrai encore dans l'hypothèse d'un récit prémarcien qui ne comporte pas 12,18-34b.38-40; 13,3-37: Jésus quitte le temple (13,1-2) et se retire à Béthanie (14,3), comme en 11,11.19. Sur Béthanie, cf. R. PESCH, t. 2, p. 187. L'onction aurait lieu pendant le repas du soir, à la fin de la journée qui commence en 11,20 et qui est datée en 14,1: deux jours avant la Pâque et les Azymes.

146. D. DORMEYER, *Die Passion Jesu*, p. 66; voir aussi p. 308. Il fallait distinguer deux jours: 14,12-16 et 14,17—15,47 (cf. Lambrecht et Pesch). Dormeyer ne s'explique pas sur ce point; cf. p. 67, n. 37: «mit dem Abend (Mk 14,12.17f.) ... einsetzt». Dans cette note, il réagit contre Schreiber. Notons qu'il serait faux de présenter la *communis opinio* sur les deux jours de 14,12-72; 15,1-47 comme une opinion personnelle de Schreiber. D'ailleurs, Schreiber lui-même est aussi d'avis que, par polémique anti-juive, l'évangéliste aurait placé la cène et la crucifixion «auf einen jüdischen Tag (14,12.17—15,42)» (*Theologie des Vertrauens*, p. 90).

selon le comput romain, le jour «où l'on immolait la pâque» (l'après-midi du 14 nisan) et «le premier jour de la fête des azymes» (le 15 nisan), qui commence le soir du même jour, peuvent être identifiés sans difficulté[147]. Ce jour couvre évidemment tous les événements de 14,12-72. Une telle division ne diminue en rien l'importance de ὀψίας γενομένης en 14,17. Le πρωΐ de 15,1 lui répond, mais on se laisse sans doute trop guider par les notations horaires de 15,25.33.34 si on cherche à identifier la deuxième et la troisième veilles. Le texte de Marc ne dit rien sur la deuxième (car on aurait tort de s'appuyer sur ἦλθεν ἡ ὥρα en 14,41), et le sens de ἐκ δευτέρου ἀλέκτωρ ἐφώνησεν en 14,72 est moins évident que certains veulent le faire croire. Les partisans du comput juif tirent argument de l'annonce du reniement de Pierre en 14,30: σήμερον ταύτῃ τῇ νυκτί (cf. 14,17). Le jour d'aujourd'hui commençant le soir, le moment du reniement est désigné de manière progressive: aujourd'hui (en ce jour de vingt-quatre heures qui vient de commencer), cette nuit même (une partie du jour), avant que le coq chante deux fois (une fraction de la nuit: la troisième veille)[148]. Cependant, puisque le récit de Marc n'indique pas qu'il faut compter un espace de temps entre 14,72 et 15,1, il n'est pas exclu de voir dans le chant du coq l'annonce du matin, la fin de la nuit: «ehe der Morgen anbricht»[149]. N'oublions pas que le πρωΐ commence lorsque la troisième veille s'achève. On pourrait ainsi paraphraser la parole de 14,30: ce jour encore, cette nuit même, avant l'aurore[150]. La progression ne serait pas dans un rétrécissement graduel du temps, mais dans l'emploi de termes de plus en plus spécifiques. Le délai est le même dans les trois expressions, mais il est défini avec une insistance croissante. Le cas n'est pas sans analogie avec 16,2 où ἀνατείλαντος τοῦ ἡλίου désigne le même temps que λίαν πρωΐ.

147. Cf. L. SCHENKE, *Studien*, p. 152-160; W. SCHENK, *Der Passionsbericht*, p. 144.

148. Cf. E. LOHMEYER, *Markus*, 1937, p. 313; J. JEREMIAS, *Die Abendmahlsworte Jesu*, p. 12; V. TAYLOR, *Mark*, p. 550. Sur σήμερον, voir aussi W. BAUER, *Wörterbuch*, col. 1484; et les commentaires de Lagrange, Schweizer, Nineham, e.a., ainsi les études sur le récit de la passion: R. PESCH, *Die Verleugnung*, p. 56; D. DORMEYER, p. 114 et 309. D'après J. Finegan, ταύτῃ τῇ νυκτί est ajouté en vue de 14,17: «Früher fand die Szene einfach am Tage σήμερον ebenda statt» (p. 69); par contre, pour W. Schenk σήμερον (seul) est traditionnel «weil es die jüdische Zählung... voraussetzt» (p. 227). D'après L. Schenke, l'expression est entièrement rédactionnelle, et il n'y a pas lieu de s'appuyer trop sur elle: «der Redaktor (scheint) solche Konsequenzen... schwerlich bedacht zu haben» (*Studien*, p. 415, n. 1).

149. Cf. B. WEISS, *Die vier Evangelien*, Leipzig, 1900, p. 261. Voir aussi *Markus und Lukas*, [6]1878, p. 199: «noch vor Vollendung der dritten Nachtwache oder vor der Morgenfrühe (13,35)..., vor dem Hanenschrei, d.h. vor Tagesanbruch».

150. Cf. G. DALMAN, *Die Worte Jesu*, Leipzig, [2]1930, p. 332: «Im gewöhnlichen Leben wird der kommende Tag vom Morgen ab gerechnet».

15,1-47: D'après Schreiber, le jour de la mort de Jésus est le septième (et dernier) jour de la semaine. Les études récentes sur la passion le contredisent à juste titre: le schéma des trois jours de la mort à la résurrection est d'une importance trop évidente pour Marc. S'il fallait reconnaître en Marc le schématisme des sept jours d'une semaine, l'on devrait le considérer plutôt comme une extension donnée aux trois jours du vendredi-sabbat-dimanche de Mc 15-16[151]. Personnellement je ne crois pas que cette extension peut aller au delà des «deux jours» de Mc 14,1 (cf. v. 12).

16,1: Les femmes achetèrent des aromates «quand le sabbat fut passé», c'est-à-dire le soir même après le sabbat, car d'après 16,2 c'est de grand matin qu'elles vont au tombeau. Et Dormeyer de conclure: «Mit dem Abend beginnt also der neue Tag; hier rechnet Rmk eindeutig nach jüdischer Zählung»[152]. Il est clair que Marc connaît le repos sabbatique du soir au soir (cf. 15,42; 16,1), mais est-ce un critère dans la question du comput juif ou romain? Pour y répondre, il suffit de se référer à la Journée de Capharnaüm en 1,21-34! Et à elle seule, l'abondance des notations chronologiques en 16,2 interdit de faire commencer «le premier jour de la semaine» en 16,1b.

16,2-8: Après ce rapide aperçu, nous pouvons conclure que l'hypothèse d'une liturgie de la Semaine Sainte repose sur une base bien fragile[153]. Le schéma des sept ou huit jours en Mc 11-16 est plus que douteux. On peut retenir tout au plus, à partir de 14,1, une chronologie de cinq jours: 14,1-11; 14,12-72; 15,1-47; 16,1; 16,2-8. Lorsqu'il s'agit d'expliquer «le matin du premier jour de la semaine», il sera utile de savoir que, très vraisemblablement, Marc a compté les jours selon le comput romain.

b. Les notations horaires

Nous avons déjà exprimé nos réserves devant les essais d'identification des veilles de nuit entre 14,17 et 15,1. Nous ne parlerons donc plus ici de l'exégèse de B.W. Bacon qui expliqua les «veilles» de 14,12.17.(26-52).72; 15,1.25.33.34.42; 16,2 comme les indications ri-

151. D. DORMEYER, *Die Passion Jesu*, p. 67: «Rmk erweitert diese drei Tage nach vorne zur Woche»; sur μετὰ δύο ἡμέρας en 14,1: «bewusstere Anklang an die Leidensankündigungen».

152. *Ibid.*, p. 309.

153. L'hypothèse d'un récit de la passion qui comporte la section de 10,46—12,12 (à l'exception de 11,22-25) permet de rapprocher les indications chronologiques de 11,11.12.19.20 de celles des chapitres 14-16. Cf. R. PESCH, *Die Überlieferung der Passion Jesu*, dans K. KERTELGE, *Rückfrage nach Jesus* (Quaestiones disputatae, 83), Freiburg, 1974, p. 148-173, p. 157. Mais le motif de 11,11/12 et 19/20 garde sa spécificité, et il n'est pas clair que ces indications chronologiques forment «erste deutliche Indizien für einen älteren Erzählzusammenhang» (p. 158).

tuelles du *triduum sacrum*[154]. Mais on peut voir une survivance de son exégèse dans l'explication des notations horaires du chapitre 15 chez V. Taylor (1952): «The three-hour periods... may reflect the catechetical and liturgical interests of the Church at Rome»[155]. L'hypothèse est reprise par D.E. Nineham en 1963 comme «an attractive suggestion»[156]. Entretemps, G. Schille avait publié son article (1955)[157], et sa thèse fut accueillie avec sympathie dans le commentaire de W. Grundmann[158]. En 1963, É. Trocmé se réfère à Taylor et Grundmann, pour noter qu'«un grand nombre [sic] de commentateurs soulignent la signification liturgique au moins potentielle» des notations horaires de 15,1.25.33.34.42[159]. J. Delorme aussi est d'avis qu'une représentation liturgique apparaît derrière 15,25[160], et C.D. Peddinghaus se montre prêt à admettre un certain lien avec la liturgie[161].

Schille (suivi par Grundmann) s'est distingué des autres auteurs par l'élaboration, à partir des notations horaires, d'une théorie sur l'histoire de la tradition. À l'origine, il y avait trois complexes narratifs commémorant les événements du vendredi saint, dans le cadre

154. Cf. *supra*, n. 133.

155. V. TAYLOR, *The Gospel according to St. Mark*, London, 1952, p. 590. Seule l'indication de 15,34a serait traditionnelle, et 15,25.33 seraient ajoutés par Marc (p. 650). Voir aussi le commentaire à la page 590 et corriger l'affirmation de Linnemann (cf. *infra*, n. 162), p. 155: «Die Frage nach dem Motiv solcher Ausweitung stellt er sich nicht». D'autre part, elle fait mention de Nineham, avec Schille et Grundmann, pour l'interprétation liturgique (p. 156, n. 69). Voir aussi J.A.C. VAN LEEUWEN, *Het evangelie van Markus* (Korte verklaring der Heilige Schrift), Kampen, ²1935, p. 200: «De vraag mag gesteld, of dit misschien samenhangt met de wijze waarop in de gemeente deze dag werd herdacht, in verschillende delen ingedeeld. Mogelijk is, dat verschillende gedeelten der geschiedenis van 's Heren lijden en sterven achtereenvolgens op bepaalde uren werden gelezen in de samenkomsten der gemeente» (référence signalée par F. LEFEVRE, *De tempelpolemiek in de redactie van Marcus*, Diss. Leuven, 1975, p. 684, n. 155).

156. D.E. NINEHAM, *Mark*, 1963, p. 424: «the catechetical interests, and perhaps the liturgical practice, of the Roman Church».

157. Cf. *supra*, n. 10.

158. W. GRUNDMANN, *Markus* (cf. *supra*, n. 6), 1959, p. 274 et 313. Comparer *Die Geschichte Jesu Christi*, Berlin, 1956, p. 344, n. 2: «Die Zeitangabe des Markus [15,25] dürfte sekundär sein», et la correction d'après Schille dans *Ergänzungsheft*, 1959, p. 24.

159. *La formation* (cf. *supra*, n. 6), p. 183, n. 31.

160. *Résurrection et tombeau de Jésus* (cf. *supra*, n. 5), p. 126, n. 69. Il veut corriger ainsi une réaction négative de X. Léon-Dufour dans *DBS* 6 (1960), c. 1432-1433 (art. *Passion*, c. 1419-1492).

161. C.D. PEDDINGHAUS, *Die Entstehung der Leidensgeschichte. Eine traditionsgeschichtliche und historische Untersuchung des Werdens und Wachsens der erzählenden Passionstradition bis zum Entwurf des Markus*, Diss. Heidelberg, 1965, p. 164. Voir cependant sa critique sur Schille, n. 657. Voir aussi E.J. MALLY, *The Gospel according to Mark* (The Jerome Biblical Commentary, t. 2, p. 21-61), London, 1968, p. 58; *Traduction œcuménique de la Bible. Nouveau Testament*, Paris, 1973, p. 177, n.*m*.

des réunions des chrétiens aux heures de la prière (cf. Didachè 8,3). Se séparant de ce contexte liturgique, les trois narrations se sont développées en un récit unifié de la crucifixion. La division tripartite serait encore visible en Luc (où elle est soulignée par les trois paroles de Jésus: 23,34.43.46), tandis que Marc en aurait gardé une trace dans les notations horaires (troisième, sixième, neuvième heure). L'hypothèse à été critiquée à juste titre par E. Linnemann[162]. La suggestion de Taylor et autres qui se demandent s'il n'y a pas quelque influence liturgique sur le schéma horaire de Marc est bien plus modeste[163]. Mais on remarquera que le caractère artificiel du schéma ne renvoie pas nécessairement à la liturgie (cf. Mt 20,1-16)[164]. On ne peut surtout pas perdre de vue que 15,25[165].33.34a indiquent la

162. E. LINNEMANN, *Studien zur Passionsgeschichte* (FRLANT, 102), Göttingen, 1970, p. 156. (Sur *Didachè* 8,3, cf. J.-P. AUDET, *La Didachè*, Paris, 1958, p. 371.) Voir aussi J. SCHREIBER, *Theologie des Vertrauens*, p. 38, n. 69; W. SCHENK, *Der Passionsbericht*, p. 37-38.

163. D'après Taylor, 15,34a serait traditionnel, mais le schématisme vient de Marc qui ajouta 15,25 et 33 (cf. *supra*, n. 155). Il est suivi par Nineham (p. 424, 426-427). D'après É. Trocmé, les trois notations horaires sont rédactionnelles (cf. *supra*, n. 159); de même, pour R. Bultmann (*Die Geschichte*, p. 295-296) et J. Finegan (p. 75) et, plus récemment, D. Dormeyer (p. 194, 199, 200). Selon L. Schenke, un rédacteur prémarcien aurait inséré les notations horaires de 15,25.33 (autour de l'indication traditionnelle de la neuvième heure en 15,34a). Cf. *Der gekreuzigte Christus* (cf. *supra*, n. 105), p. 79. Schenke attribue 15,33 à une «frühe Redaktion» (p. 95-96, 141), et d'autre part, 15,25 et 15,42a sont d'une même main de rédacteur (p. 96: «vielleicht»). De son exposé à la page 96, il n'apparaît pas que ce rédacteur est à distinguer du premier rédacteur, mais seul le v. 33 est mentionné à la page 141!

164. Selon Pesch, les notations horaires appartiennent à la tradition primitive (p. 323), et il note à propos de 15,25 que «trotz eines erkennbaren Schematismus der Zeitangaben 15,1.25.33.34.42 mit berichtender Intention zu rechnen ist» (p. 483-484). Voir aussi p. 494: «Die neunte Stunde 15,34 kann als die Stunde der Nachmittagsgebets (vgl. Apg. 3,1) ausdrücklich erwähnt sein (ein einfaches 'dann' hätte sonst genügt)».

165. Si l'on élimine 15,25 du texte de Marc, les indications horaires de 15,33.34a prennent un autre visage: «dann kann man nicht mehr von einem künstlich geschaffenen Zeitschema sprechen»; cf. J. BLINZLER, *Der Prozess Jesu* (cf. *supra*, n. 23), [4]1969 (p. 416-422: «Die Stunden des Karfreitags»), p. 420: «von einem Bearbeiter eingefügt»; comp. R. SCHNACKENBURG, *Markus*, 1971, p. 302: «wahrscheinlich nachträglich eingefügt, sei es durch den Evangelisten oder einen frühen Abschreiber»; *Das Johannesevangelium*, t. 3, p. 306; W.L. LANE, *Mark*, 1974, p. 567: «a gloss inserted by an early reviser». Blinzler, qui entend *Bearbeiter* dans le sens d'interpolateur, renvoie à J. Weiss, C.G. Montefiore, F. Hauck, P. Gaechter et W. Grundmann. Précisons qu'en 1956 Grundmann suit l'opinion de Blinzler (1950, [2]1955), mais l'abandonne en 1959 (cf. *supra*, n. 158). Puis, le *Bearbeiter* de J. Weiss (*Das älteste Evangelium*, p. 335) et F. Hauck (*Markus*, p. 187; voir aussi p. 189: v. 34a!) n'est pas un interpolateur, mais, comme il s'agit d'un accord mineur négatif entre Matthieu et Luc, le dernier rédacteur du Marc canonique (Deutero-Marc); voir déjà dans ce sens: J.H. SCHOLTEN, *Das älteste Evangelium*, Elberfeld, 1869, p. 167; W. BRANDT, *Die evangelische Geschichte*, Leipzig, 1893, p. 197.

division de la journée entre 15,1 (πρωΐ) et 15,42 (ὀψίας γενομένης)[166].

NOTE ADDITIONNELLE

À propos de Mc 11-13 (cf. *supra*, p. 206-208) : K. Stock, *Gliederung und Zusammenhang in Mk 11-12*, dans *Biblica* 59 (1978) 481-515 (p. 483-488 : «Die Aufteilung der Texte auf drei Tage»). À noter cependant : «Wie aus den Angaben ersichtlich wird, ist nur der Umfang des zweiten Tages eindeutig festgelegt, indem nur für ihn der Anfang und das Ende genannt werden» (p. 484). — P. J. Farla, *Jezus' oordeel over Israel. Een form- en redaktionsgeschichtliche analyse van Mc 10,46-12,40*, Kampen, 1978 : cf. *ETL* 57 (1981) 179-181.

Pour conformer Marc à Jn 19,14, nombre de commentateurs anciens et modernes lisent en 15,25 ἕκτη au lieu de τρίτη. Ils expliquent la leçon τρίτη comme une faute de copiste qui aurait confondu entre Γ et F. M.-É. Boismard qui reprend cette hypothèse fait appel à un scribe plus intelligent qui aurait noté l'apparente contradiction de «la sixième heure» (15,25) avec la mention de la sixième heure en 15,33. Cf. *Commentaire* (Synopse, t. 2), Paris, 1972, p. 425. Il explique le doublet des deux mentions de la sixième heure par la combinaison de deux sources prémarciennes, le Document A (v. 25) et le Document B (v. 33). Selon Boismard, le scribe qui remplace ἕκτη par τρίτη et Matthieu et Luc, qui n'ont gardé que la deuxième des deux mentions de la sixième heure, auraient vu la contradiction, mais il n'explique pas comment ni le Mc-intermédiaire qui a effectué la fusion des deux récits ni l'ultime Rédacteur marcien n'ont vu cette difficulté. Quant aux témoins de ἕκτη en plus de Θ $sy^{h\ mg}$ eth^{mss} (cf. *Synopse*, t. 1, p. 323, 3e régistre: Irenée, Acta Pilati, Const. Apost., Ps.-Ignace), ils placent la crucifixion à la sixième heure (contre Marc), mais aucun de ces passages ne peut être cité comme témoin du texte de Mc 15,25! Et le changement «incompréhensible» de 'troisième' en 'sixième' (Θ) peut s'expliquer par le besoin d'harmonisation. Il n'y a donc pas de raisons valables pour retrancher 15,25 du texte de Marc, ni pour y lire ἕκτη. Voir aussi R. Pesch, *Das Markusevangelium*, t. 2, p. 324 et 484. (Nous ne parlons pas ici de la leçon ἐφύλασσον, qui n'a guère d'influence sur le problème de «la troisième heure».)

166. Contre J. Schreiber, *Theologie des Vertrauens*, p. 24: «die übrigen wahrscheinlich von Markus herrührenden Zeitangaben des Evangeliums (lassen) alle die Präzision der Stundenangaben von 15,25.33f vermissen. Diese Stundenangaben weisen in ihrer Einmaligkeit also auf in Mk 15 bewahrte Tradition hin». (L'auteur semble se contredire à la page 99!) Dans la tradition (15,25.26.29a.32c.33.34a.37.38), le *Stundenschema* serait un motif apocalyptique (cf. p. 38). Dans la même ligne: W. Schenk, *Die gnostisierende Deutung des Todes Jesu und ihre kritische Interpretation durch den Evangelisten Markus*, dans K. W. Troeger (éd.), *Gnosis und Neues Testament*, Gütersloh, 1971, p. 231-243, spéc. p. 237-240; *Der Passionsbericht*, 1974, p. 37-52: «Sieben-Stunden-Apokalypse» (les sept heures: de la troisième à la neuvième). Voir aussi p. 16-17: le point de départ de la théorie est celui de Schreiber. Il corrige légèrement la reconstruction de la tradition (il ajoute v. 30 et exclut v. 32c). Eta Linnemann, dans *Studien zur Passionsgeschichte* (cf. *supra*, n. 162), a critiqué la manière dont Schreiber comprend les notes chronologiques au niveau de l'évangéliste (p. 155-156), mais c'est sans doute encore sous l'influence de Schreiber qu'elle fait remonter les notations horaires à un récit primitif (15,22a.24a.25a.33.34a.37.38): «Entgegen der verbreiteten Ansicht, dass die Stundenangaben eine spätere Zutat zur Kreuzigungsperikope sind, möchte ich deshalb jene Versen, die sie enthalten, als den Grundbestand der Perikope ansehen» (p. 157).

ETL 55 (1979) 43-66

LA FUITE DU JEUNE HOMME EN MC 14,51-52

a. *Mc 16,2 «Au lever du soleil»: l'heure du baptême?*

Selon L. Schenke, le récit de Mc 16,2.5-6.8a n'a pas pour fonction seulement de fonder le culte (étiologie) mais aussi de l'accompagner (anamnèse). Il s'adresse à la communauté en fête qui montait en pèlerinage au tombeau de Jésus, le jour de Pâques au lever du soleil, pour y recevoir la révélation divine, toujours renouvelée, que le Crucifié est ressuscité. Comme les femmes, elle peut s'assurer de la résurrection de son Seigneur au moyen du signe du «tombeau vide»[167]. En 1973, R. Scroggs et K.I. Groff[168] ont donné une nouvelle précision à cette hypothèse: le jeune homme, "assis à la droite, vêtu d'une robe blanche», qui annonce la résurrection ne serait pas un ange, mais un chrétien qui vient d'être baptisé au cours de la liturgie pascale. Le jour de Pâques, «très tôt, au lever du soleil» (v.2) serait l'heure du baptême[169]. En accord avec Schenke, les auteurs admettent l'existence d'un récit primitif de Mc 16, indépendant du récit de la passion[170], mais leur étude a surtout pour objet la rédaction de Marc et le rapprochement des deux épisodes du νεανίσκος en 14,51-52 et 16,5. Il ne leur suffit pas de voir dans le jeune homme qui s'échappe en laissant la σινδών aux mains des adversaires et qui reparaît pour annoncer le message pascal "une sorte de préfiguration énigmatique du sort de Jésus»[171]. La nudité et la fuite du jeune homme en 14,51-52 évoquent le rite du baptême par immersion (mourir avec le Christ), et son apparition en 16,5 rappelle le baptisé qui, sortant de l'eau, est revêtu d'une robe blanche: le jeune homme représente le Christ «*because he symbolizes the believer who, now baptized, participates in the resurrection of Christ*»[172].

167. L. SCHENKE, *Auferstehungsverkündigung und leeres Grab* (cf. *supra*, n. 3), 1968, p. 92 (trad. F. GROB, p. 93).

168. R. SCROGGS & K.I. GROFF, *Baptism in Mark. Dying and Rising With Christ*, dans *JBL* 92 (1973) 531-548.

169. *Ibid.*, p. 544: «This coincides with the time of the story in Mark 16:2 and might suggest that the *neaniskos* was actually a person just baptized, chosen to represent Christ and to announce his own initiation-resurrection at the same time».

170. *Ibid.*, p. 546, n. 59.

171. *Ibid.*, p. 533, n. 5. Cf. *infra*, n. 216 (A. Vanhoye).

172. *Ibid.*, p. 543. Les auteurs présentent ce symbolisme baptismal comme une interprétation nouvelle du *neaniskos* en Mc 14,51-52 et 16,5 (p. 540) et signalent

Nous retrouvons cette interprétation dans l'ouvrage récent de B. Standaert sur la composition et le genre littéraire de l'évangile de Marc[173]. L'auteur réaffirme la situation pascale et baptismale de Mc 16 (l'épilogue de l'évangile) et l'étend même à l'ensemble de l'évangile. L'évangile de Marc aurait été conçu comme une haggada chrétienne pour la veillée pascale, et c'est après la lecture de l'évangile de Marc, le dimanche de Pâques, à l'aurore, que le baptême aurait été conféré[174]: «Le récit de Marc s'achève le dimanche matin, 'le soleil étant levé' (16,2). Notre hypothèse d'une lecture de Marc dans la nuit et celle du baptême conféré à l'aurore feraient coïncider le moment où le récit s'épuise avec celui où commence le rite du baptême»[175]. Par rapport à l'hypothèse de Scroggs et Groff, dont il reconnaît dépendre, on notera toutefois chez B. Standaert aussi des nuances qui lui sont propres[176]. Dans son ouvrage, il renonce résolument à toute explication génétique du texte de Marc: il n'y a donc pas lieu de poser des questions sur l'existence d'une tradition antérieure à Mc 16[177].

un seul prédécesseur (p. 533, n. 5): J. KLINGER, dans un article sur Mc 14,51-52 publié en 1966 en polonais; cf. *IZBG* 16 (1969-70), p. 111 (n° 745).

173. B. STANDAERT, *L'évangile selon Marc. Composition et genre littéraire* (Diss. Nijmegen), Brugge, 1978.

174. *Ibid.*, p. 496-618 (IIIe partie): *Marc et la liturgie*; 1. *L'hypothèse d'un contexte baptismal* (sur l'épilogue: p. 509-512); 2. *L'hypothèse d'un contexte pascal* (sur l'épilogue: p. 579-585). Dans sa conclusion, l'auteur laisse le choix aux lecteurs: «certains se rallieront de préférence à l'une des deux hypothèses» (p. 625).

175. *Ibid.*, p. 510. Cf. *supra*, n. 169.

176. Il se distance de Scroggs et Groff là où ils considèrent «les deux 'neaniskoi' comme une seule et même identité». Cf. p. 167, n. 1: «Il serait faux... d'interpréter l'apparition dans le tombeau comme l'entrée en scène du catéchumène baptisé, prenant lui-même la parole en finale». Il rapproche les deux «messagers», Jean-Baptiste dans le prologue (1,2 ἄγγελος) et le «jeune homme» dans l'épilogue (p. 44), «νεανίσκος et ἄγγελος étant des synonymes»(!) (p. 101; cf. p. 100, n. 1).

177. Contrairement à Scroggs et Groff qui se réfèrent à Schille, Nauck et Schenke (p. 544, n. 47), Standaert ne fait aucune mention de ses «prédécesseurs» qui ont proposé de situer Mc 16 dans le cadre d'une liturgie pascale. Il ne renvoie même pas aux positions que défendent à ce propos ses deux promoteurs, les professeurs B. van Iersel et E. Schillebeeckx (cf. *supra*, n. 4 et 9). Depuis 1974, Schillebeeckx semble avoir abandonné cette hypothèse, sans toutefois l'exclure complètement: «al wil ik zelfs nu deze hypothese niet volkomen uitsluiten». Cf. *Tussentijds verhaal over twee Jezusboeken*, Brugge, 1978, p. 100; voir déjà *Tijdschrift voor Theologie* 16 (1976), p. 46. Il s'y réfère au livre de J.E. Alsup (1975): «In dit boek wordt duidelijker dat het 'grafmotief' inderdaad zeer oud is, maar — en dit is de aanwinst — aanvankelijk juist niet functioneerde binnen een verrijzeniscontekst; integendeel: het 'lege graf' had slechts *negatieve* uitwerkingen; het leidde tot radeloosheid en treurnis, niet tot triomfante hoop» (p. 46). L'on doit cependant remarquer que c'est là une idée assez commune parmi les auteurs qui défendent l'historicité de la découverte du tombeau vide, de H.J. Holtzmann à J. Daniélou (cf. *La Résurrection*, Paris, 1969, p. 16-17: «La constatation du tombeau vide non seulement n'apparaît pas d'abord aux femmes comme signifiant la résurrection, mais au contraire comme étant un malheur de plus. ... Elle est un pur fait qui est objet de douleur et de scandale»).

Et tandis que Scroggs et Groff expliquent 14,51-52 à la lumière de 16,5[178], l'on constate le mouvement inverse chez Standaert: «la référence au rite baptismal et à sa catéchèse reconnue d'abord en 14,51-52, explique également la portée des traits récurrents en finale du récit de la Passion, en 15,46 et 16,5»[179]. Quant à la «remarque curieuse» sur le soleil «déjà levé» (sic) en 16,2, elle indiquerait une anticipation merveilleuse, une action d'origine divine[180]. La remarque proviendrait d'une exégèse du psaume 110,3 (LXX 109,3 πρὸ ἑωσφόρου: du sein *avant l'aurore* je t'ai engendré)[181].

L'expression ἀνατείλαντος τοῦ ἡλίου reste donc «curieuse», et son sens dépasserait celui d'une référence à l'heure du baptême. Pour indiquer cette dernière, la simple expression λίαν πρωΐ aurait pu suffire. C'est, semble-t-il, l'avis de Standaert là où il parle de la «continuité entre le moment raconté ('le premier jour de la semaine, le matin tôt') et l'instant vécu (le baptême étant conféré à l'aurore du dimanche de Pâques)»[182]. Cependant, πρωΐ en 16,2 signifie pour Marc encore autre chose. La quadruple indication chronologique de 13,35b serait à mettre en rapport avec quatre articulations du récit de la passion «où les disciples de Jésus sont chaque fois éprouvés en leur qualité de compagnons de Jésus»: ὀψέ (la dernière Cène, avec les annonces de la trahison de Judas et du reniement de Pierre), μεσονύκτιον (Gethsémani et l'arrestation de Jésus), ἀλεκτοροφωνίας (le reniement de Pierre) et πρωΐ (le matin de Pâques: «les femmes sont là, mais les disciples font défaut»)[183].

Avant d'aborder le problème du symbolisme christologique et baptismal en Mc 14,51-52 (et 16,5), je voudrais faire quelques remarques critiques à propos de cette interprétation de 16,2.

b. *L'indication temporelle de Mc 16,2*

Sur la notation chronologique en 16,2, l'ouvrage de B. Standaert contient quatre observations qui sont partiellement nouvelles. Reprenons-les ici une par une.

1. Parmi les auteurs qui font le rapprochement de l'indication chronologique de 13,35 avec le récit de la passion, il y a quelque

178. *Baptism in Mark*, p. 533: «The task of interpretation must begin, however, not with 14:51-52 but with 16:1-8».

179. *L'évangile selon Marc*, p. 166. Voir aussi p. 164.

180. *Ibid.*, p. 580. Voir aussi p. 97: «Le récit est scandé de ces actes de surprises, elles partent de grand matin, et voilà que 'le soleil est déjà levé'».

181. *Ibid.*, p. 580-581. On l'ajoutera au dossier des interprétations symboliques (christologiques); cf. *supra*, n. 124, 125, 126. Elle se rapproche le plus de celle de Boismard (n. 125).

182. *Ibid.*, p. 613.

183. *Ibid.*, p. 350-358 (spéc. p. 354 et 356).

hésitation en ce qui concerne le μεσονύκτιον[184], mais ils sont tous d'accord sur l'identification des trois autres moments. Standaert est le premier à mettre le πρωΐ de 13,35 en rapport avec le matin de Pâques (16,2), et non avec le matin où Jésus est livré à Pilate (15,1)[185]. Nous avons noté déjà que les expressions ὀψίας γενομένης et πρωΐ en 14,17 et 15,1 (cf. 1,32.35; 11,11.12; 11,19.20) ne suffisent pas à discerner dans le récit de Mc les quatre veilles de nuit[186]. Mais l'hypothèse perd toute vraisemblance si on lui retire l'appui du πρωΐ en 15,1 ! Standaert a raison d'insister sur le rapprochement — «le plus évident entre tous»[187] — de l'exhortation à la vigilance de 13,33-37 avec la scène de Gethsémani où l'on retrouve la même association de veiller-venir-trouver-dormir. On comprend fort bien que certains veulent étendre ce parallèle à l'ensemble de la nuit de la trahison, du reniement et de l'abandon des disciples, de 14,17 à 15,1. Ailleurs, Standaert se montre sensible à la difficulté que peut avoir l'auditeur de l'évangile à percevoir le lien entre deux passages «séparés l'un de l'autre par plus de 50 versets»[188]. Il semble négliger cependant l'intervalle de deux jours entre le πρωΐ de 15,1 et celui de 16,2.

2. L'auteur rend ἀνατείλαντος τοῦ ἡλίου par «le soleil étant déjà levé» et, sans même se référer au texte grec[189], il y reconnaît un trait caractéristique du récit de l'épilogue: l'initiative des femmes se voit «anticipée par un autre actant qui intervient et les surprend»[190]. L'on notera en effet, et plusieurs critiques l'ont fait, que les femmes qui s'interrogent à propos de la pierre doivent constater qu'elle est (déjà) roulée de côté (vv. 3-4). Et avant même qu'elles peuvent constater l'absence du corps de Jésus, le «jeune homme» leur annonce que «Jésus est ressuscité» (vv. 5-6). Dans les deux cas[191], on peut parler d'un élément de surprise, mais le verset 2 n'indique en rien que les femmes s'étonnent du fait que le soleil est déjà levé.

3. En ce qui concerne l'influence du Ps 110, Standaert se réfère à Boismard à propos de l'expression «assis à la droite» en 16,5[192].

184. Cf. *supra*, n. 137. Standaert a raison de critiquer l'identification que propose J. Radermakers: «la nuit où Jésus est interrogé par le Grand Prêtre (14,60-62)» (p. 356, n. 1). Cf. *supra*, même note, la remarque sur Wellhausen.

185. L'auteur renvoie à A. Farrer, *A Study in St Mark*, London, 1951, p. 141. On notera cependant que l'observation de Farrer sur «Yet an early hour...» vient après l'identification habituelle du πρωΐ en 15,1. En plus, à propos de Mc 16, Farrer parle de la réaction des femmes («But they were not ready»), et non de l'absence des disciples. Par contre: «Christ stood before Pilate, he stood there alone» (*ibid.*).

186. Cf. *supra*, p. 99.

187. *Op. cit.*, p. 356, n. 1.

188. *Ibid.*, p. 159 et 160, n. 1 (à propos de 14,51-52 et 16,5).

189. Sur le sens de ἀνατείλαντος (*vg* «orto iam sole»), cf. *supra*, p. 84-85.

190. *Op. cit.*, p. 97. Cf. *supra*, n. 180.

191. Standaert reconnaît la même «économie» d'anticipation dans le προάγει du v. 7, mais là nous ne sommes plus au niveau de la narration (cf. 14,28).

192. *Op. cit.*, p. 166.

Selon Boismard, elle a un sens symbolique et évoque le Ps 110,1 où Dieu dit au roi messianique: «Assieds-toi à ma droite». Il explique la mention du soleil levant au v. 2 dans la même perspective: elle ferait également allusion à la résurrection du Christ, en accord avec le texte messianique du Nb 24,17 LXX [193]. Sur ce dernier point, Standaert s'en distingue: il explique l'expression «le soleil étant déjà levé» à partir du πρὸ ἑωσφόρου du même psaume 110 (LXX 109,3) qu'on invoque pour le v. 5 [194]. Il en résulte une plus grande unité dans l'interprétation de la péricope. Toutefois, alors que Boismard fait reposer le symbolisme christologique en premier lieu sur l'identité du «jeune homme» de 16,5 avec celui de 14,51-52, Standaert se montre plus réservé à cet égard [195]. Nous verrons plus loin quelles sont les conséquences à en tirer quant à l'allusion au Ps 110,1 en 16,5. Et sans l'appui de ce rapprochement, l'explication de ἀνατείλαντος τοῦ ἡλίου par πρὸ ἑωσφόρου ne se recommande guère.

4. Quant à la coïncidence de l'heure matinale avec le moment du baptême, Scroggs et Groff en parlent en connexion avec le *Sitz im Leben* cultuel de Mc 16 (Schenke). Dans l'hypothèse d'une lecture de *tout* l'évangile de Mc, d'autres correspondances avec la situation liturgique s'y ajoutent. Ainsi, Mc 1,35-39; 6,45-52 et 14,32-42 peuvent se rattacher à la veillée des chrétiens en prière dans la nuit de Pâques [196]. Une telle approche de l'évangile de Mc n'est cependant pas sans difficultés. N'est-il-pas gênant par exemple que la scène de Mc 14,17-25 ne correspond pas au moment de la célébration de l'eucharistie qui, dans la liturgie pascale, a lieu après le baptême? Mais pour Standaert, comme pour Scroggs et Groff, la thématique baptismale de l'épilogue de l'évangile s'annonce déjà dans la présentation du «jeune homme» en 14,51-52 dans laquelle «tout auditeur de l'évangile au premier siècle a dû reconnaître... une figure de la situation baptismale» [197]. Est-ce bien ainsi?

c. *Le symbolisme du jeune homme nu* (*Mc 14,51-52*)

L'episode du jeune homme nu en Mc 14,51-52 a toujours fait problème, mais ce n'est qu'à une date relativement récente que les exégètes y ont découvert un symbolisme christologique. Cette interprétation symbolique s'est développée en quatre étapes.

1. J. Knox, dans une note publiée en 1951, fut le premier à y voir «an anticipation of the empty tomb» [198]: «Just as the young man

193. M.-É. Boismard, *Synopse*, t. 2, 1972, p. 442. Cf. *supra*, n. 125.
194. Cf. *supra*, n. 181.
195. Cf. *supra*, n. 176.
196. *Op. cit.*, p. 588-589.
197. *Ibid.*, p. 160.
198. J. Knox, *A Note on Mark 14:51-52*, dans *The Joy of Study. Papers... to*

escaped, leaving only the linen cloth with which he was covered, so Jesus, 'seized' also on that same occasion, was likewise destined to escape the hands of his enemies, leaving only the linen cloth with which he was wrapped»[199]. Knox renvoie à la σινδών dans le récit de la mise au tombeau de Jésus (Mc 15,46). Le fait que Mc 16,1-8 n'en fait pas mention ne le gêne pas spécialement: «Mark depended a great deal upon the discernment of his readers». Et on peut citer, dit-il, d'autres témoins qui attestent la tradition du linceul resté là après la résurrection[200]. La suggestion de Knox sera reprise et développée par S.E. Johnson (1960), F.W. Beare (1962) et H. Waetjen (1965)[201]. Knox lui-même avait rapproché les formules de 14,51 et 16,5: νεανίσκος... περιβεβλημένος et νεανίσκον... περιβεβλημένον, entre parenthèses, et pour dire simplement: «One can but wonder about a possible connexion...»[202]. Le ton change avec S.E. Johnson: «There can be no doubt that some connexion exists»[203], et surtout avec H. Waetjen: «It is obvious that the stories or events are related to each other»[204].

2. Dans une étude sur la finale de Mc qui date de 1948, A. Farrer avait déjà évoqué «the symbolism of the two linen cloths and of the two 'lads clad in' this or that»[205]. Selon lui, les trois textes de 14,51-52; 15,46 et 16,5 «are held together by verbal echos: they are

Honor F.C. Grant (éd. S.E. JOHNSON), New York, 1951, p. 27-30. L'auteur reprend une suggestion qu'il avait déjà faite dans *Christ the Lord*, Chicago, 1945, p. 100, note. Il signale l'analogie d'autres «anticipations» en Mc: l'apparition du Ressuscité dans la Transfiguration et l'onction du corps de Jésus en 14,3-9.

199. *Ibid.*, p. 29.

200. Il renvoie à Jn 20,5-7; Actes de Pilate 15,6; Évangile selon les Hébreux (Jérome, *De viris ill.* 2: «Dominus autem cum dedisset sindonem servo sacerdotis»).

201. F.W. BEARE, *The Earliest Records of Jesus*, Oxford, 1962, p. 231 : «a piece of symbolism, prefiguring the Resurrection»; sur Johnson et Waetjen, cf. n. 203 et 204. Assez curieusement, A. Vanhoye ne fait aucune mention de Knox ni de ces auteurs qui en dépendent. Par contre, il attribue à A. Farrer «le grand mérite d'orienter les recherches vers une étude de la rédaction de Marc» et d'avoir noté le contact avec 15,46 (*La fuite*, p. 403 et 404). Il renvoie à *A Study in St Mark*, London, 1951, p. 141. Mais dans cet ouvrage, Farrer se contente d'une allusion fort vague, pour opposer le disciple qui se sauve et Jésus qui accepte la passion: «The young man puts off his *sindon* and escapes alive. Christ is destined, at this season, to wear the *sindon* alone. The Arimathaean wraps him in it, it is his shroud». (Cf. H. WAETJEN, p. 129, n. 18).

202. *A Note*, p. 29.

203. S.E. JOHNSON, *Mark*, 1960, p. 238. Voir cependant p. 264: le commentaire sur 16,5 n'y renvoie pas.

204. H. WAETJEN, *The Ending of Mark and the Gospel's Shift in Eschatology*, dans *ASTI* 4 (1965) 114-131; cf. p. 117: «The key to understanding the νεανίσκος of 16,5 must indeed be the function and meaning of 14,51 f.».

205. A. FARRER, *The Glass of Vision*, London, 1948, p. 136-145 (sur la conclusion de Mc); voir p. 141.

also held together by the name of Joseph»[206]. L'enterrement de Jésus par Joseph d'Arimathie rappelle l'histoire du patriarche Joseph qui demande au Pharaon la permission d'aller enterrer Israël (Gn 50,4-14). Le jeune homme qui laisse son vêtement dans les mains des agresseurs fait penser à l'histoire de Joseph et la femme de Potiphar (Gn 39,12)[207]. Et dans l'apparition du jeune homme au tombeau, il identifie le thème de l'élévation de Joseph et de sa reconnaissance par ses frères (Gn 41, 41-43; 45,3)[208]. H. Waetjen doit avoir connu ce texte[209], et il explique lui aussi les rapports entre 14,51-52 et 16,5 à la lumière de l'histoire de Joseph, avec le contraste entre sa fuite et son élévation[210]. Contrairement à Farrer, il insiste surtout sur l'identité du «jeune homme» de 14,51-52 avec celui de 16,5 (Farrer parlait encore d'un ange)[211]. En 16,5, il met en relief le thème christologique de «la session à la droite»[212].

206. *Ibid.*, p. 144-145.

207. Comparer Mc 14,52 ὁ δὲ καταλιπὼν τὴν σινδόνα γυμνὸς ἔφυγεν avec Gn 39,12 καὶ καταλιπὼν τὰ ἱμάτια αὐτοῦ ἐν ταῖς χερσὶν αὐτῆς ἔφυγεν (cf. v, 13.15.18).

Farrer n'est évidemment pas le premier à faire ce rapprochement: cf. Bède le Vénérable (*PL* 92, 279: «iuxta exemplum beati Joseph...»), Maldonat, Lucas Brugensis, e.a.; et plusieurs commentateurs modernes: H.B. Swete (1898), H.J. Holtzmann (^{3}1901, p. 176), E. Klostermann (1907, p. 129); E. Wendling (1908, p. 183); C.G. Montefiore (1909, p. 344). Cf. *infra*, n. 250-251 et 258-259.

A.W. Argyle rapproche Mc 14,52 (cf. Gn 39,12) de *Test. Joseph* 8,3: κρατεῖ μου τὸν χιτῶνα, καταλείψας αὐτὸν ἔφυγον γυμνός (R.H. Charles; éd. M. de Jonge, 1964: κρατεῖ τὰ ἱμάτιά μου, γυμνὸς ἔφυγον). Cf. *Joseph the Patriarch in Patristic Teaching*, dans *ExpT* 67 (1955-56) 199-201, p. 201. Voir déjà J.M. VORSTMAN, *Disquisitio de Testamentorum XII Patriarcharum origine et pretio*, Rotterdam, 1857, p. 109. Pour une réaction de M. de Jonge, voir *Studies on the Testaments of the Twelve Patriarchs* (Studia in VT Pseudepigrapha, 3), Leiden, 1975, p. 210, n. 2; à noter: «γυμνός (which does not only mean 'naked' but also 'lightly clad')».

208. *Ibid.*, p. 145: «Joseph was stripped, first by his eleven false brethren, then by Potiphar's wife: he was buried in prison and believed by the eleven to be dead. But in due course he appeared to them as though alive from the grave, clothed in a robe of glory as the man of the king's right hand: he said to them, 'I am Joseph'. But his brethren could not answer him, *for they were confounded.* Compare the women, confronted not, indeed, with the new Joseph in person, but with one who wears his livery, and unable to speak, *for they were afraid*» (cf. Gn 41,42 ἐνέδυσεν αὐτὸν στολὴν βυσσίνην et 45,3 ἐταράχθησαν γάρ).

209. Cf. *The Ending*, p. 129, n. 18: il se réfère au contexte, mais pour noter que Farrer ne parvient pas à affirmer l'identité du jeune homme de 14,51-52 et de l'ange de 16,5!

210. *Ibid.*, p. 118-120: «The contrast between the fleeing Joseph who leaves behind his clothes and is unjustly disgraced on the one hand, and the exalted Joseph, who wears splendid garments and is exalted to vicegerent on the other hand, is matched and reproduced by Mark in 14,51f. and 16,5». Et plus loin: «As a Joseph figure, the youth gives expression to the destiny of Jesus» (p. 120).

211. Sur l'identité du νεανίσκος de 16,5 avec le jeune homme de 14,51-52, Waetjen sera suivi par son collègue au *San Francisco Theological Seminary*: N.Q. HAMILTON, *Resurrection Tradition and the Composition of Mark*, dans *JBL* 86 (1965) 415-421, p. 417.

212. *Ibid.*, p. 120 (et note 34).

3. L'article de A. Vanhoye (1971)[213] semble combiner l'approche de Farrer (il insiste également sur les contacts verbaux[214]) avec le point de vue de Knox: il distingue dans l'épisode de 14,51-52, d'une part, le thème de l'humiliation de la fuite de l'homme nu[215], et d'autre part, l'aspect positif du jeune homme qui se libère des mains des ennemis, «une sorte de préfiguration énigmatique du sort de Jésus»[216]. Selon M.-É. Boismard aussi, le «jeune homme» de 14,51-52 et 16,5 «symbolise le Christ» («assis à droite»!)[217], et, avec une accentuation légèrement différente, ce même symbolisme christologique est affirmé par P. Mourlon Beernaert, K.E. Dewey et W.H. Kelber[218].

4. Aux yeux de R. Scroggs et K.I. Groff[219], seul le symbolisme baptismal peut expliquer et la scène de 16,5 où le jeune homme, vêtu en robe blanche, assis à la droite, représente le Christ sans s'identifier avec lui (il annonce sa résurrection), et le passage de 14,51-52 à 16,5 avec le changement des vêtements: σινδών - γυμνός - στολὴ λευκή, et encore le lien entre la σινδών lâchée par le jeune homme et celle du Christ en 15,46: le baptisé ne meurt pas lui-même, mais le Christ meurt pour lui. «The initiate is stripped of his garment and is now ready for baptism. He is baptized into death, but only Jesus actually dies»[220]. Dans une étude sur Mc 16,1-8, J.D. Crossan s'est rallié à cette interprétation, tout en précisant que le νεανίσκος n'est pas un baptisé quelconque: «It is the neophyte in the Mkan

213. A. VANHOYE, *La fuite du jeune homme nu* (*Mc 14,51-52*), dans *Biblica* 52 (1971) 401-406.

214. *Ibid.*, p. 404-405. L'auteur ne semble pas connaître le passage de *The Glass of Vision* (p. 141). Cf. *supra*, n. 201.

215. Il ne fait pas mention de la typologie de Joseph (cf. Farrer et Waetjen). Pour l'aspect négatif de la nudité, il renvoie surtout à E. HAULOTTE, *Symbolique du vêtement selon la Bible*, Paris, 1966, p. 85.

216. *Ibid.*, p. 405.

217. M.-É. BOISMARD, *Synopse*, t. 2, Paris, 1972, p. 442.

218. P. MOURLON BEERNAERT, *Structure littéraire et lecture théologique de Marc 14,17-52*, dans M. SABBE (éd.), *L'évangile selon Marc* (cf. *supra*, n. 63), 1974, p. 241-267, spéc. p. 258-259 (à noter cependant: «qui n'est autre que le premier évangéliste»!); W.H. KELBER (éd.), *The Passion in Mark* (cf. *supra*, n. 137), 1976: cf. p. 112, n. 47 (K.E. Dewey) et p. 174-175 (W.H. Kelber). Tous ces auteurs maintiennent l'identité du νεανίσκος de 16,5, qui ne serait pas un «ange», avec celui de 14,51-52. Dans une perspective différente, cette identité est également défendue par J.H. MCINDOE, *The Young Man at the Tomb*, dans *ExpT* 80 (1968-69) 125 (l'évangéliste Marc: voir aussi Mourlon Beernaert); et surtout W. SCHENK, *Der Passionsbericht* (cf. *supra*, n. 7), 1974, p. 209-212, 263-264 et 268: au niveau de la source de Mc (*Praesens-historicum-Schicht*), le jeune homme de 14,51-52 et 16,5, qui est aussi celui qui frappe le serviteur du grand prêtre (14,47), ne serait autre que Pierre; sous la rédaction de Mc, il devient un ange en 16,5, perd ses traits concrets en 14,51-52 et devient un des assistants en 14,47.

219. *Baptism in Mark*, 1973. Cf. *supra*, n. 168.

220. *Ibid.*, p. 542.

community and therefore it is that community itself, including Mk»[221].

On notera que, par l'affirmation de l'identité des *neaniskoi*[222] et par l'idée d'une «identification partielle du jeune homme avec Jésus», l'interprétation «baptismale» se situe dans la ligne de l'exégèse de Knox, Farrer, Vanhoye, et autres. Par ces mêmes traits, elle se distingue des explications traditionnelles de l'épisode de 14,51-52.

* * *

Scroggs et Groff croient pouvoir citer un témoignage ancien de l'interprétation baptismale de Mc 14,51-52 et du rapprochement du νεανίσκος avec celui de 16,5: l'*Évangile secret de Marc*, publié par M. Smith en 1973[223]. Ils ont été suivis sur ce point encore par B. Standaert[224]. Il s'agit, on le sait, de deux fragments évangéliques apocryphes qui, d'après la lettre de Clément, s'insèrent dans le chapitre 10 de Mc, l'un entre 10,34 et 35 (II,23 - III,11) et l'autre après 10,46a (III,14-16). Le premier fragment contient le récit d'une résurrection qui s'inspire de Jn 11 et où l'on peut voir une allusion au jeune homme de Mc 16,5: καὶ προσελθὼν ὁ Ἰησοῦς ἀπεκύλισε τὸν λίθον ἀπὸ τῆς θύρας τοῦ μνημείου· καὶ εἰσελθὼν εὐθὺς ὅπου ἦν ὁ νεανίσκος (III,1-3)[225]. Puis, dans le récit d'un entretien nocturne de Jésus avec ce νεανίσκος, l'emprunt à Mc 14,51 ne fait pas de doute: ἔρχεται ὁ νεανίσκος πρὸς αὐτὸν περιβεβλημένος σινδόνα ἐπὶ γυμνοῦ (III, 7-8)[226]. On aurait tort cependant d'y voir un rapprochement significatif des deux νεανίσκοι de Mc, car on dirait presque que le récit a été composé à l'aide d'une concordance des évangiles: on y retrouve Mc 14,51 et 16,5, mais aussi les deux autres emplois de νεανίσκος dans les évangiles: Lc 7,14 (la résurrection d'un νεανίσκος) et Mt 19, 20.22. La péricope du jeune homme riche y est utilisée dans les trois versions:

III,4 ὁ δὲ νεανίσκος (cf. Mt 19,20.22)
ἐμβλέψας αὐτῷ ἠγάπησεν αὐτόν (cf. Mc 10,21)
6 ἦν γὰρ πλούσιος (cf. Lc 18,23).

221. J. D. Crossan, *Empty Tomb and Absent Lord* (*Mark 16: 1-8*), dans W. H. Kelber, *The Passion in Mark* (cf. *supra*, n. 137), 1976, p. 135-152, spéc. p. 147-148.

222. Sur ce point, voir la réticence de B. Standaert (cf. *supra*, n. 176).

223. M. Smith, *Clement of Alexandria and a Secret Gospel of Mark*, Cambridge (Mass.), 1973. Les auteurs de l'article s'y réfèrent dans un *Addendum* (p. 547-548). Cf. p. 548: «... the secret gospel probably is no later than the second century. The baptismal interpretation of 14:51-52 is thus 'orthodox' and fairly early».

224. *Op. cit.*, p. 531-536 (voir p. 535, sur le rapprochement de 14,51-52 et 16,5 «dans un sens initiatique»). Cf. p. 537: dans la mesure où l'attestation est certaine, «il est permis d'y voir une sérieuse confirmation de l'hypothèse de départ» (le contexte baptismal de Mc).

225. Cf. Mc 16,3.5, mais aussi Mt 28,2b καὶ προσελθὼν ἀπεκύλισεν τὸν λίθον (*v.l.* ἀπὸ τῆς θύρας τοῦ μνημείου). Sur ὅπου ἦν, voir Mc 5,40 (cf. *infra*).

226. Cf. Jn 3,2 ἦλθεν πρὸς αὐτὸν νυκτός. Comparer III,9 avec Jn 1,39.

Le motif de Mc 10,21 y a été renversé, mais il apparaît encore en association avec le thème johannique du disciple que Jésus aimait: ἡ ἀδελφὴ τοῦ νεανίσκου ὃν ἠγάπα αὐτὸν ὁ Ἰησοῦς (III,15). Mais le jeu des associations ne s'arrête pas là: la sœur du jeune homme se voit rapprochée de la Syrophénicienne (Mc 7,25; Mt 15,22.25)[227], et le jeune homme ressuscité de la fille de Jaïre: καὶ εἰσελθὼν... ὅπου ἦν ὁ νεανίσκος... ἤγειρεν αὐτὸν κρατήσας τῆς χειρός (III,2-4), à comparer avec Mc 5,39a καὶ εἰσελθὼν... 40c καὶ εἰσπορεύεται ὅπου ἦν τὸ παιδίον 41 καὶ κρατήσας τῆς χειρὸς... Pour ce dernier détail, le parallèle de Mc 1,31 est plus proche: ἤγειρεν αὐτὴν κρατήσας τῆς χειρός. On notera aussi la correspondance avec Mc 1,29:

III,5-6	καὶ ἐξελθόντες ἐκ τ. μ.	καὶ... ἐκ τ. σ. ἐξελθόντες
	ἦλθον εἰς τὴν οἰκίαν	ἦλθον εἰς τὴν οἰκίαν
	τοῦ νεανίσκου	Σίμωνος ...

La liste des réminiscences pourrait s'allonger encore. Dans une telle mixture, un rapprochement des deux νεανίσκοι de Mc n'a évidemment plus aucune signification[228].

* * *

Dans l'histoire de l'exégèse de Mc 14,51-52, le symbolisme christologique (et baptismal) apparaît comme un apport spécifique de notre époque. Les auteurs qui l'ont proposé, de Knox à Scroggs et Groff, commencent tous par noter l'invraisemblance des explications courantes et leur incapacité à saisir le véritable sens de l'épisode[229]. Selon Vanhoye, l'interprétation symbolique a le grand avantage d'expliquer 14,51-52 dans le contexte du récit de la passion (cf. 15,46; 16,5). Le contexte immédiat des deux versets intervient beaucoup moins dans cette explication[230]. N'est-ce pas là la grande faiblesse de l'hypothèse?

227. Cf. II,23-25: μία γυνὴ ἧς ὁ ἀδελφὸς αὐτῆς (Mc) ἀπέθανεν· καὶ ἐλθοῦσα προσεκύνησε (Mt) τὸν Ἰησοῦν (cf. Mc 5,6) καὶ λέγει αὐτῷ· υἱὲ Δαυὶδ ἐλεησόν με (Mt, cf. Mc 10,48). Comparer le pronom pléonastique ἧς ... αὐτῆς en Mc 7,25. L'autre *pronomen abundans* en III,15 pourrait provenir d'une conflation de ὃν ἠγάπα ὁ Ἰησοῦς (Jn) avec ἠγάπησεν αὐτόν (Mc 10,21).

228. R.E. Brown y voit une attestation ancienne de l'identification du «disciple que Jésus aimait» = Lazare. Cf. *CBQ* 36 (1974), p. 478, n. 28. Mais il faudrait multiplier les identifications: «le disciple que Jésus aimait», Lazare, le disciple anonyme de 1,39, Nicodème, le jeune homme riche, le jeune homme de Mc 14,51, etc.

229. Voir aussi M. Smith : «no plausible solution has hitherto been suggested». Selon lui, l'expression de 14,51 doit se comprendre à la lumière du parallèle dans le texte long (III,7-8 entre Mc 10,34 et 35): «The reader who had already read the longer text would realize that this youth, too, had come to be baptized» (*op. cit.*, p. 175-178: «The sheet over the naked body», spéc. p. 177). On notera que Smith se montre prêt à accepter un sens symbolique également pour Mc 10,50 (p. 176); cf. *infra*, n. 285.

230. *La fuite*, p. 403-404 (nº 4).

«Un jeune homme le suivait...»: il cherche à *suivre* Jésus, «qualité essentielle des disciples de Jésus»[231]. Au lieu du verbe simple qui est habituel en Mc, on trouve ici le composé συνηκολούθει: «Marc associe étroitement le jeune homme à Jésus»[232]. Pris au sens littéral, il serait «unnecessary, even meaningless», mais au sens symbolique, le verbe «stresses that the youth is explicitly a disciple of Jesus. He is the initiate»[233] ... Notons d'abord que le verbe composé est employé une fois ailleurs en Mc, dans le récit de la fille de Jaïre: καὶ οὐκ ἀφῆκεν οὐδένα μετ' αὐτοῦ συνακολουθῆσαι εἰ μὴ... (5,37). Les trois disciples préférés seront les seuls à accompagner Jésus; ils seront en effet associés étroitement à Jésus, mais on ne peut pas dire que le verbe συνακολουθέω y prend le sens religieux («symbolique») de la *Nachfolge* des disciples[234]. G. Kittel est formel: aux deux endroits, 5,37 et 14,51, Marc emploie le verbe composé «sicher... in der blossen Bedeutung des *äusseren Begleitens*. Die prägnante Bedeutung Nachfolge als Christusjüngerschaft ist dem Simplex ἀκολουθέω vorbehalten»[235]. On a sans doute raison d'invoquer les récits de vocation et les logia sur le renoncement:

1,17 δεῦτε ὀπίσω μου	2,14a ἀκολούθει μοι	10,21 δεῦρο ἀκολούθει μοι
18 ἠκολούθησεν αὐτῷ	15b ἠκολούθησεν αὐτῷ	28 ἠκολουθήκαμέν σοι

8,34 εἴ τις θέλει ὀπίσω μου ἀκολουθεῖν (*v.l.* ἐλθεῖν)
... καὶ ἀκολουθείτω μοι.

Mais en dehors du contexte de vocation, il est extrêmement rare que Marc fasse mention des *disciples* qui *suivent* Jésus. C'est le cas en 6,1c, dans l'introduction de l'épisode de Jésus à Nazareth, probablement en préparation de l'envoi en mission des disciples en 6,7-13: καὶ ἀκολουθοῦσιν αὐτῷ οἱ μαθηταὶ αὐτοῦ[236]. Ailleurs, Jésus apparaît

231. B. STANDAERT, *op. cit.*, p. 157.

232. A. VANHOYE, *La fuite*, p. 404. Depuis Lachmann et Tischendorf, la leçon συνηκολούθει (ℵBCL) est généralement admise (cf. 5,37). Le Textus Receptus lisait ἠκολούθει, avec D (+ αὐτούς) et lat. (*sequebatur*); la leçon est attestée par W Θ Φ λ 565 700 *pc* (cf. *infra*, n. 280). La variante ἠκολούθησεν (ℜ A Γ φ *pm*) a eu ses partisans au début du 19ᵉ siècle: cf. Griesbach («valde commendata»), Schulz, Fritzsche, Scholz.

233. R. SCROGGS & K.I. GROFF, *Baptism*, p. 541.

234. Ils accompagneront Jésus avec le père et la mère (cf. 5,40). Voir aussi R. PESCH, *Das Markusevangelium*, t. 2, 1977, p. 402.

235. G. KITTEL, art. ἀκολουθέω, dans *TWNT* 1 (1933), p. 216. Il est moins formel à propos du troisième emploi dans le N.T.: Lc 23,49 («vielleicht»). On notera cependant que Lc y combine deux expressions de Mc:

Lc 23,49	αἱ συνακολουθοῦσαι	αὐτῷ ἀπὸ τῆς Γαλιλαίας
Mc 15,41b	αἱ συναναβᾶσαι	αὐτῷ εἰς Ἱεροσόλυμα
41a	αἵ ( ) ἠκολούθουν	αὐτῷ (ἐν τῇ Γαλιλαίᾳ),

et dans le même contexte, il emploie une variante avec un autre composé συν-: cf. 23,55 αἵτινες ἦσαν συνεληλυθυῖαι ἐκ τῆς Γαλιλαίας αὐτῷ.

236. Cf. E. GRÄSSER, dans *NTS* 16 (1969-70), p. 10-11; R. PESCH, *Das Markusevangelium*, t. 1, p. 315. Grässer compare 6,1c avec la mention des disciples en 3,7, et Pesch avec celle de 2,15, en préparation en 3,13ss. (On notera cependant aussi que le rappel de la présence des disciples peut s'expliquer à la lumière du récit qui

en compagnie de ses disciples[237], mais le verbe ἀκολουθέω s'applique à la foule qui suit:

2,15 τῷ Ἰησοῦ καὶ τοῖς μαθηταῖς αὐτοῦ·
ἦσαν γὰρ πολλοὶ καὶ ἠκολούθουν αὐτῷ
(cf. 15b πολλοὶ τελῶναι καὶ ἁμαρτωλοί)[238]
3,7 ὁ Ἰησοῦς μετὰ τῶν μαθητῶν αὐτοῦ...
καὶ πολὺ πλῆθος... [ἠκολούθησεν].
(cf. 8b πλῆθος πολύ,... ἦλθον πρὸς αὐτόν)
5,24 καὶ ἀπῆλθεν μετ' αὐτοῦ
καὶ ἠκολούθει αὐτῷ ὄχλος πολύς.

La parole de Jean en 9,38 sur l'exorciste qui οὐκ ἠκολούθει ἡμῖν (nous, c.-à-d. Jésus et ses disciples) ne contredit pas cette présentation. «Lorsqu'il était en Galilée», des femmes «le suivaient» (15,41). En route vers Jérusalem, Jésus marche devant ses disciples: καὶ ἦν προάγων αὐτοὺς ὁ Ἰησοῦς, καὶ ἐθαμβοῦντο (10,32b), mais ici encore ceux qui «suivent» ne sont probablement pas les disciples: οἱ δὲ ἀκολουθοῦντες ἐφοβοῦντο (10,32c)[239]. Comparer 10,52 καὶ ἠκολούθει

précède: cf. 5,37!) Selon Pesch, dont on connaît pourtant le jugement très réservé en ce qui concerne la rédaction de Mc (cf. *ETL* 53, 1977, 153-181; 55, 1979, 1-42), l'emploi de ἀκολουθέω serait rédactionnel en 2,14a.b.15; 6,1; 10,21.28. Comparer U. LUZ, dans *ZNW* 56 (1965), p. 12, n. 9: rédactionnel en 2,15(?); 3,7; 5,24; 6,1; 10,32(?).52.

237. S'il est vrai qu'«en Marc plus qu'en aucun des autres évangiles, Jésus est partout en compagnie de ses disciples» (É. TROCMÉ, *La formation*, p. 128), Marc ne l'exprime normalement pas par le verbe ἀκολουθέω. Cf. C.H. TURNER, *Marcan Usage. V. The movements of Jesus and his disciples and the crowd*, dans *JTS* 26 (1925) 225-240; spéc. p. 238-240: *vi. The word 'to follow'*, ἀκολουθεῖν. Turner signale plus particulièrement «the changes which the two later Synoptists make by introducing ἀκολουθεῖν of the disciples 'following' Jesus, where Mark had spoken of Jesus and the disciples as a single group» (p. 227); cf. p. 240: 4,36 (Mt 8,23); 9,38 (Lc 9,48); 14,26 (Lc 22,39). Mc emploie deux fois ἀκολουθέω à propos des disciples: en 2,15 (voir cependant n. 238) et 6,1 (p. 240: peut-être au sens littéral, «they 'followed' at an interval»). Ailleurs, Mc ne l'emploie pas dans la narration évangélique: les disciples «did not 'follow' but rather accompanied their Master» (p. 239).

238. Cf. R.P. MEYE, *Jesus and the Twelve. Discipleship and Revelation in Mark's Gospel*, Grand Rapids (Mich.), 1968, p. 142-145. Voir aussi p. 121, sur ἀκολουθέω comme «terminus technicus for discipleship», la présupposition de ceux qui expliquent la parenthèse en référence à τοῖς μαθηταῖς αὐτοῦ, première mention des «disciples» dans l'évangile de Mc (cf. C.H. Turner, R. Pesch, e.a.).

239. Cf. R. PESCH, t. 2, p. 148: «Jesus führt den Zug der Jünger (αὐτούς) und der nachfolgenden Festpilger (οἱ δὲ ἀκολουθοῦντες) an». Selon Pesch, Marc comprend l'image «im Rahmen seiner Nachfolgethematik (8,34ff) paradigmatisch» (*ibid.*), mais il renvoie lui-même à l'emploi de προάγω en 14,28 et 16,7 «wo freilich das Hirtenbild dominiert» (n. 2).

Turner fait de (προάγων) αὐτούς et οἱ δὲ ἀκολουθοῦντες un seul groupe: «Jesus went on ahead, the disciples 'followed' at a distance, and then he took them up again into his company. ... That is to say, their normal position was at his side, he in the midst of them: it was exceptional that they should be behind him» (p. 239). Mais cela reste vrai si les αὐτοὺς (... καὶ ἐθαμβοῦντο), et non les ἀκολουθοῦντες, sont les disciples; cf. 10,46: Jésus, ses disciples, la foule. Pour comprendre le point

αὐτῷ ἐν τῇ ὁδῷ (Bartimée)[240] et 11,9 οἱ προάγοντες καὶ οἱ ἀκολουθοῦντες (la foule). Dans l'instruction aux deux disciples qui doivent préparer la Pâque (14,13), le verbe est employé au sens littéral: ἀκολουθήσατε αὐτῷ (c.-à-d. l'homme portant une cruche d'eau). Et lorsqu'il est dit de Pierre, après l'arrestation de Jésus: ἀπὸ μακρόθεν ἠκολούθησεν αὐτῷ (14,54), c'est encore au sens littéral qu'on le comprendra. Dans ces conditions, ne déclarons pas trop vite que συνηκολούθει αὐτῷ en 14,51 pris au sens littéral serait «meaningless». Essayons plutôt de le comprendre dans son contexte.

d. *L'exégèse traditionnelle de Mc 14,51-52*

Face au symbolisme christologique (et, baptismal) d'une certaine exégèse récente, les autres interprétations peuvent être rassemblées sous le titre d'exégèse traditionnelle. Mais chaque époque a connu sa propre lecture de Mc 14,51-52. L'exégèse ancienne s'est beaucoup occupée du problème de l'identification du jeune homme. D'après l'opinion patristique la plus répandue, c'était l'apôtre Jean (Ambroise, Grégoire, e.a.). L'analogie entre le jeune homme qui suit Jésus après l'arrestation et «l'autre disciple» qui, avec Pierre, suit Jésus en Jn 18, 15-16 joue d'ailleurs encore un rôle dans l'exégèse johannique récente[241]. Théophylacte signale deux autres identifications: Jacques

de vue de Turner, il faut savoir qu'il propose de lire ἐθαμβεῖτο au singulier, dit de Jésus (cf. *The Study of the New Testament*, p. 62; *Mark*, p. 50-51). D'autres lisent καὶ οἱ *loco* οἱ δέ. Dans un article récent, E. Best opte également pour un seul groupe, plus large que celui des douze. Cf. *Mark's Use of the Twelve*, dans *ZNW* 69 (1978) 11-35, p. 21-24. En 10,32, Mc aurait eu l'intention «to widen what was said to the twelve so that it becomes relevant for all disciples» (p. 24): une explication pour le moins inattendue de παραλαβὼν πάλιν τοὺς δώδεκα (qu'il attribue pourtant à la rédaction: cf. p. 22)! Sur 10,32, cf. K. STOCK, *Boten aus dem Mit-Ihm-Sein*, p. 130-132.

240. L. Schenke n'hésite pas à écrire: «Es dürfte kein Zweifel sein, dass ἀκολουθέω hier... 'in dem spezifischen Sinne der christlichen Nachfolge' verwendet wird» (*Die Wundererzählungen*, p. 355: cf. K.-G. Reploh et U. Luz; p. 351, n. 1030). Cf. E.S. JOHNSON, Jr., *Mark 10:46-52: Blind Bartimaeus*, dans *CBQ* 40 (1978) 191-204, p. 202-203, n. 65: «By using the imperfect... Mark indicates that one must keep on following if one is to be a true disciple». C'est l'avis de plusieurs commentateurs. Voir cependant la réaction de R. Pesch, t. 2, p. 174: «konkret (an den Zug Jesu) gebundene Demonstration»; «duratives Imperfekt, das den Anschluss auf dem Weg beschreibt» (au niveau du récit prémarcien). Voir aussi les réserves de J. Wellhausen et E. Klostermann.

241. Cf. F. NEIRYNCK, *The 'Other Disciple' in Jn 18,15-16*, dans *ETL* 51 (1975) 113-141, p. 135-136: «In the identification attempts there is one harmonistic trait which is common to a good number of them: the other disciple is no other than the young man of Mk 14,51-52 (John the evangelist, Lazarus, John Mark, the Hierosolymite disciple). Should it be excluded that this association of Mk 14,51-52 and Jn 18,15-16 is still a hint for the interpreter of John? If the Fourth Evangelist was acquainted with the Gospel of Mark, the inclusion of another disciple as the companion of Peter after the arrest of Jesus is not entirely his own invention».

le frère du Seigneur (Épiphane) et, avec plus de vraisemblance, un habitant de la maison où Jésus a fait la cène (Victor). Ce sont les trois opinions des *boni auctores* qui sont citées encore au 16ᵉ siècle, d'ailleurs sans beaucoup de conviction: «Quis iste fuerit adolescens, non solum diffinire temerarium, sed etiam quaerere nimium curiosum dicerem...» (Maldonat). Ce ne peut être Jean ou un des disciples de Jésus: à cause de son jeune âge, l'indécence de son accoutrement, et la notation de 14,50 qui dit qu'ils ont tous fui. L'opinion de Théophylacte semble être la seule acceptable[242], mais les auteurs du 16ᵉ et du 17ᵉ siècle ont une nette préférence pour une variante de cette hypothèse: «credibilius est tamen fuisse quempiam ex villa proxima Gethsemani, qui tumultu excitatus e lecto prosilierit, studio discendi quid ageretur»[243]. L'hypothèse a connu beaucoup de succès, jusque dans le tout dernier commentaire sur Mc: le jeune homme inconnu serait un «Schaulustiger, der vielleicht in der Nähe wohnte»[244].

Cependant, les exégètes du 19ᵉ siècle se sont posé des questions sur le caractère insignifiant de l'épisode. À ce propos, l'observation de H. Olshausen mérite d'être citée: «Diese Mittheilung erhält nur dann eine Bedeutung, wenn wir annehmen, die Persönlichkeit von der sie berichtet wird, sei in irgend einer Art merkwürdig. Mir ist am wahrscheinlichsten, dass Mr. hier von sich selbst erzählt»[245]. La solution a fait école, jusqu'à nos jours. Parmi les nombreux partisans,

242. Cf. *PG* 123, 657. (Voir aussi Euthymius, *PG* 129, 693.) Elle résiste même au scepticisme de Maldonat: «Quod etsi satis probari non potest, tamen eo ipso probabilius est, quod non potest ullis argumentis refutari» (éd. 1853, p. 616). P. Schanz la défend encore en 1881 (*Marcus*, p. 395). L'hypothèse se survit dans la théorie qui identifie le jeune homme de la maison du cénacle = Jean Marc (Ac 12,12) = l'évangéliste Marc (cf. *infra*, n. 245-246).

243. JANSENIUS, *Tetrateuchus* (1639), éd. 1776, p. 348. Même formulation chez Lucas Brugensis (*Commentarius*, 1606): «Magis verisimile est, quod fuerit aliquis ex villa Gethsemani...» (p. 130). Cette opinion est le plus souvent citée comme l'hypothèse de Grotius (*Annotationes*, 1641), mais on la trouve déjà au 16ᵉ siècle chez Cajétan; cf. *Evangeliacum Commentarium Cajetani*, Venise, 1530, p. 81 B: ce n'est pas un des apôtres... «Verisimile autem est adulescentulum hunc fuisse forte filium hortulani qui exurgens ex lecto linteamine super nudum coopertus (ad videndum forte quidnam esset auditus strepitus cohortis et ministrorum) tanquam non discipulus nihil sibi timens sequebatur Jesum».

244. R. PESCH, t. 2, 1977, p. 402. Il se réfère à V. Taylor (p. 562), qui lui-même renvoie à Lagrange (p. 397).

245. H. OLSHAUSEN, *Die Leidensgeschichte des Herrn nach den vier Evangelien* (Biblischer Commentar NT, II/2), Königsberg, ⁴1862 (= 1837), p. 124. L'opinion est citée comme celle de Olshausen par Meyer (⁴1857, p. 185) et de Wette (³1846, p. 245). Cf. T. ZAHN, *Einleitung*, t. 2, § 53, n. 6: «wohl zuerst Olshausen vermutungsweise, dann in sorgfältigerer Ausführung Klostermann». En 1881, P. Schanz note que la théorie est devenue «ziemlich allgemein üblich... (Olsh., Lange, Reischl, Bisping, J. Grimm, Lichtenstein, Klostermann, Ewald, Volkmar, Weiss, Keil)» (p. 395).

T. Zahn l'a défendue avec le plus de verve[246]. D'autres critiques qui se montrent peu enclins à y voir ainsi la signature de l'évangéliste gardent néanmoins l'idée du témoin oculaire: Marc évoque la présence d'un témoin qui peut garantir la véracité du récit de l'arrestation[247]. C'est l'hypothèse qui, au 20e siècle, aura la faveur des auteurs de la *Formgeschichte*[248]. Par leur insistance sur l'ancienneté de la tradition et sur le jeune homme témoin de l'événement historique, ils se situent à l'extrême opposé des critiques qui tiennent 14,51-52 pour une composition de l'évangéliste. De l'avis de A. Loisy (1908)[249] et E. Klostermann (1926)[250], la scène du jeune homme qui s'enfuit nu lui aurait été suggérée par une interprétation messianique de Amos 2,16: «le plus vaillant de ces héros s'enfuira, tout nu, ce jour-là» (TM). Ils ont été suivis, avec une conviction fort inégale, par C.G. Montefiore, J. Finegan, E. Haenchen, D.E. Nineham, E. Linnemann, G. Schnei-

246. Cf. *Einleitung*, t. 2, Leipzig, ³1907, p. 249-250 (§ 53). Voir aussi son effort, peu heureux en ce qui concerne Jean et Jacques, d'expliquer dans ce sens la tradition patristique: p. 216-217 (§ 51, n. 6). Par contre, il ne cite pas le fragment ancien signalé par J. Weiss (*Das älteste Evangelium*, p. 406-407; cf. Possinus, p. 328): ἕτεροι δὲ λέγουσι μὴ τὸν Ἰάκωβον ἀλλὰ τὸν παρόντα εὐαγγελιστήν. διὸ καὶ τὸ ὄνομα ἑκὼν ἐσιώπησεν. H.J. Holtzmann reprend l'image de Zahn: «Das Monogramm des Malers in einer dunklen Ecke des Gemäldes» (1889, p. 284; ³1901, p. 176). Voir aussi les commentaires de Gould, Swete, Wohlenberg, Hauck, Schniewind, Lagrange (probable), Huby, Pirot, Keulers, Grundmann, Carrington. Kümmel (p. 67, n. 52) signale les introductions de Albertz, Feine-Behm, Harrison, Henshaw, Höpfl-Gut, Meinertz, Michaelis. On notera que, selon É. Trocmé (*La formation*, 1963), il s'agit d'un trait qui est dû à Marc, «auteur» du récit de la passion: Mc 14,51-52 serait un trait «peu liturgique», aux apparences «auto-biographiques», «un souvenir de jeunesse de Jean Marc le Jérusolémite» (p. 194, n. 70).

247. E. MEYER, *Ursprung und Anfänge des Christentums*, t. 1, Stuttgart-Berlin, 1921 (= ⁴·⁵1924), p. 151, n. 2: «Es ist der vortreffliche Bericht eines Augenzeugen, der hier vorliegt, aber keineswegs der des Schriftstellers selbst».

248. M. DIBELIUS, *Die Formgeschichte*, p205: «die Leidensgeschichte selbst (verweist) Mk 14,51; 15,21 auf Augenzeugen»; cf. p. 183-184: les événements de l'arrestation et de la crucifixion sont basés «auf das Zeugnis Mitlebender». ... «Und dieses Interesse verleiht auch dem Nebensächlichen seine Bedeutung wenigstens für die, denen die erwähnten Personen noch bekannt sind»; *Botschaft und Geschichte*, t. 1, p. 275: «die Berufung auf einen Augenzeugen der Szene». Voir aussi G. BERTRAM, *Die Leidensgeschichte Jesu und der Christuskult* (FRLANT, 32), Göttingen, 1922, p. 51: «wirkliche Überlieferung ..., die für Kenner der Verhältnisse und Personen wertvoll sein musste»; R. BULTMANN, *Die Geschichte*, p. 290: «das Rudiment alter Tradition» (cf. A. JÜLICHER, *Einleitung in das Neue Testament*, Tübingen, ⁵⁻⁶1906, p. 276: «ein Stück uralter Tradition»); E. LOHMEYER (p. 324); V. TAYLOR (p. 562); D. DORMEYER, *Die Passion Jesu*, p. 145 (cf. Dibelius).

249. A. LOISY, *Les évangiles synoptiques*, t. 2, Paris, 1908, p. 591; *L'évangile selon Marc*, Paris, 1912, p. 424. Cf. *infra*, n. 255.

250. E. KLOSTERMANN, *Das Marcusevangelium* (HNT, 3), Tübingen, ²1926, p. 171: «wahrscheinlich hat der Schriftsteller die Flucht der ganzen Umgebung Jesu noch um ein prophetisches Motiv bereichern wollen»; ³1936, p. 153: il y ajoute une référence à Mc 13,16 (= ⁴1950, ⁵1971). Dans la première édition (1907), il parle d'un motif populaire qui rappelle Gn 39,12 (p. 129).

der[251]. La discussion sur l'influence de Am 2,16 date déjà du 19e siècle. Dans son commentaire, H.A.W. Meyer fait le reproche à Wilke de considérer 14,51-52 «als späterer Zusatz (nach Amos 2,16)»[252]. En 1869, G. Volkmar trouve en Am 2,16 le *Typus* du récit, mais la réminiscence ne lui paraît pas être une entrave à l'historicité[253]. Par contre, pour T. Keim (1872), qui se réfère à Volkmar, il s'agit d'expliquer à partir de Am 2,16 (et Mt 5,40; 24,18 = Mc 13,16) l'origine même de Mc 14,51-52[254]. Loisy parle d'«un trait conçu par application de prophétie» et de «l'interprétation messianique» de Am 2,16[255]. R. Bultmann rejette cette explication, qu'il qualifie de *Weissagungsbeweis*[256], et M. Dibelius fait observer que Am 2,16 ne joue aucun rôle ailleurs dans l'argumentation messianique[257]. Il convient de rappeler ici que d'autres commentateurs font le rapprochement avec le parallèle de Am 2,16, signalé déjà par Wettstein en 1751,

251. C.G. MONTEFIORE, *The Synoptic Gospels*, t. 1, London, 1909, p. 344: il renvoie à Loisy et à «the old hypothesis» qui l'explique par Am 2,16 et Gn 39,12; ²1927, p. 350: il ajoute une citation de Klostermann; J. FINEGAN, *Die Überlieferung der Leidens- und Auferstehungsgeschichte Jesu* (BZNW, 15), Giessen, 1934, p. 71: un trait novellistique, influencé par Am 2,16 (cf. Wendling); la référence est citée dans l'*Ergänzungsheft* de Lohmeyer, ²1963, p. 19; E. HAENCHEN, *Der Weg Jesu*, Berlin, 1966, p. 503, n. 12: «vielleicht war Amos 2,16 die Quelle?»; D.E. NINEHAM, *Mark*, 1963, p. 397: «despite many commentators, it is possible that a fulfilment of Amos 2,16 (and ? Gen. 39,12) was seen in the story»; E. LINNEMANN, *Studien*, 1970, p. 52: «Es wäre möglich ... Es lässt sich allerdings nicht mit Sicherheit sagen ...» (ces nuances ont été négligées par Dormeyer, *op. cit.*, p. 145, n. 501); W. SCHENK, *Der Passionsbericht*, 1974, p. 211: «Die Anspielung... sollte man nicht bestreiten» (caractéristique de la source). Cf. G. SCHNEIDER, *Die Verhaftung Jesu. Traditionsgeschichte von Mk 14, 43-52*, dans *ZNW* 63 (1972) 188-209, p. 195: rédaction de Mc; p. 206: «vielleicht nach Am 2,16 und Mk 13,14-16» (cf. p. 205, n. 96). L'auteur s'exprime d'une façon plus voilée dans *Die Passion Jesu*, 1973, p. 47-48. Dans *Der gekreuzigte Christus* (1974), L. Schenke se réfère à l'article de Schneider (p. 116: «Die Analyse Schneiders kann insgesamt überzeugen»); il admet que Marc «diese Episode selbst gebildet hat, ...», mais l'influence de Am 2,16 serait «wenig wahrscheinlich und kaum nachprüfbar» (p. 122). H.C. Kee signale Am 2,16 (Mc 14,51-52) dans la liste des allusions scripturaires: *The Function of Scriptural Quotations and Allusions in Mark 11-16*, dans E.E. ELLIS & E. GRÄSSER, *Jesus und Paulus. Fs. W.G. Kümmel*, Göttingen, 1975, p. 165-188 (p. 170).

252. *Markus und Lukas*, ⁴1857, p. 186. Voir cependant C.G. WILKE, *Der Urevangelist*, Dresden, 1838, p. 492, n. 1 («ganz sicherlich interpoliert»); il ne mentionne pas Am 2,16.

253. *Marcus und die Synopse der Evangelien*, Zürich, (1869), ²1876, p. 578: «Der Typus allein hindert nicht die Geschichtlichkeit».

254. *Geschichte Jesu von Nazara*, t. 3, Zürich, 1872, p. 318-319.

255. Cf. *supra*, n. 249. Il connaît la thèse de Keim à travers la réfutation de W. Brandt (p. 591, n. 3); cf. W. BRANDT, *Die evangelische Geschichte und der Ursprung des Christentums auf Grund einer Kritik der Berichte über das Leiden und die Auferstehung Jesu*, Leipzig, 1893, p. 27-28.

256. *Die Geschichte*, p. 290, n. 1 (note ajoutée en ²1931). Sur l'absence du motif en Mt, voir la réponse de Linnemann (cf. *supra*, n. 251).

257. *Die Formgeschichte*, p. 183, n. 1.

sans en tirer la même conclusion (Holtzmann)[258]. E. Wendling ne se réfère pas exclusivement à Am 2,16: l'abandon du vêtement serait «ein anschauliches Motiv für eilige Flucht (Gen 39,12 Amos 2,16 Mc 13,16) aus der apokalyptischen Dichtung»[259]. Et Bultmann fait la distinction: il peut y être question d'un *Fluchtmotiv* populaire qui n'explique pas pour autant l'origine de l'épisode du jeune homme[260].

En plus de l'influence de Am 2,16, T. Keim avait suggéré un contact subsidiaire avec Mc 13,16: «que celui qui sera aux champs ne retourne pas en arrière pour prendre son manteau». La référence est citée aussi par Wendling et, en 1936, par Klostermann. A. Farrer en fait mention dans un relevé plus complet des contacts entre le discours apocalyptique et le récit de la passion[261], mais n'ajoute rien au parallèle essentiel: l'abandon du vêtement lors de la fuite[262].

Concluons cet aperçu par le problème de l'intention de l'évangéliste. Dans la mesure où ils ne se contentent pas de dire que Marc raconte un souvenir personnel, ou présente un témoin de l'événement, ou cite simplement une tradition ancienne, les exégètes, anciens et modernes, sont assez d'accord: «Narrat hanc de adolescente historiam Marcus, ut doceat, quanti periculi fuerit ea nocte Christum sequi, quamque ingens fuerit hostium Christi furor, ...» (Lucas Brugensis)[263]. On notera que le sens positif de la fuite qui est à la base de l'interprétation christologique (le jeune homme s'échappe; sa fuite est une libération, une victoire), n'a guère été souligné avant J. Knox.

e. *Critique du symbolisme*

L'interprétation christologique s'appuie avant tout sur le rapprochement de περιβεβλημένος σινδόνα ἐπὶ γυμνοῦ avec 15,46: «Jésus

258. *Die Synoptiker*, ³1901, p. 176: «was einigermassen an Gen 39,12, Am 2,16 erinnert» (cf. 1889, ²1892, p. 284: «an Am 2,16»). Voir déjà G. Volkmar (n. 253).

259. *Die Entstehung des Marcus-Evangeliums*, Tübingen, 1908, p. 183.

260. Cf. *supra*, n. 256 (il se réfère à Bertram, *loc. cit.*).

261. *A Study in St Mark*, p. 135-141, spéc. p. 141.

262. Les précisions ajoutées par Farrer risquent plutôt de le compromettre; cf. A. VANHOYE, *La fuite*, p. 403. — Nous croyons moins utile de faire état des spéculations sur la «nudité» comme telle. Vanhoye se réfère au livre de E. Haulotte (cf. *supra*, n. 215): selon la Bible, la nudité ne peut trouver d'excuse que «dans le cas de force majeure», comme en Mc 14,52; «une sorte de 'coup de filet' eschatologique (cf. Ap 16,15) a lieu alors» (*Symbolique*, p. 85; cf. *La fuite*, p. 403, voir aussi p. 405 et 406).

263. Comparer P. SCHANZ, 1881, p. 395: «(die) Absicht ..., in einem concreten Bildchen die ganze Gefährlichkeit der Situation, die Wuth und Wildheit der Feinde Jesu darzustellen»; R. PESCH, t. 2, 1977, p. 402: «Die Episode veranschaulicht noch einmal die Gewalttätigkeit der gegen Jesus aufgebotenen Rotte». Voir aussi W. BRANDT, *Die evangelische Geschichte*, 1893, p. 28: «Die Nachricht von diesem am sich ganz bedeutungslosen Erlebniss ist dadurch wichtig, dass sie den Bericht von der allgemeinen Flucht und ihren Charakter als den einer wahren Panik verbürgt».

se trouve alors dans la même tenue que le jeune homme: il n'a qu'un drap pour se couvrir»[264]. J. Knox et A. Vanhoye ont voulu élargir ce parallèle pour y inclure aussi καταλιπὼν τὴν σινδόνα: «comme le jeune homme, Jésus laissera le drap et s'échappera». Nos deux auteurs ont l'honnêteté de faire observer que Marc «n'explicitera pas ce point». Mais leur méthode devient suspecte lorsqu'ils veulent emprunter à Jn 20,5-7 ce qu'ils n'ont pu trouver en Mc[265]. R. Scroggs et K.I. Groff (à la suite de A. Farrer) insistent plutôt sur le contraste entre le jeune homme «who is stripped of the linen» et Jésus «who is wrapped in»[266].

Mais que penser du premier élément du parallélisme: «enveloppé d'un drap sur [son corps] nu»? On le rapproche de 15,46 (ἐνείλησεν τῇ σινδόνι), mais c'est aussi, nous dit-on, «le trait immédiatement reconnaissable» de la situation baptismale[267]. B. Standaert appuie cette affirmation d'une référence à l'article de Scroggs et Groff. Ces auteurs parlent en effet de «the emphasis upon the nakedness of the *neaniskos*»[268], mais ils semblent se contredire eux-mêmes puisqu'ils retranchent du texte de Mc les mots ἐπὶ γυμνοῦ[269]. Sans ces mots, on voit mal comment περιβεβλημένος σινδόνα puisse encore «évoquer avant tout la situation vécue du baptême». Comme en 16,5, le verbe περιβεβλημένος doit se traduire par «vêtu de», et, contrairement à 15,46, le mot σινδών, construit ici avec περιβεβλημένος et καταλιπών, indique fort probablement le manteau du jeune homme.

Il importe en effet de bien lire le texte, dépouillé de tout ce que l'imagination a pu construire autour. Beaucoup de commentateurs y voient la description d'un homme arraché au sommeil qui vient voir en toute hâte, «enveloppé d'un drap»[270], en vêtement de nuit[271],

264. A. VANHOYE, *La fuite*, p. 406.

265. *Ibid.*, p. 406, n. 2. Knox y ajoute même le témoignage des apocryphes (cf. *supra*, n. 200).

266. *Baptism*, p. 541: «The death facing the young man is taken up by Jesus himself». Comparer la formulation de A. Farrer (cf. *supra*, n. 201). Scroggs et Groff renvoient à Farrer et Knox sans noter la différence (*art. cit.*, p. 541, n. 38).

267. B. STANDAERT, *op. cit.*, p. 160. Cf. p. 161, n. 1.

268. *Baptism*, p. 541.

269. *Ibid.*, n. 36: «Lohmeyer is probably right ...».

270. Cf. LUCAS BRUGENSIS (cf. *supra*, n. 243), p. 130: «Circumamictus, vel potius circumjecta *sindone*, id est, linteamine panno lineo, quo nudum dormientis corpus fuerat involutum ... Uno tegere lentio nudum corpus, non est communis vestiendi se modus, sed proprius iis quos subito e strato exsilire necessitas cogit».

271. Voir WETTSTEIN: «Veste dormitoria»; il cite entre autres parallèles un texte de Galien: μὴ γυμνὸς κοιμίζεσθαι ἀλλὰ περιβεβλημένος σινδόνα (p. 631). Cf. Swete et Lagrange (p. 396: «Le σινδών est donc une sorte de peignoir»). Voir aussi C. SPICQ, *Pèlerine et vêtements (À propos de II* Tim. *IV,13 et* Act. *XX,33)*, dans *Mélanges Eugène Tisserant*, t. 1 (Studi e Testi, 231), Cité du Vatican, 1964, p. 389-417, spéc. p. 395, n. 19; *Notes de lexicographie néo-testamentaire* (Orbis biblicus et orientalis, 22), Fribourg (CH)-Göttingen, 1978, p. 603, n. 2 («un peignoir»). À la suite de Lagrange, il rapproche

ou en chemise (Pesch: «umgeworfen ein Hemd auf blossem Leibe»)[272]. Mais, puisque le verbe περιβεβλημένος n'exprime pas par lui-même une telle nuance[273], ce sont les mots ἐπὶ γυμνοῦ qui déterminent cette interprétation[274]. De ces mêmes mots dépend aussi le sens de γυμνός au v. 52[275]. Le problème textuel que pose l'expression ἐπὶ γυμνοῦ mérite donc notre attention.

Plusieurs critiques se sont prononcés en faveur de l'omission: M. Goguel (1932), P.-L. Couchoud (1933), E. Lohmeyer (1937), V. Taylor (1952) et, avec hésitation, C.E.B. Cranfield (1959)[276]. Trois variantes se présentent:

om.	W λ *c k* sy^{s} sa
γυμνός	Θ φ 565 sy^{p} eth
ἐπὶ γυμνοῦ	B D etc. (texte courant).

Mc 14,51-52 de Eus., *HE* VI,40,7 (voir cependant *infra*, n. 287). Il se réfère également à *P.Mich.Zénon* 72 (*l.* 21-22 σινδόνας β καὶ προσκεφάλαια δ) et *P.Cair.Zénon* 54474 (*l.* 16 σινδόνα καὶ χιτῶνα), mais on ne peut pas dire que le sens «d'une sorte de peignoir [dont] les riches s'enveloppaient pour dormir» y apparaît clairement.

272. Cf. W. Bauer, art. σινδών, 2. La 5e édition (1958) signale le parallèle de Appien, *Iber.* 35, § 143: ἐν χιτῶσι μόνοις. On y trouve aussi une référence à Diog. Laerc. VI, 90, sur le costume de certains cyniques: σινδόνα ἠμφίεστο, ... σινδόνα περιβεβλημένον (texte cité par F. Field, *Notes*, 1899, p. 40; et déjà par G.F. Heupel, *S. Marci Evangelium*, 1716, p. 468).

273. Cf. F. Field, *Notes*, 1899, p. 40: «Perhaps the rendering 'cast about his body' [KJV, RV] conveys an idea of hurry and want of preparation, not in the original word, which is usually rendered 'clothed' or 'arrayed'». Cf. Mc 16,5. Il renvoie aussi à Ac 12,8, «where the whole narrative negatives the idea of a hastly flight». L'ange semble veiller à ce que Pierre s'habille comme il faut: ζῶσαι καὶ ὑπόδησαι τὰ σανδάλιά σου. ... περιβαλοῦ τὸ ἱμάτιόν σου.

274. Cf. R. Pesch, p. 402: «ἐπὶ γυμνοῦ... deutet auf eine voraufgegangene hastige Bekleidung». Seulement, l'argument ne se comprend pas très bien si σινδών désigne la tunique (*das Unterkleid, das Hemd*). Ceux qui traduisent: «n'ayant sur le corps nu qu'un drap, ou un vêtement quelconque» supposent plutôt qu'il n'a pas mis la tunique qu'on porte normalement «sur le corps nu».

275. Cf. C.E.B. Cranfield, *Mark*, p. 438: «if ἐπὶ γυμνοῦ is read, γυμνός in *v.* 52 must mean 'naked'». En revanche, si l'on prend γυμνός au sens de «im blossen Hemde» (vêtu seulement d'un sous-vêtement), l'expression ἐπὶ γυμνοῦ perd toute signification; cf. B. Weiss, *Markus und Lukas*, 61878, p. 203 (contre G. Volkmar).

276. M. Goguel, *La vie de Jésus*, Paris, 1932, p. 485, n. 1. Voir aussi *Jésus*, Paris, 1950, p. 374, n. 6. V. Taylor signale cette opinion de Goguel (dans la traduction: *The Life of Jesus*, London, 1933, p. 500), mais semble donner la priorité à Couchoud. Couchoud lui-même, ni aucun des autres auteurs, ne citent le nom de Goguel.

P.-L. Couchoud, *Notes de critique verbale sur St Marc et St Matthieu*, dans *JTS* 34 (1933) 113-138, p. 131. Dans ces notes, l'auteur réagit sur les observations de A. Pallis, *Notes on St Mark and St Matthew*, Oxford, 1932, p. 49-51. Selon Pallis, l'expression, fort inhabituelle pour dire «sur le corps» (cf. *infra*, n. 282), serait due à une corruption. Il la remplace par la conjecture ἀπ' Αἰγύπτου (en lin d'Égypte):

ΑΠΕΓΥΠ ΤΟΥ
ΕΠΙ ΓΥΜΝΟΥ

Couchoud laisse tomber la conjecture («précision un peu surprenante») et revient à l'hypothèse de Goguel. Voir aussi n. 279.

L'explication qu'en donne Goguel sera aussi celle des autres auteurs: «Ce mot γυμνός, corrigé ensuite en ἐπὶ γυμνοῦ, proviendrait de la confusion faite par quelques copistes avec le *verset* 52»[277]. Et encore: «C'est probablement le fait que certains copistes se sont mépris sur le sens du mot γυμνός au *verset* 52, qui explique qu'ils aient introduit γυμνός ou ἐπὶ γυμνοῦ»[278]. Déjà avant Goguel, en 1923, E. von Dobschütz avait signalé ἐπὶ γυμνοῦ comme «*Verdeutlichende Zusatz*... zur Erklärung des 52 folgenden γυμνος»[279].

Résumons les raisons qui peuvent plaider en faveur de la *lectio brevior*. (*1*) Les manuscrits grecs qui ont l'omission (W λ) ou la variante γυμνός (Θ φ 565) sont des témoins du texte Césaréen. L'importance du texte Césaréen de l'évangile de Mc est reconnue par beaucoup de critiques[280], surtout là où il est confirmé par des versions anciennes (l'omission est attestée par it[c.k] sy[s] sa)[281]. (*2*) L'ex-

E. LOHMEYER, *Markus*, 1937, p. 323: en dépendance de Pallis et Couchoud. Dans son commentaire, W. Grundmann renvoie à Lohmeyer, mais sans se prononcer (*Markus*, p. 297, n. 7). R. Scroggs et K.I. Groff se réfèrent également à Lohmeyer (cf. *supra*, n. 269).

V. TAYLOR, *Mark*, 1952, p. 561; C.E.B. CRANFIELD, *Mark*, 1959, p. 438: il discute le problème dans le sens de Taylor, pour conclure: «the textual problem cannot be regarded as settled beyond doubt».

277. *La vie de Jésus*, p. 485, n. 1. Couchoud sera plus précis sur l'origine de γυμνός au v. 51: le copiste saute du mot σινδόνα au v. 51 à σινδόνα au v. 52; il se corrige, mais sans effacer le mot: ΣΙΝΔΟΝΑΓΥΜΝΟΣ. L'explication sera reprise par Lohmeyer, Taylor et Cranfield.

278. *Ibid.*, p. 486. Même observation chez Pallis: «under the influence of γυμνὸς in v. 52, which was wrongly taken in its literal sense as meaning *naked*, whereas it means γυμνὸς τῆς σινδόνος, without his cloak» (p. 50).

279. E. VON DOBSCHÜTZ, *Eberhard Nestle's Einführung in das griechische Neue Testament*, Göttingen, 1923, p. 7. Il signale aussi l'autre variante («... haben tatsächlich auch in 51 schon γυμνος»), mais ce n'est pas, semble-t-il, un intermédiaire entre γυμνός (v. 52) et ἐπὶ γυμνοῦ. On notera que l'attention que reçoit l'omission s'explique en partie par l'importance qu'on donne au manuscrit W, publié en 1912: cf. p. 93: «Text sehr beachtenswert». En 1926, P.-L. Couchoud défend la même position dans le cadre de l'hypothèse d'un original latin de Mc: «circumdatus pallam Θ ajoute γυμνός BD ἐπὶ γυμνοῦ, pour expliquer que, la *palla* jetée, le jeune homme s'enfuira nu» (p. 183, sur les *Paraphrases*: le traducteur «ajoute des mots pour rendre plus complètement l'idée»). Cf. *L'évangile de Marc a-t-il été écrit en latin*, dans *RHR* 47 (1926) 161-192. En 16,2, il s'agit d'«une grande précision d'intérêt liturgique»: *mane*, D «au soleil levant», B «après le soleil levé» (p. 184).

280. Ces mêmes témoins ont cependant plusieurs leçons proches du texte Byzantin qui sont maintenant généralement rejetées. On citera comme leçons attestées par W Θ λ φ 565 dans ce passage: 14,50 τότε οἱ μαθηταί (—λ) | πάντες ἔφυγον (—565) | 51 κ. εἷς τις νεαν. (—565) | ἠκολούθει/-ησεν | οἱ δὲ νεανίσκοι | 52 ἀπ' αὐτῶν (—565) | 53 Καϊάφαν (—λ) | 54 ἠκολούθει. C'est une mise en garde, et rien de plus. Comparer la variante αὐτῷ après συνέρχονται en 14,53 (B ℜ cf. Textus Receptus, B. Weiss, hSV): l'omission en ℵ D L Δ (Volkmar, Tischendorf [8]1869) est confirmée par W Θ φ' 565 700 (cf. N N[26] M B).

281. Une anticipation de γυμνός (v. 52) par ἐπὶ γυμνοῦ au v. 51 pourrait se faire, me semble-t-il, sans l'intermédiaire de la leçon γυμνός (Θ). On notera aussi qu'on

pression ἐπὶ γυμνοῦ est étrange[282], et ceux qui l'expliquent comme une tautologie caractéristique du style de Mc ont tendance à poser le même problème à un autre niveau: ils supposent un texte prémarcien de 14,51-52 dans lequel Marc aurait inséré ἐπὶ γυμνοῦ par anticipation du γυμνός du v. 52[283]. (*3*) L'addition des mots ἐπὶ γυμνοῦ se comprend fort bien de la part de copistes qui lisent γυμνός (v. 52) au sens de «complètement nu». Puisque l'expression περιβεβλημένος σινδόνα prépare καταλιπὼν τὴν σινδόνα, mais ne suggère en rien que le jeune homme a la *sindon* sur le corps nu, il fallait ajouter ἐπὶ γυμνοῦ en préparation du γυμνός du v. 52. (*4*) Sans ἐπὶ γυμνοῦ, le récit se tient parfaitement: le jeune homme s'enfuit γυμνός, c.-à.d. dépouillé de son manteau. Qui lit περιβεβλημένος σινδόνα – καταλιπὼν τὴν σινδόνα, sans autre explication, songe normalement au vêtement de dessus, τὸ ἱμάτιον. C'est le manteau que l'agresseur enlève en cas de violence (cf. Lc 6,29b τοῦ αἴροντός σου τὸ ἱμάτιον)[284]. L'aveugle Bartimée «rejeta son manteau» pour courir plus vite (10,50)[285]. Et lorsqu'il s'agit de fuir, l'instruction est claire: «que celui qui sera aux champs ne retourne pas en arrière pour prendre son manteau»

n'a pas besoin d'un original sans ἐπὶ γυμνοῦ pour expliquer cette leçon γυμνός par une confusion des copistes comme le font Goguel, Couchoud, e.a. (cf. *supra*, n. 277).

282. L'observation a été faite par A. Pallis (cf. *supra*, n. 276) et reprise par Couchoud, Lohmeyer, Taylor, Cranfield: «the expression is singular»; au lieu de ἐπὶ γυμνοῦ (ἐπὶ γυμνοῦ τοῦ σώματος), on s'attend à ἐν χρῷ ou ἐπὶ χρωτός (cf. Lv 16,4 ἐπὶ τοῦ χρωτὸς αὐτοῦ). Les anciens parlent d'une tournure elliptique: ἐπὶ γυμνοῦ (σώματος); cf. *a*: «supra nudum corpus». De l'avis de certains, la forme elliptique «shows that it was much in use; probably in the phraseology of common life» (Bloomfield), mais ils ne citent aucun exemple. Au 19e siècle, l'explication de Fritzsche gagne du terrain: γυμνοῦ serait le génitif du substantif τὸ γυμνόν = le corps nu. Elle est reprise dans les lexiques de Grimm, Thayer, et Bauer. Tous citent l'emploi de τὰ γυμνά par Lucien, *Nav.* 33. (Voir cependant aussi Thucydide III,23,4; V,10,4 et 71,1; Xénophon, *Hell.* IV,4,12; cf. Liddell-Scott: «parts not covered by armour, exposed parts»). Ceux qui s'en tiennent à la forme elliptique (σώματος) font remarquer que γυμνοῦ en Mc 14,51 est au singulier et sans l'article (cf. P. Schanz).

283. Cf. W. SCHENK, *Der Passionsbericht*, p. 210.

284. Diff. Mt 5,40, qui suppose un procès juridique, et qu'on tient généralement, de A. Harnack à S. Schulz, pour plus primitif: voir cependant J. ERNST, *Lukas*, 1977, p. 226. On peut comparer Lc 6,29b avec P. Magd. 6,7 (IIIe av. J.-C.), cité par Moulton-Milligan comme illustration de «the familar sense of γυμνός = 'with only the χιτών'»: ὡς ἤμην γυμνὸς ὑπ' αὐ[τῶν]; «the complainant had been stripped of his ἱμάτιον» (*Vocabulary*, p. 133); d'après la restitution proposée par Jouguet-Lefebvre: [καὶ τὸ ἱμάτιον ὧι] περιεβεβλήμην ἀφείλοντο (*l.* 6). L'interprétation de J. Lesquier: il avait été dépouillé de son manteau «comme de sa tunique», ne s'impose pas (cf. *Papyrus Grecs*, t. 2, Paris, 1912, p. 80). Comparer *P. Fay.* 12,18-20: (ἐξέδυσαν ὃ περιεβεβλήμην ἱμάτιον καὶ τοῦτο ἀπηλλάγησαν ἔχοντες ἐξέντες γυμνόν (cité par Spicq, *Pèlerine et vêtements*, p. 393, n. 12).

285. ἀποβαλὼν τὸ ἱμάτιον αὐτοῦ. Cf. *Iliade* 2, 183: ἀπὸ δὲ χλαῖναν βάλε. R. Pesch (p. 173, n. 19) a raison de réagir contre les spéculations qu'inspire la leçon ἐπιλαβών 565 (cf. sys), mais peut-on parler de «durch Erinnerung diktierter Erzählung» (p. 173)?

(13,16)[286]. Quant à γυμνός au v. 52, l'emploi du mot au sens de ἐν χιτῶνι μόνῳ n'a rien d'extraordinaire[287].

La question reste à poser: pourquoi le mot σινδών s'il s'agit du manteau (ἱμάτιον) du jeune homme? Scroggs et Groff s'empressent d'affirmer que σινδών doit avoir une signification symbolique (cf. 15,46): il est inutile de s'arrêter sur le problème du coût de l'étoffe, car «the synoptic tradition is not interested in such historical details»[288]. Mais dans l'évangile de Mc, faut-il le rappeler, c'est un «riche» (15,43)[289] qui fait «acheter» (15,46)[290] la σινδών qui servira à la mise au tombeau de Jésus[291]. Dans une culture qui considère

286. ... ἆραι τὸ ἱμάτιον αὐτοῦ. Cf. M.-J. LAGRANGE, *Marc*, p. 342: «Qu'il fuie sans perdre un instant. L'idée est très naturelle, tirée des habitudes des paysans: *nudus ara, sere nudus* (VIRG. *Georg.* I, 299; cf. HES. *Opera et dies*, 394)». Sur *nudus* (γυμνός), cf. n. 287.

287. Cf. *supra*, n. 284 et 286. Le passage de Démosthène *Or.* 21, mérite toujours d'être cité: θοἰμάτιον προέσθαι καὶ μικροῦ γυμνὸν ἐν τῷ χιτωνίσκῳ γενέσθαι, φεύγοντα ἐκεῖνον (cité par E. Klostermann, 1907, et éditions ultérieures: corriger la citation). Comparer la lettre de Denys d'Alexandrie: ἤμην γυμνὸς ἐν τῷ λινῷ ἐσθήματι (Eus., *HE* VI,40,7). T. Zahn compare cette description avec la σινδών du jeune homme, mais, comme l'a fait observer J. Weiss (*Das älteste Evangelium*, p. 305, n. 1), on y trouve plutôt une illustration de γυμνός = ἐν χιτῶνι μόνῳ. (Lagrange ne semble pas avoir lu la note de Weiss : cf. *Marc*, p. 397.) Cf. C. SPICQ, *Pèlerine et vêtements* (cf. *supra*, n. 271), p. 392, n. 12 : «N'avoir que le chitôn, c'est être nu (*Jo.* XXI,7; *Is.* XX,2-3; ...». Voir aussi n. 207.

288. *Baptism*, p. 541.

289. Sur ce sens de εὐσχήμων en Mc 15,43 (par. Mt: πλούσιος), voir J. JEREMIAS, *Jerusalem zur Zeit Jesu*, Göttingen, ³1961, p. 111. Cf. I. BROER, *Die Urgemeinde*, p. 183; R. PESCH, p. 513 («vielleicht»).

290. L'action de Joseph d'Arimathie (ἀγοράσας σινδόνα ...) sera complétée par celle des femmes en 16,1 : ἠγόρασαν ἀρώματα ..., que Marc rapproche sans doute de l'onction par la femme en 14,3-9 (3 πολυτελοῦς, 5 ἐπάνω δηναρίων τριακοσίων). Outre le binôme πωλοῦντας-ἀγοράζοντας en 11,15, Mc emploie encore le verbe ἀγοράζω en 6,36.37, et il s'agit là encore d'une grande somme (37 δηναρίων διακοσίων).

291. Il est fort probable que σινδών désigne ici l'étoffe (un lin très fin) plutôt que l'objet concret (une pièce de lin ... ou des bandes). J. Blinzler l'a fait remarquer plus d'une fois: «Joseph 'kaufte feines Linnenzeug ...'. Wie man das Material im einzelnen verwendet hat, ob ein einziges Stück oder mehrer Tücher Verwendung fanden, lassen die Synoptiker ungesagt, da ihnen dieser Punkt unwichtig ist gegenüber der Feststellung, dass Jesu Bestattung hinsichtlich des verwendeten Materials durchaus nicht würdelos verlaufen ist». Cf. J. BLINZLER, ΟΘΟΝΙΑ *und andere Stoffbezeichnungen im 'Wäschekatalog' des Ägypters Theophanes und im Neuen Testament*, dans *Philologus* 99 (1955) 158-166, p. 161; «*Sindon*» *in evangeliis*, dans *Verbum Domini* 34 (1956) 112-113; *Die Grablegung Jesu in historischer Sicht*, dans É. DHANIS (éd.), *Resurrexit*, Rome, 1974, p. 56-107, spéc. p. 62: «An ein fertiges Gewand ist nicht gedacht, da in diesem Fall statt ἐνειλέω eher eines der üblichen Verben für 'ankleiden' gebraucht wäre (ἐνδύω, ἐνδιδύσκω, περιβάλλω, ἀμφιέννυμι, ἀμφιέζω». À propos de l'emploi de σινδών, dans un même écrit, comme *Gegenstandsbezeichnung* (14,51.52) et comme *Materialbezeichnung* (15,46), il renvoie aux parallèles chez Flavius Josèphe: *Ant.* 3,110 et 112; voir aussi 129.130 et 153.

le manteau comme un bien essentiel de l'homme (cf. 13,16; Lc 6,29), il n'est pas exclu que le récit d'un jeune homme qui s'échappe en laissant son manteau commence par dire qu'il était vêtu d'un manteau d'un tissu fin et coûteux.

* * *

Quoi qu'il en soit, les partisans du symbolisme baptismal font surtout fausse route parce qu'ils font de la «nudité» du jeune homme un motif qui aurait une force évocatrice propre. Le texte de Mc parle d'un jeune homme qui «s'enfuit nu»: καταλιπὼν τὴν σινδόνα γυμνὸς ἔφυγεν. Sans y voir «l'application d'une prophétie», le rapprochement avec Amos 2,16[292] et Mc 13,16 peut nous aider à saisir le sens de l'épisode. La «nudité» n'y est pas un thème en soi, mais un aspect de la *fuite* qui constitue le thème essentiel. Les correspondances de 14,51-52 avec le contexte de l'arrestation de Jésus sont trop évidentes pour chercher ailleurs la signification de l'épisode:

καὶ νεανίσκος τις	47 εἷς δέ [τις] τῶν παρεστηκότων
συνηκολούθει αὐτῷ	54 ἠκολούθησεν αὐτῷ
καὶ κρατοῦσιν αὐτόν	46 καὶ ἐκράτησαν αὐτόν
(καταλιπὼν ...) ἔφυγον	50 (ἀφέντες ...) ἔφυγον πάντες.

Après la fuite de tous (v. 50 ἔφυγον πάντες), 14,51-52 fait mention de la fuite d'un individu[293]. L'épisode souligne ainsi le danger qu'ils courent d'être pris eux-mêmes. Il prépare en même temps le récit de Pierre qui, lui, suit de loin[294].

Ce «jeu de correspondances verbales» permet à B. Standaert de compter 14,51-52 parmi les récits de transition[295]. Le passage serait à la jointure des deux grandes sections du récit de la Passion: «la première se déroule dans le cercle des amis de Jésus, la seconde dans

292. Cf. *supra*, p. 57. Une influence directe de Amos 2,16 est moins probable, entre autres parce que la traduction de la LXX s'éloigne du texte massorétique: καὶ εὑρήσει τὴν καρδίαν αὐτοῦ ἐν δυναστείαις, ὁ γυμνὸς διώξεται ἐν ἐκείνῃ τῇ ἡμέρᾳ. Voir H.C. KEE, *The Function of Scriptural Quotations and Allusions in Mark 11-16* (cf. *supra*, n. 251), p. 174: «it is highly likely ... that the 'Bible' for him was the LXX or a closely kindred Greek recension».

293. Cf. E. LINNEMANN, *Studien zur Passionsgeschichte* (FRLANT, 102), Göttingen, 1970, p. 51: «an die allgemeine Aussage v. 50 (ist) ein spezielles Exempel angehängt worden».

294. Cf. R. PESCH, t. 2, p. 426: «'von weitem', weil er sonst verhaftet worden wäre (vgl. VV 51 f)».

295. *L'évangile selon Marc*, p. 156. À propos des récits de transition (1,40-45; 4, 35-41; 8,22-26; 9,14-29; 10,46-52; 15,42-47), voir la section III/A de la première partie (p. 109-173), sur l'application du principe de «mêler les récits par leur extrémités» (Lucien, *De arte conscribendae historiae* 55: κοινωνεῖν καὶ ἀνακεκρᾶσθαι κατὰ τὰ ἄκρα). On corrigera l'auteur là où il se réfère au même passage de Lucien pour expliquer la composition concentrique ou l'inclusion (p. 48, 111, 124, 225, 278).

le camp de l'opposition»[296]. Le petit épisode se distingue toutefois des péricopes de transition par sa brièveté[297], et avec la plupart des commentateurs, on peut le rattacher au v. 50 et au récit de l'arrestation de Jésus. Beaucoup de critiques ont souligné les incohérences dans le récit de 14,43-52. Pour sa part, G. Schneider conclut à l'existence d'un récit traditionnel (vv. 43-46.53a) et d'un *Nachtrag* prémarcien (v. 47), et il attribue à Marc la composition des vv. 48-49.51.51-52. L'épisode de la fuite du jeune homme appartient au thème de la fuite des disciples — *als Spezialfall*[298]. Mais en ce qui concerne les «Einwände gegen die Einheitlichkeit» qu'il constate lui-même aux versets 47/48-49/50, la réponse de Schneider n'est pas entièrement satisfaisante[299]. À ce propos, il convient d'étudier le récit en connexion avec la section subséquente (14,53-72). La structure de la *Verschachtelung* y est généralement reconnue[300]. En fait, il s'agit d'un schéma d'alternance qui, semble-t-il, se prépare déjà dans le récit de l'arrestation :

14,43-46 48-49 53 55-65 15,1
47 50-52 54 66-72

NOTE ADDITIONNELLE

Voir H. FLEDDERMANN, *The Flight of a Naked Young Man (Mark 14 : 51-52)*, dans *CBQ* 41 (1979) 412-414 : cf. *infra*, p. 239, n. 301. — M. GOURGUES, *À propos du symbolisme christologique et baptismal de Marc 16.5*, dans *NTS* 27 (1981) 672-678 : il abonde dans mon sens.

296. *Ibid.*, p. 157. Sur ces deux parties du récit de la Passion, comparer W. HILLMANN, *Aufbau und Deutung de! synoptischen Leidensberichte*, Freiburg, 1941, p. 115. Sur 14,32-42.43-52 : «Wir können diese beiden letzten Perikopen zusammenfassen under dem Titel : Die letzte Stunde Jesu mit den Seinen» (*ibid.*).

297. Cf. *op. cit.*, p. 168.

298. G. SCHNEIDER, *Die Verhaftung Jesu* (cf. *supra*, n. 251), p. 205-206. Comparer n. 293.

299. Cf. p. 191-192 : «Einwände gegen die Einheitlichtkeit des Gesamttextes Mk 14, 43-52». À propos de 14,48 : «c) In v. 48 reagiert Jesus nicht auf den Schwertstreich. Er spricht nur zu den Häschern. d) αὐτοῖς (v. 48a) lässt nach dem Kontext an die παρεστηκότες (v. 47) als Adressaten des Jesuswortes denken» (p. 192). Schneider se contente de répondre : «bleibt aber wohl absichtlich unbestimmt, weil nicht nur die Jesus verhaftende Truppe angesprochen ist» (p. 203, n. 80). Sans entrer ici dans la discussion des différentes hypothèses, notons simplement qu'une distinction entre tradition (v. 47) et rédaction (vv. 48-49) ne supprime pas la difficulté au niveau du texte de Marc. La solution plus radicale proposée par L. Schenke (*Der gekreuzigte Christus*, p. 118-120; suivi par R. Pesch, Tome II, p. 400-401) n'est guère vraisemblable : le *Schwertträger* du v. 47 appartient à la *Häschergruppe*, et «Dass dem Knecht des Hohenpriesters das Ohr abgeschnitten wird, erscheint als unglücklicher Zufall» (Pesch, p. 401).

300. Cf. *L'évangile de Marc (II)*, dans *ETL* 55 (1979) 1-42, p. 33.

ETL 56 (1980) 56-88

MARC 16,1-8
TRADITION ET RÉDACTION

TOMBEAU VIDE ET ANGÉLOPHANIE

Dans l'article sur la double notation chronologique en Mc 16,2, nous avons pu constater que les critiques littéraires ont tendance à répartir les deux expressions entre tradition et rédaction. D'ordinaire, c'est ἀνατείλαντος τοῦ ἡλίου qu'ils tiennent pour secondaire, mais des auteurs récents sont d'avis que c'est plutôt λίαν πρωῒ qui a été ajouté par l'évangéliste[301]. Ces opinions sont à replacer dans le contexte de leur théorie plus générale sur la *Vorlage* du récit du tombeau vide. La présente étude sera consacrée à l'examen des différentes hypothèses qui ont été avancées à ce sujet.

A. *Les hypothèses de la critique littéraire*

1. *Mc 16,1-4.8*

Plusieurs auteurs croient qu'il est possible de reconstituer une forme ancienne du récit du tombeau vide dont l'angélophanie ne faisait pas encore partie (16,1-4.8). Ils sont d'avis que la réaction des femmes au v. 8, la peur et le silence, se comprend mieux si elle fait suite à la

301. Cf. *supra*, p. 82-83 (voir surtout n. 72-74, sur l'hypothèse de L. Schenke). Ajouter J. GNILKA, *Das Evangelium nach Markus* (*Mk 8,27-16,20*) (EKK, II/2), Zürich-Einsiedeln-Köln-Neukirchen, 1979, p. 338 et 341 (λίαν πρωῒ ajouté par Marc).

À propos de 14,51-52 (cf. *ETL* 1979), le commentaire de J. Gnilka semble confirmer notre point de vue: «Für Markus beleuchtet die Szene das Versagen der Jüngerschaft. Der sein Leinenhemd aufgebende Jüngling soll nicht ein Lächeln, sondern Schrecken auslösen. Das Leinenhemd galt vielleicht als kostbar» (p. 271). Voir également H. FLEDDERMANN, *The Flight of a Naked Young Man (Mark 14:51-52)*, dans *CBQ* 41 (1979) 412-418, p. 417: «a dramatization and concretization of the universal flight of the disciples». L'auteur reste cependant encore trop sous l'influence de l'interprétation qu'il essaie de réfuter: il se base sur l'emploi de σινδών en 15,46 («clearly significant») pour voir en 14,51-52 un contraste avec Jésus: «arrested and stripped and crucified. ... The stripped Jesus is again covered, but only after the crucifixion» (p. 417-418). De son côté, W. Schmithals tient la péricope pour «die rätselhafteste Szene des ganzen Evangeliums»: elle pourrait être «*nach*markinische Zusatz». Cf. W. SCHMITHALS, *Das Evangelium nach Markus. Kapitel 9,2-16,18* (ÖTK, 2/2), Gütersloh-Würzburg, 1979, p. 649-650. Le commentaire défend l'hypothèse d'une *Grundschrift*, complétée et retravaillée par Marc (en 16,1-8 seul le verset 7 aurait été ajouté par Marc).

constatation du tombeau vide, et non au message rassurant de l'ange qui explique l'absence du corps de Jésus par l'annonce de la résurrection (v. 6). C'est en ce sens que H.J. Holtzmann a pu voir dans cette réaction un trait historique du récit[302]. Pour Wellhausen, seul le v. 7 est un élément secondaire, mais le sens qu'il donne au v. 4 est de nature à suggérer une tradition sans angélophanie[303]. E. Klostermann, pour sa part, se montre conscient de la tension qui existe entre les versets 6 et 8, mais il ne peut se décider à éliminer vv. (5).6-7[304].

L'hypothèse d'un récit primitif qui ne comprend que 16,1-4.8 est défendue en 1912 par Adolf Bauer[305]. M. Goguel s'y rallie en 1933 : "Les *versets* 5 à 7 écartés, le récit est bien homogène. Les femmes trouvent le sépulcre ouvert (ce fait, à lui seul, serait la preuve de la résurrection), elles s'enfuient dans un état d'épouvante et ne disent rien à personne»[306]. Un peu plus loin, il complète encore son hypothèse : "Il aurait seulement raconté que les femmes venues au sépulcre

302. *Die Synoptiker*, 1901, p. 182 : «so erschienen sie dabei nicht etwa wie Lc 1,12 durch die legendarische Engelerscheinung erschreckt, welche vielmehr ganz geeignet gewesen wäre, ihnen jegliches Befremden zu benehmen, sondern es wirkt hier eine ursprüngliche Erinnerung an die Stimmung nach, von welcher sie in dem gegen ihre Erwartung leer befundenen Grabesraum befallen waren». Le silence des femmes est «ebenso geschichtlich richtig» (*ibid.*). Cette explication de la crainte est nouvelle par rapport à la deuxième édition (1892, p. 299 : «Ob der Engelerscheinung erschreckt, wie Lc 1,12, verlassen sie das Grab»; = 1899, p. 298). C'est l'interprétation «rationaliste» du récit contre laquelle se tourne P. Wendland : «Die Versuche, die Tatsache des offenen Grabes rationalistisch zu erklären, bedeckt man besser mit Schweigen. Sie setzen als selbstverständlich voraus, dass die Geschichte einst ohne Engelserscheinung existiert haben müsse». Cf. *Die hellenistisch-römische Kultur* (Handbuch zum N.T., 1/2), Tübingen, 2-31912, p. 280. Voir également E. MEYER, *Ursprung*, 1921, p. 19 : «Das ist echter Rationalismus» (contre A. Bauer, cf. *infra*, n. 305).

303. *Das Evangelium Marci*, 1903, p. 146; 21909, p. 136 : «16,4. Der Stein ist abgewälzt — er war aber sehr gross. Damit ist alles gesagt. Denn der *Auferstandene* hat ihn abgewälzt, indem er durch die verschlossene Tür durchbrach» (voir également p. 137, à propos de la conclusion longue : «Sie haben 16,4 nicht verstanden»). A. Bauer (cf. *infra*, n. 305) ne manquera pas de citer cette phrase de Wellhausen en faveur de sa propre hypothèse (p. 308, n. 1).

304. *Markus*, 1907, p. 146 : «Die Annahme, ursprünglich sei nur das leere Grab gefunden — daher noch das Entsetzen der Frauen — erst später sei die Engelbotschaft hinzugedichtet, ist nicht verlockend». Cf. 21926, p. 191 : «Man wird nicht so erklären dürfen, dass in einer älteren Form der Erzählung v. (5).6-7 noch gefehlt und nur die Entdeckung des leeren Grabes Entsetzen verursacht hätte» (31936, p. 172).

305. A. BAUER, *Der Schluss des Markusevangeliums*, dans *Wiener Studien* 34 (1912) 301-317. L'auteur reconstitue un récit qui est «historisch durchaus haltbar» : «... Sie finden aber den mächtigen Block schon weggewälzt; entsetzt fliehen sie von dem Grabe und sagen aus Furcht niemandem etwas». Il est à noter que Bauer veut corriger l'hypothèse de Wellhausen : «Nicht nur der Auftrag 16,7, sondern der ganze mit 16,5 beginnende Episode muss also ausgeschieden werden» (p. 307). Le v. 7 ne peut être isolé des paroles de l'ange au v. 6 : «Seinen Worten... würde ohne den folgenden Auftrag die Pointe fehlen» (p. 306).

le trouvaient ouvert et, peut-être, ceci ayant été remplacé par l'épisode de l'ange, constataient qu'il était vide"[307].

Mc 16,1-4.8 est également la forme que prend le récit primitif dans la théorie de l'*Urmarcus* proposée par J.M.C. Crum[308], R. Thiel[309] et surtout E. Hirsch[310]. Ces auteurs portent l'attention sur le doublet en 16,8[311] : ils sont d'accord pour retrancher de *Mk I* le v. 8b : εἶχεν δὲ αὐτὰς τρόμος καὶ ἔκστασις, et ils gardent, comme la réaction des femmes après la constatation de la pierre roulée, le v. 8cd : καὶ οὐδενὶ οὐδὲν εἶπαν· ἐφοβοῦντο γάρ[312]. Pour Hirsch, il s'agit de «die Geschichte vom abgewälzten Grabesstein». D'autres partisans d'une telle hypothèse semblent associer à la constatation de la pierre roulée (v. 4) l'entrée dans le tombeau (v. 5a) et la découverte qu'il est vide. Ils désignent, sans autre précision, le v. 8 comme la conclusion du récit[313]. Mais de l'avis de certains, le motif du silence (v. 8c) n'appar-

306. M. GOGUEL, *La foi à la résurrection dans le christianisme primitif*, Paris, 1933, p. 176.

307. *Ibid.*, p. 182.

308. J.M.C. CRUM, *St. Mark's Gospel. Two Stages in Its Making*, Cambridge, 1936, p. 15 : le récit de 16,1-4.8acd fait suite à 15,40.42-47 (*Mark I*).

309. R. THIEL, *Drei Markus-Evangelien*, Berlin, 1938, p. 204-205 : la source B comprend 16,1.3-4.8cd (la source B prend fin avec 15,40-41).

310. E. HIRSCH, *Die Auferstehungsgeschichten und der christliche Glaube*, Tübingen, 1940, p. 31 ; *Frühgeschichte des Evangeliums*, Tübingen, 1941, t. 1, p. 177-180, spéc. p. 178. Le récit de *Mk I* fait suite à 15,47, dans la traduction de l'auteur : «1 Und ( ) sie kauften Balsam, um hinzugehn und ihn zu salben. 2 Und sehr früh am ersten Wochentag kommen sie zur Grabkammer. 4 Und [wie sie den Blick erheben,] da sehen sie, dass der Stein abgewälzt ist. 8 Und sie flohen und sagten niemand etwas, denn sie fürchteten sich» (p. 268-269). Dans *Auferstehungsgeschichten*, p. 31, il retient encore «als der Sabbath vorüber war» (v. 1a) et omet les mots mis ici entre crochets au v. 4.

Comparer W. MICHAELIS, *Die Erscheinungen des Auferstandenen*, Basel, 1944 (l'ouvrage veut être une réaction au livre de Hirsch de 1940; cf. *Vorwort*, p. 3) : l'apparition de l'ange pourrait être un élément secondaire dans la tradition du tombeau vide (p. 125; cf. p. 117 : secondaire par rapport à la christophanie; voir encore p. 139, n. 68 fin).

311. *Frühgeschichte*, p. 178 : «Es steht ein Ausdruck äusserster religiöser Furcht, wie man sie vor Wirkungen der Geisterwelt hat ('denn Zittern und Entsetzen hatte sie gefasst') neben einem Ausdruck einfacher Furcht, wie sie auf alles Beängstigende oder Unbekannte sich richtet, es sei was es sei ('denn sie fürchteten sich')». Cf. R. THIEL, *op. cit.*, p. 12 et 205.

312. Thiel ne retient rien du v. 8a, mais Crum le garde, sans ἐξελθοῦσαι, et Hirsch sans ἐξελθοῦσαι et ἀπὸ τοῦ μνημείου, qu'il attribue à *Mk II*. Pour Hirsch, le silence est «naturel» en *Mk I*, mais «impossible» en *Mk II* (après vv. 5-7) : «Ebenso unentbehrlich ist, dass die Frauen nicht schweigen, sondern reden» (*Frühgeschichte*, p. 179); cf. Lc 24,9, qui dépend de *Mk II* (p. 178). Dans *Auferstehungsgeschichten*, il attribue encore à Luc la «Beseitigung des Schweigens der Frauen» (p. 28).

313. Citons quelques exemples qui montrent bien que l'opinion est largement répandue : J. DANIÉLOU, *La résurrection*, Paris, 1969, p. 16 : les «éléments essentiels» du récit (16,2-4.8) sont «la constatation de la pierre roulée, l'entrée dans le tombeau, le fait qu'elles en sortent terrifiées et qu'elles ne disent rien à personne»; J. KREMER, *Die Osterbotschaft*, 1968 (cf. *supra*, n. 8), p. 21 (cf. 27) : «eine vorher zusammengehörige

tenait pas à la couche la plus ancienne de la tradition du tombeau vide[314]. D'après A. Vögtle (1965), elle racontait «wie die Frauen am Ostermorgen das leere Grab entdeckten und voll Entsetzen und Furcht flogen», et ce n'est qu'à un stade ultérieur que le motif apologétique du silence s'y ajoute pour garantir l'indépendance de la foi pascale des disciples. L'insertion des vv. 5b-7, et la tension avec le v. 8 qui en résulte, vient plus tard[315]. Pour E. Gutwenger, par contre, c'est l'angélophanie qui a rendu nécessaire l'addition du motif du silence (v. 8cd), pour justifier cette innovation dans le récit traditionnel[316].

Erzählung von der Entdeckung des leeren Grabes und der Flucht der Frauen (V. 1-4 und 8; vgl. Jo 20,1-2)» (voir p. 25 : le silence fait difficulté après l'apparition de l'ange); F. SCHNIDER & W. STENGER, *Die Ostergeschichten der Evangelien* (Schriften zur Katechetik, 13), München, 1970, p. 17ss. : devant l'événement extraordinaire de la pierre roulée, les femmes s'enfuient, «Furcht und Schweigen erhalten damit ihre Motivation» (p. 22); «Möglicherweise deutet auch die betonte Erwähnung des Ein- und Austretens der Frauen in und aus dem Grabe darauf hin» (p. 23).

314. Cf. R.H. FULLER, *The Formation of the Resurrection Narratives*, London, 1972 (= New York, 1971), p. 53 : la peur et le silence des femmes seraient «the usual biblical reaction to an angelophany» (cf. Lc 1,22), et : «Verses 6 and 8 are so intimately connected that they must belong to the same stratum of the tradition»; l'angélophanie aurait été ajoutée «at the time when that pericope was added as the conclusion of the passion narrative». Avec l'insertion du v. 7, Marc aurait réinterprété v. 8cd dans le sens du secret messianique (p. 64, et note 38; référence à U. Wilckens : cf. *infra*, n. 375). La reconstruction de la tradition primitive se fait à la lumière de Jn 20,1 : cf. p. 54 (la pierre roulée) en 56 (la seule Marie-Madeleine). Voir également : E. RUCKSTUHL, *Die evangelischen Ostererzählungen*, dans *Die Auferstehung Jesu Christi*, Luzern-München, 1968, p. 31-59, spéc. p. 48 : le récit de Mt et Mc remonte à un noyau historique sans angélophanie; cf. p. 49 : «der für uns ausschlaggebende Vers Jo 20,1» (il ne parle pas de Mc 16,8).

315. A. VÖGTLE, *Werden und Wesen der Evangelien*, dans L. KLEIN (éd.), *Diskussion über die Bibel*, Mainz, 1963, p. 47-84, spéc. p. 73-75 (trad. *Discussie over de bijbel*, Bilthoven, 1965, p. 89; *The Bible in a New Age*, London, 1965, p. 95); *Literarische Gattungen und Formen. Die Evangelien (11)*, dans *Anzeiger für die katholische Geistlichkeit* 74 (1965) 1-4, p. 3. Sur l'apologétique de la foi pascale des disciples, cf. *Was heisst «Auslegung der Schrift»? Exegetische Aspekte*, dans W. JOEST e.a., *Was heisst «Auslegung der heiligen Schrift»*, Regensburg, 1966, p. 29-83; sur Mc 16,1-8, p. 61-67, spéc. 63-64. L'auteur y envisage la possibilité que, «in einem früheren Stadium der Grabesgeschichte», le récit ne comportait pas encore l'apparition de l'ange. Voir encore «*Er ist auferstanden, er ist nicht hier*». *Homilie zum Evangelium des Ostersonntags*, dans *Bibel und Leben* 7 (1966) 69-73 : il y insiste sur le tombeau vide comme «ein schreckenerregendes Geschehen für sich». Le point de vue de Vögtle est repris par K. Schubert, dans *Kairos* 11 (1969), p. 228 : «ausserordentlich plausibel» (contre L. Schenke).

Comparer W. GRUNDMANN, *Die Geschichte Jesu Christi*, Berlin, 1956 (= ^{2}1959; ^{3}1961), p. 372 : le récit du tombeau vide remonte à un noyau historique, mais l'apparition de l'ange pourrait être secondaire, *eine legendäre Ausstattung* (cf. Michaelis), et le silence des femmes serait un élargissement apologétique (cf. von Campenhausen); voir *infra*, n. 367.

316. E. GUTWENGER, *Zur Geschichtlichkeit der Auferstehung Jesu*, dans *ZKT* 88 (1966) 257-282, p. 275. L'auteur présente son explication du silence comme une variante de celle de Wellhausen (cf. *infra*, n. 333).

Dans l'exégèse récente, le caractère archaïque de la tradition du tombeau vide a été défendue surtout à partir de Jn 20,1-2. Sur ce point, l'influence exercée par les publications de P. Benoit n'est pas négligeable[317]. Je le cite : «J'estime qu'ici la tradition primitive est mieux reflétée par Luc et surtout par Jean : Marie-Madeleine, et Pierre après elle, ont vu le tombeau vide et en ont été stupéfaits, sans plus. Puis viendront les apparitions de Jésus qui expliqueront tout. La constatation du tombeau vide a pu se faire sans apparition d'anges; tel est le premier état de la tradition, le plus archaïque. Marc présente un second état : il renonce, pour des raisons qui lui appartiennent, à raconter les apparitions, il veut donc rattacher tout l'enseignement à cette trouvaille du tombeau vide et, au moyen de l'ange, il énonce dès cet instant le fait de la résurrection»[318]. Il n'y a donc plus de place pour le motif du silence dans la tradition primitive : «Marie-Madeleine trouve le tombeau vide (sans plus) et va prévenir Pierre»[319]. Benoit considère Jn 20,1-2 et 3-10 (Lc 24,12) comme un seul récit : Marie-Madeleine et le(s) disciple(s) au tombeau. Il est suivi par M.-É. Boismard[320], tandis que R.E. Brown y distingue deux traditions : «two Christian stories about visits to the tomb, one by women and one by disciples», et Jn 20,1-2 serait «the earliest form of the empty tomb story found in any Gospel»[321]. Mais les deux auteurs, Boismard et Brown, sont d'avis que la tradition primitive

317. Voir surtout P. Benoit, *Marie-Madeleine et les disciples au tombeau selon Joh 20,1-18*, dans *Judentum, Christentum, Kirche. Festschrift für J. Jeremias* (BZNW, 26), Berlin, 1960, p. 141-152 (repris dans *Exégèse et théologie*, t. 3, Paris, 1968, p. 270-282). Cf. p. 149 : «Apprécié à la lumière du récit primitif de Lc-Joh, le récit de Mc 16,1-8 par. donne l'impression d'un certain développement théologique». Comp. J. Jeremias, *Neutestamentliche Theologie*, I, Gütersloh, 1971, p. 289 : «Nun aber hat P. Benoit in einem bahnbrechenden Aufsatz gezeigt, dass es falsch ist, die Markusauffassung des Berichtes vom leeren Grab zum Ausgangspunkt zu nehmen, weil sich eine ältere Gestalt desselben erhalten hat in Gestalt von Joh 20,1f.» (trad. *Théologie du Nouveau Testament*, Paris, 1973, p. 380-381); voir également dans *Resurrexit* (cf. *supra*, n. 8), 1974, p. 189-190.

318. P. Benoit, *Passion et résurrection du Seigneur*, Paris, 1966, p. 295.

319. *Ibid.*, p. 294. Cf. *Marie-Madeleine et les disciples*, p. 149 : «Le rôle de messagère(s) attribué à M.-M. (ou aux femmes) [est] dénié par Mc 16,8 qui leur fait garder le silence».

320. M.-É. Boismard, *Commentaire* (Synopse, t. 2), Paris, 1972, p. 439-440 (cf. 445-446); *L'évangile de Jean* (Synopse, t. 3), Paris, 1977, p. 456-457 : Jn 20,1-2.3-10/Lc 24, 1-2.12 (+ Jn 20,11a.14b,18a) remontent au récit archaïque du Document C. Sur le recit du Document B, source de Mc 16, voir *Commentaire*, p. 445 : il comporte les vv. 5-6 (les femmes voient un ange qui leur donne la signification du tombeau vide), mais les deux récits des Documents C et B dépendent peut-être d'un noyau primitif (sans l'apparition de l'ange). Cf. *infra*, n. 394-396 et 430.

321. R.E. Brown, *John*, t. 2, 1971, p. 999 et 1002. Voir également p. 977, où il sépare la *substance* du récit de ses *legendary accretions* : «a basic tradition that some women followers of Jesus came to the tomb on Easter morning and found it empty — a tradition that is older than any of the preserved accounts».

parle de la venue de plusieurs femmes au tombeau, et non de la seule Marie de Magdala[322]. Selon Brown, le pluriel en 20,2 serait une objection sérieuse contre l'hypothèse, fort répandue, d'un récit traditionnel de Marie-Madeleine en 20,1.11ss. Dans les vv. 11-13, il reconnaît «a truncated later form», dont la venue au tombeau aurait été retranchée[323]. Depuis lors, J. E. Alsup (1975) a cru pouvoir relancer l'hypothèse de la tradition de Jn 20,1.(2).11-13[324]. Il reconstitue un récit qui serait proche des Synoptiques (plusieurs femmes, et non Marie-Madeleine; un seul ange, et non deux)[325], et il y retrouve même, assez curieusement, un stade traditionnel plus ancien que celui de la source des Synoptiques (Mc 16,1-6.8) : «we have here a striking contrast to the 'message' of the synoptic accounts; we have instead a question which supplies the opportunity for articulating the reason for Mary's weeping»[326]. Je signale la théorie parce qu'elle repose sur les mêmes principes que l'hypothèse du récit de Mc 16,1-4.8 (pas de message de l'ange)[327], mais on aurait tort de la prendre trop au sérieux[328] : Alsup n'a pu la proposer que parce qu'il s'est abstenu

322. BOISMARD, *Jean*, p. 456a : «un certain nombre de femmes, restées anonymes»; BROWN, *John*, p. 999; voir aussi dans *Resurrexit*, p. 199 (en réponse à Jeremias : cf. *supra*, n. 317).

323. *John*, p. 999-1000.

324. J. E. ALSUP, *The Post-Resurrection Appearance Stories of the Gospel Tradition. A History-of-Tradition Analysis* (Calwer Theologische Monographien, A/5), Stuttgart, 1975, p. 95-105 : «The Empty Tomb : Its Traditional Matrix». Il s'agit d'une dissertation doctorale préparée sous la direction de L. Goppelt (München, 1973). Du même auteur : *John Dominic Crossan « Empty Tomb and Absent Lord» — A Response*, dans G. MACRAE (éd.), *SBL 1976 Seminar Papers*, Missoula (Montana), 1976, p. 263-267. Cf. *infra*, n. 401.

325. *Op. cit.*, p. 102 : «either an earlier form or an alternative source to them [the synoptics]». Sur la réduction du nombre des femmes, cf. p. 102 et 104; sur les anges, cf. p. 106 («the singular number here could be more original»).

326. *Ibid.*, p. 101. Cf. p. 102 : «a very old form of the tomb story in terms of the history of its tradition, perhaps not too remote from some kind of personal recollection. ... The relatively small kernel of the story contains a reference to the women, their visit to the tomb, an implied remorse at not finding the body of Jesus and an encounter with the angels there in its place and, finally, their return to the disciples with the news». Voir la conclusion; p. 105 : «the johannine and oldest form of the women/ Mary-oriented account in Jn. 20:1,(2) and 11-13 characterized by brevity of style and minimal theological sophistication».

327. Il est vrai que l'auteur refuse une telle hypothèse à propos de Mc 16 : «in any case it is ... impossible to think of this story circulating without the important interpretive element of the angel and his declaration» (p. 93). Mais le motif de l'ange est attesté «in its simplest form» en Jn 20,12 (p. 106 : il signifie «a statement on the divine nature of the event»). Ce fut la première «modification» du souvenir historique (*ibid.*). Par elle-même, la tradition du tombeau «produced bewilderment, fears and consternation, but not faith... The angel motif allows the tradition to speak an initial word of clarification. Of course, this motif leaves many questions unanswered as well, as the consternation at the tomb in Jn. and in the synoptics demonstrates» (*ibid.*).

328. Cf. *supra*, n. 177. Voir la traduction : E. SCHILLEBEECKX, *Die Auferstehung Jesu als Grund der Erlösung. Zwischenbericht über die Prolegomena zu einer Christologie* (Quaestiones Disputatae, 78), Freiburg-Basel-Wien, 1979, p. 104-105.

de toute discussion de la dépendance de Jn 20,11-13 (surtout v. 12) vis-à-vis des Synoptiques. Sur ce point, Benoit et Boismard lui ont répondu d'avance[329]. Leur propre position au sujet de Jn 20,1-2.3-10 se heurte cependant à la même difficulté[330].

On a pu écrire à propos de Mc 16,1-8, que «le vrai problème posé par le récit de Marc tient tout entier dans le verset 8»[331]. Nous avons vu que l'hypothèse du récit de 16,1-4.8 cherche à donner une explication au motif de la peur et du silence des femmes. Le motif du silence est un facteur important également dans la discussion concernant le verset 7.

2. *Mc 16,1-6.8*

Après l'ordre donné par l'ange au v. 7 : εἴπατε τοῖς μαθηταῖς αὐτοῦ καὶ τῷ Πέτρῳ..., la réaction des femmes apparaît comme une désobéissance formelle : καὶ οὐδενὶ οὐδὲν εἶπαν (v. 8c). La critique littéraire,

329. Cf. P. Benoit, *Marie-Madeleine*, p. 146 : «Ces versets [11b-14a] se rapprochent étroitement des Syn., et ce qu'ils ne doivent pas à ceux-ci s'explique par des emprunts au contexte johannique immédiat». À propos des anges, «simples figurants, sans rôle réel» (*ibid.*), il ne suffit pas d'affirmer : «the motif has been left unembellished» (Alsup, *op. cit.*, p. 100, n. 294). «Quel rôle pourraient-ils jouer, puisque Pierre et l'Autre Disciple viennent de constater le tombeau vide, et que Jésus va se montrer lui-même ?» (P. Benoit, *ibid.* : il peut se référer à Schwartz, Wellhausen, Spitta, Albertz; cf. n. 19). Sur l'insertion des vv. 11b-14a (Benoit : un rédacteur johannique; cf. G. Hartmann, 1964, p. 205-206), voir également M.-É. Boismard, *Jean*, p. 460 : il l'attribue à Jean II-B.

Les auteurs qui tiennent l'angélophanie de 20,11-13 pour l'élément primitif du récit de Marie-Madeleine renvoient, eux aussi, au rôle joué par l'ange dans le récit synoptique. Cf. M. Dibelius, *Die alttestamentlichen Motive* (1918), dans *Botschaft und Geschichte*, t. 1, p. 233 : «Dass diese Tradition letztlich mit der synoptischen wenigstens verwandt war, kann man erraten : ... die beiden Engel im Grabe haben gewiss eigentlich eine Botschaft zu künden gehabt»; R. Bultmann, *Johannes*, p. 529 : «diese [die Engelepisode] entsprach dem Typus von Mk 16,5-7. Vom Evangelisten aber ist der ursprüngliche Schluss der Maria-Geschichte weggebrochen...»; B. Lindars, *John*, p. 605 : «The actual message of the angel(s) is omitted, so as not to spoil the climax in verse 17»; R.T. Fortna, *The Gospel of Signs*, p. 139 : «It is likely ... that the source's account had already been compressed from a slightly more detailed form akin to the synoptics'». Voir dans ce sens la critique de P. Hoffmann, 1979 (cf. *infra*, n. 384), p. 498.

Cf. F. Neirynck, *John and the Synoptics*, dans M. de Jonge (éd.), *L'Évangile de Jean* (BETL, 44), 1977, p. 95-106 (Jn 20,1-18 : comp. Lc 24,12 et Mt 28,9-10), p. 106 : «The christophany is not merely an alternative version which is added to the angelophany, but the vision of the angels is toned down and 'truncated' in favor of the christophany. Therefore, the explanation of the replacement could be found in John's indebtedness to the tradition of the appearance of Jesus to the women as it is found in Mt 28,9-10». Sur Mt 28,9-10 et Jn 20,17, cf. *Les femmes au tombeau. Étude de la rédaction matthéenne (Matt. xxviii.1-10)*, dans *NTS* 15 (1968-69) 168-190, p. 184ss.

330. Cf. F. Neirynck, *Jean et les Synoptiques*, 1979, p. 71-86 (sur Jn 20,1-10); *ETL* 53 (1977), p. 430-445.

331. C. Masson, *Le tombeau vide. Essai sur la formation d'une tradition*, dans *RTPh* 32 (1944) 161-174, p. 162; = *Vers les sources d'eau vive. Études d'exégèse et de théologie du Nouveau Testament*, Lausanne, 1961, p. 114-128, spéc. p. 115.

si du moins elle n'élimine pas l'apparition de l'ange du récit primitif[332], répond à cette difficulté par l'hypothèse de l'addition secondaire du v. 7. La tension entre les vv. 7 et 8 serait l'effet accidentel de l'insertion du v. 7, «was aber der Verfasser von V. 7 natürlich nicht beabsichtigt hat» (Bultmann). L'on doit lire le v. 8 à la suite du v. 6 : «dann handelt 16,8 nicht von Widerstreben, sondern nur von menschlicher Furcht» (Dibelius).

J. Wellhausen fut le premier à proposer cette hypothèse[333]. L'insertion du v. 7 aurait un but apologétique : «Der schimpfliche Flucht der Jünger aus Jerusalem wird also beseitigt»[334]. Il l'attribue à un glossateur[335], mais les nombreux auteurs qui l'ont suivi y voient plutôt une addition de l'évangéliste au récit traditionnel du tombeau vide[336].

Ceux qui restent fidèles à l'hypothèse de la conclusion perdue de l'évangile de Marc considèrent 16,7 comme la préparation d'un récit des apparitions de Jésus. L'intention de l'évangéliste serait «die Erscheinungen des Auferstandenen in Galilaea als vom Herrn nun einmal gewollt und im voraus angekündigt vorzustellen und damit zu sanktionieren»[337]. Beaucoup de critiques qui tiennent 16,8 pour la

332. E. Lohmeyer refuse une telle solution : «dass macht nicht das grenzenlose Entsetzen und das völlige Verschweigen der Entdeckung begreiflich» (*Markus*, p. 357, n. 1, contre Goguel; suivi par V. Taylor, *Mark*, p. 609).

333. J. WELLHAUSEN, *Das Evangelium Marci*, Berlin, 1903, p. 146; ²1909, p. 136. Il note que «die Frauen nach 16,8 keinem etwas sagen, also auch den Jüngern nicht. Vor denen brauchen sie sich doch nicht zu fürchten und andrerseits dürften sie den Auftrag des Engels nicht in den Wind schlagen».

334. *Ibid.* : «in dem Zusammenhang von 14,28 fliehen die Jünger voll Furcht aus Jerusalem nach Galiläa. Hier dagegen...». Ceux qui, sous l'influence de Wellhausen, tiendront 16,7 pour rédactionnel seront généralement d'avis que 14,28 est également secondaire. Cf. *infra*, n. 448.

335. *Ibid.* : «gehört nicht zum alten Bestande». Il le met entre crochets dans la traduction; comparer 1,2-3*; 2,18; 3,28; 4,24; 5,4*.8*; 6,5b.14b-16a*.25; 8,15*.23; 10,25; 11,1; 13,14.24.29*; 14,41b.61b-62*; 15,1.35*.36b.42b; 16,1.7* (l'astérisque indique un verset entier).

336. W. BOUSSET, *Kyrios Christos*, 1913, p. 79, n. 1 (²1921, p. 65, n. 1): «zeigt vielleicht die Feder des Evangelisten»; E. MEYER, *Ursprung*, 1921, p. 19 : «Aber darum ist er noch nicht mit Wellhausen für einen 'Urmarkus' auszuscheiden»; R. BULTMANN, *Geschichte*, 1921, p. 174 (cf. ²1932, p. 308-309) : «eine von Mk in das Traditionsstück eingesetzte verklammernde Bemerkung, die Jesu Erscheinung in Galiläa vorbereiten soll»; J.M. CREED, *The Conclusion of the Gospel according to St. Mark*, dans *JTS* 31 (1930) 175-180, p. 180 (il se réfère à Meyer). E. BICKERMANN, 1924 (cf. *infra*, n. 456) se réfère à Völter et Meyer (p. 289, n. 4). L'addition serait prémarcienne selon W. Michaelis (*Die Erscheinungen*, 1944, p. 62).

337. D. VÖLTER, *Die Entstehung des Glaubens an die Auferstehung*, Strasbourg, 1910, p. 6-11, spéc. p. 9. Cf. R. BULTMANN (cf. *supra*, n. 33); E. KLOSTERMANN, *Das Markusevangelium*, ²1926, p. 191 (³1936, p. 172); J. FINEGAN, *Die Überlieferung*, 1934, p. 107-108. Signalons ici que D. Völter note encore, comme indice de l'insertion du v. 7, l'absence d'une annonce de la résurrection. Il retient 16,7c dans sa reconstruction de la source : οὐκ ἔστιν ὧδε· ἠγέρθη, καθὼς εἶπεν ὑμῖν (cf. Mt). Par l'insertion du v. 7ab, Marc aurait séparé καθὼς εἶπεν ὑμῖν de ἠγέρθη (en ordre inversé avec οὐκ ἔστιν ὧδε

fin de l'évangile donnent une définition fort semblable du rôle du v. 7 : Marc renvoie les lecteurs aux apparitions de Jésus en Galilée, et aux disciples comme témoins de la résurrection. Cela ne suppose pas nécessairement qu'il ait disposé déjà de *récits* d'apparitions du Ressuscité (cf. 1 Co 15,3-5). L'hypothèse de M. Dibelius garde cependant des partisans : Marc aurait remplacé le récit des apparitions, qui formait la conclusion du récit prémarcien de la passion, par la tradition du tombeau vide, et l'insertion du v. 7 sert à faire le lien avec la conclusion primitive[338]. La suggestion est reprise sous une forme nouvelle par W. Schmithals : après 16,1-6.8, Marc lisait dans la *Grundschrift* les récits de 9,2*-8* ; 3,13*-19* ; 16,15-20, et il les a omis, ou transposés, et remplacés par 16,7 qui est «Ersatz für Nichterzähltes»[339].

Depuis Wellhausen, il a été répété maintes fois : Marc a ajouté 16,7 (cf. 14,28), et il est peu probable qu'il ait perçu la tension que devait créer cette insertion[340]. La contradiction avec le v. 8, qui serait due à une intervention rédactionnelle, reste ainsi sans explication au niveau de la rédaction. Sur ce point, un réel progrès sera réalisé par l'étude de W. Marxsen en 1956 : «dieser 'Widerspruch' [braucht] bei Markus nicht als Widerspruch stehenzubleiben, sondern [ist] durchaus zu erklären»[341]. Mais avant d'aborder l'exégèse de Marxsen, c'est la position de H. von Campenhausen qui doit retenir notre attention.

3. *Le silence des femmes : un motif apologétique*

Beaucoup d'auteurs attribuent à J. Wellhausen (1903) une interprétation dite apologétique du silence des femmes[342] : «16,8 soll er-

au v. 6), pour y ajouter ἴδε ὁ τόπος ὅπου ἔθηκαν αὐτόν (p. 7-8). La possibilité d'un καθὼς εἶπεν ὑμῖν traditionnel est encore envisagée par W. Schenk (1974) : «müsste... sich auf die Ansage der Auferweckung überhaupt bezogen haben» (p. 268-269). Cf. *infra*, n. 397.

338. M. Dibelius, *Formgeschichte*, 1919, p. 85-86 ; ²1933, p. 191-192 (voir aussi p. 182). Cf. H.W. Bartsch, *Der ursprüngliche Schluss der Leidensgeschichte*, dans M. Sabbe (éd.), *L'évangile selon Marc*, 1974, p. 413.

339. W. Schmithals, *Markus* (cf. *supra*, n. 301), p. 716. Sur l'origine rédactionnelle du v. 7, voir p. 708-709. Comparer *Der Markusschluss, die Verklärungsgeschichte und die Aussendung der Zwölf*, dans *ZTK* 69 (1972) 379-411.

340. J.M. Creed, *The Conclusion*, p. 180 : «Mark had not seen the confusion which his interpolation has caused» ; V. Taylor, *Mark*, 1952, p. 609 : «Mark failed to perceive the difficulty created in 8» ; T.A. Burkill, *Mysterious Revelation*, 1963, p. 251 : «St. Mark could easily overlook the discrepancy, because he concluded his work at 16:8d ('for they were afraid')». Cf. R. Bultmann, *Geschichte*, 1921, p. 174 : «nicht beabsichtigt» (citation dans le texte).

341. W. Marxsen, *Der Evangelist Markus*, 1956 ; = ²1959, p. 50 (en réponse à von Campenhausen).

342. «Und so hat die kritische Auslegung zu einer traditionsgeschichtlichen Erklärung gegriffen, die zuerst wohl bei Wellhausen auftaucht und seitdem mit mancherlei

klären, dass dieser Auferstehungsbericht der Frauen erst nachträglich bekannt wurde. Paulus weiss in der Tat noch nichts davon»[343]. Mais l'opinion fut déjà signalée en 1901 par Holtzmann[344], qui se réfère à W. Brandt[345] et H. von Soden[346]. En 1903 J. Weiss l'indique également comme la position défendue par W. Brandt[347], et on la retrouve dans les articles publiés par P. W. Schmiedel dans *Encyclopaedia Biblica* en 1901 et 1903[348]. Elle sera reprise par W. Bousset[349], M. Dibelius[350],

Variationen im Grunde doch gleichlautend vorgetragen wird. Mit diesem letzten Verse, sagt man, soll das verspätete Auftauchen der Grabesgeschichte gewissermassen entschuldigt werden». Cf. H. VON CAMPENHAUSEN, *Der Ablauf* (cf. *infra*, n. 361), 1952, p. 24; ²1958, p. 26 (corriger la référence : 1902² → 1909²). «Wellhausen hat die Vermutung ausgesprochen...» (W. MARXSEN, *op. cit.*, p. 48); «seit Wellhausen» (W. NAUCK, *Die Bedeutung*, 1956, p. 251, n. 45); «die von Wellhausen angeregte Lösung» (E. GUTWENGER, 1966, p. 275).

343. J. WELLHAUSEN, *Das Evangelium Marci*, Berlin, 1903, p. 146; ²1909, p. 136.

344. H.J. HOLTZMANN, *Die Synoptiker*, ³1901, p. 183 (le passage est nouveau par rapport à ²1892). Voir dans *TR* 9 (1906), p. 85 : «so richtig Brandt; ähnlich aber auch Schmiedel, Wellhausen und von Soden».

345. W. BRANDT, *Die evangelische Geschichte und der Ursprung des Christentums auf Grund einer Kritik der Berichte über das Leiden und die Auferstehung Jesu*, Leipzig, 1893, p. 318 : «In den Worten 'sie sagten niemandem etwas, denn sie fürchteten sich' bekundet sich nun das Bewusstsein, eine ganz neue Geschichte in Umlauf zu bringen. So verstanden, bildet sie gerade in dem Munde des Erfinders den natürlichen Abschluss derselben. Kein anderer als der Evangelist selbst hat die Geschichte von dem leeren Grab zum ersten Male erzählt».

346. H. VON SODEN, rec. P. ROHRBACH, *Der Schluss des Markusevangeliums*, dans *TLZ* 20 (1895) 3-6, spéc. col. 5 : «Und dieser Abschluss war doppelt nöthig, wenn etwa die Erzählung vom leeren Grab ganz neu auftauchte, um begreiflich zu machen, wie sie dem bisherigen allgemein zugänglichen Schatz von Geschichten fremd bleiben konnte».

347. J. WEISS, *Das älteste Evangelium*, Göttingen, 1903, p. 341. Comp. *Die drei älteren Evangelien* (Die Schriften des N.T., 1), Göttingen, 1906, p. 209; ³1917 (éd. W. BOUSSET), p. 223 : «Die Bemerkung wird darauf hindeuten sollen, dass eben diese Erzählung von den Frauen am Grabe erst in einer späteren Zeit bekannt geworden ist» (cf. p. 48); *Das Urchristentum*, 1917, p. 63.

348. P.W. SCHMIEDEL, art. *Gospels*, in *Encyclopaedia Biblica*, t. 2, London, 1901, col. 1879-1880 : «The statement of Mk. is intelligible only if we take him to mean that the whole statement as to the empty sepulchre is now being promulgated for the first time by the publication of his gospel»; art. *Resurrection- and Ascension-Narratives*, *ib.*, t. 4, 1903, col. 4066. (Voir la liste bibliographique, col. 4086 : «quite specially, Brandt, *Evang. Gesch.*, 1893, 305-446, 490-517».) — Voir les réactions de K. LAKE, *The Historical Evidence for the Resurrection of Jesus Christ*, London, 1907; ²1912, p. 73, n. 1; T.J. THORBORN, *The Resurrection Narratives and Modern Criticism. A Critique Mainly of Professor Schmiedel's Article «Resurrection Narratives» in the Encyclopaedia Biblica*, London, 1910 (sur Mc 16,8, p. 105-107).

349. W. BOUSSET, *Kyrios Christos*, Göttingen, 1913, p. 79 : «Er soll die Frage Antwort geben, weshalb die Erzählung von den Frauen am leeren Grabe so lange unbekannt geblieben sei» (texte cité par Bultmann dans *Die Geschichte*). Le passage reste inchangé dans les éditions ultérieures : ²1921, p. 65 (= ⁵1965).

350. M. DIBELIUS, *Die Formgeschichte*, 1919; ²1932, p. 190 : «Die Schlussworte haben literarische Bedeutung... Das bedeutet, dass die Erzählung vom leeren Grab weiteren Kreisen bis dahin unbekannt war». Cf. H.W. BARTSCH, *Der ursprüngliche*

R. Bultmann[351], E. Meyer[352], J. M. Creed[353], B. W. Bacon[354], J. Finegan[355], V. Taylor[356], H. Grass[357], G. Bornkamm[358], T. Burkill[359]. Selon tous ces auteurs, le motif du silence appartient au récit original, dont il forme la conclusion (16,1-6.8)[360].

On peut hésiter devant l'appellation «apologétique». L'explication de Wellhausen est bien caractérisée comme *negativ ätiologisch* (Marxsen). Par contre, la solution proposée par H. von Campenhausen en 1952 est sans conteste une interprétation *apologétique* du motif du silence[361].

Schluss, 1974, p. 429: «Die Nichterfüllung des Auftrags... hat die einleuchtendste Erklärung durch M. Dibelius gefunden...» (Voir cependant n. 345: W. Brandt, 1893.) Bartsch reprend l'explication, non sans la transformer. Il l'entend au niveau de la rédaction de Marc et en connexion avec v. 7: «Der Beweis der Auferstehung durch das leere Grab has bis in die 60iger Jahre hinein keine Bedeutung gehabt».

351. R. BULTMANN, *Die Geschichte*, 1921, p. 174; ²1931, p. 308.

352. E. MEYER, *Ursprung*, 1921, p. 18.

353. J.M. CREED, *The Conclusion*, 1930, p. 180: «there was a felt need to explain how it came about that this new tradition had not won its way from the first».

354. B.W. BACON, dans *Journal of Religion* 11 (1931), p. 509.

355. J. FINEGAN, *Die Überlieferung*, 1934, p. 107.

356. V. TAYLOR, *Mark*, 1952, p. 608-609; *The Life and Ministry of Jesus*, 1955, p. 223.

357. H. GRASS, *Ostergeschehen*, Göttingen, 1956, p. 22.

358. G. BORNKAMM, *Jesus von Nazareth*, Stuttgart, 1956; ⁶1963, p. 167-168 et 196, n. 5.

359. T.A. BURKILL, *Mysterious Revelation*, Ithaca (N.Y.), 1963, p. 250. Cf. n. 61: «That 16:8c should be understood in this sense, was first suggested to me in private conversation by M. Goguel. But it was not until I read the article by J.M. Creed (1930)...». Voir aussi *New Light on the Earliest Gospel*, Ithaca-London, 1972, p. 247.

360. L'on notera que Brandt considère le récit comme la création de l'évangéliste: «Kein anderer als der Evangelist selbst hat die Geschichte von dem leeren Grab zum ersten Mahle erzählt» (*op. cit.*, p. 318); voir également P.W. Schmiedel (cf. n. 348) et Holtzmann: «Der Evglst aber, welcher diese Geschichte vom leeren Grab zum ersten Mal erzählt...» (*Die Synoptiker*, p. 183).

W. Bousset semble suggérer que le motif du silence vient de Marc: voir surtout p. 79 (= p. 65), n. 1, où il signale l'analogie de 9,9; cf. p. 8 (= 7), n. 1. Pour Bousset, il s'agit d'un récit isolé, que Marc ajouta à l'histoire de la passion, et non d'une création de l'évangéliste comme le pensait Brandt. La définition que von Campenhausen a donnée injustement de l'explication de Dibelius pourrait ainsi s'appliquer à celle de Bousset: «eine ältere, tendenzfrei gewachsene Legende sei der apologetischen Absicht erst nachträglich dienstbar gemacht worden» (*Der Ablauf*, ²1958, p. 27, n. 94).

Rappelons que E. Gutwenger suggère, par manière de variante à la solution de Wellhausen, que l'addition du v. 8cd serait une justification de l'insertion des vv. 5b-7 (cf. *supra*, n. 316). Pour E. Nineham, 16,8bcd pourrait être une addition apologétique (*Mark*, p. 448, n. 2; cf. p. 447). De son côté, R. Mahoney n'exclut pas le motif apologétique au niveau de la rédaction marcienne (*Two Disciples*, 1974, p. 157).

361. H. VON CAMPENHAUSEN, *Der Ablauf der Osterereignisse und das leere Grab* (SHA), Heidelberg, 1952; ²1958 (= *Tradition und Leben*, 1960, p. 48-113). Nous renvoyons aux pages de la deuxième édition (= ³1966); voir cependant n. 366.

Cf. W. MARXSEN, *Der Evangelist Markus*, p. 49: «Im Unterschied zu Wellhausen sieht er die Apologetik aber nicht darauf gerichtet, durch Betonung des Alters das

L'auteur ne croit pas qu'une reconstruction de la conclusion du récit du tombeau vide soit encore possible : 16,8 a été retravaillé, corrigé et transformé par Marc[362]. Par le silence des femmes, l'évangéliste veut souligner que les disciples, témoins des apparitions du Ressuscité, n'ont rien à voir avec le tombeau vide, et que ce n'est que plus tard que l'expérience des femmes, qui est «ein Geschehen für sich», s'est ajoutée au témoignage des disciples. Ainsi, Marc écarte toute suspicion d'une intervention des disciples en ce qui concerne le tombeau vide (cf. Mt). Et d'autre part, il sauvegarde la primauté du témoignage des disciples : «sie sind mit ihren *späteren* Ostererfahrungen *ursprüngliche* Zeugen der Auferstehung»[363]. Dans cette hypothèse, il n'est plus besoin de considérer le v. 7 comme une insertion secondaire, puisque la tension entre les versets 7 et 8 s'explique par l'intervention marcienne au v. 8[364].

Bien avant von Campenhausen, l'indépendance du témoignage pascal des disciples avait été soulignée. C'est le sens que prend le motif du silence pour D. Völter[365]. H. von Campenhausen lui-même renvoie à L. Brun, A.T. Nikolainen et H. Riesenfeld, d'abord, en 1952, avec fort peu de sympathie; puis, en ²1958, il intègre dans son explication ce qu'il appelle «die Deutung der nordischen Theologen»[366]. Il accueillit

späte Bekanntwerden zu motivieren, sondern v. Campenhausen sieht den apologetischen Schwerpunkt in der Sache selbst». Certains auteurs n'appellent apologétique que l'explication de von Campenhausen : cf. W. NAUCK, *Die Bedeutung*, 1956, p. 251, n. 45; E.L. BODE, *The Gospel Account*, 1969, p. 41-42.

362. *Der Ablauf*, p. 37 : «eine sekundäre, gewollte Umbiegung der Tradition»; et n. 147 : «Die Korrektur (nicht des Textes, aber der Überlieferung)».

363. *Ibid.*, p. 39 : «mit dem Schweigen der Frauen (wird) nicht nur das leere Grab von den Jüngern geschieden, sondern auch die Selbständigkeit dieser Jünger geschützt». Voir p. 36-39 et, contre Wellhausen, p. 26-27.

364. *Ibid.*, p. 37, n. 147. Cf. p. 38 : «der Berichterstatter [hat], wie so oft in derartigen Fällen, gar nicht bemerkt, zu welch seltsamen Konsequenzen seine Darstellung führen muss».

365. D. VÖLTER, *Die Entstehung* (cf. *supra*, n. 337), 1910, p. 9-10. «Darum wollte er durch 16,8ᵇ die Vorstellung abweisen, als ob schon durch die Mitteilung der Frauen von dem, was sie im Grab gesehen und gehört hatten, unter den Jüngern die Tatsache der Auferstehung Jesu bekannt geworden sei, wodurch die folgenden Erscheinungen Jesu in Galilaea ihre fundamentale Bedeutung für die Entstehung des Glaubens an die Auferstehung Jesu verloren haben würden». Rappelons que Völter est un partisan de l'hypothèse de la conclusion perdue de l'évangile de Marc. Comparer W. SCHMITHALS, *Der Markusschluss*, 1972, p. 386 : il met le silence en rapport avec 9,2*, «bis Jesus selbst, dem damit die alleinige Initiative bleibt, sich nach sechs Tage offenbart».

366. *Der Ablauf*, ²1958, p. 39, n. 149. Comparer 1952, p. 24, n. 69a : «erscheint mir etwas künstlich und weit hergeholt». Cf. L. BRUN, *Die Auferstehung Christi in der urchristlichen Überlieferung*, Oslo, 1925, p. 11; A.T. NIKOLAINEN, *Der Auferstehungsglaube in der Bibel und ihrer Umwelt. II. Neutestamentlicher Teil*, Helsinki, 1946, p. 65; H. RIESENFELD, *Jésus transfiguré* (ASNU, 16), Kopenhagen, 1947, p. 286 (p. 285, n. 25) : «... S. Pierre et les disciples en Galilée doivent être les premiers témoins de la Résurrection. C'est seulement ainsi que l'on peut comprendre les mots οὐδενὶ οὐδὲν εἶπαν relatifs aux femmes». — Voir également le recours à l'apologétique de la foi

favorablement la manière dont W. Grundmann la combine avec l'apologétique du tombeau vide [367], mais il s'oppose à la tentative de H. Grass de la combiner avec l'explication de Wellhausen [368]. L'apologétique de la foi pascale des disciples sera citée par d'autres sous le nom de von Campenhausen [369]. Pour lui, c'était un aspect réel du motif du silence, mais un aspect secondaire seulement : il s'agit avant tout d'une apologétique du tombeau vide, «im Bestreben, einen bestimmten drohenden Verdacht abzuwehren, ein sonst vielleicht mögliches Misstrauen zu zerstreuen» [370]. L'avantage de l'explication de von Campenhausen, — et il s'en vante, — est qu'elle a un point d'appui dans les évangiles (cf. Mt 27,62-66; 28,11-15). Mais c'est en même temps la faiblesse de l'hypothèse, car cette préoccupation qui est typiquement matthéenne ne se montre en rien dans le récit de Marc.

4. *Mc 16,7 et 8cd: additions de l'évangéliste*

W. Marxsen a passé au crible l'interprétation dite apologétique de Wellhausen et celle de von Campenhausen. Il veut surmonter le

pascale des disciples dans l'hypothèse de A. Vögtle, 1965 (cf. *supra*, n. 315); U. Wilckens (cf. *infra*, n. 383) et autres.

367. W. GRUNDMANN, *Die Geschichte Jesu Christi* (cf. *supra*, n. 315), 1956, p. 372. L'on notera cependant que Grundmann parle surtout de l'indépendance de la foi pascale des disciples. L'autre aspect, l'apologétique du tombeau vide, est signalé en note (n. 4: référence à von Campenhausen); il disparaît complètement dans le Commentaire sur Marc (cf. *infra*, n. 369).

368. *Der Ablauf*, p. 39, n. 149: «denn dabei handelt es sich um zwei gänzlich verschiedene Anliegen, und man muss sich entscheiden, welches gelten soll». Cf. H. GRASS, *Ostergeschehen und Osterberichte*, Göttingen, 1956, p. 22-23. On suivra difficilement les distinctions de l'auteur entre trois théories différentes: (*1*) «den Jüngern eine *Prärogative* in der Zeugenschaft zu sichern»; (*2*) «... die *Selbständigkeit* der apostolischen Zeugen... Selbständigkeit ist nicht dasselbe wie Prärogativ»; (*3*) «nicht nur die Selbständigkeit der apostolischen Zeugen..., sondern dass ihr *Osterglaube* auch wirklich selbständig, d.h. unabhängig von einer Kunde vom leeren Grabe entstanden ist».

369. Cf. W. GRUNDMANN, *Markus*, 1959, p. 323: «apologetische Motive, die die Unabhängigkeit der Osterbotschaft von den Frauen am Grabe sicherstellen sollen»; D. DORMEYER, *Die Passion Jesu*, 1974, p. 234: «V 8b soll zurückweisen, dass der Osterglaube aufgrund des Zeugnisses der Frauen vom leeren Grab entstanden ist». Une telle présentation de l'hypothèse de von Campenhausen est pour le moins unilatérale. Cf. n. 370.

370. *Der Ablauf*, p. 37-38. C'est l'essentiel de l'explication de von Campenhausen: «die Jünger haben ihre Hände schlechterdings nicht im Spiel gehabt» (p. 37). D. Dormeyer, qui se réfère à von Campenhausen (n. 989), non seulement néglige cet aspect essentiel, mais arrive même à défendre une interprétation «apologétique» qui en est la négation pure et simple: l'affirmation de l'indépendance de la foi pascale par rapport au tombeau vide parce que «das leere Grab in seiner Beweiskraft angreifbar war» (p. 235; comparer von Campenhausen, p. 37: «Das leere Grab ist ein Geschehen für sich, ...; es verdient darum doppelt Glauben und Beachtung»). Dormeyer attribue 16,8cd à un glossateur post-marcien, responsable également d'une autre addition apologétique en 15,44-45 (p. 220-221). L'apologète qui répond en 15,44-45 à l'objection juive (Jésus est réellement mort, et non en apparence), aurait-il donc fait des concessions en 16,8 (la foi pascale ne dépend pas du tombeau vide)?

point de vue commun des deux auteurs à propos du «Widerspruch..., den der Evangelist nicht gesehen haben soll», dû à l'insertion du v. 7 (Wellhausen) ou à la transformation du v. 8 (von Campenhausen)[371]. Marxsen conclut à son tour à l'insertion du v. 7 (cf. Wellhausen), mais il refuse la tradition d'une fuite des disciples de Jérusalem (cf. von Campenhausen); à la suite de Lohmeyer, il comprend 16,7 comme une allusion à la parousie[372]. Mais c'est surtout le rapport entre les vv. 7 et 8 qui nous intéresse ici plus directement. Il compare la «contradiction» entre l'ordre de l'ange et le silence des femmes avec le motif marcien de l'ordre du silence et de sa violation dans les récits de miracle. Là, la divulgation du miracle est traditionnelle et Marc y introduit l'injonction au silence; en 16,7.8, c'est le motif du silence qui est traditionnel et Marc insère un ordre de parler. «In beiden Fällen besteht nun eine Spannung zwischen Reden und Schweigen, wenn auch jeweils umgekehrt. ... Dabei handelt es sich um einen literarischen Ausdruck für die Spannung zwischen Offenbarung und Verhüllung, die das Kennzeichen des 'Messiasgeheimnisses' ist, also eines typisch marcinischen Phänomens»[373].

Le recours au «secret messianique» comme explication rédactionnelle de la tension entre 16,7 et 8 se retrouve chez plusieurs auteurs récents, même si, d'autre part, ils se montrent peu favorables à son interprétation spécifique de Mc 16,7[374]. Certains vont jusqu'à

371. *Der Evangelist Markus*, p. 47-59 : *Galiläa in der Passionsgeschichte* (voir aussi p. 73-77 : *Mk 16,7*). Cf. p. 48-50, spéc. p. 50, n. 3. — Marxsen résume fort bien (pour la réfuter) la position de von Campenhausen. Par contre, ce qu'il écrit sur Wellhausen serait à corriger (p. 48-49). Il assimile indûment la position de Wellhausen à celle de von Campenhausen («Korrektur am V 8»), pour lui répondre : «dann muss V 8 ... bereits von Anfang an den Schluss dieser Legende gebildet haben», et le motif apologétique appartient déjà au récit de 16,1-6.8 (p. 49); ce qui est exactement le point de vue de Wellhausen! On a l'impression que Marxsen a confondu le commentaire de Wellhausen avec une note de von Campenhausen (1952, p. 35, n. 116 : «Die Korrektur... in V. 16,8»). Cf. MARXSEN, p. 48, n. 7 : «Wellhausen hält den Verfasser deswegen für den Urheber dieser Apologie, weil '16,8 als Schluss unentbehrlich ist' (a.a.O.)» (il renvoie à «Mc, z. St.» = ²1909 [cf. p. 11, n. 5], mais la phrase ne s'y trouve pas), à comparer avec VON CAMPENHAUSEN, *ibid.* : «Diese Worte [i.e. 16,7!] sind zumal dann, wenn Mk. 16,8 wirklich der Schluss des alten Evangeliums war, an dieser Stelle völlig unentbehrlich».

372. Cf. *infra*, n. 472 (Hamilton) et 391 (Weeden). Sur la discussion, parousie ou apparitions du ressuscité, voir R.H. STEIN, *A Short Note on Mark xiv.28 and xvi.7*, dans *NTS* 20 (1973-74) 445-452. Cf. p. 452 : «The conclusive argument against this interpretation is the reference to Peter in Mark xvi.7».

373. *Der Evangelist Markus*, p. 58-59. Le rapprochement fut suggéré déjà par J. SCHNIEWIND, *Markus* (NTD, 1), 1933, p. 195; ¹⁰1963, p. 207 : «vielleicht soll hier allerletzt noch einmal an Jesu Schweigegebot, an sein Messiasgeheimnis erinnert werden». Marxsen aurait pu le signaler.

374. Voir entre autres A. DESCAMPS, *La structure des récits évangéliques de la résurrection*, dans *Biblica* 40 (1959) 158-173, p. 160 : «On peut interpréter alors Mc 16,8, soit d'un silence tout provisoire, soit de préoccupations particulières du rédacteur sur

nier le caractère traditionnel du v. 8cd : la contradiction est intentionnelle, et c'est donc Marc qui a introduit et le v. 7 et le οὐδενὶ οὐδὲν εἶπαν...du v. 8 (U. Wilckens[375], suivi par I. Broer[376], J. Kremer[377] et, avec une certaine adaptation, par E.L. Bode[378]). D'autres parlent d'addition des vv. 7 et 8cd sans faire mention du problème de la compréhension marcienne de cette 'contradiction'[379]. La thématique

le secret messianique»; J. DELORME, *Résurrection et tombeau de Jésus* (cf. *supra*, n. 5), 1969, p. 114-115 (sur l'addition du v. 7 par Marc, cf. p. 131 et 133); E.L. BODE, *The First Easter Morning*, 1970, p. 42-43 (il renvoie à Schniewind, Wilckens et Descamps).

Voir également W. GRUNDMANN, *Markus*, 1959, p. 323; R.H. FULLER, *The Formation* (cf. *supra*, n. 314), p. 64 : la réinterprétation marcienne du silence des femmes, un motif traditionnel de l'angélophanie.

375. U. WILCKENS, *Der Ursprung der Überlieferung der Erscheinungen des Auferstandenen. Zur traditionsgeschichtlichen Analyse von 1. Kor. 15,1-11*, dans W. JOEST & W. PANNENBERG (éd.), *Dogma und Denkstrukturen. Fs. E. Schlink*, Göttingen, 1963, p. 56-95, spéc. p. 78(-80), n. 60 : «M.R. hält er [Marxsen] aber auch Mk. 16,7 für redaktionell (von markinischer Hand) ... man [kann] m. E. 16,8b nicht anders als durch die Annahme markinisch-redaktioneller Hinzufügung zu dem ursprünglichen Perikopenschluss Mk. 16,8a zureichend erklären! Dann ist die Spannung zu V 7 beabsichtigt, was man wiederum nur im Zusammenhang der markinischen Geheimnistheorie verstehen kann»; cf. *Die Perikope vom leeren Grabe Jesu in der nachmarkinischen Traditionsgeschichte*, dans *Festschrift für F. Smend*, Berlin, 1963, p. 30-41 (cf. p. 41, sur Mc 16,7); *Die Überlieferungsgeschichte der Auferstehung Jesu*, dans F. VIERING (éd.), *Die Bedeutung der Auferstehungsbotschaft für den Glauben an Jesus Christus*, Gütersloh, 1966, p. 41-63, cf. p. 59 : «V. 8b ... markinisch redaktioneller Zusatz (im Zusammenhang der markinischen Geheimnistheorie)»; *Auferstehung. Das biblische Auferstehungszeugnis historisch untersucht und erklärt* (Themen der Theologie, 4), Stuttgart-Berlin, 1970, p. 51-53 : «Aber der Widerspruch... wird so offensichtlich hart herausgestellt, dass darin eine bestimmte Absicht des Markus liegen muss. Sie ist erkennbar, wenn man das Markusevangelium als ganzes kennt. ... Diese letzte Stelle [9,9] zeigt, dass zwischen der Bemerkung von Schweigen der Frauen und den Schweigegeboten Jesu ein Zusammenhang besteht» (p. 52). Cf. *infra*, n. 383.

376. I. BROER, *Zur heutigen Diskussion*, 1968 (cf. *supra*, n. 73), p. 45 : «Der redaktionelle Charakter von V. 7 ist heute allgemein anerkannt. ... Auch v. 8b dürfte dem Markus zuzuweisen sein, ... [dürfte] mit der markinischen Theorie vom Messiasgeheimnis und Jüngerunverständnis zusammengehören» (il renvoie à Wilckens). Il ne parle que du v. 7 dans *Zur historischen Frage*, 1971, p. 427.

377. J. KREMER, *Die Überlieferung vom leeren Grab* (cf. *supra*, n. 8), 1972, p. 75; = *Zur Diskussion*, p. 151; *Die Osterevangelien*, 1977, p. 46.

378. E.L. BODE, *The First Easter Morning* (cf. *supra*, n. 7), 1970, p. 36 et 42-43. Il se réfère au phénomène apparenté au secret messianique («somewhat related phenomenon» : p. 42, cf. p. 39) de l'injonction au silence et de la réaction des hommes en 1,44-45 et 7,36. Par le silence des femmes en 16,8, Marc voulait exprimer «the paradox of the human response to the divine commands». Voir également p. 169 et 183.

379. Cf. W. PANNENBERG, *Grundzüge der Christologie*, Gütersloh, 1964, p. 100; M. BRÄNDLE, *Die synoptischen Grabeserzählungen*, dans *Orientierung* 31 (1967) 179-184, p. 181 (vv. 7 et 8bcd seraient secondaires); G. SCHNEIDER, *Die Passion Jesu*, 1973, p. 144 (vv. 7 et 8cd; sur v. 8, cf. p. 148 : l'indépendance de la foi pascale des disciples); B. RIGAUX, *Dieu l'a ressuscité*, 1973, p. 196 : «Les versets 7 et 8 sont rédactionnels»; le silence n'aurait pas la dimension du 'secret messianique' : «une simple notation marcienne pour décrire et insister sur l'émoi».

du secret messianique n'est d'ailleurs pas sans problèmes. U. Wilckens fait observer contre Marxsen que le secret messianique n'est nulle part mis en rapport avec la parousie[380]. Mais l'injonction au silence après la transfiguration (9,9) n'implique-t-elle pas l'ordre de parler, d'annoncer la gloire de Jésus, après la résurrection? Le secret messianique n'est-il donc pas «zeitgebundene, historische Aussage, die als solche nur für das Leben Jesu Gültigkeit hat» (G. Strecker)[381]? On répond généralement que le *terminus ad quem*, indiqué par 9,9, n'est pas encore atteint en 16,8[382]. U. Wilckens peut ainsi, dans son explication du motif du silence, combiner secret messianique et apologétique de la foi pascale des disciples, premiers témoins de la résurrection[383]. P. Hoffmann précise le sens de la découverte du tombeau vide qui se situe encore dans le temps des «épiphanies secrètes», «unter dem Vorbehalt des Messiasgeheimnisses»: «das leere Grab ist nur 'Zeichen', kein 'Beweis'. Den Glauben begründet allein der auferstandene Sohn Gottes»[384]. La réponse de M. Horstmann est différente. Elle reconnaît que, d'après l'évangéliste (16,7.8cd), «nach Ostern faktisch geschwiegen wird, obwohl ein ausdrücklicher Verkündigungsauftrag vorliegt»[385]; l'on doit compléter dans ce sens la théorie marcienne du secret messianique: «Die Struktur der Offenbarung, die Markus zunächst für den geschichtlichen Weg Jesu aufzeigt, bleibt auch nach Ostern gültig»[386]. Dans la même ligne, J. Gnilka fait observer: «Das volle Verstehen liegt jenseits von 16,8. Das 'Vorbild' der schweigenden Frauen... geht den Leser bzw. Hörer des Evangeliums und seinen Glauben an»[387].

D'après L. Schenke, c'est bien l'évangéliste Marc qui introduit les versets 7 et 8cd et crée ainsi la tension entre l'ordre angélique

380. *Der Ursprung*, p. 80, n. 60.

381. G. STRECKER, *Zur Messiasgeheimnistheorie im Markusevangelium*, dans *Studia Evangelica* 3/2 (TU, 88), Berlin, 1964, p. 87-104, spéc. p. 102; repris dans R. PESCH (éd.), *Das Markus-Evangelium* (WdF, 411), Darmstadt, 1979, p. 190-210, spéc. p. 205 (voir l'éclaircissement ajouté par l'auteur à la page 209, n. 26).

382. Cf. W. SCHENK, *Der Passionsbericht*, 1974, p. 270: «diese Schlussperikope [steht] für den Evangelisten noch diesseits der 9,9 bezeichneten Schwelle. Ein Ende des Jüngerunverständnisses liegt jenseits von 16,8».

383. U. WILCKENS, *Auferstehung* (cf. *supra*, n. 375), p. 53. Comparer *supra*, n. 366.

384. P. HOFFMANN, art. *Auferstehung II/1* (*Auferstehung Jesu Christi. Neues Testament*), dans *TRE* 4 (1979) 478-513, p. 500. Cf. p. 498, sur 16,7 et 8cd (il renvoie à Wilckens et Broer).

385. M. HORSTMANN, *Studien zur markinischen Theologie. Mk 8,27-9,13 als Zugang zum Christusbild des zweiten Evangeliums* (Neutest. Abhandl., NF 6), Münster, 1969, pp. 128-134 («Das Verhältnis von Mk 9,9f. zur Osterperikope Mk 16,1-8»), p. 133.

386. *Ibid.*, p. 134. Voir également p. 132, sur la *Verhüllungstheorie* qui indique «eine Grundstruktur des Glaubens».

387. J. GNILKA, *Markus* (cf. *supra*, n. 301), 1979, p. 344-345. La dissertation de M. Horstmann (Münster, 1968) a été préparée sous la direction de J. Gnilka.

et le silence des femmes. «Und zwar mit voller Absicht»[388] : Marc veut montrer que c'est contre la volonté du Ressuscité, exprimée ici par l'ange, que les disciples sont restés à Jérusalem, où les apparitions ont eu lieu et la communauté chrétienne s'est groupée. L'évangéliste vise les problèmes de son temps, et, par cette insertion, il entend réagir contre l'influence (juive) que Jérusalem exerce sur son église[389]. L'hypothèse rencontre beaucoup d'hésitations; B. Steinseifer lui est favorable[390], et T.J. Weeden la prolonge dans sa théorie d'une «vendetta against the disciples»[391].

5. *Traits rédactionnels dans l'angélophanie*

Devant le problème posé par le v. 8, quatre solutions de critique littéraire se sont présentées : vv. 5-7 (5b-7), ou v. 7, ou v. 8cd, ou vv. 7.8cd seraient des additions rédactionnelles[392]. Nous avons constaté un très large accord au sujet du v. 7; sur ce point, von Campenhausen n'a guère été suivi[393]. Quant aux vv. 5-6, les critiques les acceptent presqu'à l'unanimité comme entièrement prémarciens. Plusieurs partisans d'un récit archaïque sans angélophanie sont en effet d'avis que l'apparition de l'ange y ait été introduite à un stade prémarcien. C'est le cas notamment de E. Hirsch (*Mk II*) et M.-É. Boismard.

Selon Boismard (1972)[394], le récit du Document B contient déjà les vv. 5-6. Le Mc-intermédiaire y aurait ajouté le v. 7, et l'ultime Rédacteur marcien les aurait profondement remaniés :

Mc-int.	*Mc*
5 *ἄγγελον	νεανίσκον
καθήμενον	+ ἐν τοῖς δεξιοῖς
	+ περιβεβλημένον στολὴν λευκήν,

388. L. SCHENKE, *Auferstehungsverkündigung* (cf. *supra*, n. 3), 1969, p. 67. Voir surtout la longue note, p. 49(-52), n. 71.

389. *Ibid.*, p. 51.

390. B. STEINSEIFER, *Der Ort der Erscheinungen des Auferstandenen. Zur Frage alter galiläischer Ostertraditionen*, dans *ZNW* 62 (1971) 232-265 («Markus 16,7»), p. 255-256 (cf. p. 257, n. 97).

391. T. J. WEEDEN, *Mark. Traditions in Conflict*, Philadelphia, 1971, p. 48-50. Cf. p. 50 : «Mark intentionally affixed 16:8b to 16:8a as his final editorial comment in his work. The effect, of course, is a startling, and to many an offensive, suggestion that the disciples never received the angel's message, thus never met the resurrected Lord, and, consequently never were commissioned with apostolic rank after their apostasy». Voir également p. 117 : «The silence of the women robs the disciples of their apostolic credentials». Même interprétation chez E. SCHILLEBEECKX, *Jezus* (cf. *supra*, n. 9), 1974, p. 266 (n. 14), 274 (n. 36); J. D. CROSSAN, *The Empty Tomb* (cf. *supra*, n. 221), 1976, p. 149.

392. On pourrait ajouter une cinquième hypothèse : vv. 5-7.8cd. Cf. *supra*, n. 316 (E. Gutwenger).

393. Par contre, l'étude de von Campenhausen a contribué beaucoup, un peu malgré lui, à la divulgation de l'explication du silence des femmes comme une «apologétique» des disciples premiers témoins de la résurrection. Cf. *supra*, n. 369 et 370.

394. *Synopse*, t. 2 (cf. *supra*, n. 320), 1972, p. 442.

Mc-int.	*Mc*
*ἐφοβήθησαν	ἐξεθαμβήθησαν
6 *φοβεῖσθε	ἐκθαμβεῖσθε
Ἰησοῦν ζητεῖτε	+ τὸν Ναζαρηνόν
7 τοῖς μαθηταῖς αὐτοῦ	+ καὶ τῷ Πέτρῳ

Le texte du Mc-intermédiaire a été reconstitué «en tenant compte du parallèle matthéen»(!)[395]. Au v. 5, l'ultime Rédacteur marcien aurait rapproché l'ange du «jeune homme» de 14,51-52 (νεανίσκος... περιβεβλημένος): «dans les deux passages, ce 'jeune homme' symbolise le Christ»[396].

D'après W. Schenk (1974)[397], Marc aurait remanié les vv. 5-7 d'une manière encore beaucoup plus radicale. Il se base surtout sur des indications de vocabulaire et de style. Dans le récit traditionnel, le «jeune homme» (car ici c'est Marc qui est responsable de la «Umstilisierung eines jungen Mannes in einen Engel») est celui de 14,51-52: «Der dort nackt Fliegende erscheint jetzt bekleidet». Il n'est autre que Pierre qui leur annonce la résurrection (v. 6b)[398].

Praesens-historicum-Schicht	*Mc*
5	+ καὶ εἰσελθοῦσαι εἰς τὸ μνημεῖον
*θεωροῦσιν	εἶδον
(*τὸν) νεανίσκον	+ καθήμενον
ἐν τοῖς δεξιοῖς	=
περιβεβλημένον στολὴν	+ λευκήν,
	+ καὶ ἐξεθαμβήθησαν.
6a ὁ δὲ λέγει αὐταῖς	+ μὴ ἐκθαμβεῖσθε.
...	...
c	+ ἴδε ὁ τόπος ὅπου ἔθηκαν αὐτόν
7	+ ἀλλὰ ὑπάγετε
εἴπατε τοῖς μαθηταῖς αὐτοῦ	+ καὶ τῷ Πέτρῳ ὅτι προάγει ὑμᾶς εἰς τὴν Γαλιλαίαν· ἐκεῖ αὐτὸν ὄψεσθε,
καθὼς εἶπεν ὑμῖν (∼ 6b)	=

395. *Ibid.*, p. 442b. Comparer la tradition reconstituée par X. Léon-Dufour: «un ange», «soyez sans crainte», «il gisait» (cf. Mt); le v. 5 serait un remaniement de la phrase élémentaire: «un ange est là». Cf. *Résurrection de Jésus*, 1971 (cf. *supra*, n. 7), p. 178. Dans le récit traditionnel, les femmes n'entrent pas dans le tombeau (om. 5a et 8a: cf. Mt). Dans le même sens: H. Sahlin, *Zum Verständnis der christologischen Anschauung des Markusevangeliums*, dans *Studia Theologica* 31 (1977) 1-19, p. 16: il lit ἐλθοῦσαι (*loco* εἰσ-) dans le texte de Mc au v. 5; ἴδε ὁ τόπος... (v. 6) et ἐξελθοῦσαι (v. 8) seraient ajoutés par Marc.

396. Cf. *supra*, n. 193 et 217. Sur 16,8, cf. *infra*, n. 430.

397. *Der Passionsbericht* (cf. *supra*, n. 7), p. 259-271, spéc. p. 263ss.

398. Cf. *supra*, n. 218. Sur καθὼς εἶπεν ὑμῖν, cf. *supra*, n. 337 (D. Völter).

Au v. 8, καὶ ἔφυγον serait le seul élément prémarcien[399]. Le tombeau vide ne jouerait aucun rôle dans la tradition primitive : «Markus muss als sein Erfinder angesprochen werden»[400].

C'est également la thèse de J.D. Crossan : «Mk created the tradition of the Empty Tomb»[401]. Il identifie, lui aussi, le jeune homme de 16,5 avec celui de 14,51-52 : «It is the neophyte in the Mkan community and therefore that community itself, including Mk»[402]. Pour la forme du récit de 16,1-8, Marc dépendrait de 6,45-51, mais au lieu d'une apparition du Ressuscité aux apôtres, il aurait créé une *anti-apparition tradition*, le récit de l'absence de Jésus[403].

Avec cette explication strictement rédactionnelle[404], nous quittons le domaine de la critique littéraire. R. Pesch, qui se montre tout aussi sceptique envers les solutions de critique littéraire[405], s'oppose également à tout découpage du récit de 16,1-8. Cependant, Marc n'y serait

399. *Ibid.*, p. 269. Comparer X. Léon-Dufour (cf. n. 395) : «Alors, prises de peur, les femmes s'enfuirent». Sur 16,7.8cd, cf. *supra*, n. 382.

400. *Ibid.*, p. 266. «Erst Markus hat sie durch die Koppelung mit der Begräbnisgeschichte und die Ausgestaltung dieser Perikope zu einer Epiphaniegeschichte, zu einer Geschichte des leeren Grabes gemacht» (*ibid.*).

401. J.D. CROSSAN, *Empty Tomb and Absent Lord* (cf. *supra*, n. 221), 1976, p. 135. Cf. p. 145-152 : «The Tradition in Mark».

402. *Ibid.*, p. 148. Cf. *supra*, n. 221.

403. *Ibid.*, p. 150-151. Il se réfère à C.H. Dodd qui distingue six éléments formels en Mc 6,45-51 (et Mt 28,9-10; Jn 20,14-18). Les éléments c et d se trouvent en ordre inversé en Mc 6,45-51 et 16,1-8 :

a) *Situation*	b) *Apparition*	c) *Greeting* (*Address*)	d) *Recognition* (*Response*)	e) *Command*	f) *Result*
6,45-48a	48b	50b	49-50a	(51b?)	51c
16,1-4	5abc	6	5d	7	8

Son interprétation de 16,8 prolonge celle de (Schenke et) Weeden : «In plain words, the Jerusalem community led by the disciples and especially Peter, has never accepted the call of the exalted Lord communicated to it from the Mkan community» (p. 149). Voir également son étude sur *Mark and the Relatives of Jesus*, dans *NT* 15 (1973) 81-113; comparer la réaction de J. LAMBRECHT, dans *NT* 16 (1974) 241-258.

404. L'interprétation de Crossan peut être rapprochée de celle de N.Q. Hamilton (cf. *infra*, n. 472). Autre type d'explication rédactionnelle : M. GOULDER, *The Empty Tomb*, dans *Theology* 79 (1976) 206-214 : une composition midrashique (cf. Jos 10; Dn : l'ange, etc.); son explication de 16,8 (p. 213) est celle de Brandt : cf. *supra*, n. 345 (et 360). La même revue publie une réaction de J. Thurmer (p. 355-356 : «There is no such correspondence between Joshua and the empty tomb»).

405. J.D. CROSSAN, p. 136 : «The rather wan minimum of pre-Mkan tradition that five scholars agreed on was 16:2 and 8a. Such a wide disagreement makes one wonder if there was any such pre-Mkan tradition at all». Comparer R. PESCH, *Das Markusevangelium*, t. 2, p. 7 : «die in beliebiger Häufigkeit und Variabilität produzierten Widersprüche über die Verteilung von Tradition und Redaktion...» (voir aussi p. 10!).

Crossan se réfère à une note de Bode sur les hypothèses de Goguel, Gutwenger, Grundmann, Hirsch, Schenke (p. 25, n. 1). L'accord à propos des vv. 2 et 8a est encore à préciser : au v. 8a, Hirsch ne retient que καὶ ἔφυγον, et au v. 2 il tient ἀνατείλαντος τοῦ ἡλίου pour secondaire (et Schenke : λίαν πρωΐ).

pour rien, car il aurait repris, sans y changer un mot, les chap. 14-16. Mais il n'est nullement besoin de partager les vues de Pesch sur le récit prémarcien de la passion (8,27-16,8)[406] pour tirer profit de ses analyses du récit du tombeau vide[407]. J'y reviendrai plus loin.

Pour terminer cet aperçu, je signale encore une suggestion de J. Gnilka (1979) au sujet de 16,7. Le verset serait rédactionnel, mais il remplace un élément du texte primitif: «et il est apparu à Pierre» (ou Képhas, ou Simon)[408]. Il ajoute: «Die Formel in 1 Kor 15,3ff. ... ist sicher älter als die Tradition von Mk 16,1-8». Sur ce dernier point, on aurait tort de le contredire.

B. *La critique des hypothèses*

Les théories de critique littéraire que j'ai présentées jusqu'ici concernent surtout la deuxième partie du récit: l'apparition de l'ange, l'ordre donné par l'ange et la réaction des femmes. Avant de passer à l'examen de la première partie (16,1-4), il convient de faire entendre la voix de la critique.

L'hypothèse d'un récit traditionnel sans angélophanie «ergibt einen Zusammenhang, den die Gemeinde niemals überliefert hätte. Gerade die Engelbotschaft 'Er wurde auferweckt!' ist für die frühchristliche Erzählung von den Frauen unentbehrlich»[409]. Cette critique de E. Haenchen (1966) à l'égard de l'*Urbericht* de E. Hirsch sera reprise par L. Schenke (concernant l'hypothèse de A. Vögtle)[410] et par J. Delorme et X. Léon-Dufour (envers la solution de P. Benoit)[411]. La critique

406. Cf. F. NEIRYNCK, *L'évangile de Marc. À propos du Commentaire de R. Pesch* (ALBO V/42), Leuven, 1979. Cf. *ETL* 53 (1977) 153-181; 55 (1979) 1-42.

407. R. PESCH, *Der Schluss der vormarkinischen Passionsgeschichte und des Markusevangeliums: Mk 15,42-16,8* dans M. SABBE (éd.), *L'évangile selon Marc* (BETL, 34), Leuven-Gembloux, 1974, p. 435-470; *Das Markusevangelium*, t. 2, 1977, p. 519-543. Voir également *Zur Entstehung des Glaubens an die Auferstehung Jesu*, dans *TQ* 153 (1973) 201-228 (spéc. 204-208) et 270-282 (spéc. 278-279: réponse à P. Stuhlmacher).

408. J. GNILKA, *Markus*, t. 2, 1979, p. 339. — Comparer une (première) suggestion de R. Pesch, dans *Biblica* 50 (1969), p. 288: v. 7a ἀλλὰ ... Πέτρῳ serait traditionnel, «Auf, geht hin, sagt (es) den Jüngern und dem Petrus!». Cf. I. BROER, *Zur heutigen Diskussion*, 1968, p. 45, n. 24 («Diesen Hinweis verdanke ich R. Pesch»); il ne l'a pas retenu dans *Zur historischen Frage*, 1971, p. 427. Voir également W. Schenk (εἴπατε τ. μ. α.).

409. E. HAENCHEN, *Der Weg Jesu*, Berlin, 1966, p. 545. Il est cité par L. Schenke, 1968 (p. 67, n. 33) et par J. Gnilka, 1979 (p. 338, n. 3).

410. L. SCHENKE, *Auferstehungsverkündigung*, p. 64-71 et 95-97. La position de l'auteur est fortement affaiblie par son recours au «noyau historique» de Jn 20,1ss. (p. 96).

411. J. DELORME, *Résurrection*, 1969, p. 138: «dans une communauté comme celle des origines chrétiennes, peut-on penser qu'il ait existé *des récits* formulés, traditionnels, limités à la constatation neutre d'un fait matériel? Y a-t-il jamais eu de *récit* concernant le tombeau de Jésus sans qu'il ait été éclairé de quelque façon par la foi en la résurrection?»; cité par X. Léon-Dufour, dans *Résurrection de Jésus*, 1971, p. 161 (voir également p. 224).

est acceptée par A. Vögtle dans une rétractation de 1975 : «Mit Recht hat sich heute die Auffassung durchgesetzt, dass die Mk 16 zugrundeliegende Erzählung von Anfang an die Proklamation der erfolgten Auferweckung des im Grab liegenden Jesus enthielt und in ihren Details konsequent auf diese Botschaft des Engels als zentralen Inhalt der Erzählung ausgerichtet war»[412]. D'autres noms pourraient être cités, car c'est là une tendance plus générale parmi les auteurs récents[413].

Quant à l'hypothèse de l'insertion secondaire du v. 7, elle a été profondement modifiée dans les études récentes. On n'attribue plus l'ordre de l'ange et le silence des femmes à deux niveaux rédactionnels différents : la «contradiction» serait intentionnelle, et le même rédacteur serait responsable des versets 7 et 8cd[414]. Il est vrai que la thèse de l'insertion du seul v. 7 garde ses partisans[415], mais d'autres auteurs s'interrogent sur la fonction du v. 7 à l'intérieur de l'angélophanie primitive. Je songe ici plus particulièrement aux études de D. Dormeyer et R. Pesch.

1. *D. Dormeyer (1974)*

Pour Dormeyer, la reconnaissance du genre littéraire de l'angélophanie constitue la clé de l'interprétation de Mc 16,5-8a. Le verset 7 n'est pas une addition secondaire pour la bonne raison que «die Erteilung eines Auftrages zum Angelophanieschema gehört»[416]. Le schéma normal comporte six éléments: 1. l'apparition de l'ange;

412. A. VÖGTLE, *Wie kam es zum Osterglauben?* (éd. A. VÖGTLE & R. PESCH), Düsseldorf, 1975, p. 94 (références à L. Schenke et I. Broer). Voir également p. 97. Comparer J. KREMER, *Die Osterevangelien*, 1977, p. 48, n. 53 : «dagegen wird mit Recht eingewandt, die Existenz eines Berichtes vom leeren Grab, der keinen direkten Bezug zur Osterverkündigung enthalte, sei unwahrscheinlich» (références à Delorme et Léon-Dufour). Cependant, l'hypothèse qu'il a défendue lui-même (cf. *supra*, n. 313) semble avoir gardé sa sympathie: «Verlockend ist die Annahme...» (p. 47). Il la présenta encore dans *Zur Diskussion*, 1974, p. 157 : «die Erscheinung und Botschaft des Engels... interpretierende, sekundäre Zufügung»; voir la critique de R. Pesch, *Das Markusevangelium*, t. 2, p. 537, n. 39.

413. Voir entre autres les commentaires récents de R. Pesch (cf. *supra*, n. 412) et J. Gnilka (cf. n. 408).

414. Voir U. Wilckens (cf. *supra*, n. 375) et les auteurs cités dans les notes 376-379, 384, 385, 387-391.

415. Voir, parmi les études récentes, J.E. ALSUP, *The Post-Resurrection Appearance Stories* (cf. *supra*, n. 324), 1975, p. 91-94; et surtout le dernier commentaire sur Marc : W. SCHMITHALS, *Markus* (cf. *supra*, n. 301), 1979, p. 708-709 (et 714-715). Ajouter J. ERNST, *Die Petrustradition im Markusevangelium — ein altes Problem neu angegangen*, dans J. ZMIJEWSKI & E. NELLESSEN (éd.), *Begegnung mit dem Wort. Fs. H. Zimmermann* (BBB, 53), Bonn, 1980, p. 35-65, spéc. p. 58.

416. D. DORMEYER, *Die Passion Jesu*, p. 226, n. 967. Comp. p. 228, n. 977 : «Das Schrecken 16,8 gehört zum Schema der Angelophanie». Voir surtout p. 229-230.

2. la crainte; 3. le message; 4. l'objection; 5. le signe confirmateur; 6. la constatation du signe. En Mc 16, l'objection, la *Erwiderung* de la part des femmes, fait défaut. Il en résulte que le signe n'y est pas séparé du message même : «Dennoch bleibt in dem Aufbau der Botschaft Mk 16,6f. das Angelophanieschema erhalten». En fait, le message est double : Jésus est ressuscité, et le tombeau vide en est le signe (v. 6d); les femmes doivent porter la nouvelle aux disciples et la confirmer par l'annonce d'un second signe, l'apparition de Jésus (v. 7b)[417]. Le schéma de l'angélophanie[418] reste incomplet sans la constatation que les femmes aient accompli leur mission. Dormeyer propose donc de compléter dans ce sens le v. 8a du récit prémarcien[419]. Il élimine ainsi la contradiction avec le silence des femmes, qu'il explique comme un motif apologétique introduit par le glossateur qui à son tour, après Marc, aurait retravaillé le v. 8[420]. Dormeyer échappe également à l'argument tiré de 14,28 : cette parole de Jésus, insérée par Marc, serait une adaptation secondaire de 16,7. L'évangéliste aurait trouvé 16,7 dans sa source, le récit prémarcien de la passion[421]. Il aurait ajouté καὶ τῷ Πέτρῳ et interprété à sa façon καθὼς εἶπεν ὑμῖν comme un rappel de la promesse de Jésus (14,28)[422]. Dans le récit primitif, la formule devait rappeler les prédictions de la résurrection, car c'est cela le sens de 16,7 : «Die Auferstehung ist erfolgt; zur Nachprüfung erhalten die Jünger in Galiläa Gelegenheit»[423].

La défense du v. 7 se fait ainsi de nouveau au dépens du v. 8cd. Dormeyer suit en cela l'exemple de von Campenhausen, même s'il s'en éloigne radicalement par l'attribution à un glossateur aussi bien que par le sens (très peu satisfaisant d'ailleurs[424]) qu'il donne à l'addition du v. 8cd. Pour la reconstruction du texte primitif du verset, il se réclame

417. *Ibid.*, p. 230.

418. Il retrouve le schéma sous une forme plus pure en Lc 1,11-20 (p. 230). Cf. F. NEIRYNCK, *L'évangile de Noël selon S. Luc*, Bruxelles-Paris, 1960, p. 32-37 : «le schéma de la vocation» qui comporte la mission, une réflexion, la réponse à l'objection, le signe confirmateur. Voir également R. E. BROWN, *The Birth of the Messiah*, Garden City (N.Y.), 1977, p. 156 : «Biblical annunciations of birth». Il distingue cinq *steps* : l'apparition, la crainte, le message, l'objection, le signe.

419. *Ibid.*, p. 231.

420. *Ibid.*, p. 234-235. Au niveau de la rédaction de Marc, la «légende» des femmes devait avoir une conclusion édifiante : cf. p. 234.

421. Le récit de 16,1.2b.4a.5-8a serait une composition du rédacteur prémarcien du récit de la passion, à partir d'une tradition indépendante de la venue des femmes au tombeau (*der Gang der Frauen zum leeren Grab*). Dans le récit primitif de la passion (T = *Märtyrerakte*), l'ensevelissement de Jésus (15,42b.43ac.46a) n'aurait été suivi que par la proclamation Ἰησοῦς ἠγέρθη (*der Auferstehungsruf*).

422. *Ibid.*, p. 225-226.

423. *Ibid.*, p. 225. Il compare καθὼς εἶπεν avec 11,6 et 14,16, «wo diese Formel die Richtigkeit der Aussage Jesu bestätigt». On rapprochera son explication de celle de Völter et Schenk (cf. *supra*, n. 337 et 398) qui relient καθὼς... à ἠγέρθη (cf. Mt).

424. Cf. *supra*, n. 370.

des parallèles en Mt et Lc: «Wahrscheinlich aber wird als Abschluss nach Mt/Lk ἀπαγγέλλω gestanden haben»[425].

2. *Mc 16,8 et l'accord de Mt/Lc*

L'observation de Dormeyer se lit également chez M.-É. Boismard: «comment expliquer que Mt et Lc l'aient corrigé à peu près de la même façon, s'accordant pour introduire le verbe 'annoncer'?»[426]. Cette «divergence essentielle» entre Mc («elles ne dirent rien à personne») et Mt/Lc («elles annoncèrent») n'a évidemment pas échappé à l'attention des auteurs qui ont étudié les accords mineurs de Mt et Lc contre Mc[427]. Si certains y voient l'indice d'une dépendance subsidiaire de Lc vis-à-vis de Mt[428] ou de l'influence d'une tradition non-marcienne[429], Boismard l'explique par l'hypothèse de l'*Urmarcus*: le Mc-intermédiaire, source de Mt et Lc, «se terminait par l'annonce aux disciples, et de la découverte du tombeau vide, et du message de l'ange»[430]. Par οὐδενὶ οὐδὲν εἶπαν, l'ultime rédacteur marcien

425. *Op. cit.*, p. 228. Voir surtout p. 227 (et 235).

426. *Synopse*, t. 2, 1972, p. 443a. Cf. *supra*, n. 394 et 396.

427. Cf. F. NEIRYNCK, *The Minor Agreements of Matthew and Luke against Mark with a Cumulative List* (BETL, 37), Leuven, 1974, p. 195. Le cas est signalé dans la liste de J.C. Hawkins. Sur la «correction» indépendante de Mc 16,8 dans Mt et Lc, voir B.H. STREETER, *The Four Gospels*, London, p. 300-301; B.S. EASTON, *The Gospel According to St Luke*, Edinburgh, 1926, p. 358; J. SCHMID, *Matthäus und Lukas*, Freiburg, 1930, p. 167.

428. Cf. E. SIMONS, *Hat der dritte Evangelist den kanonischen Matthäus benutzt?*, Bonn, 1880, p. 103. C'est encore l'hypothèse de M. GOULDER, *Mark xvi.1-8 and Parallels*, dans *NTS* 24 (1977-78) 235-240, mais il se contente de noter à propos de Lc 24,9: «He uses ἀπαγγέλλω often, but he also uses a number of other verbs 'to report', ἐξηγέομαι, ἐμφανίζω, ἐκτίθημι, λαλέω» (p. 237). Cf. p. 235: «Matthew seems to avoid the extra-ordinary silence of the women by an 'interpretation'»; et la même explication peut s'appliquer à Lc 24,9 (p. 237). Voir également E.V. MCKNIGHT, dans *JBL* 91 (1972), p. 344.

Quant aux synonymes de ἀπαγγέλλω que signale Goulder, on notera que ἐμφανίζω n'est employé qu'en Ac 23,15 (au sens «quasi-technique» selon Lake-Cadbury); 23,22; 24,1; 25,2.15, au sens de «déposer plainte» (par contre, voir l'emploi de ἀπαγγέλλω, dans le même contexte, en 23,16.17.19). Quant aux trois emplois de ἐκτίθημι (en Ac), le verbe n'a guère le sens de «annoncer» ou «raconter» en 18,26 («la voie de Dieu») et 28,23 («rendant témoignage au règne de Dieu»); troisième emploi: 11,4.

429. D. WENHAM, *The Resurrection Narratives in Matthew's Gospel*, dans *Tyndale Bulletin* 24 (1973) 21-54, p. 32. Dans la mesure où d'autres accords suggèrent une tradition non-marcienne, celui-ci «may not unreasonably be explained in the same way». Il n'exclut cependant pas que Mt et Lc «supplemented Mark in a similar way, but independently of each other». Voir également U. WILCKENS, *Die Perikope*, p. 33, n. 12 (Mt: avec hésitation) et p. 34-35 (une tradition parallèle en Lc 23,55; 24,3-5.9b.11.12).

430. *Synopse*, t. 2, p. 443a. Le v. 7 ne se lisait pas encore dans le Document B (cf. p. 445a); il a été ajouté (sans καὶ τῷ Πέτρῳ: cf. p. 442b: «absent de Mt/Lc») par le Mc-intermédiaire qui reprend le v. 8* tel qu'il se lisait dans le Document B: καὶ ἐξελθοῦσαι ἀπὸ τοῦ μνημείου (cf. Mc) ἔδραμον (?) ἀπαγγεῖλαι τοῖς μαθηταῖς αὐτοῦ (cf. Mt). Tous les mots

aurait voulu harmoniser l'apparition de l'ange aux femmes avec la finale du récit de la transfiguration dans Lc : καὶ αὐτοὶ ἐσίγησαν καὶ οὐδενὶ ἀπήγγειλαν... οὐδέν (Lc 9,36b)[431].

L'argument est assez étonnant, mais il faut savoir que selon Boismard (dans le Commentaire de 1972) l'ultime rédacteur de Mc serait «lucanien». Seulement, on se demande pourquoi le rédacteur lucanien qui, dans son hypothèse, aurait lu le verbe ἀπαγγέλλω dans le Mc-intermédiaire (16,8), l'aurait changé en εἶπαν, malgré le rapprochement avec l'emploi de ἀπήγγειλαν en Lc 9,36. Boismard lui-même tient ἀπαγγέλλω pour un «verbe lucanien» et attribue les trois emplois en Mc (5,14.19; 6,30) au rédacteur «lucanien»[432]. Pourquoi alors l'aurait-il remplacé ici par εἶπαν? N'est-il pas plus acceptable que le même rédacteur de l'évangile de Lc ait remplacé et διηγήσωνται en Mc 9,9 et εἶπαν en Mc 16,8 par ἀπήγγειλαν (Lc 9,36; 24,9)? Comparer Mc 3,32 λέγουσιν / Lc 8,20 ἀπηγγέλη[433]; Mc 5,16 διηγήσαντο / Lc 8,36 ἀπήγγειλαν[434]; Mc 5,33 εἶπεν / Lc 8,47 ἀπήγγειλεν[435]. Boismard fait observer que Lc 9,36 est le seul passage dans les

du v. 8 qui n'ont pas de parallèle dans Mt/Lc (cf. p. 442b) seraient de l'ultime rédacteur : a ἔφυγον, b εἶχεν γὰρ αὐτὰς τρόμος καὶ ἔκστασις· c καὶ οὐδενὶ οὐδὲν εἶπαν· d ἐφοβοῦντο γάρ. Même position chez J.-M. GUILLAUME, *Luc interprète des anciennes traditions sur la résurrection de Jésus*, Paris, 1979, p. 26 : «le trait [l'annonce des femmes aux disciples] vient de la tradition prémarcienne» (cf. p. 23, n. 2). Assez curieusement, dans la section sur «Lc., 24,9-10 et le thème des femmes-témoins dans la rédaction de Luc» (p. 43-52), l'auteur oublie de parler du v. 9 (cf. p. 50-52 : 24,10-11)!

431. *Ibid.* Cf. p. 252a : Lc 9,36b remonte au récit du Document C (9,28ac. 29-33a.36b), complété par le proto-Lc (vv. 28b.33b-35.36a) et repris par l'ultime rédacteur lucanien (légèrement retouché). Le récit de Mc remonte au Document B (p. 252b).

Boismard a au moins le mérite qu'il ne renonce pas à toute explication. D'autres se contentent de dire avec de Wette : «Markus widerspricht hier dem Matthäus und Lukas (aus welchem Grunde? wissen wir nicht)» (*Lukas und Markus*, ³1846, p. 253). T. R. W. Longstaff, qui, comme de Wette, défend l'hypothèse de Griesbach, n'en parle pas; cf. *Empty Tomb and Absent Lord : Mark's Interpretation of Tradition*, dans *JBL 1976 Seminar Papers*, 1976, p. 269-277. Mais on préfère ce silence aux vues fantastiques de S. Dockx qui rapproche Mc 16,8 de Mt 28,4 : v. 8bd (= «les gardes tremblèrent de peur» Mt 28,4); v. 8c «elles ne dirent rien à personne» (= «et devinrent comme morts» Mt 28,4). Cf. *Chronologies néotestamentaires et vie de l'Église primitive*, Gembloux, 1976, p. 245. Il tient Mc 16 pour une interpolation (!), basée sur les autres évangiles et «ce silence des femmes doit signifier le silence de notre interpolateur sur les apparitions de Jésus» (*ibid.*).

432. *Ibid.*, p. 206a et 222b.

433. Une reconstruction du texte de Proto-Lc (*ibid.*, p. 177) à partir de l'Évangile des Ébionites (Épiphane : ἐν τῷ ἀναγγελῆναι αὐτῷ) n'est guère convaincante.

434. En sens inverse : Mc 5,19/Lc 8,39; Mc 6,30/Lc 9,10. Comparer Ac 12,17 : διηγήσατο... πῶς ... et ἀπαγγείλατε. Autre rapprochement : Lc 24,9 ἀπήγγειλαν 11 καὶ ἐφάνησαν... ὡσεὶ λῆρος et Ac 12,14 ἀπήγγειλεν... 15 οἱ δὲ πρὸς αὐτὴν εἶπαν· μαίνῃ.

435. Emplois rédactionnels reconnus par Boismard : 7,18 add Mt; 18,37 add Mc (cf. p. 165a et 321a). Les autres emplois de ἀπαγγέλλω en Lc (11 fois, et 15 fois en Ac) sont : Lc 7,22 (= Mt 11,4), cf. v. 18 ἀπήγγ. et v. 24 τῶν ἀγγέλων Ἰωάννου; 8,34 (= Mc 5,14), cf. v. 36; 13,1; 14,21.

évangiles où se lit οὐδενὶ οὐδέν comme en Mc 16,8. L'on sait cependant que la double négation est bien dans le style de Mc[436], et 16,8 οὐδενὶ οὐδὲν εἶπαν peut être rapproché de 1,44 μηδενὶ μηδὲν εἴπῃς[437].

Quant à l'emploi du verbe ἀπαγγέλλω par Mt, il faut noter, avec Boismard[438], que le rédacteur matthéen reprend εἴπατε τοῖς μαθηταῖς αὐτοῦ (28,6 = Mc 16,7) en 28,10 ἀπαγγείλατε τοῖς ἀδελφοῖς μου. Pourquoi l'emploi du même verbe ne serait-il pas également rédactionnel en 28,8 ἀπαγγεῖλαι τοῖς μαθηταῖς αὐτοῦ (cf. v. 6)? Dans le récit de 28,11-15, «tout entier de la main de l'ultime Rédacteur matthéen», il l'emploie encore une troisième fois (v. 11)[439]. Le même verbe ἀπαγγέλλω en Mt 28,8 et Lc 24,9 n'est donc pas une raison suffisante pour abandonner l'hypothèse, «presque unanimement adoptée par les commentateurs», d'une «correction» de Mc 16,8 par Mt et Lc[440].

436. Cf. F. NEIRYNCK, *Duality in Mark*, p. 87-88: *Double Negative* (= *ETL* 42, 1971, p. 407-408).

437. En Lc 9,36 on lit οὐδὲν ὧν ἑώρακαν (cf. Mc 9,9 ἃ εἶδον)! Rappelons que, surtout depuis Marxsen, le rapprochement entre Mc 16,8 et l'injonction au silence en 1,44 (et 5,43; 7,36) est assez courant: cf. E. L. BODE, *The First Easter Morning*, p. 42; R. PESCH, *Markusevangelium*, t. 2, p. 536.

438. *Op. cit.*, p. 446-447.

439. Mt 28,11 ἐλθόντες εἰς τὴν πόλιν ἀπήγγειλαν... ἅπαντα..., comparer 8,33 ἀπελθόντες εἰς τὴν πόλιν ἀπήγγειλαν πάντα... On hésitera devant une distinction trop nette entre sens profane et religieux. Voir par exemple J. SCHNIEWIND, art. ἀπαγγέλλω, dans *TWNT* 1 (1933), p. 65: «man möchte, schon wegen Lk 9,36, in Mt 28,8.10 = Lk 24,9 (Mk 16,10.13) an *Auferstehungs-Botschaft* im prägnanten Sinn denken». L'emploi du même verbe en Mt 28,11 le fait hésiter (*ibid.*). Ajoutons également Lc 24,10 ἔλεγον πρός (23 λέγουσαι).

440. Sur les parallèles synoptiques, voir F. NEIRYNCK, *Les femmes au tombeau: Étude de la rédaction matthéenne (Matt. xxviii,1-10)*, dans *NTS* 15 (1968-69) 168-190; *Le récit du tombeau dans l'évangile de Luc (Lc 24,1-12)*, dans *Orientalia Lovaniensia Periodica* 6/7 (1975-76) 427-441. Sur Mt 28,9-10, voir également les auteurs cités dans *John and the Synoptics*, dans *L'évangile de Jean* (ed. M. DE JONGE), p. 96, n. 100; ajouter J. LANGE, *Das Erscheinen des Auferstandenen im Evangelium nach Matthäus. Eine traditions- und redaktionsgeschichtliche Untersuchung* (FzB, 11), Würzburg, 1973, p. 370-384 (sur ἀπαγγέλλω dans Mt, cf. p. 371). Sur Lc 24, voir également R. J. DILLON, *From Eye-Witnesses to Ministers of the Word. Tradition and Composition in Luke 24* (Analecta Biblica, 82), Rome, 1978 (cf. p. 53, sur le v. 9: «what is said here is still part of his conscious critique of the Marcan source») et l'ouvrage posthume de J. JEREMIAS, *Die Sprache des Lukasevangeliums. Redaktion und Tradition im Nicht-Markusstoff des dritten Evangeliums* (KEK), Göttingen, 1980 (sur 24,1-12, cf. p. 310-313). Son commentaire sur ἀπήγγειλαν est plutôt décevant: «lukanisches Vorzugswort... An unserer Stelle stammt das Verbum, wie par. Mt 28,8 zeigt, aus der Überlieferung» (p. 312). Les autres éléments traditionnels qu'il signale sont: v. 6 ὧδε (= Mc 16,6); v. 7 δεῖ παραδοθῆναι εἰς χεῖρας ἀνθρώπων ἁμαρτωλῶν (cf. Mc 8,31; 9,31; 14,41); v. 9 ἀπὸ τοῦ μνημείου (= Mc 16,8); v. 12 βλέπει, présent historique: voir le rapprochement avec Mc 16,4 θεωροῦσιν dans *The Uncorrected Historic Present in Lk xxiv.12*, dans *ETL* 48 (1972) 548-553 (Jeremias s'y réfère à propos de 24,2 εὗρον = Mc 16,4 θεωροῦσιν).

3. *R. Pesch (1977)*

À son tour, R. Pesch reconnaît dans 16,5-8 la *Gattung* d'une angélophanie, avec les motifs de *Auftrag* et *beglaubigendes Zeichen* au v. 7[441]. Il le note avec insistance : «die Beauftragung mit einer Botschaft ist ein Motiv vieler Epiphanieerzählungen»[442]. Selon lui, et contrairement à ce que pense Dormeyer (et Boismard), c'est 16,1-8 tout entier qui remonte au récit prémarcien de la passion[443]; Marc l'a repris sans y changer quoi que ce soit, y compris le v. 8cd. Le silence des femmes appartient au récit primitif : «ein Motiv der Reaktion auf den Offenbarungsempfang in Epiphanieerzählungen[444]. La tension qui existe entre les versets 7 et 8 est voulu. Elle aurait un double rôle : d'une part, elle permet de conclure le récit («der gewollte Widerspruch zum Auftrag des Engels ermöglicht dem Erzähler den Abschluss des Erzählzusammenhangs»)[445] ; et d'autre part, elle sauvegarde la primauté des disciples comme témoins de la résurrection[446]. La reprise de 14,28 dans 16,7 ne peut être un argument pour l'élimination du verset du récit primitif[447]. L'opinion critique qui tient 14,28 pour une insertion secondaire dans le contexte de 14,26-31 n'est pas fondée : «V 28 gehört

R. Pesch semble vouloir renouveler, à partir d'une analyse de Mc 16,9-20, l'hypothèse des «traditions» précanoniques en Mt 28,9-10 et Lc 24,9-11. Il signale parmi les *Stichworte* et *signifikante Vokabel* l'emploi de ἀπαγγέλλω en Mc 16,10.13; Mt 28,10; Lc 24,9 (*Markusevangelium*, p. 544-545). Voir cependant J. Hug, *La finale de l'évangile de Marc* (*Mc 16,9-20*), Paris, 1978, p. 162 : l'emploi du verbe ἀπαγγέλλω «n'a rien de significatif dans ce contexte» (voir également p. 28 : Mc 16,10, comp. Tb 8,14 [B, A] et Gn 24,28; p. 29, n. 5 : comp. Mc 5,19). Il a tort de négliger le rapprochement avec Lc 24,9. Sur ce point, on peut être d'accord avec W. Schmithals : Mc 16,9-14 présente «eine Harmonie der Osterberichte des Lk und des Joh» (*Markus*, p. 718). C'est la part de vérité dans les hypothèses de E. Linnemann (cf. *ZTK* 66, 1969, p. 259) et W. Schmithals (cf. *ZTK* 69, 1972, p. 404).

441. *Markusevangelium* (cf. *supra*, n. 407), p. 522. Sur le v. 7, cf. p. 521 et 534-535. Cf. *Der Schluss*, p. 381, avec une rétractation (cf. *supra*, n. 408) : «durch die Mk 14,28 für sekundär erklärenden Literatur irregeführt» (n. 29); voir n. 30 (contre L. Schenke et U. Wilckens).

442. *Ibid.*, p. 534.

443. Voir déjà *Der Schluss*, 1974 : seule la liste des noms des femmes au v. 1 pourrait être rédactionnelle (p. 384-386); une possibilité qui n'est plus retenue en 1977 (p. 529).

444. *Markusevangelium*, p. 536. Voir également p. 152.

445. *Ibid.*; voir également p. 521 et 528.

446. *Ibid.*, p. 536 (et p. 538). Sur cette explication dite apologétique, cf. *supra*, n. 366 et 369. Le silence (ἐφοβοῦντο γάρ) souligne en même temps le *mysterium tremendum* de la révélation divine. Pesch croit qu'on peut sous-entendre une note d'apologétique : les femmes n'ont pas «inventé» le tombeau vide et la foi à la résurrection : «Ihre Flucht mit Zittern und Entsetzen beweist das Gegenteil» (p. 535).

447. *Ibid.*, p. 521; voir également p. 520 et 534.

fest in den Zusammenhang»[448]. Les versets 27 et 28 sont liés par les métaphores du pasteur et des brebis (v. 28 προάξω ὑμᾶς) et par l'allusion à la mort et la résurrection de Jésus (cf. v. 27 πατάξω). Le v. 29 reprend v. 27, mais il est bien normal que la réaction de Pierre porte sur l'annonce de la défection des disciples (πάντες σκανδαλισθήσονται)[449]. D'autre part, les critiques ont eu tort également d'isoler le verset 16,7 de son contexte quand ils le rapprochent de 14,28[450] :

16,6	'Ιησοῦν...	14,27	καὶ λέγει αὐτοῖς ὁ 'Ιησοῦς
	τὸν ἐσταυρωμένον·		πατάξω τὸν ποιμένα,
	ἠγέρθη, (οὐκ ἔστιν ὧδε·)	28	ἀλλὰ μετὰ τὸ ἐγερθῆναί με
7	ἀλλὰ... τοῖς μαθηταῖς αὐτοῦ		(27.29.31 πάντες)
	καὶ τῷ Πέτρῳ		(29 ὁ δὲ Πέτρος...)
	προάγει ὑμᾶς		προάξω ὑμᾶς
	εἰς τὴν Γαλιλαίαν·		εἰς τὴν Γαλιλαίαν.
	(ἐκεῖ...,) καθὼς εἶπεν ὑμῖν.		(27a)

En plus du rappel de la parole de Jésus, Mc 16,7 contient une annonce : «là, en Galilée, vous le verrez». C'est le motif de la *Bestätigungsvision* (ou *Beglaubigungsepiphanie*) qui est bien à sa place dans le genre littéraire de 16,1-8. En effet, la *Gattung* fondamentale, appliquée à la résurrection de Jésus, serait «die Suche nach und die Unauffindbarkeit entrückten bzw. auferweckten Personen»[451]. Pour prouver l'*Entrückung* ou l'enlèvement miraculeux de quelqu'un, on fait valoir qu'il a disparu : on l'a cherché en vain, il est introuvable. Il arrive aussi que l'enlèvement est confirmée par une vision. Pesch cite l'exemple du Testament de Job 40,1-4, et cherche à comprendre ainsi le lien entre le récit du tombeau vide et l'apparition du Ressuscité en 16,7[452].

Le recours au motif de l'*Entrückung* est nouveau par rapport à l'étude présentée par Pesch aux Journées Bibliques de Louvain en 1971[453]. En revanche, une dernière observation qui plaide en faveur

448. *Ibid.*, p. 377. Cf. *Der Schluss*, p. 382, n. 32 (contre R. Bultmann et E. Linnemann) et n. 33 (contre W. Marxsen et A. Suhl).

449. *Ibid.*, p. 381-382.

450. Voir les rapprochements indiqués aux passages signalés, surtout p. 520 (et *Der Schluss*, p. 382).

451. *Ibid.*, p. 522-527.

452. *Ibid.*, p. 525-526. Cf. *infra*, n. 455 (*TQ*, 1973). Voir également n. 483.

453. Dans *Der Schluss* (publié en 1974), on trouve de nombreux renvois à E. Güttgemanns, surtout à propos de 16,7 : p. 378, n. 24; 381, n. 30; 382, n. 34; 383, n. 35 (voir encore *Markusevangelium*, t. 2, p. 521). Cf. E. GÜTTGEMANNS, *Linguistische Analyse von Mk 16,1-8*, dans *Linguistica Biblica* 11/12 (1972) 13-53; sur 16,7-8, cf. p. 22-26 (1.3.2.4) et 45-48 (2.6.1.2.10-14). S'il y a convergence entre les positions de Güttgemanns et Pesch, il est à noter que le Colloque de Louvain eut lieu en août 1971.

L'article publié renvoie à Güttgemanns pour l'analyse linguistique et structurale du récit (p. 397, n. 47). Il s'y rapproche sensiblement dans la présentation de la venue des femmes au tombeau comme «die Suche nach Jesus» qui serait «völlig vergeblich» sans

de l'appartenance de 16,7 au récit primitif y fut fortement mise en relief : le récit est basé sur le kérygme, et par la référence aux apparitions du Ressuscité, «das vierte Grunddatum des urchristlichen Kerygmas» est mentionné au v. 7 (cf. 1 Co 15,5 καὶ ὅτι ὤφθη Κηφᾷ, εἶτα τοῖς δώδεκα)[454].

4. *«Enlèvement» et tombeau vide*

La définition du genre littéraire de Mc 16,1-8 à l'aide du topos de l'enlèvement miraculeux (*Entrückung*) n'est pas nouvelle. C'est plutôt dans la suggestion d'en tirer argument contre l'insertion secondaire de 16,7 qu'il faut voir l'apport personnel de R. Pesch. Il l'a faite pour la première fois en 1973, après lecture de l'ouvrage de K. Berger[455]. Il s'est ainsi mis en contradiction formelle avec E. Bicker-

le message de l'ange (l'adjuvant). Il ne parle pas encore du motif de l'*Entrückung*, mais cette insistance sur *die Suche* (p. 406-407, cf. p. 334) l'a bien préparé à le faire.

Comparer E. GÜTTGEMANNS, *art. cit.*, p. 37-40. Il s'inspire de L. MARIN, *Les femmes au tombeau. Essai d'analyse structurale d'un texte évangélique*, dans *Langages* 6 (juin 1971) 39-50; cf. p. 40 : «A l'objet qui, au début du récit, est objet de la 'quête' des femmes, objet de désir et qui se définit comme le corps mort de Jésus, va être substitué, par l'intervention de l'ange, un objet de communication, le message, 'que Jésus est ressuscité'». Dans le texte «normalisé» de Güttgemanns, Mc 16,1-2 devient : αἱ γυναῖκες ἐζήτουν τὸ πτῶμα τοῦ Ἰησοῦ (p. 37). Il cite le commentaire de Lohmeyer sur le ζητεῖτε du v. 6, pour le corriger (*ibid.*). J'ai noté plus haut l'influence de cette même observation de Lohmeyer sur l'interprétation cultuelle de G. Schille (cf. *supra*, n. 11 et 30).

454. *Markusevangelium*, t. 2, p. 534-535. Cf. *Der Schluss*, p. 408 (IV.2.8.2); voir également p. 403 (III.2.2.5). Comparer la suggestion de J. Gnilka (n. 408). On peut en retenir qu'il n'y a pas lieu de retrancher du texte de Mc 16,7 les mots καὶ τῷ Πέτρῳ. Contre D. Dormeyer : «wirkt angehängt und wird von Rmk zugefügt sein» (p. 225). Le rapprochement avec 1 Co 15,5 se confirme si l'ordre «ses disciples — Pierre» est emphatique (voir les commentaires : cf. Mc 1,5; Ac 1,14). La mention spéciale de Pierre peut se comprendre également à la lumière du contexte de Mc 14,28 (cf. *supra*, n. 450). C'est l'avis également de M.-É. Boismard (p. 422b : «probablement en référence à Mc 14,28»), mais il l'attribue néanmoins à l'ultime rédaction (malgré le fait que 14,27b-28 et 16,7 se lisent déjà dans le Mc-intermédiaire). Il signale l'accord négatif de Mt/Lc (*ibid.*). Mais Mt semble préparer déjà la finale de l'évangile (28,16-20), et Lc, qui remanie profondement le texte de Mc 16,7 (cf. 444b), peut l'avoir connu avec la mention de Pierre (cf. 24,12!). De son côté, E. Hirsch tient «et à Pierre» pour une allusion du rédacteur à un récit d'une apparition à Pierre, que *Mk II* = 16,5-7 ne connaît pas (*Frühgeschichte*, p. 179). W. Schenk l'explique dans le cadre de son hypothèse sur le νεανίσκος (cf. *supra*, n. 398) : la mention de Pierre serait l'«Ersatz für seine Auslassung in anderem Zusammenhang» (p. 268).

455. Dans *TQ* 153 (1973), p. 278-279 (en réponse à P. Stuhlmacher; cf. *supra*, n. 407). Cf. K. BERGER, *Die Auferstehung des Propheten und die Erhöhung des Menschensohnes. Traditionsgeschichtliche Untersuchungen zur Deutung des Geschickes Jesu in frühchristlichen Texten* (SUNT, 13), Göttingen, 1976, (I, § 14D) *Die vergebliche Suche nach dem Leichnam*, p. 117-122 (notes I,530-556a : p. 390-402). Pesch se réfère au texte manuscrit de la dissertation (Hamburg, 1971), que l'auteur lui avait transmis en février 1973 (*Vorwort* de Berger, p. 5). Sur les thèses de Berger, voir déjà U. WILCKENS, *Auferstehung*, 1970,

mann qui, je crois, fut le premier à voir en Mc 16,1-8 le récit d'une *Entrückung*[456]. Selon Bickermann, l'ἀφανισμός et l'ἐπιφάνεια s'excluent mutuellement («sind an und für sich unvereinbar»), et l'étude typologique de Mc 16,1-8 confirme la conclusion de la critique littéraire: le v. 7 est une addition secondaire qui doit faire le lien entre deux traditions[457]. Celle du tombeau vide représente la conception primitive du milieu palestinien: «In dem Kreise, wo sie [die Grabesgeschichte] entstand, glaubte man an die unmittelbare Erhöhung, an die Entrückung Jesu»[458]. La réaction de la critique fut d'abord assez réservée[459]. L'article de Bickermann (1924) sera cité surtout par des apologistes pour être rejeté[460].

Mais depuis quelques années la situation a changé. F. Hahn a cru trouver les indications d'une christologie primitive d'enlèvement en Ac 3,21a; Mc 2,20; Lc 24,50-51 et Ac 1,9-11[461]. D. Georgi y ajouta Phil 2,9 et Lc 23,43[462]. D'autres passages encore sont cités par P. Seidensticker[463]. Dans son étude sur l'ascension[464], G. Lohfink

p. 137-143, et la conférence de R. Pesch à Tübingen en juin 1972 (cf. *TQ* 1973). Berger ne croit pas que la péricope de Mc 16,1-8 ait jamais existé sans le v. 7 (p. 177-178), et: «Der Abschluss V. 8b ist gattungsmässig zu erklären und bietet keinen Widerspruch zum Vorangehenden: mit ihm ist zunächst ein durchaus abgerundeter Schluss des Ev gefunden» (p. 177; note 219, p. 496-497).

456. E. BICKERMANN, *Das leere Grab*, dans *ZNW* 23 (1924) 281-292.

457. *Ibid.*, p. 289. Cf. *supra*, n. 336.

458. *Ibid.*, p. 290.

459. Cf. R. BULTMANN, *Die Geschichte*, ²1931, p. 315, n. 2: «Die Geschichte vom leeren Grabe ist aber zweifellos keine Entrückungslegende... Und es ist ein Irrtum, dass die Grabesgeschichte die unmittelbare Erhöhung Jesu voraussetzt; das Gegenteil ist der Fall, wie das Motiv des weggewälzten Steines zeigt». Voir cependant M. GOGUEL, *La foi*, 1933 (cf. *supra*, n. 306), p. 215-222.

460. Cf. H. DIECKMANN, *Die formgeschichtliche Methode und die Anwendung auf die Auferstehungslegende*, dans *Scholastik* 1 (1926) 379-399, p. 391; L. DE GRANDMAISON, *Jésus Christ*, t. 2, Paris, 1928, p. 503-505 (cf. p. 505); V. LARRAÑAGA, *L'Ascension de Notre-Seigneur dans le Nouveau Testament*, Rome, 1938, p. 97-100; P. BENOIT, *L'Ascension*, dans *RB* (1949) 161-203, p. 174-175; = *Exégèse et théologie*, t. 1, Paris, 1961, p. 377-381; P. DE HAES, *La résurrection de Jésus dans l'apologétique des cinquante dernières années*, Rome, 1953, p. 187-189.

461. F. HAHN, *Christologische Hoheitstitel* (FRLANT, 83), Göttingen, 1963, p. 126, n. 4 (cf. p. 186).

462. D. GEORGI, *Der vorpaulinische Hymnus Phil 2,6-11*, dans E. DINKLER (éd.), *Zeit und Geschichte. Fs. R. Bultmann*, Tübingen, 1964, p. 263-293, spéc. p. 292, n. 88. *Ibid.*, p. 292: «Die Entrückungsvorstellung dürfte aber älteste christologische Tradition sein, und zwar nicht in Ergänzung der Auferstehungsvorstellung, sondern an ihrer Stelle und vor ihr».

463. P. SEIDENSTICKER, *Die Auferstehung Jesu in der Botschaft der Evangelisten* (SBS, 26), Stuttgart, 1967, p. 17-20. Voir également G. HAUFE, dans *TLZ* 85 (1960), col. 467-468; *ZRGG* 13 (1961) 105-113, et les auteurs signalés par G. Lohfink (p. 96-97) et G. Friedrich (cf. *infra*, n. 469).

464. G. LOHFINK, *Die Himmelfahrt Jesu. Untersuchungen zu den Himmelfahrts- und Erhöhungstexten bei Lukas* (SANT, 26), München, 1971.

a fait l'inventaire des motifs de l'enlèvement[465], pour conclure que les textes allégués ne prouvent nullement l'existence de cette christologie primitive et que le schéma de l'*Entrückung* en Lc/Ac est lucanien[466]. Je crois que c'est la bonne conclusion, mais le débat n'est pas clos[467].

On ne peut pas dire que Mc 16 se trouve au centre de cette discussion qui, en définitive, remonte à l'article de Bickermann sur le tombeau vide. Deux auteurs au moins y font allusion. P. Seidensticker, sans citer Bickermann, note que l'enlèvement n'exclut pas nécessairement la mort, mais que le motif implique toujours la disparition du personnage : il n'est plus là. «Nach der Entrückung des Elias suchten ihn seine Jünger 'drei Tage und fanden ihn nicht' (2 Kg 2, 11f.17). In gleicher Weise ist auf das Fehlen des Leichnams Jesu am Ostermorgen, dem 'dritten Tag' der Osterpredigt, Wert gelegt (Mk 16,6; Mt 28,5; Lk 24,3.12; Jo 20,2), und auch die Emmausjünger erklären : Die Frauen 'fanden den Leichnam nicht' (Lk 24,23)»[468]. G. Friedrich rapproche cette observation de Seidensticker de l'article de Bickermann[469], et, dans la ligne de l'étude de G. Lohfink, il cherche à préciser le point de vue proprement lucanien : οὐχ εὗρον τὸ σῶμα τοῦ κυρίου Ἰησοῦ (24,3b, absent de Mc et Mt ; cf. 24,5.23)[470]. «Lukas benutzt bewusst Motive aus der Entrückungsanschauung, um seinen Lesern die Auferstehung Jesu verständlich zu machen»[471].

465. Dans l'antiquité grecque et romaine : p. 32-50 (voir la bibliographie, p. 32, n. 3 : de E. ROHDE, *Psyche*, à G. STRECKER, *Entrückung*, dans *RAC* 5, 1962, 461-476); dans l'Ancien Testament et le judaïsme : p. 51-74 (ajouter maintenant A. SCHMITT, *Entrückung-Aufnahme-Himmelfahrt. Untersuchungen zu einem Vorstellungsbereich in Alten Testament* [FzB, 10], Stuttgart, 1973). L'inventaire (voir déjà l'article de Bickermann, à partir de E. Rohde) sera complété par K. Berger (cf. n. 455) et R. Pesch (*Markusevangelium*, t. 2, p. 522-527).

466. Cf. R. SCHNACKENBURG, dans *BZ* 13 (1969), p. 8 : «Das Entrückungsmotiv tritt besonders bei der Himmelfahrt Jesu hervor (vgl. Lk 24,51f., Apg 1,9f.); aber das alles ist *lukanische* Theologie und beweist für die älteste Tradition und ihre Aussageweise nichts» (contre Seidensticker, avec renvoi à la dissertation de G. Lohfink).

467. Voir les recensions : K. BERGER, dans *NTT* 27 (1973) 257-260; F. HAHN, dans *Biblica* 55 (1974) 418-426 (cf. p. 423, sur Mc 2,20; Ac 3,20-21; 1 Thess 1,10; Apoc 12,5). Sur Ac 3,20-21, cf. F. HAHN, *Das Problem alter christologischer Überlieferungen in der Apostelgeschichte unter besonderer Berücksichtigung von Act 3,19-21*, dans J. KREMER (éd.), *Les Actes des Apôtres* (BETL, 48), Gembloux-Leuven, 1979, p. 129-154. Cf. p. 146, n. 82. Il y répond à l'objection de P. Vielhauer («Entrückung = ohne vorherigen Tod») : «die Vorstellungsweise [ist] dieselbe, nur schliesst im Neuen Testament die Entrückung Jesu die erfolgte Auferweckung ein».

468. P. SEIDENSTICKER, *op. cit.*, p. 19.

469. G. FRIEDRICH, *Lk 9,51 und die Entrückungschristologie des Lukas*, dans P. HOFFMANN (éd.), *Orientierung an Jesus. Fs. J. Schmid*, Freiburg, 1973, p. 48-77, p. 50, n. 17.

470. *Ibid.*, p. 55-56.

471. *Ibid.*, p. 19. Voir également *Die Auferweckung Jesu, eine Tat Gottes oder ein Interpretament der Jünger?*, dans *Kerygma und Dogma* 17 (1971) 153-187. Le point de vue de Friedrich est (résumé et) repris par E. Schillebeeckx, dans *Jezus*, 1974, p. 278-281 (sur Lc 24,1-12).

Indépendamment de la discussion sur la christologie primitive, et s'inspirant directement de Bickermann, N.Q. Hamilton a repris en 1965 l'explication de Mc 16,1-8 comme le récit de l'enlèvement de Jésus (*a removal* ou *translation story*)[472]. Mais selon lui il ne s'agit pas d'une tradition ancienne, car le récit du tombeau vide est probablement la création de Marc[473]. Il écrit son évangile après 70, dans l'attente de la parousie : Jésus qui a eu une première carrière historique reviendra bientôt en Galilée comme le Fils de l'homme pour une nouvelle carrière. C'est le sens de 16,7 : les chrétiens ne doivent pas retourner à Jérusalem, ils sont invités à se rendre en Galilée. Parce que la résurrection et les récits des apparitions du ressuscité (la présence de Jésus!) risquent de détourner l'attention de la parousie, Marc les remplace par une anti-résurrection, le récit de l'absence de Jésus[474]. C'est pour cette raison qu'il a choisi le genre littéraire de l'enlèvement, et non seulement pour s'adapter à ses lecteurs grecs.

T.J. Weeden (1971) revient à l'hypothèse du récit prémarcien (16, 2.5.6.8a). Il tient les versets 7 et 8cd pour rédactionnels et les explique dans la ligne de L. Schenke[475]. Mais à la suite de Hamilton, il définit le récit traditionnel comme *a translation story*. Marc aurait choisi ce récit parce que, en raison de sa polémique avec la christologie du *theios aner*, il préfère parler de la résurrection sans faire mention des apparitions du ressuscité. Le récit n'est donc pas *an antiresurrection story* (cf. v. 6 ἠγέρθη), mais plutôt *an anti-appearance-tradition narrative*[476]. Il suit encore Hamilton dans son interprétation de 16,7 : les passages de 14,27-28 et 16,6-7 relient la mort et la résurrection de Jésus (14,27.28a; 16,6ab) à sa parousie (14,28b; 16,7). Marc, par l'insertion de 16,7, «turns a translation story into a vehicle for establishing that continuity between the two careers of Jesus (his public ministry/passion and his parousia)»[477]. L'inspiration de Hamilton et Weeden se retrouve chez J.D. Crossan (1976)[478]. Le récit Mc 16, 1-8 est une création de Marc (cf. Hamilton) : «he offers us an absent

472. N.Q. HAMILTON, *The Resurrection Tradition and the Composition of Mark*, dans *JBL* 84 (1965) 415-421. Voir également *Jesus for a No-God World*, Philadelphia, 1969, p. 58-66. Cf. *supra*, n. 211 (sur le νεανίσκος).

473. *The Resurrection*, p. 416-418, avec une explication «apologétique» du silence des femmes (cf. *supra*, n. 345).

474. *Ibid.*, p. 420; il l'appelle «an antiresurection story» : «it avoids displaying the resurrected Jesus. It is as though Mark feels that Jesus' appearances to the Church distract them from something more important, i.e., the parousia».

475. Cf. *supra*, n. 391. See *Mark*, p. 45-51 et 117.

476. *Ibid.*, p. 101-117 : «The Empty-Grave Story and Mark's Polemic». Cf. p. 108. L'on notera cependant que, un peu plus loin, Weeden ne semble plus contester l'interprétation de Hamilton : «Jesus is absent! ... He has been translated (ἠγέρθη) to his Father» (p. 110).

477. *Ibid.*, p. 117.

478. Cf. *supra*, n. 401.

Jesus in his newly created anti-tradition of the Empty Tomb. On earth there are no apparitions but only the harsh negative of the Empty Tomb and the Lord who 'is not here'»[479].

Comme je l'ai dit plus haut, l'inventaire du motif de la «vergebliche Suche nach dem Leichnam» a été complété par K. Berger[480]. À propos du message de l'ange dans le récit du tombeau vide, l'on notera l'observation suivante: «die Nicht-Auffindung allein lässt zwar auf 'Entrückung' schliessen, deren Eigenart bleibt aber völlig unbestimmt; die allgemeine 'Hinwegnahme durch Gott' muss erst zusätzlich im Sinne der Auferweckung präzisiert werden»[481]. K. Berger a ajouté au dossier des textes le Testament de Job 39-40, qui, dit-il, montre «die Verbindung zwischen Vision der Erhöhten und Nicht-Auffindung des Leichnams»[482]. R. Pesch n'a pas manqué de faire le rapprochement avec Mc 16,7, déjà en 1973 et également dans le Commentaire[483]. De son côté, P. Hoffmann, qui, lui aussi, comprend Mc 16,1-8 comme «Veranschaulichung der Auferweckungsbotschaft im Kontext antiker Entrückungslegenden», ne tire pas profit de cette observation[484].

R. Pesch et P. Hoffmann se tiennent loin d'une exégèse à la Hamilton : le récit de Mc 16,1-8 «enszeniert... eine fundamentale Wahrheit des urchristlichen Kerygmas (vgl. 1 Kor 13,3-5)» (Pesch); il est «Veranschaulichung der Auferweckungsbotschaft» (Hoffmann). À propos des parallèles de l'antiquité grecque et romaine, Pesch fait observer que «kein Einfluss auf die im jüdischen Horizont erzählte Ostergeschichte anzunehmen ist[485]. De son côté, Hoffmann insiste plutôt sur le fait

479. *Empty Tomb*, p. 152. Il ne définit cependant pas la «forme» de Mc 16 comme une *translation* mais comme une imitation de Mc 6,45-51 : cf. *supra*, n. 403.

480. Cf. *supra*, n. 455.

481. *Die Auferstehung*, p. 121-122.

482. *Ibid.*, p. 122. — Test. Job 39,12: οὐ γὰρ εὑρήσετε τὰ παιδία μου, ἐπειδὴ ἀνελήφθησαν εἰς τοὺς οὐρανούς... 40,3 καὶ ἀναβλέψαντες εἶδον τὰ τέκνα μου ἐστεφανωμένα παρὰ τῆς δόξης ἐπουρανίου. Voir les éditions de P. BROCK, *Testamentum Iobi* (PsVTGr, 2), Leiden, 1967, p. 1-59; R.A. KRAFT, *The Testament of Job according to the SV Text* (Text and Translations, 5; Ps. Ser., 4), Missoula (Montana), 1974; et la traduction annotée de B. SCHALLER, *Das Testament Hiobs* (Jüdische Schriften aus hellenistisch-römischer Zeit, III/3), Gütersloh, 1979, p. 302-387 (*Einleitung*: p. 303-324; cf. p. 312: la date de l'ouvrage serait «zu Beginn oder Mitte des 2. Jh. n. Ch.»). Sur l'*Entrückung*, cf. p. 312 et 359 (39,12: il renvoie à Bickermann et Berger).

483. Cf. *supra*, n. 452 et 455. On s'étonne tout de même quelque peu de l'importance que reçoit le «parallèle» du Testament de Job, «der... die Erklärung von V 7c (ἐκεῖ αὐτὸν ὄψεσθε) als *Bestätigungsvision* sichern kann» (p. 525). N'est-il pas plus proche du motif des visions dans les apocryphes? Quant aux apocryphes chrétiens, abondamment cités par Pesch pour montrer la persistance du genre de l'*Entrückung*, ne fallait-il pas dire que les textes néotestamentaires sur l'ascension de Jésus ont donné une vie nouvelle aux traditions bibliques d'Élie, Hénoch et Moïse (cf. L'Évangile de Nicodème)?

484. *Auferstehung* (cf. *supra*, n. 384), p. 499.

485. *Markusevangelium*, t. 2, p. 525.

que la résurrection de Jésus «*in einem neuen Milieu* mit Hilfe der diesem eigenen Vorstellungskategorien gesehen und zur Darstellung gebracht [wird]»[486].

5. *L'unité du récit*

Après les études de R. Pesch et D. Dormeyer, on ne peut plus parler d'un consensus sur le caractère secondaire de Mc 16,7. Dans une approche différente, ceux qui tiennent Mc 16 pour une création de l'évangéliste[487] défendent également l'unité rédactionnelle du récit. Pesch et Dormeyer s'accordent à y voir la conclusion d'un récit prémarcien de la passion, mais Pesch est seul à exclure toute intervention de l'évangéliste, même dans la première partie du récit (16,1-4)[488].

NOTE ADDITIONNELLE

Ajouter deux articles récents: T.E. BOOMERSHINE et G.L. BARTHOLOMEW, *The Narrative Technique of Mark 16:8*, dans *JBL* 100 (1981) 213-223; T.E. BOOMERSHINE, *Mark 16:8 and the Apostolic Commission, ibid.*, 225-239. — Convaincu de l'absence de «unambiguous signs of the narrative's developmental history» (n. 4), Boomershine étudie le récit dans sa forme finale à la lumière d'autres passages de l'évangile de Marc. L'interprétation apologétique du silence des femmes (cf. *supra*, p. 247-251) n'est pas prise en considération (n. 5). Il s'oppose également à une interprétation positive du silence, comme une expression de *holy awe* (Lightfoot 1950; cf. *supra*, n. 123) et à une interprétation négative dans le sens d'une polémique théologique (Crossan 1973; cf. *supra*, n. 403). Dans le récit de Marc, le silence porte sur la *commission* du v. 7 et la réaction des femmes est jugée négative (contre Lightfoot), mais l'interprétation doit tenir compte de la «predominantly sympathetic characterization of the women» (contre Crossan). Boomershine, qui se réfère à Marxsen et Fuller (le secret messianique renversé

486. *Auferstehung*, p. 499.

487. Cf. *supra*: M. Goulder, 1976 (n. 404); J.D. Crossan, 1976 (n. 401); cf. N.Q. Hamilton, 1965 (n. 472); E. Güttgemanns, 1972 (n. 453); K. Berger, 1976 (n. 455).

Voir également l'analyse de la structure du récit par F.-L. NIEMANN, *Die Erzählung vom leeren Grab bei Markus*, dans *ZKT* 101 (1979) 188-199. Cf. p. 198: «Mk 16,1-8 ist textsemantisch kohärent. Die Strukturanalyse ergibt keinen Hinweis darauf, dass es notwendig sei, irgend etwas aus diesem Text als sekundären Zusatz auszuschliessen». Sur 16,7, cf. p. 193, n. 23.

488. Je puis encore signaler, sur les épreuves, deux études récentes sur Mc 16: H. PAULSEN, *Mk. xvi 1-8*, dans *NT* 22 (1980) 138-175; A. LINDEMANN, *Die Osterbotschaft des Markus. Zur theologischen Interpretation von Mark 16.1-8*, dans *NTS* 26 (1979-80) 298-317. Les deux auteurs tiennent 16,8 pour la conclusion de l'évangile de Marc et ils acceptent, à la base de Mc 16,1-8, un récit traditionnel qui n'était pas encore rattaché au récit de la passion. Selon Paulsen, Marc aurait ajouté les versets 7 et 8cd (cf. *supra*, p. 68ss.). Lindemann réduit l'intervention de l'évangéliste à l'addition des mots καθὼς εἶπεν ὑμῖν au v. 7 (avec beaucoup de réserves: cf. p. 308 et 317, n. 102). Cela ne l'empêche pas de parler de «seine ... theologisch sehr reflektierte redaktionelle 'Bearbeitung' der Grabesgeschichte» (p. 317). Son interprétation de 16,8 au niveau de la relecture marcienne se rapproche de celle de M. Horstmann (cf. *supra*, n. 385).

en 16,7-8), ne semble pas connaître les vues de Horstmann et Gnilka (cf. *supra*, p. 254). Il s'y rapproche quelque peu en disant que la finale de l'évangile s'adresse aux auditeurs de l'évangile : «the story appeals for the proclamation of the resurrection regardless of fear. ... Mark invites his audience to reflect on their own response to the dilemma which the women faced» (p. 237). L'auteur suppose donc une situation de persécution. (Voir B.M.F. VAN IERSEL, *The Gospel according to Mark Written for a Persecuted Community?*, in *NTT* 34, 1980, 15-36, mais sans recourir à Mc 16,7-8; cf. p. 31.) Je me demande si ce n'est pas, en ce qui concerne Mc 16, un glissement du thème de la résurrection de Jésus vers celui de la confession sans crainte, connexe sans doute mais pas la véritable pointe du récit. D'ailleurs, le titre même de l'article, *the Apostolic Commission*, nous oriente plutôt vers la finale de Matthieu et de Luc. — Le premier article donne une description utile de la *narrative technique* en Mc 16,8, où il y a concentration de *narration commentary* (les phrases en γάρ), *inside views* (les indications sur les sentiments des personnages) et *short sentences* (analogies : 6,52; 9,32; 12,17; 14,2).

Voir encore sur la finale de Marc : N.R. PETERSEN, *When Is the End not the End? Literary Reflections on the Ending of Mark's Narrative*, dans *Interpretation* 34 (1980) 151-166.

Pour un bon résumé de la position de R. Pesch sur Mc 16 (*Das Markusevangelium* II, 519-543; cf. *supra*, p. 264 ss. et passim), je peux encore signaler : R. PESCH, *Das «leere Grab» und der Glaube an Jesu Auferstehung*, dans *Communio* 11 (1982) 6-20.

NTS 15 (1968-69) 168-190

LES FEMMES AU TOMBEAU ÉTUDE DE LA RÉDACTION MATTHÉENNE (MATT. XXVIII. 1-10)

Dans la littérature exégétique de nos jours, les questions posées par le récit du tombeau vide reçoivent les réponses les plus variées. Les divergences sont fondamentales, et on ne peut espérer un rapprochement facile des différentes positions. Si on veut y contribuer, l'on devra procéder par étapes. Et le premier problème qui se pose me paraît celui-ci: le texte de Marc xvi contient-il l'état le plus primitif ou faut-il recourir aux autres évangiles pour remonter à un stade plus archaïque de la tradition du tombeau vide? Certains diront peut-être que le problème n'est pas réel et que Marc est évidemment premier, quelle que soit la préhistoire du texte et son caractère historique ou légendaire.[1] Mais le nombre de ceux qui pensent autrement n'est pas négligeable et, des deux côtés, on peut trouver son profit dans le dialogue. D'ailleurs, les textes propres de Matthieu, Luc et Jean, s'ils ne révèlent pas de traditions anciennes, apparaîtront comme des réflexions rédactionnelles et il me semble qu'on aurait tort de négliger totalement cette tradition appelée post-marcienne dans l'étude du texte de Marc.

J'ai intitulé l'article: Les femmes au tombeau. Le thème des *disciples* au tombeau, propre à Luc (xxiv. 12: Pierre; xxiv. 24: quelques-uns) et à Jean (xx. 3-10: Pierre et l'autre disciple), ne sera envisagé que d'une manière indirecte. L'examen se limitera ici à l'étude du texte qui se rapproche le plus de Marc, celui de Matt. xxviii.

I

Le parallélisme Matthieu-Marc est frappant surtout dans le message angélique (xxviii. 5-7). La plupart des exégètes n'y admettent d'autre *Vorlage* que le récit de Marc.[2] Toutefois, même pour ces versets, des commentateurs

[1] H. von Campenhausen, *Der Ablauf der Osterereignisse und das leere Grab* (Heidelberg, 1952; 3e éd., 1966), p. 28; W. Marxsen, *Die Auferstehung Jesu als historisches und als theologisches Problem* (Gütersloh, 1964); repris dans *Die Bedeutung der Auferstehungsbotschaft für den Glauben an Jesus Christus* (éd. F. Viering) (Gütersloh, 1966), pp. 9-39 (voir pp. 18-19).

[2] Cf. U. Wilckens, 'Die Perikope vom leeren Grabe Jesu in der nachmarkinischen Traditionsgeschichte', dans *Festschrift für F. Smend* (Berlin, 1963), pp. 30-41, spéc. p. 32. Comp. L. Brun, *Die Auferstehung Christi in der urchristlichen Überlieferung* (Oslo, 1925); J. Finegan, *Die Überlieferung der Leidens- und Auferstehungsgeschichte Jesu* (B.Z.N.W. 15), Giessen, 1934; H. Grass, *Ostergeschehen und Osterberichte* (Gœttingue, 1956; 2e éd., 1962); W. Nauck, 'Die Bedeutung des leeren Grabes für den Glauben an den Auferstandenen', dans *Z.N.W.* LXXIV (1956), 243-67.

comme A. Schlatter,[1] M.-J. Lagrange[2] et E. Lohmeyer[3] ont défendu l'indépendance matthéenne. D'après Matt. xxviii. 8, les femmes vont l'annoncer aux disciples. Ce fut probablement, pense E. Lohmeyer,[4] le motif original, que Marc aurait modifié pour dégrader le témoignage des femmes. En plus, Matthieu a inséré la péricope entre les deux volets de l'histoire des gardes au tombeau, ce qui fait dire à N. A. Dahl[5] que cette histoire laisse supposer une version du tombeau vide qui ne connaissait pas le motif de l'onction (comp. Jean xx). P. Benoit[6] s'en réfère à Jean xix. 39–40 et, sur ce point, il juge Matt. xxviii. 1 plus primitif que Marc xvi. 1. Puis, en xxviii. 2–4 vient un premier élargissement du récit: la descente de l'ange et l'ouverture du tombeau. C'est un motif, croit-on, repris à la tradition orale, en connexion avec l'histoire de la garde.[7] D'aucuns[8] y voient la réminiscence d'une description légendaire de la résurrection, développée plus amplement dans l'Évangile de Pierre. H.-W. Bartsch[9] le met en rapport avec l'apparition du Ressuscité aux femmes (*vv.* 9–10), pour tenter la reconstruction de la protophanie de Pierre, une apparition du Christ décrite dans les traits apocalyptiques du Fils de l'homme.[10] Pour d'autres,[11] par contre, l'apparition

[1] A. Schlatter, *Der Evangelist Matthäus* (Stuttgart, 1929; 3e éd., 1948), p. 800: 'Die Ableitung des Mat. aus Mark. ist auch hier unmöglich, weil sie das Hauptstück seines Berichts, 28, 16–20, nicht umfaßt.'

[2] M.-J. Lagrange, *Évangile selon saint Matthieu* (Paris, 1923; 8e éd., 1948), pp. 539–40. Il signale des tournures sémitiques (ἀποκριθείς, ὑμεῖς après le verbe, ἰδοὺ εἶπον ὑμῖν), puis ἔκειτο ('plus indiqué par la situation, tandis que ἔθηκαν de Mc. est déjà un défi aux ennemis de Jésus') et surtout l'omission de Pierre 'qui serait inexplicable en cas d'emprunt, d'autant que Mt. le met volontiers en scène'.

[3] E. Lohmeyer, *Das Evangelium des Matthäus* (éd. W. Schmauch) (Gœttingue, 1956; 2e éd., 1958), pp. 406–9. L'indépendance de Matthieu se manifesterait tout spécialement dans les particularités des *vv.* 5–7 (p. 406 n. 2). Marc aurait modifié les paroles aux femmes dans une proclamation kérygmatique qui s'adresse aux disciples, c.-à-d. à la communauté chrétienne; d'où le nom de Pierre! (pp. 406 et 409). Ici, et ailleurs dans le commentaire sur Matthieu, l'exposé de Lohmeyer reste étrangement proche de celui de Lagrange.

[4] *Op. cit.* p. 409. D'après l'auteur, le récit primitif reviendrait à Matt. xxviii. 1, 5–8.

[5] N. A. Dahl, 'Die Passionsgeschichte bei Matthäus', dans *N.T.S.* II (1955–6), 17–32, spéc. pp. 19, 32. Pour le rapprochement avec Jean, voir P. Borgen, 'John and the Synoptics in the Passion Narrative', dans *N.T.S.* v (1958–9), 246–59, spéc. p. 258.

[6] P. Benoit, *Passion et Résurrection du Seigneur* (Paris, 1966), pp. 256, 278. Comp. E. Lohmeyer, *Matthäus*, p. 409. Par contre, d'après son commentaire sur Marc, c'est Matthieu qui aurait remplacé le motif de l'onction par l'expression générale 'pour voir la tombe' (E. Lohmeyer, *Das Evangelium des Markus* (15e éd. du comm. de Meyer, Gœttingue, 1959), p. 353).

[7] Matt. xxvii. 62–6; xxviii. 2–4, 11–15. Voir entre autres N. A. Dahl, *Passionsgeschichte*, p. 19.

[8] Parmi les auteurs déjà cités, H. von Campenhausen, *Der Ablauf*, p. 29 n. 108; et surtout H. Grass, *Ostergeschehen*, p. 26.

[9] H.-W. Bartsch, 'Die Passions- und Ostergeschichten bei Matthäus. Ein Beitrag zur Redaktionsgeschichte des Evangeliums', dans *Basileia. Fs. W. Freytag* (Stuttgart, 1959), pp. 27 ss.; repris dans *Entmythologisierende Auslegung. Aufsätze aus den Jahren 1940 bis 1960* (Theol. Forschung, 26) (Hamburg–Bergstedt, 1962), pp. 80–92, spéc. pp. 87–9; *Das Auferstehungszeugnis. Sein historisches und sein theologisches Problem* (Theol. Forschung, 41) (Hamburg–Bergstedt, 1965), pp. 11–12.

[10] Sa reconstruction: 'Und siehe, es geschah ein großes Erdbeben; denn *der Menschensohn-Herr* stieg herab vom Himmel, und sein Anblick war wie ein Blitz und sein Gewand wie Schnee. Aus Furcht vor ihm aber erbebte *ich, Petrus*, und fiel zu seinen Füßen wie ein Toter. Der Herr aber trat herzu und sagte: Fürchte dich nicht' (*Auferstehungszeugnis*, p. 12).

[11] A. Descamps, 'La structure des récits évangéliques de la résurrection', dans *Biblica*, XL (1959), 726–41; repris dans *Studia Biblica et Orientalia. II. Novum Testamentum* (Analecta Biblica, 11) (Rome, 1959), pp. 158–73, spéc. pp. 161–5; P. Benoit, 'Marie-Madeleine et les disciples au tombeau selon Joh 20. 1–18', dans W. Eltester (éd.), *Judentum, Urchristentum, Kirche. Fs. J. Jeremias* (B.Z.N.W. 26),

aux femmes—*vv.* 9–10: deuxième élargissement du récit—serait un nouvel emprunt à la tradition orale, plus spécialement au récit de l'apparition à Marie-Madeleine, plus fidèlement conservée en Jean xx. 11–17. Les deux versets n'ont pas de parallèle en Marc, mais les partisans de l'hypothèse de la finale perdue de Marc n'ont pas hésité à supposer leur présence dans la conclusion originale de cet évangile.[1] Aujourd'hui des critiques de plus en plus nombreux se croient en mesure de donner à Marc xvi. 8 une interprétation satisfaisante du point de vue du style et de l'intention de l'évangéliste. Néanmoins, l'idée que Marc devait se terminer sur le récit des apparitions en Galilée est encore reprise dans le tout dernier commentaire et, dans cette opinion, c'est Matt. xxviii. 9–10, 16–20 qui renseigne sur ce qu'avait été cette finale perdue.[2]

Au dire de nombreux auteurs, l'ancienne critique littéraire ne peut plus nous satisfaire, parce que trop peu attentive aux données de la tradition orale. Mais serait-ce fausser la perspective historique que de dire que l'ancienne critique atteint un nouvel épanouissement dans l'étude actuelle des rédactions évangéliques? Une meilleure connaissance des intentions du rédacteur et de ses procédés de composition n'est-elle pas de nature à nous révéler la tradition vivante, mais vivante avant tout dans l'esprit des hommes, rédacteurs et compositeurs? Avant de conclure à l'existence de traditions anonymes, l'exégète se doit, en bonne méthode, d'envisager d'abord l'hypothèse rédactionnelle. Et pourtant, à l'examen du *Sondergut* de Matt. xxviii, on semble parfois le négliger et d'emblée les textes propres de Matthieu sont interprétés comme témoins de traditions particulières. Beaucoup d'auteurs font dépendre Matt. xxviii. (1), 5–7, (8) du texte de Marc (ou du moins d'un texte primitif très proche de Marc), mais ne se demandent nullement si la réflexion rédactionnelle sur ce texte pourrait fournir une explication suffisante au double élargissement matthéen, la descente de l'ange et l'apparition de Jésus aux femmes (*vv.* 2–4, 9–10).[3]

II

Considérons en premier lieu Matt. xxviii. 2–4. D'après le récit de Marc, les femmes constatent *l'ouverture du tombeau*, elles entrent, voient le jeune homme

(Berlin, 1960), pp. 141–52, spéc. p. 145. Les auteurs qui admettent un *Matthieu primitif* considèrent les *vv.* 9–10 comme une insertion rédactionnelle: P. Gaechter, *Das Matthäus-Evangelium* (Innsbruck, 1964), p. 945; P. Seidensticker, *Die Auferstehung Jesu in der Botschaft der Evangelisten* (S.B.S. 26) (Stuttgart, 1967), pp. 81 n. 41; 88 n. 53.

[1] W. C. Allen, *The Gospel according to St. Matthew* (I.C.C.) (Édimbourg, 1907), pp. 303–4. Dans le *Ur-Marcus* de Holtzmann, Marc xvi. 8 fut suivi de Matt. xxviii. 9–10, 16–20; cf. H. J. Holtzmann, *Die synoptischen Evangelien. Ihr Ursprung und ihr geschichtlicher Charakter* (Leipzig, 1863), p. 63.

[2] E. Schweizer, *Das Evangelium nach Markus* (nouvelle édition de N.T.D. 1) (Gœttingue, 1967), p. 212: 'Man kann also nur annehmen, daß der Schluß des Evangeliums verloren ist... Nicht ausgeschlossen ist, daß in Matt. 28. 9 f., 16 ff. sichtbar wird, was er noch in Markus gelesen hat.'

[3] Un exemple caractéristique: C. H. Dodd, *Historical Tradition in the Fourth Gospel* (Cambridge, 1963), pp. 146–7. De même, dans l'article par ailleurs excellent de U. Wilckens: 'ihm schon aus Tradition vorgegeben' (art. cit. pp. 32–3).

et sont stupéfaites. Dans Matthieu, les deux motifs, la pierre roulée et l'apparition angélique, sont unifiés. L'apparition ne se situe plus à l'intérieur du tombeau et c'est l'ange lui-même qui roule la pierre, répondant ainsi à la question que les femmes se posent d'après le *v.* 3 de Marc: τίς ἀποκυλίσει ἡμῖν τὸν λίθον (dans Matthieu: ἄγγελος...κυρίου...ἀπεκύλισεν τὸν λίθον). Marc ajouta encore au *v.* 4*b*: ἦν γὰρ μέγας σφόδρα, une notation qui doit expliquer la réflexion des femmes, mais que Marc, dans son style bien à lui,[1] a postposée. L'intervention puissante ainsi suggérée Matthieu la prépare déjà dans le récit de l'ensevelissement par cette précision que la pierre était grande (xxvii. 60) et il la décrit comme une intervention céleste, angélique,[2] accompagnée d'un tremblement de terre, d'un σεισμὸς μέγας.

Dans *la présentation de l'ange*, il se laisse encore guider par Marc: καθήμενον ἐν τοῖς δεξιοῖς περιβεβλημένον στολὴν λευκήν (xvi. 5). Assis à la droite: l'expression qui 'marque la dignité de l'ange'[3] évoque facilement l'image du trône.[4] Matthieu semble souligner ce même aspect glorieux, on dirait presque d'intrônisation: il s'assit sur la pierre, ἐκάθητο ἐπάνω αὐτοῦ. La préposition ἐπάνω n'est pas étrangère au style matthéen;[5] elle se dit entre autres du trône de Dieu (ἐν τῷ καθημένῳ ἐπάνω αὐτοῦ, xxiii. 22) et Matthieu l'emploie dans le récit de l'entrée à Jérusalem: ἐπεκάθισεν ἐπάνω αὐτῶν (xxi. 7). Comme dans Marc, la 'session' de l'ange est suivie de la description de son vêtement. La formulation de Matthieu ἦν...τὸ ἔνδυμα αὐτοῦ nous rappelle la description de Jean-Baptiste, où la construction participiale de Marc (ἦν... ἐνδεδυμένος) est également changée: εἶχεν τὸ ἔνδυμα αὐτοῦ (iii. 4). Le substantif ἔνδυμα apparaît encore ailleurs dans des textes propres de Matthieu[6] et s'il est vrai

[1] 'It is often suggested that ἦν γὰρ μέγας σφόδρα should be transferred to the end of *v.* 3, where it is read by D Θ 565 c d ff n sy[s hier] Eus, but delayed explanatory clauses with γάρ are often Mark's manner (*v.* V. 8)' (V. Taylor, *The Gospel according to St Mark*, Londres, 1952, p. 606). Voir N. Turner, *Grammatical Insights into the New Testament* (Édimbourg, 1965), p. 78. Les parenthèses en Marc: 'not merely a matter of insertion but of insertion in the wrong place'. Ces auteurs s'inspirent de C. H. Turner, '*Marcan Usage. IV. Parenthetical clauses in Mark*', dans *J.T.S.* XXVI (1925), 145–56, spéc. p. 155. Pour lui, καὶ ἀναβλέψασαι...ὁ λίθος (*v.* 4*a*) serait parenthétique; voir la critique de M. Zerwick, *Untersuchungen zum Markus-Stil* (Rome, 1937), p. 135.—Trop de commentateurs et traducteurs y voient un trait de la manière pittoresque de Marc: 'Mc. dit que la pierre est grosse au moment où cela fait impression sur les femmes' (M.-J. Lagrange, *Évangile selon saint Marc*, Paris, 4e éd., 1929, pp. lxxxii, 445); 'als hätte der riesige Stein bisher die Sicht auf das geöffnete Grab gehindert und sie gezwungen "aufzuschauen und zuzusehen"' (E. Lohmeyer, *Markus*, p. 353).—On a fait le rapprochement avec le récit de Gen. xxix. 2 ss.: λίθος δὲ ἦν μέγας ἐπὶ τῷ στόματι τοῦ φρέατος (*v.* 2*b*); ἀπεκύλιον τὸν λίθον ἀπὸ τοῦ στόματος τοῦ φρέατος (*vv.* 3, 8, 10); cf. D. E. Nineham, *The Gospel of St Mark* (Harmondsworth, 1963), p. 444.

[2] Le commentateur moderne ne s'éloigne guère de cette exégèse matthéenne de Marc xvi: 'D'après l'ensemble, il semble que c'est l'ange qui a roulé la pierre...Mc. ne dit pas que ce jeune homme était un ange, mais cela s'entend assez; cf. II Mac. iii. 26, 33' (M.-J. Lagrange, *Marc*, p. 446). Pour l'ange—jeune homme, voir Josèphe, *Ant.* v, 8, 2 (§277).

[3] M.-J. Lagrange, à propos de Luc i. 11 (*Évangile selon saint Luc*, 8e éd., Paris, 1948, p. 14). Voir les commentaires: 'Dabei deutet die rechte Seite an, daß er in Gottes Vollmacht zu Zacharias kommt' (K. H. Rengstorf); 'Die rechte Seite ist in ähnlichen Fällen ganz typisch und konventionell, vgl. z. B. Mk 16: 5; 4 Esra 9: 38' (H. Sahlin).

[4] L'on songe à Ps. xc. 1 et aux allusions multiples dans le N.T. (Marc xiv. 62: ἐκ δεξιῶν καθήμενον...).

[5] Toujours dans le sens local: ii. 9; v. 14; xxi. 7 (Marc: ἐπ' αὐτόν); xxiii. 18, 20, 22; xxvii. 37 (diff. Marc); xxviii. 2.

[6] Matt. vii. 15; xxii. 11, 12: οὐκ ἐνδεδυμένον ἔνδυμα γάμου—μὴ ἔχων ἔνδυμα γάμου.

que le logion sur les faux prophètes de vii. 15 s'inspire du discours contre les Pharisiens,[1] il est possible que le seul autre emploi de στολή en Marc (xii. 38) est également remplacé en Matthieu par ἔνδυμα. La notation sur le vêtement a été doublée par Matthieu: ἦν δὲ ἡ εἰδέα αὐτοῦ ὡς ἀστραπή, καὶ τὸ ἔνδυμα αὐτοῦ λευκὸν ὡς χιών. Ce redoublement peut très bien être rédactionnel, tout comme dans le récit de la transfiguration où Matthieu ajoute καὶ ἔλαμψεν τὸ πρόσωπον αὐτοῦ ὡς ὁ ἥλιος[2] devant la notice sur le vêtement, parallèle à Marc: τὰ δὲ ἱμάτια αὐτοῦ ἐγένετο λευκὰ ὡς τὸ φῶς (xvii. 2). Même construction donc, et même redoublement vêtement–visage.

Troisième motif en Marc: *la réaction des femmes*, καὶ ἐξεθαμβήθησαν. Le vocabulaire de la crainte est assez riche en Marc. Le verbe ἐκθαμβεῖσθαι, repris dans le message angélique (*v.* 6) est absent de Matthieu.[3] De même, les substantifs de Marc xvi. 8: τρόμος (encore τρέμειν en v. 33, *om.* Matthieu) et

[1] M.-J. Lagrange a rapproché notre verset de Matt. xxiii. 26s., disant que 'Jésus a très bien pu désigner ainsi les Pharisiens' (*Matthieu*, p. 152). W. D. Davies a sans doute raison de critiquer cette identification. Seulement, je ne vois pas ce qu'elle a de 'catholique romain' (*The Setting of the Sermon on the Mount*, Cambridge, 1964, p. 199), et je me demande si, replacé sur le plan rédactionnel, le rapprochement ne reste pas intéressant. L'image des brebis–loups (comp. Act. xx. 29) nous rappelle Matt. x. 16 (par. Luc), mais ἔσωθεν...ἅρπαγες est très proche de ἔσωθεν...ἁρπαγῆς de xxiii. 25 (par. Luc). Le motif (ἔξωθεν–ἔσωθεν) y est répété aux *vv.* 27–8 (probablement par le rédacteur; cf. E. Haenchen, 'Matthäus 23', dans *Gott und Mensch*, Tubingue, 1965, p. 41), et l'antithèse δίκαιοι–(μεστοὶ ὑποκρίσεως καὶ) ἀνομίας (*v.* 28*b*), rappelant τοὺς ποιοῦντας τὴν ἀνομίαν–οἱ δίκαιοι de xiii. 41–3, nous renvoie au passage sur les faux prophètes: οἱ ἐργαζόμενοι τὴν ἀνομίαν (vii. 23). Voir le troisième emploi de ἀνομία, également dans un texte sur les faux prophètes, en xxiv. 12. Serait-ce étonnant si la terminologie désignant l'hypocrisie pharisienne est appliquée par Matthieu aux faux prophètes parmi les chrétiens? N'est-ce pas ce même mouvement qui, dans le contexte immédiat de vii. 15, explique le doublet de la comparaison de l'arbre et de ses fruits (vii. 16–20 et xii. 33)? En poursuivant cette ligne, il est peut-être permis de rapprocher vii. 15 de xxiii. 5 ss., par. Marc xii. 38 ss. Βλέπετε ἀπό de Marc devient προσέχετε ἀπό (comp. Luc; cf. Marc viii. 15 et Matt. xii. 6; Marc xiii. 9 et Matt. x. 17; 'προσέχειν ἀπό τινος im N.T. wahrscheinlich ein Septuagintismus', d'après D. Tabachovitz, *Ergänzungsheft Bl.–D.*, Gœttingue, 1965, p. 21). Moyennant le motif ἔξωθεν–ἔσωθεν, on peut comparer ceux qui se promènent ἐν στολαῖς, mais dévorent les maisons des veuves, aux faux prophètes qui viennent ἐν ἐνδύμασιν προβάτων, mais sont des loups rapaces.—De nombreux auteurs regardent vii. 15 comme une composition rédactionnelle de Matthieu. Voir encore H. Schürmann, 'Die Warnung des Lukas vor der Falschlehre in der "Predigt am Berge" Luk. 6, 20–40', dans *B.Z.* x (1966), 59–81, spéc. p. 70 (contre J. Dupont, *Les Béatitudes*, 2e éd., Bruges–Louvain, 1958, p. 126 n. 2): l'enchaînement de Luc vi. 39–42, 43–4 serait prématthéen. L'auteur paraît affaiblir sa position en supposant que Luc ait omis Matt. vii. 6. Il aurait pu signaler, semble-t-il, une association probablement archaïque entre κάρφος (*vv.* 41–2) et καρπός (*vv.* 43–4).

[2] Comp. Matt. xiii. 43: τότε οἱ δίκαιοι ἐκλάμψουσιν ὡς ὁ ἥλιος (cf. Dan. xii. 3 Théod.: ἐκλάμψουσιν... τῶν δικαίων...ὡς...); sur le caractère rédactionnel du passage, voir les études de J. Jeremias. En Matt. xvii. 2, la variante occidentale 'alba sicut *nix*' n'a rien d'étonnant (cf. Matt. xxviii. 3; Apoc. i. 14), mais elle défait quelque peu l'unité qui, dans la leçon originale, caractérisait l'apport matthéen vis-à-vis de Marc: καὶ ἔλαμψεν ὡς ὁ ἥλιος, ὡς τὸ φῶς (cf. v. 15, 16). Pour τὸ πρόσωπον αὐτοῦ, on fait valoir l'accord avec Luc ix. 29, mais le vocabulaire du verset est tellement lucanien qu'il paraît difficile d'en isoler τοῦ προσώπου αὐτοῦ. A remarquer d'ailleurs que, contrairement à Matthieu, ἐγένετο...τὸ εἶδος...ἕτερον *remplace* le μετεμορφώθη de Marc, 'which might be understood of the metamorphoses of heathen deities' (Plummer). Quant au dédoublement en Matt. xvii. 2, on a parlé de la 'liberté littéraire dans l'élaboration d'une rédaction apocalyptique', voir M. Sabbe, 'La rédaction du récit de la transfiguration', dans *La Venue du Messie* (Recherches Bibliques, 6) (Bruges–Louvain, 1962), pp. 65–100, spéc. pp. 68, 90. L'auteur réagit à juste titre contre H. Baltensweiler pour qui le motif du visage resplendissant témoigne d'une christologie plus récente, mais son examen personnel de la rédaction matthéenne manque de clarté parce qu'il veut 'laisser de côté le problème synoptique au sens strict' (pp. 86 ss.).

[3] Outre Marc xvi. 5, 6, voir encore ix. 15 (om. Matthieu) et xiv. 33 (Matt.: λυπεῖσθαι, cf. Marc xiv. 19, 34).

ἔκστασις (encore v. 42, *om.* Matthieu). Matthieu n'a qu'une seule fois le verbe ἐξίστασθαι (xii. 23), vraisemblablement sous l'influence de Marc iii. 21 (voir encore Marc v. 42; vi. 51, *om.* Matthieu). En Matt. ix. 8, il l'a remplacé par le verbe φοβεῖσθαι. C'est ce même vocable plus ordinaire et quelque peu monotone qu'il utilise dans le récit du tombeau vide: ἀπὸ δὲ τοῦ φόβου αὐτοῦ ἐσείσθησαν (*v.* 4); μὴ φοβεῖσθε ὑμεῖς (*v.* 5); μετὰ φόβου καὶ χαρᾶς μεγάλης (*v.* 8). L'expression du *v.* 4 a de bons parallèles rédactionnels en Matthieu: ἀπὸ τοῦ φόβου ἔκραξαν en xiv. 26 (diff. Marc)[1] et le verbe σείεσθαι au sens psychologique en xxi. 10: ἐσείσθη πᾶσα ἡ πόλις. Mais c'est l'introduction du sujet οἱ τηροῦντες qui donne la tournure proprement matthéenne au *v.* 4 et à tout le passage. Le verbe ἐσείσθησαν rappelle le σεισμός du *v.* 2, et l'ensemble des *vv.* 2–4 se rapproche particulièrement de la description matthéenne des signes apocalyptiques au moment de la mort de Jésus (xxvii. 51–4). Matthieu y a associé au centurion les gardes de Jésus (οἱ μετ' αὐτοῦ τηροῦντες τὸν Ἰησοῦν; voir encore xxvii. 36) qui sont témoins du séisme (ἰδόντες τὸν σεισμόν; cf. *v.* 51: ἡ γῆ ἐσείσθη) et prennent peur (ἐφοβήθησαν σφόδρα). Il y a même moyen de serrer davantage le lien entre les deux passages: d'une part la résurrection des morts (τῶν κεκοιμημένων) qui μετὰ τὴν ἔγερσιν αὐτοῦ entrent dans la ville, et de l'autre l'ouverture du tombeau de Jésus et les gardes qui deviennent comme morts. Dans les derniers chapitres de l'évangile, le jeu de l'antithèse mort–vie est une chose certaine et il semble bien qu'on peut lire dans le ἡμῶν κοιμωμένων de xxviii. 13 une allusion, non sans ironie, au ὡς νεκροί du *v.* 4.[2]

Ainsi, les particularités par lesquelles Matthieu xxviii. 2–4 se distingue de Marc, s'éclairent par d'autres passages de l'évangile de Matthieu. Il est vrai qu'on peut signaler un accord partiel en Luc xxiv. 4[3] et plusieurs parallèles dans l'Apocalypse (i. 13–17; viii. 5; cf. xi. 9; xvi. 18), mais ils relèvent de la convention littéraire du style apocalyptique.[4] Par contre, les rapprochements matthéens sont beaucoup plus spécifiques. Ajoutons encore, pour le début du passage, un verset de la péricope de la tempête apaisée: καὶ ἰδοὺ σεισμὸς

[1] Comp. Matt. xiii. 44 (SMt.): ἀπὸ τῆς χαρᾶς αὐτοῦ.

[2] Cf. R. Pesch, 'Eine alttestamentliche Ausführungsformel im Matthäus-Evangelium', dans *B.Z.* x (1966), 220–45; xi (1967), 79–95, spéc. p. 93.

[3] Ἐν ἐσθῆτι ἀστραπτούσῃ: accord partiel, car ὡς ἀστραπή en Matt. xxviii. 3 n'est pas dit du vêtement. Par contre, les parallèles en Act. suggèrent l'intervention de l'évangéliste (diff. Marc xvi. 5*b*): Luc xxiv. 3: καὶ ἰδοὺ ἄνδρες δύο ἐπέστησαν αὐταῖς ἐν ἐσθῆτι ἀστραπτούσῃ; Act. i. 10: καὶ ἰδοὺ ἄνδρες δύο παρειστήκεισαν αὐτοῖς ἐν ἐσθήσεσι λευκαῖς; Act. x. 30: καὶ ἰδοὺ ἀνὴρ ἔστη ἐνώπιόν μου ἐν ἐσθῆτι λαμπρᾷ; comp. Luc ix. 29–30 (diff. Marc): καὶ ὁ ἱματισμὸς αὐτοῦ λευκὸς ἐξαστράπτων, καὶ ἰδοὺ ἄνδρες δύο...; xvii. 24 (diff. Matthieu): ἀστράπτουσα. Pour ἐσθής, voir encore Luc xxiii. 21 (SLc., mais comp. Marc xv. 16–20) et Act. xii. 21 (en dehors de Luc–Act. seulement en Jac. ii. 2, 3). L'examen du vocabulaire lucanien en Luc xxiv. 4 peut facilement être complété. Signalons que Luc a donné au récit du tombeau vide une structure personnelle, accentuée par καὶ ἐγένετο ἐν τῷ + infin. (*v.* 4) et ὑποστρέψασαι (*v.* 9): comp. Luc xxiv. 13–35 avec καὶ ἐγένετο... aux *vv.* 15 et 30 et ὑπέστρεψαν au *v.* 33; voir aussi Luc xxiv. 50–3.

[4] Comment dire avec H.-W. Bartsch que l'angélophanie de Matthieu présuppose une apparition du Fils de l'homme, puisque, dans la littérature apocalyptique, les mêmes traits se rapportent aux descriptions de Dieu, du Fils de l'homme ou des anges?

μέγας ἐγένετο (ἐν τῇ θαλάσσῃ) (viii. 24; diff. Marc).[1] Quant à l'ange du Seigneur, il apparaît dès les premiers chapitres de l'évangile (i. 20; ii. 13, 19).

Le récit est donc très matthéen, mais il reste tellement proche de Marc qu'on ne peut pas parler d'une insertion. Sur ce point, la disposition du texte dans la plupart des synopses serait à corriger d'après celle de Benoit–Boismard qui ont encore complété le parallélisme entre Matthieu et Marc, déjà établi en partie dans la synopse de K. Aland.[2] Dans Matt. xxviii, la vision de l'ange et le motif de la crainte ont été transférés sur les gardes et on comprend l'embarras des commentateurs qui s'interrogent pour savoir si, d'après Matthieu, les femmes sont témoins de l'événement. Qui tient compte du fait que Matthieu travaille sur le texte de Marc, répondra plus facilement par l'affirmative. D'ailleurs, le texte de Matthieu, s'il n'est pas explicite, semble du moins le suggérer: le récit n'est pas interrompu au *v.* 2,[3] et au *v.* 5 l'ange qui s'adresse aux femmes les oppose aux gardes par μὴ φοβεῖσθε ὑμεῖς.[4] Ainsi, le récit des femmes au tombeau a été relié à l'histoire des gardes. Je n'insisterai pas ici sur les invraisemblances de cette histoire ni sur son caractère tardif. Ce qui doit nous intéresser pour le moment c'est l'interprétation juive du tombeau vide, dont l'actualité est expressément affirmée par l'évangéliste (xxviii. 15): οἱ μαθηταὶ αὐτοῦ νυκτὸς ἐλθόντες ἔκλεψαν αὐτὸν καὶ εἶπαν τῷ λαῷ· ἠγέρθη ἀπὸ τῶν νεκρῶν (comp. xxvii. 64 et xxviii. 13). Devant une telle explication, la constatation des femmes que la pierre avait été roulée (Marc xvi. 4) devient équivoque au plus haut degré. Même si l'équivoque est levée tout de suite par le message angélique, on comprend que Matthieu ne veut donner aucune chance à l'hypothèse juive: le tombeau sera soigneusement gardé et l'ouverture est le fait d'une intervention céleste. Certains auteurs—donnant sans doute trop de poids à l'Évangile de Pierre—veulent y voir une description discrète de la résurrection,[5] mais le texte de Matthieu ne parle que de l'ouverture du tombeau. Elle est décrite pour elle-même et doit

[1] Sur la coloration apocalyptique (cf. Marc xiii. 8 par.; Apoc. vi. 12; viii. 5; xi. 13, 19; xvi. 18), voir G. Bornkamm, 'Die Sturmstillung im Matthäus-Evangelium', dans *Überlieferung und Auslegung im Matthäusevangelium* (Neukirchen, 1960), p. 52; X. Léon-Dufour, 'La tempête apaisée', dans *Études d'Évangile* (Paris, 1965), p. 168.

[2] Huck–Lietzmann, J. Schmid, L. Deiss et autres placent Matt. xxviii. 2–4 entre les versets 2 et 3 de Marc xvi, tandis que K. Aland les met en parallèle à Marc xvi. 5 et Benoit–Boismard y ajoutent encore le parallélisme du *v. 2b* à Marc xvi. 4: ἀπεκύλισεν τὸν λίθον–ἀνακεκύλισται ὁ λίθος.

[3] Sur καὶ ἰδού, cf. *infra* (à propos de xxviii. 9).

[4] Avant de parler de tournure sémitique (p. 169 n. 2), il importe de bien saisir l'intention de l'évangéliste. Après avoir introduit le motif des gardes, il devait être plus explicite au *v.* 5: ὁ ἄγγελος, ταῖς γυναιξίν, ὑμεῖς. Quant aux 'sémitismes' des *vv.* 5–7, ils n'ont rien d'original. Matthieu remplace le présent historique λέγει par ἀποκριθεὶς...εἶπεν. Le participe redondant (*il prit la parole*) est repris à Marc en Matt. xvii. 4 et xxvii. 21 et Matthieu l'a encore dans des introductions qui sont probablement rédactionnelles, comme xi. 25 (diff. Luc); xv. 15 (diff. Marc); xvii. 27 (diff. Marc); xx. 1 (diff. Luc); xxvi. 25 (Sv.); voir encore ἀπεκρίθησαν en xii. 38 (Sv.). Du reste, la tournure ἀποκριθεὶς...εἶπεν apparaît fréquemment en Matthieu: 43 fois dont 8 par. Marc (dans sept de ces cas, l'aoriste est une correction matthéenne pour le présent historique (6) ou l'imparfait (1) de Marc); 17 diff. Marc; 1 par. Luc; 5 diff. Luc; 12 SMt.

[5] Cf. p. 169n. Je n'ai pas pu consulter la dissertation de B. A. Johnson, *Empty Tomb Tradition in the Gospel of Peter related to Mt 28, 1–7* (Harvard University, 1965).

préparer la constatation du tombeau vide et l'interprétation que l'ange donnera aux femmes.

En effet, l'intervention en puissance se poursuit dans l'annonce angélique. L'ange parle avec autorité. 'Vous cherchez Jésus', que Luc pouvait comprendre comme une interrogation, devient clairement une déclaration: '*je sais* que vous cherchez...', et c'est également à la première personne que l'ange conclut: ἰδοὺ εἶπον ὑμῖν.[1] Des légères modifications aux paroles de l'ange mettent en relief le ἠγέρθη de Marc, d'abord par l'inversion et l'addition de καθὼς εἶπεν,[2] puis par sa répétition dans le message aux disciples: ἠγέρθη ἀπὸ τῶν νεκρῶν. Ici, de nouveau, Matthieu semble rapprocher le récit du tombeau vide et l'histoire des gardes. Les prêtres et Pharisiens avaient rappelé devant Pilate la prédiction de la résurrection, et la nouvelle πλάνη, l'annonce de la résurrection, y est formulée de manière strictement identique (xxvii. 63). On a écrit que, dans la tradition post-marcienne, tombeau vide et apparitions s'associent de façon de plus en plus intime.[3] Cela est vrai pour Matthieu en ce sens que le récit du tombeau vide est suivi des apparitions aux femmes et aux disciples, mais d'un autre côté il faut dire que, en appuyant l'annonce de la résurrection et en insérant le récit dans l'histoire des gardes, Matthieu en a fait, plus qu'en Marc, une démonstration suffisante en elle-même.[4]

Un mot encore sur le motif des femmes. Elles viennent pour voir la tombe. Généralement on suppose qu'elles viennent pour pleurer et, en raison de l'invraisemblance d'une onction du corps deux jours après la mort, plusieurs auteurs y voient un trait original. D'autres, par contre, plus soucieux de distinguer entre vraisemblance historique et originalité littéraire, font observer que Matthieu, après la mise en place de la garde, devait omettre le motif de l'onction. Il écrit: ἦλθεν...θεωρῆσαι τὸν τάφον. Une seule fois encore, Matthieu utilise le verbe θεωρεῖν: en dépendance de Marc, dans la notation sur les femmes qui de loin sont témoins de la mort de Jésus (xxvii. 55). Toujours à propos des femmes, Marc l'emploie encore deux fois dans ce contexte: lors de l'ensevelissement, ἐθεώρουν ποῦ τέθειται (xv. 47) et puis au

[1] Comp. Marc xvi. 7: καθὼς εἶπεν ὑμῖν. La modification est intentionnelle: 'um damit die Ankündigung des Engels in ihrer Gewichtigkeit zu verstärken' (U. Wilckens, art. cit. p. 32 n. 7; contre J. Finegan); voir aussi E. Lohmeyer, *Matthäus*, pp. 406–7. Pour Lagrange, la tournure est sémitique; il renvoie à Tobie ii. 14, mais on peut lire un parallèle plus proche en Matt. xxiv. 25: ἰδοὺ προείρηκα ὑμῖν (par. Marc: ὑμεῖς δὲ βλέπετε· προείρηκα ὑμῖν πάντα).

[2] οὐκ ἔστιν ὧδε· ἠγέρθη γὰρ καθὼς εἶπεν. On peut voir en Luc xxiv. 6 une interprétation de Marc xvi. 7*b* dans la même direction (prédiction de la résurrection), mais d'une façon beaucoup plus radicale.

[3] Cf. H. Grass, *Ostergeschehen*, p. 121: 'Gerade die Tradition vom leeren Grab...scheint es gewesen zu sein, welche die Erscheinungen unwiderstehlich an sich zog.'—L'examen de U. Wilckens permet déjà d'apporter quelques nuances. Il a conclu que 'die Grabesperikope doch ihre auffallende Selbständigkeit gegenüber Erscheinungsberichten auch weiterhin behält' (art. cit. p. 40). Elle serait indépendante dès l'origine, puisque avec beaucoup d'auteurs il considère Marc xvi. 7 comme une insertion dans la péricope originale.

[4] On comprend mal comment l'ensemble de Matt. xxvii. 62–xxviii. 15 peut inspirer un commentaire comme celui de Ph. Seidensticker: 'Gerade die Polemik wird gelehrt haben, daß ein leeres Grab als Beweis für die Auferstehung Jesu unbrauchbar ist...' (*Die Auferstehung Jesu*, p. 89).

tombeau, θεωροῦσιν ὅτι ἀνακεκύλισται ὁ λίθος (xvi. 4). Les femmes voient, elles constatent, elles sont témoins. Dans le récit matthéen, l'ange invite les femmes avec une insistance particulière: δεῦτε ἴδετε τὸν τόπον ὅπου ἔκειτο (xxviii. 6). Serait-ce téméraire que de supposer que, pour Matthieu, déjà θεωρῆσαι τὸν τάφον exprime cette même nuance et devient en quelque sorte le titre du récit sur la constatation du tombeau vide?[1]

III

Passons maintenant au deuxième élargissement du récit: l'apparition de Jésus aux femmes (xxviii. 9–10). Le problème est plus délicat en raison du parallèle johannique (Jean xx. 11–18), mais, devant la complexité des origines littéraires du quatrième évangile, il me paraît parfaitement justifiable de donner la priorité méthodologique à un examen de la péricope du point de vue de la rédaction matthéenne.

V. 9*a*: καὶ ἰδοὺ Ἰησοῦς ὑπήντησεν αὐταῖς λέγων· χαίρετε. D'après le *Textus Receptus*, ce début du passage était assez différent: ὡς δὲ ἐπορεύοντο ἀπαγγεῖλαι τοῖς μαθηταῖς αὐτοῦ καὶ ἰδοὺ ὁ Ἰησοῦς ἀπήντησεν... Les éditions modernes négligent généralement l'article devant Ἰησοῦς[2] et la leçon ἀπ-,[3] mais la longue introduction du texte byzantin semble encore jouir de quelque crédit.[4] Dans *The Greek New Testament* (1966), le texte bref est imprimé avec la lettre B indiquant qu'il y a 'un certain degré de doute'. Et pourtant, comment peut-on donner une chance à ce bout de phrase qui semble une véritable dittographie avec ce qui précède (ἀπαγγεῖλαι τοῖς μαθηταῖς αὐτοῦ)? Le verbe πορεύεσθαι peut également être emprunté au contexte de la péricope (*vv.* 7 et 11), mais le style de Matthieu s'oppose clairement à son caractère original, car un ὡς temporel, fréquemment employé par Luc, n'est pas attesté en Matthieu. Au début de la péricope suivante, on peut voir comment Matthieu rédigerait pareille transition: πορευομένων δὲ αὐτῶν ἰδού... (xxviii. 11).

Par contre, le texte bref fait une excellente impression. On a dit que le *v.* 9 ne se rattache au précédent que de façon artificielle.[5] C'est oublier que

[1] U. Wilckens (art. cit. p. 32) y voit la confrontation entre l'intention des femmes et l'expérience qui les attend: elles viennent pour voir le tombeau, mais elles deviennent témoins de l'apparition de l'ange qui ouvre le tombeau et annonce la résurrection. Il a noté très justement que, d'après Matthieu, l'angélophanie a lieu sans que les femmes entrent dans le tombeau (diff. Marc xvi. 5*a*), mais le δεῦτε ἴδετε en devient d'autant plus central. Le rapprochement τὸν τάφον–τὸν τόπον ὅπου ἔκειτο est confirmé par Matt. xxvii. 61, par. Marc xv. 47. Pour le fait que le récit serait écrit du point de vue de l'évangéliste, voir par exemple xi. 2 ('Jean ayant entendu les œuvres du Christ').

[2] D L S W Γ Θ Φ λ φ pm. L'édition de A. Souter (2e éd., 1947) imprime encore l'article, ainsi que la leçon ἀπ-.

[3] ℵ^{corr} Koine A D L W Γ Δ Φ pm. Même hésitation entre ὑπ- et ἀπ- dans la transmission manuscrite de Marc v. 2; Luc xiv. 31 et surtout xvii. 12.

[4] C Koine A L Γ Δ Φ λ pm f q sy^{h}. Voir l'apparat critique très complet dans K. Aland e.a., *The Greek New Testament* (1966). Cf. E. Klostermann ('möglicherweise echt'), E. Lohmeyer (*ad loc.*).

[5] A. Nisin, *Histoire de Jésus* (Paris, 1961), p. 39: 'Cette apparition ne doit pas être conçue comme immédiatement rattachée à l'épisode du tombeau vide..., l'analyse stylistique de Matthieu s'oppose

καὶ ἰδού est très bien en situation pour introduire une apparition[1] et que, dès le début, l'apparition est située en cours de route: 'Et voici que Jésus vint à leur rencontre', ce qui précisément suppose un contexte précédent comme celui du *v.* 8.[2] Pour W. Michaelis,[3] l'absence de l'article devant 'Ιησοῦς serait un indice que la péricope a existé à l'état isolé, mais les textes auxquels il fait appel ne montrent rien d'autre que l'usage rédactionnel de Matthieu (xx. 17; xxi. 1, 12; ajoutons xx. 31). Le fait qu'il s'agit de la première apparition du Ressuscité[4] ne doit même pas être invoqué. Puis, Jésus salue les femmes par χαίρετε. C'est le salut grec habituel[5] et rien n'empêche de l'attribuer au rédacteur, car, dans le récit matthéen de la passion, deux fois un χαῖρε est adressé à Jésus: par les soldats dans la scène des outrages,

à ce qu'on le soude. Le verset 9 de Matthieu n'est rattaché au précédent que de façon artificielle (*Et voici que*...).' Comp. A. Descamps, *La structure* (voir p. 2 n. 11), p. 162: '...dans Mt., le *v.* 9 ne se rattache au *v.* 8 que d'une manière artificielle'.

[1] Pour rester dans Matthieu, voir l'évangile de l'enfance (i. 20; ii. 13, 19) et les récits du baptême et de la transfiguration (iii. 16, 17; xvii. 3, 5[a,b], diff. Marc). On connaît l'emploi fréquent dans les textes narratifs de Matthieu: 22 fois καὶ ἰδού et 11 fois un génitif absolu + ἰδού (très caractéristique pour le style de Matthieu; un seul emploi dans les autres évangiles: Luc xxii. 47). C. H. Dodd (voir la note suivante) suppose que la péricope indépendante originale débutait par καὶ ἰδού, mais la fréquence de la formule en Matthieu (25 diff. Marc; 8 SMt.) nous défend d'interpréter Matt. xxviii. 9 à partir de Luc xxiv. 13. Puisqu'en Matthieu (καὶ) ἰδού n'est jamais le début absolu d'une péricope, l'emploi de Matt. xxviii. 2 (comp. viii. 24), 9 (suivi d'un nom propre, comp. xxvi. 47, diff. Marc) et 11 (génitif absolu) ne permet pas d'isoler des unités préexistantes dans le récit de Matt. xxviii. On aurait tort de négliger les particularités propres de chaque évangéliste dans l'emploi d'une même formule. Dans Luc, καὶ ἰδού n'est jamais suivi d'un nom propre, la construction avec ἀνήρ (cf. p. 173n) étant typiquement lucanienne; cf. M. Johannessohn, 'Das biblische καὶ ἰδού in der Erzählung samt seiner hebräischen Vorlage', dans *Zeitschr. Vergleich. Sprachforschung*, LXVI (1939), 145–94; LXVII (1942), 30–84, spéc. p. 49.

[2] C. H. Dodd s'en montre fort bien conscient quand il écrit que le rédacteur, en retravaillant Marc xvi. 8, a remplacé l'introduction originale de la péricope par le *v.* 8: les femmes courent l'annoncer; il n'est pas encore dit, comme dans Luc, qu'elles l'annoncèrent. Cf. *Historical Tradition*, p. 146. La reconstruction proposée de cette introduction originale (καὶ ἰδοὺ γυναῖκές τινες ἐπορεύοντο, καὶ 'Ιησοῦς ὑπήντησεν αὐταῖς κ.τ.λ., cf. Luc xxiv. 13) est purement hypothétique, mais il apparaît clairement que l'exégète anglais, s'il considère les *vv.* 9–10 comme une péricope indépendante (il parle d'une 'truncated unity'), n'est nullement impressionné par l'argument classique qui voit une opposition entre le motif du *v.* 8 et l'apparition de Jésus aux femmes. C'était l'argument principal des auteurs qui voient en Matt. xxviii. 9–10 la continuation de Marc xvi. 8; cf. W. C. Allen, *Matthew*, p. 302: 'Mk 16[8] says that the women "told no one, for they were afraid". It is very natural that this should have been followed by an appearance to them of Christ dispelling their fear and repeating the angel's message. Mt. alters...Consequently the appearance...is quite unmotived.'

[3] W. Michaelis, *Die Erscheinungen des Auferstandenen* (Bâle, 1944), p. 17. Nous reviendrons encore sur d'autres indices du caractère prématthéen des *vv.* 9–10, qui d'après l'auteur serait une tradition archaïque, plus primitive que Marc xvi. 7. Il conclut que 'der Auftrag an die Jünger, den die Frauen erhalten haben, *nicht* mit der Verkündigung des Engels am leeren Grabe zusammenhängt, sondern in eine Erscheinung des Auferstandenen selbst gehört, die als geschichtlicher Kern der hinter Matth. 28, 9 f. stehenden Überlieferung zu gelten hat' (p. 21).

[4] Bl.-D. §200, 1. Sur Jean xxi. 4, voir J. Jeremias, 'Johanneische Literarkritik', dans *Theologische Blätter*, XX (1941), c. 45.

[5] W. Michaelis, *Die Erscheinungen*, p. 17: 'ganz unwahrscheinlich, daß ausgerechnet Matthäus, dessen Evangelium in besonderer Weise judenchristlichen Charakter trägt, den griechischen Gruß bevorzugt haben sollte'. A propos de Matt. xxvi. 49 diff. Marc, il peut écrire: 'Sowohl Judas wie Jesus haben bei dieser Gelegenheit anscheinend Griechisch gesprochen' (p. 133 n. 18; cf. 'Sprach Judas bei der Gefangennahme Jesu Griechisch?', dans *Der Kirchenfreund*, LXXVI (1942), 189 ss.). Sur la rédaction matthéenne du passage, voir plutôt W. Eltester, '"Freund, wozu du gekommen bist" (Matt. xxvi. 50)', dans *Neotestamentica et patristica. Fs. O. Cullmann* (Suppl. N.T. 6), Leyde, pp. 70–91, spéc. p. 83.—En Matt. xxviii. 9, il s'agit peut-être plus spécialement du salut du matin, pense W. Bauer (*Wörterbuch*, ad vocem).

parallèle à Marc (xxvii. 24) et, ajouté à Marc, par Judas lors de l'arrestation (xxvi. 49).

Au *v.* 9*b*, la réaction des femmes: 'Elles, s'étant approchées, étreignirent ses pieds et se prosternèrent devant lui.' Le geste de saisir les pieds de Jésus et, au verset suivant, l'expression 'mes frères' sont incontestablement les indices les plus impressionnants d'une parenté littéraire avec le récit johannique. Est-ce Matthieu qui a emprunté ces éléments? Sont-ils prérédactionnels? Ἐκράτησαν αὐτοῦ τοὺς πόδας est entouré de deux matthéanismes, car, on le sait, προσκυνεῖν aussi bien que προσελθών dit des personnes qui s'approchent de Jésus, est caractéristique pour la rédaction matthéenne[1] et on peut se demander si le κρατεῖν n'a pas été quelque peu surchargé par les exégètes justement à cause du parallèle johannique. A la lumière de l'emploi du verbe dans les évangiles,[2] le sens même de l'expression ἐκράτησαν αὐτοῦ τοὺς πόδας ne paraît guère douteux. Construit avec l'accusatif,[3] le verbe désigne le geste de saisir les pieds de Jésus et il ne s'agit pas de la personne de Jésus que les femmes veulent retenir.[4] Dans les autres évangiles, le Ressuscité invite les disciples à toucher son corps (Luc xxiv. 39; Jean xx. 27), mais rien n'indique que dans notre texte il s'agit également d'une palpation permettant de constater la réalité du corps.[5] L'autre récit matthéen, l'apparition aux onze disciples, ne connaît pas non plus pareil intérêt. Par contre, les deux récits,

[1] Sur προσελθών en Matthieu, voir F. Neirynck, 'La rédaction matthéenne et la structure du premier évangile', dans *Ephem. Theol. Lovan.* XLIII (1967), 41–73, spéc. 49–50. Le verbe προσέρχεσθαι: 51 fois en Matthieu, 5 fois en Marc et 10 fois en Luc (à lire προ- en Matt. xxvi. 39 = Marc xvi. 35 et Luc i. 17). En Matthieu: 3 par. Marc (1 = Luc), 32 diff. Marc (3 = Luc), 7 diff. Luc et 9 SMt.; à l'exception de deux présents historiques (Matt. ix. 14; xv. 1; comp. Marc), toujours à l'aoriste: 21 fois l'indicatif et 28 fois le participe. Sur Marc i. 31 (om. Matthieu) et Matt. xvi. 7; xxviii. 18 ('Jésus s'approche'), cf. art. cit.—Comp. H. J. Held, 'Matthäus als Interpret der Wundergeschichten', dans G. Bornkamm, G. Barth et H. J. Held, *Überlieferung und Auslegung* (voir p. 174n), pp. 214–20 ('Die formelhafte Erzählungsweise').

[2] Surtout dans l'expression κρατεῖν τῆς χειρός (cf. LXX): Marc i. 31 (Matt. viii. 15: ἥψατο); v. 41 (Matt. ix. 25; Luc viii. 54) et ix. 27. Matthieu ne l'a reprise qu'en ix. 25, mais est-ce trop subtile de voir l'influence de la formule en Matt. xii. 11–12*a*? Matthieu semble avoir inséré le logion (cf. Luc xv. 5; xiii. 15–16) dans la péricope de Marc iii. 1–6, en adaptant le vocabulaire au contexte (ἄνθρωπος, τοῖς σάββασιν). S'il est permis de supposer une intervention plus radicale dans la formulation, l'on peut songer à une influence de différents logia: Luc xv. 4; vi. 39; xii. 7*b*, 24 (par. Matthieu). Quant à κρατήσει αὐτὸ καὶ ἐγερεῖ la réminiscence du ἔγειρε... de Marc iii. 3 (H. Schürmann) peut avoir évoqué les trois guérisons où le verbe ἐγείρειν est accompagné de l'expression κρατήσας (τῆς χειρός).

[3] Cf. W. Michaelis, *Die Erscheinungen*, p. 134 n. 22: 'Vgl. Bl.–D. § 170, 2: κρατέω "hat das Ganze im Akk....und nur den Teil, woran man faßt, im Gen." Matth. 28, 9 wird jedoch auch gar nicht gemeint sein: sie faßten ihn an den Füßen (wie Matth. 9, 25), sondern: sie umfaßten seine Füße (also die Füße als Ganzes und nicht als Teil verstanden).' Par cette remarque, l'auteur répond à la difficulté qu'il s'est posée lui-même à la p. 17. Ajoutons que l'emploi de l'accusatif correspond à la tendance plus générale dans le grec hellénistique; cf. J. H. Moulton, *A Grammar of N.T. Greek, vol. I. Prolegomena* (Édimbourg, 3e éd., 1908), pp. 65, 235. Même tendance, semble-t-il, dans D (var. Marc v. 41; Matt. ix. 25, cf. Bl.–D. § 170, 2).

[4] Ainsi entre autres Th. Zahn: 'als ob sie ihn nicht wieder loslassen wollten (cf. κρατεῖν xiv. 3; xxi. 46; xxii. 6)' (*Matthäus*, 4e éd., 1922, p. 720). Outre cet emploi de κρατεῖν dans le sens 's'emparer de, arrêter', bien attesté dans le récit de la passion (Matthieu/Marc), le parallèle de Jean xx. 17 (μή μου ἅπτου) paraît avoir influencé cette exégèse de Matt. xxviii. 9; cf. *infra*.

[5] Ici encore un seul exemple: 'Durch den Griff wird die Gewißheit der körperlichen Wirklichkeit empfangen und der Gedanke an eine Erscheinung abgewehrt' (A. Schlatter, *Der Evangelist Matthäus*, p. 795).

aux versets 9 et 17, ont le motif commun de la proskynèse, et c'est sans doute en connexion avec προσεκύνησαν αὐτῷ que le geste de saisir les pieds de Jésus doit être compris. Acte d'adoration faisant suite à une épiphanie,[1] la proskynèse est aussi le geste du suppliant, tel le serviteur devant le maître dans la parabole du débiteur impitoyable (xviii. 26), la mère des Zébédaïdes devant Jésus (xx. 20) ou, dans l'introduction des récits de miracles, le lépreux (viii. 2), Jaïre (ix. 18) et la Cananéenne (xv. 25): προσελθὼν (-ελθοῦσα) προσεκύνει αὐτῷ λέγων (λέγουσα). Dans les trois cas, l'imparfait προσεκύνει remplace un double verbe de Marc, un verbe exprimant la supplication (παρακαλεῖν, ἐρωτᾶν) et un verbe désignant le geste (γονυπετεῖν, πίπτειν ou προσπίπτειν πρὸς τοὺς πόδας αὐτοῦ). Comme on l'a très justement observé,[2] par l'emploi du verbe προσκυνεῖν, le geste de supplication reçoit en Matthieu un caractère d'adoration et se trouve donc rapproché du geste des femmes devant le Ressuscité: ἐκράτησαν αὐτοῦ τοὺς πόδας καὶ προσεκύνησαν αὐτῷ. Cette expression n'est probablement rien d'autre qu'une formulation plus complète et plus solennelle de l'acte de proskynèse. On peut comparer à cette scène la rencontre de Pierre et Corneille en Actes x. 25: συναντήσας αὐτῷ ὁ Κορνήλιος πεσὼν ἐπὶ τοὺς πόδας προσεκύνησεν. C'est un langage biblique. Qu'on se rappelle la Sunamite devant Élisée: ἔπεσεν ἐπὶ τοὺς πόδας αὐτοῦ καὶ προσεκύνησεν ἐπὶ τὴν γῆν (IV Reg. iv. 37), la même femme qui, en s'approchant du prophète, avait saisi ses pieds: ἐπελάβετο τῶν ποδῶν αὐτοῦ (*v.* 27). Dans l'Apocalypse, l'association des verbes πίπτειν et προσκυνεῖν deviendra des plus stables[3] et Matthieu aussi fait preuve de cette tendance à l'élargissement du simple προσκυνεῖν: πεσών/πεσόντες lui est ajouté en iv. 9 (diff. Luc) et ii. 11; xviii. 26 (SMt.).[4]

Il reste une difficulté, formulée par W. Michaelis: la scène de la proskynèse ne prépare en rien la parole de Jésus 'ne craignez pas' et cette tension dans les *vv.* 9–10 permet de distinguer une double couche littéraire.[5] Mais n'oublions pas que, si le geste des femmes a quelque parenté avec la proskynèse-supplication, celle-ci est normalement suivie d'une action ou parole rassurante de Jésus, et surtout qu'une épiphanie est difficilement concevable sans le motif de la crainte.[6] Dans Matthieu, l'autre apparition du Ressuscité nous

[1] Matt. xxviii. 9, 17: l'apparition du Ressuscité; xiv. 33: la révélation du Fils de Dieu; ii. 2, 8, 11: l'adoration des mages; voir aussi iv. 9, 10, dans le récit de la tentation (par. Luc). Cf. J. Horst, *Proskynein. Zur Anbetung im Urchristentum nach ihrer religionsgeschichtlichen Eigenart* (Gütersloh, 1932), pp. 217 ss.

[2] Cf. H. J. Held, *Matthäus als Interpret der Wundergeschichten*, p. 217 n. 3.

[3] Apoc. iv. 10; v. 14; vii. 11; xi. 16; xix. 4, 10; xxii. 8. Cf. II Reg. ix. 6; I Cor. xiv. 25; comp. Hérodote I, 134: προσπίπτων προσκυνέει τὸν ἕτερον.

[4] Matt. xviii. 26 (πεσὼν... προσεκύνει αὐτῷ) et 29 (πεσὼν... παρεκάλει αὐτόν) montrent clairement que ce n'est pas dans le rituel du geste que la proskynèse devant Jésus se distingue de la supplication.

[5] W. Michaelis, *Die Erscheinungen*, p. 17. Μὴ φοβεῖσθε serait la seule ajoute de la part de l'évangéliste. Pour d'autres, l'intervention rédactionnelle fut plus importante; W. C. Allen (*loc. cit.*) signale καὶ ἰδού, προσελθοῦσαι, προσεκύνησαν, τότε. Sur μὴ φοβεῖσθε et le vocabulaire matthéen, voir déjà p. 173. Plusieurs commentateurs partagent l'impression de Michaelis: 'Unmotiviert wirken in V. 10 hinter V. 9 die Worte "Fürchtet euch nicht!" (anders in V. 5)' (J. Schmid; comp. E. Klostermann e.a.).

[6] Cf. E. Lohmeyer, *Matthäus*, p. 407 n. 2: 'Deshalb sind auch die Worte des Auferstandenen

fournit un parallèle tout à fait concluant: les disciples se prosternent, et cependant ils doutent[1] et Jésus s'approche d'eux (xxviii. 17–18*a*). Deux fois seulement dans l'évangile de Matthieu, προσέρχεσθαι s'applique à Jésus qui s'approche,[2] chaque fois dans un texte propre à Matthieu et dans une scène où Jésus rassure les disciples prosternés devant lui: l'apparition du Ressuscité et la transfiguration (xvii. 6–7). Mettons les textes en parallèle:

οἱ δὲ ἕνδεκα μαθηταὶ...καὶ ἰδόντες αὐτὸν	καὶ ἀκούσαντες οἱ μαθηταὶ
προσεκύνησαν,	ἔπεσαν ἐπὶ πρόσωπον αὐτῶν
οἱ δὲ ἐδίστασαν.	καὶ ἐφοβήθησαν σφόδρα.
καὶ προσελθὼν ὁ Ἰησοῦς	καὶ προσῆλθεν ὁ Ἰησοῦς
ἐλάλησεν αὐτοῖς λέγων·	καὶ ἁψάμενος αὐτῶν εἶπεν·
ἐδόθη μοι...ἐγὼ μεθ' ὑμῶν εἰμι...	ἐγέρθητε καὶ μὴ φοβεῖσθε.

L'équivalence entre διστάζειν et φοβεῖσθαι, révélée par le parallélisme, est confirmée en Matt. xiv. 30–1: à Pierre qui, marchant sur les eaux, eut peur (ἐφοβήθη) Jésus dit: εἰς τί ἐδίστασας;[3] En Matt. xxviii. 10, le μὴ φοβεῖσθε se justifie donc pleinement après la proskynèse et ceux qui le regardent comme un simple doublet du *v.* 5 risquent de ne pas saisir la teneur du motif. D'autres lui donnent trop d'importance: il répondrait au μετὰ φόβου du *v.* 8 et l'apparition de Jésus en personne serait nécessaire aux femmes pour surmonter cette crainte.[4] Ce n'est là qu'une variante de l'exégèse qui voit non en Matthieu, mais en Marc xvi. 8 la motivation de la christophanie.[5]

Avec le *v.* 10, nous sommes entré dans le vif de la question. Personne ne contestera que l'ordre donné aux femmes par Jésus (*v.* 10) forme un doublet avec celui de l'ange (*v.* 7). Il s'agit d'un doublet-source, nous dit-on, car l'évangéliste n'aurait pas écrit ces versets qui font double emploi, s'il n'y était invité par ailleurs. La monition de l'ange suffisait amplement pour

"fürchtet euch nicht", hier durchaus "passend" (gegen Klostermann); sie bestätigen mit aller Deutlichkeit den Charakter der Epiphanie.' Comp. M.-J. Lagrange, *in loc.*

[1] Pour les uns l'observation est d'une vraisemblance historique évidente (voir encore H. Grass, *Ostergeschehen*, p. 29) et pour les autres c'est une glose postérieure d'un rédacteur ecclésiastique (récemment P. Seidensticker, *Die Auferstehung Jesu*, pp. 91–2: 'Die Matt. 28, 17 vom Endredaktor zugegebene Möglichkeit des Zweifels gegenüber einer nach der ursprünglichen Auffassung des Evangelisten doch konstitutiven Osterbegegnung entwertet die Bedeutung der Erscheinung Jesu für den Osterglauben'). Que veut dire le texte? La Vulgate et la plupart des traductions modernes lisent: 'quidam autem dubitaverunt'. Après la désignation globale du groupe des onze disciples (προσεκύνησαν) suit l'exception (οἱ δὲ ἐδίστασαν), une minorité donc, ce qui ne permettait pas de parler de deux groupes (οἱ μέν, οἱ δέ). Contre cette interprétation 'commune', les exégètes qui veulent harmoniser les récits des apparitions feront des difficultés: comment les disciples peuvent-ils encore douter après les apparitions à Jérusalem (cf. Luc et Jean)? Alors, οἱ δέ désignerait d'autres disciples qui accompagnent les onze (W. C. Allen, A. H. McNeile) ou bien ἐδίστασαν aurait la valeur d'un plus-que-parfait: ils avaient douté, c.-à-d. avant les apparitions à Jérusalem (Luc xxiv. 11, 41) (M.-J. Lagrange). On ne suivra pas cette exégèse harmonisante, car pour l'évangéliste, qui ne parle que des onze, il n'y a qu'une apparition, celle de Galilée, sur laquelle tout le chap. xxviii est orienté, et le sens du plus-que-parfait est difficilement admissible à côté de προσεκύνησαν. Mais Lagrange a sans doute raison quand il entend οἱ δέ au sens de *iidemque*, cf. Kühner–Gerth, 1, 657 (§469, 2). Voir aussi G. Strecker, *Der Weg der Gerechtigkeit* (Gœttingue, 1962), p. 208 n. 6.

[2] Voir p. 178 n. 1; comp. E. Lohmeyer, *Matthäus*, p. 416.

[3] Le texte sur Pierre (*vv.* 28–31), inséré dans le récit de Marc, y est entouré par μὴ φοβεῖσθε (*v.* 27) et προσεκύνησαν αὐτῷ (*v.* 33).

[4] Th. Zahn, A. Schlatter e.a.

[5] Voir p. 170 nn. 1, 2.

préparer l'apparition en Galilée, d'autant plus que, d'après le *v.* 8 de Matthieu, les femmes courent déjà l'annoncer aux disciples. S'il est vrai que le récit manque d'originalité, c'est qu'il est parvenu à Matthieu sous forme de sommaire.[1]

On ne pourra certainement pas suivre ceux qui vont jusqu'à dire qu'il y a 'contradiction entre la promesse de l'ange: "C'est là, en Galilée, que vous le verrez" et le démenti immédiat de l'apparition dont les femmes sont favorisées'.[2] Cette observation suppose sans doute une traduction (et ponctuation) de Matt. xxviii. 7 comme celle de L. Segond: 'Et allez promptement dire à ses disciples qu'il est ressuscité des morts. Et voici, il vous précède en Galilée. C'est là que vous le verrez. Voici, je vous l'ai dit.'[3] D'après cette version, c'est aux femmes, non moins qu'aux disciples, que l'apparition de Jésus en Galilée est promise. Toutefois, la plupart des éditeurs, traducteurs et commentateurs modernes lisent un ὅτι récitatif en Marc xvi. 7 et Matt. xxviii. 7[4] et ils comprennent le texte comme un message aux disciples, à l'exception seulement de la formule de la fin dans Matt. xxviii. 7.[5] Pour certains, cette construction est intentionnelle: les disciples, et non les femmes, verront Jésus en Galilée et seront les premiers témoins.[6] Mais le texte évangélique n'est pas aussi explicite. Sans entrer ici dans les discussions sur l'origine de Marc xiv. 28 et xvi. 7, l'on doit dire que, sur le plan du texte de Marc, le message aux disciples rappelle la prédiction de Jésus: προάξω ὑμᾶς εἰς τὴν Γαλιλαίαν. La citation est littérale et elle invite à relier καθὼς εἶπεν ὑμῖν directement à προάγει ὑμᾶς εἰς τὴν Γαλιλαίαν, par manière de complément postposé.[7] Il en résulte

[1] Bonne formulation dans l'article de A. Descamps (voir p. 169 n. 11), p. 162. Les remarques ne sont pas nouvelles, cf. C. G. Wilke, *Der Urevangelist* (Leipzig, 1838), p. 648.

[2] A. Nisin, *Histoire de Jésus* (Paris, 1961), p. 39.

[3] Le ὅτι ne serait donc pas récitatif. Ce fut l'interprétation de la Vulgate (*quia resurrexit*, Matthieu; *quia praecedet*, Marc) et du *Textus Receptus* (ἠγέρθη et προάγει sans majuscule), suivie dans les anciennes traductions (Luther, King James) et encore récemment dans la RSV et plusieurs traductions françaises (e.a. la *Bible de Jérusalem* pour Marc et la synopse de Benoit–Boismard pour Marc et Matthieu).

[4] De Westcott–Hort à *The Greek New Testament*. A noter cependant que certains éditeurs, qui ne marquent jamais le discours direct par une majuscule, n'avaient pas à prendre position (e.a. von Soden, Nestle–Aland).—Sur ὅτι *recitativum* en Marc, cf. J. Sundwall, dans *Eranos*, XXXI (1934), 73–84; M. Zerwick, *Untersuchungen*, pp. 39–48, et, pour la comparaison synoptique, C. H. Turner, dans *J.T.S.* XXVIII (1927), 9–15. S'il est plutôt rare dans les parallèles matthéens de Marc (xxvi. 74, 75), l'on doit observer qu'en xxviii. 7 il s'agit d'une citation à l'intérieur d'un discours direct. Sur le phénomène en Marc, voir M. Zerwick, *op. cit.* p. 48. Outre l'emploi fréquent (et rédactionnel) de la construction (ἀμὴν) λέγω ὑμῖν ὅτι, on peut signaler Matt. iv. 6 (par. Luc); vii. 23 (diff. Luc); x. 7 (diff. Luc); xvi. 18 (SMt.); xxi. 3 (diff. Mc.); xxi. 16 (SMt.); xxvi. 75 (par. Marc); xxvii. 43 (SvMt.) et xxviii. 13 (SMt.). Autres emplois du ὅτι récitatif en Matt. ix. 18 (par. Marc, var.); xiii. 11 (diff. Marc); xiv. 26 (diff. Marc); xvi. 7 (diff. Marc); xix. 8 (diff. Marc, causal?); xxvi. 72 (cf. *v.* 74); xxvi. 74 (par. Marc); xxvii. 47 (diff. Marc).

[5] '...and then go quickly and tell his disciples: "He has been raised from the dead and is going on before you into Galilee; there you will see him." That is what I had to tell you' (N.E.B.).

[6] Un exemple récent: '...der Evangelist (sucht) durch seinen Einschub von dem Erlebnis der Frauen und ihrer Mittlerschaft für den Osterglauben der Kirche abzulenken...Markus (hat) das Ostererlebnis der Frauen nicht als konstitutiv für den Osterglauben der Kirche betrachtet' (P. Seidensticker, *Die Auferstehung Jesu*, pp. 85, 86).

[7] Le cas est parallèle à Marc xvi. 4*b* et les positions des auteurs sont les mêmes (voir p. 171n). N. Turner (*loc. cit.*) l'appelle 'a delayed parenthesis' et il traduit: 'Go your way, tell his disciples and Peter that he is going before you into Galilee (*as he said to you*): there you'll see him.'

que ἐκεῖ αὐτὸν ὄψεσθε reçoit un relief particulier et pourrait s'appliquer aux femmes aussi bien qu'aux disciples. Par cette promesse, le message angélique se conclut, restant ainsi, semble-t-il, dans la thématique essentielle du récit: les femmes viennent au tombeau, voient le jeune homme, mais Jésus qu'elles cherchent n'est pas là; en Galilée, là elles le verront.[1] En Matthieu, le texte a subi un certain fléchissement. S'il est possible de rapprocher l'addition ἠγέρθη ἀπὸ τῶν νεκρῶν de μετὰ δὲ τὸ ἐγερθῆναί με en Matt. xxvi. 32, le rappel explicite de la prédiction de Jésus (voir le *v.* 6) y est remplacé par la déclaration de l'ange: ἰδοὺ εἶπον ὑμῖν. Rien ne sépare plus ἐκεῖ αὐτὸν ὄψεσθε des paroles précédentes, et c'est aux seuls disciples que la promesse de la vision est adressée. Il sera donc en parfaite logique avec le message angélique que, d'après Matthieu, Jésus dira: 'là ils me verront' (*v.* 10).

Il n'y a pas contradiction entre la promesse de l'ange et l'apparition de Jésus. On peut même ajouter que l'apparition se situe dans la ligne même des paroles de l'ange telles que Matthieu les conçoit. L'insistance spéciale sur le kérygme de la résurrection, signalée plus haut, nous rapproche déjà d'une apparition de Jésus lui-même aux femmes, qui, elles, ne sont pas renvoyées en Galilée. L'assertion que l'ordre de Jésus fait double emploi me paraît gratuite. D'abord, il est une nouveauté non négligeable que c'est Jésus qui parle. Déjà en Marc, l'ange faisait appel à une parole de Jésus. Il est vrai que la réaction de Matthieu peut montrer une insistance plus grande sur l'annonce de la résurrection (καθὼς εἶπεν, *v.* 6) et le souci de souligner l'autorité de l'ange qui la proclame (ἰδοὺ εἶπον ὑμῖν, *v.* 7), mais le changement ne s'explique pleinement qu'à la lumière des *vv.* 9–10 où la promesse antérieure (καθὼς εἶπεν ὑμῖν) est surpassée dans les paroles que Jésus adresse directement aux femmes. Ensuite, il n'est plus une simple promesse, mais un ordre strict est donné d'aller en Galilée: ἵνα ἀπέλθωσιν[2] (*loco* προάγει ὑμᾶς). C'est ici sans doute que se révèle la raison d'être matthéenne de l'apparition aux femmes. Elle prépare l'apparition en Galilée d'une manière beaucoup plus directe que ne le faisait l'annonce de l'ange. Il est connu que dans les récits matthéens la correspondance entre ordre et exécution est soulignée avec une attention particulière.[3] Cette tendance de Matthieu se manifeste tout spécialement dans le dernier chapitre de l'évangile. C'est en préparation de l'apparition aux onze disciples que Matthieu omet la mention spéciale de Pierre dans les paroles de l'ange et surtout qu'il ajoute un ordre formel donné par Jésus en personne: ἵνα ἀπέλθωσιν εἰς τὴν Γαλιλαίαν. Les disciples obéiront: οἱ δὲ ἕνδεκα μαθηταὶ ἐπορεύθησαν εἰς τὴν Γαλιλαίαν (*v.* 16), comme les femmes

[1] A cause du consensus presque général sur le caractère secondaire du *v.* 7, les commentateurs de Marc ont tendance à l'isoler trop facilement de son contexte. La correspondance entre οὐκ ἔστιν ὧδε et ἐκεῖ αὐτὸν ὄψεσθε a été remarquée par B. Weiss, *Markus und Lukas* (6e éd. du comm. de Meyer, Gœttingue, 1901), p. 243: 'Das voranstehende αὐτόν betont, daß, wenn sie sich auch am leeren Grabe von seiner Auferstehung überzeugen können, sie ihn hier (V. 6) doch nicht zu sehen bekommen werden. Zu ὧδε–ἐκεῖ vgl. 13, 21.'

[2] Sur le sens impératif de ἵνα ἀπέλθωσιν, cf. Bl.–D. §392, 1 (*d*).

[3] Cf. R. Pesch, 'Eine alttestamentliche Ausführungsformel im Matthäus-Evangelium', dans *B.Z.* x (1966), 220–45; xi (1967), 79–95.

obéissent déjà l'ordre de l'ange: καὶ ἀπελθοῦσαι ταχύ (*v.* 8; cf. *v.* 7: καὶ ταχὺ πορευθεῖσαι...) et puis à l'ordre confirmé par Jésus: πορευομένων δὲ αὐτῶν (*v.* 11; cf. *v.* 10: ὑπάγετε).[1]

Au *v.* 10, la monition aux femmes est reprise par Jésus, avec quelques modifications dans la terminologie qui ne sont pas de nature à nous détourner du rédacteur de Matthieu.

Marc xvi. 6*a*:	Matt. xxviii. 10:
ὁ δὲ λέγει αὐταῖς·	τότε λέγει αὐταῖς ὁ Ἰησοῦς·
μὴ ἐκθαμβεῖσθε·	μὴ ψοβεῖσθε· (cf. *v.* 5)
7 (ἀλλὰ) ὑπάγετε εἴπατε	ὑπάγετε ἀπαγγείλατε (cf. *v.* 8)
τοῖς μαθηταῖς αὐτοῦ	τοῖς ἀδελφοῖς μου
(καὶ τῷ Πέτρῳ) ὅτι	(om.) (cf. *v.* 7)
προάγει ὑμᾶς	ἵνα ἀπέλθωσιν (*v.* 16; cf. *vv.* 7 et 8)
εἰς τὴν Γαλιλαίαν·	εἰς τὴν Γαλιλαίαν,
ἐκεῖ αὐτὸν ὄψεσθε,	κἀκεῖ με ὄψονται.
(καθὼς εἶπεν ὑμῖν.)	

Les différences de vocabulaire s'expliquent à partir des *vv.* 5–8 de Matthieu.[2] Il reste τοῖς ἀδελφοῖς μου pour τοῖς μαθηταῖς αὐτοῦ (*vv.* 7 et 8) ou οἱ ἕνδεκα μαθηταί (*v.* 16). Dans le contexte de Matt. xxviii, rien ne permet de songer aux frères du Seigneur, parents de Jésus, mais beaucoup d'auteurs considèrent la désignation des disciples par deux titres différents, ἀδελφοί et μαθηταί, comme un indice de diversité littéraire et certains n'excluent pas que, dans une narration primitive, les 'frères' étaient des parents de Jésus.[3] On comprend qu'il peut être séduisant de formuler pareille hypothèse, mais ni le contexte ni l'expression même ne nous y autorisent. En effet, ce titre de fraternité spirituelle n'est pas entièrement nouveau en Matthieu: il est préparé, sinon déjà exprimé, dans la péricope de la vraie parenté de Jésus (xii. 46–50). Dans le texte de Marc iii. 34–5, il n'est pas clair si le regard de Jésus sur 'ceux qui étaient assis en cercle autour de lui' désigne ceux qu'il considère comme sa mère et ses frères. La parole de Jésus peut être comprise d'après le parallèle de Luc qui a omis le motif du regard: 'Voici ma mère et mes frères: celui qui fait la volonté de Dieu...'[4] En Matthieu par contre, le

[1] La correspondance entre les *vv.* 10 et 16 se complète au *v.* 17*a* par καὶ ἰδόντες αὐτόν. E. Lohmeyer insiste sur les différences: '...Jesus mahnte zum "Fortgehen"; hier heißt es von den Jüngern: "Sie wanderten"' (*Matthäus*, p. 414). La distinction ne semble pas valoir pour la rédaction matthéenne: voir les *vv.* 7 et 8; encore xxi. 2, 6: πορεύεσθε–πορευθέντες, comp. Marc xi. 2, 6: ὑπάγετε–ἀπῆλθον; Matt. xxv. 9–10: πορεύεσθε–ἀπερχομένων.

[2] Le présent historique λέγει, s'il est remplacé plusieurs fois par l'aoriste, apparaît 44 fois en Matthieu, dont 11 par. Marc, entre autres pour introduire la parole de Jésus par laquelle une péricope se conclut; par exemple par. Marc: viii. 4 (+ὁ Ἰησοῦς); ix. 6; xii. 13. Dans les deux cas, comme en xxviii. 9, Matthieu insère un τότε (dans un texte narratif: Matt. 60, Marc 0, Luc 2).

[3] A. Descamps, *La structure*, p. 162; C. H. Dodd, 'The Appearances of the Risen Lord: An Essay in Form-Criticism of the Gospels', dans D. E. Nineham (éd.), *Studies in the Gospels. Essays in memory of R. H. Lightfoot* (Oxford, 1955), pp. 9–35, spéc. p. 19 n. 1.

[4] D'après la traduction de la synopse de Benoit–Boismard.

regard est remplacé par un geste qui n'a plus rien d'équivoque: 'Étendant la main vers ses disciples (ἐπὶ τοὺς μαθητὰς αὐτοῦ) il dit: Voici ma mère et mes frères!' (*v.* 49; le *v.* 50 y est rattaché par un γάρ). Si nous ajoutons à cela que le terme ἀδελφός est employé plusieurs fois par Matthieu pour désigner les chrétiens,[1] il sera permis d'attribuer au rédacteur de Matthieu le titre 'mes frères' par lequel Jésus désigne les disciples.

Ainsi, à l'examen des versets 9 et 10, l'impression générale se confirme: le récit du tombeau vide de Matt. xxviii ne présuppose d'autre narration que celle de Marc. Matthieu l'a développé d'après une double ligne qui lui peut être suggérée par le texte de Marc tel que nous le connaissons. D'une part, la constatation du tombeau vide devient une annonce de la résurrection plus autonome et détachable du motif des apparitions, ce qui permet de l'insérer entre les deux volets de l'histoire des gardes, et d'autre part, une autre ligne part du message angélique et oriente le récit des femmes plus strictement, d'après le schème ordre–exécution, sur l'apparition en Galilée.

IV

Mais cette conclusion provisoire n'est-elle pas contredite aussitôt, dès que nous admettons d'introduire dans la discussion les textes de Luc et Jean? Ne témoignent-ils pas de récits du tombeau vide concurrents à Marc qui peuvent avoir influencé la rédaction matthéenne? Comme dans Matthieu, les femmes y obéissent et portent l'annonce aux disciples.[2] D'après Jean xx, Jésus lui-même apparaît près du tombeau à Marie-Madeleine. Elle n'est pas accompagnée d'une autre Marie comme dans Matthieu, mais les paroles que Jésus lui adresse rappellent la scène matthéenne: μή μου ἅπτου. . . πορεύου δὲ πρὸς

[1] Je cite J. Dupont, *Les Béatitudes* (2e éd., Bruges–Louvain, 1958), p. 148 n. 1 (à propos de Matt. v. 22, 23–4): 'on sait que Marc n'emploie jamais "frère" au sens métaphorique, que Luc ne l'emploie que dans trois passages de son évangile (6, 41 s.; 17, 3; 22, 32), mais très fréquemment dans les Actes pour désigner les membres de la communauté chrétienne (1, 15; 9, 30; 10, 23; 11, 1. 12. 29; 12, 17; 14, 2; 15, 1. 3. 22. 32. 33. 36. 40; 16, 2. 40; 17, 6. 10. 14; 18, 18. 27; 21, 7. 17; 28, 14. 15), reflétant ainsi un usage chrétien qui paraît avoir influencé le vocabulaire de Matthieu (cf. 5, 47 avec Luc, 6, 33; Mat., 18, 15. 21. 35: trois emplois contre un seul en Luc, 17, 3; voir encore Mat., 23, 8; 25, 40); de plus, le logion de Marc, 11, 25, apparenté à Mat., 5, 23–4, emploie τις au lieu de ἀδελφός.' Ajoutons cette précision. Au niveau de la source commune (Luc vi. 41–2, par. Matt. vii. 3–5; Luc xvii. 3, par. Matt. xviii. 15), il n'est pas évident que l'emploi métaphorique dépasse le langage religieux des Juifs (cf. H. von Soden, art. ἀδελφός, dans *Th.W.N.T.* t. 1, p. 145), si ce n'est dans l'extension universelle que lui donne la loi de l'amour (de même, Matt. v. 22, 23–4, 47 et, d'après certains, xxv. 40); cf. H. Schürmann, *Jesu Abschiedsrede Lk 22, 21–38* (Münster, 1957), p. 111. Par contre, la terminologie devient spécifiquement chrétienne dans le contexte ecclésiastique de Matt. xviii (les *vv.* 15 et 21) et encore plus clairement en Matt. xxiii. 8 (ὑμεῖς δέ: les disciples de l'unique maître sont tous frères). 'Dem "Lehrer" würden eigentlich die "Schüler" entsprechen; daß statt von μαθηταὶ von ἀδελφοὶ die Rede ist, wird damit zusammenhängen, daß der Titel μαθητὴς anscheinend bald nur für die Jünger des auf Erden wandelnden Herrn gebraucht wurde' (E. Haenchen, *Matthäus 23*, p. 35). H. Schürmann attribue l'emploi de Luc xxii. 32 à la rédaction lucanienne (*loc. cit.*) et parle de 'ein Sprachgebrauch, welcher sich mit dem Glauben an den Auferstandenen durchsetzen mußte, vgl. Matt. 28, 10 (Jo 20, 17)'.

[2] C'est une correction de Marc xvi. 8 qui s'imposait. L'accord entre Luc xxiv. 9 et Matt. xxviii. 8 n'est que partiel, car en Matt. le ἔδραμον prépare déjà l'événement qui surviendra en cours de route. Quant au verbe ἀπαγγέλλειν, il est trop bien en situation pour faire impression.

τοὺς ἀδελφούς μου καὶ εἰπὲ αὐτοῖς (Jean xx. 17). On a essayé d'expliquer la parenté entre Jean et Matthieu par une assimilation postérieure effectué au cours de la transmission du texte,[1] mais le témoignage de deux manuscrits est une base trop suspecte pour pareille hypothèse. La plupart des auteurs admettent un contact littéraire entre les deux récits: ou bien Jean et Matthieu dépendent tous deux d'un récit antérieur, prématthéen (ou marcien) pour les uns,[2] préjohannique pour les autres,[3] ou bien Jean dépend de Matthieu.[4] Après l'effort entrepris pour montrer la part du rédacteur dans le récit matthéen, c'est la dernière hypothèse qui reste à vérifier. Certains lui opposent un refus très net, rejetant toute idée de dépendance de Jean envers les Synoptiques et spécialement envers Matthieu.[5] Toutefois, dans les récits de la Passion et Résurrection, des ressemblances frappantes ont été observées et bon nombre d'auteurs admettent une dépendance dans certaines couches récentes de Jean[6] ou bien tiennent compte de l'influence possible exercée par certaines sections synoptiques de manière indirecte, par le biais d'une tradition orale post-synoptique.[7] Mais dans le cas qui nous occupe, on fait valoir que le récit johannique est trop différent de celui de Matthieu.

Voyons brièvement comment se présente le contexte de Jean xx. 17. La critique est d'accord pour délimiter le récit de Marie-Madeleine du *v.* 11 à 18. On estime généralement que le premier verset du chapitre en constituait l'introduction,[8] mais d'autres repoussent formellement ce découpage de la

[1] B. H. Streeter, *The Four Gospels* (Londres, 1924), p. 415: les mss. 157 et 1555 et une citation de Cyrille d'Alexandrie lisent μαθηταῖς en Matthieu.

[2] C'est l'autre hypothèse avancée par Streeter (*op. cit.* pp. 357, 415); B. Lindars, 'The Composition of John xx', dans *N.T.S.* VII (1960–1), 142–7.

[3] Surtout P. Benoit, *Marie-Madeleine et les disciples au tombeau* (voir p. 169 n. 11), p. 145; *Passion et Résurrection du Seigneur*, p. 292: 'Les deux récits se complètent ainsi, et les critiques sont d'accord pour y voir deux présentations d'une même apparition de Jésus aux saintes femmes.' C. H. Dodd se montre plus hésitant: d'une part Marie-Madeleine voit le Seigneur au tombeau, d'autre part *d'autres* femmes rencontrent le Seigneur après avoir quitté le tombeau; 'it is possible that the two stories were originally distinct' (*Historical Tradition*, p. 148 n. 3).

[4] 'Das berühmte Noli me tangere ist jedenfalls johann. Form und Korrektur von Mt 28, 9', ainsi H. J. Holtzmann, *Evangelium des Johannes* (Tubingue, 2e éd., 1893), *ad loc.* Comp. L. Brun, *Die Auferstehung Christi* (voir p. 1 n. 2), p. 19; J. Finegan, *Die Überlieferung* (voir p. 168 n. 2), p. 94.

[5] A ce propos, on considère le petit livre de P. Gardner-Smith de 1938 comme un tournant dans l'exégèse johannique. A remarquer cependant que la tradition que suppose l'auteur pour notre texte, ne diffère en rien de celle de Matt. xxviii. 9–10: 'It is not difficult to trace the genesis of the Johannine account. At the time when the Gospel was written there was a tradition that the woman who went to the sepulchre saw Jesus, and that He sent by her a message to His brethren, or His disciples. The author believed that the fact of the resurrection had already been revealed to the two disciples, and he was therefore embarrassed to give point to the conversation. So he changed the original reference to the resurrection into a reference to the ascension, which he apparently regarded not as a distinct event, but as the completion of the resurrection. Yet he was still under the influence of the earlier form of the tradition, for he makes the first point of Mary's announcement the declaration that she had seen the Lord, and therefore that He was risen from the dead' (*Saint John and the Synoptic Gospels*, Cambridge, 1938, p. 80).

[6] P. Benoit l'admet par exemple pour Jean xix. 38, comp. Matt. xxvii. 57; cf. *Marie-Madeleine et les disciples au tombeau*, p. 145 n. 16.

[7] N. A. Dahl, P. Borgen (voir p. 169 n. 5).

[8] J. Wellhausen, M. Dibelius, W. Bauer, R. Bultmann, E. Hirsch (*vv.* 1, 11 *b* ss.), H. Grass (signalés par Benoit, art. cit. p. 142 n. 2). On pourrait allonger la liste; parmi les auteurs déjà cités: C. H. Dodd, U. Wilckens, B. Lindars.

péricope des *vv.* 1–10.[1] L'intelligence du récit se complique encore par l'appréciation des *vv.* 11*b*–13, plus proches des Synoptiques: forment-ils le noyau du récit[2] ou sont-ils au contraire interpolés dans une narration primitive?[3] Les partisans de la dernière opinion citent le parallèle des récits de l'ensevelissement (Jean xix. 31–42): entre deux récits johanniques, la descente de croix et le coup de lance (*vv.* 31–7) et l'ensevelissement par Nicodème (*vv.* 39–42), il y a une insertion empruntée à la tradition synoptique: Joseph d'Arimathie (*v.* 38). De même, au chap. xx: entre la visite au tombeau (*vv.* 1–10) et l'apparition de Jésus à Marie-Madeleine (*vv.* 11*a*, 14*b*–18) une insertion synoptique: l'apparition des anges (*vv.* 11*b*–14*a*).

Mais revenons d'abord au *v.* 17. On connaît les difficultés de ce verset. La conjecture μὴ πτόου qui devrait le rapprocher davantage de Matthieu (μὴ φοβεῖσθε),[4] ne pourra plus être retenue[5] et il faudra traduire l'impératif présent μή μου ἅπτου par 'ne continue pas à me toucher'.[6] Ce qui fait problème c'est surtout οὔπω γὰρ ἀναβέβηκα πρὸς τὸν πατέρα (μου). On l'a expliqué comme une parenthèse anticipée,[7] d'autres ont parlé d'un γάρ à portée différée.[8] Si ces interprétations ne sont pas entièrement satisfaisantes,

[1] P. Benoit, art. cit. p. 142. L'hypothèse de F. Spitta, d'après laquelle le récit 'johannique' s'étend jusqu'au *v.* 23, a été reprise par G. Hartmann, 'Die Vorlage der Osterberichte in Joh 20', dans *Z.N.W.* LV (1964), 197–220.

[2] M. Goguel, R. Bultmann (cf. Benoit, art. cit. p. 146 n. 19). Cf. W. Wilkens, *Die Entstehungsgeschichte des vierten Evangeliums* (Zollikon, 1958), pp. 87–8: 'Vielmehr war dem Evangelisten das Auftreten der Engel von der Tradition her gegeben (Bultmann), und er braucht die Engelepisode in seiner Darstellung nun dazu, um die um ihren toten Kyrios klagende Maria zu zeichnen, die dann erfahren muß, daß kein Toter ihr Herr ist. (Die Engelepisode ist also nicht einfach "gänzlich überflüssig", wie Bultmann meint.)'

[3] Sur ce point, F. Spitta était d'accord avec E. Schwartz et J. Wellhausen; il est suivi par P. Benoit (art. cit. p. 146 n. 2) et G. Hartmann (art. cit. p. 205).

[4] Les auteurs modernes qui reprennent cette conjecture déjà ancienne (Gersdorf, Schulthess) soulignent spécialement le rapprochement avec Matthieu: J. H. Bernard, *The Gospel according to St John* (I.C.C.) (Édimbourg, 1928), p. 670; P. Gardner-Smith, *op. cit.* p. 80.

[5] Les variantes textuelles, l'omission de μου (2 min.) et l'inversion απτου μου (B), sont un argument bien faible. Tout aussi hypothétique est le recours à un substrat araméen, à traduire par προσκολλᾶσθαι ou ἀκολουθεῖν: B. Violet, 'Ein Versuch zu Joh 20, 17', dans *Z.N.W.* XXIV (1925), 78–80; W. Michaelis, *Die Erscheinungen*, p. 75.

[6] Cf. Bl.–D. §336, 3. Comp. W. Bauer, *Johannes* (Tubingue, 1912), p. 35 : 'Die Regel, daß μή mit Conj. Aor. dem Beginn der verbotenen Handlung vorbeugen will, während μή mit Imp. Praes. einem vorhandenen Zustand ein Ende zu machen sucht, hat für Joh überall Gültigkeit (vgl. 2, 16; 5, 14; 19, 21; 20, 17. 27) mit Ausnahme des einzigen Falles 3, 7...'; J. H. Moulton, *A Grammar, I. Prolegomena* (Édimbourg, 3e éd., 1908), p. 125. Sur l'opinion de Dodd, voir p. 187 n. 3.

[7] F.-M. Braun, *Évangile selon sait Jean* (La Sainte Bible, t. 10) (Paris, 1935), pp. 476–7: 'Le P. Joüon (cf. Rech. sc. relig., 1928, p. 501) a bien montré que ce qui s'oppose à la défense: *Ne me touche pas*, c'est uniquement l'ordre d'aller avertir les apôtres: *mais va vers mes frères*... La confusion vient de ce que la phrase *car je ne suis pas encore remonté à mon Père* semble motiver directement la défense: Ne me touche pas, alors qu'elle énonce, par manière de parenthèse anticipée, "le supposé préalable de la teneur du message". Le sens général du verset devient dès lors: "Ne continue pas à me toucher ainsi, mais va vers mes frères et dis-leur: Je remonte vers mon Père et votre Père, vers mon Dieu et votre Dieu—car je ne suis pas encore remonté à mon Père". L'avertissement du Sauveur à Magdeleine aurait donc pour motif immédiat l'obligation de porter un message aux disciples.'

[8] X. Léon-Dufour, *Études d'Évangile* (Paris, 1965), p. 74. Il traduit: 'Cesse de me tenir. Car *certes* je ne suis pas encore remonté vers le Père, va *plutôt* dire aux frères que je monte vers mon Père et votre Père...'; comp. la traduction de C. C. Torrey (d'après le substrat araméen): 'Touch me not, but before I ascend to my Father, go to my brethren and say to them...' (*Our Translated Gospels*, p. 73).

elles ont vu juste en ce qu'elles opposent à la défense 'ne me touche plus' l'ordre de porter un message aux disciples.[1] C'est, légèrement explicité,[2] le schème matthéen: ἐκράτησαν αὐτοῦ τοὺς πόδας suivi de ὑπάγετε ἀπαγγείλατε. Le verbe ἅπτεσθαι n'a pas de parallèle en Jean, mais il peut être éclairant qu'en Luc vii. 39 il est dit de la pécheresse qui embrasse les pieds de Jésus: ἅπτεται αὐτοῦ.[3] En Matt. viii. 15, le κρατήσας de Marc est remplacé par ἥψατο, d'où on a pu conclure qu'il n'y a pas de différence essentielle entre le ἅπτεσθαι de Jean xx. 17 et le κρατεῖν de Matt. xxviii. 9.[4] Il est vrai que dans Matthieu Marie-Madeleine n'est pas seule, mais c'est là un trait johannique qui n'est pas sans parallèle. Dans le récit johannique de l'onction à Béthanie par exemple, un seul disciple proteste (xii. 4).[5] Dans les Synoptiques, Marie-Madeleine est toujours nommée en premier lieu (Marc xv. 40, 47; xvi. 1 et par.), mais c'est en Matt. xxviii. 1 qu'on peut constater déjà une plus grande concentration sur la personne de Marie-Madeleine.[6] Comme dans Matthieu, l'expression 'mes frères' désigne incontestablement les disciples (cf. *v.* 18),[7] et comme telle elle est unique en Jean. La tradition sous-

[1] Comp. H. J. Holtzmann, *Johannes*, p. 303: 'An sich ist somit μή μου ἅπτου nur negative Voraussetzung zu πορεύου δέ.'—Cette interprétation est donc bien différente de celle de Lagrange (contre W. Thüsing, *Die Erhöhung und Verherrlichung Jesu im Johannesevangelium*, Münster, 1960, p. 275 n. 50). Lagrange suppose et un γάρ à portée différée et une parenthèse, mais le γάρ porte sur ἀναβαίνω et c'est le message aux disciples qui est parenthétique. Sa traduction: 'N'insiste pas pour me toucher; car, si je ne suis pas encore monté vers mon Père, cependant je ne tarderai pas beaucoup à y remonter...ce que tu diras à mes frères...' (M.-J. Lagrange, *Évangile selon saint Jean*, 8e éd., Paris, 1947, p. 512). Il est suivi par C. K. Barrett, *The Gospel according to St John* (Londres, 1955), p. 471.

[2] Qui disent 'correction' de Matthieu (voir p. 185 n. 4) ne tiennent pas compte de l'impératif *présent* (voir p. 186 n. 6) et comprennent le *noli me tangere* comme une interdiction de toucher Jésus; après son ascension, on pourra le toucher (cf. xx. 27). P. Benoit précise: 'L'état nouveau où il est entré par la Résurrection n'autorise plus les mêmes rapports familiers qui étaient permis avant sa mort...On pourra ensuite le toucher, après sa montée auprès du Père.' Et il ajoute: 'En ce sens il faut moins invoquer la scène de xx. 27, où le contact prend une autre signification, que vi. 62s.' ('L'Ascension', dans *Revue Biblique*, LVI (1961), 161–203; repris dans *Exégèse et théologie*, t. 1, Paris, 1961, pp. 363–411, spéc. pp. 388–9). Contre cette exégèse (cf. Dodd, Bultmann, Grass et plusieurs autres auteurs) qui continue de situer le moment du ἀναβαίνειν entre la christophanie de Marie-Madeleine et celle des disciples (xx. 19ss.), voir W. Thüsing, *Die Erhöhung*, pp. 263–9.

[3] Ce texte semble contredire la distinction dont parle C. H. Dodd: 'but the present ἅπτεσθαι differs from the aorist ἅψασθαι in more than mere *Aktionsart*. Ἅψασθαι means "touch" (so invariably in Matthew and Mark), ἅπτεσθαι means "hold", "grasp", even "cling". Μή μου ἅπτου, therefore, might mean "Do not cling to me", without any necessary implication that Mary was doing so' (*The Interpretation of the Fourth Gospel*, Cambridge, 1953, p. 443 n. 2; cf. N.E.B.). L'emploi du seul aoriste en Marc et Matthieu ne permettant aucune conclusion, Luc peut nous éclairer: en parallèle à l'aoriste de Marc, il choisit le présent en vi. 19 et xviii. 15 (cf. vii. 39).

[4] R. Bultmann, *Das Evangelium des Johannes* (Tubingue, 1941), p. 532 n. 6.

[5] E. Hirsch, *Die Auferstehungsgeschichten und der christliche Glaube* (Tubingue, 1940), p. 11: 'er hat nach seiner Art dramatisch vereinfacht und zugespitzt, indem er allein die eine Maria Magdalena den Gang tun läßt'; J. Finegan, *op. cit.* p. 93: 'Da die Handlung im folgenden komplizierter ist, reduziert Joh die Zahl der Frauen auf eine...' (l'idée est reprise par H. Grass, *op. cit.* p. 54).

[6] Μαριὰμ ἡ Μαγδαληνὴ καὶ ἡ ἄλλη Μαρία (Matt. xxviii. 1; cf. xxvii. 61). L'expression est significative, non seulement en tant que harmonisation des textes de Marc ('Er gleicht die verschiedenen Namenangaben Mk 15, 47 (Μαρία ἡ Ἰώσητος) und 16. 1 (Μαρία ἡ Ἰακώβου) aus, indem er an beiden Stellen (Mt 27, 61 und 28, 1) ἡ ἄλλη Μαρία schreibt und den Mk 16, 1 gegenüber 15, 47 genannten dritten Namen (Σαλώμη) streicht'; U. Wilckens, *Die Perikope vom leeren Grabe Jesu*, p. 32).

[7] A ce propos, C. H. Dodd veut distinguer entre l'évangile et la tradition: 'John says that it was delivered to the *disciples*. Yet in the tradition...it is not clear that the "brothers" are identical with the disciples' (*Historical Tradition*, p. 147). Dans la tradition (identique?, cf. p. 18 n. 3) qui est sous-

jacente à Jean xx. 17 sera donc fort semblable à Matt. xxviii. 9–10 et rien ne s'oppose à ce qu'il s'agisse d'une tradition qui remonte à Matthieu lui-même.

Ce qui est propre à Jean, est un enseignement théologique johannique, greffée sur les données de cette tradition. Il n'est pas exclu que Jean ait rapproché le message aux 'frères' de la péricope sur les frères de Jésus du chap. vii.[1] Jésus leur avait répondu: ἐγὼ οὐκ (var. οὔπω) ἀναβαίνω εἰς τὴν ἑορτὴν ταύτην, ὅτι ὁ ἐμὸς καιρὸς οὔπω πεπλήρωται (vii. 8). Comme le contexte subséquent le suggère, il faut y tenir compte de l'amphibologie du verbe ἀναβαίνειν: la montée des pèlerins et la montée vers le Père.[2] En xx. 17, l'évangéliste donne à l'expression 'mes frères' tout son poids, car pour la première fois Jésus s'adressant aux disciples parle de 'votre Père': ἀναβαίνω πρὸς τὸν πατέρα μου καὶ πατέρα ὑμῶν... 'Je monte vers le Père', dit Jésus, mais d'autre part: οὔπω γὰρ ἀναβέβηκα πρὸς τὸν πατέρα (μου) (*v.* 17*a*). Nous avons opposé à 'ne me touche plus' l'ordre d'annoncer aux disciples, mais la phrase 'car je ne suis pas encore monté vers le Père' se référant également à μή μου ἅπτου, il semble qu'il y a lieu de parler ici encore d'une amphibologie johannique: ἅπτεσθαι paraît désigner la nouvelle communion avec Jésus une fois que l'Esprit sera donné.[3] Certains commentateurs hésiteront devant ce sens plénier johannique, mais respecte-t-on encore toutes les données du verset si l'on oppose μή μου ἅπτου ou bien à πορεύου δέ ou bien à οὔπω γάρ?[4] Il me semble que le choix entre les deux orientations ne s'impose pas; il s'agit plutôt de distinguer entre le motif d'une tradition centrée sur le message à porter aux disciples et celui de montée vers le Père.[5]

jacente à Jean xx. 17 et Matt. xxviii. 10, il était question d'une apparition aux parents de Jésus (cf. I Cor. xv. 7). Car ce sont eux 'to whom that term is normally applied' (p. 324). En plus, Dodd ajoute le rapprochement avec Jean vii. 8 (voir p. 21 n. 1) pour conclure: 'This... establishes the identity (in the evangelist's intention) of the ἀδελφοί in the two passages.' Ici, à la p. 324 n. 3, Dodd passe de la tradition au stade de l'évangéliste, sans se prononcer sur Jean xx. 18!

[1] Cf. C. H. Dodd, *The Appearances*, p. 19 n. 1; *Historical Tradition*, p. 324. Pour l'évangéliste, les 'frères' auxquels Jésus fait dire ἀναβαίνω... seraient identiques aux 'frères' auxquels il avait déclaré οὐκ ἀναβαίνω... Rappelons cependant que le contexte (Jean xx. 18, aussi bien que Matt. xxviii. 7 pour le parallèle matthéen) s'y oppose et surtout que la notion de 'frère de Jésus' reçoit déjà une nouvelle acception en Jean xix. 25–7: 'Durch diesen Auftrag zeichnet Jesus in der Stunde seines Todes, d. h. in der Stunde seiner Erhöhung und Verherrlichung, den Jünger erneut aus. Ja, noch mehr: dadurch, daß der Jünger Sohn der Mutter Jesu wird, wird er gleichzeitig auch Jesu Bruder—noch bevor Jesus seine anderen Jünger als Brüder grüßen läßt (20, 17).' Cf. A. Dauer, 'Das Wort des Gekreuzigten an seine Mutter und den "Junger, den er liebte". Eine traditionsgeschichtliche und theologische Untersuchung zu Joh 19, 25–27', dans *B.Z.* XI (1967), 222–39; XII (1968), 80–93, spéc. p. 82.

[2] W. Bauer, *Johannes*, p. 78: 'So geht Jesus, was der amphibolischen Redeweise des Joh so sehr entspricht, nach Jerusalem hinauf und tut es doch nicht.' Comp. B. F. Westcott, E. Hoskyns, R. H. Lightfoot, C. H. Dodd, R. E. Brown (*ad loc.*; cf. Épiphane).

[3] Comp. W. Thüsing, *Die Erhöhung*, pp. 275–6.

[4] Voir par exemple p. 186 n. 7, 8; p. 187 n. 1.

[5] Pour une exégèse qui essaie d'exprimer cette dualité, voir H. J. Holtzmann, *Evangelium des Johannes, ad loc.*: 'Indem nämlich das in ἀναβαίνω vorausgesetzte οὔπω ἀναβέβηκα herausgelöst, antizipiert und verselbständigt wurde, tritt an die Stelle des einfachen Gedankens "du mußt weiter" der kompliziertere "nicht bloß du, sondern auch ich muß weiter"; eben dadurch erhält das μή μου ἅπτου außer seinem kontextmäßigen Sinn "halte dich nicht auf" auch noch den, aus einer isolierenden Betrachtung resultierenden, gezwungenen Sinn "halte mich nicht auf". Also Christus muß zum Vater, Magdalena zu den Jüngern....'

Si ce dernier constitue l'enseignement proprement johannique, le verset xx. 18 en témoigne que l'évangéliste n'a pas écarté pour autant le motif traditionnel.

Il ne peut être question de traiter ici plus longuement de la thématique des paroles de Jésus à Marie-Madeleine et de voir comment elle est annoncée et préparée au cours de l'évangile de Jean.[1] Mais qui, pour Jean xx. 17, envisage l'hypothèse d'une dépendance envers Matthieu, ne peut se passer d'un bref examen du contexte: les récits de l'ensevelissement et du tombeau vide. Est-il exact de parler d'une double insertion synoptique?[2] Quant au récit de l'ensevelissement des *vv.* 38–42, il me paraît plus indiqué de parler d'insertions johanniques dans un récit de type synoptique: le personnage de Nicodème ὁ ἐλθὼν πρὸς αὐτὸν νυκτὸς τὸ πρῶτον, l'ensevelissement καθὼς ἔθος ἐστὶν τοῖς Ἰουδαίοις ἐνταφιάζειν et le motif du κῆπος. Les traits johanniques dans le verset 'synoptique' sur Joseph d'Arimathie (μετὰ ταῦτα, διὰ τὸν φόβον τῶν Ἰουδαίων, ἵνα ἄρῃ) montrent que ce *v.* 38 ne relève pas d'une autre couche littéraire. L'évangéliste fait précéder ce récit par un texte qui lui est propre, mais dont le motif narratif essentiel est donné par les Synoptiques: ἐπεὶ ἦν παρασκευή, la réaction de Pilate: ἐθαύμασεν εἰ ἤδη τέθνηκεν et l'intervention du centurion (Marc xv. 42–5). Notons surtout qu'il y a, dans le récit de l'ensevelissement, des contacts spécifiques avec Matthieu: Joseph d'Arimathie disciple de Jésus (Jean xix. 38; Matt. xxvii. 57) et le tombeau nouveau (Jean xix. 41; Matt. xxvii. 60). Dans les récits de Jean xx. 1–18, on constate en effet un certain parallélisme, mais de nouveau l'appellation 'insertion' ou 'interpolation' synoptique est discutable. S'il est permis de voir une réminiscence matthéenne dans le *v.* 17, le récit de type synoptique passe de l'apparition angélique à celle de Jésus et le motif du κηπουρός devient l'insertion johannique. Comme en xix. 31, la notice chronologique du début (xx. 1) est empruntée à la tradition synoptique[3] et donne au *v.* 11 le contexte précédent dont il a besoin. Comme dans le récit de l'ensevelissement la constatation de la mort de Jésus avait été anticipée, ici la constatation du tombeau vide est anticipée et donne lieu au développement johannique qui met en avant 'l'autre disciple'. Ainsi, il me paraît une hypothèse raisonnable que les récits de l'ensevelissement et du tombeau vide reposent sur une tradition semblable à celle des Synoptiques,[4] et même, comme certaines ressemblances précises semblent le suggérer, une tradition qui s'est formée en partie à partir de nos évangiles synoptiques.

[1] Comp. W. Grundmann, 'Zur Rede Jesu vom Vater im Johannes-Evangelium. Eine redaktions- und bekenntnisgeschichtliche Untersuchung zu Joh 20, 17 und seiner Vorbereitung', dans *Z.N.W.* LII (1961), 213–30.

[2] Cf. p. 186 n. 3; surtout P. Benoit, *Marie-Madeleine et les disciples au tombeau*, pp. 146–8.

[3] 'Les premiers versets frappent par leurs ressemblances avec les Synoptiques. La notation chronologique du *v.* 1 évoque celle de Marc xvi. 2 par.; les premiers mots sont même identiques à ceux de Luc, tandis que le πρωΐ est dans Marc. Le pluriel οἴδαμεν suggère que M.-M. n'est pas seule, mais accompagnée d'autres femmes comme dans les Syn. La pierre de fermeture, que Joh 19, 42 n'avait pas mentionnée, se comprend grâce aux Syn' (P. Benoit, art. cit. p. 141).

[4] Sur Jean xx, cf. B. Lindars, 'The Composition of John xx', dans *N.T.S.* VII (1960–1), 142–7, p. 147: 'The vocabulary analysis confirms the impressions gained from comparison of the form of

Concluons. 'La christophanie de Marie-Madeleine: plus archaïque que l'angélophanie de Marc xvi. 1–8 par., et mieux conservée qu'en Matthieu xxviii. 9–10': c'était la conclusion d'une étude fort remarquée de P. Benoit.[1] Dans l'apparition aux femmes de Marc xvi, il reconnaît 'l'exploitation kérygmatique de l'expérience du tombeau vide'.[2] D'autres avant lui y voyaient même la dégradation en angélophanie d'une christophanie primitive.[3] Dans ce qu'elle a de purement hypothétique, cette manière de voir échappe à l'examen critique, mais dans la mesure où elle est contrôlable à partir de l'analyse de Matt. xxviii. 1–10, elle s'avère difficilement défendable. Matt. xxviii. 1–10 ne suppose aucune tradition évangélique autre que Marc xvi. 1–8[4] et la christophanie des femmes (*vv.* 9–10) s'explique au mieux à partir du message angélique de Marc xvi. 6–7. Et s'il est permis de parler de 'rédactions successives' à propos du motif de l'apparition au tombeau, un rapide examen de Jean xx. 17 n'est pas de nature à renverser l'ordre que la critique évangélique générale semble établir pour les évangiles de Marc, Matthieu et Jean.

each episode. It shows that in this chapter the material which is not derived from sources, which are also used by one or other of the Synoptists, makes use of an entirely Johannine vocabulary. This renders the possibility of *other* sources unlikely.' Et il précise: 'His account of the empty tomb has affinities with Matthew and Mark, the rest with Luke. It is probable that his sources are traditions which lie behind the Synoptic Gospels, and not the Gospels themselves.' Avant de tirer cette dernière conclusion, l'auteur aurait dû faire l'étude des rédactions synoptiques; pour Matt. xxviii. 9–10, il reste fidèle à l'hypothèse de la finale perdue de Marc (pp. 142, 145).

[1] Art. cit. p. 152.

[2] Art. cit. pp. 149, 152. D'après lui, le récit primitif du tombeau vide serait sous-jacent à Jean xx. 1–10 et Luc xxiv. 12. D'autres l'ont reconstruit à partir de Marc; cf. E. Gutwenger, 'Zur Geschichtlichkeit der Auferstehung Jesu', dans *Zeitschrift für Katholische Theologie*, LXXXVIII (1966), 257–82: Marc xvi. 2, 4*a*, 5*b*, 8*a*; comp. E. Hirsch, *Frühgeschichte des Evangeliums. I. Das Werden des Markusevangeliums* (Tubingue, 2e éd., 1951), pp. 177–8: Marc xvi. 2*a*, 4*a*, 8*bd*; 'Mk I hätte also erzählt, daß die Frauen, als sie den Stein am Grab abgewälzt sahen, sofort geflohen sind und niemals etwas erzählt haben' (p. 178).

[3] M. Albertz, 'Zur Formengeschichte der Auferstehungsberichte', dans *Z.N.W.* XXI (1922), 259–69, spéc. pp. 264, 268; Ch. Masson, 'Le tombeau vide. Essai sur la formation d'une tradition', dans *Revue de Théologie et de Philosophie*, XXXII (1944), 161–74, spéc. pp. 170–3. D'après W. Michaelis (*Die Erscheinungen*, p. 21), le message aux disciples de Marc xvi. 7 proviendrait de la christophanie selon la tradition historique relatée par Matt. xxviii. 9–10.

[4] Cf. pp. 170–6. Sur l'intervention rédactionnelle en Matt. xxviii. 1, voir encore p. 187 n. 6 (à propos des noms des femmes), et l'article cité de U. Wilckens: 'Er rafft die unorganischen Zeitangaben Mk 16, 1f. zusammen und präzisiert sie im Blick auf die jüdische Woche (Mt 28, 1a)' (p. 32). Ici encore on a supposé que Matthieu aurait conservé la tradition originale, Marc n'ayant plus compris l'expression juive τῇ ἐπιφωσκούσῃ (comp. Luc xxiii. 54: καὶ σάββατον ἐπέφωσκεν); cf. M. Black, *An Aramaic Approach to the Gospels and Acts* (Oxford, 3e éd., 1967), pp. 136–8. Mais aux rares attestations de ἐπιφώσκειν dans les papyrus ('always used of the real dawn'), on peut ajouter l'emploi de διαφαύσκειν par les LXX en Gen. xliv. 3 (τὸ πρωὶ διέφαυσεν); Jud. xvi. 2; xix. 26 (B[1] διαφώσκεν); 1 Reg. xiv. 36 (A διαφώσκειν); 2 Reg. ii. 32; Judith xiv. 2; voir aussi ἐπιφαύσκειν en Job xxv. 5; xxxi. 26; xli. 9 (A ἐπιφώσκειν). Quant à l'Évangile de Pierre, il est vrai qu'il reprend en ii. 3 l'expression de Luc, mais là où il est proche de Matt. ἐπιφώσκειν semble signifier l'aurore (ix. 34, 35).

NOTE ADDITIONNELLE

Sur Mt 28,9-10 et Jn 20,17, cf. *infra*, pp. 388-390 et 400. Voir aussi p. 382, n. 69: la position de M.-É. BOISMARD en 1972 : «probablement de l'ultime Rédacteur matthéen»; «peut-être ... emprunt de Jn au récit de Mt» (p. 446). Comparer maintenant *L'évangile de Jean*, 1977 : «Ces contacts assez vagues, voire contradictoires, ne nous semblent pas suffisants pour étayer l'hypothèse d'une dépendance d'un évangile par rapport à l'autre, ou des deux évangiles par rapport à une source commune» (p. 461b). «Le récit johannique aurait ... réinterprété celui de Mt en sens opposé!»: «ne me touche pas» (en Mt elles «étreignirent ses pieds»). Je me permets de renvoyer à ma remarque sur «le schème matthéen : ἐκράτησαν αὐτοῦ τοὺς πόδας suivi de ὑπάγετε ἀπαγγείλατε»: n'implique-t-il pas l'invitation de Jésus à «cesser de le toucher» (comme Boismard traduit correctement un peu plus loin : p. 465a)? Il est vrai que Jn 20,17 donne à l'appellation «mes frères» une dimension qu'elle n'a pas en Mt 28,10, mais la référence à «mon Père et votre Père, mon Dieu et votre Dieu» peut-être comparée avec le commentaire du κἀμὲ μόνον ἀφῆτε (Jésus par rapport aux disciples : cf. Mc 14,50) en 16,32b : καὶ οὐκ εἰμὶ μόνος, ὅτι ὁ πατὴρ μετ' ἐμοῦ ἐστιν (Jésus par rapport au Père). Quant au thème de l'ἀναβαίνειν, il est évidemment proprement johannique, et on ne l'explique pas non plus par un recours à Ps 89,27 (cf. p. 465a).

J. BECKER, dans *Das Evangelium nach Johannes*, t. 2, 1981, situe le rapport entre Jn et Mt au niveau des traditions : d'une part, «eine hinter Mt 28,9f. stehende Tradition» (p. 615), et d'autre part, «eine traditionsgeschichtliche selbständige Erscheinungsgeschichte vor Maria innerhalb der joh. Gemeindetradition» (p. 610 et 613 : Jn 20,11a.14b-17). À son avis, on ne peut comprendre celle-ci sans celle-là : «Ohne einen Blick auf Mt 28,9 wird nun das Folgende (V 17) kaum verständlich» (p. 617); «Ein Teil der Motive [*de Mt 28,10*] begegnet auch Joh 20,17, nämlich der Auftrag, zu den Brüdern zu gehen und sie zu unterrichten» (p. 618). Mais puisqu'il reconstruit la source johannique d'après Mt : «gehe jedoch zu meinen Brüdern und sage ihnen : (Sie werden mich sehen)!», on peut se demander s'il fallait pareil intermédiaire pour effectuer la transition de la *Erscheinungslegende* de Mt à la *Rekognitionslegende* de Jn (p. 615). La traduction «Rühre mich nicht an» n'est guère correcte (Schnackenburg : «Halt mich nicht fest!»), et l'argument «dass sonst ein Berührungsverbot des Auferstandenen überhaupt unbekannt ist (20,25.27!)» (p. 617) porte à faux. Quant à la «tradition» sous-jacente à Mt 28,9-10, je renvoie à mon exposé aux pages 281-289.

OLP 6-7 (1975-76) 427-441

LE RÉCIT DU TOMBEAU VIDE DANS L'ÉVANGILE DE LUC (LC 24,1-12)

Les études récentes sur le récit du tombeau vide admettent généralement la dépendance de Luc vis-à-vis de Mc 16,1-8, mais on est loin d'être d'accord sur l'importance de la source marcienne. Pour certains auteurs, le récit de Marc est la seule source de Luc, mais d'autres n'y voient que des réminiscences secondaires qui se sont insérées dans une source propre de Luc. L'exégèse de cette péricope réflète ainsi les positions défendues dans la discussion plus générale sur le Proto-Luc [1]. V. Taylor insiste sur le fait que Lc 23,56*b*; 24,1-11 n'a que 37 mots communs avec Marc (sur 163), le style y est très lucanien et le contenu diffère radicalement de Marc; selon lui, 24,10*a* pourrait être une insertion marcienne et on ne peut exclure un certain contact avec Marc pour 24,1-3, mais ce sont là des modifications qui se sont effectuées au moment de la rédaction ultime [2]. D'après E. Hirsch, les insertions sont le v.2, v.6: οὐκ ἔστιν – ἠγέρθη et ἔτι ὢν ἐν τῇ Γαλιλαίᾳ(?); v. 9: ὑποστρέψασαι – μνημείου et le v.10 [3]. Il est suivi par W. Grundmann [4]. K.H. Rengstorf se contente d'énumérer les éléments propres de Luc comme autant d'indices d'une source lucanienne [5]. L'idée est soutenue encore par des auteurs récents tels que R.H. Fuller, X. Léon-Dufour et M.-E. Boismard qui, avec des nuances diverses, découvrent dans le récit de Luc les traces d'une source spéciale [6]. A cause de la question d'authenticité, le verset 12

[1] *Cf.* F. NEIRYNCK, *La matière marcienne dans l'évangile de Luc*, dans *L'évangile de Luc. Problèmes littéraires et théologiques* (Bibl. Eph. Theol. Lov., 32), Gembloux, 1973, p. 155-199.

[2] V. TAYLOR, *The Passion Narrative of St Luke. A Critical and Historical Investigation*, ed. O.E. EVANS (SNTS Mon.Ser., 19), Cambridge, 1972, p. 103-109; comp. *Behind the Third Gospel. A Study of the Proto-Luke Hypothesis*, Oxford, 1926, p. 63-66.

[3] E. HIRSCH, *Frühgeschichte des Evangeliums. II. Die Vorlagen des Lukas und das Sondergut des Matthäus*, Tübingen, 1941, p. 276-278.

[4] W. GRUNDMANN, *Das Evangelium nach Lukas* (THNT, 3), Berlin, 1961, p. 439.

[5] K.H. RENGSTORF, *Das Evangelium nach Lukas* (NTD, 3), Göttingen, [6]1952, p. 275-277.

[6] R.H. FULLER, *The Formation of the Resurrection Narratives*, New York, 1971; Londres, 1972, p. 94-103; X. LÉON-DUFOUR, *Résurrection de Jésus et message pascal*, Paris, 1971, p. 208 («travaillant à partir de traditions apparentées à celles qui sont

est souvent traité comme un problème spécial. V. Taylor et E. Hirsch le considèrent comme une interpolation, mais les autres auteurs cités l'acceptent comme authentique; ils soulignent le fait que des contacts avec la tradition johannique se constatent également à d'autres endroits (24,1.2.7).

L'examen du passage a donc un intérêt non seulement pour l'étude de la rédaction lucanienne mais aussi pour le problème des rapports entre Luc et le quatrième évangile. Le problème se posera autrement s'il s'avère possible d'expliquer la composition de Luc à partir de sa seule source marcienne. Ailleurs j'ai formulé cette hypothèse à propos de Lc 24,12 [7]. Je me propose ici d'analyser brièvement l'ensemble du récit [8].

Je n'ai pas l'intention de reprendre le dossier des «non-interpolations» du texte occidental. La découverte du P^{75} n'a pas manqué d'avoir son effet. La position de K. Aland est bien connue [9] et parmi les membres du comité d'édition de la *Greek New Testament* l'opinion qui défend l'inauthenticité du texte long est devenue minoritaire [10]. Désormais on lira dans les éditions: Lc 24,3 κυρίου; 24,6 οὐκ ἔστιν ὧδε, ἀλλὰ ἠγέρθη; 24,9 ἀπὸ τοῦ μνημείου; 24,12 ὁ δὲ Πέτρος ἀναστὰς ἔδραμεν ἐπὶ τὸ μνημεῖον, καὶ παρακύψας βλέπει τὰ ὀθόνια μόνα· καὶ ἀπῆλθεν πρὸς ἑαυτὸν θαυμάζων τὸ γεγονός.

sous-jacentes à Mt et à Mc»); p. 224-225 (Lc 24,12); M.-E. BOISMARD, *Synopse des quatre évangiles en français. II. Commentaire*, Paris, 1972, p. 439-440 (Lc 24,1-2, par. Jn 20,1-2); 445-446 (Lc 24,12, par. Jn 20,3-10). Voir aussi n. 34 (Easton) et 35 (Schmitt).

[7] F. NEIRYNCK, *The Uncorrected Historic Present in Lk xxiv.12*, dans *Eph. Theol. Lov.*, 48, 1972, p. 548-553; *Tradition and Redaction in John xx.1-18* (à publier dans les rapports du congrès biblique d'Oxford de 1973). Sur l'authenticité du verset: J. MUDDIMAN, *A Note on Reading Luke xxiv,12*, dans *Eph. Theol. Lov.*, 48, 1972, p. 542-548. Contre K. P. G. CURTIS, *Luke xxiv.12 and John xx.3-10*, dans *Journal of Theological Studies*, 22, 1971, p. 512-515.

[8] Pour un examen du récit parallèle de Matthieu, voir F. NEIRYNCK, *Les femmes au tombeau. Étude de la rédaction matthéenne* (*Matth. xxviii.1-10*), dans *New Test. Studies*, 15, 1968-69, p. 168-190.

[9] K. ALAND, *Neue neutestamentliche Papyri* (*II*), dans *New Test. Studies*, 9, 1962-63, p. 304-305; 12, 1965-66, p. 193-210; repris dans *Studien zur Ueberlieferung des Neuen Testaments und seines Textes* (Arbeiten zur neutestamentlichen Textforschung, 2), Berlin, 1967, p. 155-172: «Die Bedeutung des P^{75} für den Text des Neuen Testaments. Ein Beitrag zur Frage der 'Western non-interpolations'».

[10] B. M. METZGER, *A Textual Commentary on the Greek New Testament*, Londres-New York, 1971, p. 191-193: «Note on Western Non-Interpolations». Voir aussi K. SNODGRASS, «*Western Non-Interpolations*», dans *JBL*, 91, 1972, p. 369-379.

Lc 23,54-56a; par. Mc 15,47

Il me paraît utile de commencer l'étude de Lc 23,56*b* - 24,12 par un bref examen du récit de l'ensevelissement. Dans l'évangile de Marc (15,42-47), le récit prépare l'épisode des femmes au tombeau : καὶ προσεκύλισεν λίθον ἐπὶ τὴν θύραν τοῦ μνημείου (15,46*c*), *cf.* τίς ἀποκυλίσει ἡμῖν τὸν λίθον ἐκ τῆς θύρας τοῦ μνημείου (16,3*b*); ἐθεώρουν ποῦ τέθειται (15,47*b*), *cf.* ἴδε ὁ τόπος ὅπου ἔθηκαν αὐτόν (16,6*e*). Luc n'a rien de ces correspondances verbales : Mc 15,46*c* et 16,6*e* sont même absents du parallèle lucanien. Autre changement important : les noms des femmes (Marie de Magdala et Marie [mère] de Joset en 15,47*a* et Marie de Magdala, Marie [mère] de Jacques et Salomé en 16,1*b*) sont omis aux deux endroits, ainsi que dans le texte parallèle à Mc 15,40; ce n'est qu'à la fin du récit que Luc citera les noms des femmes (24,10). Par contre, le motif de celles qui « regardaient où il avait été placé » reçoit un développement nouveau. Dans la rédaction lucanienne, il est devenu le motif central d'un ensemble d'éléments qui sont tous empruntés au texte de Marc mais que Luc a rassemblés dans une unité littéraire nouvelle, le petit récit de 23,54-56*a*. Il commence par la notice chronologique de Mc 15,42, omise par Luc au début de l'épisode de l'ensevelissement (23,50). Puis il présente les femmes, celles « qui étaient venues de Galilée avec lui », comme il l'a lu en Mc 15,41*b*. Il dit qu'elles avaient suivi (Joseph) et qu'elles « regardèrent », avec un certain redoublement de l'expression de Mc 15,47*b* : ἐθεάσαντο τὸ μνημεῖον καὶ ὡς ἐτέθη τὸ σῶμα αὐτοῦ. Finalement, revenues, elles préparèrent les aromates : anticipation de l'achat d'aromates tout de suite après le sabbat en Mc 16,1.

M.-E. Boismard souligne à juste titre le style lucanien des versets 55-56, mais je ne vois pas de raison pour ajouter : « abstraction faite de mots assez rares (κατακολουθεῖν, *cf.* Ac **16** 17; θεᾶσθαι : 4/2/3/6/3) »[11]. Marc n'a jamais le verbe θεάομαι (les deux emplois sont dans la finale : 16,11.14) et trois des quatre emplois matthéens se trouvent dans des textes propres (et sans doute rédactionnels : 6,1; 22,11; 23,5, comp. 6,1). Mt 11,7 = Lc 7,24 est la seule attestation dans une source de Luc. En Lc 5,27 ἐθεάσατο remplace εἶδεν de

[11] M.-E. Boismard, *Commentaire* (voir n. 6), p. 434. Les chiffres indiquent les emplois dans Mt/Mc/Lc/Jn/Act/ (reste du N.T.).

Mc 2,14 et ici, en 23,55, le ἐθεώρουν de Marc est substitué par ἐθεάσαντο (voir aussi Act 1,11; 21,27; 22,9). On peut ajouter à cela que Luc n'a jamais gardé le verbe θεωρέω du texte parallèle de Marc : Mc 3,11 (om.); 5,15 (Lc 8, 35 εὗρον); 5,38 (om.); 12,41 (Lc 21,1 ἀναβλέψας δὲ εἶδεν); 15,40 (Lc 23,49 ὁρῶσαι); 15,47 (Lc 23,55 ἐθεάσαντο); 16,4 (Lc 24,2 εὗρον). Quant à κατακολουθήσασαι il convient de l'examiner en rapport avec αἵτινες ἦσαν συνεληλυθυῖαι ἐκ τῆς Γαλιλαίας αὐτῷ. On ne peut se contenter de donner la statistique de συνέρχομαι : 1/3/2/2/17 (Boismard). On admettra facilement que l'autre emploi dans l'évangile de Luc est rédactionnel (5,15 συνήρχοντο, *cf.* Mc 1,45 ἤρχοντο πρός), mais le verbe y est employé dans le sens de « se rassembler » (comp. Mc 3,20; 6,33; 14,53). Le cas de Lc 23,55 est différent : « venir avec » veut dire accompagner Jésus sur son voyage de Galilée à Jérusalem (comp. Act 1,21; 9,39; 10,23.45; 11,12; 21,16; 25,17). La formulation de 23,55 donne l'impression d'être une variante bien étudiée de αἱ συνακολουθοῦσαι αὐτῷ ἀπὸ τῆς Γαλιλαίας (23,49), la formule par laquelle Luc a condensé la double notice de Mc 15,41 sur les femmes qui suivaient Jésus lorsqu'il était en Galilée et qui étaient montées avec lui à Jérusalem :

αἳ ὅτε ἦν ἐν τῇ Γαλιλαίᾳ ἠκολούθουν αὐτῷ
αἱ συναναβᾶσαι αὐτῷ εἰς Ἱεροσόλυμα.

Dans ce contexte, Luc a choisi un verbe qui n'est pas fréquemment employé au sens propre, κατακολουθέω (*cf.* Act 16,17 « courir après »; TOB traduit : « elle nous talonnait ») qui écarte toute confusion avec l'acte de suivre Jésus (comp. ἀκολουθέω en Lc 22,54; 23,27). Les femmes suivent Joseph jusqu'au lieu du tombeau et après l'ensevelissement elles reviennent : ὑποστρέψασαι δέ. Le parallélisme avec le récit de 24,1-9 est indéniable : là aussi, les femmes vont (ἐπὶ τὸ μνῆμα ἦλθον, v.1) et reviennent : καὶ ὑποστρέψασαι ἀπὸ τοῦ μνημείου (v.9). Ainsi, en 23,54-56*a*, Luc semble avoir développé le ἐθεώρουν de Mc 15,47 comme un premier récit des femmes au tombeau. Cette constatation pourra nous aider dans l'analyse du parallèle lucanien de Mc 16,1-8.

Lc 23,56b - 24,1 ; par. Mc 16,1-2

Marc introduit le récit par le génitif absolu : καὶ διαγενομένου τοῦ σαββάτου (16,1*a*). Cela rappelle la mention de la veille du sabbat au début du récit de l'ensevelissement où il est dit que Joseph intervient sans tarder parce que le sabbat s'approche (ἐπεὶ ἦν). Le parallèle lucanien y donne une présentation particulièrement soignée du personnage de Joseph d'Arimathée mais la notice chronologique se trouve transférée en 23,54. Le récit-doublet des femmes est ainsi placé sous le signe du sabbat qui «commençait à luire». Elles ont encore le temps de préparer les aromates et «le sabbat, elles reposèrent, selon le commandement» (23,56*b*)[12]. Depuis le v.55 les femmes sont le sujet de l'action et c'est par leur non-activité que le sabbat est caractérisé. On comprend dès lors sans difficulté l'omission des noms des femmes (Mc 16,1*b*): ce sont les mêmes femmes, dûment présentées au v.55, qui après le sabbat reprennent l'action qu'elles avaient commencée. Nous avons déjà dit que la préparation remplace ἠγόρασαν ἀρώματα (16,1*c*); quant à 16,1*d*, ἵνα ἐλθοῦσαι ἀλείψωσιν αὐτόν, on s'imagine facilement que c'était pour Luc une précision superflue. Toutefois, il n'est pas exclu que Mc 16,1*c.d.* ait influencé la formulation de l'ajout par lequel Luc resserre le lien entre les étapes de l'action avant et après le sabbat: (ἦλθον) φέρουσαι ἃ ἡτοίμασαν ἀρώματα (24,1*c*).

Mc 16,2 est plus fidèlement conservé (Lc 24,1):

Mc καὶ λίαν πρωῒ ╳ τῇ μιᾷ τῶν σαββάτων
Lc τῇ δὲ μιᾷ τῶν σαββάτων ╳ ὄρθρου βαθέως
Mc ἔρχονται ╳ ἐπὶ τὸ μνῆμα, ἀνατείλαντος τοῦ ἡλίου.
Lc ἐπὶ τὸ μνῆμα ╳ ἦλθον φέρουσαι...

Les versets 1 et 2 de Marc s'ouvrent par une expression temporelle: «le sabbat était passé» et «très tôt, le premier jour de la semaine». Luc l'a renforcée par la construction μέν - δέ (le sabbat - le premier jour de la semaine) et il en résulte tout naturellement l'inversion vis-à-vis de l'expression de Marc en 24,1*a*. L'inversion de 24,1*b* s'explique par l'ajout de 24,1*c*. L'emploi de l'aoriste ἦλθον au lieu du présent historique de Marc n'étonnera personne. Par contre, l'expression ὄρθρου βαθέως semble faire difficulté: Boismard la fait remonter au Proto-Luc[13]. Notons d'abord que la double indication de Marc: «très tôt, comme le soleil se levait», si elle n'est pas contradictoire, peut apparaître pléonastique. Luc préfère l'expression simple: ὄρθρου βαθέως. Ce n'est pas la première fois qu'il évite

[12] ἡσυχάζω dans le N.T.: encore Lc 14,4; Act 11,18; 21,14; 1 Thess 4,11; κατὰ τὴν ἐντολήν, *cf.* κατὰ τὸν νόμον: 2,22.39; comp. 1,9; 2,24.27.42; 22,22; Act 17,2; 22,3.

[13] M.-E. BOISMARD, *Commentaire* (voir n. 6), p. 440.

l'adverbe πρωΐ, qu'il n'emploie d'ailleurs jamais dans son évangile (une fois en Act 28,23). Les substitutions de Mc 1,35 et 15,1 sont très lucaniennes : γενομένης δὲ ἡμέρας (4,42) et ὡς ἐγένετο ἡμέρα (22,66); comp. Act 12,18; 16,35; 23,12; 27,33.39. En Mc 13,35 πρωΐ apparaît dans la mention des quatre veilles de la nuit (d'après le système romain); Lc 12,38 ne parle que de 'la deuxième' et de 'la troisième veille' (d'après le système palestinien?) et n'utilise pas les désignations populaires. Finalement, Mc 11,20 n'a pas de parallèle direct, mais un examen attentif de la composition lucanienne permet de voir un «parallèle» en 21,38. Le sommaire de 21,37-38 résume la situation qui est celle de Jésus pendant son séjour à Jérusalem : il enseignait dans le Temple (Mc 11,11.17.27; 12,35.38; *cf.* 14,49) et le soir il partait hors de la ville (Mc 11,11.19; *cf.* 13,1.3). Le peuple l'écoutait avec plaisir (Mc 11,18.32; 12,37); Luc l'exprime à sa manière au v.38 : «et tout le peuple *venait à l'aurore* (ὤρθριζεν) vers lui dans le Temple pour l'écouter». Comp. Act 5,21 εἰσῆλθον ὑπὸ τὸν ὄρθρον εἰς τὸ ἱερὸν καὶ ἐδίδασκον, et Jn 8,2 ὄρθρου... παρεγένετο εἰς τὸ ἱερόν. Dans ce dernier passage l'expression se trouve ensemble avec d'autres lucanismes mais la *pericopa de adultera* pose trop de problèmes pour être un parallèle sûr de l'emploi proto-lucanien (Boismard). Il est plus significatif que le verbe ὀρθρίζω en Lc 21,38 correspond probablement à l'emploi de πρωΐ en Mc 11,20 (après ὄψε du v.19; comp. 11,11.12 ὄψε, τῇ ἐπαύριον)[14]. De même, ὄρθρου βαθέως remplace l'expression de Mc 16,2 : λίαν πρωΐ. Le caractère lucanien est encore confirmé par 24,22 : γενόμεναι ὀρθριναὶ ἐπὶ τὸ μνημεῖον[15].

Pour conclure cette première partie, un mot encore sur l'addition de Lc 24,1*c*. Le verbe ἀλείφω (Mc 16,1) est assez rare dans les

[14] H. F. D. SPARKS, *St Luke's Transpositions*, dans *New Test. Studies*, 3, 1956-57, p. 219-223, spéc. p. 222 : «for the *hapax* ὤρθριζεν we may refer again to Mark xi.20 καὶ παραπορευόμενοι πρωΐ, which follows immediately on statements about the admiration of the crowd and the first retirement 'outside the city'». Comp. F. NEIRYNCK, *Urmarcus Redivivus? Examen critique de l'hypothèse des insertions matthéennes dans Marc*, dans M. SABBE (éd.), *L'évangile de Marc* (Bibl. Eph. Theol. Lov., 34), Gembloux, 1974, p. 103-145, spéc. p. 110, n. 37 (sur αὐλίζομαι et ὀρθρίζω).

[15] On comprend mal l'argument de Boismard que «la formule temporelle... doit être celle du proto-Luc, car on en trouve un écho en Lc **24** 22» (p. 440), surtout lorsqu'on lit ailleurs sur 24,22-23 que «l'ultime Rédacteur lucanien» reprend certains détails rédactionnels de 24,1ss. (p. 448). À noter encore que les références citées (Lc 21,38; 24,1.22; Act 5,21 et Jn 8,2) constituent la liste exhaustive des emplois de la racine ὄρθρος dans le N.T.

évangiles. Le motif de l'onction des malades (Mc 6,13 ἤλειφον ἐλαίῳ) n'est pas repris en Lc 9,6 (comp. 10,34 ἐπιχέων ἔλαιον καὶ οἶνον). Luc n'emploie le verbe que dans le récit de l'onction par la pécheresse (ἀλείφω μύρῳ 7,38.46*b*; *cf.* 46*a* ἀλείφω ἐλαίῳ). On ne peut s'empêcher de comparer Lc 7,37 κομίσασα ἀλάβαστρον μύρου (*cf.* Mc 14,3 ἦλθεν ἔχουσα ἀλάβαστρον μύρου) avec Lc 24,1 ἦλθον φέρουσαι ἃ ἡτοίμασαν ἀρώματα et 23,56 ἡτοίμασαν ἀρώματα καὶ μύρα[16].

Lc 24,2-3 ; par. Mc 16,3-4.5a

Luc qui n'a pas mentionné qu'une pierre avait été roulée contre la porte du tombeau, omet ici la réflexion des femmes qui se préoccupent comment elles pourront entrer (Mc 16,3). Il se contente d'une constatation qui est parallèle à Mc 16,4 mais il enlève à l'événement le caractère miraculeux que Marc semble lui prêter. En outre, il ajoute au εὗρον du v.2 le οὐχ εὗρον du v.3 et subordonne ainsi le motif de la pierre roulée à une constatation beaucoup plus importante :

2 εὗρον δὲ τὸν λίθον ἀποκεκυλισμένον ἀπὸ τοῦ μνημείου,
3 εἰσελθοῦσαι δὲ
οὐχ εὗρον τὸ σῶμα τοῦ κυρίου Ἰησοῦ.

Le récit reçoit une orientation nouvelle qui est parallèle aux changements effectués dans l'épisode de l'ensevelissement par l'omission de la mention de la pierre en 23,53 et la formulation nouvelle en 23,55 : ἐθεάσαντο τὸ μνημεῖον καὶ ὡς ἐτέθη τὸ σῶμα αὐτοῦ. C'était la manière lucanienne de préparer le récit du tombeau vide.

Le motif de la pierre en 24,2 (sans préparation dans son propre récit) semble indiquer que Luc suppose les données du texte de Marc. Nous reviendrons plus loin sur le changement de θεωροῦσιν en εὗρον. Le choix du verbe ἀποκυλίω peut être influencé par Mc 16,3. La répétition de la même préposition dans ἀπὸ τοῦ μνημείου, ainsi que le remplacement de ἐκ (τῆς θύρας) par ἀπό, ne peut étonner dans le style de Luc. Puisque le récit continue avec εἰσελθοῦσαι δέ, il n'est pas exclu que c'est encore par le texte de Marc que cette modification a été inspirée : καὶ εἰσελθοῦσαι εἰς τὸ μνημεῖον (16,5*a*).

[16] *Cf.* M.-E. Boismard, *Commentaire* (voir n. 6), p. 437 : « la mention des 'parfums' évoque l'épisode de la pécheresse pardonnée, mais surtout le récit de l'onction de Béthanie, omis par Lc parce qu'il se réservait d'y faire allusion ici ».

L'emploi du terme μνημεῖον en 24,2.9 (*cf.* Mc 16,3.5.8), contre μνῆμα en 24,1 (*cf.* Mc 16,2), est ici strictement parallèle à celui de Marc (voir aussi Mc 15,46*b* et *c*; Lc 23,53 et 55) et ne permet aucune conclusion sur un usage du Proto-Luc [17].

Quant à la construction avec l'accusatif (v.2), on ne peut l'opposer à Mc 16,4 (ὅτι ... ὁ λίθος) sans prendre en considération la construction parallèle du v.3 : οὐχ εὗρον τὸ σῶμα τοῦ κυρίου Ἰησοῦ [18]. L'addition elle-même n'est pas sans rapport avec le texte de Marc. Dans Mc 16,6, les paroles de l'ange définissent l'action des femmes qui entrent dans le tombeau : Ἰησοῦν ζητεῖτε..., et l'ange montre «le lieu où ils l'avaient déposé» (comme les femmes l'avaient vu, d'après 15,47). Luc peut changer ces paroles en question (τί ζητεῖτε τὸν ζῶντα... ;) et omettre la référence au lieu où il avait été déposé (24,5-6), parce qu'il avait déjà anticipé ces éléments au v.4 : du ζητεῖτε de l'ange au οὐχ εὗρον du narrateur il n'y a qu'un pas et nous l'avons déjà souligné comment 24,3 correspond au parallèle lucanien de Mc 15,47. Par cette anticipation, et par sa formule d'introduction au v.4, Luc donne au récit du tombeau vide une structure qui correspond parfaitement au résumé de 24,22-23 : des femmes se sont rendues de grand matin au tombeau (24,1), elles n'ont pas trouvé son corps : μὴ εὑροῦσαι τὸ σῶμα αὐτοῦ (24,2-3), elles ont eu la vision d'anges qui le déclarent vivant (24,4-8) et elles sont venues le dire aux disciples qui en sont bouleversés (24,9-11).

Lc 24,4-6a ; par. Mc 16,5-6

Mettons d'abord en parallèle les deux versions.

	4 (*a*) καὶ ἐγένετο ἐν τῷ ἀπορεῖσθαι αὐτὰς περὶ τούτου
5 ... εἶδον νεανίσκον	(*b*) καὶ ἰδοὺ ἄνδρες δύο
καθήμενον ἐν τοῖς δεξιοῖς	(*c*) ἐπέστησαν αὐταῖς
περιβεβλημένον στολὴν λευκήν,	(*d*) ἐν ἐσθῆτι ἀστραπτούσῃ ·
καὶ ἐξεθαμβήθησαν.	5 (*e*) ἐμφόβων δὲ γενομένων αὐτῶν καὶ κλινουσῶν τὰ πρόσωπα εἰς τὴν γῆν,

[17] Contre Boismard (p. 439).

[18] Contre Boismard (p. 444) qui compare Lc 24,2 à Jn 20,1*b* (Proto-Luc). Il est à noter que l'auteur admet le caractère rédactionnel de 24,3. Sur κύριος, voir I. DE LA POTTERIE, *Le titre* ΚΥΡΙΟΣ *appliqué à Jésus dans l'évangile de Luc*, dans *Mélanges Bibliques R.P. B. Rigaux*, Gembloux, 1970, p. 117-146, spéc. p. 118, n. 3, et 121-124.

6 ὁ δὲ λέγει αὐταῖς·	(*f*) εἶπαν πρὸς αὐτάς·
μὴ ἐκθαμβεῖσθε·	(*g*) τί
Ἰησοῦν ζητεῖτε τὸν Ναζαρηνὸν	ζητεῖτε τὸν ζῶντα
τὸν ἐσταυρωμένον·	μετὰ τῶν νεκρῶν;
ἠγέρθη,	6 (*h*) οὐκ ἔστιν ὧδε,
οὐκ ἔστιν ὧδε·	ἀλλὰ ἠγέρθη.
ἴδε ὁ τόπος ὅπου ἔθηκαν αὐτόν.	

Boismard a bien noté que dans les versets 4-5 Luc a remodelé le texte de Marc «en lui donnant une forme apocalyptique»[19]. Il est à signaler toutefois que l'auteur songe à un Proto-Marc et qu'il attribue au rédacteur marcien des développements symboliques: νεανίσκον (au lieu d'un ange), ἐν τοῖς δεξιοῖς, περιβεβλημένον στολὴν λευκήν, ainsi que l'emploi de ἐκθαμβεῖσθαι (pour φοβεῖσθαι) et l'addition de τὸν Ναζαρηνόν[20]. Mais le travail de Luc se conçoit aussi bien à partir du texte actuel de Marc; il est même plus proche de celui de Luc: «jeune homme» et «vêtu d'une robe blanche».

Il n'y a pas de doute que pour Luc les deux hommes sont des anges: ὀπτασίαν ἀγγέλων ἑωρακέναι, οἳ λέγουσιν αὐτὸν ζῆν (24,23). On retrouve l'emploi de ἐφίσταμαι en Lc 2,9: καὶ ἄγγελος κυρίου ἐπέστη αὐτοῖς. Act 10,30 est un parallèle encore plus proche: καὶ ἰδοὺ ἀνὴρ ἔστη ἐνώπιόν μου ἐν ἐσθῆτι λαμπρᾷ (*cf.* 11,13 εἶδεν τὸν ἄγγελον... σταθέντα καὶ εἰπόντα), et on peut voir le modèle biblique en Dan 8,15: καὶ ἐγένετο ἐν τῷ ἰδεῖν με..., καὶ ἰδοὺ ἔστη ἐνώπιον ἐμοῦ ὡς ὅρασις ἀνδρός (Théod.). On songe également aux «deux hommes» du récit de l'ascension en Act 1,10-11, où l'on retrouve même un correspondant pour tous les éléments propres du parallèle lucanien de Mc 16,5-6: la description de la situation, καὶ ἰδοὺ ἄνδρες δύο, (παρ-)ίστημι, ἐν ἐσθῆτι, εἶπαν, τί; (un reproche au lieu de l'encouragement μὴ ἐκθαμβεῖσθε) et l'explication de la situation (négative et positive). Le schéma est identique:

10 (*a*) καὶ ὡς ἀτενίζοντες ἦσαν εἰς τὸν οὐρανὸν...
(*b*) καὶ ἰδοὺ ἄνδρες δύο
(*c*) παρειστήκεισαν αὐτοῖς
(*d*) ἐν ἐσθήσεσι λευκαῖς,
11 (*f*) οἳ καὶ εἶπαν·
(*g*) ..., τί ἑστήκατε βλέποντες εἰς τὸν οὐρανόν;

[19] *Ibid.*, p. 441 et 444.
[20] *Ibid.*, p. 442-443.

(*h*) οὗτος ὁ Ἰησοῦς ὁ ἀναλημφθεὶς ἀφ' ὑμῶν...
οὕτως ἐλεύσεται ὃν τρόπον...

G. Lohfink ajoute aussi (*i*) le motif du retour (Act 1,12 ὑπέστρεψαν... ἀπὸ ὄρους...; Lc 24,9 ὑποστρέψασαι ἀπὸ τοῦ μνημείου) et (*j*) celui de la liste des noms (Act 1,13 et Lc 24,10)[21]. On pourrait encore renforcer le parallèle, notamment entre les hommes adressés comme ἄνδρες Γαλιλαῖοι (Act 1,11) et les femmes de Galilée (*cf.* Lc 23,49.55) auxquelles les anges rappellent les annonces faites par Jésus «en Galilée» (24,6).

Quant au motif des *deux* hommes en Act 1,10, l'auteur est d'avis qu'il dépend de Lc 24,4 et que, dans le récit du tombeau, il remonte à une tradition orale prélucanienne. Son argument n'est pas Jn 20,12 (peut-être sous l'influence de Luc) mais le caractère exceptionnel de ce motif dans l'œuvre lucanienne[22]. L'auteur peut avoir raison lorsqu'il dit ailleurs que les deux hommes sont des anges et non pas Moïse et Élie[23], mais il a tort de négliger le parallèle du récit de la transfiguration: καὶ ἰδοὺ ἄνδρες δύο... οἵτινες ἦσαν Μωϋσῆς καὶ Ἠλίας (Lc 9,30). Ils apparaissent ἐν δόξῃ (v.31), se tiennent avec Jésus (v.32: συν-ίστημι) et se séparent de lui (v.34*a*). Lohfink lui-même y voit les traits typiques d'une angélophanie lucanienne[24]. Si le motif des *deux* hommes de Lc 24,4 remonte à une donnée de la tradition, c'est au modèle de l'apparition de Moïse et Élie en Mc 9,4 qu'on songera en premier lieu. Ajoutons encore le parallèle de Lc 9,29: λευκὸς ἐξαστράπτων / Mc 9,3 στίλβοντα λευκὰ λίαν (*cf.* Lc 24,4 ἀστραπτούσῃ, par. Mc 16,5 λευκήν), et Lc 9,34 ἐφοβήθησαν / Mc 9,6 ἔκφοβοι ἐγένοντο, hapax dans le N.T. (*cf.* Lc 24,5 ἐμφόβων γενομένων, diff. Mc; comp. Lc 24,37; Act 10,4; 24,25; Apoc 11,13).

Le schéma parallèle de Act 1,10-11 fournit également une indication précieuse pour l'authenticité de Lc 24,6*a*, encore récemment contestée par M.-E. Boismard[25]. Il est vrai que l'omission par D et la *Vetus Latina* (à l'exception de *aur f q*) ne fait plus tellement impression.

[21] G. Lohfink, *Die Himmelfahrt Jesu. Untersuchungen zu den Himmelfahrts- und Erhöhungstexten bei Lukas* (STANT, 26), Munich, 1971, p. 196-198.

[22] *Ibid.*, p. 198.

[23] *Ibid.*, p. 195.

[24] *Ibid.*, p. 150 et 199. On comprend mal comment il a pu limiter la comparaison avec le récit de la transfiguration au seul motif de l'entrée dans la nuée (Act 1,9 et Lc 9,34). *Cf.* p. 187-193.

[25] M.-E. Boismard, *Commentaire*, p. 444.

Est-ce une précision superflue dans le texte de Luc? Act 1,10-11 semble le contredire. Quant au thème de Jésus «vivant» qui «n'est jamais doublé par celui de Jésus 'réveillé' ou 'relevé' d'entre les morts» (24,5; *cf.* Act 1,3; 25,19; comp. 9,41; 20,12), il convient d'observer qu'il l'est en tout cas ici par le rappel de la prédiction au v.7 (ἀναστῆναι) et que, dans le récit des disciples d'Emmaüs, Lc 24,23 n'est pas sans rapport avec le v.34 (ἠγέρθη). L'inversion des éléments de Mc 16,7, ἠγέρθη, οὐκ ἔστιν ὧδε, n'est pas une raison suffisante pour parler d'une harmonisation «à partir du texte de Mt». Luc reste plus proche du texte de Marc, puisqu'on peut retrouver l'ordre de Marc dans τὸν ζῶντα | μετὰ τῶν νεκρῶν, mais aussi parce que οὐκ - ἀλλά de Luc pourrait être influencé par Mc 16,6-7 : οὐκ ἔστιν ὧδε... ἀλλὰ... ἐκεῖ αὐτὸν ὄψεσθε.

Autre leçon à tirer du parallèle de Act 1,10-11 : la correspondance entre les éléments (*a*) et (*g*) du schéma. La parole de Lc 24,5*b* (τί ζητεῖτε) doit corriger la situation du v.4*a*, celle des femmes qui étaient perplexes περὶ τούτου. Les femmes ne trouvèrent pas le corps de Jésus (v.3) : c'est la situation que l'auteur résume par la formule d'introduction καὶ ἐγένετο ἐν τῷ + inf.[26]. Cela confirme, semble-t-il, le rapprochement que nous avons fait entre Lc 24,3 et le ζητεῖτε de Mc 16,6.

Lc 24,6b-8; par. Mc 16,7

A première vue, «la Galilée» est le seul élément commun entre Marc et Luc, mais ἔτι ὢν ἐν τῇ Γαλιλαίᾳ n'est pas pour autant une 'insertion' marcienne dans la source lucanienne (*cf. supra*). Il a été bien montré que c'est plutôt Luc qui «change la consigne de rendez-vous en Galilée de Mc 16 7 en un rappel d'une annonce de la Passion et de la Résurrection faite par Jésus en Galilée»[27]. Je veux simplement faire remarquer ici que le texte de Marc contient

[26] Comp. Lc 24,15.30.51; sur Lc 9,20*a*.34*b*.36*a*, voir F. NEIRYNCK, *Minor Agreements Matthew-Luke in the Transfiguration Story*, dans P. HOFFMANN (éd.), *Orientierung an Jesus. Zur Theologie der Synoptiker. Für Josef Schmid*, Fribourg en Br., 1973, p. 253-266, spéc. p. 262-263; sur ἐγένετο dans Luc, *cf. La matière marcienne* (voir n. 1), p. 184-193.

[27] M.-E. BOISMARD, *Commentaire*, p. 444 (note sur l'importance de Jérusalem dans l'œuvre de Luc); *cf.* P. SCHUBERT, *The Structure and Significance of Luke 24*, dans *Neutestamentliche Studien für R. Bultmann* (BZNW, 21), Berlin, 1954, ²1957, p. 165-186, spéc. p. 178ss.

lui aussi un rappel d'une annonce de Jésus : καθὼς εἶπεν ὑμῖν; comp. Lc 24,6*b* μνήσθητε ὡς ἐλάλησεν ὑμῖν ἔτι ὢν ἐν τῇ Γαλιλαίᾳ (*cf.* 24,44 οὓς ἐλάλησα πρὸς ὑμᾶς ἔτι ὢν σὺν ὑμῖν). Luc change l'expression εἰς τὴν Γαλιλαίαν (suivie de ἐκεῖ!) en ἐν τῇ Γαλιλαίᾳ. Il avait déjà souligné deux fois que les femmes étaient venues de la Galilée (23,49.55), en parallèle à Mc 15,41 ὅτε ἦν ἐν τῇ Γαλιλαίᾳ.

La formulation du v.7 apparaît comme une anthologie des annonces de la passion :

λέγων τὸν υἱὸν τοῦ ἀνθρώπου ὅτι δεῖ	9,22 εἰπὼν ὅτι δεῖ τὸν υἱὸν τοῦ ἀνθρώπου (par. Mc 8,31)
παραδοθῆναι εἰς χεῖρας ἀνθρώπων	9,44 παραδίδοσθαι εἰς χεῖρας ἀνθρώπων (par. Mc 9,31)
ἁμαρτωλῶν	Mc 14,42 — τῶν ἁμαρτωλῶν
καὶ σταυρωθῆναι	
καὶ τῇ τρίτῃ ἡμέρᾳ ἀναστῆναι.	18,33 καὶ τῇ ἡμέρᾳ τῇ τρίτῃ (9,22 τ.τρ. ἡμ.) ἀναστήσεται (diff. Mc 10,34).

L'emploi de σταυρόω, qui est unique dans les prédictions de la passion de Marc et Luc (*cf.* Mt 20,19), est peut-être un nouvel indice de l'influence de Mc 16,6 : τὸν ἐσταυρωμένον· ἠγέρθη.

Le v.8 répond au μνήσθητε du v.6*b*. Le verbe (3/0/6/3/2) est construit avec le génitif en Lc 1,54.72; 23,42; 24,8; Act 11,16 (passages propres de Luc); pour l'emploi de ὡς = ὅτι (v.6), comp. Lc 6,4; 22,61 (*cf.* Act 10,28; 20,18*b*). Les femmes « se rappellent » maintenant des paroles de Jésus. Après la deuxième et la troisième annonce, Luc avait noté que la parole (ῥῆμα) restait cachée des disciples (9,45*a* [= Mc] .45*b*; 18,34).

Lc 24,9-11 ; par. Mc 16,8

Luc remplace ἐξελθοῦσαι ἔφυγον par ὑποστρέψασαι, omet toute allusion à la peur des femmes et, à la place du οὐδενὶ οὐδὲν εἶπαν, il dit que les femmes annoncèrent ταῦτα πάντα aux disciples. Boismard note le style lucanien : ὑποστρέφω (0/1/21/0/12/3); οἱ ἕνδεκα, les apôtres après la trahison de Judas (24,33; Act 1,26; 2,14); οἱ λοιποί, les autres (3/1/6/0/5); mais il fait remonter ἀπήγγειλαν (*cf.* Mt) au Mc-intermédiaire et suggère que c'est le rédacteur marcien qui a introduit le silence des femmes par manière d'harmonisation avec la finale du récit de la transfiguration (Lc 9,36*b*)[28]. Le rédacteur de Mc aurait donc remplacé ἀπήγγειλαν par (οὐδενὶ οὐδὲν) εἶπαν, mais ailleurs Boismard affirme que le verbe ἀπαγγέλλω (8/3/11/1/16) est plutôt lucanien que marcien[29]. Les onze cas dans Luc sont les suivants : 7,18 (add. Mt, *cf.* 22); 7,22 (= Mt); 8,20 (Mc λέγουσιν); 8,34 (= Mc); 8,36 (Mc διηγήσαντο; *cf.* 8,39 διηγοῦ, Mc ἀπάγγειλον); 8,47 (Mc εἶπον); 9,36 (Mc διηγήσωνται; pour l'inverse, *cf.* 9,10); 13,1; 14,21 (add. Mt); 18,37 (add. Mc); 24,9 (Mc εἶπαν). Quant à οὐδενὶ οὐδέν en Mc 16,8 et Lc 9,36, on ne peut l'isoler de l'emploi fréquent de la double négation dans Marc[30]. D'ailleurs, le passage du «silence» (Marc) à l'«annonce» (Luc) se comprend plus facilement que le changement inverse proposé par Boismard[31]. À la place de l'ordre de Mc 16,7 ἀλλὰ ὑπάγετε εἴπατε, le parallèle lucanien a l'impératif (ἀλλὰ ἠγέρθη·) μνήσθητε (24,6) et au v.8 nous lisons la réaction positive des femmes : ἐμνήσθησαν. Dans la même ligne, ἀπήγγειλαν... τοῖς ἕνδεκα répond à l'ordre angélique que Luc a lu en Mc 16,7 : εἴπατε τοῖς μαθηταῖς αὐτοῦ (voir aussi Lc 24,10*b* et 23).

Au v.10, Luc donne la liste des femmes qu'il avait omise au début du récit (*cf.* Mc 16,1). Αἱ λοιπαί reflète le texte de Mc 15,41 : ἄλλαι πολλαί, une expression qu'il n'a pas reprise en 23,49 et 55 mais qu'il avait utilisée en Lc 8,3 : καὶ ἕτεραι πολλαί (anticipation du motif des femmes galiléennes). On y retrouve aussi le nom de Jeanne, le personnage qui en 24,10 prend la place de Salomé. Il doit être clair que la différence dans les noms (voir encore 8,3 : Suzanne) laisse supposer que Luc avait à sa disposition des listes de noms (comp. Act. 1,13), mais elle n'est pas l'indice d'un récit traditionnel autre que Mc 16. Lc 24,10*b* ne fait que répéter le v.9 (dans un style lucanien : λέγω πρός, οἱ ἀπόστολοι). La notice sur l'incrédulité des apôtres (v.11) témoigne aussi de la main de Luc : ἐνώπιον (0/0/22/1/13), *cf.* 5,18.25; 8,47 (diff. Mc); 4,7; 12,6.9; 13,26; 15,10 (diff. Mt);

[28] *Ibid.*, p. 443-444.

[29] Il attribue même l'emploi en Mc 5,19 et 6,30 au rédacteur marco-lucanien (p. 206 et 222).

[30] *Cf.* F. NEIRYNCK, *Duality in Mark. Contributions to the Study of the Markan Redaction* (Bibl. Eph. Theol. Lov., 31), Louvain, 1972, p. 87-88.

[31] *Cf.* B.S. EASTON, *The Gospel according to St Luke. A Critical and Exegetical Commentary*, New York, 1926, p. 358 : «But this (Mk 16,8) left the discovery of the empty tomb as an isolated factor in the resurrection evidence, and the natural tendency was to remove this isolation. Hence the Lk-Mt contact».

ὡσεί (3/1/9/0/6/7), *cf.* 22,44; Act 2,3; 6,15; 9,18*v.l.*; ῥῆμα (4/2/15/12/12); ἀπιστέω, *cf.* 24,41; Act 28,24 (à l'exception de Mc [16,11.16], jamais dans les autres évangiles).

Lc 24,12

Le verset se distingue de son parallèle johannique (20,3-10) par les «lucanismes» ἀναστάς, ἐπί (au lieu de εἰς), θαυμάζω construit avec l'accusatif et τὸ γεγονός. Παρακύψας et ὀθόνια sont des hapax dans l'œuvre de Luc, mais le substantif ὀθόνη se lit en Act 10,11; 11,15 et les verbes composés συγκύπτω - ἀνακύπτω en Lc 13,11 et ἀνακύπτω encore en 21,28. Il a été répété trop souvent que 24,12 «interrompt le texte car les versets 11 et 13 s'unissent naturellement»[32]. L'expression du v.13, «deux d'entre eux», se réfère plutôt au v.9: les Onze et tous les autres. En effet, le v.11 indique la réaction des «apôtres» (*cf.* v.10) et elle est suivie au v.12 par celle de Pierre: ὁ δὲ Πέτρος (en position emphatique devant ἀναστάς). Le lien entre les deux versets est confirmé par l'emploi des verbes ἀπιστέω (v.11) et θαυμάζω (v.12) qui seront associés par Luc au v.41: ἔτι δὲ ἀπιστούντων... καὶ θαυμαζόντων.

La composition de 24,12 est comparable à celle de 23,54-56*a*, où Luc a répété le récit de l'ensevelissement du point de vue des femmes. Ici le verset apparaît comme le résumé du récit des femmes au tombeau: à son tour, Pierre court au tombeau (*cf.* 24,1), voit les bandelettes seules (c.-à-d. il n'y trouve pas le corps de Jésus; *cf.* 24,3), et il s'en retourne (*cf.* 24,8); son étonnement peut être comparé à l'*aporia* des femmes au v.4*a*. Ce parallélisme sera souligné par Luc lui-même en 24,24: καὶ εὗρον οὕτως καθὼς καὶ αἱ γυναῖκες εἶπον, αὐτὸν δὲ οὐκ εἶδον. Le βλέπει du v.12 correspond donc au οὐχ εὗρον du v.3 et par le truchement de 24,2.3 il est possible de voir un rapport entre παρακύψας βλέπει («peering in, saw» NEB, plutôt que «en se penchant...») et Mc 16,4: ἀναβλέψασαι θεωροῦσιν. Mais il y a sans doute un contact plus substantiel avec Mc 16,7: τοῖς μαθηταῖς αὐτοῦ καὶ τῷ Πέτρῳ. Luc ne se contente pas de donner

[32] B. RIGAUX, *Dieu l'a ressuscité. Exégèse et théologie biblique*, Gembloux, 1973, p. 209.

la réaction des disciples : il met en relief celle de Pierre, préparant ainsi le motif traditionnel de 24,34 : ὤφθη Σίμωνι [33].

Beaucoup de questions posées par Lc 24,1-12 n'ont pas été soulevées ici, et notamment la place qui revient au récit dans l'ensemble du chap. 24. Le but de l'article était de montrer qu'on ne peut pas réduire le contact avec Marc à des réminiscences isolées, introduites dans un récit traditionnel propre à Luc [34]. Mc 16,1-8 apparaît plutôt comme le récit de base qui à lui seul semble suffire pour expliquer la composition lucanienne. C'est une constatation non negligeable pour l'étude ultérieure des accords de Luc avec les évangiles de Matthieu [35] et Jean [36].

NOTE ADDITIONNELLE

Sur Lc 24,12, cf. *infra*, p. 313-455; sur Lc 24,1-12 (et Jn 20,1-10), cf. *Jean et les Synoptiques*, p. 70-86.

Voir aussi R.J. DILLON, *From Eye-Witnesses to Ministers of the Word. Tradition and Composition in Luke 24* (Analecta Biblica, 82), Rome, 1978, spéc. p. 1-68 (sur Lc 23,55-24,12). L'auteur explique le récit de Luc «as mainly a conscious, critical dialogue with Mk, his principal source» (p. 68, cf. 15). Il a su tirer profit de notre note sur Lc 24,12 (cf. *infra*, p. 329-334) : voir surtout n. 173, 190, 192. C'est pourtant à propos de Lc 24,12 que je dois exprimer une certaine réserve. (Quant à l'*animadversio* à la fin de la note 173, j'espère que les articles qui ont suivi la note de 1972 permettent de nuancer son jugement regardant βλέπει.) Selon Dillon, Jn 20,3-10 et Lc 24,12 (Pierre) remontent à une tradition commune que Luc aurait mieux conservée en 24,24 (plusieurs disciples). Voir dans le même sens : J. WANKE, *Die Emmauserzählung. Eine redaktionsgeschichtliche Untersuchung zu Lk 24,13-35* (Erfurter Theologische Studien, 31), Leipzig, 1973, p. 82. Dillon parle de *cross-reference* (p. 65), mais il ne se demande pas quel est, dans l'ensemble rédactionnel des vv. 22-24, le sens que Luc puisse avoir donné à τινες τῶν σὺν ἡμῖν par rapport au v. 12. Voir J. JEREMIAS, *Die Abendmahlsworte Jesu*, ³1960, p. 144 : «Rückbezug auf diesen Vers in V. 24 (mit generalisierenden Plural τινές)»; J. MUDDIMAN, in *ETL* 43 (1972), p. 547 : «Cleopas and his companion have to minimise the importance of the visits to the tomb, which are not grounds for hope. They do

[33] Pour une justification ultérieure de cette exégèse de Lc 24,12 voir les articles de J. Muddiman et F. Neirynck (*supra*, n. 7).

[34] *Cf.* B.S. EASTON, *The Gospel according to St Luke*, p. 357 : «Lk has incorporated reminiscenses of Mk into a narrative based primarily on L».

[35] Voir la liste des accords mineurs dans F. NEIRYNCK, *The Minor Agreements of Matthew and Luke against Mark with a Cumulative List* (Bibl. Eph. Theol. Lov., 37), Louvain, 1974, p. 193-195. Comp. J. SCHMITT, *Le récit de la résurrection dans l'évangile de Luc. Étude de critique littéraire*, dans *Revue des sciences religieuses*, 25, 1951, p. 119-137.219-242, spéc. p. 123-128. La conclusion de l'auteur («Luc reproduit et corrige, par endroits, le texte même de Matthieu») demande des sérieuses réserves.

[36] Voir n. 7.

this by reducing the women to anonymity, γυναῖκές τινες, and the same vague plural is used of the second visit, even though Peter went alone. It is unlikely that Luke would have sensed any discrepancy in the use of the plural here (cf. Lk. xxii 5 τινων λεγόντων with Mk. xiii 1 λέγει εἷς τῶν μαθητῶν αὐτοῦ)».

Parmi les commentateurs récents (cf. *supra*, p. 82), J. Ernst (p. 650) et I.H. Marshall (p. 882) restent favorables à l'hypothèse d'une source non-marcienne de Lc 24,1-12 elle est repoussée à juste titre par G. Schneider : «keine nicht-markinische Nebenquelle» (p. 492). — Signalons aussi une étude parallèle à celle de Dillon, mais moins soignée et moins bien informée, de J.-M. GUILLAUME, *Luc interprète des anciennes traditions sur la résurrection de Jésus* (Études bibliques), Paris, 1979, spéc. p. 15-66 (cf. *supra*, p. 262, n. 430).

Suppl NT 47 (1978) 45-60

LC. XXIV 12
LES TÉMOINS DU TEXTE OCCIDENTAL

Depuis WESTCOTT-HORT, l'examen de l'authenticité de Lc. xxiv 12 se fait normalement dans le cadre d'une discussion des *Western non-interpolations*.[1] C'est le cas pour J. JEREMIAS qui, à partir de 1949, défend l'authenticité du verset dans les différentes éditions de son ouvrage sur *Die Abendmahlsworte Jesu*,[2] mais également pour les études nouvelles qui ont suivi la publication de P[75] et dont celle de K. ALAND est sans doute la plus importante.[3] Depuis lors, le nombre de ceux qui préfèrent parler simplement de *Western omission* a considérablement augmenté.[4] Il est d'autant plus frappant que les

* Article rédigé en vue d'une conférence à la réunion annuelle du *Studiorum Novi Testamenti Conventus*, qui s'est tenue à Ede, le 26 mai 1975.

[1] Cf. B. F. WESTCOTT, J. A. HORT, *The New Testament in the Original Greek II: Introduction, Appendix*, London 1881, 175-177 (§ 240-244) et 294-295 (§ 383). Sur Lc. xxiv 12 voir *Appendix, I. Notes on Variant Readings*, 71. — Déjà avant WESTCOTT-HORT, Lc. xxiv 12 avait été relégué dans l'apparat critique par TISCHENDORF ([5]1849-[8]1869). GRIESBACH lui avait donné la note de *lectio forsitan delenda* ("omissio minus probabilis") (1774; [2]1796); "adstipulante Schulzio", D. SCHULZ qui dans la troisième édition (1827) ajouta une réflexion de critique interne: "Cf. Io. xx, 6,7. Absentem hunc totum vs. haud facile desideres. Παρακύπτειν, ὀθόνια, ἀπῆλθε πρὸς ἑαυτόν, (cf. Io. xx, 10) ut a Lc. sint aliena, ita undique produnt Ioannem".

[2] J. JEREMIAS, *Die Abendmahlsworte Jesu*, Göttingen [2]1949, 70-75; [3]1960 = [4]1967, 138-145, spéc. 143-144. Traduit en anglais (Oxford 1955; London 1966) et en français (Paris, 1972).

[3] K. ALAND, Neue neutestamentliche Papyri II, *NTS* 12 (1965-66), 193-210, spéc. 205-206; repris, légèrement retravaillé, dans *Studien zur Überlieferung des Neuen Testamentes und seines Textes* (ANTT 2), Berlin 1967, 155-172: *Die Bedeutung des P[75] für den Text des Neuen Testaments. Ein Beitrag zur Frage der "Western non-interpolations"*, spéc. 168. Voir E. HAENCHEN, *Die Apostelgeschichte* (KEK 3), Göttingen [4]1961, 667-670; [5]1965, 666-669, spéc. 668; B. M. METZGER, *A Textual Commentary on the Greek New Testament*, London-New York 1971, 191-193: "Note on Western Non-Interpolations"; K. SNODGRASS, Western Non-Interpolations, *JBL* 91 (1972), 369-379, spéc. 373 et 379.

[4] Cf. B. M. METZGER, *A Textual Commentary*, xix: "since the acquisition of the Bodmer Papyri many scholars today are inclined to regard them as aberrant readings". — Pour une réaction contre ce mouvement, en ce qui concerne Lc. xxiv 12, voir K. P. G. CURTIS, Luke xxiv, 12 and John xx, 3-10, *JTS* 22 (1971), 512-515; suivi par J. K. ELLIOTT, The United Bible Societies' Textual Commentary Evaluated, *NT* 17 (1975), 130-150, 145. L'article de CURTIS ne mentionne même pas P[75]. Il est critiqué par J. MUDDIMAN, A Note on Reading Luke xxiv, 12, *EThL* 48 (1972), 542-548;

témoins de cette omission ne sont guère discutés. L'apparat critique de *Greek New Testament* en donne l'énumération: "D it$^{a,b,d,e,l,r^1}$ syr $^{pal\ mss}$ Marcion Diatessaron Eusebius $^{1/2}$".[5] Il m'est apparu que la valeur de ces témoins mérite un nouvel examen.

La variante du codex Bezae est signalée déjà dans la Polyglotte de B. WALTON (1657)[6] et puis dans l'édition du Nouveau Testament de J. MILL (1707).[7] En 1751 J. J. WETTSTEIN y ajoute le témoignage de manuscrits latins: "D Codices *Latini*"[8] et, sur ce point, une information plus précise est fournie dans l'édition de J. BIANCHINI (1749): en plus du codex *Cantabrigiensis* (*d*), le *Vercellensis* (*a*) et le *Veronensis* (*b*) n'ont pas le verset.[9] Ce sont encore les témoins qui en 1774 sont connus par J. J. GRIESBACH: "D Veron. verc. cant.".[10] Le *Rehdigeranus* (*Rd* = *l*) y sera associé par D. SCHULZ en 1827,[11]

F. NEIRYNCK, The Uncorrected Historic Present in Lk. xxiv. 12, *ib.*, 548-553. Sur les rapports entre Lc. xxiv 12 et Jn. xx 3-10 voir F. NEIRYNCK, John and the Synoptics, dans M. DE JONGE (éd.), *L'Évangile de Jean. Sources, rédaction, théologie* (BETL, 43), Gembloux-Louvain 1976, 73-106, spéc. 98-104; ΠΑΡΑΚΥΨΑΣ ΒΛΕΠΕΙ. Lc 24,12 et Jn 20,5, dans *ETL* 53 (1977), 113-152.

[5] K. ALAND, M. BLACK, B. M. METZGER, A. WIKGREN, *The Greek New Testament*, Stuttgart 1966; = ^{2}1968 (+ C. M. MARTINI). Pour la troisième édition, aucun changement n'est signalé par B. M. METZGER, *A Textual Commentary*, 184. — Seul le Diatessaron n'est pas repris dans la liste des témoins donnée par K. ALAND (cf. *supra*, n. 3: dans *NTS* 12, 196; = *Studien*, 157). L'auteur signale que son apparat est celui de *GNT* (dans *NTS* 12, 197: "in Anlehnung an ...") dont la première édition n'avait pas encore paru à ce moment (1966), mais il ne s'explique pas sur l'absence du Diatessaron (omis également pour Lc. xxiv 6.36.51; xii 39; xxii 43-44; Jn. iv 9; cf. 196-199). De même, K. SNODGRASS (cf. n. 2) qui reprend les données de ALAND. — Note ajoutée après la parution de la troisième édition de *Greek New Testament* (1975): GNT^3 ne signale plus "Eusebius$^{1/2}$" comme témoin de l'omission. C'est d'ailleurs, avec *Eusebius* (sans 1/2) parmi les témoins du texte, le seul changement dans l'apparat de Lc. xxiv 12.

[6] La collation de Ussher dans B. WALTON, *Biblia sacra polyglotta VI. Appendix*, London 1657, n° XVI, 17: "Hic versus deest in *Cant.*".

[7] J. MILL, *Novum Testamentum Graece cum lectionibus variantibus*, ed. L. KUSTERUS, Rotterdam 1710, 194: "Deest versus iste in *Cant.*".

[8] J. J. WETTSTEIN, Η ΚΑΙΝΗ ΔΙΑΘΗΚΗ. *Novum Testamentum Graecum*, Amsterdam 1751, 823.

[9] J. BLANCHINUS, *Evangeliarum quadruplex Latinae versionis antique seu veteris Italicae*, Roma 1749, t. II, CCXCVIII-CCXCIX. Le texte y est donné d'après le *Corbeiensis* (*ff*^{2}; seulement la fin du verset: "Et abiit...") et le *Brixianus* (*f*). — P. SABATIER imprime le texte du *Colbertinus* (*c*) et donne aussi la version du *Corbeiensis* (le verset entier), mais il ne signale pas d'autre omission que celle du *Cantabrigiensis*; cf. *Bibliorum sacrorum Latinae versiones antiquae seu Vetus Italica*, Reims, t. III, 1749.

[10] Dans sa première édition du Nouveau Testament grec (Halle 1774).

[11] Dans une troisième édition du Nouveau Testament de GRIESBACH (t. I, Berlin 1827); il avait étudié le manuscrit déjà en 1814.

le *Palatinus* (*e*) par F. C. TISCHENDORF en 1849,[12] et vers la fin du 19e siècle s'ajoutera encore le *Usserianus I* (r^1).[13] Le témoignage du Codex Bezae, seul parmi les manuscrits grecs, trouve donc une confirmation dans les vieilles latines. Notons toutefois que leur témoignage est divisé et que le verset est bien attesté par le *Colbertinus* (*c*), le *Brixianus* (*f*), le *Corbeiensis II* (ff^2) et le *Aureus* (*aur*).[14] Nous y reviendrons. Voyons d'abord les autres témoins de l'omission.

1. *Les canons d'Eusèbe*

Il semble bien que c'est TISCHENDORF qui a introduit les canons d'Eusèbe dans l'apparat critique de Lc. xxiv 12. D'abord, en ⁵1849, il donne la simple mention: *Eus canon*; il la complète en ⁷1859: "nec magis Ammonius legisse videtur", et puis, en ⁸1869, il s'explique clairement: "cum enim verba v. 10 ησαν δε η μαγδ. μαρ. usque v. 35 εν τη κλασει του αρτου unum caput 339 efficiant comprehensa canone decimo, qui singulis propria continet, quae vero v. 12 narrantur debuerint cum Ioh 20,5 sq coniuncta canone nono poni, eis destinato quae Lucas et Iohannes communia habent, Eusebius versum 12 qui dicitur apud Ammonium nec invenisse nec supplesse censendus est. Quocum cohaeret quod Ioh 20,5 sq eodem canone decimo posita sunt, adnumerata quippe eis quae Ioh propria habet". D'autre part, il signale que le verset est attesté par Eusèbe dans *Quaestiones ad Marinum*, *Supplementa* 287 et 293 (avec citation).[15] Les canons d'Eusèbe con-

[12] Dans sa cinquième édition du N.T. (la 2e édition de Leipzig). Il est également l'éditeur du codex (Leipzig 1847).

[13] Édité par ABBOTT en 1884, on le trouve dans l'apparat de WORDSWORTH-WHITE (1889-1898), MERK, BOVER, KILPATRICK.

[14] Pour *c*, *f* et ff^2 voir déjà les éditions du 18e siècle (cf. n. 9), et l'apparat de TISCHENDORF (*octava*) et VON SODEN; HORT ne signale que *c* et ff^2. Pour *aur* (éd. BELSHEIM, 1878) voir l'apparat de WORDSWORTH-WHITE. — Cf. A. JÜLICHER, W. MATZKOW, K. ALAND, *Itala. Das Neue Testament in altlateinischer Überlieferung*, t. 3: *Lukasevangelium*, Berlin ²1976 (*ad loc.*). — On comprend qu'une *editio minor* se contente d'une indication sommaire: *D it*, cf. NESTLE-ALAND (47: "omnes vel plerique codices..."; voir aussi J. JEREMIAS, *o.c.*, 143, comp. 138, n. 2), et les synopses de HUCK-LIETZMANN et ALAND; ou *D VetLat*, cf. VOGELS et la synopse de BENOIT-BOISMARD. Mais le danger est réel de négliger les témoins qui attestent le verset, surtout lorsqu'il ne s'agit plus d'une abréviation; cf. M.-E. BOISMARD, *Commentaire* (*Synopse*, t. 2), Paris 1972, 445: "ce verset est omis par D et la *Vetus Latina*". Même chez un auteur qui est parfaitement au courant du problème, on peut lire: "Den Vers Lk 24, 12 ( ) lässt unter den Griechen allein D aus, wieder mit der *gesamten* Vetus Latina..."; cf. H. J. VOGELS, *Handbuch der Textkritik des Neuen Testaments*, Bonn ²1955, 45. La phrase est reprise par H. ZIMMERMANN, *Neutestamentliche Methodenlehre*, Stuttgart ³1970, 67.

[15] C. TISCHENDORF, *Novum Testamentum Graece* (editio octava), Leipzig ⁸1869, 723-724. — Cf. *PG* 22, col. 1000 (*Quaestio IX*): καὶ κατὰ τὸν Λουκᾶν... Πέτρος δὲ σπεύσας ἐπὶ τὸ μνῆμα ἀπαντᾷ, καὶ τὰ ὀθόνια θεωρεῖ.

stituent le seul témoin, à côté de D *a b e rhe*, qui a été retenu dans les *Notes on Select Readings* de Westcott-Hort (1881); on y trouve également la référence à "Eus. *Mar* (distinctly)". Comme désignation de ces données, l'édition de A. Souter emploie la formule "Eusebius ½", qui est adoptée maintenant par *GNT*.[16]

La plupart des éditions et commentaires passent sous silence le témoignage des canons d'Eusèbe. Mais F. Blass et A. Harnack s'y réfèrent[17] et, plus proche de nous, K. Aland semble encore reprendre le point de vue de Tischendorf.[18] Et pourtant l'argument de Tischendorf est bien fallacieux: il est basé sur la supposition que, selon Eusèbe, la visite au tombeau de Lc. xxiv 12 est identique à celle de Jn. xx 3-10. Mais on ne peut exclure la possibilité qu'Eusèbe y voit deux visites, d'abord celle de Pierre en compagnie de l'autre disciple (Jn.), et puis la démarche de Pierre seul (Lc.). Dans ce cas, il est normal que Jn. xx 2-10 est considéré comme un texte propre à Jean (n° 210, canon 10) et que Lc. xxiv 12, étant propre à Luc, fait partie de la section du *Sondergut* lucanien de Lc. xxiv 10 à 35 (n° 339, canon 10). Il ne s'agit pas d'une possibilité purement théorique. C'est précisément une des questions posées dans les *Quaestiones ad Marinum*: Comment Luc peut-il dire qu'un seul disciple est allé au tombeau tandis que selon Jean ils étaient deux? Eusèbe répond clairement que Luc nous rapporte une seconde visite de Pierre: παλινδρομαῖος ἐπὶ τὸ μνημεῖον μόνος παραγίνεται· καὶ αὖθις παρακύψας βλέπει τὰ ὀθόνια μόνα ὡς καὶ τὸ πρότερον· εἶτα ἀπῄει, πρὸς ἑαυτὸν θαυμάζων τὸ γεγονός· καὶ νῦν μὲν ἀπῄει θαυμάζων τὸ γεγονός, ...[19]

Il semble donc que, dans l'apparat critique de *GNT*, on peut rayer le nom d'Eusèbe dans la liste des témoins de l'omission.[20] On gardera

[16] A. Souter, *Novum Testamentum Graece*, Oxford 1910; = ²1947. Cf. J. M. Creed (*Luke*, London 1930). — Le commentaire de P. Schanz donne le nom d'Eusèbe uniquement parmi les témoins de l'omission, et sans préciser (Tübingen 1883); de même, K. Snodgrass *a.c.* (cf. *supra*, n. 3), 373.

[17] F. Blass, *Evangelium secundum Lucam*, Leipzig 1897, 110; *Philology of the Gospels*, London 1898, 188 (with reference to Tischendorf); A. Harnack, *Marcion: Das Evangelium vom fremden Gott* (TU, 45), Leipzig ²1924, 247*.

[18] *Loc. cit.* (cf. *supra*, n. 3), 206 (= 168): "Eusebius scheint beide Textformen zu kennen".

[19] PG 22, col. 990 (*Supplementa Quaestionum ad Marinum*, IV).

[20] Voir déjà la remarque de Scrivener qui disait simplement: "surely not (omitted) by Eusebius' canon, for he knew the verse well"; cf. F. H. A. Scrivener, *A Plain Introduction to the Criticism of the New Testament*, Cambridge ³1883 (¹1861), 555, n. 2.

"Eusebius" parmi les témoins qui attestent le verset, mais sans l'addition de "½" qui n'a aucune justification. C'est encore en dépendance de TISCHENDORF que Cyrille d'Alexandrie y est cité comme seul Père de l'Église à côté d'Eusèbe.[21] On est en droit de se demander pourquoi l'apparat ne fait pas mention ici des Pères "occidentaux", Ambroise[22] et Augustin![23]

2. *Le Diatessaron*

Dans l'apparat critique de Lc. xxiv 12, le *Codex Fuldensis* apparaît pour la première fois avec l'*editio octava* de TISCHENDORF (1869).[24] La référence est reprise par WESTCOTT-HORT, avec ce bref commentaire: "omitted ( ) in the harmonistic narrative of *fu*; but probably ( ) by accident".[25] L'indication de WORDSWORTH-WHITE est plus précise: "F *Iohannem* (xx. 6-8) *sequitur*".[26] La première référence au Diatessaron arabe vient de F. C. BURKITT dans les *Supplementary Notes* de la séconde édition de WESTCOTT-HORT (1896): "The passage is not in *Diat*. arab, the account in Jn. xx 3-8 being preferred".[27] H. J. VOGELS[28]

[21] PG 72, col. 944 (*Comment. in Lucam*): καὶ τὴν τοῦ Πέτρου μαρτυρίαν τὰ ὀθόνια μόνον ἐπὶ τοῦ μνήματος ἑωρακότος... Le passage est cité dans l'*editio octava* de TISCHENDORF.

[22] *Expositio Evangelii secundum Lucam* X, 174: "(Petrus ergo vidit solus dominum; devotio enim parata semper et promta credebat et ideo studebat frequentiora fidei signa colligere). Alibi cum Iohanne, alibi solus, ubique tamen inpiger currit, ubique aut solus aut primus, non contentus vidisse quae viderat repetit intuenda..." (CChr 14, 396; SC 52, 214). Comparer le texte d'Eusèbe sur les deux visites au tombeau.

[23] *De consensu Evangelistarum, liber III*, c. XXV, 70: "Et ipse quidam Lucas Petrum tantum dicit cucurrisse ad monumentum, et procumbentem vidisse linteamina sola posita, et abiisse secum mirantem quod factum fuerat" (PL 34, col. 1204). Augustin ne distingue pas les deux visites et essaie de les harmoniser: "Sed intelligitur hoc Lucas recapitulando posuisse de Petro" (col. 1204); "Ita et Petrus intelligendus est primo procumbens vidisse, quod Lucas commemorat, Joannes tacet; post autem ingressus, sed ingressus tamen antequam Joannes intraret, ut omnes verum dixisse sine ulla repugnantia reperiantur" (col. 1205). — À noter que le témoignage d'Augustin est signalé par T. ZAHN, *Das Evangelium des Lukas*, Leipzig-Erlangen [3-4]1920, 714, n. 46; cf. H. J. VOGELS, *Beiträge zur Geschichte des Diatessaron im Abendland* (NTA 8/1), Münster 1919, 83, n. 1.

[24] L'édition date de 1868; cf. E. RANKE, *Codex Fuldensis. Novum Testamentum Latine interprete Hieronymo*, Marburg-Leipzig 1868. — La liste des témoins donnée par TISCHENDORF, avec la mention de *fu*, sera reprise telle quelle par beaucoup d'auteurs; voir, par exemple, P. SCHANZ (*Lucas*, 1883); A. HARNACK, *Marcion* (cf. *supra*, n. 17) [2]1924, 247*.

[25] *Notes on Select Readings*, 71.

[26] J. WORDSWORTH, H. J. WHITE, *Novum Testamentum Domini nostri Iesu Christi latine*, vol. 1, Oxford 1889-1898, 477.

[27] *Appendix. I. Notes on Select Readings*, 147. (Voir cependant n. 38).

[28] *Beiträge zur Geschichte des Diatessaron im Abendland* (cf. *supra*, n. 23), 1919,

et autres[29] souligneront la concordance entre le *Fuldensis* et la traduction arabe, à laquelle s'ajouteront encore les traductions néerlandaises et italiennes.[30] D'où l'indication très complète de Jeremias: Tat$^{\text{arab fuld ned ven tos}}$.[31]

Sans doute, la reconstruction du texte de Tatien à partir de témoins indirects et lointains laissera toujours des sceptiques,[32] mais il est plus important pour nous de noter que si des critiques comme H. J. VOGELS et J. JEREMIAS donnent tant de poids au Diatessaron, ce n'est pas parce qu'ils prétendent y trouver le texte primitif de l'évangile de Luc. Les deux défendent l'authenticité de Lc. xxiv 12. Selon VOGELS (et H. VON SODEN), c'est précisément Tatien qui est responsable pour l'omission du verset dans la Vetus Latina (et éventuellement dans la Vetus Syra).[33] Pour J. JEREMIAS, l'omission est

82-83. L'absence de Lc xxiv 12 y est encore signalée dans une autre harmonie latine, celle du *Cod. lat. Mon.* 11025: "unsere Harmonie bietet Lk. 24, 9-35 in fortlaufenden Text ohne die Einschaltungen aus Mk. 16, 10.11.12, die sich in F und Ar finden, aber der Vers 12 fehlt hier wie dort" (p. 83). Voir aussi *Evangelium Palatinum. Studien zur ältesten Geschichte der lateinischen Evangelienübersetzung* (NTA 12/3), München 1926, 91: Tat^{ar} Tat^{lat} (cf. 101).

[29] Un exemple: J. M. HEER, *Neue griechisch-saïdische Evangelienfragmente*, dans *OrChr* 2 (1912), 1-47, 21, n. 1: "*fuld* geht mit Joh. 20, 6-8, ebenso *Tatian arab*". Voir aussi l'apparat de la Synopse de A. HUCK (^{8}1934): *fu Tat*.

[30] Cf. H. J. VOGELS, *Evangelium Colbertinum* (BBB, 5), Bonn 1953, 178: "Seit 1913 sind nun einige neue Tatianformen bekannt geworden, die unsere Kenntnis um ein Beträchtliches erweitert haben. Vor allem das Blatt aus Dura-Europos, das uns zum erstmal ein Stück griechischen Diatessarontextes zeigte (*1935*), dann die von Bergsma (*1895-1898*) und Plooij (*1929-1938*) veröffentlichten niederländischen Texte, ferner die von Todesco und Vaccari edierten italienischen Harmonien in venetianischer und toskanischer Mundart (*1938*), endlich das von Messina entdeckte, aus dem Syrischen ins Persische übertragene Diatessaron (*1951*)".

[31] *Die Abendmahlsworte Jesu* (cf. *supra*, n. 1), 143. Parmi les éditions du N.T., celles de NESTLE(-ALAND), SOUTER et KILPATRICK ne font pas mention du Diatessaron. Par contre, le Diatessaron (ou Tat) est signalé par VON SODEN, VOGELS, BOVER et *GNT*. MERK, depuis 1933, avait d'abord *Ta* (encore en ^{3}1938), puis la référence avait disparu (^{5}1944, ^{6}1948, ^{7}1951), et finalement elle devient très précise *Ta*^{3} (= arab ital neerl) (^{8}1957; = ^{9}1964).

[32] On pourrait faire valoir qu'il s'agit ici non pas de la forme du texte mais d'un phénomène plus saisissable, la présence ou l'absence d'une petite section. Toutefois, l'omission de Lc. xxiv 12 devient d'une certaine façon inévitable pour tout auteur d'une harmonie évangélique, indépendamment de l'exemple de Tatien (voir n. 36).

[33] Voir surtout *Beiträge zur Geschichte des Diatessarons im Abendland* (cf. *supra*, n. 23), 1921, 81-84: "durch Tatian verursacht" (*o.c.*, 62); "ein völlig befriedigende Erklärung dafür ( ), woher die auffällige Tatsache stammt, dass dieser Vers (in der Vetus Syra und) bei fünf wichtigen Altlateinern fehlt" (*o.c.*, 84). — L'auteur signale à la page 82 qu'en 1911 il avait encore admis l'inauthenticité du verset, sur la foi des éditeurs du texte, TISCHENDORF, B. WEISS, WESTCOTT-HORT e.a.; cf. *Die altsyrischen Evangelien in ihrem Verhältnis zu Tatians Diatessaron* (BSt(F) 16/5), Freiburg 1911, 138. Il est d'autre part curieux de constater que quelqu'un qui loue von Soden "der den

une des variantes harmonisantes qui caractérisent le texte de l'évangile que Tatien avait trouvé à Rome (ca 150-172).[34] Sans entrer dans cette discussion, on peut faire remarquer que, dans une harmonie évangélique, l'omission de Lc. xxiv 12 n'a rien d'étonnant. Nous avons déjà vu la réaction d'Eusèbe devant le problème de Jn. xx 3-10 et Lc. xxiv 12.[35] Pour l'auteur d'une harmonie qui n'a pas recours à cette solution des deux visites au tombeau, Jn. xx 3-10 et Lc. xxiv 12 racontent un même événement. Mais lorsque Jn. xx 3-10 et Lc. xxiv 12 doivent s'intégrer dans un seul récit harmonistique, n'est-il pas normal que "in a Harmony the verse (*Lc. xxiv 12*) is naturally swallowed up into the fuller narrative from S. John"?[36] Il faut en conclure que l'omission de Lc. xxiv 12 dans le Diatessaron ne peut nous renseigner sur le texte évangélique utilisé par Tatien.

Par contre, on peut se demander si le Diatessaron ne suppose pas d'une manière ou d'une autre le verset lucanien. On pourrait songer à des réminiscences du vocabulaire lucanien dans le récit "johannique".[37] L'ordre des péricopes est peut-être une indication plus contrôlable. La succession de Lc. xxiv 11 et 12, incrédulité des disciples et visite au tombeau, a été ressentie par beaucoup d'exégètes comme une difficulté réelle dans le texte de Luc. La difficulté n'est pas moindre lorsqu'il s'agit de "Pierre et l'autre disciple". Et pourtant,

Vers von seinen Klammern befreit hat" (*o.c.*, 82, n. 1) et imprime d'abord le verset sans crochets (1920; ²1922), le met de nouveau entre "Klammer" dans la troisième édition de 1949! Voir aussi *Handbuch* (cf. *supra*, n. 14), 156.

[34] *Die Abendmahlsworte Jesu* (cf. *supra*, n. 2), 141: contre H. VON SODEN (*Die Schriften*, I/2, Berlin 1907, 1535-1648); il renvoie à F. C. BURKITT et A. JÜLICHER (*ib.*, n. 3). — Sur Marcion (et sy) comme témoins de l'omission dans le texte "romain" (*o.c.*, 143), cf. *infra*.

[35] Cf. *supra*, n. 19 (Eusèbe); 22 (Ambroise).

[36] F. C. BURKITT, *Evangelion da-Mepharreshe* II, Cambridge 1904, 231.

[37] Il est plus que probable que μόνα appartient au texte du verset lucanien; sur l'omission en ℵ*A sa et les doutes de K. P. G. CURTIS, voir J. MUDDIMAN, *o.c.* (cf. *supra*, n. 3) spéc. 543, n. 5. Dans Jn. xx 5 et 6, μόνα n'est attesté que très rarement et s'explique sans doute par l'influence de Lc. xxiv 12 (voir l'apparat de VON SODEN). Le Diatessaron de Liège semble le traduire en Jn. xx 5 par "so sach hi dat lijnwaet liggen *daer besiden*"; (comp. les autres Diatessarons néerlandais ou allemands: Haaren, Cambridge; Zürich, München; cf. *Das Leben Jesu*, éd. C. GERHARDT, Leiden 1970, 166: "dar bi siten"). Est-ce une réminiscence du texte lucanien, ὀθόνια μόνα entendu comme "les linges (gisant) séparément", ou est-ce une paraphrase du traducteur du texte de Jean? Le sens du texte de Lc est que Pierre "ne voit que les linges" (c.-à-d. il ne voit pas le corps de Jésus); cf. F. NEIRYNCK *a.c.* (cf. *supra*, n. 3), 550 et 553. La *Harmonie* de CLERICUS (cf. n. 38) traduit ainsi: "videt quidem lintea, quibus cadaver Jesu involutum fuerat, sed praeterea nihil"; Eusèbe introduit ce sens dans le récit de Jean: καὶ τὰ ὀθόνια εἶδον μόνα, τὸ δὲ σῶμα οὐδαμοῦ (PG 22, col. 989; cf. *supra*, n. 19).

c'est à cet endroit que les harmonies néerlandaises (Liège, Stuttgart, Haaren) situent le récit de Jn. xx 2-10:[38] est-ce un indice que l'auteur du Diatessaron y lisait effectivement le verset 12?

3. *Marcion*

Marcion comme témoin de l'omission apparaît pour la première fois dans la seizième édition de NESTLE en 1936. Depuis lors, le nom de Marcion a une place dans l'apparat critique des éditions ultérieures de NESTLE(-ALAND), et de la *Synopsis* de K. ALAND, dans l'édition de MERK (à partir de ⁵1944), KILPATRICK (²1958) et *GNT* (1966).[39] On peut facilement retrouver l'origine de cette mention. E. NESTLE l'indique dans l'introduction de son édition de 1936: "Nur die Anführungen aus Marcion hat Prof. SCHMIEDEL nach HARNACKS Ausgabe desselben nachzuprüfen die Freundlichkeit gehabt".[40] En effet, l'omission "marcionite" est signalée dans la seconde édition de *Marcion: Das Evangelium vom fremden Gott* (1924).[41] L'indication est reprise par H. J. VOGELS dans un ouvrage de 1926.[42]

[38] En ce qui concerne l'ordre des péricopes qui font suite à Mt. xxviii 1-8 (par. Mc. xvi 1-8; Lc. xxiv 1-8; Jn. xx 1), on peut distingueur deux groupes parmi les témoins du Diatessaron. Le Codex Fuldensis et le Diatessaron arabe, vénétien et toscan présentent l'ordre suivant:

a) Jn. xx 2-10.11-17
b) Mt. xxviii 11-15
c) Jn. xx 18
d) Mt. xxviii 9-10
e) Lc. xxiv 9-11; par. Mc. xvi 10-11.

Le Diatessaron de Stuttgart (éd. J. BERGSMA, Leiden 1898), de Liège (éd. C. C. DE BRUIN, Leiden 1970) et de Haaren (éd. C. C. DE BRUIN, Leiden 1970) ont un ordre différent: *d-e-a-c-b*, c.-à-d. (après Mt. xxviii 1-8) Mt. xxviii 9-10; Lc. xxiv 9-11 (par. Mc. xvi 10-11); Jn. xx 2-18; Mt. xxviii 11-15. Le même ordre est attesté par le Diatessaron perse (éd. G. MESSINA, Roma 1951). — Il est à noter que la suite de Lc. xxiv 9-11 et Jn. xx 2 ss., avec la juxtaposition de Lc. xxiv 12a/Jn. xx 3; Lc. xxiv 12b/Jn. xx 5; Lc. xxiv 12c/Jn. xx 10, se retrouve dans une présentation synoptique chez J. CLERICUS, *Harmonia Evangelica*, Amsterdam 1699, 482-484.

[39] Voir aussi l'étude déjà cité de J. JEREMIAS (*o.c.*, 143), le commentaire de W. GRUNDMANN (1961, 439), les notes de critique textuelle publiées par R. V. G. TASKER à propos de NEB (1964, 424), l'article de K. P. G. CURTIS (1971, 515) et diverses autres études (J. A. BAILEY, 1963; H. ZIMMERMANN, ³1970; B. LINDARS, 1972, etc.). Par contre, Marcion n'est pas cité par BOVER, ni par VOGELS (³1949; voir cependant n. 42).

[40] *Novum Testamentum Graece*, ¹⁶1936, 20*.

[41] A. HARNACK, *Marcion* (cf. *supra*, n. 17), ²1924, 247* (cf. 238*). L'auteur admet une influence marcionite dans les cas suivants: Lc. v 39; ix 54 ss.; xxii 43-44; xxiii 2a.b; xxiii 34; xxiv 12; xxiv 40. — Déjà dans la première édition (1921), HARNACK présente cette liste mais encore sans la mention de Lc. xxiv 12 (229*, cf. 220*). Peu de temps après (à la séance de l'Académie du 2 mars 1922), il fait état de l'omission marcionite: "dieser Vers ist echt. *Weil ihn Marcion gestrichen hat,*

Quelle est, selon les critiques, la valeur de ce témoignage? D'après HARNACK, il s'agit d'une omission intentionnelle: "von M(arcion) gestrichen, der den Petrus hier nicht wünschte",[43] et K. ALAND vient encore de répéter cette explication: "Die besondere Herausstellung des Petrus war ihm zuwider".[44] E. C. BLACKMAN suggère une raison supplémentaire: "Tendentious omission of Marcion not only because, as Harnack suggests, he did not like to believe Peter was at the tomb, but possibly also because of the implication that clothes provided evidence of the Resurrection".[45] Pour J. JEREMIAS, par contre, l'omission est un des cas où la combinaison de "D it (vet-syr) Marc" témoigne du texte que Marcion a trouvé à Rome vers 140.[46]

Mais avant de disputer sur l'origine de l'omission il faut savoir s'il y a omission. Je ne peux m'empêcher de citer ici l'observation faite par ZAHN en 1892: "Man hat sich im allgemeinen der Erkenntnis nicht verschliessen können, dass aus dem Schweigen eines Tertullianus und eines Epiphanius an sich weder folge, dass ein Stück unseres Lc. bei Mrc. gefehlt habe, noch auch dass es in abweichender oder gleichlautender Gestalt vorhanden gewesen sei. Trotzdem hat man nicht aufgehört, den Text auch solcher Stellen, über welche wir aus den Quellen einfach nichts wissen, zum Theil bis aufs Wort festzustellen...".[47] Sur Lc. xxiv 12 le silence de Tertullien et Épiphane est complet, et lorsque HARNACK a proposé l'omission marcionite, il l'a fait sans donner la moindre justification.[48]

bietet ihn auch ein beträchtlicher Teil der abendländischer Überlieferung nicht"; cf. *Die Verklärungsgeschichte Jesu, der Bericht des Paulus* (*I Kor. 15,3ff.*) *und die beiden Christusvisionen des Petrus* (SPAW.PH) Berlin 1922, 62-80, spéc. 69, n. 3. En 1923 il publie une liste de *addenda* à la première édition qui comprend la référence à Lc. xxiv 12; cf. *Neue Studien zu Marcion* (TU 44/4), Berlin 1923, 32-33.

[42] *Evangelium Palatinum* (cf. *supra*, n. 28), 1926, 91 (voir aussi 96). Plus tard, VOGELS est plus réticent: cf. *supra*, n. 39; voir également *Handbuch*, [2]1955, 45.

[43] *O.c.*, 247*.

[44] Cf. *supra*, n. 3: dans *NTS*, 206; = *Studien*, 168.

[45] E. C. BLACKMAN, *Marcion and His Influence*, London, 1948, 138. L'auteur y donne la liste des témoins latins de l'omission et veut corriger HARNACK: "not f, as Harnack says". Mais le manuscrit cité par HARNACK était le *fu*(ldensis)!

[46] *Die Abendmahlsworte Jesu* (cf. *supra*, n. 2), 139. L'auteur signale les huit exceptions admises par HARNACK (cf. *supra*, n. 41), mais il ne veut y voir des variantes de tendance marcionite; il se réfère à A. POTT, dans E. PREUSCHEN, A. POTT, *Tatians Diatessaron aus dem Arabischen übersetzt*, Heidelberg 1926, 13-19, spéc. 17-18.

[47] *Geschichte des neutestamentlichen Kanons* II, Erlangen-Leipzig 1892, 451; voir la reconstruction du texte, *o.c.*, 493.

[48] Il se contente de noter le silence des témoins: "bei M. nicht nachzuweisen" (*loc. cit.*).

4. *Les versions syriaques*

La Syriaque curetonienne, publiée en 1858, est citée comme témoin du verset lucanien par TISCHENDORF (^{7}1859, ^{8}1869) et WESTCOTT-HORT (1881), et ce témoignage sera confirmé par celui de la Syriaque sinaïtique, publiée en 1894. En 1896, F. GRAEFE note qu'en Lc. xxiv 12 les deux versions écrivent "Simon" au lieu de "Pierre", "was in einer syrischen Übersetzung ganz erklärlich ist".[49] Mais la même année, la seconde édition de WESTCOTT-HORT paraît et, dans les *Supplementary Notes*, F. C. BURKITT signale que Lc. xxiv 12 forme la fin d'un paragraphe en syr^{s} tandis qu'il est le début d'un paragraphe en syr^{c}: "possibly therefore it is a later addition to the version".[50] On trouve la suggestion de BURKITT rapportée par VOGELS en 1919,[51] et dans l'édition de A. SOUTER, la vieille syriaque rejoint les témoins de l'omission: "S (vt.)?".[52]

Toutefois, cette divergence entre syr^{c} et syr^{s}, dans la division des sections, n'a rien d'exceptionnel. Ce n'est pas la seule différence dans le contexte de Lc. xxiv 12 (syr^{c}: xxiii 50-xxiv 11; xxiv 12-17.18-24.25-35; syr^{s}: xxiv 1-12.13-24.25-35), et BURKITT lui-même est revenu sur la question pour dire que les deux systèmes de division sont tellement différents qu'on peut admettre qu'ils se sont développés indépendamment.[53] Dans *Evangelion da-Mepharreshe* (1904), il fait appel à un autre argument: en xxiv 12 Πέτρος n'est pas traduit par *Kepha* comme partout ailleurs dans l'évangile de Luc, mais par *Simon*, ce qui pourrait être un indice que le verset a été interpolé dans

[49] F. GRAEFE, Textkritische Bemerkungen zu den drei Schlusskapiteln des Lukasevangeliums, *ThStKr* 69 (1896) 245-281, 269. Cf. *infra*, n. 54-57.

[50] *Notes on Variant Readings*, 147.

[51] *Beiträge zur Geschichte des Diatessaron* (cf. *supra*, n. 23), 82: "Wenn sich die Vermutung Burkitts bestätigt, dass auch die Vetus Syra zuerst den Vers ausgelassen hat,..."; cf. *o.c.*, 83: "das Fehlen derselben in der Vetus Latina, bzw. im lateinisch-syrischen Text". Voir aussi *o.c.*, 84 (cf. *supra*, n. 33).

[52] A. SOUTER, *Novum Testamentum Graece* (cf. *supra*, n. 16). C'est sans doute par inadvertance qu'on peut écrire: "Lk xxiv. 6, 12, 36, 40, 51, 52. Both sy^{s} and sy^{c} have the same omissions as D and the Old Latin"; cf. V. TAYLOR, *The Text of the New Testament. A Short Introduction*, London ^{2}1965, 32; et encore, à propos de Lc. xxiv 12: "omis par D it sy..." (B. RIGAUX, *Dieu l'a ressuscité*, Gembloux 1973, 221, n. 69).

[53] *Evangelion da-Mepharreshe* (cf. *supra*, n. 36), 37-38. L'auteur réagit contre Mrs LEWIS qui souligna l'accord entre les deux manuscrits et montre les différences en Mt. ii-vi. Il conclut: "These grave divergences suggest that the systems of paragraph division in *S* and *C* may have been developed quite independently" (*o.c.*, 38). BURKITT ne se réfère pas de manière explicite à Lc. xxiv 12, mais l'argument n'est plus retenu lorsqu'il parle de l'interpolation (*o.c.*, 231); cf. *infra*, n. 54.

syr^c.s.[54] L'argument est repris tel quel par J. Jeremias.[55] A. Merx avait déjà répondu que l'emploi de Simon indique plutôt que le verset n'a pas été interpolé d'après Jn. xx 2-10 où les manuscrits grecs lisent Simon Pierre (v. 2), Pierre (v. 3), Pierre (v. 4) et Simon Pierre (v. 6).[56] D'après cet auteur, Lc. xxiv 12 appartient au texte original de Luc et l'interpolation serait à chercher au v. 34.[57] On est en droit de se demander si, par l'élimination du v. 34, Merx n'enlève pas du texte lucanien l'élément qui peut avoir suggéré au traducteur du v. 12 l'emploi de *Simon* au lieu de *Kepha*: ὤφθη Σίμωνι.[58]

Certains auteurs signalent également la version harkléenne comme témoin de l'omission,[59] mais cette opinion prend son origine dans une erreur de lecture de l'abréviation employée pour la syro-palestinienne.[60]

La version syro-palestinienne apparaît pour la première fois dans l'apparat critique d'une édition du N.T. en 1796, dans la seconde édition de Griesbach. L'indication donnée par Griesbach: "om. Syr. hieros. (extat in margine)", sera reprise par D. Schulz (³1827) et

[54] *Ibid.*, 231. D'après Burkitt, Lc. xxiv 12 n'est pas authentique (voir aussi *o.c.*, 229 et 96). D'autre part, dans syr^c s, le verset doit venir directement du grec (la Peshitta en diffère et le Diatessaron est exclu). — À noter la formulation prudente de l'auteur: "makes it conceivable that we are here dealing with an interpolation" (*ibid.*). Il s'exprime de manière plus hésitante *o.c.*, 96: "At the same time the hypothesis that *S* and *C* are here themselves interpolated, and that the verse forms no part of the original *Ev. da-Mepharreshe*, raises serious difficulties. The translator may possibly have been influenced by the four-fold occurrence of 'Simon' in the parallel passage Joh. xx 3-10".

[55] *Die Abendmahlsworte Jesu* (cf. *supra*, n. 2), 143, n. 2: "das deutet auf nachträgliche Einfügung des Verses".

[56] A. Merx, *Die vier kanonischen Evangelien nach ihrem ältesten bekannten Texte*, II/2 *Die Evangelien des Markus und Lukas*, Berlin 1905, 519-522, spéc. 519.

[57] *Ibid.*, 520. La tension entre les versets 34 et 12 ("Dieser Zusatz ist aber mit 24 12 unvereinbar, ( ) Vs. 12 leugnet eine solche Erscheinung") doit expliquer l'omission 'latine' (*o.c.*, 522).

[58] Très tôt on fera le rapprochement entre Lc. xxiv 12 et xxiv 34 et 1 Cor. xv 5; voir Eusèbe, PG 22, col. 989 (cf. *supra*, n. 15): Κεφᾶς δὲ αὐτὸς ἦν Σίμων ὁ καὶ Πέτρος!

[59] A. Plummer, *The Gospel according to S. Luke*, Edinburgh ⁴1901, 568: "Syr-Harcl.* omits at the beginning of one lection"; J. Schmitt, *Le récit de la résurrection dans l'évangile de Luc*, *RevSR* 25 (1951) 119-137, 219-242, spéc. 221: "la version syriaque harkléenne"; K. P. G. Curtis, *Luke xxiv. 12* (cf. *supra*, n. 4), 1971, 515: "the Harclean Syriac".

[60] La version syro-palestinienne (syr^pal) fut appelée *Hierosolymitana* par J. G. C. Adler (p. 140), sur une proposition de J. D. Michaelis (cf. *Orientalische und Exegetische Bibliothek*, Frankfurt 1782, t. 19, 126, note). On comprend la confusion avec syr^h (harkléenne) quand on voit les abréviations utilisées: Syr^hieros (Griesbach), syr^hier (Schulz), syr^hr (Tischendorf), syr.hr. (Westcott-Hort), Hrs (Merx), Sh (Zahn), sy^i (Vaganay), sy^h (Vogels, *Evangelium Palatinum*, 91).

TISCHENDORF ([5]1849). Dans les commentaires, elle reçoit une forme plus brève encore: "om. Syr. hier." (DE WETTE, [3]1846; MEYER, [4]1864). Cela nous éloigne beaucoup de la collation exacte que J. G. C. ADLER en avait présentée en 1789: "Hic versus in margine additus est: incipit enim pericope v. 13. Adest autem in alia pericope, quae hoc versu 12 terminatur".[61] TISCHENDORF s'en rapproche de nouveau en [7]1859 et, de manière plus précise encore, en [8]1869.[62] Omission du verset au début d'une péricope d'un Évangéliaire: "probably by accident", écrit HORT,[63] et pour d'autres c'est un témoin à négliger puisque le verset est attesté ailleurs dans le même manuscrit.[64] VON SODEN, SOUTER, VOGELS, MERK, BOVER et KILPATRICK ne le mentionnent plus dans l'apparat de leur édition. En 1966, on le trouve de nouveau dans *GNT*: "$syr^{pal\ mss}$". K. ALAND parle également, sans préciser, de "ein Teil der Handschriften von syr^{pal}".[65]

Le pluriel renvoie sans doute aux trois manuscrits publiés en 1899 par A. S. LEWIS,[66] celui du Vatican (A), connu déjà par les éditions antérieures, et les deux manuscrits du Sinaï, découverts en 1892 et 1893 (B et C).[67] Le verset est attesté par les trois manuscrits à la fin de la *lectio* 152: Lc. xxiv 1-12.[68] Dans l'édition de LEWIS, la *lectio* 3 est intitulée "Lc. xxiv 12-35" et la liste des variantes

[61] J. G. C. ADLER, *Novi Testamenti Versiones syriacae Simplex, Philoxeniana et Hierosolymitana*, Copenhagen 1789, 135-202, spéc. 185.

[62] *Editio octava*, 723: "syr^{hr*6} (lectio incipit v. 13, sed additur vel potius praemittitur in margine v. 12. Contra [412] ad finem lectionis quae v. 1 incipit in ipso textu* legitur versus.)" — Une nouvelle édition de l'Évangéliaire, avec traduction latine, avait été publiée en 1861 et 1864 par F. MINISCALCHI ERIZZO (2 vol., Verona).

[63] *Notes on Variant Readings*, 71. Repris p.e. par PLUMMER: "perhaps accidentally" (cf. *supra*, n. 59).

[64] F. H. A. SCRIVENER, *A Plain Introduction* (cf. *supra*, n. 20), 555, n. 2; F. GRAEFE, *Textkritische Anmerkungen* (cf. n. 49), 268; A. MERX, *Die vier kanonischen Evangelien* (cf. n. 56), 519; J. M. HEER, dans *Oriens Christianus* (cf. n. 29), 21, n. 1; T. ZAHN, *Lukas* (cf. n. 23), 714, n. 46. Le témoignage est cité par WORDSWORTH-WHITE, HARNACK (*Marcion*, [2]1924, 247*), VOGELS (*Evangelium Palatinum*, 1926, 91).

[65] Cf. *supra*, n. 3: dans *NTS* 12, 206; = *Studien*, 168.

[66] A. S. LEWIS, M. D. GIBSON, *The Palestinian Syriac Lectionary of the Gospels*, re-edited from two Sinai MSS. and from P. de Lagarde's edition of the "Evangeliarium Hierosolymitanum", London 1899. L'édition imprime le texte de B et signale les variantes de A et C. Cf. P. DE LAGARDE, *Bibliothecae Syriacae*, Göttingen 1892, 257-404: *Evangeliarium Hierosolymitanum*. Comp. aussi n. 61 et 62. — Les manuscrits sont datés: A en 1030, B en 1104 et C en 1118.

[67] Je n'ai pas connaissance d'autres manuscrits témoins de Lc. xxiv 12. Pour une liste complète des éditions voir C. PERROT, *Un fragment christo-palestinien découvert à Khirbet Mird* (Act., *X, 28-29; 32-41*), *RB* 70 (1963), 506-555, 510, n. 8 (sur les manuscrits, cf. *a.c.*, 550 ss.).

[68] *The Palestinian Syriac Lectionary*, 219. Cf. *supra*, n. 62 (*lectio* 152 = *lectio* 412).

signale que le verset 12 fait défaut en B et C.[69] Cette présentation est à compléter par le renseignement que dans A le verset n'est pas de la *prima manus.*[70] En outre, la question est à poser s'il est permis de parler d'omission.[71] N'est-il pas une présentation plus objective de suivre le texte de A*, B et C et de considérer l'addition marginale du v. 12 dans A pour ce qu'elle est: un ajout à la lecture originale de Lc. xxiv 13-35?

L'addition marginale du v. 12 peut s'expliquer par le besoin de conformité au Synaxaire officiel de l'Église byzantine. Lc. xxiv 12-35 y est en effet la lecture du mardi de Pâques et la cinquième des lectures matinales du dimanche (la quatrième est Lc. xxiv 1-12).[72] Mais la possibilité que, dans le texte de l'Évangéliaire syro-palestinien, le v. 12 ne faisait pas partie de cette *lectio* ne peut pas être exclue, car nous savons trop peu sur l'origine de cet Évangéliaire[73] et, d'autre part, nous savons trop sur la diversité liturgique de l'Église ancienne.[74] Les plus anciens lectionnaires syriaque,[75] arménien[76] et

[69] *Ibid.*, LII: "B + C wanting"; cf. 4 (texte).

[70] Voir P. DE LAGARDE, *o.c.*, 357: "comma integrum > A, + manus non nimis recens in margine. interpretis nostri non esse scio". Cf. *supra*, n. 62 (*lectio* 3 = *lectio* 6).

[71] Il est d'usage de parler d'omission depuis GRIESBACH qui traduit ainsi le renseignement donné par ADLER: "Hic versus in margine additus est ..." (cf. *supra*, n. 61).

[72] F. H. A. SCRIVENER, *A Plain Introduction* (cf. *supra*, n. 20), 78-84: *Synaxarion*, spéc. 78 (le mardi de Pâques) et 83 (les lectures du dimanche); C. R. GREGORY, *Textkritik des Neuen Testaments* I, Leipzig 1900, 343-364: *Synaxarion*, spéc. 364; S. BEISSEL, *Entstehung der Perikopen des Römischen Messbuches. Zur Geschichte der Evangelienbücher in der ersten Hälfte des Mittelalters*, Freiburg 1907, 13 et 22 (d'après des mss. grecs), 32-33 (mss. syriaques). Voir aussi E. C. COLWELL, *Description of Four Lectionary MSS*, dans E. C. COLWELL, D. W. RIDDLE, *Studies in the Lectionary Text of the Greek New Testament*, Vol. I. *Prolegomena to the Study of the Lectionary Text of the Gospels*, Chicago 1933, 85 et 127; et le catalogue des mss. syriaques de la Bodleian Library (éd. R. PAYNE SMITH, Oxford 1864): col. 127, n° 38, un lectionnaire melchite. — D'après J. W. BURGON la pratique liturgique pourrait expliquer l'omission de Lc. xxiv 12: "it is only because that verse was claimed both as the *conclusion* of the ivth and also as the *beginning* of the vth Gospel of the Resurrection so that the liturgical note (ἀρχή) stands at the beginning, -τέλος at the end of it. Accordingly D is kept in countenance here only by the Jerusalem Lectionary and some copies of the old Latin". Cf. J. W .BURGON, *The Last Twelve Verses of the Gospel according to S. Mark*, Oxford-London 1871, 222.

[73] Cf. C. PERROT, *Un fragment christo-palestinien* (cf. *supra*, n. 67), 547-549 (sur l'origine ancienne de la version).

[74] Il faut nuancer maintenant l'affirmation de SCRIVENER: "All the information we can gather favours the notion that there was no great difference between the calendar of Church-lessons in earlier and later ages"; cf. *o.c.* (*supra*, n. 72), 73.

[75] F. C. BURKITT, The Early Syriac Lectionary System, *PBA* 10 (London 1921-23) 10, 33 (= 310, 333): dans le ms. Brit. Mus. Add. 14528, Lc. xxiv 1-12 (Pâques) et

géorgien[77] ont tous une division des péricopes de Lc. xxiv qui est identique à celle de l'Évangéliaire syro-palestinien (A*, B, C): Lc. xxiv 1-12 et 13-35.

Un mot encore sur la *lectio* de Lc xxiv 12-35, introduite dans le ms. A de l'Évangéliaire par l'addition marginale du v. 12. Comme dans les Synaxaires byzantins, le verset fait ainsi partie de deux lectures, xxiv 1-12 et xxiv 12-35, ce qui correspond à la division des paragraphes que nous avons constatée dans syr^{s} (v. 12/13) et syr^{c} (v. 11/12). La traduction de Πέτρος par Simon est un autre point de contact entre la variante marginale de syr^{pal} et $syr^{c,s}$.[78] À ce propos nous avons suggéré une influence de ὤφθη Σίμωνι (v. 34). Cette explication prend un relief particulier s'il est permis de la rapprocher de l'opinion d'Origène sur l'identité du compagnon de Cléophas. Il le nomme Simon,[79] et l'objection de LAGRANGE: "Si Simon

xxiv 13 ss. (mardi). — A. BAUMSTARK, *Festbrevier und Kirchenjahr der syrischen Jakobiten* (SGKA III/3-5), Paderborn 1910, 248, n. 1, et 250. Voir aussi le codex de Rabbula (S. BEISSEL, *o.c.* [cf. n. 72] 37: Lc. xxiv 13 ss. la lecture du lundi) et plusieurs témoins occidentaux (*ibid.*, 63, 77, 80, 86, 90, 93, 99, 113, 125, 151: Lc. xxiv 13 ss. y est la lecture du lundi, mardi ou mercredi).

[76] F. C. CONYBEARE, *Rituale Armenorum*, Oxford 1905, 516-527: "The Old Armenian Lectionary"; 523 (Lc. xxiv 1-12.13-35.36-40: le lundi, mardi et mercredi de Pâques); A. RENOUX, *Le Codex arménien Jérusalem 121*, t. 2 (PO 36, fasc. 2, n° 168), Turnhout 1971, 315 et 317 (le ms. J a xxiii 50-xxiv 12 au lieu de xxiv 1-12). Cf. A. RENOUX, Un manuscrit du lectionnaire arménien de Jérusalem (cod. Jérus. arm. 121), *Muséon* 74 (1961), 361-385, 378; 75 (1962), 385-398 (addenda et corrigenda). Il s'agit du "vieux lectionnaire arménien du Ve siècle" (*ibid.*).

[77] M. TARCHNISCHVILI, *Le grand lectionnaire de l'Église de Jérusalem* (*V-VIIIe siècle*) (CSCO, 188-189), Louvain 1959, t. 2, 116 et 118: Lc. xxiv 13-35 (le jour de Pâques et le mercredi); 117: Lc. xxiii 54-xxiv 12 (le lundi); cf. *idem*, Zwei georgische Lektionar-fragmente aus dem 5. und 8. Jahrhundert, *Muséon* 73 (1960), 261-296, spéc. 267-268; G. GARITTE, Un index géorgien des lectures évangéliques selon l'ancien rite de Jérusalem, *Muséon* 85 (1972) 337-398, 359-360 et 385.

[78] Par contre, la traduction est *Kepha* dans la *lectio* 152 (Lc. xxiv 1-12) d'après les mss. A, B, C. La variante *Simon* de la *lectio* 3 est notée par LEWIS, sans signaler qu'il s'agit d'une addition (p. LII). L'apparat de VON SODEN la mentionne également et il la présente tout simplement comme la leçon de *pa*, en accord avec *sy*. — Pour une présentation correcte, voir F. GRAEFE, *Textkritische Bemerkungen a.c.* (cf. *supra*, n. 49), 269.

[79] ORIGÈNE, *Contra Celsum*, II, 62.68 (PG 11, col. 893, 901). Cf. *Comm. in Ioannem* I, 5 (7). 8 (10) (PG 14, col. 34.40); *Hom. in Jeremiam* 19, 8.9 (PG 13, col. 521). H. GROTIUS (*Annotationes in N.T.*) explique aussi le nom donné par Ambroise, Amaon (Ammaon), comme une déformation de Siméon; voir aussi T. ZAHN, *Forschungen zur Geschichte des neutestamentlichen Kanons*, vol. 6, Leipzig 1900, 350-351, n. 2. La conjecture, proposée par GROTIUS comme explication de l'origine de l'opinion d'Origène, a été trouvée par après comme leçon variante du codex Bezae: λέγοντες (au lieu de λέγοντας) au v. 34. (VON SODEN signale comme témoins de λέγοντες D 1071 et aussi "pa?", mais ne s'explique pas sur le témoin syro-palestinien). — L'opinion

(*Le compagnon de Cléophas*) est Pierre, pourquoi ne pas l'avoir nommé dès le début?",[80] perd son objet lorsqu'on lit le v. 34 dans le contexte d'une péricope qui commence avec le v. 12 sur Simon (Pierre).

Concluons. Dans l'apparat de *Greek New Testament*, "syr[pal mss] Marcion Diatessaron Eusebius[1/2]" devraient être supprimés comme témoins de l'omission de Lc xxiv 12.[81] En effet, on peut difficilement retenir tout ce qui, au cours de deux siècles de critique textuelle, a été ajouté à l'indication donnée par WETTSTEIN: "D Codices *Latini*", si ce n'est la précision qu'il s'agit des manuscrits *a b* (*d*) *e l r*[1].[82] Le verset est attesté par *aur e f ff*[2] et, au moins pour le dernier témoin, il est exclu d'y voir une interpolation à partir de la Vulgate.[83]

d'Origène est citée par beaucoup d'auteurs, parfois avec respect (MALDONATUS: "Si antiquitate res dubia finitur, Origenes vincet"), mais en général pour être rejetée. Elle a été reprise par J. LIGHTFOOT (*Horae Hebraicae et Talmudicae*, 1658-78, éd. R. GANDELL, Oxford, t. 3, 1869, 218) et par A. RESCH, *Agrapha. Aussercanonische Evangelienfragmente* (TU 5/4), Leipzig 1889, 422-426; *Aussercanonische Paralleltexte zu den Evangelien. II. Paralleltexte zu Lucas* (TU 10/3), Leipzig 1895, 767-771. — Dans *The Historical Evidence for the Resurrection of Jesus Christ* (Crown Theological Library, 21), London-New York 1907, 98-103, K. LAKE discute aussi la variante λέγοντες du codex Bezae: "this reading seems to be implied by Origen, who frequently states that the companion of Cleopas was Simon. This reading has therefore quite good authority, especially as it may be represented both by Latin and Syriac MSS. It is, however, a question which is probably insoluble whether the reading in the nominative (λέγοντες) produced the tradition as to Simon, or the tradition produced the reading: whichever came first would inevitably give rise to the other" (p. 98-99). Pour le problème qui nous occupe (l'existence d'une péricope qui commence au v. 12), il suffit de savoir que cette exégèse a été répandue. LAKE lui-même n'admet pas l'originalité du v. 34 (cf. MERX), mais il suggère encore une autre ligne d'interprétation qui elle aussi pourrait justifier l'existence d'une péricope de xxiv 12-35: (dans l'hypothèse de l'authenticité du v. 12, et avec la leçon λέγοντας au v. 34) "it would be possible to think that the meaning is that in the light of the experience of Cleopas the disciples saw that St Peter's visit to the grave was the equivalent of an appearance" (*o.c.* 101-102).

[80] M.-J. LAGRANGE, *Évangile selon saint Luc*, Paris 1921, 611. L'observation qu'il ne s'agit pas de Simon-Pierre mais d'un autre Simon a été faite mainte fois; voir déjà Cyrille d'Alexandrie: καὶ ὁ μετὰ Κλέοπα ὁ Σίμων ἦν, οὐχ ὁ Πέτρος οὐδὲ ὁ ἀπὸ Κανᾶ, ἀλλ' ἕτερος τῶν ἑβδομήκοντα (PG 72, col. 944).

[81] Dans la liste des témoins donnée par JEREMIAS *o.c.* (cf. *supra*, n. 2), 143: "(sy) Marc Tat[arab fuld ned ven tos]". Voir aussi R. MAHONEY, *Two Disciples at the Tomb. The Background and Message of John 20, 1-10* (Theologie und Wirklichkeit, 6), Bern-Frankfurt 1974, 44.

[82] Voir dans les commentaires anciens: *D codd it* (B. WEISS, dans Meyer, [6]1878, 589; H. J. HOLTZMANN, [3]1901, 421; E. KLOSTERMANN, 1919, 601); *D mss. lat.* (A. LOISY, *Luc*, 1924, 571).

[83] Cf. H. J. VOGELS, *Beiträge* (*supra*, n. 23), 1919, 83-84: "nur der Text in *ff*[2] weist darauf hin, dass der Vers auch vor Hieronymus im Abendland nicht ganz unbekannt war". Pour lui, les manuscrits *c f*, "die hier Vulgatafassung einsetzen", sont des témoins indirects de l'omission (*o.c.*, 83). Voir aussi *Evangelium Palatinum*

Le *Corbeiensis* rejoint les manuscrits témoins de l'omission en Lc. xxiv 3.6.9.36.40.51.52.53, mais il contient xxiv 12, d'ailleurs dans une traduction qui est très fidèle au texte grec:[84]

Petrus autem surgens cucurrit ad monumentum et

(*ff*²) *aspiciens* vid*et*	(*vg*) *procumbens* vid*it*
linteamina posita *sola*	linteamina (sola) posita
et abiit *apud semetipsum*	et abiit *secum*
mirans factum.	mirans *quod* factum *fuerat*.

En raison de ce témoignage de *ff*² et de celui de syr^{c,s} (et après ce qui a été dit sur les faux témoins de l'omission, Marcion et Tatien), on ne peut parler d'omission *occidentale* que dans un sens très restreint.[85]

NOTE ADDITIONNELLE

Sur l'apparat de N^{26} (om. D it), cf. *infra*, p. 907. L'apparat de la *Synopse* de H. Greeven (1981) veut être plus précis : D *L* e ablr¹. Il retient encore comme témoins de l'omission : Eus^{can}? (voir cependant *supra*, 315-317), *Sj* (la version syro-palestinienne : cf. *supra*, 323-328), Δ md me n p (le Diatessaron allemand, anglais, néerlandais et perse : cf. *supra*, 317-320, et surtout la note 38) et *C*b¹ (un manuscrit de la version copte bohaïrique).

(cf. *supra*, n. 28), 1926, 54-55: "die in *e* fehlenden Verse 24, 12.40.51b (sind) offenbar im Colbertinus nach der vg aufgefüllt"; *Evangelium Colbertinum* (cf. *supra*, n. 30), 1953, 10 (sur Lc. xxiv 3.12.40.43.51.52 dans *c*): "Die Lücken sind mit vg aufgefüllt". — Signalons encore que le texte de *q*, qui a la leçon longue en xxiv 3.6.9.40.51.52.53, est lacuneux à partir du v. 12 (xxiv 12-39). Dans *e*, d'autre part, l'influence du texte de *ff*² prend fin avec le v. 12 (xxii 23 - xxiv 11 : "eine Überdeckung durch einen ff-Text"; cf. H. J. Vogels, *Evangelium Palatinum*, 44-53).

[84] H. J. Vogels considère le texte de *ff*² comme la *Vorlage* latine de la Vulgate et il énumère comme "corrections" de Jérôme: procumbens, vid*it*, om. sola(?), secum, quod factum fuerat; cf. *Vulgatastudien. Die Evangelien der Vulgata untersucht auf ihre lateinische und griechische Vorlage* (NTA 14/2-3), Münster 1928, 276. Sur *ff*² voir aussi *Evangelium Colbertinum*, 10-16.

[85] Comp. A. T. Robertson, *Studies in the Text of the New Testament*, London 1926, 86: "the omission is purely Western geographically. ( ) has only partial support from the Western documents".

ETL 48 (1972) 548-553

THE UNCORRECTED HISTORIC PRESENT IN LK. XXIV.12

J. Muddiman's note on Lk. xxiv.12 constitutes, it seems to me, a valuable contribution to a final rehabilitation of the Lukan verse. Objections against the authenticity are answered quite convincingly and the treatment is suggestive enough to allow some supplementary observations.

" The mere fact of a rare historic present at Luke xxiv.12 cannot in itself prove dependence on Jn., as against dependence on another source "[1]. *Βλέπει* is an " uncorrected " historic present : " but if he (the author) slipped twice, why not a third time ? "[2]. I would not deny the polemical force of such a statement, but its persuasiveness could be much stronger if, in the discussion with K. P. G. Curtis, the problem of the identification of the Lukan source had not been avoided. This additional note aims to present a tentative answer to that question.

It is now a widely accepted view among defenders of the Lukan authenticity that there was a common source of John and Luke. Since the three (or four) typically Lukan characteristics are not in Jn., the original text is reconstructed without them :

> *ὁ δὲ Πέτρος ἔδραμεν εἰς τὸ μνημεῖον*
> *καὶ παρακύψας βλέπει τὰ ὀθόνια κείμενα μόνα*
> *καὶ ἀπῆλθεν πρὸς ἑαυτόν*[3].

* J. Muddiman, *A Note on Reading Luke xxiv.12*, in *ETL* 48 (1972) 542-548. In reaction to K.P.G. Curtis, *Luke xxiv.12 and John xx.3-10*, in *JTS* 22 (1971) 512-515.

1. ' A Note ', p. 544.
2. *Ib.*
3. Cf. M.-É. Boismard, *Synopse des quatre évangiles en français. II. Commentaire*, Paris, 1972, p. 445-446 ; see also p. 439-440, on the sequence in Proto-Luke (common source of Jn. and Lk.) : Jn. xx. 1-2 (cf. Lk. xxiv, 1-2) ; Lk. xxiv. 12 (cf. Jn. xx. 3-10). Comp. P. Benoit, 'Marie-Madeleine et les disciples au tombeau selon Joh *20* 1-18 ', in *Judentum, Urchristentum, Kirche*, Festschrift für J. Jeremias (ed. W. Eltester, BZNW 26), Berlin, p. 141-152, spec. 142-144 ; = *Exégèse et Théologie*, Vol. 3, Paris, 1968, p. 270-282, spec. 271-273 (Lk. xxiv.12 without the lukanisms : the johannine tradition behind Jn. xx.3-10) ; A. R. C. Leaney, ' The Resurrection Narratives in Luke (xxiv.12-52) ', in *NTS* 2 (1955-1956)

But before one reduces Luke's intervention to the additions *ἀναστάς*, *θαυμάζων τὸ γεγονός* (and the substitution of *ἐπί* for *εἰς*), the verse should be studied in its own Lukan context. The description of Lk. xxiv.10-12 as a parenthetic unit, when it is correct [4], highly recommends not to take the verse in isolation from xxiv.1-11 [5]. Here I simply premise that Lk. xxiv.1-11 is a Lukan composition on the basis of Mk. xvi.1-8 [6]

110-114 ; see also *The Gospel according to St. Luke* (Black's N.T. Commentaries), London, 1958, p. 28-31 (sequence : Lk. xxiv.12 ; Jn. xx.9) ; X. Léon-Dufour, *Résurrection de Jésus et message pascal*, Paris, 1971, p. 225 (Jn. xx.3,5a,7,8b, 9,10). — Leaney and Léon-Dufour suppose that the original source tells of a second unnamed disciple (cf. Lk. xxiv.24) : « Lc aura voulu tout ramener au seul Pierre ». For Benoit, the second disciple was not in the source, but Jn. xx.3-10 brings « l'explicitation d'une donnée réelle : c'est-à-dire que Pierre ait eu des compagnons ».

4. Cf. ' A Note ', p. 547. The double verb *ἀπιστεῖν-θαυμάζειν* (cf. *v.* 41) underlines the association of *v.* 10-11 and 12.

5. Contra Benoit : « Mais il l'aura inséré après coup dans sa rédaction, ainsi que le suggère le raccord naturel du v. 13 au v. 11 » (p. 145, n. 6 = p. 272, n. 3).

6. See M.-É. Boismard, *Commentaire*, p. 444-445. The author's restrictions for *v.* 1-2 (traces of Proto-Luke, cf. Jn. xx.1-2 ; see p. 439-440), *v.* 6a (scribal harmonization with Mt. xxviii.6a) and *v.* 9b (*ἀπήγγειλαν* from Proto-Mark, cf. Mt. xxviii.8) are not very impressive.

— Lk. xxiv.9 : *ἀπήγγειλαν*. The change from Mk. xvi.8 to Lk. (the message brought to the disciples, cf. Mt.) is much more probable than the inverse, *i. e.* from Proto-Mark (= Lk. // Mt.) to Mk. xvi.8 (message not delivered).

— Lk. xxiv.6a : *οὐκ ἔστιν ὧδε, ἀλλὰ ἠγέρθη*. The omission in D and it becomes less convincing for authors who defend the authenticity of *v.* 3b and 12 (as does Boismard) and the doublet (« Jésus Vivant » — « Jésus ' réveillé ' ou relevé 'd'entre les morts' ») is anyway present in *v.* 5b,6 (*ἀναστῆναι*). Lk. has in common with Mt. the inversion of Mark's *ἠγέρθη, οὐκ ἔστιν ὧδε* and the motif of Jesus prediction of the resurrection, but the dependence upon Mk. remains perceptible :

Ἰησοῦν ζητεῖτε...	*τί ζητεῖτε*
τὸν ἐσταυρωμένον·	*τὸν ζῶντα*
ἠγέρθη,	*μετὰ τῶν νεκρῶν;*
οὐκ ἔστιν ὧδε...	*οὐκ ἔστιν ὧδε,*
ἀλλὰ...	*ἀλλὰ ἠγέρθη.*
εἴπατε... καθὼς εἶπεν ὑμῖν.	*μνήσθητε ὡς ἐλάλησεν ὑμῖν...*

— Lk. xxiv.1-2. The general resemblance with Jn. xx.1 is counterbalanced by the fact that each element is traced back to Lukan edition of Mk. (p. 439-440). Only *ὄρθρου βαθέως* is maintained as specifically proto-Lukan (cf. Lk. xxiv.22 and xxi. 38). I may quote Boismard's own statement : « l'attribution du récit à l'ultime Rédacteur lucanien est confirmée par le fait que, se référant à la visite des femmes au tombeau le matin des Pâques (vv. 22-23), le Rédacteur reprend certains détails de Lc *24* 1 ss. ... qui sont certainement de l'ultime Rédacteur lucanien » (p. 448). On Luke's redaction of the summary xxi.37-38, see H. F. D. Sparks, ' St Luke's Transpositions ', *NTS* 3 (1956-1957) 219-223, spec. p. 222, n. 1 : " for the *hapax ὤρθριζεν* we may refer again to Mark xi.20 *καὶ παραπενόμενοι πρωΐ*, wfiich follows immediately on statements about the admiration of the crowd and the first retirement ' outside the city '. " It is remarkable that the Markan " parallel " to Lk. xxi. 38 as well as xxiv. 1 has *πρωΐ* (Mk. xi.20 ; xvi.2 : *λίαν πρωΐ*), never used in Lk. ; for another substitution for *πρωΐ* (Mk. i.35 and xv.1), and that Lk. xxiv.22-23 shows the evangelist's ability for summarizing the story of the women at the tomb [7]. The suggestion I would propose is the interpretation of Lk. xxiv.12 as a redactional doublet of the traditional visit to the tomb of xxiv.1-9, par. Mk. xvi.1-8.

1. The stress on Peter is not surprising in the resurrection context: Lk. xxiv.34 *ὤφθη Σίμωνι* echoes the *ὤφθη Κηφᾷ* of 1 Cor. xv.5. The evangelist who in *v.* 11 prepared the appearance to the disciples with the motif of their disbelief (comp. *v.* 37, 41), may have conceived Peter's intervention in *v.* 12 in relation to that Petrine protophany. Moreover, is it not the Lukan parallel to the special mention of Peter in Mk. xvi.7 ? The delivery of the message to the disciples in Lk. xxiv.9 further develops the Markan account. It fulfills the command of the angel: *εἴπατε τοῖς μαθηταῖς αὐτοῦ καὶ τῷ Πέτρῳ* (Mk. xvi.7). Following the attitude of the apostles (*v.* 10-11), verse 12 explicitly describes the reaction of Peter.

2. Lk. xxiv. 22-23,24 brings in parallel the women's coming to the tomb and that of the disciples. This Lukan understanding of the double visit may provide the key for the interpretation of *v.* 12. *Μὴ εὑροῦσαι τὸ σῶμα αὐτοῦ* repeats the specific motif of the Lukan story. " It is said explicitly, in contrast to Mark and Matthew, that on entering the tomb themselves they failed to find the body " [8]: *οὐχ εὗρον τὸ σῶμα τοῦ κυρίου Ἰησοῦ* (*v.* 3: before the angelic appearance). It is clearly emphasized in *v.* 24: *εὗρον, οὕτως καθὼς καὶ αἱ γυναῖκες εἶπον, αὐτὸν δὲ οὐκ εἶδον* and concretely illustrated in the description of *v.* 12: *βλέπει τὰ ὀθόνια (κείμενα) μόνα, i.e.* only the graveclothes, not the body. Lk. xxiv.12 renders in a positive form (he saw only the graveclothes) the negative statement of *v.* 3 (they did not find the body). This is not without preparation in the story of the tomb. Already in Mk. xvi.6 *ἴδε ὁ τόπος ὅπου ἔθηκαν αὐτόν* (xvi.6b) refers back to *ἐθεώρουν ποῦ τέθειται* (xv.47). In Luke's own formulation: *οὐχ εὗρον τὸ σῶμα τοῦ κυρίου Ἰησοῦ* (xxiv.3b) and *ἐθεάσαντο τὸ μνημεῖον καὶ ὡς ἐτέθη τὸ σῶμα αὐτοῦ* (xxiii.55b). In xxiii.53 it was told how his body was laid, but also: *ἐνετύλιξεν αὐτὸ σινδόνι*. In xxiv.12, where Luke brings to a close the corresponding stories of the burial and the empty tomb, he employs the synonym *τὰ ὀθόνια* [9].

see Lk. iv.42 (*γενομένης δὲ ἡμέρας*) and xxii.66 (*ὡς ἐγένετο ἡμέρα*). Compare also Lk. xxi.38 (*ὤρθριζεν ... ἐν τῷ ἱερῷ*) with Acts v. 21 (*ὑπὸ τὸν ὄρθρον εἰς τὸ ἱερόν*).

7. Cf. M.-É. Boismard, *Commentaire*, p. 448 (see our preceding note); F. Schnider/W. Stenger, ' Beobachtungen zur Struktur der Emmausperikope (Lk 24,13-35) ', *Biblische Zeitschrift* 16 (1972) 94-114, spec. 101-102.

8. C. F. Evans, *Resurrection and the New Testament* (Studies in Biblical Theology II, 12), London, 1970, p. 102.

9. Comp. J. Blinzler, *Der Prozess Jesu*, Regensburg, 4th ed., 1969, p. 395-396: « Das Wort (*σινδών*) ist zunächst Materialbezeichnung ... Wie man den Stoff im einzelnen verwendet hat, ob man sich eines Stückes oder mehrerer Stücke bediente, das ist für die Zwecke der ersten Erzähler unwesentlich ».

3. Since Lk. xxiv.12 repeats the motif of *v.* 3, the formulation of this last verse deserves further consideration. Strictly speaking, it is an addition to Mk. xvi.5 in between εἰσελθοῦσαι and the angelic appearance. Yet, οὐχ εὗρον... Ἰησοῦ anticipates the words of the angel Ἰησοῦν ζητεῖτε... (Mk. xvi.6). On the other hand, it is not unrelated to the preceding verse 2 (Mk. xvi.4). The structuring of the story in Lk. differs clearly from Mark's. Whereas in Mk., after the parenthetic clause of *v.* 4b, the scene in the tomb is marked off by καὶ εἰσελθοῦσαι εἰς τὸ μνημεῖον (comp. *v.* 8a), the new division in Lk begins not with εἰσελθοῦσαι but with καὶ ἐγένετο... (*v.* 4) [10], and verses 2 and 3 hold together in antithetic parallelism :

> εὗρον δὲ τὸν λίθον ἀποκεκυλισμένον ἀπὸ τοῦ μνημείου,
> εἰσελθοῦσαι δὲ οὐχ εὗρον τὸ σῶμα τοῦ κυρίου Ἰησοῦ.

As in Lk. the verb εὑρίσκειν is interchangeable with *verba videndi* [11], the immediate Markan parallel to εὗρον / οὐχ εὗρον is Mk. xvi.4 : καὶ ἀναβλέψασαι θεωροῦσιν (ὅτι ἀνακεκύλισται ὁ λίθος).

Is it not possible that ἀναβλέψασαι θεωροῦσιν of Mk. xvi.4 is the " source " of the uncorrected historic present in Lk. xxiv.12[12] ? No instance of the verb θεωρεῖν in Mk. is preserved in the Lukan parallel : Mk. iii.11 (om.) ; v. 15 (Lk. viii.35 εὗρον) ; v. 38 (om.) ; xii.41 (Lk. xxi.1 ἀναβλέψας δὲ εἶδεν!) ; xv.40 (Lk. xxiii.49 ὁρῶσαι) ; xv.47 (Lk. xxiii.55 ἐθεάσαντο) ; xvi.4 (Lk. xxiv.2 εὗρον). Besides Luke substitutes θεωρεῖτε for βλέπετε of Mk. xiii.2 (Lk. xxi.6)[13]. That makes the change from (ἀναβλέψασαι) θεωροῦσιν to (παρακύψας) βλέπει no more difficult than the preservation of a supposed βλέπει from some conjectural pre-Lukan source or tradition. Some may object to this rapprochement the sense of παρακύψας (stooping down). The answer was given by Lagrange : « Le sens n'est pas ' se pencher ', mais regarder en avançant la tête » [14]. NEB rightly translates in line with LXX usage : " and, peering in, saw ". The standard expression in the LXX is παρακύπτειν διὰ τῆς θυρίδος [15], definitely not

10. Cf. F. Neirynck, ' La matière marcienne dans l'évangile de Luc ', in *L'Évangile de Luc. Problèmes littéraires et théologiques* (Bibl. Eph. Theol. Lov., 32), Gembloux, 1973, p. 155-199, spec. 184.

11. Cf. Lk. viii. 35 (Mk. v. 15 θεωροῦσιν) ; ix.36 (Mk. ix. 8 εἶδον) ; ii. 12 (*v.* 15 ἴδωμεν, *v.* 16 ἀνεῦραν) ; ii.46 (*v.* 48 ἰδόντες).

12. See note 1. Comp. J. Jeremias, *Neutestamentliche Theologie. Erster Teil. Die Verkündigung Jesu*, Gütersloh, 1971, p. 290, n. 3 : « Der Vers ist lukanisch stilisiert (...), stammt aber aus vorlukanischer Überlieferung, wie das von Lukas gemiedene Praes. hist. βλέπει zeigt ».

13. The other instances of θεωρεῖν in Lk. : x.18 ; xiv.29 ; xxiii.35 (cf. Ps. xxi.8) ; xxiii.48 (cf. Mk. xv.40) ; xxiv.37,39 (all in *Sondergut*).

14. M.-J. Lagrange, *Évangile selon saint Luc* (Études Bibliques), Paris, 1927, 8th ed. 1948, p. 602. Comp. J. H. Bernard, *The Gospel according to St. John* (I.C.C.), Edinburgh, 1928, vol. II, p. 659.

15. Gen. xxvi.8 παρακύψας ... διὰ θυρίδος εἶδεν; comp. Judg. v.28 (A διέκυψεν); 1 Kings vi.4 ; 1 Chron. xv.29 (2 Sam. vi.16 διέκυπτεν) ; Prov. vii.6; Cant. ii.9 ; Ecclus. xiv.23 ; xxi.23.

so inappropriate here in view of " the door of the tomb " in Mk. xvi.3 (and xv.46) [16].

4. The motif of Lk. xxiv.12 is explicitly defined in *v.* 24 : „ they found it just as the women had said ". It refers to the verification of hearsay evidence. There is an illustration of the motif in the story of the Gerasene demoniac : ἀπήγγειλαν — ἐξῆλθον δὲ ἰδεῖν τὸ γεγονός — ἦλθον... καὶ εὗρον [17]... (Lk. viii.34-36, par. Mk. v.14-16). Other examples are found in the birth stories. The verification of the signs given by the angel in i.36 and ii.12 is narrated with striking similarities to xxiv.12 :

ἀναστᾶσα δὲ Μαριὰμ... ἐπορεύθη... μετὰ σπουδῆς εἰς...
καὶ ὑπέστρεψεν εἰς τὸν οἶκον αὐτῆς (i.39-56)
καὶ ἦλθαν σπεύσαντες καὶ ἀνεῦραν... τὸ βρέφος κείμενον ἐν τῇ φάτνῃ· ἰδόντες δὲ... (cf. *v.* 15 : ἴδωμεν τὸ ῥῆμα τοῦτο τὸ γεγονός)
καὶ ὑπέστρεψαν... (ii. 16-20).

" They went to the tomb, they found, they returned " are phases in the story of the visit of the women (xxiv.1.3.8) which were taken up in the summary of *v.* 22 (γινόμεναι, μὴ εὑροῦσαι, ἦλθον) and which provided the structure of the verse on Peter's visit : ἔδραμεν, βλέπει, ἀπῆλθεν... The additional element, Peter's amazement at what had happened, is not without parallel in the story of the women : ἐν τῷ ἀπορεῖσθαι αὐτὰς περὶ τούτου (*v.* 4). As the angelic appearance is the follow-up to this aporia, so Luke may have seen the appearance of the Lord (*v.* 34) as the answer to Peter's amazement.

5. We can be brief in our discussion of the Johannine parallel. Enough has been said in recent literature on the Johannine redaction and pre-Johannine tradition in Jn. xx.3-10 [18]. Since most reconstructions of that tradition come very near to Lk. xxiv.12, a dismissal of the Lukan text as Johannine source seems not to find any basis in the analysis of Jn. xx.3-10. But is the absence of obvious Lukanisms not a valid ob-

16. Other compounds with κύπτειν are not absent in the Lukan vocabulary : xiii.11 συγκύπτουσα καὶ μὴ δυναμένη ἀνακύψαι ; xxi.28 ἀνακύψατε καὶ ἐπάρατε τὰς κεφαλὰς ὑμῶν.

17. In Mk. v.15 : θεωροῦσιν. Only instance of τὸ γεγονός in Mk : ἦλθον ἰδεῖν τί ἐστιν τὸ γεγονός (*v.* 14 ; par. Lk. viii.35, and the addition in *v.* 34) ; cf. οἱ ἰδόντες πῶς ἐγένετο ... in *v.* 16.

18. Especially on the " other disciple ", see M.-É. Boismard, *Commentaire*, p. 446 ; cf. p. 398 : « En Jn *18* 15b-16, nous trouvons un procédé rédactionnel de Jn qui a son équivalent exact en Jn *20* 3 ss. ». For an instructive comparison, see D. F. Strauss, *Das Leben Jesu*, Tübingen, vol. II, 1836 (= Darmstadt, 1969), p. 603 : « Wie bei dem Gang in den hohenpriestlichen Palast, so wird auch bei dem zum Grabe Jesu nur allein im vierten Evangelium dem Petrus Johannes beigegeben ; wie er dort den Petrus einführt, so läuft er ihm hier voran, und wirft den ersten Blick in das Grab, was wiederholt hervorgehoben wird ».

jection against possible Johannine dependence [19] ? Thereon it should be noted that the pleonastic ἀναστάς is never used in Jn. [20] and with regard to θαυμάζων τὸ γεγονός we have to reckon with Johannine reinterpretation. We are not sure that the fourth evangelist uses παρακύψας with the same meaning as Luke does and ὀθόνια μόνα are apparently understood in a sense different from Luke's : not *only* the graveclothes but, as it appears from the explicitation in *v.* 7, the graveclothes *by themselves.* So, the ἐπίστευσεν of *v.* 8 can be seen as Johannine reworking of a θαυμάζειν in his source. This at least is the conclusion to which some authors came who attempted, from the viewpoint of Johannine exegesis, to reconstruct the underlying text of Jn. xx.8.[21] On this question, as on many others, Johannine studies could profit from a greater openness to the possibility of John's acquaintance with the Synoptics [22].

ADDITIONAL NOTE

Page 332, note 12: add J. Jeremias, *Die Sprache des Lukasevangeliums* (cf. *supra*, p. 81), p. 313 (cf. p. 169-170: «Das Praesens historicum ... stammt aus der Tradition»). But see *infra*, p. 391, n. 107, and 432-433.

On the «Western non-interpolations» Lk 24,12 (βλέπει) and 24,36 (λέγει), cf. G.D. Kilpatrick, *The Historic Present in the Gospels and Acts*, in *ZNW* 68 (1977) 258-263, p. 260: «The presence of these HP is against them». But see *Jean et les Synoptiques*, p. 129, n. 243.

19. « Il serait étrange qu'en reprenant Lc. *24* 12 Jn en ait éliminé systématiquement tous les éléments proprements lucaniens ! » (M.-É. Boismard, *Commentaire*, p. 446).

20. Neither ἐγερθείς. Where ἐγείρειν is used for rising up (not resurrection), it is not pleonastic (xi.29, cf. *v.* 20 ἐκαθέζετο ; xiii.4 ἐκ τοῦ δείπνου) or it has synoptic parallels (v.8, cf. Mk. ii.11; xiv.31, cf. Mk. xiv.42). For v.8, note κατακείμενον in *v.* 6 (cf. *v.* 3); comp. also ἐγένετο ὑγιής with Mark's ἠγέρθη (Mt. ἐγερθείς ; Lk. ἀναστάς).

21. Cf. G. Hartmann, 'Die Vorlage der Osterberichte in Joh 20', *ZNW* 55 (1964) 197-220, p. 202-203. Comp. X. Léon-Dufour, *Résurrection*, p. 225. The tension between *v.* 8 and 9 is at the origin of different hypotheses : *v.* 9 redactional (Schwartz, Bultmann), *v.* 8b redactional (Spitta), original sequence Lk. xxiv.12, Jn. xx.9 (Leaney). P. Benoit withdraws the lukanism θαυμάζων τὸ γεγονός from the common source, but still writes : « Joh *20*, 9 s'explique mieux après l'étonnement perplexe de Lc *24* 12 qu'après la foi déclarée de Joh *20* 8 » (p. 143 = p. 273)

22. Still, see the reaction after Schnackenburg's defence of the common source hypothesis for Jn. xx. 3-10 and Lk. xxiv.12 (comp. p. 438, n. 3) : " Jedenfalls bleibt Schnackenburgs methodischer Versuch umstritten, Lk 24, 12 zur Rekonstruktion von Joh 20,3ff zu verwerten ", in *Evangelisch-Katholischer Kommentar zum Neuen Testament, Vorarbeiten Heft 2*, Neukirchen-Zürich, 1970, p. 133 (" Diskussion " cf. R. Schnackenburg, 'Der Jünger den Jesus liebte', pp. 97-117, espec. 102-5).

ETL 51 (1975) 113-141

THE 'OTHER DISCIPLE' IN Jn 18,15-16

In a short study on Lk 24,12 and the parallel story in Jn 20,3-10 [1] I have referred to the analogous situation in Jn 18,15-16 : while the presence of Peter in the courtyard of the high priest is noticed by the three Synoptists, the Fourth Gospel mentions yet another disciple who is known to the high priest and procures Peter's admission to the court. This analogy will be examined more closely in the present contribution.

I. 'Another Disciple' and the Beloved Disciple

According to B. F. Westcott there can be no doubt about the identity of the 'other disciple' in 18,15-16 : " The reader cannot fail to identify the disciple with St John " [2]. For catholic Bible readers, too, the identification with 'the Beloved Disciple—the author of the Gospel—John son of Zebedee' is almost the only comment provided on this passage [3].

1. F. Neirynck, *The Uncorrected Historic Present in Lk xxiv.12*, in *ETL* 48 (1972) 548-553.

2. B. F. Westcott, *The Gospel according to St John*, London, (1881), [16]1903, p. 255. Compare p. 254 : " The Evangelist appears to have been present at the inquiry (*vv.* 15,19) ".

3. *La Sainte Bible* (Jérusalem), Paris, 1956, p. 1425, n. *b* : " Sans doute le même qu'en 20,2s, 'le disciple que Jésus aimait', l'évangéliste lui-même " ; see also p. 1396 (D. Mollat) ; *De Heilige Schrift* (Canisiusvertaling), Utrecht-Brussel, 1948, p. 130 (N.T.), n. 4 : " Johannes de evangelist zelf " ; *Het Nieuwe Testament van Onze Heer Jesus Christus. Willibrord-vertaling*, Boxtel-Brugge, [5]1966, p. 302 : " Een andere leerling : Johannes zelf, zie Joh. 20,2 " ; see also p. 235. Compare F. C. Ceulemans, *Commentarius in Evangelium secundum Joannem*, Mechelen, 1901, p. 248 : " proculdubio erat ipse Joannes, qui ubique nomen suum tacere solet et frequenter unà cum Petro comparet " ; J. Keulers, *Het Evangelie volgens Joannes* (De boeken van het Nieuwe Testament, 3), Roermond-Maaseik, [2]1951, p. 311 : " De evangelist heeft zich zelf niet willen noemen, maar niettemin zijn lezers willen overtuigen, dat hij ook van de gebeurtenissen bij Annas en Kaïphas uitstekend op de hoogte was " ; H. van den Bussche, *Het boek der passie. Verklaring van Johannes 18-21*, Tielt, 1960, pp. 86-87 : " Dat Petrus en Johannes samen op weg zijn, kan de lezer van het Nieuwe Testament niet verwonderen. ... De enige reden waarom de andere leerling hier vermeld wordt, is dan ook dat hij erbij was, meer niet ".

In recent studies, however, there is a remarkable evolution and Johannine scholars show a tendency to abandon the traditional identification [4].

Τίς ἐστιν ὁ ἄλλος μαθητής ; While Augustine warned against too much assurance [5], the Church Fathers commonly answered this question as did Chrysostom : *αὐτὸς ὁ ταῦτα γράψας* [6]. His treatment of the problem became a model for later writers [7] : the unnamed disciple is the evangelist ; he does not designate himself more clearly for sake of modesty but here he could not avoid referring to his presence as eyewitness [8].

4. Comp. F.-M. Braun, who proposed the traditional identification in *Évangile selon saint Jean* (La Sainte Bible, 10), Paris, 1935, p. 297 (introduction) and 456 : " un autre disciple, dont le discret anonymat et les relations spéciales avec Pierre dissimulent à peine la personnalité " ; in *Jean le Théologien et son évangile dans l'Église ancienne*, Paris, 1959, pp. 307-308, he abandons this position : " Que l'un des Douze, alors que l'hostilité du judaïsme officiel contre Jésus était parvenue à son point extrême, ait un libre accès dans la demeure pontificale, la chose est *difficilis creditu*. A vrai dire, nous ne sommes pas contraints à l'admettre. L'Évangile parle évasivement d'*un autre disciple...* ". R. E. Brown, who has a positive statement in the introduction to his commentary, *The Gospel according to John (I-XII)* (The Anchor Bible, 29), New York, 1966, p. XCIV : " an affirmative answer is suggested by the fact that the disciple in this scene is associated with Peter, an association which seems to be a mark of the BD. (*On 20,2* :) A plausible solution is that the eyewitness disciple referred to himself simply as 'the other disciple', and that it was his own followers who referred to him as the BD " ; p. XCVII : " the possibility that John was Mary's nephew may help to explain his priestly connections " ; four years later, *John (XIII-XXI)* (vol. 29A), 1970, he still holds that there are arguments in favor of the identification with the Beloved Disciple (p. 822), but he emphasizes the difficulties and concludes : " obviously no certain solution is possible for either problem " (i.e. can he be the BD ? can he be John the son of Zebedee ?) (p. 823) ; see also p. 906, on speculation about Jesus' family (" most uncertain "). In R. Schnackenburg's opinion the identification with the Beloved Disciple cannot be proven, cf. *Das Johannesevangelium, I. Teil : Einleitung und Kommentar zu Kap. 1-4* (HTKNT, 4), Freiburg-Basel-Wien, 1965, p. 82 : " Diese Vermutungen sind nicht unbegründet, wenn auch nicht beweisbar " ; see also n. 47.

5. Augustine, *Tract. in Ioh. CXIII, 2* (PL 35, 1932 ; CC 36, 636) : " Quisnam iste sit discipulus, non temere affirmandum est, quia tacetur. Solet autem se idem Iohannes ita significare, et addere : *quem diligebat Iesus*. Fortassis ergo et hic ipse est ; quisquis tamen sit, sequentia videamus... ". The passage is frequently quoted but usually only the first sentence (Augustine's doubt) ; see n. 36.

6. Chrysostom, *In Ioh. Homil. LXXVIII* (PG 59, 449) ; Cyril of Alexandria (PG 74, 596) ; Jerome, *Ep. CXXVII, 5* (PL 22, 1090) ; Theodore of Heraclea (cf. J. Reuss, *Johannes-Kommentare aus der griechischen Kirche aus Katenenhandschriften gesammelt und herausgegeben* (TU, 89), Berlin, 1966, p. 158, fragm. 354 and 355) ; Ammonius of Alexandria, VI cent. (*ib.*, p. 339, fragm. 579).

7. Cf. Theophylact (PG 124, 249-250) ; Euthymius Zigabenus (PG 129, 1457).

8. PG 59, 449 : *Καὶ γὰρ καὶ ἐνταῦθα μέγα κατόρθωμα διηγεῖται, ὅτι, πάντων ἀποπηδησάντων, αὐτὸς ἐπηκολούθει. Διὰ τοῦτο κρύπτει ἑαυτὸν καὶ προτίθησιν ἑαυτοῦ τὸν Πέτρον· καὶ ἑαυτοῦ δὲ ἠναγκάσθη ἐπιμνησθῆναι νῦν, ἵνα μάθῃς, ὅτι ἀκριβέστερον διηγεῖται τῶν ἄλλων τὰ κατὰ τὴν αὐλήν, ἅτε ἔνδον ὤν. Καὶ ὅρα πῶς ὑποτέμνεται τὸ ἴδιον ἐγκώμιον. Ἵνα γὰρ μή τις λέγῃ, Πῶς, πάντων ἀναχωρησάντων, οὗτος καὶ ἐνδοτέρω τοῦ Σίμωνος*

The Greek text of Jn 18,15 quoted by Chrysostom and Cyril, *ὁ ἄλλος μαθητής*, seems to imply that " the other disciple " is not unknown to the readers of the Gospel [9]. This variant (with the article *ὁ*) is widely supported in the manuscripts and was adopted by the Textus Receptus. Although this reading was the predominant one for centuries, it has always been an object of contention. The article is not found in the text of Erasmus (1516) [10], followed by Colinaeus (1534) and, two hundred years later, by Bengel. While Griesbach (1774, ²1796) merely marked *ὁ* as " forsitan delenda " (" omissio minus probabilis "), it is canceled again by Knapp (1797), Matthaei (²1803) and Lachmann (1831, 1842). Up to 1850, however, the manuscript evidence in favor of the omission was not decisive [11]. Walton's polyglot (1657) mentions only A (now collated for the first time). Bengel (1734) rejects the reading *ὁ* as " minus

εἰσῆλθε ; λέγει, Ὅτι καὶ τοῦ ἀρχιερέως γνώριμος ἦν· ὡς μηδένα θαυμάζειν, ὅτι ἠκολούθησε, μηδὲ ἐπὶ ἀνδρείᾳ αὐτὸν ἀνακηρύττειν.

— On the attitude of Peter (τὸ μὲν οὖν ἐλθεῖν ἐκεῖ, πόθου· τὸ δὲ μὴ εἰσελθεῖν ἔνδον, ἀγωνίας καὶ φόβου), compare Haenchen's statement : " Dass Petrus nach der alten Tradition als einziger Jünger mutig genug war, Jesus nach dessen Gefangennahme zu folgen, ist angesichts der Verleugnung fast völlig unbeachtet geblieben. (n. 20 : Edwards... hat das Verdienst, darauf hingewiesen zu haben.) Die Folgezeit wollte nicht den menschlichen Mut des Petrus herausstellen, sondern das abschreckende Beispiel zur Warnung der Gemeinde überliefern ". Cf. E. HAENCHEN, *Historie und Geschichte in den johanneischen Passionsberichten*, in *Zur Bedeutung des Todes Jesu* (ed. F. VIERING), Gütersloh, ²1967, p. 55-78, esp. p. 64. Peter's courage, however, is described frequently, and more eloquently than it is done by R. A. Edwards, in the writings of the Church Fathers ; see, e.g., Cyril of Alexandria : κατεπτοημένων, ὡς φαίνεται, τῶν ἑτέρων μαθητῶν καὶ τὴν παραυτίκα τῶν φονώντων διαδιδρασκόντων ὀργήν, τῆς εἰς Χριστὸν ἀγάπης ὁ Πέτρος ἐξέρχεται, θερμοτέροις ἀεὶ κινήμασι πρὸς τοῦτο βαδίζων, καὶ ῥιψοκινδύνως ἀκολουθεῖ (*loc. cit.*).

9. For the identification with John, however, the reading with the article is not required. So, the *Paraphrasis* of Nonnus (IV cent.) has καὶ νέος ἄλλος ἑταῖρος but mentions (John's ?) ἰχθυβόλος τέχνη (PG 43, 892). On the ancient versions, see n. 12 and 21.

10. I noted the omission of *ὁ* in two other editions, both published at Basel : the New Testament printed by Io. Bebelius (1524) and *Divinae Scripturae, Veteris et Novi Testamenti, Omnia* by Io. Hervagius (1545).

11. Compare, e.g., S. T. BLOOMFIELD, *The Greek New Testament with English Notes*, vol. I, London, ⁶1845, p. 507 : " the evidence for its omission is so very slight, only that of four MSS. " ; F. LÜCKE, *Commentar über das Evangelium des Johannes*, vol. II, Bonn, ³1843, p. 703 : " Ὁ ἄλλος oder ἄλλος μαθητής ? Jenes liest B(!) C dieses A D. Hier zum ersten Mahle eingeführt, wird dieser Andere am natürlichsten bloss ἄλλος μαθ. genannt, nachdem er näher bezeichnet worden ist, ἐκεῖνος, — und ὁ ἄλλος s. 20,2.3.4 ". The argument from intrinsic probability seems to have influenced the editors' choice of the reading ; compare Bengel's observation : " sine articulo, *alius*, indefinite, in prima hac mentione, nam mox *ὁ* relativam vim habet " (*Gnomon Novi Testamenti*, p. 373, with reference to E. Schmid, 1658 ; see also n. 21). Comp. also the note in Knapp's edition : " ὁ ἄλλος (e vs. 16.) ". The omission by Knapp is referred to in the third edition of Griesbach's N.T. (ed. D. Schulz, 1827) and in Tischendorf's first edition (1841).

firma " (ὁ) on the basis of the manuscripts A and D and the versions Goth. Lat. Syr. [12]. Wetstein (1751) added the testimony of 106 [13], and such was still the situation at the time of Griesbach and in Tischendorf's earlier editions (1841-⁶1850) [14]. In the seventh edition (1859) ὁ is still printed in the text but the apparatus already refers to B (" teste Vercell. ") [15] and in the *Octava* (1869) it is omitted on the basis of the joint witness of ℵ* and B, in addition to A D** 106. Westcott-Hort and later editors followed Tischendorf [16] and because of the new evidence supporting the omission (Ψ W P60vid P66) [17] one has the impression that ὁ is now definitively relegated to the critical apparatus [18]. In 1959 A. Kragerud tried to rehabilitate the Textus Receptus reading but the success of his attempt seems to be minimal [19].

Kragerud's assertion, " Wenn der Artikel zu lesen ist, ist natürlich der Lieblingsjünger gemeint " [20], would not have convinced Grotius,

12. Bengel will have to defend himself against the accusation, " ut consensum *Al. Lat.* pro firmo perpetuoque criterio totius genuinae lectionis venditarem " (*Clavicula N.T. graeci*, 1754, in *Apparatus Criticus ad Novum Testamentum*, ed. P. D. Burkius, Tübingen, 1763, p. 795). Compare also the criticism of J. C. F. Schulz, *Anmerkungen, Erinnerungen und Zweifel über (des Herrn geheimen Justizrat) Joh. David Michaelis Anmerkungen für Ungelehrte zu seiner Uebersetzung des Neuen Testaments*, vol. I, Halle, 1790, p. 410-411 : " zu viel unkritische Vorliebe für die ehemals sogenannten latinisirenden Codices " (Michaelis and Schulz have the reading with ὁ).

13. First collation of 106 by J. Jackson (1732), procured by Mill, 1748 (Wetstein's *Prolegomena*, p. 58). Regarding the witness of D : the section Jn 18,13-20,13 is written by a corrector, " Latinus aliquis circa saeculum X. ut videtur " (*ib.*, p. 31). — It might be noted that A. Calmet (1725) does not mention the variant reading (see n. 36).

14. Griesbach, ed. 1774 : A D 106 ; ²1796 : + Barber. 1. Tischendorf : ed. 1841 : A D al ; ⁵1849 : A D al². From 1849 on Tischendorf mentions Griesbach's " omissio minus probabilis " and the testimony of Nonnus (cf. Griesbach, ²1796) ; the codex 106 is not named before ⁸1869.

15. Comp. Tregelles (1861) who enclosed ὁ within brackets : " ὁ om. A B. *Mai.* [D]. " (cf. the edition by Cardinal Mai (†) and C. Vercellone, 1857 and 1859).

16. For B. Weiss, compare his note in Meyer's commentary (⁶1880, p. 620, n. 2). In Meyer's last edition (⁵1869) B and Sin were added to the manuscript evidence but the explanation of the omission as a correction remained unchanged.

17. In chronological order : Ψ (VIII-IX cent.) in 1899 ; W (V cent.) in 1906 ; P60 vid (VII cent.) in 1950 ; P66 (II-III cent.) in 1958, 1962 (a good readible fragment: καιαλλ).

18. In Aland's *Synopsis* : ο ℵcorr C Ꝛ L Γ Δ Θ λ φ pl. ; *txt* (om.) P60 vid 66 B ℵ*A Dsuppl W Ψ pc. The variant ὁ is not mentioned at all in GNT, though there is an exhaustive note on the variants for ὁ μαθητὴς ὁ ἄλλος ὁ γνωστὸς τοῦ ἀρχιερέως in v. 16.

19. A. Kragerud, *Der Lieblingsjünger im Johannesevangelium*, Oslo, 1959, p. 12, n. 2. His argument is not new : " die meisten Uncialen und Minusceln lesen den Artikel " (he does not consider the new evidence) and " (die Lesart) ist lectio difficilior ".

20. *Ibid.*

who opposes : " Certum est et in aliis et in his libris saepe abundare articulum, quem sensum et hic secutus est Syrus, vertens, *Unus ex discipulis aliis* " [21]. Grotius' exposition on Jn 18, 15 has been most influential and deserves to be quoted in full : " Et sane non est probabile aut ipsum Johannem hic intelligi (cur enim Galilaeus cum esset minus interrogaretur ab adstantibus quam Petrus ?) aut aliquem ex Duodecim, sed alium quendam Hierosolymitanum, non aeque manifestum fautorem Jesu : quales multi erant in Urbe, ut supra didicimus 12.42. Valde mihi se probat conjectura existimantium hunc esse eum in cujus domo Christus coenaverat, ob id quod legitur Matth. 26.18. (*Erat notus Pontifici* :) Quippe civis ejus urbis, non Galilaeus " [22]. This passage of the *Annotationes* (1641) is clearly dependent upon Lucas Brugensis (1616) who proposed the " discipulus occultus " as an alternative to the explanation of " Chrysostom and his school " [23].

The difficulty with the traditional identification was the statement about John's acquaintance with the high priest. It is nicely explained by Chrysostom as another expression of John's modesty : he avoided describing his presence in the court as an act of personal courage ; moreover, he wanted to emphasize that what happened in the court is reported by someone who was *θεωρός τε ἅμα αὐτήκοος* (Cyril). But how could John be known to the high priest ? " Propter generis nobilitatem " (Jerome) ? *Ἰχθυβόλου παρὰ τέχνης* (Nonnus) ? [24] Other suggestions will be made [25] and finally the collection of these *inanes conjecturae* (Calmet) will result in a general impression of uncertainty.

21. H. Grotius, *Annotationes in libros Evangeliorum*, Amsterdam, 1641 (cf. *Critici Sacri*, vol. VI, p. 1826). Comp. T. Hasaeus (see n. 40) : " Neque necesse est cum Erasmo Schmidio putare, articulum ὁ ad exemplum *vs.* 16. ab imperitis scribis huc illatum. Quum ille hic commode dici possit abundare, uti saepe alias. Recte Lutherus : *ein anderer Jünger* " (p. 550).

22. *Ibid.*

23. F. Lucas Brugensis, *Commentarius in Sanctum Jesu Christi Evangelium secundum Johannem*, Antwerpen, (1616), 1712, p. 353-354.

24. See n. 6 and 9.

25. Comp. the *Gospel of the Hebrews* (?), in *Historia passionis Domini* (MS. XIV cent.) : " Im Evangelium der Nazaräer wird der Grund angegeben, woher Johannes mit dem Hohenpriester bekannt war : Er hatte, da er der Sohn des armen Fischers Zebedäus war, oft Fische in den Palast des Hohenpriesters Annas und Kaiphas gebracht " (translation by B. Bischoff, cf. P. Vielhauer, *Judenchristliche Evangelien*, in E. Hennecke-W. Schneemelcher, *Neutestamentliche Apokryphen*, vol. I, Tübingen, [3]1959, p. 99 : fragm. 33 (see also p. 89) ; Thomas Aquinas : " vel quia pater Joannis ei servus erat, vel aliquis ex consanguineis suis " (ed. Turin, 1919, p. 460). Nicolaus Lyranus († 1349), in his *Postilla*, has a famous collection of possibilities : " Dicunt aliqui quod Ioannes erat peritus in lege et propter hoc habebat noticiam cum pontifice. Sed hoc non est verisimile, quia piscator erat, et de navi a Christo vocatus fuerat. ... Et ideo alia fuit causa suae noticiae cum pontifice, quia forte missus a patre suo pluries portaverat pisces ad domum pontificis [cf. *Gospel of the Hebrews*], vel forte quia aliquis de cognatione eius ibidem serviebat [cf. *Thomas*], vel aliqua alia causa quam aliqui assignant, quia

It should be noted, however, that in the 19th and 20th century more such guess-work will be done by the authors who maintain the identification with John [26]. Some think that the acquaintance is not strictly with the high priest but with some member of his household [27]. It is more commonly suggested that John could have had this acquaintance with the high priest, which Peter had not, because the family of Zebedee was of a higher social standing [28]. There is also the possibility that John had priestly family connections [29]. (T. Zahn who prefers to identify the

descenderat de David, et sacerdotes habebant istas genealogias ". Hippolyt of Thebe (VII-VIII cent.) gives yet another hypothesis : John sold his property in Galilee to the high priest and bought with that money a house in Jerusalem (PG 117, 1052) ; compare Nicephorus Callistus (Xanthopulos), XIV cent. (PG 145, 760).

26. Westcott is wise enough to note : " No tradition (so far as it appears) has preserved the nature of the connexion " (*John*, see n. 2, p. 255). Comp. F. Lücke, *Johannes* (see n. 11), p. 704 : "Man weiss nicht wie " ; A. Wikenhauser, *Das Evangelium nach Johannes* (Regensburger Neues Testament, 4), Regensburg, [3]1961, p. 320.

27. W. Sanday, *The Criticism of the Fourth Gospel*, Oxford, 1905, p. 101 : " The account of what happened to Peter might well seem to be told from the point of view of what we should describe as the servants' hall " ; B. Weiss, *Das Johannes-Evangelium* (Meyer's Kommentar, II), Göttingen, [9]1902, p. 480 : " Das γνωστός... kann nur eine, wahrscheinlich auf gewirblichen Verbindungen beruhende, rein äusserliche, besonders durch die Dienerschaft vermittelte Bekanntschaft bezeichnen " ; comp. Schleusner's *Lexicon*, art. γνωστός : " notus domesticis Pontificis " ; H. van den Bussche, *Johannes* (see n. 3), p. 86 : " Bekendheid met de hogepriester zelf is onwaarschijnlijk, echter niet met iemand uit de omgeving... Hoe hij die meid of iemand anders kende, kan men nu nog nauwelijks gissen ".

28. W. Sanday, *loc. cit.*, p. 101 (first possibility) ; M.-J. Lagrange, *Évangile selon saint Jean* (Études bibliques), Paris, (1925), [8]1947, p. XVI ; followed by other catholic commentators (e.g., F.-M. Braun, J. Keulers, see n. 3 and 4) ; H. M. Draper, '*The Disciple whom Jesus Loved*', in *ET* 32 (1920-21) 428-429 ; cf. H. Rigg, in *ET* 33 (1921-22), p. 234.

29. Comp. R. A. Edwards, *The Gospel according to St. John. Its Criticism and Interpretation*, London, 1954, p. 137 : " The usual line of proof that it was John is to urge that through his mother he had priestly connexions ". Although it can hardly be said " the usual line ", this possibility is indicated by J. H. Bernard, *The Gospel according to St. John* (ICC), Edinburgh, 1928, p. 593 ; R. E. Brown, *John*, vol. I (see n. 4), p. XCVII ; J. Marsh, *The Gospel of St John* (Pelican), Harmondsworth, 1968, p. 588. — Comp. T. Zahn, *Brüder und Vettern Jesu*, in *Forschungen zur Geschichte des neutestamentlichen Kanons und der altkirchlichen Literatur*, vol. VI, Leipzig, 1900, p. 225-364 : Lk 1,36 (cf. v. 5), Mary's priestly family (p. 328-330) and Jn 19,25, the sister of Jesus' mother = Salome (p. 341) ; and the critical reaction of J. Blinzler, *Die Brüder und Schwestern Jesu* (SBS, 21), Stuttgart, 1967, p. 145, n. 1 (Lk 1,36) and p. 113, n. 11 (on Jn 19,25 : " die von B. Weiss und Zahn vorgeschlagene... Gleichsetzung " ; Blinzler's list of authors is far from complete, cf. Westcott, Bernard and others, and the study of K. Wieseler, in *TSK* 13 (1840) 648-694, is not mentioned). Although this problem deserves a careful examination in a discussion of John's dependence upon the Synoptics, A. Dauer simply refers to Blinzler's " berechtigte Skepsis ", in *Die Passionsgeschichte im Johannesevangelium* (SANT, 30), Munich, 1972, p. 195, n. 187 and 191.

other disciple in 18,15-16 with James, the other son of Zebedee, conjectures that the relationship originated during the temple service of the grandfather [30].) Some understand γνωστός as relative of the high priest or remind us of Polycrates' statement that John wore the priestly πέταλον [31]. It is rather exceptional that John's acquaintance is interpreted as a more personal relationship [32] because it is hard to imagine that the apostle of Jesus could have been familiar with the high priest. This embarrassment was already felt by Cyril when he wrote : τῆς... γνώσεως (φιλίαν γὰρ οὐκ ἠξίωσεν εἰπεῖν) [33] and probably also by Ammonius who had a more radical solution : συνεισῆλθεν ὁ Ἰωάννης τῷ Ἰησοῦ μετὰ τοῦ ὄχλου ἀγνώστως, καὶ τότε ὡς γνωστὸς εἶπε τῇ θυρωρῷ καὶ εἰσήνεγκεν τὸν Πέτρον [34].

The text of Grotius, quoted above, shows a different option, by no longer weakening the force of " known to the high priest ". The inference from that statement is rather that the " other disciple " could not have been " one of the Twelve ". This appears to be the prevailing opinion among learned people in the 17th and 18th century [35]. The opposition to

30. T. Zahn, *Das Evangelium des Johannes* (Kommentar zum N.T., 4), Leipzig-Erlangen, (1908), [5-6]1921, p. 628, n. 25 : " Ist die Mutter des Jk und Jo Salome und die Schwester der Mutter Jesu gewesen, und sind diese Schwestern priesterlicher Abkunft (cf. Lk 1.36), so können schon durch priesterliche Dienstleistung des Grossvaters der Zebedäiden im Tempel solche Beziehungen angeknüpft worden sein. " — The identification of the " other disciple " in 18,15-16 with John's brother James, because the phrase " whom Jesus loved " is lacking, has been proposed by P. Cassel, *Das Evangelium der Söhne Zebedäi*, 1870 ; *Der Hochzeit von Cana*, 1883, pp. 49-64 (cf. Zahn's *Einleitung*, vol. II, p. 482, n. 13) ; F. Godet, *Commentaire sur l'évangile de saint Jean*, Neuchâtel, [3]1881, vol. III, p. 396 ; comp. p. 397 : " Peut-être la profession même de Zébédée en avait-elle fourni l'occasion » (comp. n. 27) ; T. Zahn, *Einleitung in das Neue Testament*, vol. II, Leipzig, (1899), [2]1900, p. 480 ; *Johannes*, p. 10 and 626-628 ; followed by J. Haussleiter, *Zwei apostolische Zeugen für das Johannes-Evangelium*, Munich, 1904, p. 25.

31. H. Ewald, *Die johanneischen Schriften*, vol. I, Göttingen, p. 400, n. 1 ; F. Bleek, *Einleitung in das Neue Testament*, Berlin, [4]1886 (ed. W. Mangold), § 91, p. 276. This author, however, denies the argument from Polycrates' phrase : ἐγενήθη ἱερεὺς τὸ πέταλον πεφορεκώς (symbolical meaning).

32. E. W. Hengstenberg, *Das Evangelium des heiligen Johannes*, Berlin, 1863, vol. III, p. 197 : the acquaintance with the high priest has a religious basis (cf. 11, 51 : the prophecy of the high priest). When John had found in Jesus 'the real high priest', the relationship with the high priest was not totally broken : " die Pietät gegen frühere Verhältnisse, das τηρεῖν ist gerade für Johannes characteristisch ". Compare the curious interpretation given to Nonnus' phrase (see n. 9 and 24) by W. Drum, *'The Disciple Known to the High Priest'*, in *ET* 25 (1913-14) 381-382 ; he translates παρά + genitive by " *after* his trade of fishing " : " Nonnus may have heard or read that, before being called by the Master, the young apostle had entered upon some function in the household of Caiaphas " (!).

33. See n. 8.

34. See n. 6.

35. It may be significant that *Critici Sacri* (London, 1660, vol. VI, p. 1660) has no other extract on Jn 18,15 than the passage of Grotius. In M. Pole's *Synopsis*

the traditional identification with John is formulated in several ways: the unnamed disciple cannot be identified (with reference to Augustine) [36], he is not one of the Twelve [37] (or, stated positively, with reference to the Syriac version: he is one of the *other* disciples [38]), he is a secret disciple of Jesus (like Nicodemus and Joseph of Arimathea) [39], or, more precisely, a citizen of Jerusalem, perhaps the proprietor of the house of the last supper [40]. Another conclusion, too, is drawn from the same premise: the only one among the twelve disciples who could have connections with the high priest at that very moment is Judas [41].

Criticorum (1678, vol. IV, p. 1287) the common view of Chrysostom is represented by quotations from Piscator (1594), again in contrast to the text of Grotius (and Lucas Brugensis) (cf. p. 1287-1288).

36. Cf. Edward LEIGH, *Annotations upon all the New Testament, Philological and Theological*, London, 1650; Latin translation, ed. Leipzig, 1732, p. 344: " Augustinus Glossaque ordinaria recte dicunt ..."; only the words " non temere diffiniatur " are retained from the *Glossa*, and not the phrase: " Solet tamen iste Joannes sic se significare " (the author gives information about the two opinions). Comp. S.-B. LENAIN DE TILLEMONT, *Mémoires pour servir à l'histoire ecclésiastique des six premiers siècles*, vol. I, (Paris, 1693), Brussel, 1732, p. 272, Note IV: " Que saint Jean peut avoir suivi Jésus-Christ chez Caïphe, mais que cela n'est pas certain "; BENEDICTUS XIV (Prosper Lambertini), *Commentarius de D.N. Jesu Christi Matrisque Ejus Festis* (1740), ed. Leuven, 1761, p. 272-273: " Quod igitur, ut bene compertum, adfirmari potest, illud est, Petrum introductum fuisse in domum Caïphae ab alio quodam Discipulo, atque hunc notum fuisse Pontifici; quis autem fuerit, et quanam causa notus esset Pontifici, plane incompertum " (with reference to John Lamy and Antonius Bineus); A. CALMET, *Commentarium literale in omnes ac singulos tum Veteris cum Novi Testamenti libros* (1725), vol. VII, Augsburg, 1735, p. 801, with reference to Augustine's *non temere*: " quo nihil verius in huiusmodi quaestionibus dici potest ".

37. Cf. *Het Nieuwe Testament. Dat is: Het Nieuwe Verbondt onses Heeren Jesu Christi... met de annotatiën August. Marlorati, s.l.*, 1568: " Dit mochte wel eenich Discipel buyten het geselschap der twelven zijn die de Leere Jesu Christi gheerne hoorde "; Cornelius JANSENIUS (Jr.), *Tetrateuchus sive Commentarius in Sancta Jesu Christi Evangelia* (1639), Leuven, [3]1685, p. 377.

38. F. LUCAS BRUGENSIS, *Commentarius* (see n. 23), p. 354: " *unus ex discipulis aliis*, q.d. non ex duodecim ". See also Grotius, quoted above.

39. Cornelius JANSENIUS (Sr.), *Commentariorum in suam Concordiam ac totam historiam euangelicam partes IIII* (1572), ed. Lyon, 1606, p. 1000: " ... civem aliquem Hierosolymitanum familiarem pontifici, occultum Christi discipulum, qualis erat et Joseph ab Arimathea "; cf. S. BARRADAS (Barradius), *Commentaria in Concordiam et Historiam Evangelicam* (1599), vol. IV, Antwerpen, 1617, p. 235; J. TIRINUS, *In S. Scripturam Commentarius*, vol. III, Antwerpen, 1632, p. 209: " Probabilius ergo alii putant fuisse e nobilioribus et primatibus quempiam, ... ut ... Nicodemus, Josephus ab Arimathea... ".

40. F. LUCAS BRUGENSIS, *loc. cit.*; H. GROTIUS, *loc. cit*; F. A. LAMPE, *Commentarius analytico-exegeticus... Evangelii secundum Joannem*, vol. III, Amsterdam, 1726, p. 522; T. HASAEUS, in *Sylloge Dissertationum exegeticarum... Novi Instrumenti loca*, Leyden-Amsterdam, 1732, p. 550 (referred to by Lampe).

41. First proposed by J. C. MERCKEN, *Observationes criticae in Passionem Jesu Christi*, in Dutch translation (F. KUIJPERS): *Oordeelkundige Aanmerkingen over*

Although not all authors suppose that the " other disciple " was known to the high priest *as* a disciple of Jesus [42], they all share the same view that the disciple of 18,15-16 cannot be identified with " the disciple whom Jesus loved ", John son of Zebedee.

In the 19th century, however, a new extension will be given to the opinion of Lucas Brugensis and Grotius [43]. The identity of the " other

het Heylig Lijden van Onzen Heere Jesus Christus, Dordrecht, 1730, p. 531 : " ... want wie van de Discipelen was aan den Hoogenpriester bekent dan Judas ? die tot... Kajafas gegaan was en gezegd had : Wat wilt gy my geeven ". The translator's note refers to Lampe's statement that " Ex vi phraseos videtur elici posse hominem hunc ipsi Pontifici *ut discipulum Christi* notum fuisse " (*op. cit.*, n. 40, p. 522) and concludes : " Was hy hem bekent als een Discipel zo is 't waarschijnlijk Judas geweest " (p. 531, n. 1). Mercken's opinion is referred to by F. A. LAMPE, *op. cit.*, 1726, p. 523 (additional note) : " nova hypothesis, notatu non indigna " ; I. C. KOECHERUS, *Analecta philologica et exegetica in quattuor sancta evangelia*, Augsburg, 1766, p. 1250 ; C. T. KUINOEL, *Commentarius in libros Novi Testamenti. Vol. III. Evangelium Johannis* (1807), Leipzig, [3]1825, p. 676-677. The same hypothesis is defended by C. A. HEUMANN, *Erklärung des Neuen Testaments* (Hannover, 1750-1763) ; comp. KUINOEL, *ibid.*, with the refutation by Semler. — The identification with Judas is proposed again in this century by E. A. ABBOTT, *The Disciple that was (R.V.) " Known unto the High Priest "*, Appendix II in *The Fourfold Gospel. Section II. The Beginning* (Diatessarica, X, 2), Cambridge, 1914, p. 351-371 : " The phrase... '*known unto the high priest*' really means '*intimate friend*', and implies '*the friend that was in his counsels*' " (p. 353) ; " the Johannine narrative does make the action of the unnamed disciple responsible for what followed. If the friend of the High Priest had not taken Peter into the High Priest's Hall, Peter—humanly speaking—would not have denied his Master " (p. 356) ; " The 'friend' being a disciple of Jesus, it was natural that the maid should think Peter, too, a disciple, and perhaps, like Judas, a traitor in the High Priest's pay. And she says, ... 'Can it be that thou, also, (like thy companion)...' " (p. 365). See also J. T. UBBINK, *Het evangelie van Johannes* (Tekst en uitleg), Groningen, (1924), [3]1935, p. 175.

42. F. LUCAS BRUGENSIS, *Commentarius* (see n. 23), p. 353 : " *Notus* utique, non facie dumtaxat, sed consuetudine et familiaritate, ac proinde gratus, ita ut apud Pontificem ejusque domesticos valeret gratia, et facile posset aliquid impetrare, quemadmodum hic locus ostendit. Quod si palam se pro Jesu discipulo gessisset, haud quaquam admissus fuisset a Pontifice ad familiaritatem ". For the other opinion, cf. *supra*, n. 41. See also n. 94.

43. The opinion in its original form (a Jerusalemite disciple like Nicodemus or Joseph of Arimathaea, not identifiable with the Beloved Disciple) continues to be supported in more recent interpretation. Thus, V. H. STANTON, *The Gospels as Historical Documents. Part III. The Fourth Gospel*, Cambridge, 1920, p. 143-144 : " It is more probable that the unnamed disciple at xviii.15 was one of that number among the upper classes, several times referred to in the Fourth Gospel, who believed in Jesus but did not belong to the innermost group of His disciples. E.g. xii.42 ". (The opinion is presented very much as a personal reaction against the common assumption that the disciple is the Beloved Disciple, but it sounds like Lucas Brugensis.) Stanton is followed by J. H. BERNARD, *John* (see n. 29), 1928, p. 593-594 : " This unnamed disciple was probably someone of influence and social importance ; if we were to guess, the names of Nicodemus and Joseph

disciple " (18,15-16) with " the disciple whom Jesus loved " will be restated and the Beloved Disciple identified, not as John the son of Zebedee, but as a disciple who is not one of the Twelve, a native of Jerusalem, related to the high priest ; he is the author of the gospel who, at the end of his career, lived in Ephesus and, according to Polycrates, wore the priestly πέταλον. Hugo Delff who first put forward this hypothesis [44] clearly stated that 18,15-16 is the key passage for his theory [45]. The " southern outlook " of the gospel and the special

of Arimathaea suggest themselves at once... " (in n. 1 : reference to Stanton) ; F.-M. BRAUN, *Jean le Théologien* (see n. 4), 1959, p. 307-308 : " Les noms de Nicodème et de Joseph d'Arimathie viennent à l'esprit... " (Bernard's suggestion ?, cf. n. 6). Compare O. MERLIER, *Le quatrième évangile. La question johannique* (Connaissance de la Grèce, XI. Études néotestamentaires, 2), Paris, 1961, p. 197. See also J. E. BELSER, *Das Evangelium des heiligen Johannes*, Freiburg, 1905, p. 471 ; E. A. TINDALL, *John xviii.15*, in *ET* 28 (1916-17) 283-284 : " Was *Nicodemus* that ἄλλος μαθητής ? " (not Judas : contra Abbott, see n. 41) ; F. W. LEWIS, *The Disciple whom Jesus Loved*, in *ET* 33 (1921-22) 42 : one of the priestly caste ; " I do not see that (he) *need* to be identified with the beloved disciple " (i.e. Lazarus : contra Griffith, see n. 52) ; D. G. ROGERS, *Who was the Beloved Disciple ?*, in *ET* 77 (1965-66) 214 : " (he) need not to be the Beloved Disciple at all " (BD = the son of Zebedee, and not Mark ; contra Johnson, see n. 49) ; C. H. DODD, *Historical Tradition in the Fourth Gospel*, Cambridge, 1963, p. 87, n. 2 : " The surprising thing is to find a member of the governing class described as a μαθητής of Jesus. But John similarly describes Joseph of Arimathaea. It may well be that he uses μαθητής in a somewhat wide sense " (on the Judaean disciple, see p. 88 and 246). *Ibid.*, p. 88, n. 3 : " The legend-makers early got to work to identify the γνωστὸς τοῦ ἀρχιερέως. He has been identified with the unnamed disciple of John i.40, and with the Beloved Disciple of xiii.23, etc., without the slightest support in the text, and even with John son of Zebedee ".

44. H. DELFF, *Entwickelungsgeschichte der Religion*, Leipzig, 1883, p. 264-272. 284-290.329-343 ; *Geschichte des Rabbi Jesus von Nazareth*, Leipzig, 1889, pp. 67-111 ; *Das vierte Evangelium. Ein authentischer Bericht über Jesus von Nazareth wiederhergestellt, übersetzt und erklärt*, Husum, 1890 ; *Neue Beiträge zur Kritik und Erklärung des vierten Evangeliums*, Husum, 1890 ; *Noch einmal das vierte Evangelium und seine Authenticität*, in *TSK* 65 (1892) 72-104, esp. p. 94-97. — The suggestion that the author of the gospel could be a disciple of high standing from Judaea or Jerusalem was made by Alexander SCHWEIZER, *Das Evangelium Johannis nach seinem innern Wert und seiner Bedeutung für das Leben Jesu kritisch untersucht*, Leipzig, 1841, p. 235-239. Cf. *Noch einmal*, p. 90-91. For Schweizer, as for Delff, the Galilaean sections in John are interpolated. Another precursor of Delff is F. VON ÜCHTRITZ, *Srudien eines Laien über den Ursprung, die Beschaffenheit und Bedeutung des Evangeliums nach Johannes*, Gotha, 1876, p. 202 (cf. A. Ritschl's recension in *TLZ* 1, 1876, 437-439). Cf. T. ZAHN, *Einleitung*, vol. II, pp. 484-486, n. 17).

45. " Die Generalstelle, durch die wir auf einmal über die gesellschaftliche Stellung des Verfassers orientiert werden, befindet sich 18,15-18. Diese habe ich schon in meiner 'Entwickelungsgeschichte der Religion' 1883 angemerkt und darauf weiter gebaut " (*Noch einmal*, p. 94). Comp. W. SANDAY, *The Criticism* (see n. 27), p. 100 : " The theory might be said to take its start from John xviii.15 " (on Delff's theory, see also p. 17-20.99-108).

information about the meetings of the Sanhedrin (11,47-53 ; 12,42) are explained at once if the evangelist is that Jerusalemite eyewitness. Other authors will make the distinction between the evangelist and the authority behind the gospel, " der Gewährsmann des Evangelisten ", but at a time when the traditional view on the authorship of the gospel became questionable, Delff's theory was accepted as a welcome alternative explanation of the Palestinian origin of the Fourth Gospel [46]. R. Schnackenburg's recent attempt to identify the Beloved Disciple can be seen as the latest continuation of this theory [47], although he abandons the original starting point in 18,15-16 as well as the historical interpretation of the Beloved Disciple passages [48].

Some authors did not hesitate to identify the Jerusalemite disciple with John Mark [49] and one of their arguments is that this hypothesis

46. W. BOUSSET, *Die Offenbarung Johannis* (Krit.-exeg. Kommentar über das N.T., 16), Göttingen, [5]1896, p. 43-47 ; comp. E. VON DOBSCHÜTZ, *Probleme des Apostolischen Zeitalters*, Leipzig, 1904, p. 91-93 : " der kleinasiatische Johannes ein aus Palestina stammender Judenchrist, der als Gewährsmann des Evangelisten aufzufassen ist " ; W. SANDAY, *The Criticism*, 1905, who exposes Delff's theory (see n. 45) and tries to balance the arguments for and against it (p. 99-108) ; F. C. BURKITT, *The Gospel History and Its Transmission*, Edinburgh, 1906, p. 247-251, esp. p. 250 : " These considerations tend to explain how the disciple who 'wrote' the Fourth Gospel could describe himself as 'known to the high priest' " ; A. E. GARVIE, *The Beloved Disciple. Studies of the Fourth Gospel*, London, 1922, p. 202-239. See also M. DIBELIUS, *Die Formgeschichte des Evangeliums*, Tübingen, (1919), [4]1961, p. 217-218, n. 4 ; and more recently, J. COLSON, *L'énigme du disciple que Jésus aimait* (Théologie historique, 10), Paris, 1969 (on 18,15-16 : p. 14-15 and 110).

47. R. SCHNACKENBURG, *Der Jünger, den Jesus liebte*, in *Evangelisch-katholischer Kommentar zum Neuen Testament. Vorarbeiten Heft 2*, Zürich-Neukirchen, 1970, p. 97-117. Cf. p. 97, n. 2 : " Die Annahme, dass der Apostel Johannes wenigstens als Tradent und letzte Autorität hinter dem vierten Ev stehen könnte, ist mir durch die hier vorgelegten Untersuchungen zweifelhaft geworden ". The Beloved Disciple is " ein Jünger des Herrn, der aber nicht zu den 'Zwölf' gehörte " (p. 110), " ein Jerusalemer Jünger " (p. 112), " etwa ein gebildeter junger Mann aus Jerusalemer Kreisen, der zeitig in die hellenistische Diaspora aufbrach " (p. 114) ; and " Kleinasien (bot Platz) für einen Herrenjünger, der aus Palästina zugewandert war " (p. 116). On the disciple as the evangelist see esp. on p. 114. — Comp. *Zur Herkunft des Johannesevangeliums*, in *BZ* 14 (1970) 1-23, esp. pp. 12-13 ; = *On the Origin of the Fourth Gospel*, in *Jesus and Man's Hope*, in *Perspective* 11 (1970) 223-246, esp. 235-243.

48. The Beloved Disciple passages, and especially 13,23-26, are " eine ideale Szene, die in den traditionellen Rahmen eingebaut wurde... Man muss sich jedenfalls für die Möglichkeit offen halten, dass an einen bestimmten Jünger gedacht ist, selbst wenn die Szenen nicht in strengen Sinn historisch sind " (p. 109 ; cf. 101.110-111) ; comp. p. 114 : " diese Charakterisierung (den Jesus liebte) geht vielmehr auf seine Schüler bzw. die Redaktion zurück ". On 18,15-16, see p. 113 : the identification is " nicht ausgeschlossen, wenn auch nicht beweisbar " (comp. *supra*, n. 4).

49. D. VÖLTER, *Mater Dolorosa und der Lieblingsjünger des Johannesevangeliums*, Strasbourg, 1907 ; *Die Offenbarung Johannis*, Strasbourg, [2]1911, p. 55-56 ;

gives a satisfactory account of the " other disciple " in 18,15-16[50]. Another candidate is Lazarus[51], and again it is said : he lives near Jerusalem and so could have the acquaintance of the high priest[52]. J. N. Sanders who in 1954 observed that " the identification of the Beloved Disciple with Lazarus has only found favour hitherto with eccentrics like Eisler "[53] gradually developed the (more scientific ?) hypothesis[54] that the Beloved Disciple (ὃν ἠγάπα) and the " other disciple " (18,15 ; 20,2 ὃν ἐφίλει) are two different persons, the first identifiable as Lazarus and the latter as John of Ephesus (perhaps John Mark), " a Sadducean aristocrat, a Jerusalem disciple of Jesus, the last survivor of the eye-witnesses of the incarnate Logos ", who " in response to requests dictated a new version, perhaps a translation or rearrangement, of an earlier Gospel by another eye-witness (=

C. ERBES, *Der Apostel Johannes und der Jünger, welcher an der Brust des Herrn lag*, in *ZKG* 33 (1912) 169-239 ; *Der Jünger welchen Jesus lieb hatte*, in *ZKG* 36 (1915) 283-318 ; J. WEISS, *Das Urchristentum* (ed. R. KNOPF), Göttingen, 1917, p. 612 (cf. p. IV) ; P. PARKER, *John and John Mark*, in *JBL* 79 (1960) 97-110 ; L. JOHNSON, *Who was the Beloved Disciple*, in *ET* 77 (1965-66) 157-158 (and p. 380).

50. Cf. C. ERBES, *Der Apostel*, p. 176 ; *Der Jünger*, p. 285-288.296 ; L. JOHNSON, *art. cit.*, p. 158 : " he is exactly the man, eager to see what the outcome might be, who would urge Peter to come along to the High-Priest's palace, when he knew he had the entry ".

51. It was first proposed by J. KREYENBÜHL, *Das Evangelium der Wahrheit. Neue Lösung der johanneischen Frage*, vol. 1, Berlin, 1900, p. 157-159 ; also by W. K. FLEMING, *The Authorship of the Fourth Gospel*, in *The Guardian*, 19th Dec. 1906, p. 2118 ; K. ZICKENDRAHT, *Ist Lazarus der Lieblingsjünger im vierten Evangelium ?*, in *Schweizerische Theologische Zeitschrift* 2 (1915) 49-54.

52. B. G. GRIFFITH, *The Disciple whom Jesus Loved*, in *ET* 32 (1920-21) 379-381, p. 380 ; R. EISLER, *Das Rätsel des Johannesevangeliums*, in *Eranos-Jahrbuch 1935*, Zürich, 1936, p. 371-390 : " Der Jünger, den Jesus liebte ". Mk 10,21, the *rich* young man whom Jesus loved (= Lazarus, *ib.*, p. 378), perhaps a member of the Sanhedrin and known to the high priest, is a common argument in both the Lazarus and the John Mark identification (cf. n. 50 : Erbes, p. 288ff.). Comp. H. B. SWETE, *The Disciple whom Jesus Loved*, in *JTS* 17 (1916) 371-374 : Lazarus or the rich young ruler ? The latter " answers better the requirements of the case. On 18,15-16, cf. p. 371-372. See also p. 371, n. 1 : " The writer of this note has not read Dr Delff's book on the same subject, nor were Dr Zahn's and Dr Sanday's discussions before him when he wrote it ".

53. In the first number of *NTS*, September 1954, p. 34 (see n. 54). He does not mention F. V. FILSON, *Who was the Beloved Disciple ?*, in *JBL* 68 (1949) 83-88. Comp. F. V. FILSON, *The Gospel of Life. A Study of the Gospel of John*, in *Current Issues in New Testament Interpretation. Essays in Honor of O. A. Piper*, London, 1962, p. 111-124, esp. 119-123.

54. J. N. SANDERS, '*Those whom Jesus Loved*' : *St John xi.5*, in *NTS* 1 (1954-55) 29-41, p. 33-34 ; *Who was the Disciple whom Jesus Loved*, in F. L. CROSS (ed.), *Studies in the Fourth Gospel*, London, 1957, p. 72-82 ; *St John on Patmos*, in *NTS* 9 (1962-63) 75-85 (on p. 79 we should correct : " the verb used... in xviii.15 (!) and xx.2 is φιλέω ") ; *The Gospel according to St John*, edited and completed by B. A. MASTIN (Black's N.T. Commentaries), London, 1968, p. 29-32.

Lazarus), a man he must have known and trusted "[55]. Regarding the " other disciple " of 18,15-16 (who for him is different from the Beloved Disciple in 20,2) it was already the hypothesis of R. H. Strachan that this eyewitness disciple, probably a layman belonging to the Sadducean party, was the author of the gospel[56].

Delff's theory and its multiple ramifications clearly show the importance of the " other disciple, known to the high priest " for the Beloved Disciple problem. Yet, the role assigned to 18,15-16 cannot be limited to the search for the disciple's identity. In the discussion of the more basic question, if the Beloved Disciple is not a symbol, an ideal figure rather than a real person, the " other disciple " passage is again referred to. The possibility of a mystical or symbolic reference is readily accepted in the Beloved Disciple passages, but not in 18,15-16, and therefore, those who maintain the identity of the " other disciple " with the Beloved Disciple found here a strong support against the reduction to a mere symbol[57]. Recently, this point was stressed (against Kragerud) by T. Lorenzen[58], although it should be noted that in this author's view the person is real, not in the life of Jesus but only in the life of the church. He is the authority in the Johannine community whom the evangelist has " retro-projected " into the history of Jesus ; the person is not fictitious but his appearance in the gospel story is a literary fiction[59]. On the other hand, with some notable exceptions such as A. Loisy[60]

55. Quoted from *NTS* 9, p. 85 (see n. 54). Compare also N. WALKER, *Fourth Gospel Authorship*, in *Studia Evangelica VI* (ed. E. A. LIVINGSTONE ; TU, 112), Berlin, 1973, p. 599-603.

56. R. H. STRACHAN, *The Fourth Gospel. Its Significance and Environment*, London, 1917, ³1941, p. 84-87 (p. 84, n. 1, with reference to Delff) ; see also H. E. EDWARDS, *The Disciple Who Wrote These Things*, London, 1953.

57. Comp. M. DIBELIUS, *Die Formgeschichte* (see n. 46), p. 218, n. 4 : " wenn irgendeine Stelle, so (darf) diese, John 18,15, wegen ihrer völlig untheologischen Artung den Anspruch erheben, auf Tradition zu beruhen " ; cf. n. 3 : " er wird nur erwähnt, um den Eintritt des Petrus in den Hof zu erklären, spielt also eine weder legendar noch heilsgeschichtlich, sondern nur historisch zu verstehende Rolle "; W. G. KÜMMEL, *Einleitung in das Neue Testament*, Heidelberg, ¹⁷1973, p. 203 (= 1963, p. 165) : " Sollte 18,15 f. sich auch auf den Lieblingsjünger beziehen, so wäre diese Notiz, von einer idealen Gestalt ausgesagt, völlig sinnlos ".

58. T. LORENZEN, *Der Lieblingsjünger im Johannesevangelium* (SBS 55), Stuttgart, 1971, p. 79 ; also p. 77 and 82.

59. *Ib.*, p. 107-108 : " Historisch geurteilt, war der Lieblingsjünger wohl nicht beim letzten Mahl zugegen ; hat Petrus nicht in den Hof des Hohenpriesters geführt... Der Lieblingsjünger selbst ist jedoch keine literarische Fiktion. Er war die angesehene geistliche Autorität in der johanneischen Gemeinde. Ihm wurde ein besonders tiefes Verhältnis zum erhöhten, lebenden Herrn abgelesen. Diese Person projiziert der Evangelist jetzt zurück in die Geschichte Jesu... ". Comp. n. 48 (R. Schnackenburg).

60. A. LOISY, *Le quatrième évangile*, Paris, 1903, p. 834.

and A. Kragerud [61], those who hold that the Beloved Disciple is a symbolic figure generally accept the non-symbolic character of the episode in 18,15-16 and incline to deny the other disciple's identity with the Beloved Disciple. Bultmann observes that the association with Peter does not include the typical motif of concurrence and rivalry (20,3-10 ; 21,1-23) [62]. He even suggests that the disciple owes his (literary) existence to the need to explain how Peter could get into the αὐλή of the high priest [63]. For Bultmann and a number of other authors, the distinction between the " other disciple " and " the disciple whom Jesus loved " is duplicated by the distinction between the gospel source in 18,15-16 [64] and the evangelist's introduction of the Beloved Disciple in the other passages [65]. It is on the hypothesis of the Johannine source in 18,15ff. that we would like to concentrate our attention.

61. *Der Lieblingsjünger*, p. 25-26 : " Die Szene soll den Lieblingsjünger charakterisieren, und zwar in seiner Beziehung zu Petrus " (his superiority : he is " der Vermittler des Petrus ") ; comp. p. 74-81 : " Das Hirtenmotiv " (cf. pp. 136-137.145). On the " substitution " for Peter, cf. *infra*.

62. R. BULTMANN, *Das Evangelium des Johannes* (Krit.-exeg. Kommentar über das N.T., 2), Göttingen, [10]1941 (= [16]1959), p. 499, n. 6 ; see also p. 369.

63. *Ib.*, p. 499, n. 6 (end) ; see also n. 8 ! Comp. C. K. BARRETT, *The Gospel according to St John*, London, 1958, p. 438-439 : " It is not impossible that John was aware of an objection to the traditional narrative, that Peter would not have been admitted to the scene of the trial, and introduced the other disciple to answer it " ; B. LINDARS, *The Gospel of John* (New Century Bible), London, 1972, p. 548 : " John... feels the need to explain how Peter was able to gain admittance. So he imagines a disciple who was known to the high priest, and so could gain access ". Both Barrett and Lindars (in contrast to Bultmann, see n. 64) attribute to the evangelist the motif of " another disciple ". This possibility is not entirely excluded by C. H. Dodd : " While therefore it remains possible that the evangelist is merely elaborating the details of the scene out of an imaginative appreciation of the situation, there is nothing inherently suspicious in the appearance of this otherwise unknown disciple, whose intervention makes intelligible and natural an enigmatic feature of the synoptic narrative " ; in *Historical Tradition in the Fourth Gospel*, Cambridge, 1963, p. 88 (cf. *supra*, n. 43) ; in the same line : R. E. BROWN, *John* (see n. 4), p. 841. — For this opinion G. Klein refers to Bultmann and Dibelius, cf. G. KLEIN, *Die Verleugnung des Petrus. Eine traditionsgeschichtliche Untersuchung*, in *ZTK* 58 (1961) 285-328, esp. p. 289 ; = *Rekonstruktion und Interpretation. Gesammelte Aufsätze zum Neuen Testament* (BEvT, 50), Munich, 1969, p. 49-90 (*Nachtrag*, p. 90-98), esp. p. 53. It should be noted, however, that Dibelius maintains the " Geschichtlichkeit " of the anonymous disciple (" als Gewährsmann ") while Bultmann's suggestion is not concerned with history, as it is well noted by J. ROLOFF, *Der johanneische 'Lieblingsjünger' und der Lehrer der Gerechtigkeit*, in *NTS* 15 (1968-69) 129-151, esp. p. 131, n. 2. On Lorenzen and Dauer, cf. *infra*.

64. *Johannes* (see n. 62), p. 499, n. 8. Cf. *infra*, n. 83.

65. Bultmann assigns to the evangelist : 13,23 ὃν ἠγάπα ὁ Ἰησοῦς ; 19,26-27 ; 20,2.3-10 (*ib.*, p. 366 and 369.520.528) ; to the redactor : 19,35 and ch. 21 (*ib.*, p. 520-526.542ff.).

II. Jn 18,15-16 and the Synoptics

In their recent reconstructions of the pre-Johannine passion narrative both R. T. Fortna (1970) [66] and A. Dauer (1972) [67] agree with Bultmann's view [68] in attributing the 'other disciple' in 18,15-16 to the source, and 'the disciple whom Jesus loved' in 13,23; 19,26-27 and 20,2.(3-10) to the evangelist. For Dauer the 'other disciple', because he is not identifiable with the evangelist's Beloved Disciple, constitutes a strong indication of the pre-Johannine source [69]. On the other hand, for T. Lorenzen (1971) the 'other disciple' should be assigned to the evangelist and therefore identified as the Beloved Disciple : " als redaktionell anzusehen und demgemäss als Lieblingsjünger zu deuten " [70]. The

66. R. T. Fortna, *The Gospel of Signs. A Reconstruction of the Narrative Source underlying the Fourth Gospel* (SNTS Mon. Ser., 11), Cambridge, 1970, p. 117-122, with the following rearrangement of the order : 18,13.24.15-16*a*.19-23.16*b*-18.25*b*-28 (v. 25*a* is John's resumption of the source's denial narrative, now interrupted by 19-23) ; on the Beloved Disciple passages, see p. 157, 130 and 136.

67. A. Dauer, *Die Passionsgeschichte* (see n. 29), p. 72-78. Dauer, too, attributes the composition of v. 25*a* and the separation of the denial story (15-18/25-28) to the evangelist (p. 78, see also 76) ; moreover, he notes some traces of Johannine style (*ib.*). On 19,26-27, see p. 196-200 ; on the other Beloved Disciple passages, p. 318-320 (p. 320, n. 44 : " ... die Tatsache, dass alle Lieblingsjünger-Stücke vom Evangelisten stammen und von ihm in vorliegenden Tradition hineinkomponiert wurden; vgl. Roloff, "Lieblingsjünger" 133 f.").

68. For Bultmann's distinction between source and evangelist, compare E. Hirsch, *Studien zum vierten Evangelium* (Beitr. zur hist. Theol., 11), Tübingen, 1936, p. 123-125, who distinguishes between the evangelist (18,15-16) and the redactor (Beloved Disciple passages). *Ib.*, p. 124 : " Diese schon E gehörende Gestalt... kann von E nur gedacht sein als einer der heimlichen Anhänger Jesu im jüdischen hohen Rat. Und daß R den Unbekannten 18,15f. mit dem Lieblingsjünger gleichgesetzt habe, kann man, wenn man will, vermuten, jedoch auf keinerlei Weise beweisen ". It should be noted that E. Schwartz and B. W. Bacon who both consider 18,15-18 as an insertion do not exclude a secondary identification with the Beloved Disciple ; cf. E. Schwartz, *Aporien im vierten Evangelium*, in *Nachrichten der Akademie der Wissenschaften in Göttingen* (Phil.-hist. Klasse), Berlin, 1907, p. 342-372, esp. p. 353 : " Jenem Bearbeiter gehört der unbestimmte 'andere Jünger' 18,15 an, erst der jüngere Interpolator identificiert ihn 20,2 mit dem Lieblingsjünger " (cf. p. 349) ; B. W. Bacon, *The Fourth Gospel in Research and Debate*, London-Leipzig, 1910, p. 308-309 : " the editor (R) who commends the gospel to the reader in 21,24 wishes at least the latter (the 'Beloved Disciple'), if not the former also (the 'other disciple' of Jn 18:15), to be identified with the son of Zebedee "; this passage is added to the text of *The Disciple whom Jesus loved*, in *Expositor* VIII,4 (1907) 324-339, p. 328.

69. *Die Passionsgeschichte*, p. 73-75. Contra A. Kragerud, *Der Lieblingsjünger* (see n. 19), p. 25 : the other disciple in 18,15-16 is John's enlargement of the *Vorlage* (cf. Mk 14,54*a* ; Mt 26,58).

70. T. Lorenzen, *Der Lieblingsjünger* (see n. 58), p. 46-53, esp. 52.

Vorlage of 18,15-16 can be reconstructed as follows [71] : ἠκολούθει δὲ τῷ Ἰησοῦ... Πέτρος [ ] καὶ συνεισῆλθεν τῷ Ἰησοῦ εἰς τὴν αὐλὴν τοῦ ἀρχιερέως (15*a* and 15*c* with Peter as the subject), a tradition which is comparable with Mk 14,54*a* (Mt 26,58*a* ; Lk 22,54*b*) [72]. Both Lorenzen and Dauer noted in v. 17 also some elements of Johannine style [73] and, more significantly, the addition of ἡ θυρωρός to the traditional ἡ παιδίσκη. For Lorenzen it corroborates the redactional character of v. 16 [74], while for Dauer it shows the combination of two stories : the story with ὁ (or ἡ) θυρωρός (the intervention of the other disciple) and the story of Peter's first denial (with the question of the παιδίσκη), separated by the evangelist from the second and third denials and transferred here before 19-24 [75]. This interpretation reminds us of F. Spitta's view concerning v. 17 : he considers ἡ θυρωρός as inserted by the redactor who also added 16*b* (cf. Lorenzen), but in the *Grundschrift* the first denial did not follow here after 15-16*a* (cf. Dauer) [76]. Lorenzen's objection that an isolated existence of 15-16*a* is less probable [77] is not to the point, because in the source 18,15-16 is supposed to be the introduction to 19-23 : according to Spitta, Peter was left standing outside and only one other disciple (the eyewitness !) entered the court of the high priest (15-16*a*) [78], while for Dauer the other disciple's role is to get Peter in (+16*b*) [79]. Regarding the denial story in the pre-Johannine source there is a still greater variety of opinion : the first denial was placed before 19-23 (Lorenzen : cf. 18,17-18 in the gospel text) [80], the threefold denial

71. *Ib.*, p. 48, n. 10. Comp. A. KRAGERUD, *op. cit.*, p. 25 : " Jesus folgte aber Simon Petrus [... und sie liess Petrus] hinein ".

72. Lorenzen designates the similarities as " sprachliche und sachliche Parallelen zur vor-markinischen Gemeindetradition " (p. 47) and for Kragerud the parallel of Mk 14,54*a* is " eine Variante der Vorlage " (p. 25).

73. οὖν historicum and ἐκεῖνος (Lorenzen, p. 48, n. 8 ; Dauer, p. 76) ; ἐκ part. (Lorenzen) ; the separation of λέγει from its subject ; μή interrogative (Dauer) ; ὁ ἄνθρωπος οὗτος in Jn 9,16.24 ; 11,47 (Dauer, p. 77).

74. *Op. cit.*, p. 52.

75. *Op. cit.*, p. 75-76.

76. F. SPITTA, *Das Johannes-Evangelium als Quelle der Geschichte Jesu*, Göttingen, 1910, p. 368-369. Note, however, the differences : for Lorenzen not merely 16*b* (ἐξῆλθεν...) is added by the evangelist but 15*b*-16, and for Dauer the denial story was found in the source after 19-23. Cf. n. 82.

77. *Der Lieblingsjünger*, p. 52, n. 23.

78. *Das Johannes-Evangelium*, p. 455-456 : " Ein Interesse, von diesen Eintreten zu berichten, konnte nur der haben, der diese Geschichte schrieb und mit jener Bemerkung kund gab, dass sein Bericht auf Augenzeugenschaft beruhte ". — Fortna, who also places 15-16*a* before 19-23, connects the passage with the denial : " in fact it only sets the stage for the later scene outside the interrogation chamber " (*The Gospel of Signs*, p. 119). On v. 16, the other disciple going out to get Peter : " perhaps in Jesus' defence, seeing him unjustly treated " (p. 120).

79. *Die Passionsgeschichte*, p. 74-75.

80. *Der Lieblingsjünger*, p. 52-53. Comp. Dodd and other authors who hold that " this vivid narrative... rests on superior information " (*Historical Tradition*, p. 86).

followed after 19-23 (Dauer ; comp. Fortna : immediately preceded by 16*b*) [81] or the Synoptic-like account of Peter's denial [82] was wholly absent from the *Grundschrift* and has been inserted by the redactor (Spitta : therefore Peter is brought in, v. 16*b*) [83]. Whereas Spitta and Fortna emphasize the dissimilarity with the Synoptics, both Lorenzen and Dauer compare the pre-Johannine source with the Synoptic gospels. The first, especially, refers to the " parallel tradition in Mk 14,54 " (Peter alone) while he attributes the introduction of the other disciple (and the θυρωρός) to the evangelist. The latter, who accepts the possibility of some Synoptic influence, refers to the threefold denial separated from Peter's entry (Mk 14,66-72) and assigns to the evangelist the anticipation of the first denial and the interweaving of the high priest's interrogation with Peter's denials. Here the question can be raised whether the same evangelist could not be held responsible for both. Are the differences really so important, and inexplicable by the evangelist's redaction, that John's dependence upon the Synoptics should be excluded ? At all events, this should not be done without a careful analysis and an evaluation of all potentialities implied in the Synoptic narrative.

* * *

C. H. Dodd considers the account of Peter's denial (18,15-18.25-27) as a passage " where the theory of dependence on the Synoptics could more easily the defended than elsewhere " [84]. He concedes that John's account answers some questions which the Synoptics leave unanswered in the minds of readers, and one of the points he enumerates is : how it came to Peter's first denial. By the separation of this first denial from the second and third " John has carried through more effectively what was no doubt Mark's intention " [85]. Dodd's unsuspected judgement

81. *Die Passionsgeschichte*, p. 76-77 and 345 ; R. T. FORTNA, *The Gospel of Signs*, p. 120-121.

82. Spitta (see n. 76) refuses Schwartz's suggestion (*Aporien*, p. 349-353) about two different recensions of the denial story : 18,15-18, radically divergent from the Synoptics, and 18,25-27, Synoptic-like (p. 369).

83. Spitta's opinion is referred to by Bultmann (*Johannes*, p. 499, n. 8). If this interpretation were possible (but see n. 64), Bultmann would prefer to assign such redactional intervention to the pre-Johannine source, although he also mentions another possibility : in the source the site of the first denial was outside the αὐλή = palace and the evangelist, because he misunderstood αὐλή as the courtyard, had to bring in Peter. " Man könnte auch vermuten, dass V. 16 (von ἐξῆλθεν ab) eine Glosse des Evangelisten wäre ". In the text of his commentary Bultmann clearly considers v. 16 as part of the source. In Smith's reconstruction v. 16*b* is omitted without good reason ; cf. D. M. SMITH, *The Composition and Order of the Fourth Gospel*, New Haven-London, 1965, p. 48.

84. C. H. DODD, *Historical Tradition* (see n. 43), p. 84. *Ibid.* : " But even here the simplest explanation of the facts would seem to be undesigned variation within an oral tradition ".

85. *Ib.*, p. 82.

can be seen as a warning to G. Schneider who assigns the composite ἡ παιδίσκη ἡ θυρωρός to John's peculiar tradition [86] and to P. Benoit who traces back to two independent denial accounts John's placement of 18,17 and 25-27 [87].

In the studies on Mark, the intercalation of the Jewish trial and the story of Peter's denial is widely accepted as a characteristic feature of Markan redaction [88] :

Mk 14,53		cf. Mt 26,57	
	54		58
14,55-65		26,59-68	
	66-72		69-75
15,1		27,1-2	

86. G. SCHNEIDER, *Verleugnung, Verspottung und Verhör Jesu nach Lukas 22,54-71* (SANT, 22), Munich, 1969, p. 65.

87. P. BENOIT, *Passion et résurrection du Seigneur* (Lire la Bible, 6), Paris, 1966, p. 85. Benoit refers to Masson's reconstruction of two sources in Mark : 14,66-68 (with καὶ ἀλέκτωρ ἐφώνησεν) and 69-72 (two denials). Cf. C. MASSON, *Le reniement de Pierre. Quelques aspects de la formation d'une tradition*, in *RHPR* 37 (1957) 24-35 ; = *Vers les sources d'eau vive. Études d'exégèse et de théologie du Nouveau Testament*, Lausanne, 1961, 87-101. Compare also R. THIEL, *Drei Markus-Evangelien* (Arbeiten zur Kirchengeschichte, 26), Berlin, 1938, p. 96 and 194-197 : 14,66-68.72*c* (source A) and 69-72*b* (source C) ; W. L. KNOX, *The Sources of the Synoptic Gospels. I. St Mark* (ed. H. CHADWICK), Cambridge, 1953, p. 132-133 : 14,66-68 (Disciple's source) and 70*b*-72 (Twelve-source) ; 69-70*a*, the second denial, is the result of triplication. The success of Masson's two-source theory is undeniable (besides Benoit see also G. SCHNEIDER, *Verleugnung*, p. 42, n. 118 ; p. 51.66 ; *Die Passion Jesu nach den drei älteren Evangelien*, Munich, 1973, p. 74), at least in so far 14,66*b*-68 is considered as the single denial account in the pre-Markan tradition. Boismard distinguished three different sources : Mk 14,66*b*-68 (Document A), Mt 26,71*b*-72, par. Mk 14,69-70*a* (Document B) and Jn 18,25*b* = Lk 22,58 (Document C) ; Mk-intermediate combined the three versions and from Mk-intermediate the threefold denial account was taken over by the final redactor of Mk, Lk and Mt and, through the redaction of Matthew, by the redaction of Jn. In the more recent studies of W. Schenk and D. Dormeyer Mk 14,66-68 are assigned to the pre-Markan passion source (combined with v. 71*a*, for Schenk ; and concluded by 72*c* for Dormeyer, comp. Thiel) and 14,69-72 to the redaction of Mark. Cf. W. SCHENK, *Der Passionsbericht nach Markus*, Gütersloh, 1974, 215-223 ; D. DORMEYER, *Die Passion Jesu als Verhaltensmodell* (NTA, 11), Münster, 1974, p. 150-157. These recent contributions challenge the opinion of Klein and others : " keine Spur einer Verleugnungstradition ohne Dreizahl " ; cf. G. KLEIN, *Die Verleugnung* (see n. 63), p. 73 (= 310) ; E. LINNEMANN, *Studien zur Passionsgeschichte*, Göttingen, 1970, p. 77-78.

88. Cf. L. SCHENKE, *Der gekreuzigte Christus. Versuch einer literarkritischen und traditionsgeschichtlichen Bestimmung der vormarkinischen Passionsgeschichte* (SBS, 69), Stuttgart, 1974, p. 15-16 ; with reference to E. Schweizer, E. Lohse, E. Best and R. Schnackenburg (p. 16, n. 2) ; W. SCHENK, *op. cit.*, p. 215, n. 1179 (H. Lietzmann, R. Bultmann, M. Dibelius, E. Klostermann, *et al.*) ; D. DORMEYER, *op. cit.*, p. 150. Comp. F. NEIRYNCK, *Duality in Mark* (Bibl. ETL, 31), Leuven, 1972, p. 133.

Mk 14,66*a* καὶ ὄντος τοῦ Πέτρου κάτω ἐν τῇ αὐλῇ and 67*a* (καὶ ἰδοῦσα) τὸν Πέτρον θερμαινόμενον is clearly Mark's resumption of 14,54 [89]. Matthew borrowed the sequence from Mark [90]. The Fourth Gospel has a similar arrangement of the materials :

18,12-14	
	15-18
19-24	
	25-27
28	

The Peter story is interrupted by 18,19-24 as it is in Mark and the resumption in 25*a* follows the Markan scheme :

18*b* ἦν δὲ καὶ ὁ Πέτρος μετ' αὐτῶν ἑστὼς καὶ θερμαινόμενος
25*a* ἦν δὲ Σίμων Πέτρος ἑστὼς καὶ θερμαινόμενος.

It is an inadequate expression — and a somewhat misleading presentation of the evidence — to say that 18,19-24 is inserted in between the first and the second denial. The (Markan) interweaving of the stories is one thing, the transposition of the first denial *within* the Peter story (diff. Mk) is another :

Jn	18,15-16.(17).18.		[ ]	25*a*.	25*b*-27
Mk	14,54*a*.	54*b*.	[ ]	66*a*.(66*b*-68).69-72.	

A. Dauer treats the two features, without distinguishing between them, as the evangelist's intervention and therefore excludes the influence of Mark [91]. In fact, the similarity with Mk 14,54.66ff. is so close as to

89. Mk 14,66*a* and 67*a* are Markan redaction according to L. Schenke (see n. 88), M.-E. Boismard, D. Dormeyer, W. Schenk (see n. 87), etc.

90. See the repetition of ἐκάθητο in 26,69, cf. v. 58. On the Matthean redaction and the dependence on Mark, compare D. Senior, *The Passion Narrative according to Matthew* (Bibl. ETL, 39), Leuven, 1975, p. 159-162 and 199-209 ; on Mt 26,58, par. Mk 14,54, see also F. Neirynck, *Urmarcus redivivus ? Examen critique de l'hypothèse des insertions matthéennes dans Marc*, in M. Sabbe (ed.), *L'évangile selon Marc. Tradition et rédaction* (Bibl. ETL, 34), Gembloux-Leuven, 1974, p. 103-145, esp. 126-128. According to Boismard (*Commentaire*, p. 400-402) Matthew depends on Mark for the first and the third denials but he preserved in 26,71*b*-72 the original text of the Document A (and Mt intermediate) : οὗτος ἦν μετὰ Ἰησοῦ τοῦ Ναζωραίου and οὐκ οἶδα τὸν ἄνθρωπον. But this nice correspondence between the question and Peter's answer could be the result of Matthew's reworking of Mark (comp. Mk 14,67, first question, and 14,71, third answer). It should be noted also that the answer in Mk 14,71 (= Mt 26,74) becomes less unfitting if the question ἐξ αὐτῶν is understood as referring to οἱ μετὰ τοῦ Ἰησοῦ (in the light of the first question ; the denial narrative being a redactional unity and not a combination of three documents).

91. A. Dauer, *Die Passionsgeschichte* (see n. 29), p. 78, esp. n. 88 (contra J. Finegan, W. Bauer and C. K. Barrett).

suggest that the Fourth Evangelist was not unaware of the Markan model of sandwiching the Peter story. Only the transposition of the first denial is peculiar to John. In 18,17 it is immediately preceded by another Johannine peculiarity (the other disciple) and the question can be raised about their interrelationship and connection with the Synoptic parallel of Jn 18,15-18 (Mk 14,54).

In Jn 18,16 the other disciple speaks to the doorkeeper (ἡ θυρωρός) and in v. 17 it is ἡ παιδίσκη ἡ θυρωρός who questions Peter. In the Synoptic gospels, too, the interrogator in the first denial is μία τῶν παιδισκῶν τοῦ ἀρχιερέως (Mk 14,66 ; cf. Mt 26,69 μία παιδίσκη, Lk 22,56 παιδίσκη τις). After the denial Peter moves out εἰς τὸ προαύλιον (Mk 14,68 ; cf. Mt 26,71 εἰς τὸν πυλῶνα) and (there ?) he will be challenged again by ἡ παιδίσκη (Mk 14,69 ; cf. Mt 26,71 ἄλλη). This connection of the maid with the gate of the courtyard may be further developed by John who " uses Peter's entry into the court as an appropriate moment for the first recognition and denial " [92]. Already in Mark the entry of Peter, who followed at a distance, is especially marked : ἕως ἔσω εἰς τὴν αὐλὴν τοῦ ἀρχιερέως (14,54), and this Markan phrase receives a careful reworking by Matthew ἀπὸ μακρόθεν ἕως τῆς αὐλῆς τοῦ ἀρχιερέως, καὶ εἰσελθὼν ἔσω (26,58) [93]. Mk 14,54*a* (Mt 26,58*a*) is undoubtedly the *Introitus* of Peter's denial story (cf. Jn 18,15-16) and the special attention to the entry in the courtyard may have attracted the intervention of the παιδίσκη.

In Jn 18 the verses 16 and 17 are linked by the motif of the θυρωρός. Some think that they are more intimately connected by the words of the maid comparing Peter with the other disciple : μὴ καὶ σὺ... [94]. The question can be raised, however, whether the role of the other disciple

92. C. K. BARRETT, *St John*, p. 439. *Ibid.* : " The reference to ἡ θυρωρός may be based on nothing more than Mark's παιδίσκη ". Comp. B. LINDARS, *John*, p. 549 : " a variant development from the Marcan version " ; R. E. Brown admits that " there may be a hint in the Synoptic tradition that associates the maid with the gate into the courtyard " (*John*, p. 824).

93. Cf. F. NEIRYNCK, *Urmarcus redivivus ?* (see n. 90).

94. See, e.g., THOMAS AQUINAS (see n. 25), p. 462 ; E. W. HENGSTENBERG, *Johannes* (see n. 32), vol. III, p. 199 ; B. WEISS, *Das Johannes-Evangelium* (see n. 27), p. 481 ; B. F. WESTCOTT, *St. John* (see n. 2), p. 256 ; P. SCHANZ, *Evangelium des heiligen Johannes*, Tübingen, 1885, p. 537 ; T. ZAHN, *Johannes* (see n. 30), p. 628-629 ; R. A. EDWARDS, *St. John* (see n. 29), p. 138 ; C. K. BARRETT, *St John* (see n. 63), p. 439 ; G. KLEIN, *Die Verleugnung* (see n. 63), p. 53, n. 26 (= p. 289) : with hesitation ; J. MARSH, *Saint John* (see n. 29), p. 589 ; T. LORENZEN, *Der Lieblingsjünger* (see n. 58), p. 51. Compare C. H. DODD, *Historical Tradition* (see n. 43), p. 86, n. 2 : " καὶ σύ perhaps implies that the maid knew Peter's sponsor to be a μαθητής of Jesus, and surmised that Peter was another of them. Similarly John has supplied a reason for the third challenge to Peter (xviii.26) : the questioner had seen him in the garden ". — For the difficulty that the μή in direct questions expects the answer " No ", the solution is proposed that it is the " μή of cautious assertions " (" perhaps you too are a disciple ") ; cf. C. K. BARRETT, *op. cit.*, p. 439 (with reference to Moulton). J. Marsh made the observation that with 'also' the question " evidently expects the reply 'Yes' " (*loc. cit.*).

did not come to an end when he introduced Peter : καὶ εἰσήγαγεν τὸν Πέτρον (v. 16) [95]. The expression καὶ σύ does not necessarily include the comparison with an individual disciple (cf. Synoptics) and the use of the same words in v. 25 clearly indicates that a more general understanding cannot be excluded [96]. The question of v. 17 (μὴ καὶ σὺ ἐκ τῶν μαθητῶν εἶ τοῦ ἀνθρώπου τούτου) and its repetition in v. 25 (— αὐτοῦ εἶ) show some characteristics of Johannine style : μή interrogative, ἐκ part., ὁ ἄνθρωπος οὗτος [97], but it also has its roots in the tradition. The similarity with Lk 22,58 (second denial) has been emphasized : καὶ σὺ ἐξ αὐτῶν εἶ (comp. Mt 26,73 third denial) [98], but we may observe that the first question in Mark also opens with καὶ σύ (14,67, par. Mt 26,69) and that the third question in 14,70, ἐξ αὐτῶν εἶ, is followed by οὐκ οἶδα τὸν ἄνθρωπον τοῦτον ὃν λέγετε (v. 71) [99]. Thus, in 18,17 John comes back to the traditional Peter story and, apart from the questionable καὶ σύ, there is no further allusion to the other disciple. In v. 18, as in Mk 14,54*b*, Peter will join the group of servants at the fire and in vv. 25-27 he is the only disciple mentioned.

One may be tempted by the hypothesis that John's understanding of the Synoptic καὶ σύ had lead him to the association of another disciple with Peter. We cannot neglect, however, the difficulties implied in this interpretation. If καὶ σύ puts Peter in comparison with the other disciple, why then is Peter questioned ? It has been said that " the question does not seem to have been put in a hostile manner " (Barrett). But, in that case, why does Peter answer this friendly recognition with a flat denial ? B. Lindars rightly observes that " for John the flat denial is

95. Cf. *infra*, p. 141.

96. M.-J. LAGRANGE, *Évangile selon saint Jean* (Études bibliques), Paris, (1925), [8]1947, p. 465 ; R. BULTMANN, *Johannes* (see n. 62), p. 499, n. 9 ; E. HAENCHEN, *Historie und Geschichte* (see n. 8), p. 62, n. 16 ; R. E. BROWN, *John* (see n. 4), p. 824 : in the Synoptic accounts " where there is no question of a comparison with another disciple ; the 'too' implicitly refers to the disciples who were with Jesus when he was arrested. Thus, in John as well the idea may be : 'Are you, like those others, a disciple ?' ".

97. Cf. *supra*, n. 73.

98. Cf. M.-E. BOISMARD, *Commentaire*, p. 401-402. The denial story of Document C (and Proto-Luke) is reconstructed on the basis of Jn 18,25 and Lk 22,58 : εἶπον αὐτῷ· καὶ σὺ ἐξ αὐτῶν εἶ. For Proto-Luke the author proposes the following sequence : Jn 18,12-13*a*.15*a*.*b*(Peter).19-23.18.25*b*.27. (Compare with Fortna's arrangement of the Johannine source : 18,13.24.15-16*a*.19-23.16*b*-18.25*b*-28.) Boismard's opinion about the single denial story in the Johannine-Lukan source remains an unproven hypothesis. The formulation of the question in Lk 22,58 can result from secondary combination of the first and third denials in Mk 14,67 (καὶ σύ) and 14,70 (ἐξ αὐτῶν εἶ) (cf. G. SCHNEIDER, *Verleugnung*, pp. 84-85). Compare also the use of ἐγώ εἰμι without predicate at 18,5.6.8 (perhaps with a contrast " between Jesus' confession of who he is in defence of the disciples and Peter's denial that he is a disciple " [W. Grundmann], cf. R. E. BROWN, *John*, p. 824).

99. Compare the combination of elements from the first and the third denials of Mark in both Mt 26,71-72 and Lk 22,58 (second denial).

necessary, as Peter would otherwise hardly gain entry "[100]. This observation becomes pointless if, for John, Peter's companion who has free entry is recognized by the maid as a disciple of Jesus.

* * *

The ἄλλος μαθητής is known to the high priest (18,15-16), but—excluding the inference from καὶ σύ in v. 17—nothing in the text of the gospel indicates that we have to suppose that he is known as a disciple of Jesus. As there is no allusion to his presence after 18,15-16, either in 19-24 or in 18.25-27[101], it can hardly be maintained that the evangelist presented the other disciple as the eyewitness of the interrogation and the denial story. His role and function in the narrative has to do with Peter's entry into the courtyard of the high priest. R. E. Brown noted in his commentary : " One would be inclined to dismiss the incident as imaginative if one could find an intelligible reason for its invention or inclusion ". Such a reason could be " the need for explaining how Peter got into the palace of the high priest. But how much need was there to explain this ? The other three Gospels have Peter present in the courtyard without offering any explanation of how he got by the gate "[102]. Two observations can be made here. First, in the Fourth Gospel the condition of Peter is somewhat different. In the other gospels the assailant, who at the arrest of Jesus cut off the servant's ear, was " one of those who stood by " (Mk 14,47), " one of those with Jesus " (Mt 26,51), " one of them " (Lk 22,50). In John he is identified as Simon Peter[103] and so Peter's presence in the courtyard is more dangerous for him than it is in the Synoptic account. The denial story will reach its climax with the recognition by a relative of the man whose ear Peter had cut off (18,26). Second, in Mark and Matthew it is said in the same sentence that Peter followed Jesus ἀπὸ μακρόθεν till he came in the courtyard of the high priest. Is it not to suggest that Peter is afraid of being recognized and that the entry in the courtyard implies personal danger for the disciple ? Is it not with reference to the Synoptic ἀπὸ μακρόθεν that in Jn 18,16*a* Peter was standing at the door outside before he was brought in ?

Much has been written about the existence of the denial account isolated from its context in the Passion narrative. It is not certain,

100. B. LINDARS, *John* (see n. 63), p. 549.

101. For the evangelist's " information " in 18,26, comp. v. 10, see n. 103.

102. R. E. BROWN, *John*, p. 841.

103. *Ib.*, p. 812 : " Some scholars think that the presence of the names in John reflects the evangelist's imaginative attempt to lend plausibility to his narrative... this explanation will work for Peter's name " ; comp. B. LINDARS, *John*, p. 543 " The naming of Peter is dramatically skilful, as it enables John to link up this tradition with the denials of Peter (verse 26). Precisely for this reason, it is difficult to resist the conclusion that John has added this feature himself ".

however, that the elimination of Mk 14,54.66-72 from a pre-Markan Passion narrative (L. Schenke, G. Schneider) is the right conclusion to be drawn from Mark's *Schachteltechnik*. In some recent reconstructions of the pre-Markan story at least 14,54.66-68 [104] is part of it. As far as John is concerned it is an unproven hypothesis that the evangelist might have known an independent account of Peter " following Jesus at a distance ". It is far more probable that Mk 14,54*a* was read by John in connection with 14,51-52 : *ἀπὸ μακρόθεν ἠκολούθησεν αὐτῷ* echoes *συνηκολούθει αὐτῷ* (14,51) and implies the connotation of following with personal danger. M'Neile's senseful observation can be quoted : " *ἕως... ἔσω* (in Mt.) expands Mk.'s *ἕως ἔσω εἰς*, both of which seem to imply that Peter contrived to do something rather difficult, which Jo. explains was due to the good offices of 'another disciple,' who was known to the high priest " [105]. In the same line, G. Schneider proposed the explanation of the Mt/Lk agreement *ἠκολούθει* as an imperfect *de conatu* : " die Nachfolge des Petrus als einen Versuch, der nachher scheiterte " [106]. It may be added that already in Mark *ἠκολούθησεν* in 14,54 can be seen in the light of the imperfect *συνηκολούθει* in 14,51. The author of the Fourth Gospel mentions in one sentence Peter and another disciple : *ἠκολούθει δὲ τῷ Ἰησοῦ Σίμων Πέτρος καὶ ἄλλος μαθητής*. In the identification attempts there is one harmonistic trait which is common to a good number of them : the other disciple is no other than the young man of Mk 14,51-52 (John the evangelist, Lazarus, John Mark, the Hierosolymite disciple). Should it be excluded that this association of Mk 14,51-52 and Jn 18,15-16 is still a hint for the inter-

104. With some variation : see n. 87. In the view of R. Pesch the whole story 14,54.66-72 is part of the pre-Markan passion narrative. Cf. R. PESCH, *Die Verleugnung des Petrus. Eine Studie zu Mk 14,54.66-72 (und Mk 14,26-31)*, in J. GNILKA (ed.), *Neues Testament und Kirche. Für Rudolf Schnackenburg*, Freiburg-Basel-Wien, 1974, p. 42-62. Mark's passion source includes (8,27-33 ; 9,2-13.30-32 ; 10,1*a*) ; 10,32-34.46-52 ; 11,1-10.15-19.27-33 ; 12,1-12.41-44 ; (13,1-2 ?) ; 14,1-16,8 (p. 47, n. 16). The intercalations (*Schachtelung*) are mostly pre-Markan (e.g., 14,1-11 ; 14,53-15,1) (p. 47, n. 14, cf. p. 51) and the denial story is wholly pre-Markan : " eine nicht selbständige Erzähleinheit, die zur Passionsgeschichte gehört, die weithin aus nicht selbständigen Einheiten besteht " (p. 52). The question of an Aramaic *Vorlage* of the denial story deserves serious consideration (p. 58, n. 44). The provocative conservatism in Pesch's position is attractive because of its emphasis on the unity of the Markan account, but is it not methodologically unsound to study the passion narrative in isolation from the rest of the gospel ? One example : *ἀπὸ μακρόθεν* in 14,54 is assigned to the source (comp. Ps 37,12 ; Mk 15,40) and nothing is said about the expression in 5,6 ; 8,3 ; 11,13 (p. 47-48). Regarding the *Schachtelungen* and some other literary features in Mark which are common to the passion narrative and the other parts of the gospel the question remains : pre-Markan tradition or Markan redaction. Compare R. PESCH, *Die Überlieferung der Passion Jesu*, in K. KERTELGE (ed.), *Rückfrage nach Jesus* (Quaestiones Disputatae, 63), Freiburg-Basel-Wien, 1974, p. 148-173.

105 A. H. M'NEILE, *The Gospel according to St. Matthew*, London, 1915, p. 397.

106. G. SCHNEIDER, *Verleugnung*, p. 49-50. Cf. n. 93.

preter of John [107] ? If the Fourth Evangelist was acquainted with the Gospel of Mark, the inclusion of another disciple as the companion of Peter after the arrest of Jesus is not entirely his own invention.

* * *

In the opinion that the other disciple is identifiable with the Beloved Disciple the analogy of 20,2 has always been the main argument. There the Beloved Disciple is presented together with Peter as *τὸν ἄλλον μαθητὴν ὃν ἐφίλει ὁ Ἰησοῦς*. Also the study of Jn 18,15-16 in relationship to the Synoptics will have to make a comparison with that passage. The Synoptic parallel is Lk 24,12 : *ὁ δὲ Πέτρος ἀναστὰς ἔδραμεν ἐπὶ τὸ μνημεῖον καὶ παρακύψας βλέπει τὰ ὀθόνια* [*κείμενα*] *μόνα· καὶ ἀπῆλθεν πρὸς ἑαυτὸν θαυμάζων τὸ γεγονός* [108]. In Jn 20,3*a* " the other disciple " is associated with Peter : *ἐξῆλθεν οὖν ὁ Πέτρος καὶ ὁ ἄλλος μαθητής*. The verbs of Lk 24,12 are changed to the plural : *καὶ ἤρχοντο εἰς τὸ μνημεῖον. ἔτρεχον δὲ οἱ δύο ὁμοῦ* (20,3*b*-4*a*), *ἀπῆλθον οὖν πάλιν πρὸς αὐτοὺς οἱ μαθηταί* (20,10), and the principal statement is duplicated : (*ὁ ἄλλος μαθητής*) *καὶ παρακύψας βλέπει κείμενα τὰ ὀθόνια* (20,5) and (*Σίμων Πέτρος*) *καὶ θεωρεῖ τὰ ὀθόνια κείμενα* (20,6). Peter's *θαυμάζων τὸ γέγονος* (Lk) is superseded in 20,8 by the other disciple's *ἐπίστευσεν*. There is another, more natural superiority : the other disciple outran Peter and reached the tomb first. But Peter who followed him was first to go into the tomb and to make the statement about the position of the *soudarion*. In that sense the 'substitution' [109] of the Beloved Disciple for Peter remains perhaps somehow incomplete [110].

107. Cf., e.g., B. W. Bacon, *The Fourth Gospel* (see n. 68), p. 308 (= *The Disciple*, p. 327) : " The trait may have been suggested by the following of the 'young man '... of Mark xiv.51 f. " ; comp. recently W. Schenk, *Der Passionsbericht* (see n. 87), p. 219. — The analogy of the two passages is indicated also in a quite different approach : in both instances an anonymous disciple is presented as an eyewitness. See, among others, M. Dibelius, *Die Formgeschichte* (see n. 46), p. 183-184 and 217-218.

108. Cf. *supra*, n. 1. See also J. Muddiman, *A Note on Reading Luke xxiv.12*, in *ETL* 48 (1972) 542-548.

109. Comp. A. Kragerud, *Der Lieblingsjünger* (see n. 19), p. 31 : " In Vergleich mit der Vorlage lässt sich... die johanneische Umgestaltung als eine '*Substitution*' charakterisieren. Dort kommt P zum Grab, *καὶ παρακύψας βλέπει τὰ ὀθόνια κείμενα*. Hier dagegen kommt L zum Grab, *καὶ παρακύψας βλέπει κείμενα τὰ ὀθόνια*. L hat in dieser Hinsicht den Platz des P in der Vorlage eingenommen ". Comp. M.-E. Boismard, in *RB* 67 (1960) 404-410. Boismard seemingly assimilates too readily with 18,15-16 : " Ce n'est plus P qui entre dans le tombeau vide, mais L, et P n'y entre qu'après lui " (p. 406) ; comp. 20,5 *οὐ μέντοι εἰσῆλθεν*, 6 *Σίμων Πέτρος... εἰσῆλθεν*, 8 *τότε οὖν εἰσῆλθεν καὶ ὁ ἄλλος μαθητής*. See his more accurate description in n. 116.

110. In Lk 24,12 the entry into the tomb is not mentioned and so the addition of the motif, and this priority of Peter, could be the evangelist's concession towards the traditional Peter story. Barrett suggests, however, that John wishes " to

The association of another disciple with Peter in Jn 18,15*a* shows some similarity with 20,3*a* :

20,3 ἐξῆλθεν οὖν ὁ Πέτρος καὶ ὁ ἄλλος μαθητής
18,15 ἠκολούθει δὲ τῷ Ἰησοῦ Σίμων Πέτρος καὶ ἄλλος μαθητής.

Compare Mk 14,54 : καὶ ὁ Πέτρος... ἠκολούθησεν αὐτῷ and Mt/Lk : ὁ δὲ Πέτρος ἠκολούθει [111]. The use of the singular verb before the subject is not a definite argument [112], but the comparison with 20,3 [113] strenghtens the impression that the other disciple is an addition to a Synoptic-like source [114]. In both passages there is a special attention given to the " entry " of the two disciples. In 20,3-10, however, it is only a subsidiary motif, and not the central theme as in 18,15-16. This is perfectly understandable in the light of the Synoptic parallels : Mk 14,54 (cf. Mt 26,58), Peter's entry in the courtyard of the highpriest [115], and Lk 24,12, where the central statement παρακύψας βλέπει τὰ ὀθόνια μόνα does not imply Peter's entering the tomb. The entry into the tomb might be suggested by the traditional empty tomb story (Lk 24,3 ; par. Mk 16,5) and has been employed by John as a secondary motif which, in contrast to 18,15-16, preserves a (relative) priority of Peter :

18,15*c* καὶ συνεισῆλθεν τῷ Ἰησοῦ εἰς τὴν αὐλὴν τοῦ ἀρχιερέως,
16*a* ὁ δὲ Πέτρος εἱστήκει πρὸς τῇ θύρᾳ ἔξω.
16*b-d* ἐξῆλθεν οὖν ὁ μαθητὴς ὁ ἄλλος... καὶ εἰσήγαγεν τὸν Πέτρον.

emphasize that the beloved disciple was both the first to see the empty tomb and the first to believe in the resurrection. If the later point is to be made fully Peter must be brought into the tomb between the arrival of the beloved disciple and his confession of faith " (*John*, p. 468 ; comp. A. KRAGERUD, *op. cit.*, p. 30, n. 64). Lindars does not separate so clearly this double priority : " the Beloved Disciple's arrival first is probably intended as a hint of his being the first to believe in the Resurrection " (*John*, p. 600) ; on the other hand, " he did not go in " (before Peter) is a narrative detail : " This feature is part of John's delaying tactics, so as to build the narrative up to a climax " (p. 601).

111. The combined name " Simon Peter " at the beginning of the pericope (18,15 ; see also v. 25 ; comp. 20,2) is Johannine style.

112. BLASS-DEBRUNNER, § 135, 1(a), referred to by Dauer who considers the singular as a possible but not necessary indication (p. 73) ; Lorenzen is much more affirmative (*Der Lieblingsjünger*, p. 48, n. 11).

113. Compare Lindars' comment on 20,3 : " Peter is mentioned first, as he is the subject of the underlying tradition " (*John*, p. 660).

114. We have already noted that the context of Mk 14,54 could have suggested the other disciple following Jesus (14,51-52). For 20,3-10, par. Lk 24,12 : compare Lk 24,24.

115. Mk 14,54 : (Peter followed him) ἕως ἔσω εἰς τὴν αὐλὴν τοῦ ἀρχιερέως ; Mt 26,68 inserts the verb εἰσελθών and probably connects ἕως with the preceding ἀπὸ μακρόθεν : ἕως τῆς αὐλῆς τοῦ ἀρχιερέως, καὶ εἰσελθὼν ἔσω. The reconstructions of a Johannine source (without the mention of " other disciple ") generally quote the text of Jn 18,15*c* (with Peter as the subject) : καὶ συνεισῆλθεν τῷ Ἰησοῦ εἰς τὴν αὐλὴν τοῦ ἀρχιερέως ; cf. T. LORENZEN, *Der Lieblingsjünger* (see n. 58), p. 52 ; M.-E. BOISMARD, *Commentaire*, p. 399 (Proto-Luke : less convincing). For συνεισέρχομαι + dative + εἰς, comp. Jn 6,22.

20,5*b* (ὁ ἄλλος μαθητής) οὐ μέντοι εἰσῆλθεν (comp. 18,16*a*),
6*b* (Σίμων Πέτρος) καὶ εἰσῆλθεν εἰς τὸ μνημεῖον (comp. 18,15*c*),
8*a* τότε οὖν εἰσῆλθεν καὶ ὁ ἄλλος μαθητής (comp. 18,16*d*).

Without going into the tomb, and before Peter went in and saw, the other disciple saw the graveclothes (cf. Lk). This precedence is prepared for in v. 4 : προέδραμεν τάχιον τοῦ Πέτρου καὶ ἦλθεν πρῶτος εἰς τὸ μνημεῖον ; the last phrase will be repeated in v. 8*a* : ὁ ἄλλος μαθητὴς ὁ ἐλθὼν πρῶτος εἰς τὸ μνημεῖον. The similarity with 18,15-16 is undeniable : before the mention of the other disciple's entry to the courtyard of the high priest (cf. Mk) John informs the reader : ὁ δὲ μαθητὴς ἐκεῖνος ἦν γνωστὸς τῷ ἀρχιερεῖ, and he repeats the phrase in 16*b* : ὁ μαθητὴς ὁ ἄλλος ὁ γνωστὸς τοῦ ἀρχιερέως. This would explain why he had free entry and could bring Peter in.

In view of the close similarity with 20,3-10 it is hardly justifiable to assign the inclusion of another disciple in 18,15-16 to a different layer of Johannine tradition. In both cases the source can be found in a Synoptic Peter story and the role of Peter is duplicated and superseded by the ἄλλος μαθητής [116]. Therefore, the question has been raised whether 18,15-16 *and* 20,2.3-10 form a special group of " other disciple " texts which should be distinguished from the Beloved Disciple passages. We have already mentioned the hypothesis of J. N. Sanders [117]. M.-E. Boismard also makes a distinction between ὃν ἠγάπα and ὃν ἐφίλει and attributes ὃν ἐφίλει (20,2) to the redactor who identified the " other disciple " with the Beloved Disciple. He considers the " other disciple " texts as a special tradition of which the designation ἄλλος μαθητής as well as the notion of substitution are the distinctive features [118]. For R. E. Brown, too, the two titles represent two stages of composition. In his notes on 20,2 he considers " the other disciple " as the more original designation and " the one whom Jesus loved " as a parenthetical editorial insertion [119]. He even suggests that the eyewitness disciple referred to

116. Comp. M.-E. BOISMARD, *Commentaire*, p. 399 : " Le procédé littéraire de Jn est le suivant : en insérant la mention d'un 'autre disciple' après le nom de Pierre, Jn rend commune à Pierre et à l'autre disciple une démarche qui, dans sa source, était le fait du seul Pierre. Vient ensuite une précision expliquant pourquoi l'autre disciple va supplanter Pierre ('connu du Grand Prêtre'/'courant plus vite que Pierre'). L'action, faite par Pierre dans la source de Jn, est alors faite par l'autre disciple (entrer dans la cour, voir les bandelettes). Finalement, Pierre lui-même accomplit l'action, mais après l'autre disciple. "

117. Cf. *supra*, n. 54.

118. M.-E. BOISMARD, in *RB* 67 (1960), p. 406 : " seule la tradition sur 'l'autre disciple' met en œuvre le principe de la substitution " ; *RB* 69 (1962), p. 202, n. 26 : " Même si ce disciple ('que Jésus aimait') est identique à 'l'autre disciple' dont il est parlé en *Jn*, XVIII,15-16 et XX,2-10, ces deux expressions différentes pour le nommer trahissent deux couches rédactionnelles diverses ". *Ibid.* : the Beloved Disciple appears only in sections that were edited by Luke. Cf. *Saint Luc et la rédaction du quatrième évangile (Jn IV,46-54)*, in *RB* 69 (1962) 185-211.

119. R. E. BROWN, *John*, p. 983 ; see also p. 1001.

himself as " the other disciple ", and that his followers referred to him as the Beloved Disciple [120].

Jn 20,2 is undoubtedly a key passage in this discussion. The phrase used in 20,3-10 [121] is, however, not a convincing argument. In 18,15 the reading with the article is generally rejected and *ὁ μαθητὴς ὁ ἄλλος* in v. 16 refers back to v. 15. Likewise in 20,3.4.8 the article can be used anaphorically, with reference to an anarthrous *ἄλλος μαθητής* in v. 2. So, for Spitta, the article is part of the editorial insertion : *πρὸς (τὸν) ἄλλον μαθητὴν (ὃν ἐφίλει ὁ Ἰησοῦς)* [122]. Also without eliminating the phrase " the one whom Jesus loved ", an undetermined " another " can be read in 20,2 : *πρὸς τὸν ἄλλον μαθητὴν ὃν ἐφίλει ὁ Ἰησοῦς*, i.e., to another disciple, namely, the one Jesus loved (cf. 13,23 ; 19,26). This observation was made by Bultmann [123] and now the possibility of *ὁ ἄλλος μαθητής* is denied by a number of authors with a reference to Bultmann's note [124]. But even if this interpretation is correct, there is still a striking parallel with 18,15-16 : " another disciple " is associated with Peter and then anaphorically designated as " the other disciple ". Is it enough to say that it is Johannine diction [125] ? The use of this phrase is only one aspect of the formal similarities of the two accounts and, although there is no stringent evidence for the existence of a traditional " other disciple " title, this seems to suggest that the two " other disciple " stories are consciously put in parallel by the evangelist [126]. It should be added that Bultmann's reading of the phrase is not the only one possible in 20,2. The clause *ὃν ἐφίλει* identifies Peter's companion as the Beloved Disciple [127] but it does not exclude that *τὸν ἄλλον μαθητήν*

120. *Op. cit.*, vol. I, p. XCIV. Comp. *supra*, n. 48 (R. Schnackenburg).

121. *Op. cit.*, p. 983.

122. F. SPITTA, *Das Johannes-Evangelium* (see n. 76), p. 392. For a recent representation of this solution, see H. M. TEEPLE, *The Literary Origin of the Gospel of John*, Evanston, 1974, p. 242 : in v. 2 (Editor) " whom Jesus loved " is a later gloss added to " and to another disciple (cf. 18:15-16) ". According to Teeple 18,15-16 is part of the G(nostic) discourse source (p. 149 ; but see p. 252) and 20,1.3-5*a*.8 could be an indication of a special P(assion) source (p. 152). Elsewhere John's passion narrative is based upon S(ource) (comp. Fortna's Signs source). The author's stylistic argumentation is not quite convincing.

123. R. BULTMANN, *Johannes*, p. 530, n. 3 : " der Sinn ist : 'und zu jenem anderen, den...', und das ist nach *13* 23 *19* 26 ganz eindeutig " ; see also in *RGG*, vol. III, ³1959, c. 849.

124. G. KLEIN, *Die Verleugnung* (see n. 63), p. 52 (= p. 288) : " jener (bestimmte) andere Jünger, den Jesus lieb hatte " ; R. SCHNACKENBURG, *Das Johannesevangelium* (see n. 4), vol. I, p. 82 ; A. DAUER, *Die Passionsgeschichte* (see n. 29), p. 74, n. 57.

125. B. LINDARS, *John*, p. 548.

126. For Fortna 18,15 comes from the pre-Johannine source and " may have suggested John's addition (of *another disciple*) here (20,2) and in what follows " (*The Gospel of Signs*, p. 135, n. 3).

127. B. F. Westcott (*John*, p. XXIV and 209) formulated a double objection against the common assumption that *ὃν ἐφίλει* is equivalent with *ὃν ἠγάπα* (the

refers back to 18,15-16 [128]. In the hypothesis that " the other disciple " in 20,3-10 is the evangelist's insertion in the Peter story of Lk 24,12 (or the pre-Johannine source [129]), there is no reason for dividing over two stages of composition " the other disciple " and " whom Jesus loved ". The composite phrase of 20,2 can include the evangelist's own double reference to 18,15-16 and 13,23 ; 19,26 [130]. On the other hand, it is a reasonable assumption that the " (an)other disciple " passage of 18,15-16 should be assigned to no other than the evangelist who is held responsible for the insertion of the Beloved Disciple texts. This conclusion can be drawn, it seems to me, from the close similarity with 20,3-10 [131].

Beloved Disciple) : By the use of the word ἄλλος Peter is included under the description (τὸν ἄλλον μαθητὴν ὃν ἐφίλει ὁ Ἰησοῦς) and Peter and John alike are marked by the personal affection of the Lord (cf. 11,3 : ὃν ἐφίλει, in contrast to ὃν ἠγάπα which implies the gift of love that is peculiar to John). In response to Westcott and J. N. Sanders (see n. 54) it has been shown that ἀγαπάω and φιλέω are used as synonyms in John : comp. 5,35 and 5,20 ; 11,5 and 11,3.36 ; 14,23 and 16,27 ; (21,15.17). Cf. E. D. FREED, *Variations in the Language and Thought of John*, in *ZNW* 55 (1964) 167-197, esp. p. 174-176 ; *The Son of Man in the Fourth Gospel*, in *JBL* 86 (1967) 402-409, esp. p. 403.

128. Cf. T. LORENZEN, *Der Lieblingsjünger* (see n. 70), p. 51 : " dabei mag der Evangelist sehr gut an den anderen Jünger in 18,15 gedacht haben ". Freed (see n. 127) put its too radically : " the other disciple becomes only a variation for the disciple whom Jesus loved ". The phrase " (an)other disciple ", it seems to me, is especially connected with the two parallel substitutions (Peter stories).

129. So the entire verse (T. LORENZEN, *op. cit.*, p. 29-31) or at least καὶ πρὸς τὸν ἄλλον μαθητὴν ὃν ἐφίλει ὁ Ἰησοῦς is assigned to the evangelist (R. T. FORTNA, *op. cit.*, p. 135-136 ; cf. G. HARTMANN, *Die Vorlage der Osterberichte in Joh 20*, in *ZNW* 55 (1964) 197-220, p. 199-200).

130. T. LORENZEN, *op. cit.*, p. 30, n. 22 : " der Artikel dürfte sich auf das Vorkommen des Lieblingsjünger in Joh 18,15f, aber auch in 13,23 und 19,26 beziehen ".

131. Although the existence of a special tradition for 18,15-16 and 20,3-10 is an unproven hypothesis, Boismard is right where he emphasizes the analogy between 18,15-16 and 20,3-10, in reaction to Kragerud whose extension of the " substitution " to the Beloved Disciple texts cannot be justified. Cf. *RB* 67 (1960), p. 406. The author rightly observes that if the notion of shepherd is implied in 18,15-16 it does not present the 'other disciple' as the shepherd : he and Peter are followers (against Kragerud's symbolic interpretation, cf. *supra*, n. 61). It may be asked, however, whether the vocabulary common with Jn 10 (ἄγειν, ἀκολουθεῖν, αὐλή, γινώσκειν, εἰσελθεῖν, ἐξελθεῖν, θύρα, θυρωρός) allows the conclusion that the shepherd theme is implicitly present in 18,15-16 (cf. Synoptic parallels !). Compare Roloff's reaction : " Noch unwahrscheinlicher ist die oft versuchte allegorische Deutung ad vocem θύρα im Anschluss an Joh. x.9, denn sie würde dem Literalsinn des Textes völlig konträr laufen " (*Der johanneische 'Lieblingsjünger'*, see n. 63, p. 131-132). Kragerud (*op. cit.*, p. 80-81) did not hesitate to write " dass man sich versucht fühlt, den 'Hohenpriester' hier—als Symbol betrachtet—auf Christus zu beziehen. Es ist aber sofort zu präzisieren, dass er sich dabei nur um eine Hypothese handelt " (" known to the high priest " : synonymous with " whom Jesus loved ").

CONCLUSION

In recent studies on Jn 18,15-16 the question continued to be asked: is he the Beloved Disciple? I had the impression that some authors answer the question negatively without due attention to the parallel in 20,3-10. They also formulate a number of objections. "The identification is unlikely, because elsewhere John gives adequate description to avoid confusion (cf. 19,26)"[132]. The author may refer to 13,23; 19,26 and 20,2 ff., but it is only after the examination of the passage that such a conclusion can be stated. "John has a definite purpose in mentioning the Beloved Disciple... The disciple has no part to play once he has gained entry for Peter into the court." In the light of 20,3-10, the precedence over Peter can be seen as the evangelist's purpose. In fact, the disciple's role is limited to 18,15-16 but the incidental character is a rather common feature of all mentions of the Beloved Disciple. In Dauer's opinion it is most improbable that John would like to identify as the Beloved Disciple a man who is "known to the high priest"[133]. This phrase has always been at the center of the discussion. In the past it has been loaded with all sorts of historical implications. There can be no doubt that it has its role in the Peter story (comp. 20,4.8: *ὁ ἐλθὼν πρῶτος*), but a theology of the high priest, negative or positive (Kragerud), lies beyond the intention of the evangelist.

ADDITIONAL NOTES

See *Jean et les Synoptiques*, p. 71-86, for a critique of BOISMARD's position (in *L'évangile de Jean*, 1977; cf. *infra*, p. 399; compare *supra*, p. 360): the addition of the «other disciple» to Peter in the Synoptic-like story of Document C at 18,15-16 and 20,2-10 is assigned to Jn II-A, and the insertion of ὃν ἐφίλει ὁ Ἰησοῦς in 20,2 to Jn II-B, who is the author of chapter 21 and the «beloved disciple» passages.

Compare also R. SCHNACKENBURG's reaction to my article in *Das Johannesevangelium*, vol. 3, 1975, p. 266-267 and 462: the identification with the Beloved Disciple is less probable because of the incognito (the omission of the article in 18,15 and the absence of ὃν ἠγάπα/ἐφίλει). In addition, the relation to Peter differs from 20,2-8 and 21,7: «er führt ihn nur äusserlich in den Hof des Hohenpriesters hinein». *Ad 1um*: «Vielleicht fehlt hier die Charakterisierung des 'andern Jüngers' (wie sie sich in 20,2 findet) als des

132. B. LINDARS, *John*, p. 548.

133. A. DAUER, *Die Passionsgeschichte*, p. 75.

— *Additional note*: O. CULLMANN, *Der johanneische Kreis. Sein Platz in der Jüngerschaft Jesu und im Urchristentum. Zum Ursprung des Johannesevangeliums*, Tübingen, 1975. — 'Another disciple' is the evangelist's self-designation ('whom Jesus loved' in 20,2 and in the other passages is a redactor's addition) and the phrase 'known to the highpriest' informs us about the identity of the author: he is not one of twelve, he has high society connexions, priestly interest and a Judaean origin (eyewitness of the Jerusalem ministry); cf. p. 76-77, comp. 79, n. 18 (see also p. 70, 72, 83). Delff redivivus?

'Lieblingsjüngers', weil sich diese Bezeichnung schlecht mit der Stellung eines Bekannten des Hohenpriesters vertrug» (E. HAENCHEN, in *Das Johannesevangelium*, 1980, p. 521). *Ad 2um*: cf. 19,26-27, «unter dem äusseren Szenarium ... Solche äusserliche Situation liegt in analoger Weise auch 13,23ff.; 18,15ff. vor» (J. BECKER, in *Das Evangelium nach Johannes*, vol. 2, 1981, p. 592; cf. *infra*, p. 464). And «das Motiv des Wettlaufs» which precedes v. 8 in 20,4-6a is it not «äusserlich»?

It is a widely accepted view that Jn 21 be assigned to the redactor, and the Beloved Disciple passages in 13,23; 19,26-27; 20,2 to the evangelist, and for those who accept the identification with the Beloved Disciple, the insertion of the «other disciple» in 18,15-16 should be attributed to the evangelist (cf. *supra*, p. 349). This «consensus» is now challenged by H. THYEN. In his opinion the author of Jn 21 is responsible for all Beloved Disciple passages in Jn 1-20, the «other disciple» of 18, 15-16 included. Cf. *Entwicklungen innerhalb der johanneischen Theologie und Kirche im Spiegel von Joh. 21 und der Lieblingsjüngertexte des Evangeliums*, in *L'évangile de Jean*, 1977 (cf. *infra*, p. 399), p. 259-299, esp. 281; *Aus der Literatur zum Johannesevangelium. 4.12: Joh 21 und die Lieblingsjüngertexte des Evangeliums*, in *Theologische Rundschau* 42 (1977) 213-261, esp. p. 249. See also J. BECKER, in *Das Evangelium nach Johannes*, 1981, p. 436: "manches (spricht) dafür, von [Evangelist] abzusehen und nur die KR [kirchliche Redaktion] am Werk sein zu lassen (so Thyen; als möglich angesehen von Roloff; ältere Vertreter: Schwartz; Bousset; Heitmüller). Damit hat man den Vorteil, eine einheitliche Theorie zu L[Lieblingsjünger] aufstellen zu können, und entgeht dem Zwang, zwischen E und der KR differenzieren zu müssen" (cf. p. 545-547: "the other disciple" in Jn 18,15-16). In contrast to Thyen who distinguishes only between *Grundschrift* and the redactor (he calls him "the fourth evangelist") Becker is less skeptical about the evangelist's sources (SQ, the semeia source, and PB, the passion narrative). In 18,15-16, "... Alle diese Probleme lösen sich, nimmt man *mit Blick auf Mk 14,54* folgenden Text für Joh an: 'Simon Petrus aber ... folgte Jesus nach ... und ging mit Jesus in den Hof des Hohenpriesters hinein ... Da spricht eine Magd ... zu Petrus: ...'" (p. 546; italics are mine). But can we not solve the problems without such an intermediate between John and the Synoptics? Cf. C.K. BARRETT, in the new edition of his commentary: 18,15, "The inference is that John is altering Mark (where necessary) in the interests of theology rather than using independent tradition»; and 18,16: «the Marcan narrative includes a παιδίσκη; the story of admission requires a θυρωρός. Use of Mark provides a much more satisfying explanation ...» (p. 526 and 527: phrases added in [2]1978).

BETL 45 (1977) 73-106

JOHN AND THE SYNOPTICS

I would like to open my lecture on the question of Johannine and Synoptic relationships with a quotation from a recent article published by D. Moody Smith in *New Testament Studies*: " J. Blinzler... with some reason challenged my earlier statement... about an emerging consensus (e.g. Gardner-Smith, Goodenough, Bultmann, Dodd) on John's independence of the Synoptics. Since a statistical count of scholars would surely not yield a sweeping consensus of Johannine independence, there was justification for Blinzler's refusal to agree that one existed. Nevertheless, the positions taken by Brown, R. Schnackenburg, J. N. Sanders, L. Morris and R. T. Fortna, all espousing Johannine independence of the Synoptics, lead me to believe that I was certainly pointing to a very significant direction of scholarship, whether or not that deserves to be called a consensus " [1]. In fact both before and after Blinzler's survey (1965) [2], the prevailing view in Johannine scholarship is undeniably that of John's independence, and J. Blinzler, as well as C. K. Barrett and W. G. Kümmel who continue to defend dependence on the Gospel of Mark, acknowledge the remarkable shift in exegetical opinion inaugurated by the little book of P. Gardner-Smith (1938) [3]. Historically

1. D. M. SMITH, *Johannine Christianity : Some Reflections on its Character and Delineation*, in *NTS* 21 (1974-75) 222-248, esp. p. 227, n. 1. He refers to his earlier article, *The Sources of the Gospel of John : An Assessment of the Present State of the Problem*, in *NTS* 10 (1963-64) 336-351, p. 349 (" ... we are about to move from a state of chaos toward a measure of consensus "). See also in *JBL* 82 (1963), p. 59 : " There is a growing consensus that John's reliance upon, or use of, the Synoptics is to be minimized, if not denied. "

2. J. BLINZLER, *Johannes und die Synoptiker. Ein Forschungsbericht* (Stuttgarter Bibelstudien, 5), Stuttgart, 1965. On pp. 9-15 the author presents a list of the agreements and disagreements between John and the Synoptics and then examines the problem of John's acquaintance with the Synoptics (pp. 16-60), the intention of the Fourth Evangelist (pp. 61-71), and the question of historicity (pp. 72-92). — For the reference to D.M. Smith, see p. 32.

3. C. K. BARRETT, *The Gospel according to St John*, London, 1955, pp. 34-45 ; *John and the Synoptic Gospels*, in *ExpT* 85 (1973-74) pp. 228-233, p. 229 : " Gardner-Smith's little book has exercised great influence, and the general opinion of the question it discusses has changed " ; W. G. KÜMMEL, *Einleitung in das Neue Testament*, Heidelberg, 1963, p. 136 ; new ed., 1973, p. 167 ; J. BLINZLER, *op. cit.*,

it is not wholly correct to present C. H. Dodd in England and R. Bultmann in Germany as " die wohl prominentesten Anhänger von Gardner-Smith " [4], but the two names are evocative enough of the far-reaching realm of the independence thesis, both among the defenders of an oral tradition hypothesis in the line of Dodd and the increasing number of followers of Bultmann's literary-critical theory of independent pre-Johannine sources, especially the Signs Source and the Passion Source.

One of the merits of Blinzler's *Forschungsbericht* is that it has drawn our attention to those authors who still hold John's dependence on one or more of the Synoptic Gospels. It is not the purpose of this lecture to repeat the work that has been done, and well done, by Blinzler. For a listing of authors up to 1965 I refer to his survey [5]. Here I would simply indicate one correction. For an extensive description of the agreements with Mark Blinzler refers, with a large summary, to E. K.

p. 19 : " Einen Umschwung in der Stellung zu dieser Frage brachte, zunächst in der angelsächsischen Forschung, die Untersuchung von *Percival Gardner-Smith,* Saint John and the Synoptic Gospels (Cambridge 1938) ".

4. *Ibid.*, p. 22. In addition to Blinzler's exposition on C. H. Dodd (pp. 22-23 and 80-83) the testimony of one of Dodd's students can be quoted : " It is interesting to find that between his lectures in Cambridge in 1937 and the publication of his book in 1954 C. H. Dodd changed his mind on that question. In 1937 he told us that he accepted John's use of Mark. In 1954 he denies this " (R. H. FULLER, *The New Testament in Current Study*, New York, 1962, p. 111). Compare also *The Close of the Galilean Ministry*, in *Expositor*, 8th ser., vol. 22 (1921) 273-291, cf. *infra*, n. 68 ; *Present Tendencies in the Criticism of the Gospels*, in *Expos. Times* 43 (1931-32) 246-251, p. 249 : " like Matthew and Luke it [John] uses Mark as a source ". — On R. Bultmann, cf. *infra*. n. 70 and 74.

5. Comp. H. M. TEEPLE, *The Literary Origin of the Gospel of John*, Evanston (Ill.), 1974, pp. 59-83 : " Chapter 6 : John and Synoptic Tradition ". The author refers to Blinzler for " a more comprehensive survey " (p. 266, n. 1). *Ibid.*, p. 59 : " Blinzler lists 26 biblical scholars in the period 1946-1964 who reject literary relationship and 31 who accept it (my count) ; instead of a trend away from belief in literary connection this is actually a majority for it. " See, however, for a scrutiny of Blinzler's list, G. SELONG, *The Cleansing of the Temple in Jn 2,13-22, with a Reconsideration of the Dependence of the Fourth Gospel upon the Synoptics* (Doctoral dissertation), 3 vols., Louvain, 1971, vol. I : " A Survey of the Relationship of the Fourth Gospel to the Synoptics ". Selong notes that Blinzler does " not always make a clear distinction between John's *knowledge* and John's *use* of the Synoptics " (p. V). His own list for the same period is less extensive ; defenders of the literary dependence on the Synoptic Gospels are : M. Albertz (1947), E. C. Hoskyns ([2]1947), C. Maurer (1949), C. S. C. Williams (1953), C. Goodwin (1954), R. H. Lightfoot (ed. 1956), A. M. Farrer (1957), E. D. Freed (1961, 1965), O. Merlier (1961 : " first redactor ") ; on Mark : R. Schnackenburg (1950 !), C. K. Barrett (1955), E. K. Lee (1956), A. Richardson (1959), H. Balmforth (1963), J. Blinzler (1965) ; on Mark and Luke (cf. *infra*, n. 31 : Barrett and Blinzler) : J. A. Findlay (1956), H. M. Teeple (1962), W. G. Kümmel (1963), J. A. Bailey (1963) ; on Matthew : H. F. D. Sparks (1952) ; dependence in both directions : S. Mendner (1958).

Lee (1956) [6]. He apparently did not notice that Lee's " short study " is nothing other than an almost literal copy of a more comprehensive article published thirty years earlier by H. J. Flowers [7]. Flowers' contribution seems to have been completely ignored and the spurious article under the name of Lee is cited among the principal studies by almost every Johannine scholar [8]. W. G. Kümmel refers to Lee when he formulates his own conclusion: " Der Verfasser hat offensichtlich die Evangelien des Mk und Lk im Kopf und verwertet sie, soweit es ihm sachdienlich erscheint, nach dem Gedächtnis " [9]; to be compared with Lee's conclusion: " John had use of the Gospel of Mark and had Mark's programme in mind during the writing of his narrative... He merely takes Mark for granted and embodies him where he sees fit " [10]. In fact, Lee's conclusion was *ad litteram* that of Flowers [11].

The exegetical literature on the Fourth Gospel in this last decade, 1965-1975, is dominated by the appearance of important new commentaries on John: R. Schnackenburg (1965, 1971, 1975) [12], R. E. Brown

6. *Ibid.*, pp. 37-38 ; see E. K. LEE, *St Mark and the Fourth Gospel*, in *NTS* 3 (1956-57) 50-58. The article is signed Rev. E. Kenneth Lee (Horsforth, Leeds).

7. H. J. FLOWERS, *Mark as a Source for the Fourth Gospel*, in *JBL* 46 (1927) 207-236. The section on the passion narrative and some other parts are omitted by Lee : pp. 208-215 ; 221-222(l. 22) ; 223(l. 21)-230. — On this fraud, see G. SELONG, *The Cleansing of the Temple* (see n. 5), pp. 50-51.

8. See, for instance, Ph.-H. MENOUD, *Les études johanniques de Bultmann à Barrett*, in F.-M. BRAUN (ed.), *L'évangile de Jean. Études et problèmes* (Recherches bibliques, 3), Bruges, 1958, pp. 11-40, esp. p. 18, n. 4 ; P. BORGEN, *John and the Synoptics in the Passion Narrative*, in *NTS* 5 (1958-59) 246-259, esp. p. 247, n. 2 ; 248, n. 6 ; 249, n. 3 ; 254, n. 1 and 3 ; R. E. BROWN, *The Problem of Historicity in John*, in *CBQ* 24 (1962) 1-14 ; = *New Testament Essays*, London-Dublin, 1965, p. 143-167, esp. p. 149, n. 24 ; *The Gospel according to John*, vol. I (see n. 13), 1966, p. XLIV ; R. SCHNACKENBURG, *Das Johannesevangelium*, vol. I (see n. 12), 1965, p. 22, n. 2 ; R. T. FORTNA, *The Gospel of Signs* (see n. 25), p. 9, n. 2 ; L. MORRIS, *John* (see n. 16), p. 150, n. 116 ; H. M. TEEPLE, *The Literary Origin* (see n. 5), p. 60.

9. W. G. KÜMMEL, *Einleitung* (see n. 3), 1963, p. 138 ; 1973, p. 170. Comp. p. 169, n. 26 : " Weitere Beispiele bei LEE ".

10. E. K. LEE, *St Mark* (see n. 6), p. 58.

11. H. J. FLOWERS, *Mark* (see n. 7), p. 236. Lee cancelled one word : " his *own* narrative ".

12. R. SCHNACKENBURG, *Das Johannesevangelium : I. Einleitung und Kommentar zu Kap. 1-4* ; *II. Kommentar zu Kap. 5-12* ; *III. Kommentar zu Kap. 13-21* (Herders Theologischer Kommentar zum Neuen Testament, IV/1,2,3), Freiburg, 1965 ; 1971 ; 1975. Cf. vol. I, p. 15-32 : *Verhältnis zu den Synoptikern* ; the conclusion on p. 23 : " Im ganzen jedenfalls lassen sich die joh. Erzählungsstücke auch dort, wo sie auffällige Berührungen mit syn. Tradition haben, kaum auf eine literarische Kenntnis oder gedächtnismässige Erinnerung an die Syn. zurückführen ". Schnakkenburg too changed his mind (comp. C. H. DODD, *supra*, n. 4) ; cf. *Der johanneische Bericht von der Salbung in Bethanien (Joh 12,1-8)*, in *Münchener Theologische Zeitschrift* 1 (1950) 48-52 ; compare vol. II, p. 465 : " Wenn die wörtlichen Anklänge

(1966, 1970)[13], J. N. Sanders-B. A. Mastin (1968)[14], J. Marsh (1968)[15], L. Morris (1971)[16], S. Schulz (1972)[17] and B. Lindars (1972)[18]. The last

an Mk an eine literarische Kenntnis dieses Ev durch Joh denken lassen, sind es jene joh. Sonderzüge, die in eine andere Richtung weisen. "

13. R. E. Brown, *The Gospel according to John*, vol. I : i-xii ; vol. II : xiii-xxi (The Anchor Bible, 29 and 29A), Garden City (N.Y.), 1966 ; 1970. Cf. vol. I, pp. XLIV-XLVII : *The Question of Dependency upon the Synoptic Gospels* ; the conclusion on p. XLVII : " in most of the material narrated in both John and the Synoptics, we believe that the evidence does not favor Johannine dependence on the Synoptics or their sources. John drew on an independent source of tradition about Jesus, similar to the sources that underlie the Synoptics. ... During the oral formation of the Johannine stories and discourses (Stage 2), there very probably was some cross-influence from the emerging Lucan Gospel tradition. Perhaps, although we are not convinced of this, in the final redaction of John (Stage 5) there were a few details directly borrowed from Mark " (cf. *infra*, n. 71-72). See also *Incidents that are Units in the Synoptic Gospels but Dispersed in St. John*, in *CBQ* 23 (1961) 143-160 ; = *New Testament Essays*, London-Dublin, 1965, pp. 192-213.

14. J. N. Sanders (ed. B. A. Mastin), *A Commentary on the Gospel according to St John* (Black's New Testament Commentaries), London, 1968, esp. p. 6-18. Cf. p. 10 : " neither individually nor cumulatively to they [the passages parallel to Mark] compel us to suppose that Mark is a source for the Fourth Gospel " ; and with regard to the parallels with Luke : " the most natural explanation of the phenomena is that John and Luke used sources which to some extent overlapped " (p. 12).

15. J. Marsh, *The Gospel of St John* (The Pelican Gospel Commentaries), Harmondsworth, 1968. Cf. p. 45 : " Could they [the phenomena detailed by Barrett] not equally well be explained by assuming that John had access to the same or even similar tradition about Jesus that lay behind Mark ? " (but see also p. 47).

16. L. Morris, *The Gospel according to John* (The New International Commentary on the New Testament), Grand Rapids (Mich.), 1971. Cf. pp. 49-52 ; p. 52 : the connection " between the tradition embodied in the Synoptists and that in John... is much more likely to be oral ". Comp. *Synoptic Themes Illuminated by the Fourth Gospel*, in *Studia Evangelica*, vol. II (TU, 87), Berlin, 1964, pp. 73-84 ; *Studies in the Fourth Gospel*, Grand Rapids (Mich.), 1969, pp. 15-63 : " The Relationship of the Fourth Gospel to the Synoptics " ; p. 63 : " literary dependence... is highly unlikely. His Gospel is too different from the others for that. " For a discussion of " perhaps the fullest recent treatment of this disputed question ", see C. K. Barrett, in *ExpT* 85 (see n. 3), pp. 229-232.

17. S. Schulz, *Das Evangelium nach Johannes* (Das Neue Testament Deutsch, 4), Göttingen, 1972. Cf. pp. 3-4 and 7 : John depends on the pre-synoptic tradition, " die vormarkinische Gemeindetradition " and, in Jn 4,46 ff., " (die jüngere, hellenistisch-judenchristliche Traditionsschicht) der Reden- oder Q-Quelle ".

18. B. Lindars, *The Gospel of John* (New Century Bible), London, 1972. See pp. 25-28. — It is not correct that " direct dependence was challenged by ... Windisch (1926) " (p. 26). Cf. H. Windisch, *Johannes und die Synoptiker. Wollte der vierte Evangelist die älteren Evangelien ergänzen oder ersetzen ?* (Untersuchungen zum Neuen Testament, 12), Leipzig, 1926, p. 52 : " Am *wahrscheinlichsten* lässt sich die These machen, dass Joh. unsern Mk., der ja auch schon zwei bis drei Dezennien lang in Umlauf war, als Joh. schrieb, gekannt und gelegentlich benutzt hat. Dass Joh. auch Mt. und Lk. gekannt, gebraucht und vorausgesetzt hat, kann man bezweifeln. *Wahrscheinlicher* ist gleichwohl,... dass er auch mit diesen beiden Evgln. bekannt

author represents a somewhat divergent view in that he seriously considers the possibility that John and the Synoptic Gospels made use of common sources [19]. The solution proposed by the others is, in general, the oral tradition hypothesis, with the acceptance of special relationships in the Johannine-Lukan traditions [20]. This approach is not really new, but, in comparison to the earlier literature, there is a notable progress in the presentation of the evidence, especially in the systematic description of the similarities and dissimilarities as found in the commentaries of Brown and Schnackenburg. Another aspect of these studies is the deliberate attempt to determine Johannine characteristics, the stylistic and theological peculiarities which can be ascribed to the evangelist. This should permit us to formulate more correctly the question of tradition and redaction in John and, in doing so, to contribute to a clearer distinction of the problems involved in the discussion concerning John and the Synoptics.

It is, however, an inherent difficulty in the commentaries on John that parallel texts from the Synoptics are abundantly quoted but scarcely examined from the viewpoint of redaction criticism. Some commentators are well aware of this limitation. In his introduction to the passion narrative, R. E. Brown observes: " The comparison of John and Matthew is complicated by the failure of Synoptic criticism to reach a consensus on whether Matthew drew on an independent pre-Gospel

war. Im folgenden wird vorausgesetzt, dass er wirklich *alle drei* Synopt. kannte " ; and p. 53 : " Mit diesem Ergebnis meiner Untersuchung liefere ich zugleich die Korrektur der in ZNTW 1911, 174f. von mir veröffentlichten Ausführungen, wo ich insbesondere die Bekanntschaft des Joh. mit den Synopt. bezweifelte. " J. Blinzler (*op. cit.*, p. 18, n. 14) noted a similar mistake in Kümmel's *Einleitung* (1963, p. 160), now corrected in the new edition (1973, p. 198).

19. B. LINDARS, *John* (see n. 18), p. 27 : " But the difficulty [" exact verbal links : ... too striking to be brushed aside "] is overcome if we assume that John's sources were at some points either identical with, or closely similar to, the sources used by Mark and Luke. There is no reason why some at least of these sources should not have been in written form. " Cf. *infra*, n. 95 ; and *Behind the Fourth Gospel* (Studies in Creative Criticism, 3), London, 1971, p. 40.

20. Cf. J. SCHNIEWIND, *Die Parallelperikopen bei Lukas und Johannes*, Leipzig, 1914 ; = Darmstadt, ²1958. Cf. p. 96 : " Die Berührung zwischen Lk. und Joh. ist zu erklären aus einer gemeinsamen Tradition mündlicher Erzählungen ". — A more recent survey of the " agreements between Luke and John against Matthew and Mark " (without reference to Schniewind !) can be found in F. L. CRIBBS, *St. Luke and the Johannine Tradition*, in *JBL* 90 (1971) 422-450 ; reprinted with some enlargements : *A Study of the Contacts That Exist Between St. Luke and St. John*, in G. MCRAE (ed.), *SBL 1973 Seminar Papers*, Cambridge (Mass.), 1973, vol. II, pp. 1-93. The author questions John's use of the Synoptics (esp. Luke) : " a better explanation... might well be the hypothesis that Luke was influenced by some early form of the developing Johannine tradition (or perhaps even by an early draft of the original edition of John) rather than vice versa " (p. 450).

tradition for the passion or simply modified Mark "[21]. It is clear enough that the comparison of John and Matthew will reach different conclusions according to the option chosen for one or other of these alternatives. Yet, sometimes I have the impression that Johannine scholars are too readily inclined to admit exceptions to the literary dependence of Matthew (or Luke) upon Mark[22].

It has been observed by Blinzler and Barrett that " the argument of John's independence of the synoptic gospels owes some of its popularity to the fact that it... suggests a higher estimate of its [the Fourth Gospel's] worth as a historical source "[23]. Thus, Brown notes that the question of the historical Jesus deserves reconsideration in view of the conclusions " that within the material proper to John there is a strong element of historical plausibility, and that within the material shared by John and the Synoptics, John draws on independent and primitive tradition "[24]. B. Lindars, too, expresses the connection with the problem of the historical value of the Fourth Gospel: " If John did not use the Synoptic Gospels, the way is opened for an independent assessment of the historical value of his material "[25]. R. T. Fortna who further develops Bultmann's Signs Source into a pre-Johannine *Vorlage* underlying the Synoptic and Synoptic-like material in John (including the passion and resurrection narratives)[26] concludes that the reconstruction of the Signs Gospel " provides a new, or rather a better focused, corpus of data with which the historian can deal ", although he adds: " but it is too soon to say in what ways it will contribute to our knowledge of the historical Jesus whose deeds it claims to recount "[27].

21. R. E. BROWN, *John* (see n. 13), vol. II, p. 790.

22. At any rate, I would not subscribe to Brown's contention when he wrote in 1970 that " the French *and Belgians* think that Matthew had a more primitive source than Mark in many instances " (*ibid.*; italics added). See D. P. SENIOR, *The Passion Narrative according to Matthew. A Redactional Study* (BETL, 39), Louvain, 1975 (Doctoral dissertation, 1972).

23. J. BLINZLER, *Johannes und die Synoptiker* (see n. 2), p. 50; reformulated by C. K. BARRETT, *John and the Synoptic Gospels* (see n. 3), p. 233; compare G. SELONG, *The Cleansing of the Temple* (see n. 5), pp. 183-188.

24. R. E. BROWN, *John*, pp. XLVII-XLVIII.

25. B. LINDARS, *John*, p. 27.

26. R. T. FORTNA, *The Gospel of Signs. A Reconstruction of the Narrative Source Underlying the Fourth Gospel* (SNTS Monogr. Ser., 11), Cambridge, 1970. On John's relation to the Synoptics, see pp. 8-11 and 226-228; cf. D. M. SMITH, in *JBL* 89 (1970) 489-501, p. 501: " At the very least, Fortna has isolated the Johannine tradition and in doing so has shown its independence of the synoptic gospels (cf. his modest claims on p. 226). " On the dependence on the Synoptics as an objection to Johannine source criticism (p. 10), see also J. M. ROBINSON, *The Johannine Trajectory*, in J. M. ROBINSON-H. KOESTER, *Trajectories through Early Christianity*, Philadelphia, 1971, p. 241.

27. *Ibid.*, p. 228.

To give here an exhaustive enumeration of the defenders of the consensus — or the prevailing view, or whatever you wish to call it — would entail a somewhat monotonous exposition [28]. The special purpose of my lecture will be, *first*, to explore how the now divergent view of Johannine dependence is represented in the recent literature, with special concentration being given to the work of Boismard and Dauer; and, *second*, to give, with regard to John and the Synoptics, an illustration of the consequences resulting from Synoptic redaction criticism.

I

For an exposition of the dependence hypothesis in a full commentary we will have to wait for the new edition of C. K. Barrett. Meanwhile it cannot be said that there are notable changes in the way of arguing since 1965. As before, John's use of the Gospel genre as it

28. Most authors simply indicate that they follow the new trend: e.g. J. L. MARTYN, *History and Theology in the Fourth Gospel*, New York, 1968, p. XX: " For good reasons critical opinion has swung away from the view that John used any one of the other gospels known to us " ; S. S. SMALLEY, *The Johannine Son of Man Sayings*, in *NTS* 15 (1968-69) 278-301, p. 300: " If the Johannine tradition is indeed historical and independent of the Synoptists, as surely it is, ... " ; F. L. CRIBBS, *A Reassessment of the Date of Origin and the Destination of the Gospel of John*, in *JBL* 89 (1970) 38-55, p. 39: " the growing conviction that there is no real evidence to substantiate the theory that John was either dependent upon or aware of the synoptic gospels " (with reference to Gardner-Smith, Goodenough, Dodd, Bultmann, Noack, Brown, D. M. Smith). Compare also J. GNILKA, *Der historische Jesus als der gegenwärtige Christus im Johannesevangelium*, in *Bibel und Leben* 7 (1966) 270-278, p. 271: " Dass dabei keine literarische Abhängigkeit des Johannes von den Synoptikern behauptet werden soll, sondern nur die traditionsgeschichtliche Verankerung beider auf einem gemeinsamen Grund vorausgesetzt wird, sei nur am Rande vermerkt. " — The common oral tradition, or a Johannine tradition in parallel with, and similar to, the Synoptic tradition, is the explanation for the similarities between John and the Synoptics. But the emphasis is on the differences, and independence from the Synoptic Gospels is assumed for the evangelist as well as the pre-Johannine sources, the Passion Source or the Signs Source. R. T. Fortna combined Bultmann's *σημεῖα-Quelle* and Passion Source into the pre-Johannine Signs Gospel (cf. *supra*, n. 25). G. Reim in his Oxford dissertation (1967) maintains a separate Signs Source (without Jn 4,1-42 and 5,1-16), but assigns the other Synoptic-like material, together with the passion narrative, to a " Fourth Synoptist ", a pre-Johannine gospel which was older than Mark. Cf. G. REIM, *Studien zum alttestamentlichen Hintergrund des Johannesevangeliums* (SNTS Monogr. Ser., 22), Cambridge, 1974, esp. pp. 206-216. Indeed, " source theory with regard to the Fourth Gospel " is no longer " impeded by the assumption of dependence upon the Synoptic gospels " (Robinson, see n. 26) ! — For the Signs Source theory an exhaustive survey is provided by G. VAN BELLE, *De Sèmeia-bron in het vierde evangelie. Ontstaan en groei van een hypothese* (Studiorum Novi Testamenti Auxilia, 10), Louvain, 1975.

originated in Mark [29], the Markan sequence of events especially in Jn 6, verbal resemblances in the Synoptic-like material, and some reminiscences detectable in other sections of the Gospel, are the pieces of evidence. The dependence is no longer presented as a conscious effort of supplementation, correction, interpretation or replacement [30], but the Fourth Evangelist is presumed to have been acquainted with and to have used Mark, and possibly Luke [31], at least from

29. Compare the sentence added in the new edition of Kümmel's *Einleitung*: " die Kenntnis der Synpt. als Gattung setzt Joh auf alle Fälle voraus " (p. 170) ; with reference to G. DAUTZENBERG, *Die Geschichte Jesu im Johannesevangelium*, in J. SCHREINER (ed.), *Gestalt und Anspruch des Neuen Testaments*, Würzburg, 1969, pp. 229-248, esp. p. 232 : " Denn nach allem, was wir wissen, ist die Gattung 'Evangelium' erst durch das Markusevangelium geschaffen worden. Es ist äusserst unwahrscheinlich, dass an einem anderen Ort ohne irgendeine geschichtliche Vermittlung ein Werk gleicher Gattung entstehen konnte. " — For a " solution " to this question, see J. M. ROBINSON, *On the* Gattung *of Mark (and John)*, in *Jesus and Man's Hope*, vol. I, *Perspective* 11 (1970) 99-129 ; *The Johannine Trajectory* (see n. 25), pp. 266-268 ; *The Literary Composition of Mark*, in M. SABBE (ed.), *L'Évangile selon Marc* (BETL, 34), Gembloux-Louvain, 1974, pp. 11-19. Although the author can refer to a number of American " aretalogists ", both the pre-Johannine Signs Source and the pre-Marcan collection of miracles remain highly questionable ; cf. *infra*, n. 65.

30. But see W. GERICKE, *Zur Entstehung des Johannes-Evangeliums*, in *TLZ* 90 (1965) 807-820, col. 814 : " Das Joh.-Ev. will das Mark.-Ev. korrigieren, ergänzen, vertiefen. Es wird nicht in Gegensatz zum Mark.-Ev. treten. Aber es steht als das Buch der öffentlichen Epiphanien Christi zum Mark.-Ev. als dem Buch der geheimen Epiphanien in einem gewissen polaren Verhältnis. Es ist auf das Mark.-Ev. bezogen und ohne dieses nicht wirklich erklärbar. " John originated in A.D. 68, not long after Mark (col. 811-814 : he compares Jn 1,1-14.23 with the context of Is 40,3, quoted in Mk 1,2-3) and it was known to Matthew and Luke (col. 814-817). Compare also W. SCHENK, *Der Passionsbericht nach Markus. Untersuchungen zur Überlieferungsgeschichte der Passionstraditionen*, Berlin, 1974, pp. 123-139 (on Jn 19,16b-37) : the intention of the Fourth Evangelist is not the correction of the Gospel of Mark but the correction and replacement of the gnostic interpretation of Mark, " Ersetzung des gnostisch besetzten Markus-Evangeliums ", " Korrektur auf das gnostisch missdeutete Markus-Evangelium " (p. 130). This suggestion was first made by F. NEUGEBAUER, *Die Entstehung des Johannesevangeliums. Altes und Neues zur Frage seines historischen Ursprungs* (Aufsätze und Vorträge zur Theologie und Religionswissenschaft, 43), Berlin, 1968 ; = (Arbeiten zur Theologie, I/36), Stuttgart, 1968, esp. pp. 38-39. (On the contacts of John with Mk 1,1-4.7.9-11.14 ; 6,5.37 ; 10,37, see pp. 24-27.)

31. W. G. KÜMMEL, *Einleitung*, 1973, p. 169 : " Auch der literarische Zusammenhang des Joh mit Lk ist sehr wahrscheinlich [compare 1963 : " unbestreitbar "]. Darauf führen das Vorkommen gleicher Namen... und Einzelzüge..., vor allem aber die Salbungsgeschichte... ". Cf. J. A. BAILEY, *The Traditions Common to the Gospels of Luke and John* (Supplements to Novum Testamentum, 7), Leiden, 1963. J. Blinzler is more hesitant : " Aber die Möglichkeit, dass dieser [John] von der in Lk 7 erzählten Geschichte auf anderem Weg Kenntnis erlangt hatte, ist wohl nicht auszuschliessen " (p. 58, n. 45). Blinzler's position (p. 58, in the text)

memory [32]. The discussion is centered, as it always was, upon the significance of similarities and dissimilarities, and the evangelist's creative gospel writing as against the indebtedness to tradition.

More than before, in studying the relationship of John to the Synoptics, the comparison is made with the individual Synoptic Gospels (and not with *the* Synoptists, or the Synoptic *tradition*) [33]. In this connection, it is most remarkable that the relationship to Matthew is considered anew in recent studies. Years ago, Streeter concluded that " the evidence that can be adduced to prove John's knowledge of Matthew is quite inconclusive " [34]. This is still the conclusion of Blinzler, Kümmel and

can be compared with that of Barrett : " It would no doubt be possible to ascribe these agreements to coincidence, or to common use of oral tradition ; but it seems equally possible, and, it may be, preferable, to explain them as due to the fact that John had read Luke " (*John*, p. 37). — See also F. E. WILLIAMS, *Fourth Gospel and Synoptic Tradition : Two Johannine Passages*, in *JBL* 86 (1967) 311-319. The author compares Jn 2,1-11 with Lk 5,33-39 (" a dramatization based upon the Lukan form... ") and Jn 1,19-28 with Lk 3,15-16 ; 7,18-30, and Mk 1,3 and 8,27-30 and parallels.

32. J. BLINZLER, *Johannes und die Synoptiker*, pp. 59-60. Compare also Barrett (n. 3) and Kümmel (n. 3 and 9). Negatively it is said that John did not use the Synoptic Gospels as Matthew and Luke used Mark, and positively, that his treatment of the Synoptics can be compared with his free use of the Old Testament (cf. C. Goodwin). See also A. WIKGREN, *A Contribution to the New Quest*, in *Interpretation* 20 (1966) 234-238 ; M. I. WILLIAMS, *Tradition in the Fourth Gospel. A Critique of Professor C. H. Dodd*, in *Studia Evangelica*, vol. IV (TU, 102), Berlin, 1968, pp. 258-268.

33. Compare P. Borgen's conclusion (see n. 86) : " Consequently, it is clear that John must be compared with the Syn. not only collectively, but also individually " (p. 259). — Teeple distinguishes four main writers in John and determines their relation to the Synoptics as follows : S (Signs) used Mark (the order of events in Jn 6,5-21 ; and 1,26 ; 5,8.14 ; 6,5.7.9-11 ; 12,3a.5.8 ; 19,2) ; the source G (semi-gnostic) is parallel with Matthew (13,16.20 ; 15,7 ; 16,13b ; 17,2) and exceptionally with Mark (18,15.17.25.37) ; the Editor exhibits some parallels with all the Synoptics (and, in 4,53b ; 18,13, with Acts) ; the Redactor used Luke (cf. 3,24 ; 12,2b). Cf. H. M. TEEPLE, *Literary Origin* (see n. 5), pp. 251-252.

34. B. H. STREETER, *The Four Gospels*, London, 1924, p. 415 ; after an examination of " the points of contact between Matthew and John " (pp. 408-416) : Jn 13,16 = 15,20, cf. Mt 10,24, par. Lk ; Jn 3,35 = 13,3, cf. Mt 11,27, par. Lk ; Jn 4,46ff., cf. Mt 8,5ff., par. Lk ; and " a few minor agreements of Matthew and John against Mark " : Jn 6,3, cf. Mt 15,29 ; Jn 6,19, cf. Mt 14,24 ; Jn 12,8, cf. Mt 26,11 ; Jn 12,15, cf. Mt 21,5 ; Jn 18,11, cf. Mt 26,52 ; Jn 19,2, cf. Mt 27,29 ; Jn 19,41, cf. Mt 27,60 , Jn 20,17, cf. Mt 28,10. — Cf. B. W. BACON, *The Fourth Gospel in Research and Debate*, London-Leipzig, 1910, p. 368 : " Matthew is practically ignored " ; attention should be paid to Jn 1,42, cf. Mt 16,18 ; Jn 2,19, cf. Mt 26,61 ; Jn 12,8, cf. Mt 26,11 (cf. Streeter) ; Jn 18,13, cf. Mt 26,57 (pp. 366-367 ; esp. n. 2). See also V. H. STANTON, *The Fourth Gospel* (The Gospels as Historical Documents, Part III), Cambridge, 1920, pp. 214-220 : " The fourth evangelist knew St Mark but not St Matthew or St Luke " ; parallelisms with Matthew : Jn 6,3 ; 6,19 ; 18,11 (cf. Streeter's list).

Barrett. Blinzler refers to Sparks (and his article on John's parallel with Mt 10, 24) as " der einzige Neutestamentler, der in den letzten zwei Jahrzehnten ausdrücklich eine Bekanntschaft des vierten Evangelisten mit dem Mt-Evangelium behauptet und zu beweisen versucht hat " [35]. Since Blinzler's survey at least the Synoptic commentary of M.-E. Boismard and the study of A. Dauer on the passion narrative, both published in 1972, can be mentioned [36]. It is on these two publications that I will concentrate in the first part.

1. *Boismard's Hypothesis* [37]

The main principle in Boismard's theory on the relationships between John and the Synoptics is that the sources of the Synoptic-like texts in

35. J. BLINZLER, *Johannes und die Synoptiker*, p. 47 ; cf. W. G. KÜMMEL, *Einleitung*, 1973, p. 169, and 168, n. 24 : " nur Sparks... " (= 1963, p. 138 and 137). But see also E. D. Freed, 1961, 1965 (cf. *infra*, n. 75). — Cf. H. F. D. SPARKS, *St. John's Knowledge of Matthew : the Evidence of John 13,16 and 15,20*, in *JTS* 3 (1952) 58-61 ; compare the reaction of P. GARDNER-SMITH, *St. John's Knowledge of Matthew*, in *JTS* 4 (1953) 31-35 ; C. H. DODD, *Some Johannine 'Herrnworte' with Parallels in the Synoptic Gospels*, in *NTS* 2 (1955-56) 75-86, pp. 75-78 ; *Historical Tradition in the Fourth Gospel*, Cambridge, 1963, pp. 335-338.

36. Compare also K. HANHART, *The Structure of John i 35 — iv 54*, in *Studies in John Presented to J. N. Sevenster* (Suppl. NT, 25), Leiden, 1970, pp. 22-46. The author proposes a two level approach (cf. Martyn) and inquires " whether John referred in a cryptic manner to persons and events after Jesus' earthly ministry " (p. 23). John is supposed to know the written Gospels and to write " a *midrashic* comment " on some episodes in them. I quote : " The hypothesis of this essay as a whole stands or falls with the identification of Nathanael as Matthew " (p. 28). Jn 1,45 offers a characterization of the Gospel of Matthew and the depreciative words in 1,50 may explain " why relatively few traces of Matthew's Gospel are found in John who, it seems, preferred the writings of Luke " (p. 26).

37. M.-E. BOISMARD, *Commentaire*, in P. BENOIT and M.-E. BOISMARD, *Synopse des quatre évangiles en français*, vol. II, Paris, 1972. See the Introduction, pp. 47-48 : The Gospel of John and *1.* Proto-Luke (cf. p. 40 : " Les accords Lc-Jn ") ; *2.* Document C (cf. p. 43 : " Lc et le Document C ") ; *3.* Document B ; *4.* " Recueils de miracles " ; *5.* " L'ultime rédaction matthéenne ". — In the *Bulletin* of *Revue Biblique* Boismard has emphasized again and again the similarities between Luke and John, especially in the passion narrative, as evidence of Luke's dependence on the Johannine traditions ; cf. *RB* 62 (1955), p. 139 (in reaction to H. Conzelmann) ; 63 (1956), p. 269 (C. K. Barrett), p. 604 (J. Schmid) ; 66 (1959), p. 141 (H. Schürmann), etc. In answer to C. H. Dodd he reformulates this relationship as the dependence of John and Luke on a common passion source (in *Commentaire* : Proto-Luke and Document C) : " Pour ma part, je suis persuadé que *Jn* a connu et utilisé des traditions évangéliques écrites qui ont elles-mêmes servi de source aux évangiles synoptiques " ; cf. *RB* 74 (1967), p. 465. The distinction between different redactional stages in John is essential to Boismard's literary theory ; cf. *L'évolution du thème eschatologique dans les traditions johanniques*, in *RB* 68 (1961) 507-524 (see p. 523 for a list of doublets in Jn). In the earlier stages of the Johannine traditions the eschatological and christological conceptions are closer to the Synoptics than in

John are identical with the sources of the Synoptic Gospels. Proto-Luke is John's principal source in the passion narrative [38] and in some other sections of the Gospel [39]. John also directly depends upon the sources C [40] and B [41]. For the miracles in Jn 4, 5 and 9 Boismard suggests that John may have made use of some very primitive material, i.e., the collections of miracles as they existed even before being incorporated into source A [42]. In addition, John's final redaction was influenced by Matthew, not by " Matthieu-intermédiaire " (the Intermediary Matthew

the " *relectures* " (pp. 523-524). From 1962 on he defends the hypothesis that Luke has edited (some parts of) the Gospel of John ; cf. *Saint-Luc et la rédaction du quatrième évangile (Jn IV, 46-54)*, in *RB* 69 (1962), 185-211. He admits Lukan redaction in 4,46-53 (vv. 48 and 51-53) ; 20,24-30 ; 19,25-27 (and the other Beloved Disciple passages : 21,1-14.18-23 ; 13,21-30) ; 1,14-18 ; probably also 20,11-13, and " il serait possible d'apporter bien d'autres exemples encore " (p. 211). Luke is also supposed to have incorporated the different Johannine traditions into a primitive gospel " que l'on pourrait appeler le proto-Jean " (p. 210). See also *RB* 69 (1962), p. 618 : Jn 15,26-27 as " rédaction lucanienne ". In *Commentaire* the terminology has changed : " influence du récit du proto-Lc sur la rédaction johannique ", although he maintains " le caractère 'lucanien' du texte à son ultime niveau rédactionnel " (p. 161). It should be noted that only the Synoptic-like material in Jn is studied in *Commentaire*. The section on John in the Introduction speaks about the (Synoptic) sources and the distinction between *Jean* and *l'ultime rédaction johannique* is indicated only with reference to John's dependence on Matthew. Boismard's literary theory on the Fourth Gospel will be treated in a third volume of the *Synopse* ; cf. p. 161 : " le problème de la personnalité de l'ultime Rédacteur johannique... ne sera traité que dans un volume ultérieur consacré au problème johannique ". See n. 84. Meanwhile it can be observed that John is brought in close connection with Luke : John had access to Luke's main source (Document C) and to Proto-Luke and the final Johannine redaction shows Lukan characteristics.

38. Jn 18,12-18 (§ 339) ; 18,25 (§ 340, see also C) ; 10,24-25.33-36 (§ 342) ; 18,28 (§ 345) ; 18,29(19,12c).33-37.38b (§ 347) ; 18,39-40 ; 19,1-3.4.6.15.16a (§ 349) ; 19,16b-17a (§ 351) ; 19,17b-18.19 (§ 352) ; 19,28b-29.30b.25a (§ 355 ; for v. 30b, cf. Mt) ; 19,38.41a.41b.42a (§ 357) ; 20,1-2 (§ 359) ; 20,3-10 (§ 360) ; 20,19-20 (§ 365). Omitted by Luke : Jn 11,47-50.53 (§ 267, cf. 312 : Mt 26,3-4) ; 18,13a.19-23 (§ 340 : interrogation by Annas, in Proto-Luke before Jn 18,18.25).

39. Jn 1,6-7.19-20.25.26b.27a (§ 19 and 22) ; 21,1-13 (§ 38) ; 4,46-54 (§ 84, cf. n. 42) ; 6,1-2.5-13 (§ 151 : for vv. 5-13 see also B) ; 8,1-2 (§ 308). Omitted by Luke : Jn 8,3-11 (§ 259). — On Jn 1,14.18 (§ 169) see n. 49.

40. Jn 11,55-57 (§ 271) ; 12,25 (§ 227) ; 12,31 (§ 187) ; and especially the John-Luke parallels in the Passion : Jn 13,36-38 (§ 323) ; 16,32 (§ 336) ; 12,23.27 ; 14,30-31 (§ 337) ; 18,25 (§ 340) ; 19,31.38c.40.42b (§ 357). In §§ 267, 339, 340, 359, 360, 365 (see n. 38), 38 (see n. 39), and 169 (see n. 39 and 49) John depends on C through Proto-Luke. For 4,46-54 (§ 84) cf. n. 42.

41. Jn 1,27.30 (§ 22) ; 2,13-21 (§ 77, cf. 275) ; 3,23 (§ 19) ; 6,4-13 (§ 151) ; 6,16-21 (§ 152) ; 6,30-31 (§ 160) ; 6,69 (§ 165) ; 12,1-8 (§ 313) ; 13,18 (§ 317).

42. Jn 4,46b-47.50a (§ 84) ; 5,5-6a.c.8-9 (§ 40) ; 9,1.6.(8.)(10) (§ 268). There is some hesitation for 4,46ff. : miracles collection or C (pp. 47, 48, 160, 161).

known to John only through Proto-Luke) but by the Gospel of Matthew in its final form (*l'ultime rédaction matthéenne*) [43].

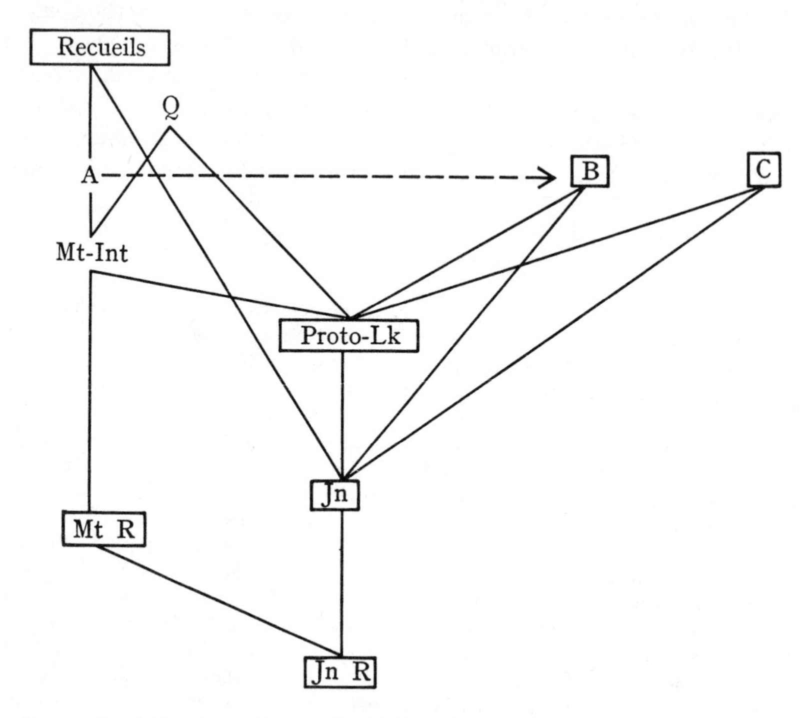

For each of the three Synoptics Boismard makes a distinction between the Proto-Gospel (or Intermediary Gospel) and its final redaction. Yet, as it is shown in the diagram, the final redaction of Matthew is the only one mentioned among the sources of John. This is a rather strange fact, unexpected certainly for those who would agree with the author's view of the identity of the (Lukan) redactor of Matthew, Mark and Luke and of the Lukan character of the final redaction of John.

As far as Luke is concerned, at least one instance of influence seems to be accepted by Boismard. He explains (rightly, in my view) the pericope of Lk 7, 36-50 as a free composition by the final redactor of Luke on the basis of the Markan anointing story [44]. And in his comment on Jn 12 he makes the observation that the somewhat confused detail of Mary " anointing Jesus' feet and drying his feet with her hair " (v. 3b) is borrowed from Lk 7, 38 by the Johannine redactor [45]. In the conclusions of the commentary, as they are expounded in the Introduction, there is

43. Cf. *infra*, n. 69.

44. *Commentaire*, p. 179 (§ 123) ; with reference to J. DELOBEL, *L'onction de la pécheresse. La composition littéraire de Lc., VII, 36-50*, in *ETL* 42 (1966) 415-475.

45. *Ibid.*, p. 328 (§ 272).

no mention at all of a case like this. The Lukan-Johannine affinities are exclusively treated as indications of John's use of Proto-Luke.

For Boismard, Proto-Luke and the final Luke are both written in the same style and vocabulary by the same author [46]. If that is so, how can he prove the existence of the "Proto-Lukan" [47] gospel? Here intervenes the affinity with John: in a number of instances the only justification of a distinction between Proto-Luke and (final) Luke is Johannine dependence. I give one example: the pericope of the centurion (Lk 7, 1-10). I quote: " Il faut attribuer ces remaniements au proto-Lc (et non à l'ultime Rédacteur lucanien), car on verra plus loin qu'ils ont eu une influence sur la rédaction johannique " [48]. And on the following page: " Il existe une certaine similitude de situation entre le récit de Lc... et le récit de Jn... ; on peut donc se demander si le récit johannique n'aurait pas subi l'influence du récit du proto-Lc " [49]. Here, Proto-Luke, as distinguished from (final) Luke, is nothing else than the result of the author's refusal to consider the possibility of John's dependence upon the final Luke [50].

46. *Ibid.*, p. 46.

47. It should be noted that Boismard's Proto-Luke (cf. *Commentaire*, pp. 40-44) is quite different from the Proto-Luke of Streeter, Taylor and Jeremias (the L + Q gospel before the insertion of the Markan material). According to Boismard Proto-Luke depends on Intermediary Matthew, which already combined the Documents A and Q. The first consequence is that the Document Q is not really a common source of which both Matthew and Luke made use independently but a Matthean source known by Luke mainly through Intermediary Matthew. (I say " mainly " because Boismard admits the possibility of direct dependence for some sections, " les rares cas où on peut prouver que le proto-Lc dépend à la fois du Document Q et du Mt-intermédiaire ", Lk 10,1-12, cf. 9,1-2 ; 6,27-36 ; 6,46 ; 11,15.19-20.23 ; see p. 42.) A second and more important consequence is that Proto-Luke contains not only L + Q but also the triple tradition material (the so-called Markan blocks of the Proto-Luke hypothesis). Boismard's Proto-Luke borrowed this common Synoptic material incidentally from the Markan source B (e.g. § 143 : Mk 5,21-43) and more extensively from the Intermediary Matthew. Compare Boismard's explanation of the minor agreements between Matthew and Luke against Mark (diff. Mk 1,40-45 ; 2,1-12.21-22.23-28 ; etc.) ; cf. F. NEIRYNCK, *The Minor Agreements of Matthew and Luke against Mark* (BETL, 37), Louvain, 1974, pp. 46-47 and 55ff. *(passim)*.

48. *Commentaire*, § 159, p. 160. He refers to the (Proto-Lukan) addition of the sending of the elders (vv. 3 and 4-5) and the second sending of his friends (v. 6b).

49. *Ibid.*, p. 161. He compares Lk 7,6 with Jn 4,51. In 1962 he assigned the contacts between Jn and Lk to Luke's redaction of both Lk 7,2-10 and Jn 4,46b-53 ; cf. *RB* 69 (1962), pp. 194-200.

50. The author's methodological principle is clearly indicated when he compares Lk 9,32.35 with Jn 1,14.18: " Mais lorsque Jn dépend de Lc, c'est du proto-Lc qu'il dépend, et non de l'ultime rédaction lucanienne ; le v. 35 de Lc se lisait donc bien dans le proto-Lc " (p. 252 : § 169, I B 2b).

Another example is § 308 : Lk 21,37-38 (p. 369). He compares with Jn 8,1-2 and concludes : " Ces remarques littéraires [on the Lukan character of Jn 8,1-2] obligent

The case of the Gospel of Mark is different: neither Mark (final redaction) nor Intermediary Mark appear among the sources of John. This is in the most radical contrast to the common opinion of the defenders of John's dependence upon the Synoptics. However, this does not mean that Boismard neglected the comparison of John with the Markan parallels, but the similarities which could be listed as traces of Mark in the Fourth Gospel are assigned by him to the sources of Mark: Document A (known by John through Proto-Luke, and by Proto-Luke through Intermediary Matthew), and Documents B and C (known to John indirectly, through Proto-Luke, but also directly). Thus in the Feeding Miracle, the text of Jn 6, 5-13 shows similarities with the second account of Mk 8, 1-10 (par. Mt 15, 32-39) as well as with the first account of Mk 6 (and parallels): for Boismard John combined the version of Document B (Mk 8) with the version of Proto-Luke (Document A) [51]. Duality in Mark is normally interpreted by Boismard as resulting from a duality of sources [52] and so it can be maintained that John had access to one of Mark's sources: to Document C, for instance, in the Gethsemane story [53] and to Document B in the pericopes of the Walking on the Water [54] and the Anointing at Bethany [55].

But here again, the author's position is less rigid in the commentary itself than the conclusion. In the section of Jesus' Entry into Jerusalem (Jn 12, 12-19) he notes three contacts with (Intermediary) Mark: the acclamation "Hosanna!..." in v. 13, the word sequence *εὑρὼν ὀνάριον* (Mk *εὗρον πῶλον*) and *καθίζω ἐπί* with accusative in v. 14 (cf. Mk 11, 9b.4.7): "Ces contacts pourraient tous se situer au niveau de

à admettre que Jn et Lc dépendent tous les deux du proto-Lc, mieux conservé chez Jn que dans l'ultime rédaction lucanienne". — In other instances the existence of Proto-Luke is an inference drawn from the Matthew-John agreements (against Luke!); cf. *infra*, n. 80.

51. *Ibid.*, p. 224 (§ 151): "cette harmonisation porte presque exclusivement sur le chiffre des pains, des convives et des couffins" (cf. Jn 6,9.10c.13); "son texte de base semble être celui du Document B". However, it should be noted that Boismard's Intermediary Mark also combined the common Synoptic tradition (Document A) with Document B (= Mk 8,1-10) in Mk 6,37b.38a (cf. 8,4.5a) (p. 223), and therefore *διακοσίων δηναρίων ἄρτοι* in Jn 6,7 (= Mk 6,37b, and not in Mk 8!) is assigned to Document B (p. 224).

52. *Ibid.*, pp. 18-19. Intermediary Mark combined Document B, its principal source, with Document A in Mk 3,31-35; 5,21-43; 6,14-16, 6,30-34; 6,45-52; 10,23-27; 14,3-9.12-16.17-21.22-25.32-42(+ C).55-64.65(+ C).66-72(+ C), and in 1,21-28; 5,1-20 and 9,14-29 he combined the text of B (or A) with the exorcism story of C.

53. *Ibid.*, p. 391 (§ 337): Jn 12,23.27; 14,30-31, cf. Mk 14,41b.34a.b.42b.a.

54. *Ibid.*, pp. 225-226 (§ 152): Jn 6,15b-16a, cf. Mk 6,46b.47a.c; Jn 6,19b-20, cf. Mk 6,48-50.

55. *Ibid.*, pp. 371-373 (§ 313): Jn 12,5.7a.8, cf. Mk 14,5.6a.7.

l'ultime rédaction johannique " [56]. Another example is the saying of John the Baptist in Jn 1, 27: οὗ οὐκ εἰμὶ ἐγὼ ἄξιος ἵνα λύσω αὐτοῦ τὸν ἱμάντα τοῦ ὑποδήματος. On the basis of Acts 13, 25b he reconstructs the Johannine source, ... λῦσαι τὸ ὑπόδημα (Document B): " Après le verbe 'délier' Jn ajoute 'la courroie' sous l'influence du parallèle de Mc " [57]. And he observes elsewhere that it is the final redactor who is responsible for this introduction of τὸν ἱμάντα in Mark and Luke [58]!

It should be clear that the question whether John depends upon Mark or upon the sources of Mark is primarily a problem of Synoptic criticism. Thus, for the sequence in Jn 6: the Feeding (vv. 5-13), the Walking on the Water (vv. 16-21), the Request for a Sign (vv. 30-31) and the Confession of Peter (vv. 68-69), John is supposed by Boismard to have drawn upon Document B, in which he found this sequence of incidents in a pure form [59]. For Brown, John's source was rather " an independent tradition which had the same general sequence as precanonical Mark " [60]. Yet, the Markan studies referring to a traditional pre-Markan sequence, from J. Weiss to E. Schweizer, have no other argument for the inclusion of the Confession of Peter than the parallel of

56. *Ibid.*, p. 331 (§ 273, I C 1). Mk 11,4b-6a is added by Intermediary Mark in between εὗρον and καθὼς εἶπεν (*ibid.*, I B 3) and thus the word order εὗρον πῶλον first appeared in Intermediary Mark.

57. *Ibid.*, p. 76 (§ 22, I A 1 a).

58. *Ibid.*, p. 78 (II 4) : " La formule 'délier la courroie de ses sandales' serait également un effort pour rendre moins concise la formule du Mc-intermédiaire, introduite par les ultimes Rédacteurs marco-lucanien et lucanien. "

59. *Ibid.*, §§ 151, 152, 160, 165 ; esp. p. 240 (§ 160,1), 242-243 (§ 165, I 3), and p. 48 : " ces quatre derniers épisodes repris par Jn formaient un bloc dans le Document B ". — Comp. J. WEISS, *Das älteste Evangelium*, Göttingen, 1903, pp. 209-211 : " Speisung-Überfahrt-Landung, Zeichenforderung, Petrusbekenntnis " (cf. Mk 6,30-56 ; 8,10-13 ; 8,27-29).

60. R. E. BROWN, *John*, p. 239. The author rightly includes in the parallelism Mk 8,31 (first prediction of the passion), cf. Jn 6,71 (first reference to Judas' betrayal) ; Mk 8,33 (Peter = σατανᾶς), cf. Jn 6,70 (adapted and reapplied to Judas = διάβολος) ; see p. 301. — In Boismard's Document B the rebuke of Peter followed the passion prediction of Mk 9,12b (after the transfiguration) and Intermediary Mark is responsible for the composition of Mk 8,31.32-33, which was known by the Johannine redactor only through the final redaction of Matthew (p. 247 : § 167) ; cf. *infra*, n. 83. The parallel Mk 8,33 = Jn 6,70 (not in Blinzler's list) is noted by R. Schnackenburg (with reference to Bauer, Bultmann, Barrett, Brown, and Bernard who refuses the contact) : " Diese syn. Szene ist sicher auch dem vierten Evangelisten bekannt ; so muss man annehmen, dass er hier absichtlich geändert hat" (*Johannesevangelium*, II, p. 113). And in note 1 : " Diesen traditionsgeschichtlichen Zusammenhang scheint C. H. DODD, Historical Tradition 218-222, übersehen zu haben " ; but compare Dodd's article in *Expositor*, 1921 (cf. *supra*, n. 4), p. 287. See also H. J. HOLTZMANN, in *ZWT* 12 (1869), p. 71.

Jn 6 [61]. It is more usual to compare Jn 6 with the complexes of Mk 6, 34 – 7, 30 and 8, 1-21 [62], and for more critical authors the parallelism between Jn 6 and Mk should be restricted to the sequence of the Feeding and the Walking on the Water (Mk 6, 34-52) [63]. And even then

61. E. SCHWEIZER, *Das Evangelium nach Markus* (NTD, 1), Göttingen, 1967, pp. 76-77. Compare J. WEISS (see n. 59): " Und ich kann nur versichern, dass jener Rekonstruktionsversuch [including the confession of Peter] von mir gebracht worden ist, ohne einen Gedanken an Joh 6. Erst nachträglich ist mir die Übereinstimmung aufgefallen " (*op. cit.*, p. 211). But see p. 209: " Dieselbe Gruppe begegnet uns auch im Johannes-Evangelium: Speisung, Überfahrt, Landung. Auch hier folgt dann ein Disput mit den Gegnern, aber nicht wie bei Markus der Streit über das Händewaschen, sondern über die Zeichenforderung. *Die Tatsache legt uns den Gedanken nahe*, dass gerade der Streit über die Zeichenforderung *auch bei Markus* an dieser Stelle mehr am Platze wäre als die ausführliche Debatte über das Händewaschen " (the italics are ours).

62. Cf. E. HAENCHEN, *Der Weg Jesu*, Berlin, 1966, p. 283:

Mk	Jn	Mk
6,33-44	6,5-13	8,1-9
45-52	16-20	—
53-56	21	9b-10
7,1-23	26-31	*11b-12*
24-30	32-59	13-21
31-37	—	22-26

Mk 8 has no parallel for the Walking on the Sea but, on the other hand, Mk 8,11-12 is much closer to Jn 6,30 (Demand for a Sign) than the controversy of Mk 7; see J. Weiss' reconstruction of the original succession: Mk 6,30-56; 8,10-13.23ff. and Schnackenburg's list of parallels with Jn 6: Mk 6,34-44.45-52.53; 8,11 (vol. I, p. 18); he adds also the Confession of Peter (Jn 6,68-69; Mk 8,29), but in his commentary the Lukan connection with the Feeding is referred to (vol. II, p. 109) and the parallelism Jn 6,70 = Mk 8,33 is treated without mention of the common sequence (p. 113). — The conversation on leaven (Mk 8,14-21) is added by V. Taylor (*Mark*, p. 631) and by B. GÄRTNER, *John 6 and the Jewish Passover* (Coniectanea Neotestamentica, 17), Lund-Copenhagen, 1959, pp. 6-13: " John 6 and the Synoptic Parallels "; see also R. E. BROWN, *John*, I, p. 238. E. KLOSTERMANN, in *Das Markusevangelium* (HNT, 3), Tübingen, [2]1926, p. 85 ([3]1936, p. 74), made the suggestion that the original parallel of the Walking on the Sea in Mk 8 can be found in Mk 4,35-41 (the Stilling of the Storm). According to E. LOHMEYER, *Das Evangelium des Markus* (Meyer's Kommentar, 2; 10th ed.), Göttingen, 1937, p. 132, the *Seegeschichte* of Mk 8 has been combined with the other in Mk 6,45-52. (See also Klostermann's 4th edition, 1950, p. 65 and 74: " vielleicht ".) For a reaction see K. KERTELGE, *Die Wunder Jesu im Markusevangelium* (StANT, 23), München, 1970, p. 147; but see p. 128, n. 514: " Mk 8, 10 berichtet kurz über eine Seefahrt Jesu unmittelbar nach dem zweiten Speisungswunder. Dieser Vers kann daher als Rest oder Andeutung einer Parallele zur Seegeschichte Mk 6, 45-52 verstanden werden ".

63. Cf. H.-W. KUHN, *Ältere Sammlungen im Markusevangelium* (StUNT, 8), Göttingen, pp. 29-32: he concludes that " die behauptete Parallelität zwischen Mk 6f. und Mk 8 nicht durch Joh 6 gestützt wird " (p. 32), although the Feeding and the Walking on the Sea " an dieser Stelle in der Tat im JohEv und im MkEv miteinander verbunden sind und durch Zusammenstellung sich von daher als

the question is to be asked: is it not Mark who is responsible for this succession? When the answer is positive (and I think it is hardly provable that it is not!), we have to consider a different approach to the problem of Johannine dependence. F. Schnider and W. Stenger observed correctly: " Geht die Einheit von Speisung und Seewandel auf Markus zurück, so ist anzunehmen, dass die Vorlage des Johannes die Synoptiker mindestens aus mündlichem Vortrag kannte " [64]. For further discussion I refer to the doctoral dissertations of T. Snoy [65] and J. Konings [66]. In this connection it may be recalled that C. H. Dodd, when presenting in 1921 the full survey of the agreements between Jn 6, 1 – 7, 10 and Mk 6 ff. [67], remarked: " Nothing which has come out in the course of this discussion is contrary to the natural and generally received assumption that the author of the Fourth Gospel made use of Mark " [68].

vormarkinisch erweisen dürfte " (p. 31 ; cf. p. 209, n. 37), in his opinion, as part of a pre-Markan collection (Mk 4,35-6,51). His position becomes somewhat unclear when he admits a pre-Markan connection of the Feeding and the Demand for a Sign on the basis of Jn 6,1-15.26-31 ; Mk 8,1-10.11-13 (pp. 31-32). More recently, D.-A. KOCH, *Die Bedeutung der Wundererzählungen für die Christologie des Markusevangeliums* (BZNW, 42), Berlin, 1975, pp. 34-39, esp. p. 36 : " Eine Übereinstimmung zwischen John 6 und Mk 6, die Schlüsse auf die vormarkinische Überlieferung der Traditionen von Mk 6 zulässt, stellt nur die Abfolge von Speisungswunder und Seewandel dar ; diese war dem Verfasser des Johannesevangeliums in der Semeiaquelle bereits vorgegeben, und für Mk 6 kann dies ebenfalls gelten. [*Note* 32 :] So der weitgehende Konsens der Forschung ".

64. F. SCHNIDER and W. STENGER, *Johannes und die Synoptiker. Vergleich ihrer Parallelen* (Biblische Handbibliothek, 9), München, 1971, p. 142.

65. T. SNOY, *La marche de Jésus sur les eaux. Étude de la rédaction marcienne*, Doct. dissertation, Louvain, 1967 ; cf. *La rédaction marcienne de la marche sur les eaux (Mc., VI, 45-52)*, in *ETL* 44 (1968) 205-241, 433-481, esp. pp. 222-234. Snoy's conclusion (p. 232 : " il y a de bonnes raisons de croire que c'est l'évangéliste lui-même qui a procédé à la liaison des deux péricopes ") has been adopted in more recent studies : P. J. ACHTEMEIER, *Toward the Isolation of Pre-Markan Miracle Catenae*, in *JBL* 89 (1970) 265-291, pp. 281-284 ; L. SCHENKE, *Die Wundererzählungen des Markusevangeliums* (Stuttgarter Biblische Beiträge), Stuttgart, 1974, pp. 238-242 ; see p. 238, n. 730 : " Auch ein Hinweis auf Jo 6,1-21 hilft nicht weiter, bevor nicht die eigene literarkritische Problematik des Joh-Ev gelöst ist ".

66. J. KONINGS, *Het johanneïsch verhaal in de literaire kritiek. Historiek — Dossier van Joh., I-X — Redactiestudie van Joh., VI, 1-21*, Doct. dissertation, Louvain, 1972 ; cf. *The Pre-Markan Sequence in Jn., VI. A Critical Re-examination*, in M. SABBE (ed.), *L'évangile selon Marc. Tradition et rédaction* (BETL, 34), Louvain-Gembloux, 1974, pp. 147-177.

67. *The Close*, in *Expositor*, 8th ser., vol. 22 (cf. *supra*, n. 4). The survey of agreements (pp. 286-287) is reproduced almost exactly in the article of J. Konings (see n. 66), p. 155. The only change is in the parallelism of Mk 7,31-37 ; 8,22-26 (Mk 8,27-31 is a misprint for 31-33).

68. *The Close*, p. 288.

But let us go on to Boismard's list of contacts between Matthew and John (final redactor) [69]. One of the characteristics of Bultmann's Ecclesiastical Redactor was the tendency to conform the Fourth Gospel to the Synoptics [70]. In the introduction to his commentary Brown was also tempted by this idea [71]; but only tempted, because in the commentary itself he finds it " just as possible that such details [200 denarii] were part of the Johannine tradition from its earliest traceable stage " [72]. Only two instances of Boismard's list are assigned to the Redactor by Bultmann: Jn 1, 27 ὁ... ἐρχόμενος (cf. Mt 3, 11) and Jn 12, 14b-15 (cf. Mt 21, 4-5), but for Bultmann it is the whole saying of the Baptist in 1, 27 that is a redactional insertion [73], and with regard to the quotation from

69. Cf. *Commentaire*, p. 48. He gives a list of 11 passages:
1. Jn 1,27a; Mt 3,11 (p. 76: § 22, I A 1 a; but cf. *infra*, n. 73)
2. Jn 1,29.32.33b; Mt 3,13.16 (pp. 82-83: § 24, D 1 c. 2)
3. Jn 4,53; Mt 8,13 (p. 161: § 84, IV 3)
4. Jn 6,3.5; Mt 15,29b-30 (p. 222: § 151, I A 3)
5. Jn 11,49; Mt 26,3-4, see also no. 9 (p. 319: § 267, 1)
6. Jn 12,14b-15; Mt 21,4-5 (p. 331: § 273, I C 1)
7. Jn 12,7b; Mt 26,12b (p. 373: § 313, II 6)
8. Jn 13,21.25.26; Mt 26,21.25 (pp. 379-380: § 317, I 4)
9. Jn 18,13b-14.24.28b; Mt 26,3.57 (p. 399: § 339, I B 3)
10. Jn 18,(18).25a; Mt 26,58c (p. 401: § 340, II 3 d)
11. Jn 19,38.40.41; Mt 27,57-60 (pp. 435-436: § 357, I B 3 b)
On Jn 20,17; Mt 28,9-10, see p. 446 (§ 362, 1): " Peut-être y a-t-il cependant emprunt de Jn au récit de Mt. " — See also n. 60 and 83 (Jn 6,70).

70. R. BULTMANN, *Das Evangelium des Johannes* (Meyer's Kommentar, 2; 10th ed.), Göttingen, 1941 (= [19]1968), p. 63, n. 1: " Der Red(aktor) erstrebt Angleichung an die synopt. Tradition " (with reference to Jn 1,26b; see also n.4); p. 124, n. 7: " 3,24 ... eine Glosse der kirchlichen Redaktion ... Der Evglist bemüht sich sonst nicht um Ausgleich seiner Erzählung mit dem synopt. Bericht ". Cf. D. M. SMITH, *The Composition and Order of the Fourth Gospel. Bultmann's Literary Theory* (Yale Publications in Religion, 10), New Haven-London, 1965, pp. 219-220 (and 121-123). But compare n. 74 (*infra*), on the evangelist.

71. R. E. BROWN, *John*, I, 1966, p. XXXVIII: " we cannot exclude the possibility that the final redactor introduced minor elements directly taken from the Synoptics (with Mark as the most likely source) " (with reference to Jn 6,7; 12,3.5); comp. *New Testament Essays* (see n. 13), p. 149: " It seems plausible to us that the *final writer* of Jn knew at least part of the Synoptic tradition, and, in particular, some written form of Mark ".

72. *John*, I, p. 244 (Jn 6,7); p. 451: a common source (Jn 12,3). Compare the hesitation in the Introduction: " no absolutely compelling reason... " (p. XXXVIII); " almost impossible to decide... " (p. XLVI); " perhaps, although we are not convinced of this, ... " (p. XLVII).

73. *Johannes*, p. 63, n. 4. " In der Form des Wortes berührt sich V. 27 teils mit Mt 3,11 (ὁ ... ἐρχόμενος), teils mit Mk 1,7 bzw. Lk 3,19 (λῦσαι τὸν ἱμάντα) " (*ibid.*). Perhaps the reference to Jn 1,27a should be simply canceled in Boismard's list (see n. 69: no. 1). In his *Introduction* (p. 48) he clearly refers to note § 22, I A 1 a, and there we read: " Dans Jn, le début 'celui qui vient' (*ho erchomenos*) provient d'une influence du parallèle matthéen, comme on le verra plus loin "

Zechariah in the Entry into Jerusalem Bultmann is rather unsure: *Quelle*, evangelist, or redactor [74]. Attention to this case was drawn more definitely by the article of E. D. Freed in 1961 [75]. Closer to Boismard is the position taken by P. Benoit in his study on the burial and the empty tomb stories (1960): John may depend on Matthew for some details such as the presentation of Joseph of Arimathea as " a disciple of Jesus " in 19, 38 [76], but in other more numerous cases Matthew will have borrowed from John [77]. Some of these last instances are now explained by Boismard in the inverse direction: they are elements of the Matthean redaction borrowed by the Johannine redactor [78]; some others, however, come from Intermediary Matthew and were known by John through

(p. 76). But from § 22, I B 1 a ; II 1. 2. 5b. 6 (pp. 77-79) and § 19, II 2 a (p. 73) it becomes clear that he assigns the expression ὁ ... ἐρχόμενος to Document A as part of the saying on the two baptisms, which has been combined with the saying " there comes ... whose sandal... " by Intermediary Matthew, the source of Proto-Luke and, indirectly, of John.

74. *Ibid.*, p. 319. For Bultmann Jn 12,14-15 is " ein sekundärer Zusatz, der den Bericht nach den Synoptikern ergänzte, wie der Nachtragscharakter verrät " ; it could be assigned already to the source or, more probably, to the Evangelist (see also p. 320, and n. 2 ; compare the similar cases of Jn 12,25.26 : p. 321 and 325, n. 4 ; and Jn 13,16.20 : p. 352). The objection he adduces against the redactional character of 12,14-15 (p. 319, n. 4 : the connection with v. 16, compare 2,17.22) seems to be abandoned in *Ergänzungsheft* (1957), p. 21.

75. E. D. Freed, *The Entry into Jerusalem in the Gospel of John*, in *JBL* 80 (1961) 329-338 ; cf. *Old Testament Quotations in the Gospel of John* (Suppl. NT, 11), Leiden, 1965, pp. 66-81 : " in essentially the same form " as the original publication. Cf. p. 80 : " the quotation in Jn 12 : 15 is a free artistic composition on the basis of Mt " ; p. 81 : " the whole section in 12 : 12-19 as a creative composition from elements of the Synoptics ". For a critical reaction, see D. M. Smith, *John 12 12ff., and the Question of John's Use of the Synoptics*, in *JBL* 82 (1963) 58-64 ; G. Reim, *Studien zum alttestamentlichen Hintergrund* (cf. *supra*, n. 28), 1974, pp. 29-32 ; see also the commentaries of Brown, Schnackenburg *et al.*, in contrast to H. J. Holtzmann (in *ZWT*, 1869, p. 66), W. Bauer (*Johannes*, 1912, p. 119 : " das ... unter Verkürzung nach Mt 21 5 zitierte Wort Zach 9 9 "), *et al.*

76. P. Benoit, *Marie-Madeleine et les disciples au tombeau selon Joh 20 1-18*, in W. Eltester (ed.), *Judentum, Urchristentum, Kirche. Festschrift J. Jeremias* (BZNW, 26), Berlin, 1960, pp. 141-152 (reprinted in *Exégèse et théologie*, vol. III, Paris, 1968, pp. 270-282). Cf. p. 145 n. 16 (= p. 275, n. 1) : " des couches plus récentes de Joh peuvent bien dépendre de Mt ; ainsi, dans Joh 19,38 emprunté aux Syn., μαθητής s'inspire sans doute du ἐμαθητεύθη de Mt 27,57 ". For Boismard, cf. *supra*, n. 69 : no. 11. Compare also his reaction in *RB* 69 (1962) : " le P. Benoit a noté que le récit johannique de l'apparition du Christ à Marie-Madeleine avait été remanié pour le rendre plus conforme au récit des Synoptiques ; ne serait-ce pas Luc qui serait responsable de ce remaniement ? " (pp. 210-211).

77. *Ibid.*, p. 145, n. 15 (= p. 274, n. 3) : Mt 26,4, cf. Jn 11,53 ; Mt 26,14-15, cf. Jn 12,6 ; Mt 26,50, cf. Jn 13,27 ; Mt 26,3.57 (Caiaphas), cf. Jn 11,49 ; 18,13.14. 24.28 ; Mt 27,19, cf. Jn 19,13 ; and, in the text, Mt 28,9-10, cf. Jn 20,14-18. " Ce ne sont là que quelques exemples. "

78. Cf. *supra*, n. 69 : no. 5 and 9 (Caiaphas) ; see also Jn 20,17, cf. Mt 28,9-10.

Proto-Luke [79]. In fact, in some passages Boismard's Proto-Luke hypothesis is based upon the Matthew-John agreements against Mark [80]. It should be observed that the Synoptic critic who attributes these divergences from Mark to Matthean editorial activity, will dispense with the " intermediary " gospels (Intermediary Matthew and Proto-Luke) when he raises the question about the significance of the similarities between Matthew and John as evidence of Johannine dependence (cf. Dauer).

In other instances Boismard too readily concludes to John's dependence upon Matthew. His list contains a few instances which do not seem to require a specific contact with Matthew. Thus, Jn 12, 7b in the Anointing at Bethany : " Le rédacteur johannique a ajouté le v. 7 b, sous l'influence de l'ultime Rédacteur matthéen " [81], but John's formulation *εἰς τὴν ἡμέραν τοῦ ἐνταφιασμοῦ μου* is more similar to that of Mark (*εἰς τὸν ἐνταφιασμόν*) than to the verbal expression in Matthew (*πρὸς τὸ ἐνταφιάσαι με*). Another example is Jn 18, 25a. The story of Peter's denials begins before the interrogation by Annas (vv. 19-23) and so the repetition of v. 18 is needed in v. 25a [82]. I do not understand how this should be influenced by Matthew and not by Mark, because Matthew's presenta-

79. Cf. *supra*, n. 38 : Jn 11,47-50.53, cf. Mt. 26,3-4 (*Commentaire*, p. 370).

80. Agreements against Mark :

Jn 1,27a *ὁ ὀπίσω μου ἐρχόμενος*
Mt 3,11b *ὁ δὲ ὀπίσω μου ἐρχόμενος* (pp. 76-79 ; cf. *supra*, n. 73)

Jn 6,1a *ἀπῆλθεν... 2a ἠκολούθει δὲ αὐτῷ ὄχλος πολύς 2b τὰ σημεῖα ἃ ἐποίει ἐπὶ τῶν ἀσθενούντων*
Mt 14,13a *ἀνεχώρησεν... 13b οἱ ὄχλοι ἠκολούθησαν αὐτῷ... 14b ἐθεράπευσεν τοὺς ἀρρώστους αὐτῶν* (" schéma matthéen " : Mt 12,15 ; 19,1-2 ; cf. Lk 9,10b-11) (p. 221)

Jn 11,47 *συνήγαγον... οἱ ἀρχιερεῖς καὶ οἱ... 53 ἐβουλεύσαντο ἵνα ἀποκτείνωσιν αὐτόν*
Mt 26,3 *συνήχθησαν οἱ ἀρχιερεῖς καὶ οἱ... 4 συνεβουλεύσαντο ἵνα τὸν Ἰησοῦν... ἀποκτείνωσιν* (p. 370)

Jn 18, 39a *ἔστιν δὲ συνήθεια*
Mt 27,15 *εἰώθει* (p. 414)

Jn 19,2 *πλέξαντες στέφανον ἐξ ἀκανθῶν ἐπέθηκαν αὐτοῦ τῇ κεφαλῇ*
Mt 27,29 *πλέξαντες στέφανον ἐξ ἀκανθῶν ἐπέθηκαν ἐπὶ τῆς κεφαλῆς αὐτοῦ* (p. 414)

Jn 19,16b *οἱ δὲ παραλαβόντες αὐτὸν ἀπήγαγον* (P^{66}) 17b *εἰς τὸν λεγόμενον* (...*τόπον*)
Mt 27,27a *παραλαβόντες τὸν Ἰησοῦν...* 31c *ἀπήγαγον...* 33a *εἰς* (*τόπον*) *λεγόμενον* (pp. 421-422)

Jn 19,19 *ἔθηκεν ἐπὶ... γεγραμμένον... Ἰησοῦς*
Mt 27,37 *ἐπέθηκαν... γεγραμμένην... Ἰησοῦς* (p. 425)

Jn 19,30b *παρέδωκεν τὸ πνεῦμα*
Mt 27,50 *ἀφῆκεν τὸ πνεῦμα* (p. 427).

81. Cf. *supra*, n. 69 : no. 7.

82. Cf. *supra*, n. 69 : no. 10.

tion here is strictly parallel to that of Mark [83]. There is only one explanation: Boismard refuses to accept the Gospel of Mark as a possible source of John [84].

2. *Dauer's Study on the Passion Narrative* [85]

The theory of A. Dauer on the sources of John can be seen as a generalisation of the suggestion proposed earlier by N. A. Dahl [86] and P. Borgen [87]: Although there are significant similarities between John and the Synoptics, direct literary dependence is unlikely because the differences from the Synoptics are too important and not wholly explicable

83. The same can be said for Mt 16,23 = Mk 8,33 ; cf. Jn 6,70 (see n. 60) : " Le Rédacteur johannique (qui connaît ce texte par l'ultime rédaction matthéenne)... " (p. 247 : § 167, 3).

84. Compare *RB* 63 (1956), p. 269. — In the third volume of Boismard's *Synopse* the distinction between John and the Johannine redactor will be replaced by a three (or four) stages composition theory, with the acceptance of the dependence of *Jean III* not only on final Matthew but also on the final form of Mark and Luke (kindly communicated by the author in a private conversation during the Louvain Colloquium). [Cf. *infra*, Additional Note.]

85. A. DAUER, *Die Passionsgeschichte im Johannesevangelium. Eine traditionsgeschichtliche Untersuchung zu Joh 18,1 – 19,30* (StANT, 30), München, 1972. The study is a doctoral dissertation directed by R. Schnackenburg and presented at Würzburg in 1968-69.

86. N. A. DAHL, *Die Passionsgeschichte bei Matthäus*, in *NTS* 2 (1955-56) 17-32. Cf. p. 22 : " es besteht auch die Möglichkeit, dass Reminiszenzen aus Matthäus auf Johannes gekommen sind, durch eine vor Johannes liegende Tradition vermittelt. ... dass Einzelheiten aus der schriftlichen Fassung des Matthäus in eine mündliche Tradition hinübergegangen sind, um bei Johannes wiederum schriftlich fixiert zu werden. Auf alle Fälle sind die Berührungen zwischen Matthäus und Johannes Indizien für das Ineinander von schriftlicher und mündlicher Überlieferung ". (Compare A. DAUER, *op. cit.*, p. 60 and 226-227.) Dahl, on p. 32, refers to B. Noack who indicated this possibility (*Zur johanneischen Tradition*, 1954, p. 134, n. 294 : " Ob es gerade die in der Synopse schriftlich fixierten Perikopen sind, die sich nach einer Zwischenzeit mündlicher Überlieferung in der johanneischen Tradition wiederfinden ") and to the investigation made by his student P. Borgen (cf. n. 87). For a valuable list of Johannine parallels to Mt 26 – 28 see Dahl's survey of " Sonder-Übereinstimmungen Matthäus-Johannes " (p. 32) ; compare X. LÉON-DUFOUR, art. *Passion*, in *Dictionnaire de la Bible. Supplément*, fasc. 35, Paris, 1960, col. 1419-1492, esp. 1438-1444 : agreements between John and (1) the Synoptics, (2) Matthew, (3) Mark and (4) Luke. The list of the John-Matthew agreements (col. 1441) is compiled from Dahl, Borgen (cf. n. 87) and Benoit (cf. n. 77).

87. P. BORGEN, *John and the Synoptics in the Passion Narrative*, in *NTS* 5 (1958-59) 246-259. His conclusion on p. 259 : " In the Passion narrative of John three sections were considered which consisted of synoptic elements fused together : (1) The burial, with elements from Matthew, Luke, and possibly Mark. (2) Peter's use of the sword, with elements from Matthew, Mark, and probably Luke. (3) The mocking scene, with elements from Mark and Matthew. " See also p. 247 (and note 2) on the Anointing at Bethany.

by Johannine redaction. Therefore, a mediate contact is more probable, some elements of the written Synoptic Gospels being fused together with the oral tradition. This tradition came to the Fourth Evangelist as his *Vorlage*, possibly already in a written form [88].

One of the striking characteristics of Dauer's work is undoubtedly his attempt to show that John's relationship is not with the sources of the Synoptics or with the Synoptic tradition, but specifically with the Synoptic Gospels, Mark, Matthew and Luke [89]. His Synoptic theory is less complex than that of Boismard: Matthew and Luke depend upon Mark, and thus the editorial texts in Matthew and Luke can serve as a criterion. He examines the specific similarities John-Matthew and John-Luke, and the conclusion is clear: " Die Änderungen des Mt gegenüber dem 2. Evangelium — und Parallelen zu Joh... — beruhen auf der Redaktionsarbeit des Matthäus an seiner Vorlage " [90], and " Die Unterschiede des Lk gegenüber Mk, die zugleich Parallelen zu Joh sind, beruhen auf keinen Sondertraditionen, sondern sind das Ergebnis der Redaktionsarbeit des Lukas an seiner Mk-Vorlage " [91].

I can say that I feel myself very much in agreement with Dauer's Synoptic positions. Those who do not will admit that it is a fair method to study carefully the tradition-redaction problem of the Synoptic texts before drawing any conclusion about the origin of the Synoptic-like elements in John.

Another valuable aspect of Dauer's study is that it shows that the Synoptics are part of the " tradition " of the Fourth Evangelist. From the standpoint of Jn, however, I would like to express some reservation. In my opinion, too, we have to reckon with the possibility of a post-Synoptic oral tradition. But the point in Dauer's hypothesis is that we need the medium of a pre-Johannine *Vorlage* in order to explain the divergences from the Synoptics [92]. It should be observed, however, that direct dependence on the Synoptic Gospels does not preclude the possibility of supplementary information, and that it can be shown by further

88. *Die Passionsgeschichte*, pp. 226-227. This is the conclusion of the *traditionsgeschichtlich* investigation which constitutes the first part of the book. See also the conclusions of each section : pp. 60-61 (Jn 18,1-11), 99 (Jn 18,12-27), 164 (Jn 18, 28 – 19, 16a), 226 (Jn 19, 16b-30).

89. For lists of agreements between John and the Synoptics see pp. 49-50 (Jn 18,1-11), 91-96 (Jn 18, 22-27), 146-153 (Jn 18, 28 – 19, 16a), 216-219 (Jn 19, 16b-30).

90. *Ibid.*, p. 97 (with reference to Jn 18,22-27). Compare the examination of the Matthean parallels to John : pp. 50-53, 96-97, 154-155, 217 and 221-222.

91. *Ibid.*, p. 99 (with reference to Jn 18,22-27). Compare the examination of the Lukan parallels to John : pp. 53-60, 97-99, 155-164, 222-225.

92. *Ibid.*, p. 99 : " denn wie liessen sich dann die bisweilen doch recht deutlichen Unterschiede erklären... ? " ; p. 226 : " weil sonst die Unterschiede zu ihnen, die sich weder von seiner Theologie noch von seiner Darstellungstechnik her erklären lassen, unverständlich bleiben ".

analysis that some of the so-called differences are not unprepared in the Synoptics, and not so inexplicable in the Fourth Gospel [93].

On the other hand, the similarities with the Synoptics listed by Dauer are not always so significant as he seems to suggest. Some of the verbal resemblances are *minor* agreements [94]. Because of his search for similarities with the editorial elements in Matthew and Luke, Dauer may have neglected that for John, as for Matthew and Luke, the basic gospel could have been the Gospel of Mark, and that the minor coincidences are not always indicators of a literary relationship, direct or indirect. Once it is agreed that John depends on the Synoptic Gospels, some of these verbal resemblances could possibly be understood as reminiscences of the Gospel of Matthew or Luke, but since one can expect that many critics will remain unconvinced by Dauer's list of similarities, more differentiation is needed as is more emphasis on the evidence to which the author attributes a real probative force.

II

In the second part of this lecture I propose to give a short presentation of my approach to Jn 20, 1-18, keeping in mind what B. Lindars wrote as the concluding sentence of his well-known article on the composition of Jn 20: " John xx is particulary instructive, because its relation to the sources can be assessed with a high degree of probability " [95]. Lindars' short study is an example of good methodology: for each episode the literary features and the vocabulary are carefully examined and compared with the Synoptics. He then concludes that John has no other sources than the " traditions which lie behind the Synoptic Gospels "; the material which is not derived from these sources is entirely Johannine. In this conclusion, however, one phrase goes beyond the evidence provided by the analysis: " traditions which lie behind the

93. For a discussion of such an " inexplicability " see F. NEIRYNCK, *The 'Other Disciple' in Jn 18,15-16*, in *ETL* 51 (1975) 113-141, esp. 127ff. In Dauer's opinion the 'other disciple' in 18,15-16 is not identifiable with the evangelist's Beloved Disciple: " V. 15f. dürfte daher zur Quelle des Johannes gehört haben " (p. 75). In the source the other disciple's role was to get Peter in the court of the high priest, a tradition which is parallel to, but different from, Mk 14,54 (and par.). — For further criticism of Dauer's thesis I refer to the Seminar directed by M. Sabbe [cf. *infra*, p. 399].

94. E.g. Jn 18,15 *(συν)εισῆλθεν*, cf. Mt. 26,58 *εἰσελθών* (pp. 73, 92, 96); Jn 18,25 *ἠρνήσατο*, cf. Mt 26,72 (pp. 89, 94, 96); Jn 18,27 *καὶ εὐθέως ἀλέκτωρ ἐφώνησεν*, cf. Mt 26,74 *v.l.* *εὐθύς* (pp. 90, 95, 97); Jn 18,39 *συνήθεια*, cf. Mt 27,15 *εἰώθει* (pp. 124, 149, 154); Jn 19,17 *εἰσῆλθεν* (-*ον*) cf. Mt 27,32 *ἐξερχόμενοι* (pp. 170, 217, 218); Jn 19,17 *λεγόμενον*, cf. Mt 27,33 (pp. 170, 218, 221).

95. B. LINDARS, *The Composition of Jn xx*, in *NTS* 7 (1960-61) 142-147, esp. 147.

Synoptic Gospels, and not the Gospels themselves " [96]. This is an assumption which he left undocumented. In his commentary Lindars added the precision that the empty tomb story has notable similarities with Mt 28, 1-10: John has in common with Matthew the idea of Jesus' appearance to the women (20, 11-18) but it came to him independently from Matthew in a slightly different form [97].... For the disciples' visit to the tomb (20, 3-10) he recognizes John's source in Lk 24, 12, " whether it is an interpolation (in the Gospel of Luke) or not " [98]. So, here again, the question of John's dependence on traditions behind the Synoptic Gospels (the sources of the Synoptists) or on the Synoptic Gospels themselves is a problem of Synoptic criticism. The relation of John to the christophany of Mt 28, 9-10 and to Peter's visit to the tomb in Lk 24, 12 is accepted by Lindars, and by many others (at different levels: tradition, source, evangelist, redaction); on this basis we should have to conclude to the dependence on the Synoptic Gospels themselves if the episodes in Matthew and Luke are shown to be editorial compositions, with no other tradition behind them than the Gospel of Mark. Jn 20 is " instructive " indeed, because here, as nowhere else, both parallels in Matthew and Luke are strictly peculiar material, and the possible editorial character concerns a real episode and is not restricted to some words or phrases.

1. *Mt 28, 9-10*

With regard to Mt 28, 9-10 I would like to refer to my article in *NTS* (1969) [99]. In a number of more recent studies on Matthew the interpretation of the episode as an editorial composition is repeated, without new evidence beyond that which is indicated in the article [100]. Although the

96. *Ibid.*, p. 147 (no. 1).

97. *John* (see n. 18), p. 596: " the same item has come to John in a form slightly differing from Matthew, and ... he is not dependent on Matthew in making comparable use of it ".

98. *Ibid.*, pp. 596-597.

99. F. NEIRYNCK, *Les femmes au tombeau. Étude de la rédaction matthéenne (Matt. xxviii. 1-10)*, in *NTS* 15 (1968-69) 168-190, esp. pp. 184ff.

100. Cf. B. STEINSEIFER, *Der Ort der Erscheinungen des Auferstandenen. Zur Frage der galiläischer Ostertraditionen*, in *ZNW* 62 (1971) 232-265, p. 238: " Die kleine Szene ... ist ganz ohne Zweifel von Matthäus selbst frei gestaltet "; N. WALTER, *Eine vormatthäische Schilderung der Auferstehung Jesu*, in *NTS* 19 (1972-73) 415-429, pp. 415-416; K. P. G. CURTIS, *Three Points of Contact between Matthew and John in the Burial and Resurrection Narratives*, in *JTS* 23 (1972) 440-444, esp. pp. 441-442; see also the conclusion on p. 444. He examines Mt 28,10 (cf. Jn 20,17) and 27,57.60 (cf. Jn 19,38.41). See also J. E. ALSUP, *The Post-Resurrection Appearance Stories of the Gospel Tradition* (Calwer Theologische Monographien, A/5), Stuttgart, 1975, p. 114: " The most reasonable explanation here would seem: Mt himself is responsible for the construction of vss. 9, 10, an appearance story which he has composed out of elements of other appearance story motifs, but most

case is not mentioned in Boismard's list, he does consider in his commentary the possibility of Matthean redaction and the dependence of the Johannine redactor on Matthew [101]. The reaction of other Johannine scholars was rather negative. Lindars agrees that " the similarities between the vision of the angel and the appearance of Jesus risen are such that it is probable that they are alternative versions of the same experience " [102]. Lindars reformulates the same idea in his note on 20, 12 : " Mt. 28. 10 simply repeats the gist of Mt. 28. 5-7 ", but then he adds : " though with just sufficient difference to suggest that this is not due to Matthew himself, but to a parallel and separate development from the other tradition " [103]. In fact, my point was that the christophany is an alternative of the vision of the angel, but precisely the Matthean alternative. And I tried to show how the differences are in line with Matthean tendency. For Brown the christophany of Mt 28, 9-10 is " a later insertion ", and " its origin in independent tradition... is suggested by the awkwardness of the present sequence ". After the angel's directive to the women, one would not have expected an immediate appearance of Jesus; and what Jesus says simply repeats what the angel had already told them [104]. But for Matthew it is precisely not a simple repetition : the directive given by Jesus himself is the Matthean rendering of Mk 16, 7 : *καθὼς εἶπεν ὑμῖν* (omitted, or changed into *εἶπον* in the parallel text). About " awkwardness " it can be noted that for Brown, two pages further, the angelophany in John is " awkward precisely because it has been heavily edited " [105] ! Before we see what the

directly out of the markan tomb story ". — Some authors continue to suggest a special source of Matthew on the basis of the parallel in John ; see for instance D. WENHAM, *The Resurrection Narratives in Matthew's Gospel*, in *Tyndale Bulletin* 24 (1973) 21-54, p. 35 : " John's tradition lends support to Matthew's and shows that Matthew was working with a received tradition of some sort when relating this story " ; J. KREMER, *Zur Diskussion über " das leere Grab "*, in E. DHANIS (ed.), *Resurrexit. Actes du Symposium International sur la Résurrection de Jésus (Rome 1970)*, Rome (Città del Vaticano), 1974, pp. 137-168, esp. p. 154 : " ... eine von *Markus* 16, 1-8 verschiedene Quelle.... Dies folgt m.E. aus der auffallenden Parallele mit *Joh* 20, 14-18 ".

101. Cf. *supra*, n. 69.

102. B. LINDARS, *John*, p. 596.

103. *Ibid.*, p. 604.

104. R. E. BROWN, *John*, p. 1002. See also R. SCHNACKENBURG, *Das Johannesevangelium*, part III, 1975, p. 380, n. 65.

105. *Ibid.*, p. 1004. — Compare also R. H. FULLER, *The Formation of the Resurrection Narratives*, London, 1972 (= New York, 1971), p. 78 : Matthew inserted a special tradition and appended the words of Jesus in v. 10. Fuller cites three indications in favor of its pre-Matthean character. The *first* observation : " from the word of the angel we were given the impression that Jesus would appear next in Galilee to the disciples ", is rather in favor of the *post-Markan* character of the enlargement. *Second,* Jn 20, 11-18 looks " not as though it is derived directly from

consequences of this interpretation are for the exegesis of John, let us consider Lk 24, 12.

2. *Lk 24, 12*

For a long time, and especially since the N.T. editions of Tischendorf and Westcott-Hort, Lk 24, 12 was regarded as an interpolation based on John. The recent trend is now clearly in favor of the authenticity of the verse in Luke, and with good reason [106]. Those who accept Lk 24, 12 as a genuine part of Luke's Gospel, normally explain the affinity with John by the acceptance of a common source. In Luke ἀναστάς, θαυμάζω with acc. and τὸ γεγονός are assigned to the evangelist for reason of Lukan style, and in John the principal addition is that of the other disciple as a

Matthew " (cf. p. 137: " there is insufficient verbal parallel "). But see p. 138: " The unusual address, brethren, ... suggests that there is some connection... ", to be compared with p. 78: " the words of Jesus in verse 10 [including 'my brethren'], which he himself has composed on the model of the angel's words in verse 7 "! The *third* indication is the " materialization " of the appearance, but on p. 79 it is said that it originates here " from the exigencies of the narrative " and that it is " the strongest argument against the primitive character of the appearance *narratives* ". This, again, it seems to me, is not in favor of " an earlier piece of the tradition " (p. 78). — The thesis that Mt 28,9-10 is part of the last conclusion of Mk (cf. *Les femmes au tombeau*, p. 170, n. 2-3) is defended anew (but quite unconvincingly) by G. W. TROMPF, *The First Resurrection Appearance and the Ending of Mark's Gospel*, in *NTS* 18 (1971-72) 308-330: in v. 9 καὶ ἰδού replaces ἀλλά and χαίρετε is a translation of σαλώμ; in Mark this was followed by μὴ φοβεῖσθε (v. 10b), οὔπω ἔχετε πίστιν, ἴδετε, ἐγώ εἰμι and ὑπάγετε κτλ.; in the original tradition (before Mark) it was an appearance to the mother of Jesus. — R. Schnackenburg, in *Das Johannesevangelium*, part III (1975), rejects Johannine dependence and admits that there is a common tradition behind Mt and the Johannine source, but not a very early tradition (p. 380). Comp. p. 373, n. 41: " eine Weiterbildung aus Mt 28,9f. (ist) nicht wahrscheinlich ". See also p. 376, n. 52. In my article I referred to Mk 1,31 / /Mt 8,15 for the correspondence between κρατέω and ἅπτομαι (p. 187) but not as " eine Übersetzungsvariante " (translation variant). With regard to Schnackenburg's objection: " Doch dann bleibt noch immer die Abweisung der Berührung, die keine Parallele bei Mt hat ", it should be observed that the defence μή μου ἅπτου cannot be separated from the order given to Mary πορεύου... καὶ εἰπὲ...: " C'est, légèrement explicité, le schème matthéen: ἐκράτησαν αὐτοῦ τοὺς πόδας suivi de ὑπάγετε ἀπαγγείλατε " (*art. cit.*, p. 187). For his remark: " Ob V 17a aus der Quelle oder vom Evangelisten stammt, ist schwer zu entscheiden " (*ibid.*), compare p. 360: " Joh. Interpretamente sind die beiden Sätze, die vom ἀναβαίνειν Jesu sprechen ".

106. In a paper read at the Dutch *Conventus* for N.T. Studies in May 1975 I tried to show that the short reading is attested only in the Codex Bezae and some witnesses of the Old Latin version (in contrast to *Greek New Testament*: " syr^{pal} ^{mss}Marcion Diatessaron Eusebius$^{1/2}$ "); cf. *Lc 24,12. Les témoins du texte occidental*, in *Miscellanea Neotestamentica* [cf. *supra*, pp. 313-328].

In the third edition of *Greek New Testament* (1975) " Eusebius $^{1/2}$ " has been canceled.

For the internal grounds see J. MUDDIMAN, *A Note on Reading Luke xxiv 12*, in *ETL* 48 (1972) 542-548.

companion of Peter. My suggestion is to go a step further and not to limit Luke's intervention to three minor additions, but to interpret the whole verse as Luke's editorial composition. If the probability of this thesis can be shown, the dependence of John on the Lukan Gospel can no longer be an object of contention.

According to J. Jeremias the use of the historic present *βλέπει* is a stylistic indication (the only one!) of pre-Lukan tradition [107]. In response to that observation I wrote a note on the so-called uncorrected historic present, trying to advance beyond the mere stylistic study of the Lukan verse [108]. This approach may be summarized in the following statements.

1. There is a good connection between v. 11 (on the unbelief of the apostles) and v. 12 (on Peter's visit to the tomb): the association of ἀπιστέω (v. 11) and θαυμάζω (v. 12) will be repeated in v. 41, in the christophany to the disciples [109]. Thus, v. 12 may have been conceived by Luke in relation with, on the one hand, the traditional Petrine protophany of v. 34 (ὤφθη Σίμωνι), which is in a sense prepared for by this other Peter verse, and, on the other hand, the command of the angel in Mk 16, 7: *εἴπατε τοῖς μαθηταῖς αὐτοῦ καὶ τῷ Πέτρῳ*. Luke who has no immediate parallel to Mk 16, 7 [110], indicates that the women delivered the message (v. 9), especially to the apostles (v. 10), and, following the attitude of the apostles (v. 11), explicitly describes in v. 12 the reaction of Peter: *ὁ δὲ Πέτρος ἀναστὰς*... [111].

107. J. Jeremias, *Neutestamentliche Theologie. Erster Teil. Die Verkündigung Jesu*, Gütersloh, 1971, p. 290, n. 23: " Der Vers ist lukanisch stilisiert..., stammt aber aus vorlukanischer Überlieferung, wie das von Lukas gemiedene Praes. hist. βλέπει zeigt "; = *Die älteste Schicht der Osterüberlieferungen*, in *Resurrexit* (see n. 100), 1974, pp. 185-206, esp. p. 190, n. 23. Compare *Die Abendmahlsworte Jesu*, Göttingen, ²1949, p. 74 (= ³1960; ⁴1967, p. 144): " eine bisher nicht beachtete Schwierigkeit... ".

Cf. R. Mahoney, *Two Disciples at the Tomb. The Background and Message of John 20,1-10* (Theologie und Wirklichkeit, 6), Bern-Frankfurt, 1974, p. 55: " the greatest single difficulty... "; p. 57: " the most telling point against the authenticity ". — See, to the contrary, J. Dupont, *Les Béatitudes. Tome III. Les évangélistes* (Études Bibliques), Paris, 1973, p. 176, n. 3: " Quand il n'a plus à corriger Mc, Lc sait employer cette construction à bon escient. 'Luc s'en sert surtout pour montrer la vivacité de la réplique' (S. Antoniadis) " (especially with verbs of saying, but: " Le verbe 'il voit' (Lk 16,23; 24,12; Acts 10,11)... joue un rôle analogue) ".

108. F. Neirynck, *The Uncorrected Historic Present in Lk. xxiv. 12*, in *ETL* 48 (1972) 548-553.

109. Lk 24,11 ἠπίστουν αὐταῖς. 12 θαυμάζων τὸ γεγονός.
41 ἔτι δὲ ἀπιστούντων αὐτῶν ... καὶ θαυμαζόντων.

110. For the dependence of Lk 24,1-12 on Mk 16,1-8 see F. Neirynck, *Le récit du tombeau vide dans l'évangile de Luc (Lc 24,1-12)*, in *Miscellanea J. Vergote* (Orientalia Lovaniensia Periodica, 6-7), Louvain, 1975, pp. 427-441.

111. 'Ἀναστάς is often cited as one of the lucanisms in the verse (cf. J. C. Hawkins, *Horae Synopticae*, pp. 16 and 36: 2/6/16/0/18; add Lk 24,12 and Acts

2. The key for the interpretation of our verse is provided by Lk 24, 22-24. There Luke brings in parallel the women's visit to the tomb and that of the disciples, and the specific motif of the Lukan story is clearly expressed: μὴ εὑροῦσαι τὸ σῶμα αὐτοῦ (v. 23: the women) and εὗρον οὕτως καθὼς καὶ αἱ γυναῖκες εἶπον, αὐτὸν δὲ οὐκ εἶδον (v. 24: the disciples). In keeping with this parallel, the literary model of the Peter verse can be found in the traditional story of the women's visit to the tomb, in its specific Lukan understanding. V. 12 forms a short story. " They went to the tomb, they found, they returned ": these phases in the story of the women (24, 1.3.9) were taken up in the summary of vv. 22-23: γενόμεναι, μὴ εὑροῦσαι, ἦλθον, and provided the structure of v. 12: ἔδραμεν ἐπὶ τὸ μνημεῖον, βλέπει, ἀπῆλθεν πρὸς ἑαυτόν. The central statement, καὶ παρακύψας βλέπει τὰ ὀθόνια μόνα, is in parallel with v. 3: οὐχ εὗρον τὸ σῶμα τοῦ κυρίου Ἰησοῦ. The women did not find the body of Jesus; Peter saw the grave-clothes only. It can be added that the reaction of the women (v. 4: ἀπορεῖσθαι) is answered by the angelophany, and Peter's reaction (θαυμάζων τὸ γεγονός) is followed by the christophany of v. 34.

3. From a closer examination of Lk 24, 3 and its Markan parallel it appears that οὐχ εὗρον τὸ σῶμα κτλ. anticipates the words of the angel in Mk 16, 6: Ἰησοῦν ζητεῖτε..., οὐκ ἔστιν ὧδε. Luke presented his statement as the women's own observation and formulated it in parallel with v. 2:

εὗρον δὲ τὸν λίθον ἀποκεκυλισμένον ἀ. τ. μ.,
(εἰσελθοῦσαι) δὲ οὐχ εὗρον τὸ σῶμα τ. κ. Ἰ.

9,11 *v.l.*) but K. Lake made the observation " that although Luke often uses 'aroses' (ἀναστὰς), he always makes it precede the name of the person referred to, instead of following it, as in the present case " ; in *The Historical Evidence for the Resurrection of Jesus Christ* (Crown Theological Library, 21), London, 1907 (= 1911), p. 95. This reservation was noted by P. Benoit who referred to Lk 1,39 ; Acts 1,15 ; 9,39 ; 13,16 ; 15,7 (*Marie-Madeleine*, cf. *supra*, n. 76, p. 143, n. 5). More recently, K. P. G. Curtis added that " Luke follows a similar order when using ἀναστάς with a common noun " (cf. Lk 23,1 ; Acts 5,6.17.34 ; 11,28 ; 23,9) and concluded that Lk 24,12 " is unique in Luke-Acts in contravening this stylistic preference ". This feature, together with the use of the historical present, would suggest that the verse " originated not with Luke himself, but with a redactor who imitated Luke's style ". Cf. K. P. G. CURTIS, *Luke xxiv. 12 and John xx. 3-10*, in *JTS* 22 (1971) 512-515, esp. p. 515. But see the reaction of J. MUDDIMAN, *A Note* (cf. *supra*, n. 106), p. 540 : " Luke's exceptional order, subject + ἀναστάς, emphasises that the second corroborating visit was conducted by none other than Peter himself " ; compare a similar " exceptional " usage, the word-order subject-ἀποκριθείς-verb in Lk 9,20 (p. 529). It should also be noted that in the remaining 14 instances in Lk (besides 1,39 ; 23,1 ; 24,12) the subject is not expressed. See also R. Schnackenburg (cf. *infra*, n. 120) : the word-order " wird sich aus der gewollten Hervorhebung des Petrus (ὁ δὲ Π.) erklären " (p. 103, n. 18).

In the Lukan vocabulary the verb εὑρίσκω is interchangeable with the *verba videndi* [112], and so Lk 24, 12, as a repetition of v. 3, can be brought in connection with the parallel of v. 2 in Mk 16, 4: ἀναβλέψασαι θεωροῦσιν ὅτι ἀποκεκύλισται ὁ λίθος. If Luke's use of the historic present stems from tradition, this tradition could be Mark's ἀναβλέψασαι θεωροῦσιν — cf. Luke's παρακύψας βλέπει [113].

4. I do not intend to treat here the arguments, taken from the Lukan context, against the authenticity of v. 12. The use of σινδών in the burial story [114], the contrast of Peter's reaction to the attitude of the disciples

112. Cf. Lk 8,35 εὗρον (Mk 5,15 θεωροῦσιν) ; 9,36 εὑρέθη (Mk 9,8 περιβλεψάμενοι ... εἶδον) ; 24,2 εὗρον (Mk 16,4 ἀναβλέψασαι θεωροῦσιν) ; compare also 2,12 εὑρήσετε cf. v. 15 ἴδωμεν, 16 ἀνεῦραν ; 2,46 εὗρον, cf. v. 48 ἰδόντες. — In connection with Mk 16,4 θεωροῦσιν (par. Lk 24,2 εὗρον and 24,12 βλέπει) it can be observed furthermore that Mark's verb θεωρέω is never preserved in the Lukan parallel : Mk 3,11 (om.) ; 5,15 (Lk 8,35 εὗρον) ; 5,38 (om.) ; 12,41 (Lk 21,1 ἀναβλέψας δὲ εἶδεν) ; 15,40 (Lk 23,49 ὁρῶσαι) ; 15,47 (Lk 23,55 ἐθεάσαντο) ; 16,4 (Lk 24,2 εὗρον). Besides Luke substitutes θεωρεῖτε for βλέπετε of Mk 13,2 (Lk 21,6) ; the other instances of θεωρέω are all in the Lukan *Sondergut :* 10,18 ; 14,29 ; 23,35 (cf. Ps 21,8) ; 23,48 (cf. Mk 15,40) ; 24,37.39 (cf. 39a ἴδετε).

113. Παρακύψας is not to be translated " stooping down " (KJV ; Vulgate : *procumbens*). The Old Latin version gives an excellent rendering : *aspiciens videt* (ff²). " Peering in " (NEB) is a possible meaning, in line with Septuagintal usage, but this specific nuance is less certain in Luke than it is in Jn 20,5 (and 11). R. Mahoney, in *Two Disciples* (cf. *supra*, n. 107), p. 54 and 246, rightly observes that in John 20 there are " two stages 1) peering in from outside and 2) looking while inside ", but his conclusion that παρακύψας can never have been part of a simpler story (Peter alone) is based upon the assumption that παρακύψας necessarily means " (stooping) to peer in from outside ". On this, however, see my paper : *ΠΑΡΑΚΥΨΑΣ ΒΛΕΠΕΙ* [cf. *infra*, pp. 401-440].

114. Lk 23,53 (cf. Mk 15,46 ; Mt 27,59) : the 'Synoptic' σινδών in contrast to the 'Johannine' ὀθόνια (Jn 19,40 ; 20,5.6.7) ; see, for instance, J. SCHMID, in *Gnomon* 41 (1969) 90-92, p. 91. — But compare J. BLINZLER, *Die Grablegung Jesu in historischer Sicht*, in *Resurrexit* (cf. *supra*, n. 100) pp. 56-107, esp. p. 79, n. 70 : " der Ausdruck 'Tücher' zeigt, dass der Evangelist, wenn der Vers echt ist, in 23,53 (ἐνετύλιξεν αὐτὸ σινδόνι) nicht an ein einziges Tuch gedacht hat " ; p. 78 : " Wohl kann das Wort σινδών ein einzelnes Tuch bezeichnen, aber ebenso häufig dient es als blosse Materialbezeichnung ". On the use in John : κειρίαι (11,44), " die Tücher nach ihrer Funktion bezeichnet : Binden ", and ὀθόνια, " die Tücher einfach nach ihrem Material bezeichnet : Leinentücher " (p. 78). Compare J. BLINZLER, *OTHONIA und andere Stoffbezeichnungen im Wäschekatalog des Ägypters Theophanes und im Neuen Testament*, in *Philologus* 99 (1955) 158-166. — The word ὀθόνια is used four times in John, but the duplication in 20,5.6 and the separate position of the *soudarion* in 20,7, as well as the use in 19,40 (in preparation of 20,5ff.), can be assigned to the evangelist's repetition from the Peter verse : βλέπει τὰ ὀθόνια μόνα (cf. *infra*, n. 122-123). In Luke ὀθόνιον occurs only in 24,12 but see ὀθόνη in Acts 10,11 ; 11,5.

in v. 11 [115], the so-called break in the story between v. 12 and 13 [116], the contradiction with the plural τινες τῶν σὺν ἡμῖν in v. 24 [117], and the conflict of Peter's visit to the tomb with the christophany of v. 34 [118]. To each of these objections a valid answer can be, and has been, given in the exegetical literature.

115. E.g. A. PLUMMER, *A Critical and Exegetical Commentary on the Gospel according to S. Luke*, Edinburgh, [4]1901, p. 550 : " The verse has probably no connexion with what precedes... ". Cf. also n. 116. — But see our text above, p. 99. Plummer himself observed : " The δέ would rather mark a contrast ; although they disbelieved, yet Peter went to the grave to satisfy himself " (*ibid.*). Compare the intention of the " interpolator " as indicated by (A. Loisy, J. Weiss and) H. Grass : " So viel Pietätslosigkeit ertrug man später nicht mehr, darum wurde V 12 gebildet und hinzugefügt " ; in *Ostergeschehen und Osterberichte*, Göttingen, 1956, p. 34.

116. E.g. B. RIGAUX, *Dieu l'a ressuscité. Exégèse et théologie biblique*, Gembloux, 1973, p. 209 : " Il [v. 12] interrompt le texte car les versets 11 et 13 s'unissent naturellement " ; cf. A. LOISY, *L'évangile selon Luc*, Paris, 1924, p. 572 : " Le récit va continuer (13) : 'Et deux d'entre eux' etc., comme s'il n'avait pas été question de Pierre ". Because of the " raccord naturel du v. 13 au v. 11 " P. Benoit suggests that " il [Luke] l'aura inséré après coup dans sa rédaction " (*Marie-Madeleine*, p. 143, n. 6). — But see J. MUDDIMAN, *art. cit.*, p. 547 : " but Cleopas is not an apostle for Luke [cf. vv. 10-11 πρὸς τοὺς ἀποστόλους...] and it is much more likely that the reference is back to the wider group τοῖς ἕνδεκα καὶ πᾶσιν τοῖς λοιποῖς of verse 9 (cf. verse 33 τοὺς ἕνδεκα καὶ τοὺς σὺν αὐτοῖς). In which case, not only does verse 12 not interrupt the sequence, it even helps to mark off verses 10ff. as a parenthetic unit, and ensure the reference back ".

117. E.g. T. ZAHN, *Das Evangelium des Lucas*, Leipzig-Erlangen, [3-4]1920, p. 714, n. 46 : " Es hat also vielmehr ein Interpolator den Jo excerpirt, und dabei sich auf Pt, der auch bei Jo die Hauptperson ist, beschränkt, ungeschickt genug, da v. 24 eine Mehrheit vorausgesetzt wird " ; R. E. BROWN, *John*, p. 1000 : " Indeed, 24 must have been part of Luke xxiv before 12 was added " (cf. n. 118). Others rather emphasize the similarity and suggest that v. 12 has been inserted by way of preparation of v. 24 (B. Weiss, F. C. Burkitt, *et al.*). — But on this 'generalizing plural' (J. Jeremias) see J. MUDDIMAN, *art. cit.*, p. 547 : " Cleopas and his companion have to minimise the importance of the visits to the tomb, which are grounds for hope. They do this by reducing the woman to anonymity, γυναῖκές τινες, and the same vague plural is used of the second visit, even though Peter went alone ".

118. Cf. R. E. BROWN, *John*, p. 1000 : the original composer says that the Lord appeared to Simon (v. 34) and that some disciples who came to the tomb did not see Jesus (v. 24), and thus he " did not know that 'some of those who were with us' included Simon Peter ". According to J. Weiss not only v. 12 but also v. 24 contradicts v. 34, " wonach der Glaube der Elf auf einer Vision des Simon beruht. Es wird also auch dieser 24. Vers ein späterer Einschub sein " ; in *Die drei älteren Evangelien* (Die Schriften des N.T., 1), Göttingen, [3]1917, p. 509. A. Merx notes the same contradiction but draws the opposite conclusion : " Die Interpolation des Textes ... liegt nicht hier sondern in Vs. 34, und zwar ist sie nach 1 Kor 15,5 gemacht " ; in *Die vier kanonischen Evangelien nach ihrem ältesten bekannten Texte*, II/2, Berlin, 1905, p. 520. See also K. LAKE, *The Historical Evidence* (cf. *supra*, n. 111), p. 103. And again, the interpolation of v. 12 has been conceived as a preparation of v. 34 (E. Meyer, J. Finegan, *et al.*). — But can it not be Luke who prepares for the protophany ?

The conclusion that Luke in his description of the disciples' reaction to the message of the women, not only made a special mention of Peter but composed a real story of a visit to the tomb, cannot be dismissed as unlikely editorial liberty taken by the evangelist. There are other instances in the Gospel of Luke. It may suffice here to refer, in the same context, to the burial story where the motif of the presence of the women (Mk 15, 47) is developed by Luke into an independent story of the women who followed, saw and returned (23, 54-56a) [119].

5. The consequences for the interpretation of Jn 20 should be easily acceptable for the many critics who defend a common source of Lk 24, 12 and Jn 20, 3-10 [120]. The Johannine *Vorlage* is not a pre-Lukan form but the Lukan verse, including ἀναστάς and θαυμάζων τὸ γεγονός. The pleonastic ἀναστάς is never used in John [121], and the introduction of the other disciple can have suggested the reinterpretation of θαυμάζων into (εἶδεν καὶ) ἐπίστευσεν (v. 8) [122]. John understood also ὀθόνια μόνα

119. See *Le récit du tombeau vide* (cf. *supra*, n. 110), pp. 429-430. Compare also the *verification* stories in Lk 8,34-36 (par. Mk) and Lk 1,39-56 and 2,16-20; cf. *The Uncorrected Historic Present in Lk xxiv. 12* (n. 108), p. 552. — The circumstance that Peter goes to the tomb " running " (which, according to R. Mahoney, in *Two Disciples* [cf. *supra*, n. 107], p. 53, is " *curious* here in Luke ") can be compared with ἀναστᾶσα ... ἐπορεύθη ... μετὰ σπουδῆς in 1,39 and ἦλθαν σπεύσαντες in 2,16.

120. Cf. J. Schniewind, *Die Parallelperikopen* (cf. *supra*, n. 20), 1914, p. 89: a tradition which is " klar und deutlich " in John and " undeutlich " in Luke; and more recently, J. Jeremias, P. Benoit, M.-E. Boismard, B. Lindars, X. Léon-Dufour, R. Schnackenburg, K. Aland, E. E. Ellis, *et al.* Cf. R. Schnackenburg, *Der Jünger, den Jesus liebte*, in *EKK Vorarbeiten* 2 (1970) 97-117, pp. 103-104. He rejects that " Lukas den Vers auf Grund einer Frühform des joh Textes gebildet hat (so Benoit) " but accepts a common tradition. In his commentary (part III, 1975) he is less affirmative: " Wegen dieser Unsicherheit wird man sich traditionsgeschichtlich besser nicht auf diesen Vers stützen " (p. 364), with reference to R. Mahoney, *Two Disciples* (cf. *supra*, n. 107), p. 69. — The position of J. Schmitt is somewhat unclear; cf. *Le récit de la résurrection dans l'évangile de Luc. Étude de critique littéraire*, in *Revue des sciences religieuses* 25 (1951) 119-137, 219-242, esp. pp. 219-228. See on p. 225: " Non que Jean dépend du troisième évangile. En fait, il précise la tradition hiérosolymitaine, reproduite dans Lc. sous une forme plus sommaire et vraisemblablement plus primitive ", but on p. 228: " un des exemples qui illustrent le mieux la dépendance littéraire du quatrième évangile par rapport au troisième " (cf. p. 223).

121. Neither its equivalent, ἐγερθείς. Where ἐγείρω is used for rising up (not resurrection), it is not pleonastic: Jn 5,8 (cf. v. 6 κατακείμενον); 11,29 (cf. v. 20 ἐκαθέζετο); 13,4 (ἐκ τοῦ δείπνου); 14,31 (cf. Mk 14,42). Compare Jn 5,9 ἐγένετο ὑγιής with Mk 2,12 ἠγέρθη (Mt ἐγερθείς, Lk ἀναστάς).

122. Compare the reconstruction of the *Vorlage* in Jn 20,8 as proposed by G. Hartmann, *Die Vorlage der Osterberichte in Joh 20*, in *ZNW* 55 (1964) 197-200, pp. 202-203: " εἶδεν καὶ ἐθαύμασεν oder etwas entsprechendes "; cf. X. Léon-Dufour, *Résurrection de Jésus et message pascal*, Paris, 1971, p. 225; R. T. Fortna, *The Gospel of Signs* (cf. *supra*, n. 25), 1970, p. 138: " the former verb is redundant,

differently: not as " only the grave-clothes " but as " the grave-clothes by themselves " (lying there apart) [123].

* * *

The complex character of the empty tomb story in the Fourth Gospel is commonly recognized. Many critics regard 20, 3-10 as secondarily added to the traditional story of the women's visit to the tomb [124], and those who, for vv. 1-18, reconstruct one unique pre-Johannine *Vorlage*, at least concede that vv. 11-13 are a Synoptic-like insertion [125].

An extreme source-critical solution is defended by R. E. Brown. He finds four independent sources combined in John: vv. 1-2, an early form of the women's visit; vv. 3-10, the disciples' visit (independently preserved in Lk 24, 24; with the plural); vv. 11-13, a truncated later form of the women's visit; vv. 14-18, the christophany to Mary Magdalene. For this last story, he accepts three independent forms: Jn 20, 14-18, Mk 16, 9-11 and Mt 28, 9-10. In Matthew, the plural (two women: Mary Magdalene and the other Mary) results from the Matthean context, and

when applied to Peter, after *βλέπει* in 5 and seems instead to be John's imitation of the source ; ... we read, therefore, simply *καὶ ἐθαύμασεν* ". — Before Hartmann (dissertation, Kiel, 1963) A. R. C. Leaney suggested the following reconstruction of the common source of Luke and Jn 20,3-10 : the text of Luke 24,12 (including *θαυμάζων τὸ γεγονός*) followed by Jn 20,9 (with the singular *ᾔδει*) ; cf. *The Resurrection Narratives in Luke (xxiv. 12-53)*, in *NTS* 2 (1955-56) 110-114, p. 113 ; *A Commentary on the Gospel according to St. Luke* (Black's New Testament Commentaries), London, 1958, pp. 28-31. Compare P. BENOIT, *Marie-Madeleine* (cf. *supra*, n. 76), p. 143 : " Joh 20 9 s'explique mieux après l'étonnement perplexe de Lc 24 12 qu'après la foi déclarée de Joh 20 8 » ; B. LINDARS, *The Composition of John xx* (cf. *supra*, n. 95), p. 146 ; *John*, p. 602 : " According to the source (Lk. 24.12) Peter 'went home wondering at what had happened'. John perhaps means to imply this of Peter, by contrast with the Disciple, but omits to say so ".

123. Jn 20,7 *καὶ τὸ σουδάριον, ὃ ἦν ἐπὶ τῆς κεφαλῆς αὐτοῦ, οὐ μετὰ τῶν ὀθονίων κείμενον ἀλλὰ χωρὶς ἐντετυλιγμένον εἰς ἕνα τόπον* (cf. v. 5 *κείμενα τὰ ὀθόνια* and v. 6b *τὰ ὀθόνια κείμενα*). Compare *κειρίαι* and *σουδάριον* in 11,44. On Curtis' observation that " the word *μόνα* [in Luke] presupposes John's picture ", and on the text-critical problem, see J. MUDDIMAN, *A Note*, p. 543, n. 5. — For Brown's contention that " much of the language of Luke xxiv 12 is non-Lucan in style " (*John*, p. 1000), compare Curtis' short study " *παρακύπτω* and *μνημεῖον* may tentatively be said to be more characteristic of John than of Luke. *ὀθόνιον, ἀπέρχομαι πρός* with an accusative and use of the historic present are certainly so " (p. 514), and Muddiman's reaction (*ibid.*; pp. 543-544).

124. Cf. J. Wellhausen, M. Dibelius, W. Bauer, R. Bultmann, E. Hirsch, *et al.*

125. Cf. F. Spitta (compare Schwartz and Wellhausen) and G. Hartmann (contr. R. T. Fortna).

on the other hand, the reduction of the women to Magdalene in Jn 20, 1-2 is an editorial preparation for the christophany in vv. 14-18 [126].

But — and this is my first remark — once we accept with Brown " the Johannine tendency to individualize for dramatic purposes " [127], how can we exclude the possibility of editorial reduction for the appearance to Magdalene alone? (The Markan Appendix is not an independent witness: it depends on John [128].)

A second remark can be made with regard to the so-called early form of the empty tomb story in vv. 1-2 [129], Brown himself seems to take away the basis for his theory when he shows sympathy for Lindars' idea that " the omitted matter " of a vision of angels is postponed to vv. 11 ff. [130]. This is a very helpful observation, indeed. Without excluding minor reminiscences from each of the three Synoptists, it may be

126. R. E. BROWN, *John*, vol. II, pp. 998-1004. " Three basic narratives ": but the story of the women's visit has been preserved in two forms (compare also in *Resurrexit* [cf. *supra*, n. 100], p. 199). On Lk 24,12 : " the redactor may have borrowed it from an earlier form of the Johannine tradition " (p. 1000).

127. *Ibid.*, p. 999. Cf. *infra*, n. 129.

128. This is also Lindars' view (cf. *John*, p. 596). Compare BOISMARD, *Commentaire*, p. 452 : " un résumé de plusieurs récits d'apparitions de Jésus : à Marie de Magdala (cf. Jn 20,11-18)... ". Even the defenders of the original ending of Mark do not contradict. Only 16,15-18 is part of E. Linnemann's reconstruction and " V. 9-14 verraten die Absicht, die Ostergeschichten des Johannes- und Lukas-evangeliums... wenigstens in einem kurzen Referat nachzutragen " ; cf. *Der (wiedergefundene) Markusschluss*, in *ZTK* 66 (1969) 255-287, p. 259. W. R. Farmer's hypothesis does not exclude dependence on Jn : " On the hypothesis that Mark is a later Gospel written after one or more of the other Gospels, his 'older material' in 16 : 9-20 could include any of the resurrection stories in those Gospels known to him " ; cf. *The Last Twelve Verses of Mark* (SNTS Monogr. Ser., 25), Cambridge, 1974, p. 108 (on Jn 20,11-18, see pp. 85-86).

129. *John*, p. 999 : " the earliest form of the empty tomb story found in any Gospel. Its only non-primitive feature would be that the original group of the women has been reduced to Magdalene ". — For P. Benoit " la simple constatation de Joh 20,1-2 " is part of the disciples story, underlying Jn 20,1-10 and Lk 24,12, the earliest form of the empty tomb story : " des femmes, dont Marie-Madeleine, puis des apôtres, dont Pierre, alertés par elles, ont trouvé le tombeau ouvert et le corps absent. D'où leur perplexité. Récit sobre et sans merveilleux " (*Marie-Madeleine*, p. 148). I cannot understand X. Léon-Dufour's preference for Brown's solution (as against Benoit's) for the reason that he cannot accept " l'existence d'une tradition qui se serait contentée de rapporter le fait brut de la découverte du tombeau vide " (*Résurrection*, p. 224). This is precisely the point in Brown's hypothesis : " And so, if we are correct in positing the existence of two Christian stories about visits to the tomb, one by women and one by disciples, it would seem that in its earliest form neither story claimed that a visit to the tomb produced faith in the risen Jesus ". (The angel interpreter and the Beloved Disciple, respectively, are later insertions.) Cf. *John*, p. 1002.

130. *Ibid.*, p. 997.

suggested that Lk 24, 1-12 is John's principal source [131]: in vv. 1-2 the women's visit summarizing Lk 24, 1-9 and omitting the vision of the angels; in vv. 3-10, the disciples going to the tomb, parallel to 24, 12; and in vv. 11 ff., the " omitted matter ", the vision of the two angels. The resumption of the omitted matter explains how the evangelist can repeat the motif of v. 2 in v. 18, Mary Magdalene delivering the message to the disciples. Because of this duplication it is somewhat inadequate to say, as does Brown, that the former position of the angelophany has been *filled in* by another story (Peter and the Beloved Disciple going to the tomb) [132]. Vv. 3-10 do not take the place of the angelophany but simply follow the Lukan order, where the visit to the tomb is Peter's reaction to the announcement by the women (24, 9.10). We can agree with Lindars that " it is characteristic of John's method to save up a detail of the basic story as the nucleus of a further expansion " [133], but here the procedure is also Johannine treatment of sources, I mean, combination and harmonization of the Synoptic accounts. The christophany is not merely an alternative version which is added to the angelophany, but the vision of the angels is toned down and " truncated " in favor of the christophany. Therefore, the explanation of the replacement could be found in John's indebtedness to the tradition of the appearance of Jesus to the women as it is found in Mt 28, 9-10.

To conclude, I would like to reformulate the thesis of B. Lindars regarding Jn 20: not traditions lying behind the Synoptic Gospels but the Synoptic Gospels themselves are the sources of the Fourth Evangelist.

ADDITIONAL NOTE

On Mt 28,9-10 par. Jn 20,17 (pp. 388-390), see also *supra*, pp. 281-295. On Lk 24,12 par. Jn 20,3-10 (pp. 390-396), see *supra*, pp. 310-334; *infra*, pp. 401-455. In *Jean et les Synoptiques* (1979) John's dependence on the Synoptics is taken into consideration in the following passages: 1,40-42 (cf. pp. 188-192); 2,13-22 (87-90); 4,46-54 (93-120); 5,5-9a (175-182); 6,1-15 (182-187); 6,19-20 (124-126); 12,1-11 (90-91); 18,15-16; 20,1-10 (71-86); 20,19-20 (124-126); 21,1-14 (122-124, 136-154). See also *supra*, pp. 335-363: Jn 18,15-16; and *infra*, pp. 461 and 476-479: Jn 16,32. (This is, of course, not an exhaustive list of "Synoptic" passages in John.)

131. We should correct in this sense the conclusion of R. MAHONEY, *Two Disciples at the Tomb* (cf. *supra*, n. 107), 1974, p. 226: " Apart from the complex at the end built around Jesus' appearance to Mary Magdalene, practically all the elements we have identified as traditional in John 20.1-18 have found a place in this story. The story is thereby not at all complicated or ingenious but a reflexion of Luke 24.1-11 " (cf. p. 224, 225); p. 306: " a story close to but not identical with the present Luke 24.1-11 ".

132. R. E. BROWN, *John*, p. 997.

133. B. LINDARS, *John*, p. 595.

For a critique of A. Dauer's position (pp. 385-387), cf. M. SABBE, *The Arrest of Jesus in Jn 18,1-11 and Its Relation to the Synoptic Gospels. A Critical Evaluation of A. Dauer's Hypothesis*, in M. DE JONGE (éd.), *L'évangile de Jean. Sources, rédaction, théologie* (BETL, 44), Gembloux-Leuven, 1977, pp. 203-234. The author opposes to Dauer's hypothesis "the redactional creativeness of John combined with a direct dependence upon the Synoptics" (p. 233). See also M. SABBE, *John and the Synoptists: Neirynck vs. Boismard*, in *ETL* 56 (1980) 125-131.

In his new theory (cf. *supra*, p. 385, n. 84) Boismard now accepts, on the level of Jn II-B, the evangelist's dependence on the three Synoptic Gospels (and not only on the sources of the Synoptics. He still holds, however, the less acceptable hypothesis of a primitive gospel which in its pre-Johannine form (Document C) and in its first Johannine adaptation (Jn II-A) was not yet influenced by the Synoptics: M.-É. BOISMARD - A. LAMOUILLE, avec la collaboration de G. ROCHAIS, *L'évangile de Jean. Commentaire* (Synopse des quatre évangiles en français, III), Paris, 1977. Cf. F. NEIRYNCK, avec la collaboration de J. DELOBEL, T. SNOY, G. VAN BELLE, F. VAN SEGBROECK, *Jean et les Synoptiques. Examen critique de l'exégèse de M.-É. Boismard* (BETL, 49), Leuven, 1979. Chapter I-VI (pp. 3-120) appeared in *ETL* 53 (1977) 363-478. See also *supra*, pp. 143-178.

Compare R.T. FORTNA, *Jesus and Peter at the High Priest's House: A Test Case for the Question of the Relation between Mark's and John's Gospel*, in *NTS* 24 (1977-78) 371-383; D.M. SMITH, *John and the Synoptics: Some Dimensions of the Problem*, in *NTS* 26 (1979-80) 425-444; B. LINDARS, *John and the Synoptic Gospel: A Test Case*, in *NTS* 27 (1981) 287-294.

The new edition of C.K. Barrett's commentary (cf. *supra*, p. 371) appeared in 1978. The introduction to the chapter on The Synoptic Tradition has been rewritten (pp. 42-43: "I do not share what is now the popular opinion") and a paragraph is added on p. 45, from which I quote: "we do not have before us the oral tradition on which Mark was based; we do not have any of the written sources that Mark may have quoted; but we do have Mark, and in Mark are the stories that John repeats, sometimes at least with similar or even identical words, sometimes at least in substantially the same order — which is not in every case as inevitable as is sometimes suggested".

In addition to the defenders of Johannine dependence on Mark mentioned in my contribution to the 1975 Colloquium I should refer to N. PERRIN, *The New Testament. An Introduction*, New York, 1974, pp. 226-229; *A Modern Pelgrimage in New Testament Christology*, Philadelphia, 1974, pp. 122-128: «The Use of the Son of Man in the Gospel of John» (see p. 128); and to the «Perrin school» in W.H. KELBER (ed.), *The Passion in Mark. Studies on Mark 14-16*, Philadelphia, 1976. Cf. pp. 9-10 (J.R. Donahue), 55-56 (W.H. Kelber), 104-105 (K.E. Dewey), 144 (J.D. Crossan), 158-159 (W.H. Kelber, cf. note 4). J.D. Crossan quotes with approval my *NTS* article (Jan. 1969) on Mt 28,9-10 and recognizes the Johannine dependence in 20,14-18 (p. 144). Less convincingly he accepts a Johannine source in 20,1-10 (Fortna's Gospel of Signs), being used by John and Luke and itself dependent on Mk 16 (p. 141 and 142; see also p. 140: the Gospel of Signs in Jn 6,1-21 depends on Mark). Compare with Dauer's hypothesis (cf. *supra*). — Reactions to «the Perrin suggestion» in the 1978 and 1979 *SBL Seminar Papers*: 1978, vol. II, pp. 238-249: E.F. GLUSMAN, *Criteria for a Study of the Outlines of Mark and John*; 251-260: A.M. MAYNARD, *Common Elements in the Outlines of Mark and John*; 261-267: L.T. BRODIE, *Creative Rewriting: Key to a New Methodology*; 269-279: L.R. KITTLAUS, *John and Mark: A Methodological Evaluation of Norman Perrin's Suggestion*; 281-287: M. SMITH, *Mark 6:32-15:47 and John 6:1-19:42*; in 1979, vol. I, pp. 105-108: M.H. SMITH, *Collected Fragments: On the Priority of John 6 to Mark 6-8*; 109-112: K.E. DEWEY, *Peter's Denial Reexamined: John's Knowledge of Mark's Gospel* (answer to Fortna); 113-117: E.F. GLUSMAN, *The Cleansing of the Temple and the Anointing at Bethany: The Order of Events in Mark 11/John 11-12*;

119-122: L.R. KITTLAUS, *Evidence from Jn. 12 That the Author of John Knew the Gospel of Mark*; 123-125: A.B. KOLENKOW, *Two Changing Patterns: Conflicts and the Necessity of Death. John 2 and 12 and Markan Parallels*; 127-130: W. MUNRO, *The Anointing in Mark 14:3-9 and John 12,1-8*. Are in favor of Johannine dependence: Brodie, Dewey, Kittlaus (1979) and Maynard.

On John and Luke (cf. *supra*, p. 369, n. 20): F L. CRIBBS, *The Agreements That Exist Between Luke and John*, in *SBL Seminar Papers 1979*, vol. I, pp. 215-261; *The Agreements That Exist Between John and Acts*, in C.H. TALBERT (ed.), *Perspectives on Luke-Acts*, Danville (VA), 1978, pp. 40-61. See also H. KLEIN, *Die lukanisch-johanneische Passionstraditionen*, in *ZNW* 67 (1976) 155-186; T. ONUKI, *Die johanneischen Abschiedsreden*, 1977 (cf. *supra*, p. 178). See also H. THYEN, in *L'évangile de Jean* (cf. *supra*, p. 364), 1977, p. 263 (Jn 21); *Theologische Rundschau* 42 (1977), p. 252: "es gibt starke Indizien dafür, dass unser Redaktor das dritte Evangelium gekannt und benutzt hat». — B. DE SOLAGES, *Jean et les Synoptiques*, Leiden, 1979: cf. *ETL* 56 (1980) 176-179.

Compare now D.M. SMITH, *John and the Synoptics*, in *Biblica* 63 (1982) 102-113 (pp. 102-106: de Solages; pp. 106-111: Neirynck).

ETL 53 (1977) 113-152

ΠΑΡΑΚΥΨΑΣ ΒΛΕΠΕΙ
Lc 24, 12 et Jn 20, 5

Dans une note sur Lc 24,12, publiée en 1972[1], j'ai essayé de montrer comment, par le biais de Lc 24,2-3, παρακύψας βλέπει peut être rapproché de ἀναβλέψασαι θεωροῦσιν dans Mc 16,4. Si cette exégèse est valable, elle apporte une réponse à l'argument du présent historique comme indication d'une *Vorlage* prélucanienne (ou johannique) pour Lc 24,12[2]. Je me propose maintenant de traiter plus en détail un autre aspect de cette interprétation: l'emploi de παρακύψας.

1. Cf. F. NEIRYNCK, *The Uncorrected Historic Present in Lk xxiv.12*, dans *ETL* 48 (1972) 548-553. Sur l'ensemble de la péricope et ses rapports avec Mc 16, voir: *Le récit du tombeau vide dans l'évangile de Luc* (*Lc 24,1-12*), dans *Miscellanea J. Vergote* (Orientalia Lovaniensia Periodica, 6-7), Louvain, 1975, p. 427-441.

2. La difficulté du présent historique avait été soulevée par J. Jeremias dans *Die Abendmahlsworte Jesu*, Göttingen, [2]1949, p. 74: «Nur eine bisher nicht beachtete Schwierigkeit scheint diesem Schluss [*c.-à-d. l'authenticité du verset*] entgegenzustehen: das Präsens βλέπει. ...das Praesens historicum geht auf die von Lukas verwendete Vorlage zurück, die er viel weniger stilistisch gereinigt hat als den von ihm übernommenen Markustext»; de même pour λέγει en 24,36 (*ibid.*). Signalons qu'on peut lire une observation semblable à propos de 24,36 dans *Johannine Vocabulary* de E.A. Abbott, 1905 (cf. *infra*, n. 14): «Lk never uses the historic present λέγει (freq. in Mk and Jn) of Jesus. If therefore Lk. xxiv.36 is genuine, it was prob. inserted by Lk. from some ancient tradition, which Lk. preferred not to revise or alter» (p. 305, n. 1 [1804*a*]). L'explication de Jeremias est restée inchangée dans les éditions plus récentes de son ouvrage ([3]1960; [4]1967, p. 144); voir aussi *Neutestamentliche Theologie. I. Die Verkündigung Jesu*, Gütersloh, 1971, p. 290, n. 23; *Die älteste Schicht der Osterüberlieferungen*, dans E. DHANIS (éd.), *Resurrexit. Actes du symposium international sur la résurrection de Jésus* (*Rome 1970*), Rome (Cité du Vatican), 1974, p. 185-206, spéc. p. 190, n. 23. — Pour les auteurs qui défendent l'inauthenticité de Lc 24,12 le présent historique est un des indices; cf. K.P.G. CURTIS, *Luke xxiv.12 and John xx.3-10*, dans *JTS* 22 (1971) 512-515, p. 515: «Its occurrence here renders the verse the more suspect»; *Linguistic Support for Three Western Readings in Luke 24*, dans *Expository Times* 83 (1971-72) 344-345, p. 344: «Its appearance in Lk 24[36b] points to the secondary nature of that passage and suggests that assimilation to John has taken place»; R. MAHONEY, *Two Disciples at the Tomb. The Background and Message of John 20.1-10* (Theologie und Wirklichkeit, 6), Bern-Frankfurt, 1974, p. 57: «The most telling point against the authenticity of Luke 24,12 is the historical present βλέπει» (voir aussi p. 55: «the greatest single difficulty»). Sur le présent historique, cf. *infra*, n. 131.

I

Nos traducteurs sont unanimes pour rendre παρακύπτω en Lc 24,12; Jn 20,5 (et 11) par «se pencher»[3]. Seul M.-J. Lagrange semble avoir connu un moment d'hésitation: «Le sens n'est pas 'se pencher', mais regarder en avançant la tête»[4]. Il ajoute cependant: «Ce qui ne se fait guère sans la pencher, surtout dans un cas comme celui-ci». Il traduit «ayant avancé la tête» en Lc 24,12, mais il rejoint les autres traducteurs en Jn 20: «en se penchant» (20,5) et «elle se pencha dans le tombeau» (20,11). Au v. 5 il donne le commentaire suivant: «παρακύπτω employé par Lc. qui suppose la pierre roulée ne prouve pas que Jean se soit penché sur un caveau en forme de puits; dans ce cas Pierre n'aurait pu 'entrer'. Il se penche parce que la porte est toujours beaucoup plus basse que la chambre funéraire, et qu'il faut s'incliner pour passer la tête à travers cette porte. Cela suffisait pour jeter un coup d'œil rapide (βλέπει) mais sûr»[5]. Cette présentation, qui est donnée par beaucoup de commentateurs[6], fut celle de la traduction de Luther: «(Petrus) bückte sich hinein» (Lc 24,12)[7]. On retrouve cette expression plus complète en français dans la traduction d'un commentaire allemand: «lorsqu'il se fut penché à l'intérieur»[8].

3. Lc 24,12: «en se penchant» (*TOB*), «se penchant» (*BJ*, Osty, Pléiade, Loisy), «s'y pencha» (Pernot, Tricot), «s'étant penché» (Crampon, Marchal, Liénart, Deiss, Benoit-Boismard), «se penche» (Chouraqui). — Sur la traduction de L. Segond (et F. Godet): «s'étant baissé», voir aussi n. 9.

4. M.-J. Lagrange, *L'évangile selon saint Luc*, Paris, [8]1948, p. 602. Il se réfère à Field (cf. *infra*, n. 13) et renvoie à Gn 26,8 et Pr 7,6.

5. *L'évangile selon saint Jean*, Paris, [8]1947, p. 507-508.

6. Voir par exemple B. Weiss, *Das Johannes-Evangelium* (Kritisch-exegetischer Kommentar über das Neue Testament, 9e éd.), Göttingen, 1902, p. 517: «Vor dem Grabe stehend bückt er sich, beugt den Kopf durch den niedrigeren Eingang vor, um hineinzusehen, ...»; comp. H.J. Holtzmann, *Evangelium des Johannes* (Hand-Commentar zum Neuen Testament, 4/1), Tübingen, [3]1908 (éd. W. Bauer), p. 301 ([2]1893, p. 221). La plupart des commentateurs signalent, d'ailleurs sans une réelle argumentation (cf. n. 136), la différence entre βλέπει (v. 5) et θεωρεῖ (v. 6), mais leur jugement sur l'attitude de l'autre disciple n'est pas également favorable: «Son émotion est si forte qu'il s'arrête timidement» (F. Godet); «Johannes wagt nicht, wie es scheint aus natürlicher Scheu, in das Grab hineinzugehen» (F. Lücke); «natürliches Grauen hält ihn vom sofortigen Hineingehen ab» (B. Weiss); etc.

7. Comp. «bückte sich hinein» (J. Schmid, J. Kürzinger), «als er hineinbückte» (W. Grundmann), «wie er sich hineinbeugt» (Zürcher Bibel), «er beugte sich hinein» (K.H. Rengstorf, Jerusalem-Bibel). — D'autres traductions n'ont pas le complément «à l'intérieur»; par exemple, «er bückte sich vor» (J. Weiss), «bückte sich hinunter» (U. Wilckens). De même, les traductions néerlandaises: «nederbukken» (Statenvertaling), «zich bukken» (*NBG*), «zich voorover bukken» (Canisius, *KBS*).

8. A. Stöger, *L'évangile selon saint Luc* (trad. C. de Nys), vol. 3, Paris, 1968, p. 173. Comparer la traduction de E. Delebecque (1976): «passant la tête à l'intérieur» avec celle de Lagrange: «ayant avancé la tête» (cf. *supra*, n. 4).

Au lieu de «se pencher», la traduction de L. Segond a le synonyme «se baisser», qui, en Jn 20,11, est muni d'une explicitation: «elle se baisse *pour regarder* dans le sépulcre»[9]. Cela rappelle la traduction de la Vulgate: «procumbens» en Lc 24,12, «cum se inclinasset» en Jn 20,5, mais «inclinavit se, *et prospexit*» en Jn 20,11. Le double verbe, *se inclinare* et *prospicere*, est attesté déjà par des témoins de la vieille latine en Jn 20,11 mais aussi en Jn 20,5 (*aur b c ff*² ⟨*j*⟩ *v*)[10]. Parmi les versions modernes ce sont surtout les versions anglaises qui ont suivi cet emploi des deux verbes. La *King James Version* traduit: «stooping down, *and looking in*» (20,5) et «she stooped down, *and looked into*» (20,11); la *Revised Standard Version*: «stooping to look in» et «she stooped to look into». Ici, et déjà dans la *Revised Version* de 1881, «stooping down» en Lc 24,12 est également remplacé par «stooping and looking in».

La nouvelle traduction de *New English Bible* (*NEB*, 1961), précédée par celle de E.V. Rieu[11], a résolument abandonné la traduction «se pencher» pour le seul verbe de «regarder à l'intérieur»: «peering in» (Lc 24,12), «he peered in» (Jn 20,5), «she peered into the tomb» (Jn 20,11). En ce qui concerne Lc 24,12, ce choix est un retour à la traduction de plusieurs versions anglaises du 16ᵉ siècle[12], mais il a sans doute été préparé plus directement par les observations de F. Field[13] et E.A. Abbott[14]. J.H. Bernard s'y réfère lorsqu'il écrit

9. C'est également la traduction de F. Godet.

10. En 20,5 *f* et *r*¹ ont «cum se inclinasset» comme la Vulgate. En 20,11 *r*¹ est le seul témoin latin pour un simple «inclinavit se», d'où la réaction de Wordsworth-White: «*sed* παρακύπτειν *est* inclinare se et prospicere aliquid» (*Novum Testamentum D.N.I.C. latine*, vol. 1, p. 639). En Lc 24,12 *aur c f* ont «procumbens» (= *vg*). Sur les autres témoins de la vieille latine, voir n. 17.

11. E.V. Rieu, *The Four Gospels. A New Translation from the Greek*, Harmondsworth, 1952. La *New American Bible* (1970) a gardé «he stooped down» en Lc 24,12; comp. Jn 20,5: «he did not enter but bent down to peer in» et 20,11 «she stooped to peer inside».

12. *Great Bible* (1539), *Geneva Bible* (1560): «looked in»; *Bishop's Bible* (1568): «when he had looked in». Par contre, ces traductions suivent la version de Tyndale (1525) pour 20,5 et 11: «he stouped doune», «she bowed her selfe into». — Il est à signaler que «regarder à l'intérieur» se trouve dans la traduction néerlandaise du Diatessaron de Liège pour Jn 20,5 (= Lc 24,12?) et 20,11: «ende alse hi inwert sach» et «so sach si inwert» (éd. C.C. de Bruin, p. 274). Voir aussi la traduction de Luther: «schaut hinein und sieht» (20,5), «schaute sie in das Grab» (20,11), contrairement à Lc 24,12 (cf. n. 7).

13. F. Field, *Notes on the Translation of the New Testament*, Cambridge, 1899 (nouvelle édition de *Otium Norvicense*, *Pars Tertia*, 1881), p. 80-81, *ad* Lc 24,12: «I would prefer, in all cases [*c.-à-d. Lc 24,12 et Jn 20,5.11*], simply 'looking in,' though 'peeping in' would more accurately define the word παρακύπτειν which means *exserto capite prospicere* sive *introspicere*. So Gen. xxvi.8. Prov. vii.6. Ecclus. xxi.23». Il y fait appel à Casaubon (éd. 1614, p. 693): «Male etiam probat *humilitatem* sepulchri si eo dicitur Joannes *se inclinasse*; nam graeca veritas habet παρακύψαι, quod sive de fenestra sumatur, sive de janua, nullam inclinationem corporis designat,

sur παρακύψας βλέπει en Jn 20,5 le commentaire suivant: «παρακύπτειν, in its primary and etymological meaning, would suggest 'to *stoop down* for the purpose of looking'. But in this sense the verbe is seldom used, and in the LXX it *always* means 'to peep' through a door or a window..., without any stooping being implied. ... The Beloved Disciple 'peeped in and saw' is the rendering which best gives the sense»[15].

Cette assertion est à vérifier par l'examen de l'emploi du verbe dans la Septante. Mais auparavant on peut se demander si le sens de παρακύψας doit nécessairement être strictement identique dans Lc 24,12 et Jn 20,5. Dans le contexte de Jn 20,3-10, il serait possible d'hésiter entre «se penchant (à l'intérieur)» et «regardant (à l'intérieur)», mais le texte dit clairement οὐ μέντοι εἰσῆλθεν (v. 5b). Il y a un contraste voulu avec la démarche de Pierre au v. 6:

v. 5 καὶ παρακύψας βλέπει...
v. 6 καὶ εἰσῆλθεν εἰς τὸ μνημεῖον· καὶ θεωρεῖ...

Les contre-indications sont vraiment trop fortes pour qu'on puisse encore suggérer que d'après Jn 20,5 l'autre disciple serait entré dans

qualem sibi finxit Baronius, sed *protensionem colli* potius *cum modica corporis incurvatione*». Après 1881, Field ajouta encore Esope, *Fab.* 297 et Arrien, Epict. I. 1,16: «These two passages negative the idea of stooping down» (p. 80, n. 1). Voir aussi p. 235-236 (*ad* Jc 1,25). La brève *Note* de Field, qui constitue un tournant dans l'interprétation de παρακύψας, est en fait un retour à une exégèse plus ancienne. A côté de Casaubon, le commentaire de Grotius dans ses *Annotationes in Novum Testamentum* (1641) mérite d'être cité: «Παρακύψας... LXX ita vertere solent Hebraeum שקף quod magistri exponunt *spectare de loco superiore*. Sed latius Graecis patet παρακύπτειν, ut et nostris: quemadmodum videre est Iac. 1:25, 1 Petr. 1:12. Proxime ad gestum eum de quo hic agitur pertinet illa curiosi hominis descriptio apud Sirachiden 21:16[= 23], Ἄφρων ἀπὸ θύρας παρακύψει εἰς οἰκίαν· ἀνὴρ δὲ πεπαιδευμένος ἔξω στήσεται [*Stultus a ianua respicit in domum: vir autem eruditus foris stabit*]. Vim vocabuli recte expresserunt Syrus et Arabs, ille *introspiciendi*, hic *explorandi* verbo».

14. E.A. Abbott, *Johannine Vocabulary. A Comparison of the Words of the Fourth Gospel with Those of the Three*, London, 1905, p. 300-306: «§ 10. What does παρακύπτω mean?» (n°s 1798-1804). La thèse de Abbott est claire: «In Greek of every kind and period, the word is applied to those who *take a rapid — but not necessarily careless — glance at anything* (1) out of a window, open door, hole of a cave, etc. or (2) in at a window, door, or other aperture» (p. 300). Quoique Abbott ne se réfère jamais à *Otium Norvicense*, la phrase citée contient peut-être une allusion à Field: «to cast a careless or hurried glance on anything» (p. 236). L'auteur étudie les emplois de παρακύπτω cités dans le *Thesaurus* de Stephanus, complétés par ceux de la LXX, Philon, Hénoch, Evangile de Pierre, Actes de Thomas (cf. *infra*). Il signale aussi la version syriaque: «simply 'look' (without 'stoop')» (p. 306: n° 1804 *d*; cf. Grotius). Son dossier des versions latines (*ibid.*) est à compléter par *ff*² (cf. *infra*, n. 17).

15. J.H. Bernard, *A Critical and Exegetical Commentary on the Gospel according to St. John*, Edinburgh, 1928, vol. II, p. 659. De manière plus implicite, ce même sens est admis par d'autres commentateurs de Jean; voir par exemple F. Lücke, *Commentar über das Evangelium des Johannes*, vol. II, Bonn, ³1843, p. 778: «Hineinschauend... erblickt er...». (comparer la traduction de Luther, *supra*, n. 12).

(le vestibule de) la chambre sépulcrale[16]. En 20,5 παρακύψας s'oppose à la notion d'entrer, et en 20,11 παρέκυψεν εἰς τὸ μνημεῖον, dit de Marie-Madeleine, peut s'entendre dans le même sens. La situation est différente en Lc 24,12. La signification de se pencher et/ou regarder du dehors à l'intérieur, sans y entrer, si elle n'est pas donnée par le verbe παρακύπτω lui-même, ne peut être suppléée par le contexte. En effet, dans le récit de Mc 16,1-8, dont nous admettons qu'il est à la base de Lc 24,1-12, il est clairement dit que les femmes sont entrées dans le tombeau: καὶ εἰσελθοῦσαι εἰς τὸ μνημεῖον (v.5; cf. v.8: καὶ ἐξελθοῦσαι). De même, dans le texte parallèle de Lc 24,3: εἰσελθοῦσαι δὲ οὐχ εὗρον τὸ σῶμα τοῦ κυρίου Ἰησοῦ. Au v.12 Luc exprime la même idée du point de vue de Pierre: il ne vit que les linges (c.-à-d. il n'y trouva pas le corps de Jésus). Si l'on part du contexte de Lc, et non pas de celui de Jn 20,5-6, il est normal que la constatation de Pierre implique son entrée dans le tombeau. On pourrait objecter que εἰσελθών (comp. Lc 24,3 et Mc 16,5) y fait défaut, mais il convient de se rappeler le caractère de «sommaire» de 24,12. Selon Luc, les femmes sont entrées dans le tombeau, mais en 24,22-23, lorsqu'il résume le récit de 24,1-9, il omet également εἰσελθοῦσαι. En 24,24 il reprend le récit du v.12, en généralisant la personne de Pierre en τινες τῶν σὺν ἡμῖν: est-il pensable que pour Luc la vérification de ce que les femmes ont trouvé à l'intérieur du tombeau (εὗρον οὕτως καθώς...) se fait du dehors? Le contexte semble donc recommander une traduction de παρακύψας sans la nuance, disons johannique, «(du dehors du tombeau) à l'intérieur». C'est ainsi que la version vieille latine du Codex *Corbeiensis* (*ff*²) paraît avoir compris Lc 24,12: «Petrus autem surgens cucurrit ad monumentum et *aspiciens* videt linteamina posita sola et abiit apud semetipsum mirans factum»[17].

II

Ceux qui traduisent παρακύψας par «se penchant» ou «se baissant» se tiennent au sens étymologique du mot (παρα)κύπτω = je me baisse

16. Cf. J. LIGHTFOOT, *Horae Hebraicae et Talmudicae* (1656-78), ed. R. GANDELL, Oxford, t. 3, 1859, p. 443: «Standing within the cave, he bowed himself to look down into כופין the place where the body was laid, which was four cubits lower than the floor of the cave itself». Voir également J. BELSER, *Das Evangelium des heiligen Johannes*, Freiburg, 1905, p. 528.

17. Les autres témoins (*aur c f*) lisent «procumbens», peut-être sous l'influence de la Vulgate. Il est encore à noter que dans des témoins de la vieille latine qui n'ont pas Lc 24,12 le seul *verbum videndi* comme traduction de παρακύπτω est attesté en Jn 20,5 et 11: «prospiciens» et «prospexit» (*d e q*); «proscultans» et «⟨a⟩dspexit» (*a*). — Sur le problème du texte, voir F. NEIRYNCK, *Lc 24,12. Les témoins du texte occidental*, dans *Miscellanea Neotestamentica*, à paraître dans *Supplements to Novum Testamentum*, Leiden, 1977.

(de côté). Ils pourraient faire valoir également l'emploi lucanien d'autres composés, συγκύπτω et ἀνακύπτω en Lc 13,11 et ἀνακύπτω encore en 21,28. Le verbe simple n'est pas attesté dans l'œuvre lucanienne, mais Luc doit l'avoir lu en Mc 1,7b: «je ne suis pas digne, *en me courbant*, de délier la lanière de ses sandales»[18]. Dans le parallèle lucanien (3,16), la phrase est identique, à l'exception de κύψας, et l'on admet généralement que Luc y dépend de Marc[19] et qu'il a omis «en me courbant», comme il y a bien d'autres expressions dites pléonastiques, propres au style de Marc, qui n'ont pas été reprises dans la rédaction lucanienne[20]. Tous les exégètes de Marc

18. Κύψας est omis par D Θ 28 565 1071 *a b c ff*² (Diatessaron). Cette omission occidentale (D *a ff*²) a été mise en rapport avec celle dans Mt 3,11 et Lc 3,16 par P. Wernle, mais il conclut finalement: «Konformation ist hier wahrscheinlich»; cf. *Die synoptische Frage*, Freiburg, 1899, p. 54. Voir aussi V. Taylor, *Mark*, p. 156, n. 1: «probably accidental or due to assimilation».

19. C'est une opinion très répandue qu'en Lc 3,16b le texte de Q, mieux représenté par Mt 3,11b, a été abandonné pour celui de Mc 1,7 (B. Weiss, A. Harnack, et parmi les plus récents: P. Hoffmann, S. Schulz). Certains maintiennent cependant que Lc 3,16b dépend de Q (H. Schürmann; comp. B.H. Streeter: Mc 1,7-8 «un fragment mutilé» de Q). Mais dès qu'on accepte le caractère secondaire de Mt 3,11b (Schürmann; cf. H.J. Holtzmann), il convient d'envisager l'hypothèse que c'est Mc 1,7 qui est à la base de Mt 3,11b et Lc 3,16b et qu'il n'y a pas d'autre forme traditionnelle du logion sur le plus digne que celle de Mc. Cf. M. Devisch, *De geschiedenis van de Quelle-hypothese* (dissertation doctorale), Louvain, 1975, t. 3, p. 515-529: Mt et Lc ont combiné Mc 1,7 avec le logion de Q sur les deux baptêmes. Une hypothèse semblable a été proposée par M.-E. Boismard, *Commentaire*, Paris, 1972, p. 76-79: Mt et Lc ont inséré le logion de Mc 1,7 (d'après Mc-intermédiaire, c.-à-d. sans κύφας [cf. *infra*, n. 20] et peut-être sans τὸν ἱμάντα) dans le logion sur les deux baptêmes, repris du Mt-intermédaire (c.-à-d. la tradition matthéenne, au lieu de Q).

20. Cf. H.J. Cadbury, *The Style and Literary Method of Luke*, II (Harvard Theological Studies, 6), Cambridge (Mass.), 1920, p. 89-90. Il signale le cas dans une liste d'omissions de «notices that people came, saw, heard, or took, when such facts can be easily assumed from the context without special mention»; dans l'ordre de Mc: κύψας (1,7), ἀκούσας (2,17), ἔρχονται καί (2,18), ἐξελθόντες (3,6), ἦλθεν καί (4,4), ἰδὼν αὐτόν (5,22), ἀκούσασα τὰ περὶ τοῦ Ἰησοῦ (5,27), εἰσελθών (5,39), ἀκούσας (6,16), ἰδὼν αὐτόν (9,20), ἰδών (10,14), ἤκουσαν καί (11,18), λαβόντες (12,3), λαβόντες (12,8), ἐλθόντες (12,14), ἐλθοῦσα (12,42), οἱ δὲ ἀκούσαντες (14,11), ἀπελθόντες (14,12, voir cependant Lc 22,8: πορευθέντες), λαβών (14,23, voir cependant Lc 22,17: δεξάμενος), ἔρχεται καί (14,66), τολμήσας (15,43), ἀγοράσας σινδόνα (15,46). D'après M.-E. Boismard, «on ne voit pas pourquoi Lc l'aurait omis s'il l'avait trouvé dans sa source» (*Commentaire*, p. 76: §22, I A 2 a). Mais, à l'exception de 1,7; 14,11; 15,43.46, que Boismard explique comme des ajouts de l'ultime rédacteur de Mc, les omissions signalées par Cadbury n'ont pas spécialement retenu l'attention du commentateur. Il ne mentionne pas ces expressions parmi les additions de l'ultime rédacteur de Mc et, dans certains cas, leur appartenance à la source de Luc est explicitement admise: 2,18 (p. 114); 4,4 (p. 181); 6,16 (p. 217); 9,20 (p. 259); 12,8 (p. 340); 12,14 (p. 346); 14,66 (p. 401). Il semble donc qu'il compte les omissions parmi les «retouches stylistiques» de Luc. N'est-ce pas une explication valable pour 1,7 également? — Même omission de κύψας encore en Act 13,25: οὗ οὐκ εἰμὶ ἄξιος τὸ ὑπόδημα τῶν ποδῶν λῦσαι. Une source autre que Mc 1,7 n'est pas indiquée:

ne seront pas d'accord sur cette interprétation de κύψας comme un détail purement descriptif[21], mais c'est bien ainsi que Luc peut avoir entendu le participe qu'il a omis. Dans la *pericopa de adultera* (Jn 7,53-8,11), dont le style est plus lucanien que johannique, et que d'aucuns n'hésitent pas à attribuer à Luc[22], l'emploi répété de ἀνακύπτω est cité comme un des lucanismes[23]. Jésus qui est assis

pour ἄξιος au lieu de ἱκανός, voir Lc 7,6 (= Mt) οὐ (γὰρ) ἱκανός εἰμι ἵνα et 7,7a (Lc!) οὐδὲ ἐμαυτὸν ἠξίωσα + infin., et 15,19 οὐκέτι εἰμὶ ἄξιος + infin.; pour l'omission de τὸν ἱμάντα et le singulier τὸ ὑπόδημα, voir l'expression 'biblique' en Ex 3,5; Jos 5,15. De même, en Jn 1,27: οὗ οὐκ εἰμὶ [ἐγὼ] ἄξιος ἵνα λύσω αὐτοῦ τὸν ἱμάντα τοῦ ὑποδήματος. Cf. C.K. BARRETT, *St John*, 1955, p. 145: «John's words are probably dependent upon Mark's. He substitutes the more appropriate ἄξιος for Mark's ἱκανός, drops the vivid but unnecessary κύψας, and, as often, has ἵνα and the subjunctive for the infinitive». Par contre, en Mt 3,11 l'omission de κύψας ne peut être isolée de l'ensemble de la phrase λῦσαι ..., remplacée ici par τὰ ὑποδήματα βαστάσαι.

21. Quoique la plupart des auteurs considèrent κύψας comme «one of the vivid, irrelevant details» (W. Wink), il convient de signaler quelques exceptions notables. B. Weiss parle de l'image de délier les sandales et «das wesentlich dazu gehörende κύψας»: «sich niederbeugend (und so schon in der Stellung die tiefste Unterwürfigkeit ausdrückend)»; cf. *Das Marcusevangelium*, Berlin, 1872, p. 47 et 46; voir aussi *Markus und Lukas* (Kritisch exegetischer Kommentar über das Neue Testament, 1/2, 6e éd.), Göttingen, 1878, p. 18. D'après E. Lohmeyer, il s'agit de «ein κύψας das nicht nur das Bild vom Sklaven, sondern auch das Verhältnis des Johannes zu Jesus erläutert»; «denn jener ist göttlicher Herr, dieser bleibt prophetischer Mensch und darum nichtiger als ein Sklave, 'hingebeugt' vor seiner heiligen Majestät»; cf. *Das Evangelium des Markus* (Kritisch-exegetischer Kommentar, 1/2, 10e éd.), Göttingen, 1937 ([15]1959), p. 17 et 18. Finalement, E. Trocmé note parmi les liens entre 1,1-8 et 3,7-12: «le thème du prosternement devant Jésus évoqué en 1/7 (cf. 3/11)»; cf. *La formation de l'évangile selon Marc*, Paris, 1963, p. 65. En tenant compte des citations de l'A.T. en 1,2-3, des allusions en 1,6 (et 4), et peut-être des réminiscences de vocabulaire (1,4 κηρύσσων βάπτισμα, comp. κηρύσσειν νηστείαν en 2 Ch 20,3; Jon 3,5; R. Pesch), on pourrait faire le rapprochement avec κύψας (προσεκύνησεν) de la LXX; cf. *infra*, n. 33.

22. Cf. M.-E. BOISMARD, *Commentaire*, p. 318-319 (§ 259: un récit du Proto-Lc, Document A et Mt-intermédiaire, abandonné par le rédacteur lucanien); p. 369 (§308: Lc 21,37-38; cf. Jn 8,1-2). Voir aussi *RB* 71 (1964) 629-631, contre U. BECKER, *Jesus und die Ehebrecherin. Untersuchungen zur Text- und Überlieferungsgeschichte von Joh. 7,53-8,11* (BZNW, 28), Berlin, 1963. Voir *ibid.*, p. 68, n. 126: F. Blass (un troisième ouvrage de Luc), E. F. F. Bischop (Proto-Luke), H. McLachlan, et surtout H.J. CADBURY, *A Possible Case of Lukan Autorship*, dans *HTR* 10 (1917) 237-244, p. 243: «Either (1) the pericopa adulterae is an original part of Luke's Gospel and was omitted without having any appreciable trace in the MS. tradition of that Gospel, or (2) it is written by another than the third evangelist in a style that completely matches his own». Sur les différences avec Luc, voir cependant U. BECKER, *op. cit.*, p. 70-71. Il compte parmi les mots qui ne sont pas connus par Luc: κύψας (Jn 8,6 et 8; sur le v. 8, cf. p. 73), «das Lukas nicht kennt, in 3,16 sogar bewusst gegenüber Mc 1,7 vermeidet» (p. 70). Il serait plus exact de dire que Luc connaît κύψας par Mc 1,7, dont l'emploi «pléonastique» n'a d'ailleurs rien de comparable à Jn 8,6.10.

23. Cf. M.-E. BOISMARD, *Commentaire*, p. 318: «ailleurs seulement deux fois dans Lc»; W. MICHAELIS, art. παρακύπτω, dans *TWNT* 5 (1954) 812-814, n. 1 et 12; U. BECKER, *op. cit.*, p. 69.

(v. 2) se baisse pour écrire et puis se redresse: κάτω κύψας (v. 6), ἀνέκυψεν (v. 7), πάλιν κατακύψας *v.l.* κάτω κύψας (v. 8), ἀνακύψας (v. 10)[24]. On trouve un emploi comparable, mais d'une frappe lucanienne plus sûre, dans la description de la femme courbée en Lc 13,11: ἦν συγκύπτουσα καὶ μὴ δυναμένη ἀνακύψαι εἰς τὸ παντελές. Afin d'éviter une tautologie, M.-J. Lagrange cherche à établir une différence entre συγκύπτουσα, le tronc voûté, et ἀνακύψαι, entendu de la tête «qui se dresse un peu, mais pas complètement»[25]. Cependant, la phrase n'est pas sans analogies dans l'œuvre de Luc:

ἔσῃ σιωπῶν καὶ μὴ δυνάμενος λαλῆσαι ἄχρι ἧς ἡμέρας (Lc 1,20);
ἔσῃ τυφλὸς μὴ βλέπων τὸν ἥλιον ἄχρι καιροῦ (Ac 13,11).

En Lc 13,11 aussi, le traducteur devra respecter le parallélisme et joindre εἰς τὸ παντελές à la négation: «elle était (toute) courbée, et ne pouvait absolument pas se redresser»[26]. D'ailleurs, «le redressement du tronc et de la tête» (Lagrange) est indiqué au v. 13 par le seul verbe ἀνωρθώθη qui ne suggère nullement la distinction des deux symptômes[27].

24. Il est à noter que certains témoins lisent en v. 7 ἀναβλέψας (*loco* ἀνέκυψεν καί): U Λ φ 118 209 *al*, et au v. 10 ἀναβλέψας... εἶδεν αὐτὴν καί (*loco* ἀνακύψας): Λ φ *pc*. Au v. 10 ἀναβλέψας est imprimé dans le texte de l'édition de von Soden; voir *RSV* («looked up») et le commentaire de B. Lindars (*John*, 1972, p. 311). Pour l'insertion d'un *verbum videndi*, εἶδεν αὐτὴν καί (en plus des témoins déjà cités: U 118 209 *al*) ou καὶ μηδένα θεασάμενος πλὴν τῆς γυναικός (𝔎 *al*), voir l'apparat plus complet dans *GNT*.

25. M.-J. LAGRANGE, *Luc*, p. 382. L'observation que εἰς τὸ παντελές doit qualifier le verbe qui précède (ἀνακύψαι) avait été faite déjà par Meyer, B. Weiss, Holtzmann, Plummer. Voir aussi Klostermann, Loisy, Creed, Grundmann, e.a. Comp. *RSV*: «could not fully straighten herself». La nouvelle traduction de *TOB* imprime dans le texte: «ne pouvait se redresser complètement», et signale l'autre possibilité en note (l'inverse dans *BJ*). E. Delebecque, dans *Évangile de Luc* (Paris, 1976), p. 90, traduit: «qui portait la tête basse et ne pouvait la redresser complètement», avec ce commentaire pour le moins étonnant: «l'image donnée par le premier verbe est celle du taureau furieux qui charge tête baissée». Voir aussi n. 30.

26. En réaction contre B. Weiss e.a. (cf. n. 25): P. Schanz, J. Knabenbauer. Voir maintenant G. DELLING, art. παντελής, dans *TWNT* 8, 1969 (mai 1965), p. 67-68: «Im ersten Fall würde συγκύπτουσα abgeschwächt, im zweiten unterstrichen. Auch die Betonung ihres Gebundenseins (v 12.16), die nicht an eine teilweise Bewegungsfreiheit denken lässt, spricht für die letzte Deutung» (p. 68). Cf. la Vulgate: «nec omnino poterat...» (dans la vieille syriaque les deux interprétations sont possibles), et la plupart des versions modernes (en français: Segond, Crampon, etc.).

27. Nous n'avons pas à refaire ici la critique de ceux qui distinguent un sens médical précis dans ἀπολύω et ἀνορθόω, de même que pour ἀνακύπτω. Cf. W. K. HOBART, *The Medical Language of St. Luke*, Dublin-London, 1882, p. 20-22; A. HARNACK, *Lukas der Arzt*, Leipzig, 1906, p. 122-137 («Anhang I [zu S. 11]»), spéc. p. 131: «Sowohl ἀνακύπτειν als ἀπολύειν (nur hier im N.T. in bezug auf eine Krankheit) sind die entsprechenden Termini technici...». À propos de ἀπολέλυσαι (ἀπὸ א A D 33 *al* lat) τῆς ἀσθενείας σου au v. 12, on notera le verbe simple au v. 16: ἣν ἔδυσεν ὁ σατανᾶς... λυθῆναι ἀπὸ τοῦ δεσμοῦ τούτου (cf. v. 15 λύει... ἀπό); comp. Mt 7,35 ἐλύθη ὁ δεσμὸς τῆς γλώσσης αὐτοῦ en Lc 1,64 *v.l.* A côté de l'emploi

Comme en Jn 8, 6-10, le jeu des mots συγκύπτω et ἀνακύπτω disparaît dans une traduction de Lc 13,11. Dans la Vulgate, où l'on s'attend à la traduction de ἀνακύψαι par «se erigere» (cf. Jn 8,7.10), on peut lire: «et erat inclinata nec omnino poterat sursum respicere»[28]. C'est encore par «respicite» que le même verbe est traduit en Lc 21,28: ἀνακύψατε καὶ ἐπάρατε τὰς κεφαλὰς ὑμῶν[29]. On ne peut pas dire que cette traduction ne rend pas bien le verbe ἀνακύπτω au sens figuré qu'il prend ici, mais un *verbum videndi* ne s'impose pas et il est plus indiqué de traduire par «redressez-vous», en parallèle à «relevez vos têtes»[30].

L'association avec «relever la tête» a un parallèle en Jb 10,15 LXX, où נשא ראש est traduit par ἀνακύπτω[31]. Pour l'emploi de συγκύπτω en Lc 13,11, on peut renvoyer à Si 12,11: «celui qui marche courbé (συγκεκυφώς)»[32]. Quant au verbe simple dans la Septante, il est presque invariablement la traduction de קדד dans l'expression κύψας (ἔκυψεν καὶ) προσεκύνησεν[33] et nulle part il ne signifie autre chose

technique signalé par Hobart («relaxing tendons, membranes, etc., and taking off bandages», p. 21), ἀπολύω est employé d'une manière plus générale, par exemple par Flavius Josèphe pour désigner la guérison du lépreux: ἀπολυθῇ τῆς νόσου (*Ant.* 2,264). D'ailleurs, il est faux de distinguer avec Hobart (et Harnack) deux stades dans la guérison: «the relaxing of the contracted muscles of the chest» et «the removal of the curvature». Dans le récit de Luc, ἀπολέλυσαι τῆς ἀσθενείας σου (la parole de Jésus) et ἀνωρθώθη (la constatation du miracle) désignent la même guérison.

28. Comp. Luther: «konnte nicht wohl aufsehen»; Coverdale: «coulde not well loke up». (A noter qu'ils ne suivent pas la Vulgate dans la traduction de εἰς τὸ παντελές; cf. n. 26.)

29. De même, deux témoins de la vieille latine: *a f*, et la version copte (sahidique). Comp. Luther: «sehet auf»; King James: «looked up»; Statenvertaling: «ziet omhoog».

30. Ainsi, les traductions récentes en allemand («richtet euch auf», Wilckens), en néerlandais («richt u op», *NBG*, *KBS*), en anglais («stand upright», *NEB*), et l'ensemble des versions françaises. E. Delebecque (cf. *supra*, n. 25) cherche ici encore les parallèles dans le monde des animaux: «ici, au figuré, il fait joliment image, car le verbe se dit de poissons et d'oiseaux de mer passant la tête hors de l'eau (Platon, *Phédon* 109e; Arist. *Hist. Anim.* IX, 34 (620a); le verbe signifie donc 'émerger du désespoir'» (p. 132). Sur ce sens, voir LIDDELL-SCOTT, s.v. ἀνακύπτω, II. Mais le lexique insiste à juste titre sur le parallélisme dans l'expression lucanienne: ἀνακύψατε καὶ ἐπάρατε τὰς κεφαλὰς ὑμῶν (*sub* I). Il est étonnant que Delebecque, après son commentaire sur 13,11 (baisser/redresser la tête), explique ἀνακύψατε sans tenir compte du parallèle (relever la tête). Et pourtant, l'image du cheval ἀνακεκυφώς (Xénophon, *De equitandi ratione*, 7,10) aurait pu l'inspirer!

31. οὐ δύναμαι (A -ήσομαι) ἀνακύψαι. Voir d'autre part la traduction de ἀνακύπτω en Jn 8,7.10 par «adlevare caput» dans *e* (comp. 8, 6 et 8: «inclinato capite»; pour le v.6, aussi *c ff*² Ambroise Augustin). — Sur Dn Suz 35, le seul autre emploi de ἀνακύπτω dans la Septante, cf. *infra*, n. 56.

32. Voir aussi Si 19,26 συγκεκυφώς, 27 συγκύφων (B¹ S² -κρύφων) πρόσωπον, Jb 9,27 συγκύψας τῷ προσώπῳ (diff. TM).

33. L'indication de W. Michaelis (*TWNT* 5, p. 813): «7 von 18 St in Verbindung mit προσκυνέω» demande une correction. À côté de κύψας (κύψαντες) en Gn 43,28; Ex 4,31; 12,27; 34,8; Nb 22,31; Jdt 13,17 (LXX); Is 46,6 (סגד), il convient de compter ἔκυψεν καί 1 S 24,9; 28,14; 1 R 1,16.31; Ne 8,6; de même, 2 Ch 20,18 (en parallèle

que se baisser, s'incliner[34].

Doit-on donc conformer l'emploi de παρακύπτω en Lc 24,12 à celui de συγ- et ἀνακύπτω en 13,11 et 21,28 et traduire par «se pencher»? L'étude de la Septante nous montre plutôt que παρακύπτω, avec d'autres composés de κύπτω, prend une signification qui s'éloigne quelque peu de celle du verbe simple. Dans la table qui suit, j'en présente le dossier complet[35]. Elle sera essentiellement la liste des traductions d'un seul verbe hébreu. (Voir p. 123.)

Constatons d'abord que le verbe שקף est traduit par des composés de κύπτω mais en Gn 18,16; 19,28; Ex 14,24; Nb 21,20; Dt 26,15 par βλέπω et composés (ou -εἶδον)[36]. Cette différence disparaît dans la Vulgate qui traduit généralement par *respicere* ou *prospicere*, et dans la Peschittâ qui traduit par *dûq* ou un autre *verbum videndi* (*ḥur*, *ḥzâ*)[37]. La situation reste inchangée dans les traductions modernes,

ἔπεσαν... προσκυνῆσαι). Ajoutons à cela que קדד (15 fois) s'emploie toujours en connexion avec הִשְׁתַּחֲוָה qui est constamment traduit par προσκυνέω (164 sur 171); קדד est traduit onze fois par κύπτω (les autres cas: Gn 24,26.48 εὐδοκήσας; 1 Ch 29,20 κάμψαντες τὰ γόνατα; 2 Ch 29,30 ἔπεσον καί).

34. Les autres emplois de κύπτω sont: 1 R 18,42 (גהר); Ps 9,31; Is 2,9 (שחח); Is 51,23 (שחה qal); Ba 2,18 ὃ βαδίζει κύπτον (cf. Si 12,11 πορεύηται συγκεκυφώς). — Outre κύπτω, συγκύπτω, ἀνακύπτω voir encore dans le même sens: Est 5,1d κατεπέκυψεν ἐπὶ (A ἐπέκυψεν); 2 M 7,27 προσκύψασα δὲ αὐτῷ (se penchant vers lui).

35. Les attestations de κύπτω, ἀνακύπτω (1), ἐπικύπτω (1), κατεπικύπτω, προσκύπτω et συγκύπτω, signalées dans les notes 31-34, ne seront pas reprises ici.

36. En Nb 23,28, τὸ παρατεῖνον εἰς τὴν ἔρημον, dit du sommet du Péor qui «s'étend jusqu'au désert», rend moins bien la force de l'expression originale. Comp. Nb 21,20 τὸ βλέπον κατὰ πρόσωπον τῆς ἐρήμου. *TOB* traduit «domine le désert», mais ajoute en note: «plus précisément: *regarder d'en haut*». *NEB* choisit la même traduction en Nb 21,20; 23,28 et 1 S 13,18: «overlooking the desert/valley»; de même Crampon et *BJ*: «qui domine le désert/la vallée» (cf. 1 S 13,18, dans la Vulgate: «imminentis»; *BJ* «qui surplombe la vallée»).

37. Dans la Vulgate: Gn 18,16 *direxerunt oculos suos* (vet. lat. *conspexerunt*); 19,28 *intuitus est*; 26,8 *prospiciens*; Ex 14,24 *respiciens*; Nb 21,20; 23,28: *respicit*; Dt 26,15 *respice*; Jg 5,28 *prospiciens* (vet. lat. *respiciens*); 1 S 13,18 *imminentis* (cf. n. 36); 2 S 6,16 *prospiciens*; 24,20 *conspiciens*; 2 R 9,30 *respexit*; 9,32 *inclinaverunt se*(!); Jr 6,1 *visum est*; Ps 14,2; 53,3; 85,11; 102,20: *prospexit*; Pr 7,6 *prospexi*; Ct 6,10 *progreditur* (vet. lat. *prospiciens*); Lm 3,50 *respiceret*; 1 Ch 15,29 *prospiciens*; Si 14,23; 21,23 *respicit*.

— Dans la Peschittâ, *dûq* est employé pour les deux motifs (cf. *infra*), «regarder par la fenêtre»: Gn 26,8; Jg 5,28; 2 S 6,16; 2 R 9,30; Pr 7,6; 1 Ch 15,29; Si 14,23; 21,23; et «regarder du haut du ciel»: Ps 14,2; 53,3(2); 85,12(11); 102,20(19); Lm 3,50. Les autres cas sont: Gn 18,16; 19,28: *ḥûr*; Ex 14,24; Nb 21,20; 23,28; Dt 26,15: *ḥzâ*; 1 S 13,18 *ḥûr*; 2 S 24,20 etp. *pnâ* («se vertit»!); 2 R 9,32 *ḥzâ*; Jr 6,1 diff.; Ct 6,10 *dûq*. Les exceptions sont donc extrêmement rares: 2 R 9,32 dans la Vulgate et 2 S 24,20 dans la Peschittâ. Notons aussi la traduction des composés de κύπτω dans 1 M 4,19 (ἐκ-) *apparuit*, 9,23 (ἐκ-) *emerserunt*; 2 M 3,19 (δια-) *aspiciebant*; Pesch. *dûq*. Voir aussi Dn Th: Suz 35 *suspexit ad coelum*, Pesch. «elle leva les yeux»; Bel 40 *introspexit*, Pesch. *dûq*. (Je tiens à remercier mon collègue A. Schoors pour l'aide apportée dans l'étude des versions syriaques.)

שָׁקַף

Gn	18,16 hi		καταβλέπω
	19,28 hi		ἐπιβλέπω
	26,8 hi		παρακύπτω
Ex	14,24 hi		ἐπιβλέπω
Nb	21,20 ni		βλέπω
	23,28 ni		παρατείνω
Dt	26,15 ni		κατεῖδον
Jg	5,28 ni	B	παρακύπτω
		A	διακύπτω
1 S	13,18 ni		εἰσκύπτω
		(Aq	ἐκκύπτω)
2 S	6,16 ni		διακύπτω
	24,20 hi		διακύπτω
2 R	9,30 hi		διακύπτω
	9,32 hi		κατακύπτω
Jr	6,1 ni		ἐκκύπτω
[Ez	41,16 †		διακύπτω bis]
Ps	14,2 hi	13,2	διακύπτω
	53,3 hi	52,3	διακύπτω
	85,11 ni	84,12	διακύπτω
	102,20 hi	101,20	ἐκκύπτω
Pr	7,6 ni		παρακύπτω
Ct	6,10 ni		ἐκκύπτω
		A²	ἐγκύπτω
Lm	3,50 hi		διακύπτω
1 Ch	15,29 ni		παρακύπτω
Si	14,23 hi		παρακύπτω
	21,23 †		παρακύπτω

Dans la Bible grecque:

1 M	4,19		ἐκκύπτω
	9,23		ἐκκύπτω
2 M	3,19		διακύπτω
		V L'	διεκκύπτω

שְׁקֻפִים

1 R	6,4	παρακυπτομένας
		(Aq ἀποβλέπουσας)
		(Th διακυπτομένας)
		(Sm ἐπισκέποντας)
	7,4	41 μέλαθρα
		(Aq ἀποβλέπτας)
		(Sm παρακύψεις)

שֶׁקֶף

1 R	7,5	42 μεμελαθρωμέναι

שָׁגַח

Is	14,16		θαυμάζω (diff.)
Ps	33,14	32,14	ἐπιβλέπω
			(Aq ἐπικύπτω)
Ct	2,9a		παρακύπτω
Si	40,29		βλέπω
	50,5		περιστροφή (diff.)

צוּץ

Ct	2,9b		ἐκκύπτω
Ps	17,15cj	16,15	ὁράω
	92,8	91,8	διακύπτω
1 R	6,29		ἐγκύπτοντα(B om.)
			(Aq Th ἐγ- ou ἐκκύπτοντα)

Dn Suz 35 ἀνακύπτω
(Th ἀναβλέπω εἰς τὸν οὐρανόν)
Bel 40 ἐγκύπτω
(Th ἐμβλέπω)

— Le verbe שקף est rendu par סתן sans exception, dans les Targums de Onkelos (Pentateuque) et de Jonathan (Prophètes); cf. A. SPERBER, *The Bible in Aramaic*, Leiden, 3 vol., 1959, 1962. Par contre, on trouve דוק *af* dans la traduction targumique de Pr 7,6; Ps 14,2, etc. Sur le sens du verbe, cf. Jastrow: «to examine, look with anxiety»; Dalman: «schauen», etc.. Le Targum palestinien Neophyti I emploie également דוק en Gn 18,16; 19,28; 26,8; Ex 14,24; et un autre *verbum videndi* en Nb 21,20; 23,26(28): צוץ (variante צפי); cf. A. DIEZ MACHO, *Neophyti 1. Targum Palestinense Ms de la Biblioteca Vaticana*. 1. *Génesis*, Madrid, 1968; 2. *Exodo*, 1970; 4. *Números*, 1974.

par exemple dans celle de Crampon qui traduit surtout par «regarder»[38] et dans *NEB* qui a normalement «look down»[39], le sens qui est donné également dans les lexiques[40]. Cependant, lorsque Crampon traduit παρακύπτω du texte grec de Si, une nuance apparaît: «*se baissa* pour regarder» (14,23) et «*se courbe* pour voir» (21,23). Dans la Bible de Jérusalem (*BJ*), «regarder» est remplacé par «se pencher» dans neuf cas où, dans la LXX, שקף est traduit par un composé de κύπτω[41], et la nouvelle Traduction œcuménique de la Bible (*TOB*, 1975) y ajoute encore d'autres[42].

L'image la plus courante est celle d'une femme qui regarde par la fenêtre: Jg 5,28; SS 6,16 = 1 Ch 15,29; 2 R 9,30; Pr 7,6 LXX; cf. 2 M 3,19. En Jg 5,28 la Bible de Jérusalem traduit: «Par la fenêtre elle se penche, elle guette, la mère de Sisera, à travers le grillage». Le parallélisme serait parfait si l'on traduisait שקף (A διέκυπτεν, B παρέκυπτεν) par «regarder»[43]. Toujours d'après *BJ* il est dit de Mikal qu'elle *regardait* par la fenêtre et vit le roi David danser devant Jahvé (1 S 6,16 διέκυπτεν, 1 Ch 15,29 παρέκυψεν); par contre, Jézabel «*se mit* à la fenêtre» (2 R 9,30 διέκυψεν διὰ τῆς θυρίδος). Dans ces passages, *TOB* traduit invariablement par «se pencher à la fenêtre» (voir aussi 2 M 3,19). Mais dans le cas d'Abimélek qui «*regarda* par la fenêtre et vit qu'Isaac s'amusait avec Rébecca sa femme», tous les traducteurs rendent שקף par «regarder» (Gn 26,8 LXX παρακύψας)[44]. Plus frappant encore, en Pr 7,6 *TOB* traduit TM

38. Pour les exceptions en Nb 21,20; 23,28; 1 S 13,18, cf. n. 36; sur Si 14,23; 21,23, voir dans le texte. En outre: Gn 18,16 «se tournèrent du côté de»; Jr 6,1: «s'avance». Voir aussi 1 M 4,19 «(se montra) sortant de»; 9,23 «se montrèrent».

39. Sur la variante «overlooking», cf. n. 36; voir aussi 2 R 9,32: «looked out»; Ct 6,10: «looks out»; Jr 6,1: «looms».

40. Cf. L. Koehler (-W. Baumgartner), *Lexicon in Veteris Testamenti Libros*, Leiden, 1953, *s.v.*: au niphal: «*hinunterblicken* ... look down upon (from above; point of view of the looking)»; au hiphil: «*herunterblicken* ... look down (from above; point of view of the looked at)». Sur l'opinion de M. Noth, voir n. 48.

41. Jg 5,28; 2 R 9,32; Jr 6,1; Ps 14,2; 53,3; 85,11; 102,20; Pr 7,6; Si 14,23. Voir aussi 2 M 3,19. Traduction autre que «regarder» également en Gn 18,16; les exemples cités en n. 36; 2 R 9,30: «se mit (à la fenêtre)».

42. Jg 5,28; 2 S 6,16; 2 R 9,30.32; Ps 14,2; 53,3; 85,11; 102,20; Lm 3,50; 1 Ch 15,29; 2 M 3,19.

43. *NEB* «The mother of Sisera peered through the lattice, through the window she peered and shrilly cried». Le second verbe de l'hébreu, וַתְּיַבֵּב «et elle hurlait», provient probablement de וַתַּבֵּט (*NEB* semble combiner les deux): comp. Targum (דוק) et LXX A: διὰ τῆς θυρίδος διέκυπτεν καὶ κατεμάνθανεν ἡ μήτηρ Σισαρα διὰ τῆς δικτυωτῆς (add. ἐπιβλέπουσα ἐπὶ τοὺς μεταστρέφοντας μετὰ Σισαρα); B διὰ τῆς θυρίδος παρέκυψεν μήτηρ Σισαρα ἐκτὸς τοῦ τοξικοῦ. O. Grether et R. Tamisier suppriment בְּעַד הַחַלּוֹן («par la fenêtre») comme une glose explicative (אֶשְׁנָב est un mot rare: cf. Pr 7,6), mais l'argument de l'hexamètre, ainsi retrouvé, n'est pas convaincant.

44. La nouvelle traduction néerlandaise (*KBS*) lit ici assez curieusement: «keek

où c'est le sage qui parle à la première personne: «j'ai regardé par le treillis», tandis que *BJ* traduit d'après le grec, à la troisième personne: «Par la fenêtre de sa demeure, elle s'est penchée (παρακύπτουσα) sur la place»[45]. La logique des traducteurs, surtout dans *TOB*, semble être que l'homme «regarde» par la fenêtre et que la femme «se penche». Nous aurons à revenir sur cette présentation.

À côté de שקף et ses traductions, un seul texte de la Bible hébraïque nous intéresse ici directement, celui de Ct 2,9 sur le bien-aimé derrière le mur, «regardant par la fenêtre, épiant par le treillis. Les racines hébraïques שגח et צוץ n'impliquent par le mouvement de se baisser que certains semblent lire dans שקף [46], et la situation

door het raam *naar binnen*» (contre Canisius et *NBG*: «uit/door zijn venster keek»). C'était, semble-t-il, l'explication de E. Böhmer (1862);.cf. A. DILLMANN, *Die Genesis* (Kurzgefasstes exegetisches Handbuch zum AT, 11), Leipzig, ²1892, p. 324: «Vrf. dachte sich Is. u. Reb. dabei wohl *im Garten beim Haus des Königs*, nicht aber (Böhm.) den König bei Isaac's Haus(!) durch dessen Fenster hineinsehend». H. Gunkel, dans *Genesis* (Göttinger Handkommentar zum AT, I/1), Göttingen, ³1910, est encore plus précis: «Die — sehr idyllische — Szene ist wohl so zu denken, dass Isaaq und Abimelech in einer engen Gasse, wo man von dem Fenster des einen Hauses ins andere sehen kann, einander gegenüberwohnen» (⁴1917, p. 301). Voir la réaction de O. PROCKSCH, *Die Genesis* (Kommentar zum AT, 1), Leipzig, 1913, p. 151: «Abimelek hat einen Söller..., von dem er ins Freie blickt, wo sich die beiden befinden» (on renvoie généralement à 2 S 11,2); et la remarque de H.W. Hertzberg sur la forme des fenêtres (à propos de Qo 12,3 et Gn 26,8): «Vorausgesetzt ist dabei eine Art von Luke, jedenfalls eine kleine Fensteröffnung (Dalman), die instande ist, Blicke von innen nach aussen, aber nicht von aussen nach innen werfen zu lassen»; cf. *Palästinische Bezüge im Buche Kohelet*, dans *Festschrift Friedrich Baumgärtel*, éd. L. Rost (et J. Herrmann), Erlangen, 1959, p. 69-73, spéc. 69.

45. LXX: ἀπὸ γὰρ θυρίδος ἐκ τοῦ οἴκου αὐτῆς εἰς τὰς πλατείας παρακύπτουσα (cf. *infra*, n. 109). «Sur la place» correspond à «par le treillis» du texte hébreu (cf. n. 43, sur Jg 5,28). Traduction de TM dans *NEB*:

«*I glanced* out of the window of my house,
I looked through the lattice».

Cf. C. STEUERNAGEL, *Die Sprüche*, dans *Die Heilige Schrift des Alten Testaments* (éd. E. KAUTZSCH), t. 2, Tübingen, ³1910, p. 259, note *n*: «Rhythmus und Parallelismus empfehlen die Ergänzung von hibbaṭtî («ich blickte»)». Pour שקף et נבט voir Jg 5,28 (cf. n. 43).

46. Pour שגח voir encore Is 14,16: «Ceux qui t'aperçoivent te *considèrent*, te regardent avec attention» (traduit très librement dans la LXX: θαυμάσουσιν [-ονται] ἐπὶ σοὶ καὶ ἐροῦσιν); Ps 33,14 (= 32,14 ἐπέβλεψεν ἐπί), cf. *infra*, p. 127; Si 40,29 (LXX βλέπων εἰς τράπεζαν ἀλλοτρίαν); 50,5 hébr. «quand il *regardait* depuis la tente» (LXX diff.). Comp. Vulgate: Is 14,16 *ad te inclinabuntur*(!); Ps 33(32),14 *respicit*; Ct 2,9 *respiciens*; Si 40,29(30) *respiciens*; 50,5 (cf. LXX) *in conversione gentis*; Peschittâ: Is 14,16 *dûq*; Ps 33,14 *ḥzâ*; Ct 2,9 *dûq*; Si 40,29(30); 50,5: diff.

— L'emploi de צוץ dans Ct 2,9 n'a guère de parallèle, si ce n'est une leçon conjecturale (peu probable) en Ps 17,15 (Koehler), basée sur la LXX ἐν τῷ ὀφθῆναι τὴν δόξαν σου (Vulg. *cum apparuerit gloria tua*); TM קיץ, Pesch. *'îr*. En Ps 92(91),8, on lira צוץ «fleurir» (comp. Ps 90,6), cf. Pesch. *šwḥ* (par contre, LXX διακύπτω, Vulg. *apparuerint*. Pour 1 R 6,29 (περίγλυφα) εγκύπτοντα, comp. v. 32 et 35 (διαπεπετασμένα) πέταλα (Pesch. *šûšanê*).

de l'homme qui regarde dans la maison ne suggère rien de tel. Tous les traducteurs modernes en conviennent, et il ne semble pas qu'on puisse lire autrement la traduction de la LXX: παρακύπτων διὰ τῶν θυρίδων, ἐκκύπτων διὰ τῶν δικτύων[47]. En Si 21,23 (παρακύπτει), où le texte hébreu a le verbe שקף, l'homme qui regarde à l'intérieur n'est pas le bien-aimé mais l'insensé qui «de la porte regarde dans la maison». On comprend que la traduction de Crampon («se courbe...») n'est pas suivie par *BJ* («regarde à l'intérieur») et *TOB* («lorgne dans la maison»). En Si 14,23 il est dit de l'homme qui poursuit la sagesse: «il regarde par sa fenêtre, il écoute à sa porte» (*TOB*). Ici encore *BJ*, peu sensible au parallélisme de regarder-écouter, rend παρακύπτων par «se pencher».

Dans la LXX, παρακύπτω n'est jamais employé en dehors des passages cités (et 1 R 6,4)[48]. Il s'agit d'une femme (Jg 5,28 B; 1 Ch 15,29; Pr 7,6) ou d'un homme (Gn 26,8) qui regarde par la fenêtre, mais également de celui qui, de l'extérieur, regarde dans la maison (Ct 2,9; Si 14,23; 21,23).

Le verbe שקף est employé dans Ex 14,24 pour dire que «Yahvé *regarda* de la colonne de feu et de nuée *vers* l'armée des Égyptiens» (ἐπέβλεψεν ἐπί), et dans la prière de Dt 26,15: «De la demeure de ta sainteté, des cieux, regarde...» (κάτιδε). Ici les traducteurs modernes ont suivi la LXX. Par contre, à d'autres endroits où le verbe שקף exprimant le même motif de Dieu qui regarde du haut des cieux, «de sa fenêtre céleste»[49], est rendu en grec par διακύπτω, nous

47. Dans la Vulgate: «respiciens per fenestras, prospiciens per cancellos». La Peschittâ traduit השגח par *dûq* (comp. Is 14,16 *dûq*; Ps 33,14 *ḥzâ*) mais צוץ est rendu par *rkn* («se inclinare»). Sur cette question, voir G. Gerleman, *Ruth. Das Hohelied*, Neukirchen, 1965, p. 121-122: «חרכים, Gitterfenster, nur hier... *Pesch* ṣaiārātā, *cardines ianuae*. Demgemäss bekommt auch das Partizip einen anderen Sinn; für מציץ hat *Pesch* das Part. pass. *markan*, *inclinatus*». Sur Ct 2,9, voir aussi n. 110.

48. שקפים de 1 R 6,4 a posé beaucoup de problèmes aux traducteurs: θυρίδας παρακυπτομένας κρυπτάς (v.l. διακρυπτόμενας, δεδικτυωμένας), Th διακυπτόμενας; *TOB*: «des fenêtres *à cadres* grillagées». Cf. M. Noth, *Könige*, t. 1 (Biblischer Kommentar AT, IX/1), Neukirchen, 1968, p. 97-98: «vergitterte Rahmenfenster». D'après Noth, שְׁקֻפִים (part. pass. q.) dans 1 R 6,4 et 7,4 viendrait de שְׁקָפִים pluriel de שֶׁקֶף (7,5): «vielleicht: umrahmende Steinplatten, wie sie für 'Fenster' in einer Bruchsteinmauer erforderlich waren» (p. 98); voir aussi p. 136: «das nicht ganz sicher deutbare Wort שקף das aber sehr wahrscheinlich etwa wie 'Umrahmung' bedeutete» (à propos de 7,4). Il explique ainsi le sens du verbe: «שקף ni./hi. dürfte dann bedeuten: *im* (Fenster-)*Rahmen erscheinen, sein Gesicht zeigen*» (p. 98).

49. Cf. K. Budde, *Psalm 14 und 53*, dans *JBL* 47 (1928) 160-183, p. 175: «Jahwe... vom Himmel auslugt, 'zum Himmelfenster' möchte man sagen, nach dem bezeichnendsten Gebrauch des Verbums». Voir H.J. Kraus, *Psalmen*, t. 1, Neukirchen, 1960, p. 106: «Wenn in den Psalmen von Jahwes Thron im Himmel und von dem *prüfenden Herabschauen* Gottes die Rede ist, dann handelt es sich immer um das weltüberliegene *Richtamt* Jahwes (Ps 9,8f.; 11,4f.; 14,2 = 53,2; 33,13; 102,20)». Nous avons souligné: il est clair que cet emploi de שקף ne permet pas de réduire le sens du verbe à «apparaître, se montrer» (le sens original du mot d'après M. Noth; cf. *supra*, n. 48).

retrouvons dans *BJ* (à l'exception de Lm 3,50) et *TOB* la traduction par «se pencher»: Ps 14(13),2; 53(52),3; 85(84),12[50]; 102(101),20; Lm 3,50. La même idée revient dans Ps 33(32),14, mais avec le verbe שגח (LXX ἐπιβλέπω ἐπί, Aq ἐπικύπτω) et en parallèle au v. 13[51]:

> Du haut des cieux Jahvé *regarde* (נבט ἐπέβλεψεν)
> il *voit* tous les fils d'Adam (ראה εἶδεν)

À ces deux verbes, נבט et ראה, on peut comparer שקף et ראה dans Ps 14,2 = 53,3: «Yahvé *regarde* les hommes pour *voir* s'il en est un de sensé»; et Lm 3,50: «jusqu'à ce que Yahvé *regarde* et *voie* du haut du ciel». Et le parallélisme entre שקף et נבט ne peut faire de doute dans Ps 102(101),20[52].

Dans les deux motifs, l'homme ou la femme regardant par la fenêtre et Dieu regardant du haut des cieux, nous trouvons ainsi le verbe שקף (παρακύπτω, διακύπτω) qui prépare le verbe ראה (εἶδον)[53]. Il serait faux de conclure que le premier verbe doit exprimer un mouvement de préparation qui ne pourrait être une *actio videndi*. L'association de «regarder» et «voir» est bien connue. Pour ne citer que la locution la plus courante: «il leva les yeux et vit», fréquemment attestée dans la Bible et traduite dans la LXX par (ἐπ)ῆρεν τοὺς ὀφθαλμοὺς αὐτοῦ καὶ εἶδεν et surtout par ἀναβλέψας τοῖς ὀφθαλμοῖς αὐτοῦ εἶδεν[54]. M. Johannessohn signale le phénomène du verbe synonyme qui prépare un *verbum videndi* et les exemples cités par l'auteur sont נשא עינים et שקף (et leurs équivalents dans la LXX)[55].

50. Ici, à l'encontre des parallèles où Dieu est le sujet avec שקף au hiphil, la justice est sujet et le verbe est au niphal. Cf. J. P. M. van der Ploeg, *Psalmen*, t. 2, Roermond, 1974, p. 77: «de 'gerechtigheid' (= de juiste orde in de schepping en onder de mensen) houdt haar blik uit de hemel naar beneden gericht (voor deze betekenis van *nišqaf* 'uitzien op' vgl. Num 21,20; 23,28; 1 Sam 13,18)».

51. Traduction *BJ*; v. 14: «du lieu de sa demeure il observe tous les habitants de la terre». Cf. A. A. Anderson, *The Book of Psalms*, London, 1972, t. 1, p. 265: «The Hebrew *š-g-ḥ* is a rare verb, and it serves as a poetic synonym of the two verbs in verse 13».

52. LXX ὅτι ἐξέκυψεν ἐξ ὕψους ἁγίου αὐτοῦ, κύριος ἐξ οὐρανοῦ ἐπὶ τὴν γῆν ἐπέβλεψεν. Voir aussi נבט dans Ps 80(79),15 ἐπίβλεψον ἐξ οὐρανοῦ καὶ ἰδέ.

53. (*1*) Gn 26,8 παράκυψας... εἶδεν; 2 S 6,16 διέκυπτεν... καὶ εἶδεν; Pr 7,6-7 παρακύπτουσα, ὃν ἂν ἴδῃ (hébr. «et j'ai vu»); 1 Ch 15,29 παρέκυψεν... καὶ εἶδεν. (*2*) Ps 14(13),2 = 53(52),3 διέκυψεν... τοῦ ἰδεῖν; Lm 3,50 διακύψῃ καὶ ἴδῃ. En outre: Gn 19,28 ἐπέβλεψεν... καὶ εἶδεν; 2 S 24,20 διέκυψεν... καὶ εἶδεν.

54. ἀναβλέψας τοῖς ὀφθαλμοῖς αὐτοῦ εἶδεν: Gn 13,14 (impér.); 18,2; 22,4.13; 24,63.64; 31,12 (ἀνάβλεψον... καὶ ἰδέ); 33,1 et 5 (sans τ.ὀ.α.); 37,25; 43,29; Ex 14,10 (ὁρῶσιν); Jos 5,13; Jg 19,17; Dn 8,3 (sans τ.ὀ.α.); Za 5,5 (ἀνάβλεψον... καὶ ἰδέ).
(ἐπ)ῆρεν τοὺς ὀφθαλμοὺς αὐτοῦ καὶ εἶδεν (ou ἐπάρας τ.ὀ.α. εἶδεν): Gn 13,10 (ἐπάρας), Nb 24,2 (ἐξάρας... καθορᾷ); 1 S 6,13; 2 S 13,34; 18,24 (ἐπ-); 1 Ch 21,16 (ἐπ-); Dn 10,5; Za 2,1(= 1,18).5(= 1); 5,1.9; 6,1. — Voir aussi 1 M 4,12; 5,30; 9,39.

55. «Lever les yeux» (cf. n. 54): Gn 13,10; 18,2; 22,13; 24,63.64; 33,1; 37,25; Ex 14,10; Jos 5,13; 2 S 13,34; 18,24; Dn 8,3; 10,5; Za 2,1; שקף (cf. n. 53): Gn 19,28; 26,8; 2 S 6,16; 24,20; 1 Ch 15,29. Cf. M. Johannessohn, *Der Wahrnehmungssatz bei den Verben des Sehens in der hebräischen und griechischen Bibel*, dans

Faut-il rappeler que le point de départ de notre examen fut un rapprochement entre ἀναβλέψασαι θεωροῦσιν de Mc 16,4 et παρακύψας βλέπει de Lc 24, 12?

Notons encore, en marge de l'Ancien Testament[56], que παρακύπτω n'est pas attesté chez Flavius Josèphe, ni dans l'épître d'Aristée[57]. Par contre, le livre d'Hénoch contient un passage qui sera cité par certains commentateurs du Nouveau Testament (à propos de 1 P 1,21): «Alors Michaël, Uriël, Raphaël et Gabriël *regardèrent* du haut ciel, et ils virent le sang répandu en abondance sur la terre..." (9,1)[58].

Zeitschrift für vergleichende Sprachforschung 64 (1937) 145-260, p. 149, 156, 158, 171, 181-182, 195; et sur 1 M, p. 217 et 220. — Il est vrai que, dans les exemples cités, «lever les yeux» est dépourvu d'un complément (à l'encontre de «regarder», par exemple: «par la fenêtre»); voir cependant Is 40,26 (εἰς ὕψος); 49,18 et 60,4 (κύκλῳ); Jr 3,2 (εἰς εὐθεῖαν).

56. Notons encore les variantes dans Dn Suz 35 LXX ἀνακύψασα et Th ἀνέβλεψεν εἰς τὸν οὐρανόν, et surtout Dn Bel 40:
LXX ἐγκύψας εἰς τὸν λάκκον ὁρᾷ
Th ἦλθεν ἐπὶ τὸν λάκκον καὶ ἐνέβλεψεν καὶ ἰδού.
Dans Th ἦλθεν (après v. 40a ἦλθεν ... πενθῆσαι) peut être une explicitation du traducteur (cf. Dn 6,20 Th). Dans LXX καὶ ἰδού pourrait être omis après ὁρᾷ (cf., après εἶδεν, Gn 24,63; 26,8; Jos 5,13; voir cependant Ex 14,10, où ὁρῶσιν remplace והנה).

57. Cf. W. Michaelis, *TWNT* 5, p. 813, n. 9. Il signale pour Josèphe: ἀνακύπτω *Ant.* 6,250; 19,346; (fig.) *Bell.* 6,401; ἐπανακύπτω *Bell.* 1,603; κατακύπτω *Bell.* 2,224; ajouter εἰσκύπτω [ἐκκύπτω] *Ant.* 15,412; jamais κύπτω (cf. Rengstorf, *Concordance*, α-κ); pour Ps.-Aristée: ἀνακύπτω 233; ἐγκύπτω 140; κατακύπτω 91; διακύπτω 19, à corriger en διανα-. Remarquons l'association avec un *verbum videndi*: ὁ δὲ διανακύψας καὶ προσβλέψας ἱλαρῷ τῷ προσώπῳ· ...ἔφη. Voir aussi *Ant.* 19,346: ἀνακύψας... εἶδεν (Feldman: «he looked up and saw»). — Michaelis note à propos de Philon: «Leisegang weist für Philo παρακύπτω nicht nach» (*ibid.*). Voir cependant *Legatio ad Gaium* 56: ποῦ γὰρ τοῖς ἰδιώταις πρὸ μικροῦ θέμις εἰς ἡμεμονικῆς ψυχῆς παρακύψαι βουλεύματα; (cité déjà, à propos de Jc 1,25, par G. Wakefield, *Silva critica: sive in auctores sacros profanosque commentarius philologicus*, Cambridge, t. 3, 1792, p. 172; dans le *Wörterbuch* de Bauer, à partir de [4]1952). Sur l'interprétation du passage par Abbott, cf. *infra*, n. 145. L'index de Leisegang signale uniquement ὑπερκύπτω: *Opif.* 70; *Leg.* III, 100.177; *Sacrif.* 60.94; *Deter.* 100; *Gig.* 61; *Deus* 150; *Migr.* 90.106.184; *Congr.* 105.134; *Fug.* 164; *Mos.* 27; *Spec.* II, 166; *Praem.* 30; *Legat.* 5.75. On ajoutera ἀνακύπτω: *Leg.* II, 34; *Her.* 41; *Flacc.* 160; διακύπτω: *Ebr.* 167; *Migr.* 222; *Her.* 111; *Abr.* 115; *Ios.* 16.146; *Decal.* 86; *Spec.* III, 2; *Prob.* 21; ἐκκύπτω: fragm. M II, 665. Ici encore, certains traducteurs rendent les composés de κύπτω par «se pencher», par exemple διακύπτω dans *Her.* 111 (M. Hare, 1966), *Migr.* 222 (J. Cazeaux, 1965), *Spec.* III, 2 (A. Mosès, 1970), mais Philon lui-même semble nous prévenir: ἐν τῷ ἀνακύπτειν οὐκ ἔστι τὸ κύπτειν (*Her.* 41). Le thème fréquent du regard de l'homme qui dépasse le créé pour s'élever jusqu'au Créateur (surtout avec ὑπερκύπτω) paraît s'inspirer du Phèdre de Platon: ὑπεριδοῦσα ἃ νῦν εἶναί φαμεν καὶ ἀνακύψασα εἰς τὸ ὄντως ὄν (249c). Comp. *Praem.* 30: πάντα μὲν σώματα πάντα δ' ἀσώματα ὑπεριδεῖν καὶ ὑπερκῦψαι, et *Legat.* 5: αἱ [ψυχαὶ] τὸ γενητὸν πᾶν ὑπερκύψασαι τὸ ἀγένητον καὶ θεὸν ὁρᾶν πεπαίδευνται. Voir aussi l'association des *verba videndi* dans *Ios.* 16: διακύψας καὶ μὴ κατιδών (cf. Gn 37,29).

58. Traduction du texte éthiopien par F. Martin (Paris, 1906); comp. A. G. Hoffmann (Jena, 1833) et A. Dillmann (Leipzig, 1853): «blickten vom Himmel (herab) und sahen» (cf. S. de Sacy, 1800: «respexerunt»), R. H. Charles (Oxford, 1893): «looked down from heaven and saw»; etc.

Dans le texte grec nous lisons παρακύψαντες suivi de ἐθεάσαντο[59], et ici encore ce n'est pas d'après le sens étymologique du composé de κύπτω que l'on traduira cette expression[60], qui n'est qu'une variante du motif biblique de Jahvé qui *regarde* du haut du ciel et voit les hommes sur la terre[61].

III

Nous avons constaté que, dans la Septante, παρακύπτω est utilisé de manière caractéristique pour «regarder par la fenêtre». Ces textes ont été mis en rapport avec le motif de «la femme à la fenêtre» qui aurait connu une large diffusion dans l'Antiquité. R. Herbig, dans un article de 1927, semble avoir été le premier à établir un lien entre un certain nombre de données archéologiques et littéraires. «La femme à la fenêtre», représentée entre autres sur des ivoires d'origine phénicienne, serait Astarté qui se montre à la fenêtre comme le font ses hiérodules. L'auteur fait observer qu'on trouve le motif dans l'Ancien Testament (2 S 6,16; Jg 5,28; 2 R 9,30), «stets mit dem Nebensinn eines sich anbietend zur Schau stellen»[62]. La forme grecque du même

59. Connu d'abord par les citations de Georges le Syncelle (éd. G. Dindorf, Bonn, 1829, p. 22 et 43): καὶ ἀκούσαντες... παρέκυψαν ἐπὶ τὴν γῆν ἐκ τῶν ἁγίων τοῦ οὐρανοῦ· καὶ θεασάμενοι αἷμα πολὺ ἐκκεχυμένον ἐπὶ τῆς γῆς... (trad. Dindorf: «prospexerunt»); puis par le Papyrus de Gizéh (éd. U. Bouriant, Paris, 1892): τότε π[αρα]κύψαντες Μιχαὴλ καὶ Ο[ὐρι]ηλ καὶ Ῥαφαὴλ καὶ Γαβριήλ, οὗτοι ἐκ τοῦ οὐρανοῦ ἐθεάσ[αν]το αἷμα πολὺ ἐκχυννόμεν[ον] ἐπὶ τῆς γῆς (trad. Bouriant: «ayant baissé leurs yeux»). Le mot οὗτοι par lequel ἐκ τοῦ οὐρανοῦ est rattaché au verbe ἐθεάσαντο, ne se trouvait probablement pas dans le texte grec qui a été traduit en éthiopien (contre A. Lods qui suggère que le mot embarrassant aurait été supprimé). Comp. la version grecque de S. Agourides: παρέκυψαν ἐκ τοῦ οὐρανοῦ καὶ εἶδαν... ἐπὶ τῆς γῆς; cf. S. AGOURIDES, Τὰ ἀπόκρυφα τῆς παλαιᾶς διαθήκης, t. 1, Athènes, 1974, p. 284.

60. F. Martin qui donne pour l'éthiopien «regardèrent du haut ciel», traduit παρακύψαντες par «s'étant penchés»; cf. *Le livre d'Hénoch traduit sur le texte éthiopien*, Paris, 1906, p. 18.

61. Sur ce motif, et la traduction de la LXX (διακύπτω), cf. *supra*. Comp. F. J. A. HORT, *The First Epistle of St Peter I.1-II.17*, London, 1898, p. 63: «a phrase which the presence of ἐκ τῶν ἁγίων suggests to have been founded on two (Deut. xxvi.15; Ps cii.19), if not more, of the above passages».

62. R. HERBIG, *Aphrodite Parakyptusa* (*Die Frau im Fenster*), dans *Orientalistische Literaturzeitung* 30 (1927) 917-922, spéc. col. 921. L'apport personnel de Herbig consiste dans le rapprochement avec la tradition littéraire grecque sur la Parakyptusa. Bien avant lui les figures trouvées à Chypres avaient été mises en rapport avec des ivoires de Nimrud et les «analogies bibliques» (Jg 5,28; 1 S 6,16; 2 R 9,30): cf. A.S. MURRAY, *Excavations in Cyprus*, London, 1900, p. 10, fig. 18 (Enkomi) et 17 (Nimrud); cf. Herbig: fig. 2 et 3. Un support en bronze (Herbig, Fauth et autres parlent, à tort semble-t-il, d'un *Kesselwagen*), trouvé à Enkomi, porte une double fenêtre sur les quatre côtés avec une tête de femme dans chaque fenêtre. Voir aussi F. POULSEN, *Zur Zeitbestimmung der Enkomifunden*, dans *Jahrbuch des Deutschen Archäologischen Instituts* 26 (1911) 215-248, spéc. 232-234.

culte est attestée à Chypre comme le culte de 'Αφροδίτη παρακύπτουσα, une épithète qui est dérivée de l'activité des hétaïres, désignée dans les comédies d'Aristophane par le même verbe παρακύπτω[63]. Après l'article de Herbig, H. Zimmern[64] fit observer que le type de la déesse à la fenêtre est attesté à une date plus ancienne dans la littérature babylonienne, où l'on trouve une déesse Kilili caractérisée comme «celle-qui-se-penche-à-la-fenêtre». Le nom de cette hiérodule d'Ishtar pourrait être dérivé de *Kilīlu* = couronne, et à ce propos Zimmern renvoie au récit biblique de Jézabel qui s'orna la tête avant de se mettre à la fenêtre (2 R 9,30)[65]. Depuis 1927, notre documentation en ivoires phéniciens s'est enrichie et plusieurs représentations de la femme à la fenêtre, ont été trouvées dans la collection de Nimrud mais également à Arslan-Tash, Samarie et Khorsabad[66]. Les vues de Herbig ont été répétées dans des études plus récentes[67] et à son tour W. Fauth les a reprises dans une monographie publiée en 1967 sur *Aphrodite Parakuptusa*[68]. L'auteur

63. Notons ici que les passages d'Aristophane (dans *Pax* et *Thesmophoriazusae*) sont cités par Wettstein (1751) parmi les parallèles profanes de l'emploi de παρακύπτω (*ad* Lc 24,12); cf. *infra*, n. 90.

64. H. Zimmern, *Die babylonische Göttin im Fenster*, dans *Orientalistische Literaturzeitung* 31 (1928) 1-3.

65. *Ibid.*, col. 2.

66. Cf. C. Decamps de Mertzenfeld, *Inventaire commenté des ivoires phéniciens et apparentés découverts dans le Proche-Orient*, Paris, 1954, spéc. p. 32-34 (la déesse à la fenêtre); p. 65: n° 41, pl. XIV (Samarie, cf. Crowfoot); p. 131-132: n° 846-861, pl. LXXVI-LXXVIII (Arslan-Tash, cf. Thureau-Dangin); p. 143: n° 939-948, pl. XCIX-CI (Khorsabad, cf. Loud); p. 147: n° 982-985, pl. CIX et CXVI (Nimrud, cf. Layard). Voir en outre sur Nimrud: M.E.L. Mallowan, *The Excavations at Nimrud (Kalḫu), 1949-1950. Ivories from the N.W. Palace*, dans *Iraq* 14 (1952) 45-53, spéc. p. 50 et pl. XIII, n°s 3 et 5; R.D. Barnett, *A Catalogue of the Nimrud Ivories with Other Examples of Ancient Near Eastern Ivories in the British Museum*, London, 1957, p. 145-151 (texte), 172-173, n^os C. 12-21, pl. IV-V; M.E.L. Mallowan, *Nimrud and Its Remains*, vol. 2, London, 1966, p. 522-523, n° 429; p. 584 et 587, n° 555; colour plate, n° V. Sur Arslan-Tash: J. Thimme, *Phönizische Elfenbeine. Möbelverzieringen des 9. Jahrhunderts v. Chr.* (Bildhefte des Badischen Landesmuseums), Karlsruhe, 1973, n°s 13-14.

67. Cf. R.D. Barnett, *The Nimrud Ivories and the Art of the Phoenicians*, dans *Iraq* 2 (1935) 179-210, p. 203: «One of her [= Ashtart] cults, that of the 'Goddess at the Window', was cleverly recognized by *Herbig* as being depicted on the Nimrud Ivories, which thus formed a link on the one hand with the cult of 'Αφροδίτη παρακύπτουσα in Cyprus, on the other with that of *Kilili ša abati*, 'Kilili of the window', in Mesopotamia» (voir aussi p. 182); C. Decamps de Mertzenfeld, *Inventaire* (cf. *supra*, n. 66), p. 32: «La grande déesse est encore figurée sur les nombreuses plaquettes représentant la déesse à la fenêtre, où on reconnaît généralement Astarté parakyptusa. On a connaissance d'un culte de la déesse à la fenêtre à Chypre [en note: Herbig] et, en Babylonie, d'un culte similaire rendu à Kilili [en note: Zimmern]».

68. W. Fauth, *Aphrodite Parakyptusa. Untersuchungen zum Erscheinungsbild der vorderasiatischen Dea Prospiciens* (Akademie der Wissenschaften und der Literatur

signale les *Fensterszenen* de l'Ancien Testament et ici encore la scène de 2R 9,30 reçoit un relief particulier: Jézabel attend Jéhu «am Fenster des Palastes in der Positur der 'ausspähenden Astarte' Phöniziens»[69]. G. Boström, dans ses *Proverbiastudien* (1935)[70], est sans doute l'exégète de l'Ancien Testament qui s'est montré le plus impressioné par la synthèse de Herbig (et Zimmern), confirmée encore en 1933 par la trouvaille de Crowfoot à Samarie[71]. Il refuse cependant de voir des allusions au motif de la religion phénicienne dans 2S 6,16; Jg 5,28; 2R 9,30[72]. Par contre, dans Pr 7,6, dont il admet que le texte original est attesté par la LXX (ἀπὸ γὰρ θυρίδος ἐκ τοῦ οἴκου αὐτῆς εἰς τὰς πλατείας παρακύπτουσα), l'action de la femme qui se penche par la fenêtre serait «noch eine weitere Anspielung auf den sexuellen Kult einer Liebesgöttin, die wir nun als die 'Göttin im Fenster' bezeichnen können ohne einen genaueren Namen angeben zu können, die der *Kilili* der Babylonier, der Aphrodite Parakuptusa der Cyprier, einer Form der kanaanitischen Astarte entspricht»[73]. Dans son interprétation de Pr 7,6, il a été suivi entre autres par M.J. Dahood, W.F. Albright et G. von Rad[74]. H. Ringgren traduit

in Mainz, Abhandlungen der geistes- und sozialwissenschaftlichen Klasse, 1966, n° 6), Wiesbaden, 1967 (pp. 1-109 = pp. 329-437 de l'année 1966). Voir p. 2: «vorgelegt... am 28. Oktober 1958». — Cf. *infra*, p. 455 (Note).

69. *Ibid.*, p. 47-51, spéc. 48 (= 376). Voir aussi p. 91 et 108. Sur Jg 5,28 et 2S 6,16, cf. p. 48, n. 9.

70. G. BOSTRÖM, *Proverbiastudien. Die Weisheit und das fremde Weib in Spr. 1-9* (Lunds Universitets Arsskrift N.F. I, 30/3), Lund, 1935, spéc. p. 120-123 («Die Frau im Fenster»).

71. Cf. J.W. et G.M. CROWFOOT, *The Ivories from Samaria*, dans *Palestine Exploration Fund, Quarterly Statement*, 1933, p. 7-26, spéc. 13-14: «A head of a woman above a balcony with three balusters in a window surrounded by a frame recessed in three steps, the head has widely projecting Hathor ears and hair done in Egyptian fashion» (voir pl. III, fig. 3). Comparer la reproduction de l'ivoire de Nimrud dans l'article de Herbig, fig. 3 (cf. ANEP, n° 131, p. 39).

72. Il signale que, pour ces textes, pareil rapprochement avait été fait avant Herbig par J.J. BACHOFEN, *Die Sage von Tanaquil*, Heidelberg, 1870, p. 66, n. 1a. Voir aussi A.S. Murray, 1900 (cf. *supra*, n. 62).

73. *Loc. cit.*, p. 123.

74. M.J. DAHOOD, *Canaanite-Phoenician Influence in Qoheleth*, dans *Biblica* 33 (1952) 30-52.191-221, spéc. 213-215: l'auteur note à propos de Qo 12,3 (cf. *infra* n. 112) que les critiques «overlooked this passage as well as the reference in Prov 7,6 where the courtesan is depicted as looking out of the window» (Boström n'y est pas cité!); W.F. ALBRIGHT, *Some Canaanite-Phoenician Sources of Hebrew Wisdom*, dans *Wisdom in Israel and in the Ancient Near East* (Suppl VT, 3), Leiden, 1955, p. 1-15, spéc. 10: «The LXX παρακύπτουσα points to the identification of this pose with the well known 'Αφροδίτη παρακύπτουσα of Cypriote and other Greek cultic terminology, happily combined by *Herbig* with the common motif of the Phoenician ivories...»; G. VON RAD, *Theologie des Alten Testaments*, t. 1, München, 1957, p. 442: «die einladende Weisheit als die konstruktive Gegenspielerin der Aphrodite parakyptousa» (en note: Boström). L'opinion est signalée par H. Ringgren, mais sans accepter l'originalité du texte de LXX: cf. H. RINGGREN / W. ZIMMERLI, *Sprüche / Prediger*

ici παρακύπτουσα (LXX) par «sie lehnt sich aus dem Fenster hinaus»[75] et cette traduction «se pencher...» est assez courante dans la littérature sur le motif de «la femme à la fenêtre»[76]. Faudra-t-il donc revoir notre conclusion et traduire les textes de la Septante par «se pencher à la fenêtre»?

Plusieurs remarques s'imposent. Tout d'abord, à propos de la documentation littéraire sur le thème de la déesse qui se penche à la fenêtre. L'interprétation donnée par Zimmern aux textes sur la Kilili babylonienne peut être contestée[77]. Mais la tradition littéraire grecque nous intéresse ici plus directement. Ovide, dans *Metamorphoses* XIV, 698-764, raconte la légende de la noble Anaxarète qui méprise l'amour d'Iphis, un jeune homme d'origine obscure, qu'elle conduit ainsi au suicide; alors qu'elle regarde de sa fenêtre passer le convoi funèbre, une divinité vengeresse la transforme en pierre. Le même thème romanesque est connu par un fragment du Leontion d'Hermésianax (début du 3ᵉ siècle av. J.-Chr.)[78] et Plutarque y fait allusion:

(ATD, 16/1), Göttingen, 1962, p. 35-36. W. Mc Kane discute l'opinion de Boström et ne semble pas l'écarter lorsqu'il conclut: «Is it, then, Wisdom portrayed as a queen who looks out of the window in Prov. 7.6? If so, it would appear that a motif associated with Astarte (as queen of fertility) and her devotees has been transferred to Wisdom» (p. 336); cf. W. Mc Kane, *Proverbs. A New Approach* (The Old Testament Library), Philadelphia (Penns.), 1970, p. 334-336.

75. H. Ringgren, *ad loc.* (cf. n. 74); cf. Boström, *op. cit.*, p. 123: «sich aus dem Fenster beugt».

76. Les textes d'Aristophane forment le point de départ de Herbig; il traduit: «sich lockend am Fenster zeigen», «sich aus dem Fenster lehnen»; et ἐκκύψασα dans le passage de Plutarque: «das Mädchen beugt sich aus dem Fenster» (*op. cit.*, col. 917-918). «Die sich aus dem Fenster beugende» est l'épithète de Kilili d'après Zimmern (*loc. cit.*).

77. Cf. *The Assyrian Dictionary of the Oriental Institute of the University of Chicago*, Chicago-Glückstadt, t. 8, 1971, p. 357, art. *Kilili, 2*: «Whether this demon [Kilili] is to be connected with the *Aphrodite parakýptousa*... remains uncertain». Comparer les traductions: *mušīrtu ša apāti*, «who leans into the windows» (Zimmern: «die sich aus den Fenstern beugt»); *ša apāta ušarru*, «who leans into (the house) through the windows» (Zimmern: «die sich aus den Fenstern beugt»). À noter que Zimmern lui-même admet que Kilili y apparaît comme «eine Art schützendes Hausnumen» (col. 1). Pour une autre expression, citée par Zimmern, il sera utile de lire le contexte; cf. G. Meier, *Die zweite Tafel der Serie bit miseri*, in *Archiv für Orientforschung* 14 (1941-44) 139-152, p. 146-147: «108. Er rief alle Götter herbei, beorderte sie: ... 110. Besetzt ihr nun seine Wohnung!... Im Schlafzimmer des Hauses setzt sich Nusku hin, den Hof des Hauses besetzt Ensimaḫḫu. 112. Ins Fenster des Hauses setzt sich die kluge Ištar. Im äusseren Tore sitzt Urgula...». Voir aussi *Assyrian Dictionary*, t. 1, 1968, p. 199, art. *aptu*, 1 c: «the goddess Kilili (looking out) the windows». Cf. E. Reiner, *Šurpu* (Afo, Beih. 11), Graz, 1958, p. 21, tabl. III, 78. E. Lipinski s'associe à cette interprétation de *Kilīli ša apāti* = «Kilili (regardant) de la fenêtre» (lettre, janvier 1976).

78. Dans un fragment du 2ᵉ livre du Leontion, conservé par Antoninus Liberalis, Μεταμορφώσεων συναγωγή, nº 39; éd. P. Sakolowski, *Mythographi Graeci* II/1, Leipzig, 1896, spéc. p. 121-122. Cf. E. Rohde, *Der griechische Roman und seine Vorläufer*, Leipzig, ³1914, p. 80-88.

τὴν ἐν Κύπρῳ παρακύπτουσαν ἔτι νῦν προσαγορευομένην, dont il dit qu'elle a été pétrifiée, ἀπελιθώθη παρακύψασα τὸν ἐραστὴν ἰδεῖν ἐκκομιζόμενον (*Amatorius* 20)[79]. Dans le récit d'Hermésianax[80]: Ἀρσινόη δὲ πρὸς ὕβριν ἐπεθύμησεν ἐκ τῶν οἴκων ἐκκύψασα τὸ σῶμα τὸ τοῦ Ἀρκεοφῶντος κατακαιόμενον ἰδεῖν. καὶ ἡ μὲν ἐθεᾶτο..., et d'après Ovide (751 ss.):

> Mota tamen 'videamus' ait 'miserabile funus',
> et patulis iniit tectum sublime fenestris.
> Vixque bene impositum lecto *prospexerat* Iphin,
> diriguere oculi...

Ovide met un rapport entre cette histoire et le culte de *Venus Prospiciens* à Salamine de Chypre (759-761):

> Neve ea ficta putes, dominae sub imagine signum
> servat adhuc Salamis; Veneris quoque nominis templum
> Prospicientis habet.

W. Fauth a sans doute raison lorsqu'il explique le récit comme un conte étiologique[81], mais on doit regretter, avec R. Turcan[82], «que l'auteur ne se soit pas inquiété d'expliquer plus précisément la genèse du conte étiologique qui a servi d'amorce à sa recherche: pourquoi, dans la version d'Ovide, Anaxarète a-t-elle pris justement la place de Venus *Prospiciens*? A cause du regard dur de la statue qui aurait fait travailler les imaginations?»[83]. Quoiqu'il en soit, une chose est certaine: au niveau du récit, ce n'est pas une courtisane se penchant à la fenêtre qui est décrite comme παρακύψασα (ἐκκύψασα) = *prospiciens*, et «regarder (pour voir)» semble y être le sens donné à παρακύπτω[84].

79. *Moralia* II, 766 C-D.

80. Dans la version d'Hermésianax, les personnages Anaxarète et Iphis portent d'autres noms: Arsinoé, fille du roi Nicocréon (ἀπὸ Τεύκρου, cf. Ovide 698: «sanguine Teucri») et Arcéophon, d'origine phénicienne, et le *deus ultor* s'appelle Aphrodite.

81. W. Fauth, *Aphrodite Parakyptusa* (cf. *supra*, n. 68), p. 10: «Vielmehr hat man davon auszugehen, dass die Kultepiklese abgelöst von der erklärenden und umdeutenden ätiologischen Novelle existiert und diese erst angeregt hat». Il réagit, toujours à la suite de Herbig (*art. cit.*, col. 921), contre F.G. Welcker, *Archäologische Zeitung* 15 (1857) 2ss.; cf. E. Rohde, *Der griechische Roman*, p. 87, n. 3: l'expression de la tête d'une statue d'Aphrodite serait «eine Andeutung der durch Aphrodite versteinerten Anaxarete; statt ihrer stehe die Göttin selbst».

82. R. Turcan, dans *RHR* 175 (1969) 79-81, p. 81.

83. Comparer la note de l'éditeur des *Métamorphoses* d'Ovide (Collection Budé): «La Vénus Spectatrice: Elle semblait attentive au spectacle qui s'offrait à sa vue, comme Anaxarète l'avait été aux obsèques d'Iphis» (p. 115, n. 3).

84. D'après Fauth, «das 'Hinauslehnen aus dem Fenster' gehörte zu einer hetärenhaften Praxis erotischer Anlockung» et l'épithète παρακύπτουσα désigne la première des hiérodules d'Aphrodite (p. 32). Mais l'auteur est bien forcé d'admettre que ce sens n'apparaît pas dans la légende, parce que, écrit-il, «die besondere, an das 'Fenster' geknüpfte Form ihres Kultes zu einem obskuren und unverständlichen Residuum absank» (p. 34).

Dans son *Index verborum in Plutarcho* (1830) D. Wyttenbach note, à propos de παρακύπτω, «Hoc erat meretricium»[85]. Cette parole est beaucoup citée dans la littérature sur «la femme à la fenêtre» et depuis l'article de Herbig elle est illustrée par des textes d'Aristophane[86]. Le passage le plus clair est sans doute le dialogue des deux femmes dans *Ecclesiazusae* 877ss.: une vieille femme a devancé la jeune fille, με παρακύψασα προὔφθης (884), et plus loin, dans une réplique de la vieille: παράκυφθ' ὥσπερ γαλῆ (924). Le texte cité en premier lieu par Herbig est le passage sur les μοιχευόμεναι γυναῖκες dans *Pax* 981-985: καὶ γὰρ ἐκεῖναι παρακλίνασαι τῆς αὐλείας παρακύπτουσιν· κἄν τις προσέχῃ τὸν νοῦν αὐταῖς ἀναχωροῦσιν· κᾆτ' ἢν ἀπίῃ, παρακύπτουσιν. Cependant, ce n'est pas la profession des πόρναι qui est décrite ici[87]. Dans *Thesmophoriazusae* 797-799, l'auteur parle dans un même vocabulaire des femmes en général, l'espèce féminine qui serait un κακόν pour les hommes: κἂν ἐκ θυρίδος παρακύπτωμεν, τὸ κακὸν ζητεῖτε θεᾶσθαι· κἂν αἰσχυνθεῖσ' ἀναχωρήσῃ, πολὺ μᾶλλον πᾶς ἐπιθυμεῖ αὖθις τὸ κακὸν παρακύψαν ἰδεῖν. Dirait-on de la courtisane qu'elle «se retire par pudeur»? Il est à noter que, dans les mêmes passages, Aristophane emploie ἐκκύπτω (*Thesmophoriazusae* 790; *Ecclesiazusae* 1053) ou διακύπτω (*Ecclesiazusae* 930) à côté de παρακύπτω. À d'autres endroits, il donne à παρακύπτω un sens qui n'a rien à voir avec le métier des courtisanes[88], comme il fait d'ailleurs un usage très varié des

— L. Cerfaux se réfère à la tradition de la *Venus prospiciens* dans son article sur *La gnose simonienne*, dans *RSR* 16 (1926) 282; = *Recueil L. Cerfaux*, t. 1, p. 237-238, à propos du miracle de la tour dans les *Recognitiones* pseudo-clémentines (II, 12 *et illa* [*Luna*] *per omnes fenestras turris illius omni populo procumbere ac prospicere videbatur*). «L'expression *prospicere* est technique pour désigner le *gestus meretricius*» (p. 237). Cette parole de Cerfaux, qui rappelle la phrase de Wyttenbach (cf. n. 85), fera son chemin; cf. G. QUISPEL, *Gnosis als Weltreligion*, Zürich, 1951, p. 68; W. FAUTH, *Aphrodite Parakyptusa*, p. 46; H.-J. HORN, *Respiciens per fenestras, prospiciens per cancellos. Zur Typologie des Fensters in der Antike*, dans *Jahrbuch für Antike und Christentum* 10 (1967) 30-60, p. 35-40: «*c. Prospectus*»; spéc. p. 36. Mais une vague référence à la légende d'Anaxarète peut-elle suffire pour étayer cette affirmation?

85. Cf. *Lexicon Plutarcheum*, t. 2, Oxford, 1830; = Hildesheim, 1962, p. 1187. Παρακύπτω n'est employé par Plutarque qu'en II, 766C τὴν... παρακύπτουσαν, D τῇ παρακυπτούσῃ (cf. *supra*, n. 79).

86. Cf. W. FAUTH, *op. cit.* (cf. *supra*, n. 68), p. 31; H.-J. HORN, *Respiciens per fenestras* (cf. *supra*, n. 84), p. 36, n. 48-50. Il semble d'ailleurs que l'expression de Wyttenbach repose sur le rapprochement d'un passage de Théocrite avec les textes d'Aristophane; cf. *infra*, n. 91.

87. Même W. Fauth semble l'admettre (contre Herbig): «Wenn hier Zweifel bestehen können, ob die Sphäre der professionellen πόρναι angerührt ist ...» (p. 31).

88. Au sens de «surgir»: *Vespae* 178 (le vieillard); *Acharnienses* 16 (Chéris; Liddell-Scott traduit ici, peut-être moins correctement, par «stoop sideways»); et au sens figuré: *Ecclesiazusae* 202 (σωτηρία παρέκυψεν). Herbig reconnaît «das an sich harmlose παρακύπτειν» aux deux premiers endroits (col. 918).

différents composés de κύπτω[89]. Dans ces conditions, l'on doit se demander si les textes d'Aristophane ne reçoivent pas un poids trop grand dans la discussion. Il ne semble pas qu'on peut y voir un vocabulaire technique de la pratique des hétaïres[90], qui pourrait éclairer le motif de la παρακύπτουσα attestée à l'époque hellénistique. Le parallèle de Théocrite (3,7)[91] appelle des réserves plus nettes encore:

ὦ χαρίεσσ' 'Αμαρυλλί, τί μ' οὐκέτι τοῦτο κατ' ἄντρον
παρκύπτοισα καλεῖς, τὸν ἐρωτύλον; ἦ ῥά με μισεῖς;

Puisque le contexte montre clairement que c'est sur le regard de la belle Amaryllis que se concentre le berger[92], il n'y a pas lieu de traduire ici par «se penchant»[93].

89. Cf. O.J. Todd, *Index Aristophaneus*, Cambridge, 1932; = Hildesheim, 1962, p. 133: κύπτω et les composés ἀνα-, δια-, ἐγ-, ἐκ-, ἐπι-, κατα-, παρα-, προ-, προσ-, συγ-, ὑπο-. Sur *Pax* 78 διακύψας ὄψομαι, cf. n. 53 et 143.

90. De cette manière, on risquerait d'ériger plusieurs mots employés par Aristophane en vocabulaire 'technique'. Pourquoi pas ἕλκω dans *Ecclesiazusae* 1050, 1054, 1056; ou προσπίπτω (694), περιλαμβάνω (801), προσάγω (886)? Notons aussi qu'on aurait tort de vouloir traduire (παρα)κύπτω invariablement par «se pencher (à la fenêtre)», risquant ainsi de négliger la notion de «regarder». Comparer la traduction de H. Van Daele dans la Collection Budé: *Ecclesiazusae* 884 «en te penchant *à ta fenêtre*»; 924 «passe la tête comme une belette»; 930 (δια-) «te penches-tu *par ta porte*». Voir, d'autre part, à propos de la même vieille femme l'explication donnée à la p. 56: «se penchant *à la fenêtre* de la première maison». Cette présentation peut être rapprochée de 698 ἄνωθ' ἐξ ὑπερῴου et *Thesmophoriazusae* 797 ἐκ θυρίδος mais elle ne s'impose pas ici: voir *Pax* 981-985: «elles entr'ouvrent la porte du logis (τῆς αὐλείας) et se penchent; ...elles se penchent encore» («se pencher» aussi en *Thesmophoriazusae* 797.799 et «pencher la tête dehors» pour ἐκ- en 790). Wettstein a ici une traduction plus acceptable: «paululum exerto capite e foribus aut fenestris prospiciunt» (*ad* Lc 24,12); cf. Liddell-Scott, art. παρακύπτω II, 2: «*peep out of* a door or window».

91. Signalé par W. Fauth, *op. cit.* (cf. n. 68), p. 32, n. 1. La phrase de Wyttenbach, citée plus haut (n. 85), se rapporte également à Théocrite: «Hoc erat meretricium, Heins. Theocrit. p. 317a». Comparer D. Heinsius, *Emendationes et notae in Theocriti idyllia bucolica*, Leiden, 1603, p. 21: «παρκύπτοισα καλεῖς] falaces mulierculae, etiam in veteri comoedia cum signum darent amatoribus se χαρίζεσθαι velle, solebant παρακύπτειν... Hinc inquit pastor: *non amplius vocas solito illo signo tuo ad consuetas delicias.* signum erat παρακύπτειν». Même si cette explication de l'emploi de παρακύπτω par Aristophane était acceptable, il serait hasardeux de l'appliquer, comme le fait Heinsius, directement au passage de Théocrite (cf. n. 92), ou de lui donner une extension plus générale encore («erat meretricium»). D'ailleurs, Wyttenbach, en ajoutant «Simil. Zenob. III. 32. V. 39», ne peut pas vouloir dire que le proverbe de Ménandre, ἐξ ὄνου παρακύψεως (cf. 5,39 ὄνος... παρακύψας διὰ τῆς θυρίδος) a également la connotation du *meretricium*.

92. Cf. 12 θᾶσαι μάν, 18 ὦ τὸ καλὸν ποθορεῦσα, (τὸ πᾶν λίθος), 39 καὶ κέ μ' ἴσως ποτίδοι, (ἐπεὶ οὐκ ἀδαμαντίνα ἐστίν). Les mots cités ici entre parenthèses et le motif du suicide de l'amoureux méprisé (cf. 9 et 24-27) nous rapprochent du thème de la légende de la métamorphose d'Anaxarète (cf. *supra*, n. 78-80).

93. C'est pourtant la traduction de Ph.-E. Legrand (coll. Budé, ^{3}1946, p. 32): «Charmante Amaryllis, pourquoi ne plus m'appeler, *penchée à l'entrée de cet antre*, moi ton petit ami?». Voir aussi W. Michaelis, dans *TWNT* 5, p. 812, l. 29-32:

Si la statue dont parle Ovide n'est autre que la représentation de la femme à la fenêtre des ivoires phéniciens, celle-ci devra nous renseigner sur le sens de l'épithète de παρακύπτουσα. Dans cette représentation stéréotypée, il ne s'agit nullement d'une femme qui se penche par la fenêtre. Elle nous montre la tête d'une femme à la fenêtre, au dessus d'une balustrade et dans un encadrement formé de trois (plus rarement quatre) bandes en retrait; elle regarde mais ne se penche pas. D'après Barnett, il s'agit de la fenêtre tyrienne «'through which one can put one's head', i.e. παρακύπτειν»[94]. Cependant, dans une note publiée en 1967, K. Galling a attiré l'attention sur le fait que les rares originaux de fenêtres à cadres qui sont conservés montrent une forme qui diffère légèrement de celle des fenêtres des ivoires phéniciens: l'ouverture a 35 cm. de largeur mais seulement 10 ou 15 cm. de hauteur. «Im Gegensatz zum einfachen Lukenfenster konnte kein Dieb durch die ausserordentlich schmale Luke des Rahmenfensters einsteigen, wie umgekehrt auch eine aus dem Rahmenfenster blickende Frau nur mit ihrer Augenpartie sichtbar war. Dass die Elfenbien-Modelle das *anders* darstellen — hier ist das Fensterloch annähernd quadratisch — hängt damit zusammen, dass der Glyptiker den Kopf der Frau vollständig wiedergeben wollte!»[95]. Il faut avouer que, dans ces conditions, on ne voit plus très bien comment la femme à la fenêtre pourrait représenter l'exhibition sexuelle des hiérodules d'Astarté.

Dans la première présentation de la théorie de Aphrodite Parakyptusa, Herbig se montra encore conscient du problème de méthode que pose la distance dans le temps entre les sources monumentales

«Die gebückte ... Haltung kann ... durch die Lage dessen, was er [der Beobachter] sehen will (zB κατ' ἄντρον) bedingt sein». N'est-ce pas son amant plutôt que la grotte qu'Amaryllis devrait chercher à voir? F.P. FRITZ, dans *Theokrit. Gedichte. Griechisch-Deutsch* (Freising, 1970), traduit: «warum denn nur guckst du nimmer aus deiner Grotte und rufst mich hinein — deinen Liebling?» (p. 27). Il y reconnaît le thème du paraklausithyron (p. 280). On peut se demander s'il y a lieu de traduire τοῦτο κατ' ἄντρον παρκύπτοισα: ne doit-on pas rattacher τοῦτο κατ' ἄντρον, précédé par μ' οὐκέτι, plutôt à καλεῖς («appeler dans la grotte»)?

94. R.D. BARNETT, dans *Iraq* 2 (1935), [cf. *supra*, n. 67], p. 184. Cf. *A Catalogue of the Nimrud Ivories*, p. 145ss. La distinction du Talmud entre fenêtres tyrienne et égyptienne fut signalée par Herbig, d'après Puchstein (col. 920, n. 1): «das syrische Fenster fasst den Kopf eines Menschen, das ägyptische nicht»; cf. K. GALLING, *Biblisches Reallexikon* (Handbuch zum AT, I/1), Tübingen, 1937, art. *Fenster*, col. 163-165 (spéc. 164). — Signalons ici l'opinion, peu repandue, sur l'origine égyptienne du motif de la femme à la fenêtre (elle est coiffée d'une perruque égyptienne!) d'après G. CONTENAU, *Manuel d'archéologie orientale*, t. 3, Paris, 1931, p. 1335: «(le motif) représente à l'origine le mort apparaissant au dessus de la porte fermée de son tombeau dans la lucarne ménagée à cet effet, et venant ainsi prendre contact avec les visiteurs; depuis longtemps ce motif a perdu toute signification et il est simplement décoratif».

95. K. GALLING, *Miscellanea Archaeologica. I. Steinerne Rahmenfenster*, dans *Zeitschrift des deutschen Palästina-Vereins* 83 (1967) 123-125, spéc. p. 125.

et la tradition littéraire grecque de l'époque hellénistique[96]. W. Fauth n'a plus ces hésitations, mais beaucoup de ses associations ne sont pas de nature à confirmer l'hypothèse de Herbig. Nous ne poursuivrons pas ici l'examen de son ouvrage[97], sauf sur un point particulier, celui des textes de l'Ancien Testament. Fauth voit dans le passage sur Jézabel la description de l'action rituelle de la reine qui, dans sa parure d'hiérodule d'Astarté, se prépare à l'entrée du parhedros divin: ἐστιμίσατο τοὺς ὀφθαλμοὺς αὐτῆς καὶ ἠγάθυνεν τὴν κεφαλὴν αὐτῆς καὶ διέκυψεν διὰ τῆς θυρίδος (2 R 9,30). Mais le contexte ne suggère rien de tel. Menacée par une mort certaine, Jézabel apparaît dans sa dignité royale et affronte Jéhu avec une parole sarcastique (v. 31). Cette fierté correspond bien à la manière dont elle s'oppose à Elie en 1 R 19,2, comme le souligna O. Eissfeldt[98] citant d'autres exemples d'ennemis d'Israël qui se montrent particulièrement courageux devant la mort (Jg 8,21; 9,54; 1 S 15,32). La scène de 2 R 9,30-33[99] permet de se faire une idée du palais

96. *Art. cit.*, col. 922.

97. On a pu écrire que Fauth «rassemble dans sa synthèse Astarté, Istar, Hathor et aussi la Jézabel de l'Ancien Testament... sans jamais forcer les rapprochements»; R. CRAHAY, dans *L'Antiquité Classique* 37 (1968), p. 737. Pour un compte rendu critique voir W. SCHOTTROFF, dans *Zeitschrift des deutschen Palästina-Vereins* 83 (1967) 206-208 (spéc. p. 208, sur la méthode: «Denn besagt ein Motiv in den verschiedenen Kontexten, in denen es vorkommt, immer dasselbe?»).

98. O. EISSFELDT, «*Bist du Elia, so bin ich Isebel*» (*I Kön. xix 2*), dans *Hebräische Wortforschung. Fs. W. Baumgartner* (Suppl VT, 16), Leiden, 1967, p. 65-70. D'après Eissfeldt, les versions de la LXX et la Vetus Latina auraient conservé le texte original de 19,2 (εἰ σὺ εἶ Ηλιου καὶ ἐγὼ Ιεσαβελ). Sur le thème du courage devant la mort, voir p. 69-70. Voir aussi la recension du livre de W. Fauth, dans *Göttingische Gelehrte Anzeigen* 200 (1968) 302-309, spéc. p. 308-309.

99. W. Fauth note encore: «Dieser Ritus der Kataskopie scheint alt zu sein», et il renvoie au commentaire de Montgomery (p. 48, n. 6). Cf. J.A. MONTGOMERY & H.S. GEHMAN, *The Books of Kings* (ICC), Edinburgh, 1951, p. 403. On peut y lire: «The same was custom for royal audience in Egypt», mais le commentateur le distingue clairement du motif de «la femme à la fenêtre» des ivoires phéniciens et Pr 7,6 (note 1). Un autre exemple de la méthode de Fauth: «Man hat auf die Fensterszenen des Alten Testament im Zusammenhang mit der Parakyptusa schon früher hingewiesen» (p. 48), et en note il renvoie à Murray et Herbig (cf. *supra*, n. 62) mais également à Evans (n. 10). Les références sont: A. EVANS, *The Place of Minos. A Comparative Account of the Successive Stages of the Early Cretan Civilization as Illustrated by the Discoveries at Knossos*, t. 2, 2e partie, London, 1928, p. 602-603; t. 3, 1930, p. 60-61. L'auteur signale l'opinion de Murray et il note que la description de Jézabel «certainly recalls some of these highly tired Minoan ladies» (p. 61), mais il est formel sur le «contrast between Knossian ladies and Oriental 'hierodules'»: «Still less can they [these ladies of the 'Temple Fresco'] be conceived of as a sacral guild apart, such as those dedicated to the obscenities of the Syrian cult. Their elaborate toilet is sufficiently explained by the festal occasion, and they have obviously taken their seats as much for social intercourse as to see the sports» (*ibid.*). Voir aussi t. 2, p. 602: «the Minoan artists regarded windows and balconies as the most appropriate places for women to make their appearance, in this recalling the Biblical descriptions...».

à la porte de la ville et de la fenêtre à laquelle apparaît Jézabel et d'où elle sera jetée en bas. C'est un autre type de fenêtre que celle de la représentation de «la femme à la fenêtre»[100]. Dans les autres textes qui parlent d'une reine, la description est moins explicite. Dans le cantique de Débora, en Jg 5,28, il s'agit de la mère de Sisera qui attend le retour de son fils, le chef de l'armée des Cananéens, tué par Yaël, et en 2 S 6,16 (= 1 Ch 15,29) c'est Mikal qui, lors de l'entrée de l'arche à Jérusalem, regarde par la fenêtre et aperçoit le roi David dansant devant Yahvé. Si, dans les trois textes, le motif se rapporte à une rentrée dans la ville, il s'applique chaque fois à une situation particulière, apparemment sans lien avec le culte d'Astarté[101]. Il est assez curieux que Fauth ne fait pas mention de Pr 7,6, passage sur lequel la discussion s'est concentrée depuis le livre de Boström (1935). Si l'on se tient au texte des versions grecque et syriaque, c'est bien la femme qui guette par la fenêtre de sa maison: ἀπὸ τῆς θυρίδος ἐκ τοῦ οἴκου αὐτῆς εἰς τὰς πλατείας παρακύπτουσα, ὃν ἂν ἴδῃ... (7,6-7). D'après le TM, suivi par la Vulgate, le texte est à la première personne et c'est le maître de sagesse qui parle: «De fenestra enim domus meae per cancellos prospexi, et video...». W. Frankenberg avait déjà suggéré de corriger le texte d'après la LXX parce que, avant l'introduction de la femme au v. 10, il est question de «son coin» et «sa maison» au v. 8: cela suppose que la femme soit nommée auparavant[102]. Boström fait observer que cette correction est exigée par le sens même du passage qui présente «etwas allgemein Typisches»[103]. Dahood ajoute un argument de poids: le suffixe pronominal en *yod* (v. 6 «*ma* maison») peut indiquer la troisième personne: «par la fenêtre de *sa* maison»[104].

100. Cf. K. Galling, *Miscellanea Archaeologica* (cf. *supra*, n. 95), p. 125: «Neben dem normalen Rahmenfenster, das man natürlich auch nur in den Häusern der Vornehmen voraussetzen darf, ist bei Palästen auch mit einem balkonartigen 'Erscheinungsfenster' zu rechnen, das eine niedrige Balustrade von freistehenden Palmettensäulen aufweisen konnte. Ein solcher aus Ägypten bekannter Balkon wird für das 9. Jh. bei Isebels Sturz (2. R. 9,30ff.) vorausgesetzt und auch beim Palast des Jojakim in Jerusalem (Jer. 22,14)». Comp. art. *Fenster* (cf. *supra*, n. 94), col. 165.

101. Dans 2 S 6,16, le motif doit préparer la scène des versets 20-23 (sans parallèle dans 1 Ch 15). Porter y voit le thème du *hieros gamos* refusé par Mikal. Cf. J. R. Porter, *2 Samuel vi and Psalm cxxxii*, dans *JTS* 5 (1954) 161-173. Pour «la femme à la fenêtre», l'auteur renvoie à Boström (p. 166-167).

102. W. Frankenberg, *Die Sprüche* (Handkommentar AT, II, 3/1), Göttingen, 1898, p. 51. Frankenberg avait été suivi par J. Knabenbauer, *Commentarius in Proverbia* (Cursus Scripturae Sacrae II/3), Paris, 1910, p. 57. (Corriger Boström, *op. cit.*, p. 106: «nur Frankenberg».)

103. G. Boström, *Proverbiastudien* (cf. *supra*, n. 70).

104. Pr 7,6 est cité parmi les 80 exemples du yod comme suffixe de la troisième personne du singulier, dans M. Dahood, *Psalms* I (1965), p. 11. Sur Pr 7,6 voir aussi et surtout W.A. van der Weiden, *Le livre des Proverbes. Notes philologiques* (Biblica et Orientalia, 23), Rome, 1970, p. 68-69.

Toutefois, même si le *yod* du v. 6 indiquait la troisième personne, on peut encore se demander pourquoi l'auteur ne l'emploie pas de nouveau au v. 8 lorsqu'il répète la même expression («de *sa* maison»[105]. Quoiqu'il en soit, le texte massorétique diffère des versions grecque et syriaque par l'emploi des verbes qui ne sont pas à la troisième personne du féminin (vv. 6-7)[106]. Il a un sens cohérent si le narrateur parle à la première personne. Les suffixes du v. 8 peuvent se rapporter à la femme étrangère du v. 5; elle n'entre en action dans le récit qu'au v. 10: «Et voici que cette femme vient à sa rencontre...». L'objection de Boström qu'il s'agit de «etwas allgemein Typisches», reçoit une réponse suffisante si l'on considère le récit comme *Beispielerzählung*. B. Gemser semble répliquer par anticipation à l'exégèse de Boström lorsqu'il écrit en 1929: «Ook in de mannenvertrekken van de grotere huizen waren vensters aangebracht (2 Kon 7,2; 13,27; Jer 22,14; Dan 6,11), waardoor zij uitkeken naar wat buiten voorviel (Gen 26,8). Zoo zit de wijze... aan het venster van zijn opperkamer...»[107]. C'est donc seulement au niveau des versions qu'on trouve dans Pr 7,6 la femme à la fenêtre. Faut-il y voir l'influence du motif de la *Parakyptusa*[108]? On peut observer que dans le récit même, puisque le narrateur s'efface après les versets 6-7, l'allusion à la femme étrangère au v. 5 et l'emploi des suffixes pronominaux au v. 8 pouvaient donner lieu à un tel développement. Plutôt que la *Parakyptusa* de Chypre c'est la traduction de שקף dans Gn 26,8; Jg 5,28; 1 Ch 15,29 etc. qui peut éclairer l'emploi du παρακύπτω dans Pr 7,6, et la construction participiale (παρακύπτουσα) témoigne à sa façon d'un texte original où la femme n'est introduite qu'au v. 10[109].

105. Dans Pr 8,35, également signalé par Dahood (*op. cit.*), W. A. van der Weiden suggère que «l'auteur aurait voulu jouer sur le double sens du suffixe yod» (*Le Livre des Proverbes*, p. 83-85).

106. Van der Weiden lit dans נִשְׁקָפְתִּי (LXX παρακύπτουσα) un participe féminin niphal suivi d'un yod-paragogique (p. 69), mais il reste le v. 7 avec וָאֵרֶא (LXX ἴδῃ) et אָבִינָה (LXX om).

107. B. Gemser, *De Spreuken van Salomo* (Tekst en uitleg), Groningen-Den Haag, t. 1, 1929; repris dans *Sprüche Salomos* (Handbuch AT, I/16), Tübingen, (1937); [2]1963, p. 43. (Sur Boström, voir p. 6.)

108. Albright (cf. *supra*, n. 74) s'appuie spécialement sur la version grecque: «The LXX παρακύπτουσα points to the identification of this pose with the well known 'Αφροδίτη παρακύπτουσα of Cypriote and other Greek cultic terminology» (p. 10). Voir également la note suivante.

109. Pr 7,6-10: ἀπὸ γὰρ θυρίδος... παρακύπτουσα, ὂν ἂν ἴδῃ..., ἡ δὲ γυνὴ συναντᾷ αὐτῷ... L'opinion de Boström est critiquée par P. Humbert, *La «femme étrangère» du livre des Proverbes*, dans *Revue des études sémitiques* 6 (1937) 49-64, spéc. p. 55-56; L. A. Snijders, *The Meaning of* זר *in the Old Testament. An Exegetical Study*, dans *Oudtestamentische Studien* 10 (1954) 1-154, spéc. p. 98, n. 72: «Probably G considered it less proper that a wise teacher should look out inquisitively». En réponse à Boström qui avait cité l'expression de Herbig (p. 122: «ein sich

Une conjecture du même ordre fut proposée par K. Budde à propos de Ct 2,9[110] et, fait curieux, elle n'a pas été versée au dossier de la *Parakyptusa*. Par contre, d'autres passages du Ct y figurent, non moins discutables (2,14; 4,1)[111]. La suggestion plus récente de M. Dahood de voir une allusion au motif de la femme à la fenêtre dans Qo 12,3 est difficilement défendable[112].

anbietend zur Schau stellen»), Snijders fait observer que «verse 7 makes it clear that this leaning out is not in order to be seen but to look around oneself». W. Mc Kane, dans *Proverbs*, p. 335 («not a decisive objection») ne semble pas avoir saisi la note polémique. À noter aussi la recension du livre de Boström par R. de Vaux, dans *RB* 45 (1936) 438-439, spéc. p. 439: «même si l'on admet pour *Prov.* VII, 6 la lecture des LXX, toutes les femmes à leur fenêtre ne sont pas Ishtar ou Aphrodite». Bon nombre des commentateurs récents préfèrent la première personne du texte massorétique: H. RINGGREN (cf. *supra*, n. 74), p. 36: «Die Einführung der Frau in V 10 spricht aber für die Ursprünglichkeit des MT»; A. BARUCQ, *Le livre des Proverbes* (Sources bibliques), Paris, 1964, p. 82-83; R.B. SCOTT, *Proverbs-Ecclesiastes* (Anchor Bible, 18), Garden City (N.Y.), 1965, p. 63; L. ALONSO SCHÖKEL, *Proverbios y Eclesiastico*, Madrid, 1968, p. 48; W. MC KANE, *Proverbs* (cf. *supra*, n. 74), 1970, p. 335: «MT makes very good sense» (à la p. 336 il se montre plus hésitant, cf. *supra*, n. 74); R.N. WHYBRAY, *The Book of Proverbs* (Cambridge Bible Commentary on NEB), Cambridge, 1972, p. 45. Dans son exposé sur la *Parakyptusa* (cf. *supra*, n. 84), H.-J. Horn s'en tient aux études de R. Herbig et W. Fauth qui ne font pas mention de Pr 7,6 (p. 35-36); il le cite plus loin, dans la traduction de Budde, à la première personne (p. 38).

110. K. BUDDE, *Das Hohelied*, dans *Die fünf Megillot* (Kurzer Hand-Commentar zum AT, 17), Freiburg, 1898, p. 10: «(es) lässt sich kaum umgehen, dass man hier statt des Geliebten *die Braut* aus dem Fenster lugen und spähen lässt. Es wird אַשְׁגִּיחַ und אָצִיץ ich luge... u.s.w. zu lesen sein; erst später liess man den Geliebten allein handelnd eingreifen, vielleicht, weil es schicklicher schien». L'auteur se base sur l'emploi de la préposition מִן («aus den Fenstern») et sur le fait que les fenêtres ne permettent normalement pas de voir à l'intérieur (cf. *supra*, n. 44). Il ajoute une observation un peu rationnelle: «Zudem muss in jedem Falle *sie* aus dem Fenster sehen, da sie ihn ja schon von fern erblickt hat». Comme pour אַחַר («*derrière* notre mur» = devant le mur) on admet généralement que la préposition מִן (Syr.: «*e* fenestra») est employée du point de vue de la fille qui parle, sans l'indiquer dans la traduction (LXX διά, Vulg. *per*). Cf. G. GERLEMAN (*supra*, n. 47), p. 121.

111. W. FAUTH, *Aphrodite Parakyptusa*, p. 77 (Ct 4,1), 85 (Ct 2,14); voir aussi p. 98. Une seule remarque: la citation du seul verset 4,1 (p. 77) permet de donner à la mention des yeux une signification qu'elle n'a guère dans le contexte de 4,1-7. Quant à 2,14 («ma colombe»), l'auteur passe par trop allègrement de Ct à une représentation d'Astarté: «Im Fenster des obersten Stockwerks sitzt die nackte Göttin, durch einen Situs impudicus ihr Geschlecht exhibierend, mit ihren Symboltieren, den Tauben, in jedem Arm» (p. 85-86). Voir la critique de O. Eissfeldt (cf. *supra*, n. 98) à propos d'une utilisation semblable du chant de Keret (p. 308).

112. M.J. DAHOOD, *Canaanite-Phoenician Influence* (cf. *supra*, n. 74), 1952, p. 213-215. Il entend הראות בארבות au sens littéral: «women looking out of the windows»; il le combine avec le motif de la mort et des pleureurs (v.5) et le met en rapport avec la légende grecque de la Parakyptusa. La critique de Hertzberg est pertinente: «Aber es ist doch nicht denkbar, aus diesen Versen, in denen ein Bild dem andern folgt, mit kühnem Sprung, über soundso viele andere hinweg Beziehungen aufzunehmen und daraus dann exegetische Schlüsse zu ziehen»; cf. H.W. HERTZBERG, *Der Prediger*/ H. BARTKE, *Das Buch Esther* (Kommentar zum AT, 17/4-5), Gütersloh, 1963, p. 206.

IV

Nos observations à propos de παρακύπτω dans la LXX ne sont pas entièrement nouvelles. Déjà J.F. Schleusner traduit par *prospicio* et *respicio*[113]. Mais, suivant l'usage des lexiques, il commence l'article sur παρακύπτω dans le N.T. par le sens «propre» du mot: *incurvo me*, et il finit par traduire Lc 24,12: «inclinato corpore introspiciens»[114]. Beaucoup de lexiques restent plus près du sens de κύπτω et traduisent tout au plus: se pencher (pour regarder)[115]. Pour les commentateurs aussi, c'est l'étymologie de παρακύπτω qui forme normalement le point de départ de l'interprétation. Mais l'accord n'est pas général et, à propos de Jc 1,25, J.H. Ropes a pu noter: «This compound has lost all trace of any sense of 'sideways' (παρα-), or of *stooping* (κύπτω) to look»[116].

113. *Novus Thesaurus philologico-criticus sive Lexicon in LXX et reliquos interpretes graecos ac scriptores apocryphos Veteris Testamenti*, t. 4, Leipzig, 1821, p. 203; repris du lexique de J.C. BIEL, *Novus Thesaurus philologicus sive Lexicon in LXX et alios interpretes et scriptores apocryphos Veteris Testamenti*, t. 3, Den Haag, 1780, p. 29. Schleusner ajoute la référence «1 Reg. VI, 4. sec. cod. *Vat.*». Les deux lexiques renvoient à S. LE MOYNE, *In Varia Sacra Notae et Observationes*, t. 2, Leiden, 1685, p. 344, sans reprendre l'insistance sur la signification de *se incurvabat* (Pr 7,6). À propos de POLYCARPE, *Ep Phil* 3,2 εἰς ἅς [ἐπιστολὰς] ἐγκύπτητε, l'auteur y signale l'emploi de παρακύπτω dans 1 P 1,12 et Jc 1,25 mais également Pr 7,6 et Ct 2,9 (p. 343-345).

114. *Novum Lexicon Graeco-Latinum in Novum Testamentum*, t. 2, Leipzig, 1792; = [4]1819, p. 423. L'auteur y ajoute toutefois ce commentaire quelque peu inattendu: «Sed fortasse παρακύψας h.l. rectius vertitur: *cum intrasset sepulcrum*, coll. Marc. XVI,5». Il renvoie à l'article sur βλέπω (t. 1, p. 478, sub 7°, sur Lc 9,62), où il fait remarquer qu'en hébreu «verba haud pauca, quae proprie *videre*, *aspicere* notant, de *iis*, *qui iter faciunt*, usurpantur» (parmi les exemples: שקף en Gn 18,16 et 2 S 9,32). Quand l'auteur note encore: «Idem valet de loco Ioh. XX,5. et 11» (t. 2, p. 423), on ne pourra plus le suivre (cf. Jn 20,5b!), mais il reste que Schleusner considère παρακύψας comme un *verbum videndi* et, à sa manière, il cherche à interpréter Lc 24,12 en tenant compte de Mc 16,5 (cf. *supra*, n. 1).

115. La nuance apparaît quand on compare le lexique de C. Schoettgen: «*Incurvo me*. Quum aliquis se ob varias caussas incurvare possit, ad contexta est attendendum, quae potissimum sit, cur quis se incurvet. In N.T. locis reperitur caussa haec: qua scilicet quis se incurvat ut videat» (*Novum Lexicon Graeco-Latinum in Novum Testamentum*, ed. G.L. Spohn, Leipzig, 1790); comp. Schleusner: «1) proprie: *incurvo me, incurvato et inclinato corpore aliquid facio*, et speciatim de iss usurpatur, *qui declinato, vel incurvato corpore aliquid aspiciunt et dilegenter introspiciunt*». Les lexiques plus récents feront la synthèse: «incurvo me ad aliquid, quod adspiciam» et «proclinato capite adspicio; incurvato corpore introspicio» (Wilke-Grimm; cf. Zorell). Voir cependant W. Bauer: «*sich vorbeugen* (um etw. genau zu sehen)». Arndt-Gingrich (1957) l'ont repris: «bend over (to see someth. better)», mais en y ajoutant, par manière de correction(?), une référence bibliographique: «Field, Notes 80f» (cf. *supra*, n. 13).

116. J.H. ROPES, *A Critical and Exegetical Commentary on the Epistle of St James* (ICC), Edinburgh, 1916, p. 177. Comme il se doit, l'auteur renvoie à Field (cf. *supra*, n. 13).

Dans Jc 1,25 et 1 P 1,12, παρακύπτω est employé au sens figuré et, en général, les traductions modernes restent assez proches de la Vulgate: «qui autem *prospexerit* in legem perfectam libertatis» (Jc 1,25) et «in (quem) desiderant angeli *prospicere*» (1 P 1,12)[117]. Les lexiques ont tendance à séparer nettement παρακύπτω au sens figuré de l'emploi au sens propre en Lc 24,12 et Jn 20,5.11, sans trop se demander s'il n'y a pas lieu de remplacer, déjà au niveau du sens propre, «se pencher» par «regarder». Dans les traductions françaises plus récentes, on constate même un mouvement en sens inverse, car «se pencher» y a été introduit dans la traduction de Jc 1,25: «mais celui qui *s'est penché sur* une loi parfaite, celle de la liberté»[118]. Plusieurs commentateurs ont d'ailleurs essayé d'expliquer le passage à partir de l'image de l'homme qui se penche[119]. J. Chaine est d'avis que παρακύψας «continue... la comparaison du miroir; on se penche sur la loi comme sur un miroir afin de mieux observer»[120].

117. Jc 1,25, de *King James* à *NEB*: «who *looks* (closely) *into*»; en allemand: «hineinschauen in», «Einblick gewinnen in», etc.; en français: «plonger les regards dans» (Segond), «fixer son regard sur» (Crampon). De même, pour 1 P 1,12, en anglais: «to look into» ou «to see into»; Segond et Crampon: «plonger leurs regards», etc.

118. Traduction de *TOB* (1973); «se pencher sur» également dans *BJ*, Osty-Trinquet (1973) et dans les commentaires de J. Chaine (1927) et J. Cantinat (1973). — Comparer «sich vertiefen in» (G. Hollmann), en néerlandais: «zich verdiepen in» (*NBG*, *KBS*), mais on peut l'entendre comme «een diepen blik slaan in» (Leidse), «look deeply into» (B. Reicke).

119. «Translatio sumpta est ab iis, qui non obiter aliquid aspiciunt, sed prono etiam corpore oculos admovent, ut rem omnem proprius cognoscant» (Bèze, *in loc.*). A. SCHLATTER, *Der Brief des Jakobus*, Stuttgart, 1932; ²1956, p. 150: «Vermutlich ist bei παρακύψας an die Haltung des aufmerksam und eifrig lesenden gedacht, der sich herab zur Thorarolle beugt». On cite volontiers cette phrase: W. MICHAELIS, *art. cit.*, p. 814, n. 13: «die Erklärung Schlatters im ganzen ungezwungener...»; voir cependant: «So auch AMeyer der jedoch keine Par aus dem von ihm herangezogenen spätjüdischen Schrifttum beibringt»; cf. A. MEYER, *Das Rätsel des Jacobusbriefes* (BZNW, 10), Giessen, 1930, p. 155. L'image n'est pas la même chez F. HAUCK, *Der Brief des Jacobus* (Kommentar zum N.T., 16), Leipzig, 1926, p. 83: «Das παρακύψας schildert den Mann, wie er sich über die Sache hinbeugt. In der vorgestreckten Körperhaltung ist etwas von Spannung und Wissbegier angedeutet. Aber das wissbegierige Hineinschauen, das ja auch eine schnell vorübergehende Neugier sein könnte, wird vervollständigt durch παραμείνας». F. MUSSNER, *Der Jakobusbrief* (Herders Theol. Kommentar zum N.T., 13/1), Freiburg, 1964, p. 106, se rapproche de Schlatter: «dieser Ausdruck (παρακύπτειν)... unterstreicht gegenüber κατανοεῖν ganz anders die beharrliche Mühe...» (avec citation de Schlatter, à la n. 3; cf. n. 120).

120. J. CHAINE, *L'épître de saint Jacques* (Études Bibliques), Paris, 1927, p. 33. — On voit mal comment F. Mussner (*loc. cit.*) peut combiner ét l'explication de Schlatter ét celle basée sur l'image du miroir (texte de Plutarque). Cf. H. ALMQVIST, *Plutarch und das Neue Testament* (ASNU, 15), Uppsala, 1946, p. 131: «Fragm. inc. 49 (VII, 156): εἰς κάτοπτρον κύψας θεώρει... Das metaphorische παρακύψας bei Jk wird durch die Plutarchstelle erläutert». C'est un parallèle de l'emploi de l'image du miroir (Jc 1,23-24) plutôt que du mot παρακύψας (qui a le sens de θεωρεῖ, et non de κύψας).

Mais si j'admets volontiers que παρακύψας en 1,25 reste encore sous l'influence de l'image du miroir (v. 23-24), il me semble que l'exégète qui 'se penche sur' le contexte de 1,23-25 devra constater que l'antithèse ne porte pas sur κατανοέω et παρακύπτω[121] mais sur ἀπελήλυθεν, ἐπελάθετο et παραμείνας. Παρακύπτω est employé en parallèle à κατανοέω et c'est sans doute l'image de celui qui regarde dans un miroir qui à suggéré ici le *verbum videndi*, mais il me paraît forcé de dire qu'avec παρακύψας l'image se modifie de «regarder dans» en «se pencher sur» le miroir. Il convient de donner ici à παρακύψας un sens 'neutre', car on ne peut transférer sur lui le sens de καὶ παραμείνας (en traduisant par «regarder attentivement, assidûment»)[122] et, d'autre part, à cause du même παραμείνας, il est exclu de traduire par «jeter un regard rapide»[123].

On retrouve ces deux options dans la traduction de 1 P 1,12: εἰς ἃ ἐπιθυμοῦσιν ἄγγελοι παρακύψαι[124], mais le choix ne s'impose pas si l'avis de Hort reste valable: «Here nothing more seems to be meant than looking down out of heaven»[125]. La Bible de Jérusalem

121. Contre F. Mussner (cf. n. 119). L'auteur semble d'ailleurs se contredire (ou se corriger) lorsqu'il souligne, à juste titre, le sens conditionnel du participe (καὶ) παραμείνας; cf. K. Beyer, *Semitische Syntax*, p. 270: «Wenn aber jemand, nachdem er in das vollkommene Gesetz der Freiheit hineingeblickt hat, auch dabei bleibt...».

122. Cf. F.J.A. Hort (cf. *supra*, n. 61), p. 62: «Apparently no ancient evidence supports the tradition of modern commentators that παρακύπτω means a long or earnest or searching gaze. The mistake seems to have arisen from prematurely importing into παρακύψας in James i.25 the idea added by the subsequent words καὶ παραμείνας». Voir cependant n. 123. Compare F. Field, *Notes* (cf. *supra*, n. 13), p. 236: «When used figuratively, as here, the same idea of 'looking in' or 'into' [cf. Lc 24,12] holds good, but without the intensive force which is usually claimed for it, of 'looking closely into' (Alford)...».

123. La position de Hort lui-même (cf. n. 122) semble assez théorique lorsqu'il écrit: «When used figuratively, it commonly implies a rapid and cursory glance, never the contrary» (*ibid.*). J.H. Ropes a raison d'observer: «but that shade of meaning seems here excluded by the latter half of the verse» (*St James*, p. 177). En revanche, E.A. Abbott a une théorie encore plus rigide que celle de Hort (cf. *supra*, n. 14: «take a rapid glance»). Il l'applique à Jc 1,25 et parvient même à écrire: «Perhaps the content implies a contrast. Those who '*take careful note* (κατανοέω)' of their faces in the glass cannot, somehow, remember them for a moment. Some, '*catching a mere glimpse*' of the Perfect Law, abide, and cannot forget it» (p. 301, n. 3: 1800a).

124. Cf. W. Bauer, art. παρακύπτω: «entweder: *einen genauen Einblick zu gewinnen*, oder: auch nur *einen verstohlenen Blick* darauf *zu werfen*»; W. Michaelis, *art. cit.*, p. 814: «ein neugieriges Erspähen..., wenn nicht doch der Wunsch nach echter Einsicht gemeint ist».

125. *St Peter*, p. 62-63. Voir n. 61, sur Hénoch 9,1 (παρακύπτω) et le motif biblique de Jahvé qui régarde du haut du ciel. Il est moins indiqué de faire appel à un autre motif de l'A.T.: «Von ihrem Bereiche aus trachten sie, *wie durch ein Gitterfenster hindurch*, gleichsam vorübergebeugt zu schauen...»; G. Wohlenberg, *Der erste und der zweite Petrusbrief und der Judasbrief* (Kommentar zum N.T., 15), Leipzig-Erlangen, ^{3}1923, p. 29. — Ici encore E.A. Abbott s'oppose à Hort et traduit par «catch a glimpse of» (*Johannine Vocabulary*, p. 301-302).

traduit encore une fois: «sur lequel les anges *se penchent* avec convoitise»[126]. Il est assez exceptionnel que les notes n'ajoutent même pas: «c.-à-d. se pencher (pour voir, pour contempler)». Une telle explication rendrait quelque peu invraisemblable la traduction proposée, car ce que les anges désirent, c'est contempler[127].

Mais il est temps de revenir à Lc 24,12. Celui qui est habitué à lire *procumbens* (en se penchant) comme traduction de παρακύψας, peut s'étonner de trouver dans certains témoins de la vieille latine *aspiciens* (Lc 24,12) ou *prospiciens* (Jn 20,5). L'examen de la Bible grecque nous a montré que cette traduction n'a rien d'un cas isolé. D'ailleurs, on retrouve la notion de «regarder» dans d'autres versions anciennes[128]. Ainsi, dans les versions coptes, nous lisons aux deux endroits: «il regarda dedans» (sa ⲁϥϭⲱϣⲧ ⲉϩⲟⲩⲛ, bo ⲉⲧⲁϥⲥⲟⲙⲥ ⲉϧⲟⲩⲛ)[129]. C'est la traduction de *NEB*. Elle s'adapte parfaitement à la situation de Jn 20,5: «He peered in and saw..., but did not enter». Mais, nous l'avons dit, l'addition de οὐ μέντοι εἰσῆλθεν n'est peut-être pas dans l'esprit de la composition lucanienne, et on est donc en droit de se demander si la traduction «regarder à l'intérieur (sans y entrer)» s'impose pour Lc 24,12.

Παρακύψας peut désigner l'action de regarder, en préparation du verbe βλέπει, peut-être (c'était notre hypothèse) d'après le modèle de ἀναβλέψασαι θεωροῦσιν de Mc 16,4. Ailleurs, Luc remplace lui-même un ἐθεώρει de Mc par ἀναβλέψας εἶδεν (Lc 21,1). On peut comparer aussi l'expression ἀτενίσας... εἶδεν en Ac 6,15; 7,55; 11,6 et 14,9, mais Lc 16,23 contient un parallèle plus significatif: καὶ ἐν τῷ ᾅδῃ ἐπάρας τοὺς ὀφθαλμοὺς αὐτοῦ, ὑπάρχων ἐν βασάνοις, ὁρᾷ Ἀβραὰμ ἀπὸ μακρόθεν...[130]. Comme en 24,12, le verbe principal

126. La traduction n'est pas reprise par *TOB*: «dans lequel les anges désirent plonger leurs regards».

127. Comp. K.H. SCHELKLE, *Die Petrusbriefe, Der Judasbrief* (Herders Theol. Kommentar zum N.T., 13/2), Freiburg, 1961, p. 26: «Dinge, über die *im Schauen sich* zu *neigen* Engel begehren», mais p. 43: «sich bemühten, darin Einblick zu erhalten»; C. SPICQ, *Les épîtres de Saint Pierre* (Sources Bibliques), Paris, 1966, p. 58: «vers ces réalités, les Anges se penchent attentivement, tout désireux de les contempler»; A. CHARUE, *Les épîtres catholiques* (La Sainte Bible, 12) Paris, 1938, p. 446: «littéralement, ils se penchent pour mieux regarder, ils aspirent à bien voir: παρακύψαι».

128. Les anciennes versions syriaques et la Peschittâ traduisent: *sadîq*, af. de *dûq* (adspexit, speculatus est; af.: vidit, inspexit, spectavit). Merx rend la vieille syriaque par «schaute hin». Même mot *dûq* en Jn 20,5.11. Dans la Peschittâ: en 1 P 1,12 *dûq* et en Jc 1,25 *ḥûr* (vidit, adspexit). Comp. n. 37 sur l'A.T.

129. Même traduction en Jn 20,5 (et 11). À noter la distinction entre «regarder» (ϭⲱϣⲧ) et «voir» (ⲁϥⲛⲁⲩ = βλέπει); comp. en syriaque *dûq* et *ḥzâ* (le terme le plus commun pour «voir»: ראה, εἶδον). En Jc 1,25 «regarder» dans sa et bo et en 1 P 1,12 (om sa) «voir» dans bo.

130. Je ne peux m'empêcher de renvoyer au passage des *Actes de Thomas* qui est parfois cité comme illustration de χάσμα en Lc 16,26. Il est plus intéressant encore pour l'emploi caractéristique de παρακύπτω. Cf. *Acta Thomae* 55(52)-57(54),

est au présent historique. Il est à noter que dans l'évangile de Lc ὁρᾷ de 16,23 et βλέπει de 24,12 sont (en plus de ἔρχεται en 8,49, cf. Mc) les seuls exemples d'un présent historique avec un verbe autre qu'un *verbum dicendi*[131]. Dans Ac aussi, 11 sur 13 présents historiques sont des *verba dicendi*; les deux autres cas sont θεωρεῖ (10,11) et εὑρίσκει (10,27). Ac 10,10-11 n'est pas sans analogie avec Lc 16,23: ...ἐγένετο ἐπ' αὐτὸν ἔκστασις, καὶ θεωρεῖ (comp. 11,5: εἶδον ἐν ἐκστάσει ὅραμα). D'abord, le fait de la vision est indiqué, et puis, avec le présent historique θεωρεῖ, l'objet de la vision est décrit. En Lc 16,23 le présent historique est précédé par ἐπάρας τοὺς ὀφθαλμοὺς αὐτοῦ qui indique une *actio videndi*, car c'est bien ainsi qu'il faut entendre cette expression qui, comme dans la LXX, est synonyme de ἀναβλέψας[132]. On comprend que Luc, pour qui l'expression biblique «levant les yeux, il voit» doit avoir une densité stylistique spéciale, ne se contente pas d'un simple εἶδεν (ou εὗρεν) en 24,12. Il choisit une formule plus solennelle: le présent historique βλέπει, précédé de παρακύψας qui renforce la notion de voir[133].

Il est vrai que le verbe παρακύπτω se prête bien à l'interprétation johannique: «regardant à l'intérieur (du tombeau)»[134]. Pour le rap-

dans *Acta Philippi et Acta Thomae accedunt Acta Barnabae*, ed. M. BONNET (*Acta Apostolorum Apocrypha*, II/2), Leipzig, 1903; = Darmstadt, 1959, p. 171-174: 55 ἐποίει δέ με εἰς ἕκαστον χάσμα παρακύψαι, καὶ εἶδον...; 56 καὶ παρακύψασα εἶδον..., εἰς ὃ (χάσμα) παρακύψασα εἶδον...; 57 πολλαὶ δὲ ψυχαὶ (se trouvant dans un ἄντρον πάνυ σκοτεινόν) ἐκεῖθεν παρέκυπτον βουλόμεναι τοῦ ἀέρος τι μεταλαμβάνειν, οἱ δὲ τούτων φύλακες οὐκ εἴων αὐτὰς παρακύπτειν.

131. Voir les références dans F. NEIRYNCK, *The Minor Agreements of Matthew and Luke against Mark*, Louvain, 1974, p. 229 (ajouter Lc 17,37 λέγουσιν).

132. «Il leva les yeux et vit»: on méconnaît le sens de l'expression lorsqu'on veut en conclure qu'il se lève *ex profundis* (Bengel) vers le compartiment des bienheureux, situé sur un plan supérieur (ainsi encore Loisy, Lagrange, Grundmann et autres); cf. v.26! — Ce n'est pas le même emploi en 6,20 ἐπάρας τ.ὀ.α. + εἰς τοὺς μαθητὰς αὐτοῦ, suivi de ἔλεγεν; 18,13 οὐδὲ τ.ὀ. ἐπᾶραι εἰς τὸν οὐρανόν, cf. 9,16 ἀναβλέψας εἰς τὸν οὐρανόν (Mc 6,41; cf. 7,34); voir aussi Jn 11,41; 17,1. Par contre, nous retrouvons l'emploi caractéristique en Jn 4,35 ἐπάρατε τ.ὀ.ὑ. καὶ θεάσασθε et 6,5 ἐπάρας τ.ὀ. καὶ θεασάμενος (cf. Mt 9,36 ἰδὼν Mc 6,34 εἶδεν); Mt 17,8 ἐπάρατε τ.ὀ. εἶδον (Mc 9,8 περιβλεψάμενοι... εἶδον).

133. Cela semble contredire l'observation de M. Johannessohn: «Wie im AT., so wird gelegentlich auch im NT. (*nur für das Lk-Evangelium kann ich keine Beispiele anführen*) das Verbum des Sehens durch andere Verba vorbereitet...» (*art. cit.*, p. 240; cf. *supra*, n. 55). Mais, puisqu'il signale Jn 20,5 (p. 241), on peut supposer que, sur la foi de son édition du N.T., il n'a pas compté Lc 24,12 comme authentique. D'ailleurs, il ne considère pas le simple *accusativus objecti* (cf. Lc 21,1; 16,23) mais seulement le «Wahrnehmungssatz», c.-à-d. l'accusatif + participe (*ibid.*) et la construction avec ὅτι (p. 246: Mc 16,4; Jn 4,35). D'autre part, ἀτενίσας en Ac n'a pas échappé à son attention: 6,15 (acc.); 7,55 (acc. + part.) et 14,9 (+ ὅτι); cf. p. 241, note 1; 246. Notons encore que sa notion de «vorbereitende Verba» est peu précise (par exemple en Jn 20,4-5: προέδραμεν, ἦλθεν et παρακύψας préparent βλέπει).

134. Qu'on songe à l'emploi dans la LXX: regarder par la fenêtre, et spécialement Ct 2,9 et Si 14,23; 21,23: regarder de l'extérieur dans la maison. Si c'est ainsi que Jean

prochement avec l'emploi de la LXX, on pourrait même faire valoir ἡ θύρα τοῦ μνημείου en Mc 15,46 et 16,3. Mais Luc omet le motif de la pierre en 23,53 et ne mentionne pas la *porte* du tombeau en 24,2. Il ne dit pas non plus que Pierre n'entra pas dans le tombeau, mais, par le parallélisme avec le récit des femmes[135], il suggère plutôt le contraire. Dans ces conditions, n'est-ce pas donner à παρακύψας trop de précision que de lui imposer le sens qu'il prend en Jn 20? D'après Jn 20,5, l'autre disciple qui arrive le premier au tombeau n'y entre pas: du dehors, il jeta un regard à l'intérieur. Beaucoup de commentateurs notent la différence entre le βλέπει de l'autre disciple au v. 5 et le θεωρεῖ de Pierre qui, étant entré, fait l'inspection du tombeau[136]. L'argument repose peut-être trop sur une différence de vocabulaire et ne tient pas suffisamment compte de la variation stylistique dans Jn[137], ni surtout d'une distinction éventuelle entre le βλέπει de la source et le θεωρεῖ de la rédaction (cf. v. 11). Il me paraît plus important d'observer que Jn 20,5 ne reprend que partiellement la constatation de Pierre: (ὀθόνια) μόνα, qui est essentiel en Lc 24,12, y fait défaut. Par contre, il est utilisé pour décrire l'expérience de Pierre au v. 7[138]. Jn 20,5 n'est donc

a compris le παρακύψας de Lc 24,12, l'on devra légèrement corriger l'affirmation de B. Lindars: «there is nothing about entry into the tomb in Lk. 24.12. This feature is part of John's delaying tactics, so as to build the narrative up to a climax» (*John*, p. 601). La 'tactique' johannique peut avoir son point de départ dans παρακύψας entendu dans le sens indiqué (= οὐ μέντοι εἰσῆλθεν).

135. Sur Lc 24,3 (et 24,22), cf. *supra*, p. 117. — E.A. Abbott fait un rapprochement (pour le rejeter aussitôt) entre παρακύψας (24,12) et κλινουσῶν τὰ πρόσωπα ἐπὶ τὴν γῆν (24,5): «Could Lk. have understood παρακύπτω as 'stooping down'?» (*Johannine Vocabulary*, p. 302, n. 4). La réponse que Luc aurait probablement écrit προκύπτω (*ibid.*) n'est même pas nécessaire: le parallèle est au v. 3, et non dans la réaction devant l'angélophanie au v. 5.

136. Holtzmann (cf. n. 6): «Beide sehen die ὀθόνια, aber der Eine flüchtig (βλέπει), der andere genau (θεωρεῖ)»; B.F. Westcott: «The simple sight here (βλέπει) is distinguished from the intent regard (θεωρεῖ)...» (*John*, p. 289); etc. R. Bultmann hésite et ne se prononce pas (*Johannes*, p. 530, n. 5).

137. Cf. B. Lindars: «John characteristically varies the word for *saw* (*theōrei* instead of *blepei*)» (*John*, p. 601); R.E. Brown: «No progression of meaning is verifiable, as if Peter's look was more leisurely or penetrating» (*John*, p. 986). Comp. C.C. Tarelli, *Johannine Synonyms*, dans *JTS* 47 (1946) 175-177, p. 176: «the two verbs appear to be synonymous, or nearly so».

138. Abbott l'a bien noté: «John is perhaps alluding to Luke in his detail of the '*linen cloths*' lying '*apart*' from the head covering, which seems to be an interpretation of Luke's '*linen cloths alone* (μόνα)'» (*Johannine Vocabulary*, p. 305). (N'oublions pas non plus la remarque de Bengel dans *Gnomon*, *ad loc.*: «Κείμενα, *jacentia*, praeponitur v. 5, τὰ ὀθόνια, *lintea*, praeponitur h. l. in antitheto ad *sudarium*».) Abbott peut écrire: «as regards παρακύπτω and ὀθόνια, John appears to be not only allusive, but also corrective» (*ibid.*). À propos de παρακύπτω, il y a deux réserves à exprimer: (*1*) «Luke describes Peter, near the tomb, as '*glancing in*', ...» (p. 303): il ne me paraît pas prouvé que παρακύπτω en Lc 24,12 a le sens restreint et précis

qu'un parallèle incomplet de Lc 24,12. On ne peut l'oublier lorsqu'il s'agit d'interpréter παρακύψας en Lc 24,12.

Une autre nuance que παρακύπτω peut prendre est celle de «regarder en bas». C'est ainsi que παρακύπτω διὰ τῆς θυρίδος (LXX) est traduit par des auteurs qui ne se décident pas pour «se pencher» mais font tout de même remarquer que la fenêtre est au-dessus de la rue. Le sens est évident en Hénoch 9,1: les anges regardent du haut du ciel. Depuis la publication des papyrus d'Oxyrhynque, on trouve ce même sens dans l'incident plus terrestre de l'esclave Epaphroditus: βουληθεὶς ἀπὸ τοῦ δώματος τῆς αὐτῆς οἰκίας παρακύψαι καὶ θεάσασθαι τὰς [κρο]ταλιστρίδας ἔπεσεν καὶ ἐτελε[ύ]τησεν[139]. C.K. Barrett fait appel à ces exemples[140] pour noter qu'en Jn 20,5 on pourrait songer à un caveau en forme de puits; une idée qu'il écarte aussitôt: παρακύψας peut signifier «a glance of any kind for which an inclination of the head is required»[141]. Les données de l'archéologie sur la porte plus basse ou la chambre funéraire en contrebas ne nous avancent guère, aussi longtemps que le παρακύψας en question en reste ici l'unique indication[142]. Notons d'autre part que les exemples cités, P. Oxy. III, 475 ainsi que Hénoch 9,1, ne sont pas sans analogie avec παρακύψας βλέπει: on y trouve παρακύπτω (regarder) associé avec le verbe θεάομαι (voir) qu'il précède et prépare[143].

D'après le contexte, παρακύπτω peut signifier «regarder à l'intérieur» ou «regarder en bas», mais ce n'est pas le sens unique du mot. De même, on ne peut pas le réduire à «jeter un regard rapide»[144].

qu'il a en Jn 20,5 (*glancing in, catching a glimpse*). (*2*) «Mary Magdalene... 'caught a glimpse (lit.) into [the spiritual revelation of] the tomb'» (p. 305): au v. 11 il n'y a aucun indice d'un sens «spirituel».

139. *P. Oxy.* III, 475; cf. B.F. GRENFELL & A.S. HUNT, *The Oxyrhynchus Papyri*, t. 3, London, 1903, p. 159-160: n° 475 «Report of an Accident» (A. D. 182). Traduction: «wishing to *lean out* from the bed-chamber(?) of the said house» (p. 160). J.H. Moulton corrige: «shows very clearly the meaning 'look down'», et ajoute: «thus reinforcing Hort's argument on 1 Pet. i.12»; cf. *Notes from the Papyri. III*, dans *Expositor* 6e sér., t. 8 (1903) 423-439, p. 436; voir aussi p. 429, sur δῶμα: «'The top of the house' is clearly the meaning, whether a top room or the flat roof (as in N.T.)».

140. *John*, p. 468. Il y ajoute encore *Corpus Hermeticum* I, 14: διὰ τῆς ἁρμονίας παρέκυψεν (Festugière: «l'Homme... *se pencha* à travers l'armature des sphères»).

141. *Ibid.* Comp. n. 4 et 5 (Lagrange).

142. Cf. *supra*, n. 6. C'était déjà l'argument de Baronius, auquel répondit Casaubon (cf. *supra*, n. 13).

143. Voir les textes cités, n. 59 et p. 147. J'y insiste parce que Moulton-Milligan (p. 486) et W. Michaelis (*TWNT*, 5, p. 813) ne donnent qu'un fragment du texte du P. Oxy. (βουληθεὶς - παρακύψαι). Cf. *supra*, n. 53 (LXX). Voir aussi παρακύψασα εἶδον dans les *Actes de Thomas* (n. 130).

144. Cf. *supra*, n. 122 (Hort) et 123 (Abbott). La discussion est déjà ancienne. Dans ses *Curae Philologicae et Criticae* (Hamburg, 1725), J.C. Wolfius note à propos de Lc 24,12: «Vox παρακύπτειν de attenta et solicita inspectatione adhibetur ab

Hort qui a tendance à le faire pour le sens figuré, doit accepter que cela ne s'applique pas aux passages qu'il étudie (Jc 1,25; 1 P 1,12)[145]. La part de vérité dans la théorie est sans doute que, en tant que *verbum videndi*, παρακύπτω fonctionne comme notre «regarder» qui se distingue de «voir». Avant de conclure, voyons encore un dernier exemple de «regarder et voir».

V

C'est sur le même manuscrit qui contenait le texte grec d'Hénoch que nous est parvenu l'*Évangile de Pierre* (publié en 1892)[146]. On y trouve deux emplois de παρακύπτω dans le récit du tombeau vide (XIII; 55 et 56). Le mot fait évidemment partie du dossier d'une discussion, qui n'est toujours pas close, sur les rapports de l'apocryphe avec les évangiles canoniques. En raison de la thèse de l'inauthenticité de Lc 24,12, c'est surtout le parallèle avec Jn 20,5.11 qui a été étudié[147]. On se croit transporté dans la problématique de «Jean

Arriano Epict. (I.1.16)» (p. 771). G.D. Kypke lui fournit une double réponse: dans le parallèle de Jn 20,5 il s'agit d'une *festinata inspectio*, et: «Παρακύπτειν profanis notat: *exserto capite prospicere* sive *introspicere*, idque festinanti plerumque et fugitivo intuitu. Hinc frequens vox de feminis furtim per fores vel fenestras prospicientibus». Cf. *Observationes Sacrae in Novi Foederis Libros ex auctoribus potissimum Graecis et Antiquitatibus*, Wratislava, 1755, p. 335-336. — W. Michaelis, dans *TWNT*, 5, veut éviter une définition trop unilaterale: «sie soll — durch παρα- unterstrichen — einem raschen, flüchtigen, verstohlenen Hinsehen gelten, will aber auch gerade ein genaueres Betrachten ermöglichen» (p. 812, l. 32-33); puis, sur «regarda par la fenêtre»: «das Verstohlene, sogar Verbotene, aber trotzdem Beharrliche» (p. 813, l. 26-27); et finalement, à propos de Jc 1,25 (p. 814, n. 13): «schon παρακύψας (der sonstige Sprachgebrauch lässt das ohne weiteres zu) meint ein eindringendes Sichversenken» (ce qui est contestable, cf. *supra*).

145. Sur l'opinion de Abbott, voir n. 123 et 125. Il interprète dans le même sens l'emploi par Philon dans *Legat.* 56 (cf. *supra*, n. 57): «Philo uses παρακύπτω metaphorically, to note the absurdity of supposing that the 'ignorant' can even '*glance into*, or *catch a glimpse of*,' the counsels of 'an imperial soul'» (*Johannine Vocabulary*, p. 301). Il s'appuie sur πρὸ μικροῦ: «they cannot glance into them even 'a little while before [their fulfilment]'» (*ibid.*, n. 2). L'argument est peu convaincant car l'expression ne se rattache pas à παρακύψαι; on peut traduire: «qui privati paulo ante fuerant» (Mangey), ou plutôt: «auront bientôt le droit» (cf. A. Pelletier: «Un de ses jours ...»). Il est moins exceptionnel d'y trouver la citation de Démosthène (4,24): παρακύψαντ' ἐπὶ τὸν τῆς πόλεως πόλεμον, «of those who 'give just one glance' to the affairs of Athens» (p. 300).

146. Ed. U. Bouriant, Paris, 1892. Cf. L. Vaganay, *L'Évangile de Pierre* (Études Bibliques), Paris, 1930; M.G. Mara, *Évangile de Pierre* (Sources Chrétiennes, 201), Paris, 1973.

147. Par exemple H. von Schubert, *Die Composition der pseudopetrinischen Evangelienfragmente*, Berlin, 1893, p. 132: «sich hineinbeugen. Der letztere realistische Zug findet sich nur im 4. Evangel.; man müsste sich wegen des niedrigeren Eingang bücken, um in das Totengelass zu blicken»; p. 134: «Der Engel des PE redet mit Worten des 4. Evangelisten». Voir aussi C.H. Turner, *The Gospel of Peter*, dans *JTS* 14

et les Synoptiques» lorsqu'on lit cette phrase de P. Gardner-Smith: «The use of a single common word by 'Peter' and John is not enough to outweigh differences so obvious, and probability inclines to the view that 'Peter' had not seen John's narrative»[148]. Comme en Jn 20,5, Gardner-Smith traduit par «to peer in»[149], mais la plupart des commentateurs rendent παρακύπτω par «se pencher (à l'intérieur)»[150]. Dans l'hypothèse d'une harmonisation des évangiles canoniques, ce «trait réaliste» des femmes qui se penchent pour regarder (sans y entrer) viendrait de Jn 20,5.11; Lc 24,12[151]. Toutefois, cette interprétation n'est pas sans difficultés. D'abord, après qu'il a été dit que les femmes trouvèrent le sépulcre ouvert et προσελθοῦσαι παρέκυψαν ἐκεῖ καὶ ὁρῶσιν ἐκεῖ τινα νεανίσκον... (55), l'ange les invitera: παρακύψατε καὶ ἴδατε τὸν τόπον ἔνθα ἔκειτο ὅτι οὐκ ἔστιν (56). Pour Vaganay, «puisqu'elles n'y sont pas entrées, cette addition au texte canonique est d'une note assez juste»[152]. Mais, si les femmes ne sont pas entrées, ne sont-elles pas, pendant que l'ange s'adresse à elles, restées penchées à la porte, regardant l'ange assis au milieu du sépulcre? A. Lods qui fut un des premiers à étudier l'apocryphe, semble avoir senti 'la difficulté': il traduit d'abord par «elles se baissèrent pour y regarder» (55), et puis simplement par «regardez» (56)[153]. En effet, on peut y voir une réminiscence de Mt 28,6 δεῦτε ἴδετε τὸν τόπον ὅπου ἔκειτο (par. Mc 16,6), qui est une invitation urgente à regarder et voir. C'est donc le παρέκυψαν de 55 qui est le point de départ de l'interprétation. Il n'est pas dit de manière explicite que les femmes sont entrées, εἰσελθοῦσαι, comme en Mc 16,5 (et Lc 24,3), mais il convient d'observer que tout le contexte s'inspire clairement du récit de Mc 16. La réflexion des femmes (Mc 16,3) reçoit une amplification en *Ev. P.* 52-54, où l'intention des femmes est exprimée:

(1913) 161-195, p. 171, n. 2: «peculiar to St John xx 5,11; par Lk xxiv 12 is an interpolation imitated from St John's account — though of course the interpolation *may* have been already present in 'Peter's' copy».

148. P. GARDNER-SMITH, *The Gospel of Peter*, dans *JTS* 27 (1926) 255-271, p. 258. Comparer les références à *Ev. P.* dans *Saint John and the Synoptic Gospels*, Cambridge, 1938 (cf. Index, p. 99).

149. Comp. E.A. Abbott (*op. cit.*, p. 302): «glance in»; M.R. James (1924): «look in».

150. «Stoop in» (Turner, *loc. cit.*, p. 195; cf. p. 171, n. 2: «to stoop down»); «stoop down» (Rendel Harris); «hineinbeugen» (von Schubert); «sich niederbeugen» (Preuschen); «sich niederbücken» (Maurer); Vaganay: «se pencher» et Mara: «se baisser», les deux ajoutent «pour regarder» en 55. Sur la traduction de A. Lods, cf. n. 110.

151. L. VAGANAY, *L'Évangile de Pierre*, p. 326 (cf. *supra*, n. 146).

152. *Ibid.*, p. 328.

153. A. LODS, *L'Évangile et l'Apocalypse de Pierre publiés pour la 1re fois d'après les photographies du manuscrit de Gizéh*, Paris, 1893, p. 42. Comp. *Evangelium secundum Petrum*, Paris, 1892, p. 50-51: «incurvato corpore introspexerunt» et «introspicite».

ἵνα εἰσελθοῦσαι παρακαθεσθῶμεν αὐτῷ (53)[154]. Une fois qu'elles trouvent le sépulcre ouvert (55), on s'attend normalement à ce qu'elles y entrent, mais le texte reste vague (προσελθοῦσαι)[155], car c'est sur la vision de l'ange que se porte l'attention du narrateur: «et là elles regardèrent et elles virent un jeune homme...»[156].

Dans l'*Évangile de Pierre*, l'emphase de ἀναβλέψασαι θεωροῦσιν, qui marque la découverte de l'ouverture du tombeau dans Mc 16,4, s'est transportée sur l'apparition angélique. Cela nous ramène à Lc 24: en parallèle à Mc 16,4 nous y trouvons cette constatation dans un ton plutôt neutre au v. 2 (εὗρον), et l'accent se déplace sur le fait que les femmes ne trouvent pas le corps de Jésus (v. 3), une constatation qui sera répétée par Pierre au v. 12: παρακύψας βλέπει... L'étude du mot παρακύπτω peut confirmer, me semble-t-il, le rapprochement avec Mc 16,4. On peut le traduire comme *verbum videndi*: «il *regarde* et il voit». C'est l'auteur du quatrième évangile qui, en l'appliquant à l'autre disciple, a introduit la nuance de regarder dans le tombeau sans y entrer[157].

154. L'entrée dans le tombeau est désignée par le même verbe en *Ev. P.* 37: ἀμφότεροι οἱ νεανίσκοι εἰσῆλθον (cf. 39, ἐξελθόντας ἀπὸ τοῦ τάφου τρεῖς ἄνδρας), 44: ἄνθρωπός τις... εἰσελθὼν εἰς τὸ μνῆμα. Le texte de *Ev. P.* ne contient aucune indication que les hommes aient besoin de se baisser pour entrer.

155. On peut difficilement se baser sur προσελθοῦσαι pour dire que les femmes ne sont pas entrées. Cf. L. VAGANAY, *L'Évangile de Pierre*, p. 326: «un participe employé d'une façon pléonastique, afin de mettre un peu de vie dans la narration»; et à propos de l'autre emploi en *Ev. P.* 47: «une simple façon d'animer le récit et de souligner l'instante prière des chefs israélites» (p. 312). Il est à noter qu'en *Ev. P.* 36, le verbe plus spécifique ἐγγίζω est employé (ἐγγίσαντας τῷ τάφῳ) pour dire que les hommes *s'approchent* du tombeau, avant d'y entrer (cf. 37). D'après Vaganay (*op. cit.*, p. 326), le participe ἀπελθοῦσαι est également pléonastique (et il n'y a pas lieu d'adopter la correction de Kunze en ἐπ-):
καὶ ἀπελθοῦσαι εὗρον (Lc 24,2) τὸν τάφον ἠνεωγμένον (cf. 37)
καὶ προσελθοῦσαι παρεκύψαν ἐκεῖ
καὶ ὁρῶσιν ἐκεῖ τινα νεανίσκον...
Dans la description de l'ange, *Ev. P.* reste très proche de Mc 16,5; cf. H. VON SCHUBERT, *Die Composition* (cf. n. 147), p. 132. Il note une différence: ἐν τοῖς δεξιοῖς remplacé par ἐν μέσῳ τοῦ τάφου, et il l'explique: «Die Aenderung hängt damit zusammen, dass bei Mc. die Frauen in das Grab hineingehen, hier sie sich bücken, so dass sie überhaupt wohl nur einen und zwar den mittleren Teil übersehen können» (*ibid.*). Voir aussi L. VAGANAY, *op. cit.*, p. 327. N'est-ce pas une explication trop «réaliste» (cf. n. 147)?

156. Je cite encore le parallèle dans *Epistula Apostolorum* 9, texte copte (traduction de H. Duensing): «Als sie aber sich dem Grabe genähert hatten, *blickten sie hinein* und fanden den Leib nicht» (cf. Jn 20,11, mais également Lc 24,12 et 3).

157. Παρακύψας est bien traduit en hébreu par וַיַּשְׁקֵף dans la traduction du N.T. de F. Delitzsch. Il choisit le même verbe שקף pour les cinq emplois de παρακύπτω dans le N.T. Par contre, la traduction de I. Salkinson et D. Ginsburg semble être faite sur une version moderne comme «stooping to look in»: le seul mot grec παρακύψας de Lc 24,12 est rendu par וַיִּשַּׁח לִרְאוֹת אֱל־תּוֹכוֹ Le verbe שקף y est employé en Jn 20,5 (et 11) précédé par le même שחח *niphal* et suivi de אֱל־תּוֹכוֹ (cf. «stooping and looking in»). Delitzsch donne l'expression prépositionnelle אֱל־תּוֹכוֹ

Cette interprétation de παρακύψας dans Lc 24,12 et Jn 20,5 n'est pas sans conséquences pour le problème des rapports entre les évangiles de Jn et Lc[158]. La thèse de l'interpolation de Lc 24,12 s'est appuyée, dès le début, sur la présence du «johannisme» παρακύψας dans le verset lucanien[159]. Mais dans le cas de παρακύπτω (deux fois dans Jn: 20,5 et 11), la statistique du vocabulaire est un argument bien faible, quoiqu'il continue d'être employé[160], même par ceux qui considèrent παρέκυψεν εἰς τὸ μνημεῖον au v. 11b comme la reprise rédactionnelle de (εἰς τὸ μνημεῖον καὶ) παρακύψας de Jn 20,(4-)5[161]. Pour beaucoup d'exégètes le mot n'est pas plus johannique que lucanien[162], et on retrouve παρακύψας βλέπει dans les essais récents de reconstruction de la *Vorlage* johannique, source commune de Jn 20,3-10 et Lc 24,12[163]. Récemment, R. Mahoney s'est insurgé contre une telle reconstruction: «in such a story Peter (or whoever it was) must have entered the tomb straightway». D'après lui, παρακύψας («peering in from outside») est ajouté par l'évangéliste qui veut effectuer «a deliberate delaying tactic to let someone also come

en Jn 20,5 (cf. v. 11), mais il omet une telle explicitation en Lc 24,12. On y trouve donc la différence entre Jn 20,5 et Lc 24,12 que suggère mon article.

158. Sur ce problème, voir F. NEIRYNCK, *John and the Synoptics*, dans M. DE JONGE (éd.), *L'évangile de Jean* (BETL, 44), Gembloux-Louvain, 1977, p. 73-106; sur Lc 24,12, p. 98-104.

159. Cf. D. SCHULZ, dans la troisième édition du N.T. de Griesbach (1827), *ad* Lc 24,12: «Cf. Io.XX.6-7. Absentem hunc vs. haud facile desideres. Παρακύπτειν, ὀθόνια, ἀπῆλθεν πρὸς ἑαυτόν (cf. Io.XX.10), ut a Lc sint aliena, ita undique produnt Ioannem». La phrase sera citée par Tischendorf ([8]1869) et B. Weiss parlera de «eine diesen Vers [*v. 24*] vorbereitende Glosse, welche die johanneische Diction (ὀθόνια, παρακύπτειν, ἀπῆλθεν πρός) höchst verdächtig macht» (*Markus und Lukas*, [6]1878, p. 589, n. 1).

160. Cf. K.P.G. CURTIS, *Luke xxiv.12*, 1971 (cf. *supra*, n. 2), p. 514: «In as much as the verb is used elsewhere by John but not by Luke it is Johannine rather than Lukan»; et plus loin: «παρακύπτω... may tentatively be said to be more characteristic of John than of Luke».

161. P. BENOIT, *Marie-Madeleine et les disciples au tombeau selon Joh 20,1-18*, dans W. ELTESTER (éd.), *Judentum, Urchristentum, Kirche. Festschrift J. Jeremias* (BZNW, 26), Berlin, 1960, p. 141-152, spéc. p. 146; comp. p. 142: parmi les termes qui «ne s'expliquent bien que comme des emprunts à Joh» (pour Benoit: la forme primitive du récit johannique). Cf. *Exégèse et théologie*, t. 3, Paris, 1968, p. 270-282 (spéc. p. 275 et 272). Voir aussi R. SCHNACKENBURG, *Das Johannesevangelium*, t. 3, Freiburg, 1975, p. 364 et, d'autre part, p. 360 et 372. (Sur l'insertion de 20,11b-14a, cf. F. SPITTA, *Das Johannes-Evangelium als Quelle der Geschichte Jesu*, Göttingen, 1910, p. 391; comp. Schwartz et Wellhausen.) Cf. *infra*, n. 165.

162. Voir déjà T. KEIM, *Geschichte Jesu von Nazara*, t. 3, Zürich, 1872, p. 554, n. 6: «ist nicht mehr joh. als luk. Ausdruck, weil es Joh. 20, 5.11 zweimal steht, das zweite Mal aus Reminiscenz an die erste Entlehnung aus Luk».

163. Ainsi, avec des nuances diverses de *Grundschrift*, *Vorlage* ou *Tradition*: J. Jeremias (1949), A.R.C. Leaney (1955), A. Kragerud (1959), B. Lindars (1961), G. Hartmann (1964), R.T. Fortna (1970), R. Schnackenburg (1970), T. Lorenzen (1971), X. Léon-Dufour (1971), M.-E. Boismard (1972), F.L. Cribbs (1973), J. Wanke (1973).

up and enter»[164]. Παρακύψας redevient donc un johannisme, et Lc 24,12 une interpolation secondaire à partir de Jn 20! La position de Mahoney semble être une réaction contre ceux qui, admettant un παρακύψας traditionnel, l'entendent au sens johannique sans se poser des questions sur la vraisemblance d'une telle expression (se pencher ou regarder à l'intérieur du tombeau, sans y entrer) dans un récit traditionnel qui parle du seul Pierre se rendant au tombeau[165]. Le problème est réel, mais l'auteur a eu tort de supprimer Lc 24,12 qui, se situant entre le récit des femmes au tombeau de Mc 16 et celui des deux disciples de Jn 20,3-10, emploie παρακύψας βλέπει pour Pierre qui, apparemment à l'intérieur du tombeau, constate que le corps de Jésus n'est pas là: il regarde et voit seulement les linges[166].

164. R. MAHONEY, *Two Disciples at the Tomb*, 1974 (cf. *supra*, n. 2), p. 246. Il conclut: «in comparing John 20.5 with 20.11 we judge παρακύψας here to be more necessary for the evangelist's purpose and therefore logically prior to its appearance in Luke 24.12» (*ibid.*); cf. p. 54: «only in John 20.5 do the circumstances seem to *require* the specific idea of παρακύπτω».

— La dissertation de l'auteur fut acceptée à Würzburg par un «*Doktorvater*... personally in disagreement with certain of its results» (cf. p. 5). Il semble être le cas ici; cf. R. SCHNACKENBURG, *Das Johannesevangelium*, t. 3, p. 366: «Aus dem Ausdruck (παρακύψας)... lässt sich nichts für die Herkunft vom Evangelisten oder von einer Quelle entnehmen».

165. À ma connaissance, seul G. Hartmann s'interroge sur ce point. (Voir aussi Lindars, *supra*, n. 134.) Il envisage la possibilité que Jn 20,6 (εἰσῆλθεν) serait traditionnel, au lieu de 20,5 (παρακύψας), avec Pierre qui entre dans le tombeau, peut-être en contraste à Marie (v. 11a). Mais il écarte cette possibilité (et donc l'hypothèse de Mahoney) pour deux raisons: le parallèle de Lc 24,12, et l'observation que «stammte v. 5 von Johannes, so wäre nicht recht einzusehen, warum er hier den Lieblingsjünger von aussen schon erkennen lässt, was Petrus erst im Grabe entdeckt (v. 6)». Cf. G. HARTMANN, *Die Vorlage der Osterberichte in Joh 20*, dans *ZNW* 55 (1964) 197-220, p. 200. Sur l'autre disciple qui supplante Pierre, voir F. NEIRYNCK, *The 'Other Disciple' in Jn 18,15-16*, dans *ETL* 51 (1975) 113-141, p. 136-140.

166. Pour être complet, j'ajoute encore la liste des attestations de παρακύπτω: (LXX) Gn 26,8; Jg 5,28 B; Pr 7,6; 1 Ch 15,29; Si 14,23; 21,23; Ct 2,9; 1 R 6,4 (part.); (NT) Lc 24,12; Jn 20,5.11; 1 P 1,12; Jc 1,25; (apocr.) Hénoch 9,1 (cf. n. 58-60); Ev. Petri 13:55.56 (n. 146-155); Acta Thomae 55.56.57bis (n. 130); (auteurs grecs) Hippocrate, *Fist.* 3; Démosthène, 4e *Phil.* 1,24; Aristophane, *Eccles.* 202.884.924; *Pax* 982.985; *Thesm.* 797.799.1187; *Acharn.* 16; *Vespae* 178; fgm 692b (n. 86-90); Théocrite 3,7 (n. 91-93); Esope, *Fab.* 202 (145 P, 251 H); Philon, *Legat.* 56 (n. 57), Corpus Hermeticum I, 14 (n. 140); Plutarque 2,766 (n. 79.85); P. Oxy. III, 475 (n. 139); P. Lips. I, 29; Phlegon fgm 257 Jacoby (36,1,3); Arrien, Epict. 1.1.16; Lucien, *Asin.* 45; *Bis Acc.* 31; *D. Meretr.* 2,3bis; *Herm.* 2; *Pisc.* (*Revivisc.*) 30; *Tim.* 13; Zénobe 3,32; 5,39; Dion Cassius 52,10; 62,3; 66,17; Achille Tatius 2,35; Aelius Aristide 1,367; Soranus 1,118. Wettstein signale, parmi les auteurs plus récents, Libanius (O. IX, p. 254 A, cité par Field, et D. III.155 A); Thémistius (II, p. 30). Sur les attestations chez les Pères de l'Église, voir le lexique de Lampe (ajouter e.a. Basile et Chrysostome).

ETL 54 (1978) 104-118

ΑΠΗΛΘΕΝ ΠΡΟΣ ΕΑΥΤΟΝ

Lc 24,12 et Jn 20,10

La thèse de l'interpolation de Lc 24,12 s'est toujours appuyée sur l'argument du vocabulaire johannique. Il est résumé par D. Schulz dans la troisième édition du Nouveau Testament de Griesbach (1827): «Παρακύπτειν, ὀθόνια, ἀπῆλθε πρὸς ἑαυτόν, (cf. Io. XX. 10) ut a Lc. sint aliena, ita undique produnt Ioannem». Ces paroles, citées par Tischendorf dans l'apparat critique de son édition (⁸1869), ont fait autorité. B. Weiss nota les mêmes indices de style johannique, mais décrit le troisième élément plus simplement comme ἀπῆλθεν πρός [1]. Dans des publications récentes, on retrouve l'argument sous cette double forme: d'une part, l'emploi johannique de ἀπέρχεσθαι πρός qui est sans parallèle en Lc-Ac (cf. Jn 4,47; 6,68; 11,46) [2], et d'autre part, le caractère exceptionnel de l'expression ἀπῆλθεν πρὸς ἑαυτόν qui n'est attestée qu'une seule fois ailleurs dans la Bible grecque (Nb 24,25) [3]. C'est surtout la dernière observation qui retiendra notre attention dans cette note.

1. *Un cas de dativus ethicus*

Dans son ouvrage sur l'arrière-fond araméen des évangiles, M. Black explique πρὸς ἑαυτόν/ἑαυτούς en Lc 24,12 et Jn 20,10 comme la traduction d'un *dativus ethicus* de l'araméen, להון/לה employé avec le verbe אזל (s'en aller): «he went *him* away, they went *them* away». La traduction courante «revenir chez lui/eux» serait à rejeter («a very doubtful rendering»). «In view of the failure in the Greek», πρὸς

1. B. Weiss, *Markus und Lukas*, ⁶1878, p. 589, n. 1: «eine... Glosse, welche die johanneische Diction (ὀθόνια, παρακύπτειν, ἀπῆλθ. πρός) höchst verdächtig macht» (cf. ⁹1901, p. 679: «ἀπῆλθ. πρὸς ἑαυτούς»). Comparer la discussion des trois expressions «johanniques» chez T. Keim, *Geschichte Jesu von Nazara*, t. 3, Zürich, 1872, p. 554, n. 6 (l'auteur défend l'authenticité du verset contre Griesbach, Schulz, Rinck, Scholten, Lachmann, Tischendorf, Ewald). — Sur ὀθόνια, cf. *John and the Synoptics*, dans M. de Jonge (éd.), *L'évangile de Jean* (BETL, 44), Gembloux-Louvain, 1977, p. 73-106, spéc. p. 101, n. 114; sur παρακύπτω, cf. ΠΑΡΑΚΥΨΑΣ ΒΛΕΠΕΙ. *Lc 24,12 et Jn 20,5*, dans *ETL* 53 (1977) 113-152.

2. K.P.G. Curtis, *Luke xxiv.12 and John xx.3-10*, dans *JTS* 22 (1971) 512-515, p. 514. Voir aussi J.A. Bailey, *The Traditions Common to the Gospels of Luke and John* (Suppl. NT, 7), Leiden, 1963, p. 85, n. 3.

3. R. Mahoney, *Two Disciples at the Tomb. The Background and Message of John 20.1-10* (Theologie und Wirklichkeit, 6), Bern-Frankfurt, 1974, p. 55-56. R. Schnackenburg définit l'expression de façon moins précise: «die Konstruktion ἀπελθεῖν πρός» (*Das Johannesevangelium*, t. 3, 1975, p. 364).

ἑαυτόν/ἑαυτούς est classé parmi les cas les plus certains de *dativus ethicus* dans les évangiles: Lc 24,12 et Jn 20,10 doivent remonter à une même tradition araméenne[4]. Depuis 1946, cette interprétation a connu un relatif succès. Maintenue par M. Black dans les nouvelles éditions de son livre (²1954, ³1967)[5], elle est signalée dans le *Lexicon* de Arndt et Gingrich (1957)[6] et adoptée dans les commentaires anglais de C.K. Barrett et B.A. Mastin[7]. Ce dernier traduit Jn 20,10: «Then the disciples *for their part* went away again». La *TOB* qui traduit Jn 20,10 de manière traditionnelle («s'en retournèrent chez eux») semble suivre la nouvelle interprétation pour Lc 24,12: «il s'en alla *de son côté*...».

Pour l'origine de cette interprétation, il faut remonter à la découverte de la version vieille syriaque du Sinaï. Je n'en ai trouvé de trace dans la littérature exégétique avant 1894 que chez Petrus Keu-

4. M. BLACK, *An Aramaic Approach to the Gospels and Acts*, Oxford, 1946, p. 77 et 78. L'auteur retient comme *dativus ethicus* un pronom au datif en Mt 23,9 D; 23,31; Mc 7,4 D; Jn 19,17; et πρὸς/εἰς ἑαυτόν/-ούς en Mc 10,26 D; 14,4; Lc 7,30; 18,11; 22,65 D; 24,12; Jn 12,19; 20,10 (p. 76-78: «The Reflexive Pronoun and the Ethic Dative»; = ²1954). Cf. ³1967, p. 102-104; il ajoute encore αὐτοῖς en Ac 1,26; 8,17 P⁴⁵; 14,2 D; 15,2 D.

5. Dans la seconde édition, l'auteur ajoute la note supplémentaire: «Cf. however, Josephus, *Antiq.* viii. iv. 6», et il renvoie à A. Schlatter et W. Howard (p. 248). Dans la troisième édition, la note semble avoir perdu son caractère d'objection: «Cf. further Josephus...» (p. 102, n. 3).

6. Cf. art. ἑαυτοῦ, 1 i: «but s. MBlack...» (p. 211). Par contre, l'article ἀπέρχομαι, 2 (p. 84) n'en fait pas mention (traduction «go home», d'après Bauer). Aux deux endroits, les traducteurs complètent les références de Bauer, par Jn 20,10 (p. 84) et par Lc 24,12 (p. 211). Il est à noter que le *Wörterbuch* de Bauer s'en tient au sens «nach Hause gehen» (⁴1952, ⁵1958). Aucune référence à Black, ni aux cas de *dativus ethicus* signalés par cet auteur, dans les différentes éditions de la grammaire de Blass-Debrunner (et Rehkopf), § 192; l'édition de Funk se réfère à Black (et Torrey, cf. *infra*, n. 11) pour Lc 7,30 et 18,11 seulement (§ 192, p. 103). L'hypothèse de Black n'a pas été reprise par M.-É. BOISMARD, *Importance de la critique textuelle pour établir l'origine araméenne du quatrième évangile*, dans *L'évangile de Jean* (Recherches Bibliques, 3), Bruges, 1958, p. 41-57; voir la traduction de la source commune de Jn 20,10 et Lc 24,12: «il s'en retourna chez lui» (*Synopse*, t. 2, 1972, p. 446; t. 3, 1977, p. 457).

7. C.K. BARRETT, *John*, 1955, p. 469: le sens de Jn 20,10 ne peut être «s'en aller chez eux» puisque «John would have written πρὸς (or εἰς) τὰ ἴδια (cf. 1.11; 16.32)» (on ajoutera 19,27), et l'expression correspond exactement au *dativus ethicus* de l'araméen. Voir aussi p. 456 sur Jn 19,17: «αὐτῷ is probably emphatic; but it may represent the Aramaic ethic dative (Black, 76)». — J.N. SANDERS - B.A. MASTIN, *John*, 1968, p. 419, n. 3: «Black plausibly connects...». Il signale toutefois une difficulté: la phrase de Nb 24,25 ne traduit pas un *dativus ethicus* de l'hébreu. Certains commentateurs se montrent plus critiques: L. Morris (1971), qui insiste beaucoup sur le parallèle chez Josèphe (p. 835, n. 22); B. Lindars (1972), qui répète la difficulté notée par Mastin; il ajoute cependant: «But there may well be an Aramaic original behind the source used by John» (p. 603). D'autres commentateurs n'en parlent pas: J. Marsh, R.E. Brown, S. Schulz, R. Schnackenburg, M.-É. Boismard.

chenius (1689)[8]. Black lui-même renvoie à *Our Translated Gospels* de Torrey (1936) pour le datif éthique de Lc 24,12/Jn 20,10, ainsi que pour Lc 7,30; 18,11 et Mt 23,9 D[9]. C.C. Torrey a en effet vulgarisé la notion du datif éthique dans le cadre de sa théorie générale sur les évangiles comme des traductions fidèles de documents araméens. Dans les *Notes on the New Readings*, en appendice à sa nouvelle traduction des évangiles (1933), il signale en outre Mc 6,20 (αὐτόν, après συνετήρει); 9,10 (πρὸς ἑαυτούς); Lc 8,29 (αὐτόν); Jn 11,33 (ἑαυτόν); 11,38 (ἐν ἑαυτῷ)[10]. Il revient encore sur le sujet en 1951 pour s'étonner du fait que Wellhausen n'a jamais reconnu ce tour idiomatique dans les évangiles, même pas en Mc 6,31 (ὑμεῖς αὐτοί); Lc 7,30 (εἰς ἑαυτούς) et 18,11 (πρὸς ἑαυτόν)[11]. À cette occasion, Torrey fait remarquer qu'il est parvenu à la certitude que les évangiles sont traduits de l'araméen «through eager study of the Lewis Gospels, from 1894 onward»[12]. Le cas de Lc 24,12/Jn 20,10[13] avait été signalé déjà par A. Meyer en 1896, en dépendance directe de la première traduction de sy^{s} publiée par Lewis en 1894[14]. À propos de la version syriaque de Jn 20,10 («they went their way»), A.S. Lewis

8. Cf. Petrus Keuchenius, *Annotata in omnes Novi Testamenti libros* (ed. J. Alberti), Leiden, 1755 (= 1689), p. 253: «Locutio haec, vel simpliciter significat, discipulos a sepulchro abiisse, et alio recessisse; quo modo 1 Sam XXVI.11... et vers. 12...; vel indicat verbis hisce Evangelista, discipulos se domum, in quam Hierosolymis convenire, recepisse». Sur 1 S 26,11.12, cf. *infra*, n. 56.

9. *An Aramaic Approach*, ^{3}1967, p. 102, n. 2; 103, n. 1-3. Cf. C.C. Torrey, *Our Translated Gospels*, London, 1936, p. 76 et 79. Dans la note sur Lc 7,30, la référence indifférenciée à Wellhausen et Torrey manque de précision (voir aussi Funk, § 192); cf. *infra*, n. 11. Dans le cas de Lc 18,11, Black semble se séparer de Torrey et lire πρὸς ἑαυτὸν προσηύχετο, «prayed 'in himself'» (p. 103); voir cependant p. 299, n. 2.

10. C.C. Torrey, *The Four Gospels. A New Translation*, London, 1933, p. 287-331; ^{2}1947 (New York-London; même pagination, nouvelle introduction: p. v-xv). La note sur Jn 11,38 est à retenir: «In all the history of translation and mistranslation there is no example more certain than this». À l'encontre de M. Black, il traduit πρὸς ἑαυτούς en Mc 14,4 par «among themselves», comme en 11,31 et 12,7; cf. 1,27 «of one another»; 16,3 «to one another». En revanche, il lit αὐτόν en 10,26 et admet un datif éthique en 9,10 (p. 300). Sur le style de Mc, cf. C.H. Turner, *Marcan Usage*, art. (πρὸς) ἑαυτούς ['with one another'], dans *JTS* 29 (1928) 280-281.

11. C.C. Torrey, *Julius Wellhausen's Approach to the Aramaic Gospels*, dans *ZDMG* 101 (1951) 125-137, p. 128 (Mc 6,31) et 135-136 (Lc 7,30; 18,11). L'article est signalé par Funk (cf. *supra*, n. 6).

12. *Ibid.*, p. 137.

13. Torrey n'a pas manqué de rapprocher les deux textes; cf. *The Four Gospels*, p. 330: «20:10. Still another of the translations of the Aram. 'ethical dative' (abierunt sibi); especially common with this verb *ăzal*; they 'went away', see note on Lk 24:12!» (cf. p. 314).

14. A. Meyer, *Jesu Muttersprache*, Freiburg-Leipzig, 1896, p. 124: «Seltsam ist allerdings das πρὸς αὐτούς Joh. 20,10; es wird sich in der Tat am besten aus dem aramäischen אזלו להון (dat. eth. wie hebr. לך לך) erklären». Cf. p. 122, sur la traduction de Lewis (corriger la date: 1894, au lieu de 1895).

avait noté que l'expression du texte grec ἀπῆλθον... πρὸς ἑαυτούς «may perhaps be a translation of the Syriac *ezal lahūn*». Cette expression du texte grec («which is not classical») et τῇ μιᾷ τῶν σαββάτων en Jn 20,19 «may have sprung from the Evangelist's thoughts being habitually in Syriac»[15]. A. Meyer corrige la remarque de Lewis en observant que ce même aramaïsme du *dativus ethicus* se trouve en Lc 24,12 et pourrait venir d'un évangile plus primitif qui serait la source commune de Jean et Luc[16]. C'est encore actuellement l'idée de Black: «both may go back to the same piece of Aramaic tradition»[17].

Il n'y a en effet guère de différence au niveau du texte grec entre Lc 24,12 et Jn 20,10, malgré l'option pour le moins étonnante de la part (de la majorité) des éditeurs de N^{26} = GNT^3 d'imprimer d'une part πρὸς ἑαυτόν et d'autre part πρὸς αὐτούς[18]. Comparer:

ἑαυτόν et ἑαυτούς	Textus Receptus, B. Weiss, von Soden, Vogels, Merk, Bover
αὑτόν et αὑτούς	Westcott-Hort, Nestle (Lc 24,12 dans l'apparat de N^{25})
αὐτόν et αὐτούς	Tregelles, Tischendorf (om. Lc 24,12).

Dans la mesure où l'hypothèse du datif éthique se base sur la version vieille syriaque, il est moins clair qu'on puisse encore assimiler les deux passages. Les traducteurs de sy^s ne l'ont pas fait: «he went home», «they went their way» (Lewis); «he went to his *house*», «the disciples... went away» (Burkitt)[19]; «er kam zu sich», «gingen sie fort (*wörtl.* sich fort)» (Merx). Cette différence entre *abiit domun* et *abierunt sibi* tient à l'emploi de la préposition *lwt* en Lc 24,12 (*lwth*) contre la simple *l* en Jn 20,10 (*lhwn*). Mais une double question

15. A.S. LEWIS, *A Translation of the Four Gospels from the Syriac of the Sinaitic Palimpsest*, London, 1894, p. XVI. Cf. *What Have We Gained in the Sinaitic Palimpsest?*, dans *ExpT* 12 (1900-01), p. 520: «The 'ad se' of some Old Latin MSS., and the πρὸς ἑαυτοὺς, πρὸς αὑτοὺς, or πρὸς αὐτοὺς of the Greek text, seems to be a literal translation of a common Syriac idiom meaning simply 'went away'» (repris dans *Light on the Four Gospels from the Sinai Palimpsest*, London, 1913, p. 179).

16. *Op. cit.*, p. 124.

17. *An Aramaic Approach*, ³1967, p. 104 (voir la référence à A. Meyer, p. 103, n. 1). Cf. *supra*, n. 8 (Lindars).

18. On peut citer B א* L 661 comme témoins de αυτους en Jn 20,10, mais B L (et 0124) ont aussi αυτον en Lc 24,12. Cf. B.M. METZGER, *A Textual Commentary*, p. 254: «Despite what appears to be Hellenistic usage, a minority of the Committee strongly preferred to use the rough breathing on αὑτούς».

19. F.C. BURKITT, *Evangelion Da-Mepharreshe*, t. 2, Cambridge, 1904, p. 305. L'auteur corrige sa traduction de Lc 24,12: dans le premier tome, il avait traduit par «and he went away». Dans sy^c, le passage de Jn 20,10 manque. Le texte de Lc 24,12, qui est strictement identique à celui de sy^s, faisait problème à Cureton. Il traduit: «and went to it», et ajoute la note: «If this be not a mistake of the translator, it is, perhaps an error of the scribe» (*lwth* au lieu de *lh*); cf. W. CURETON, *Remains of a Very Ancient Recension of the Four Gospels in Syriac*, London, 1858, *Preface*, p. LXII.

reste à poser concernant Jn 20,10 dans sy^{s}. D'abord, *l* suivie d'un pronom peut exprimer un datif éthique, mais le sens de *abierunt ad se* est-il exclu? Puis, même s'il fallait traduire sy^{s} par *abierunt sibi*, n'est-ce pas là une interprétation de l'expression grecque πρὸς ἑαυτούς qui, dans ce cas, n'exprime pas exactement le sens de l'original? Pour répondre à cette dernière question, il est nécessaire aussi d'en savoir davantage sur les parallèles grecs de l'expression ἀπῆλθον πρὸς ἑαυτούς.

2. «*Et abiit secum mirans*»

Le rapprochement entre Lc 24,12 et Jn 20,10 se complique du fait que, dans le texte de Lc, πρὸς ἑαυτόν peut être lié au verbe ἀπῆλθεν qui le précède, mais également au participe qui le suit: πρὸς ἑαυτὸν θαυμάζων. C'est la traduction bien connue de la Vulgate («secum mirans») et de la Peschitta (Pusey-Gwilliam: «admirans apud semet ipsum»). Parmi les témoins de la vieille latine, *aur* et *c* ont le texte de la Vulgate «secum mirans», *f* lit «mirans secum», et *ff*^{2} garde l'amphibologie du texte grec: «et abiit apud semetipsum mirans factum». On trouve les deux possibilités dans les versions coptes: *abiit in domum suam* (bo) et *mirans secum* (sa). Les commentateurs peuvent faire appel à Euthymius pour le premier sens (πρὸς τὴν ἑαυτοῦ διαγωγήν)[20] et à Théophylacte pour l'autre[21]. Érasme note les deux, avec préférence pour «admirans apud sese»[22]. Grotius se réfère à la Peschitta («Conjungenda haec sunt, ut fecit Syrus»)

20. *PG* 129, col. 1096. Il renvoie à Jn 20,10, pour lequel il donne une paraphrase semblable: Πρὸς τὴν ἑαυτῶν καταγωγήν (col. 1480). Les commentaires patristiques sur πρὸς ἑαυτόν de Lc 24,12 sont rares, mais on n'a guère de doute sur le sens de Jn 20,10; Augustin, *PL* 35, col. 1955: «(*ad semetipsos*) id est, ubi habitabant, et unde ad monumentum concurrerant»; cf. Bède le Vénérable, *PL* 92, col. 918. Le sens de πρὸς ἑαυτούς ne change pas sous l'influence de θαυμάζων τὸ γεγονός de Lc: comparer l'addition de θαυμάζοντες τὸ γεγονός dans le ms. Λ et une paraphrase de Chrysostome (*PG* 59, col. 467): ἀπῆλθον πρὸς ἑαυτοὺς ἐκπληττόμενοι (dans le contexte: ἔτι ἐν ἀκμαζούσῃ ἦσαν ἐκπλήξει). Le passage est cité par Photius de Constantinople; cf. J. Reuss, *Johannes-Kommentare aus der griechischen Kirche* (TU, 89), Berlin, 1966, p. 411.

21. Ainsi, par exemple, S.T. Bloomfield (cf. *infra*, n. 29) et, sans le suivre, P. Schanz (*Lucas*, 1883, p. 556). Cependant, Théophylacte semble dire autre chose: «'Απῆλθε γάρ, φησί, πρὸς ἑαυτὸν», τουτέστι, καθ' ἑαυτὸν, «θαυμάζων τὸ γεγονός» (*PG* 123, col. 1112). La traduction latine (*ibid.*, col. 1111) ponctue le texte différemment: *Abiit enim, inquit, ad seipsum, hoc est, «secum admirans factum»*. Comparer C.A. Heumann (1722) qui, d'après Wolf (cf. *infra*, n. 26), cite un parallèle repris à Élien: «Aristotelem abiisse καθ' ἑαυτόν h.e. *domum suam*» (*Var. Histor.* 3,19). Sur καθ' ἑαυτόν dans la LXX, voir Keuchenius qui signale la traduction de תַּחְתָּיו en 2 S 7,10; comp. (ἕκαστος) εἰς τοὺς οἴκους ὑμῶν en Ex 16,29. «Unde patet, καθ' ἑαυτόν et εἰς οἶκον αὑτοῦ aequivalere» (cf. *supra*, n. 8).

22. Cf. *Critici Sacri*, London, 1660, t. 6, col. 772.

et au parallèle de Lc 20,14[23]. Pricaeus cite le même parallèle, mais aussi, et avec plus d'insistance, Lc 18,11[24]. La Vulgate a sans doute beaucoup contribué à la divulgation de cette interprétation, mais on constate également l'influence des éditions du texte grec: J.C. Wolfius (1725) fait appel à la *communior interpunctio* (ἀπῆλθε,)[25]. Le parallèle de Jn 20,10, dit-il, ne peut faire difficulté, car les deux évangiles racontent des circonstances différentes d'un même événement, le «reditus ad sua» (Jean) et la «tacita admiratio Petri» (Luc)[26].

Dans l'exégèse plus récente, il est devenu rare de retrouver encore une telle distinction entre (ἀπῆλθον) πρὸς ἑαυτούς en Jn et πρὸς ἑαυτόν (θαυμάζων) en Lc. Au cours du 19ᵉ siècle, un nombre croissant d'exégètes expliquent Lc 24,12 comme une interpolation à partir de Jn 20,3-10 et déterminent le sens de ἀπῆλθεν πρὸς ἑαυτόν par le parallèle de Jn 20,10. Cependant, *mirans secum* trouve encore des partisans. Ainsi, par exemple, T. Keim qui défend l'authenticité et le sens proprement lucanien de Lc 24,12[27], et d'autre part, T. Zahn qui pense que le rattachement de πρὸς ἑαυτόν à θαυμάζων fait partie du travail d'adaptation de l'interpolateur[28]. Mais l'affirmation de M. Black que «the prepositional phrase is usually connected with the participle»[29] ne peut viser la situation exégétique actuelle. Les

23. *Ibid.*, col. 780: d'après le Textus Receptus; cf. *infra*, n. 68.

24. *Ibid.*, col. 793; voir aussi sur Lc 18,11, col. 668. Cf. *infra*, n. 68.

25. Ainsi, par exemple, les éditions d'Elsevier (à partir de 1624). Même ponctuation dans la *Harmonia Evangelica* de Clericus (Amsterdam, 1699, p. 484):

καὶ ἀπῆλθε,	Ἀπῆλθον οὖν πάλιν πρὸς ἑαυτοὺς οἱ μαθηταί·
πρὸς ἑαυτὸν θαυμάζων τὸ γεγονός.	

En 1755, Kypke (cf. n. 41) réagit contre Wolf en faisant appel à la ponctuation de Stephanus³, l'édition d'Anvers de 1673 et Bengel (ἑαυτόν,).

26. J.C. Wolfius, *Curae Philologicae et Criticae in IV. SS. Evangelia et Actus Apostolorum*, Hamburg, 1725, p. 771.

27. T. Keim, *Geschichte Jesu* (cf. *supra*, n. 1), 1872, p. 554, n. 6: «πρὸς ἑαυτόν ist nach Logik (Hauptbegriff) u. Sprachgebrauch (Luk. 18,11 vgl. Mark. 14,4) zu θαυμάζων zu ziehen und nicht zu ἀπῆλθε, wie es Joh. für gut fand».

28. T. Zahn, *Das Evangelium des Lukas*, Leipzig-Erlangen, ³⁻⁴1920, p. 714, n. 46.

29. Cf. *An Aramaic Approach*, ³1967, p. 102. Le consensus n'a jamais été aussi unanime que certains l'ont dit; cf. S.T. Bloomfield, *The Greek Testament with English Notes*, London, t. 1, ⁶1845, p. 380: «by most Expositors, ancient and modern (supported by the authority of all the best ancient Versions and Theophylact)». Lucas Brugensis signale les deux possibilités, l'*interpretatio Euthymii* et celle de la Vulgate et de la Peschitta, sans prendre position (*Commentarius*, éd. 1712, p. 356). Les lexiques du 19ᵉ siècle (Bretschneider, Wahl, Grimm) ne signalent pas πρὸς ἑαυτὸν θαυμάζων. J.A. Thayer l'a introduit dans la traduction anglaise du lexique de Grimm, art. πρός, I,1a, *ad init.*: «some connect the phrase w. θαυμάζων»; 2b: «acc. to some» (⁴1901, p. 541b et 542b).

traductions récentes ne suivent plus la *King James Version*[30]. En français, on traduit généralement: «il s'en retourna (revint, alla) chez lui»[31].

3. Πρὸς ἑαυτόν/-ούς *chez Flavius Josèphe et dans la LXX*

À propos de l'expression ἀπῆλθον πρὸς ἑάυτούς = «departed unto their home», M. Black parle de «failure in the Greek»[32]. Il signale, à partir de [2]1954, un seul parallèle, repris à Flavius Josèphe, *Ant.* 8,124 (= iv. 6)[33]. C'est un parallèle «classique» dans les commentaires sur Jn 20,10. J.H. Bernard remarque que «πρὸς ἑαυτούς is used in a similar way by Josephus (*Ant.* VIII.iv.6)»[34]. Avant lui, M.-J. Lagrange avait noté: «On ne voit pas s'ils rentrent au même logis: cf. Jos. *Ant.* VIII,iv.6...»[35]. Cette concentration sur le seul parallèle de *Ant.* 8,124 se constate déjà dans plusieurs commentaires du 19e siècle[36]. En 1912, W. Bauer y ajouta Nb 24,25; Ez 17,12 et Polybe 5,93,1[37], et, à l'exception de Ez 17,12, ces parallèles sont cités dans l'article ἑαυτοῦ de son *Wörterbuch*[38]. C.K. Barrett reprend les trois références dans son commentaire[39]. Tous ces auteurs s'en tiennent donc à une seule

30. *KJV*: «and departed, wondering in himself». Comp. *RSV* et *NEB* (en note): «he went home...».

31. Dans certaines traductions, le πρὸς ἑαυτόν du grec semble disparaître: «et il s'en retourna s'étonnant de ce qui était arrivé» (Lagrange); «und ging hinweg, sich wundernd über das Geschehene» (A. Stöger). Par contre, on retrouve *secum mirans* dans la version néerlandaise de *NBG*: «bij zichzelf verbaasd» (cf. Statenvertaling: «zich verwonderende bij zichzelf»), et dans les commentaires de W. Grundmann (1961): «verwunderte sich in sich», et J. Ernst (1977): «verwunderte sich bei sich». Voir aussi J. Reiling et J.L. Swellengrebel, *A Translator's Handbook on the Gospel of Luke*, Leiden, 1971, p. 747; «may go with ἀπῆλθεν, or with θαυμάζων, preferably the latter (wondering in himself)».

32. Cf. *supra*, n. 4. Voir aussi Lewis: «not classical» (n. 15).

33. Cf. *supra*, n. 5.

34. *St. John*, 1928, p. 662.

35. *Saint Jean*, 1924 ([8]1947), p. 509.

36. Cf. E.W. Hengstenberg, *Das Evangelium des heiligen Johannes erläutert*, t. 3, Berlin, 1863, p. 298, n. 1. Dans le texte: «diese so eigenthümliche Redeweise»; «ein so ganz eigenthümlicher und seltener (Ausdruck)». Voir aussi Kuinoel ([3]1825, p. 771), Klee (1829, p. 485, n. 58), Baumgarten-Crusius (1845, p. 165).

37. *Johannes* (Handbuch zum N.T., II. Die Evangelien, 2), Tübingen, 1912, p. 180.

38. Cf. art. ἑαυτοῦ 1, i: «ἀπέρχεσθαι πρὸς αὑτούς (v.l. ἑαυτούς) *nach Hause gehen* J 20,10» ([4]1952, [5]1958). Pour le complément ajouté par Arndt-Gingrich, voir *supra*, n. 6. Sur les textes de Nb 24,25 et Ez 17,12, cf. *infra*, n. 53 et 54. Polybe 5,93,1 : διέλυσε τοὺς Μεγαλοπολίτας πρὸς αὑτούς. Cf. G. Raphelius, *Annotationes ex Polybio et Arriano*, Hamburg, 1715, p. 289 (*ad* Jn 20,10; il cite aussi Arrien, *De exped. Alexandri* 7,9,1: πρὸς ὑμᾶς ἀπαλλάσσεσθε). La référence à Polybe est reprise entre autres par Wolf (1725), Wettstein (1751), Kuinoel ([3]1825), Klee (1829), Wahl ([3]1843).

39. *John*, 1955, p. 469: avec une légère restriction à propos de Polybe 5,93,1 («perhaps»).

attestation dans l'œuvre de Josèphe, soulignant ainsi la singularité de l'expression. Le commentaire de A. Schlatter cite cependant deux autres parallèles: *Ant.* 6,151; 7,360[40].

Si l'on remonte plus haut dans l'histoire de l'exégèse, on trouvera dans les *Observationes Sacrae* de G.D. Kypke (1755) une dizaine d'exemples: «Frequentissime hoc sensu πρὸς ἑαυτὸν vel αὑτὸν et πρὸς ἑαυτοὺς vel αὑτοὺς dicit Josephus». Le même auteur n'hésite pas à affirmer, avec exemples à l'appui: «Phrasis πρὸς αὑτὸν s. ἑαυτὸν pro: *ad se, ad domum suam* trita est profanis»[41]. L'étude de Kypke était encore bien connue par des commentateurs comme W.M.L. de Wette[42] et H.A.W. Meyer[43]. Depuis lors, on semble l'avoir oubliée, et l'attention s'est portée sur le seul cas de *Ant.* 8,124 qui, assez curieusement, ne se trouve pas parmi les parallèles cités par Kypke[44].

Puisque la *Concordance* ne signale pas l'expression πρὸς ἑαυτόν[45], je donne ici une liste de πρὸς ἑαυτόν/-ούς en *Ant.* qui, sans être exhaustive[46], ne laisse pas de doute sur l'emploi courant de l'expression chez Josèphe dans le sens de «chez lui/eux»[47].

40. *Der Evangelist Johannes*, Stuttgart, 1930, p. 357. M. Black s'y réfère en général dans une note supplémentaire (cf. *supra*, n. 5).

41. G.D. Kypke, *Observationes Sacrae in Novi Foederis Libros ex auctoribus potissimum Graecis et Antiquitatibus. Tomus I Quatuor Evangelistas complexus*, Wratislava, 1755, p. 337-338 (*ad* Lc 24,12). Cf. p. 337: «Plutarchus *apophth.* p. 206. Antonium dicit, pecuniam Iulii Caesaris πρὸς αὑτὸν μετενεγκεῖν, *in domum suam transtulisse*. Diodorus Siculus *excerpt. Vales.* p. 378. τὴν κεφαλὴν ἀφελὼν καὶ κομίσας πρὸς ἑαυτὸν εἰς οἶκον. *caput amputatum, ad se in domum adportans*. Lucianus in *Iove tragoed.* p. 202. dicit: ἀπιόντων οἴκαδε παρ' αὑτοὺς, *quum domum redirent*. Polybius l. 15. c. 29. p. 999 ὡς ἑαυτὸν ἐπὶ δεῖπνον καλέσας, *ad convivium in domum suam invitans*».

42. *Lukas und Markus*, Leipzig, ^{3}1846, p. 163. Voir aussi la référence à Kypke dans le *Lexicon* de Schleusner, art. ἑαυτοῦ, 5 (t. 1, p. 687).

43. *Markus und Lukas*, Göttingen, ^{4}1864, p. 572: «Beispiele b. *Kypke* I. p. 337». Cf. B. Weiss, ^{6}1878, p. 591.

44. Ce fut le seul parallèle de Josèphe cité par Wettstein (qui renvoie aussi à Polybe 5,93). S.T. Bloomfield (^{6}1845; cf. *supra*, n. 29) se réfère encore à *Ant.* 8,124 (et Nb 24,25) comme un exemple parmi d'autres: «'to their homes'; of which sense many examples are adduced by the commentators, as ...» (p. 516, *ad* Jn 20,10).

45. La *Concordance* de K.H. Rengstorf ne nous renseigne pas directement, sur πρὸς ἑαυτόν: les articles sur les prépositions donnent les références sans citer le texte (l'article πρός n'a pas encore paru) et on trouvera sous ἑαυτοῦ: «passim».

46. Elle comporte les cas notés par Wettstein: 8,124; par Kypke: 1,309; 5,56. 142.149; 6,141; 7,83.133; 10,249; 11,156.245.259 (il signale encore XIII.xxi); par Schleusner: 10,199; par Bretschneider: 7,188.360 (aussi 5,56); par Schlatter: 6,151 (aussi 7,360; 8,124). J'ai ajouté encore 5,138; 6,44; 19,239. Comparer aussi πρὸς αὑτόν en 6,221; 10,101.102. Les expressions de 7,83; 11,245.259 (cf. Kypke) sont citées plus loin dans le texte.

47. J'ai ajouté la référence biblique et, à l'occasion, la citation du passage d'après la LXX.

1,309 (xix.8) ἠξίου τὰς γυναῖκας ἀναλαβὼν ἀπαλλάττεσθαι πρὸς αὐτόν. Cf. Gn 30,25-26 (v. 25 ἀπέλθω εἰς τὸν τόπον μου).

5,56 (i.16) ἀπῄεσαν πρὸς αὐτούς (Jos 9,15).

5,138 (ii.8) ἀπιέναι πρὸς αὐτόν. Cf. Jg 19,8-10 (v. 10 ἀπῆλθεν).

5,142 (ii.8) γύναιον δὲ παρὰ τῶν γονέων ἄγων πρὸς αὐτὸν ἀπιέναι. Cf. Jg 19,18 (εἰς τὸν οἰκόν μου ἐγὼ ἀποτρέχω, B πορεύομαι).

5,149 (ii.8) κομίζει πρὸς αὐτόν. Cf. Jg 19,28 (ἀπῆλθεν [B ἐπορεύθη] εἰς τὸν τόπον αὐτοῦ).

6,44 (iii.6) ἄπιτε πρὸς αὐτοὺς ἕκαστος. Cf. 1 S 8,22 ἀποτρεχέτω ἕκαστος εἰς τὴν πόλιν αὐτοῦ.

6,141 (vii.4) οἴκαδε πρὸς αὐτὸν ὑπέστρεψε (1 S 15,10). Comp. 129 (vi.6) εἰς τὴν ἑαυτοῦ πόλιν ὑπέστρεψε, cf. 1 S 14,46 (les Philistiens) ἀπῆλθον εἰς τὸν τόπον αὐτῶν.

6,151 (vii.4) ἀπῄει πρὸς ἑαυτόν. Cf. 1 S 15,27 (ἀπελθεῖν).

7,133 (vii.1) μὴ πρὸς [αὐτὸν εἰς] τὴν οἰκίαν ἔλθοι μηδὲ πρὸς τὴν γυναῖκα. Cf. 2 S 11,10 (οὐ κατέβη Ουριας εἰς τὸν οἶκον αὐτοῦ).

7,188 (viii.5) πρὸς ἑαυτὸν ἐκέλευσε χωρεῖν. Cf. 2 S 14,24 (ἀποστραφήτω εἰς τὸν οἶκον αὐτοῦ).

7,360 (xiv.6) πάντες ἔφυγον πρὸς ἑαυτοὺς ἕκαστοι. Cf. 1 R 1,49 (ἀπῆλθον ἀνὴρ εἰς τὴν ὁδὸν αὐτοῦ).

8,124 (iv.6) πρὸς αὐτοὺς ἕκαστοι τοῦ βασιλέως ἀπολύσαντος ἀπῄεσαν. Cf. 1 R 8,66 (ἀπῆλθον ἕκαστος εἰς τὰ σκηνώματα αὐτοῦ).

10,199 (x.3) ὑποχωρήσας πρὸς ἑαυτόν. Cf. Dn 2,17 (ἀπελθὼν Δανιηλ εἰς τὸν οἶκον αὐτοῦ).

10,249 (xi.4) ἤγαγεν εἰς Μηδίαν πρὸς αὐτὸν καὶ... εἶχε σὺν αὐτῷ (Dn 6,1).

11,156 (v.5) ἐκέλευσεν ἀπιέναι πρὸς αὐτούς, 157 ἀνεχώρησαν εἰς τὰ οἰκεῖα (Esd 9).

19,239 (iv.1) προσεχώρει [ἀν-, ἀπ-, ἐχώρει] πρὸς αὐτόν [Hudson; mss αὐτόν].

À la suite de Kypke, on pourrait encore signaler l'emploi de παρ' αὐτόν[48].

Au lieu du verbe un peu monotone de la LXX, ἀπῆλθεν, Josèphe a tendance à employer surtout ἀπῄει. Πρὸς ἑαυτόν remplace εἰς τὸν τόπον αὐτοῦ למקמו (1,309; 5,149), εἰς τὸν οἶκον αὐτοῦ אל־ביתו (5,142; 7,133.188; 10,999), εἰς τὰ σκηνώματα αὐτοῦ לאהליהם (8,124), εἰς τὴν πόλιν αὐτοῦ לעירו (6,44). Une fois, en 7,360, le texte biblique a εἰς τὴν ὁδὸν αὐτοῦ. C'est la même expression לדרכו qui est rendue par πρὸς ἑαυτόν en Nb 24,25b, la seule attestation de (καὶ Βαλακ) ἀπῆλθεν πρὸς ἑαυτόν dans la LXX. On pourrait difficilement lui donner un sens différent de l'expression parallèle dans le même verset:

48. Ainsi, en 5,142 παρ' αὐτὸν ξενισθησόμενον ἦγε, cf. Jg 19,21 εἰσήγαγεν αὐτὸν εἰς τὴν οἰκίαν αὐτοῦ[48]. Kypke signale παρ' αὐτούς en II.iii et παρ' ἑαυτόν en IV.viii. Notons aussi 9,68 (iv.4) καθεζόμενος δὲ οἴκαδε παρ' αὐτῷ σὺν τοῖς μαθηταῖς, cf. 2 R 6,32 ἐκάθητο ἐν τῷ οἴκῳ αὐτοῦ; 7,258 (xi.1) γενόμενοι παρ' αὐτοῖς ἕκαστοι, cf. 2 S 19,9 καὶ Ισραηλ ἔφυγεν ἀνὴρ εἰς τὰ σκηνώματα αὐτοῦ.

καὶ ἀναστὰς Βαλααμ ἀπῆλθεν ἀποστραφεὶς εἰς τὸν τόπον αὐτοῦ (v.25a)[49]. Les deux expressions se suivent également en Gn 32,1-2:

καὶ ἀποστραφεὶς Λαβαν ἀπῆλθεν εἰς τὸν τόπον αὐτοῦ
καὶ Ιακωβ ἀπῆλθεν εἰς τὴν ἑαυτοῦ ὁδόν.

Ce passage mérite d'être cité en raison du pronom réfléchi (au lieu du αὐτοῦ habituel), employé encore en 1 R 12,24: ἀποστρεφέτω ἕκαστος εἰς τὸν οἶκον ἑαυτοῦ[50].

Josèphe a omis Nb 24,25b (le v. 25a est rendu par un simple ᾤχετο). Mais il a encore un πρὸς αὑτόν qui est à verser au dossier: dans le récit de l'arche à Jérusalem, David ne veut pas recevoir l'arche «chez lui, dans la ville», παρ' αὑτὸν ἐν τῇ πόλει, πρὸς αὑτὸν εἰς τὴν πόλιν (7,82.83). La tournure[51] est empruntée à la Bible: πρὸς αὐτὸν... εἰς τὴν πόλιν Δαυιδ (2 S 6,10), πρὸς ἑαυτὸν εἰς πόλιν Δαυιδ (1 Ch 13,13), suivi par καὶ ἀπ-/ἐξέκλινεν αὐτὴν εἰς οἶκον Αβεδδαρα... Πρὸς ἑαυτόν traduit ici אליו (אלי dans les paroles de David est rendu par πρός με au v. 9, et par πρὸς ἐμαυτόν au v. 12). C'est également le cas pour Ez 17,12: καὶ ἄξει αὐτοὺς πρὸς ἑαυτὸν εἰς Βαβυλῶνα. L'opinion de G. Fohrer qui tient אליו pour «näherbestimmende Glosse» (il l'affirme, sans plus)[52] ne change rien au problème du texte grec. Ici encore on peut comparer avec un passage dans *Ant.*: ἤγαγεν εἰς Μηδίαν πρὸς αὑτόν (10,249).

Nb 24,25 n'est donc pas l'unique emploi de πρὸς ἑαυτόν = «chez lui» dans la LXX[53]. On y ajoutera Ez 17,12[54] et un troisième cas qui n'est pas signalé dans la littérature: 2 S 6,10 = 1 Ch 13,13[55].

49. Les versions copte (bo sa) et éthiopienne: *ad domum suam*. (Le ms b' [Brooke-McLean] répète l'expression du v. 25a: εις τον τοπον αυτου). Comparer 1 S 10,25-26: καὶ ἀπῆλθεν ἕκαστος εἰς τὸν τόπον αὐτοῦ. καὶ Σαουλ ἀπῆλθεν εἰς τὸν οἶκον αὐτοῦ εἰς Γαβαα. Sur Nb 24,25 TM, voir W. Gross, *Bileam. Literar- und formkritische Untersuchung der Prosa in Num 22-24* (StANT, 38), München, 1974, p. 229-230.

50. Comparer plusieurs emplois du pronom réfléchi dans *Ant.*, par exemple avec le verbe ἀναχωρέω: εἰς τὰς ἑαυτῶν πολεῖς (5,128); εἰς τὴν αὑτοῦ (17,58); ἐπὶ τὰ αὑτῶν (17,218); εἰς τὰ ἑαυτῶν (20,123).

51. Voir encore 6,7 (i.2) μὴ προσδέξασθαι τὴν κιβωτόν ποτε πρὸς αὑτούς (cf. 1 S 6,1; 5,8.10: πρὸς ἡμᾶς).

52. Dans *Ezechiel* (Handbuch zum A.T., 13), Tübingen, 1955, p. 93.

53. Contre R. Mahoney (cf. *supra*, n. 3); voir aussi Barrett (n. 39), et surtout le lexique de Bauer (n. 38). La référence à Nb 24,25 (dans le sens de *domum abiit*) est donnée déjà par Keuchenius (1689) et dans les lexiques de Schoettgen et Wahl (³1843); voir aussi E.W. Grinfield, *Novum Testamentum graecum. Editio hellenistica*, London, 1843; S.T. Bloomfield (cf. *supra*, n. 29), H. Alford, e.a.

54. Signalé dans le commentaire de W. Bauer (cf. *supra*, n. 37); voir déjà J. Price: quo et sensu Ezech. 17.12» (cf. *supra*, n. 24).

55. Notons aussi Sg 8,18 où la sagesse est présentée comme une femme que le sage cherche à prendre comme épouse: περιῄειν ζητῶν ὅπως λάβω αὐτὴν εἰς ἐμαυτόν. En *Ant.* 8,239 (ix), πρὸς ἐμαυτόν (voir aussi 1 Ch 13,12, dans le texte) répond à un πρὸς σεαυτόν de la LXX: ὅπως ἀγάγω σε πρὸς ἐμαυτὸν ἑστιασόμενον (238

Dans les *Antiquitates* de Flavius Josèphe, l'expression employée en 8,124 n'est qu'un exemple parmi beaucoup d'autres. Dans tous ces textes, il n'y a aucun cas de *mistranslation* d'un datif éthique[56].

Flavius Josèphe dispose aussi d'autres tournures pour exprimer la notion de «chez lui», «chez eux». Ainsi, dans la prédiction de la mort du roi Achab, en *Ant.* 8,405: τοὺς μὲν μετ' εἰρήνης ἀναστρέφειν εἰς τὰ ἴδια, πεσεῖσθαι δ' αὐτὸν μόνον ἐν τῇ μάχῃ, comp. 1 R 22,17: ἀναστρεφέτω ἕκαστος εἰς τὸν οἶκον αὐτοῦ (לביתו) ἐν εἰρήνῃ (= 2 Ch 18,16 ἀναστρεφέτωσαν...). Après la mort d'Achab, les soldats rentrent chez eux: ἀνέζευξαν εἰς τὰ ἴδια (8,416). On retrouve l'expression εἰς τὰ ἴδια dans l'histoire d'Hérode: à la mort du roi, Salome renvoie les prisonniers, d'après *Ant.* 17,193: ἐκπέμπονται ἐπὶ τὰ αὐτῶν, mais en *Bell.* 1,666: ἀναπέμπειν ἕκαστον εἰς τὰ ἴδια. Autre emploi de τὰ ἴδια, mais avec la préposition πρός, pour la dissolution d'une armée: λυθέντες ἐκ τῆς τάξεως ἀνεχώρουν ἕκαστοι πρὸς τὰ ἴδια (B 4,528). La tournure εἰς τὰ ἴδια[57] est attestée dans la LXX, en Esther 5,10 et 6,12, comme la traduction de אל־ביתו. Aux deux endroits, Flavius Josèphe préfère πρὸς αὐτόν:
11,245 (vi.10) καὶ παρελθὼν πρὸς αὐτὸν τὴν γυναῖκα Ζάρασαν ἐκάλεσε καὶ τοὺς φίλους. Cf. Est 5,10 καὶ εἰσελθὼν εἰς τὰ ἴδια ἐκάλεσεν τοὺς φίλους καὶ Ζωσαραν τὴν γυναῖκα αὐτοῦ.
11,259 (vi.10) ὑπ' αἰσχύνης πρὸς αὐτὸν παραγίνεται. Cf. Est 6,12 ὑπέστρεψεν εἰς τὰ ἴδια λυπούμενος κατὰ κεφαλῆς.

παρ' αὐτόν, 239 παρά τινι, παρ' ἐμοί). Cf. 1 R 13,18 ἐπίστρεψον αὐτὸν πρὸς σεαυτὸν εἰς τὸν οἶκον σου (diff. TM «avec toi», אתך אל־ביתך). Le cas de πρὸς σεαυτόν en 1 R 13,18 fut signalé par Keuchenius à côté de Nb 24,25. Dans la LXX, on lit encore πρὸς σεαυτήν dans le même sens en Jos 2,18, où il est dit à Rahab: «tu rassembleras ton père et ta mère et tes frères et toute la maison de ton père... συνάξεις πρὸς σεαυτὴν εἰς τὴν οἰκίαν σου (אליך הביתה)». Notons la paraphrase de Josèphe: εἰς τὸ καταγώγιον (5,13; cf. 7).

56. Parcourant les exemples de *dativus ethicus* notés dans les lexiques de Gesenius-Kautzsch, Driver et Koehler, on constate qu'il n'a pas laissé de trace dans la LXX en Gn 12,1; 21,16; 22,2.5; 27,43; Ex 18,27; Nb 22,34; Dt 1,40; 2 S 2,22; 2 Ch 35,21 etc. En revanche, on peut signaler le nominatif en Dt 1,7; 2,13; 5,30(= 27) (ὑμεῖς); 2 S 2,21 (σύ); le datif en Dt 1,13; Jg 20,7; 2 S 16,20 (ἑαυτοῖς, 2e pers.); 2 S 2,21b (σεαυτῷ); une expression prépositionnelle en Jos 18,4 (ἐξ ὑμῶν), et surtout 1 S 26,11.12: ἀπέλθωμεν καθ' ἑαυτούς (לנו), ἀπῆλθον καθ' ἑαυτούς (להם). Schleusner la traduit, un peu abusivement, par «ad aedes suas». Keuchenius (cf. *supra*, n. 8), y lit plus correctement «abeamus sibi» et «abierunt sibi».

57. Chez Josèphe, τὰ ἴδια et τὰ οἰκεῖα sont des expressions synonymes, comme le notait déjà Krebsius: «unum idemque significare». Cf. I.T. KREBSIUS, *Observationes in Novum Testamentum e Flavio Josepho*, Leipzig, 1755, p. 141 (à propos de Jn 1,11). Il cite: 5,12 χωρεῖν... ἐπὶ τὰ οἰκεῖα; 6,316 ἀναχωρεῖν ἐπὶ τὰ οἰκεῖα (cf. 1 S 26,25); 8,175 εἰς τὴν οἰκείαν ὑπέστρεψεν (cf. 1 R 10,13); 9,43 ἕκαστος εἰς τὴν οἰκείαν ἀνέστρεψεν (cf. 2 R 3,27). Voir aussi ἀνεχώρησαν εἰς τὰ οἰκεῖα (11,157); ἐπὶ τὰ οἰκεῖα (5,253; 18,58).

4. *Lc 24,12 et Jn 20,10*

La lecture de Flavius Josèphe contient des renseignements précieux pour l'interprétation de ἀπῆλθεν/-ον πρὸς ἑαυτόν/-ούς en Lc et Jn. L'emploi fréquent de πρὸς ἑαυτόν/-ούς dans un sens qui est parfaitement clair (et qui n'a rien à voir avec le *dativus ethicus*) confirme, nous semble-t-il, l'exactitude de la traduction habituelle: il s'en retourna chez lui, ils s'en retournèrent chez eux. Mais il nous reste à répondre aux observations qui ont été faites à partir du contexte des deux évangiles.

D'après B. Lindars, «to their homes (*pros hautous*) is an unusual idiom... It is foreign to John's style, for he would certainly write *eis ta idia* as in 1.11; 16,32; 19.27»[58]. L'expression εἰς τὰ ἴδια serait donc tellement johannique qu'on se croit autorisé à exclure tout emploi d'une expression synonyme en Jn! La lecture de Flavius Josèphe nous invite à être plus prudents dans nos affirmations[59]. Mais dans le quatrième évangile même, πρὸς ἑαυτούς de 20,10 n'est pas sans parallèle. Dans une note publiée en 1942, A.L. Humphries a attiré l'attention sur πρὸς ἐμαυτόν de Jn 14,3 comme parallèle de l'expression de 20,10[60]. Il propose de corriger la traduction «I will... receive you unto myself» en «I will... take you with me to my home». Il s'agit, dit-il, d'un emploi spécial du pronom réfléchi qui a des parallèles dans le grec du Nouveau Testament: Jn 20,10; Lc 24,12; 1 Co 16,2 (παρ' ἑαυτῷ = *in his home*)[61]. Dans ces cas, le pronom est à la troisième personne, mais il ne voit aucune raison pour exclure ce même emploi à la première personne. En effet, dans notre étude de Flavius Josèphe et de la LXX, nous avons noté πρὸς ἐμαυτόν en *Ant.* 8,239 et 1 Ch 13,12; πρὸς σεαυτόν/-ήν en

58. *John*, 1972, p. 603. D'après Lindars, l'expression viendrait de la source de Jean. Avant lui, C.K. Barrett avait formulé le même argument pour dire: «The translation 'went to their own homes' seems impossible; John would have written πρὸς (or εἰς) τὰ ἴδια (cf. 1.11; 16.32)» (cf. *supra*, n. 7).

59. On y trouve non seulement πρὸς ἑαυτούς et εἰς τὰ ἴδια (*Ant.* 8,405.416), mais aussi d'une part ἀποχωρήσαντες εἰς τὰ ἑαυτῶν (*Ant.* 20,123), ἀναχωρεῖν εἰς τὴν ἑαυτοῦ (17,58), ἐπὶ τὰ αὑτῶν (17,218), et d'autre part ἀνεχώρουν πρὸς τὰ ἴδια (*Bell.* 4,528). Comparer l'emploi de ἴδιος à la place du pronom: εἰς τὴν ἰδίαν οἰκίαν (*Ant.* 7,362; cf. 1 R 1,53 εἰς τὸν οἶκον σου), – σκηνήν (6,192); – βασιλείαν (7,262; 8,388); – γῆν (11,5); – χώραν (9,40); – πατρίδα (11,12); εἰς τὰς ἰδίας... πατρίδας (11,74; 12,179).

60. A.L. Humphries, *A Note on* πρὸς ἑαυτόν (*John xiv.3*) *and* εἰς τὰ ἴδια (*John i.11*): *A Plea for a Revised Translation*, dans *ExpT* 53 (1941-42) 356. Seul R.E. Brown parmi les commentateurs en fait mention (t. 2, 1971, p. 620). Arndt-Gingrich (1957) ont ajouté une référence à Humphries dans le lexique de Bauer, art. παραλαμβάνω, 1.

61. Corriger dans le commentaire de Brown: «*Pros* with a reflexive pronoun... I Cor xvi 2» (p. 620). Brown note comme sens littéral: «take you to myself» et donne la traduction: «take you along with me» (p. 617; cf. p. 627). Comparer la traduction de Phillips: «welcome you into my own house»!

Jos 2,18; 1 R 13,18[62]. Le contexte de 14,2-3 se prête fort bien à ce sens de πρὸς ἐμαυτόν. L'image de la maison (v. 2a ἐν τῇ οἰκίᾳ τοῦ πατρός μου...) est maintenue, et παραλήμψομαι ὑμᾶς πρὸς ἐμαυτόν est à traduire par «chez moi», «dans ma maison»[63].

L'argument du style johannique est délicat à manier, et on se gardera surtout de déclarer trop vite qu'une tournure est «impossible». Dans la liste des caractéristiques stylistiques johanniques de Boismard-Lamouille, les expressions πρὸς ἐμαυτόν (C 23: 12,32; 14,3) et ἀπέρχεσθαι πρός (C 65: 4,47; 6,68; 11,46; 20,10) sont signalées[64], mais la parenté entre πρὸς ἑαυτούς (20,10) et πρὸς ἐμαυτόν en 14,3 n'y est pas prise en considération, ni la différence entre la phrase ἀπῆλθον... πρὸς ἑαυτούς et les autres emplois de ἀπέρχεσθαι πρός τινα. En effet, en 4,47; 6,68 et 11,46, le sens est: aller à quelqu'un, aller trouver quelqu'un (cf. Mc 3,13; 14,10; Ap 10,9), mais en 20,10, par le complément πρὸς ἑαυτούς, le verbe prend le sens de retourner (chez soi)[65]. Jn a rendu cette nuance à sa manière par l'addition de πάλιν[66], mais cet adverbe n'est peut-être qu'une explicitation du sens de l'expression telle que nous la lisons en Lc 24,12.

Si Jn dépend de Lc 24,12[67], il doit avoir lu ἀπῆλθεν πρὸς ἑαυτόν, et non πρὸς ἑαυτὸν θαυμάζων. Certes, il se pourrait que sa compréhension du texte ne corresponde pas au sens primitif, mais dans le cas de πρὸς ἑαυτόν, l'examen du contexte ne suggère rien de tel[68].

62. Cf. *supra*, n. 55.

63. Cf. M.-J. Lagrange, *Jean*, p. 373: «dans la maison du Père, c'est-à-dire chez le Fils». Traduction: «je vous prendrai auprès de moi». Sur παραλαμβάνω = «aufnehmen in ein Haus», cf. R. Schnackenburg, *Das Johannesevangelium*, t. 3, p. 71.

64. Dans *Synopse*, t. 3, Paris, 1977. Cf. *L'évangile de Jean. Examen critique du commentaire de M.-E. Boismard et A. Lamouille*, dans *ETL* 53 (1977) 363-478; sur les caractéristiques stylistiques, p. 400-429. Cf. *supra*, n. 2 (ἀπέρχεσθαι πρός).

65. Cf. Suidas: ἀπέλθῃ· ἀντὶ τοῦ ἐπανέλθῃ. Dans la LXX, le verbe ἀπέρχεσθαι est employé dans ce sens avec des expressions comme εἰς τὸν οἶκον αὐτοῦ (cf. *supra*, section 3), mais également avec πρός τινα en Gn 24,54.56; 31,18 (cf. 28,5); 2 R 6,22.23; 1 M 7,20; voir aussi Ex 5,4 (*BJ*: «retournez à vos corvées») et surtout Nb 24,25 (πρὸς ἑαυτούς). Autre emploi avec πρός τινα: 1 S 25,5 («aller trouver quelqu'un»). Voir encore Gn 15,15.

66. Cf. Grimm, *Lexicon*, art. πάλιν: «c. verbis eundi, veniendi, proficiscendi, redeundi, ubi *rursus* coalescit c. notione *retro*, *retrorsum*; ita c. ἄγωμεν, Jo. 11,7; ἀναχωρεῖν, 6,15; ἀπέρχεσθαι, 4,3. 10,40. 20,10; εἰσέρχεσθαι 18,33; 19,9; ἔρχεσθαι, 4,46. 14,3; ὑπάγειν, 11,8; item c. verbis capiendi, 10,17s.». Voir aussi les lexiques de Wahl et Schleusner («abierunt igitur retro domum suam») et déjà Lucas Brugensis: «*iterum abierunt*.] id est, reversi sunt». Bengel resta fidèle à la traduction latine par *iterum*: «ut antea. conf. cap. 16,32. Matth. 26,56».

67. Sur l'hypothèse de l'origine rédactionnelle de Lc 24,12 et l'utilisation du verset lucanien en Jn 20,3-10, voir *ETL* 48 (1972) 548-553; 53 (1977) 113-152, spéc. p. 144ss.; *ibid.*, 363-478, spéc. p. 430-445. Voir aussi *John and the Synoptics* (cf. *supra*, n. 1), p. 98-104.

68. Les auteurs anciens comparent πρὸς ἑαυτὸν θαυμάζων avec les emplois analogues de πρὸς ἑαυτόν/-ούς en 18,11 et 20,14. Mais en 20,14, la leçon du Textus Receptus

Au contraire, le récit des femmes au tombeau qui sert de modèle au «petit récit» de la visite de Pierre au tombeau se termine sur le motif du *retour* des femmes: καὶ ὑποστρέψασαι ἀπὸ τοῦ μνημείου (24,9), de même que la petite composition lucanienne en 23,55-56a (cf. v. 56a ὑποστρέψασαι δέ). C'est encore le cas dans les deux autres récits de «sorties» de disciples en 24,13-35 (cf. v. 33: ὑπέστρεψαν) et 24,50-52 (cf. v. 52: ὑπέστρεψαν). Un simple ἀπῆλθεν en 24,12 (ou un ἀπῆλθεν accompagné d'un datif éthique: il s'en alla) ne serait donc pas conforme à la conception lucanienne des récits du chapitre 24. L'étude de la «visitation» de Marie en 1,39-56 et de celle des bergers en 2,8-20, dont la forme est analogue à celle de la visite de Pierre (le récit d'une vérification), ne peut que confirmer cette conclusion. Le récit de Marie se termine sur καὶ ὑπέστρεψεν εἰς τὸν οἶκον αὐτῆς (1,56b), et celui des bergers finit par καὶ ὑπέστρεψαν οἱ ποιμένες... (2,20). Lc qui écrit ὑποστρέφειν εἰς τὸν οἶκον αὐτοῦ (cf. 1,56; 7,10; 8,39; 11,24), mais connaît aussi ὑποστρέφειν εἰς τὰ ἴδια (Ac 21,6), et exprime ailleurs le motif du retour par ἀπῆλθεν εἰς τὸν οἶκον αὐτοῦ (1,23; 5,25; cf. 2,15), se sert en 24,12 de

ἑαυτούς C ℜ A W(Γ)ΔΘφ*pm* (par. Mc 12,7 πρὸς ἑαυτοὺς εἶπαν) est abandonnée depuis Tischendorf pour διελογίζοντο πρὸς ἀλλήλους λέγοντες. Voir cependant 20,5 συνελογίσαντο πρὸς ἑαυτοὺς λέγοντες (= Mc 11,31 διελογίζοντο...) et 22,23 συζητεῖν πρὸς ἑαυτούς (diff. Mc 14,19); cf. H. SCHÜRMANN, *Jesu Abschiedsrede Lk 22,21-38* (Neutest. Abh., 20/5), Münster, 1957, p. 11: «Doch ergibt sich kein Beweis, dass Luk πρὸς ἑαυτούς nicht auch von sich aus schreiben könnte, da er es Lk 20,5 par Mk 11,31 immerhin auch beibehält und es so auch schon klassisch steht». Dans les deux attestations (20,5; 22,23), le pronom réfléchi est employé dans un sens réciproque et ne peut donc pas être cité comme parallèle de πρὸς ἑαυτὸν θαυμάζων. Le cas de 18,11 est plus complexe: σταθεὶς πρὸς ἑαυτὸν ταῦτα προσηύχετο (Textus Receptus et $GNT^{1.2.3}$ = N^{26}); les autres éditions lisent ταῦτα πρὸς ἑαυτόν, à l'exception de Tischendorf (^{8}1869) qui a omis πρὸς ἑαυτόν, avec ℵ* b c f ff^{2}. Sur le choix de N^{26} (contre P^{75} B Θ e.a.), cf. METZGER, *Textual Commentary*, p. 168. Avec cet ordre des mots, la traduction «priait en lui-même» est plus difficile, mais reste possible. J. Jeremias la rejette: «da man nicht 'bei sich', sondern halblaut betete» (*Die Gleichnisse Jesu*, ^{4}1956, p. 122; = ^{6}1962, p. 139), mais G. Schneider tire profit de cette observation pour répondre: «Der Pharisäer betet leise (*pros heauton* 'für sich')» (*Lukas*, 1977, p. 364). Cela nous éloigne cependant de *secum mirans*. On s'y attendrait plutôt à ἐν ἑαυτῷ (θαυμάζων), l'expression que Lc emploie normalement pour «il dit en lui-même»: 7,39; 12,17; 16,3; 18,4; pluriel: 3,8; 7,49 (comparer aussi συμβάλλουσα ἐν τῇ καρδίᾳ αὐτῆς 2,19 et διαλογ. ἐν ταῖς καρδίαις αὐτῶν en 3,15). Le choix de la leçon σταθεὶς πρὸς ἑαυτόν a sans doute été influencé par l'hypothèse de Torrey et Black (cf. *Textual Commentary*, p. 168, n. 1): ils lisent σταθεὶς πρὸς ἑαυτόν («stetit sibi»), et non πρὸς ἑαυτὸν προσηύχετο, comme en 24,12: ἀπῆλθεν πρὸς ἑαυτόν («abiit sibi»), et non πρὸς ἑαυτὸν θαυμάζων. Il y a cependant de bonnes raisons pour écarter la solution du *dativus ethicus* en 24,12. Ici, un simple σταθείς serait bien à la manière de Lc: cf. 19,8; Ac 2,14; 11,13 (voir aussi Lc 18,40; cf. Mc 10,49 στάς).

ἀπῆλθεν πρὸς ἑαυτόν[69], une expression qui est plus proche du vocabulaire de la Septante que beaucoup de commentateurs récents ne semblent l'admettre[70].

NOTE ADDITIONNELLE

Dans une lettre du 23 mai 1978, Dr. G. Mussies, du *Corpus Hellenisticum Novi Testamenti* (Utrecht), me signale encore les parallèles suivants: *Vita Alexandri ⟨Magni⟩* I; 33,10 (éd. H. VAN THIEL, Darmstadt, 1974, p. 48): ταῦτα οὖν χρηματισθεὶς (sc. Serapis) εἰς ἑαυτὸν ἀνεχώρησεν. Marcus Diaconus, *Vita Porphyrii* 93 (éd. H. GRÉGOIRE-M. A. KUGENER, Paris, 1930): Μετὰ δὲ τὰς ἡμέρας τῆς ἑορτῆς τὰ πλήθη μετ' εἰρήνης ἀπέλυσεν ἕκαστον εἰς τὰ ἴδια (l'évêque renvoya la foule ... «et chacun rentra chez soi»). [Cf. *infra*, p. 473, n. 19.]

NOTE À PROPOS DE LA *DEA PROSPICIENS* (p. 419, n. 68)

W. HELCK, *Betrachtungen zur grossen Göttin und den ihr verbundenen Gottheiten* (Religion und Kultur der alten Mittelmeerwelt in Parallelforschungen, 2), München-Wien, 1971, p. 226 : «In letzter Zeit ist auch das Bild der sog. 'Frau im Fenster', wie es besonders aus Elfenbeinschnitzereien bekannt ist, als Ausdruck der Göttin angesehen worden [n. 24 : cf. W. FAUTH] ... Diese Deutung dürfte aber falsch sein».

69. 'Απέρχεσθαι πρός est sans parallèle en Lc-Ac (cf. *supra*, n. 2), mais l'expression de Lc 24,12b peut être comparée avec certains emplois, propres à Lc, de ἔρχεσθαι πρός + pronom personnel: 1,43 πρὸς ἐμέ (cf. 1,40 εἰσῆλθεν εἰς τὸν οἶκον Z.); 7,7 πρὸς σέ (opp. v. 6 ὑπὸ τὴν στέγην μου εἰσέλθῃς); 15,20 πρὸς τὸν πατέρα ἑαυτοῦ (cf. vv. 25.28 τῇ οἰκίᾳ, εἰσελθεῖν); Ac 4,23 πρὸς τοὺς ἰδίους; 21,11 πρὸς ἡμᾶς (cf. vv. 8.10a); 22,13 πρός με (cf. 9,17 ἀπῆλθεν ... καὶ εἰσῆλθεν εἰς τὴν οἰκίαν); 28,23 πρὸς αὐτὸν εἰς τὴν ξενίαν.

70. Cf. *supra*, n. 65.

ETL 55 (1979) 357-365

ΕΙΣ ΤΑ ΙΔΙΑ
Jn 19,27 (et 16,32)

Dans une étude sur πρὸς ἑαυτόν en Lc 24,12 et son parallèle johannique, j'ai pu conclure qu'il fallait traduire πρὸς ἑαυτούς (N[26] αὐτούς) en Jn 20,10 par «chez eux». On ne peut exclure ce sens (Barrett), ou déclarer l'expression non johannique (Lindars), en raison de l'emploi johannique de l'expression synonyme εἰς τὰ ἴδια en 1,11; 16,32 et 19,27[1]. De son côté, I. de la Potterie s'est attaqué au sens des mots εἰς τὰ ἴδια en 19,27: «... peuvent-ils signifier ce que la plupart y lisent aujourd'hui: 'chez lui' ou 'dans la maison'? Un examen attentif de l'emploi de l'expression, aussi bien dans le grec biblique que dans la langue profane, montre que la chose est tout à fait improbable»; «ganz und gar unwahrscheinlich». C'est la conclusion, énoncée avec fermeté, d'un gros article publié en 1974, en français et en allemand, qui se présente comme l'étude exhaustive de l'histoire de l'interprétation et de l'exégèse de Jn 19, 27b[2]. R. Schnackenburg, à qui l'étude fut dédiée, semble l'approuver: «Die Wendung εἰς τὰ ἴδια bezeichnet hier nicht das 'Heim' im buchstäblichen Sinn, sondern wie I. de la Potterie gezeigt hat, 'Gut und Eigentum' im geistigen Sinn, gleichsam den geistigen Raum, in den der Jünger die Mutter Jesu hineinnimmt»[3]. Faut-il donc traduire 19,27b avec de la Potterie: «À partir de cette heure, le disciple *l'accueillit dans ses biens*»[4]?

1. F. Neirynck, ΑΠΗΛΘΕΝ ΠΡΟΣ ΕΑΥΤΟΝ. *Lc 24,12 et Jn 20,10*, dans *ETL* 54 (1978) 104-118 (= *ALBO* V/30). Voir p. 115, n. 58. La position de C. K. Barrett est restée inchangée dans la nouvelle édition de son commentaire (*John*, ²1978, p. 564).

2. I. de la Potterie, *La parole de Jésus «Voici ta Mère» et l'accueil du Disciple* (*Jn 19,27b*), dans *Marianum* 36 (1974) 1-39; en version allemande: *Das Wort Jesu 'Siehe, deine Mutter' und die Annahme der Mutter durch den Jünger* (*Joh 19, 27b*), dans J. Gnilka (éd.), *Neues Testament und Kirche. Fs. R. Schnackenburg*, Freiburg, 1974, p. 191-219. Cf. p. 21 (= 205). Les références renvoient au texte français et, entre parenthèses, au texte allemand: I. *Histoire de l'interprétation*, p. 3-19 (= 193-203: les pages 12-16 et les notes 31-47 sur les auteurs spirituels y sont résumées dans la note 37b); II. *Analyse*, p. 19-35 (= 203-216); III. *Exégèse et théologie*, p. 35-39 (= 217-219). Les notes se correspondent: 1-36 (=); 48-100 (= 37-89); 101-110 (= 90-98, dans un ordre différent). Voir aussi: *La maternità spirituale di Maria e la fondazione delle Chiesa* (*Gv 19,25-27*), dans *Gesù Verità*, Turin, 1973, p. 158-164.

3. R. Schnackenburg, *Das Johannesevangelium*, t. 3, Freiburg, 1975, p. 325. À noter cependant que l'interprétation symbolique de de la Potterie (Marie = Église) ne l'a pas convaincu (*ibid.*, n. 46). Cf. *infra*, n. 34.

4. *Art. cit.*, p. 34 et 35. La version allemande traduit d'abord par «nahm sie an» (accueil = *Annahme*), puis par «nahm sie in sein Eigenes (hinein)» (p. 216).

1. *L'histoire de l'interprétation*

La constatation essentielle de l'histoire de l'interprétation serait celle-ci : l'interprétation qui est devenue courante depuis le début des temps modernes fut pratiquement ignorée pendant toute l'époque précédente. Εἰς τὰ ἴδια ou *in sua* au sens matériel : «Quinze siècles se sont écoulés avant qu'on y songe»[5]. Une telle affirmation venant d'un exégète chevronné ne peut que nous étonner. S'il est vrai que les Pères grecs tirent volontiers de la scène de Jn 19,26-27 une leçon de piété filiale et qu'ils parlent des soins que le disciple prend de Marie comme un fils pour sa mère, cette explication morale, plutôt que de le remplacer, suppose le sens «matériel» de εἰς τὰ ἴδια. De la Potterie, qui accepte ce sens dans la paraphrase de Nonnus (ἔνδον ἑοῦ μεγάροιο), cherche en vain à l'éliminer des textes de Cyrille (οἴκαδε), Épiphane (πρὸς ἑαυτόν) et Athanase («dans sa maison»)[6]. Il note que «la formule elle-même ἔλαβεν αὐτὴν εἰς τὰ ἴδια ne semble pas encore avoir fait l'objet d'une réflexion particulière chez les commentateurs grecs»[7], mais il ne fait pas mention de l'hypothèse de C. A. Kneller qui explique ce silence relatif des Pères par le rôle que puisse avoir joué Jn 19,27b dans la pratique des *subintroductae*[8].

5. *Ibid.*, p. 2 (= 192), n. 6; cf. p. 16 (= 201).

6. *Ibid.*, p. 4 (= 194), n. 10. Le texte de Cyrille ne serait pas «une explication directe des mots de l'évangile» mais «une précision..., simplement une interprétation ajoutée par Cyrille à son commentaire de la scène». Il est plus exact de voir l'«interprétation ajoutée» dans les précisions comment le *theologos* a pris soin de Marie; οἴκαδε est la paraphrase de Jn 19,27 : ἀπάγειν δὲ οἴκαδε κελεύει, καὶ ἐν τάξει ποιεῖσθαι μητρός (PG 74, 664). Il y revient plus loin : ὃς καὶ δέχεταί τε καὶ ἀποκομίζει χαίρων, πᾶσαν ἐπ' αὐτῇ πληρώσων τοῦ Σωτῆρος τὴν βούλησιν (665). Comparer la paraphrase de πρὸς ἑαυτούς en 20,10 : οἴκαδε πάλιν ἀνεκομίζοντο (685).

Épiphane cite le texte évangélique avec πρὸς ἑαυτόν à la place de εἰς τὰ ἴδια (PG 42, 716). La réaction de de la Potterie : «il ne parle pas vraiment de la *maison* du disciple». Mais il suffit de lire le commentaire d'Épiphane : εἰ δὲ εἶχεν ἄνδρα, εἰ εἶχεν οἶκον, εἰ εἶχε τέκνα, εἰς τὰ ἴδια ἀνεχώρει, οὐ πρὸς τὸν ἀλλότριον (*ibid.*). Pour Épiphane, πρὸς ἑαυτόν est identique à εἰς τὰ ἴδια (dans sa maison); il l'emploie encore dans une nouvelle paraphrase de 19,27b : καὶ παρείληφεν αὐτὴν πρὸς ἑαυτόν (*ibid.*). De la Potterie fait remarquer que «sa formule double (εἰς τὰ ἴδια πρὸς ἑαυτόν) (*sic*) ne se rencontre nulle part ailleurs chez les commentateurs grecs que nous avons étudiés»; à corriger d'après le texte allemand : «seine Interpretation (εἰς τὰ ἴδια = πρὸς ἑαυτόν)». Sur cette équivalence, cf. *ETL* 54 (1978), p. 114 : εἰς τὰ ἴδια (Est 5,10; 6,12) = πρὸς αὑτόν (Flavius Josèphe). On la trouve, je crois, dans le quatrième évangile même : 19,27b et 20,10!

La citation de Jn 19,27 par Athanase (*Sur la virginité*) ne devrait pas être retenue parce que la traduction copte pourrait citer le texte évangélique d'après la version sahidique («dans sa maison»). Cependant, c'est bien le sens qui est requis par le commentaire d'Athanase : «Si, en effet, elle avait eu un autre fils...»; cf. *Le Muséon* 42 (1929), p. 243-244. Par ailleurs, de la Potterie néglige complètement le témoignage des versions coptes dans son étude (sa bo : «dans sa maison»).

7. *Ibid.*, p. 5 (= 194).

8. C. A. KNELLER, *Joh 19, 26-27 bei den Kirchenväter*, dans *ZKT* 40 (1916) 597-612, p. 606 : «Man wird die Vätererklärungen... nur dann richtig würdigen, wenn man die

Dans la tradition occidentale, l'explication reste avant tout d'ordre moral. Seulement, la propriété privée du disciple fait problème, et ainsi, pour une raison qui est étrangère au texte johannique (cf. Mt 19,27-29), on s'éloigne du sens originel de εἰς τὰ ἴδια : «*in sua*, non praedia, quae nulla propria possidebat, sed officia...» (Augustin). Signalons en passant qu'Ambroise entend *sua* au sens des biens spirituels, mais n'abandonne pas l'image de la maison : «Neque enim Mater Domini Jesu nisi ad possessorem gratiae demigraret, ubi Christus habebat habitaculum»[9].

De la Potterie décrit avec soin comment la variante *in suam* s'est répandue dans des manuscrits de la Vulgate et est devenue l'expression de l'idée de la maternité spirituelle de Marie envers tous les chrétiens : «Ecce mater tua! Et accepit eam discipulus in suam (matrem)». L'origine même de la variante reste obscure. L'explication suggérée par de la Potterie se lit déjà chez Lucas Brugensis : «Videtur *in suam* ex eo ortum habuisse quod praecedat, *Ecce mater tua*: hinc enim existimatum est *in suam* scribendum esse, subaudito *matrem*»[10]. C'est possible, mais je ne comprends plus de la Potterie lorsqu'il affirme que *in suam* ne peut que renvoyer au verset précédent et doit donc, grammaticalement, être complétée en *in suam matrem*[11]. D'un point de vue grammatical, rien ne s'oppose à lire par exemple *in suam* (*domum*)[12], qui serait une excellente traduction de εἰς τὰ ἴδια[13].

Missbräuche im Auge behält, die in der damaligen Zeit mit dem Text getrieben wurden. Daraus versteht man, warum z.B. Chrysostomus so rasch über jene Heilandsworte weggeht, warum die Väter... bei der Lebensgemeinschaft zwischen Maria und Johannes entweder überhaupt nicht verweilen, oder an Marias Stelle ohne weiteres die Kirche stehen lassen...». Voir surtout le passage déjà cité d'Épiphane, qui est explicite sur ce point (PG 42, 716). Il affirme même que Jean prit Marie chez lui mais qu'il ne resta pas à la maison (οὐκέτι παρέμεινε παρ' αὐτῷ); il partit pour l'Asie, et il n'est pas dit que Marie l'accompagna (καὶ οὐδαμοῦ λέγει, ὅτι ἐπηγάγετο μεθ' ἑαυτοῦ τὴν ἁγίαν Παρθένον).

9. Texte cité par de la Potterie, p. 7 (= 197). Il situe sa propre interprétation dans cette ligne : *in sua spiritualia bona*; cf. p. 35-36 (= 217).

10. *Notationes in Sacra Biblia*, Anvers, 1580; dans le tome V de l'édition de 1712, p. 193. Voir aussi *Critici Sacri*, Amsterdam, ³1698, VI/3, c. 312. Comparer de la Potterie, p. 9 (= 198), n. 27 (cf. p. 36 : «*accipere in*» au sens de «considérer comme»). L'auteur ne semble pas avoir lu la *Notatio* de F. Lucas qui a pourtant beaucoup contribué au «triomphe définitif» de la leçon *in sua* (cf. p. 12 = 201).

11. *Ibid.*, p. 9 (= 199). Voir aussi dans le texte allemand : «In dieser Fassung kann der Vers nur *in suam matrem* bedeuten» (p. 217, n. 90).

12. De la Potterie lui-même signale une version conservée par Albert le Grand : «extunc recepit eam in domum suam»; p. 16, n. 48 (= 201, n. 37). Il serait bien hasardeux d'exclure la possibilité d'une évolution, à l'intérieur du texte latin de 19,27b, de *in sua* (acc. plur.), par *in sua* (abl. fém. sing.), en *in suam* (acc. fém. sing.). Les variantes de la vieille latine dans la traduction de εἰς τὰ ἴδια en 16,32 sont significatives : *in propria* vg (aur f), *in sua* (ff² q), *in sua regione* ([a] b), *in suam regionem* (c r¹). Voir aussi la variante *in suis* (r¹) à côté de *in sua* en 19,27; et *in navi* (aur ff² l) à côté de *in navem* en 6,21 (λαβεῖν εἰς).

13. De la Potterie exagère le contraste entre exégètes anciens et modernes lorsqu'il

2. *L'analyse de Jn 19, 27b*

Dans la deuxième partie de l'article, l'auteur procède à une analyse de Jn 19,27b. On y trouve la liste des emplois de la formule εἰς τὰ ἴδια au sens de «chez lui» (dans sa maison, dans son pays)[14], mais il refuse d'en tirer des conséquences concernant ἔλαβεν αὐτὴν εἰς τὰ ἴδια. Il est formel sur ce point: «pour justifier la traduction, aujourd'hui courante, ... on ne peut faire valoir aucun parallèle ni dans les textes bibliques ni dans la littérature profane». Selon lui, la formule y apparaît toujours avec un verbe de mouvement et cela ne se vérifie pas en Jn 19,27b: «le verbe employé par Jean (λαμβάνειν) n'implique aucun déplacement»[15]. Est-ce une raison valable pour se séparer du sentiment général des commentateurs?

Tout d'abord, de la Potterie semble perdre de vue qu'une observation semblable ne peut se faire à propos de 16,32 où il s'agit indéniablement d'un verbe de mouvement. Puis, il est lui-même d'avis

dit que, dans la traduction des modernes, Jn 19,27b «n'a plus qu'un sens biographique et historique» (p. 17 = 202). En fait, l'exégèse des modernes reste assez proche de celle des commentateurs grecs. De nombreux commentateurs modernes voient dans 19,27b l'exécution de l'ordre de Jésus, sans donner à la formule *dans sa maison*, «considérée en elle-même», une portée spirituelle spéciale. On peut les comparer à Euthymius qui, après avoir commenté plus longuement l'exemple de piété filiale de Jésus qui charge le disciple de prendre soin de sa mère (ὀφείλεις, ὡς μητρός σου, ταύτης φροντίζειν), passe à 19,27b avec ce commentaire extrêmement bref: κατὰ τὴν ἐντολὴν τοῦ διδασκάλου (PG 129, 1469 et 1472). Quant à l'intérêt biographique, il n'est certainement pas absent dans l'exégèse des anciens. J.H. Bernard (1928) reçoit l'éloge de de la Potterie pour la sage réflexion: «We cannot build on this phrase εἰς τὰ ἴδια a theory which would give him a house of residence at Jerusalem» (p. 17, n. 51 = 202, n. 40). Mais mérite-t-il vraiment cet éloge? Cf. *John*, p. 637: «John brought the Virgin Mother to his own lodging (see on 20^{10})»: un logement provisoire à Jérusalem n'est pas moins «biographique»! Et encore une fois, on se rappelle Euthymius: πρὸς τὴν ἑαυτῶν καταγωγήν (*ibid.*, 1480).

14. *Ibid.*, p. 21-24 (= 204-207): la liste de W. Bauer (art. ἴδιος, 3b), complétée par des références citées par Wettstein (Aristophane, *Schol. in Pacem* 507; Jamblique, *Vita Pythag.* 19; Élien, non vérifié [= *Hist. Anim.* 10, 23]; Eusèbe, Chron. 1). Il y ajoute Irén., *Adv. Haer.* I, 21, 5 (un texte gnostique, assez différent des autres passages; cf. J. JERVELL, *«Er kam in sein Eigentum». Zu Joh 1,11*, dans *Studia Theologica* 10 [1965] 14-27, p. 16) et quatre formules équivalentes dans des papyrus. Son interprétation diffère de celle de W. Bauer («die Heimat») à propos de P. Oxy. 4 («ce qui lui est propre»); 1 Esd 6,31 («ses propres biens»); Polybe 2, 57, 5 («ses affaires privées»).

15. *Ibid.*, p. 24 (= 207). Il ajoute encore: «Deux cas seulement se sont présentés où... l'expression n'accompagne pas un verbe de mouvement. Mais l'exception n'est qu'apparente, puisque précisément τὰ ἴδια ne s'y trouve pas à l'accusatif avec εἰς (ἐπί ou πρός), comme dans le verset de Jean, mais au datif avec ἐν» (p. 23 = 206). Les deux papyrus chrétiens (3e-4e siècles) ne sont pas les seuls exemples. 1 Esd 5,46 est signalé déjà par Wettstein: ὄντων τῶν υἱῶν Ισραηλ ἑκάστου ἐν τοῖς ἰδίοις (cf. 2 Esd 3,1 καὶ οἱ υἱοὶ Ισραηλ ἐν πόλεσιν αὐτῶν); comparer 1 Esd 6,31 ἐκ τῶν ἰδίων αὐτοῦ, rejeté par de la Potterie sans citer le parallèle: 2 Esd 6,11 ἐκ τῆς οἰκίας αὐτοῦ (מן־ביתה)

que λαμβάνειν εἰς ne peut pas signifier ici «considérer comme»: la préposition εἰς est «à prendre au sens *local* (physique ou métaphorique)»[16]. Mais le verbe λαμβάνειν construit avec εἰς au sens local n'implique-t-il aucun mouvement? Personne ne le dira à propos de Jn 6,21: ἤθελεν οὖν λαβεῖν αὐτὸν εἰς τὸ πλοῖον. L'autre parallèle «johannique» est encore plus significatif: μὴ λαμβάνετε αὐτὸν εἰς οἰκίαν (2 Jn 10)[17]. Ensuite, à quoi bon d'avoir remarqué que la construction λαμβάνειν εἰς «se trouve précisément dans les écrits johanniques, et nulle part ailleurs»[18], si l'on détermine le sens de ἔλαβεν αὐτήν sans tenir compte de la préposition εἰς[19]? Nulle part de la Potterie n'essaie de justifier sa methode qui consiste à traiter séparément les deux notions de λαμβάνειν et τὰ ἴδια. Notons enfin parmi les exemples de λαμβάνειν εἰς au sens local qu'il relève dans la LXX, celui de Sg 8,18. L'expression est très proche de celle de Jn 19,27: ὅπως λάβω αὐτὴν εἰς ἐμαυτόν (de la sagesse comme l'épouse que le sage cherche à prendre chez lui)[20].

3. *Jn 16, 32*

De la Potterie définit le sens de τὰ ἴδια en 19,27b comme les «biens spirituels» du disciple, son appartenance au Christ et la communion avec lui, en antithèse à 16,32 qui décrit la dispersion spirituelle des disciples, «le repliement de chacun d'eux sur ses 'propres intérêts'»[21]. Il fait valoir le sens de τὰ ἴδια = «les intérêts particuliers» dans la littérature profane, ainsi que l'emploi «négatif» de ἴδιος en Jn 8,44 (quand le diable profère le mensonge: ἐκ τῶν

16. *Ibid.*, p. 20-21 (= 204).

17. Toutefois, de la Potterie ne veut pas se rendre à l'évidence: «Jean n'interdit pas au chrétien de recevoir un hérétique 'dans sa maison', mais de l'accueillir dans son intimité (οἰκία dans S. Jean ne désigne pas la maison, comme οἶκος, mais le milieu familial)» (p. 34, n. 94 = p. 215, n. 83). Il songe sans doute à Jn 4,53, et peut-être à 8,35, mais il doit savoir que οἰκία désigne incontestablement la maison en 11,31; 12,3 et (contre R.H. Gundry e.a) 14,2.

18. *Ibid.*, p. 21 (= 204).

19. *Ibid.*, p. 32-34 (= 214-216). Il y distingue le sens actif «prendre», le sens passif «recevoir» et «une troisième catégorie de cas, qui est propre à Jean dans le N.T.: «accueillir» (une personne), «pratiquement synonyme de πιστεύειν» (p. 33). Il se réfère à Abbott (*Johannine Vocabulary*, p. 220 = n° 1721), mais sans citer la première phrase du n° 1721*f*: «In all but two passages (Jn vi.21, xix.27) the receiving means spiritual reception»! Sur la caractéristique johannique, cf. *Jean et les Synoptiques*, p. 56, n° 209: on notera que Ruckstuhl (R^{23}) et Boismard (A 25) ne comptent pas 6,21; 19,27 (contre Schweizer).

20. *Ibid.*, p. 20, n. 62 (= 204, n. 51). Cf. *ETL* 54 (1978), p. 113, n. 55: εἰς (πρός) ἐμαυτόν = εἰς τὰ ἴδια.

21. *Ibid.*, p. 28-32 (= 210-214).

ἰδίων λαλεῖ) et 15,19 (si vous étiez du monde : ὁ κόσμος ἂν τὸ ἴδιον ἐφίλει)[22].

Une telle interprétation risque de négliger un aspect important de l'expression de 16,32 : son rattachement au motif de la dissolution de la troupe et du retour à la maison, fréquemment attesté dans les récits bibliques. Pour l'intelligence de 16,32, il peut être utile de reproduire ici le verset avec ses parallèles synoptiques :

Jn 16,32a	Mc	
ἰδοὺ ἔρχεται ὥρα	14,41	ἦλθεν ἡ ὥρα, ἰδοὺ...
καὶ ἐλήλυθεν		
ἵνα σκορπισθῆτε	14,27	(πάντες σκανδαλισθήσεσθε...)
ἕκαστος εἰς τὰ ἴδια		τὰ πρόβατα διασκορπισθήσονται (Za 13,7)
κἀμὲ μόνον ἀφῆτε·	14,50	καὶ ἀφέντες αὐτὸν ἔφυγον πάντες

Dans la finale du verset, il se corrige : Jésus n'est pas seul, καὶ οὐκ εἰμὶ μόνος, ὅτι ὁ πατὴρ μετ' ἐμοῦ ἐστιν (v. 32b). Il a été suggéré que l'évangéliste veut éviter ainsi la fausse interprétation d'une parole synoptique : ὁ θεός μου, ὁ θεός μου, εἰς τί ἐγκατέλιπές με ; (Mc 15,34). Il semble corriger également, par omission, la citation synoptique de la prophétie de Zacharie : πατάξω τὸν ποιμένα... (Mc 14,27)[23]. Quant à la formulation propre de Jean, plusieurs commentateurs renvoient à 1 M 6,54b : καὶ ἐσκορπίσθησαν ἕκαστος εἰς τὸν τόπον αὐτοῦ[24]. On peut la rapprocher aussi de la prédiction de la mort du roi Akhab par Michée : «J'ai vu tout Israël dispersé sur les montagnes, comme des moutons qui n'ont point de berger ; le Seigneur a dit : Ces gens n'ont point de maître ; que chacun retourne chez lui en paix !» (*TOB* ; 1 R 22,17 ; 2 Ch 18,16). Ἀναστρεφέτω(-σαν) ἕκαστος εἰς τὸν οἶκον αὐτοῦ ἐν εἰρήνῃ (LXX) est rendu dans *Ant.* 8, 405 par ἀναστρέψειν εἰς τὰ ἴδια. Mais ce n'est pas la seule modification dans la version de Flavius Josèphe : le retour à la maison n'y est plus la conséquence de la mort du chef (cf. 1 R 22,36) mais plutôt une désertion qui laisse mourir le roi seul dans le combat. Notons en outre, pour le motif de la dispersion sur les montagnes (LXX διεσπαρμένον/-ους ἐν), l'emploi de διασκορπιζομένους... εἰς, le seul emploi de ce verbe dans l'œuvre de Josèphe. Il est vrai que

22. Cf. p. 25 et 26 (= 208 et 209). Comp. R. SCHNACKENBURG, *Das Johannesevangelium*, t. 3, p. 187, n. 66.

23. Sur l'histoire de l'interprétation de 16, 32, cf. E. FASCHER, *Johannes 16, 32. Eine Studie zur Schriftauslegung und zur Traditionsgeschichte des Urchristentums*, dans *ZNW* 39 (1940) 171-230. L'auteur fait observer : «Wer Joh 10,11-15 schreibt, kann das Sacharjazitat schlecht gebrauchen» (p. 221). Comparer aussi la manière dont Mc 14,50 (et Jn 16,32!) est corrigé en Jn 18,8-9 (ἄφετε τούτους ὑπάγειν).

24. Cf. Lampe (1726), Westcott, W. Bauer, Bernard, Bultmann, Brown, Schnackenburg.

Jn 16,32 utilise le verbe simple (comparer 10,12 σκορπίζει), mais il remplace le διασκορπισθήσονται du parallèle synoptique, l'image des brébis dispersées de Za 13,7, appliquée par Jean aux «enfants de Dieu dispersés» en 11,52[25]. Le passage de Flavius Josèphe[26] mérite, semble-t-il, d'être signalé dans les commentaires sur 16,32 : *Ant.* 8, 404 δεῖξαι τὸν θεὸν αὐτῷ φεύγοντας τοὺς Ἰσραηλίτας ἔφη καὶ διωκομένους ὑπὸ τῶν Σύρων καὶ διασκορπιζομένους ὑπ' αὐτῶν εἰς τὰ ὄρη, καθάπερ ποιμένων ἠρημωμένα ποίμνια. 405 ἔλεγέ τε σημαίνειν τοὺς μὲν μετ' εἰρήνης ἀναστρέψειν εἰς τὰ ἴδια, πεσεῖσθαι δ' αὐτὸν μόνον ἐν τῇ μάχῃ.

R. Schnackenburg propose en 16,32 le sens figuré de εἰς τὰ ἴδια parce que le sens littéral («in das eigene Heim») est contredit par le récit évangélique des apparitions de Jésus aux disciples à Jérusalem[27]. Pour échapper à cette difficulté, beaucoup de commentateurs entendent la dispersion des disciples dans un sens moins radical : ils n'auraient pas quitté Jérusalem. Certains tiennent le thème de la

25. Jn 11,52 : ἵνα καὶ τὰ τέκνα τοῦ θεοῦ τὰ διεσκορπισμένα συναγάγῃ εἰς ἕν. Cf. B. LINDARS, *John*, p. 407. Il renvoie à Mt 26,31 = Mc 14,27 : «That John knew this application of this prophecy is implied by 16.32».

26. Je n'ai trouvé aucune référence à ce texte dans les commentaires. — J. Jeremias découvre en Jn 16,32 une allusion (traditionnelle) au Serviteur du Dt.-Is. : «nimmt, wie ἕκαστος εἰς τὰ ἴδια zeigt, auf Jes. 53,6 Bezug, und zwar ist die im Targum aufbehaltene palästinische Exegese der Stelle (אתבדרנא 'wir wurden zerstreut') benutzt» ; cf. art. Παῖς (θεοῦ) *im Neuen Testament*, dans *TWNT* 5 (1954) 698-713, p. 705 ; dans *Abba. Studien zur neutestamentlichen Theologie und Zeitgeschichte*, Göttingen, 1966, p. 191-216, spéc. p. 203. La suggestion a été peu remarquée dans la littérature ; voir cependant H. VON CAMPENHAUSEN, *Der Ablauf der Osterereignisse und das leere Grab* (SHA), Heidelberg, [2]1958, p. 44, n. 175. L'hypothèse fut formulée pour la première fois dans une dissertation dirigée par J. Jeremias (Göttingen, 1951) et publiée en 1954 : H. HEGERMANN, *Jesaja 53 in Hexapla, Targum und Peschitta* (BFCT, 2/56), Gütersloh, 1954, p. 81-82 (Targum) ; cf. p. 102 (Peschitta), 123 (conclusion). L'auteur n'envisage même pas la possibilité du caractère secondaire de Jn 16,32 par rapport à Mc 14,27, parce que «eine solche Art von Benutzung von Jes 53 ist im Worte Jesu typisch» (p. 81) ; il s'agit donc de «eine wertvolle Erinnerung des Evangelisten» et le texte de Marc devrait s'expliquer par le souci de corriger la «citation» de Za 13,7 (p. 82). Mais la comparaison de Jn 16,32 avec Tg Is 53,6 ne va pas sans difficulté ! Hegermann se réfère à אתבדרנא comme traduction de תעינו (LXX ἐπλανήθημεν), mais il a tort de l'isoler de la manière dont פנינו («nous nous tournions») est rendu par גלינא (גְּלָא «aller en exil»). D'après l'auteur, le contact de Jn 16,32 avec le Targum doit se situer à une première phase de l'interprétation targumique, marquée par l'influence de Za 13,7, mais avant l'insertion de l'idée de l'exil. Mais peut-on vraiment séparer ainsi deux phases ? Il me paraît plus probable que la traduction אתבדרנא s'oriente directement sur l'idée de l'exil, sans impliquer la distinction des deux phases ni même l'influence de Za 13,7 : «Wir alle wurden *zerstreut* wie Kleinvieh, jeder ging für sich seinen Weg *in die Verbannung*» (trad. Hegermann). Le recours à la Peschitta (p. 102) ne peut que souligner la faiblesse de l'hypothèse : comme Jn 16,32, la version syriaque ne contient pas l'idée de l'exil, mais la notion de dispersion y est également absente : «Wir alle irrten wie Schafe...».

27. *Das Johannesevangelium*, t. 3, p. 187.

fuite des disciples pour une addition rédactionnelle, empruntée aux Synoptiques; pour d'autres, il serait un trait archaïque, imparfaitement harmonisé dans le quatrième évangile. Une meilleure solution est indiquée par T. Zahn qui fait observer que l'expression est «redensartlich erstarrt»[28]. Dans ce sens, de la Potterie peut avoir raison lorsqu'il écrit que les mots εἰς τὰ ἴδια «ne décrivent pas les différents *endroits* où se seraient enfuis les disciples»[29].

Une remarque encore à propos des «contacts remarquables» entre 16,32 et 19,27, autres que l'expression εἰς τὰ ἴδια[30]. «L'un et l'autre texte mentionne l'"Heure"»: le thème de «*l'Heure*» ne fait pas de doute en 16,32[31], mais peut-on donner la même portée à l'indication chronologique de 19,27b: καὶ ἀπ' ἐκείνης τῆς ὥρας[32]? «D'autre part ils mettent en œuvre deux thèmes eschatologiques opposés»: si le thème de la *dispersion* est évident en 16,32, «le thème du *rassemblement dans l'unité*» est moins clair en 19,27, et l'argument du symbolisme de la robe sans couture (19,23-24)[33] est pour le moins fort discutable.

28. *Das Evangelium des Johannes*, [5]1921, p. 603, n. 39.

29. *Art. cit.*, p. 30 (= 212).

30. *Ibid.*, p. 28 (= 211).

31. Comparer Mc 14,41 (cf. Jn 12,23).

32. Cf. A. Dauer, *Die Passionsgeschichte*, p. 197, n. 204. Comparer 11, 53: ἀπ' ἐκείνης οὖν τῆς ἡμέρας.

33. *Ibid.*, p. 28 (= 211). Sur ce sujet, voir les études plus récentes de I. de la Potterie: *La tunique sans couture, symbole du Christ grand prêtre?*, dans *Biblica* 60 (1979) 255-269; *La tunique 'non divisée' de Jésus, symbole de l'unité messianique*, dans *Fs. B. Reicke* (à paraître).

Le premier article est une critique, fort précise, du symbolisme sacerdotal. On notera le parallélisme avec l'étude sur Jn 19,27b: dans les deux cas il s'insurge contre une exégèse «typiquement moderne, ... qui n'est pas dans la manière de Jean» (cf. p. 259). Sur la genèse de cette exégèse: le parallèle de Flavius Josèphe, *Ant.* 3, 161 (III, vii, 4) sur la tunique du grand prêtre est cité par Grotius en 1641, suivi par Wettstein en 1751 («La dépendance... est probable, étant donné que tous les deux étaient hollandais» [*sic*]; p. 256, n. 7). Th. Keim (1871) serait le premier qui conclut au sens symbolique: Jésus comme grand prêtre (p. 257). On notera cependant que Grotius est loin d'être le seul auteur du 17ᵉ siècle qui fait le rapprochement entre le χιτὼν ἄραφος de Jésus et le passage de Josèphe sur le χιτών du grand prêtre. Cf. Joh. Braunius, בגדי כהנים *id est Vestitus sacerdotum Hebraeorum sive commentarius amplissimus in Exodi cap. XXVIII ac XXIX et Levit. cap. XVI aliaque loca S. Scripturae quam plurima*, 2 t., Amsterdam, 1680,[2]1698-1697, [3]1701. Cf. p. 447 (II, cap. 416): «Sed audiamus Josephum Ant. lib. III, cap. VII quem locum non taedet repetere, quia totam structuram pallii egregie depingit... ut vera fuit tunica ἄῤῥαφος». Sur la tunique de Jésus: «Addam et ego verisimile esse ejusdem fere naturae et formae fuisse ac מעיל pallium Pontificis Maximi» (I, cap. 234; p. 262; comp. II, cap. 349, p. 379: «nisi materia alia fuerit»; voir surtout I, cap. 16: *De textura veterum*, spéc. p. 274: figure d'une *Tunica* ἄῤῥαφος). J.C. Wolfius s'y réfère en 1725 et note qu'Altingius est du même avis (*Curae*, p. 979). Et pour citer un auteur qui n'est pas hollandais: B.D. Carpzov, luthérien allemand, écrit sur le «*pallium Pontificis*, seu verius tunica»:

4. *Conclusion*

Le but de cette note n'est cependant pas de discuter l'interprétation symbolique de la scène de Jn 19,25-27. Je me suis placé plus modestement «auf der Ebene der erzählten Welt des Textes»[34], pour m'interroger sur le sens des mots εἰς τὰ ἴδια. On peut s'en tenir, je crois, à la traduction courante: «Et depuis cette heure-là, le disciple la prit chez lui» (*TOB*).

NOTE ADDITIONNELLE

J. BECKER, *Das Evangelium nach Johannes, Kapitel 11-21* (ÖTKNT, 4/2), Gütersloh-Würzburg, 1981, p. 591: «von dem Lieblingsjünger (wird) so gesprochen, dass seine Aufgabe, Maria zu sich zu nehmen, auf die Zeit der späteren Gemeinde weist»; p. 592: «Hier in 19,26f. wird sie [die Lieblingsjüngergestalt] eingebracht unter dem äusseren Szenarium letzter Willenskundgabe Jesu zur Versorgung seiner Mutter. Solche äusserliche Situation liegt in analoger Weise auch 13,23ff.; 18,15ff. vor».

«Itaque inconsutilis est, quae nullam ex utroque latere scissuram haberet, ut Ephod: sed esset ἐκ τῶν ἄνωθεν ὑφαντὸς δι' ὅλου, plane ut Salvatoris nostri et Pontificis summi, cujus ille in V. Test. typus erat. Et hoc idem voluit opinor Josephus Ἔστι δ' ὁ χιτὼν...»; cf. B.D. CARPZOVIUS, *Dissertatio de Pontificum Hebraeorum vestitu sacro* (Jena, 1655); dans B. UGOLINUS (éd.), *Thesaurus antiquitatum sacrarum*, t. 12, Venise, 1751, col. 785-810, spéc. 791. Le texte date de 1655, donc bien avant Th. Keim!

34. Cf. H. THYEN, *Entwicklungen innerhalb der johanneischen Theologie und Kirche im Spiegel von Joh. 21 und der Lieblingsjüngertexte des Evangeliums*, dans M. DE JONGE (éd.), *L'évangile de Jean. Sources, rédaction et théologie* (BETL, 44), Louvain-Gembloux, 1977, p. 259-299): il défend un sens symbolique de la scène, mais sans contester «dass die Wendung εἰς τὰ ἴδια auf der Ebene der erzählten Welt des Textes mit 'Haus' übersetzt werden muss' (p. 284). Sur le sens de 19,27b, en réaction à l'article de de la Potterie: «Die Szene ist ein Lieblingsjünger-, kein Marientext. ... Die Mutter Jesu als die Repräsentantin aller Glaubenden ist auf die schützende Mauer seines Zeugnisses bleibend angewiesen» (p. 285-286; cf. n. 69).

ETL 57 (1981) 83-106

LA TRADUCTION D'UN VERSET JOHANNIQUE Jn 19,27b

Dans une note publiée dans *ETL* 1979, j'ai présenté la traduction de Jn 19,27b proposée récemment par I. de la Potterie : «(il) l'accueillit dans ses biens»[1]. Mes observations critiques l'ont amené à reprendre le sujet dans un article de 42 pages[2]. «Nous nous déclarons d'accord avec F. Neirynck sur un point : comme lui, nous admettons que εἰς ἐμαυτόν de Sag 8,18 et εἰς τὰ ἴδια de Jn 19,27*b* sont des formules équivalentes» (105). Il s'en inspire pour corriger sa traduction : «Et à partir de cette heure, le Disciple *l'accueillit dans son intimité*» (124). Il se rapproche ainsi légèrement de la traduction usuelle, mais la tient encore maintenant pour «tout à fait insuffisante» (125). Voyons d'abord la première partie de l'article, consacrée à l'interprétation de Jn 19,27b (86-99).

I. Histoire de l'interprétation

I. de la Potterie reconnaît maintenant qu'il avait formulé sa thèse de façon «un peu trop absolue». Il admet également que le sens moral de εἰς τὰ ἴδια *implique* le sens «matériel»[3].

1. *Les Pères grecs*

«Ces mots évoquaient pour eux les 'soins' du Disciple pour la Mère de Jésus» (86). Qu'on me permette cette paraphrase : «Mais la question qui se pose n'est pas de savoir ce que les mots εἰς τὰ ἴδια» ... *évoquent*, «mais ce qu'ils *signifient* directement *en eux-mêmes*» (*ibid.*).

Deux cas sont discutés plus en détail.

1. F. Neirynck, ΕΙΣ ΤΑ ΙΔΙΑ : *Jn 19,27 (et 16,32)*, dans *ETL* 55 (1979) 357-365. La note est un corollaire à l'article : ΑΠΗΛΘΕΝ ΠΡΟΣ ΕΑΥΤΟΝ. *Lc 24,12 et Jn 20,10*, dans *ETL* 54 (1978) 104-118. Cf. I. de la Potterie, *La parole de Jésus «Voici ta Mère» et l'accueil du Disciple (Jn 19,27b)*, dans *Marianum* 36 (1974) 1-39; en version allemande : *Das Wort Jesu 'Siehe, deine Mutter' und die Annahme der Mutter durch den Jünger (Joh 19,27b)*, dans J. Gnilka (éd.), *Neues Testament und Kirche. FS R. Schnackenburg*, Freiburg, 1974, p. 191-219. Cf. *infra*, n. 50.

2. I. de la Potterie, *«Et à partir de cette heure, le Disciple l'accueillit dans son intimité» (Jn 19,27b). Réflexions méthodologiques sur l'interprétation d'un verset johannique*, dans *Marianum* 42 (1980) 84-125.

3. *Ibid.*, p. 86 : «Nous n'avons nulle part prétendu que le sens matériel était 'remplacé' par le sens moral». La formule est pourtant claire : l'interprétation courante des temps modernes était «pratiquement ignorée pendant toute l'époque précédente» (*La parole*, p. 16).

a. *Cyrille d'Alexandrie* (PG 74, 664-665)
La citation de Jn 19,26-27 est suivie d'un commentaire dont voici le début et la fin :

664 B Παραδίδωσι δὲ τῷ ἠγαπημένῳ μαθητῇ (),
ἀπάγειν δὲ οἴκαδε κελεύει,
καὶ ἐν τάξει ποιεῖσθαι μητρός
665 A ... ὃς καὶ δέχεταί τε καὶ ἀποκομίζει χαίρων,
πᾶσαν ἐπ᾿ αὐτῇ πληρώσων τοῦ Σωτῆρος τὴν βούλησιν.

Je souscris volontiers à l'observation de de la Potterie : «dans ἀποκομίζει est virtuellement présent οἴκαδε qui lui est parallèle (cf. d'ailleurs le texte de 685 B : οἴκαδε ἀνεκομίζοντο)» (86)[4]. Cyrille interprète la parole du v. 27a («Voilà ta mère!») comme un ordre de Jésus (κελεύει καὶ ἐν τάξει ποιεῖσθαι μητρός) et il la complète par une formule qu'il emprunte à l'exécution de l'ordre au v. 27b, ἔλαβεν αὐτὴν εἰς τὰ ἴδια (ἀπάγειν οἴκαδε). De la Potterie dit fort bien que οἴκαδε est «implicitement présent» dans ἀποκομίζει à la fin du passage, mais il a tort, je crois, de séparer les deux verbes δέχεται et ἀποκομίζει, liés par τε καί, qui, les deux ensemble, correspondent à ἔλαβεν ... εἰς τὰ ἴδια de la citation de Jn 19,27. Une opposition entre (δέχεται) εἰς τὰ ἴδια et (ἀποκομίζει) οἴκαδε n'est en rien suggéré par le texte de Cyrille : «il (la) reçoit et (l') emmène». De la Potterie ajoute : «il ne dit pas *où*!» (87), mais fallait-il vraiment le dire dans une paraphrase de ἔλαβεν ... εἰς τὰ ἴδια et en correspondance à ἀπάγειν οἴκαδε[5]?

b. *Épiphane* (PG 42, 713.716)

716 A Λέγει δὲ τὸ Εὐαγγέλιον· Καὶ ἀπὸ τῆς ἡμέρας ἐκείνης ἔλαβεν αὐτὴν πρὸς ἑαυτόν.
Εἰ δὲ εἶχεν ἄνδρα, εἰ εἶχεν οἶκον, εἰ εἶχε τέκνα, εἰς τὰ ἴδια ἀνεχώρει, οὐ πρὸς τὸν ἀλλότριον.
... Καὶ γὰρ ὅτε τοῦτο γεγένητο, καὶ παρείληφεν αὐτὴν πρὸς ἑαυτόν, οὐκέτι παρέμεινε παρ᾿ αὐτῷ.
B ... Καίτοι γε τοῦ Ἰωάννου περὶ τὴν Ἀσίαν ἐνστειλαμένου τὴν πορείαν· καὶ οὐδαμοῦ λέγει, ὅτι ἐπηγάγετο μεθ᾿ ἑαυτοῦ τὴν ἁγίαν Παρθένον.

Dans la citation du texte johannique et dans son commentaire, Épiphane remplace εἰς τὰ ἴδια par πρὸς ἑαυτόν. Pour illustrer l'équivalence des deux expressions, j'avais noté (n. 6) les «traductions» de

4. Cf. *ETL*, 1979, p. 358, n. 6. Si l'on admet que οἴκαδε est un «élément implicite», peut-on encore écrire que «voir exprimée ici l'idée que Jean conduit Marie 'dans sa *maison*', c'est banaliser le texte, l'aplatir, lui enlever sa dimension profonde» (p. 89, n. 11)?

5. De la Potterie exige (mais de quel droit?) que la correspondance soit plus exacte : «Si Cyrille les avait compris ainsi, il les aurait probablement repris dans son commentaire du verset, en y employant une formule telle que ἀποκομίζει εἰς τὰ ἴδια, ou bien οἴκαδε ἀνακομίζει ...» (88). Qu'on se réfère à son commentaire de ἵνα σκορπισθῆτε ἕκαστος εἰς τὰ ἴδια (Jn 16,32) : ἀπελεύσεσθε πρὸς τὰ ἴδια (469 D), πρὸς οὕσπερ ἂν εὕρητε διοιχήσεσθε τόπους (472 A). Quant à l'absence du complément direct (p. 89, n. 11), il est à noter que le verbe ἀπάγειν (664 B) ne l'a pas non plus.

אל־ביתו en Esther 5,10 et 6,12: εἰς τὰ ἴδια (LXX) et πρὸς αὑτόν (Flavius Josèphe). Ce ne fut pas «le seul argument» (90). Dans la même note, je renvoie à Cyrille d'Alexandrie et sa paraphrase de ἀπῆλθον πάλιν πρὸς ἑαυτούς (Jn 20,10): οἴκαδε πάλιν ἀνεκομίζοντο, et je rapproche Jn 19,27 εἰς τὰ ἴδια de 20,10 πρὸς ἑαυτούς. Je croyais qu'il pouvait suffire, dans le cadre de cette note, de renvoyer le lecteur à l'inventaire des emplois de πρὸς ἑαυτόν que l'avais publié dans *ETL* 1978.

Dans Épiphane, la citation de Jn 19,27b (... πρὸς ἑαυτόν) est suivie de ce commentaire:

a εἰ δὲ εἶχεν ἄνδρα,
b εἰ εἶχεν οἶκον,
a' εἰ εἶχε τέκνα,
  εἰς τὰ ἴδια ἀνεχώρει,
  οὐ πρὸς τὸν ἀλλότριον.

Marie s'est retirée πρὸς τὸν ἀλλότριον: l'étranger, c'est le disciple Jean (cf. 713 D ὄντι κατὰ σάρκα ἀλλοτρίῳ) qui doit l'honorer comme sa propre mère. Si elle avait un mari, une maison, des enfants, elle aurait pu rentrer chez soi (εἰς τὰ ἴδια). L'équivalence des deux expressions, πρὸς ἑαυτόν (dit du disciple dans la citation) et εἰς τὰ ἴδια (dit de Marie dans le commentaire) est si évidente que je me suis contenté de citer dans la note le texte d'Épiphane[6]. Je pouvais difficilement prévoir l'objection que «les deux expressions ne sont pas synonymes, ... parce qu'elles sont employées pour des personnes différentes» (92)! Deux autres difficultés soulevées par de la Potterie méritent notre attention:

1. La formule εἰς τὰ ἴδια prend ici une nuance spéciale: elle résume ce que Marie aurait eu «en propre» (l'idée de possession): ἄνδρα, οἶκον, τέκνα; «τὰ ἴδια n'est pas la simple reprise de οἶκον» (90). Il convient cependant de préciser: les trois substantifs ἄνδρα (a), οἶκον (b), τέκνα (a') ne sont pas du même ordre, et les noms des personnes (a a') apparaissent déjà auparavant, en ordre inversé: εἰ ἦσαν δὲ τέκνα τῇ Μαρίᾳ, καὶ εἰ ὑπῆρχεν αὐτῇ ἀνήρ (713 C). Il les reprend dans l'énumération de 716 A et y ajoute, au centre des trois phrases en εἰ, la mention de la «maison». Ensuite, la formule εἰς τὰ ἴδια doit se comprendre ici en contraste avec (οὐ) πρὸς τὸν ἀλλότριον (du point de vue de Marie) = πρὸς ἑαυτόν (du point de vue du disciple) = εἰς τὰ ἴδια (Jn 19,27b).

2. «L'expression [πρὸς ἑαυτόν], caractérisée par l'emploi du pronom réfléchi, a une nuance plus *personnelle*». Épiphane aurait changé deux fois εἰς τὰ ἴδια en πρὸς ἑαυτόν pour insister sur le rapport

6. Faut-il prendre au sérieux le reproche de ne pas avoir vu qu'Épiphane ne parle plus du disciple lorsqu'il dit: εἰ δὲ εἶχεν ἄνδρα ... (cf. p. 92, n. 11)?

personnel du Disciple avec Marie (92-94). Il est vrai qu'Épiphane insiste sur la communion entre Marie et Jean (713 C διὰ τὴν παρθενίαν), mais y a-t-il une différence entre εἰς τὰ ἴδια et πρὸς ἑαυτόν? De la Potterie attire l'attention sur «la répétition si caractéristique des pronoms (personnels et réfléchis) qui désignent le Disciple» (93). Outre les deux exemples de πρὸς ἑαυτόν (= Jn 19,27 εἰς τὰ ἴδια), Épiphane écrit οὐκέτι παρέμεινε παρ᾽ αὐτῷ et οὐδαμοῦ λέγει, ὅτι ἐπηγάγετο μεθ᾽ ἑαυτοῦ τὴν ἁγίαν Παρθένον, chaque fois pour *nier* leur cohabitation, en réaction contre la pratique des συνείσακτοι (716 B)[7].

2. *La tradition occidentale*

Sur l'origine de la variante *in suam*, rappelons tout d'abord la position de de la Potterie en 1974: «une faute de transcription, ou plutôt une correction grammaticale» (p. 9). «On comprend fort bien que des copistes aient voulu rétablir l'accord grammatical avec ce qui précède, en mettant aussi dans la conclusion l'adjectif possessif au féminin singulier: '*Accepit* eam *discipulus* in suam' (i.e. *in suam matrem*, cf. le v. 27a), sans qu'ils aient pour autant voulu exprimer par là une profonde vérité théologique» (p. 9, n. 27). Pour ma part, j'avais noté que «l'explication suggérée par de la Potterie se lit déjà chez Lucas Brugensis: 'Videtur *in suam* ex eo ortum habuisse quod praecedat, *Ecce mater tua*: hinc enim existimatum est *in suam* scribendum esse, subaudito *matrem*'» (p. 359). La réaction de de la Potterie en 1980: «contrairement à ce que pensait Lucas de Bruges, il est tout à fait improbable que cette interprétation soit vraiment l'*origine* de la variante, car *in suam* est attesté à partir du VIe siècle, bien longtemps avant l'époque où l'on commença à découvrir dans cette scène la révélation de la maternité spirituelle de Marie» (95, n. 22). De la Potterie se réfère à «ce que *pensait* Lucas de Bruges» ... Mais ni ses *Notationes* de 1580 ni son Commentaire sur l'évangile de Jean, achevé en 1616, ne contiennent la moindre allusion à la maternité spirituelle de Marie[8], et son explication de la leçon *in suam* ne diffère en rien de celle de de la Potterie lui-même en 1974.

7. Cf. *ETL*, 1979, p. 358, n. 8. À la fin de la note, je résume le contenu du passage sans en donner une «traduction». Inutile donc de nous enseigner que Marie ne peut être le sujet de la phrase ἐπηγάγετο μεθ᾽ ἑαυτοῦ τὴν ἁγίαν Παρθένον (p. 93, n. 18)! L'insistance sur le fait que Marie ne resta pas avec lui et ne l'accompagna pas en Asie est pour nous le renseignement essentiel de ce passage d'Épiphane. Il peut, je crois, nous éclairer sur le silence relatif des Pères grecs. I. de la Potterie se contente de constater qu'«ils ne se sont guère attardés à l'exégèse du verset final» de Jn 19,25-27 (86). Si l'explication de Kneller peut être retenue, leur silence parle en faveur du sens de εἰς τὰ ἴδια = chez lui.

8. Cf. *Commentarius in sanctum Jesu Christi Evangelium secundum Johannem* (le tome IV de l'édition de 1712), p. 380: «Sensus proximus est, quod acceperit eam in domum seu habitationem suam; ulterior autem, quod perfecerit fideliter id quod jussus

Dans cette explication, il reste cependant la difficulté que, pour changer *sua* en *suam* (matrem), les copistes devaient comprendre *accepit in* au sens de «prendre pour, regarder comme», qui n'est pas le sens de ἔλαβεν εἰς en Jn 19,27b ni celui de *accepit in* dans la tradition latine (Augustin : *in sua officia*). Je ne puis donc que répéter que «l'origine de la variante *in suam* reste obscure»[9].

3. *L'époque moderne*

Au sujet de l'interprétation de Jn 19,27b «depuis la Renaissance», de la Potterie ne parle plus de «différence radicale» et d'une interprétation «pratiquement ignorée pendant toute l'époque précédente». Il cite même des exemples de l'intérêt des anciens pour la maison de Marie, le *Transitus Mariae*, 2: «Et ex illa hora sancta Dei Genitrix in Johannis cura specialius permansit, quamdiu vitae istius incolatum transegit. Et dum apostoli mundum suis sortibus in praedicatione sumpsissent, ipsa domo parentum illius [Johannis] juxta montem Oliveti consedit» (86, n. 6)[10]; et la *De dormitione historia Euthymiaca*, qui «parle aussi de la 'maison' où vécut Marie, car on s'intéressait en Orient à la question du *lieu* où elle était morte» (96, n. 26; c'est à cette histoire qu'Albert le Grand avait emprunté la phrase: «extunc recepit eam in domum suam, et cum puellis aliis de eleemosynis fidelium eam sustentavit»).

De la Potterie résume ainsi l'histoire de l'interprétation: «les Pères, dans l'ensemble, y ont vu l'expression des *soins* du Disciple pour la Mère de Jésus; d'après l'interprétation dominante au moyen âge, ce verset nous enseigne qu'à partir de cette heure le Disciple tint Marie

fuerat; nimirum, suscepto erga matrem Iesu affectu filii, singularem ejus curam quoad omnia gesserit».

9. Cf. *ETL*, 1979, p. 359. À mon étonnement, j'apprends que «F. Neirynck ... propose sa propre interprétation»: *in suam* (*domum*) (p. 95). Il est vrai que j'ai réagi contre l'affirmation que *in suam* (*matrem*) soit la seule lecture possible d'un point de vue grammatical. Si l'on prend «grammaticalement» au sens plus large de «philologiquement» (p. 96, n. 25), il y a lieu de se demander si le sens traditionnel de *accepit in* puisse permettre l'explication *in suam* (*matrem*).

10. Cf. *PG* 5, 1233A. Cf. C. Tischendorf, *Apocalypses apocryphae Mosis, Esdrae, Pauli, Iohannis item Mariae Dormitio*, Leipzig, 1866, p. 125 (= *Transitus Mariae*, B).

Dans un autre texte, le *Transitus Mariae* A, l'on trouve une plainte de Marie ou une accusation contre Jean pour l'avoir laissée toute seule: «O carissime fili, cur tanto tempore me dimisisti et praecepta tui magistri non attendisti, ut me custodiris, sicut praecepit tibi dum in cruce penderet? Ille autem genu flexo veniam rogabat» (éd. C. Tischendorf, p. 116). Témoignant d'un optimisme historique peu commun, S. Voigt croit qu'il s'agit d'une tradition primitive qui pourrait expliquer la rédaction de Jn 19,27b. Cf. S. Voigt, *O discípulo amado recebe a Mãe de Jesus «Eis ta idia»: velada apologia de João em Jo 19,27?*, dans *Revista Eclesiástica Brasileira* 35 (1975) 771-823; *Une accusation apocryphe contre l'apôtre Jean et son historicité possible*, dans *Studia Hierosolymitana in onore di P. Bellarmino Bagatti. II. Studi esegetici*, Jerusalem, 1976, pp. 278-288.

pour sa *mère*; pour la plupart des commentateurs modernes, il signifie qu'il la prit chez lui, dans *sa maison*; mais nombreux sont les auteurs qui restent fidèles à l'interprétation spirituelle, dans l'esprit des auteurs médiévaux» (99). J'ai trois remarques à faire. La première est un rappel : l'insistance sur les soins du disciple suppose la traduction : il la prit chez lui. Puis, on se souvient d'avoir lu quelque part : «l'explication d'Augustin fera fortune. Elle reparaît au moyen âge, presque dans les mêmes termes, chez Bède, saint Thomas et Cajétan. D'autres, sans reprendre à la lettre la formule d'Augustin, répéteront la même interprétation morale du verset : il s'agit, dans ce texte, des soins attentifs du disciple pour sa mère. C'est l'exégèse de la *Glossa ordinaria* et de Rupert de Deutz». Certains lisent *in suam* mais l'entendent au sens de *in suam curam* (Nicolas de Lyre, Ludolphe de Saxe) ou expliquent la formule *in suam matrem* dans le même sens (*Glossa interlinearis*, Bonaventure)[11]. Ni la leçon *in suam*, ni même la traduction : «il la tint pour sa mêre» (Diatessaron de Liège : «hilt se die ijongre over sire moeder») ne sont des témoins sûrs d'une interprétation spirituelle. On peut les comprendre comme Bonaventure : «*In suam*, scilicet matrem, *accepit*, ut illam, sicut matrem filius, honoraret, custodiret et servaret». Finalement, chez certains auteurs modernes, l'exégèse dite spirituelle se combine avec l'interprétation «traditionnelle» de Jn 19,27b : le disciple la prit chez lui (84, n. 2). Pour y voir une leçon de piété filiale (interprétation morale) ou pour donner à l'intervention du disciple une signification symbolique (interprétation spirituelle), il n'est en effet nullement besoin de modifier le sens de l'expression johannique. L'histoire de l'exégèse nous apprend que, si on l'a fait dans la tradition latine, ce fut pour une raison qui est étrangère au texte johannique (Mt 19,27-29) ou sur la base d'un texte qui n'est pas celui de Jean (*in suam*).

Notons encore que de la Potterie s'agite parce que j'avais écrit : «l'argument du symbolisme de la robe sans couture (19,23-24) est pour le moins fort discutable», et «cela, avant d'avoir pu prendre connaissance de [son] étude (pas encore publiée)» sur «La tunique 'non divisée' de Jésus, symbole de l'unité messianique» (98, n. 30)[12]. Il l'annonce

11. Cf. *La parole*, pp. 8-12.

12. C'est, semble-t-il, une faute grave : «faudrait-il penser qu'il refuse par principe tout symbolisme dans S. Jean?» (*ibid.*). Mais, à la même page, il refuse, lui, le symbolisme sacerdotal de la tunique sans couture, tandis que «F. Neirynck accorde à cette exégèse une certaine importance ...»! En fait, mon observation concernait l'histoire de l'exégèse. J'ai d'ailleurs l'impression que de la Potterie sous-estime la signification de la phrase de Carpzov : «cujus ille in V. Test. typus erat» (dans un passage où il compare la tunique du grand prêtre et celle de Jésus).

Notons la correction de la pagination signalée par de la Potterie : p. 365, n. 33, dernière ligne : 785-810, spéc. 791 (mais dans l'édition : DCCLXXXIX). Autres corrections : p. 361, n. 17 : 12,43 → 12,3; p. 365, n. 33, ligne 2 : Salvatoris + nostri; n. 34, ligne 7 : Leib- → Lieb-. Ajouter p. 357, ligne 21 : die → der; n. 2, ligne 3 : Jünger. Cf.

encore une fois: «à paraître», et je m'abstiens donc de tout commentaire.

II. LES «PARALLÈLES» DE JN 19,27b

La seconde partie de l'article est consacrée à l'analyse du texte (99-124). De la Potterie procède de manière systématique: 1. La méthode; 2. La préposition εἰς; 3. L'expression λαμβάνειν τινὰ εἰς (surtout les parallèles en Sg 8,18; Jn 6,21; 2 Jn 10); 4. Τὰ ἴδια (plus spécialement le parallèle de Jn 16,32); 5. Exégèse de Jn 19,27b. Voyons d'abord les «parallèles» et puis l'interprétation de Jn 19,27b.

1. *Sg 8,18* περιῄειν ζητῶν ὅπως λάβω αὐτὴν εἰς ἐμαυτόν

«Certains, comme la *TOB*, voient encore ici l'image de la Sagesse-épouse que le sage veut prendre 'auprès de lui'. Mais cela ne paraît pas fondé. Au v. 18, l'idée de cohabitation (v. 2) ou de vie en commun (vv. 9.16) n'apparaît plus» (103). L'interprétation que refuse ici de la Potterie est celle de l'immense majorité des exégètes du Livre de la Sagesse. Dans la division du texte de la Bible de Crampon, Sg 8,2-18 contient l'exposé des «raisons pour lesquelles Salomon s'est efforcé d'acquérir la sagesse» (cf. R. Cornely, 1910; P. Heinisch, 1912)[13]:

2b καὶ ἐζήτησα νύμφην ἀγαγέσθαι ἐμαυτῷ
9a ἔκρινα τοίνυν ταύτην ἀγαγέσθαι πρὸς συμβίωσιν (cf. 16)
18e περιῄειν ζητῶν ὅπως λάβω αὐτὴν εἰς ἐμαυτόν.

Plusieurs auteurs insistent sur l'inclusion des vv. 9 et 16 (συμβίωσις) et font appartenir les vv. 17-18 à une section de transition (8,17-21), avant la prière du chap. 9. Mais ces mêmes auteurs font observer que les vv.17-18 sont la récapitulation des versets précédents: «Wat in 8,2-16 uitvoerig over de vruchten van de wijsheid gezegd is, wordt in vs 17 en 18 samengevat»[14]. Les deux auteurs auxquels de la Potterie

infra, n. 30. Dans *La parole*, on corrigera n. 11: 393 → 394; n. 20: 1930-1931 → 1837-1838; n. 21: 1931 → 1838; n. 27, ligne 11: una → une; p..33, ligne 5: 19,48 → 19,40 (voir cependant ligne 7).

13. Voir encore J.M. REESE, *Hellenistic Influence on the Book of Wisdom and Its Consequences* (Analecta Biblica, 41), Rome, 1970, p. 43 et 72. Sur 8,2-18 et le mythe d'Héracles, cf. pp. 38-39 et 108. Voir également D. GEORGI, *Weisheit Salomos* (Jüdische Schriften aus hellenistisch-römischer Zeit, III/4), Gütersloh, 1980, pp. 389-478: «8,2-18, ein *Liebeslied* auf die Weisheit aus der hellenistisch-jüdischen, spekulativen Mystik. ... Das Lied endete ursprünglich mit V. 18» (p. 429).

14. A. DRUBBEL, *Wijsheid* (De boeken van het O.T., VIII/4), Roermond, 1957, p. 51. Il traduit: «haar tot mij nemen». Comparer «la prendre chez moi» (E. Osty, 1950; *BJ* 1956); «je la prendrais pour moi» (E. Osty-J. Trinquet); «l'obtenir pour moi» (*BJ* ²1973); «la prendre comme épouse» (*TOB*). Cf. K. Siegfried, 1900: «zu mir hereinnehmen»; S. Holmes, 1913: «to take her unto myself»; P. Heinisch, 1912: «in mein Haus aufnehmen» = «die Weisheit als Gattin in sein Haus einführen (εἰς

se réfère, P. Beauchamp et A. G. Wright, comprennent ainsi le v. 18e à la lumière des vv. 2b et 9a[15].

De la Potterie fait remarquer qu'en 8,18 l'auteur ne recourt plus, comme en 8,2, à des tournures qui font songer à la présence de la Sagesse-épouse *auprès de lui*. «Telles seraient par exemple : ὅπως λάβω αὐτὴν ἐμαυτῷ (cf. 2 Chr 11,20), ou bien μετ᾽ ἐμαυτοῦ (cf. 1 Rois 24,3) ou encore πρὸς ἐμαυτόν (cf. Nb 19,2)» (103). À lire les deux derniers exemples, on risque de se poser des questions sur l'idée que se fait I. de la Potterie de l'intimité conjugale : ἔλαβεν μεθ᾽ ἑαυτοῦ τρεῖς χιλιάδας ἀνδρῶν ... et λαβέτωσαν πρὸς σὲ δάμαλιν πυρρὰν ... Le premier texte, 2 Chr 11,20 (cf. v. 18), contient la formule usuelle : ἔλαβεν ἑαυτῷ (γυναῖκα). La formule nouvelle que l'auteur emploie en 8,18, «suggère l'idée d'intériorisation» : «la formule εἰς ἐμαυτόν ne peut signifier 'chez moi'» (104, n. 43).

La difficulté soulevée par de la Potterie concerne l'emploi de la préposition εἰς et non pas celui du pronom réfléchi. Il reconnaît même expressément que la tournure λαμβάνω πρὸς ἐμαυτόν exprimerait fort bien l'image de prendre comme épouse *auprès de lui* (chez lui, dans sa maison)[16]. Mais la préposition εἰς «indique la pénétration» (104; 105, n. 43). Citons la grammaire de M. Zerwick : «confusio ... haberi potest inter πρός et εἰς, quatenus εἰς non iam necessario ponit 'terminum ad quem' motûs in ipsa re, sed interdum in eius propinquitate (= ad)»[17]. De quel droit peut-on donc exclure ici un emploi occasionnel de εἰς, équivalent de πρὸς (ἐμαυτόν)? «Comme partout ailleurs dans la LXX ...» (105). Les exemples de λαμβάνειν εἰς y sont peu nombreux (10 fois, dont 5 fois «prendre dans sa main»), et la «pénétration» est moins claire en Nb 11,12 : λαβὲ αὐτὸν εἰς τὸν κόλπον σου, ὡσεὶ ἄραι τιθηνὸς τὸν θηλάζοντα. De la Potterie invoque

ἐμαυτόν)» (p. 168); J. Weber, 1943 : «la prendre chez moi» = «prendre sous son toit, comme épouse» (p. 457); D. Georgi, 1980 : «zu mir nehmen».

15. P. Beauchamp, *Épouser la Sagesse — ou n'épouser qu'elle? Une énigme du Livre de la Sagesse*, dans M. Gilbert (éd.), *La Sagesse dans l'Ancien Testament* (BETL, 51), Gembloux-Leuven, 1979, pp. 346-369, spéc. 347 : «il parle d''épouser la Sagesse' (en employant des expressions variées : Sg., 8,2.9.16.18)»; A. G. Wright, *The Structure of the Book of Wisdom*, dans *Biblica* 48 (1967) 165-184, p. 174 : «8,17-21 : ... The vocabulary of the first two verses recalls the ideas of the preceding sections ... Also 8,18e = 8,2 = 8,9»; cf. *Wisdom*, dans *The Jerome Biblical Commentary*, London, 1970, t. 1, pp. 556-568, spéc. p. 562 : «these lines recapitulate 8:2-16».

16. Cf. p. 103. Voir p. 104, n. 43, 2 («dans des textes hellénistiques»).

17. M. Zerwick, *Graecitas Biblica*, Rome, [4]1960, p. 30 (n° 97). Exemples : Mc 5,38; Lc 9,10; 18,35; Mc 11,1 par.; Jn 4,5; 20,3.4.8. Cf. W. Bauer, *Wörterbuch*, [5]1958, art. εἰς, 1.b : «*in die Nähe von, hinzu, an*». Cette distinction dans l'emploi de εἰς n'apparaît pas dans l'article de I. de la Potterie, *L'emploi dynamique de* εἰς *dans saint Jean et ses incidences théologiques*, dans *Biblica* 43 (1962) 366-387. Il comprend πρὸς (τὸν θεόν) au sens dynamique, mais insiste sur la différence : πρός = «en face de»; εἰς = «un mouvement jusqu'à l'intérieur même du but à atteindre» (p. 386, n. 2).

également le contexte de Sg 8,17ss. et les «mots-crochets», ἐν καρδίᾳ μου et εἰς ἐμαυτόν (105, n. 43). Mais le contexte qui doit nous éclairer sur l'image du v. 18e n'est pas le fait que le sage réfléchit (v. 17ab ἐν ἐμαυτῷ, ἐν καρδίᾳ μου), mais l'objet de sa réflexion, aux vv. 17c-18d, qui résume la description de 8,2-16. L'auteur peut avoir employé εἰς ἐμαυτόν au sens de πρὸς ἐμαυτόν sous l'influence de l'expression εἰς τὸν οἶκόν μου. Cf. Jos 2,18 συνάξεις πρὸς σεαυτὴν εἰς τὴν οἰκίαν σου et 3 R 13,18 ἐπίστρεψον αὐτὸν πρὸς σεαυτὸν εἰς τὸν οἶκόν σου. L'image de la maison apparaît en Sg 8,16, dans la description de la συμβίωσις avec la sagesse: εἰσελθὼν εἰς τὸν οἶκόν μου προσαναπαύσομαι αὐτῇ. L'on peut donc traduire εἰς ἐμαυτόν en 8,18 par «chez moi» (au sens local)[18], plutôt que par «en moi-même» (au sens dit «strictement réflexif et personnel»)[19].

2. *Jn 6,21a* ἤθελον οὖν λαβεῖν αὐτὸν εἰς τὸ πλοῖον

Dans l'article de 1974, on pouvait lire que Jn 19,27b se distingue des parallèles de εἰς τὰ ἴδια = «dans sa maison» parce que la formule y apparaît «*toujours avec un verbe de mouvement*, ce qui ne se vérifie pas en Jn 19,27b»; «le verbe employé par Jn (λαμβάνειν) n'implique aucun déplacement». L'on comprend que je devais signaler l'emploi de λαμβάνειν avec le complément εἰς τὸ πλοῖον en 6,21. De la Potterie en convient maintenant: «Il est vrai qu'en 6,21 λαβεῖν αὐτόν est suivi de εἰς τὸ πλοῖον, ce qui suppose un mouvement extérieur»; «on doit admettre que l'expression *implique* de quelque manière le mouvement de Jésus d'entrer dans la barque» (107). Mais il ne désarme pas: «Celui qui se *déplace* ici, c'est Jésus (mais le texte n'en dit rien); les disciples, qui sont le sujet du verbe, *restent* dans la barque» (106); λαβεῖν αὐτόν décrit «l'élan de leur foi, leur désir d'accueillir Jésus auprès d'eux. Ce désir, sans doute, inspira un geste extérieur, mais Jean n'en parle pas» (108).

Dira-t-on désormais qu'un verbe n'indique pas de mouvement du moment que le sujet du verbe reste sur place? N'y a-t-il donc pas de «mouvement» dans un cas comme celui de 5,7 ἵνα (ἄνθρωπος)

18 Cf. C. L. W. GRIMM, 1860, p. 176: «*zu mir herein* = in mein Haus (vgl. Win. S. 353), daher Schultess' Conjectur εἰς ἐμαυτοῦ sc. οἶκον (Matthiä II, p. 380. Anm. 6) unnöthig ist». Winer (§ 49, αα) signale le cas de Ac 16,40: εἰσῆλθον εἰς τὴν Λυδίαν TR (*rl* πρός) = dans la maison de Lydia. Sg 8,18 et Ac 16,40 TR sont rapprochés également dans le Lexique de Grimm (art. εἰς, A 1 a).

19. Je tiens à remercier I. de la Potterie et É. des Places pour l'interprétation sans doute meilleure qu'ils ont donnée au passage de la *Vita Alexandri* 1,33,10 (cf. *ETL*, 54, 1958, p. 118: lettre de G. Mussies): ταῦτα οὖν χρηματισθεὶς εἰς ἑαυτὸν ἀνεχώρησεν Ἀλεξάνδρος. ὑπομνησθεὶς ⟨δὲ⟩ τὸν χρησμὸν ἐπέγνω 'Σαραπις' (p. 104, n. 43). Mais faut-il nécessairement exclure la traduction: il rentra chez lui? Cf. Mt 2,12 χρηματισθέντες ... ἀνεχώρησαν εἰς, 22 χρηματισθεὶς ... ἀνεχώρησεν εἰς.

βάλῃ με εἰς τὴν κολυμβήθραν[20]? Quant au λαβεῖν en 6,21a, s'il suppose «un mouvement extérieur», peut-on maintenir que «la part d'activité qu'implique ce verbe est d'ordre spirituel» (107)? Et comment peut-on traduire ἤθελον par «ils étaient tout heureux de ...», et puis écrire deux pages plus loin: «le *fait* même de l'entrée de Jésus dans la barque n'est pas mentionné» (108)? C'est pourtant de ce *fait* qu'il s'agit dans la version de *RSV* à laquelle il se réfère pour justifier sa propre traduction: «They were glad to take him into the boat»[21].

De la Potterie insiste beaucoup sur la structure de 6,16-21. Mais le rôle du v. 21a dans le récit, la reconnaissance des disciples après la manifestation de Jésus (Augustin: «agnoscentes ac gaudentes») ne peut changer le sens de λαβεῖν αὐτὸν εἰς τὸ πλοῖον. Même une lecture «discrètement symbolisante» doit respecter, au niveau de la narration, le sens des mots.

3. *2 Jn 10* μὴ λαμβάνετε αὐτὸν εἰς οἰκίαν

En 2 Jn 10, «les contours matériels de la 'maison' s'estompent et pratiquement disparaissent» (112); c'est au niveau formel de la rencontre personnelle que οἰκία doit être interprété (110). Trois «données élémentaires» devraient appuyer cette affirmation:

a. L'emploi de l'impératif présent (μὴ λαμβάνετε, μὴ λέγετε) exprime la durée de l'action: «le chrétien *ne doit pas prolonger* le contact avec le séducteur». L'interdiction ne peut porter sur l'action ponctuelle «d'*introduire* le séducteur dans leur *maison*» (110-111). C'est simple, tellement simple..., dirait I. de la Potterie (cf. 109). Écoutons toutefois l'avis de M. Zerwick: «Nota tamen iterum non necessario et semper debere esse *continuationem* actionis iam existentis quae determinet praesens in prohibitione (et iussione). Imperativus praesentis potest etiam determinari ab idea (futurae) iterationis, durationis, in eo quod agitur de generali regula»[22]. Après εἴ τις ἔρχεται πρὸς ὑμᾶς ..., je ne vois pas de raison pour mettre en doute le sens itératif de μὴ λαμβάνετε!

b. «Au point de vue philologique, 'recevoir *dans* (εἰς) *sa maison*' demanderait l'emploi de l'*article*, et normalement aussi celui d'un

20. Déjà dans son article sur «L'emploi dynamique de εἰς» (cf. *supra*, n. 17), de la Potterie distingue deux catégories de verbes: d'abord «des verbes de mouvement» qui sont exclusivement des *verba eundi*, et puis «des verbes indiquant différentes actions faites ou subies», dont il dit que «la plupart n'indiquent pas de mouvement» (p. 369). On y trouve par exemple le verbe βάλλω, qu'on peut classer avec Bauer dans le groupe des «Verben des Schickens, Bewegens u.a., die eine Bewegung zur Folge haben».

21. Le sens est clair: «They gladly took him into the boat» (*KJV*: «They willingly received him into the ship»). De la Potterie cite d'ailleurs dans le même sens la traduction de Tillmann (p. 106, n. 46).

22. *Graecitas Biblica*, Rome, [4]1960, n° 248. Cf. B-D § 335: «der Imper. Präs. ist durativ oder iterativ».

génitif possessif» (109-110). Quant au génitif possessif, de la Potterie cite lui-même l'exemple de Ac 9,17 : εἰσῆλθεν εἰς τὴν οἰκίαν, et on peut trouver d'autres dans la LXX (cf. Jg 19,15 εἰς τὸν οἶκον, 18 εἰς τὴν οἰκίαν). Il est vrai que οἰκία et οἶκος sont normalement accompagnés de l'article «quand il s'agit d'un milieu déterminé». Marc écrit εἰς τὴν οἰκίαν en 10,10, mais il a εἰς οἶκον en 3,20; 7,17; 9,28 (cf. 2,1 ἐν οἴκῳ). En 3 R 13,7, on peut lire : εἴσελθε μετ᾽ ἐμοῦ εἰς οἶκον. Flavius Josèphe emploie fréquemment ἐπ᾽ οἴκου dans l'expression «retourner chez soi»[23]. Dans les écrits johanniques, le nombre des emplois de οἶκος (Jn 2,16.17 le Temple; 11,20) et οἰκία (Jn 4,53; 8,35; 11,31; 12,3; 14,2; 2 Jn 10)[24] est trop limité pour qu'on puisse donner une signification propre à l'absence de l'article en 2 Jn 10.

c. Dans les écrits johanniques, οἰκία se distingue de οἶκος et «attire l'attention sur l'aspect *personnel* et *humain* de la 'maison', sur ses habitants». Il serait le cas en 11,31; 12,3; 14,2 (110).

11,31a οἱ οὖν Ἰουδαῖοι οἱ ὄντες μετ᾽ αὐτῆς ἐν τῇ οἰκίᾳ («les *Juifs* étaient avec *elle* dans la maison»).
Peut-on réellement parler de différence entre οἰκία au v. 31 et οἶκος au v. 20 : Μαριὰμ δὲ ἐν τῷ οἴκῳ ἐκαθέζετο? D'ailleurs, les Juifs sont déjà là au v. 19 : πρὸς τὴν Μάρθαν καὶ Μαριάμ.

12,3b ἡ δὲ οἰκία ἐπληρώθη ἐκ τῆς ὀσμῆς τοῦ μύρου.
Assez curieusement, il cite en faveur de l'«aspect personnel» le commentaire de Westcott qui parle de «a *personal impression*» au sens d'un souvenir personnel du témoin oculaire : «The keen sense of the fragrance belongs to experience and not to imagination»[25]! Pour sa part, de la Potterie y voit «du symbolisme théologique de saint Jean» (110, n. 55), mais c'est bien «la maison remplie de parfum» qui devient symbole?

14,2a ἐν τῇ οἰκίᾳ τοῦ πατρός μου μοναὶ πολλαί εἰσιν.
À la lumière de 11,20 et 31 (ἐν τῷ οἴκῳ/ἐν τῇ οἰκίᾳ), l'argument de la distinction entre οἰκία et οἶκος (τοῦ πατρός μου), réalité spirituelle (14,2) et le Temple de Jérusalem (2,16), n'est guère convaincant. À propos de 14,2, de la Potterie renvoie à l'interprétation de R. H. Gundry (110, n. 54). En fait, Gundry a méconnu le langage métaphorique du passage. Dans l'expression παραλαμβάνω πρὸς ἐμαυτόν au v. 3, c'est l'image de «la maison du Père» (v. 2) qui se prolonge[26]. Et lorsque Eusèbe et Épiphane citent Jn 14,2 sous la forme παρὰ τῷ

23. ἀναχωρεῖν ἐπ᾽ οἴκου *Bellum* 2,13; 4,352.353; διελύθησαν *Bellum* 4,517; κεχωρηκότας *Ant*. 9,246; ἀνεχώρησεν 10,17; πλεῖν 16,62.

24. 2 Jn 10 est le seul emploi avec εἰς. Comparer 7,53, dans la *Pericopa de adultera* : καὶ ἐπορεύθησαν ἕκαστος εἰς τὸν οἶκον αὐτοῦ.

25. Gf. L. Morris, *John*, 1971, p. 577; *Studies in the Fourth Gospel*, Grand Rapids, 1969, p. 173 : «a personal reminiscence» (il se réfère à Westcott).

26. Cf. *ETL* 54 (1978), pp. 115-116 (corriger n. 60 : ἐμαυτόν).

πατρί[27], ils restent fidèles, eux aussi, à l'image de la maison (παρά + dat. = dans la maison de).

Les raisons invoquées par de la Potterie contre l'interprétation courante de 2 Jn 10 sont donc franchement mauvaises. L'on notera d'ailleurs que dans les trois passages que nous venons d'examiner (Sg 8,18; Jn 6,21; 2 Jn 10) l'interprétation de λαμβάνειν εἰς qu'il refuse est chaque fois celle de l'immense majorité des commentateurs. Passons maintenant à l'emploi de εἰς τὰ ἴδια dans le parallèle de Jn 16,32. Là encore, l'expression prend «un sens tout différent de celui qu'on lui donne communément» (1974, 30).

4. *Jn 16,32* ἵνα σκορπισθῆτε ἕκαστος εἰς τὰ ἴδια

«Comme dans la tradition qui est à l'arrière-plan de ce passage (Zach 13,7; Mt 26,31; Mc 14,27), l'image est celle du troupeau dispersé» (117). «On peut admettre, sans doute, que ce motif biblique [de la dissolution de la troupe et du retour à la maison] constitue l'arrière-plan lointain de Jn 16,32» (115). Comment appuyer ces affirmations si ce n'est par une étude comparative des textes? Je l'ai fait dans ma note sur ΕΙΣ ΤΑ ΙΔΙΑ, apportant ainsi un complément nécessaire au premier article de de la Potterie[28]. Il me reproche maintenant de «vouloir expliquer Jn 16,32 *uniquement* à partir des synoptiques»; d'appliquer «la méthode qui consiste à ramener un texte au niveau de ses 'sources'» (115), une méthode «qui consiste principalement à recourir à des soi-disant '*parallèles*' *extra-johanniques*» (101); «examiner *presque uniquement* les antécédents lointains d'une expression et négliger ses parallèles johanniques et le contexte immédiat» (116; c'est moi qui souligne). Devant de tels reproches injustes

27. Cf. *La vérité*, t. 2, p. 861. De la Potterie se réfère à R. LAURENTIN, *Jésus au Temple*, p. 131 et 72, n. 110. Sur cette variante, voir surtout M.-É. BOISMARD, *Critique textuelle et citations patristiques*, dans *RB* 57 (1950) 388-408, spéc. pp. 388-391; *Importance de la critique textuelle pour établir l'origine araméenne du quatrième évangile*, dans *L'évangile de Jean* (Recherches bibliques, 3), Bruges, 1958, pp. 41-57, spéc. 52-53; et les réactions critiques: G. D. FEE, dans *JBL* 90 (1971), pp. 172-173; B. M. METZGER, dans *NTS* 18 (1971-72), pp. 390-391. La variante n'est plus mentionnée dans *L'évangile de Jean* (Synopse, t. 3), Paris, 1977.

28. Cf. *ETL* 55 (1979), pp. 361-364. De la Potterie y découvre encore une belle contradiction: «Jn 16,32 ... contient, avions-nous dit, 'plusieurs contacts remarquables' avec Jn 19,27. Ceci est contesté par F. Neirynck. Néanmoins, il consacre près de la moitié de son article à la discussion de ce passage» (114). J'ai exprimé mes réserves au sujet des «contacts» («autres que l'expression εἰς τὰ ἴδια») qui avaient été notés par de la Potterie, mais je n'ai jamais contesté l'importance du parallèle de 16,32 pour l'étude de 19,27. Et si j'ai consacré vingt lignes de texte au passage de 1 R 22,17 (Flavius Josèphe, *Ant.* 8,404-405), c'est parce que les commentateurs semblent l'avoir négligé alors qu'ils renvoient volontiers à 1 M 6,54b.

et contradictoires, je ne puis que reprendre les mots de de la Potterie: «ici, F. Neirynck reste perplexe» (116).

De la Potterie m'attribue un moment de perplexité, dont je n'ai cependant pas de souvenir. «Incohérent avec lui-même ... Mystère de la logique! ... Comprenne qui pourra ...!» (116-117). Pourquoi donc ces cris? J'avais écrit qu'en 16,32, «il s'agit indéniablement d'un verbe de mouvement»; l'expression se rattache «au motif de la dissolution de la troupe et du retour à la maison, fréquemment attesté dans les récits bibliques»; «le thème de la *dispersion* est évident en 16,32»; mais, étant donné l'emploi stéréotypé de l'expression εἰς τὰ ἴδια, il n'y a pas lieu de s'interroger sur «les différents *endroits*, où se seraient enfuis les disciples». Je ne me sens nullement embarrassé de répéter ces phrases, et je n'y vois aucune incohérence. Lorsqu'on lit ἐπορεύθη εἰς ἕτερον τόπον en Ac 12,27, on peut se demander dans quel autre endroit Pierre s'en alla (Antioche, Rome?). L'on peut aussi, sans rien changer à la traduction, l'interpréter comme «uninteressierter Legendenabschluss» (M. Dibelius), ou «se rappeler que Luc n'écrit pas une biographie des apôtres» (J. Dupont: «Le récit veut simplement dire que Pierre à quitté Jérusalem»). De même, en Jn 16,32, on peut traduire «vous serez dispersés chacun chez soi» (Boismard) sans y voir «une référence aux *différents endroits* où se sont retirés les disciples». C'est en ce sens que j'avais repris la formule de T. Zahn: l'expression est «redensartlich erstarrt»[29].

Selon de la Potterie, il faut «partir des données johanniques» (117). Il fait donc précéder l'examen de 16,32 d'un exposé sur ἴδιος et τὰ ἴδια dans le quatrième évangile, afin de préciser «ce que Jean entend par ces mots» (112-114). Méthode excellente en soi, mais à utiliser avec circonspection et sans exclure d'autres approches, sinon on risque d'étouffer la spécificité du passage en question. De la Potterie lui-même entend τὰ ἴδια en Lc 18,28 au sens de «les biens propres» (l'idée de *propriété*), mais il traduit εἰς τὰ ἴδια en Ac 21,6 correctement par «chez soi». Il peut le faire parce qu'il a étudié les parallèles de l'expression ὑπέστρεψαν εἰς τὰ ἴδια dans l'Écriture et dans les textes non bibliques de l'époque (1974, 22). Mais il y cherche aussi la justification de son opposition au sens «chez soi» en Jn 16,32: «pour l'expression telle qu'elle est utilisée dans Jn 16,32, c'est-à-dire précédée du verbe σκορπίζεσθαι, on ne trouve nulle part de parallèles!» (117).

29. La réaction de de la Potterie: «Contrairement à ce que semble suggérer F. Neirynck, Zahn pense bel et bien à des *endroits différents*: 'ein jeder in sein Quartier sich flüchtend' (p. 103)» (p. 116, n. 68). Telle est en effet la traduction qu'il cite dans le commentaire, mais c'est la note 39 qui doit nous intéresser. Il y écarte l'hypothèse d'une allusion aux maisons des disciples en Galilée et songe plutôt à des logements provisoires à Jérusalem; puis, il ajoute la phrase par laquelle il s'écarte de cette manière de voir: «Doch ist der Ausdruck redensartlich erstarrt».

À ce propos, j'ai rapproché Jn 16,32 avec Flavius Josèphe, *Ant* 8,404-405 (cf. LXX 3 R 22,17; 2 Ch 18,16)[30] :

404 φεύγοντας ... καὶ διασκορπιζομένους ... εἰς τὰ ὄρη, ...
405 τοὺς μὲν μετ' εἰρήνης ἀναστρέψειν εἰς τὰ ἴδια,
πεσεῖσθαι δ' αὐτὸν μόνον ἐν τῇ μάχῃ.

Rappelons également que l'expression εἰς τὰ ἴδια au sens de «(retourner) à la maison» a plusieurs synonymes, dont, bien entendu, εἰς τὸν οἶκον/τόπον αὐτοῦ, et je ne vois pas pourquoi on refuserait comme «parallèle» de Jn 16,32 l'emploi du verbe σκορπίζεσθαι en 1 M 6,54b : καὶ ἐσκορπίσθησαν ἕκαστος εἰς τὸν τόπον αὐτοῦ («ils se dispersèrent chacun chez soi»)[31].

De l'avis de de la Potterie, recourir au parallèle de Mc 14,27.41.50 dans l'explication de Jn 16,32, «c'est s'engager dans une voie sans issue» (115). Il prend évidemment ses précautions et écrit : «vouloir expliquer Jn 16,32 *uniquement* à partir des synoptiques», mais à lire son commentaire à la page 115 il ne voit que des différences et ne retient aucun rapprochement significatif. Au sujet de (δια)σκορπίζεσθαι, il fait observer que «Jean n'a pas τὰ πρόβατα du texte de Mc (et de Mt)», mais à la page 117 il note lui-même qu'en Jn 16,32 «l'image est celle du *troupeau dispersé* ... comme dans la tradition qui est à l'arrière-plan de ce passage (Zach 13,7; Mt 26,31 ; Mc 14,27)». Autre différence : le verbe simple chez Jn et le verbe composé chez Mc (115). Cette différence ne l'empêche cependant pas de rapprocher τὰ διεσκορπισμένα de Jn 11,52 avec 10,12 σκορπίζει (et εἰς ἕν avec μία ποίμνη en 10,16) (117-119). Troisième différence : le verbe est à la deuxième personne chez Jn et à la troisième personne chez Mc (115).

30. Il ne sert à rien de ridiculiser ce rapprochement : «dans les deux 'parallèles' qu'il cite, on ne trouve pas λαμβάνειν, comme dans S. Jean», et : «dans le IVe évangile, où ἀναστρέφειν ne paraît qu'en 2,15, il signifie tout autre chose» (101). J'ai fait le rapprochement avec Jn 16,32, et non pas avec 19,27b : ne parlons donc pas ici de λαμβάνειν. Quant à ἀναστρέφειν au sens de «renverser» en Jn 2,15, de la Potterie ne dira tout de même pas que l'évangéliste, s'il a lu l'histoire d'Achab dans la LXX, n'ait pas compris l'expression ἀναστρεφέτω ἕκαστος εἰς τὸν οἶκον αὐτοῦ? L'absence de ἀναστρέφειν = retourner dans Jn ne fait qu'augmenter la vraisemblance d'une combinaison de ἕκαστος εἰς τὰ ἴδια avec le verbe σκορπίζεσθαι au sens d'«être dispersés chacun chez soi».

Dans la citation de *Ant.* 8,405 (*ETL*, 55, 1979, p. 363), on apportera la correction (notée par de la Potterie) : ἀναστρέψειν, au lieu de -φ-. La même correction serait à signaler dans *La parole*, p. 22; *Das Wort*, p. 205. Autres corrigenda dans *Das Wort*, n. 51 : ἔμαυτον (-όν), ἐλαβές (ἔ-); n. 52 : ἤθελεν (-ον).

31. Du fait que j'insiste sur le caractère stéréotypé de la formule en Jn 16,32, de la Potterie croit pouvoir conclure que «F. Neirynck lui-même reconnaît que Jn 16,32 est différent» (p. 116, n. 69). Mais à propos du même «parallèle», il déclare de manière formelle : «Mais nous refusons absolument la méthode qui consiste à *ramener un texte au niveau de ses 'sources'* (souvent, d'ailleurs, hypothétiques)» (p. 115; c'est moi qui souligne). S'agit-il vraiment de cela? Qui parle ici de «sources»?

Mais en 1974, il avait lui-même comparé Jn 16,32 avec «les textes parallèles de la tradition synoptique» où «διασκορπισθήσονται de la citation de Zach 13 n'est amené que pour commenter σκανδαλισθήσεσθε»[32].

Au sujet du rapprochement de κἀμὲ μόνον ἀφῆτε avec Mc 14,50 καὶ ἀφέντες αὐτὸν ἔφυγον πάντες, de la Potterie est encore plus réticent. «Dans son propre récit de la scène du jardin, Jean ne dit rien de la fuite des disciples (cf. 18,1-11)», et «on ne peut ramener κἀμὲ μόνον (ἀφῆτε) à la formule de Mc 14,50» (115). À propos de 18,8, je me contente ici de citer le commentaire de B. Lindars: «Actually John is correcting the earlier tradition here. According to Mt. 26.56 (= Mk 14.50) the disciples ran away out of fright. We know from 16.32 that John was familiar with this tradition. John wishes to show that even this feature of the narrative falls within Jesus' complete control of events»[33]. Quant à 16,32, κἀμὲ μονὸν ἀφῆτε apparaît comme la transposition, dans une prédiction adressée aux disciples, de Mc 14,50: après ἵνα σκορπισθῆτε εἰς τὰ ἴδια, le verbe ἔφυγον peut être omis, ἀφέντες αὐτόν devient ἐμὲ ἀφῆτε (à la deuxième personne), et par la fuite de tous (Mc πάντες) Jésus est laissé seul (μόνον). Il est vrai qu'on ne peut le «ramener à la formule de Mc 14,50», car Jn le corrige: καὶ οὐκ εἰμὶ μόνος, ὅτι ὁ πατὴρ μετ᾽ ἐμοῦ ἐστιν.

5. *Jn 1,11* εἰς τὰ ἴδια ἦλθεν, καὶ οἱ ἴδιοι αὐτὸν οὐ παρέλαβον

«Le Verbe 'est venu *dans son propre bien* et *les siens* ne l'ont pas accueilli'. ... C'est uniquement dans le prologue que εἰς τὰ ἴδια est accompagné d'un verbe de mouvement, ἦλθεν. Or, même dans ce cas, εἰς τὰ ἴδια ne signifie pas 'dans sa maison' (il s'agit du Verbe!). Les mots ἔλαβον αὐτόν, eux non plus, n'y expriment évidemment aucun mouvement extérieur, car ils décrivent un premier acte de foi, l'accueil du Verbe» (113-114, n. 61). Comme dans l'article antérieur, de la Potterie ne cite qu'un seul argument: «Comme l'a bien noté R. Bultmann, τὰ ἴδια, employé ici pour le Verbe, ne peut signifier que 'sa propriété, son bien'» (1974, 27).

Dans ces articles, il est plutôt rare que de la Potterie se réfère à Bultmann, mais cette fois-ci il le fait avec insistance[34]. Toutefois, il

32. *La parole*, p. 29, n. 79a. La note semble être une addition à la première rédaction de l'article, sans parallèle dans le texte allemand (cf. *Das Wort*, p. 212).

33. *John*, 1972, p. 542. Cf. *ETL* 55 (1979), p. 362, n. 23 (et n. 25). Voir, entre autres, le commentaire de W. Bauer, et plus spécialement: M. SABBE, *The Arrest of Jesus in Jn 18,1-11 and Its Relation to the Synoptic Gospels*, dans M. DE JONGE (éd.), *L'évangile de Jean* (BETL, 44), Gembloux-Leuven, 1977, p. 221: «The flight of the disciples is emended into a departure protected by Jesus». L'auteur compare Jn 18,8c.9a ἄφετε τούτους ὑπάγειν· ἵνα πληρωθῇ ὁ λόγος ὃν εἶπεν avec Mc 14,49b.50 ἀλλ᾽ ἵνα πληρωθῶσιν αἱ γραφαί. καὶ ἀφέντες αὐτὸν ἔφυγον πάντες.

34. Cf. p. 114, n. 61; *La parole*, p. 24, n. 71; p. 27, n. 75 et 77. Ces références

ne dit pas que, dans la même note, Bultmann traduit τὰ ἴδια en 16,32 et 19,27 par *Heimat*. De la Potterie se demande pourquoi j'ai passé sous silence le texte de 1,11, ou plutôt il l'explique aux lecteurs : «évidemment, ce parallèle était gênant» (114, n. 61). Il aurait pu dire à ses lecteurs que les auteurs (dont Bultmann) qui traduisent τὰ ἴδια en 1,11 par *Eigentum* ne le font pas nécessairement en 16,32 et 19,27[35].

Toujours dans la même note à laquelle renvoie de la Potterie, Bultmann explique le Prologue comme un hymne gnostique, préjohannique, et il exclut formellement toute allusion à Israël en 1,11 (τὰ ἴδια, οἱ ἴδιοι). Les lecteurs doivent savoir que, sur ces deux points, de la Potterie est d'un avis différent. À propos de οἱ ἴδιοι, il évite de choisir entre les deux interprétations, le monde (les hommes en général) ou Israël (le peuple juif) : il s'agit de «Israël» qui «représente l'ensemble des hommes»[36]. Mais il ajoute : «L'équivalence entre τὰ ἴδια et οἱ ἴδιοι nous empêche d'accepter l'interprétation du P. Lagrange : 'le *home*, le chez soi'» (1974, 27).

Le problème de 1,11 n'est évidemment pas réglé par la constatation qu'«il s'agit du Verbe!» (114). Ce serait méconnaître ce que les anciens appelaient la «*dictio poetica*» du Prologue. Mais je ne vois pas non plus la force de l'argument de «l'équivalence» entre τὰ ἴδια et οἱ ἴδιοι. Est-ce ici encore l'influence de Bultmann qui, toujours dans la même note, s'en tient à l'hypothèse d'un original sémitique (deux fois דִּילֵיהּ)? Qu'on se rappelle la protestation de F. Field contre la traduction de *KJV* : «He came unto *his own*, and *his own* received him not». Il proposa de traduire : «He came to *his own home*, and *his own people* received him not»[37].

(toujours à la même note : p. 34, n. 7) sont les seules références au commentaire de Bultmann dans les deux articles.

35. Comparer H. J. HOLTZMANN, *Evangelium des Johannes* (Hand-Commentar zum NT, 4/1), Tübingen, ³1908 (éd. W. BAUER), p. 40 (1,11) : «Er kam in sein Eigentum» ; p. 268 (16,32) : «ein jeder in seinen Ort» (p. 267 : «τὰ ἴδια, scil. οἰκήματα, wie 19,27») ; p. 295 (19,27) : «nahm sie zu sich in sein Haus». Notons ici que les commentaires de Holtzmann ont beaucoup contribué à la divulgation de l'interprétation de τὰ ἴδια = ὁ κόσμος «Eigentum des Logos». En ²1893, il se réfère à Reuss, Keim, Weizsäcker ; en 1908 s'ajoutent les noms de Kreyenbühl, Loisy, Grill (p. 40).

Ajouter l'article récent de H.-W. BARTSCH, ἴδιος, dans *EWNT* 2, fasc. 3-4 (1980) 420-423, p. 422 : Jn 16,32 ; 19,27 = «Heim, Heimat» ; p. 423 : Jn 1,11 (cf. Bultmann, Barrett, Schnackenburg).

36. Il rejoint ici la *TOB* qui traduit «dans son propre bien» et ajoute ce commentaire : «Vraisemblablement Israël représentant historiquement l'humanité qui est, tout entière, le bien du Créateur» (note *n*).

Dans une dissertation, préparée sous la direction de I. de la Potterie, et publiée en 1977, M. Vellanickal opte plus clairement pour l'interprétation de Bultmann : «The ἴδιοι in v. 11 is the interpretation of κόσμος in v. 10, and not Israel as supposed by some authors». Cf. *The Divine Sonship of Christians in the Johannine Writings* (Analecta Biblica, 72), Rome, 1977, p. 148.

37. C'est également la traduction de Westcott («unto his own home»). Cf. F. FIELD, *Notes on the Translation of the New Testament*, Cambridge, 1899 (= 1881), p. 84.

Selon l'opinion qui voit dans «les siens» le peuple juif, il y a une réelle progression entre les vv. 10 et 11 : «Après être venu 'dans le monde', le Verbe est venu 'chez lui'. Comme l'ont compris presque tous les Pères anciens, Jn veut parler maintenant de la venue du Verbe chez le peuple que Dieu, et donc son Verbe, s'était choisi. D'une façon analogue, la Sagesse, après avoir établi sa demeure chez tous les peuples, est venue habiter en Israël (cf. Si 24,6b-8)»[38]. Dans l'autre hypothèse (les siens = les hommes en général), les vv. 10 et 11 sont synonymes : «eadem sententia iam v. 10 expressa legitur», écrit Kuinoel. Mais il ajoute : «Nec sic existit otiosa tautologia ... Nam quae v. 10. *sermone proprio* dixerat scriptor, ea fortius et gravius, *adhibita imagine*, repetiit»[39]. C'est encore l'avis de W. Bauer: «Von Schöpfung und Geschöpfen zu Heimat und Angehörigen, darin besteht der Gedankenfortschritt gegenüber 10»[40]. Dans les deux opinions, l'on peut donc maintenir la traduction de εἰς τὰ ἴδια par «chez soi». Qui cherche à combiner les deux («Israël représente l'ensemble des hommes»), ne devrait pas pour cela renoncer à la traduction de *BJ*: «Il est venu chez lui, et les siens ne l'ont pas reçu (accueilli)» (²1973).

De la Potterie résume son examen de λαμβάνω en Jn par ces mots : «Lorsque λαμβάνειν a pour complément une personne, il ne signifie pas 'recevoir' ou 'prendre', mais 'accueillir' : il s'agit pratiquement toujours d'un accueil de foi» (102)[41]. C'est le cas en 1,12a ὅσοι δὲ

38. M.-É. Boismard & A. Lamouille, *L'évangile de Jean* (Synopse, t. 3), Paris, 1977, p. 77b. Cf. *Le Prologue de saint Jean* (Lectio Divina, 11), Paris, 1953, p. 53. L'expression : «la *quasi-totalité* des Pères anciens et la majorité des commentateurs modernes» serait à nuancer : il suffit de lire Maldonat!

39. C.T. Kuinoel, *Evangelium Iohannis*, Leipzig, ³1825, p. 133.

40. W. Bauer, *Das Johannesevangelium* (HNT, 6), Tübingen, ³1933, p. 21. Il traduit : «In die Heimat ist er gekommen, und doch haben ihn die Angehörigen nicht aufgenommen». Même traduction en ¹1912, où il n'exclut cependant pas la traduction par *Eigentum, Besitz* : «Doch ist auch ... möglich und dieser Sinn von τὰ ἴδια reich bezeugt» (p. 13). Une nouvelle nuance apparaît dès ²1925 : «*An sich* ... möglich. *Doch* hat das εἰς τὰ ἴδια ἔρχεσθαι im Sinne des 'in die Heimat kommen' der religiösen Sprache der Zeit angehört» (p. 19). Dans son *Wörterbuch* (⁵1958), il signale les deux possibilités (avec une référence à Bultmann). La traduction de Arndt-Gingrich ajoute que «beaucoup» (dont Goodspeed, Field, *RSV*) préfèrent le sens «home».

J. Jervell entend τὰ ἴδια de la création, mais traduit par *Heimat*: «In der Bedeutung 'Eigentum' kannte jene Zeit nicht τὰ ἴδια als religiösen Terminus. Im Sinne 'Heimat' aber war es der Zeit und den Menschen vertraut». Cf. «*Er kam in sein Eigentum.*» *Zum Joh. 1,11*, dans *Studia Theologica* 10 (1956) 14-27, p. 21. Il s'inspire de W. Bauer, ²1925 (cf. n. 3).

41. Il cite les cas suivants : 1,12; (3,11); 5,43; (12,48); 13,20; (17,8). J'ai mis entre parenthèses les cas qui ne sont normalement pas comptés dans la caractéristique johannique λαμβάνειν τινά = recevoir une personne. Cf. *La parole*, p. 33 : «dans une troisième catégorie de cas, qui est propre à Jean dans le N.T., le verbe a pour complément une *personne*». En ajoutant «ou son message», il inclut dans cette catégorie les cas où il s'agit du témoignage (du Christ) :
3,11 τὴν μαρτυρίαν ἡμῶν οὐ λαμβάνετε, 32 τὴν μαρτυρίαν αὐτοῦ οὐδεὶς λαμβάνει. 33 ὁ λαβὼν αὐτοῦ τὴν μαρτυρίαν (cf. 1 Jn 5,9 εἰ τὴν μαρτυρίαν τῶν ἀνθρώπων λαμ-

ἔλαβον αὐτόν : cf. 12c τοῖς πιστεύουσιν εἰς τὸ ὄνομα αὐτοῦ (114, n. 61). Dans les pages qu'il a consacrées à λαμβάνω, il ne fait pas mention de οὐ παρέλαβον en 1,11b[42]. Ne fallait-il pas, avant d'écarter le sens de εἰς τὰ ἴδια = «chez soi» en 1,11a, étudier aussi l'emploi de παραλαμβάνω en 1,11b? Dans le commentaire de R. Schnackenburg, on peut lire : «'Aufnehmen' (παραλαμβάνειν) ist wohl vom *Bild der Aufnahme in ein Haus* her genommen»[43]. Et encore, à propos de

βάνομεν). Ajouter 5,34 ἐγὼ δὲ οὐ παρὰ ἀνθρώπου τὴν μαρτυρίαν λαμβάνω. Dans la liste de Boismard(-Lamouille), λαμβάνειν τὴν μαρτυρίαν constitue une caractéristique spéciale : n° A 62* 4+1/0 (cf. Neirynck, n° 243);
ou de ses paroles :
12,48 μὴ λαμβάνων τὰ ῥήματά μου
17,8 τὰ ῥήματα ... καὶ αὐτοὶ ἔλαβον.
On corrigera l'affirmation de Boismard par laquelle il justifie l'attribution de 12,48 au Document C : la formule λαμβάνειν τὰ ῥήματα ne se lit «nulle part ailleurs chez Jn» (p. 313b). Il note lui-même que le thème de 3,33-34 «se retrouvera, avec un vocabulaire en partie identique, en 17,8» : «parce que les paroles (*ta rhèmata*) ... ils les ont reçues (*elabon*)...» (p. 114a). Il attribue 3,33-34 et 17,8 à Jn II (A et B).

Sur la caractéristique johannique λαμβάνω τινά = «recevoir quelqu'un», cf. *Jean et les Synoptiques*, p. 56, n° 209. Les auteurs la définissent de manière plus ou moins

		le Verbe	le Christ						l'Esprit			Jésus	Marie	
	Jn	1,12	5,43a.	(b);	13,20(a)	b	c	(d)	7,39;	14,17;	20,22	6,21	19,27	2Jn10
Abbott	11	—	—		—	—	—	—	—	—	—	—	—	
Schweizer	7	—	—	—		—	—					—	—	—
Ruckstuhl	5	—	—	—		—	—							—
Boismard	7	—	—	—	—	—	—	—						—

À la suite de Ph. Menoud, Ruckstuhl exclut 6,21 ; 19,27 : «nur, wo es den theologischen Sinn hat (einen annehmen, der von Gott kommt)» (*Die literarische Einheit*, p. 197), mais comment peut-il garder 5,43b (ἐὰν ἀλλὸς ἔλθῃ ἐν τῷ ὀνόματι τῷ ἰδίῳ, ἐκεῖνον λήμψεσθε)? Abbott ne le comptait pas, je crois, dans ses 11 cas : «In all but two passages (Jn vi.21, xix.27) the receiving means spiritual reception» (*The Johannine Vocabulary*, London, 1905, p. 220, n° 1721*f*). La remarque au sujet de 6,21 et 19,27 n'est pas contredite par le fait que Abbott traduit λαμβάνω τινά par «welcome» (diff. 19,6 «prendre»), y compris le cas de 19,27 (cf. n° 1721*g*). Voir DE LA POTTERIE, p. 108, n. 51 (cf. *La parole*, p. 33, n. 94).

42. *La parole*, pp. 33-35. Ailleurs il le traduit par «ne l'ont pas reçu» (p. 26). M. Vellanickal (cf. *supra*, n. 36) fait observer que l'équivalence entre (οὐ) παρέλαβον et ἔλαβον (v. 12a) est généralement reconnue, mais il note lui-même que οὐ παρέλαβον (cf. v. 10 οὐκ ἔγνω) se situe plutôt «at the intellectual level of 'accepting' and 'recognising'» (*The Divine Sonship*, p. 147). Cf. *infra*, n. 45. Vellanickal renvoie à la traduction de W. Bauer : «haben ihn nicht anerkannt» (*Wörterbuch*, art. παραλαμβάνω, 3a). Voir cependant le commentaire de Bauer : «haben ihn nicht aufgenommen». (Cf. *supra*, n. 40).

43. R. SCHNACKENBURG, *Das Johannesevangelium*, t. 1, Freiburg, 1965, p. 236 (c'est moi qui souligne). Dans la note 1, il renvoie à Jdt 6,21 παρέλαβον αὐτὸν ... εἰς οἶκον αὐτοῦ, et aux exemples de παραλαμβάνειν = *heimführen* qu'on trouve dans le *Wörterbuch* de Bauer : Ct 8,2 LXX παραλήμψομαί σε, εἰσάξω σε εἰς οἶκον μητρός μου; Mt 1,20 παραλαβεῖν Μαριὰμ τὴν γυναῖκά σου, 24 παρέλαβεν τὴν γυναῖκα αὐτοῦ; Flav. Josèphe, *Ant.* 1,302 τὴν Ῥαχήλαν παρέλαβεν; 17,9 παραλαβὼν τὴν κόρην. On ajoutera 1,277 πᾶρειλήφει πρὸς γάμον B., τὴν B. παρέλαβε (cf. Gn 28,9 ἔλαβεν τ. M. γυναῖκα). Voir également *Ant.* 5,146 ταύτην παραλαβεῖν et ἀπήγαγον πρὸς αὐτοὺς

παραλήμψομαι ὑμᾶς πρὸς ἐμαυτόν en 14,3: «Παραλαμβάνειν wird der Evangelist sagen, weil er vorher das Bild vom Haus gebrauchte [v. 2 ἐν τῇ οἰκίᾳ τοῦ πατρός μου] und das Verbum auch '*aufnehmen in ein Haus*' bedeuten kann (vgl. 1,11)»[44]. Le commentaire de A. Schlatter mérite également d'être cité: «Der Anspruch Jesu an die, zu denen er kam, wird so formuliert, wie er sich aus seiner menschlichen Gegenwart ergab. Abweisung, die ihm das Haus verschloss und die Gemeinschaft aufsagte, oder Aufnahme, die ihm die Herberge und Tischgemeinschaft gewährte, entstand aus seiner Gegenwart. οὐ παρέλαβον sagt, dass Jesus unter den Menschen, auch unter den Juden, ein Fremdling geblieben sei»[45].

Peu de commentateurs diront avec F. Spitta que τὰ ἴδια en 1,11 signifie «das eigene Haus» (de Jésus) et que οἱ ἴδιοι sont «der enge Kreis der Familiengenossen Jesu»[46]. Dans ce sens, de la Potterie peut avoir raison d'écrire: «εἰς τὰ ἴδια ne signifie pas 'dans sa maison' (il s'agit du Verbe!)». Mais cela ne devrait l'empêcher de constater que le vocabulaire de 1,11-12 (οὐ παρέλαβον - ἔλαβον) est celui de la réception ou de l'accueil «chez soi». Bien sûr, il s'agit d'un accueil de foi, et la reprise de ὅσοι ἔλαβον en τοῖς πιστεύουσιν εἰς τὸ ὄνομα αὐτοῦ ne permet guère d'en douter. Mais qui dit que «λαμβάνειν est *pratiquement*[!] synonyme de πιστεύειν»[47] n'est pas insensible aux nuances:

τὴν γυναῖκα. Bauer cite encore, au sens de «prendre femme»: Hérodote 4,155; Lucien, *Toxaris* 24 (cf. Passow).

44. *Ibid.*, t. 3, 1975, p. 71. Cf. *supra*, n. 26. Même rapprochement dans le commentaire de J. H. Bernard (1928): «Perhaps παραλαμβάνειν has here, as at 1,11, the meaning of receiving with *welcome* (cf. Cant. 8,2)» (p. 535).

45. A. SCHLATTER, *Der Evangelist Johannes. Wie er spricht, denkt und glaubt. Ein Kommentar zum vierten Evangelium*, Stuttgart, 1930, p. 18. — Il est peu probable qu'on puisse voir une nuance théologique dans la préposition παρά: cf. E.A. ABBOTT, *Johannine Grammar*, London, 1906, p. 427 (n° 2570*c*): «To his own [house] he came, and his own [household] did not receive him [as coming] *from* [the Father of the house]». Dans *Johannine Vocabulary*, p. 251 (n° 1735*f*), Abbott distingue entre καταλαμβάνω en 1,5 («the mere intellectual apprehension») et παραλαμβάνω en 1,11 («moral 'reception'»), assimilés trop strictement par M. Vellanickal (p. 148).

46. F. SPITTA, *Das Johannes-Evangelium als Quelle der Geschichte Jesu*, Göttingen, 1910, p. 42. L'idée de 1,11-12 serait celle de Mc 3,31-35 et par.: sa propre famille ne l'a pas reçu, et ceux qui l'ont reçu deviennent sa famille (p. 43). Une telle explication fait abstraction du v. 10 qui serait postérieur: «eine Umdeutung des Gedankens aus v. 11» (p. 42).

On hésite également devant l'insistance sur la «maison» dans l'explication qui dit que Jésus «vient chez lui» lorsqu'il vient dans le Temple, «la maison de son Père» (cf. 2,16). Cf. J. WILLEMSE, *La patrie de Jésus selon saint Jean iv.44*, dans *NTS* 11 (1964-65) 349-364, p. 363. M. Rissi souscrit à l'interprétation de Willemse mais le critique sur ce point précis: «auch wenn die direkte Verbindung von πατρίς und Tempel nicht zu halten ist» (dans *Oikonomia. FS O. Cullmann*, 1967, p. 83, n. 45). Quant à l'hypothèse de πατρίς = Jérusalem (H.-P. Heekerens, 1978; H. Thyen, 1980), je crois qu'elle ne s'impose pas: cf. *Jean et les Synoptiques*, 1979, pp. 114-116 (dans *ETL* 53, 1977, pp. 472-474).

47. *La parole*, p. 33 (c'est moi qui souligne).

les mots ἔλαβον αὐτόν décrivent un acte initial qui est prolongé en τοῖς πιστεύουσιν[48].

III. Exégèse de Jn 19,27b

L'exégèse de de la Potterie doit se résumer dans une nouvelle traduction: «Et à partir de cette heure, le Disciple *l'accueillit dans son intimité*». Quelle est donc la différence entre «la prendre chez soi» et «l'accueillir dans son intimité»? Qui n'a pas lu l'article de de la Potterie risque de ne pas la saisir. Je cite *Le Robert*: «*Accueillir*. I. Recevoir quelqu'un qui arrive, qui se présente. *Accueillir quelqu'un chez soi*, le prendre chez soi, lui donner l'hospitalité, lui ouvrir la maison, lui faire les honneurs de la maison». C'est ma première remarque: on peut suivre de la Potterie lorsqu'il distingue trois catégories dans l'emploi du verbe λαμβάνω en Jn, mais il a tort de trop lier ces catégories à trois traductions: prendre, recevoir, accueillir. L'emploi du verbe «accueillir» n'ajoute rien à ce que d'autres ont exprimé par «recevoir» (une personne) ou «prendre» (chez soi). Quant au complément: «dans son intimité», on peut le comprendre de l'intimité de sa maison [48a]. À ce propos, j'ai une deuxième remarque à faire. De la Potterie semble donner aux traductions courantes de εἰς τὰ ἴδια («chez soi») et εἰς οἰκίαν («dans sa maison») un sens matériel et physique, dépourvu des connotations que le «chez soi» prend normalement d'après le contexte. Lorsqu'il s'agit de la dispersion des disciples (Jn 16,32), «rentrer chez soi» prend une nuance négative. Par contre, lorsqu'il s'agit d'un accueil «dans sa maison» (2 Jn 10), on sous-entend un aspect de rencontre personnelle[49]. La traduction «dans son intimité» a l'inconvénient de prendre une nuance trop psychologisante. De la Potterie lui-même s'en rend compte. Il avait d'abord traduit par «dans ses biens»[50], et après avoir essayé «auprès

48. Cf. p. 114, n. 61; p. 122, n. 88. Il compare 1,12 avec «l'aoriste ingressif ἔλαβεν» en 19,27. J'y reviens dans la section III.

48[a]. C'est la paraphrase de A. Feuillet qui entend «chez lui» au sens local et moral (cf. *infra*, n. 65): «le disciple *l'accueillit dans son intimité*, lui ouvrit d'abord toute grande sa maison, mais aussi son âme» (*La doctrine mariale*, p. 665).

49. Dans les objections qu'il formule contre l'interprétation courante, de la Potterie donne l'impression qu'on ne songe qu'à la maison-édifice. Ainsi, à propos de l'interdiction «ne le recevez pas chez vous» en 2 Jn 10: «... dans leur *maison* (serait-il jusqu'à ce moment resté dans la rue?)» (p. 111). Voir également la discussion sur Jn 16,32 et «les différents endroits» (p. 116).

50. Cf. *La parole*, p. 35. Dans la traduction allemande: «in sein Eigenes (hinein)», c.-à-d. «in sein Gut und Eigentum» (*Das Wort*, p. 216). Voir également en espagnol: *Las palabras de Jesús 'He aquí madre' y la acogida del discípulo (Jn 19,27b)*, dans *La Verdad de Jesús*, Madrid, 1979, pp. 184-219; repris en résumé dans M. De Tuya, «*Mujer, he ahí a tu hijo ...*» (*Jn 19,25-27*): *su valoración joanea*, dans *Servidor de la palabra. Miscelánea Bíblica A. Colunga*, Salamanca, 1979, pp. 445-487, spéc. pp. 475-484 (p. 480: «el εἰς τὰ ἴδια aqui significa pertenencia espiritual»).

de lui-même», il a retenu maintenant «dans son intimité», mais il juge nécessaire d'ajouter : «ce n'est pas là du psychologisme» (124). Le choix n'est peut-être pas définitif[51].

Pour de la Potterie, «accueillir dans son intimité» signifie autre chose : «son intimité» est l'*intériorité* de la vie de foi. En fait, sa méthode n'a pas changé : il détermine le sens de ἔλαβεν αὐτήν sans tenir compte de l'ensemble de l'expression : ἔλαβεν αὐτὴν εἰς τὰ ἴδια. «L'expression ἔλαβεν αὐτήν signifie 'accueillir' : il s'agit de l'accueil de la foi» (120). Avec cela, tout est dit, et εἰς τὰ ἴδια ne peut avoir le sens qu'on lui donne communément : accueillir «chez soi» (dans sa maison). Ce qu'il dit encore sur εἰς ne fait qu'expliciter son interprétation de ἔλαβεν : «l'accueil *dans* un espace intérieur et spirituel, *dans* la vie de foi du Disciple» (*ibid.*). Tout est dit et redit, et on ne voit pas pourquoi ajouter encore : «Reste enfin la formule délicate τὰ ἴδια»... Nous avons constaté le même procédé dans l'explication de 6,21, où il fait abstraction du complément εἰς τὸ πλοῖον : «si λαβεῖν αὐτόν décrit un 'mouvement', celui-ci n'est pas directement un mouvement extérieur des disciples, mais l'élan de leur foi» (108). Il nous rassure maintenant que, «dans l'expression λαμβάνειν εἰς chez Jean, ... εἰς, qui est dynamique et local à la fois, indique toujours de quelque manière *un mouvement*» (102). Mais qu'on ne s'y trompe pas : ἔλαβεν en 19,27, pas plus que σκορπίσθητε en 16,32, n'est «un verbe de mouvement». «C'est uniquement dans le prologue que εἰς τὰ ἴδια est accompagné d'un verbe de mouvement, ἦλθεν» (p. 113, n. 61). L'interprétation courante de εἰς τὰ ἴδια en 19,27 serait ainsi écartée. Il insiste sur le fait que le texte ne se comprend que «de l'intérieur», à partir de parallèles johanniques. Les parallèles en question sont Jn 6,21 et 2 Jn 10 (λαμβάνω εἰς), Jn 1,11 et 16,32 (εἰς τὰ ἴδια), et, pour en tirer argument, de la Potterie a dû en donner une lecture pour le moins assez personnelle.

À propos de ἔλαβεν en 19,27, il souligne maintenant beaucoup plus qu'en 1974 l'aspect de la durée : «ce qui s'est passé à la Croix n'est qu'un *point de départ* pour une durée subséquente»; l'aoriste ἔλαβεν, «appuyé par les mots ἀπ᾽ ἐκείνης τῆς ὥρας», ne peut être qu'un aoriste *ingressif* (122). Il traduit l'indication temporelle par : «à partir de cette heure», et renvoie à l'emploi de la même tournure en Mt 9,22; 15,28; 17,18. N'y aurait il donc aucun problème? On lit couramment la traduction : le malade fut guéri «dès cette heure-là» (*TOB*), «dès ce moment» (*BJ*), «from that (very) hour» (*KJV*), «from that moment» (*NEB*)[52]. Mais aux trois endroits, Segond traduit : «à l'heure même»,

51. Cf. p. 125 : «(la traduction) que nous avons proposée ... n'est certainement pas parfaite».

52. La traduction de 19,27 est identique en *KJV* et *NEB*, mais légèrement différente en *TOB* («depuis cette heure-là») et *BJ* («dès cette heure-là»).

et la *RSV*: «instantly». P. Joüon, suivi par J. Jeremias et M. Black, tient la formule pour un sémitisme: «le sens demandé par les trois textes est simplement: 'En ce moment, à l'instant même.' ... L'ἀπό de Matthieu rappelle certains emplois de *min* en sémitique. Dans les locutions relatives au temps, *min* est employé d'une façon extrêmement faible»[53]. Selon P. Gaechter, «'im gleichen Augenblick' ist unser Äquivalent zum wörtlichen 'von jener Stunde ab'»[54]. P. Bonnard attire l'attention sur la nuance proprement matthéenne: tandis que Mc et Lc placent la guérison de la femme avant la parole de Jésus, c'est par la parole de Jésus, «à l'heure même», qu'elle fut guérie en Mt 9,22[55]. W. C. Allen compare la formule avec ἐν ἐκείνῃ τῇ ὥρᾳ en 8,13: «at the moment of Christ's utterance», et y voit l'expression de la tendance «to emphasise the immediacy of a miracle»[56]. Dans l'exégèse ancienne, ἀπ' ἐκείνης τῆς ὥρας en Jn 19,27 a été compris dans le même sens: «Incunctanter, nulla interposita mora» (Lucas Brugensis). C'est aussi la traduction de B. Weiss: «sofort»[57], et de J. Jeremias: «'unverzüglich' (nicht: seitdem) nahm sie der Jünger zu sich»[58]. Dans son article de 1974, de la Potterie écarte cette interprétation de Jeremias: «la raison qu'il fait valoir n'est pas convaincante», écrit-il, sans préciser (39, n. 108). Il rapproche maintenant Jn 19,27 avec la formule qu'on trouve trois fois chez Mt «pour indiquer qu'un malade a récupéré la santé *à partir du moment* de sa guérison par Jésus» (121, n. 86). Mais ce n'est pas dans ce sens presque tautologique qu'on comprendra la formule matthéenne. Avant de parler de «la visée ecclésiologique» des mots ἀπ' ἐκείνης τῆς ὥρας en Jn 19,27

53. P. Joüon, dans *RSR* 18 (1928), p. 345; J. Jeremias, Ἐν ἐκείνῃ τῇ ὥρᾳ, (ἐν) αὐτῇ τῇ ὥρᾳ, dans *ZNW* 42 (1949) 214-217, p. 216; M. Black, *An Aramaic Approach to the Gospels and Acts*, Oxford, ²1954, p. 252; ³1967, p. 110, n. 1. Voir également N. Turner, *Style* (Grammar, t. 4), Edinburgh, 1976, p. 32.

54. P. Gaechter, *Das Matthäus Evangelium. Ein Kommentar*, Innsbruck-Wien, München, 1964, p. 302 (Mt 9,22). Cf. p. 500: (15,28) «zu jener Stunde». Sur 9,22, comparer B. Weiss, *Das Matthäus-Evangelium* (KEK, 1/1), Göttingen, ⁸1890, p. 187.

55. P. Bonnard, *L'évangile selon saint Matthieu* (Commentaire du N.T., 1), Neuchâtel, 1963, p. 136. Cf. p. 258: (17,18) «aussitôt».

56. W.C. Allen, *The Gospel according to S. Matthew* (ICC), Edinburgh, 1907, p. 78 et xxxii. Dans le même sens, E. Klostermann, *Das Matthäusevangelium* (HNT, 6), Tübingen, ⁴1971, p. 20: «die Plötzlichkeit des Eintretens, s. zu 8,13 (ἀπὸ τῆς ὥρας ἐκείνης)»; cf. 1909, p. 168 («s. zu 9,22»).

57. B. Weiss, *Das Johannes-Evangelium* (KEK, 2), Göttingen, ⁹1902, p. 507. Il ajoute: «nachdem Jesus am Kreuze vollendet hatte», pour écarter une interprétation trop littérale de ἀπ' ἐκείνης τῆς ὥρας qui fait partir le disciple aussitôt (dans la note de Ernst Bengel: «Johannes enim Mariâ in domicilium suum deductâ, ad crucem rediit, v. 35»; *Gnomon*, p. 377, n. 2).

58. Il compare la formule avec αὐτῇ τῇ ὥρᾳ en Lc 24,33: «Das ohne Verzögerung erfolgte Handeln» (p. 216). Comparer Mt 9,22; 15,28; 17,18: «in diesem Augenblick, sofort» («Die Unmittelbarkeit der Wirkung»). Il croit pouvoir comprendre ainsi également Jn 11,53 ἀπ' ἐκείνης τῆς ἡμέρας = «an demselben Tage».

(122: «une échappée sur le temps de l'Église»), l'on doit se demander si la traduction de ἀπό par «depuis, à partir de» rend bien le sens de la formule. Il n'est peut-être même pas nécessaire d'avoir recours au *min* sémitique: cf. ἀφ' ἑσπέρας (*von Abend an, d.i. mit Eintritt des Abends*) Thuc. 7,29; ἀφ' ἑσπέρας εὐθύς (*gleich mit Anbruch des Abends*) 3,112; ἀπὸ πρώτου ὕπνου (*mit dem Eintreten des ersten Schlafes*) 7,43; ἀπὸ νεομενίας (*mit dem Eintreten des Neumonds*) Xén., *Anabase* 5,6,23.31 (les traductions sont celles du lexique de Passow)[59].

Selon de la Potterie, Jn 19,27 ne serait pas le seul endroit où Jean utilise la tournure λαμβάνειν τινὰ εἰς et souligne l'aspect de la durée. Mais nous avons dû constater qu'en 2 Jn 10 il donne à l'impératif présent μὴ λαμβάνετε une signification qu'il n'a pas. L'autre parallèle est plus délicat: Jn 1,12. Qui comprend le v. 11, en parallèle au v. 10 (ἐν τῷ κόσμῳ ἦν), de la venue du Verbe dans le monde créé (εἰς τὰ ἴδια ἦλθεν), devra donner à ἦλθεν un sens duratif: «eine Gegebenheit mit durativer Geltung. So ist die Geschichte überhaupt definiert als sich ständig vollziehende Ablehnung oder Aufnahme des in der Schöpfung präsenten Logos»[60]. Je viens de citer le récent commentaire de J. Becker, qui, comme Bultmann, interprète ainsi l'hymne pré-johannique et attribue l'insertion du v. 12c (τοῖς πιστεύουσιν εἰς τὸ ὄνομα αὐτοῦ) à l'évangéliste[61]. L'interprétation de de la Potterie est

59. G. Theissen rapproche Mt 9,22 et 17,18 avec Ac 16,18 (αὐτῇ τῇ ὥρᾳ, D εὐθέως). Il traite du *Stundenmotiv* sous la rubrique *Konstatierung des Wunders* (dans une *Fernheilung*: Mt 8,13; 15,28; Jn 4,52-53; *b. Berachot* 34b), sans faire mention de l'emploi de ἀπό. Il aurait pu en parler à propos de *Wunderwirkendes Wort* (p. 73). Cf. *Urchristliche Wundergeschichten* (SNT, 8), Gütersloh, 1974, p. 75. Par le rapprochement des deux guérisons à distance, G. Theissen semble confirmer l'équivalence des deux formules, ἐν en 8,13 et ἀπό en 15,28. L'on notera cependant la différence entre les conclusions matthéennes et leurs parallèles synoptiques, qui, par le motif du retour à la maison, attirent l'attention sur la distance qui sépare Jésus du malade à guérir: Lc 7,10 καὶ ὑποστρέψαντες εἰς τὸν οἶκον... εὗρον et Mc 7,30 καὶ ἀπελθοῦσα εἰς τὸν οἶκον αὐτῆς εὗρεν (comparer l'addition en Mt 8,13 dans ℵ* et plusieurs autres témoins: καὶ ὑποστρέψας ... εὗρεν ...). Les parallèles «matthéens» en 9,22 et 17,18 sont là pour nous rappeler qu'en Mt il s'agit d'une formule typique de conclusion, *Fernheilung* ou non. Cf. H.J. Held, *Matthäus als Interpret der Wundergeschichten*, dans G. Bornkamm, G. Barth, H.J. Held, *Überlieferung und Auslegung im Matthäusevangelium* (WMANT, 1), Neukirchen, 1960, pp. 115-287, spéc. 218-219 («erfolgt ... auf das abschliessende Heilungswort Jesu hin»). Ce n'est qu'en Jn 4,52-53 que la formule de Mt 8,13 (ἐν τῇ ὥρᾳ ἐκείνῃ) devient l'expression caractéristique de la constatation d'une guérison à distance: [ἐν] ἐκείνῃ τῇ ὥρᾳ ἐν ᾗ εἶπεν ὁ Ἰησοῦς ...

En ce qui concerne ὥρα en Jn 19,27, il ne suffit pas d'évoquer la signification de l'Heure de Jésus dans l'évangile de Jean pour la retrouver dans la formule de 19,27. Des auteurs qui traduisent ἀπό par «à partir de» n'y songent pas (Lagrange: «Et depuis ce moment le disciple la prit chez lui») ou s'y opposent formellement (A. Dauer; cf. *ETL*, 55, 1979, p. 364).

60. J. Becker, *Das Evangelium des Johannes. Kapitel 1-10* (ÖTKNT, 4/1), Neukirchen-Würzburg, 1979, p. 75.

61. *Ibid.*, p. 83. De son côté, A. Lindemann distingue entre v. 11 (*Vorlage*), v. 12a.b (*Evangelist*) et v. 12c (*Herausgeber*). Cf. *Gemeinde und Welt im Johannesevangelium*,

bien différente: «En 1,11-12, l'évangéliste parlait des croyants qui avaient *accueilli le Verbe fait chair*, lors de sa venue parmi les siens»[62]. Il dit fort bien: «ἔλαβον (aor.) est prolongé en τοῖς πιστεύουσιν (prés.)» (122, n. 88). Mais il en tire l'étonnante conclusion que ἔλαβον est un aoriste ingressif: «*le premier accueil* du Verbe fait chair doit se prolonger ...» (122). Ne fallait-il pas dire plutôt que le verbe λαμβάνειν décrit l'acte initial, *l'accueil*, qui se prolonge et s'approfondit dans la foi (τοῖς πιστεύουσιν εἰς τὸ ὄνομα αὐτοῦ)[63]?

À propos de la comparaison de 1,11-12 et 19,27b, de la Potterie s'est inspiré d'un article de A. Feuillet, auquel il emprunte cette citation: «recevoir Jésus et recevoir la mère de Jésus (ou bien l'Église), c'est tout un»[64]. Je voudrais la compléter par une phrase qui se lit quelques lignes plus loin: «Marie reçue par Jean dans sa maison comme une protégée si on s'en tient au sens humain (qui, ne l'oublions pas, ne doit pas être délaissé) ...»[65]. Pour de la Potterie, cela ne peut être le sens du texte de Jn: «une action extérieure et presque banale» (125). Mais il n'a toujours pas dit dans quel sens il «spiritualise» ce que «les Pères anciens» considéraient comme le parallèle le plus proche de 19,27b: ἀπῆλθον οὖν πάλιν πρὸς αὐτοὺς (= ἑαυτοὺς) οἱ μαθηταί (20,10).

dans D. LÜHRMANN-G. STRECKER (éd.), *Kirche. FS G. Bornkamm*, Tübingen, 1980, pp. 132-161, spéc. 139, n. 38; 140, n. 48 (contre Haenchen).

62. *La parole*, p. 38.

63. Cf. B. WEISS, *Das Johannes-Evangelium*, 9 1902, p. 49. On néglige les nuances quand on dit simplement que «le v. 12 contient une équivalence entre le fait de 'recevoir' le Verbe et celui de 'croire' en lui» (M.-É. BOISMARD, *L'évangile de Jean*, p. 73b: «une telle équivalence ne se retrouve ailleurs chez Jean qu'en 5,43-44»).

64. *Ibid.*, p. 38. Cf. A. FEUILLET, *Les adieux du Christ à sa mère* (*Jn 19,25-27*) *et la maternité spirituelle de Marie*, dans *NRT* 86 (1964) 469-489, p. 486. M.-É. Boismard, qui cite cette phrase, l'attribue à de la Potterie (cf. *L'évangile de Jean*, p. 443b). Dans son commentaire sur 19,27b, il se contente de paraphraser l'article de de la Potterie (p. 443).

65. A. Feuillet vient de répéter son observation dans un bref examen de l'interprétation de de la Potterie: «convient-il de détacher ainsi le symbolisme johannique d'un événement historique concret lui servant de support?» Cf. *La doctrine mariale du Nouveau Testament et la Médaille Miraculeuse*, dans *Esprit et Vie* 90 (1980: n° 49, 4 déc.) 657-675, p. 664. Cf. p. 665: «Assurément il ne convient pas d'exclure de Jn *19,27*: '*le disciple la prit chez lui*' un sens purement humain pour ne garder qu'un sens symbolique». L'expression εἰς τὰ ἴδια en 16,32 et 19,27 serait à entendre «d'abord au sens local, mais principalement au sens moral» (p. 667). Dans sa critique de la position de de la Potterie (pp. 663-664), l'auteur s'inspire de la note de *ETL*, 1979 (cf. n. 23).

III
THE GOSPEL OF MARK
L'ÉVANGILE DE MARC

ETL 53 (1977) 153-181

L'ÉVANGILE DE MARC (I)

À propos de R. PESCH, *Das Markusevangelium, 1. Teil*

Les dernières vingt-cinq années ont été marquées par l'étude fort intense de la rédaction des évangiles synoptiques. Nombre de monographies et d'articles, et notamment les volumes publiés par le *Colloquium Biblicum Lovaniense* sur les synoptiques en général (1967) et sur Matthieu (1972), Luc (1973) et Marc (1974), en témoignent. Mais pendant cette même période on n'a guère vu paraître de grands commentaires sur les évangiles synoptiques. Celui de H. Schürmann sur l'évangile de Luc, publié dans la série de Herder, constitue une heureuse exception. Seul le premier tome a paru (1969)[1]. Il contient le commentaire sur Lc 1,1—9,50, précédé par une vaste bibliographie (qui s'étend jusqu'aux publications de 1967), mais les problèmes qui sont normalement traités dans l'introduction d'un commentaire ne seront exposés qu'à la fin, dans la conclusion du dernier tome. Le commentaire de Schürmann reste incomplet aussi sous un autre aspect. Dans les blocs marciens, l'auteur explique à juste titre la rédaction lucanienne à partir du seul texte de Marc et il ne fait des concessions à l'hypothèse d'une tradition variante, différente de Marc, qu'à propos de Lc 3,3-6; 4,14-15.(43.44); 6,12-16.(17); 8,9-10[2]. À plusieurs reprises, il ne se contente pas d'évoquer la source immédiate de Luc mais donne aussi son idée sur l'histoire de la tradition prémarcienne. Dans la préface, Schürmann explique que, «auf Wunsch des Verlages», son manuscrit a dû subir une forte réduction, surtout dans les «traditionsgeschichtliche Rückblicke» (p. VII). À ces endroits, il a inséré la référence: «Näheres bei Blinzler, Mk». Ce complément nous est procuré maintenant par R. Pesch. Car Josef Blinzler étant décédé à l'âge de soixante ans en 1970, c'est à R. Pesch que

* Rudolf PESCH, *Das Markusevangelium. 1. Teil: Einleitung und Kommentar zu Kap. 1,1—8,26* (Herders Theologischer Kommentar zum Neuen Testament, Band II), Freiburg-Basel-Wien, Verlag Herder, 1976, XXIV-424 pages.

1. H. SCHÜRMANN, *Das Lukasevangelium. Erster Teil: Kommentar zu Kap. 1,1-9,50* (Herders Theologischer Kommentar zum Neuen Testament, Band III), Freiburg-Basel-Wien, 1969.

2. Comparer F. NEIRYNCK, *La matière marcienne dans l'évangile de Luc*, dans *L'évangile de Luc* (BETL, 32), Gembloux, 1973, pp. 157-201. Sur Lc 4,14-15, cf. J. DELOBEL, *La rédaction de Lc., IV, 14-16a et le «Bericht vom Anfang»*, *ibid.*, pp. 203-223; sur Lc 3,3-6, cf. F. NEIRYNCK, *Une nouvelle théorie synoptique. (À propos de Mc., I, 2-6 et par.)*, dans *ETL* 44 (1968) 141-153; à propos de Lc 6,12-16, cf. *The Argument from Order and St. Luke's Transpositions*, dans *ETL* 49 (1973) 784-815, spéc. pp. 804-814 (= *The Minor Agreements*, pp. 311-321).

le commentaire sur Marc a été confié. La préface du premier tome est signée le 15 janvier 1976. Il comporte la bibliographie (pp. XI-XXIV), (pp. 71-421). Et le second tome est déjà annoncé par l'auteur: «wird, so hoffe ich, in Jahresfrist folgen» (p. V).

Rudolf Pesch, actuellement professeur à l'université de Frankfurt, s'était fait connaître comme exégète de l'évangile de Marc par son travail sur Mc 13, dans une dissertation dirigée par A. Vögtle à Freiburg i. Br. (1967) et publiée sous le titre *Naherwartungen. Tradition und Redaktion in Mk 13* (Düsseldorf, 1968)[3]. Depuis lors nous avons pu suivre la préparation du commentaire dans une série d'études consacrées à des sections particulières de l'évangile de Marc. J'en donne ici l'énumération dans l'ordre de l'évangile. Les numéros 15 à 21 permettent déjà fort bien de se faire une idée de l'interprétation de Mc 8,27—16,8 qui fera l'objet du second tome.

1. *Anfang des Evangeliums Jesu Christi. Eine Studie zum Prolog des Markusevangeliums*, dans K. RAHNER & R. PESCH (éd.), *Die Zeit Jesu. Fs. H. Schlier*, Freiburg, 1970, pp. 108-144 [*Mc 1,1-15*].
2. *Ausrichtung auf den «Kommenden»* (*Mk 1,1-8*), dans *Am Tisch des Wortes* n° 101, Stuttgart, 1969, pp. 36-43.
3. *Berufung und Sendung, Nachfolge und Mission. Eine Studie zu Mk 1, 16-20*, dans *ZKT* 91 (1969) 1-31.
4. *Ein Tag vollmächtigen Wirkens Jesu in Kapharnaum* (*Mk 1,21-34. 35-39*), dans *Bibel und Leben* 9 (1968) 114-128, 177-195, 261-277.
5. «*Eine neue Lehre aus Macht*». *Eine Studie zu Mk 1,21-28*, dans J.B. BAUER (éd.), *Evangelienforschung*, Graz-Wien-Köln, 1968, pp. 241-276.
6. *Die Heilung der Schwiegermutter des Simon-Petrus*, in *Neuere Exegese – Verlust oder Gewinn?*, Freiburg, 1968, pp. 143-175 [*Mc 1,29-31*].
7. *Jesu ureigene Taten? Ein Beitrag zur Wunderfrage* (Quaestiones disputatae, 52), Freiburg, 1970. Cf. pp. 52-87 [*Mc 1,40-45*].
8. *Das Zöllnergastmahl* (*Mk 2,15-17*), dans *Mélanges B. Rigaux*, Gembloux, 1970, pp. 63-87.
9. *Levi-Matthäus* (*Mc 2,14/Mt 9,9; 10,3*), dans *ZNW* 59 (1968) 40-56.
10. *The Markan Version of the Healing of the Gerasene Demoniac*, dans *Ecumenical Review* 23 (1971) 349-376.

3. Voir la présentation que j'en ai donnée dans *ETL* 45 (1969) 154-164: *Le discours anti-apocalyptique de Mc., XIII*. Les lecteurs de la revue ont pu lire également le texte de sa contribution aux Journées Bibliques de 1968: *La rédaction lucanienne du logion des pêcheurs* (*Lc., V,10c*), dans *ETL* 46 (1970) 413-432; = F. NEIRYNCK (éd.), *L'évangile de Luc* (cf. *supra*, n. 2), pp. 225-244; voir aussi *Der reiche Fischfang Lk 5,1-11/Jo 21,1-14. Wundergeschichte – Berufungserzählung – Erscheinungsbericht*, Düsseldorf, 1969.

11. *Der Besessene von Gerasa. Entstehung und Überlieferung einer Wundergeschichte* (Stuttgarter Bibelstudien, 50), Stuttgart, 1972.
12. *Jairus* (*Mk 5,22/Lk 8,41*), dans *BZ* 14 (1970) 252-256.
13. *Zur Entstehung des Glaubens an die Auferstehung Jesu. Ein Vorschlag zur Diskussion*, dans *TQ* 153 (1973) 201-228; *Stellungnahme zu den Diskussionsbeiträgen*, pp. 270-283. Cf. pp. 206-208 [*Mc 6,14-16*].
14. *Pur et impur: précepte humain et commandement divin* (*Mc 7,1-8. 14-15.21-23*), dans *Assemblées du Seigneur* 53 (1970) 50-59.
15. *Das Messiasbekenntnis des Petrus (Mk 8,27-31). Neuverhandlung einer alten Frage*, dans *BZ* 17 (1973) 178-195; 18 (1974) 20-31.
16. *Die Passion des Menschensohnes. Eine Studie zu den Menschensohnworten der vormarkinischen Passionsgeschichte*, dans R. PESCH & R. SCHNACKENBURG (éd.), *Jesus der Menschensohn. Fs. A. Vögtle*, Freiburg, 1975, pp. 166-195.
17. *Die Salbung Jesu in Bethanien (Mk 14,3-9). Eine Studie zur Passionsgeschichte*, dans P. HOFFMANN (éd.), *Orientierung an Jesus. Fs. J. Schmid*, Freiburg, 1973, pp. 267-285.
18. *Das Abendmahl und Jesu Todesverständnis*, dans K. KERTELGE (éd.), *Der Tod Jesu. Deutungen im Neuen Testament* (Quaestiones disputatae, 74), Freiburg, 1976, pp. 137-187 [*Mc 14,22-25*].
19. *Die Verleugnung des Petrus. Eine Studie zu Mk 14,54.66-72* (*und Mk 14,26-31*), dans J. GNILKA (éd.), *Neues Testament und Kirche. Fs. R. Schnackenburg*, Freiburg, 1973, pp. 43-62.
20. *Der Schluss der vormarkinischen Passionsgeschichte und des Markusevangeliums: Mk 15,42—16,8*, dans M. SABBE (éd.), *L'évangile selon Marc* (BETL, 34), Louvain-Gembloux, 1974, pp. 435-470.
21. *Die Überlieferung der Passion Jesu*, dans K. KERTELGE (éd.), *Rückfrage nach Jesus* (Quaestiones disputatae, 63), Freiburg, 1974, pp. 148-173.

Dans l'organisation même du commentaire, le livre de R. Pesch se distingue quelque peu du commentaire de H. Schürmann, et aussi de celui de R. Schnackenburg sur l'évangile de Jean, paru dans la même série[4]. Une première particularité concerne la bibliographie. Schnackenburg donne des listes de *Spezialliteratur* pour certains problèmes traités dans des Excursus, mais rarement pour des sections de l'évangile. Schürmann est déjà plus systématique: les notes bibliographiques en bas de la page, se rapportant aux titres des péricopes, reçoivent une numérotation spécifique (*a*, *b*, etc.). Pesch introduit une numérotation continue (L 01-08 dans l'introduction et L 0-50 dans le commentaire), et il insère les listes bibliographiques dans

4. R. SCHNACKENBURG, *Das Johannesevangelium. I. Teil: Einleitung und Kommentar zu Kap. 1-4; II. Teil: Kommentar zu Kap. 5-12; III. Teil: Kommentar zu Kap. 13-21* (Band IV de la série de Herder), 1965, 1971 et 1975. Cf. *ETL* 44 (1968) 254-259 (F. Neirynck); 52 (1976) 258 (J. Coppens).

le texte même, par manière de conclusion après l'exposé sur la péricope. Ce système permet sans doute d'alléger les notes en bas de la page mais l'inconvénient est évident: la référence auprès du titre de la péricope (L suivi d'un numéro) n'indique pas la page où se trouve la liste, tandis que les notes qui précèdent la liste la supposent déjà en y renvoyant par simple mention des noms des auteurs. Pesch semble avoir senti la difficulté: «die Spezialliteratur ... kann anhand des Inhaltsverzeichnisses, das ein Verzeichnis der Literaturangaben (L) enthält, leicht aufgefunden werden» (p. 68; voir la liste à la p. x). Il est plus important de noter avec quel soin ces bibliographies spéciales ont été composées. Elles contiennent des renvois systématiques à Bultmann, *Die Geschichte*, Theissen, *Ergänzungsheft*, et Schürmann, *Lk*. D'autres ouvrages généraux ont également été dépouillés par péricope, par exemple sur les miracles: Kertelge, Theissen, Schenke. En parcourant ces listes qui, mises ensemble, devraient couvrir à peu près 22 pages de texte, on est frappé par le grand nombre d'études relativement récentes mais également par la présence de beaucoup de titres anglais, français et autres. L'objection d'une documentation unilingue ne vaut certainement pas pour Pesch[4a]. J'ai pu constater aussi que les publications venant de Louvain ont retenu l'attention de l'auteur. D'autre part, en comparant sa liste bibliographique avec celle de Schürmann (*op. cit.*, pp. XV-XXI), on notera que l'ancienne littérature est passée sous silence par Pesch. On y trouve Bède le Vénérable parmi les commentaires et P. Possinus (*Catena*, 1673) parmi les instruments de travail (ajouter Wettstein, cf. p. 339). Les commentaires de Bisping, Ewald, Knabenbauer, Meyer, Schanz, B. Weiss, de Wette, ainsi que Gould (^{10}1961 = 1896, ^{4}1907) et Swete (^{3}1927 = 1898, ^{3}1913!), sont les seuls ouvrages d'avant 1900 jugés encore dignes d'une mention, mais il les cite rarement. Notons aussi que l'orthographe des noms propres laisse parfois à désirer[5].

4a. Voir cependant, n. 67.

5. Voir Barret = Barrett (p. 318, 331, 333); Derret = Derrett (p. 249, 251, 332, 377); J. Duncan-M. Derrett = J.D.M. (p. 332); Doewe = Doeve (p. 150, 151, 187, 241); Hartmann = Hartman (p. 79, 100, 162); Wohlleb = Wohleb (p. XIX, 31); Weihnacht = Weinacht (p. XIX, 52). J'ai noté en outre: von der Sprengel = van (p. XIII); Blunt, A.W.T. = A.W.F. (p. XIII); Eicholz = Eichholz (p. XX); D.S. Nineham = D.E. (p. 11); Schmidt = Schmid (p. 11); Feuillett = Feuillet (p. 24); J.B. Brown = J.P. (p. 30); P. Gabler = J.P. (p. 31); Duncan = Dungan (p. 31); Kaeling = Kraeling (p. 46); C.H. Cadbury = H.J. (p. 46); Brownley = Brownlee (p. 79); Ploij = Plooy (p. 98); Velhuizen = Veldhuizen (p. 155); Biler = Bieler (p. 159); Russel = Russell (p. 187); E.L. Keck = L.E. (p. 202, 281); Gebloux = Gembloux (p. 236); Holtzmeister = Holzmeister (p. 241); Egnell = Engnell (p. 260); Lankester = Lankaster (p. 285); von Veldhuizen = van (p. 344); von den Born = van (p. 120, 365). Quelques titres en néerlandais sont également à corriger: beriten = buiten (p. 220); boodschaap = boodschap (p. 228); parables = parabels (p. 236).

Les notes de critique textuelle constituent une autre innovation. Elles ne sont plus dispersées dans l'exposé du commentaire, mais, groupées par péricope, elles accompagnent la traduction du texte (notes a, b, etc.). C'est le problème du texte qui retiendra notre attention en premier lieu.

1. *Le texte de Marc*

L'introduction d'un grand commentaire contient normalement un chapitre sur le texte de Marc (cf. Lagrange, pp. CLXIV-CXCI; Taylor, pp. 33-43; comparer, dans la même série, le commentaire sur Jean par Schnackenburg, t. 1, pp. 153-171). Pesch consacre un chapitre spécial au problème de la finale de Marc. Il y écarte à juste titre les hypothèses récentes tendant à reconstituer une conclusion originale dépassant Mc 16,8 (Linnemann, Schmithals, Trompf, Farmer). Mais ni dans ce chapitre 6 (pp. 40-48) ni ailleurs dans l'introduction il ne fournit un exposé général sur le texte de l'évangile. J'ai noté une seule phrase: «Einflüsse des Mt-Ev auf die Textüberlieferung des Mk-Ev verdanken sich nicht Redaktoren, sondern Kopisten» (p. 30). Plusieurs cas d'influence du texte parallèle de Matthieu ou Luc seront signalés dans les notes critiques: 1,10.11.14.16[a].16[b].18.19. 23[a].31.40[b]; 2,5(9).16[c].27; 3,1.3.14[a].14[b].18; 4,22[a].25; 5,36; 6,3.14[b]; 7,24; 8,11.12. En appendice à l'introduction (p. 69) Pesch note encore qu'il a pu prendre connaissance des changements introduits dans N^{26}. Il n'a aucune difficulté à accepter les additions de 3,35 [γάρ]; 6,23 [πολλά]; 8,20 [αὐτῷ], mais il maintient la leçon de N^{25} (contre N^{26}) pour les cas suivants:

1,1 sine [υἱοῦ θεοῦ]
1,4 ὁ sine [ ], om. καί ante κηρύσσων
3,1 om. τήν ante συναγωγήν
3,7 ἠκολούθησεν sine [ ]
3,14 om. [οὓς καὶ ἀποστόλους ὠνόμασεν]
3,16 καὶ ἐποίησεν τοὺς δώδεκα sine [ ]
3,32 καὶ αἱ ἀδελφαί σου sine [ ]
3,33 sine [μου]
4,21 ὅτι ante μήτι
6,2 οἱ ante πολλοί
6,22 αὐτῆς τῆς loco αὐτοῦ
6,41 om. [αὐτοῦ] post μαθηταῖς
7,4 ῥαντίσωνται loco βαπτ-, om. [καὶ κλινῶν]
7,28 ναί ante κύριε
7,35 om. [εὐθέως] ante ἠνοίγησαν, εὐθύς ante ἐλύθη
7,37 om. [τούς] ante ἀλάλους

À cette liste, donnée par Pesch[6], on ajoutera encore:

6. La référence de 4,21 est peut-être à remplacer par 4,22 (cf. p. 247). On corrigera également 3,25 en 3,35 (*Nachtrag*, p. 69).

1,40 καὶ γονυπετῶν sine [ ] (p. 141, n. *a*)
3,8 ποιεῖ loco ἐποίει (p. 199, n. *b*)
4,16 ὁμοίως (p. 424: «ähnlich»)
4,22 τι ante κρυπτόν (p. 247, n. *c*)
4,40 οὕτως (p. 268: «so»)

En revanche, il a suivi le texte de $GNT^{1\text{-}2}$, repris dans $GNT^{3} = N^{26}$ (contre N^{25}):

1,27 πρὸς ἑαυτούς loco αὐτούς
3,17 ὀνόματα loco ὄνομα — N^{26} [-τα]
3,22 Βεελζεβούλ loco Βεεζ-
3,31 ἔρχεται loco -ονται
4,8 ἕν (ter) loco εἰς ... ἐν ... ἐν
4,20 ἕν (ter) loco ἐν (ter)
4,40 οὔπω loco πῶς οὐκ
5,27 om. τά ante περί
6,39 ἀνακλῖναι loco -ιθῆναι
6,44 om. τοὺς ἀρτούς — GNT et N^{26} [ ]
7,9 στήσητε loco τηρήσετε

Plus rarement il s'éloigne des deux éditions de $N^{25.26}$:

1,41 ὀργισθείς loco σπλαγχνισθείς (avec plusieurs commentateurs)
3,20 ὁ sine [ ] ante ὄχλος (cf. Aland, *Synopsis*$^{1\text{-}8}$)
6,47 πάλαι post ἦν (cf. Taylor)
8,16 ἔχομεν loco ἔχουσιν (cf. $GNT^{1.2}$)

Dans plusieurs cas, le choix exprimé dans la traduction pour une leçon de N^{25} (6,41; 7,28; 7,37) ou N^{26} (3,31; 5,27) est fortement nuancé par les notes critiques. Ainsi en 6,41 et 7,37, les crochets de N^{26} rendent assez bien la pensée de Pesch.

La citation des témoins se fait généralement d'après l'apparat critique de la *Synopsis* de Aland[7]. Harmonisation avec Matthieu ou

7. Les exceptions sont rares et non sans inconvénient: pour 6,41 et 44 où il cite les témoins d'après GNT (dans un ordre différent de celui de Aland) il lit le manuscrit K comme *K* (= Я); cf. p. 347, c; 348, d. À d'autres endroits, il semble citer d'après Metzger: 6,20 (p. 338, a; cf. *Commentary*, p. 89) et 6,47 (p. 357, a; cf. *Commentary*, p. 92) où il oublie de changer f^1 en λ, employé ailleurs pour le groupe Lake. Une correction qui s'impose: au lieu de Φ lire φ (le groupe Ferrar, cf. p. 152, a; 203, b) dans les notes 1,10 (p. 88, a); 1,16 (p. 109, b); 1,18 (p. 109, d); 1,31 (p. 129, c); 2,4 (p. 152, b); 2,14 (p. 163, a); 2,16 (p. 163, d et f); 3,14 (p. 203, a); 3,18 (p. 203, d); 4,10 (p. 236, a); 4,21 (p. 247, a); 4,35 (p. 268, a); 5,1 (p. 238, a); 6,2 (p. 315, a); 6,6b (p. 326, a); 8,1 (p. 401, a); 8,12 (p. 406, c); 8,14 (p. 411, a); 8,15 (p. 411, b). Et pourquoi omettre φ dans la note 6,24 (p. 342, n. 20) et λ φ dans 4,24 (p. 251, a); 5,36 (p. 296, e: cf. GNT); 6,41.44 (cf. *supra*)? Autres corrections: 1,18 (p. 109, d): ajouter la leçon de ℵ*, strictement identique au parallèle de Matthieu; 3,14 (p. 203, b): ajouter *K* après C^2; 3,31 (p. 221, a): le singulier ἔρχεται n'est pas attesté par B C *pc* (pluriel sans οὐν) mais par ℵ D W Θ λ *al* it; 4,15 (p. 242, a): remplacer *K* par ℵ; 4,21 (p. 247, a): remplacer Π par it. En outre, lire αὐτόν (p. 88, a); εἰπόντος (p. 141, d); Ἰάκωβον (p. 163, a); οἵ, οἵ καί (p. 163, e); πολλοί (p. 211, n. 2); παραβολὴν (p. 240, n. 13); ῥαντίσωνται, βαπτίσωνται (p. 369, c); Cl Tert, ἀγαπᾷ (p. 369, e); KOPBAN (p. 377, L 43); σημεῖον (p. 406, b).

Luc, assimilation avec d'autres passages de Marc, *lectio facilior*, *erleichternde Leseart*, *Verdeutlichung* sont les critères le plus souvent employés dans la discussion des variantes. Certaines options sont plus directement liées à la théorie littéraire du commentateur. La leçon υἱοῦ θεοῦ dans 1,1, acceptée encore par Pesch dans *Naherwartungen* et *Anfang*, est rejetée maintenant, entre autres raisons parce que «υἱὸς θεοῦ im Mk-Ev nirgends redaktionell gesetzt ist», les emplois dans 3,11(!); 5,7; 14,61 et 15,39 étant prémarciens[8]. En 3,8, il défend le présent ποιεῖ en faisant appel au rédacteur prémarcien qui «auf den Wunderzyclus vorblickte»[9]. Nous y reviendrons. Notons aussi que les parallèles synoptiques, qui permettent de dépister les harmonisations secondaires, sont invoqués ailleurs pour fonder l'originalité du texte de Marc qui est à la base de la rédaction de Matthieu et Luc (cf. 1,40 καὶ γονυπετῶν; 6,47 πάλαι). On comprend son hésitation dans le cas de 6,41: omission secondaire de αὐτοῦ sous l'influence de Mt 14,19/Lc 9,16 ou texte original dont dépendent Matthieu et Luc. Signalons encore l'absence d'une note de critique textuelle à propos de μετὰ δέ en 1,14. La théorie de C.H. Turner sur δέ indiquant le début d'une section de l'évangile (1,14; 7,24; 10,32; 14,1) n'est même pas signalée. Il est vrai qu'elle devient plutôt gênante dans l'hypothèse d'une tradition prémarcienne de 1,2-15[10].

2. *Tradition et rédaction*

«Konservative Redaktion» est la formule, mainte fois répétée dans le commentaire[11], qui doit exprimer la thèse principale de Pesch. La tradition évangélique serait parvenue à Marc sous forme de paroles

8. Cf. p. 74, a (corriger dans cette note, l. 7 θεοῦ, l. 8 14,61, l. 9 Χριστοῦ). Comparer *Naherwartungen*, p. 194; *Anfang*, p. 138; et dans le commentaire même, p. 77: «passt freilich zur Christologie des redaktionellen Arrangements des Markusevangeliums, so dass der Titel dem Redaktor zuzutrauen wäre»; voir aussi p. 97 (sur 1,11).

9. Cf. p. 199, a.

10. Cf. C.H. Turner, *A Textual Commentary on Mark I*, dans *JTS* 28 (1927) 145-158, spéc. p. 152. Du même auteur: *Western Readings in the Second Half of St. Mark's Gospel*, dans *JTS* 29 (1928) 1-16. Les deux articles (cf. Taylor, p. 38) ne sont même plus mentionnés par Pesch. La traduction de 1,14 («Nachdem *aber*...») montre qu'il suit la leçon μετὰ δέ (GNT, N^{26}) contre καὶ μετά B D it sy^{s} bo^{pt} (N^{25} avec Westcott-Hort, B. Weiss, Lagrange, Bover). La théorie de Turner est citée dans *Naherwartungen*, p. 61, n. 91, d'après T.A. Burkill (*Mysterious Revelation*, 1963, p. 148; voir aussi p. 9, n. 1). Pesch y mentionne l'hypothèse de L.E. Keck sur le prologue de 1,1-15 (p. 54, n. 48), sans l'accepter (cf. p. 57: «nach dem Prolog [1,2-13]»). Il l'adopte dans son article *Anfang* de 1970 (voir déjà *Ein Tag*, p. 275), mais ne pose pas le problème textuel de μετὰ δέ et semble avoir oublié l'observation de Turner (et Burkill).

11. Cf. p. 16: «seine konservative Redaktion»; 21: «den konservativen Redaktor Markus»; 22: «Der Redaktor Markus ist kein Inventor, sondern Bearbeiter von Tradition, er verhält sich kaum literarisch produktiv, sondern 'unliterarisch' konservativ»; voir encore p. 23, 25, 31, 53, 59, et passim (par exemple, p. 140, 188, 231).

et de récits individuels mais également dans des collections prémarciennes qui ont en grande partie déterminé la structure même de l'évangile: 1. la tradition sur le Baptiste et Jésus; 2. la journée de Capharnaüm; 3. des controverses; 4. des paraboles; 5. des récits de miracles; 6. une instruction catéchétique; 7. le récit de la passion.

Structure de Marc				*Collections prémarciennes*			
(I)	1,1—3,6	(*1*)	1,1-15	(I)	1,2-15		
		(*2*)	1,16-34	(II)	1,21a.29-34a		
		(*3*)	1,35-45		1,35-39a		
		(*4*)	2,1—3,6	(III)	2,15—3,6		
(II)	3,7—6,29	(*1*)	3,7-35	(V)	3,7-12		
		(*2*)	4,1-34		4,1		
		(*3*)	4,35—5,43		4,35-39.41; 5,1-43	(IV)	4,2-10.13-20.26-33
		(*4*)	6,1-29				
(III)	6,30—8,26	(*1*)	6,30-56		6,32-56		
		(*2*)	7,1-23				
		(*3*)	7,24—8,26				
(IV)	8,27—10,52	(*1*)	8,27—9,29	(VII)	8,27-33; 9,2-13		
		(*2*)	9,30-50		9,30-35		
		(*3*)	10,1-52		10,1.32-34.46-52	(VI)	10,2-12.17-27.35-45
(V)	11,1—12,44	(*1*)	11,1-25		11,1-23		
		(*2*)	11,27—12,12		11,27—12,12		
		(*3*)	12,13-44		12,35-37.41-44		
	13,1-37				13,1-2		
(VI)	14,1—16,8	(*1*)	14,1-52		14,1-52		
		(*2*)	14,53-72		14,53-72		
		(*3*)	15,1—16,8		15,1—16,8		

La seconde moitié de l'évangile est composée à partir du récit de la passion (VII), complété par l'instruction du chap. 10 (VI), des traditions non encore groupées (8,34—9,1; 9,14-29.36-50; 10,13-16.28-31; 11,24-25; 12,13-17.18-27.28-34.38-40) et le discours du chap. 13, une pièce d'actualité insérée par l'évangéliste. En dehors du chap. 13, Marc n'intervient presque pas dans le texte traditionnel[12]. La part de l'évangéliste est plus importante dans la première moitié de l'évangile. Afin qu'on puisse s'en rendre compte, j'énumère ici les parties redactionnelles dans le texte de 1,1—8,26[13]. Je les cite dans l'ordre

12. Des retouches rédactionnelles sont signalées en 8,34a; 9,14a.36; 10,21c.28; 12,13.28.38a (p. 23). Voir aussi p. 19: πάλιν dans 10, 1.10.

13. On peut trouver des indications dans l'introduction (pp. 18-19 et surtout 22-23) et dans le commentaire même, le plus souvent dans la section qui précède la traduction de la péricope. J'ai inclus dans la liste les cas douteux ou seulement probables: 1,9.16 «la Galilée» (p. 22: «möglich, aber nicht sicher»; p. 87, sur 1,9: «höchstens», mais sans hésitation pour 1,16, p. 108); 1,20 εὐθύς (p. 108: «vielleicht»); 1,23 εὐθύς (p. 118: «möglicherweise»); 1,29 «et André» (p. 129: ?; voir cependant p. 130); 4,10 «les paraboles», le singulier de la tradition remplacé par le pluriel (p. 236, a:

des péricopes, d'après la division du commentaire. Les unités qui ne font pas partie d'une collection prémarcienne sont marquées par une astérisque.

I.1	1,1-8	1 ἀρχὴ τοῦ εὐαγγελίου Ἰησοῦ Χριστοῦ
	1,9-13	9 τῆς Γαλιλαίας
	1,14-15	
I.2	1,16-20*	16 τῆς Γαλιλαίας 20 εὐθύς
	1,21-28*	21 εὐθύς 22 καὶ ἐξεπλήσσοντο ἐπὶ τῇ διδαχῇ αὐτοῦ· ἦν γὰρ διδάσκων αὐτοὺς ὡς ἐξουσίαν ἔχων, καὶ οὐχ ὡς οἱ γραμματεῖς 23 εὐθύς 27 τί... τοῦτο (*loco* τίς... οὗτος); διδαχὴ καινὴ κατ' ἐξουσίαν 28 τῆς Γαλιλαίας
	1,29-31	29 εὐθὺς ἐκ τῆς συναγωγῆς ἐξελθόντες, καὶ Ἀνδρέου μετὰ Ἰακώβου καὶ Ἰωάννου
	1,32-34	32 καὶ τοὺς δαιμονιζομένους 34 καὶ δαιμόνια πολλὰ ἐξέβαλεν, καὶ οὐκ ἤφιεν λαλεῖν τὰ δαιμόνια, ὅτι ᾔδεισαν αὐτόν
I.3	1,35-39	38 ἵνα καὶ ἐκεῖ κηρύξω 39 καὶ τὰ δαιμόνια ἐκβάλλων
	1,40-45*	45 κηρύσσειν πολλὰ καί, ὥστε μηκέτι αὐτὸν δύνασθαι φανερῶς εἰς πόλιν εἰσελθεῖν, ἀλλ' ἔξω ἐπ' ἐρήμοις τόποις ἦν
I.4	2,1-12*	1 πάλιν 2 καὶ ἐλάλει αὐτοῖς τὸν λόγον
	2,13-17	13 καὶ ἐξῆλθεν πάλιν παρὰ τὴν θάλασσαν· καὶ πᾶς ὁ ὄχλος ἤρχετο πρὸς αὐτόν, καὶ ἐδίδασκεν αὐτούς. 14 καὶ παράγων εἶδεν Λευὶν τὸν τοῦ Ἁλφαίου καθήμενον ἐπὶ τὸ τελώνιον, καὶ λέγει αὐτῷ· ἀκολούθει μοι. καὶ ἀναστὰς ἠκολούθησεν αὐτῷ 15 αὐτοῦ (*loco* Λευί), ἦσαν γὰρ πολλοὶ καὶ ἠκολούθουν αὐτῷ 16 τῶν ἁμαρτωλῶν καὶ τελωνῶν (*loco* αὐτῶν)
	2,18-22	
	2,23-28	
	3,1-6	1 πάλιν
II.1	3,7-12	7 ὁ Ἰησοῦς μετὰ τῶν μαθητῶν αὐτοῦ
	3,13-19*	13 καὶ ἀναβαίνει εἰς τὸ ὄρος, καὶ προσκαλεῖται οὓς ἤθελεν αὐτός, καὶ ἀπῆλθον πρὸς αὐτόν 15 καὶ ἔχειν ἐξουσίαν ἐκβάλλειν τὰ δαιμόνια 16 καὶ ἐποίησεν τοὺς δώδεκα 19 ὃς καὶ παρέδωκεν αὐτόν
	3,20-30*	20 πάλιν 23 ἐν παραβολαῖς
	3,31-35*	
II.2	4,1-9	1 πάλιν 2 καὶ ἐδίδασκεν αὐτοὺς ἐν παραβολαῖς πολλά
	4,10-12*	10 (τὰς παραβολάς) 11 καὶ ἔλεγεν αὐτοῖς
	4,13-20	
	4,21-23*	21 καὶ ἔλεγεν αὐτοῖς 23 εἴ τις ἔχει ὦτα ἀκούειν ἀκουέτω
	4,24-25*	24 καὶ ἔλεγεν αὐτοῖς· βλέπετε τί ἀκούετε
	4,26-29	
	4,30-32	

«kann erwogen werden», mais le commentaire à la p. 237 n'en tient pas compte; voir cependant p. 22: «Nuancierung vorgegebener Tradition»); 4,23 (p. 250: la présenee du verset entre vv. 20 et 26 dans la collection prémarcienne «kann erwogen werden»; voir cependant p. 247: «vielleicht selbst gebildet»); 7,14 (p. 377: «mit der redaktionell bearbeiteten [zumindest Hinzufügung von πάλιν] Übergangswendung»); 8,1 πάλιν (p. 18: «vielleicht, p. 400: «spätestens», mais p. 18: «mk-redaktionelle Zufügung von παλίν).

	4,33-34	34 χωρὶς δὲ παραβολῆς οὐκ ἐλάλει αὐτοῖς, κατ' ἰδίαν δὲ τοῖς ἰδίοις μαθηταῖς ἐπέλυεν πάντα
II.3	4,35-41	36 (ἀφέντες) 40 καὶ εἶπεν αὐτοῖς· τί δειλοί ἐστε οὕτως; οὔπω ἔχετε πίστιν;
	5,1-20	
	5,21-43	21 τοῦ Ἰησοῦ 37 εἰ μὴ τὸν Πέτρον καὶ Ἰάκωβον καὶ Ἰωάννην τὸν ἀδελφὸν Ἰακώβου 40 καὶ τοὺς μετ' αὐτοῦ
II.4	6,1-6a*	1 καὶ ἐξῆλθεν ἐκεῖθεν, καὶ ἀκολουθοῦσιν αὐτῷ οἱ μαθηταὶ αὐτοῦ 2 τοιαῦται 5 εἰ μὴ ὀλίγοις ἀρρώστοις ἐπιθεὶς τὰς χεῖρας ἐθεράπευσεν
	6,6b-13*	13 καὶ δαιμόνια πολλὰ ἐξέβαλλον
	6,14-16	
	6,17-29	
III.1	6,30-31	30 καὶ συνάγονται οἱ ἀπόστολοι πρὸς τὸν Ἰησοῦν, καὶ ἀπήγγειλαν αὐτῷ πάντα ὅσα ἐποίησαν καὶ ὅσα ἐδίδαξαν. 31 καὶ λέγει αὐτοῖς· δεῦτε ὑμεῖς αὐτοὶ κατ' ἰδίαν εἰς ἔρημον τόπον καὶ ἀναπαύσασθε ὀλίγον. ἦσαν γὰρ οἱ ἐρχόμενοι καὶ οἱ ὑπάγοντες πολλοί, καὶ οὐδὲ φαγεῖν εὐκαίρουν
	6,32-44	
	6,45-52	45 εὐθύς 52 οὐ γὰρ συνῆκαν ἐπὶ τοῖς ἄρτοις, ἀλλ' ἦν αὐτῶν ἡ καρδία πεπωρωμένη
	6,53-56	
III.2	7,1-13*	
	7,14-23*	14 πάλιν (καὶ—ὄχλον) 17 ἀπὸ τοῦ ὄχλου 18 οὕτως καὶ ὑμεῖς ἀσύνετοί ἐστε; οὐ νοεῖτε ὅτι
III.3	7,24-30*	24 ἐκεῖθεν δὲ ἀναστάς
	7,31-37*	
	8,1-9*	1 πάλιν 9 καὶ ἀπέλυσεν αὐτούς
	8,10-13*	10 καὶ εὐθὺς ἐμβὰς εἰς τὸ πλοῖον μετὰ τῶν μαθητῶν αὐτοῦ 13 καὶ ἀφεὶς αὐτοὺς πάλιν ἐμβὰς ἀπῆλθεν εἰς τὸ πέραν
	8,14-21*	14 ἐν τῷ πλοίῳ 17 οὔπω νοεῖτε οὐδὲ συνίετε; πεπωρωμένην ἔχετε τὴν καρδίαν ὑμῶν; 18 ὀφθαλμοὺς ἔχοντες οὐ βλέπετε, καὶ ὦτα ἔχοντες οὐκ ἀκούετε; καὶ οὐ μνημονεύετε, 19 ὅτε τοὺς πέντε ἄρτους ἔκλασα εἰς τοὺς πεντακισχιλίους, πόσους κοφίνους κλασμάτων πλήρεις ἤρατε; λέγουσιν αὐτῷ· δώδεκα. 20 ὅτε τοὺς ἑπτὰ εἰς τοὺς τετρακισχιλίους, πόσων σπυρίδων πληρώματα κλασμάτων ἤρατε; καὶ λέγουσιν· ἑπτά. 21 καὶ ἔλεγεν αὐτοῖς· οὔπω συνίετε;
	8,22-26*	

On trouve un emploi fréquent de πάλιν (2,1.13; 3,1.20; 4,1; 7,14; 8,1.13) et εὐθύς (1,20.21.23.29; 6,45; 8,10), et la mention de la Galilée en 1,9.16.28. Les exorcismes sont mis en relief d'abord par l'insertion de 1,21b.23-28 dans le bloc traditionnel de la journée de Capharnaüm, puis par les ajouts en 1,32.34; 1,39; 3,15; 6,13. L'enseignement de Jésus est souligné par 1,22 (d'après 6,2 et 11,18); 1,27; 4,2; 6,30 (disciples), et la prédication en 1,38.45; 2,2. L'inintelligence des disciples est assurément un théme privilégié: 4,40; 6,52; 7,18; 8,17-21. Dans sa rédaction, Marc ne s'éloigne guère de la tradition. Il s'inspire de 1,16-20 dans la composition de 2,13-14 (cf. v.17c) et 3,13, et pour l'addition des noms en 1,29. Pour la présence des trois disciples en 5,37.40, il peut s'inspirer de 9,2-13 et 14,32-33; 4,23 est une reprise de 4,9; 6,31 est redigé à partir de 6,32-33, et le motif du bateau en 8,10.13 est emprunté à 5,18.21. L'activité du rédacteur se constate surtout dans des transitions (cf. 6,1.30-31; 7,24). Dans 6,6b et 7,31a.b, il utilise la conclusion du récit précédent pour introduire un nouvel épisode[14].

En résumé, on peut dire que sur les 311 versets de 1,1—8,26 Marc reprend 248 versets sans la moindre retouche, dans 20 versets il ajoute ou change un mot, et il intervient d'une façon plus substantielle dans 43 versets, dont 16 sont entièrement rédigés par lui, mais souvent en dépendance envers des parallèles traditionnels. Marc a eu surtout une activité de «compositeur»: il a mis ensemble dans un récit évangélique 25 unités traditionnelles, notamment 1,2-15 / 1,16-20 / 1,21a.29-34a.35-39a / 1,21b.23-28 / 1,40-45 / 2,1-12 / 2,15—3,6 / 3,7-12; 4,35-39.41; 5,1-43; 6,32-56 / 3,14-19 / 3,20-30 / 3,31-35 / 4,2-10.13-20.26-33 / 4,21-22 / 4,24-25 / 6,1-6 / 6,7-13 / 6,14-29 / 7,1-13 / 7,14-23 / 7,24-31a / 7,31b-37 / 8,1-9 / 8,10-12 / 8,14-17b / 8,22-26. Marc est vraiment le créateur du genre «évangile» (pp. 1-3). On ne peut que donner raison à Pesch lorsqu'il repousse toute hypothèse d'une dépendance envers un *Urmarkus* ou quelque autre évangile plus primitif (pp. 29-31). Mais il s'écarte également de ce qu'il appelle une «verbreitete Fehleinschätzung des Markus» (p. 22) qui aurait méconnu «den konservativ-sparsamen Charakter der mk Redaktion» (p. 23). Pesch affirme qu'on ne peut parler de l'unité du style de Marc, et même qu'on a eu tort de tenir l'évangéliste responsable pour le cadre (*Rahmen*) du récit évangélique (pp. 24-25). La thèse du commentateur sera sans doute accueillie par certains comme une thèse courageuse qui ouvre des nouvelles perspectives pour l'étude de l'histoire de Jésus[15]. Il importe donc de savoir si la position s'appuie sur un fondement solide.

14. Sur 6,6b, p. 325; voir aussi p. 327, où il suggère de voir dans 6,1b-6a.6b la continuation de 1,21a.29-34a.35-39a dans un complexe prémarcien. Sur 7,31, p. 393: «Markus hat — wie fast durchweg — auf die sparsamste Weise unter Nutzung der Tradition zwei Perikopen redaktionell verbunden».

15. Cf. A. Vögtle, *Der Jesus der Geschichte. Ein Markuskommentar — Aufbruch zu einem Mehr an ursprünglicher Jesusüberlieferung*, dans *Christ in der Gegenwart* 28 (1976) 237-238.

3. *Le cycle des miracles*

D'après Pesch, la source la plus importante dans la première moitié de l'évangile est une collection de récits de miracles[16]. Elle est parvenue à Marc comme une composition concentrique, encadrée par deux sommaires et centrée sur le double miracle de 5,21-43:

5,21-43
5,1-20 6,32-44
4,35-39.41 6,45-51
3,7-12; 4,1 6,53-56

Les deux sommaires sont de la main d'un rédacteur prémarcien qui aurait relié six récits de miracles individuels à l'aide surtout du motif de la traversée en bateau: 3,7-12; 4,1; 4,35-36*; 5,1-2*; 5,18a.(18b-20a); 5,21a; 6,32-33*; 6,45*; 6,53-56. Ce même rédacteur serait responsable de l'insertion de la guérison de l'hémorroïsse entre les deux parties du récit de la résurrection de la fille de Jaïre, car à l'origine les deux récits n'étaient pas liés: 5,22-23.35-36.24a.38-43 et 5,21b.24b-34[17].

Marc a détaché le premier sommaire de la collection de miracles et il l'a combinée avec d'autres traditions, les sections insérées entre 3,12 et 4,1; 4,1 et 4,35; 5,43 et 6,32. Dans la structure de l'évangile (1,1—8,26), le sommaire de 3,7-12 forme l'ouverture de la deuxième partie (3,7—6,29), et 6,32-56, précédé par deux versets rédactionnels, constitue la première section de la troisième partie (6,30—8,26)[18]. Le texte même de la source n'a pas changé, si ce n'est par l'addition de 4,40 et 6,52 et des ajouts moins importants dans 3,7; 4,1; 5,21; 5,37.40; 6,45[19].

À propos des sommaires de 3,7-12 et 6,53-56, Pesch signale qu'il est en désaccord avec la plupart des exégètes[20]. Il est regrettable que

16. Cf. pp. 277-281: «Die vormarkinische Wundergeschichtensammlung und die sogenannte theios-anär-Christologie im Mk-Ev» (Exkurs). Voir aussi dans l'introduction: «8. Die vormarkinischen Traditionen im Markusevangelium» (pp. 63-68).

17. Le rédacteur a utilisé le début du récit de l'hémorroïsse dans le verset de transition (v. 24b). D'autre part, la séparation de 5,23/35 a donné lieu au transfert de καὶ ἀπῆλθεν μετ' αὐτοῦ (v. 24a), remplacé par v. 37a. Autres traits rédactionnels: la traduction au v. 41 (ὅ ἐστιν...) et le transfert de καὶ εἶπεν... φαγεῖν du v. 42 à la fin du récit (v. 43b).

18. La raison indiquée par Pesch: «Parallelisierung mit einer zweiten Speisungswundergeschichte» (p. 34) ne ressort pas clairement de la division qu'il propose (troisième section: 7,24—8,26).

19. Cf. *supra*. En 4,36, ἀφέντες dans la source: «Stehenlassen», et dans Marc: «Entlassung» (p. 270).

20. Sur 3,7-12: «gilt der Forschung weithin als mk Bildung» (p. 198); sur 6,53-56: «nicht, wie meist angenommen wird, dem Evangelisten» (p. 364). Dans le commentaire sur 1,32-34, qu'il compare à 1,39; 3,7-12; 4,33-34; 6,53-56, il s'exprime un peu autrement: «Die Summarien werden in der Forschung oft — so zuletzt von T. Snoy — für redaktionelle Bildungen des Evangelisten gehalten; doch gehen sie, *wie in jüngster*

le commentateur n'a pas senti le besoin de mieux situer son hypothèse sur la collection des miracles par rapport à la littérature exégétique récente[21]. La constatation est d'ailleurs d'une application plus générale: il y a un contraste frappant entre le grand nombre de noms d'exégètes cités dans la bibliographie et le peu d'information fournie sur les différents points de vue de ces auteurs. Il faut avouer d'autre part que dans la présentation des arguments en faveur de l'existence d'une source de miracles Pesch a fait un effort de synthèse qui

Zeit mehrfach aufgezeigt wurde, auf vormarkinische Tradition züruck» (p. 133); et dans la recension de l'ouvrage de H.-W. Kuhn, dans *BZ* 17 (1973) 265-267: «die alte Hypothese vom redaktionellen Charakter der *Sammelberichte* im Mk-Ev» (p. 267). — Sur les sommaires, cf. T. SNOY, dans *RThL* 4 (1973) 58-101. Voir maintenant: W. EGGER, *Frohbotschaft und Lehre. Die Sammelberichte des Wirkens Jesu im Markus-evangelium* (Frankfurter Theologische Studien, 19), Frankfurt, 1976. D'après cet auteur, le sommaire de 3,7-12 est de la main de Marc (pp. 91-111; cf. *Biblica* 50 [1969] 466-490). mais ceux de 1,32-34 (pp. 64-73) et 6,53-56 (pp. 134-142) sont prémarciens; cf. *infra*.

21. Inutile de rappeler ici les hypothèses, parfois peu critiques, sur la source des miracles de 4,35—5,43 et le double cycle de 6,30—7,37 et 8,1-26 (cf. H.-W. KUHN, *Ältere Sammlungen*, pp. 27-32). La position de Pesch se rapproche le plus de celle de L.E. Keck (1965) qui inclut les sommaires dans la source de miracles: 3,7a.9.10; 4,35—5,43; 6,31-52.53-56. De son côté, P.J. Achtemeier (1970) proposa de reconstruire deux *miracle catenae*:

4,35-41	5,1-20	5,25-34	5,21-23.35-43	6,34-44.53
6,45-51	(8,22-26)	7,24b-30	7,32-37	8,1-10

Pour l'interprétation de 6,30-56, il renvoie à l'article de T. Snoy dans *ETL* 44 (1968). Il aurait pu signaler également l'hypothèse de G. Hartmann (1936) qui admet une source de miracles pour 4,35—5,43; 6,32-56; 7,24-37; 8,1-9 (*Der Aufbau*, pp. 145-146) et suggère un double cycle qui, pour l'essentiel, est identique à celui de Achtemeier: 4,35—6,44 et 6,45—8,9 (pp. 155-156). Le nombre de sept et le parallélisme avec les miracles d'Élie et Élisée sont des traits que Pesch a en commun avec G. Hartmann (pp. 278-279). Dans *Ältere Sammlungen* (publié en 1971; un *Nachtrag* signale des publications de 1970, p. 10), H.-W. Kuhn ne semble pas connaître les articles de Keck et Achtemeier, ni le livre de Hartmann: pour le rapprochement qu'il propose entre les récits de miracles de 4,35—5,43 et 6,32-51 (pp. 191-213), il ne peut citer qu'une vague allusion à cette possibilité dans le livre de W.L. Knox (p. 28; cf. *The Sources*, I, 1953, p. 45), complétée dans le *Nachtrag* par une référence à W. Schmithals, 1970 (p. 10). L'hypothèse de Kuhn est beaucoup plus modeste que celle de Pesch: l'insertion de la guérison de l'hémorroïsse dans le récit de la résurrection de la fille de Jaïre et le motif de la traversée en 5,21 sont de Marc et les sommaires de 3,7-12; 4,1; 6,53-56 sont également marciens. Pesch s'en distingue surtout par l'intégration de 3,7-12 et 6,53-56 dans la source prémarcienne. C'est le point de vue de Keck, soutenu entre autres par N. Perrin, dans *JR* 51 (1971), texte repris en 1974 dans M. SABBE (éd.), *L'évangile selon Marc* (BETL, 34), Gembloux-Louvain, 1974, p. 478, et *A Modern Pilgrimage*, pp. 112-113; il note contre Achtemeier: «Keck's argument about the relationship between a pre-Markan version of 3:7-12 and its relationship with the subsequent cycle of stories is an important factor» (n. 20). Pour Pesch, le texte intégral de 3,7-12 (à l'exception de «Jésus et ses disciples» au v. 7) est prémarcien. En sens contraire (contre Keck), voir surtout l'article de T.A. BURKILL, dans *JBL* 87 (1968) 409-417, et ceux de W. Egger et T. Snoy (cf. n. 20).

dépasse les observations de ses précurseurs. Dans un Excursus spécial il en donne une énumeration :

1. L'analogie de la *Sèmeia-Quelle* dans l'évangile de Jean.
2. Les parallèles des *Sammlungen* utilisées par Marc dans 1,21-39; 4,1-34; 8,27—16,8.
3. L'argument principal: le caractère prémarcien des sommaires et des *Seefahrtnotizen*.
4. La place de 5,1-20 dans l'évangile, la *Heidenmission* étant le thème de la section de 7,1—8,26.
5. L'unité théologique des récits de miracles exprimant une même christologie.
6. L'argument de Kuhn basé sur la rédaction de Marc[22].

Examinons brièvement les arguments un par un.

1. La *Sèmeia-Quelle* du quatrième évangile[23], qui peut prendre différentes formes allant des deux miracles de Cana à un véritable évangile primitif, n'est qu'une hypothèse, admise par beaucoup, mais contestée et contestable[24]. Pesch lui-même contribue à l'affaiblir lorsqu'il souligne que, comparé à la marche sur les eaux dans Marc, le récit de Jn 6,16-21 est «weiterentwickelt»[25]. On notera aussi que la séquence de Jn 6,1-30 ne l'empêche pas de rendre Marc responsable de la rédaction de 8,9b.10.13 et de l'ordonnance de 8,1-9.11-12[26]. On peut y voir un premier pas vers un nouvel examen des rapports entre Jean et les Synoptiques. Dans l'hypothèse de la dépendance johannique (et il me semble que des raisons sérieuses plaident dans ce sens[27]), il devient difficile de démontrer l'existence d'une source

22. Dans la première partie de l'*Excursus*, pp. 277-278. Pour n° 6, voir p. 278, n. 1: «Vgl. auch die Erwägungen bei H.-W. Kuhn 208f.».

23. L'argument est employé par Bultmann: «Jedenfalls hat Joh eine σημεῖα-Quelle benutzt» (*Die Geschichte*, ²1931, p. 347, n. 2). Pour la formulation de Pesch: «Dass es Sammlungen von Wundergeschichten ... gegeben hat, beweist ...», comparer Kuhn, *Ältere Sammlungen*, p. 210.

24. Sur l'histoire de l'hypothèse et les réactions critiques, voir G. VAN BELLE, *De Sèmeia-bron in het vierde evangelie. Ontstaan en groei van een hypothese* (S.N.T. Auxilia, 10), Louvain, 1975. Pour les rapprochements avec la source de Marc, consulter l'index sous «Aretalogie».

25. Cf. p. 363. Dans la note, Pesch veut répondre à une difficulté ressentie par Schnackenburg: la présence dans une même source du récit déjà plus réfléchi de la multiplication des pains et du récit plus primitif de la marche sur les eaux: «Das Urteil über den 'ursprünglicheren Bericht' muss wohl revidiert werden» (n. 30). Cela revient à nier l'argument de Schnackenburg en faveur de l'indépendance de Jn 6,1-21 par rapport aux synoptiques (t. 2, p. 38).

26. Cf. p. 409. Sur ce problème, voir J. KONINGS, *The Pre-Markan Sequence in Jn., VI. A Critical Re-examination*, dans *L'évangile selon Marc* (cf. *supra*, n. 21), pp. 147-177. (Dans le commentaire, p. 410, L 48: remplacer DERS. par le nom de l'auteur.)

27. Cf. F. NEIRYNCK, *John and the Synoptics*, dans M. DE JONGE (éd.), *L'évangile de Jean* (BETL, 43), Gembloux-Louvain, 1977, pp. 73-106.

spéciale pour les récits de miracles. D'ailleurs, et c'est également l'avis de Pesch, l'existence d'une source johannique ne dispenserait pas de fonder la *Sammlung* prémarcienne sur des indications dans le texte de Marc lui-même[28].

2. Quant aux parallèles dans Marc, même les exégètes qui sont d'accord avec Pesch sur un récit prémarcien de la passion (sans doute un peu moins long que celui qu'il propose), y voient «ein besonderes traditionsgeschichtliches Problem»[29]; sans parler encore de la discussion récente sur le bien-fondé de l'hypothèse d'un récit continu[30]. Ensuite, une collection de paraboles n'est pas le meilleur parallèle, et on ne peut oublier qu'elle aussi pose des problèmes[31]. Il reste la journée de Capharnaüm (1,21a.29-34a.35-39a), mais le bref récit sur la guérison de la belle-mère de Simon suivi d'un sommaire, peut-on l'appeler une collection de miracles? En outre, le caractère prémarcien des versets 32-34a est pour le moins discutable[32]. C'est donc le texte même de 3,7—6,56 qu'il faudra interroger.

3. L'argument décisif concerne les sommaires et les notices de la *Seefahrt*. On concédera volontiers à Pesch le caractère rédactionnel des versets en question, mais comment peut-il prouver que la rédaction se situe à un niveau antérieur à Marc? Il ne suffit pas d'y trouver le vocabulaire propre d'un itinéraire en bateau (p. 278). Puisque Pesch attribue le même motif dans 8,10.13 à la rédaction marcienne (pp. 405-406), on est en droit de lui demander sur quoi il se base pour conclure autrement dans 3,7—6,56. Il écrit à propos de 4,35-36: «Die Rekonstruktion einer vormarkinischen Sammlung von Wundergeschichten erübrigt also die Annahme eines mk-redaktionellen Eingriffs in VV 35-36, wofür die sprachliche Fassung des Textes auch keine Anhaltspunkte bietet» (p. 267). Une telle phrase peut être retournée: «Die Annahme eines mk-redaktionellen Eingriffs erübrigt die Rekonstruktion einer vormarkinischen Sammlung in VV 35-36, wofür die sprachliche Fassung des Textes auch keine Anhaltspunkte bietet». Il suffit de remplacer dans le commentaire sur 4,35-36 *vormarkinisch-* par *markinisch-redaktionell*, car il ne contient aucune indication spécifique d'une origine prémarcienne. Le sens donné à

28. Cf. p. 278, n. 1. Un auteur qui admet la présence d'indices de critique littéraire dans Jn peut en juger autrement pour Marc: cf. L. SCHENKE, *Wündererzählungen*, p. 386: «Solche Kriterien fehlen dagegen im Markusevangelium».

29. H.-W. KUHN, *Ältere Sammlungen*, p. 13: «aufgrund dieses für die Passionsgeschichte speziellen Interesses eines linearen Zusammenhanges».

30. Voir surtout W.H. KELBER (éd.), *The Passion in Mark. Studies on Mark 14-16*, Philadelphia, 1976.

31. Cf. J. LAMBRECHT, *Redaction and Theology in Mk., IV*, dans *L'évangile selon Marc* (cf. *supra*, n. 26), 1974, pp. 269-307. (Ajouter à la bibliographie, L 21, p. 228.)

32. Voir la critique de Kuhn, *Ältere Sammlungen*, pp. 16-18. Sur les sommaires, cf. *supra*, n. 20.

ἀφέντες τὸν ὄχλον (v. 36) dans la source est parfaitement acceptable au niveau de la rédaction marcienne[33]; d'ailleurs, Pesch lui-même traduit: «und sie liessen die Volksmenge (stehen)»[34]. La même constatation est à faire pour les éléments rédactionnels dans 5,1-2. 18a.21; 6,32-33.45. Le commentaire est conçu dans l'hypothèse d'un rédacteur prémarcien sans apporter des indications spécifiques: «Der Redaktor der vormarkinischen Sammlung, dessen Arbeitsweise im Blick auf die ihm zuzuschreibende Bildung der Summarien 3,7-12 und 6,53-56 verfolgt werden kann, ...» (p. 347, à propos de 6,32-33). Tout le poids de l'argument repose donc finalement sur l'analyse des sommaires. Il le note explicitement dans l'exposé sur 3,7-12: «Wesentliche Teile des Vokabulars... erweisen den Text als vormarkinisch» (p. 198). Un vocabulaire prémarcien et des *Wort- und Motivverbindungen* avec les récits de miracles et le sommaire de 6,53-56 le font conclure que le texte appartient au cycle des miracles. Mais avant de poursuivre l'examen du vocabulaire des sommaires[35], voyons les autres indices.

4. Le thème de la mission aux païens anticipé dans le récit de 5,1-20[36], mieux en place dans la section de 7,1—8,26. Dans le commentaire (p. 282, 294), Pesch explique le *Vorgriff* par l'intention de Marc de présenter le début de la mission aux païens comme la conséquence du rejet de Jésus en Israël (cf. 3,7—4,34). N'est-ce pas une explication acceptable sans qu'il y ait besoin de caser le récit dans une collection prémarcienne?

5. Pesch insiste beaucoup sur l'arrière-fond vétérotestamentaire des récits de miracles. Il s'insurge contre la tendance à interpréter la tradition des miracles de Jésus à partir des représentations hellénistiques du θεῖος ἀνήρ (surtout pp. 280-281). Il a sans doute raison de réagir ainsi, mais l'argument qu'il en tire en faveur de l'appartenance des récits à une *Sammlung* est moins évident. Pour un récit isolé comme 1,23-28, il donne une description des caractéristiques qui est par-

33. Pesch fait la distinction entre «Stehenlassen» dans la source (après 3,7-12; 4,1) contre «Entlassen» dans le contexte de Marc, après 4,1-34 (p. 270). On remarquera que dans 6,45 (cf. v. 36) et 8,9 (cf. v. 3) c'est Jésus (et non les disciples) qui renvoie la foule et le verbe employé est ἀπολύω («Entlassen»). Voir aussi L. SCHENKE, *Die Wundererzählungen*, p. 29.

34. La traduction (p. 268) semble contredire le commentaire (p. 270), car on peut supposer que la traduction est celle du texte final de Marc.

35. Cf. *infra*, sur les sommaires (n° 4). À la liste des hapaxlegomena et des expressions «certainement traditionnelles» de 3,7-12 (p. 198) on ajoutera une tournure sémitique dans 4,1 (p. 230, n. 5), l'emploi de πάλιν dans le sens d'une *Gegenbewegung* dans 5,21 (cf. p. 393), et trois hapaxlegomena signalés dans 6,53-56 (pp. 365-366).

36. La conclusion du récit (5,18-20a) est attribuée au rédacteur prémarcien (p. 282), ou peut-être à un *Tradentenkreis* avant lui (p. 293: dans ce cas, le rédacteur ajoute le v. 18a; cf. *Der Besessene*, pp. 47-48).

faitement identique (cf. p. 122: «der die atl. Gottesmänner überbietende eschatologische Prophet und Charismatiker»)[37].

6. L'argument de H.-W. Kuhn part de la structure de 3,7—6,56 dans la composition de Marc. Après 6,31, on s'attend normalement au sommaire de 6,53-56:

4,1-34 4,35—5,43
3,20-35 6,1-6
3,13-19 6,7-31
3,7-12 6,53-56

Si l'évangéliste y place 6,32-52, c'est parce que les deux récits lui sont transmis en bloc avec les miracles de 4,35—5,43. D'autre part, la séparation de 4,35—5,43 et 6,32-52 par l'insertion d'autres traditions correspond bien à la manière de rédiger de Marc; elle permet en même temps d'éviter un trop gros complexe de six récits de miracles et de corriger ainsi la présentation de Jésus comme θεῖος ἀνήρ[38]. On comprend mal que Pesch puisse se référer à une telle argumentation. Il s'oppose formellement à la théologie de Marc qu'elle implique (cf. *supra*) et, d'après lui, 6,53-56 est parvenu à Marc avec 6,32-51[39]. Par contre, la connexion immédiate entre 5,43 et 6,32 lui semble moins essentielle, car il tient compte de l'éventualité, moins probable il est vrai, que le rédacteur prémarcien ait placé la scène de 6,14-16 à la suite de 5,43[40]. Enfin, son insistance sur l'ouverture d'une nouvelle section par 6,30 ne correspond guère à la manière de voir de Kuhn[41].

4. *Le sommaire de 3,7-12* (*et la structure de Marc*)

Dans le sommaire de 3,7-12, repris à la source des miracles, seule l'insertion de ὁ Ἰησοῦς μετὰ τῶν μαθητῶν αὐτοῦ (v. 7a) viendrait de l'évangéliste: une manière typiquement marcienne d'indiquer le

37. Pesch a encore raison lorsqu'il attire l'attention sur un manque de logique dans l'interprétation de certains critiques: d'une part Marc réagit contre la christologie du θεῖος ἀνήρ par sa *theologia crucis*, et d'autre part il est l'auteur du sommaire de 6,53-56 qui doit illustrer la puissance thaumaturgique de Jésus (p. 366, n. 5). Toutefois, pour sortir de l'illogique (l'auteur semble viser la position de Kuhn), il n'est pas nécessaire d'infirmer l'une et l'autre des deux données, ét l'attitude de Marc envers les miracles ét le niveau rédactionnel du sommaire. Certains diront avec Keck (et Pesch) que le sommaire appartient à l'arétalogie prémarcienne. Mais il suffit d'admettre (encore avec Pesch): «Kritik an der Mirakel-Gläubigkeit... übt Markus nicht» (p. 366).

38. H.-W. KUHN, *Ältere Sammlungen*, pp. 208-209 et 218. Pour une critique de l'hypothèse de Kuhn, voir J.-M. VAN CANGH, dans *RThL* 3 (1972) 76-85.

39. Il n'exclut pas que 6,53 puisse être la conclusion primitive du récit de 6,45-51, à laquelle le rédacteur prémarcien aurait ajouté le sommaire de 6,54-56 (p. 365).

40. Cf. p. 332.

41. Sur 6,30, cf. *infra*.

début d'une section de l'évangile (cf. 6,30; 8,27)[42]. Deux questions se posent. D'abord, est-ce pensable que la source prémarcienne puisse commencer sans nommer le sujet de ἀνεχώρησεν? On comprend fort bien que L.E. Keck, dans sa reconstruction, ne supprime pas «Jésus avec ses disciples»[43]. Ailleurs, Pesch lui-même signale l'absence du nom de Jésus dans certains récits de miracles (cf. 1,40-45) et il est prêt à supposer que dans la tradition orale les récits individuels portaient des titres[44]. Songe-t-il également à un titre pour la *Sammlung* des «Miracles de Jésus»?

La seconde question concerne le nom de Jésus comme «kompositorisches Stilmittel»[45]. Dans le cas de 6,30, la présence du nom de Jésus semble être l'argument décisif pour y voir le début d'une section (6,30—8,26). Mais des raisons sérieuses contredisent une telle division. Il est peu indiqué de séparer, et de répartir sur deux parties, la mission des disciples de 6,7-13 et le retour des ἀπόστολοι dans 6,30. D'autre part, le parallélisme de (*a*) 1,14-15.16-20; (*b*) 3,7-12.13-19; (*c*) 6,6b.7-13 (sommaire suivi d'un passage sur les disciples) plaide en faveur d'une division tripartite légèrement différente: 1,14—3,6; 3,7—6,6a; 6,6b—8,26. Dans 6,30 l'emploi du nom de Jésus se fait sans emphase (πρὸς τὸν Ἰησοῦν) et semble être indispensable pour la clarté du récit, après la digression sur Jean-Baptiste (et ses disciples, v. 29)[46]. On peut donc être d'accord avec Pesch en ce qui

42. Cf. p. 33, 199, 201. Sur 6,30, cf. p. 34, 345; sur 8,27, cf. p. 35.

43. Dans *JBL* 84 (1965) 341-358, p. 347.

44. Cf. p. 142, n. 2. La suggestion vient de G. Theissen (*Wundergeschichten*, p. 132). Plus que Theissen, qui étudie le motif de la venue du thaumarturge (début du récit), Pesch souligne l'absence du nom de Jésus dans le récit entier. Il semble même assimiler indûment d'autres récits à celui de 1,40-45. Cf. p. 159 (sur 2,8): «... Jesu Namen, der in der älteren Wundergeschichte nicht gefallen war»: voir cependant le nom de Jésus au v. 5! Voir aussi p. 327 (sur 6,7). Cf. *infra*, n. 50.

45. L'argument est emprunté à G. HARTMANN, *Der Aufbau des Markusevangeliums* (Neutest. Abh., 17/2-3), Münster, 1936; sur le nom de Jésus dans Marc, pp. 36-58. Le nom de Jésus marque le début des sept parties de Marc (dans trois cas, il est répété après un prologue): 1,1 et 1,9 (1,14); 3,7; 6,30; 8,28 (9,2); 10,32; 12,41 *v.l.*; 14,53 (15,1). Comparer *Naherwartungen*, p. 53: «Insbesondere hat Hartmann den Einschnitt bei 6,29 richtig bestimmt» (corriger 1,14 en 1,9); comp. 59, n. 79; p. 60, n. 86; sur 5,21, p. 59; sur 10,32, p. 61, n. 91; sur 14,53, p. 66, n. 118. La variante de 12,41 est rejetée et 1,9.14 sont passés sous silence (ils sont traditionnels d'après le commentaire; cf. *Anfang*).

46. Cf. F. NEIRYNCK, *The Gospel of Matthew and Literary Criticism*, dans M. DIDIER (éd.), *L'évangile selon Matthieu* (BETL, 29), Gembloux, 1972, p. 51, n. 20; *Duality in Mark*, p. 193. Sur les divisions de Marc, voir R. PESCH, *Naherwartungen*, pp. 48-73; à compléter par M. FITZPATRICK, *The Structure of St Mark's Gospel*, Dissertation, Louvain, 1975. La division la plus acceptable est celle désignée par le nom de E. Schweizer, largement admise dans les études récentes. Il est à noter que ceux qui considèrent 1,14-15; 3,7-12; 6,6b plutôt comme des conclusions (Keck, Trevijano) ou des sommaires de transition (Perrin) restent fidèles à la division tripartite (1,16; 3,13; 6,7). La section de 6,30—8,26 (Hartmann et Pesch) fut proposée par H.J. Holtzmann,

concerne les sections débutant à 3,7 et 8,27, mais sans qu'il soit nécessaire de s'appuyer sur l'emploi du nom de Jésus: aux deux endroits, l'expression «Jésus avec/et ses disciples» s'explique par le thème du contexte[47]. D'après Pesch, le nom de Jésus dans 5,21, toujours à l'intérieur du cycle des miracles, serait également une insertion marcienne, pour la même raison qu'il marque l'ouverture d'une section[48]. Mais au niveau du texte de Marc (ou déjà de la rédaction prémarcienne, dans l'hypothèse de Pesch), il faudra lire 5,21 dans son contexte, où il semble nécessaire de nommer Jésus après le verset 20 (comparer 5,6 après v. 2-5; et 5,15 après v. 13-14)[49]. De l'argument de Pesch à propos de «Jésus avec ses disciples» dans 3,7a, on retiendra que l'expression nous oriente vers 3,13-19 (et 3,9), mais on ne peut y voir une indication que l'ensemble du sommaire se situe à un niveau rédactionnel différent[50].

L'argument principal, nous l'avons vu, est un argument de vocabulaire. Keck avait noté dans 3,7 un hapaxlegomenon (ἀναχωρέω, unique dans Marc) et l'usage exceptionnel de ἀκολουθέω (que Marc réserve aux disciples). Pesch, sans tenir compte des objections formulées par Burkill, Egger et Snoy, y ajoute maintenant d'autres éléments de vocabulaire prémarcien, dont plusieurs viennent des versets 11-12, attribués encore à Marc par Keck: πνεῦμα ἀκάθαρτον, θεωρέω, προσπίπτω, κράζω, ἐπιτιμάω, πολλά (adverbial) («sicher traditionelle Wendungen»). Le commentateur se fait ici la tâche vraiment trop facile: puisqu'il admet que le sommaire est composé par un rédacteur à partir des récits de miracles de 4,35ss., et, d'autre part, affirme que Marc rédige d'une manière dite *konservativ-sparsam*, employant

E. Lohmeyer, A. Kuby, et dans les éditions de Nestle et Vogels. Notons encore que Pesch souligne bien le parallèle de 3,7-12.13-19 avec 1,14-15.16-20 (p. 202), mais n'en parle même pas à propos de 6,6b.7-13.

47. Pour 3,7, on songe surtout à 3,7-12.13-19. Il est moins indiqué d'intituler l'ensemble de 3,7—6,6a: «Jesus mit seinen Jüngern» (Egger, de la Potterie).

48. Cf. p. 295; *Naherwartungen*, p. 59. Par contre, Hartmann y voit la conclusion du récit précédent; cf. p. 170. Pesch parle de «Beginn des dritten Abschnitts seines zweiten Evangelienhauptteils» (p. 295), d'après *Naherwartungen*, p. 59: 3,7—4,34; 4,35—5,20; 5,21—6,29. Mais dans le commentaire, il fait commencer la troisième section par 4,35 et une quatrième par 6,1 (3,7-35; 4,1-34; 4,35—5,43; 6,1-29), et 5,21 introduit seulement la péricope de 5,21-43 (cf. pp. VIII-IX, 35, 295).

49. Voir aussi 5,30: «Der Erzähler muss nun Jesu Namen nennen» (p. 303). Déjà dans *Naherwartungen*, Pesch se montre parfois plus nuancé dans son explication du nom de Jésus: voir p. 86, à propos de 13,2. Il s'y réfère à B. Weiss, *Das Marcusevangelium*, Berlin, 1872, p. 411. On peut relire avec profit ce même commentaire pour 3,7 (p. 113); 5,21 (p. 183); 6,30 (p. 224); 8,27 (p. 282).

50. L'absence du nom de Jésus dans 4,1 indiquerait que Marc «seit 3,7 einen Zusammenhang arrangieren will» (p. 230). En revanche, son absence dans 6,7 serait une trace de l'état primitif de la tradition (p. 327). Il importe, encore une fois, de ne pas négliger le contexte: Jésus, nommé en 6,4, reste le sujet des verbes des versets 5 et 6. Cf. n. 44.

le vocabulaire de la tradition, comment peut-il prouver par des mots qui ont tous des parallèles dans 4,35—5,43, que le texte du sommaire est prémarcien («erweisen den Text als vormarkinisch»)? L'emploi de ἅπτομαι (des malades qui veulent toucher Jésus) et μάστιξ au v.10 a des parallèles évidents dans 5,24-34, et διὰ τὸν ὄχλον, ἵνα μὴ θλίβωσιν αὐτόν (v.9) reste très proche de 5,24: ἠκολούθει αὐτῷ ὄχλος πόλυς (cf. 3,7), καὶ συνέθλιβον αὐτῷ (au pluriel, cf. 5,30). Et comment peut-on exclure de la rédaction marcienne, avec la même assurance, des mots qui sont employés ailleurs dans les récits (et donc «traditionnels») et d'autres qui ne le sont pas («hapaxlegomena»)? L'on doit même se demander si l'argument du vocabulaire garde un sens dans l'hypothèse de Pesch. Si la part de l'évangéliste est tellement réduite, il devient extrêmement difficile de parler encore de vocabulaire marcien. Mais dans ces conditions, pourquoi le rédacteur de la *Sammlung* aurait-il le droit d'écrire des hapaxlegomena, alors que le rédacteur de l'évangile ne pouvait se le permettre? Le principe de la *Sparsamkeit* est-il vraiment si rigide que πλῆθος (ὄχλος), πλοιάριον (πλοῖον), θλίβω (συνθλίβω), ἐπιπίπτω (προσπίπτω, πίπτω πρός) deviennent des libertés rédactionnelles inacceptables? Quant à l'emploi de ἀναχωρέω, il est bien en place après 3,6 et il se conçoit mal sans ce contexte, comme premier mot d'une collection prémarcienne[51].

5. *Le style de Marc*

L'introduction du commentaire comporte une section sur l'œuvre littéraire de Marc: «Die literarische Leistung des Evangelisten Markus» (pp. 15-32). Dans ce chapitre, qui couvre un quart de l'introduction, le lecteur espère trouver la présentation des études récentes sur la rédaction marcienne, mais il est prévenu dès la première phrase: «In der redaktionsgeschichtlichen Forschung der letzten Jahre ist die literarische Leistung des Evangelisten Markus erheblich überschätzt worden» (p. 15). Une page suffit pour énumérer les traits rédactionnels de Marc (pp. 22-23) et le gros du chapitre est consacré à tout ce qui est antérieur à l'intervention de l'évangéliste, dont la *literarische Leistung* serait avant tout «*unliterarisch*» *konservativ*.

51. Cf. W. EGGER, *Frohbotschaft* (cf. *supra*, n. 20), p. 93: «ein Bericht über den Rückzug Jesu ist unvollständig, wenn nicht auch angegeben ist, warum Jesus sich zurückzieht».

— A l'occasion, Pesch parle de la «alte Hypothese» du caractère rédactionnel des sommaires (cf. *supra*, n. 20). Il risque de se faire des illusions et de se trouver seul avec sa thèse sur le sommaire traditionnel de 3,7-12. Déjà dans sa forme minimale (Keck), elle a surtout provoqué des critiques. Même N. Perrin (cf. *supra*, n. 21) semble l'avoir abandonnée: cf. *The New Testament. An Introduction*, New York, 1974, p. 152: «composed by the evangelist himself». Voir aussi G. THEISSEN, *Wundergeschichten*, 1974, p. 205; D.A. KOCH, *Wundererzählungen*, 1975, p. 166, n. 2.

La description se fait à l'aide de la terminologie de G. Theissen[52]. L'œuvre de Marc est caractérisée comme «kompositionelle Integration», c.-à-d. intégration des formes de composition traditionnelles. Il y a d'abord la *verbindende Komposition*, réalisée par *Geschehensanschluss* (14,22.43), *Motivationsanschluss* (6,14; 14,28), *zuständliche Einleitung* et surtout *Zeitanschluss* et *Ortsanschluss*. Il distingue en outre la *typisierende* (sommaires), *gliedernde* (groupes de péricopes) et *übergreifende Komposition* (l'ensemble de l'évangile). Dans tout cela, Pesch suit de près l'exposé de Theissen. Il le complète et il le modifie surtout là où Theissen fait des concessions à la rédaction marcienne. Sur ce point, on souhaiterait plus de clarté. Un lecteur non averti ne pourrait pas savoir qu'il y a de telles divergences entre les deux auteurs. Theissen ne parle pas de l'influence des collections prémarciennes lorsqu'il traite des groupes de miracles de 1,21 ss.; 4,35—6,6; 6,30—8,26[53]. Pour lui, les sommaires sont des compositions rédactionnelles et l'hypothèse de Keck est à rejeter[54]. L'insertion de la guérison de l'hémorroïsse dans le récit de la résurrection de la fille de Jaïre est faite par l'évangéliste[55] et c'est encore Marc qui est responsable de certains traits que Pesch considère comme traditionnels[56].

Le commentaire contient aussi de très nombreuses références à la première partie de *Urchristliche Wundergeschichten* (une description synchronique des motifs et thèmes des récits de miracles), qui devient presque le *companion volume* du commentaire. Ici aussi des nuances apparaissent. Dans 1,30, la demande de la guérison se fait de manière indirecte, à l'occasion d'une visite à la maison de Simon. Theissen y voit la réminiscence d'un récit plus complet: «aber Jesus hat das

52. G. THEISSEN, *Urchristliche Wundergeschichten. Ein Beitrag zur formgeschichtlichen Erforschung der synoptischen Evangelien* (Studien zum N.T., 8), Gütersloh, 1974. Voir surtout dans la section: «Die Komposition innerhalb der Rahmengattung», pp. 197-201, 205, 208-209, 211-221.

53. *Op. cit.*, pp. 208-209; voir sa définition de *gliedernde Komposition* citée, sans guillemets, par Pesch, p. 20.

54. *Op. cit.*, p. 205 (et la note 12!). Voir aussi p. 147 (et 170), sur 1,34 et 3,12 (selon Pesch, seul 1,34b est une addition marcienne: p. 135); p. 200, sur 3,7-12.

55. *Op. cit.*, pp. 184-185: «Die Verschachtelung beider Wundergeschichten ist mit grosser Wahrscheinlichkeit erst durch Mk hergestellt worden» (p. 184). Il renvoie aux intercalations de 3,20ss., 6,7ss., 11,11ss., 14,1ss., 14,53ss., ainsi que 9,1.11-13(!). «Es ist nicht ausgeschlossen, dass Mk noch an anderen Stellen eine vorgegebene Komposition in ähnlicher Weise dramatisiert hat. Dies lässt sich im einzelnen kaum noch feststellen» (p. 185).

56. *Op. cit.*, pp. 149-150 et 165: Mc 5,20 (non signalé par Pesch, pp. 293-294). (Comparer pp. 150-152 pour d'autres interventions de Marc à la fin d'un récit en 5,42-43; 7,36-37; 8,26; et la réaction de Pesch, p. 312; 398, n. 35; 420, n. 16.) En outre, Mc 9,22-24 (p. 140); 8,28, adaptation rédactionnelle de 6,14-15 (p. 171; cf. Pesch, p. 332: «in unabhängiger Formulierung»).

Haus schon betreten und muss doch wohl kaum erst über die Kranke informiert werden»[57]. D'après Pesch, il s'agit de «ein von der üblichen Topik abweichender, vielleicht auch auf die historischen Grundlagen der Überlieferung hinweisender Zug»[58]. Autre exemple: l'interdiction d'aller dans le village en 8,26b, rédactionnelle pour plusieurs exégètes et, dans sa forme actuelle, également pour Theissen, suscite le commentaire suivant: «Angesichts anderer konkreter Züge in der Erzählung wird man auch für den letzten mit historischer Information als Anlass seiner Formulierung rechnen»[59]. À propos de 1,40, Pesch se réfère à l'étude de Theissen sur les introductions des récits de miracles[60]. En 1,40 et 8,1, le récit commence par la présentation des *Hilfebedürftigen* (à comparer avec l'apparition des adversaires dans les récits de controverses: 2,15.18; 7,1; 8,11; 10,35; 12,13.18.28.35), mais la plupart des récits de miracles ont une double introduction et commencent par «la venue du thaumaturge». Theissen examine les indications en faveur du caractère rédactionnel d'une telle introduction («généralement accepté», dit-il) et conclut que la venue du thaumaturge ne faisait pas partie du récit traditionnel, mais n'est pas une pure création rédactionnelle: elle reproduit, comme un premier motif du récit, le contenu du titre donné au récit dans la tradition orale (le nom de Jésus et éventuellement une indication géographique; par exemple: τοῦτο ἐποίησεν ὁ Ἰησοῦς ἐν Καφαρναούμ). Cette hypothèse ne contient nullement la suggestion que l'absence du *nom* de Jésus dans le motif de la venue du thaumaturge puisse s'expliquer par la tradition orale. Au contraire, le motif serait basé sur une donnée comme «miracle de Jésus à...». Dès lors, on comprend mal comment Pesch, qui appuie cette hypothèse[61], puisse voir dans l'absence du nom dans les introductions des récits un «Anzeichen mündlicher Tradition»[62].

57. *Wundergeschichten*, p. 180, dans l'exposé sur la *Raffung*, l'abréviation des récits comme tendance de la tradition.

58. Cf. p. 130. Le commentaire sur 1,29-31 contient plusieurs références à Theissen (cf. notes 2, 5, 6, 9, 12, 16) mais son opinion sur 1,30b n'est pas signalée et la citation de la page 131 (n. 16) pourrait même suggérer autre chose.

59. Cf. p. 420. Sur l'hypothèse de Theissen, voir la note 16. La réaction de Pesch: «ganz unwahrscheinlich, da der Befehl ins Dorf zu gehen [μηδέ serait une addition de Marc] nach der Sendung 'nach Hause' überflüssig wäre» (*ibid.*). Elle est peut-être improbable pour d'autres raisons, mais je ne crois pas que Pesch fera la même difficulté pour le doublet d'un discours indirect suivi d'un discours direct en 14,35-36. Cf. *supra*, n. 44.

60. Cf. p. 142. Comp. *Wundergeschichten*, pp. 129-133 (sur «das Kommen des Wundertäters», voir aussi p. 58).

61. Il explique ainsi d'une part l'absence du motif de la venue du thaumaturge dans l'introduction de 1,40 (p. 142) et d'autre part la double introduction de 7,31, dans le récit prémarcien (p. 393).

62. Voir surtout à propos de 7,24.31 (p. 387 et 394). Cf. p. 285 (5,2: «Jesus wird erst V 6 genannt»); p. 359 (6,45). Même observation à propos de 2,1-2 (p. 159,

Pesch explique les traits stylistiques communs dans les introductions des récits de miracles comme «gattungsgemässe Formelhaftigkeit», mais il est d'avis que, d'une façon plus générale, le style des introductions des péricopes est trop diversifié pour qu'on puisse rendre Marc responsable du cadre de l'évangile (p. 25). Une telle affirmation risque de dépasser les conclusions du commentateur lui-même. Il attribue à Marc les formules de transition de 1,29a; 2,13; 3,13; 6,1a; 6,30-31; 7,24a; 8,10; 8,13; la liaison καὶ ἔλεγεν αὐτοῖς en 4,11.21.24 et le rapprochement entre les épisodes par l'emploi de πάλιν en 2,1 (→ 1,21); 2,13 (→ 1,16); 3,1 (→ 1,21); 4,1 (→ 2,13); 7,14 (→ 6,45. 54-56); 8,1 (→ 6,34)[63]. D'autre part, il ne semble pas avoir trop d'estime pour l'argument du style, puisqu'il fait valoir que ceux qui soutiennent par exemple la formation rédactionnelle de 7,25b, «nur vokabel- und motivstatistisch argumentieren»[64]. Des formules de transition très similaires sont réparties entre tradition et rédaction, mais la thèse, si chère au commentateur, de la fidélité envers la tradition dans les parties rédactionnelles de Marc[65] n'implique-t-elle pas la reconnaissance d'une certaine unité stylistique? Il faudrait pousser l'examen plus loin. L'emploi du présent historique, cité sous la rubrique: style narratif peu soigné, reflet de la tradition orale (p. 24), pourrait être plus délibéré et «littéraire» que Pesch ne le suggère. Le présent historique des versets rédactionnels de 3,13 (bis) et 6,30 n'a donné lieu à aucun commentaire, si ce n'est la remarque: «Der Tempuswechsel begegnet im Mk-Ev in Tradition und Redaktion häufiger» (p. 345). Pour le *Tempuswechsel*, il renvoie à l'exposé de M. Zerwick sur le style de Marc, *Untersuchungen*, pp. 54-57 (cf. p. 120, n. 4). Mais dans ces pages, M. Zerwick veut précisément montrer

comp. p. 153 sur l'introduction). Elle s'applique aussi à des récits qui ne sont pas des récits de miracles; ainsi en 6,1 «il vient dans sa patrie»: «Jesus erst V 4 genannt» (p. 316). Cf. *supra*, n. 44.

63. Cf. p. 19; sur 2,1, p. 153: il n'exclut pas la possibilité que la localisation à Capharnaüm soit également introduite par l'évangéliste pour relier le récit au contexte antécédent; en revanche, δι' ἡμερῶν se rapporterait à ἠκούσθη (contre *Naherwartungen*, p. 57: «Als er nach Tagen andermals nach Kapharnaum kam»); sur 2,13, p. 164: πάλιν παρὰ τὴν θάλασσαν (il traduit autrement à la page 163: «Und er ging wiederum hinaus, am Meer entlang»); sur 3,1, p. 188, comp. p. 26: «Synagogenbesuch (3,1) in Kafarnaum»; cela semble supposer la leçon τήν de N[26] au lieu de «eine Synagoge» (p. 188, a); sur 4,1, p. 230; sur 7,14, p. 379; sur 8,1, p. 400 et 402. — Sur πάλιν dans Marc, cf. F. NEIRYNCK, *The Minor Agreements*, pp. 276-277.

64. Cf. p. 387, n. 9, contre Kertelge, Schenke et plusieurs commentateurs (voir également Theissen dans *Wundergeschichten*, p. 131).

65. Cf. p. 24: «der Redaktor passt sich bei redaktionellen Bildungen dem vorgegebenen Stil an». Voir 1,22: cf. 11,18 (p. 120); 2,13-14: cf. 1,16-20 (p. 163); et plus loin, 6,30: cf. 7,1 (p. 368); 6,31: cf. v. 32 (p. 346); 7,24: cf. 1,35; 10,1 (p. 387); 8,10: «unter Rückgriff auf 4,1; 5,18; 6,45» (p. 405); 8,13: «unter Rückgriff auf V 10; 4,35; 5,1.21; 6,45; 12,12» (p. 406).

qu'il y a «eine weitgehende Einheitlichkeit» dans l'emploi du présent historique dans l'évangile de Marc. Il constate entre autres que le présent historique au début d'une péricope, éventuellement précédé par un autre verbe, indique ce que l'auteur conçoit comme le véritable commencement du récit. C'est dans cette direction, me semble-t-il, que deux observations de Pesch peuvent être combinées et corrigées: le présent historique se trouve au début d'une unité traditionnelle (p. 120, n. 4) et son emploi est typique dans les récits de miracles pour la venue des malades (p. 142: 1,40; 2,3; 5,22; 7,32; 8,22b)[66].

Pesch est fortement opposé à toute espèce de Proto-Marc[67], mais dans la seconde moitié de l'évangile, il admet une source qui mérite presque le nom de Proto-Marc. Le récit de la passion a des traits stylistiques propres: 1. ῥαββί; 2. traductions; 3. ἄρχομαι; 4. construction périphrastique; 5. ἀμήν; 6. *Schachtelungen*; 7. groupements par trois; 8. prédictions[68]. Les caractéristiques 3, 6 et 7 furent encore attribuées à l'évangéliste par l'auteur de *Naherwartungen*[69]. Dans le commentaire, la *Schachtelung* (l'inclusion ou insertion d'une péricope dans une autre) n'a plus rien d'une caractéristique marcienne. Les cas de 11,11-21; 14,1-11; 14,53-72 appartiennent au récit de la passion et c'est le rédacteur prémarcien du cycle des miracles qui la réalise en 5,21-43 (cf. *supra*). Les cas de 3,20-35 et 6,17-30 sont beaucoup moins significatifs: 3,20-30 est une unité traditionnelle à laquelle l'évangéliste a ajouté 3,31-35, et l'insertion de 6,7-13.14-29.30 résulte de l'addition de la transition rédactionnelle de 6,30-31[70]. J'avais donné

66. Sur le présent historique dans Marc, cf. *The Minor Agreements*, pp. 224-228, qui contient la liste de λέγει/λέγουσιν et une seconde liste qui signale spécialement l'emploi du présent historique au début d'une péricope (ou d'une section). W. Hendriks, dans *L'évangile selon Marc* (cf. *supra*, n. 21), pp. 35-57, retient comme rédactionnel: 1,21; 3,20 (bis); 6,1 (bis); 6,30; 8,22a; 10,1 (bis); 10,46; 11,15; 11,27; 14,17. Mais la méthode appliquée par l'auteur appelle des nettes réserves (voir aussi Pesch, p. 24, n. 22). L'hypothèse de W. Schenk (1974) sur un «Präsens historicum Schicht» dans le récit de la passion de Marc (cf. J. Schreiber) est jugée trop favorablement par son auteur: «Damit ist wohl für das markinische Material das höchste wissenschaftliche Stadium der Erklärungsadäquatheit erreicht»; cf. W. SCHENK, *Das Präsens Historicum als makrosyntaktisches Gliederungssignal im Matthäusevangelium*, dans *NTS* 22 (1975-76) 464-475, p. 464.

67. Voir sa réaction contre deux articles publiés dans *L'évangile selon Marc*, celui de W. Hendriks sur le présent historique (cf. *supra*, n. 66) et l'autre de M.-E. Boismard sur les insertions matthéennes (cf. p. 30, n. 37: il signale ma critique, dans *Urmarcus redivivus*, mais je n'ai trouvé aucune trace de l'ouvrage même de Boismard, le tome 2 de la *Synopse*, publié en 1972).

68. Cf. *Die Überlieferung der Passion Jesu*, p. 161.

69. *Naherwartungen*, p. 67, sur les triades; p. 106, n. 190: «ἄρχομαι... ist typisch markinisch»; p. 113: «die häufiger anzutreffende Schachteltechnik des Evangelisten» (voir aussi p. 58, n. 3: 3,20-35; p. 60: 6,7-30; p. 64 et 71: 11,11-21). Le revirement de l'auteur est spectaculaire surtout à propos de la *Schachtelung*; cf. *Die Salbung Jesu*, p. 269, n. 5; *Die Verleugnung des Petrus*, p. 47, n. 14.

70. Cf. p. 24; sur 3,20-35, p. 210: «die Zusammenordnung mit der (scheinbar an

la liste de ces «intercalations» dans une description des phénomènes stylistiques de dualité dans l'évangile de Marc[71]. Pesch se montre prêt à modifier certaines positions sur la répartition des expressions doubles entre tradition et rédaction[72] mais il refuse d'y voir un indice d'unité et d'homogénéité dans le style de Marc: beaucoup d'éléments de dualité sont traditionnels et ils indiquent avant tout la pluralité des traditions[73].

Le commentateur, pour qui les termes εὐθύς et πάλιν semblent être les seules caractéristiques du style de Marc[74], s'en tient à une déclaration de principe. La tradition prémarcienne lui sert de fourre-tout: la «Variabilität der Ausdrucksweisen» s'explique par la diversité des traditions, et s'il y a homogénéité stylistique dans l'évangile, c'est parce que la tradition prémarcienne «schon ähnlich stilisiert war»[75]. Pour faire avancer la discussion, nous aurons besoin de plus

V 21 anschliessenden) nachfolgenden Erzählung 3,31-35» (mais, dans la division de l'évangile, elles forment deux péricopes: 3,7-12.13-19.20-30.31-35); sur 6,30-31, p. 345 (sur l'unité traditionnelle de 6,14-29, cf. p. 337). Il est à noter que Pesch considère 6,1-29 comme une insertion (*Einschaltung*) dans la source des miracles: 4,35—5,43/ 6,(30-31).32-56 (p. 345).

71. *Duality in Mark*, 1972, p. 133. Cf. *ETL* 42 (1971), p. 453. À la liste des six exemples classiques de «sandwich arrangement» j'avais ajouté un cas plus discutable: 15,6-15.16-20.21-32. Pesch ne l'accepte pas (*Die Überlieferung der Passion*, p. 161, n. 25). Je l'avais cité surtout dans le but de donner un relevé complet: cf. R.H. STEIN, *The Proper Methodology for Ascertaining a Marcan Redaktionsgeschichte*, Diss., Princeton, 1968, p. 214, n. 1; dans *NT* 12 (1971), p. 193, n. 4. Plusieurs critiques considèrent 15,16-20 comme une insertion secondaire (voir la répétition de 15,15b.20b).

72. Cf. *Naherwartungen*, p. 157: «Die Dopplung dient hier, wie auch sonst bei Markus, der Neuinterpretation der alten Einleitung» (sur 13,24a); *Der Tag*, p. 188, sur 1,32a: «die zweite Angabe für traditionell, die erste für redaktionell zu halten»; p. 263: πρωΐ est ajouté par l'évangéliste. Comparer le commentaire: p. 133 (1,32); 137 (1,35); par contre, p. 269, sur 4,35: «die vormarkinisch-redaktionelle Wendung 'an jenem Tage'» (ὀψίας γενομένης est archaïque, cf. n. 4). Voir aussi n. 81 (sur 4,40).

73. Cf. p. 24 (dans l'introduction); p. 133 (à propos de 1,32). Voir aussi *Die Überlieferung der Passion Jesu*, p. 150, n. 7.

74. Sur πάλιν, p. 19 (cf. *supra*, n. 63). Sur εὐθύς, pp. 18-19. Καὶ εὐθύς est attribué à l'évangéliste seulement en 1,20.21.23.29; 6,45; 8,10 (cf. *supra*, n. 13). Son emploi dans les introductions des péricopes et à l'intérieur des péricopes donne l'impression «als nähme das Geschehen zwischen zwei Perikopen in derselben Weise seinen Fortgang wie innerhalb einer Perikope» (p. 18). Une excellente remarque (encore une fois reprise à Theissen), mais négligée par Pesch dans son examen du nom de Jésus au début d'une péricope (cf. *supra*, n. 42-50)! Le phénomène de la répétition de εὐθύς est signalé spécialement pour 1,10.12; 1,18.20*; 1,21*.23*; 1,29*.30; 1,42.43; 5,29.30; 5,42a.42b; 6,45*.50 (p. 89, 303, 311, 359: les astérisques indiquent les emplois rédactionnels). Il serait certainement traditionnel là où il se rapporte à la guérison immédiate (1,42; 2,12; 5,29; 5,42a; 7,35; 10,52; voir aussi 1,18; 7,25), et en général, sa fréquence dans Marc «deutet am ehesten auf die Nähe seiner Materialien zu mündlicher Tradition» (cf. pp. 89-90, à propos de 1,10). Ainsi, les emplois de εὐθύς (42 fois dans Marc) se répartissent entre les récits traditionnels, les rédacteurs prémarciens et l'évangéliste Marc, conservateur et imitateur de la tradition!

75. *Die Überlieferung der Passion Jesu*, p. 151 et 150, n. 7.

de précision. Prenons un exemple concret, le phénomène de la double question dans Marc[76]. Pesch attire l'attention sur la *Doppelfrage* de 4,30. Comme il est d'usage, il renvoie à des parallèles rabbiniques et semble donc y voir l'introduction traditionnelle de la parabole. Elle se serait développée à partir d'une formulation comme par exemple: «Une parabole. À quoi peut-on le comparer?» (p. 261, n. 2). Il admet ainsi que la *double* question n'est pas la forme primitive mais il ne la met pas en rapport avec d'autres cas dans Marc. Il parle de la *Alternativfrage* de 2,9 et renvoie à celle de 3,4, à deux membres, sans faire mention du parallèle en 12,14 (p. 159). Il ne note même pas que la *Gegenfrage* de 2,8b-9 est une double question. En 2,7 il remplace la première question par une exclamation: «Was dieser da so redet!»; il élimine la question également en 1,24b: «Du kamst, uns zu vernichten!» (cf. p. 122)[77]; et il rejette la suggestion de Kilpatrick de lire τίς ἡ διδαχὴ... en 1,27c (p. 118, d), sans jamais discuter le fait que «double questions of this kind seem to be characteristic of Mark, cf. 1:24; 2:7; 2:8f.; 4:13,21,40; 6:2; 7:18f., etc.»[78]. Il défend l'originalité de l'interrogation en 4,21 (par rapport à la forme du logion dans Q) (p. 249), sans signaler le phénomène des doubles questions dans Marc[79]. En 4,13, il opte pour le rédacteur prémarcien et n'hésite pas à écrire: «Sprachliche Indizien für die Formulierung der Fragen durch Markus fehlen; man wird sie Markus nicht zuschreiben dürfen, zumal sie gut in die vormarkinische Sammlung passen» (p. 243, n. 1). On a, encore une fois, envie de retourner la phrase! Je ne comprends vraiment pas comment un commentateur qui attribue à Marc les versets sur l'incompréhension des disciples en 4,40; 7,18; 8,17-21 (comparer aussi 6,52), et explique le motif de 4,13 à la lumière de ces textes[80], puisse ne pas avoir remarqué que Marc s'exprime à tous ces endroits rédactionnels par des doubles questions[81]. Et pourtant, on se souvient

76. Voir la liste dans *Duality in Mark*, n° 25: 1,24.27; 2,7.8-9; 3,4; 4,13.21.30.40; 6,2.3; 7,18-19; 8,17-20 (p. 125) et dans le texte, la section sur «Double questions and antithetic parallelism» (pp. 54-63). Cf. *ETL* 47 (1971), p. 445; 48 (1972), pp. 191-200. Voir les références à *Naherwartungen*, pp. 102-103, dans les notes 99, 176, 179, 180 (à propos de la double question de 13,4 et ses parallèles dans Marc).

77. Il se sépare de N^{25} et N^{26} dans la ponctuation de 1,24 (˙T B| .Ṡ| .V) et 2,7 (comp. B. Weiss, mais avec un ὅτι récitatif).

78. G.D. KILPATRICK, *Some Problems*, dans *Fs. M. Black*, 1969, spéc. p. 200. Cf. J.K. ELLIOTT, dans *NT* 15 (1973), p. 287.

79. Cf. *Duality in Mark*, p. 61.

80. Cf. p. 275: «Von 4,40 her fällt Schatten auf Jesu Frage in 4,13».

81. Le verset de 4,40 est entièrement de Marc (pp. 274-275). Dans *Eine neue Lehre* il écrit encore: «Auch [cf. 1,22] in 4,40 hat der Evangelist die Frage verdoppelt, indem er das Motiv des Unglaubens einführte» (p. 254, n. 60); pour pareille distinction entre tradition et rédaction, voir B. WEISS, *Marcusevangelium*, p. 169. En 7,18-19, la déclaration (traditionnelle) des versets 18b-19 est intégrée dans le second membre de la question (rédactionnelle).

d'avoir lu dans *Naherwartungen* une excellente remarque sur 13,4 et la progression caractéristique dans les deux membres de la question[82]! «Ich habe mich inzwischen belehren lassen», écrit-il à propos de la *Schachtelung* dans Marc[83]. Dans 3,20-35 et 6,7-30, les seuls cas rédactionnels, il constate une structure moins serrée («viel lockener»)[84]. Mais sur quoi se base-t-il pour arguer avec une notion d'intercalation stricte? Pesch lui-même souligne une certaine diversité dans la fonction narrative de l'intercalation: elle indique la simultanéité des événements en 14,53-72 mais leur succession en 14,1-11[85]. D'autre part, il attribue à l'évangéliste l'insertion du récit de 1,21b.23-28 dans le complexe de la journée de Capharnaüm et des insertions plus importantes dans la source des miracles: 3,7-12 (3,13-35) 4,1 (4,2-34) 4,35—5,43 (6,1-29) 6,30-56. (À l'intérieur de la section des paraboles, Marc aurait introduit 4,11-12 et 4,21-23.24-25.) On peut donc dire, dans la ligne de l'hypothèse de Pesch, que l'insertion de 5,25-34 dans 5,22-24.35-43 correspond bien à la méthode de composition de Marc et qu'il n'y a pas lieu de faire appel à la rédaction prémarcienne d'une source de miracles. Les versets 5,21.24.37.(40), ajoutés au récit de Jaïre en vue de la péricope insérée, se comprennent sans difficulté au niveau de la rédaction de Marc[86]. Nous aurons (bientôt, je l'espère) l'occasion de parler des *Schachtelungen* dans le récit de la passion, lors de la présentation du second tome du commentaire, mais je crains fort qu'il suffira d'adapter la critique formulée par Burkill contre l'hypothèse de E. Trocmé[87].

6. *Rédaction et théologie*

Dans le chapitre sur la théologie de Marc: «Die theologische Leistung des Evangelisten Markus» (pp. 48-63), le lecteur trouvera une orientation sur les différentes approches de l'exégèse marcienne

82. Cf. *supra*, n. 76. Notons d'autre part les trois questions en 6,2 (contre deux dans N^{25} et une seule dans N^{26}), à comparer avec *Naherwartungen*, p. 103: il s'agit «eher um einen Ausruf als um eine Frage».

83. *Die Salbung Jesu*, p. 269, n. 5.

84. *Ibid.*

85. *Die Verleugnung*, pp. 46-47; *Die Überlieferung der Passion Jesu*, p. 269 (voir surtout la remarque sur 14,10 ἀπῆλθεν). — Pour un état de la question plus complet sur les intercalations dans Marc, voir F. LEFEVRE, *De tempelpolemiek in de redactie van Marcus*, Diss., Louvain, 1975, pp. 380-419: «De 'Verschachtelung' bij Marcus».

86. Voir entre autres G. THEISSEN, *Wundergeschichten*, pp. 184-185. La traduction en 5,41b (du rédacteur prémarcien d'après Pesch) et celle de 7,34b (sans commentaire, p. 397; voir aussi 7,2: «un rédacteur», p. 370; 7,11, sans commentaire, p. 374) peuvent être de la main de Marc: ici encore, comment peut-on dire que les traductions (10,46; 12,42; 15,22.34.42) sont une caractéristique propre du récit de la passion (cf. *supra*, n. 68)?

87. T.A. BURKILL, *New Light on the Earliest Gospel*, Ithaca-London, 1972, spéc. p. 263.

récente. Il retiendra surtout: «Das Evangelium ist indirekt Predigt, direkt Geschichtserzählung—nicht umgekehrt!» (p. 51). L'œuvre théologique de Marc se constate dans la *übergreifende Komposition*. S'inspirant de Theissen, il parle de trois *Spannungsbögen* qui sous-tendent l'ensemble: l'évangile comme «le chemin de Jésus» (*Weg Jesu*), arétalogie (livre missionnaire), révélation de la dignité de Jésus (au baptême, 1,11; à la transfiguration, 9,7; et à la mort, 15,33.39; 16,6-7). Il corrige cependant Theissen, et surtout Vielhauer, à propos du schème d'intronisation (1,11; 9,7; 15,39) (p. 61). Je voudrais exprimer ici seulement une réserve en ce qui concerne l'utilisation de 1,1 (p. 62): l'histoire de Jésus Christ, du baptême de Jean à la mort et la résurrection, est «Anfang und Grundlage des Evangeliums» (p. 76, 106). Le commentateur ne signale même pas que, par «commencement de l'évangile de Jésus Christ», Marc pourrait caractériser le ministère de Jean-Baptiste[88].

Puisque plusieurs thèmes comme celui de l'incompréhension des disciples ont des connexions étroites avec la deuxième partie de l'évangile, la discussion de la théologie de Marc ne pourra se faire utilement qu'après la publication du second tome du commentaire. Le premier tome nous a surtout montré un évangéliste respectueux des traditions et le commentaire est riche en indications sur la forme et l'histoire de ces traditions[89]. Mais ce qui lui donne une signification propre c'est la réduction de la part de l'évangéliste dans la rédaction de l'évangile. Le commentateur a voulu réagir, et il semble avoir poursuivi son but d'une manière systématique, parfois à partir d'indices peu convaincants et surtout sans tenir suffisamment compte des indications en sens contraire. Il en résulte un commentaire qui, sans vouloir nier les éléments de continuité[90], me paraît assez différent

88. Les parallèles de Os 1,2a LXX et autres titres de livres avec ἀρχή signalés par Bauer (*Wörterbuch*, 221), auxquels Pesch renvoie (p. 75, n. 2), ne sont pas en faveur de son interprétation; il parle de «eine formal-verbale, aber nicht inhaltliche Parallele» (p. 75).

89. On hésitera à le suivre dans certaines affirmations. Dans un cas comme celui de 8,22-26, il conclut à «historische Überlieferung» et «historische Information» en raison des traits concrets dans le récit, «eine Art 'Genauigkeit' in der Darstellung». Il écarte la difficulté du schéma commun entre 7,31-37 et 8,22-26 en admettant le caractère secondaire de 7,31-37 (p. 416 et 420).

90. Il est resté fidèle à l'essentiel de son explication de Mc 13: priorité de Marc et indépendance envers Q, caractère exceptionnel du ch. 13 dans l'évangile. On peut y trouver même une anticipation de sa position sur le caractère traditionnel de certains versets. Il tient 3,6 pour rédactionnel (p. 57; dans le commentaire: «verbreitete Fehleinschätzung», p. 188), mais une citation en note renvoie à 12,13 (n. 67). Dans le sommaire de 3,7-12 (cf. p. 58), 3,8 est rédactionnel (p. 119), mais une note ajoute qu'on ne peut exclure la possibilité d'y trouver un «Traditionssplitter» (n. 299). Dans *Ein Tag*, il note à propos de 3,7-12: «Auch hier hat der Evangelist ältere Ansätze weiterentwickelt» et renvoie à l'article de Keck (p. 191, n. 44); sur 6,53-56: «kann keinenfalls ganz als markinisch-redaktionell gelten» (p. 273, n. 36). Dans *Eine neue*

de celui que les lecteurs de *Naherwartungen* en 1968 auraient pu s'imaginer. Il fait preuve d'une capacité de travail énorme, d'un esprit alerte et pénétrant et d'une trajectoire d'exégète qui n'est pas encore parvenue à son terme. On ne peut qu'espérer que, par la publication du commentaire, il n'ait pas brûlé ses vaisseaux[91].

NOTE ADDITIONNELLE

AUTRES ÉTUDES DE R. PESCH SUR L'ÉVANGILE DE MARC

(cf. *supra*, p. 492-493)

Voir *infra*, p. 520-608.

Edidit: *Das Markusevangelium* (Wege der Forschung, 411), Darmstadt, 1979. — Cf. *ETL* 56 (1980) 169-170.

Synoptisches Arbeitsbuch zu den Evangelien. 1. Synopse nach Markus. 2. Synopse nach Mattäus. 3. Synopse nach Lukas. 4. Auswahlkonkordanz. 5. Synopse nach Johannes mit einer Auswahlkonkordanz, Zürich-Einsiedeln-Köln & Gütersloh, 1980 (t. 1-4), 1981 (t. 5). — Cf. *ETL* 57 (1981) 363-364.

Über die Autorität Jesu. Eine Rückfrage anhand des Bekenner- und Verleugnerspruchs Lk 12,8f. par. [Mk 8,35], in R. SCHNACKENBURG, J. ERNST, J. WANKE (éd.), *Die Kirche des Anfangs. FS H. Schürmann*, Leipzig, 1977, pp. 25-55.

Wie Jesus das Abendmahl hielt. Der Grund der Eucharistie, Freiburg, 1977.

Das Evangelium der Urgemeinde. Wiederhergestellt und erläutert (Herdersbücherei, 748), Freiburg, 1979.

Simon-Petrus. Geschichte und geschichtliche Bedeutung des ersten Jüngers Jesu Christi (Päpste und Papsttum, 15), Stuttgart, 1980.

& R. KRATZ, *So liest man synoptisch. Anleitung und Kommentar zum Studium der synoptischen Evangelien*, Frankfurt, 7 vol., 1975-1980.

Lehre, publié également en 1968, il parle du «'konservativ' redigierenden Evangelisten» (p. 246).

91. Aux corrections signalées dans les notes 5, 7 et 8, ajoutons encore: Banks... Leiden = Cambridge (p. x); 4,21 = 4,1 (p. 19); 1925 = 1975 (p. 43, n. 10); 12,35-37 = 12,28-34 (p. 65); 1-3 = 1-31 (p. 116, L 4 avant-dernière ligne); 1,9 = 1,10 (p. 129, n. 3); 8,21 = 8,2 (p. 141, a); 1,44; 5,42; 7,34... 5,42 = 1,44; 5,43; 7,36... 5,43 (p. 148); 6,16 = 6,1b (p. 211, n. 1); Idiom-Rook = Idiom-Book (p. 256, n. 4); 3,7—4,35 = ... 34 (p. 282); 3,12-13 = 5,12-13 (p. 291); 5,1-17 = 5,14-17 (p. 292); 2,21.23 = 1,21.23 (p. 303); n. 46 = 49 (p. 310); P45 = P^{45} (p. 315, b); f2b 19 = FzB 19 (p. 323, n. 45); Resurrection (p. 336, n. 14); 1,5 = 1,4 (p. 342, n. 20); 6,31 = 6,32 (p. 349); 6,52-56 = 6,53-56 (p. 359); Protasis (p. 375); au B. Rigaux = au R.P. B. Rigaux (p. 400). On trouvera à la page 66 l'énumération des versets qui contiennent des paroles de Jésus. La liste peut rendre service, mais elle a besoin d'être précisée et corrigée: ajouter 3,33; 6,38; remplacer 4,10 par 4,11; 7,17 par 7,18; 10,16 par 10,15; 10,18-21 par 10,18-19.21; 11,29 par 11,29-30; 14,40-41 par 14,41-42; et surtout 14,63-64 par 14,62.

ETL 55 (1979) 1-42

L'ÉVANGILE DE MARC (II)

À propos de R. PESCH, *Das Markusevangelium, 2. Teil*

R. Pesch a tenu sa promesse : il a pu signer la préface du second tome de son Commentaire *am Ostermontag 1977*. Le volume comporte le commentaire suivi de Mc 8,27-16,20 (559 pages !), un bref appendice sur la signification actuelle de l'évangile de Marc (p. 560-567) et les index des deux tomes, un *Sachregister* (dû à U. Spies) et une liste de mots grecs (R. Kratz). Dans le supplément bibliographique (p. XI-XV), on remarquera entre autres les articles récents de l'auteur sur le récit de la passion (signalés plus haut, p. 155 : n°s 16 et 18-21). La bibliographie contient plusieurs titres qui datent de 1976[92], et Pesch se réfère même à notre présentation du premier tome en *ETL* 1977 (p. 3 et 581). Le laps de temps entre la dernière rédaction du Commentaire et la publication (l'*Imprimatur* est daté du 21 septembre 1977) semble être un strict minimum. Le Commentaire est à jour : c'est une qualité non négligeable.

Notons d'abord, comme nous l'avons fait pour le premier tome, les positions du Commentaire en ce qui concerne la critique textuelle et la critique littéraire. Ensuite, nous examinons plus en détail l'argument stylistique au sujet du récit de la Passion. Une troisième section sera consacrée à la structure triadique du récit.

* Rudolf PESCH, *Das Markusevangelium. 2. Teil: Kommentar zu Kap. 8,27-16,20* (Herders Theologischer Kommentar zum Neuen Testament, Band II/2), Freiburg-Basel-Wien, Verlag Herder, 1977, XVI-576 pages.

92. On ajoutera : H. ANDERSON, *The Gospel of Mark* (New Century Bible), London, 1976. Voir encore p. 2, n. 1, la référence à l'étude de G. Dautzenberg (première partie) dans *Biblische Zeitschrift* de 1977. Depuis la parution du tome I, la même revue a publié plusieurs articles sur Marc où l'on trouve des confrontations avec l'exégèse de R. Pesch sur des points particuliers. Cf. G. DAUTZENBERG, *Die Zeit des Evangeliums. Mk 1,1-15 und die Konzeption des Markusevangeliums*, dans *BZ* 21 (1977) 219-234 ; 22 (1978) 76-91 ; J. KÜRZINGER, *Die Aussage des Papias von Hierapolis zur literarischen Form des Markusevangeliums*, dans 21 (1977) 245-264 ; M. THEOBALD, *Der Primat der Synchronie vor der Diachronie als Grundaxiom der Literarkritik. Methodische Erwägungen an Hand von Mk 2,13-17/Mt 9,9-13*, dans 22 (1978) 161-186 ; B. MAYER, *Überlieferungs- und redaktionsgeschichtliche Überlegungen zu Mk 6,1-6a*, dans 22 (1978) 187-198.

I. Les positions du commentaire

1. *Le texte de Marc*

Le commentateur a adopté N[26] comme texte de base de la traduction et du Commentaire. Comme dans le tome I, il maintient parfois la leçon de N[25] (contre N[26])[93] :

8,34b	ἐλθεῖν	N[26] ἀκολουθεῖν	cf. 8,34d
9,38	ὅς οὐκ ἀκολουθεῖ ἡμῖν	N[26] om.	cf. om. Lc 9,49
9,42	om. εἰς ἐμέ	[N[26]]	cf. Mt 18,6
10,7	om. καὶ προσκολληθήσεται πρὸς τὴν γυναῖκα αὐτοῦ	[N[26]]	cf. Mt 19,5
12,23	ὅταν ἀναστῶσιν	[N[26]]	cf. om. Mt/Lc
12,37	ὁ (ante πολύς)	[N[26]]	cf. ὄχλος πολύς
15,20	τὰ ἴδια ἱμάτια	N[26] τὰ ἱμάτια αὐτοῦ	cf. Mt 27,31
15,46a	μνήματι	N[26] μνημείῳ	
16,2	μνῆμα	N[26] μνημεῖον	
16,4	ἀνακεκύλισται	N[26] ἀπο-	cf. 16,3; Mt/Lc

J'ai noté un seul cas où il s'éloigne de N[26] et N[25] : 15,39 κράξας (TR, GNT[1] ; cf. V. Taylor). Il refuse d'y voir une leçon harmonisante : « vielmehr dürfte Mt 27,50 κράξας in Mk 15,39 voraussetzen » (p. 492,d). Il note aussi la présence du verbe κράζω en Ps 22 (21), 2.5.24 (p. 499, n. 40). Mais, à mon sens, l'influence du Ps 22 se constate surtout au niveau de la rédaction de Mt[94]. Par l'emploi de πάλιν, le cri de Mt 27,50 y est rapproché de celui de 27,46 (la citation de Ps 22,2) :

Mt 27,46	ἀνεβόησεν ὁ Ἰησοῦς φωνῇ μεγάλῃ λέγων·			
Mc 15,34	ἐβόησεν ὁ Ἰησοῦς φωνῇ μεγάλῃ·			
Mt 27,50	ὁ δὲ Ἰησοῦς πάλιν κράξας	φωνῇ μεγάλῃ	ἀφῆκεν τὸ πνεῦμα	
Mc 15,37	ὁ δὲ Ἰησοῦς	ἀφεὶς	φωνὴν μεγάλην	ἐξέπνευσεν.

Par contre, en 9,38.42; 10,7; 12,23; 15,20; 16,4, il tient la leçon de N[26] pour suspecte en raison de l'influence possible du parallèle synoptique. Et s'il fallait suivre N[26] en 16,2, la leçon μνῆμα pourrait s'expliquer également par l'influence du parallèle lucanien (p. 521,a). À ce propos,

93. Cf. p. 57, a; 108, b; 113, a; 120, b; 230, b; 250, b; 469, c; 521, a et b (notes de critique textuelle). Voir aussi la traduction de 10,1 καὶ πέραν, N[26] [καί] (p. 119).

Les leçons de N[26] ne sont signalées qu'à la fin du Commentaire (p. 521 : 15,46; 16,2.4; à propos de 9,38, p. 108, il se réfère à Metzger, *Commentary*). Ailleurs, seule l'option du commentateur est notée, même dans un cas comme 8,34 ἐλθεῖν (Tischendorf : « e Mt ubi non fluctuat »; Metzger n'en parle pas : cf. p. 99).

94. Cf. D.P. Senior, *The Passion Narrative According to Matthew*, p. 304-305. Le commentaire sur Mc 15,37 semble être influencé par l'explication du parallèle matthéen proposée par Senior (comparer Pesch, p. 498, n. 29, avec Senior, p. 305, n. 1); du moins à la p. 498 (« ... mag offenbleiben »), car il s'exprime autrement à la p. 494 (et note 10).

on notera cependant que ℵ* et C* qui ont μνῆμα en Mc 16,2 (avec W Θ 565) lisent μνημεῖον en Lc 24,1 (avec P[75] X Δ *al*). Pesch lui-même maintient la leçon μνῆμα et il distingue en 16,2 et 3.5.8, comme en 15,46a et 46b, entre μνῆμα (*Grabstätte*) et μνημεῖον (*Grabkammer*) (p. 516). Son opposition à la leçon μνημεῖον en 16,2 est assez étonnante, car c'est la leçon qu'il défendait encore en 1974 (*Schluss*, p. 372, n. 11). D'aucune manière, il ne veut accepter la variation de μνῆμα-μνημεῖον comme un critère de critique littéraire (contre E. Hirsch et L. Schenke). On le comprend. Mais ne fallait-il pas expliquer au lecteur du Commentaire pourquoi la même alternance en 5,2 et 3.5 peut être citée comme indication de «mehrere Erzähler in zeitlicher Stufung» (tome I, p. 283)[95]? Ne fallait-il pas tenir compte, de part et d'autre, de «ein gewisses Streben nach Abwechslung im Ausdruck»[96]? On pouvait s'attendre aussi à un rapprochement de 15,46a (μνήματι N[25]) avec 6,29 καὶ ἔθηκαν αὐτὸν ἐν μνημείῳ.

Comme dans le tome I, les notes de critique textuelle s'en tiennent à l'essentiel. À certains endroits, la discussion en cours n'est même pas signalée. Plus loin, je citerai l'exemple de 10,2 et 3[97].

95. Voir aussi *Der Besessene von Gerasa* (1972), p. 14 et 30.

96. Cf. J. Blinzler, *Die Grablegung Jesu in historischer Sicht*, dans É. Dhanis (éd.), *Resurrexit*, 1974, p. 62, n. 26. *Ibid.*, p. 62 : «Auch in Kap. 5 verwendet Mk die beiden Wörter promiscue». E. Wendling y voit une caractéristique du style de Mc II (*Die Entstehung*, p. 201 : 5,2.3 et 15,46a.b).

97. Cf. *infra*, n. 136 et 141. Une erreur à corriger dans la note de critique textuelle à propos de 10,34 : il explique l'inversion de *Verspotten* et *Anspeien* par le même ordre des mots en 15,16ss. (p. 148, a). En fait, l'inversion dans les témoins cités n'est pas celle de ἐμπαίξουσιν et ἐμπτύσουσιν, mais de ἐμπτύσουσιν et μαστιγώσουσιν (cf. Textus Receptus).

Les témoins de leçons variantes sont normalement cités d'après l'apparat critique de la *Synopsis* de K. Aland. L'absence du ms. 0250 parmi les témoins cités pour 15,1.20.23.24 (et de ℵ^{corr} pour 15,8) indique que Pesch ne s'est pas encore servi de l'édition de ^{9}1976 (à laquelle il se réfère à la page XI). Le sigle φ (le groupe Ferrar) est rendu plus correctement que dans le tome I (cf. *supra*, n. 7), mais le correcteur a laissé une trace à la page 48 dans la «leçon double» Φφ pour φ (note a : 8,31). Corriger aussi p. 85, a (9,14) : lire λφ au lieu de ΛΨ; p. 108, c (9,40) : D au lieu de O, ajouter Π; p. 148, a (10,34) : Γ au lieu de T; p. 168, c (10,47) : φ au lieu de L; p. 202, a (11,22) : φ au lieu de Φ; p. 354, b (14,24) : 565 au lieu de 656; p. 455, a (15,1); p. 460, b (15,8) et p. 504, a (15,40) : Ψ au lieu de ψ; p. 469, c (15,20) : Ψ au lieu de φ.

En 10,50, ἐπιβαλών serait la leçon de «wenige Handschriften» (p. 173, n. 19) : est-ce une «tradition» qui remonte à une lecture fautive de l'apparat de Tischendorf? Cf. L. Schenke, p. 364, n. 1074 : «einige Handschriften»; G. Wohlenberg, p. 292, n. 34 : «zwei Hss»; Tischendorf : 2^{pe} (= 565).

Aux corrections signalées ici (voir aussi les notes 113 et 123), ajoutons encore : ἀναβῆναι (p. 460, b); οὖν (p. 315, n. 6; p. 460, d); ἐξαίφνης (p. 316); ἐναγκαλισάμενος (p. 105, 106); σινδών (p. 397, 402, 576); σινδόνα (p. 511); et les références : 14,54 = 54.55 (p. 18); 14,32-44 = 42 (p. 19); V 34 = 35 (p. 103); Mt 12,42 = 10,42 (p. 111); 34-35 = 33-34 (p. 148); 10,23 = 11,23 (p. 205); 11,15 = 14 (p. 250); 17.33 = 17; 15,33 (p. 269); 26,16f = 27,16f (p. 405); Mk 14,14 = 12,14 (p. 408); 11,11 = 11,12 (p. 446); 27,30 = 31 (p. 469, c); 16,4 = 3; 16,5 = 4 (p. 516).

À l'occasion, le commentateur se prononce sur des problèmes de ponctuation (14,41; 15,2). Ailleurs, son choix apparaît dans la traduction. Notons ici quelques cas qui sont d'une certaine importance pour l'interprétation du texte:

12,39-40	N^{26}	δείπνοις,	...προσευχόμενοι·	
	GNT^{3} N^{25}	——·	——,	
	Pesch	——.	——,	
13,4	GNT^{3}	ἔσται,	...πάντα.	
	N^{26}	——	——;	
	Pesch	——;	——;	
14,3	N^{26}	πολυτελοῦς,		
	GNT^{3} N^{25}	——·		
	Pesch	——.		
14,41	N^{26}	ἀναπαύεσθε·		
	GNT^{3} Pesch	——;		
14,48	N^{26} GNT^{3}	συλλαβεῖν με;		
	Pesch	——!		T W ——·
14,60	N^{26}	οὐδὲν	... καταμαρτυροῦσιν;	
	GNT^{3} Pesch	——;	——;	TR H
15,2	N^{26} GNT^{3}	σὺ λέγεις.		
	Pesch	——;		h

Pesch compare 15,2 avec Jn 18,34. La question équivaut à une négation, et Pilate dira au v. 12: ὃν λέγετε... (p. 457). La parole de 14,41 se comprend comme une question à la lumière de 14,37 (p. 393). On remarquera aussi les questions doubles en 13,4 et 14,60 (cf. *infra*).

2. *Tradition et rédaction*

Comme pour la première partie de l'évangile[98], nous présentons ici le tableau des traditions prémarciennes, et puis nous citons les parties rédactionnelles. La structure de l'ensemble de l'évangile a été donnée plus haut (p. 160). Nous la reprenons ici plus en détail en ce qui concerne 8,27-16,8. La deuxième colonne indique les 39 sections (et les 13 *Dreiergruppen*) du récit traditionnel de la passion. Là où la division des sections diffère de celle de Mc nous l'indiquons (nos 3-4, 7, 10-12, 15). La troisième colonne comprend d'autres collections prémarciennes. La quatrième colonne signale des unités traditionnelles plus petites, logia ou péricopes.

98. Cf. *supra*, p. 160-162. Ajouter p. 161 (rédaction de Mc): 2,15cd ἦσαν γὰρ πολλοὶ καὶ ἠκολούθουν αὐτῷ 16 τῶν ἁμαρτωλῶν καὶ τελωνῶν loco αὐτῶν (p. 163: «vielleicht»).

			Traditions prémarciennes				
Structure de Mc			*Récit de la Passion*			*Autres traditions*	
IV.1	(*1*)	8,27-30	I	(*1*)			
	(*2*)	8,31-33		(*2*)			
	(*3*)	8,34-9,1				8,34-38	9,1
	(*4*)	9,2-13		(*3*)	2-8		
			II	(*4*)	9-13		
	(*5*)	9,14-29				9,14-29	
IV.2	(*6*)	9,30-32		(*5*)			
	(*7*)	9,33-35		(*6*)			
	(*8*)	9,36-37					9,36-37 (cf. 10,13ss.)
	(*9*)	9,38-41					9,38-40; 9,41
	(*10*)	9,42-50				9,43.45.47-49	9,42; 9,50
IV.3	(*11*)	10,1-12	III	(*7*)	1	(*1*) 10,2-12	
	(*12*)	10,13-16					10,13-14.16; 10,15
	(*13*)	10,17-31				(*2*) 17-27	10,29-30; 10,31
	(*14*)	10,32-34		(*7*)			
	(*15*)	10,35-45				(*3*) 35-45	
	(*16*)	10,46-52		(*8*)			
V.1	(*1*)	11,1-11		(*9*)			
	(*2*)	11,12-21	IV	(*10*)	12-14		
				(*11*)	15-19		
	(*3*)	11,22-25		(*12*)	20-23		11,24-25
V.2	(*4*)	11,27-33	V	(*13*)			
	(*5*)	12,1-12		(*14*)			
V.3	(*6*)	12,13-17		(*15*)			
	(*7*)	12,18-27				(*1*) 12,18-27	
	(*8*)	12,28-34		(*15*)	34c	(*2*) 28-34b	
	(*9*)	12,35-37	VI	(*16*)			
	(*10*)	12,38-40					12,38-40
	(*11*)	12,41-44		(*17*)			
Ch.13	(*1*)	13,1-2		(*18*)			
	(*2*)	13,3-4				(*1*) 13,3-4	
	(*3*)	13,5-8				(*2*) 5.7-8	
	(*4*)	13,9-13				(*3*) 9.11-13	13,10 (?)
	(*5*)	13,14-20				(*4*) 14-20	
	(*6*)	13,21-23				(*5*) 21-22	
	(*7*)	13,24-27				(*6*) 24-27	
	(*8*)	13,28-32				(*7*) 28-31	13,32
	(*9*)	13,33-37					13,33b.34-36
VI.1	(*1*)	14,1-2	VII	(*19*)			
	(*2*)	14,3-9		(*20*)			
	(*3*)	14,10-11		(*21*)			
	(*4*)	14,12-16	VIII	(*22*)			
	(*5*)	14,17-21		(*23*)			
	(*6*)	14,22-25		(*24*)			
	(*7*)	14,26-31	IX	(*25*)			

	(*8*)	14,32-42		(*26*)
	(*9*)	14,43-52		(*27*)
VI.2	(*10*)	14,53-54	X	(*28*)
	(*11*)	14,55-65		(*29*)
	(*12*)	14,66-72		(*30*)
VI.3	(*13*)	15,1-5	XI	(*31*)
	(*14*)	15,6-15		(*32*)
	(*15*)	15,16-20a		(*33*)
	(*16*)	15,20b-24	XII	(*34*)
	(*17*)	15,25-32		(*35*)
	(*18*)	15,33-39		(*36*)
	(*19*)	15,40-41	XIII	(*37*)
	(*20*)	15,42-47		(*38*)
	(*21*)	16,1-8		(*39*)

Rédaction de Marc

Mc 8,27-12,44
8,34 σὺν τοῖς μαθηταῖς αὐτοῦ | 35 καὶ τοῦ εὐαγγελίου (?)
9,1 καὶ ἔλεγεν αὐτοῖς
14 ἐλθόντες... εἶδον *loco* ἐλθὼν... εἶδεν
36 ἐναγκαλισάμενος αὐτό
49 γάρ
10,1 πάλιν[1] | πρὸς αὐτόν *loco* αὐτῷ (?) | 10 πάλιν
21 καὶ δεῦρο ἀκολούθει μοι
28 ἤρξατο λέγειν ὁ Πέτρος αὐτῷ· ἰδοὺ ἡμεῖς ἀφήκαμεν πάντα καὶ ἠκολουθήκαμέν σοι
11,24 διὰ τοῦτο
12,38 καὶ ἐν τῇ διδαχῇ αὐτοῦ ἔλεγεν | βλέπετε ἀπὸ τῶν *loco* οὐαὶ τοῖς | 40 om. οὐαί...

Mc 13,1-37
13,2 ὃς οὐ μὴ καταλυθῇ
3 κατέναντι τοῦ ἱεροῦ | Πέτρος καὶ Ἰάκωβος καὶ Ἰωάννης καὶ Ἀνδρέας
4 πότε ταῦτα ἔσται καί
6 πολλοὶ ἐλεύσονται ἐπὶ τῷ ὀνόματί μου λέγοντες ὅτι ἐγώ εἰμι, καὶ πολλοὺς πλανήσουσιν
10 καὶ εἰς πάντα τὰ ἔθνη πρῶτον δεῖ κηρυχθῆναι τὸ εὐαγγέλιον(?)
19 καὶ οὐ μὴ γένηται
23 ὑμεῖς δὲ βλέπετε· προείρηκα ὑμῖν πάντα
29 ἐπὶ θύραις *loco* τὸ τέλος
32 ἢ τῆς ὥρας | οὐδὲ ὁ υἱός | πατήρ *loco* θεός
33 βλέπετε | οὐκ οἴδατε γὰρ πότε ὁ καιρός ἐστιν
34 ἀπόδημος | καὶ δοὺς τοῖς δούλοις αὐτοῦ τὴν ἐξουσίαν | ἑκάστῳ τὸ ἔργον αὐτοῦ
35 ὀψέ, μεσονύκτιον, ἀλεκτοροφωνίας, πρωΐ *loco* ἐν τῇ πρώτῃ, — δευτέρᾳ, — τρίτῃ φυλακῇ | 35-36 : 2e p.p. *loco* 3e p.s.
37 ὃ δὲ ὑμῖν λέγω, πᾶσιν λέγω, γρηγορεῖτε

Mc 14,1-16,8 : *nihil*

Une première constatation s'impose : l'évangéliste a interrompu à neuf endroits le récit de la passion pour y insérer d'autres traditions (8,33/9,2; 9,13/30; 9,35/10,1/32; 10,34/46; 11,23/27; 12,17/34c; 12,37/41; 13,2/14,1), mais il a repris le texte du récit traditionnel sans le retoucher. D'ailleurs, le commentateur le répète inlassablement dans les introductions des sections : « Der Evangelist hat in seine Überlieferung nicht eingegriffen » (*passim*). Dans les 39 sections du récit prémarcien de la passion (218 versets), un seul mot serait de la main de l'évangéliste : πάλιν (après συμπορεύονται) en 10,1 [99].

Les retouches rédactionnelles en 8,27-12,44 se trouvent surtout dans les transitions d'une tradition à une autre. Par σὺν τοῖς μαθηταῖς αὐτοῦ (8,34) et καὶ ἔλεγεν αὐτοῖς (9,1), l'évangéliste relie le récit de la passion (8,27-33), l'unité traditionnelle de 8,34-38 et le logion isolé de 9,1. Le pluriel de 9,14 doit établir la connexion de 9,14-30 avec 9,2-13 (Jésus et les trois disciples). En 9,36, ἐναγκαλισάμενος αὐτῷ est une trace de 10,16, le récit de 10,13-14.16 étant suivi par 9,36-37 dans la tradition prémarcienne. Pesch semble attribuer le γάρ de 9,49 à Mc, quoiqu'il suggère aussi que le lien du verset avec 9,43.45.47-48 soit déjà prémarcien (p. 113). Le verset 10,28, préparé par le v. 21e, doit faire la jonction entre la section de 10,17-27 (de l'instruction catéchétique) et le logion de 10,29-30. En 11,24a, διὰ τοῦτο, qui pourrait remplacer un ἀμήν devant λέγω ὑμῖν, forme le lien entre 11,23 (du récit de la passion) et le logion de 11,24-25. Finalement, l'addition de 12,38a sert également à insérer la tradition de 12,38-40 dans le récit de la passion.

Par rapport à l'introduction générale du Commentaire (tome I, p. 23), nous constatons une double *retractatio* dans le tome II : ἀποστέλλουσιν en 12,13 (« *als Boten* des Synedrions ») et ἀκούσας αὐτῶν συζητούντων, ἰδὼν ὅτι καλῶς ἀπεκρίθη αὐτοῖς en 12,28 (« Motivationsanschluss ») [100]. La pensée du commentateur sur les sections de 12,13-17.18-27.28-34 s'est d'ailleurs précisée. Tandis que le tome I les présente encore comme « ihm isoliert tradierte Schulgespräche » [101], 12,13-17 (et 34c) appartient maintenant au récit de la passion (pour le sujet de ἀποστέλλουσιν : cf. 11,27 et 12,12), et la connexion entre 12,18-27 et 28-34b serait prémarcienne [102].

99. La liste des noms en 16,1 serait probablement rédactionnelle d'après *Schluss*, p. 379-380 (3.3.2.3 et 6) et p. 386 (5.3 : « vielleicht »); voir cependant p. 385 (4.2). La possibilité est encore signalée (t. II, p. 508), sans être retenue (voir surtout p. 520).

100. Cf. *supra*, n. 12. Voir aussi n. 102.

101. Tome I, p. 65, lignes 3-4 et 19-20.

102. Il aurait été souhaitable d'éclairer sur ce point les lecteurs du Commentaire. Sur 12,13, on lit maintenant « geht nicht auf die Redaktion des Evangelisten zurück » (t. II, p. 225), sans la moindre référence au tome I du même Commentaire : « geht wohl ...

En ce qui concerne le chapitre 13, il est bien naturel, même sans avoir l'intention «den Autor der Naherwartungen gegen den Kommentar auszuspielen» (p. 3, n. 3), de comparer la position du Commentaire avec celle que l'auteur du Commentaire a défendue dans sa dissertation. Nous le ferons plus loin. Notons ici que les éléments attribués maintenant à l'évangéliste l'étaient déjà dans *Naherwartungen* (à côté d'un certain nombre d'autres éléments rédactionnels), à l'exception toutefois des vv. 6 (uniquement λέγοντες ὅτι ἐγώ εἰμι) et 34 (uniquement τὴν ἐξουσίαν). Les versets 13,1-2, entièrement rédactionnels en 1968, furent d'abord attribués au récit de la passion avec beaucoup d'hésitation[103]. Dans le Commentaire, le point d'interrogation a disparu; seule la fin du v. 2 serait ajoutée par l'évangéliste.

Le γρηγορεῖτε de 13,37 est le dernier mot de l'évangéliste. Les 126 versets de 14,1-16,8 auraient été repris du récit prémarcien sans la moindre retouche.

II. Le récit de la Passion : L'argument stylistique

La grande hypothèse du tome II est celle du récit prémarcien de la passion. Le *Langbericht* est désormais une notion dévaluée : le récit de Pesch inclut les chapitres 11 et 12 (à l'exception seulement de 11,24-25; 12,18-34b.38-40) et s'étend même jusqu'à 8,27 (8,27-33; 9,2-13.30-35; 10,1.32-34.46-52)[104]. L'hypothèse se distingue d'autres théories du même type par l'étendue du récit traditionnel, mais aussi par la fidélité avec laquelle Marc aurait copié sa source : un récit de 3.655 mots, dont il aurait «peut-être» changé un αὐτῷ en πρὸς

auf Markus zurück» (t. I, p. 23). Comparer p. 236 (sur 12,28) avec t. I, p. 23 («vielleicht»); voir cependant aussi p. 18 («könnte schon vormarkinisch sein»). Seule la *retractatio* sur l'appartenance de 12,13-17.34c au récit de la passion est signalée, dans l'Excursus à la page 1 : «in der 1. Auflage» (!).

103. Cf. n. 104.

104. L'annexion des sections antérieures à 14,1 ss. s'est faite en quatre étapes. D'abord, le récit de la passion comprend 10,32-34; 10,46-52 (?); 11,1-10.15-19; 11,27-33 (?); 12,1-12 (?); 12,41-44; 13,1-2 (?) (*Salbung*, p. 268; *Schluss*, p. 366). Puis, il ajoute 8,27-33; 9,2-13; 9,30-32; 9,33-35 (?); 10,1a; ... 13,1-2 (?); les autres points d'interrogation ont disparu (*Messiasbekenntnis*, p. 29). Finalement, il y insère aussi 11,12-14.20-21 (*Überlieferung*, p. 156 : «Fraglich ist...», au sujet de 11,12-14.20-21 et 13,1-2; dans l'aperçu du contenu du récit aux pages 162 et 164, il retient 11,12-14.20-21, mais exclut encore 13,1-2). Dans le Commentaire, ce dernier point d'interrogation a disparu également. Il y ajoute encore 10,1bc (cf. *infra*, n. 132); 11,22-23 (cf. n. 165); 12,35-37 et, dans le tome II, 12,13-17.34c (cf. *supra*, n. 102).

— La description du *Langbericht* de J. Jeremias (p. 8 : 11,1-10.15-17.*24-28*...) est à corriger : il comprend 11,1-10.15-17.27b-33 et commence avec 10,46ss. (*Abendmahlsworte*, p. 86, n. 1). On notera que deux auteurs récents (1974) font également commencer la tradition du récit de la passion par la purification du temple : 11,8-16.18 chez W. Schenk (tradition apocalyptique) et 11,15b-16.18 chez Dormeyer (Martyrium).

αὐτόν...[105]. C'est un défi aux études de la rédaction marcienne, et on voudrait savoir sur quoi se base le commentateur pour attribuer à Marc un tel respect de la lettre du texte.

Nous connaissons la thèse de Pesch: «Markus bemüht sich... nicht um einen einheitlichen Stil» (t. I, p. 23-25). Il reprend la question au début du tome II, à propos du récit de la passion (p. 2-7)[106]. En réponse à mes observations sur une certaine homogénéité stylistique de l'évangile de Marc, il répète que, s'il y a unité de style[107], elle n'est pas spécifique de Mc: c'est un grec de traduction, le grec des traditions du christianisme primitif (p. 7). Le style de Mc serait inexistant. Pesch fait valoir que des formules apparentées, reprises de traditions différentes, n'ont pas été harmonisées par Marc. Ainsi, dans le récit de la passion : 8,28 (cf. 6,14-15); 9,7 (cf. 1,11); 9,35 (cf. 10,44); 14,22 (cf. 6,41; 8,6)[108]. Mais son argument est surtout d'ordre statistique. Puisque le récit de la passion forme un tiers de l'évangile[109], les phénomènes stylistiques de Mc devraient se répartir entre le récit de la passion et le reste de l'évangile selon la proportion de 1:2. Il constate que ce n'est pas le cas. Marc n'aurait donc pas remanié le style de ses sources. Il en tire aussi la conclusion positive que «das Material der Passionsgeschichte (sich) vom restlichen Evangelium stilistisch abhebt» (p. 6).

1. Prenons d'abord les exemples de textes non harmonisés. L'argument repose sur la constatation d'une plus grande assimilation des doublets dans les parallèles de Mt et Lc : «Vgl. die angleichende Redaktion Mt/Lk par». Mais de quel droit peut-on conclure de cette comparaison que les textes moins complètement harmonisés en Mc n'ont pas été rapprochés entre eux par l'évangéliste et n'ont subi aucune retouche de sa main[110]? Voyons concrètement quelles sont ces différences signalées par le Commentaire.

105. En 10,1, où il aurait aussi inséré un πάλιν (p. 121). En 13,2, il aurait ajouté à la fin : ὃς οὐ μὴ καταλυθῇ (p. 269).

Le compte des mots est basé sur R. MORGENTHALER, *Statistische Synopse*, Zürich-Stuttgart, 1971, p. 33-68. Il compte 11.078 mots pour l'ensemble de l'évangile (N[25]). En lignes de texte de l'édition de Nestle : 507 sur un total de 1524.

106. *Zur literarkritischen Arbeit am Markusevangelium*, dans l'excursus : *Die vormarkinische Passionsgeschichte*, p. 1-27.

107. On notera tout de même une nuance par rapport au tome I : il l'appelle maintenant «im ganzen relativ einheitlich» (p. 3 et 7).

108. Cf. p. 6. Sur 8,28, voir aussi p. 31; et déjà *Messiasbekenntnis*, p. 190.

109. Cf. *supra*, n. 104.

110. Sur l'utilisation des parallèles de Mt et Lc, voir les réserves sagement formulées par Pesch trois pages plus haut (p. 2-3). On notera notre accord complet sur ce point. Voir surtout l'exposé sur la rédaction de Mt et de Lc en parralèle à Mc 14-15 (p. 404-405 et 405-409, avec des références à *Minor Agreements* et à la dissertation de D.P. Senior). On lira avec profit sa critique de l'hypothèse d'une *Sondertradition* lucanienne (encore

8,28	6,14-15
Ἰωάννην τὸν βαπτιστήν	Ἰωάννης ὁ βαπτίζων
εἷς τῶν προφητῶν	προφήτης ὡς εἷς τῶν προφητῶν
καὶ ἄλλοι — ἄλλοι δέ	ἄλλοι δέ — ἄλλοι δέ

Pesch insiste surtout sur la différence entre ὁ βαπτίζων (6,14) et ὁ βαπτιστής (8,28) comme indice de «literarisch unabhängige Traditionen». On notera cependant qu'à l'intérieur du récit de 6,17-29, les deux appellations sont utilisées en parallèle [111] :

6,24 τὴν κεφαλὴν Ἰωάννου τοῦ βαπτίζοντος
25 τὴν κεφαλὴν Ἰωάννου τοῦ βαπτιστοῦ.

Il est donc concevable que, dans le doublet de 6,14 et 8,28, Marc écrit d'abord ὁ βαπτίζων et puis ὁ βαπτιστής. De même, on ne peut objecter contre l'unité de la rédaction que l'évangéliste écrit une première fois προφήτης ὡς εἷς τῶν προφητῶν, et puis, plus brièvement, εἷς τῶν προφητῶν. Quant à καὶ ἄλλοι en 8,28, il convient de lire l'ensemble du verset :

οἱ δὲ εἶπαν αὐτῷ λέγοντες ὅτι
Ἰωάννην τὸν βαπτιστήν,
καὶ ἄλλοι Ἠλίαν,
ἄλλοι δὲ ὅτι εἷς τῶν προφητῶν.

En réponse à la question de Jésus (v. 27), les disciples rapportent les opinions de οἱ ἄνθρωποι, sans reprendre le verbe λέγουσιν. Contrairement au triple ἔλεγον ὅτι de 6,14-15 (où c'est surtout l'identification avec Jean Baptiste qui retient l'attention : v. 14, cf. v. 16), la construction grammaticale de 8,28 relie plus intimement les deux premières opinions, par l'emploi de l'accusatif au lieu de ὅτι et le nominatif et par καὶ ἄλλοι au lieu de ἄλλοι δέ (cf. 9,12-13 : Jean Baptiste-Élie). Les différences entre 6,14-15 et 8,28 peuvent ainsi se comprendre au niveau de la composition de l'évangile sans qu'il y ait besoin de recourir à deux traditions indépendantes [112].

récemment adoptée dans les commentaires de J. Ernst, 1977, et I. H. Marshall, 1978). À propos de Lc 22,67-68 (G. Schneider), comparer mes remarques dans *ETL* 48 (1972) 570-573, p. 572. Nous sommes d'accord aussi sur la rédaction johannique en dépendance des évangiles synoptiques: cf. p. 410-412 (voir n. 32) et p. 323-327 (la chronologie johannique : «sekundäre Umdatierung»).

111. Après quelque hésitation (cf. *Messiasbekenntnis*, p. 190, n. 39 : «fraglich»; t. I, p. 342, n. 20: «Einfluss nach V 14... möglich»), Pesch retient maintenant la leçon βαπτίζοντος en 6,24 (p. 31, n. 8 : la variante -ιστοῦ est une assimilation à l'appellation courante). Il a sans doute raison de ne pas suivre J.K. Elliott qui propose de lire partout en Mc ὁ βαπτίζων, y compris 6,25 (avec L 700 892) et 8,28 (28 565), mais il aurait dû tenir compte de l'observation de cet auteur : «It would be difficult — especially in view of the printed text of vi.24 and 25 — to argue that the change in vocabulary is due to Mark's adoption of two different sources»; cf. *TZ* 31 (1975) 14-15.

112. De telles différences ne contredisent pas l'opinion assez courante que 6,15

9,7	1,11
καὶ ἐγένετο φωνὴ...	καὶ φωνὴ ἐγένετο...

Pesch oppose ici l'ordre des mots, sémitique en 9,7 et grec en 1,11 [113]. L'ordre καί-verbe-sujet est normal dans le style narratif de Mc, et c'est donc l'ordre de la phrase de 1,11 qui est «exceptionnel». La chose a été bien étudiée par M. Zerwick [114]. Après καὶ ἦλθεν... καὶ ἐβαπτίσθη... καὶ εἶδεν... aux vv. 9-10, καὶ φωνὴ ἐγένετο... pourrait indiquer l'événement principal, le point culminant du récit de 1,9-11 [115]. Ou bien, et peut-être plus correctement, après la succession de ἦλθεν-ἐβαπτίσθη-εἶδεν, on peut y voir un moment descriptif : les cieux se déchirent, l'esprit descend, καὶ φωνὴ ἐγένετο ἐκ τῶν οὐρανῶν... «Äusserlich geht die Erzählung weiter, aber nicht ohne in der veränderter Stellung des Subjekts zu verraten, dass gedanklich eine Schilderung vorliegt» [116].

9,35	10,44
πρῶτος–ἔσχατος, διάκονος	πρῶτος–δοῦλος (43 μέγας–διάκονος)

La scène de 9,33-35 fait partie du récit de la passion et aurait été le modèle de 10,41-44, un des deux compléments ajoutés au récit des fils de Zébédée (10,35-38) avant son intégration dans la collection catéchétique prémarcienne (10,2-12.17-27.35-45). Le logion de 9,35b aurait probablement été redoublé en 10,43.44, dans une formulation plus parénétique (ἐν ὑμῖν, v. 43 ὑμῶν) (p. 105, et n. 12; 160, n. 29; 161). Toutefois, le doublet de 9,35 et 10,43-44 peut s'expliquer aussi par une anticipation rédactionnelle de 10,43-44 en 9,35 [117], et je ne vois pas comment on pourrait opposer à une telle explication les différences dans la formulation. Pesch lui-même l'admet : εἴ τις θέλει en 9,35 apparaît comme la forme grécisée de ὃς ἂν θέλῃ en 10,43.44 (p. 105, n. 11; 161, n. 35). L'antithèse πρῶτος-ἔσχατος, plus exacte que celles de 10,43.44 (p. 161), peut être une «correction» (cf. 10,31 πρῶτοι-

est une anticipation de 8,28 : cf. H. SCHÜRMANN, *Lukasevangelium*, p. 508 et 532; F. HAHN, *Hoheitstitel*, 1965, p. 222, n. 3 : «Mk hat das Motiv dieser Volksmeinung über Jesus wohl dem geprägten Traditionsstück Mk 8,27b-29 entnommen; umgekehrt setzt er in 8,28a bei der Aussage, Jesus sei Johannes der Täufer, die nähere Erläuterung von 6,14b voraus».

113. Cf. p. 6 : corriger 1,9 en 1,11; et [ἐγένετο] en ἐγένετο (N^{26}; tome I, p. 88).

114. M. ZERWICK, *Untersuchungen*, p. 76-81 (analyse de 1,10-13 et 9,2-8).

115. *Ibid.*, p. 78-79. Sur 9,7, cf. p. 79 : «Hier ist die Stimme aus dem Himmel, wenigstens stilistisch, einfach das vorletzte Glied einer vielgliedrigen Erzählungsreihe».

116. *Ibid.*, p. 80. Comparer 9,3 καὶ τὰ ἱμάτια αὐτοῦ ἐγένετο στίλβοντα λευκὰ... (cf. p. 85). Citons aussi sa conclusion : «KVS besagt das *Nach*einander einer fortschreitenden Erzählung, KSV aber das *Neben*einander einer Zustandsschilderung» (p. 81).

117. Voir entre autres E. WENDLING, *Die Entstehung*, p. 99-100.

ἔσχατοι). On notera d'ailleurs que la parole de 9,35 répond à la discussion des disciples entre eux : τίς μείζων (9,34), qu'on peut rapprocher de 10,43 μέγας... ἐν ὑμῖν. La formule double πάντων ἔσχατος καὶ πάντων διάκονος peut être l'indication que les deux logia parallèles ont été condensés en un seul.

14,22	καὶ λαβὼν... εὐλογήσας	ἔκλασεν		καὶ ἔδωκεν
cf. 6,41	καὶ λαβὼν... εὐλόγησεν καὶ	κατέκλασεν	τ. ἀ.	καὶ ἐδίδου
8,6	καὶ λαβὼν... εὐχαριστήσας	ἔκλασεν		καὶ ἐδίδου

Le récit de 6,32-44 appartient au cycle des miracles (collection prémarcienne), et 6,41 ne serait pas influencé par la tradition de 14,22. Par contre, 8,1-9 est une *Nachbildung* du même récit, dans un milieu hellénistique, et la construction de 8,6 serait «dem Abendmahlsbericht 14,22 angeglichen» (t. I, p. 403)[118]. Pesch peut donc écrire : «Markus hat nicht angeglichen» (p. 6), parce qu'il admet que l'assimilation s'est effectuée déjà dans la tradition prémarcienne. À ce propos, εὐχαριστήσας en 8,6, qu'il rapproche de Lc 22,19/1 Co 11,24, serait un indice que le narrateur «nicht den vormarkinischen Passionsbericht im Blick hatte» (t. I, p. 403). Aussitôt après, il situe 8,7 au même niveau rédactionnel, en parallèle au v. 6 «durch Anlehnung an das eucharistische Formular» (p. 404). Cela nous ramène donc tout de même à εὐλογήσας-εὐχαριστήσας en Mc 14,22.23 (en ordre inversé en 8,6.7). Au sujet de cette influence de 14,22 sur 8,6(-7), j'ai cependant moi-même quelque difficulté à suivre Pesch. Puisque, d'une part, il refuse une interprétation eucharistique de 6,41 (et sur ce point, il peut avoir raison), et que d'autre part, il ne distingue pas le niveau rédactionnel de 8,6 de celui du verset sur la bénédiction des poissons (8,7 εὐλογήσας αὐτά), je me demande s'il ne donne pas ici encore trop de poids aux différences de 8,6 par rapport à 6,41. Les mots καὶ λαβὼν τοὺς ( ) ἄρτους... καὶ ἐδίδου τοῖς μαθηταῖς (αὐτοῦ) ἵνα παρατιθῶσιν sont strictement identiques à la formulation de 6,41. Quant au verbe simple ἔκλασεν au lieu de κατέκλασεν, Marc l'emploie encore en 8,19 lorsqu'il se réfère à 6,41. Le verbe εὐλόγησεν καί est remplacé par εὐχαριστήσας en 8,6, mais une connotation eucharistique me paraît difficilement défendable si l'on refuse de voir en 8,7 (εὐλογήσας) un *Einschub* secondaire (p. 404)[119].

118. Le récit traditionnel de 8,1-9a aurait été repris par l'évangéliste sans remaniement, si ce n'est l'addition de πάλιν au v. 1 (en référence à 6,32-44).

119. Cf. J. Roloff, *Das Kerygma*, p. 246 : «zwischen den Gebetshandlungen Mk 6,41 und 8,6 und dem Abendmahlsbericht 14,22 (besteht) keine über die von der Sache bedingte Ähnlichkeit hinausgehende begriffliche oder stilistische Entsprechung» (voir aussi n. 155). Pour 8,6, R. Pesch se réfère à l'étude de H. Patsch (p. 404, n. 7), mais on notera que cet auteur défend une position fort différente sur 8,7, qui aurait été inséré dans le récit de 8,5-6.8; cf. *ZNW* 62 (1971), p. 222-225.

L'argument de Pesch repose finalement sur une *petitio principii* : dans les doublets, l'intervention rédactionnelle de Marc serait à exclure aussi longtemps qu'il n'y a pas parallélisme parfait. Mais la réponse est fournie par Marc lui-même. En 8,19.20 (versets rédactionnels selon Pesch), nul ne doutera que Marc rédige consciemment les deux éléments du «doublet» en parallèle, mais sans les assimiler complètement [120] :
πόσους κοφίνους κλασμάτων πλήρεις ἤρατε;
πόσων σπυρίδων πληρώματα κλασμάτων ἤρατε;
Inutile de dire que le parallélisme plus complet en Mt 16,9.10 ne nous apprend rien sur la rédaction de Marc :
πόσους κοφίνους ἐλάβετε;
πόσας σπυρίδας ἐλάβετε;

2. L'argument statistique a trait à la répartition inégale des phénomènes stylistiques à travers l'évangile. Pesch s'est appliqué à les compter : les emplois du *participium conjunctum* dans la narration, la construction périphrastique, les particularités de l'introduction des discours, l'emploi pronominal de l'article, δέ, γάρ, et en plus, tous les phénomènes qui sont décrits dans *Duality in Mark*, p. 75-136. Il en retient l'impression d'une «höchst ungleiche Verteilung» (p. 4-6) [121]. Je voudrais faire ici trois remarques générales. (*a*) Pesch admet des «stilistische Unterschiede» par lesquels le récit de la passion se distingue par rapport au reste de l'évangile de Marc. S'il peut faire une telle distinction à l'intérieur de ce style qu'il appelle *volkstümlich-primitiv*, on ne comprend plus son refus d'accepter des traits stylistiques caractéristiques de l'ensemble de l'évangile de Marc. En tout cas, son objection («Übersetzungsgriechisch» etc.) ne doit plus être prise en considération puisqu'il la retire en ce qui concerne la Passion. (*b*) Pesch se voit obligé de noter qu'une répartition égale des phénomènes stylistiques ne se vérifie pas non plus à l'intérieur de la Passion (8,27-13,2/14,1-16,8 : proportion de 3/4). Il y constate les mêmes *Verteilungsschwankungen* et les explique «aus der Art des jeweiligen Erzählstoffes (und der dadurch bedingten Formulierbarkeit)» (p. 6). Il convient de tenir compte du même facteur dans la répartition entre la Passion et le reste de l'évangile de Marc.

120. Ces différences ne s'expliquent guère par la formulation du motif dans les récits :
6,43 καὶ ἦραν κλάσματα δώδεκα κοφίνων πληρώματα
8,8 καὶ ἦραν περισσεύματα κλασμάτων ἑπτὰ σπυρίδας.

121. Il arrive au même résultat pour les phénomènes décrits dans *Minor Agreements*, p. 203ss. : n°s 4, 5, 7, 8, 10, 11, 13, 14, 26, 27, 28, 30 (p. 6, n. 6^{a}). On notera cependant que certains se rapprochent de la proportion de 1/2 (Passion/reste de Mc) : Asyndeton (21/45); ἵνα non-purposive (14/22); Présent historique avec verba dicendi (28/47); Imparfait (99/163). Voir aussi dans *Duality*: 4. Cognate Verbs (57/113); 6. Double Imperative (11/20); 10. Double Statement: Temporal or Local (24/54); 13. Synonymous Expression (29/77); 16. Double Group of Persons (6/18); 21A. Command and Fulfilment, Direct Discourse (9/19); 26. Correspondences in Discourse (19/41).

(*c*) Une répartition dans toutes les parties de l'évangile n'est pas une condition indispensable pour parler d'une caractéristique stylistique de Mc. Certes, on ne le fera pas sans une certaine fréquence et une certaine diffusion dans plus d'une section de l'évangile. On notera à ce propos qu'aucun des traits que signale Pesch n'est exclusivement attesté dans la Passion[122].

Pour plusieurs phénomènes stylistiques, les différences entre la Passion et le reste de l'évangile sont trop peu significatives pour qu'on puisse dire qu'elles sont *traditionsbedingt*. Pesch cite en premier lieu le *participium conjunctum* dans les narrations (n° 1). Il en indique la fréquence par péricope[123] :

Fréquence	0	1	2	3	4	5	6	7	8	9	10	12
Nombre de péricopes												
Passion	5	7	11	6	2	4	2	1	0	1	0	0
Reste de Mc	5	4	13	5	5	4	1	2	1	2	1	1

Quelle conclusion peut-on tirer de ces chiffres? Il est vrai qu'on ne retrouve pas la proportion de 1:2 dans le total des emplois du *participium conjunctum* (103:166), mais la comparaison ne peut porter ici que sur la matière narrative. Lorsqu'on aura fait le décompte des «discours» de Jésus en 3,23-29; 4,3-32; 6,8-11; 7,6-23; 8,17-21; 8,34-9,1; 9,39-50; 10,42-45 et surtout 13,5-37, la proportion ne sera plus de 1:2!

Autre exemple de «stilistische Unterschiede»: le verbe λέγω dans l'introduction d'un discours direct (n° 3). L'emploi du participe serait en équilibre parfait (8/17), mais il distingue entre εἶπεν 19/24 (*Häufigkeit*), λέγει 26/44 (*geringere Häufigkeit*) et ἔλεγεν 10/27 (*Spärlichkeit*). Le dernier chiffre est à corriger (13 emplois de l'imparfait)[124], et tout ce qu'on peut en retenir est une légère augmentation de la fréquence relative de l'aoriste.

122. Une seule exception: ῥαββί 4 fois (p. 6, n. 6a; cf. *Minor Agreements*, n° 30). — Mais est-il raisonnable d'exiger une répartition égale dans les différentes parties de l'évangile? Par manière de contre-épreuve, voyons comment se répartissent les caractéristiques matthéennes (Hawkins*) en Mt 1,1-16,12 et 16,13-28,20 (proportion de 1/1): ἀναχωρέω (9/1), βασιλεία τῶν οὐρανῶν (21/11), ἰδού *after gen. abs.* (8/3), λεγόμενος *used with names* (5/8), πατὴρ ἡμῶν, ὑμῶν, σου, αὐτῶν (19/1), πατὴρ ὁ ἐν (τοῖς) οὐρανοῖς (10/3), πατὴρ ὁ οὐράνιος (5/2), πληρόω *used of Scriptures* (8/4), προσέρχομαι (21/31), ῥηθέν, ῥηθείς (9/4), τί σοι/ὑμῖν δοκεῖ (0/6), τότε (35/55), ὑποκριτής (5/8), ὥσπερ (4/6).

123. Selon les données de Pesch (p. 4). Il distingue 39 sections dans le récit de la passion (cf. *supra*) et 45 sections dans le reste de l'évangile (deux péricopes en 2,13-14.15-17 et une seule en 4,1-34; 6,14-29; 7,1-23; le discours de 13,5-37 n'est pas compté). Les péricopes de 6,45-52; 8,10-13; 9,38-41 seraient à ajouter. Corriger 1,32-34 en 1,29-31 (ligne 13).

124. Mc 9,31; 11,5.17.28; 12,35; 14,2.36.70; 15,12.14.31.35; 16,3. Corriger aussi p. 6, n. 6a, le présent historique de *verba dicendi*: 27/48 (au lieu de 28/47).

Au sujet de la mention du nom de Jésus (nº 4), Pesch donne les chiffres suivants :

	Passion	*Reste de Mc*
Nom de Jésus[125]	42	39
Péricopes	21 (contre 16)	20 (contre 27)
Introduction de discours	16	19

Sur ce point, il y a, on le sait, une nette différence «in erster und zweiter Evangelienhälfte» (!), mais il est moins clair qu'on puisse l'expliquer simplement par l'emploi plus fréquent du nom de Jésus dans la Passion prémarcienne. La proportion dans les deux parties de l'évangile, à peu près égales : 1,1-8,26/8,27-16,8, est de 22 à 58. Mais de ces 58 emplois, 19 se répartissent sur 10 unités (traditionnelles, selon Pesch) qui n'appartiennent pas à la passion : 9,23.25.27; 9,39; 10,5; 10,14; 10,18.21.23.27; 10,29; 10,38.39.42; 12,24; 12,29.34; 13,5. Comment affirmer alors que les 39 autres mentions du nom de Jésus en 8,27-16,8 plaident en faveur de l'hypothèse d'un *Makrokontext* originel?

D'autres phénomènes sont trop peu attestés pour faire impression. Parmi les exemples de l'emploi pronominal de l'article (nº 5), il signale τά + génitif : 4/1. En fait, il s'agit de l'expression τὰ τοῦ θεοῦ opposée à τὰ τῶν ἀνθρώπων et à τὰ Καίσαρος dans deux paroles de Jésus (8,33; 12,17). L'autre cas doit être τὰ περὶ τοῦ 'Ιησοῦ en 5,27[126], mais il semble suivre la leçon de N[26] (om. τὰ) dans le commentaire (t. I, p. 296). Autre exemple : l'emploi de γάρ (21/43)[127], au sens explicatif dans la narration : 13/17 (nº 7). Trois versets ont suffi pour faire monter le pourcentage au-dessus de la moyenne (9,6; 11,18b; 16,8 : double phrase en γάρ). Notons à ce propos que le tome I attribue trois phrases en γάρ à la rédaction de l'évangéliste (1,22b; 6,31b.52)[128] : par rapport au petit nombre de phrases qui seraient de la main de Marc, cela doit constituer un pourcentage fort élevé!

3. Dans le tome I, nous n'avons pu noter que trois traits stylistiques qui seraient caractéristiques de la rédaction de Marc : la mention du nom de Jésus en début d'une section (3,7; 5,21; 6,30), πάλιν (2,1.13; 3,1.20; 4,1; 7,14; 8,1) et εὐθύς (1,20.21.23.29; 6,45; 8,10)[129]. Le commentaire sur 8,27-16,8 n'y ajoute que deux emplois de πάλιν (10,1.10; voir déjà t. I, p. 19). Les 58 mentions du nom de Jésus

125. Corriger 42/39 en 39/41, d'après N[26]. La Concordance de Aland donne un total de 82 emplois (y compris 16,19 et 16br).

126. C'est le seul (autre) cas avec τά dans la liste de J.J. O'Rourke, à laquelle il se réfère. Cf. *CBQ* 37 (1975), p. 492-493.

127. Corriger en 23/43.

128. Cf. *supra*, p. 161-162.

129. Cf. *supra*, p. 170-171, 175, 177.

(dont 8,27; 10,32; 14,53; 15,1 en début d'une division de l'évangile)[130], 15 autres emplois de πάλιν[131] et les 10 emplois de εὐθύς seraient tous traditionnels. Le lecteur du tome I pouvait encore croire que Marc avait au moins inséré le nom de Jésus en 8,27 (cf. t. I, p. 33), mais il est fixé maintenant. Ce n'est pas le sens du rapprochement avec 3,7 et 6,30, ni de l'expression quelque peu ambiguë : «in der Komposition des Evangelisten in der Nennung Jesu (und seiner Jünger) in der Ortsveränderung berichtenden Perikopeneinleitung» (t. II, p. 30). Et en ce qui concerne εὐθύς, le tome I comparait 14,43 et 15,1 avec l'emploi rédactionnel de καὶ εὐθύς comme formule de transition et de liaison en 1,21.29; 6,45; 8,10 (t. I, p. 18). Le tome II se contente de rapprocher 14,43 de 15,1 au niveau du récit traditionnel (p. 399 : «eine wichtige Zäsur»); la question d'une intervention de l'évangéliste ne se pose même pas.

Le seul endroit où Marc aurait apporté un changement au texte de la Passion est en 10,1. Pour pouvoir intégrer ce verset dans le récit traditionnel du voyage à Jérusalem (9,30-35; 10,1.32-34.46ss.), Pesch ne recule pas devant la conjecture : sans l'adverbe πάλιν et avec le datif αὐτῷ au lieu de πρὸς αὐτόν, le verbe συμπορεύονται devait se comprendre au sens de «zusammen reisen», et non au sens où l'entend Marc : «sich versammeln bei Jesus» (p. 121). L'hypothèse est nouvelle, car dans ses publications antérieures, il se contentait de citer 10,1a (comme transition de 9,30-32.33-35 à 10,32-34) : «Und von dort aufgestanden, kommt er in die Gebiete Judäas und jenseits des Jordan»[132]. Pour ne pas perdre la *Reisenotiz* de 10,1a, Pesch y associe maintenant 10,1bc[133]. Mais je crois qu'il rend ainsi un mauvais service à sa propre théorie. Avant 10,1, le récit traditionnel (8,27-33; 9,2-13.30-35) ne parlait

130. Cf. p. 30 (8,27); p. 425 (14,53); p. 454 (15,1). Par contre, la mention du nom de Jésus en 10,32 n'est plus signalée (cf. p. 148). Le Commentaire indique la structure de *Pg* (10,1.32-34; 10,46-52; 11,1-11; la *Dreiergruppe* III), mais n'étudie guère la structure au niveau de la rédaction de Mc; il distingue simplement 6 péricopes : 10,1-12. 13-16.17-31.32-34.35-45.46-52. Ne fallait-il pas marquer une césure : 10,1-31.32-52? Comparer *Naherwartungen*, p. 63 : «Mit 10,32 setzt der Evangelist neu ein, Jerusalem kommt nun in den Blick» (cf. *ibid.*, p. 61, n. 91 : δέ et «Jésus»). Cf. *infra*, n. 203.

131. Pesch fait remarquer que *Pg* écrit πάλιν dans le corps même d'une section en 14,39.40.61.69; 15,4.13 (ajouter 14, 70ab; 15,12), contrairement à l'emploi ailleurs en Mc (dans les introductions des péricopes : 2,1.13; 3,1.20; 4,1; 5,21; 7,14.31; 8,1) (p. 428). Il note cependant en *Pg* : 10,1 (cf. *infra*); 10,32 (p. 148 : cf. 9,35); 11,27 (p. 210 : cf. 11,11. 15), dans l'introduction d'une péricope. On ajoutera que le πάλιν itératif ne peut être employé à l'intérieur du récit que s'il y a répétition d'une action. C'est le cas en 8,25 (cf. v. 23), que Pesch ne mentionne pas. Voir aussi 10,24 (cf. v. 23). Selon Pesch, le sens de πάλιν serait «temporel», et non «itératif», en 14,69.70b (p. 450).

132. Cf. *Überlieferung*, p. 155: «10,1a ein vormarkinischer Traditionssplitter»; «Der Vers ist ein wichtiger Stützpfeiler für die Rekonstruktion des Umfangs der vormarkinischen Passionerzählung» (cf. p. 162 : 10,1a). Voir aussi *Messiasbekenntnis*, p. 29.

133. Cf. p. 119 : «V 1bc wird (wie V 1a) häufig als mk-redaktionelle Bildung erklärt».

que de Jésus et ses disciples; le verbe διδάσκω y est utilisé pour désigner l'enseignement aux disciples (8,31; 9,31 : les prédictions de la passion)[134]. Le fait que des foules l'accompagnent (10,1b) est donc sans précédent dans le récit, et il est pour le moins étonnant de lire alors : καὶ ὡς εἰώθει πάλιν ἐδίδασκεν αὐτούς (10,1c), renvoyant à «Jesu galiläische Wirksamkeit, von der sonst nicht erzählt wurde» (p. 121). Par contre, Pesch lui-même reconnaît le caractère rédactionnel d'une scène comme 2,13b : καὶ πᾶς ὁ ὄχλος ἤρχετο πρὸς αὐτόν, καὶ ἐδίδασκεν αὐτούς (cf. 4,1)[135]. Dans la rédaction de Marc, les deux πάλιν de 10,1b et c sont en parfaite harmonie avec ὡς εἰώθει. Puis, le motif εἰς τὴν οἰκίαν πάλιν en 10,10 rappelle 7,17 et 9,28 où, chaque fois, Jésus (avec ses disciples) se sépare du ὄχλος (cf. 7,14.17 ἀπὸ τοῦ ὄχλου; 9,14-15.17a.25a). Le même schéma se présente ici où la scène de 10,1bc est suivie par καὶ προσελθόντες Φαρισαῖοι...[136] (vv. 2-9) et par une instruction, à la maison, aux seuls disciples (vv. 10-12)[137].

À propos de 10,1bc, Pesch fait valoir un argument de vocabulaire : l'emploi de ὄχλοι sans l'article, les hapaxlegomena συμπορεύομαι et ὡς εἰώθει (p. 119). L'argument est assez extraordinaire. Ailleurs, il cherche plutôt à démontrer l'appartenance au récit traditionnel de la passion en invoquant la présence de parallèles terminologiques dans ce récit[138]. Ici l'indication serait au contraire l'absence de parallèles : un hapaxlegomenon dans Mc est tout aussi bien un hapaxlegomenon dans le récit traditionnel de *Pg* (un tiers de l'évangile). Ou doit-on supposer que la *Sparsamkeit* de l'évangéliste est telle qu'il n'utilise que des mots qu'il a trouvés dans ses «traditions»? Pesch lui-même ne le croit pas, car les (rares) phrases qu'il attribue à Marc contiennent aussi des hapaxlegomena[139] : 1,45 φανερῶς 2,14 τελώνιον 4,34 χωρίς, ἴδιος, ἐπιλύω 4,40 δειλός 6,30 ἀπόστολος 6,31 ὀλίγον tempor., εὐκαιρέω 6,52; 8,17 πωρόω 7,18 ἀσύνετος 8,18 μνημονεύω 10,21 δεῦρο 11,23 προλέγω 11,34 ἀπόδημος 11,35 μεσονύκτιον, ἀλεκτοροφωνία. Lorsqu'il

134. Pesch a raison de bien distinguer entre cette «Unterweisung der Jünger» et la «öffentliche Belehrung der Scharen (vgl. 10,1b)» (p. 148; voir aussi, p. 49).

135. Comme en t. I, p. 345, Pesch semble négliger ce parallèle : au sujet de πρὸς αὐτόν, il renvoie à 4,1 et 6,30 (p. 121).

136. Sur προσελθόντες Φαρισαῖοι [H], cf. C. H. TURNER, dans *JTS* 25 (1924), p. 382; B. M. METZGER, *A Textual Commentary*, p. 104 : «probably an intrusion from Matthew».

137. On notera le contraste entre la position de Pesch et celle de H. W. Kuhn, tous deux partisans d'une collection catéchétique (10,2-12.17-27.35-45). Selon Kuhn, le verset 10,1 et les mots εἰς τὴν οἰκίαν πάλιν en 10,10 sont rédactionnels. D'après Pesch, la mention de la maison appartient à la tradition de 10,2-12 que Marc aurait ajouté à la notice, également traditionnelle (*Pg*), de 10,1 : la «mechanische Komposition» de Marc (p. 125)!

138. Cf. *infra*, n. 142.

139. Au sujet de ἴδιος (4,34), voir cependant 15,20 *v.l.* (cf. *supra*, p. 2). Par contre, le parallèle de ἀπόστολος (6,30) en 3,14 [N^{26}] n'est pas retenu par Pesch (cf. *supra*, p. 157).

s'agit, comme en 10,1bc, de choisir entre le rédacteur de l'évangile et celui du récit de la Passion, les hapaxlegomena sont tout au plus un élément neutre. Mais est-ce le cas ici? D'abord, ὡς εἰώθει : le verbe est un hapax (d'ailleurs bien placé dans ce rappel du διδάσκειν habituel de Jésus), mais ὡς... ἐδίδασκεν αὐτούς peut être rapproché de ἦν γὰρ διδάσκων αὐτοὺς ὡς... en 1,22 (rédactionnel selon Pesch). Quant à συμπορεύομαι, les composés de πορεύομαι sont fréquemment utilisés en Mc (8 fois εἰσ-, 11 fois ἐκ-, 4 fois παρα-, 1 fois προσ-)[140]. Pesch les tient tous pour traditionnels, répartis sur différentes traditions, mais n'a-t-il pas formulé la règle : «der Redaktor passt sich bei redaktionellen Bildungen dem vorgegebenen Stil an» (t. I, p. 24)? En 1,5, il est dit des gens de Judée (cf. 10,1a!) qui viennent vers le Baptiste : ἐξεπορεύετο πρὸς αὐτόν, et Pesch compare ce πρὸς αὐτόν à celui des foules qui viennent vers Jésus (t. I, p. 80). L'emploi de συμ- πρὸς αὐτόν en 10,1 peut être rapproché de συνάγομαι πρὸς αὐτόν / τὸν Ἰησοῦν en 4,1; 6,30; 7,1 (5,21 ἐπ' αὐτόν). Et puisque Pesch argue ainsi de συμπορεύονται (πάλιν) ὄχλοι (le pluriel de ὄχλος est sans parallèle en Mc), ne fallait-il pas faire mention de l'option textuelle de C.H. Turner et autres qui lisent συμπορεύεται/συνέρχεται πάλιν ὁ ὄχλος[141]?

4. Dans *Überlieferung*, 1974 (p. 161), Pesch avait donné une liste de huit *caractéristiques stylistiques* du récit de la passion (cf. *supra*, p. 176). Il y renvoie dans l'Excursus (p. 13), et au cours du commentaire, il note d'autres *vokabelstatistische und stilistische Indizien*[142]. L'Excursus prête beaucoup d'attention à la *Dreiergliederung* (p. 19-20). Il fait mention également de la «prophétie» comme figure stylistique (p. 13) et, dans la section sur la «statistique», de la construction périphrastique (n° 2 : 12/11) et de l'emploi de ἄρχομαι (n° 3); il y ajoute celui de ἀποκρίνομαι au sens de «prendre la parole» (p. 4). On aurait pu souhaiter un exposé plus systématique sur les caractéristiques stylistiques. Les indications dans le commentaire même se répètent parfois inutilement ou manquent de précision. Et surtout, on n'y trouve pas toujours les références aux emplois parallèles dans d'autres sections

140. On notera plus particulièrement les transitions dans le contexte de 10,1 : 9,30 παρεπορεύοντο, 10,1 συμπορεύονται, 10,17 ἐκπορευομένου, 10,35 προσπορεύονται, 10,46 ἐκπορευομένου (dont 10,17.35 sont attribués à la collection catéchétique).

141. Cf. C.H. TURNER, dans *JTS* 29 (1928), p. 289 : συνέρχεται...; G.D. KILPATRICK, dans *JTS* 48 (1947), p. 62 : «This gives us a choice between συμπορεύεται W fl f13 (exc. 124) 28, 91, 299, 433 and συνέρχεται D Θ 700. συνέρχονται is read by 565 and συμπορεύονται by the remaining Greek authorities».

142. Voir surtout dans la section I qui précède la traduction de chaque péricope : «Bindungen an der vormk Passionsgeschichte» («terminologische Verbindungen, Stichworte, stilistische Verbindungen»). Cf. p. 48 (8,31-33); 69 (9,2-13); 103 (9,33-35); etc.

de l'évangile, qui, faut-il le dire, sont parfois de nature à nuancer la qualification de «caractéristique du récit de la passion».

ἤρξατο + *infinitif*

L'emploi de ἄρχομαι est «charakteristisch» (p. 48), «stilistisches Kennzeichen» (p. 214), «ein Stilmittel der vormk Passionsgeschichte» (p. 447), «ein stilistisches Argument... dafür, dass Mk 8,31-33 zum Material der Passionsgeschichte gehört» (*Messiasbekenntnis*, p. 29, n. 91). Pesch l'appelle un emploi redondant, pléonastique et sémitisant[143], dans les 13 passages du récit de la passion: 8,31.32; 10, 32.47; 11,15; 12,1; 14,19.33.65.69.71; 15,8.18. Il cite plusieurs fois cette liste[144] sans se référer à 10,28 (réd.); 10,41 et 13,5[145]. Nulle part dans les deux tomes du Commentaire, il ne donne la liste complète des 26 attestations en Mc (cf. 1,45; 2,23; 4,1; 5,17.20; 6,2.7.34.55; 8, 11)[146]. Il ne fait aucune mention de l'opinion de ceux qui croient que le verbe a dans certains cas son sens fort de «commencer»: 14,19.33; + 10,47 (Hunkin); + 8,31; 15,8 (Lagrange); + 4,1; 8,31; 14,71 (Doudna)[147]. Il note cependant à propos de 8,31 : «Der Einsatz mit ἄρχομαι (vgl. 4,1; 6,34; bes. 10,32; 12,1) spricht für einen Neubeginn» (p. 47)[148]. Mais il semble le comprendre dans le sens formel : la péricope de 8,27-31 fut à l'origine une unité traditionnelle indépendante, peut-être suivie par 9,30-32 (p. 98), qui a été intégrée dans le récit de la passion par l'addition de 8,31-33, «eine nicht selbständige Erzähleinheit, erst für deren Zusammenhang verfasst» (p. 47). D'autre part, il n'hésite pas à tirer argument du parallèle de Mt 16,21 ἀπὸ τότε ἤρξατο... : «einen

143. Cf. p. 55 (et n. 38).

144. La liste est citée plusieurs fois : *Messiasbekenntnis*, p. 29, n. 91 (ajouter 11,15; 14,71); *Überlieferung*, p. 161 (ajouter 14,65); t. II, p. 48, *ad* 8,31 : il y renvoie aux autres endroits (ajouter 14,69); p. 447 (corriger 14,66 en 69).

145. Voir toutefois p. 4, sur la *Redeeinführung*: «sonst nur 10,28; 13,5». Cf. *Naherwartungen*, p. 106, n. 190 («typisch markinisch»).

146. Voir la liste dans *The Minor Agreements*, p. 243.

147. En 13,5 : J. Lambrecht (*Die Redaktion*, p. 93). C'est à tort qu'il se réfère à Hunkin, Lagrange et Taylor. À tort également, Pesch y ajoute encore Doudna (*Naherwartungen*, p. 106, n. 192). Lagrange le traduit par «il commença» en 8,31; 14,19.33 (cf. Mt) et 15,8; ailleurs, «ils désignent plutôt la mise en mouvement du sujet, et nous traduisons: 'se mettre à' faire quelque chose, ce qui désigne plus vaguement le commencement d'une action, qui s'est peut-être déjà produite dans d'autres circonstances» (*Marc*, p. XCIII). Comparer *TOB*: «se mit à», mais «commença» en 6,7; 8,31; 14,33. À l'exception de 1,45 et 4,1 («begann»), Pesch le traduit par «fing an», mais «Redundierendes ἄρχομαι ist Semitismus, kann eigentlich unübersetzt bleiben» (t. I, p. 180, n. 4).

148. En 4,1; 6,34 (comme en 8,31): ἤρξατο διδάσκειν. Ajouter 6,2 (cf. t. I, p. 317). Les parallèles de 10,32 et 12,1 sont assez différents. En 10,32, la formule introduit une prédiction de la passion (cf. 8,31), mais elle se trouve au début d'une *Dreiergruppe*, précédée par 10,1.32a. Par contre, celle de 12,1 introduit la péricope du milieu d'une *Dreiergruppe* et, comme en 8,31, la relie avec le dialogue qui précède (cf. p. 16).

Hinweis darauf, dass man hier noch den Beginn der Passionsgeschichte erkennen kann» (*Messiasbekenntnis*, p. 30). On en retiendra que Mt a conservé ici la tournure et que pour lui, comme pour Lagrange, ἤρξατο en Mc 8,31 «a toute sa valeur; c'est le début d'un enseignement nouveau». Mais un *Neuansatz* à l'intérieur de l'évangile est autre chose que le début d'un récit traditionnel prémarcien.

ἀποκριθεὶς εἶπεν (λέγει, ἔλεγεν)

Le commentaire sur 9,2-13 cite, parmi les *terminologische Verbindungen* avec le récit de la passion, l'emploi de ἀποκρίνομαι au sens de «prendre la parole»: 9,5; 11,14; 12,35; 14,48 (p. 69). La même liste de références est reprise par après[149], et le commentaire sur 12,35 compare cette *Redeeinführung* avec l'emploi de la même tournure au sens de «répondre» (*Antworteinführung*), dans le récit de la passion : 8,29; 10,51; 11,33; 15,2.12; et ailleurs : 3,33; 6,37; 9,19; 10,3.24 (trad.); 11,22 (réd.) (p. 250). Ces données sont contredites par le commentaire sur deux points : il explique 10,24 (p. 143) au sens de «prendre la parole», et 11,22 n'est pas rédactionnel (p. 204). On notera aussi qu'il compare cette introduction «solennelle» de 11,22 avec 8,29; 10,51; 11,33 (*Antwort*), mais aussi avec 10,24; 12,35; 14,48 (*Rede*) et même avec 15,9 ἀπεκρίθη... λέγων (p. 204); et celle de 14,48 avec 9,5; 12,35 (*Rede*) et aussi avec 10,51; 11,22 (*Antwort*) (p. 397). Il n'a peut-être pas tort, car on peut se poser la question s'il y a lieu d'isoler quatre cas de ἀποκριθείς au sens de «prendre la parole». Il le définit assez bien à propos de 14,48 : «zur Einführung einer Reaktion auf eine Situation» (p. 401). En 8,29; 10,3; 11,33; 15,2, la formule introduit la réponse à une interrogation formelle (ἐπερωτάω), mais ailleurs elle est précédée d'une requête (6,37 : v. 36 ἀπόλυσον...), parfois implicite (9,19) ou non exprimée dans le texte (10,51; 15,12)[150], ou d'une observation faite par ceux qui entourent Jésus (3,33 : v. 32 ἰδού...; 11,22 : v. 21 ἴδε...). Les cas où la formule introduit la réaction sur une situation ou un fait qui vient d'être décrit s'en distinguent à peine (9,5; 10,24; 11,14; 12,35; 14,48). Une telle diversité dans l'emploi de la formule doit nous empêcher d'en faire deux catégories nettement distinctes, la *Antwort-* et la *Redeeinführung*[151]. La lecture de Mc ne peut que

149. Voir p. 4, 193, 401, 465, et surtout p. 75, n. 17 : sémitisme, avec référence à Bauer (corriger : Wb 185). Bauer y compte aussi 10,24 et 10,51.

150. Cf. p. 173 (10,51) : «als Antwort auf den Hilferuf des Blinden bezogen»; p. 465 (15,12) : «ist vorausgesetzt, dass die Menge ihre Forderung... vorgebracht hat» (comparer 15,9 ἀπεκρίθη... λέγων, cf. v. 8 αἰτεῖσθαι).

151. La fluidité dans l'emploi de l'expression apparaît dans les listes de ἀποκριθείς = «il prit la parole» en Mc. La liste minimum comporte 9,5; 11,14; 12,35 (Howard, Doudna); d'autres y ajoutent 10,24 (Grimm, Swete, Bauer); 10,51 (Dalman, Bauer); 15,12 (Heupel, Swete). Lagrange (p. XCIII) les retient tous et y ajoute encore 14,48. Il est suivi par Taylor (p. 63) et par *RSV* qui, dans ces 7 cas, traduit par «and he said»

confirmer cette impression. En 14,40, il est dit de Pierre, Jacques et Jean : ἦσαν γὰρ... καὶ οὐκ ᾔδεισαν τί ἀποκριθῶσιν αὐτῷ. Pesch note à ce propos : «V 40c setzt eine Ansprache der Jünger durch Jesus (vgl. VV 37-38) voraus» (p. 393). Il le rapproche de 9,6 : οὐ γὰρ ᾔδει τί ἀποκριθῇ (p. 393; cf. 385)[152]. Mais cette phrase se rapporte à la parole de Pierre qui, non précédée d'une interpellation, est introduite par ἀποκριθεὶς... λέγει = «und Petrus nahm das Wort» (9,5).

ἦν + *participe*

À propos de 10,32ab, il relève la construction périphrastique comme «für die vormk Passionsgeschichte charakteristisch» : cf. 14,4.40.54; 15,40 (p. 148). Plus loin, il y ajoute encore 15,7 (p. 460)[153]. Le commentaire sur 9,4; 14,49; 15,26.43.46 ne fait pas mention de la caractéristique. Dans la section sur la «statistique» (d'une rédaction visiblement secondaire), l'Excursus fait état de la fréquence de la construction dans le récit de la passion : 12 fois contre 11 ailleurs en Mc (1,6.13.22. 33; 2,6.18; 4,38; 5,5.11; 6,52; 10,22) (p. 4)[154]. La dérogation à la proportion de 1:2 devient cependant moins significative si l'on prend en considération que la construction apparaît presque exclusivement dans la narration (une seule exception : 14,49 ἤμην... διδάσκων)[154a]. Selon le tome I, deux emplois de la construction seraient rédactionnels : 1,22 ἦν γὰρ διδάσκων... (comparer 14,49 ἤμην... διδάσκων) et 6,52 qu'on rapprochera de 14,40[155] :

6,52 οὐ γὰρ συνῆκαν ἐπὶ τοῖς ἄρτοις,
ἀλλ' ἦν αὐτῶν ἡ καρδία πεπωρωμένη
14,40 ἦσαν γὰρ αὐτῶν οἱ ὀφθαλμοὶ καταβαρυνόμενοι,
καὶ οὐκ ᾔδεισαν τί ἀποκριθῶσιν αὐτῷ.

La phrase de 2,18a est attribuée au rédacteur de la collection (t. I, p. 171); on peut la comparer avec le *periphrastischer Perikopeneinsatz*

(ailleurs: «he answered», à l'exception de 3,33: «he replied»). Pesch traduit par «nahm das Wort» en 9,5; 12,35; 14,48; 15,12(!); et par «(wiederum) anhebend» en 10,24. Par contre, il a «er antwortete» en 11,14, comme partout ailleurs. — Voir la liste de ἀποκριθείς dans *Minor Agreements*, p. 249-250.

152. La *Motivik* commune (cf. 14,33.40) est un élément de la *Bindung an die vormk Passionsgeschichte* (p. 69 et 385). Dans le commentaire sur 9,6, il insiste plutôt sur la différence : «unverständig (diff 14,40!)» (p. 76); comp. p. 393 (14,40) : «ihre Verlegenheit (vgl. 9,6) ist Zeichen ihrer Schwäche».

153. Il y renvoie à 10,32; 14,1(*sic*).4; 15,40, sans faire mention de 14,40.54. La liste dans *Überlieferung*, p. 161, ne comprend que 10,32; 14,4.40.

154. Cf. *Minor Agreements*, p. 240-241 (n° 12).

154a. Voir la remarque à propos du *participium conjunctum* (cf. *supra*, p. 14).

155. Cf. T. Snoy, dans *ETL* 44 (1968), p. 449, n. 230, qui note «la similitude, fond et forme».

en 10,32 et 15,40 (p. 504). On rapprochera aussi 2,6 avec 14,4[156] :

2,6 ἦσαν δέ τινες... διαλογιζόμενοι ἐν ταῖς καρδίαις αὐτῶν
14,4 ἦσαν δέ τινες ἀγανακτοῦντες πρὸς ἑαυτούς.

On notera aussi la présence d'une expression adverbiale entre ἦν et le participe en 1,13; 4,38; 5,5 (avant ἦν); 5,11; comme en 10,32a; 14,49; 15,40[157]. La construction périphrastique dans le récit de la passion a donc indéniablement des *Bindungen* avec l'emploi de la même construction ailleurs en Mc.

Au sujet de 1,13, nous lisons dans le tome I : «Mit der Periphrase ist an den biblizistischen Stil von V 9 angeknüpft» (p. 94). Le tome II semble vouloir remplacer *biblizistischer Stil* par *Übersetzungsgriechisch* : les sémitismes deviennent les indices d'un original araméen (p. 22; cf. p. 55, et passim). Lagrange notait déjà à propos de ἀποκριθεὶς εἶπεν : «il est possible aussi que la tournure soit venue à Mc. d'une réminiscence directe ou indirecte des LXX» (p. XCIII). Et on peut enchaîner avec B. Rigaux : «Les sémitismes de Mc qui n'ont pas de parallèles dans le grec de l'A.T., la LXX, sont fort rares» (p. 95). À une époque où on ne parle plus de «l'influence de l'araméen» sur le style de Mc qu'avec beaucoup de nuances, il ne suffit guère d'énumérer les «sémitismes» au cours du commentaire sans jamais en traiter *ex professo*, si du moins l'on veut y voir la preuve que le récit de la passion tel qu'il est conservé en Mc 8,27ss. remonte à un original araméen.

Les traductions

L'hypothèse d'un original araméen pourrait s'appuyer sur la présence de mots araméens, accompagnés d'une traduction grecque (p. 22). C'est un autre trait caractéristique du récit de la passion, de même que la formule ὅ ἐστιν... qui introduit les traductions ou les ex-

156. Voir aussi 2,8 διαλογίζονται ἐν ἑαυτοῖς, à comparer avec 11,31 διελογίζοντο πρὸς ἑαυτούς (p. 209 : «sie überlegten bei sich»). Pesch traduit aussi 9,10 (ἐκράτησαν) πρὸς ἑαυτούς par «bei sich», sans exclure l'autre possibilité : πρὸς ἑαυτοὺς (συζητοῦντες) = «miteinander» (p. 78, n. 28); cf. 1,27; 10,26; 12,7; 16,3. On peut comprendre πρὸς ἑαυτούς au sens de *untereinander* (Turner, Lagrange, e.a.), mais le parallèle de 2,6.8 (et 11,31) plaide en faveur de *bei sich* (p. 329 : «als heimliches Murren»; p. 332 : «die Form eines 'lauten Gedankens', vgl. 2,8; 9,10; 10,26; 12,7; 16,3»). L'on notera, non sans l'approuver, que Pesch semble se distancer maintenant du *dativus ethicus* (p. 332 : «bei Deutung...»; cf. M. Black); comparer encore *Salbung*, p. 278-279 (voir cependant p. 273).

157. La traduction de Pesch rend bien la construction en 5,5.11; 10,32a; 15,40. Elle est moins heureuse en 1,13 : «Und er war in der Wüste vierzig Tage, versucht vom Satan» (cf. *Zürcher* : «Und er wurde in der Wüste vierzig Tage vom Satan versucht»; *TOB* : «Durant quarante jours, au désert, il fut tenté par Satan»); en 4,38 : «Und er, er war im Heck, auf dem Kopfkissen schlafend» (cf. *TOB* : «Et lui, à l'arrière, sur le coussin, dormait»); et en 14,49 : «Täglich war ich bei euch, im Tempel lehrend» (cf. *TOB* : «Chaque jour, j'étais parmi vous dans le Temple à enseigner»).

plications des mots. On distinguera trois catégories : traduction sans formule (10,46 ; 14,36) ; ὅ ἐστιν μεθερμηνευόμενον (15,22.34) ; ὅ ἐστιν (12,42 ; 15,16.42)[158]. Toutes ces traductions et explications auraient été ajoutées par les traducteurs de l'écrit araméen, et seraient donc prémarciennes[159].

Le tome II garde le silence sur l'existence de telles traductions dans la première partie de l'évangile : 3,17 ; 5,41 ; 7,2.11.34[160]. Selon le tome I, elles seraient toutes prémarciennes. En 3,17, ὅ ἐστιν υἱοὶ βροντῆς appartient à la tradition de 3,14.16b-19a (p. 206), et ὅ ἐστιν δῶρον en 7,11 à celle de 7,6-8.9-13 (p. 374), mais τοῦτ' ἔστιν ἀνίπτοις en 7,2 aurait été ajouté par un rédacteur prémarcien (p. 370). En 5,41 et 7,34, il s'agit de la ῥῆσις βαρβαρική dans un récit de miracle, suivie de la traduction : ὅ ἐστιν μεθερμηνεύομενον· τὸ κοράσιον (σοὶ λέγω) ἔγειρε (5,41c) et ὅ ἐστιν διανοίχθητι (7,34). Au sujet de 5,41, Pesch distingue trois niveaux successifs : une phase araméenne de la tradition du récit de miracle (5,22-24a.38a.40c.41ab.42) avec v. 41b comme *Heilswort* ; l'élaboration du récit en grec avec les mots ταλιθα κουμ translittérés comme ῥῆσις βαρβαρική ; enfin, le rédacteur du cycle des miracles aurait ajouté la traduction de la parole (v. 41c), pour écarter toute explication magique (p. 309, 311, 313). Par contre, 7,31b-37 est un récit de miracle symbolique d'origine secondaire. Le commentaire sur εφφαθα mérite d'être cité : « Ob das semitisch gebotene Heilswort... auf eine semitische Vorlage des gesamten Textes hinweist, ist fraglich ; bei sekundärer Konzeption einer konstruierten Erzählung kann auch die anfängliche Fassung des Heilsworts als ῥῆσις βαρβαρική erwogen werden » (p. 396)[161].

Nous sommes donc en présence de deux modèles d'explication des mots sémitiques, en 5,41 et en 7,34. Dans le récit de la passion, Pesch a opté sans réserve, et sans discussion, pour une origine araméenne du récit. En ce qui concerne 12,42, il n'exclut pas la possibilité que c'est « der erste Erzähler im semitischen Urtext » qui aurait ajouté à λεπτὰ δύο l'équivalence en monnaie romaine : ὅ ἐστιν κοδράντης (p. 262). Si les deux éléments peuvent être d'un même niveau rédac-

158. La liste qu'en donne Pesch ne comprend pas 14,36 et 15,16 : cf. *Überlieferung*, p. 161 ; t. II, p. 262 (à propos de 12,42, où le parallèle, plus proche, de 15,16 n'est pas signalé). Sur 14,36 et 15,16, cf. n. 160. Il est rare qu'il note la distinction entre les deux formules : cf. p. 510, à propos de 15,42 (comparer p. 478, sur 15,22).

159. Cf. p. 170 (10,46); 262 (12,42); 385 et 390 (14,36); 469 et 471 (15,16); 478 (15, 22); 491 et 495 (15,34); 510 et 512 (15,42).

160. On y trouve une référence à 5,41 (*ad* 15,22 : p. 478), et la statistique (*Duality*, n° 14) : « Translations (8/6) » (p. 5). La proportion des formules avec ἐστίν est 5/5. Nous ne considérons pas ici 14,37 (Σίμων). On peut encore comparer 10,46 et 14,36 avec les « explications » de Βεελζεβούλ (3,22) et de γέεννα (9,43). Voir aussi λεγιών en 5,9.

161. Il ne dit pas s'il faut attribuer la traduction, qui rend la parole intelligible, à un rédacteur postérieur.

tionnel, pourquoi ne le seraient-ils pas tout aussi bien dans un original grec? Ce peut être le cas en 12,42; 15,16.42, mais la présence d'un mot sémitique suivi de sa traduction se conçoit également sans difficulté dans un écrit grec. Pour s'en rendre compte, il suffit de lire Flavius Josèphe[162]. La formule ὅ ἐστιν (12,42; 15,16.42) est sans doute un usage caractéristique, mais on aurait tort de l'isoler de l'emploi de ὅ ἐστιν en 3,17; 7,11.34 (ὅ ἐστὶν μεθ. : 5,41; 15,22.34)[163].

ἀμήν-*Worte*

Autre caractéristique du récit de la passion : une liste de six ἀμήν-*Worte* en 11,23; 12,43; 14,9.18.25.30 qui sont toutes *kontextbezogen* et *situationsgebunden* (p. 203, 349). Dans la section sur la *Dreiergliederung*, il en fait deux séries de trois : *apokalyptische* (11,23; 12,43; 14,9) et *passionsbezogene* (14,18.25.30) (p. 19). Ailleurs, il compte 14,9 parmi les «passionsbezogene Amen-Worte» (p. 360, 382; cf. *Überlieferung*, p. 161)[164].

C'est, semble-t-il, le lien avec le contexte qui les distingue des autres paroles prophético-apocalyptiques avec la formule d'introduction ἀμὴν λέγω ὑμῖν (7 fois ailleurs en Mc). Selon le Commentaire, quatre de ces paroles seraient en effet des logia indépendants que Mc aurait ajoutés à une unité traditionnelle : 9,1 (cf. 8,34-38); 9,41 (cf. vv. 38-40); 10,15 (cf. vv. 13-14.16); 10,29-30 (cf. vv. 17-27; v. 28 réd.). Mais la parole de 3,28-29 lui serait parvenue dans la tradition de 3,20-30, et celle de 8,12 dans 8,10b-12. Dans les deux cas, Pesch défend la priorité du logion de Mc (par rapport à Q), et il se réfère à «die für Jesus

162. Cf. *Ant.* 4,73 κορβᾶν..., δῶρον δὲ τοῦτο σημαίνει κατὰ Ἑλλήνων γλῶτταν (cf. Mc 7,11); 3,195 σίκλου..., ὁ δὲ σίκλος νόμισμα Ἑβραίων ὢν Ἀττικὰς δέχεται δραχμὰς τέσσαρας; 3,197 εἶν, μέτρον δ' ἐστὶ τοῦτο ἐπιχώριον δύο χόας Ἀττικοὺς δεχόμενον; 3,252 ἀσαρθὰ..., σημαίνει δὲ τοῦτο πεντηκοστήν; 8,142 Χαβαλὼν γῆ· μεθερμηνευόμενον γὰρ τὸ χάβαλον κατὰ Φοινίκων γλῶτταν οὐκ ἀρέσκον σημαίνει; *c. Ap.* 2,16 κατὰ Βόκχοριν τὸν βασιλέα, τουτέστι πρὸ ἐτῶν χιλίων ἑπτακοσίων; *Bell.* 5,151 βεζεθὰ..., ὃ μεθερμηνευόμενον Ἑλλάδι γλώσσῃ καινὴ λέγοιτ' ἂν πόλις.

163. S'il s'agit d'additions rédactionnelles à un récit traditionnel (comme l'admet Pesch), pourquoi ne pas y voir l'intervention de l'évangéliste (D. Dormeyer, W. Schenk, e.a.)? Même dans sa propre hypothèse, le stade intermédiaire (en grec) entre la tradition araméenne et la rédaction de Marc ne semble pas faire difficulté : la parole de 5,41 n'aurait été traduite qu'au niveau de la rédaction de la collection des miracles. Et si ce rédacteur était Marc?

164. Dans *Salbung*, il rapproche les deux paroles au sujet de l'action d'une femme (12,43; 14,9; comp. 9,41) et fait commencer par 12,43 «eine Sequenz von Amen-Worte der Passionsgeschichte», dont seules les paroles de 14,18.25.30 sont «unmittelbar auf Jesu Passion bezogen» (p. 283). Ici, et dans le Commentaire, il se réfère, avec amples citations, à l'ouvrage de K. Berger. Au sujet de 14,9, Pesch réaffirme sa position : le verset est entièrement prémarcien, y compris ὅπου ἐὰν κηρυχθῇ τὸ εὐαγγέλιον εἰς ὅλον τὸν κόσμον, que Mc aurait réinterprété (p. 334-335). L'argument du parallèle de ὅπου ἐάν en 9,18 (cf. Jeremias, 1952/53) n'est pas convaincant; cf. K. Beyer, *Syntax* I, p. 196 : «iterativ : 'Jedesmal wenn der ihn irgendwo packt...'».

charakteristische nicht-responsorische Amen-Einleitung» comme un des indices de l'historicité de la scène. Jésus y répond à des objections des scribes et des Pharisiens, et la scène est cohérente et concrète (cf. t. I, p. 409). Le cas de 13,30 est différent. Il l'explique comme une «*Ad-hoc*-Bildung für die vormk Apokalypse...» en raison de la *Kontext-angepasstheit* de la parole (p. 308).

Pesch présente 11,23 avec les *Amen-Worte* du récit de la passion[165]. L'exemple de «cette montagne» serait «der konkreten Situation angepasst»; il s'agit du Mont des Oliviers, d'où la Mer Morte est visible: «jette-toi dans la mer» (p. 204). Le pronom démonstratif (τῷ ὄρει τούτῳ) permet aussi de parler de la «Kontextgebundenheit des Wortes» qui, deux pages plus loin, devient l'indice de l'authenticité de la tradition (p. 206). Une telle observation se lit dans l'exégèse ancienne: «ex loco quo Iesus stetit cum ex Bethania in urbem reverteretur, omnino probabile est eum digito demonstrasse montem Oliveti»[166]. Pesch renvoie à W. Grundmann, W. Foerster et J. Duplacy (p. 204, n. 10). Mais Grundmann s'explique sur le texte «dem Zusammenhang nach»[167], et il est même d'avis que l'image de la συκάμινος (Lc 17,6) représente la forme authentique de la parole de Jésus[168]. Foerster se contente de dire que la parole sur «cette montage» (Mc 11,23 par.; Mt 17,20) est dite «angesichts eines konkreten Berges», sans se prononcer sur la localisation[169]. Et Duplacy discute l'hypothèse, mais pour la rejeter: «il paraît plus indiqué de situer notre logion au bord de la mer de Galilée»[170].

Le commentaire de Pesch lui-même donne lieu à deux remarques. (*1*) D'abord, les parallèles en Mt 17,20 et 21,21 montrent fort bien que la *Kontextbezogenheit* d'une parole peut être l'effet d'une rédaction secondaire. En 17,20, Matthieu aurait repris le logion de Q (Lc 17,6 τῇ

165. Cf. p. 203: «ein *Amen-Wort*, das wie die Amen-Worte der vormk Passionsgeschichte kontextbezogen und situationsgebunden formuliert ist». Ceci est nouveau dans le Commentaire. Dans *Überlieferung*, la section D ne comprenait que 11,12-21, et encore avec hésitation en ce qui concerne 11,12-14.20-21 (p. 165). Dans le Commentaire, il n'y a plus aucune hésitation: les paroles sur la foi (11,22-23) appartenaient au récit du figuier, en réponse à l'observation de Pierre au v. 21, dans le cadre du récit de la passion (p. 202; cf. p. 194: «der situationsbezogene Abschluss der Erzählung»). — On notera cependant l'absence de 11,23 dans la liste des *Amen-Worte* du tome I (p. 66) et la référence à 11,22-25 parmi les traditions non localisées ajoutées au récit de la passion (t. I, p. 27).

166. J. KNABENBAUER, *Mt*, p. 227. Cf. M.-J. LAGRANGE, *Mc*, p. 299-300, qui ajoute cependant que «la locution a quelque chose de proverbial, et le Sauveur a prétendu viser moins un cas concret, qu'un cas typique».

167. *Markus*, p. 300.

168. *Lukas*, p. 333. Il y reprend aussi une observation de Hirsch sur la localisation «am galiläischen See».

169. *TWNT*, V, 483 (corriger la référence: t. V).

170. *Mémorial A. Gelin*, p. 267-268. Voir aussi E. HAENCHEN, *Der Weg*, p. 390: «wer einen 'Sitz im Leben' sucht, muss an den galiläischen See denken».

συκαμίνῳ ταύτῃ) et il aurait réintroduit τῷ ὄρει τούτῳ du texte plus primitif de Mc, pour l'adapter au contexte : le Mont de la transfiguration (p. 205). En 21,21, il renforce le lien avec le contexte de la malédiction du figuier par l'addition de οὐ μόνον τὸ τῆς συκῆς ποιήσετε ἀλλὰ καί. (*2*) Dans l'hypothèse de Pesch, le pronom démonstratif est d'une importance capitale. Cela nous rappelle l'expression «ces petits» en 9,42, dans l'interprétation de Michel : «οὗτοι οἱ μικροί — also unter Hinweis auf anwesende Personen». Mais cette explication est repoussée par Pesch : selon lui, il s'agit là d'un emploi redondant du pronom démonstratif (p. 114). Ne fallait-il pas se demander alors si l'emploi du pronom dans le logion de 11,23 ne pourrait être également redondant[171] ?

Les prédictions et autres caractéristiques

Deux *Amen-Worte* sont des prédictions d'événements concrets de la passion de Jésus : les annonces de la trahison (14,18) et du reniement (14,30). Nous les retrouvons dans une autre caractéristique : la *Weissagung* comme «Erzählzusammenhänge ordnende und Geschehensfolgen motivierende Stilfigur» (p. 13). En fait, elle groupe des textes assez différents : les prédictions de 11,2-3 et 14,13-14; les annonces de la passion et de la résurrection en 8,31; 9,12.31; 10,33-34; et, à l'intérieur du récit de la passion, 14,18.20-21.27-28.30.41-42. Elles caractérisent sans doute cette partie de l'évangile, mais n'y a-t-il pas lieu de parler de «Stoffbindung»?

Nous traiterons plus loin des caractéristiques qui concernent la composition de l'évangile (*Schachtelung*, *Dreiergliederung*). Notons encore ici quelques mots et expressions qui sont signalés comme caractéristiques du récit de la passion : διδάσκω, cf. 1,21 etc.; παραλαμβάνω, cf. 5,40; ἀπὸ μακρόθεν, cf. 5,6; 8,3; ἐν τῇ ὁδῷ (11,8 εἰς τὴν ὁδόν), cf. 10, 17 εἰς ὁδόν; 8,3 ἐν τῇ ὁδῷ; οἱ δώδεκα, cf. 3,14.16; 6,7; ὁ Ναζαρηνός, cf. 1,24.

Les emplois du récit de la passion sont notés avec soin. Les parallèles ailleurs en Mc le sont beaucoup moins. Prenons par exemple les «antécédents» du récit de la passion en 2,19-20 et 3,6. L'on peut comparer 14,7 avec 2,19b (cf. t. I, p. 174-175) : le tome II se contente d'une référence en note à la «zeitliche Reflexion» de 2,18-20 (p. 333,

171. Cf. J. SCHMID, *Markus*, p. 214 : «In Wirklichkeit erfahren wir die Situation nicht, in der das Wort gesprochen wurde. Und ,dieser' kann nach semitischer Redeweise auch blosser Ersatz des Artikels sein, und dann ist überhaupt kein bestimmter Berg gemeint». On l'ajoutera aux exemples cités par J. Jeremias (*Abendmahlsworte*, p. 176, n. 3). Pesch fait observer que la version secondaire de Q a conservé le démonstratif (τῇ συκαμίνῳ ταύτῃ), mais le texte de Lc 17,6 n'est pas certain : ταύτῃ om. P[75] ℵ D pc sy[c]. Cf. [H], om. S, [N[26]]. Quant au «sémitisme», comparer par exemple Épictète IV,1,26 : Ἄγε, τὰ δὲ πτηνὰ ταῦτα ὅταν ληφθῇ ...

n. 18), sans rapprocher la formulation de 14,7 ἔχετε μεθ' ἑαυτῶν avec 2,19b ἔχουσιν... μετ' αὐτῶν (v. 7b οὐ πάντοτε, cf. 2,20 ὅταν ἀπαρθῇ ἀπ' αὐτῶν). À propos de 3,6, nous lisons dans le tome I: «Dem galiläischen συμβούλιον entkommt Jesus, der Vernichtungsbeschluss des Hohen Rates (15,1) in Jerusalem führt zu seinem Tod (vgl. 11,18; Lk 13, 33)» (p. 195). Le tome II a une référence «vgl. 3,6» dans le commentaire sur 11,18 (p. 199) et 15,1 (p. 456), et rien de plus. Il souligne le «dreimaliges feindseliges ζητεῖν der Gegner» en 11,18; 12,12; 14,1 (p. 19) et fait observer que la notice de 14,1b présuppose celles de 11,18 et 12,12 (p. 320), mais il ne parle plus de 3,6: συμβούλιον ἐδίδουν κατ' αὐτοῦ ὅπως αὐτὸν ἀπολέσωσιν (cf. v. 4 ἀποκτεῖναι).

Par le relevé des correspondances terminologiques, stylistiques et autres, le Commentaire a le mérite de montrer qu'on aurait tort d'isoler les péricopes de 8,27ss. d'un contexte plus large. À mon sens, il écarte un peu vite, et sans preuve suffisante, le macro-contexte de l'évangile de Marc. Pesch invoque le principe: «in dubio pro traditione», et il le précise aussitôt, en l'appliquant au récit de la passion: «in dubio für die Einheitlichkeit vorgegebener Traditionen» (p. 10). Pourquoi ne pas partir, jusqu'à preuve du contraire, de la *Einheitlichkeit* de l'évangile? La preuve du contraire pourrait être le fait que «das Material der Passionsgeschichte (sich) vom restlichen Evangelium stilistisch abhebt» (p. 6). Mais, nous l'avons vu, l'examen des critères stylistiques ne permet guère de tirer une telle conclusion.

III. Les triades et la composition de Marc

1. *Les divisions ternaires du récit de la Passion*

Le *Bauprinzip* du récit de la Passion tel que Pesch le reconstruit est celui de la *Dreiergliederung* (cf. p. 15-20: *Der Aufbau*)[172]. Le récit comprend treize groupes de trois péricopes (*Dreiergruppen*). Le treizième groupe constitue la conclusion (15,40-16,8), et les douze autres forment quatre séries de trois groupes. Dans la première série, le schéma ternaire est souligné par les trois prédictions de la passion (8,31; 9,31; 10,33-34). La deuxième, la troisième et la quatrième série s'ouvre chaque fois par un groupe de trois péricopes intercalées l'une dans l'autre (*Schachtelung*: 11,12-23; 14,1-11; 14,53-72)[173].

172. Voir aussi p. 13, sur la *Dreiergruppierung* (*Bauprinzip*) et la *Dreimaligkeit* (*Figur*) comme indices d'appartenance au récit de la passion.

173. Comparer la structure concentrique dans le groupe X: la parabole polémique y est «eingeschachtelt» entre les questions de 11,27-33 et 12,13-17,34c (p. 17), et dans le groupe XI: «zwei fast gleichlange Stücke umrahmen ein fast doppelt umfangreiches Mittelstück» (p. 18).

Le récit de la Passion

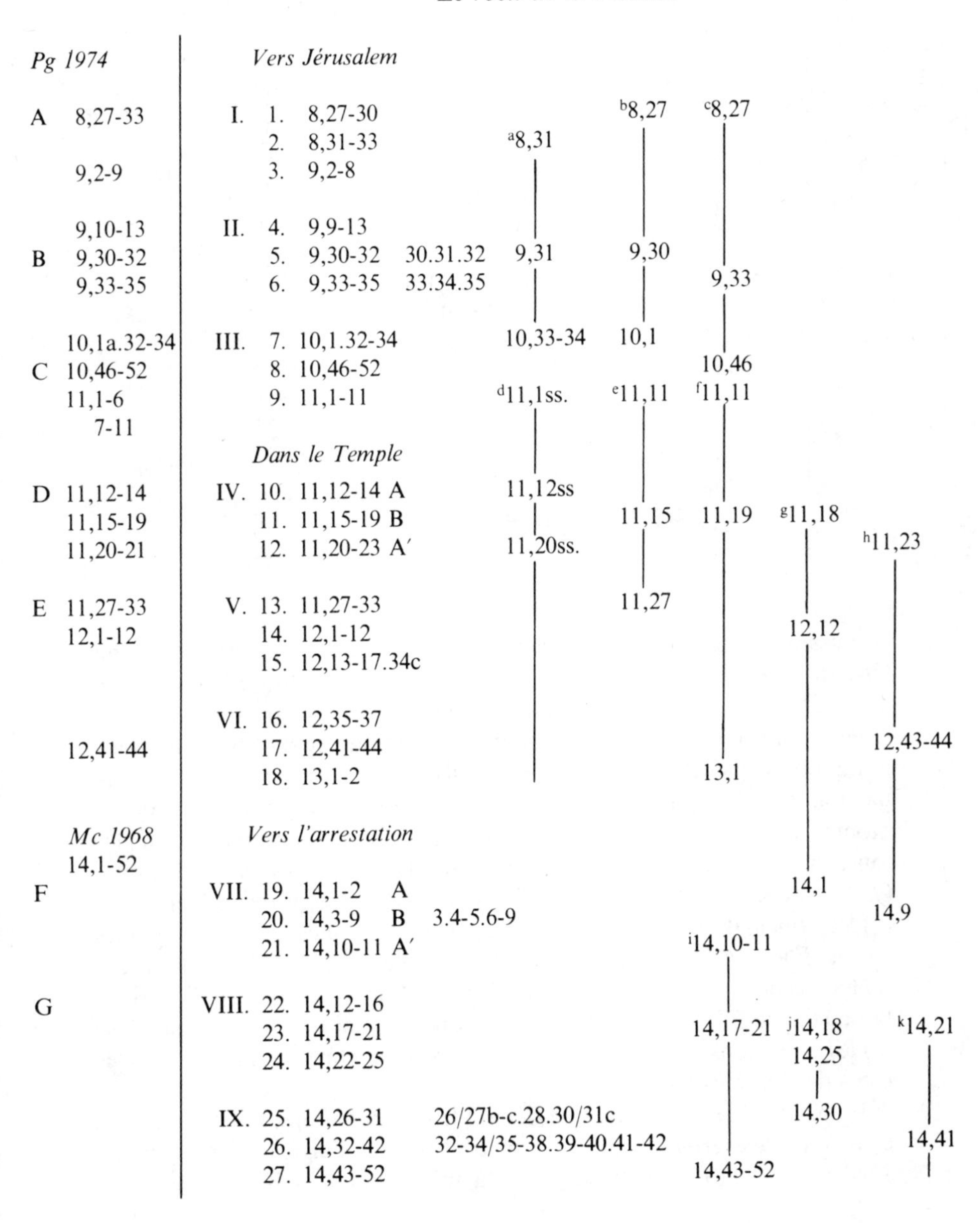

Pg 1974									
			Vers Jérusalem						
A 8,27-33	I.	1.	8,27-30			[b]8,27	[c]8,27		
		2.	8,31-33		[a]8,31				
9,2-9		3.	9,2-8						
9,10-13	II.	4.	9,9-13						
B 9,30-32		5.	9,30-32	30.31.32	9,31	9,30			
9,33-35		6.	9,33-35	33.34.35			9,33		
10,1a.32-34	III.	7.	10,1.32-34		10,33-34	10,1			
C 10,46-52		8.	10,46-52				10,46		
11,1-6		9.	11,1-11		[d]11,1ss.	[e]11,11	[f]11,11		
7-11									
			Dans le Temple						
D 11,12-14	IV.	10.	11,12-14 A		11,12ss				
11,15-19		11.	11,15-19 B			11,15	11,19	[g]11,18	
11,20-21		12.	11,20-23 A′		11,20ss.				[h]11,23
E 11,27-33	V.	13.	11,27-33			11,27			
12,1-12		14.	12,1-12					12,12	
		15.	12,13-17.34c						
	VI.	16.	12,35-37						
12,41-44		17.	12,41-44						12,43-44
		18.	13,1-2				13,1		
Mc 1968			*Vers l'arrestation*						
14,1-52									
F	VII.	19.	14,1-2 A					14,1	
		20.	14,3-9 B	3.4-5.6-9					14,9
		21.	14,10-11 A′				[i]14,10-11		
G	VIII.	22.	14,12-16						
		23.	14,17-21				14,17-21	[j]14,18	[k]14,21
		24.	14,22-25					14,25	
	IX.	25.	14,26-31	26/27b-c.28.30/31c				14,30	
		26.	14,32-42	32-34/35-38.39-40.41-42					14,41
		27.	14,43-52				14,43-52		

				La Passion				
	14,53-15,5							
I	14,53-65	X.	28.	14,53-54 A				
			29.	14,55-65 B	60-61a.61b-62.63-64	[l]14,65		14,62
	14,66-72		30.	14,66-72 A′	66-68.69-70a.70b-72			
K	15,1-5	XI.	31.	15,1-5			[m]15,2	
	15,6-16,8		32.	15,6-15	6-8/9-11.12-13.14/15		15,9	
			33.	15,16-20a	16.17-19.20a	15,16-20a	15,12	[n]15,18
L		XII.	34.	15,20b-24	20b-21.22-23.24			
			35.	15,25-32	25-27.29-30.31-32	15,25-32	[o]15,25	15,26
			36.	15,33-39	33.34-36.37-39		15,33	15,32
							15,34	
				Conclusion				
M		XIII.	37.	15,40-41			[q]15,40	
			38.	15,42-47	42-43.44-45.46/47	[p]15,42	15,47	
			39.	16,1-8	1/2-4.5-7.8	16,1	16,1	
						16,2		

Plusieurs péricopes sont elles-mêmes construites d'après le schéma ternaire (voir surtout 14,32-42; 14,66-72, cf. 14,30; 14,60-64; 15, 9-14)[174]. Elles sont signalées dans le tableau reproduit ci-dessus.

Pesch relève aussi un certain nombre de triples répétitions que nous indiquons également dans le même tableau: (*a*) les prédictions de la passion et de la résurrection; (*b*) les régions parcourues lors de la montée vers Jérusalem; (*c*) les localités qui y sont mentionnées; (*d*) les jours à Jérusalem; (*e*) les entrées à Jérusalem et dans le Temple; (*f*) les sorties de la ville et du Temple; (*g*) le ζητεῖν des adversaires; (*h*) les *Amen-Worte* apocalyptiques; (*i*) les péricopes de Judas; (*j*) les *Amen-Worte* de la passion; (*k*) les paroles du Fils de l'homme; (*l*) les scènes de moqueries; (*m*) l'appellation «roi des Juifs» dans la bouche de Pilate; (*n*) dérisions à l'égard du «roi des Juifs (d'Israël)»; (*o*) les notations horaires; (*p*) les indications chronologiques; (*q*) les listes des femmes (p. 19)[175].

En marge de la structure que défend le Commentaire, nous indiquons aussi les *Dreiergruppen* qui sont proposées dans l'article *Überlieferung*, 1974 (p. 162-163). La division est la même pour 14,1-16,8, mais elle

174. Ces exemples sont cités à la page 19. Pour les autres cas, voir la section II du commentaire de chaque péricope. Cf. *infra*, n. 202.

175. Voir déjà *Verleugnung*, p. 51; *Überlieferung*, p. 153: il y cite comme exemples de «dreifache Wiederholung» (*a*), (*g*), (*e*), (*o*), et les péricopes 14,32-42; 14,66-72; 15,6-15.

s'est modifiée en ce qui concerne 8,27-12,44. Les différences s'expliquent en partie par l'extension nouvelle que la source a prise dans le Commentaire: E devient V-VI (cf. 12,13-17.34c.35-37; 13,1-2)[176]. On obtient ainsi les 13 groupes (au lieu de 12), dans une disposition de 3+3+3+3+1.

À partir de 14,1, le récit est plus cohérent, et les sept *Dreiergruppen* de 14,1-16,8 (VII-XIII) se distinguent ainsi de I-III et IV-VI. Le groupe X, la *Verschachtelung* qui ouvre la série X-XII (14,53-72: le procès devant le Sanhédrin encadré par le récit de Pierre), forme en même temps le centre de VII-XIII: «steht... wirkungsvoll im Mittelpunkt» (p. 404; cf. p. 20). La première des trois péricopes de X est très brève: 14,53-54, comme en VII et XIII (14,1-2 et 15,40-41). Pesch note encore d'autres correspondances entre VII et XIII. Tout cela ressemble fort à la position de F.G. Lang qui, dans le prolongement des idées de Pesch lui-même (1968)[177], propose une structure strictement concentrique de 14,1-16,8[178]:

X
14,55-65
14,53-54 14,66-72
IX 14,26-52 15,1-20a XI
VIII 14,12-25 15,20b-39 XII
VII 14,10-11 15,40-41 XIII
14,3-9 15,42-47
14,1-2 16,1-8

Mais Pesch refuse d'aller si loin: «Jedoch im Detail ist wohl keine achsensymmetrische Entsprechung intendiert». On pourrait encore voir en 12,1-12 le centre de IV-V-VI, mais il est plus difficile d'appliquer une telle structure à I-II-III, avec 9,30-32 comme centre (p. 20).

Au niveau de la rédaction de l'évangéliste, 14,53-72 reste le centre de 14,1-16,8 (contre *Naherwartungen*: 14,53-15,5). L'ensemble de la deuxième moitié de l'évangile reçoit également une structure tripartite,

176. Voir aussi 10,1bc et 11,22-23. Dans *Überlieferung*, il hésite encore à propos de 11,12-14.20-21 (sans 11,22-23!) et 13,1-2 (p. 165). Cf. *supra*, n. 104 et 165. On notera les différences concernant 8,27-30.31-33 (27-33) et 11,1-11 (1-6.7-11) et la césure 9,8/9 (9/10). Dans *Naherwartungen*, il sépare plus correctement à 9,10/11 (p. 63).

177. Il se réfère à *Naherwartungen*, p. 54: «Der Evangelist hat seine sechs Hauptabschnitte jeweils dreiteilig gebaut, und zwar konzentrisch, indem er zwei gleichlange Seitenteile um ein kurzeres Mittelstück (die Symmetrieaxe) lagerte».

178. F.G. Lang, *Kompositionsanalyse des Markusevangeliums*, dans *ZTK* 74 (1977) 1-24, p. 3-4 et 12-13. L'auteur ne semble pas encore connaître *Überlieferung*, 1974 (ni le tome I du Commentaire, 1976) et affirme que son analyse «unabhängig von Pesch allein am Markustext erarbeitet wurde» (p. 3). L'accord entre Lang et Pesch (vis-à-vis de *Naherwartungen*) est frappant: même division de 14,1-16,8 en sept unités, «in sich jeweils dreiteilig», et 14,53-72 comme section centrale (9+3+9 péricopes, contre *Naherwartungen*: 6+3+6, avec 14,53-15,5 comme section centrale).

qui n'est autre que la structure de la source, légèrement adaptée par l'évangéliste[179]. Et celui-ci s'en inspire peut-être déjà dans la première moitié de l'évangile (p. 20):

1,1-3,6	8,27-10,52	cf. I-III (-11,11)
3,7-6,29	11,1-12,44	cf. IV-VI (11,12-13,2)
6,30-8,26	14,1-16,8	cf. VII-XIII

La structure tripartite, présentée dans *Naherwartungen* comme caractéristique de la rédaction de l'évangéliste, remonte donc finalement au récit prémarcien de la passion.

2. *Mc 13 et les six parties de l'évangile*

Pesch reste donc fidèle à sa division de l'évangile en six parties. Le fait nouveau est qu'il l'explique maintenant par l'influence d'une source, du moins à partir de 8,27. Mais sa manière de traiter le problème de la structure a également évolué. Il semble avoir abandonné la stichométrie, et la structure concentrique n'est plus la règle. À ce propos, il se montre fort peu enthousiaste de l'essai de F.G. Lang (p. 20). Il ne recherche plus la symétrie des péricopes (6+2+6), des versets et des lignes de texte. Il divise même une des parties (II) en quatre sections: 3,7-35; 4,1-34; 4,35-5,43; 6,1-29 (4+8+3+4 péricopes). Les autres parties gardent une structure tripartite, mais il n'y a plus superposition de *Hauptteile*, *Doppelteile* et *Hälften* de l'évangile, avec autant de «sections centrales» ou *Strukturmittelpunkte*, qui seraient toutes des *theologische Höhepunkte*[180]. En 1968, cette triple division de l'évangile devait montrer, avec une précision arithmétique, que le chapitre 13 n'était pas prévu dans la première conception de Marc. C'est encore maintenant l'avis du commentateur: le discours apocalyptique apparaît comme un *Einschub*. Il semble toutefois qu'il a beaucoup affaibli l'argument basé sur la structure. Le discours eschatologique serait une addition de l'évangéliste au récit prémarcien de la passion, ajoutée entre 13,2 et 14,1, mais Pesch ne parle plus d'une insertion dans l'évangile «peu de temps avant sa publication». En plus, s'il maintient la symétrie concentrique dans les parties I (section

179. Il a fait de 11,1-11 le début de la deuxième partie et il a utilisé 13,1-2 pour y insérer le discours eschatologique entre la deuxième et la troisième partie.

180. Cf. *Naherwartungen*, p. 54-70 (voir p. 70, n. 128):

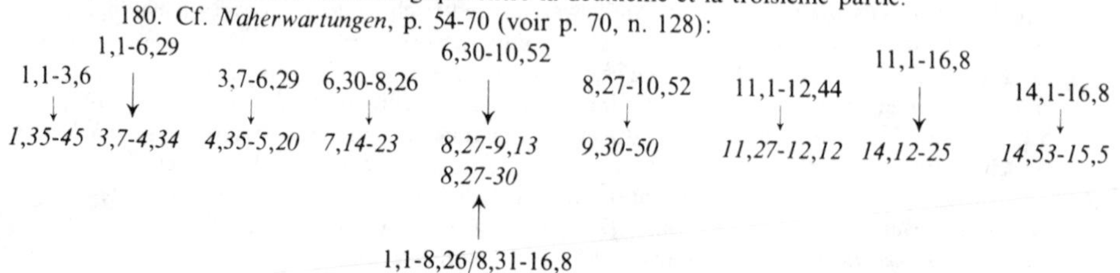

centrale: 1,35-45)[181] et III (section centrale: 7,1-23)[182], il l'a abandonnée en II pour donner une place au discours des paraboles (4,1-34). Sans même toucher à la composition de IV et VI, il aurait pu revoir également la structure de V et y intégrer le discours eschatologique. On obtiendrait ainsi trois parties à peu près égales: 8,27-10,52; 11-13; 14-16 (269+263+282 lignes de Nestle)[183]. L'hypothèse du récit prémarcien de la passion ne devrait pas l'empêcher d'accepter une telle division. En 14,1-16,8, Pesch n'admet aucune intervention de l'évangéliste, mais ce n'est pas le cas ici: Marc est responsable de la structure de 11,1-25; 11,27-12,12; 12,13-44[184]. F.G. Lang se réfère à *Naherwartungen* (p. 71-73) pour rappeler les contacts du chapitre 13 avec 11,1-25, et il propose une division qui se défend fort bien: 11,1-25; 11,27-12,12; 12,13-34; 12,35-44; 13,1-37[185]. On ne voit pas comment Pesch pourrait rejeter la césure de 12,34c/35 qu'il a acceptée au niveau du récit prémarcien. Nous y reviendrons plus loin.

La suggestion que, déjà dans la première moitié de l'évangile, Marc s'inspire de la structure tripartite du récit prémarcien de la passion peut facilement être retournée en faveur d'un même procédé rédactionnel dans les deux moitiés de l'évangile. Quant à la césure de 6,29/30, il suffit de rappeler la réserve que j'ai exprimée plus haut[186]. Je m'en tiens donc à la division qui place la césure en 6,6a/6b[187]:

1,1-13	(I) 1,14-3,6	(II) 3,7-6,6a	(III) 6,6b-8,26.

L'absence du nom de Jésus en 6,6b-7 ne peut pas être une objection (cf. 10,1; 11,1; 14,1)[188], et la *Verschachtelung* en 6,7-13(14-29)30 recommande une telle division.

181. Il y distingue quatre sections, mais il se corrige aussitôt pour restituer un *Mittelstück*: 1,1-15.16-34/35-45/2,1-3,6 (t. I, p. 33 et 137). Une division en prologue (1,1-13) et 1,14-15.16-20/21-39/40-45/2,1-3,6 nous paraît plus acceptable.

182. Cf. t. I, p. 36 et 367: 7,1-23, la deuxième *Redekomposition* après 4,1-34 (correction de *Naherwartungen*: 7,14-23).

183. Cf. F.G. LANG, *art. cit.*, p. 12. On peut donner à 8,22-26 et 10,46-52 une fonction de transition sans y voir, comme le fait Lang, des péricopes d'introduction:

8,22-26;	8,27-10,45	(5 sections)
10,46-52;	11,1-13,37	(5 sections)
14,1-2;	14,3-16,8	(7 sections).

184. Marc aurait replacé la césure de 11,12 à 11,1 et redéfini la section centrale de 11,27-12,12; il aurait ajouté 11,24-25; 12,18-34b.38-40.

185. Cf. *supra*, n. 183.

186. Cf. *supra*, n. 46; dans le texte, p. 170.

187. Lang en propose une variante (cf. *supra*, n. 183):

1,1-13			
(*1*) 1,14-3,6:	1,14-15	1,16-3,6	(I)
(*2*) 3,7-8,21:	3,7-12	(*2a*) 3,13-6,6a	(II)
		(*2b*) 6,6b-8,21	(III)

188. Comparer L. SCHENKE, *Studien*, p. 206, n. 3: il attire l'attention sur l'absence du nom de Jésus en 2,1; 4,1; 4,35; 6,7; 7,1; 10,1; 11,1; 14,1; 14,43.

3. *Les Intercalations* («*Schachtelungen*»)

Sur les *Schachtelungen* du récit de la Passion[189], le tome II ajoute deux observations nouvelles. D'abord, c'est chaque fois la première d'une série de trois *Dreiergruppen* (IV, VII, X) qui est construite selon le procédé de la *Schachtelung* (p. 20). L'observation reste valable au niveau de la rédaction de Marc: 11,[1-11]12-25 et 14,1-11 se situent au début d'un *Hauptteil* de l'évangile. Nous venons de faire la même constatation à propos de la *Schachtelung* (rédactionnelle, selon Pesch) en 6,7-13(14-29)30: elle forme le début de la troisième partie de l'évangile (6,6b-8,26).

La deuxième observation concerne 14,53-72: «eine blosse Schachtelkomposition liegt nicht vor»; il s'agit d'une double, ou même triple *Verschachtelung*: 53(54)55-65; 54(55-65)66-72; 55-65(66-72)15,1 (p. 18). Mais ne fallait-il pas faire la même observation en ce qui concerne 11,12-15, comme d'autres le font qui parlent d'une double insertion[190]:

11,1-11		15-19		27-33; 12,1-12
	12-14		20-25	

À propos de 14,1-11, on se rappelera que certains auteurs comptent 14,10-11 dans le complexe de 14,10-25 où ils distinguent «a kind of double sandwich»[191]. La manière dont 14,1-2 et 10-11 entourent le récit des vv. 3-9 est sans doute d'un autre ordre, et la structure de 14,53-72 revêt un caractère encore plus particulier par le fait qu'elle suggère la simultanéité de 14,55-65 et 66-72. Mais la *Schachtelung* peut être complétée par une alternance qui s'étend au delà des limites de la *Dreiergruppe*[192]:

14,1-2		10-11		17-21		26-31		43-52		54		66-72	
	3-9		12-16		22-25		32-42		53		55-65		15,1ss.

On y trouve les textes sur le complot, la trahison et le reniement sur une même ligne. Pesch avait raison de le souligner: «die Gruppierung von Dreiergruppen (ist) durchweg nicht so zäsurierend, dass der Erzählfluss unterbrochen würde» (p. 18). La situation n'est pas la même pour les *Schachtelungen* qui ne font pas partie d'un récit

189. Cf. *supra*, 1977, p. 176-177 et 179. Sur le sujet, voir l'étude de F. Lefevre, 1975 (cf. *supra*, n. 85). On y ajoutera: P.J. FARLA, *Jezus' oordeel over Israël. Een form- en redaktionsgeschichtliche analyse van Mc 10,46-12,40* (Diss. Nimègue), Kampen, 1978, p. 117-130: «De omramingstechniek van Marcus» (voir aussi p. 87-88). Pour lui, comme pour Lefevre, il s'agit d'une technique de l'évangéliste.

190. Cf. H.W. KUHN, *Ältere Sammlungen*, p. 201.

191. Cf. E. BEST, *The Temptation and the Passion*, 1965, p. 91. Voir aussi J.R. DONAHUE, *Are You the Christ*, 1973, p. 59: 14,10-11(12-16)17-21(22-25). L'auteur se réfère à Best. Ailleurs il présente, en plus des six cas classiques de *Marcan intercalation*: 14,12-16(17-21)22-25 (p. 42, n. 2).

192. Sur les rapports de 14,53ss. avec 14,43-52, voir *La fuite du jeune homme en Mc 14,51-52*, dans *ETL* 55 (1979) 43-66, p. 66.

continu comme celui de la Passion. On notera toutefois une certaine analogie[193]:

3,20-21 31-35
 22-30 4,1ss.: cf. 3,23 ἐν παραβολαῖς
5,21-24 35-43
 25-34 6,1-6a: cf. 5,30 τὴν... δύναμιν 34 ἡ πίστις σου.

Bon nombre de critiques ont étudié la *Schachtelung* dans l'évangile de Marc du point de vue de la critique littéraire: il s'agit du procédé rédactionnel d'insérer un récit traditionnel dans un autre récit, également traditionnel (la technique des insertions). Pesch la comprend ainsi en 5,21-43, au niveau de la rédaction prémarcienne du cycle des miracles. Par contre, il refuse de voir en 3,31-35 la continuation originelle de 3,20-21, et 6,30-31, qui reprend le récit de 6,6b-13, serait une création de l'évangéliste. Il affirme maintenant dans le tome II: «die Schachteltechnik ist dem Erzähler der Passionsgeschichte vertraut» (p. 446: 14,66-72; cf. p. 328: 14,3-9). À propos de 11,12-14 (15-19)20-23, le Commentaire parle en effet de *Verschachtelung* au niveau du récit prémarcien de la Passion (p. 190-191). Mais comment peut-on y voir «une technique du narrateur», s'il s'agit de *berichtende Erzählungen* qui racontent les faits tels qu'ils se sont passés: «Jesus hat einen Feigenbaum verflucht, der am folgenden Tag verdorrt war» (p. 196); et sur l'action dans le Temple: «Sofern die Verfluchung des Feigenbaumes als historisches Ereignis auf denselben Tag datiert, kann auf eine aggressive Stimmungslage Jesu geschlossen werden, der sich tags zuvor das Treiben in Tempelgelände schon angesehen hatte (V 11)» (p. 200)? En 14,1-11, Pesch rejette l'hypothèse d'une séquence prémarcienne des vv. 1-2.10-11, pour deux raisons: la mention des ἀρχιερεῖς au v. 10 (après le v. 1) et l'emploi de ἀπῆλθεν qui, dit-il, présuppose le récit de l'onction à Béthanie (p. 337). L'objection porte donc sur la phrase: ἀπῆλθεν πρὸς τοὺς ἀρχιερεῖς (14,10b), et beaucoup de partisans de l'insertion rédactionnelle de 14,3-9 admettront sans difficulté une certaine intervention de l'évangéliste dans la formulation de cette phrase. D'ailleurs, Pesch lui-même la rapproche de 3,13, verset rédactionnel selon lui (p. 339, n. 8: ἀπέρχομαι πρός + personne). Quant à l'hypothèse plus radicale de l'inclusion du récit entre les deux notices de 14,1-2.10-11 qui seraient pour une large part rédactionnelles, Pesch ne la juge même pas digne d'une réfutation (cf. p. 322, n. 12).

193. Cf. t. I, p. 124: ἐν παραβολαῖς en 3,23 serait de l'évangéliste «der 4,10f vorbereitet». Sur 6,16a et 5,25-34, voir D.-A. KOCH, *Die Bedeutung der Wundererzählungen*, p. 139.

4. *Les triades dans l'évangile de Marc*

Le commentateur a fait de la *Dreiergliederung* une caractéristique essentielle du récit prémarcien de la passion. Comme pour la *Schachtelung* et les autres caractéristiques stylistiques, il se dispense de tout examen du même phénomène dans les autres parties de l'évangile. Dans le Commentaire, je n'ai pu trouver à ce sujet aucune allusion à l'opinion d'autres auteurs. Et pourtant, Pesch sait parfaitement que certains y ont vu un trait de la rédaction de Marc: «Nach *T.A. Burkill*, Secret, S.42, liebt Mk Reihen von drei Perikopen; siehe auch *E. Lohmeyer*, Mk, und *M. Albertz*»[194]. Une note dans *Überlieferung* (p. 153, n. 11) renvoie à G. Schneider. Celui-ci signale effectivement des séries de trois péricopes dans la passion (14,1-11.12-25.26-52; 15,1-20a), mais il attribue cet arrangement à l'évangéliste[195].

Pesch est loin d'être seul à défendre une division de 14,1ss. en groupes de trois péricopes, mais selon lui cette division est prémarcienne, et la source de Mc en 8,27-13,2 se divisait suivant le même principe. Sur ce dernier point, Pesch a jugé nécessaire de corriger déjà la division qu'il proposa en 1974. Il ajoute des péricopes, modifie des césures et parvient même à améliorer la structure triadique: les cinq groupes A-E sont remplacés par deux séries de trois groupes (I-III, IV-VI). Mais est-ce une amélioration de placer la césure de I/II à 9,8/9 au lieu de 9,13/30? Dans la logique de son hypothèse, on comprend qu'il compte 10,1.32-34 dans III (la troisième prédiction: cf. *a*, *b*), mais on comprend moins alors qu'il maintienne la césure de C/D en 11,11/12 comme la division entre I-III et IV-VI, surtout si, comme il l'entend, la chronologie précise des jours de Jésus à Jérusalem commence avec 11,11 (p. 189)[196]. Au niveau de l'évangéliste, 11,1 devient le début de 11,1-12,44. On nous dit: «der Evangelist folgt dem Faden der vormk. Passionsgeschichte» (p. 176), mais, si j'ai bien lu, on ne nous dit pas pourquoi il aurait avancé la césure. Ne fallait-il pas conclure plutôt que Marc, rédacteur conservateur, a bien gardé la césure de sa source en 11,1? Mais si la division de 8,27-9,29; 9,30-50; 10,1-46 dénote l'influence de la source, l'échafaudage des *Dreiergruppen* risque de s'écrouler en I-III (1-4, 5-6, 7-8) et IV (9-12).

194. Cf. *Naherwartungen*, p. 67, n. 122. Il s'y réfère pour présenter une division de l'évangile qui comprend 66 péricopes (sur 79) groupées en séries de 2 × 3 (1,2-34; 2,1-3,6; 3,7-4,34; 5,21-6,29; 6,30-7,13; 7,24-8,26; 8,27-9,29; 12,13-44; 14,1-52; 15,6-16,8) ou de 3 péricopes (9,30-50; 14,53-15,5).

195. *Die Passion Jesu*, 1973, p. 19-20 (p. 19: «meist sind es deren drei!». Sur 14,1-42(43-52), il résume la conclusion de L. Schenke: «die Abschnitte 14,1-31 seien erst von Markus zu einer vorhandenen Passion hinzugefügt worden, indem der Evangelist verschiedenartige Traditionselemente aufgegriffen und zu drei Dreierkompositionen vereinigt habe» (p. 28; voir aussi p. 20-21). Sa position sur les trois péricopes de 15,1-20a (cf. p. 83) est moins claire (cf. p. 23 et 106, sur 15,16-20a: *Einschaltung*).

196. Sur cette chronologie, voir cependant *ETL* 54 (1978), p. 95-100.

À partir de 14,1, nous ne sommes plus dans le domaine de l'hypothèse: le texte de la source est identique à celui de Marc. Pesch pouvait adopter ici les divisions ternaires du commentaire de E. Lohmeyer[197]. Il l'a fait pour VII-XI (14,1-15,20a). Il s'en éloigne à partir de 15,20b, comme le font aussi, à leur manière, d'autres auteurs qui se sont inspirés des triades de Lohmeyer[198]:

Alfaric	Pesch	Lohmeyer	Albertz	Burkill	Schlier
a) 15,20b-25	a) 15,20b-24	a) 15,20b-22	(3) 15,20b-27	c) 15,20-32	a) 15,20b-21
b) 26-32	b) 25-32	b) 23-27			b) 22-41
		c) 29-32	(4) 29-32		
c) 33-39	c) 33-39	a) 33-37	(5) 33-41	a) 33-41	
		b) 38-39			
a) 40-41	a) 40-41	c) 40-41			
b) 42-47	b) 42-47	a) 42-46	(6) 42-47	b) 42-47	c) 42-47
		b) 47			
c) 16,1-8	c) 16,1-8	c) 16,1-8	(7) 16,1-8	c) 16,1-8	– 16,1-8

Pesch réduit les trois triades de Lohmeyer aux deux groupes de XII et XIII et rejoint ainsi la division de P. Alfaric (à part la césure en 24/25 au lieu de 25/26). Chaque péricope serait elle-même *dreiteilig*:

197. E. LOHMEYER, *Das Evangelium des Markus* (KEK 1/2), Göttingen, [10]1937, [16]1963. Cf. p. 7*-8*: «Inhalt und Gliederung». Pesch reprend de Lohmeyer la division de Mc en six parties: cf. *Naherwartungen*, p. 52.

198. M. ALBERTZ, *Die Botschaft des Neuen Testamentes. 1. Die Entstehung des Evangeliums*, Berlin, 1946, p. 156-160 (= Zollikon, 1947, p. 190-195), avec une référence voilée à Lohmeyer: «Die Einzelgliederung des Buches baut auf der Dreizahl auf. Es ist eine zutreffende Beobachtung, die erst kürzlich gemacht worden ist, dass durchweg drei Geschichten in einem engeren Zusammenhang miteinander stehen» (p. 156). À l'encontre de Lohmeyer, il compte 7 péricopes à partir de 15,1 (1: 1-15; 2: 16-20a). Cf. *infra*, n. 201.

T.A. BURKILL, *New Light on the Earliest Gospel*, Ithaca (N.Y.)-London, 1972, p. 256-258. Voir déjà *Mysterious Revelation*, Ithaca (N.Y.), 1963, p. 123, n. 16, cf. *RHR* 154 (1958), p. 16, n. 2; *NT* 3 (1959), p. 39, n. 3 (avec référence à Lohmeyer à propos de 2,1-17 et 2,18-3,6); p. 203, 205, cf. *ZNW* 51 (1960), p. 42, 43; p. 228, 232, 236, 243-244 (sur la passion). Burkill se contente de signaler des exemples de séries de trois péricopes (cf. *infra*), sans donner une division triadique de l'ensemble de l'évangile. Il distingue deux triades en 14,53-15,32 (14,53-72; 15,1-20.21-32) et 15,33-16,8.

H. SCHLIER, *Die Markuspassion*, Einsiedeln, 1974: division en 14,1-15,20a identique à celle de Lohmeyer.

On peut y ajouter encore G. Schneider (cf. *supra*, n. 195): 15,20b-41 (20b-27.29-32.33-39.40-41); 15,42-47; 16,1-8 (p. 20). Sur Alfaric, cf. *infra*, n. 199.

Alfaric	Pesch
a) 15,20b.21.22	a) 15,20b-21.22-23.24
23.24-25a.25b	
b) 15,26-27	b) 15,25-27.29-30.31-32
29-30.31-32a.32b	
c) 15,33-34.35.36	c) 15,33
	34.35.36
37.38.39	37.38.39
a) 15,40-41	a) 15,40-41
b) 15,42-43.44-45.46/47	b) 15,42-43.44-45.46/47
c) 16,1-4.5-7.8	c) 16,1/2-4.5-7.8

Là où il diffère de celui de Alfaric, le choix de Pesch semble devoir l'emporter. La césure en 15,24/25 est assez exceptionnelle dans les commentaires et les éditions du texte. On la trouve dans *NEB* qui donne une division de 15,20b-39 en paragraphes qui se prête fort bien à une disposition triadique:

a) 20b-21.22-24.25-27(25.26.27)	la crucifixion
b) 29-32 (29-30.31-32a.32b)	les moqueries
c) 33-39 (= Pesch)	la mort de Jésus

Il est plutôt rare de trouver une référence à P. Alfaric[199] dans les études récentes sur l'évangile de Marc. Mais qu'on ne s'étonne pas trop de sa présence ici à gauche de Pesch, car c'est lui qui a «découvert» que l'évangéliste avait «un goût pour les triades». Ceux qui se réfèrent aux «divisions ternaires» de Lohmeyer devraient savoir qu'il les a empruntées pour une large part au «mythologue» français[200]:

199. P. ALFARIC, *La plus ancienne vie de Jésus. L'évangile selon Marc* (Christianisme, 32), Paris, 1929 (p. 5-108: Introduction; p. 109-202: Traduction avec notes); *Pour comprendre la vie de Jésus. Examen critique de l'évangile selon Marc* (Christianisme, 33), Paris, 1929 (bref commentaire). Voir les réactions dans *RB* 38 (1929) 601 (R. Tonneau: «ce factum qui n'a rien d'une 'étude'»); 39 (1930) 612-613 (M.-J. Lagrange); et de la part d'un professeur de Strasbourg: «Les négateurs de l'existence historique de Jésus n'ont pas fait à l'étude de Marc le moindre apport constructif, qu'il s'agisse de Bruno Bauer, A. Drews, M.H. Raschke ou P. Alfaric» (É. TROCMÉ, *La formation*, p. 7, n. 2). Sur Prosper Alfaric (1876-1955), professeur d'histoire des religions à l'Université de Strasbourg, voir encore É. TROCMÉ, dans *NTS* 24 (1977-78), p. 459, n. 4.

200. Cf. E. LOHMEYER, *Markus*, p. 8: «im ganzen Evangelium (scheint) ein *zahlenmässiges* Schema mitzuwirken. Zwanglos schliessen sich immer drei Überlieferungsstücke zu einer grösseren Einheit zusammen. [n. 1] Darauf hat zuerst P. Alfaric, *L'évangile selon Marc* 8ff. aufmerksam gemacht». Cf. *La plus ancienne vie de Jésus*, p. 8-12: «Divisions ternaires». L'ouvrage est cité dans la bibliographie de Pesch sous le titre *L'évangile selon Marc* (t. 1, p. XIII; *Naherwartungen*, p. 245; cf. p. 127, n. 375).

Lohmeyer (1937)[201]	Alfaric (1929)[202]	
1. 1,1-8.9-11.12-13	=	
2. 1,14-15.16-18.19-20	=	
3. 1,21-22.23-28.29-31	1,21-28.29-31.32-34	
4. 1,32-34.35-39.40-45	1,35-36.37-39.40-45	
5. 2,1-12.13-14.15-17	2,1-17.18-22; 2,23-3,6	Burkill
6. 2,18-22.23-28; 3,1-6		Burkill
7. 3,7-8.9-12.13-19	3,7-12.13-19.20-35	
8. 3,20-21.22-30.31-35		
9. 4,(1-2)3-9.10-12.13-20	4,(1-2)3-25.26-29.30-32(33-34)	
10. 4,21-25.26-29.30-32(33-34)		
11. 4,35-41; 5,1-20.21-43	=	Burkill
12. 6,1-6.7-13.14-16	6,1-6a.6b-11.12-29	
13. 6,17-20.21-25.26-29		
14. 6,30-44.45-52.53-56	=	
15. 7,1-13.14-16.17-23	=	
16. 7,24-30.31-37; 8,1-9	=	Burkill
17. 8,10-13.14-21.22-26	= 12/13	
18. 8,27-29.30-33.34-9,1	= 30/31	
19. 9,2-8.9-13.14-29	=	
20. 9,30-32.33-37.38-50	=	

201. On notera que Lohmeyer introduit une double série de trois péricopes en 2,1-3,6; 3,7-35; 4,1-34; 6,1-23; 15,20b-32. Il maintient cependant l'unité de 2,1-3,6 (p. 49), 3,7-15 (p. 109: analogue à 6,1-16) et 4,1-34 (p. 82: «auch hier eine Dreiheit»). Une division de la journée de Capharnaüm en 1,31/32 est encore moins acceptable qu'en 1,34/35 (Alfaric, Pesch). Il aurait pu noter la division ternaire de 1,21-39: dans la synagogue (1,21-28), à la maison de Simon (1,29-34), le départ de Capharnaüm (1,35-39). Son choix est aussi moins heureux en 8,29/30 au lieu de 8,30/31 (Alfaric, Pesch).

M. Albertz reprend les triades de Lohmeyer pour Mc 1-14, sans changement (sauf en 4,1-25.26-34 et 11,1-33; 12,1-12). Sur cette base, il propose une division de l'évangile en 7 sections de 12 péricopes (4× 3): 1,1-45; 2,1-3,35; 4,1-6,16; 6,30-8,26; 8,27-10,31; 10,32-12,44; 14,1-72 (*Zwischenstücke*: 6,17-29; 12,1-12; 13,1-2.3-37). Sur les 7 péricopes de 15,1-16,8, cf. *supra*, n. 198. On notera qu'il place Mc 13 parmi les *Zwischenstücke*, en dehors des 7 parties: comparer la position de Pesch (cf. *supra*, p. 31-32).

Là où Burkill reprend une triade de Lohmeyer, nous l'indiquons dans la liste.

202. Selon Alfaric, les péricopes elles-mêmes ont également une structure triadique, dans le récit de la passion (avec, entre autres, les cas signalés par Pesch: cf. *supra*, n. 174) et ailleurs. Pour ne citer que les exemples les plus évidents: (14,32-42) «Le récit n'en est pas moins, dans son ensemble, une création de l'évangéliste. On peut le conclure déjà du rôle essentiel qu'y joue le nombre trois» (p. 165); (14,60-64) «Trois questions du grand-prêtre en marquent le développement gradué» (p. 170); (14,67-72) «trois scènes, qui présentent une nouvelle gradation»; (14,30) «Il (Marc) met comme sa signature à la fin du récit, en faisant annoncer que cet homme, si sûr de lui, tombera 'par trois fois'» (p. 163); (15,40-16,8) «trois scènes ultimes. Elles s'étendent sur trois jours, comme Jésus lui-même l'a expressément annoncé par trois fois (VIII, 31; IX, 31; X, 34). Enfin trois témoins y paraissent et deviennent les garants du narrateur. C'est le triomphe de la triade marcienne. ... La 3e scène offre une sorte de réplique à la seconde. ... Ici et là, d'ailleurs, le récit s'organise d'après un schéma identique, où l'on retrouve trois parties bien distinctes» (p. 191-192 et 196). Les citations sont reprises du commentaire sur Marc (*Pour comprendre*).

21.	10,1-12.13-16.17-31	=	
22.	10,32-34.35-45.46-52	=	
23.	11,1-6.7-10.11	=	
24.	11,12-14.15-17.18-19	=	
25.	11,20-25.27-33; 12,1-12	=	
26.	12,13-17.18-27.28-34	=	Burkill
27.	12,35-37.38-40.41-44	=	Burkill
28.	13,(1-5a)5b-13.14-27.28-37	13,1-5a.5b-32.33-37	Burkill 23/24-27
29.	14,1-2.3-9.10-11	=	Burkill
30.	14,12-16.17-21.22-25	=	Burkill
31.	14,26-31.32-42.43-52	=	
32.	14,53-54.55-65.66-72	14,(53-54)55-59.60-65.66-72	Burkill
33.	15,1-5.6-15.16-20a	=	
34.	15,20b-23.24-27.29-32	15,20b-25.26-32.33-39	
35.	15,33-37.38-39.40-41		
36.	15,42-46.47; 16,1-8	15,40-41.42-47; 16,1-8	

Les divisions ternaires de l'évangile de Marc commencent bien avant 14,1. Sans trop modifier sa division de 8,27-12,44, Pesch aurait pu reprendre la disposition en groupes de trois péricopes:

		Lohmeyer		Pesch
IV	8,27-9,29	n°s 18+19		n[os] (1,2,3) + (4,5)
	9,30-50	20		(6,7-8,9-10)
	10,1-52	21+22		(11,12,13) + (14,15,16)
V	11,1-25	23+24:	11,1-11.12-19	(1) + (2[a])
	11,27-12,12	25:	11,20-	(2[b]-3,4,5)
	12,13-44	26+27		(6,7,8) + (9,10,11)

La césure en 11,19/20 ne devrait pas poser de problème, car Pesch insiste beaucoup sur les trois jours de 11,1-11; 11,12-19; 11,20ss. (p. 190). La *Schachtelung* s'étend en toute hypothèse au delà de 11,25 (cf. 11,27ss.). D'ailleurs, Pesch lui-même n'en tient pas compte, puisqu'il divise le texte de Marc en 11,1-11.12-21.22-25, avec, assez curieusement, une césure en 11,21/22 (dans la source: 11,12-14.15-19.20-23). De même, la césure en 9,8/9, à l'intérieur de 9,2-29, ne peut être repoussée par Pesch qui y met la division des groupes I et II au niveau de la source.

Dans la division de Pesch, les sections de 10,1-52 et 12,13-44 contiennent en fait une série de six péricopes (n°s 11-16 et 6-11), mais le principe numérique ne semble pas jouer de rôle. C'est sans doute, par rapport à *Naherwartungen*, une position nouvelle du commentateur. Il ne s'en explique pas. Il aurait dû relever au moins les trois questions de 12,13-34 et l'articulation du texte de Marc en 10,32[203]. Mais la composition de Marc (évangéliste) ne l'intéresse guère. Le tome II est avant tout un commentaire sur les traditions prémarciennes.

203. Sur 10,32, cf. *supra*, n. 130.

À propos de 14,1-16,8, il lui suffit de noter: «Für die Komposition ist nicht der Evangelist verantwortlich, er folgt der vormk Passionsgeschichte» (p. 404; cf. p. 319). En 11,1-12,44, il limite l'intervention de l'évangéliste à l'insertion de 11,24-25; 12,18-34b.38-40 (textes entièrement traditionnels). D'après le tome I, 12,13-17 ne faisait pas encore partie du récit de la passion, et les trois *Streitgespräche* de 12,13-17.18-27.28-34 avaient été reçus par l'évangéliste à l'état isolé: il les avait rassemblés et liés au contexte par ἀποστέλλουσιν en 12,13. Il s'agissait donc bien d'une triade de péricopes groupées par l'évangéliste. Le tome II en a fait maintenant une seule insertion de 12,18-34b (les deux péricopes étant déjà unies dans la tradition) dans le récit de la passion, entre la péricope de 12,13-17 et sa conclusion originelle (v. 34c). Sur quoi se base-t-il pour justifier cette position nouvelle?

D'abord, la *Kontextbindung*: ἀποστέλλουσιν en 12,13, qui se réfère au sujet de 12,12 et 11,27, appartient au récit prémarcien (p. 225). Mais suffit-il de l'affirmer? Le tome I l'attribue à la rédaction de l'évangéliste[204]: il fallait nous dire pourquoi ce n'est pas le cas.

Ensuite, le rapprochement avec 11,27-33: les *Stichworte* πρὸς αὐτόν (v. 13), λόγος (v. 13), ὁ δὲ Ἰησοῦς εἶπεν αὐτοῖς (v. 17) et la *Doppelfrage* au v. 14 (p. 17). Il ne signale plus les indications en sens contraire: les trois péricopes de 12,13-17.18-27.28-34 sont des *Schulgespräche* (t. I, p. 27); et les gens qui interpellent Jésus sont des groupes spécifiques: des Pharisiens et des Hérodiens, des Sadducéens, un scribe, et ils l'appellent διδάσκαλε (12,14.19.32; cf. t. I, p. 38). Quant aux *Stichworte*(?), πρὸς αὐτόν se lit aussi en 12,18 (cf. 12,28 προσελθών); λόγος en 11,28 se traduit par «eine einzige Sache» (ἕνα λόγον) et en 12,13 par «durch ein Wort» (λόγῳ); ὁ δὲ Ἰησοῦς εἶπεν αὐτοῖς en 12,17 introduit la réponse finale de Jésus (cf. 10,5.38-39), et non la *Gegenfrage* comme en 11,29 (unique emploi en *Pg*[205]; voir encore 9,23; 10,18). Sur la double question, je renvoie à la présentation du tome I (p. 178-179). Le tome II signale les questions doubles en 9,19; 11,28; 12,14; 12,24.26; 13,4; 14,37.41(!).60.63-64[206], mais sans faire des rapprochements autres que celui de 11,28 et 12,14. La question de 12,14 est aussi une *Alternativfrage*, et, comme telle, elle peut être comparée avec la contre-question de Jésus en 11,30 (et les questions doubles en 2,9 et 3,4, où c'est aussi Jésus qui donne la réplique).

En troisième lieu, la parabole de 12,1-12 serait «eingeschachtelt in die Befragungen»: 11,27-33/12,13-17.34c (p. 17). Une telle présentation est à nuancer par la remarque sur le lien de la parabole avec la question sur l'autorité de Jésus («unmittelbar verbunden») et sur la

204. Comparer J. Sundwall: la péricope commence au v. 14 avec τινες τῶν Φ. καὶ τῶν Ἡρ. du v. 13 comme sujet.

205. Cf. 10,52; 13,2: καὶ ὁ Ἰησοῦς εἶπεν αὐτῷ.

206. Cf. *supra*, p. 4, sur la ponctuation en 13,4; 14,41.60.

césure en 12,13 où ἀποστέλλουσιν implique un changement de lieu (p. 16)[207]. Quant à 12,34c, on concédera volontiers à Pesch que cette notice «nur im weiteren Kontext sinnvoll erscheint» (p. 244). Mais peut-on dire qu'elle convient bien après la seule intervention des Pharisiens et des Hérodiens? L'interrogation de Jésus en 11,27ss. sur l'action dans le temple est d'un autre ordre. Dans le texte de Marc, la question sur l'impôt dû à César est suivie par celle des Sadducéens sur la résurrection des morts (12,18 ἐπηρώτων αὐτόν), puis vient la question du scribe sur le plus grand commandement (12,28 ἐπηρώτησεν αὐτόν) et, en conclusion, la notice de l'évangéliste: καὶ οὐδεὶς οὐκέτι ἐτόλμα αὐτὸν ἐπερωτῆσαι (12,34c)[208]. Le commentaire de Pesch contient tous les éléments pour parler de *Dreiergliederung* en 12,13-34.35-44. Il distingue entre le *Streitgespräch* en 11,27-33 (p. 210: «die 'amtliche' Befragung») et la série des *Schulgespräche* en 12,13-34 (t. I, p. 65) qui se terminent avec la question du scribe, «ein dritter Vertreter der jüdischen Führungsschicht» (t. II, p. 236). Puis, la section de 12,35-44 forme une séquence de trois péricopes qui apportent le correctif: «Die Schriftgelehrten, die Jesus verfolgen, repräsentieren nicht den Teil Israels, welcher der Gottesherrschaft nahe ist (12,34)» (p. 260).

Au sujet des autres caractéristiques stylistiques du récit de la passion, on comprend encore que Pesch passe sous silence les attestations des mêmes expressions ailleurs en Marc. De son point de vue, elles sont presque toutes traditionnelles. Mais dans la *gliedernde Komposition*, l'évangéliste aurait gardé une certaine liberté vis-à-vis des traditions prémarciennes. Pour effectuer la structure tripartite de la première moitié de l'évangile, il aurait séparé les éléments du cycle des miracles: 3,7-12; 4,1; 4,35-41; 5,1-43 dans la deuxième partie et 6,32-51.53-56 dans la troisième. Pour donner une section centrale à la première partie, il aurait accentué la césure en 1,35 et regroupé 1,35-39 (de la collection 1,21a.29-39) avec la péricope de 1,40-45. La troisième partie prend également une structure ternaire: 6,30-56; 7,1-23; 7,24-8,26[209]. Selon l'hypothèse du Commentaire, 7,24-8,26 est la seule

207. Le commentateur compare 12,1 avec 8,31 (p. 16), mais la même difficulté se pose à propos de 8,31 (καὶ ἤρξατο διδάσκειν αὐτούς) d'une part et 9,2 (καὶ μετὰ ἡμέρας ἕξ) de l'autre. Par contre, la division ternaire du texte de Mc en 8,27-30.31-33.34-9,1 ne pose aucun problème.

208. La notice est préparée déjà par 12,17c (καὶ ἐξεθαύμαζον ἐπ' αὐτῷ) et 12,28b (ἰδὼν ὅτι καλῶς ἀπεκρίθη αὐτοῖς). Dans ce sens, Pesch a raison de rapprocher 12,17c et 34c. On s'étonne cependant de lire que 12,17c serait «wichtiger Beleg für den berichtenden Charakter der Erzählung» (p. 228). Sa signification dans le contexte plus large mérite d'être relevée, plutôt que sa présence en conclusion d'un *Schulgespräch*. Le verbe ἐκθαυμάζω est un hapax, mais on peut rapprocher ἐξεθαύμαζον ἐπ' αὐτῷ de ἔκπλήσσομαι en 1,22; 11,18 (ἐπὶ τῇ διδαχῇ αὐτοῦ) et en 10,26 (cf. v. 24 ἐθαμβοῦντο ἐπὶ τοῖς λόγοις αὐτοῦ).

209. Cf. *supra*, n. 182.

section de l'évangile que Marc a composée uniquement à partir de péricopes isolées. On y distingue facilement deux séries de trois, dont la première comporte trois miracles: 7,24-8,9 (cf. t. I, p. 400: «Markus reiht an die beiden Wundererzählungen, mit denen er Jesus auf heidnischem Gebiet vorstellte, eine dritte an»). De telles données risquent de compromettre l'origine traditionnelle de la structure triadique en Marc[210]. Le tome II ne les discute pas et érige d'emblée le *Bauprinzip* de la *Dreiergliederung* en caractéristique numéro un du récit de la passion.

ETL 56 (1980) 442-445

Rudolf PESCH. *Das Markusevangelium. I. Teil: Einleitung und Kommentar zu Kap. 1,1-8,26.* Dritte, erneut durchgesehene Auflage. Mit einem Nachtrag; *Das Markusevangelium. II. Teil: Kommentar zu Kap. 8,27-16,20.* Zweite durchgesehene Auflage, 1980. In-8°, XXIV-466; XVI-576 p.

Le Commentaire de R. Pesch, qui a paru en première édition en 1976/77, a été présenté dans deux articles des *ETL* 53 (1977) 153-181; 55 (1979) 1-42, réunis en un fascicule de 74 pages: *L'évangile de Marc. À propos du Commentaire de R. Pesch* (ALBO, V/42), 1979. J'ai examiné la section sur le discours apocalyptique dans une étude spéciale: *Marc 13. Examen critique de l'interprétation de R. Pesch*, dans J. LAMBRECHT (éd.), *L'Apocalypse johannique et l'Apocalyptique dans le Nouveau Testament* (BETL, 53), Gembloux & Leuven, 1980, pp. 369-401. En plus, j'ai eu l'occasion de traiter de son interprétation de Mc 16 dans une série d'articles (ALBO, V/29,39,48): ΑΝΑΤΕΙΛΑΝΤΟΣ ΤΟΥ ΗΛΙΟΥ *(Mc 16,2)*, dans *ETL* 54 (1978) 70-103 (spéc. pp. 88-91: les expressions doubles en Marc; p. 96, n. 142: Mc 10,46a et la chronologie de la «semaine»; cf. p. 100, n. 153); *La fuite du jeune homme en Mc 14,51-52*, dans *ETL* 55 (1979) 43-66 (cf. n. 244); *Marc 16,1-8. Tradition et rédaction*, dans *ETL* 56 (1980) 56-88 (spéc. pp. 81ss.). Je me permets d'y renvoyer le lecteur.

210. À l'intention de ceux qui voudraient opposer *Duality* à *Threefoldness*, on notera que plusieurs triades prennent la forme de ABA', avec une progression de A à A' (cf. *Schachtelung*), ou de ABB' (cf. p. 447: *Schema der zweifachen, gesteigerten Wiederholung*).

La nouvelle édition se présente comme une «durchgesehene Auflage», mais il n'est pas dit en quoi consiste la révision. J'ai pu noter que les corrigenda que j'avais signalés dans *L'évangile de Marc* (notes 5, 6, 7, 8, 26, 91, 97, 123, 124, 125, 127, 149) ont été corrigés avec soin. À l'occasion, la correction s'accompagne d'une faute nouvelle. Cf. tome II, n. 6[a], ligne 4: 27/48 (inversion); p. 28, ligne 13: 55 (correction: 55-65). Mais j'ai dû constater aussi que la révision semble se limiter à cela. En tout cas, je n'y retrouve aucune des autres corrections que j'avais notées dans mon exemplaire de la première édition sans les reprendre dans *L'évangile de Marc*. J'en donne la liste en appendice à ce compte-rendu.

Au sujet de Mc 12,13-17, l'introduction générale du tome I a été révisée conformément à l'interprétation du tome II (cf. *L'évangile de Marc*, p. 102): la péricope 12,13-17.34c appartient au récit de la passion (p. 67, l. 19) et elle ne figure plus parmi les péricopes isolées (p. 65, l. 19; autre correction: 12,35-37 y est remplacé par 12,28-34); ἀποστέλλουσιν en 12,13 n'est plus attribué à Marc (p. 23, l. 10-11: omission). La tension reste à propos du *Motivationsanschluss* en 12,28: «geht vielleicht auf Markus zurück» (I, p. 23); «eine *vormk* Verzahnung mit 12,18-27» (II, p. 236). La phrase sur Mc 13 est restée: «Mk 13 als plausible Ausnahme bestätigt den konservativ-sparsamen Charakter der mk Redaktion dort, wo die Traditionen als Grundlage des Evangeliums zusammengestellt werden», mais la formule radicale: «im ganzen Werk ausser Mk 13» a disparu (I, p. 23). La nouvelle interprétation tend en effet à réduire la part de l'évangéliste en Mc 13, et l'expression: «stärker als alle Stoffe im Evangelium sonst durch den Feder des Evangelisten geprägt» est adoucie en «*ein wenig* stärker...» (ibid.).

L'appendice du tome I attire l'attention sur une seule correction dans le texte du Commentaire (p. 446). À propos de Mc 3,7; on lit dans la première édition: «Der Evangelist... hat vielleicht den Einsatz in V 7a (Nennung Jesu im einführenden Satz) überarbeitet; im übrigen arrangiert er...». Suite à mes remarques (*ETL*, 1977, pp. 169-170), il a corrigé la phrase: «... hat den Text, soweit erkennbar ist, nicht überarbeitet» (I, p. 199), au risque d'une certaine incohérence dans le Commentaire (cf. I, p. 30; μετὰ τῶν μαθητῶν αὐτοῦ: cf. I, p. 405; II, p. 28). L'Appendice signale la correction de manière assez énigmatique: «F. Neirynck, L'évangile 169-172 hat meine Erklärung [à propos de 3,7-12] einer gründlichen Kritik unterzogen (vgl. die Korrektur in Mk [3]I, 199)». L'autre correction, au sujet de 12,13, n'est signalée nulle part. Ne fallait-il pas informer le lecteur plus clairement sur de tels changements? Un astérisque en marge du texte pourrait nous suffire!

Nous retrouvons le commentaire sur Mc 6,3: «Mit ἀδελφός (nicht ἀνεψιός) bzw. ἀδελφή sind leibliche Brüder bzw. Schwestern Jesu vorgestellt» (p. 319), et l'excursus qui s'y rapporte est resté inchangé pour l'essentiel (pp. 322-324). Un certain vocabulaire trop corsé a disparu: «ungezwungen», «sonst unterdruckten (Argumenten)» (p. 323), «unvoreingenommene Exegese» (p. 324). Il n'est plus dit de J. Blinzler qu'il «unverantwortlich harmonisiert» mais «zu stark harmonisiert» (n. 48), ou de son interprétation qu'elle «*ist* sekundär... entstanden» mais «scheint... zu sein». Et la phrase: «ein dogmatischer Zwang... existiert nicht» est devenue: «ob ein dogmatischer Zwang... existiert ist zumindest kontrovers» (p. 323). L'excursus sur les frères de Jésus est complété par une longue note dans l'appendice (cf. *infra*).

C'est en effet le *Nachtrag zur 3. Auflage*, qui doit nous intéresser avant tout (I, pp. 422-466), un appendice substantiel de 45 pages dont les souscripteurs à la série de *HThKNT* souhaiteraient qu'ils puissent l'acquérir en fascicule séparé (comme les *Ergänzungshefte* de *KEK*). On y trouve d'abord un supplément bibliographique (*Literatur*, 422-425; *Spezialliteratur*, 426-431 : par section, *L 01* etc.), et puis des notes additionnelles au commentaire. La bibliographie et les notes se réfèrent aux publications des années 1976-1979 et, plus rarement, à l'un ou l'autre ouvrage oublié dans la première édition. La liste des Commentaires a réservé une place à neuf auteurs anciens (422; *L'évangile de Marc*, p. 156). On y compte sept commentaires en anglais (dont trois sont récents : Anderson, Clements 1976, Achtemeier 1978), un en italien (Nolli 1978) et deux en allemand (Gnilka 1978/79, Schmithals 1979), mais seul le nom de Gnilka apparaît dans les notes. Il est cité surtout pour son explication rédactionnelle (1,32-34.35-38.39.45; etc.; voir la liste complète des versets rédactionnels dans *L'évangile de Marc*, 1979, p. [30]).

Les notes sont généralement trop brèves pour qu'on puisse y trouver une appréciation des positions des auteurs, et on regrette que Pesch donne une place égale à des hypothèses émises un peu à la légère et à des positions critiques bien établies. Le commentateur se tient souvent dans la réserve : «wenig überzeugend»; à l'occasion, il écarte «Eine ganz unwahrscheinliche (Re-)Konstruktion!» (celle de Gnilka au sujet de 4,45-52), mais il y a aussi des formules qu'il se complaît à citer : «Mark, at any rate, has not been as creative with respect to his traditions as is sometimes supposed» (Kazmierski; 434, cf. 437); «On the whole he has a conservative attitude to the tradition» (Best, 446). Il est fort rare que les notes modifient le point de vue du commentaire. Il semble prêt à revoir sa position au sujet de ἀρχή en 1,1 (438 : «Es bleibt also möglich...»; cf. G. Arnold). À propos de l'imposition du nom de Pierre (3,16), il n'a plus recours à une vision du Ressuscité : «Mk 3,16... hält die ursprüngliche Situation der Verleihung des Beinamens fest» (446); il renvoie à son nouvel ouvrage (qui ne m'est pas encore parvenu) : *Simon Petrus. Geschichte und geschichtliche Bedeutung des ersten Jüngers Jesu Christi*, Stuttgart, 1980. En ce qui concerne le logion de 4,11-12, il accepte maintenant que les parallèles de Mt/Lc reflètent la tradition de Q (448); l'absence de Mc 4,11-12 serait une lacune dans la liste de A. Polag, *Fragmenta Q* (437). Il se réfère à R. PESCH & R. KRATZ, *So liest man synoptisch. 4. Gleichnisse und Bildreden*, Frankfurt, 1978, pp. 45-46. Le problème de l'accord Mt/Lc (diff. Mc 4,11) est bien connu, mais on peut y lire un argument nouveau qui risque d'étonner : la citation d'Is 6,9-10 LXX (Mt 13,14-15/Ac 28,26-27) appartient à Q!

La note sur les frères de Jésus (pp. 453-462), avec une percée vers la dogmatique fondamentale. dépasse de loin ce qu'on attend d'un commentaire sur l'évangile de Marc. On ajoutera au dossier : F. DREYFUS, *L'actualisation de l'Écriture. III. La place de la tradition*, dans *RB* 86 (1979), 321-384, pp. 326-329 et 337-340. Pesch discute longuement le témoignage d'Hégésippe (pp. 456-459; cf. 324, n° 4). Il écarte la lecture de Blinzler (IV,22.4 δεύτερον), mais, d'accord avec Blinzler, il accepte sans discussion «die Zuverlässigkeit seiner Informationen». Ces indications (trop) précises sur les rapports de parenté (Syméon, un cousin de Jésus, est un fils de Klopas, qui est un frère de Joseph) n'ont-elles donc rien qui les rapproche de l'esprit des apocryphes (p. 324 : «nicht 'apocryphe' Überlieferungen»)? Même Blinzler semble avoir eu ses soupçons : «vertrauenswürdiger als die z. T. gewiss legendarisch ausgestalteten (Angaben) über das Martyrium des Jakobus» (95).

À propos de Mc 6,3, le *Nachtrag* se réfère aux conclusions de l'étude de L. Oberlinner, 1975 (p. 454; voir également p. 324, où la citation remplace le n° 6) et à l'avis prudent de R. Schnackenburg et autres. Au niveau de l'exégèse marcienne, c'est surtout le rapprochement entre 6,3 et 15,40 qui intervient dans la discussion (p. 455 : les conclusions d'Oberlinner). Pesch lui-même lit le texte de 15,40 comme suit : «Marie (*fille* ou *femme*) de Jacques le petit et (*Marie*) la mère de Joses» (II, p. 506). Je reviendrai sur le point dans une étude consacrée à Mc 16,1 (suite de l'article sur Mc 16,1-8).

BETL 53 (1980) 369-401

MARC 13
EXAMEN CRITIQUE
DE L'INTERPRÉTATION DE R. PESCH

I. La position du Commentaire

Dans la première partie, nous examinons la position de R. Pesch telle qu'elle est exposée dans *Das Markusevangelium* II (1977), 264-318 [1]. On y retrouve un trait essentiel de l'hypothèse défendue par l'auteur en 1968 (dans *Naherwartungen*) [2] : Marc 13 repose sur une *Vorlage*, une apocalypse prémarcienne, que l'évangéliste a insérée dans un contexte préexistant. Mais les vues de Pesch ont évolué sur plusieurs points :

1. Le *contexte* préexistant n'est pas une première composition de l'évangile de Mc (sans le chapitre 13), mais le récit prémarcien de la passion : 8, 27-33 ; 9, 2-13.30-35 ; 10, 1.32-34.46-52 ; 11, 1-23.27-33 ; 12, 1-17.34c. 35-37.41-44 ; 13, 1-2 ; 14, 1 - 16, 8.
2. La *Vorlage* ne remonte pas à une apocalypse juive du temps de Caligula (première moitié de 40), mais il s'agit d'un tract (judéo-)chrétien du début de la guerre juive (67).
3. L'apocalypse prémarcienne (13,3-4/5.7-8/9.11-13/14-20/21-22/24-27/ 28-31) comprend déjà les versets 3-4 (l'introduction), 9.11.13a (la persécution des chrétiens) et 28-31 (la parabole du figuier et la conclusion). Les versets 1-2 sont également traditionnels (le récit de la passion). Il en résulte une plus grande réduction de l'activité rédactionnelle de l'*évangéliste*.

1. Cf. F. NEIRYNCK, *L'évangile de Marc. À propos du Commentaire de R. Pesch* (ALBO V/42), Louvain, 1979. Le texte est repris de *ETL* 53 (1977) 153-181 (sur le tome I, 1976), et 55 (1979) 1-42 (sur le tome II, 1977), complété par une note additionnelle sur le commentaire de J. Gnilka, tome I, pp. [29]-[30], et par un Index des auteurs cités, pp. [73]-[74].

2. Sur *Naherwartungen*, cf. F. NEIRYNCK, *Le discours anti-apocalyptique de Mc., XIII*, dans *ETL* 45 (1969) 154-164 (présentation des livres de J. Lambrecht et R. Pesch). Parmi les recensions, voir L. HARTMAN, dans *Bib* 50 (1969) 576-580 ; J. LAMBRECHT, dans *Theol. Revue* 65 (1969) 457-459. Pour la réaction de Pesch, sur le livre de L. HARTMAN (*Prophecy Interpreted*, 1966), voir *Theol. Revue* 64 (1968) 25-27 ; sur celui de J. LAMBRECHT (*Die Redaktion der Markus-Apokalypse*, 1967), voir *Naherwartungen*, surtout pp. 41-44.

La nouvelle hypothèse se caractérise plus particulièrement par une interprétation résolument *zeitgeschichtlich* de l'apocalypse prémarcienne. Nous en parlerons en premier lieu.

1. La migration à Pella

La notice d'Eusèbe (*H.E.* III, 5, 3) est souvent citée par les commentateurs anciens à propos de Mc 13, 14b (Mt 24, 16) : « Huic Christi praecepto parentes Christiani Jerosolymitae fugerunt in Pellam ». Ils distinguent cependant entre la parole de Jésus et le χρησμός dont parle Eusèbe : « quamquam novo etiam responso a Deo accepto admonitos tunc fuisse Eusebius referat » (Lucas Brugensis, 394). Cette distinction disparaît lorsque T. Colani propose l'hypothèse de la « courte apocalypse » : « Cet oracle, c'est très-probablement notre apocalypse elle-même, qui se répandit alors dans l'Église de Jérusalem et qui fut acceptée comme une révélation surnaturelle du Christ glorifié »[3]. C'est encore l'interprétation de R. Pesch : « wahrscheinlich war sie der χρησμός, mit dem die judäischen Gemeinden zur Auswanderung ins Ostjordanland angehalten wurden » (266) ; « es [handelt] sich um eine Weisung der Jerusalemer Gemeinde (die ihre Flucht nach Pella vorbereitet) an die judenchristlichen Gemeinden Judäas (im Umkreis Jerusalems) » (292).

Depuis 1968, l'historicité de la fuite à Pella a trouvé des défenseurs qui répondent aux objections de S.G.F. Brandon, G. Strecker et J. Munck.

3. T. Colani, *Jésus Christ et les croyances messianiques de son temps*, Strasbourg, ²1864, p. 208. Sur l'hypothèse, voir G.R. Beasley-Murray, *Jesus and the Future. An Examination of the Criticism of the Eschatological Discourse, Mk 13 with Special Reference to the Little Apocalypse Theory*, London, 1954, pp. 242-244 : « The Oracle of Eusebius ». Voir aussi p. 17 (T. Colani) et 36 (O. Pfleiderer, 1868, qui dépend de Colani). Parmi les premiers représentants, on ajoutera G. Volkmar (*Marcus und die Synopse der Evangelien*, Zürich, 1869, p. 542), et on corrigera, semble-t-il, la référence à T. Keim (« no connection between the two prophecies. So Keim... » ; p. 244). Il est vrai que cet auteur formule une objection disant qu'il s'agit plutôt de « eine neue besondere Offenbarung Gottes oder Christi » (p. 201), mais il ajoute que « der [Unterscheid] freilich auch auf Ungenauigkeit der Mittheilung des Eus. beruhen kann » (n.1) et tient l'identification pour *möglich*. Cf. T. Keim, *Geschichte Jesu von Nazara. III. Das jerusalemische Todesostern*, Zürich, 1872, p. 201.

L'exposé de Beasley-Murray peut donner l'impression que Colani fut le premier à voir la connexion de Mc 13 avec l'oracle d'Eusèbe : « was first suggested with the discreditable intention of demonstrating the late appearance of the discourse » (p. 243). L'interprétation de Lucas Brugensis (voir dans le texte) est plus ancienne (cf. Bède, *In Lucam* VI, 179-183 ; *In Marcum* IV, 121-125) et généralement répandue aux temps modernes : Bengel, *Gnomon*, « in hoc ipso tempore monitum de fuga divinitus iteratum fuisse memorat Eusebius » (*ad* Mt 24, 15) ; J.C. Wolfius, *Curae*, Hamburg, 1725, p. 344 : « Hac Christi admonitione et consecuta alia... », avec référence à Eus. et Épiph. (et à un ouvrage de J.G. Baier, *Dissertatio de christianorum migratione in oppidum Pellam*, Jena, 1694). Cf. *infra*, II, 1.

Pesch se réfère à S. Sowers 1970, J.J. Gunther 1973 et M. Simon 1972 (cf. H.J. Schoeps 1960, E. Stauffer 1957, L. E. Elliott-Binns 1956) et se déclare convaincu par leurs arguments. La notice sur la fuite à Pella nous est transmise par Eusèbe et Épiphane, mais elle serait attestée également par *Ps.-Clém. Recogn.* 1, 39 (1, 37 syr.) et *Anabathmoi Jakobou II* ; en plus, on trouverait une allusion à cette fuite des chrétiens en Ap 12, 4-17 et Ascension d'Isaïe 4, 1-14 (295-6) [4].

Reprenons ces témoins en ordre inverse.

Asc. Is. 4, 13 : « ... un petit nombre resteront ses serviteurs durant ses jours, fuyant de désert en désert, dans l'attente de sa venue » (trad. E. Tisserant) [5].

Ap 12, 6 : καὶ ἡ γυνὴ ἔφυγεν εἰς τὴν ἔρημον, ὅπου ἔχει ἐκεῖ τόπον ἡτοιμασμένον ἀπὸ τοῦ θεοῦ, ἵνα ἐκεῖ τρέφωσιν αὐτὴν ἡμέρας χιλίας διακοσίας ἑξήκοντα (cf. v. 14) [6].

4. Voir les références bibliographiques L86 (et n. 25 : E. Stauffer). Sur G. STRECKER, cf. *infra*, n. 9. Pesch se réfère au témoignage de *PsClem Recogn I, 39* et *Anabathmoi Jakobou II* (p. 295). Le lecteur devra savoir qu'il s'agit d'un même texte, *AJ II* étant la source incorporée en *Rec.* I, 37-44.53-71. À propos de Ap 12 et *Asc. Is.* 4, Pesch s'exprime de façon plus prudente : « Sofern... ; könnte... » (p. 295).

5. E. TISSERANT, *Ascension d'Isaie. Traduction de la version éthiopienne*, Paris, 1909, p. 122 : « un lieu commun des ouvrages apocalyptiques ». Cf. R.H. CHARLES, *The Ascension of Isaiah*, London, 1900, p. 32 : « a familiar feature in Jewish Apocalypses ». Tisserant se réfère entre autres à Eus., *H.E.* III, 5, 3, mais, avec Charles, il date « l'apocalypse chrétienne » de 3, 13 - 4, 19 « entre 88 et 100 » (p. 60). Dans *Jesu Gestalt und Geschichte* (Bern, 1957). E. Stauffer y voit un *Flugblatt* apocalyptique du temps de la fuite à Pella (p. 138 et n. 90, p. 170). Il a été suivi par Sowers et Gunther. Pesch s'y associe et cite le texte comme un témoignage « für die Virulenz der judäischen Ereignisse in Rom », dont témoigne également l'insertion de 13, 3-31 dans l'évangile de Marc (p. 295 ; cf. p. 267, n. 5).

6. Pesch se réfère à H.J. Schoeps (*ZNW* 51, 1960, pp. 108-109), suivi par Sowers et Gunther. Voir déjà *Theologie und Geschichte des Judenchristentums*, Tübingen, 1949, pp. 264-265. Schoeps ne fait que reprendre l'hypothèse de E. Hirsch (*Studien zum vierten Evangelium*, Tübingen, 1936, pp. 156-170) : Ap 4, 2 - 22, 19 remonte à une source judéo-chrétienne des années 68/69, « in der Mitte der nach Pella im Ostjordanland geflohenen jerusalemischen Christengemeinde entstanden » (p. 163). Un des arguments de Hirsch est l'étroite connexion avec l'Apocalypse de Marc « die vermutlich ein Niederschlag der Prophetie ist, die zur Flucht nach Pella führte » (p. 167). Sur Ap 12, 6 (et 13ss.), voir p. 166. L'on notera que, parmi les « zahlreiche bedeutende Exegeten » que Schoeps a groupés avec H. Ewald, certains se sont expressément désolidarisés de son explication de Ap 12, 6. W.M.L. de Wette l'appelle *kleinlich-buchstäblich* ([3]1847, p. 129 ; cf. p. 22 : « zu viele Anknüpfungen an Zeitvorstellungen [werden] gesucht »). Voir aussi T. Zahn, 1924, p. 444. Les raisons mêmes pour lesquelles Zahn refuse une telle explication sont invoquées dans le commentaire récent de H. Kraft (1974, p. 170) comme « Reminiszenzen an die Flucht der Urgemeinde ins Ostjordanland » : c'est-à-dire « ein Asyl in der Wüste » (Zahn : « Pella lag in der überaus fruchtbaren, im Altertum stark bevölkerten Jordanaue ») et « 3 1/2 Jahren », le temps de la guerre juive (mais Kraft lui-même parle de « die apokalyptische Zeit » !). Sur Ap 12, voir Adela YARBRO COLLINS, *The*

Ps.-Clem., Rec. 1, 39 : Denique etiam hoc ponitur evidens magni mysterii huius indicium, ut omnis qui credens prophetae huic, qui a Moyse praedictus est, baptizatur in nomine ipsius, ab excidio belli quod incredulae genti imminet ac loco ipsi, servetur illaesus, non credentes vero extorres loco et regno fiant, ut vel inviti intelligant et obediant voluntati Dei.

Rec. 1, 37 (syr.) : τότε ὁ τοῦτο κηρύσσων αὐτοῖς ἀποστέλλοιτο προφήτης καὶ οἱ αὐτῷ πιστεύοντες θεοῦ σοφίᾳ εἰς ἰσχυρὸν τῆς χώρας τόπον εἰς σωτηρίαν συνηγμένοι, τηρηθεῖεν διὰ τὸν πόλεμον, ὃς τοῖς ἀπιστοῦσι διὰ τὴν διχόνοιαν εἰς ὄλεθρον ἐπελεύσεται (W. Frankenberg).

Rufinus : viderent eum qui eos doceret locum Dei electum esse sapientiam eius, in quo conveniret offerri hostias Deo, hunc autem locum, qui ad tempus videbatur electus, incursionibus hostium et excidiis saepe vexatum, et ad ultimum quoque audirent penitus excidendum.

Deux commentaires à propos de 1, 39 : « On penserait aux événements de 135 » (Cerfaux) [7] ; et « Si cui ista sunt obscura, legat Eusebium..., Epiphanium... etc. Ab iis lucem petat » (Cotelier) [8]. Même rapprochement chez Strecker, qui interprète 1, 39 à la lumière de 1, 37 syr. (p. 230) [9] et situe l'origine de la source *AJ II* à Pella aux environs de 150 (p. 253). Mais le nom n'y apparaît pas (pourquoi le « lieu sûr » ne serait-il pas dans les montagnes ou dans le désert ?) [10], et 1, 37 n'ajoute rien de précis à Mc 13, 14-20/Mt 24, 15-22 (voir l'allusion à Mt 24, 15 en 1, 64).

Épiphane : « On sera assez enclin à suivre Strecker lorsqu'il admet qu'Épiphane dépend d'Eusèbe et non point d'Hégésippe et ne représente donc pas une tradition originale » [11]. On y trouve des réminiscences termi-

Combat Myth in the Book of Revelation (HDR, 9), Missoula (Montana), 1976. Cf. p. 124 : « the narrative of Revelation 12 does not contain any clear signal or explicit reference to indicate that the story is meant to correspond to any specific historical events ».

7. L. CERFAUX, *Le Vrai Prophète des Clémentines* (1928), dans *Recueil L. Cerfaux*, t. 1 (BETL, 6), Gembloux, 1954, p. 316, n. 3 (sur la date de *Recogn.* 1, 35-39). Même observation chez G. Strecker (cf. n. 9) : « R I 39, 3 [wird] offenbar die erste und zweite Belagerung Jerusalems nicht mehr unterschieden » (p. 231).

8. La remarque de J.B. COTELIER, dans *SS. Patrum qui temporibus Apostolicis floruerunt opera*, Pars 2ª, Paris, 1672, col. 351, est reprise dans *PG* 1, col. 1230, n. 39. Schoeps ne semble pas l'avoir lue (1949, p. 265 : « noch nie herangezogen »).

9. G. STRECKER, *Das Judenchristentum in den Pseudoklementinen* (TU, 70), Berlin, 1958, pp. 229-231 (note *d* sur I, 39).

10. Selon Strecker, l'expression ne permet pas de songer à une « autre ville » (p. 230), mais s'agit-il bien d'une « ville » ? Et le parallélisme avec la notice d'Eusèbe est-il suffisamment clair pour conclure : « Die Pellatradition ist also schon für AJ II nachweisbar » ? Et peut-on se fier sur une donnée si peu claire pour fixer le lieu d'origine de la source à Pella ? Pour M. Simon, il y a là « une allusion très claire à la migration des Jérusalémites », et l'hypothèse de Strecker devient une certitude : « Il paraît assuré, comme le pense Strecker, ... » (*La migration*, cf. *infra*, n. 11, p. 49) !

11. M. SIMON, *La migration à Pella. Légende ou réalité ?*, dans *RSR* 60 (1972) 37-54, p. 38. Cf. G. STRECKER, *op. cit.*, p. 229. Pesch semble suggérer qu'il s'agit de

nologiques (Eusèbe : μεταναστῆναι, τινα... πόλιν... Πέλλαν, τῶν εἰς Χριστὸν πεπιστευκότων), mais Épiphane semble se permettre une certaine liberté : Χριστοῦ φήσαντος et προεχρηματίσθησαν ὑπὸ ἀγγέλου [12].

deux témoignages indépendants (comparer Schoeps, p. 105 : « das unabhängige Zeugnis »). Il signale, sans commentaire, les différences entre Eusèbe et Épiphane (le Christ ou un ange ; comparer Schoeps : « deutlich sekundäre Formung »). T. Zahn fait remonter les deux notices à une source commune, Hégésippe (*Forschungen* VI, Leipzig, 1900, pp. 269-270), hypothèse reprise et développée par H.J. Lawlor, *The Hypomnemata of Hegesippus*, dans *Eusebiana*, Oxford, 1912, pp. 1-107, spéc. 28-34. Lawlor admet que « between Eusebius and Epiphanius there is no contradiction, and there are many points of contact » (p. 30). Mais il écarte la possibilité d'une dépendance envers Eusèbe en raison des différences (le Christ, un ange) et des expressions propres à Épiphane (pp. 29-30). Schoeps aussi bien que Simon semblent avoir abandonné ce point de vue. Cf. n. 12.

12. Il n'y a pas lieu d'exagérer la différence entre χρησμὸς ... δι' ἀποκαλύψεως et (προ)χρηματίζεσθαι ὑπὸ ἀγγέλου. Quant à Χριστοῦ φήσαντος, l'on notera que, dans le passage d'Eusèbe, en parallèle au χρησμός adressé à la communauté de Jérusalem, il est question des apôtres qui quittent la Judée pour la mission aux nations σὺν δυνάμει τοῦ *Χριστοῦ φήσαντος* αὐτοῖς· πορευθέντες... (Mt 28, 19). Le rapprochement est encore plus frappant si en *Haer.* 29, 7, au lieu de μαθητῶν, on lit ἀποστόλων (ms. de Venise ; Dindorf).

En voici le texte des trois passages d'Épiphane :

Haer. XXIX, 7 (les Nazaréens)
... καὶ ἐν τῇ Δεκαπόλει περὶ τὰ τῆς Πέλλης μέρη
καὶ ἐν τῇ Βασανίτιδι...
Ἐκεῖθεν γὰρ ἡ ἀρχὴ γέγονε,
μετὰ τὴν ἀπὸ τῶν Ἱεροσολύμων μετάστασιν
πάντων τῶν μαθητῶν τῶν ἐν Πέλλῃ ᾠκηκότων,
Χριστοῦ φήσαντος
καταλεῖψαι τὰ Ἱεροσόλυμα καὶ ἀναχωρῆσαι
δι' ἣν ἤμελλε πάσχειν πολιορκίαν.
Καὶ ἐκ τῆς τοιαύτης ὑποθέσεως τὴν Περαίαν οἰκήσαντες,
ἐκεῖσε, ὡς ἔφην, διέτριβον.
ἐντεῦθεν ἡ κατὰ τοὺς Ναζωραίους αἵρεσις ἔσχε τὴν ἀρχήν.

Haer. XXX, 2 (les Ébionites)
Γέγονε δὲ ἡ ἀρχὴ τούτων μετὰ τὴν τῶν Ἱεροσολύμων ἅλωσιν,
ἐπειδὴ γὰρ πάντες οἱ εἰς Χριστὸν πεπιστευκότες
τὴν Περαίαν κατ' ἐκεῖνο καιροῦ κατῴκησαν τὸ πλεῖστον,
ἐν Πέλλῃ τινί πόλει καλουμένῃ τῆς Δεκαπόλεως τῆς ἐν τῷ Εὐαγγελίῳ γεγραμμένης
πλησίον τῆς Βαταναίας καὶ Βασανίτιδος χώρας,
τὸ τηνικαῦτα ἐκεῖ μεταναστάντων
καὶ ἐκεῖσε διατριβόντων αὐτῶν,
γέγονεν ἐκ τούτου πρόφασις τῷ Ἐβίωνι.

De Mens. XV
Ἦσαν γὰρ ὑποστρέψαντες ἀπὸ Πέλλης τῆς πόλεως εἰς Ἱερουσαλήμ...
Ἡνίκα γὰρ ἔμελλεν ἡ πόλις ἁλίσκεσθαι ὑπὸ τῶν Ῥωμαίων,
προεχρηματίσθησαν ὑπὸ ἀγγέλου
πάντες οἱ μαθηταὶ μεταστῆναι ἀπὸ τῆς πόλεως,
μελλούσης ἄρδην ἀπόλλυσθαι.
Οἵτινες καὶ μετανάσται γενόμενοι

Eusèbe, H.E. III, 5, 3 :

οὐ μὴν ἀλλὰ καὶ τοῦ λαοῦ τῆς ἐν Ἱεροσολύμοις Ἐκκλησίας,
κατά τινα χρησμὸν τοῖς αὐτόθι δοκίμοις δι' ἀποκαλύψεως ἐκδοθέντα,
πρὸ τοῦ πολέμου μεταναστῆναι τῆς πόλεως,
καί τινα τῆς Περαίας πόλιν οἰκεῖν κεκελευσμένου,
Πέλλαν αὐτὴν ὀνομάζουσιν,
ἐν ᾗ τῶν εἰς Χριστὸν πεπιστευκότων ἀπὸ τῆς Ἱερουσαλὴμ μετῳκισμένων.

Pesch admet qu'Eusèbe « sich wohl auf Hegesipp stützt », mais Eusèbe ne le dit pas [13]. L'origine de la tradition relative à Pella, qu'Eusèbe mentionne une seule fois, reste obscure. N'est-ce pas une donnée trop incertaine pour en faire la clé de l'interprétation de Mc 13 ? S'il y a un *Zusammenhang* avec l'apocalypse de Mc, on peut le voir dans l'autre sens : on comprend qu'à partir de Mc 13, 14-20 / Mt 24, 15-22 s'est développée la tradition que les chrétiens de Jérusalem ont été sauvés.

Il est à noter que Pesch se montre fort prudent dans l'interprétation de Mc 13, 14a : « Eine sichere Deutung der danielischen Chiffre ist kaum möglich ». Il s'agit probablement d'une profanation du Temple, et peut-être de l'activité « d'un dévastateur personnel » (291). L'événement date du début de la guerre juive mais sa nature précise nous échappe, et le seul fait certain en Mc 13, 14-20 serait la fuite à Pella, attestée par Eusèbe ! Pesch

ᾤκησαν ἐν Πέλλῃ τῇ προγεγραμμένῃ πόλει πέραν τοῦ Ἰορδάνου,
ἥτις ἐκ Δεκαπόλεως λέγεται εἶναι.
Μετὰ δὲ τὴν ἐρήμωσιν Ἱερουσαλὴμ ἐπαναστρέψαντες, ὡς ἔφην, ...

Rappelons, pour mémoire, la construction fantastique de W. Marxsen, dans *Der Evangelist Markus*, 1956 : non seulement Mc 13 serait à identifier avec l'oracle de la migration à Pella (= la Galilée !) (p. 116), mais Mc 14, 28 et 16, 7 correspondent à l'ordre du Christ et l'instruction de l'ange (Épiphane), et, dans sa forme primitive, le χρησμός comportait une annonce de la parousie (pp. 75-76). Voir la critique de E. Haenchen, dans *Gnomon* 29 (1957), p. 627 ; *Der Weg Jesu*, 1966, p. 459, n. 23 (et 438, n. 3) ; G. Strecker, dans *ZKG* 72 (1961), p. 146. Cf. *infra*, n. 15.

13. G. Strecker suggère une autre origine de la tradition : « von Aristo von Pella ? » (p. 229), et M. Simon est assez enclin à le suivre (p. 39). C'est, semble-t-il, une suggestion ancienne : cf. K.R. KÖSTLIN, *Der Ursprung und die Komposition der synoptischen Evangelien*, Suttgart, 1853, p. 119. Mais elle ne repose que sur le fait qu'Eusèbe se réfère à Ariston de Pella en IV, 6, 3 à propos des événements de 135.

D'après H.-J. Schoeps, Harnack aurait fait la même suggestion : « Harnack (TU, 1, 1, 124f) hat für Eusebius Abhängigkeit von Ariston von Pella angenommen » (*Theologie*, 1949, p. 265 ; cf. *ZNW* 51, 1960, p. 105). En fait, dans *Die Überlieferung der Griechischen Apologeten des zweiten Jahrhunderts in der alten Kirche und im Mittelalter* (TU 1), Leipzig, 1883, pp. 115-130 (sur l'ouvrage d'Ariston), Harnack se contente de noter : « Ein Aristo von Pella wird als Schriftsteller von Eusebius h.e. IV, 6, 3 bei Gelegenheit der Erzählung vom Ausgang des Barkochbakrieges erwähnt » (p. 124). Schoeps ajouta : « Wahrscheinlicher... Julius Africanus oder ebenfalls Hegesipp » (*Theologie*, p. 265, n.2). Ce fut en fait l'opinion de Harnack lui-même : cf. *Die Mission und Ausbreitung*, t. 2, Leipzig, [4] 1924, p. 631 : « nach Hegesipp oder Julius Africanus » (= 1902, p. 413).

explique ainsi la fuite « dans les montagnes » (de la Transjordanie) et les dangers de « l'hiver » (lors de la traversée du Jourdain). Mais il observe en même temps la présence d'allusions scripturaires et de topoi de la tradition apocalyptique...

2. Mc 13, 28-31 : LA CONCLUSION DE L'APOCALYPSE PRÉMARCIENNE

Sous un autre aspect encore Pesch se rapproche de l'hypothèse originelle de Colani : « une grande interpolation qui s'étend du v. 5 de Marc au v. 31 » et qui se termine aux vv. 30-31 par « cette clôture solennelle » (202-3) [14]. À propos de 13, 28-31, l'influence de l'étude de F. Hahn (1975) [15] a été déterminante (« wie F. Hahn wahrscheinlich gemacht hat » 305 ; « überzeugend begründet hat » 266). Pesch renvoie aux pages 243-5 où Hahn relève le contraste entre vv. 28-31 et 32.33-37 (« die inhaltliche Unausgeglichenheit »). Hahn lui-même donne plus de poids à une comparaison avec la « redaktionell gestaltete Jüngerfrage V. 4 » (cf. 245 : « die wichtigste Frage »). Sa conclusion : « ein exakter Vergleich zwischen V. 28-31 und V. 1-4 ergibt, dass hier dennoch ein nicht unerheblicher Unterschied im Verständnis vorliegt » (253). Aux vv. 29-30 les *Stichworte* ταῦτα/ταῦτα πάντα se rapportent aux événements des vv. 14-27, *die begin-*

14. Dans *A Commentary on Mark Thirteen* (London, 1957), G.R. Beasley-Murray attribue à W. Weiffenbach (1873) la suggestion de voir en 13, 31 la conclusion de la Petite Apocalypse : « and in this he was followed by Holtzmann and Loisy » (p. 104). Sur ce point précis, on se souviendra de ce que Beasley-Murray écrit lui-même ailleurs : « Wilhelm Weiffenbach, to whom the theory is sometimes mistakenly attributed... was an enthusiastic follower of Colani » (*Jesus and the Future*, p. 23).

15. F. HAHN, *Die Rede von der Parusie des Menschensohnes Markus 13*, dans R. PESCH & R. SCHNACKENBURG (éd.), *Jesus der Menschensohn. Fs. A. Vögtle*, Freiburg, 1975, pp. 240-266. Voir déjà la reconstruction d'une apocalypse chrétienne dans *Das Verständnis der Mission im Neuen Testament* (WMANT, 13), Neukirchen, 1963, p. 58 : Mc 13, 5-8 (sans 7 fin). 9.11-13.14-23.24-27.28-31 ; corrigée maintenant à propos des vv. 5-6.9a.23 (om.) et (10) ; cf. p. 258. Dans *Naherwartungen*, Pesch se contente d'une allusion assez vague : « rechnet in Anschluss an E. Meyer mit einer bereits festgeprägten christlichen Apokalypse aus dem frühen palästinensischen Christentum, die vom Evangelisten überarbeitet wurde » (p. 38).

H.J. Schoeps et W. Grundmann sont cités dans l'article de Hahn comme tenants de l'hypothèse d'une apocalypse chrétienne (p. 241, n. 7). Chez les deux auteurs, on notera une influence très marquée de W. Marxsen (cf. *supra*, n. 12) : voir W. GRUNDMANN, *Markus*, 1959, p. 260, n. 4 ; 267, n. 28 ; H.J. SCHOEPS, dans *ZNW*, 1960, pp. 103 et 105. On pourrait faire mention également de E. Hirsch (cf. *supra*, n. 6). Voir *Frühgeschichte*, t. 1, 1941, pp. 139-142 : une « urchristliche Prophetie » (13, 5b-9.11-17.19-20.24-26.28-29) aurait été insérée (avec la question du v. 4b) par Mk II dans la trame de Mk I (13, 1-4a.5a.30.32-35a) dont la « conclusion » (vv. 32-35a) est remplacée par le v. 31. L'identification avec le χρησμός d'Eusèbe (Hirsch, p. 139 ; Marxsen, p. 116) est repoussée par Hahn (*Mission*, p. 100, n. 1 ; *Die Rede*, p. 259, n. 74 : contre Marxsen).

nende Ereignisse (ταῦτα) et *das Gesamtgeschehen einschliesslich der Parusie V. 26f* (ταῦτα πάντα). Au v. 4, Marc introduit la notion de σημεῖον (cf. v. 14) et il désigne par ταῦτα non pas les événements de 14ss. mais « le commencement des douleurs » décrit aux vv. (5-6).7-8, c'est-à-dire la guerre juive et la destruction du Temple (255).

Pesch ne peut se servir du deuxième argument, pour deux raisons. D'abord, selon lui, la notion de σημεῖον n'a pas été introduite par Marc : la question sur le signe (v. 4) appartient à la *Vorlage*. Puis, il défend une conception du discours qui, au niveau de la rédaction de Marc, est assez différente de celle de Hahn. La réponse à la question sur le signe n'est pas donnée au v. 14 (Hahn : l'Antéchrist) mais aux vv. 24-25 qui décrivent l'ébranlement cosmique, signe de la Fin : « Sowohl in der Vorlage wie in der Rede des Markus wird nun in den VV 24f die Antwort auf die Frage nach dem Zeichen der Endvollendung gegeben » (301) ; « VV 24f [sind] als das V 4 erfragte ' Zeichen ' anzuerkennen » (302, n. 1). Marc aurait inséré la question πότε ταῦτα ἔσται au v. 4 (cf. v. 2 : la destruction du Temple) et il aurait interprété dans ce sens le v. 14 : « Markus deutet V 14 auf die Tempelzerstörung selbst » (292). Ainsi l'opposition entre le ταῦτα de Marc (v. 4) et celui de la *Vorlage* (v. 29) disparaît chez Pesch : ταῦτα au v. 29 sont « das Auftreten des Greuels der Verwüstung und die grosse Drangsal, für Markus einschliesslich der Tempelzerstörung (VV 2.14) » (308).

Il reste le premier argument : le contraste avec le v. 32. Signalons en passant que selon Hahn l'origine du logion est « sicher nicht markinisch, weil die hier vorausgesetzte Christologie mit dem korrelativen ὁ πατήρ-ὁ υἱός sonst in der redaktionellen Konzeption seines Evangeliums keine Rolle spielt » (244), tandis que Pesch semble admettre (306 : « erwogen werden kann... ») que c'est Marc qui a introduit ici οὐδὲ ὁ υἱός, εἰ μὴ ὁ πατήρ (loco εἰ μὴ ὁ θεός). La section de 13, 28-31 forme « ein in sich geschlossenes Teilstück mit Abschlusscharakter », mais cela ne suffit pas, Hahn le reconnaît (245), pour l'attribuer à la tradition prémarcienne. Quant au contraste entre 28-31 *(Naherwartung)* et 32 *(Unberechenbarkeit)*, citons la réaction de J. Dupont : « Devant ce contraste, certains exégètes se laissent aller trop facilement à parler de ' contradiction '. ... Il n'y a pas lieu de s'étonner que la finale du discours fournisse deux réponses très différentes, si ces réponses concernent deux questions différentes » [16]. Et Pesch lui-même fait observer : « In der mk Interpretation interpretieren die Logien 28-30.32, zusammengehalten durch das Beteuerungswort V 31, sich wechselseitig » (311 ; cf. *Naherwartungen* 190).

16. J. Dupont, *La ruine du Temple et la fin des temps dans le discours de Mc 13*, dans *Apocalypses et théologies de l'espérance* (Lectio divina, 95), Paris, 1977, pp. 207-269, spéc. 216, n. 23.

3. Quel est le signe... ?

Τὸ βδέλυγμα τῆς ἐρημώσεως : Marc aurait donné à l'expression un sens qu'elle n'avait pas dans la *Vorlage*. Telle que Marc la comprend, la *Vorlage* désigne au v. 14 la destruction du Temple comme le signe de la Fin. Marc entend la corriger : la destruction du Temple n'est pas ce σημεῖον ; il ne sera donné que plus tard, après la tribulation, dans les signes cosmiques qui précèdent la venue du Fils de l'homme. « Vom Zeichen der Endvollendung ist erst VV 24f die Rede » (297).

À première vue, l'addition rédactionnelle du v. 23 semble confirmer cette interprétation (la césure 5-22/24-27). Cependant, l'évangéliste peut-il faire dire à Jésus προείρηκα ὑμῖν πάντα avant d'avoir répondu à la question des disciples : τί τὸ σημεῖον ? Les auteurs qui situent cette réponse au v. 14 peuvent donner une explication plus naturelle : le v. 23 indique que « nun alles, wonach die Jünger V. 4 gefragt haben, ' vorhergesagt ' ist » [17]. « La description de la Fin, objet des vv. 24-27, ne fait plus partie de cette réponse : c'est un complément » [18]. La solution de Pesch : « Jesus hat alles vorhergesagt, was die Aufmerksamkeit seiner Jünger *vor dem Ende* verdient (... insbesondere : die Anweisung zur Flucht) » (297). Mais pourquoi cette insistance, puisque : « Die Aufforderung zur Flucht hat für den Evangelisten keinen aktuellen (auch nicht symbolischen) oder künftigen Sinn mehr » (296) !

L'interprétation posera plus de problèmes au niveau de la *Vorlage*. Le passage de la description d'événements historiques à la prédiction de choses à venir ne se situe pas entre 13, 22(23) et 24 (comme c'est le cas pour Marc) mais au v. 14. Les vv. 14-20 contiennent un message d'actualité (« Aufforderung zur Flucht ») et la grande tribulation sera vite suivie par la venue du Fils de l'homme (301 : « bald »). Pesch reconnaît d'ailleurs le signe au v. 14, non comme « Zeichen des Endes » mais comme « Zeichen der Nähe des Endes » (cf. 308). « Ein deutlicher Wink » y est donné aux disciples qui ont posé la question du v. 4 (290) ; « Mit ὅταν δὲ ἴδητε ist auf die Jüngerfrage von V 4 zurückgegriffen » (291). De même, au v. 29, « ὅταν ἴδητε ταῦτα γινόμενα soll an V 14 ὅταν δὲ ἴδητε anklingen » (308).

Mais la question à poser surtout est celle-ci : peut-on appliquer aux « signes cosmiques » des vv. 24-25 la notion de σημεῖον du v. 4 (signe annonciateur de la Fin) ? Pesch l'affirme, mais semble se corriger aussitôt : « Zeichen und Endvollendung fallen zusammen, denn der Herr kommt ' plötzlich ' (V 36) » (303).

17. F. Hahn, *Die Rede von der Parusie*, p. 251, n. 45.
18. J. Dupont, *La ruine du Temple*, p. 219.

L'explication des vv. 24-25 pose encore un autre problème. Pesch maintient son interprétation du v. 26 comme « *Gerichtsaussage* (nach der reichen Gerichtsmetaphorik der VV 24-25) » (303-304). Sur ce point, je renvoie à la critique de J. Dupont : « Les images reprises dans le texte de Marc sont celles qui signalent une théophanie » [19]. Le commentateur se montre sensible à la critique exprimée par Hahn au sujet de la notion de « métaphores cosmologiques » ; il reprend la formule de Hahn sur le sens des vv. 24-25 : non purement métaphorique mais réel, quoique non littéral (303). On voudrait en savoir plus.

4. Mc 13, 3-4 : L'introduction du discours de Jésus dans la Vorlage

« Unter dem Eindruck der Arbeiten von J. Lambrecht und R. Pesch (teilweise auch L. Hartman) gelten die VV 3-4 weithin als mk red Bildung (vgl. z.B. F. Hahn, E. Stegemann) » (273) [20]. Encore maintenant Pesch ne refuse pas une certaine intervention de l'évangéliste : il aurait ajouté κατέναντι τοῦ ἱεροῦ et πότε ταῦτα ἔσται καί (la connexion avec le v. 2) et la mention des trois disciples Pierre, Jacques et Jean (272 : le nom d'André serait traditionnel). Mais la scène du disciple qui interroge Jésus sur le signe de la Fin appartient à la *Vorlage*. Le commentateur se base, semble-t-il, sur quatre observations : 1. Il fallait une introduction à la *Vorlage* puisqu'elle se présente comme un discours de Jésus ; 2. la scène est composée d'après un *pattern* traditionnel ; 3. le Mont des Oliviers est l'indice d'une tradition judéo-chrétienne ; 4. « der sprachliche Charakter der Szene spricht nicht dagegen » (273, 276). Surtout l'argument du modèle littéraire est fortement souligné : « gattungskritische Aspekte verdienen mehr Aufmerksamkeit als bisher » (273).

Pesch reprend ici une suggestion de H. Koester [21] : comme dans les textes gnostiques le Jésus ressuscité apparaît sur une montagne (de préférence le Mont des Oliviers) pour faire des révélations à un groupe restreint

19. *Art. cit.*, pp. 243-254 : « Annonce de jugement ou message d'espérance ? », spéc. p. 251.

20. Et le commentateur de poursuivre : « Doch hat J. Lambrecht (Midrasch-Quelle) seine Position revidiert... » (p. 273). Dans le cadre d'une discussion sur 13, 3-4, cette phrase semble suggérer que Lambrecht ne tienne plus les vv. 3-4 pour rédactionnels. Mais il suppose au contraire « dass es vielleicht derselbe Endredaktor (Markus) war, der sowohl die Umrahmung [cf. p. 267 : « Mk 13, 1-4 und 28-32 »] schrieb als auch den Verfolgungsabschnitt mit Hinzufügung von Mk 13, 10 einschaltete ». Cf. *Die Midrasch-Quelle » von Mk 13*, dans *Biblica* 49 (1968) 254-270 (recension du livre de L. Hartman), spéc. p. 269.

21. H. Koester, *One Jesus and Four Primitive Gospels*, in *Harvard Theological Review* 61 (1968) 203-247 ; repris dans J.M. Robinson & H. Koester, *Trajectories through Early Christianity*, Philadelphia, 1971, pp. 158-204, spéc. 193-198 : « Gospels as Revelations » (sur Mc 13, voir p. 197).

de disciples (ou à un seul), cela doit être un *pattern* traditionnel qui est aussi à la base de Mc 13. Il cite *Apocryphon de Jean* et *Pistis Sophia*[22]. Pesch y ajoute *Sophia Jesu Christi* et *Apocalypse de Pierre* (274).

Pour le dernier texte, il reconnaît la « dépendance vis-à-vis des Synoptiques ». C'est en effet presque ad litteram Mt 24, 3 (par. Mc 13, 3-4). *Sophia Jesu Christi* s'inspire de Mt 28, 16 : « Als sie, nachdem er auferstanden war von den Toten, kamen, nämlich seine zwölf Jünger und sieben Frauen, die ihn als Jünger gefolgt waren, hinauf nach Galiläa, auf den Berg, den man ' Ort der Reifezeit und Freude ' nennt ». Pesch cite aussi *Pistis Sophia* c. 2 : « Es geschah nun, als die Jünger beieinander auf dem Ölberg sassen... während Jesus ein wenig entfernt von ihnen sass ». En fait, il s'agit de la scène de l'ascension : c. 3 « da fuhr Jesus auf oder flog in die Höhe... und die Jünger blickten ihm nach und keiner von ihnen sprach, bis dass er zum Himmel gelangt war » (cf. Ac 1, 9-11). La localisation sur le Mont des Oliviers est celle de Ac 1, 12. La topographie est plus vague dans *Apocryphon de Jean*, cité par Pesch (d'après Koester) : « Ich, Johannes, wandte mich vom Tempel weg zum Berge zu, und ich war sehr traurig... » (v. 7). Dans *BG* : « vers la montagne, vers un lieu désert » (Puech : « dem Berge zu, an einen öden Ort »)[23]. Le texte lacuneux de *CG* II, 1 (le passage est absent en *CG* III, 1 et IV, 1) est reconstruit par F. Wisse en « from the temple [to a desert place] »[24]. Quoi qu'il en soit, on ne peut pas dire que la *Szenerie* de ces écrits n'est pas « auf die syn Tradition zurückführbar » (274).

On notera d'autre part que l'épiphanie et le dialogue, qui sont des traits typiques de ce *framework* de la révélation, ne se retrouvent pas en Mc 13. Et en suggérant une apparition du Ressuscité à la base de Mc 13 (275), on se rapproche dangereusement de la « gnose ». Ou est-ce, encore une fois, de Colani : « une révélation surnaturelle du Christ glorifié » (208) ?

La première considération, sur la *Vorlage* comme discours de Jésus, ne fonctionne qu'à l'intérieur de cette hypothèse. L'observation à propos du Mont des Oliviers nous surprend, car Pesch marque en même temps (276, n. 8) son accord avec Foerster : « Eine jüdische Anschauung, derzufolge sich der Messias vom Ölberg aus offenbaren solle, ist nicht genügend zu belegen » (et donc aussi avec la phrase qui précède : « Seine Erwähnung Lk 19, 37 und Mk 13, 3 Par ist ortskundig » ?)[25]. Quant à l'argument linguistique, le commentateur se contente de dire qu'il renie ce qu'il a écrit dans *Naherwartungen* 96-105 (276, n. 9). Cela tient évidemment à son interprétation de l'ensemble de l'évangile de Marc. Rappelons toutefois

22. *Ibid.*, p. 194, n. 123.

23. R. KASSER, dans *RThPh* 98 (1965), p. 134 ; H.-Ch. PUECH, dans HENNECKE-SCHNEEMELCHER, 1959, p. 235.

24. Dans J.M. ROBINSON (éd.), *The Nag-Hammadi Library in English*, Leiden, 1977, p. 99.

25. W. FOERSTER, art. ὄρος, dans *TWNT* 5 (1954), p. 483.

que la phrase πότε ταῦτα ἔσται qu'il attribue à Marc forme une double question avec τί τὸ σημεῖον... Cf. *Duality in Mark*, 54-63 et 125. Sur le problème plus général du style de Marc, voir *L'évangile de Marc* [26].

5. Corollaire

Ces quatre points signalent, je crois, les aspects essentiels de la nouvelle hypothèse de Pesch. En corollaire, je la compare encore avec la position de J. Gnilka, dont le Commentaire me parvient après la rédaction de ces pages [27].

Sur la nature des signes cosmiques, Gnilka se rapproche de Pesch (et Hahn) : un aspect de jugement et « in der Mitte von Metaforik und Realistik » (200). Il en diffère à propos de la fuite à Pella (211), les vv. 28-31 (203-7), le σημεῖον au v. 14 (195 : l'Antéchrist : cf. Hahn) et les vv. 3-4 (182 : « vollständig markinisch »). Sa reconstruction de l'apocalypse prémarcienne ressemble plus à celle de *Naherwartungen*. Il s'y réfère plusieurs fois, de même qu'à Lambrecht (pour la rédaction de Mc).

Apocalypse	*Autres sources*	*Rédaction de Mc*
	1*.2	*3-4.5a*
6*.22		*5b*
7*.8		
12.13b	*9.13a.11*	10
14*.17.18*.19*.20*	*15.16*	
(22)	*21*	23
24*.25-27		
	*28b.29**	*28a*
	30.31*	
	32*	
	33b.34.35b.36	33a.c.35a.c.37

Selon Pesch (1977), les versets en italiques ici appartiennent à l'apocalypse prémarcienne ; le v. 6 en est exclu.

Gnilka hésite à propos de l'auteur, juif ou judéo-chrétien. Quoique l'apocalypse ne montre « aucun trait spécifiquement chrétien », il se décide pour un judéo-chrétien qui était « der jüdischer Apokalyptik eng verbunden » (212).

Au niveau de la rédaction de Marc, on notera l'absence d'une allusion à la destruction du Temple (mais est-ce probable après l'introduction des vv. 1-4 ?) et l'addition de ἐν ἐκείναις ταῖς ἡμέραις au v. 24 « da mit dieser

26. Cf. *supra*, n. 1.
27. J. Gnilka, *Das Evangelium nach Markus. 2. Teilband Mk 8,27-16,20* (EKK, II/2), Zürich-Einsiedeln-Köln & Neukirchen, 1979, pp. 179-216.

der Auftritt des Antichrist und die Parusie des Menschensohnes enger zusammengeknüpft werden » (200). À ce sujet, on reconnaîtra le mérite de l'hypothèse de Pesch qui met l'accent plutôt sur la césure au v. 24 !

Enfin la question est à poser : la tradition apocalyptique dont s'est servi l'évangéliste, l'a-t-il reçue sous la forme d'un *Dokument* ? L'hypothèse traditionnelle cadre bien dans la théorie d'un évangéliste-conservateur. Elle s'adapte moins bien à une interprétation de l'évangile qui tient compte d'une plus grande créativité de l'auteur.

II. Réponse au *Nachtrag*

Dans la présentation du Commentaire, R. Pesch traite plus en détail l'argument stylistique à propos de 13, 1-2 [28]. Selon son hypothèse, ces deux versets n'appartiennent pas à l'Apocalypse prémarcienne (13, 3-31). Nous en parlerons plus loin. Voyons d'abord la réaction de notre collègue à propos des quatre points que je viens de signaler [29].

1. La fuite à Pella (Eusèbe, *H.E.* III, 5, 3)

Constatons tout d'abord que la discussion se concentre maintenant sur le seul témoignage d'Eusèbe. Les autres « témoins » n'interviennent plus directement [30].

1. *Die Entwicklung gleichsam 'auf dem Kopf stellend'*

Il est sans doute utile de rappeler que, pendant des siècles, la tradition de la migration à Pella, rapportée par Eusèbe, a été mise en rapport avec Mt 24, 15-22 / Mc 13, 14-20 / Lc 21, 20-24. « Tempus fugae jungitur Luc. 21, 20 cum ipso articulo exercitus appropinquantis : atque in hoc ipso tempore monitum de fuga divinitus iteratum fuisse memorat Eusebius 1. 3 H.E. c. 5 » (Bengel, *ad* Mt 24, 15). Le χρησμός dont parle Eusèbe est inter-

28. Voir, dans le présent ouvrage, *Markus 13*, pp. 355-368, spéc. 361-363 (section III).

29. La première partie de notre article (sur *La position du Commentaire*) reproduit le texte tel qu'il fut mis à la disposition des participants au Colloque : *Marc 13. L'interprétation de R. Pesch* (sans les notes). Le *Nachtrag* de R. Pesch et ma Réponse au *Nachtrag* sont la continuation de la discussion qui s'est engagée lors de la session du 29 août 1979.

30. La formulation : « nur..., wenn diese stattgefunden hat » appelle cependant une certaine réserve. L'on peut défendre un *Zusammenhang* avec la tradition de la fuite à Pella sans souscrire à l'historicité : c'est la position de G. Strecker à propos de Ps.-Clém. *Rec* I, 39 (I, 37).

prété comme la répétition de l'instruction contenue dans les paroles de Jésus, et ce n'est qu'avec l'hypothèse de Colani que cette manière de voir a été abandonnée, « die Entwicklung auf dem Kopf stellend ». Le point de vue traditionnel est encore exprimé par T. Zahn : « Es ist kaum anders vorzustellen, als dass die in ihrem Kreise laut werdenden Prophetenstimmen, welche die Flucht von Jerusalem nach Pella veranlasst haben sollen, an die Mt 24, 15-28 ; Mr 13, 14-23 aufbewahrte Weissagung Jesu sich angelehnt und diese ihrer Zeitlage angepasst haben » [31].

2. *Wenn die Nachricht... überlieferungskritisch glaubwürdig erscheint...*

Il est un peu gênant de trouver dans le *Nachtrag* la citation de plusieurs passages d'Eusèbe et pas un mot sur les problèmes d'interprétation que posent ces textes. Un auteur comme M. Simon, auquel se réfère le Commentaire [32], se montre bien plus critique. Il observe chez Eusèbe une certaine confusion entre le premier et le second siège de Jérusalem, « plaçant en 70 le moment de la dispersion finale des Juifs » : τῶν ἀσεβῶν ἄρδην τὴν γενεὰν αὐτὴν ἐκείνην ἐξ ἀνθρώπων ἀφανίζουσα (*H.E.* III, 5, 3) [33]. Il signale également une simplification des données chronologiques là où Eusèbe écrit que « même les Juifs raisonnables virent dans le martyre de Jacques la cause du siège de Jérusalem qui le suivit immédiatement » (II, 23, 19 τῆς παραχρῆμα μετὰ τὸ μαρτύριον αὐτοῦ πολιορκίας) [34]. Le martyre de Jacques est daté par Flavius Josèphe (*Ant* 20, 200-203) entre la mort de Festus et l'arrivée d'Albinus (62), une datation qu'Eusèbe connaît fort bien [35]. M. Simon croit pouvoir situer l'épisode de la fuite à Pella « entre la mort de Jacques en 62 et le début de l'insurrection en 66 ». Il se base sur l'indication fournie par Eusèbe : l'Église reçut l'ordre de quitter la ville « avant la guerre » (πρὸ τοῦ πολέμου). « Eusèbe, il est vrai, confère lui aussi à l'événement valeur de prodige : c'est pour échapper à la catastrophe imminente que les judéo-chrétiens sont invités, par une révélation céleste, à fuir la ville. Leur migration est donc motivée, à ses yeux, par ce qui va

31. *Einleitung in das Neue Testament*, t. 2, Leipzig, [3]1907, p. 441.

32. *Mk II*, p. 295 : « von M. Simon in ihrer historischen Glaubwürdigkeit überzeugend verteidigt ».

33. *La migration à Pella* (cf. *supra*, n. 11), p. 40. Voir aussi III, 7, 8 : (τῷ παντὶ ἔθνει...) τὸν κατ' αὐτῶν ὄλεθρον (cité dans le *Nachtrag* : « mit der Vernichtung des jüdischen Volkes »).

34. Cf. 18 καὶ εὐθὺς Οὐεσπασιανὸς πολιορκεῖ αὐτούς (fin de la citation d'Hégésippe). D'après Zahn, une allusion au début de la guerre juive ; voir H.J. LAWLOR, *The Hypomnemata*, p. 24, n. 5 : « But Eusebius certainly understood the words to refer to the siege, which began shortly before Passover 70 ».

35. Il cite *Ant* 20 en II, 23, 21-24. Voir aussi II, 23, 2 (après la mort de Festus) et *Chronique* (= « 7 Nero »).

suivre : l'effet précède la cause. Mais notre auteur vient aussi, immédiatement auparavant, de rappeler les crimes dont les Juifs se sont rendus coupables envers l'Église naissante : martyres d'Étienne, de Jacques frère de Jean et surtout de Jacques frère du Seigneur. Il voit dans ces forfaits le motif de la colère divine s'abattant sur le peuple juif. *L'historien moderne, lui, est en droit d'y voir, sans faire intervenir les événements subséquents, la cause directe de la fuite à Pella.* Celle-ci trouve une justification suffisante, indépendamment de la guerre à venir, dans le climat d'insécurité qu'une politique de plus en plus intolérante de la part des autorités juives faisait peser sur l'Église de Jérusalem » [36]. Simon défend donc l'historicité de la migration à Pella, mais son interprétation est loin de confirmer l'hypothèse du χρησμός = Mc 13, 14-20 qui se situe « am Beginn bzw. in der Mitte des Jüdischen Krieges » (294) [37]. Pesch donne une lecture d'Eusèbe assez différente de celle de M. Simon : « Eusebius redet vom '*historischen Zusammenhang*' (III, 4, 11) in dem 'das Strafgericht über die Juden' ausbrach, 'als endlich die Kirchengemeinde in Jerusalem...' ». L'expression que j'ai soulignée serait empruntée à III, 4, 11. On y lit simplement la formule de transition habituelle (11b νῦν δ' ἐπὶ τὰ ἑξῆς ἴωμεν τῆς ἱστορίας), qu'on retrouvera en 10, 11, à la fin de la section sur le siège de Jérusalem (III, 5-10) : ἴωμεν δ' ἐπὶ τὰ ἑξῆς [38]. Nul ne contestera qu'au niveau du texte d'Eusèbe (III, 5, 3) il y a un *Zusammenhang* entre la fuite à Pella et « le châtiment des Juifs », mais ce rapprochement, qui selon M. Simon serait dû à Eusèbe lui-même, pourrait compromettre l'historicité de l'épisode plutôt que la confirmer.

3. *Eigentümlicherweise spielt er auf Mk 13, 14-20 nicht an. ... Eusebius spricht nicht von einer Rettung der Judenchristen.*

Pesch oppose cette double constatation au point de vue exprimé dans la première partie : « on comprend qu'à partir de Mc 13, 14-20 / Mt 24, 15-22 s'est développée la tradition que les chrétiens de Jérusalem ont été sauvés ». Cette phrase ne suggère en rien la présence d'une allusion directe à Mc 13, 14-20 dans le texte d'Eusèbe. Par contre, lorsqu'on parle d'un développement « à partir de Mc 13, 14-20 / Mt 24, 15-22 », il est assez

36. *La migration à Pella*, p. 44.

37. S. Sowers comprend l'expression d'Eusèbe, πρὸ τοῦ πολέμου, au sens de « before the southern offensive in the Spring of 68 » (*TZ* 26, 1970, p. 320) ; et il note à propos de Lc 21, 20-21 : « Luke may be thinking of the earlier encirclement by the Idumean troops » (p. 320, n. 44). En revanche, J. Gunther critique le témoignage d'Eusèbe à partir de Lc 21, 20.21b.22 : « his timing is more dubious than that of Epiphanius » (*TZ* 29, 1973, pp. 88-89).

38. Pesch semble se servir de la traduction de Ph. Haeuser (cf. *infra*, n. 55) qui traduit en 4, 11 : « Wenden wir uns dem historischen Zusammenhang zu ! » et en 10, 11 : « gehen wir zum folgenden über ! » Voir également 25, 7 ; 31, 6.

naturel de songer en premier lieu à Lc 21, 20-24. À ce propos, je citerai encore une fois M. Simon. En réponse à G. Strecker [39], il fait valoir que le conseil de fuir en Lc 21, 21 doit se comprendre à la lumière du contexte précédent sur les persécutions : « Ceci veut dire, selon toute apparence, à la fois que les maux qui s'abattront sur le pays ' aux jours de la vengeance ' seront le châtiment de ceux qui persécutent l'Église et aussi que les persécutés eux-mêmes, comme il est normal, y échapperont. Une fuite des Chrétiens hors de Jérusalem, point d'application majeur de la colère divine, semble bien postulée par ce passage » [40]. Nombre de commentateurs expriment une opinion semblable : Lc 21, 20-24 serait une adaptation du texte de Marc *ex eventu* (l'exégèse ancienne insiste plutôt sur l'exactitude des prédictions de Jésus) et ferait allusion à la fuite des chrétiens au début du siège de Jérusalem. De l'avis de beaucoup, Lc 21, 21 serait d'ailleurs la seule trace dans les évangiles de la migration à Pella [41]. Certains l'ont même identifié avec le χρησμός dont parle Eusèbe [42]. Quant à moi, je ne pense pas (et je ne suis pas le seul à penser ainsi) [43] qu'il y ait une allu-

39. Cf. *infra*, n. 43.

40. *La migration à Pella* (cf. *supra*, n. 11), p. 40.

41. C'est même l'opinion qui prédomine parmi les auteurs invoqués par Pesch : M. Simon, S. Sowers (p. 316) et J. Gunther (p. 84). Pour l'explication de Lc 21, 21-22 à la lumière de *H.E.* III, 5, 3, voir entre autres G. VOLKMAR (*Das Evangelium Marcions*, 1852, p. 69), P. Schanz 1883 (p. 491), J.M. Creed 1930 (p. 256), F. Hauck 1934 (p. 254), J. Schmid [4]1960 (p. 311), J. Ernst 1977 (p. 562), G. Schneider 1977 (p. 424). Dans la description du siège de Jérusalem, Lc 21, 21a (τότε οἱ ἐν τῇ Ἰουδαίᾳ φευγέτωσαν εἰς τὰ ὄρη) fait problème entre v. 20 (Ἰερουσαλὴμ ... αὐτῆς) et v. 21bc (ἐν μέσῳ αὐτῆς, εἰς αὐτήν). On l'élimine comme une interpolation d'après Marc (Wellhausen, Hauck), ou on l'explique comme une insertion marcienne de l'évangéliste dans sa source propre (B. Weiss, et encore I.H. Marshall, 1978, p. 772 ; comp. Manson, Dodd, Gaston, Schramm). On peut se tenir, je crois, à la remarque de A. Loisy : « l'idée de Jérusalem domine tout le développement, et l'équivoque existe à peine ; l'évangéliste ne l'a pas sentie en retouchant à mesure le texte de Marc » (1924, p. 497). La lecture ἐν μέσῳ αὐτῆς = τῆς Ἰουδαίας et un sens figuré de la fuite comme « Absetzung vom Judentum » ne se recommandent guère. Ce fut l'explication de J. ZMIJEWSKI, dans *Die Eschatologiereden des Lukas-Evangeliums* (BBB, 40), Bonn, 1972, pp. 210-211, en dépendance de *Naherwartungen*, p. 147 (sens symbolique de la Judée en Mc 13, 14).

42. Cf. J. WEISS, *Evangelium des Lukas* (KEK[8]), Göttingen, 1892, p. 607 : « Wir hätten dann hier thatsächlich dasselbe vor uns, was in jenem berühmten Orakelspruch (χρησμός) stand, von dem uns Eusebius III, 5, 3 erzählt... (Volkmar, Schanz). Es ist sogar nicht unmöglich, dass wir in unserem Stück selber jenen χρησμός haben ». Voir encore *Die Schriften des N.T.* (t. 1, 1906) : « dass sie selber jener ' Orakelspruch ' sind, ist möglich, aber nicht zu erweisen » (p. 468 ; = [3]1917, p. 492).

43. G. STRECKER, *Das Judenchristentum*, p. 230 : « Der nicht spezifizierte Vers macht deutlich, dass der Verfasser des dritten Evangeliums von der Auswanderung der Urgemeinde nach Pella nichts gewusst hat ». Cf. F. KECK, *Die öffentliche Abschiedsrede Jesu in Lk 20, 45 - 21, 36* (Forschung zur Bibel, 25), Stuttgart-Würzburg, 1976, pp. 151-152 : « Luk wendet sich mit dieser Aufforderung wohl nicht (exklusiv) an Christen [n. 208 : contre « die meisten Autoren »] ... Luk beschreibt... einheitlich

sion à une fuite des chrétiens en 21, 21. Il est cependant clair que le texte s'est prêté à une telle interprétation. Ne doit-on pas dès lors donner à l'expression de M. Simon son sens fort : la fuite des chrétiens hors de Jérusalem peut avoir été « *postulée* par ce passage » (Lc 21, 20-24) ? Les chrétiens de Jérusalem ont été sauvés : Pesch n'admet pas qu'on parle ainsi de « Rettung der Judenchristen » à propos de la migration à Pella. Nous reviendrons au texte d'Eusèbe dans un instant. Notons ici seulement que le plus ancien « commentaire » que je connais est un rapprochement de *H.E.* III, 5, 3 avec Lc 21, 20-21 et Zacharie 14, 2 : οἱ κατάλοιποι οὐ μὴ ἐξολοθρευθῶσιν [44].

Dans le texte sur le siège de Jérusalem, Eusèbe se réfère en III, 7 aux prédictions de Jésus, pour dire que « tout s'accomplit conformément aux oracles prophétiques de notre Seigneur et Sauveur Jésus-Christ ». Il cite d'abord Mt 24, 19-21 (en 7, 1) et puis Lc 19, 42-44a ; 21, 23b-24 et 20 (en 7, 4-5). Pesch nie le rapport entre la fuite à Pella en III, 5, 3 et ces citations en III, 7, « erst nach seinem langen Auszug aus Josephus Flavius ». Mais qui veut lire Eusèbe « im Zusammenhang », comme Pesch le recommande, devra les rapprocher [45]. En 7, 1-6, les prédictions de Jésus se rapportent aux événements de 5, 3.4-7, et puis Eusèbe nous ramène en 7, 7-9 ; 8, 1-11 au temps avant la guerre (cf. 5, 2). Il fait observer que Dieu a attendu quarante années avant de punir les Juifs, et pendant ce temps apôtres et

das Schicksal Jerusalems und das der Bewohner der Stadt und der Landschaft Judäa [n. 209 : So auch Arndt 421] ... ». L'intention de Luc est « die Grösse der Not zu veranschaulichen, die mit der Belagerung und Zerstörung über die Bewohner der Stadt hereinbricht ».

44. THÉODORET DE CYR, *In Zach.* 14, 2 : Φασὶ γάρ, Οὐεσπασιανοῦ καὶ Τίτου μελλόντων ἐπιστρατεύειν, τοὺς τηνικαῦτα πιστοὺς ἐξ ἀποκαλύψεως τὴν πόλιν καταλιπεῖν. Τοῦτο δὲ καὶ διὰ τῶν θείων Εὐαγγελίων ἐκέλευσεν ὁ Δεσπότης Χριστός· ὅταν ἴδητε κυκλουμένην ὑπὸ στρατοπέδων τὴν Ἱερουσαλήμ, γινώσκετε ὅτι ἐγγὺς τὸ τέλος αὐτῆς· τότε οἱ ἐν τῇ Ἰουδαίᾳ φευγέτωσαν εἰς τὰ ὄρη, καὶ ὁ ἐπὶ τοῦ δώματος μὴ καταβάτω ἆραί τι ἐκ τῆς οἰκίας. Περὶ τούτων καὶ διὰ τοῦ μακαρίου προεθέσπισε Ζαχαρίου ὅτι « Οἱ κατάλοιποι οὐ μὴ ἐξολοθρευθῶσιν » (*PG* 81, c.1952). Cf. Eusèbe : δι' ἀποκαλύψεως. L'on notera la combinaison de Lc 21, 20-21a avec Mc 13, 15a. Sur Za 14, 2, cf. *infra*, n. 49. Voir encore le commentaire de Cyrille d'Alexandrie : οἱ δὲ κατάλοιποι... désigne ou bien les habitants d'une partie de la ville qui a été épargnée ou bien τοὺς πεπιστευκότας εἰς τὸν τῶν ὅλων Σωτῆρα Χριστόν (*PG* 72, c. 244).

45.

5, 1	Vespasien, Titus
5, 2	Étienne, Jacques, Jacques l'évêque de Jérusalem
	Les autres apôtres : en mission
5, 3	L'Église de Jérusalem à Pella : Jérusalem abandonnée
5, 4-7	Les maux s'abattent sur la Judée et sur Jérusalem
6, 1-28	L'historien : la famine *(Bell.)*
7, 1-6	Les prédictions de Jésus
7, 7-9	La longanimité de Dieu : les apôtres et Jacques à Jérusalem
8, 1-11	Les signes avant la guerre *(Bell.)*
9-10	Excursus sur Flavius Josèphe.

disciples étaient ἐπ᾽ αὐτῆς τῆς Ἱεροσολύμων πόλεως τὰς διατριβὰς ποιούμενοι, ἕρκος ὥσπερ ὀχυρώτατον παρέμενον τῷ τόπῳ (III, 7, 8) [46]. Par leur présence, les chrétiens sont comme un rempart fortifié pour Jérusalem : le châtiment des Juifs n'aura lieu qu'après leur départ. C'est également le sens qu'il donne à la migration à Pella en III, 5, 3 : « ainsi les hommes saints abandonnèrent complètement la métropole royale des Juifs et toute la terre de Judée. Alors la justice de Dieu poursuivit les Juifs. ... Tous les maux fondirent alors de tout lieu sur le peuple entier » [47]. L'on peut donc dire qu'Eusèbe, lorsqu'il cite les prédictions de la ruine de Jérusalem en III, 7, n'a pas « oublié » le départ des chrétiens. Et l'on peut se demander si, à propos de la citation de Mt 24, 20 (προσεύχεσθε δὲ ἵνα μὴ γένηται ὑμῶν ἡ φυγὴ χειμῶνος μηδὲ σαββάτῳ), il suffit d'écrire : « er bezieht sie aber auf das Schicksal der Juden ». Comparé à son interprétation de Mc 13, le point de vue de Pesch est ici assez paradoxal.

À propos de III, 5, 4 : καὶ ὡς ἐπὶ τέλει τὰ πρὸς τῶν προφητῶν ἀνηγορευμένον βδέλυγμα τῆς ἐρημώσεως ἐν αὐτῷ κατέστη τῷ πάλαι τοῦ θεοῦ περιβοήτῳ νεῷ, Pesch fait observer : « Er spricht ' von den Propheten ', nicht von Jesus. » Il serait plus exact de dire qu'Eusèbe raconte « l'histoire » comme une paraphrase de la prédiction de Jésus (Mt 24, 15 τὸ ῥηθὲν διὰ Δανιὴλ τοῦ προφήτου ἑστὸς ἐν τόπῳ ἁγίῳ). Pour le reste, il n'a rien à ajouter au récit de Josèphe, si ce n'est, en III, 7, les prédictions de Jésus. Quant au temps qui précède la guerre, il signale que les apôtres qui ont quitté la Judée ont obéi à l'ordre du Christ (Χριστοῦ φήσαντος) d'enseigner toutes les nations en son nom (III, 5, 2). Finalement, l'Église de Jérusalem dut quitter la ville sur un ordre reçu par révélation au moment où la divine Providence mit fin au temps laissé aux Juifs pour se repentir (III, 5, 3 ; 7, 8 ; comparer Lc 21, 22 ὅτι ἡμέραι ἐκδικήσεως αὗται εἰσιν).

4. *Die konkrete Angabe des Eusebius : ' in einer Stadt Peräas, namens Pella '.*

Le nom de la ville de Pella est en effet une donnée concrète dans le texte d'Eusèbe, mais cela ne veut pas dire qu'elle soit sans problèmes. De l'avis de J. Gunther, « only the flight from Jerusalem was directed. ... Eusebius or his source may have heightened the miraculous aspect of the pre-dated oracle by including within it the command to proceed to

46. C'est comme un rappel terminologique de III, 5, 4 (sur les réfugiés à Jérusalem) : ὡς ἂν ἐπὶ μητρόπολιν ὀχυρωτάτην.

47. Pourquoi ne pourrait-on dire que, selon Eusèbe, par l'ordre de quitter la ville, « les chrétiens de Jérusalem ont été sauvés » ? Que dit l'image du *Schutzwehr* des Juifs si ce n'est que Dieu ne peut faire retomber sur les chrétiens le châtiment des Juifs (cf. Gn 18) ? Cf. n. 44 et 49 (Za 14, 2).

Pella »[48]. Il semble bien que pour Eusèbe lui-même « la tradition de Pella » n'avait pas la signification que d'autres lui ont donnée après lui. En tout cas, il n'en parle pas là où une allusion à la fuite de l'Église de Jérusalem semble être inévitable : dans son commentaire sur Zacharie 14, 2 (*Demonstratio evangelica* VI, 18, 14-15)[49]. Eusèbe, qui est « ordinairement fort exact dans l'indication de ses références », n'en fournit aucune indication en III, 5, 3. Il ne suffit pas de reprendre l'observation de Valesius : « cum Eusebius nullum huius rei citet auctorem, satis apparet illum ex veterum traditione ista scripsisse ». La tradition qu'il avait à sa disposition peut avoir été une indication plus vague sur la dispersion des chrétiens, dont il parle dans *Demonstratio evangelica*, et à laquelle il aurait donné, dans le contexte de l'histoire du siège de Jérusalem (cf. Josèphe), la forme précise d'une migration de la ville de Jérusalem à une ville de Pérée.

Pesch se demande : « wie soll sie [die konkrete Angabe des Eusebius : ' in einer Stadt Peräas, namens Pella '] ohne historischen Anhalt in die Überlieferung hineingekommen sein ? » S'il admet que la tradition remonte à des judéo-chrétiens de Pella, il trouvera une réponse chez Strekker : « Gegenüber Gnostikern und Christen der Grosskirche konnte es nützlich sein, wenn man sich als Erben der Urgemeinde ausgab »[50]. Mais il reste le fait que nous ne connaissons aucun témoignage antérieur à l'*Histoire ecclésiastique* d'Eusèbe ! Quant à l'argument de Strecker : « Euseb hat die Tradition nicht entworfen ; sonst hätte er sie häufiger zitiert »[51], je crains fort qu'il peut être retourné. S'il s'agit d'une tradition, il aurait pu y faire allusion dans l'*Onomasticon* et il aurait dû la citer dans *Demonstratio evangelica* (VI, 18, 14-15). Par contre, si la notice est liée au contexte spécifique de *H.E.* III, 5, 3, où une révélation ordonne le départ des chrétiens de Jérusalem pour mettre fin au temps de la patience divine, on comprend qu'Eusèbe n'y fait pas allusion ailleurs. Même l'*Histoire ecclésiastique* ne contient aucune indication qui puisse confirmer un séjour de l'Église de Jérusalem à Pella. Eusèbe ne parle nulle part d'un retour des

48. Cf. *TZ* 29 (1973), pp. 88 et 89. Gunther est un des auteurs qui, selon Pesch, auraient démontré l'historicité de la fuite à Pella.

49. οἱ γοῦν ἀπόστολοι καὶ μαθηταὶ τοῦ σωτῆρος ἡμῶν, καὶ πάντες οἱ ἐξ 'Ιουδαίων εἰς αὐτὸν πεπιστευκότες, μακρὰν τῆς 'Ιουδαίας γῆς γενόμενοι καὶ τοῖς λοιποῖς ἔθνεσιν ἐπισπαρέντες, τὸν κατὰ τῶν οἰκούντων τὴν πόλιν ὄλεθρον διαδρᾶναι τότε ἠδυνήθησαν. καὶ τοῦτο δὲ ἡ προφήτεια προλαβοῦσα ἐθέσπισεν δἰ' ὧν ἔφησεν· « οἱ δὲ κατάλοιποι τοῦ λαοῦ μου οὐ μὴ ἐξολοθρευθῶσιν » (*GCS*, *Eusebius* VI, ed. I.A. Heikel, 1913, 276-277 ; *PG* 22, c. 456). Voir également II, 3, 161 : ... μόνους φησὶν « τοὺς καταλοίπους » τοῦ λαοῦ σωθήσεσθαι, ἄντικρυς αὐτοὺς τοὺς ἀποστόλους τοῦ σωτῆρος ἡμῶν δηλῶν (Heikel, p. 89 ; *PG* 22, c. 157). Plus tard, Théodoret de Cyr fera, semble-t-il, le même rapprochement entre ce passage et *H.E.* II, 5, 3 (cf. *supra*, n. 44).

50. Cf. *Das Judenchristentum*, p. 231. La même opinion est exprimée par L.E. Keck, dans *ZNW* 57 (1966), p. 65, n. 36.

51. *Ibid.*, p. 229. Cf. *supra*, n.13.

chrétiens de Pella après la prise de Jérusalem (cf. Épiphane). Pesch fait observer à propos de l'élection de Siméon en III, 11, 1 qu'Eusèbe ne la situe pas à Jérusalem. Il ne le fait pas explicitement, mais rien ne suggère une réunion à Pella. « Les apôtres et les disciples du Seigneur qui étaient encore en vie s'assemblèrent de partout » (πανταχόθεν). C'est une tradition qui repose sur « ce que l'on raconte » (λόγος κατέχει), dont M. Simon souligne « le caractère incertain »[52]. Eusèbe rapproche le martyre de Jacques, le siège de Jérusalem et l'élection de Siméon : μετὰ τὴν Ἰακώβου μαρτυρίαν καὶ τὴν αὐτίκα γενομένην ἅλωσιν τῆς Ἱερουσαλὴμ... N'est-ce pas une façon de cacher son ignorance sur ce qui s'est passé aux chrétiens de Jérusalem après 62 ? « Pendant ce laps de temps la communauté s'est trouvée désorganisée et disloquée », écrit M. Simon[53].

Un mot encore sur III, 5, 3 : τινα τῆς Περαίας πόλιν οἰκεῖν κεκελευσμένου, Πέλλαν αὐτὴν ὀνομάζουσιν, ... Le texte des manuscrits poursuit par ἐν ᾗ... μετῳκισμένων. D'après une conjecture de E. Schwartz, les mots ἐν ᾗ seraient une addition secondaire[54]. Le texte court, sans ἐν ᾗ, se défend fort bien si l'on tient compte du sens de μετοικίζω (τῶν εἰς Χριστὸν πεπιστευκότων ἀπὸ τῆς Ἱερουσαλὴμ μετῳκισμένων)[55] et du contexte subséquent : Jérusalem abandonnée par les hommes saints (ὡς ἂν παντελῶς ἐπιλελοιπότων... αὐτήν). Eusèbe aurait pu dire comme on le traduit trop souvent : « cum... sedes suas Pellam transtulissent » (Valesius), mais il ne dit pas, car son attention se porte sur leur départ de Jérusalem et de la Judée et sur l'intervention imminente de la Justice de Dieu. Le châtiment divin frappera toute la Judée. Eusèbe songe donc naturellement à une migration vers la Transjordanie. Et le nom de Pella ? Dans l'*Onomasticon*, il apparaît plusieurs fois, accompagné de Περαία ou πέραν τοῦ Ἰορδάνου, comme

52. *La migration à Pella*, p. 51.

53. *Ibid.* Pour Simon, cela « s'accorderait bien avec l'hypothèse de la migration à Pella ». L'on notera cependant que selon lui « au lendemain de la guerre, une partie du groupe se retrouva et se réorganisa en Judée, soit qu'elle y soit revenue après les hostilités, soit et peut-être plus vraisemblablement qu'elle ne s'en soit jamais éloignée » (p. 52).

54. Dans *GCS* 9/1, 1903, p. 196 : voir l'apparat (ἐν ᾗ entre crochets dans le texte) ; *GCS* 9/3, 1909, p. CXLII, n.1 : « Hier ist die Parenthese früh verkannt und daher ein Relativpronomen eingeschoben ». Avant Schwartz, les éditeurs du texte lisent tous ἐν ᾗ. Voir cependant le texte grec cité par A. Harnack en 1902 (*Die Mission*, p. 415 ; = [4]1924, t. 2, p. 634) ; et la traduction du syriaque par E. Nestle en 1901 : « ... die Pella heisst. Alle diejenigen, welche in Jerusalem waren... ».

55. Pesch cite, semble-t-il, la traduction de Philipp Haeuser (éd. H. Kraft, München, 1967), qui traduit le texte de Schwartz (sans ἐν ᾗ) : « und als sodann die Christgläubigen von Jerusalem weggezogen waren ». Depuis l'édition de Schwartz, plusieurs éditeurs adoptent les crochets dans le texte, mais gardent les mots ἐν ᾗ dans leur traduction : « *C'est là que se retirèrent* les fidèles du Christ sortis de Jérusalem » (E. Grapin, 1905) ; « *Ce furent* [!] *là que se transportèrent* les fidèles du Christ, après être sortis de Jérusalem » (G. Bardy, 1952). Comparer Épiphane : ᾤκησαν ἐν Πέλλῃ !

point de repère pour situer des localités péréennes du temps d'Eusèbe [56]. Pourrait-on donc dire qu'Eusèbe est à l'origine de la tradition de Pella ? Mais même s'il s'agit de « übernommenes Gut », elle reste d'origine obscure et « une donnée trop incertaine pour en faire la clé de l'interprétation de Mc 13 » [57].

2. La conclusion de l'apocalypse prémarcienne

À propos de l'appartenance de 13, 28-31 à la *Vorlage*, Pesch se réclame de F. Hahn, mais, nous l'avons vu plus haut, le Commentaire passe sous silence son argument principal [58]. La divergence est plus clairement reconnue dans le *Nachtrag*. Les deux auteurs attribuent 13, 28-31 à la *Vorlage*, mais Hahn le fait à cause du sens de ταῦτα qui diffère de celui du v. 4 (qu'il tient pour rédactionnel), et Pesch en raison de la correspondance avec ce même v. 4. L'on comprend la position de Hahn : il veut montrer que le discours, s'il contient une parabole de Jésus (v. 28), doit être d'origine chrétienne. En revanche, l'argument de Pesch est plutôt un raisonnement circulaire, car le v. 4 ne peut être prémarcien que « unter der Voraussetzung, dass vor Abfassung des Mk-Ev schon eine eschatologische *Rede Jesu* existierte » (p. 273).

L'insistance sur la correspondance entre 13, 4 et 30 n'est pas nouvelle par rapport à *Naherwartungen* [59], mais Pesch la situe maintenant au niveau de la source prémarcienne. « Wenn man... ein *judenchristliches* Doku-

56. Ed. E. Klostermann, *GCS, Eusebius* 3/1, 1904, p. 14, 19 ; 22, 25 ; 32, 6 ; 110, 13. Voir également 80, 17 : Δεκάπολις. ἐν Εὐαγγελίοις. αὕτη ἐστὶν ἡ ἐπὶ τῇ Περαίᾳ κειμένη ἀμφὶ τὴν Ἵππον καὶ Πέλλαν καὶ Γαδάραν.

D'après Josèphe, la Pérée s'étend au nord jusqu'à Pella (*Bell* 3, 47).

57. Outre les réserves de J. Gnilka (p. 211), voir entre autres la critique de E. Haenchen (*Der Weg Jesu*, p. 444), de F. Hahn (*Mission*, p. 100, n. 1 ; *Die Rede von der Parusie*, p. 259, n. 74) et de l'auteur de *Naherwartungen* (p. 30). Voir aussi le récent commentaire sur Marc par W. Schmithals (dans *Ökumenische Taschenbuchkommentar zum Neuen Testament*, t. 2, 1979) : « Die folgenden Aufforderungen [13, 15ff.] entsprechen apokalyptischen Stil, indem sie das Endgeschehen dramatisieren, an konkrete Handlungsanweisung ist weniger zu denken. ... der Verfasser folgt einfach dem Bild der beim Einbruch kriegerischer Katastrophen in die Berge flüchtenden Bevölkerung des Landes, um die Katastrophe selbst anschaulich zu schildern. Wo man geht oder steht, von Haus (15) oder Feld (16), flieht man in den Schutz der Unwegsamkeit ; vgl. 1 Thess 5, 3 » (p. 566).

58. Les « unten vermerkte Divergenzen » (266) concernent par exemple le caractère rédactionnel de certains versets que Pesch attribue à la source (13, 3-4.5b.8d.9a : cf. 273, 277, 281, 282), mais le commentaire sur 13, 28-31 (305-312, voir surtout 305-306) ne contient aucune allusion au désaccord profond au sujet de ce que Hahn appelle « die wichtigste Frage » (245) !

59. Cf. p. 186. Il cite et approuve cette phrase de G. Neville : « Verse 30 has been moulded by the Evangelist with the intention of referring back to verse 4, which is presumably also his own composition » (n. 824) Cf. *supra*, n. 20.

ment... für wahrscheinlich hält, ... ». Mais, nous l'avons dit, le seul contraste entre 13, 28-31 et 32 ne justifie guère cette hypothèse.

Quant au logion de « conclusion » en 13, 31, le parallèle de Ap 22, 6 est certainement « beachtenswert » (voir déjà *Naherwartungen*, 189). Mais dans le texte actuel de l'Apocalypse, 22, 6 n'est ni le verset final du livre ni le seul emploi de la formule [60] :

19, 9b οὗτοι οἱ λόγοι ἀληθινοὶ τοῦ θεοῦ εἰσιν
21, 5b οὗτοι οἱ λόγοι πιστοὶ καὶ ἀληθινοί εἰσιν
22, 6a οὗτοι οἱ λόγοι πιστοὶ καὶ ἀληθινοί.

Dans Mc 13, on aurait tort d'isoler le v. 31. La clôture solennelle dont parle Colani est formée par les vv. 30-31. En plus, on peut les rapprocher d'autres versets où Jésus s'exprime à la première personne [61] :

23b προείρηκα ὑμῖν πάντα
30 ἀμὴν λέγω ὑμῖν ὅτι...
31 ... οἱ δὲ λόγοι μου οὐ μὴ παρελεύσονται
37 ὃ δὲ ὑμῖν λέγω πᾶσιν λέγω.

Les vv. 23.30-31.37 sont des formules de « conclusion » qui, au lieu de s'exclure [62], remplissent leur rôle dans la charpente du discours. Selon Pesch, le v. 31 est la conclusion de l'apocalypse prémarcienne, mais reçoit une fonction nouvelle au niveau de la rédaction marcienne : « das Beteuerungswort hält nun zwei einander ergänzende und sich wechselseitig interpretierende Logien (VV 30.32) in der Waage und verlieht ihnen kräftigsten Nachdruck. Überdies hat es nach V 23 (dem Abschluss des ersten Teils der mk Komposition) wiederholenden Charakter » (309 ; cf. *Naherwartungen*, 189-190). Rien ne s'oppose donc à une reconnaissance de la fonction de conclusion dans la composition de Mc 13, si toutefois on se garde de faire du v. 31 l'ultime conclusion du discours.

60. Cf. A.P. VAN SCHAIK, *De Openbaring van Johannes*, Roermond, 1971, p. 255 : « nu wordt over heel het boek uitgezegd wat eerder over en na belangrijke toekomstbeloften werd gezegd (in 19, 9 na de belofte van de bruiloft, in 21, 5 na de woorden over het nieuwe Jerusalem). » Comparer H. KRAFT, *Die Offenbarung des Johannes* (HNT, 16a), Tübingen, 1974 : 19,9 serait « ein alter Buchschluss » (p. 244), 21, 5b « der zweite Buchschluss » (p. 265), et la formule de 22, 6 « stammt aus 21, 5, einem früheren Buchschluss » (p. 277).

61. Cf. J. DUPONT, *La ruine du Temple*, pp. 213-214. Il fait observer que dans les treize emplois de ἀμὴν λέγω ὑμῖν dans Marc il s'agit d'« une déclaration solennelle concluant ce qui a été dit auparavant » (3, 28 ; 8, 12 ; 9, 1.41 ; 10, 15.29 : 11, 23 ; 12, 43 ; 14, 9.18.25.30). Sur les ἀμήν-*Worte*, cf. F. NEIRYNCK, *L'évangile de Marc*, pp. 54-56 (= *ETL* 55, 1979, pp. 24-26).

62. Cf. p. 297 ; 13, 23 ne peut appartenir à la *Vorlage* puisque le verset « konkurriert alzu deutlich mit dem Abschluss der vormk Apokalypse in V 31 ». Voir encore p. 309.

3. Mc 13, 24-25 : τὸ σημεῖον ?

La notion du signe a été précisée dans le *Nachtrag*. Il distingue entre « Zeichen des Endes » (13, 24-25) et « Zeichen der Nähe des Endes » (13, 14ss) et oppose plus nettement [63] « *das* Zeichen (V 4) » (au singulier) aux « *mehrere* Vor-Zeichen » (vv. 14-22 ou 5-22) [64]. La distinction se lit déjà dans *Naherwartungen :* « Es gibt Zeichen für die Nähe des Endes, keine Zeichen für das Ende selbst » (178). L'innovation du Commentaire consiste à dire que l'ébranlement cosmique aux vv. 24b-25 constitue « le signe de la fin », le σημεῖον du v. 4. L'auteur de *Naherwartungen* l'avait écartée comme une opinion aberrante : « F.C. Grant fasst die kosmischen Vorgänge sogar als Vorzeichen der Parusie (vgl. V. 4) auf » (159) [65]. Il l'adopte lui-même dans le Commentaire, sans trop s'expliquer (302, n. 1), et se justifie maintenant dans le *Nachtrag :* « καὶ τότε in V 26 zeigt, dass in VV 24f das Zeichen der Endvollendung gegeben ist » (cf. 297, 303) ; et : « Dass kosmische Veränderungen, die Erschütterung der himmlisch-kosmischen Kräfte, *Zeichen* des Ende sind, ist in apk Texten geläufig ».

Cette dernière affirmation serait à nuancer. Je cite le livre de L. Hartman, *Prophecy Interpreted*, dont la première partie est consacrée à une analyse des textes apocalyptiques juifs : « ... many of the phenomena referred to here are considered to be ' signs '. This applies to 4 Ez, 2 Bar and Or Sib, and is consequently, judging from the present texts, of relatively late occurrence in Palestinian apocalyptic » (34) ; et dans le chapitre sur « The earthquake motif » : « These texts of 4 Ez and 2 Bar are not the only ones which contain ' signs ' presaging the end, but the term is not so common in this function as sometimes seems to be thought » (77). Pesch renvoie à l'article de K.H. Rengstorf, mais la note sur la *spätjudische Apokalyptik* qu'on y trouve ne peut que confirmer la constatation faite par Hartman. Les exemples cités sont les emplois de *signum* dans 4 Esdras (4,

63. La terminologie du Commentaire est encore moins précise. Au sujet des vv. 5-22, il parle de « das ' Zeichen ' (V 4), an dem die *Nähe* des Endes erkannt werden kann » (au singulier), et à propos des vv. 24-25 : « das Ende selbst, dessen ' Zeichen ' in VV 24f vorgestellt sind » (au pluriel) (307-308 ; cf. 302 : « Die ' Zeichen '... jenes Tages sind... »). Comparer cependant p. 302 (et note 1) : « ' das (vierfach-eine) Zeichen ' (VV 24f ; vgl. V 4) ».

64. L'on comprendra ici *Vor-Zeichen* au sens de « avant-signe ». Le mot *Vorzeichen* (en néerlandais : *voorteken*) s'emploie couramment au sens du σημεῖον *(Zeichen)* = signe avant-coureur (présage). Voir le commentaire sur 13, 4 (p. 275). Cf. *Het Nieuwe Testament voor mensen van deze tijd*, 1968 : « Aan welk *voorteken* kan men zien... » ; dans l'édition originale allemande (1964) : « an welchem Vorzeichen kann man erkennen... ».

65. Cf. *The Interpreter's Bible*, t. 7, 1951, p. 863 : « this section... sets forth the signs (vs. 4) of the culmination, the eventual parousia of the Son of Man ».

51.52 ; 5, 1.13 ; 6, 12.20 ; 7, 26 ; 8, 63 ; 9, 1.6) et de σῆμα dans Or Sib (2, 154 ; 3, 796.804). Pesch lui-même cite le dernier texte (Or Sib 3, 796-806) comme un cas de *Omina-Spekulation* qui n'a rien à voir avec Mc 13, 24b–25 (303 ; cf. *Naherwartungen*, 163-164). Mc 13, 24b-25 combine les textes d'Is 13, 10 et 34, 4 [66] : « eine solche Nähe zu alttestamentlichen Texten war in dieser Weise in den spätjudischen Texten nicht erkennbar. Dieser Sachverhalt sollte bei der Interpretation der markinischen Verse nicht ausser Acht gelassen werden » (*Naherwartungen*, 164).

La notion de *Vorzeichen* n'est pas inconnue dans l'exégèse ancienne de 13, 24-25 [67]. Mais dès le début de ce siècle elle avait été repoussée avec autorité. L'exposé de M.-J. Lagrange (1906) mérite toujours d'être cité : « Il ne faudrait pas considérer le v. 24 comme énonçant les signes précurseurs de la fin du monde ; c'est plutôt la fin elle-même... On se place moins au point de vue des phénomènes cosmiques naturels qu'à celui du salut. Au moment où tout paraissait perdu, c'est l'intervention divine, c'est le ciel qui s'ébranle, c'est le Fils de l'homme qui vient. Les élus sont sauvés ! Il ne s'agit donc point de prodromes marqués par les transformations des astres, mais de fortes images pour marquer que Dieu entre en scène. Ce ne sont point des événements qui se suivent, c'est un coup de théâtre soudain et imprévu » [68]. Pesch lui-même souligne la *unvermittelte Plötzlichkeit* de la venue du Fils de l'homme : « Zeichen und Endvollendung fallen zusammen, denn der Herr kommt ' plötzlich ' (V 36) » (303). Mais comment alors parler encore de « signe » à propos de 13, 24-25 ? Il se base sur le καὶ τότε : « Von Zeichen der Endvollendung ist erst VV 24f die Rede : die *dann* (καὶ τότε in V 26 und 27) mit der Ankunft des Menschensohnes folgt » (297). En clair : il réintroduit la *Wenn-Dann-Gedankenführung* dont il avait dit qu'on ne la trouve pas en 13, 24-27 (*Naherwartungen*, 164). La section de

66. Cf. 302 : « eine am MT orientierte Kontamination ». Comparer *Naherwartungen*, 160 : « am griechischen AT orientierte » ; 161 : « Die Vorlage des Markus lebte von LXX-Sprache » ! Le commentateur remplace ainsi LXX par TM sans nous dire pourquoi il a changé son opinion sur la leçon B L en Is 34, 4a : καὶ τακήσονται πᾶσαι αἱ δυνάμεις τῶν οὐρανῶν (303 : « nicht LXX » ; *Naherwartungen*, 164, n. 668). Il est à noter que le texte hébreu n'est pas sans problèmes : le plus récent commentaire adopte la conjecture de Duhm (H. Wildberger, 1979 : « und alle *ihre Hügel* lösen sich auf »).

67. Cf. Lucas Brugensis (*ad* Mt 24, 29) : « ... subjicit Iesus signa instantis excidii mundi ejusque descriptionem, hac ratione prorsus satisfaciens illi quaestioni discipulorum suorum. »

68. *L'avènement du Fils de l'homme*, dans *RB* 13 (1906) 382-411, p. 388. L'auteur continue : « Les images importent peu ; celles-ci sont empruntées à Is. XIII, 10 et à Is. XXXIV, 4 ; c'est un scénario expressif qui pourrait être remplacé par un autre ». Voir également p. 392 : « l'acte soudain et indivisible qu'est l'intervention divine ». Comparer E. WENDLING, *Die Entstehung des Marcus-Evangeliums*, Tübingen, 1908, p. 161 : « Die Elementarereignisse 24f [sind] in der Dichtung nicht als Vorzeichen, sondern eher als Begleiterscheinungen, als Staffage der Parusie gekennzeichnet ».

13, 24-27 ne s'ouvre pas par un ὅταν... τότε [69] ! Pesch a sans doute raison d'insister sur le double καὶ τότε aux vv. 26-27 : la venue du Fils de l'homme et le rassemblement des élus « bedeuten das Ende » (301). Il n'en suit cependant pas que l'évangéliste tienne les phénomènes cosmiques des vv. 24-25 pour le « signe » de la fin [70].

Au niveau du texte de Marc, je ne vois aucune difficulté à lire le v. 29 tel que Pesch le comprend au niveau de l'apocalypse prémarcienne. Les ταῦτα γινόμενα sont les événements des vv. 5-23, et le « signe » des vv. 24-25 ne joue plus aucun rôle : « Die Eingangsfrage von V 4 ist so beantwortet : die gegenwärtigen Geschehnisse zeigen die Nähe des Endes an, das selbst unberechenbar plötzlich kommen wird : nach jener Drangsal (V 24) » (311). Le logion ajouté par Marc au v. 32 ne fera que renforcer cette idée de « die Unberechenbarkeit des Endes » (*ibid.*). On notera donc que, pour cet aspect essentiel de la venue *soudaine* du Fils de l'homme, le point de vue de l'apocalypse prémarcienne ne diffère guère de celui de Marc (13, 24-27 ; cf. 32) [71]. N'est-ce pas là une constatation qui risque de compromettre l'hypothèse qui s'appuie sur le contraste avec le v. 32 ?

4. L'INTRODUCTION : MC 13, 3-4

Ajoutons seulement ici que je ne partage pas les vues de Pesch sur la tradition sous-jacente à Mt 28, 16-20 et à Ac 1, 1-11. Et le *topos* des écrits gnostiques postérieurs s'explique parfaitement à partir du texte de nos Évangiles et Actes. Quant aux difficultés spécifiques que j'avais soulevées au sujet de Mc 13, 3-4, le *Nachtrag* ne semble pas les nier [72].

L'argument du vocabulaire et du style de Marc, mis en avant dans *Naherwartungen*, ne serait plus valable. Le *Nachtrag* cite trois exemples, κάθημαι et εἰς (= ἐν) au v. 3 et la question double au v. 4, dont les paral-

69. Cf. 13, 14 ὅταν δὲ ἴδητε..., τότε... φευγέτωσαν. L'on notera cependant que le « signe » du v. 14 est « ein Signal zum Handeln » (Lambrecht, p. 295 ; cf. v. 7 ὅταν ἀκούσητε...) plutôt que « ein belehrendes Zeichen » (v. 4 τί τὸ σημεῖον ; v. 29 ὅταν ἴδητε..., γινώσκετε...). Voir Pesch, p. 290 : « zieht weniger auf die Belehrung... ».

70. En raison de l'ambiguïté du mot « signe », il serait souhaitable de ne pas parler de « die kosmischen Zeichen » à propos de 13, 24-25 (298) ; ou de « die 'Zeichen' (Joel 3, 3) jenes Tages », surtout s'il s'agit d'une « an MT orientierte Kontamination » (302). Cf. TM מופתים ; LXX τέρατα, complété par Luc en Ac 2, 19 : τέρατα ἐν τῷ οὐρανῷ *ἄνω* καὶ *σημεῖα* ἐπὶ τῆς γῆς *κάτω*.

71. Comparer l'autre extrême à propos du thème de la fuite dont il est dit qu'il n'avait plus aucun sens actuel ou futur pour Marc. (Cf. *supra* : pourquoi parler alors, du point de vue de Marc, de « insbesondere : die Anweisung zur Flucht » ?).

72. J'avoue ne pas voir en quoi la position du Commentaire au sujet de 13, 3-4 soit « nicht korrekt wiedergegeben ». Quant aux pages *273f* (« übersehen »), je les ai précisément rapprochées de la page 276 dans le but de donner un relevé complet des arguments.

lèles invoqués en 1968 sont expliqués dans le Commentaire comme des textes traditionnels. Cette constatation ne peut nous étonner, car d'après le Commentaire 572 versets (sur un total de 664) sont entièrement traditionnels, et dans les 92 versets où il y a une intervention de l'évangéliste, celle-ci concerne un seul mot (28 versets) ou une fraction de la phrase (44 versets), rarement le verset entier (19 ou 20 versets) [73]. Après une telle réduction de la part de l'évangéliste, il n'y a plus guère d'espoir de trouver encore des parallèles rédactionnels. Mais la question est de savoir si l'on peut se fier aux conclusions du Commentaire.

1. *La question double*

D'après le Commentaire, 6, 2-3 ; 9, 19 ; 11, 28 et 12, 14 sont des textes traditionnels [74]. Mais ne fallait-il pas mentionner que l'on trouve, dans le nombre restreint de versets rédactionnels, des questions doubles en 4, 40 et 8, 17-21 ? Et en 7, 18, comme en 13, 4, la question double résulterait d'une addition rédactionnelle (la première question). Par endroits, le Commentaire signale une *Doppelfrage* [75], mais ne fait jamais le rapprochement avec d'autres questions en Marc. Je n'ai trouvé qu'une seule référence au problème général des questions doubles : dans sa réponse à *Duality in Mark* (II, 5) où il fait observer que la répartition de 5/20 ne correspond pas (?) à la proportion du récit prémarcien de la Passion par rapport à l'ensemble de l'évangile (1/3) [76].

2. *La préposition εἰς (= ἐν)*

« *Kommentar :* trad. in 1, 39 ; 10, 10 ; 13, 10 ; 14, 9 ; wohl auch in 2, 1 ». Une première observation au sujet de 2, 1 : le Commentaire lit ἐν οἴκῳ

73. *L'évangile de Marc*, pp. 9-10 et 36 ; = *ETL* 53 (1977), pp. 161-162 ; 55 (1979), p. 6.

74. Le *Nachtrag* reprend les références de *Naherwartungen* sans les corriger (11, 28). Cf. *Duality in Mark*, p. 55, n. 180 ; = *ETL* 48 (1972), p. 192.

75. Cf. 3, 4 (p. 191 : « gedoppelte Alternativfrage ») ; 4, 13 (p. 243) ; 4, 21b (p. 248 : « zweigliedrig ») ; 4, 30 (p. 261) ; 11, 28 (p. 210) ; 12, 24.26 (p. 230) ; 13, 4 (p. 275) ; 14, 37 (p. 392). Comparer la liste dans *Duality in Mark*, pp. 125-126 (n° 25). Dans 6, 2-3, le Commentaire distingue cinq questions (I, 317-318), mais on lira les 3+2 questions comme deux questions doubles :

2a πόθεν τούτῳ ...
b καὶ τίς ἡ σοφία ... τούτῳ,
καὶ αἱ δυνάμεις ...
3a οὐχ οὗτός ἐστιν ...
b καὶ οὐκ εἰσὶν ...

Comparer la ponctuation du v. 2 dans la traduction (p. 315) : « ... und : 'Was...' » (καί·). On notera également la ponctuation de 14, 60 : « Antwortet du nichts ? (Wie verhält es sich mit dem), was diese gegen dich bezeugen ? » (p. 429).

76. Sur les questions doubles en 1, 24 ; 2, 7 ; 4, 13 (!) ; 4, 40, cf. *L'évangile de Marc*, p. 26 ; = *ETL* 53 (1977), p. 178.

(avec $N^{25} = N^{26}$), et non pas εἰς οἶκον (ς' S V M). À propos de 13, 10, on notera que le verset est cité comme traditionnel, tandis que le Commentaire semble encore hésiter (II, 285) [77]. Quant à εἰς ὅλον τὸν κόσμον en 14, 9, le Commentaire distingue entre le sens primitif « an die ganze Welt » et la lecture marcienne au sens de « in der ganzen Welt », « wie 13, 10 » (II, 334, 336). Il est donc clair que le Commentaire attribue l'emploi de εἰς au sens de ἐν en 13, 10 et 14, 9 à la rédaction marcienne !

Le sens de εἰς = ἐν est exclu en 1, 9. Pesch traduit d'abord par « im Jordan », mais se corrige dans le commentaire : « in den Jordan hinein » [78]. En revanche, il cite l'article bien connu de C.H. Turner à propos de la ponctuation de 13, 9 [79]. Ailleurs, il traduit εἰς au sens de ἐν (5, 14 ; 6, 8 ; 11, 8 ; 13, 3.16), mais 13,3 est le seul endroit où εἰς = ἐν est signalé dans le commentaire : « Vgl. dazu R. Pesch, Naherwartungen 97 » (275, n. 2). Le lecteur qui s'y réfère y trouvera : « eine Eigentümlichkeit des Markus » ! Pour le commentateur, il s'agit du « Sprachgebrauch der Koine » [80], et nulle part il ne discute l'ensemble des emplois de εἰς (= ἐν) en Marc.

3. *Le verbe κάθημαι*

« Trad. in 10, 46, wahrscheinlich auch in 4, 1 ». L'expression καθῆσθαι ἐν τῇ θαλάσσῃ en 4, 1 serait un sémitisme, indice d'une tradition prémarcienne (I, 230, n. 5). La note du Commentaire renvoie à deux études. J.R. Harris (1915) explique le texte courant ἐμβάντα καθῆσθαι au sens d'embarquer. Dans une étude plus récente, M. Herranz Marco fait observer, à juste titre, que le texte de Marc implique une position statique plutôt que le mouvement d'embarquer. Il fait appel à la leçon du Codex Bezae, πέραν τῆς θαλάσσης (au lieu de ἐν τ. θ.) et πέραν τῆς θαλάσσης ἦν (au lieu de πρὸς τ. θ. ἐπὶ τῆς γῆς ἦσαν), qu'il tient pour le texte primitif de Mc. Il semble toutefois que Luc ait connu un texte de Mc 4, 1 fort semblable à celui que nous lisons : ἐμβὰς δὲ εἰς ἓν τῶν πλοίων... καθίσας δὲ ἐκ τοῦ

77. C'est du moins ainsi que peut se comprendre l'exposé de la page 285 : « umstritten... », et « Die Parole... könnte ». D'où le point d'interrogation dans *L'évangile de Marc*, p. 36 ; = *ETL* 55 (1979), p. 8.

78. Cf. I, p. 89 (sans explication). En note il renvoie à J.J. O'ROURKE, *A Note concerning the Use of ΕΙΣ and ΕΝ in Mark*, dans *JBL* 85 (1966) 349-351. L'auteur n'admet qu'un seul cas certain de εἰς = ἐν (2, 1) et deux cas fort probables (13, 9b.16). Il considère 1, 9 comme « a case apart » et suggère que l'évangéliste y voit un contraste avec le baptême des autres ἐν τῇ Ἰορδάνῃ εἰς ἄφεσιν ἁμαρτιῶν (p. 349 ; cf. 351). Ce n'est pas l'avis de Pesch qui exclut un tel intérêt dans le récit (« ... noch entschuldigend erklärt »). D'ailleurs, Pesch contredit formellement le point de vue de O'Rourke pour plusieurs autres passages (voir sa traduction, cf. n. 80).

79. Cf. *JTS* 26 (1925) 14-20.

80. Cf. I, p. 91, à propos de 1, 10 εἰς αὐτόν. Pesch a sans doute raison de réagir contre l'interprétation de F. Hahn (« der Geist senkt sich zu einer ganz realen Verbindung in den Täufling hinein »), mais il ne fallait pas recourir au sens de εἰς = ἐν pour expliquer καταβαῖνον εἰς αὐτόν !

πλοίου ἐδίδασκεν τοὺς ὄχλους (5, 3) rend assez bien l'idée de Marc qui présente Jésus assis dans le bateau, ἐν τῇ θαλάσσῃ. On peut (comme Matthieu) juger la dernière expression inutile, mais est-ce un sémitisme [81] ? Et peut-on baser sur un indice pareil la *Vorlage* prémarcienne ?

L'emploi de 10, 46 se situe dans le récit prémarcien de la Passion. Nous y reviendrons à l'instant à propos de 13, 1-2.

Les cas de 3, 32.34 ; 16, 5 (avec un point d'interrogation dans *Naherwartungen*) ne sont plus mentionnés. Un seul emploi de κάθημαι serait rédactionnel d'après le Commentaire : 2, 14 [82], mais il est contesté par M. Theobald (cf. *Nachtrag*). L'on notera cependant que la discussion ne porte pas sur la scène rédactionnelle de 2, 13, qu'on peut comparer avec 4, 1. Plutôt qu'une statistique du mot en Mc, c'est le parallèle de καθῆσθαι en 4, 1 qui peut suggérer un emploi rédactionnel en 13, 3. Le Commentaire fait d'ailleurs le rapprochement : « In der sitzenden Haltung des Lehrers (vgl. 4, 1) » (275).

Pesch croit pouvoir exclure ce motif en 9, 35 en raison de l'emploi de καθίζω (au lieu de κάθημαι) et de λέγει, et non pas διδάσκει (104). Mais ce dernier verbe n'apparaît pas non plus en 13, 3 (5a ἤρξατο λέγειν). Si Jésus est adressé comme διδάσκαλε en 13, 1b (cf. 275), il l'est également en 9, 38 [83]. Quant au verbe καθίσας, Marc peut dire d'après le contexte : il était assis (13, 3 : *er sass*) ou il s'assit (9, 35 : *er setzte sich*), sans qu'il y ait lieu de diminuer la signification du geste, surtout s'il est suivi par ἐφώνησεν τοὺς δώδεκα [84]. Selon Pesch, il s'agit en 9, 35, d'un « Reflex konkreter Erinnerung », comme en 12, 41, « également dans le récit prémarcien de la Passion » (104). Il prend soin d'énumérer les emplois de καθίζω en Mc : mis à part les contextes eschatologiques et christologiques (10, 37.40 ; cf. 12, 36), le verbe n'apparaît que dans « le récit de la Passion » : 9, 35 ; 11, 2.7 ; 12, 41 ; 14, 32 (261). La position du Commentaire est en effet assez paradoxale. Il exclut d'avance la possibilité de certaines caractéristiques linguistiques et stylistiques propres à l'évangile de Marc, mais la source prémarcienne, « le récit de la Passion », aurait un vocabulaire et des traits stylistiques qui lui sont propres [85]. Ainsi, l'emploi de καθίζω en 9, 35 et 12, 41

81. « Auf vormarkinische Tradition weist ... hin, die auf eine semitische oder semitisierende Vorlage hinweisen könnte » (Pesch).

82. Cf. I, 164 ; voir *ZNW* 59 (1968), pp. 43-45. Mc 2, 13-14 serait une composition rédactionnelle d'après le modèle de 1,16-20 : παρὰ τὴν θάλασσαν, καὶ παράγων εἶδεν (+participe), comp. 1, 16. « Die Verwendung von καθῆσθαι dürfte in diesem Zusammenhang sachgemäss sein » (p. 44).

83. Dans l'hypothèse de Pesch, 9, 38-40 est une tradition différente de 9, 33-35 Pg, mais c'est le cas également en ce qui concerne 13, 1-2 Pg et 13, 3ss.

84. Comparer le parallèle lucanien de Mc 4, 1 : καθίσας... ἐδίδασκεν (5, 3). Cf. *Der reiche Fischfang*, p. 57.

85. Ailleurs j'ai essayé de montrer que c'est là un choix du commentateur plutôt que le résultat d'une analyse systématique. Cf. *L'évangile de Marc*, pp. 38-57 ; = *ETL* 55 (1979), pp. 8-27.

est décrit comme un trait caractéristique de cette source. Par contre, le commentateur attribue 4, 1 à une tradition prémarcienne (un *Traditionssplitter* entre 3, 7-12 et 4, 35ss. dans le cycle des miracles) sans se poser des questions sur l'emploi de κάθημαι (et καθίζω) ailleurs en Marc, et surtout sans se demander si καθῆσθαι en 4, 1 et καθημένου en 13, 3 puissent relever d'un même niveau rédactionnel (cf. I, 230).

5. Mc 13, 1-2 et l'insertion de l'Apocalypse dans le récit de la Passion

La troisième partie de l'exposé de R. Pesch est consacrée à Mc 13, 1-2 [86]. Il réaffirme la position du Commentaire (268-273) et en précise l'argumentation sur trois points.

1. *La tradition d'une prédiction de Jésus (13, 2)*

Pesch accepte sans discussion l'hypothèse de J. Dupont au sujet de Lc 19, 44b qui serait une version indépendante du logion de Mc 13, 2. Je n'ai pas à faire ici l'examen de l'article de Dupont, mais il est utile de rappeler que la tradition dont parle Dupont se limite à Lc 19, 43-44a et Mc 13, 2bβ (οὐ μὴ ἀφεθῇ ὧδε λίθος ἐπὶ λίθον). La question d'une source ne se pose pas pour Lc 19, 41-42.44b ni pour Mc 13, 1.2a.bα.c. Selon Dupont, βλέπεις ταύτας τὰς μέγαλας οἰκοδομάς (v. 2bα) fait partie de l'encadrement rédactionnel. Le Commentaire n'a plus rien à voir avec l'hypothèse de Dupont lorsqu'il reconstruit à l'aide de Lc 19, 41-44 le contexte historique de Mc 13, 1-2 : « so ergibt sich ein viel plausiblerer historischer Kontext » (271) [87].

2. *Le contexte du récit de la Passion*

La scène de Mc 13, 1-2 est *kontextgebunden* : la sortie du Temple (v. 1a) suppose la présence de Jésus au Temple [88], et la prédiction du v. 2 fournit

86. Voir *supra*, pp. 361-363.

87. Comparer G. Schneider, *Lukas* : Lc 19, 44a.b serait « vielleicht eine Nebenform des entsprechenden Wortes Mk 13, 2 » (p. 389), mais il n'exclut pas que « Lukas selbst dieses eindrucksvolle ' biographische Apophthegma ' komponiert hat » (p. 388).

88. L'argument de la *troisième* sortie du Temple est beaucoup plus discutable. Les motifs de 11, 11b et 19(20-25) forment l'encadrement de 11, 12-18 et se justifient pleinement sans une « troisième » sortie du Temple. L'expression ἐκ τοῦ ἱεροῦ ne se lit d'ailleurs qu'en 13, 1. Et peut-on mettre en balance la « première » visite au Temple (11, 11) et la « troisième » (11, 27-13, 2) ? Cf. ΑΝΑΤΕΙΛΑΝΤΟΣ ΤΟΥ ΗΛΙΟΥ *(Mc 16, 2)*, dans *ETL* 54 (1978) 70-103, spéc. pp. 95-100 : « La Semaine Sainte ».

une « base » à l'accusation de Jésus en 14, 58 et 15, 29. L'argument, formulé ainsi dans le cadre du récit de la Passion, reste valable si l'on remplace ce « Proto-Marc » par l'évangile de Marc. D'après le Commentaire, le rapport entre 14, 58 (15, 29) et 13, 2 au niveau du récit prémarcien serait même « weniger wahrscheinlich », et les mots ὃς οὐ μὴ καταλυθῇ auraient été ajoutés par l'évangéliste « als Verdeutlichung des *vaticinium* Jesu *ex eventu* » (271). Quant à la connexion avec le contexte précédent, elle se comprend mieux au niveau de la rédaction de Marc [89] :

12, 41 καὶ καθίσας κατέναντι τοῦ γαζοφυλακίου
13, 1 καὶ ἐκπορευομένου αὐτοῦ ἐκ τοῦ ἱεροῦ
13, 3 καὶ καθημένου αὐτοῦ εἰς τὸ ὄρος τῶν ἐλαιῶν κατέναντι τοῦ ἱεροῦ.

3. *Le vocabulaire et le style*

Le génitif absolu καὶ ἐκπορευομένου αὐτοῦ (cf. 10, 46b) se rencontre en dehors du récit de la Passion en 10, 17a, au début d'une péricope comme en 13,1. L'emploi du mot ἱερόν dans les chap. 11 - 13 (et 14, 49), plutôt qu'ailleurs en Marc, n'a évidemment rien d'étonnant. Quant au motif de la sortie, seul 13, 1 parle d'une sortie du Temple :

11, 11 καὶ ...	ὀψίας ἤδη οὔσης τῆς ὥρας,	ἐξῆλθεν	εἰς Βηθανίαν
11, 19 καὶ	ὅταν ὀψὲ ἐγένετο,	ἐξεπορεύετο	ἔξω τῆς πόλεως.

L'expression εἷς τῶν μαθητῶν αὐτοῦ (et l'intervention d'un seul disciple anonyme) est sans parallèle dans Marc (et dans le récit de la Passion). En plus de εἷς τῶν δώδεκα, dit de Judas, l'on trouve εἷς τῶν en 5, 22 et 12, 28 (dans des paroles : 6, 15 = 8, 28 ; 9, 37.42). Le présent historique λέγει αὐτῷ suivi par εἶπεν αὐτῷ en 13, 1.2 peut être comparé avec :

2,18.19	λέγουσιν αὐτῷ ...	καὶ εἶπεν αὐτοῖς ὁ Ἰησοῦς
4, 38.40	λέγουσιν αὐτῷ· διδάσκαλε...	καὶ εἶπεν αὐτοῖς
7, 5.6	ἐπερωτῶσιν αὐτὸν ...	ὁ δὲ εἶπεν αὐτοῖς
7, 28.29	λέγει αὐτῷ ...	καὶ εἶπεν αὐτῇ.

Pesch signale l'ordre de verbe-datif-sujet en 5, 31 : καὶ ἔλεγον αὐτῷ οἱ μαθηταὶ αὐτοῦ· βλέπεις... Le vocatif διδάσκαλε, sans parallèle dans le récit de la Passion, est employé dans des paroles de disciples en 4, 38 ; 9, 38 ; 10, 35 (cf. 9, 17 ; 10, 17.20 ; 12, 19.32). Pour ἴδε, comparer 2, 24 ; 3, 34 : 13, 21bis.

89. Selon Pesch, Mc 13, 3, καὶ καθημένου... ἐλαιῶν, qui aurait été complété par κατέναντι τοῦ ἱεροῦ, serait le début de l'Apocalypse prémarcienne, ajoutée ici après 13, 1-2.

La tournure du v. 2a, καὶ ὁ Ἰησοῦς εἶπεν αὐτῷ, est en effet peu fréquente en Marc. En 10, 52 le mot καί n'est pas certain : la leçon ὁ δέ (ℵ*.2 A C D W Θ 0133 f^1 f^{13} 𝔐 lat sy^h sa^{mss}) fut adoptée par ς'T S B (cf. ὁ δὲ Ἰησοῦς εἶπεν ... en 9, 23.39 ; 10, 5.38.39 ; 12, 17 ; 14, 6). L'ordre de καί-sujet-verbe se lit aussi en 11, 33 : καὶ ὁ Ἰησοῦς λέγει αὐτοῖς, et, d'autre part, καὶ εἶπεν αὐτοῖς ὁ Ἰησοῦς en 1, 17 et 2, 19. En 10, 52, il s'agit d'une parole de Jésus qui conclut la péricope, et M. Zerwick est d'avis que cela peut expliquer l'ordre de καί-sujet-verbe [90]. Ne doit-on pas dire la même chose à propos de la formule à l'intérieur de 13, 1-2 : « die Namensnennung hebt die Bedeutung der folgenden Prophetie hervor » (*Naherwartungen*, 86) ?

Ces observations tendent à nuancer le recours exclusif à des parallèles du récit prémarcien de la Passion. Mon intention n'est cependant pas de nier la signification de certains rapprochements. L'on peut en effet comparer l'intervention du disciple avec celle de Pierre en 11, 21 (ῥαββί, ἴδε) et avec la question posée par les disciples en 14, 12 (καὶ... λέγουσιν αὐτῷ οἱ μαθηταὶ αὐτοῦ), sans y voir pour autant une indication de l'appartenance de 13, 1-2 au récit prémarcien. D'ailleurs, l'hypothèse elle-même d'une source qui s'étend de 8, 27 à 16, 8 et que Marc aurait conservée sans la moindre retouche [91], reste à mes yeux fort peu vraisemblable [92].

III. Conclusion

Dans cette confrontation, la discussion s'est concentrée sur les traits qui distinguent l'exégèse du Commentaire de celle de *Naherwartungen*. Nous avons dû parler surtout de la *Vorlage* de Mc 13 : le *Sitz im Leben* (la fuite à Pella), la conclusion du discours (13, 28-31), la notion de σημεῖον (à propos

90. *Markus-Stil*, p. 87.

91. Dans le texte de 8, 27-33 ; 9, 2-13.30-35 ; 10, 1.32-34.46-52 ; 11, 1-23.27-33 ; 12, 1-17.34c.35-37.41-44 ; 13, 1-2 ; 14, 1 - 16, 8, l'intervention de Marc serait réduite à l'addition de πάλιν[1] et πρός (+ dat.) en 10, 1 ; πάλιν en 10, 10 et ὃς οὐ μὴ καταλυθῇ en 13, 2d. Ce dernier point est cependant moins certain puisque Pesch invoque maintenant le rapport avec 14, 58 (15, 29) au niveau du texte prémarcien (cf. *supra*, p. 362).

92. Cf. *L'évangile de Marc*, IIe partie ; = *ETL* 55 (1979) 1-42.

Pesch lui-même déclare qu'il rejette toute hypothèse d'un *Urmarkus* (I, 29). Il se rapproche cependant de telles hypothèses par sa reconstruction du récit prémarcien de la Passion (8, 27ss.). Comparer la séquence de Mc 13, 1-2 ; 14, 1ss. avec le *Mark. A* de P. Thielscher, 1930 (13, 1-2 ; 14, 3-9.10-11) et le *Mark I* de J.M.C. Crum, 1936 (13, 1-2 ; 14, 1-2.3.10-11). Le récent commentaire de W. Schmithals (cf. *supra*, n. 57) distingue entre 13, 3-4 (rédaction de l'évangéliste) et 13, 1-2 (*Grundschrift* : 13, 1-2.30-31). Même distinction chez E. Wendling (*Ur-Marcus* : 13, 1-2.33.28-29.34-36). Schmithals se réclame de F. Flückiger, 1955 (p. 557) ; voir cependant *TZ* 26 (1970) 395-409 : Mc 13, 1-4.14-16.18.28-32 serait « eine *Evangeliengeschichte*, die um die Tempelweissagung Jesu gebildet worden war » (p. 408).

de 13, 24-25), l'introduction (13, 3-4) et la connexion de l'Apocalypse avec le récit de la Passion (13, 1-2). Sur le sens du discours au niveau de l'évangéliste, les vues de R. Pesch ont beaucoup moins évolué. L'on peut y souscrire sans partager ses idées sur la préhistoire de Mc 13 : « *Markus*, der die Rede nach der Katastrophe des jüdischen Krieges liest und das βδέλυγμα τῆς ἐρημώσεως (V 14) auf die Tempelzerstörung bezieht, koppelt die Rede mit der ... Weissagung der Tempelzerstörung (13, 1-2), um die an das eingetretene Ereignis geknüpfte akute Naherwartung zu entschärfen (VV 23.32) und in eschatologische Wachsamkeit zu überführen (VV 33-37). Der Evangelist gibt den Blick auf eine Epoche der Heidenmission vor dem Ende frei (V 10) und warnt nachdrücklich vor der Verführung durch Parusieschwärmer (V 6) » (II, 266-267) [93].

Dans la nouvelle hypothèse de Pesch, l'Apocalypse qui est à la base de Mc 13 est d'origine chrétienne. Cela lui permet de revoir le problème des rapports entre Mc 13 et Lc 17, 22ss [94]. Le Commentaire en parle à deux endroits. Il tient Lc 17, 31 pour un verset rédactionnel qui dépend de Mc 13, 15-16 [95]. En revanche, Mc 13, 21 serait l'adaptation d'une parole que Mt 24, 26 / Lc 17, 23 ont conservée dans sa forme plus ancienne (la tradition de Q) [96]. Pesch rapproche même la séquence de Mc 13, 21.24-26 de celle de Mt 24, 26.27 / Lc 17, 23.24 : « Sofern für die Verfasser der vormk Apokalypse Kenntnis der Q-Apokalypse postuliert werden darf, könnte deren Betonung des plötzlichen Hereinbruchs des Tages des Menschensohnes nachwirken » [97]. C'est donc sur une tradition de Q que pourrait se greffer le schéma fondamental de Mc 13, c'est-à-dire la mise en garde contre les faux messies et l'attente de la venue soudaine du Fils de l'homme.

93. Voir les sections V du Commentaire. En conclusion (p. 317, n. 15), il peut renvoyer, sans se corriger, au chapitre sur « Die Naherwartung des Evangelisten » (*Naherwartungen*, 235-243). Et l'exposé sur « die Redaktion des Markus » qu'il donne ici-même (pp. 361-362) pourrait se lire déjà dans *Naherwartungen* : il explique maintenant 13, 6 comme une insertion de Marc (d'après le v. 22), mais l'*intention* de l'évangéliste reste la même.

94. Sur *Naherwartungen*, cf. *ETL* 45 (1969), pp. 161-162.

95. Cf. p. 293, n. 12 : il renvoie à J. Zmijewski (*Die Eschatologiereden*, 1972, pp. 473-478), contre J. Lambrecht (p. 157). Voir également R. Schnackenburg, R. Geiger, G. Schneider.

96. Cf. p. 298 ; contre *Naherwartung*, p. 115, n. 262.

97. Cf. p. 303, n. 5. Sur l'utilisation des traditions de Q, voir t.1, p. 30 : la dépendance littéraire vis-à-vis du Document Q est à rejeter (cf. M. DEVISCH, dans *BETL*, 34). Sur le problème de Mc-Q, voir maintenant W. SCHENK, *Der Einfluss der Logienquelle auf das Markusevangelium*, dans *ZNW* 70 (1979) 141-165 ; et la dissertation, non publiée, de R. LAUFEN, *Die Doppelüberlieferungen der Logienquelle und des Markusevangeliums*. Bonn, 1978 ; compte-rendu par R. Pesch dans *Theol. Revue* 76 (1980) 13-15. (La dissertation vient d'être publiée : *BBB* 54, Bonn, 1980 ; texte inchangé.)

Comparée au *Flugblatt* juif de l'an 40, l'Apocalypse chrétienne du temps de la guerre juive (« am Beginn bzw. in der Mitte des Jüdischen Krieges », 294) peut paraître proche de la rédaction de l'évangile de Marc. Elle se rapproche de Mc 13 également par sa facture plus complexe (elle comprend 13, 9.11.13a et 28-31). Dira-t-on donc que c'est dans la logique de l'évolution du commentateur qu'il arrive un jour à lire Mc 13 comme la composition de l'évangéliste, sans le détour de la courte apocalypse ? Qui sait ? Le Commentaire n'est, somme toute, qu'une étape [98].

98. Note additionnelle sur la tradition de la fuite à Pella (cf. *supra*, pp. 370-375 et 381-389).

Voir G. LÜDEMANN, *The Successors of Pre-70 Jerusalem Christianity : A Critical Evaluation of the Pella-Tradition*, dans E.P. SANDERS (éd.), *Jewish and Christian Self-Definition. Volume One : The Shaping of Christianity in the Second and Third Centuries*, London, 1980, pp. 161-173 (notes, pp. 245-254). La position de l'auteur ne diffère guère de celle de G. Strecker : Épiphane se base sur le passage d'Eusèbe ; la tradition d'Eusèbe remonte à Ariston de Pella ; et *Rec.* I, 37 (Syr.) ; 39 serait « another source for the Pella-flight ». Il s'agit d'une *foundation-legend* de la communauté de Pella : « The Pella-tradition has no historical value whatsoever for the question of wat happened to the Christian community during the Jewish war. It is nevertheless of great historical value in that it reflects the claim of a Christian community in or around Pella » (p. 171). Voir cependant nos remarques critiques à propos de *Ps.-Clem. Rec* (cf. *supra*, p. 372) et l'argument, qu'il emprunte également à Strecker (p. 165), du silence d'Eusèbe qui ne parle nulle part ailleurs de la fuite à Pella (cf. *supra*, p. 387). Quant à l'origine de la tradition, Lüdeman signale que la suggestion d'Ariston de Pella comme « Eusebius's informant » vient de A. Schlatter (p. 166). En fait, elle est plus ancienne (cf. *supra*, p. 374, n. 13). Schlatter se contente de noter : « schwerlich anderswoher als von Ariston selber » ; cf. *Die Kirche Jerusalems vom Jahre 70-130* (BFCT, 2/3), Gütersloh, 1898, p. 69.

Voir également R.M. GRANT, *Eusebius, Josephus and the Fate of the Jews*, dans *SBL 1979 Seminar Papers*, Missoula (Mont.), 1979, t. 2, pp. 69-96 ; cf. p. 79 : « But the idea that holy men protected Jerusalem until all this took place was already expressed by Origen... Presumably Eusebius historicizes the theological ideas of Origen by referring to the departure of the holy men ».

En fait, les passages cités (*PG* 13, 400.424.1639-40) parlent de la protection des Juifs et de Jérusalem jusqu'à la passion du Seigneur. Il est vrai qu'Eusèbe pouvait y lire que Dieu avait laissé aux Juifs un temps εἰς μετάνοιαν, de la mort du Christ à la ruine de Jérusalem (*ib.* 420 ; *In Jer. Hom.* XIV,13).

ETL 45 (1969) 154-164

LE DISCOURS ANTI-APOCALYPTIQUE DE MC., XIII [1]

Deux dissertations parallèles, l'une à l'Institut Biblique (1965), l'autre à l'université de Fribourg i. Br. (1967), consacrées à la rédaction de *Mc.*, XIII ! Déjà en 1965, le Père J. Lambrecht, des Pères Jésuites de Heverlee-Louvain, avait fait connaître ses conclusions : *Redactio Sermonis Eschatologici*, dans *Verbum Domini* 43 (1965) 278-287. La même année, aux Journées Bibliques de Louvain, il présenta une analyse de la structure de *Mc.*, XIII, analyse qui devint le troisième chapitre de la dissertation et qui fut reproduite en traduction française dans les rapports des Journées : *La structure de Mc., XIII*, dans I. DE LA POTTERIE (éd.), *De Jésus aux Évangiles. Tradition et rédaction dans les évangiles synoptiques. Donum Natalicium I. Coppens, II (Bibl. Eph. Theol. Lovan.,* 25*)*, Gembloux-Paris, 1967, p. 140-164. Un autre article, repris à la partie analytique de la dissertation, expose dans une forme systématique, et plus développée, ses recherches sur les sources de *Mc.* : *Die Logia-Quellen von Markus 13*, dans *Biblica* 47 (1966) 321-360. Sur *Mc.*, XIII, 2c (dans la dissertation, p. 75-79) ; XIII, 5b-6.21-23 (p. 100-105) ; XIII,9-13 (p. 115-120) ; XIII,15-16 (p. 157-159) ; XIII,30 (p. 203-204) ; XIII,31 (p. 212-226) ; XIII,32 (p. 235-237) ; XIII,32-37 (p. 249-251). Rudolf Pesch, assistant du professeur A. Vögtle à Fribourg, avait pris connaissance des articles de 1965 et 1966 (voir p. 41-43), mais lors de la parution de *Die Redaktion der Markus-Apokalypse*, son texte était déjà à l'impression et il devait se borner à une confrontation sommaire à la p. 43-44 et dans les notes (passim).

La convergence entre les deux études menées indépendamment l'une de l'autre ne manquera pas de frapper le lecteur. Les deux auteurs optent résolument pour le point de vue *redaktionsgeschichtlich :* par une analyse systématique de tout le chapitre, replacé dans l'ensemble de

1. J. LAMBRECHT, *Die Redaktion der Markus-Apokalypse. Literarische Analyse und Strukturuntersuchung* (Analecta Biblica, 28), Rome, 1967. In-8, XXIX-321 p.
R. PESCH, *Naherwartungen. Tradition und Redaktion in Mk 13* (Kommentare und Beiträge zum Alten und Neuen Testament), Düsseldorf, 1968. In-8, 275 p.

l'évangile, ils veulent établir ce qui est matériau traditionnel et ce qui revient au rédacteur. L'étude minutieuse du vocabulaire et du style de *Mc.*, avec une attention particulière pour les éléments de structure, les a amenés à des positions critiques, dont il convient de souligner en premier lieu la concordance partielle. L'évangéliste est le véritable « auteur » de *Mc.*, XIII. C'est lui qui a créé l'introduction (vv. 1-4.5a), et la composition du discours est vraiment son œuvre. Sur les matériaux traditionnels qu'il a employés, l'accord entre Lambrecht et Pesch est loin d'être complet, mais ce n'est pas le problème de l'authenticité des paroles de Jésus qui les sépare (voir toutefois le v. 32). L'unité rédactionnelle de *Mc.*, XIII leur paraît démontrée et ils ont des vues largement identiques sur la structure du discours. L'intention de Marc est en partie polémique : sans renoncer à la *Naherwartung*, il veut corriger une sorte d'attente qui voit dans certains événements les signes de la fin (Lambrecht, surtout p. 114 ; Pesch, passim). Comme il apparaît plus particulièrement dans la partie finale du discours, son but est avant tout parénétique.

1. La structure de Mc., XIII

Pour rester sur un terrain commun, parlons d'abord de la structure. Comme le sous-titre l'indique, l'étude de la structure est une partie essentielle de l'ouvrage de Lambrecht. Déjà l'examen du contexte, *Mc.*, X, 32-XIV, 17 (chap. I) permet de constater en *Mc.*, XI, 12-25 et XIV, 1-11 le schéma a b a' (p. 33, n. 4). A l'analyse de *Mc.*, XIII (chap. II), il s'avère fondamental pour le plan du discours : vv. 5b-23, 24-27, 28-37. Outre l'inclusion, d'autres indices de structure sont signalés : indications chronologiques, mots thématiques, parallélismes, articulations. Un dernier chapitre (p. 261-297) lui est entièrement consacré. Il en résulte une présentation du texte grec structuré qui par l'utilisation de différents moyens typographiques fait ressortir clairement tous les éléments structurels (p. 288-292 ; reproduit sur un dépliant en annexe à la dissertation, et dans *La structure*, p. 158-162). Si c'est L. Vaganay qui avait fixé l'attention de l'auteur sur les critères formels en *Mc.*, XIII : chiasme, symétrie, mot-crochet, mot-vedette (p. 11-12 ; *La structure*, p. 143-144 : « des critères utiles, puisque objectifs »), il semble bien que les travaux du professeur Vanhoye sur l'Épître aux Hébreux lui ont servi de modèle (p. 265, n. 3 ; 287, n. 1 ; *La structure*, p. 157, n. 24). Le plan général du discours serait comme suit (p. 286 ; *La structure*, p. 156-157) :

Introduction (vv. 1-4).

« Alors Jésus se mit à leur dire » (v. 5a).

Discours (vv. 5b-37) :

A. *La détresse : information et avertissement* (vv. 5b-23a) :

a Les trompeurs (vv. 5b-6) : βλέπετε
b Les guerres (vv. 7-8) : ὅταν δὲ ἀκούσητε
c Les persécutions (vv. 9-13) : βλέπετε
b′ La guerre (vv. 14-20) : ὅταν δὲ ἴδητε
a′ Les trompeurs (vv. 21-23a) : ... βλέπετε

« Vous voilà prévenus de tout » (v. 23b).

B. *La venue : annonce* (vv. 24-27) :

a Phénomènes célestes (vv. 24-25),
b On voit le Fils de l'homme qui vient (v. 26),
c Il rassemble les élus (v. 27).

A′. *L'époque : information et avertissement* (vv. 28-37) :

a Parabole du figuier (vv. 28-29),
b Logion au sujet du temps certain et proche (v. 30),
c Logion de confirmation (v. 31),
b′ Logion au sujet du jour inconnu (v. 32),
a′ Parabole de l'homme en voyage (vv. 33-36),

« Et ce que je vous dit à vous, je le dis à tous : veillez ! » (v. 37).

Cette division tripartite est également celle de R. Pesch. Il l'oppose à une diversité de répartitions souvent contradictoires, reprises à une vingtaine de commentaires. Le tableau est utile (p. 74-77), mais le jugement est manifestement trop sombre : *Hilflosigkeit des Exegeten, Willkür, Verwirrung*. Dans plusieurs divisions, on trouve une distinction entre la partie apocalyptique et la partie parabolique (vv. 28-37), et pour la première on peut même parler, avec le P. Lambrecht, d'une répartition « classique » : vv. 5-13, 14-23, 24-27 (p. 11 ; *La structure*, p. 142). D'après Lambrecht et Pesch, la première partie se conclut par προείρηκα ὑμῖν πάντα (v. 23b) et la construction cyclique fait de la parousie le centre du discours. On peut voir l'apport le plus valable de la division proposée dans la reconnaissance de l'unité des vv. 5b-23 et de leur structure concentrique. Les principaux critères signalés par Lambrecht sont repris par Pesch (p. 77-82). Par contre, la construction cyclique de la troisième partie (parabole – trois logia – parabole) ne le satisfait pas, et, avec de bons arguments, il défend une division bipartite : instruction (μάθετε) et avertissement (βλέπετε) (vv. 28-32, 33-37). Le P. Lambrecht pourra compléter son dossier impressionnant d'inclusions par la construction ἀπὸ δὲ τῆς συκῆς — περὶ δὲ τῆς ἡμέρας (vv. 28a, 32a), et au parallélisme des vv. 28β et 29α devrait s'ajouter le ταῦτα πάντα γένηται du v. 30 (p. 81). L'unité du discours semble bien établie par les inclusions du début et de la fin, mais il est plutôt étonnant que J. Lambrecht doit constater que celles du début sont accumulées dans les vv. 4-5, tandis que celles de la conclusion se trouvent réparties dans toute la troisième partie (p. 272 ; *La structure*, p. 146). Sans manifester le même enthousiasme pour la structure concentrique (voir p. 81, n. 33), R. Pesch ajoute un complément important : « Die Vv. 28-29 sind durch das ὅταν auf V. 4 und den ersten Teil der Rede (5b-23) deutlich bezogen » (p. 177). Un mot encore sur l'introduction et la répétition en ordre inverse des mots ἱερόν, λίθος, οἰκοδομή (Lambrecht : le schème a b c c' b' a', avec un « vielleicht », à la p. 81, 89, 91, 271, 288). Il paraît plus indiqué de réserver le chiasme aux paroles des vv. 1b-2 (cf. Pesch, p. 87) et de voir en τοῦ ἱεροῦ (vv. 1a et 3a) une « articulation » plutôt qu'une inclusion.

2. Le contexte du discours

A partir du sommaire sur la passion de *Mc.*, X, 32-34, l'évangile de Marc s'oriente définitivement vers Jérusalem et la passion, et, d'après J. Lambrecht, c'est en *Mc.*, X, 32-XVI, 8 qu'il faut voir le contexte plus large de *Mc.*, XIII. A première vue, *Mc.*, XIII constitue un bloc à part, mais d'un rapide examen de X, 32-XII, 44 ; XIV, 1-16, il apparaît qu'il s'insère admirablement dans le cadre rédactionnel de *Mc.* En sortant du temple, le soir d'une longue journée de disputes à Jérusalem (cf. XI, 11, 19), Jésus prédit la destruction du temple et, assis sur le mont des Oliviers (cf. XI, 1), il tient devant les quatre disciples un discours qui, par le contexte subséquent (XIV, 1ss.), reçoit le caractère d'un discours d'adieu. Sans accepter l'idée d'une construction chiastique de *Mc.*, XI, 1-11 et XIII, 1-4 ou celle de Trocmé sur les symétries de la section de *Mc.*, XI, 1-XIII, 37 (p. 31), J. Lambrecht y trouve pour le discours une situation chronologique et topographique vraiment satisfaisante. Au demeurant, l'analyse, péricope par péricope, qu'il propose dans ce premier chapitre sur le contexte (p. 13-64), reste en quelque sorte un hors-d'œuvre. Elle a sans doute pour but de préparer le lecteur à voir dans le texte de *Mc.* une très large part de composition rédactionnelle.

R. Pesch ne conteste pas une certaine préparation du discours sur le temple dans les chap. XI et XII (p. 72-73), mais un examen plus poussé de la structure de l'ensemble de l'évangile montre en *Mc.*, XIII une pièce ajoutée, que l'évangéliste doit avoir insérée tardivement (à la bonne place d'ailleurs), dans un évangile conçu et composé sans le discours eschatologique. La composition est rigoureusement symétrique. *Mc.*, I, 2-III, 6 ; III, 7-VI, 29 ; VI, 30-VIII, 26 ; VIII, 27-IX, 52 ; X, 1-XII, 44 ; XIV, 1-XVI, 8 : l'évangile comporte six parties, dont chacune est composée de trois sections également symétriques : six, deux (ou trois) et six péricopes. En plus, en comptant le nombre de lignes de texte (d'après l'édition de Nestle-Aland), on constate une alternance régulière dans la longueur des parties : 187, 317, 203, 261, 185, 283 ; ce qui permet de proposer encore une division tripartite (I, 2-VI, 29 ; VI, 30-X, 52 ; XI, 1,XVI, 8). L'évangile devient ainsi une construction concentrique autour de la confession messianique de Pierre : I, 2-VIII, 26 ; VIII, 27-30 ; VIII, 31-XVI, 8 ; c.-à-d. 708 – 10 – 706 lignes de texte (p. 70 ; à la p. 67, il donne un total de 1436 au lieu de 1424, « doch... auf ± 10 Zeile kommt es keineswegs an », p. 58). Nous voilà donc en plein dans la stichométrie ! Et avec un évangile de Marc d'une structure extrêmement équilibrée, mais dans lequel *Mc.*, XIII serait en surcharge.

Quelle que soit leur division de l'évangile, beaucoup d'exégètes se mettront d'accord sur les césures majeures en *Mc.* : III, 7 ; (VI, 30) ; VIII, 27 ; XI, 1 ; XIV, 1. C'est d'ailleurs le principal élément que Pesch veut retenir d'une énumération des différents plans de *Mc.*, en trois, quatre, cinq, six ou sept parties (p. 50-53). Seul *Mc.*, VI, 6b n'est pas retenu, même pas comme sous-division de la deuxième partie. Voir cependant plusieurs commentaires et surtout E. Schweizer (cf. T. Snoy, dans *Eph. Theol. Lovan.* 44 (1968) p. 111). La symétrie et la stichométrie (on l'appelle la tentation du philologue classique qui se tourne vers le N.T.) n'interviennent-elles pas trop dans les choix qu'a faits notre auteur ? Dans la première partie, il distingue trois sections : I, 2-34 ; I, 35-45 ; II, 1-III, 6. *Mc.*, I, 35 serait donc une césure plus importante que I, 14 ! Et pourtant, le changement de temps et de lieu auquel on fait appel (p. 57), est-il comparable à celui de *Mc.*, I, 14a ? N'est-il pas plus indiqué de faire de celui-ci le début de la première partie et de conserver l'idée d'un prologue qui n'entre pas dans cette division ? *Mc.*, I, 35-45 formerait le centre. Mais l'unité de la journée de Capharnaüm demande une conclusion comme I, 35-39, d'une manière parallèle au v. 45 qui conclut la péricope de *Mc.*, I, 40-44. La deuxième partie : *Mc.*, III, 7-IV, 34 ; IV, 35-V, 20 ; V, 21-VI, 29. La valeur d'inclusion que peut avoir le verset sur le retour des disciples (VI, 30) n'est même pas mentionnée. Par contre, l'auteur parle d'inclusion à propos de la vocation des douze (III, 13-19) et de la mission des disciples (VI, 7-13). Mais le parallélisme entre les deux est mieux observé dans une division qui tient compte du motif répété « Jésus — disciples » : I, 14-15, 16-20 ; III, 7-12, 13-19 ; VI, 6b, 7-13. Quant à *Mc.*, XIII, la plupart des exégètes y voient la fin du complexe de Jérusalem (XI-XII) ou le placent au milieu d'une plus large section : XI, 1-XVI, 8. Certains la font commencer par X, 46 ou considèrent X, 46-52 comme une péricope de transition. J. Lambrecht, on l'a vu, opte pour X, 32. Mais le schème de prédiction de la passion — inintelligence — instruction des disciples (pour lequel il se montre sensible, p. 28), ne recommande-t-il pas une unité littéraire qui englobe les trois prédictions, comme le propose également R. Pesch : VIII, 27-X, 52 ? Au reste, il est à craindre que l'argument basé sur la symétrie des parties pour exclure *Mc.*, XIII du projet original de l'évangile, rencontrera de vives résistances. D'abord, d'autres indices devraient rendre le plan symétrique plus acceptable, pour que la supputation des lignes de texte emporte la conviction. Ensuite, si le caractère particulier de *Mc.*, XIII semble confirmer l'hypothèse d'un second stade de rédaction évangélique (p. 67), on ne peut oublier que le genre littéraire du discours d'adieu peut expliquer beaucoup : le fait qu'il s'agit de l'unique « discours » en *Mc.* ainsi que la note d'actualité du chapitre. N'est-ce pas en *Act.*, XX, 18-35 qu'en cherchera les indications sur les problèmes actuels du temps de Luc ? D'ailleurs, l'isolement de *Mc.*, XIII a des limites. R. Pesch lui-même insiste sur les traits apologétiques et polémiques qui le relient aux chap. XI et XII (malédiction du figuier, purification du temple, parabole des vignerons homicides). Et si le discours est à dater après 70 et que *Mc.*, XIII, 2c doit s'entendre comme un *vaticinium ex eventu*, il en va de même pour d'autres allusions à la destruction du temple et à la prise de Jérusalem : XI, 17c (cf. *Jér.*, VII, 11), XII, 9 (cf. *Is.*, V, 6) et XV, 38 (p. 72, 93-94, 231).

3. Tradition et rédaction

L'analyse de *Mc.*, XIII conduit le P. Lambrecht à des conclusions radicales. Bon nombre de versets sont pure création de l'évangéliste *(Neuschöpfung)*. Parfois Marc s'inspire de l'A.T. (surtout *Dan.*) et il semble avoir connu la tradition des paroles de Jésus dans une recension qui est à la base de *Mt.* et qu'il utilise de manière très libre *(Neufassung)*.

Mc., XIII,	1	Mc		
	2ab	Mc		
	3		*Jo.*, II, 19 + *Mt.*, XXIII, 38	
	4	Mc		*Dan.*, XII, 7 (συντελεῖσθαι)
	5a	Mc		
	5b-6		*Lc.*, XVII, 23	
	7-8	Mc		*Dan.*, XI, 44 (ἀκοαί)
	9		*Mt.*, X, 17-18	
	10	Mc		
	11		*Mt.*, X, 19-20	
	12		*Mt.*, X, 21 ; X, 35-36	*Mich.*, VII, 6
	13	(Mc)	*Mt.*, X, 22	*Mich.*, VII, 6.7
	14	Mc	(*Mt.*, X, 23)	*Dan.* (τὸ βδέλυγμα τῆς ἐρημώσεως)
	15-16		*Lc.*, XVII, 31	
	17-20	(Mc)	?	*Dan.*, XII, 1 (θλῖψις)
	21-22		*Lc.*, XVII, 23	
	23	Mc		
	24-25			*Joël*
	26			*Dan.*, VII, 13
	27			*Zach.*, II, 10 LXX
	28a	Mc		
	28b		?	
	29	Mc		
	30		*Mt.*, XXIII, 36 + V, 18	
	31		*Mt.*, V, 18	
	32	Mc	(*Lc.*, XII, 39.40.46)	
	33-36		*Lc.*, XII, 35-46 ; *Mt.*, XXV, 14-30	
	37	Mc		

On ne peut donc pas parler de source(s) de *Mc.*, XIII, sinon dans un sens impropre pour désigner les différents contextes de Q^{mt-mc} qui l'auraient inspiré (d'une façon plus intense qu'on ne le supposait jusqu'à présent). Mais une unité littéraire apocalyptique prémarcienne est formellement exclue : les descriptions des vv. 7-8, 19-20, 24-27 sont l'œuvre de Marc, et le *Flugblatt* est une hypothèse superflue. Pas de question non plus de discours authentique de Jésus ni même de logia authentiques de Jésus, mais seulement d'une fidélité globale du contenu marcien aux annonces et enseignements de Jésus (p. 258-259).

Passons au livre de R. Pesch. Son point de vue est assez différent : un scepticisme presque total concernant « les sources Q » de Marc et un jugement plus réservé sur l'activité rédactionnelle. La « petite apocalypse » lui semble fondamentale pour l'intelligence du travail de Marc. La reconstruction de l'ordonnance prémarcienne de cette source fait apparaître les trois parties qu'on distingue encore dans *Mc.*, XIII, 5b-27 : vv. 6.22.7b.8.12.13b // 14.15.16.17.18 ? 19.20a // 24.25.26.27. Outre dans la transposition du v. 22 (l'inclusion marcienne), l'intervention de Marc se constate avant tout dans les articulations du texte : *βλέπετε μή τις ὑμᾶς πλανήσῃ* (v. 5b) ; *ὅταν δὲ ἀκούσητε... τὸ τέλος* (v.7) ; *βλέπετε δὲ ὑμεῖς ἑαυτούς* (v.9a) ; *ὅταν δὲ ἴδητε* (v.14a) ; *ὑμεῖς δὲ βλέπετε* (v.23a) ; ainsi que dans les appels aux lecteurs : *ὁ ἀναγινώσκων νοείτω* (v.14c) et *προείρηκα ὑμῖν πάντα* (v. 23b). Les vv. 9.13a.11 (probablement dans cet ordre) constituent un complexe de logia sur la persécution, inséré par l'évangéliste et complété par le v. 9b (*εἰς μαρτύριον αὐτοῖς*) et le v. 10. Dans la partie finale (vv. 28-37), l'encadrement des deux paraboles (le figuier et le portier, vv. 28b.34) est rédactionnel : vv. 28a.29. 30.35.36.37. Les deux logia des vv. 31 et 32 sont prémarciens et la parole au sujet du jour inconnu peut remonter à Jésus, dans la reconstruction que voici : *περὶ τῆς ἡμέρας ἐκείνης* (...) *οὐδεὶς οἶδεν, οὐδὲ οἱ ἄγγελοι ἐν οὐρανῷ,* (...) *εἰ μὴ εἷς ὁ θεός* (v. 32). Quant à l'introduction (vv. 1-5a), elle est une composition de l'évangéliste et remplace peut-être le motif d'une sortie nouvelle (et définitive) de la ville de Jérusalem (dans l'hypothèse des deux stades de rédaction).

Sur la « source » principale, Lambrecht et Pesch présentent donc des hypothèses opposées, d'une part celle des excerpta de Q^{mc}, librement utilisés par Marc, d'autre part l'hypothèse d'un *Flugblatt* apocalyptique, relativement bien conservé en *Mc.*, XIII. Pesch croit pouvoir montrer qu'il ne s'agit nullement d'une chimère de la critique moderne dont il serait temps de se débarrasser [2].

Nous parlerons plus loin du *Sitz im Leben* de cette Apocalypse ; résumons ici : un texte d'actualité, de l'étendue d'une feuille de papyrus, recto et verso, d'après un schème typiquement apocalyptique (des signes avant-coureurs, l'événement dans le temple et la grande tribulation, l'intervention finale de Dieu dans la parousie du Fils de l'homme) ; une consistance propre dans le vocabulaire (26 vocables qui n'ont pas de parallèle en *Mc.*) ; dans les citations implicites, une forme de texte proche des LXX (ailleurs en *Mc.*, les paroles de Jésus n'attestent pas

2. Sur l'histoire de l'exégèse, voir G.R. BEASLEY-MURRAY, *Jesus and the Future. An Examination of the Criticism of the Eschatological Discourse, Mark 13, with Special Reference to the Little Apocalypse Theory*, Londres, 1954. Le titre donné par Pesch, à la p. 246, est à compléter : *Little*.

cette même dépendance envers les LXX) ; une inspiration vétéro-testamentaire qui permet de mieux saisir la structure de l'écrit :

Mc., XIII, 6	*Jér.*, XXIX, 9 e.a.	*Dt.*, XVIII, 7ss.
22	*Dt.*, XIII, 2	*Jér.* passim
7b	*Dan.*, II, 28	
8	*Is.*, XIX, 2	*2 Chron.*, XV, 6 e.a.
12	*Mich.*, VII, 6	*Is.*, XIX, 2
13b	*Mich.*, VII, 7	
Mc., XIII, 14a	*Dan.*, IX, 27 ; XI, 31 ; XII, 11	
14b	*Gen.*, XIX, 17	
15		
16	*Gen.*, XIX, 17	
17		
18		
19	*Dan.*, XII, 1	
20a		
Mc., XIII, 24	*Is.*, XIII, 10	
25	*Is.*, XXXIV, 4.	
26	*Dan.*, VII, 13s	
27	*Dt.*, XXX, 3s. ; *Zach.*, II, 10	

Pour ce dernier point (p. 212-213), l'auteur a pu profiter des recherches de L. Hartman, toutefois sans accepter la thèse d'un midrash sur *Daniel* qui pourrait remonter à Jésus, ni l'idée d'un contact de Paul (*1-2 Thess.*) avec la tradition prémarcienne de *Mc.*, XIII. Comme le tableau le fait voir, l'influence de *Dan.* (surtout au v. 14 !) est moins prépondérante sur l'ensemble de l'écrit, et c'est à un recours parallèle à *Dan.* que se réduit le soi-disant contact de *Thess.* avec *Mc.*, XIII. [3]

Sur les extraits de Q^mc^ d'après l'hypothèse de Lambrecht, R. Pesch a de nettes réserves : « Man kann sich des Eindrucks nicht erwehren, dass Lambrecht Markus exzerpieren und zerstückeln lässt — um der Lambrechtschen Erklärung von Mk 13 willen » (p. 42). Mais l'essai de Lambrecht, si peu convaincant qu'il soit, ne montre-t-il pas tout un champ d'investigation quelque peu négligé par Pesch et auquel une recherche sur les sources de *Mc.*, XIII devrait donner priorité ? Pesch semble ne pas exclure l'opinion qui dit que Marc a connu la tradition judéo-chrétienne de la source Q et que son omission est intentionnelle (p. 232). Admettons que le problème soit difficile (*ib.)*, mais est-ce de bonne méthode de conclure à « l'origine juive et non judéo-chrétienne » de l'apocalypse sous-jacente à *Mc.*, XIII, 6-27, sans avoir passé par la problématique qui est celle du livre de Lambrecht ? La conclusion

3. Contre L. HARTMAN, *Prophecy Interpreted. The Formation of some Jewish Apocalyptic Texts and of the Eschatological Discourse Mark 13 Par* (Coniectanea Biblica, NT Ser., 1), Lund, 1966. Le P. Lambrecht ne pouvait pas encore utiliser ce travail (cf. *Vorwort*, p. VII).

serait peut-être négative, mais le travail serait moins incomplet et le lecteur s'y trouverait rassuré. Un exemple. D'après le registre de Pesch (dont on ne peut pas dire qu'il soit incomplet), *Lc.*, XVII n'est mentionné qu'en deux endroits, pour signaler l'opinion qui tient les vv. 21-22 de *Mc.*, XIII pour une insertion à partir de *Lc.*, XVII, 23 (p. 112) et les vv. 15-16 pour mieux en place en *Lc.*, XVII, 31 (p. 147 ; 148, n. 527). Il est sans doute louable de procéder directement à une explication positive du contexte de *Mc.*, XIII, mais peut-on se contenter d'une remarque laconique, disant à propos de *Lc.*, XVII, 31 qu'il s'agit d'« une impression fallacieuse, puisque Luc y a explicité les contacts avec *Gen.*, XIX » (p. 147) ? Placé devant la dissertation de Lambrecht, le lecteur pourrait regretter que R. Pesch n'a pas explicité ses idées sur *Lc.*, XVII.

Mais par ailleurs il adressera sans doute un reproche plus grave à J. Lambrecht. Dans son étude, expressément consacrée aux rapports entre Q et *Mc.*, il part de la théorie de J.P. Brown. Sur *Lc.*, XVII, 31, elle n'est autre que cette « impression fallacieuse » dont parle Pesch : « vielleicht ein besserer Zusammenhang als der bei Markus » (*Logia-Quellen*, p. 342), et *Lc.*, XVII, 22-37 (le texte intégral et dans l'ordre de *Lc.*) passe pour le discours original de Q. Il est vrai que, par manière d'introduction au discours, Luc (?) peut avoir ajouté les vv. 20-21 (« vielleicht »), par la transposition de *Mc.*, XIII, 21 (« vielleicht »). On peut également admettre que la formulation de *Lc.*, XVII a été influencée par *Mc.* (ἐκεῖ, ὧδε ; diff. *Mt.*) (p. 341). Mais c'est bien le discours tel qu'il est en *Lc.*, XVII que *Mt.* a connu et qu'il a combiné avec *Mc.*, XIII en *Mt.*, XXIV, 17-18, 26-28, 37-41. Marc aussi l'a connu ; il en donne des extraits, d'abord en VIII, 31 ; IX, 12 (*Lc.*, XVII, 25) et VIII, 35 (*Lc.*, XVII, 33), puis en XIII, 5b-6, 21-23 (*Lc.*, XVII, 23) et 15-16 (*Lc.*, XVII, 31). Cette désintégration du discours de Q est un trait caractéristique de la rédaction de Marc : du discours de mission de *Mt.*, X, 5b-42 (Q^{mt-mc}), il a des extraits en VI, 7-13, mais également en IV, 21-25 ; VIII, 34 - IX, 1 et XIII, 9-13. Pareille définition du travail de Marc demande un point de départ soigneusement établi, mais on constate que J. Lambrecht ne donne aucune démonstration de l'originalité du discours intégral de *Lc.*, XVII, 22-37 : il la suppose. Certes, il signale la possibilité de la thèse inverse (« non probable ») à propos de *Lc.*, XVII, 33 (influence de *Mc.*, VIII, 33) et de *Lc.*, XVII, 25 (influence de *Mc.*, VIII, 31), mais ce n'est qu'une mention furtive, égarée dans une note (p. 324, n. 2 ; 343, n. 1). Et pourtant, nombreux sont les critiques qui attribuent à Luc d'avoir postposé le v. 37 et d'avoir inséré les vv. 25, 28-29, 31-32, 33 ! Les exemples montrent que l'auteur a tendance à admettre trop facilement des grands complexes, des discours systématiques dans la source Q, se basant tantôt sur *Lc.* (le chap. XVII : le discours apocalyptique), tantôt sur *Mt.* (le chap. X : le sermon de mission). Dans ce dernier cas, il est vrai, l'état isolé de *Lc.*, X, 2-11, 16 ; XII, 2-9, 11-12 ; XIV, 26-27 et XVII, 33 lui paraît plus primitif, mais la compilation de *Mt.*, X, 5b-42 (à laquelle il ajoute encore *Mt.*, V, 13-15 ; VI, 25-34 et VII, 1-5), peut-on la situer à un stade prématthéen (et prémarcien) ? L'hypothèse d'une compilation *matthéenne* aurait mérité un examen plus rigoureux avant que l'on puisse conclure que *Mt.*, X, 17-22 n'est pas une anticipation de *Mc.*, XIII, 9-13.

4. LE SITZ IM LEBEN

Dans l'hypothèse du P. Lambrecht, la préhistoire du discours apocalyptique n'est autre que celle des différents fragments de la source Q^{rev} dont l'évangéliste s'est servi en *Mc.*, XIII. Pour R. Pesch, par contre, il s'agit de reconstituer l'histoire du *Flugblatt* apocalyptique. Son origine doit se placer au cours de l'an 40 ap. J.-Chr., quand le temple de Jérusalem était menacé d'être profané par l'érection d'une statue de l'empereur (G. Hölscher). Les juifs prévoient l'arrivée de Caligula, le nouvel Antiochus (v. 14) et ils craignent que la fuite ne se passe en hiver (v. 18). D'origine juive, la petite Apocalypse sera reçue par les judéo-chrétiens de la Palestine, qui y trouvent l'expression de leur attente de la parousie (v. 26). La guerre juive lui assurera une actualité nouvelle : les signes avant-coureurs se sont réalisés (vv. 6, 22, 8, 12) et une nouvelle menace pèse sur Jérusalem et le temple. Pour les chrétiens, c'est l'Église-mère qui est en péril. Le *Flugblatt*, qui doit avoir circulé comme une prophétie de Jésus, leur permet d'interpréter les événements de l'an 70 comme « le signe » de la fin. La fièvre apocalyptique que produit la destruction de Jérusalem, peut avoir atteint la communauté de l'évangéliste (Rome ?), et c'est contre cette tension apocalyptique, avec ses attentes fausses et ses déceptions, que l'évangéliste veut réagir en composant le chap. XIII. Il accepte l'Apocalypse comme parole de Jésus, mais il veut prémunir sa communauté contre l'usage qu'en font les faux-prophètes. L'interprétation de Marc est donc anti-apocalyptique. Comme ses adversaires, l'évangéliste attend la venue du Fils de l'homme, mais par l'ajoute de μετὰ τὴν θλῖψιν ἐκείνην (v. 24), il la présente comme moins immédiatement liée à la situation présente (la destruction du temple). Il a retravaillé surtout le premier élément du schéma apocalyptique, celui des signes avant-coureurs : il en fait un texte polémique contre les faux-prophètes dans la communauté et lui donne une actualisation parénétique par l'insertion des logia sur la persécution (vv. 9b, 11, 13b, complétés par les vv. 9a, c, 10). L'enseignement positif de l'évangéliste apparaît dans la troisième partie du discours (vv. 28-37).

Sur ce point, beaucoup de problèmes restent posés, que de nouvelles recherches auront à éclaircir (p. 237). Nous ne saurions entrer dans le détail de la discussion dans le cadre de cette notice, qui n'avait d'autre but que de soumettre à l'attention des lecteurs deux ouvrages dont on peut dire qu'ils ont renouvelé l'étude du sermon eschatologique. Par son optique « redaktionsgeschichtlich », le livre du P. Lambrecht fournit un complément indispensable au travail de L. Hartman, et si la distinction que l'auteur veut établir entre l'étude de la rédaction (la structure, le style et le vocabulaire) et l'*exégèse* d'un texte (qui doit l'envisager « dans toute sa richesse et sa problématique », p. 67, 300) est, pour le moins, quelque peu artificielle, la méthode de R. Pesch lui apporte les corrections nécessaires. Une orientation est donnée, et devant les problèmes qui sont encore à résoudre, on peut se féliciter du fait que les deux auteurs semblent décidés à participer activement à la discussion ultérieure [4].

4. Cf. J. Lambrecht, *Die « Midrasch-Quelle » von Mk 13*, dans *Biblica* 49 (1968) 254-270. Présentation critique du livre de L. Hartman : une forme minimale de substrat midraschique qui pourrait remonter à Jésus, ne semble pas exclue.

ETL 57 (1981) 163-171

DEUX NOUVEAUX COMMENTAIRES SUR MARC

Joachim GNILKA. *Das Evangelium nach Markus. 1. Teilband Mk 1-8,26; 2. Teilband Mk 8,27-16,20.* (Evangelisch-Katholischer Kommentar zum Neuen Testament, II/1-2.) Zürich-Einsiedeln-Köln, Benziger Verlag; Neukirchen, Neukirchener Verlag, 1978/1979. 16,5 × 24, 316 & 364 p. DM 56 & 59.

Walter SCHMITHALS. *Das Evangelium nach Markus. Kapitel 1-9,1; Kapitel 9,2-16,18.* (Ökumenischer Taschenbuchkommentar zum Neuen Testament, 2/1-2; Gütersloher Taschenbücher/Siebenstern, 503-504.) Gütersloh, G. Mohn; Würzburg, Echter Verlag, 1979. 11,5 × 18,5, 2 vol., 760 p. DM 19,80 & 19,80.

1

Depuis le gros commentaire de R. Pesch, paru en 1976/77 dans la série de de Herder (*HThK*)[1], deux nouveaux commentaires sur l'évangile de Marc ont été publiés en Allemagne, celui de *EKK* par J. Gnilka en 1978/79 et puis celui de *ÖTKNT* par W. Schmithals en 1979. Et on nous annonce d'autres encore qui sont en préparation dans les séries de *KEK* (F. Hahn) et *HNT* (D. Lührmann). Pour l'instant c'est le commentaire de Gnilka qui reflète le mieux l'exégèse marcienne telle qu'elle a été pratiquée par la *Redaktionsgeschichte*. L'idée d'un Ur-Marcus (Schmithals) est exclue. La tradition dont dispose l'évangéliste se présente principalement sous forme de péricopes isolées, et les versets de transition et les sommaires sont rédigés par lui. Gnilka admet certaines collections prémarciennes : les trois controverses de 2,15-28, les trois paraboles de 4,3-34 (exc. 11-12 et 21-25), les trois instructions du *Regelkompendium* de 10,2-12.17-23.25.35-45, l'apocalypse de 13,5-27 et le récit de la passion. Il refuse l'unité traditionnelle de 1,2-15, d'une journée de Capharnaüm, d'un cycle de miracles, d'un *Gemeindekatechismus* en 9,33-50 et d'une collection de controverses à Jérusalem au chap. 12. Le lien entre 1,9-11 et 12-13 serait prémarcien. La séquence de 6,34-44.45-51 serait également traditionnelle, de même que celle de 8,22-26; 7,31-37 (dans cet ordre). Il fait débuter le récit de la passion par 11,1-10.15-18, mais il écarte l'hypothèse d'un récit de la passion qui commence à 8,27 et couvre une grande partie des textes de 8,27-13,2 et que Marc aurait laissé inchangé à partir de 14,1 (Pesch). Le noyau primitif du récit de la passion ne comprend que 14,32-16,8, mais il aurait été élargi, d'abord par 14,18ss. et

1. Sur le Commentaire de R. Pesch, voir *ETL* 53 (1977) 153-181 (le tome I); 55 (1979) 1-42 (le tome II); 56 (1980) 442-445 (recension du *Nachtrag* au tome I, [3]1980). Les deux articles ont été réunis dans un fascicule de 74 pages : *L'évangile de Marc. À propos du Commentaire de R. Pesch* (ALBO, V/42), 1979. Cf. pp. 29-30 : *Note additionnelle* (sur le tome I du Commentaire de J. Gnilka).

Voir également : *Marc 13. Examen critique de l'interprétation de R. Pesch*, dans J. LAMBRECHT (éd.), *L'Apocalypse johannique et l'Apocalyptique dans le Nouveau Testament* (BETL, 53), Gembloux & Leuven, 1980, pp. 369-401. Cf. pp. 380-381 : *Corollaire* (sur le tome II du Commentaire de J. Gnilka).

puis par les récits de 11,1.(*2-7*).8-10.15-18; 14,3-9.(*12-16*), et il aurait subi un remaniement rédactionnel avant de parvenir à Marc (14,21.35b.41b.51-52.57-59. 62b; 15,25.29b.30.33.37a.38). Les péricopes des autres collections prémarciennes ont été groupées par des rédacteurs, et à différents endroits, un rédacteur prémarcien est responsable de l'adjonction d'une parole de Jésus: cf. 2,19b-20.21. 22.27-28; (3,24-29); 7,15; 9,28-29.37b.40.(43.45.47); 10,10-12.15.30; 12,10-11.26.

Cependant, dans plusieurs péricopes, c'est l'évangéliste lui-même qui a rassemblé des unités traditionnelles plus petites. C'est le cas notamment pour les paroles de Jésus: 4,21 + 22 + 24 + 25; 7,1-2.5-7 + 9-13 + 14-22; 8,34-35 + 36 + 37 + 38 + 9,1; 9,37.41.42 + 38-40 + (43.45.47) + 50; 13,12.13b + 9.11.13a; 13,28-29 + 30-31 + 32. Voir également les récits: 1,2a.3-6 + 2b.7-8; 2,14 + 15ss.; 3,13-17 + 18; 4,10 + 11-12; 6,1-3.5-6a + 4; 6,14-16 + 17-29; 8,27-29 + 31 + 33. Le *sandwich arrangement* (Gnilka parle assez curieusement de *sandwich-agreement*: II, 123, 128, 275) est un trait caractéristique de la composition marcienne. Gnilka le signale en 3,20-35; 5,21-43; 11,1-25; 14,53-15,1. Le verset sur Pierre, 14,54, est l'introduction du récit de 14,66ss. En 3,20, la phrase καὶ ἔρχεται εἰς οἶκον serait l'introduction de 3,31ss.; 5,21b συνήχθη ὄχλος πολὺς ἐπ᾽ αὐτόν appartient au récit de 5,25ss., et 11,20b serait une adaptation de la conclusion de 11,12-14: καὶ ἐξηράνθη ἡ συκῆ ἐκ ῥιζῶν. Voir également 1,21a, où l'entrée à Capharnaüm a été séparée de 1,29ss.

Pour l'ensemble de l'évangile, Gnilka propose le plan suivant:

1,1-15	(*1*) 1,16-3,12	(*4*) 8,27-10,45
	(*2*) 3,13-6,6a	(*5*) 10,46-13,37
	(*3*) 6,6b-8,26	(*6*) 14,1-16,8

J'aurais préféré de voir les césures à 1,14 (*1*) et 3,7 (*2*), avec les sommaires de 1,14-15 et 3,7-12 comme ouverture plutôt que conclusion d'une section. Puis, il est préférable de faire commencer la section sur "Das Wirken Jesu in Jerusalem" à 11,1, et non pas déjà à 10,46. C'est d'ailleurs à 11,1 que Gnilka fait commencer le récit prémarcien de la passion.

Sur la conception générale de l'évangile et la théologie de l'évangéliste, on lira avec profit les pages 25-30 de l'introduction. Gnilka se situe au milieu entre, d'une part, une certaine *Redaktionsgeschichte* qui ne tient pas suffisamment compte des limites qu'imposent les traditions à l'évangéliste-théologien et, d'autre part, un programme de retour au "rédacteur conservateur" prôné par le commentaire de Pesch (cf. II, 361). Selon Gnilka, "Markus ist ein gemässigter Redaktor" (I, 25). (Notons en passant que la distinction terminologique entre «Redaktions*geschichte*» et «Redaktions*kritik*» telle qu'il semble vouloir l'introduire dans la Préface est peu heureuse. D'ailleurs, il ne la maintient pas lui-même: cf. I, 25.)

Les observations de l'auteur sur la rédaction de Marc se trouvent normalement dans les sections intitulées *Analyse*, où elles font suite à un bref état de la question. On peut y constater que l'argument du style et du vocabulaire joue un rôle important, surtout dans le premier tome. Le caractère occasionnel de ces observations et l'absence d'une étude plus systématique de la rédaction marcienne sont à regretter, mais les options de Gnilka, sans être spécialement originales, méritent d'être relevées parce qu'elles représentent une bonne moyenne des positions adoptées par la *Redaktionsgeschichte* (ou *-kritik*). Le lecteur trouvera dans *ETL* 57 (1981) 144-162, *The Redactional Text of Mark*, une description détaillée du texte que Gnilka attribue à la rédaction de l'évangéliste.

L'on notera cependant un certain nombre de versets que d'autres tiennent pour rédactionnels et où Gnilka se montre plutôt réservé. J'en donne ici quelques exemples.

1,28 : Seule la mention de la Galilée est attribuée à l'évangéliste (I, 77.82). Mais le motif même du v. 28 n'est pas discuté. Ailleurs, il le rapproche de versets rédactionnels comme 1,39.45; 2,2.13 (I, 30).

1,44a : «Das Schweigegebot ist ein Stilelement von Wundergeschichten ... Ausserdem ist die Formulierung dieses Gebotes für Markus singulär» (I, 91). L'observation, qui s'inspire de l'avis de Theissen, ne pourra guère convaincre, car Gnilka lui-même s'oppose à Theissen à propos de 5,43a (ἵνα μηδεὶς γνοῖ τοῦτο) et 7,36 (ἵνα μηδενὶ λέγωσιν). «Für Markus ist charakteristisch, dass er das Schweigen unmittelbar auf die Person Jesu bezieht" (*ibid.*), mais ce n'est pas le cas dans les récits de miracles (5,43; 7,36). Les parallèles qu'il cite concernent la connaissance des démons (1,34; 3,12). Quant à la formulation μηδενὶ μηδέν, on peut la comparer avec 16,8c οὐδενὶ οὐδὲν εἶπαν, que Gnilka attribue à l'évangéliste sans la moindre remarque sur la formule.

3,13-14a : "Marcus lässt, vom 'Berg der Ölbäume' abgesehen, kein besonderes Interesse für den Berg erkennen" (I, 138). Mc 6,46 et 9,2 seraient traditionnels, mais 9,9a καταβαινόντων αὐτῶν ἐκ τοῦ ὄρους est de la main de Marc. Quant au mont des Oliviers, 11,1 et 14,26 pourraient être du rédacteur prémarcien qui a inséré 11,2-7 et 14,12-16 dans le récit de la passion (II, 115 et 243 : on rapprochera les deux observations!), et seul 13,3 est de la main de Marc (II, 182). Quant à προσκαλεῖται «im Unterschied zum typischen partizipialen προσκαλεσάμενος» (I, 139, n. 13), Gnilka l'attribue à Marc en 6,7 sans la moindre hésitation (I, 237, n. 1 : «Vorzugswörter in mk Editorial sentences»). «Vom Wollen Jesu ist nur noch 1,40 die Rede» (*ibid.*) : ἤθελεν en 7,24 est rédactionnel (I, 290). «Zu beachten bleibt, dass nur in 3,14 δώδεκα ohne Artikel bei Mk erscheint. Auch das spricht für eine Vorlage" (I, 138, n. 7). Tous les emplois de οἱ δώδεκα (et εἷς τῶν δώδεκα), y compris οἱ δέκα en 10,41, seraient rédactionnels, toujours avec l'article. Mais l'absence de l'article dans le récit de la *Einsetzung* des douze en 3,14 n'a rien d'étonnant (ni d'ailleurs le τούς anaphorique en 3,16). À propos de ἵνα ὦσιν μετ' αὐτοῦ, il est à noter que καὶ οἱ μετ' αὐτοῦ en 1,36 (Simon) et 2,25 (David) et καὶ τοὺς μετ' αὐτοῦ en 5,40 (et v. 37 μετ' αὐτοῦ) sont rédactionnels.

4,13a : La seconde question aurait été ajoutée par Marc (I, 173). N'est-ce pas plutôt la double question qui est entièrement rédactionnelle (cf. 4,40; 7,18; 8,17-21)? Cf. *ETL* 53 (1977), p. 178.

7,17; 9,28; 10,10 : "die Unterscheidung zwischen Volks- und Jüngerbelehrung (ist) vormarkinisch» (I, 278; II, 45.70 : cf. I, 171-172). Mais suffit-il de renvoyer au parallèle de 4,10 pour appuyer cette affirmation? Si en 4,10 la question sur le sens de «la parabole» peut être prémarcienne, la phrase ὅτε ἐγένετο κατὰ μόνας pourrait être une addition de l'évangéliste. «Die Einleitung enthält für Mk singuläre (κατὰ μόνας, οἱ περὶ αὐτόν) Begriffe» (I, 162, n. 2). Mais dans la section précédente de 3,20-35, on lit l'expression analogue οἱ παρ' αὐτοῦ (v. 21) et, en contraste avec ἔξω στήκοντες (v. 31; cf. 4,11 τοῖς ἔξω) : ἐκάθητο περὶ αὐτὸν ὄχλος (v. 32) et τοὺς περὶ αὐτὸν κύκλῳ καθημένους (v. 34), tous rédactionnels selon Gnilka. C'est donc l'ensemble de l'expression double, οἱ περὶ αὐτὸν σὺν τοῖς δώδεκα, qui pourrait être rédactionnel (cf. *Duality*, p. 108). L'expression κατὰ μόνας est à rapprocher de κατ' ἰδίαν (4,34; 6,31†.32†; 7,33; 9,2†.28; 13,3†: † rédactionnel selon Gnilka), et plus spécialement 9,2 κατ' ἰδίαν μόνους. Et ὅτε est «nach Gaston Vorzugswort in mk Editorial sentences». — Il est plus important de noter que, dans les quatre passages, le premier élément du schéma la foule/les disciples est une création de l'évangéliste: 4,1-2; 7,14a; 9,14-16; 10,1, tous rédactionnels selon Gnilka.

Dans le commentaire sur 9,28, il renvoie aux parallèles de 4,10ss. 7,17ss.: «vormarkinisch» (contre Kertelge et Koch) (II, 45). Même affirmation à propos de 10,10 (contre Schweizer et Bultmann): «in der Gemeindekatechese vorgeprägt» (II, 69-70). Il retrouve le même schéma en 10,17-22 et 23-27 (à noter cependant que les vv. 24.26-27 sont rédactionnels!) (II, 84-85) et finalement dans 10,35-40 et 41-45: «Gespräch und Jüngerbelehrung waren schon vormarkinisch verknüpft. *Dies lässt sich zwar gerade in diesem Fall nicht beweisen*, legt sich aber durch den ähnlichen Befund in 10,1-12 und 17-27 nahe» (II, 98; c'est moi qui souligne: Gnilka attribue 10,41-42a à l'évangéliste!). En clair: si le schéma est rédactionnel en 4,10; 7,17 et 9,28, l'hypothèse d'une collection catéchétique prémarcienne en Mc 10 devient beaucoup moins vraisemblable.

10,46a καὶ ἔρχονται εἰς Ἰεριχώ (traditionnel), à rapprocher de 8,22a καὶ ἔρχονται εἰς Βηθσαϊδάν (rédactionnel). Selon Gnilka, 10,46b serait ajouté par Marc: καὶ ἐκπορευομένου αὐτοῦ ἀπὸ Ἰεριχὼ καὶ τῶν μαθητῶν αὐτοῦ καὶ ὄχλου ἱκανοῦ (II,108), et, à juste titre, il ne parle pas d'une tension entre le verbe au singulier et la mention des disciples et de la foule. Il le fait à propos de 8,27a καὶ ἐξῆλθεν ὁ Ἰησοῦς καὶ οἱ μαθηταὶ αὐτοῦ: «Markus hat die Jünger eingebracht (in Spannung zu ἐξῆλθεν)» (II, 11). Faut-il rappeler que la construction est parfaitement normale en grec (cf. B-D § 135; *Jean et les Synoptiques*, p. 82, n. 131)?

Signalons encore qu'il tient 15,39 pour rédactionnel, «eine Art christologische Summe», qui fait inclusion avec 1,1.11. Dans le récit de la passion, 11,18a et 14,55 seraient traditionnels. Mais 3,6 (probablement); 12,12 et 14,1-2.10-11 sont rédactionnels. Dans la première prédiction de la passion (8,31), «les anciens, les grands prêtres et les scribes» seraient une précision de l'évangéliste; en 9,30-32, seule la formule ὁ υἱὸς τοῦ ἀνθρώπου παραδίδοται εἰς χεῖρας ἀνθρώπων serait traditionnelle; 10,32-34 est entièrement rédactionnel.

Les problèmes de critique textuelle sont généralement traités dans les notes. Je me contente de noter ici les passages où Gnilka s'éloigne du texte de N^{26}. La lettre N indique qu'il reste fidèle au texte de N^{25}; la lettre P signale une option identique dans le commentaire de R. Pesch.

	ς	1,39	ἦν loco ἦλθεν	(I, 89, n. 11: cf. Klostermann)
P		1,41	ὀργισθείς loco σπλαγχνισθείς	(I, 92, n. 15: cf. traduction)
P	N	3,1	om τήν (ante συναγωγήν)	(traduction)
P	N	3,14	om [οὓς καὶ ἀποστόλους ὠνόμασεν]	(I, 139, n. 18)
		3,32	om? [καὶ αἱ ἀδελφαί σου]	(I, 147, n. 17)
	N	4,40	ἐστε οὕτως; πῶς οὐκ loco ἐστε; οὔπω	(I, 196, n. 25)
		5,1	Γεργεσηνῶν loco Γερασηνῶν	(I, 202, n. 12)
P	N	6,2	οἱ ante πολλοί	(traduction)
P	N	6,22	αὐτῆς τῆς loco αὐτοῦ	(traduction)
	ς	9,14	ἐλθών et εἶδεν loco -όντες et -ον	(II, 46, n. 10)

P N	9,42	om [εἰς ἐμέ]	(II, 64, n. 7)
P N	10,7	om [καὶ προσκολληθήσεται πρὸς τ. γ. α.]	(II, 73, n. 23)
[N]	14,20	add ἕν (ante τρύβλιον)	(II, 237, n. 13)
N	14,68	om [καὶ ἀλέκτωρ ἐφώνησεν]	(II, 290, n. 3)

En critique synoptique, Gnilka a clairement opté pour la priorité de Marc par rapport à Matthieu et Luc et pour l'indépendance de l'évangile de Marc vis-à-vis de la *Logienquelle*. L'évangile est daté après 70 (l'apocalypse utilisée en 13,5-27 serait un écrit judéo-chrétien du temps de la guerre juive). La source Q est donc antérieure à Marc, et pour décrire le point de vue de l'évangile, la comparaison avec Q est fort utile. Les doublets ne sont cependant pas des emprunts à Q mais plutôt des *Traditionsvarianten*.

Le schéma complet du commentaire comporte une bibliographie spéciale sur la péricope, la traduction, l'analyse, le commentaire (par groupes de versets), une note sur l'historicité, une observation générale (*Zusammenfassung*) et une section sur la *Wirkungsgeschichte*. Celle-ci est annoncée dans la préface comme «der ... vielleicht neue Gesichtspunkt", et c'est encore de la *Wirkungsgeschichte* qu'il parle dans la conclusion (II, 359-362: *Ausblick*). En fait, c'est un genre littéraire assez particulier. On peut y lire des renseignements sur l'exégèse ancienne (représentée surtout par Bède, Théophylacte, Érasme et Calvin), mais également, dans un vaste spectre œcuménique, les opinions de dogmaticiens modernes comme Barth, Schmaus, Moltmann, Metz, Küng et autres. Cet effort de libérer l'exégèse moderne d'un double isolement est sans doute fort méritoire. La manière d'écrire cette *Wirkungsgeschichte* n'est cependant pas sans poser des problèmes. Le premier chapitre de la *Wirkungsgeschichte* de l'évangile de Marc à été complètement négligé: l'utilisation de Marc par Matthieu et Luc (cf. II, 359). Son utilisation par Jean n'est, semble-t-il, même pas envisagée. Gnilka tient Jn 6,1-15 pour la forme la plus récente de la tradition de la *Speisungsgeschichte* (I, 257), mais il s'appuie néanmoins sur Jn 6,1-21 pour affirmer que la connexion entre Mc 6,34-44 et 45-51 soit prémarcienne (I, 266.274). Puis, on peut parler du jeûne à l'occasion de 2,18-22, du repos dominical à l'occasion de 2,23-3,6 et de la tradition dans l'Église à l'occasion de 7,1-23, mais est-ce encore la *Wirkungsgeschichte* de la péricope évangélique, et plus particulièrement de la péricope dans l'évangile de Marc? Ailleurs, c'est l'absence d'une notice sur la *Wirkungsgeschichte* qui nous étonne, à propos de textes proprement marciens comme par exemple 14,51-52 (cf. *ETL* 55, 1979, 43-66). Quant à la dogmatique contemporaine, si certaines citations ne manquent pas de verve, elles sont trop souvent assez générales ou ne témoignent pas spécialement de rigueur exégétique.

Des noms à corriger: Kelliott (I, 40) et Elliot (I, 89) → Elliott; Helmsoet (II, 69) → Hemelsoet.

2

Le commentaire de W. Schmithals se distingue par un retour à la théorie du Ptoto-Marc. La *Grundschrift* (GS) reconstituée par S. s'étend de 1,4 à 16,8, et même au delà, car l'auteur n'a pas abandonné son hypothèse sur la conclusion primitive de l'évangile: 9,2-8; 3,13-19+[Lc 22,31-32]; 16,15-18.19-20 (cf. *ZTK* 69, 1972, 379-411). Marc y aurait emprunté ses récits de la vocation des douze

(3,13-19) et de la transfiguration (9,2-8). D'autres transpositions auraient été effectuées à l'intérieur de l'évangile : 3,7-10 (dans GS : 6,29/32); 6,53-56 (dans GS : 5,20/21); 8,22-26; 9,14-27 (dans GS : 6,51/7,1). Pour son récit de l'onction, Marc s'inspire de Lc 7,36-50 qu'il trouvait dans GS à 10,46a/46b. À certains endroits, l'évangile de Luc serait donc un meilleur témoin de GS que Marc lui-même : Lc 5,1-11 (cf. 1,16-20); 7,36-50 (cf. 14,3-9); 22,31-32 (absent de Mc). Ailleurs, S. recourt à l'argument classique de l'Urmarkus : les accords mineurs entre Matthieu et Luc contre Marc, spécialement à 2,23b; 9,3; 11,9-10; 14,72b (cf. p. 25 et 58).

S. fait remonter la plupart des récits de l'évangile de Marc à l'auteur de GS. qu'il appelle *der Erzähler*. L'évangéliste-rédacteur (il garde le nom de *Markus, der Evangelist*) n'a pas réellement retravaillé les récits de cet évangile primitif. Il l'a surtout complété par l'insertion de paroles de Jésus : 3,24-29; 4,21-32; 6,8-11; 8,12; 8,34-9,1; 9,39-50; 10,11-12; 10,25-31; 11,23-26; 12,38-40; le chapitre 13 (vv. 7-8.12.22*.28-29.13b.14-20.24*-27; et les logia 9b.11.21.34-36); 14,21 (p. 57). Les doublets de Marc et Q (source de Matthieu et Luc) devraient s'expliquer par leur dépendance envers une source commune, une tradition primitive des paroles de Jésus (Q^1). S. propose donc de compléter ainsi le schéma de la théorie des deux sources :

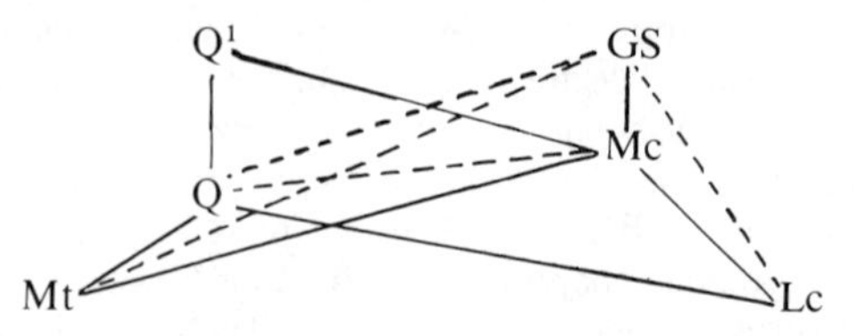

Les additions de l'évangéliste se laissent généralement assez bien distinguer du texte de GS. Dans la traduction du commentaire, le texte de GS est imprimé en italique et celui de Mc en romain. Dans *ETL*, 57, 1981, p. 157, j'ai donné la liste des versets rédactionnels. Le plan de l'évangile est dominé par la théorie du secret messianique : 1,9-11 (= GS) en donne la clef que les lecteurs sont seuls à connaître; le complexe de 7,31-9,13 forme un premier sommet autour de la révélation ésotérique de 8,27ss.; 14,55-65 et la confession publique de 14,61-62 est un nouveau sommet. Mais l'évangéliste-rédacteur fait preuve de peu d'originalité. Il emprunte les motifs du secret messianique à GS, il reprend le titre de Fils de l'homme de Q^1 (cf. 8,38; 13,26), il imite la langue de GS et, en gros, il s'en tient à la structure de GS. En dehors des complexes du secret messianique, une seule intervention rédactionnelle importante serait à signaler : le schéma de la semaine de la passion en 11,1-16,8 et les notices des heures en 15,25.33.34, «aus kultisch-liturgischen Gründen».

C'est donc le travail de l'*Erzähler*, bien plus que celui de l'évangéliste, qui devrait nous intéresser : «Der Kommentar legt vor allem Wert darauf die eindrucksvolle Theologie der GS zu erfassen und auszulegen» (44). La GS aurait été écrite peu de temps après 70, à un moment qui était fort propice à la mission chrétienne, comme un manuel pour les missionnaires. «Der Erzähler war ein ausgezeichneter Theologe ... Was immer er an Überlieferungen bzw. an historischen Erinnerungen besessen haben mag : die GS ist vor allem sein *literarisches* Werk. Wundergeschichten und Apophthegmata, Täufererzählungen und Passionsgeschichte hat er selbst in die vorliegende stilistisch einheitliche

Form und in die einzelnen Formen gefasst» (44). La composition a été conçue d'après un double principe numérique. L'activité de Jésus se déroule en *sept* étappes et s'étend à sept régions géographiques: 1. Capharnaüm (1,16ss.); 2. la Décapole (4,35ss.); 3. Gennésareth (5,22ss.); 4. la mer de Tibériade (6,32ss.); 5. Bethsaïda et le Nord (7,1ss.); 6. l'au-delà du Jourdain (10,1ss.); 7. Jérusalem (10,32ss.). Puis, chaque section est composée de *trois* péricopes (n°s 2-6) ou de trois groupements de péricopes (n° 1 et 7). Ainsi, par exemple, la section de 1,14-4,33:

1,16-20	1,40-45	3,1-5
1,21-28 | 29-31 | 32-34	2,1-12	3,20-21.31-35
1,35-39	2,13-17 | 18-19.21-22 | 23-27	4,2-10 | 13-20 | 33

C'est surtout la dernière section, 10,32-16,20, qui est remarquablement structurée dans une hiérarchie de triades (voir l'aperçu aux pages 50-51).

Le commentaire de S. se présente comme un adieu à la Formgeschichte. Cf. *Kritik der Formkritik*, dans *ZTK* 77 (1980) 149-185. Il s'en sert toujours dans la description des «formes» des récits, et c'est encore, semble-t-il, dans la ligne de la Formgeschichte qu'il affirme la priorité du kérygme: «Der Erzähler fasst die Verkündigung in die Gestalt und in die Gestalten einer Erzählung» (cf. 45). Mais l'idée de péricopes isolées et de leur Traditionsgeschichte préévangélique est formellement exclue. S. s'inspire de G. Volkmar: la créativité de l'évangéliste et le caractère symbolique des narrations; de W. Wrede: traditions non messianiques et la théorie du secret messianique; et de E. Wendling: Urmarkus et l'influence de Q au niveau du second rédacteur, tout en adaptant leurs idées à sa propre hypothèse de l'évangile de l'*Erzähler* (GS) et de l'unique rédaction de l'*Evangelist* (Mc).

La série de *ÖTKNT* doit répondre à «einer wachsenden Nachfrage von Studenten, Lehrern, Pfarrern und interessierten Laien, die sich über den heutigen Stand wissenschaftlicher Exegese des Neuen Testamentes in zuverlässiger Weise ... informieren wollen» (Préface des éditeurs). Le commentaire sur Marc a été précédé de celui sur Luc (G. Schneider, 1977), dont on peut dire qu'il réalise parfaitement le projet des éditeurs (cf. *ETL*, 54, 1978, 191-193). S. prévient les lecteurs: «Der vorliegende Kommentar folgt in vielem nicht der vorherrschenden Auslegungsweise» (43), et on ne peut que féliciter l'auteur d'avoir présenté sa thèse sous la forme d'un commentaire complet, mais les éditeurs de la série, E. Grässer et K. Kertelge, ne devraient-ils pas revoir la Préface? S. n'a certainement pas pris le commentaire de Schneider comme modèle. Il ne semble même pas le connaître, car il n'y renvoie jamais et il nous livre une interprétation de trois passages de Luc sans la moindre référence à Schneider: Lc 5,1-11 (107-116); Lc 7,36-50 (593-597); Lc 22,31-32 (731-736), qu'il n'hésite pas à faire remonter à GS! En parallèle à Mc 9,3, il fait dépendre Matthieu et Lc de GS (402) sans faire mention du point de vue de Schneider (215: «trotz der besonderen Berührungspunkte mit Mt, nicht von Nebenquellen abhängig [Schürmann: 563; Neirynck]»). Voir également Mc 2,23b (184); 14,72b (655).

Les volumes de *ÖTKNT* ont tendance à grossir: 760 pages (contre 510 pour Luc), avec des exposés plus longs sur certaines péricopes, dans une impression assez touffue (sans sous-divisions). Une innovation par rapport au commentaire sur Lc: le registre des références bibliques est remplacé par deux autres registres,

Autoren (753-758) et *Theologische Begriffe* (759-760). Dans le registre des notions théologiques, on remarquera une rubrique très fournie de *Symbolik*, *Metapher*, *Zeichenhaftes*. Parmi les auteurs cités, l'on notera surtout les commentateurs de langue allemande. Une absence notoire : B. Weiss. Pas de référence non plus à Lagrange, Turner et Taylor. Par contre, des noms dont on se demande s'ils sont familiers aux lecteurs du *Taschenbuch* œcuménique : J. Allendorf, G. Arnold, M. Claudius, T. Clausnitzer, J. A. Cramer, D. Denecke, C. F. Gellert, P. Gerhardt, J. Heermann, H. Held, M. Jorissen, A. Kiesel, J. Klepper, A. Knapp, L. Kolakowski, V. E. Löscher, K. F. Nachtenhöfer, G. Radbruck, C. F. Richter, F. Rückert, B. Schmolck, A. Silesius, Ph. Spitta, G. Tersteegen, A. Thebesius, G. Weissel, E. G. Woltersdorf, N. Zinzendorf. Ne faillait-il pas distinguer, dans cette liste des auteurs, entre ouvrages exégétiques et *Gesangbücher*? Les noms de Bède, Théophylacte, Érasme et Calvin, qui sont le plus souvent cités dans les sections sur la *Wirkungsgeschichte* du commentaire de J. Gnilka, n'apparaissent pas ici, à l'exception de Calvin (une seule référence). Par contre, il y a de très nombreuses citations de Luther. On corrigera Jersel → Iersel, B. van (320, 327, 755) ; Vagany → Vaganay (755).

Le commentaire se distingue encore de celui de Schneider par l'absence d'un plan général de l'évangile (cf. 60). Il procède par péricope, dans l'ordre de Marc (et non pas de GS), mais à la fin, après 16,9-20, il reprend 9,2*-10* ; 3,13*-19* ; 16,15-18 ; 16,19-20 dans l'ordre de GS. Mc 16,19-20 forme la conclusion de GS, et je n'ai trouvé aucune explication de l'erreur (?) dans le titre du second tome : «Kapitel 9,2-16,18».

Au point de vue de l'ancienneté des traditions et de l'historicité des récits évangéliques, S. est à l'extrême opposé de Pesch. Il exclut les collections anciennes, tient l'hypothèse de Pesch sur le récit de la passion pour «wissenschaftlich unhaltbar» (589) et son opposition à la théorie marcienne du secret messianique pour «ein freilich ganz unwissenschaftliches Urteil» (33). Mais les deux commentateurs ont en commun un certain malaise devant la *Redaktionsgeschichte* actuelle et une tendance à réduire la part de l'évangéliste-rédacteur dans la composition de l'évangile. L'objet réel du tome 2 du commentaire de Pesch n'est pas l'évangile de Marc mais le récit de la passion prémarcien (8,27ss.), et S. nous livre avant tout un commentaire sur GS. Les deux attribuent à la *Vorlage* un goût excessif pour les triades.

À ce propos, j'ai rassemblé dans *L'évangile de Marc*, 1979, pp. 57-72, les études antérieures sur «Les triades et la composition de Marc» (= *ETL*, 55, 1979, 27-42). Depuis lors, le sujet a été repris par d'autres : N. R. PETERSEN, *The Composition of Mark 4:1-8:26*, dans *HTR* 73 (1980) 185-217 ; V. K. ROBBINS, *Summons and Outline in Mark. The Three-step Progression*, dans *NT* 23 (1981) 97-114. Ces études concernent le texte de Marc, et non pas celui d'une *Vorlage* comme c'est le cas pour Pesch (mais le texte de 14,1-16,8 est identique à celui de la *Vorlage*) et pour Schmithals. Le principe triadique est plus facile à manier lorsqu'on peut éliminer certains passages comme des additions de Marc ou en ajouter d'autres à l'aide de transpositions (n°s 3, 4 et 5 dans GS). D'autres triades sont formées par des péricopes qui ne se suivent pas dans l'ordre de GS. Ainsi, Jean-Baptiste : 1,4-6 ; 1,7-8 ; (6,14*.17-29) ; la Décapole : 4,35-41 ; 5,1-20 ; (7,31-35.37). Le verset 10,46 n'a pas cessé d'intriguer. Entre l'arrivée à Jéricho (v. 46a) et le départ (v. 46b), Pesch place le jour du sabbat (voir ma réaction dans

ETL 54, 1978, p. 96, n. 142). S. sait mieux : il faut y placer Lc 7,36-47, le récit de GS dont s'inspire Mc 14,3-9. «Die Salbungsgeschichte vervollständigt dort, mit 10,46a direkt verbunden und in 10,46b fugenlos fortgesetzt, die Trias der auf dem Weg nach Jerusalem geschehenen Ereignisse» (596-597; cf. 472). Écrivain habile, le commentateur réussit presque à faire passer de telles énormités comme allant de soi. La triade de 11,1ss. s'inspire de la liturgie : a) *Vorbereitung* : 11,1-10.15-17 | 27-33 | 12,1-12; b) *Gottesdienst* : 12,13-34 | 41-44 | 13,1-2.30-31; c) *Abendmahl* : 14,13-16 | 22-24 | 25. Tout y est : la *Predigt* (12,13-34) et la *Kollekte* (12,41-44) (545, 553, cf. 51). Sur la chronologie de la semaine par laquelle Marc aurait remplacé cette structure, je me permets de renvoyer à *ETL*, 54, 1978, pp. 95-100. S. peut y constater que Volkmar ne fut pas entièrement oublié avant 1979 (cf. 39 : «die heute zu Unrecht vergessene Arbeit»). Mais S. semble vouloir faire oublier les réactions critiques que, sur ce point (comme sur beaucoup d'autres), a suscitées le travail de Volkmar (voir mes références à B. Weiss : p. 95, n. 135).

Il ne peut être question d'entamer ici une discussion détaillé de la distinction entre GS et Marc, et de cette autre distinction, supposée sans preuve par S., entre Q^1 et Q. Sur la question du Fils de l'homme en Marc, je signale encore la contribution de l'auteur dans la Festschrift E. Dinkler. Malgré le caractère fantaisiste de certaines positions de S., son commentaire rendra certainement service à l'exégèse marcienne. La thèse de l'auteur sur l'unité des récits de la *Grundschrift* peut éveiller les esprits et nous aider à poser plus correctement le problème de l'homogénéité de l'évangile de Marc.

NOTE ADDITIONNELLE

W. Schmithals, *Das Evangelium nach Lukas* (Zürcher Bibelkommentare NT, 3/1), Zürich, 1980.

L'auteur renvoie à son commentaire sur Marc et reprend son hypothèse d'une certaine dépendance de Luc envers la *Grundschrift* de Mc (p. 10), plus spécialement pour Lc 5,1-11; 7,36-47(50); 22,31-32 (p. 66-67, 99-100, 212). Il semble avoir abandonné cette hypothèse en ce qui concerne les «accords mineurs» de Matthieu et Luc en parallèle à Mc 2,23b; 2,27; 9,3; 11,9-10; 14,72b (*Markus*, p. 25 et 58). Il n'en parle pas, ou il l'attribue à l'intervention rédactionnelle de Luc (p. 74, 189), ou il y voit une interpolation secondaire (p. 217 : Lc 22,62, par. Mc 14,72b).

Dans sa contribution sur *Evangelien, Synoptische*, à paraître dans *TRE*, t. 10, en 1983 (dont l'auteur eut l'amabilité de m'envoyer les épreuves), W. Schmithals opte pour l'hypothèse d'une corruption textuelle en Marc : "ein bei 14,65 und 14,72 an derselben Stelle beiderseits defektes Blatt» (3.5.5.4; la référence bibliographique «Frans Neirynck, The Minor Agreements of Mt and Lk against Mk : *JETS 19 (1976) 103-112*» est évidemment à corriger : cf. *supra*, p. 74). Il y réaffirme son interprétation de Lc 5,1-11; 7,36-47; 22,31-32 (5.2.5) et sa thèse sur la *Grundschrift* en Marc (5.5).

ETL 57 (1981) 144-162

THE REDACTIONAL TEXT OF MARK

1
MARK'S EDITORIAL VOCABULARY

"A student interested in a particular word cannot restrict himself to Hawkins' statistics, the listings in a concordance, or Morgenthaler's *Statistik*. One must distinguish between those cases where a redactor has simply taken over a word from a source and those in which he has written it of his own accord, as it is clear that the latter cases are the most significant for the preferences of the later writers"[1]. On the hypothesis of Markan priority, "words that Matthew and Luke have added to (or subtracted from) Mark form the chief basis for determining their editorial preferences"[2]. Therefore Lloyd Gaston has corrected Hawkins' vocabulary statistics by assigning the words of Matthew and Luke to "sources" (Mk, Q, M/L)[3] and redaction. The case of Mark is different. For this gospel he could refer only to "passages commonly agreed to be redactional". The "editorial sentences" in Mark are listed as follows:
1,1.2a.14.21-22.28.32-34.39.45; 2,1-2.13; 3,6.7-12.13-16.30; 4,1-2.12.13.14-20.21a. 33-34.35-36; 5,21; 6,1.6b.7.8a.12-13.30-34.45-46.52.53-56; 7,3-4.14a.17.20-23.24. 31; 8,1.11-12a.13.14-15a.16-21.22a.27a.31a.32-33.34a; 9,9a.10-11.14-15.30-31a.32. 33-34; 10,1.10.23a.24a.26-27a.28.32.41-42a.46a; 11,11.12.15a.18-19.20.27a; 12,1a. 9b-10a.12.13.34c.37b.38a; 13,3-4; 14,9.
In addition to the statistical list of words characteristic of *Mark*, compared with Matthew and Luke (84 words; in our table: G), Gaston has compiled a more significant list of characteristic words of *Mark editorial*, compared with Mark total: a first list of 32 words (G¹), and a supplementary list of 20 more questionable instances (G²)[4]. Some of them, of course, are listed also in category G, but 16 + 11 words are not.

Only words that occur at least four times are included in Gaston's lists. Hawkins had applied this rule to Matthew and Luke, but in the case of the much shorter gospel of Mark he accepted words which occur only three times[5].

1. L. GASTON, *Horae Synopticae Electronicae. Word Statistics of the Synoptic Gospels* (SBL Sources for Biblical Study, 3), Missoula (Mont.), 1973, p. 1. Cf. J.C. HAWKINS, *Horae Synopticae. Contributions to the Synoptic Problem*, Oxford, (1899), ²1909 (reprint 1968), pp. 1-53: "Part I. Words and Phrases characteristic of each of the Synoptic Gospels" (pp. 10-15: "St. Mark's Gospel"); F. NEIRYNCK, *Hawkins's Additional Notes to His "Horae Synopticae"*, in *ETL* 46 (1970) 78-111 (ALBO V,3), esp. pp. 83-89; R. MORGENTHALER, *Statistik des neutestamentlichen Wortschatzes*, Zürich-Frankfurt, 1958, pp. 181-185: "Statistische Listen von Vorzugswörtern".

2. *Ibid.*, p. 4. See also p. 14, on the use of the categories Q, M and L.

3. Compare the distinction between redaction and tradition in J. JEREMIAS, *Die Sprache des Lukasevangeliums. Redaktion and Tradition im Nicht-Markusstoff des dritten Evangeliums* (KEK), Göttingen, 1980; and F. REHKOPF, *Die lukanische Sonderquelle, Ihr Umfang und Sprachgebrauch* (WUNT, 5), Tübingen, 1959, pp. 91-99: "Der vorlukanische Sprachgebrauch" (Proto-Luke hypothesis).

4. Cf. pp. 18-21: *Mark*; pp. 58-60: *Mark editorial*.

5. If they occur in Mark "more often than in Matthew and Luke together": ἅλαλος, θαμβέομαι, κεντυρίων (all three peculiar to Mk), κύκλῳ (Lk 1), μάστιξ (Lk 1), μεθερμηνεύομαι (Mt 1), πλήρωμα (Mt 1), στάχυς (Mt 1, Lk 1). For Gaston's

As the extent of Gaston's *Mark editorial* is no more than one sixth of the total gospel (1578:9582), word occurrences less than four can be significant. E.g. Βηθανία (Mk 4/Mk Ed 2), διαλογίζεσθαι (7/3), διαστέλλομαι (5/2), εἰσπορεύομαι (8/3), ἐπιτιμάω (9/3), εὐαγγέλιον (7/3), μηκέτι (4/2), οὔπω (5/2), παραπορεύομαι (4/2), περιβλέπω (6/2), συζητέω (6/3). Still other words which are not mentioned in Gaston's list of Markan characteristics (G) could be added as more or less characteristic of *Mark editorial*: e.g. ἐκεῖθεν (6/4)[6], ἐκπλήσσομαι (5/3), θεραπεύω (5/3), κακῶς (4/3), κώμη (6/3), παραλαμβάνω (6/3).

For those who accept the "editorial sentences" as redactional, Gaston's statistical study will be a useful tool. His "Vorzugswörter in mk Editorial sentences" are frequently referred to in Gnilka's commentary. In fact, it would be of great help for the discussion on Mark if we could reach an agreement concerning a redactional minimum. But a comparative study of the commentaries recently published by R. Pesch (1976/77), J. Gnilka (1978/79) and W. Schmithals (1979) shows that very few verses of Gaston's list are accepted as redactional by all three commentators. They agree on 1,1; 3,15; 4,21a; 6,30-31.52; 8,13.17b-21; 12,38a, and on parts of some other verses: 1,34c (καὶ οὐκ ἤφιεν ...). 45b (ὥστε ... ἦν); 4,34a (χωρὶς ... αὐτοῖς); 6,13a (καὶ ... ἐξέβαλλον); 13,3c (Πέτρος ...). 4b (πότε ... καί). Because of Pesch's drastic reduction of the redactional element in Mark, one could hardly expect a much larger agreement. And while Pesch still considers 1,22; 2,13 and 3,13 as redactional, Schmithals assigns these verses to the *Grundschrift*. For Gnilka, too, 3,13 is traditional. The three commentators unanimously refuse the redactional character of 4,14-20; 6,46; 12,9b-10a.

These same verses, and 7,20b.21b-22; 8,11b-12a.17-18, are rejected by E. J. Pryke in his reconstruction of the redactional text of Mark. All other "editorial sentences" of Gaston's Mk Ed are included. But before examining Pryke's work a comparative Table of the word lists will be presented[7].

criteria, see pp. 12-14. His statistical procedure takes into account the relative percentages and the number of occurrences. It should be noted that the "total" of Synoptic occurrences in Gaston's lists is to be understood of occurrences in "sources", not gospels: Mk (= Mk, Mt and Lk par), Q (= Mt, Lk par). Cf. p. 4.

6. Including κἀκεῖθεν in 9,30. J. Gnilka's observation (in his commentary on Mark, cf. *infra*) that ἐκεῖθεν (I, p. 228, n. 6; II, p. 69, n. 2), θεραπεύω and μετά (I, p. 133, n. 5) are "nach Gaston Vorzugswörter in mk Editorial sentences" is not correct. Cf. pp. 61-63: "Matthew editorial"!

7. Only isolated words (cf. Morgenthaler and Gaston) are included in this table. Hawkins n°s 3, 9, 10, 11, 24, 25, 26, 27, 32, 35, from his list of 41 "words and phrases", are omitted. The criteria of the three lists of Markan characteristics are not the same: at least three times in Mark for Hawkins (H), four times for Gaston (G) and eleven times for Morgenthaler (M). Cf. *Statistik*, p. 50: "Je kleiner die Zahlen und die Zahlendifferenzen sind, um so unsicherer ist das Resultat". But he noted also: "Bei Markus kann eine Vorzugsvokabel schon dann vorliegen, wenn ein Wort im zweiten Evangelium nur wenig öfter vorkommt als bei Matthäus und Lukas" (*ibid.*). Compare Hawkins: "more often than in Matthew and Luke together". From the words in H which appear four times in Mark only κατάκειμαι is not included in Gaston's list. Cf. p. 75: "κατάκειμαι Total 7, Mk 4, L 1, Lk add 3". But a less narrow understanding of synoptic parallels leads to a different conclusion: Lk 5,25 ἐφ' ὃ κατέκειτο, par. Mk 2,12 τὸν κράβαττον, but see 2,4 ὅπου ... κατέκειτο; Lk 5,29 ἦσαν μετ' αὐτῶν κατακείμενοι, par. Mk 2,15 συνανέκειντο τῷ ..., but see v. 15a κατακεῖσθαι; Lk 7,37 κατάκειται, cf. Mk 14,3 κατακειμένου αὐτοῦ. Total: 4, Mk 4! On the omission of πιστεύω (M), cf. *infra*, n. 12.

WORDS CHARACTERISTIC OF MARK AND MARK EDITORIAL
A Comparative List: Hawkins-Morgenthaler-Gaston [8]

		Mk-Total	*G*	*H*	*M*	*MK-ED*		*Pr*
	αἴρω	19	G	—	—	—	3	
	ἀκάθαρτος	11	G	H	M	—	3	7
	ἀκολουθέω	18	G	—	—	—	4	11
	ἀκούω	43	—	—	—	G^1	14	30
5	ἄλαλος	3	—	H	—	—	—	
	ἀλλά	45	G	H^{add}	M	—	4	
	ἄλλος	22	G	—	—	—	4	
	Ἀνδρέας	4	G	—	—	—	1	
	ἄνεμος	7	G	—	—	—	—	
10	ἀπαρνέομαι	4	G	—	—	—	—	
	ἀπέρχομαι	22	—	—	—	G^2	6	11
	ἄρτος	21	G	—	—	G^2	6	
	ἀρχιερεύς	22	G	—	—	—	1	
	ἀρχισυνάγωγος	4	G	—	—	—	—	
15	ἄρχω	27	G	H^{add}	—	G^1	12	26
	ἀσκός	4	G	—	—	—	—	
	αὐτός	749	G	—	—	G^2	135	
	ἀφίημι	34	G	—	—	—	6	
	βαπτίζω	12	G	—	—	—	1	
20	Βηθανία	4	G	—	—	—	2	
	Γαλιλαία	12	—	—	—	G^1	6	10
	γινώσκω	12	—	—	—	G^1	5	7
	γραμματεύς	21	G	—	—	—	4	12
	γρηγορέω	6	G	—	—	—	—	3
25	δαιμόνιον	11	—	—	—	G^1	5	
	διαλογίζομαι	7	G	—	—	—	3	6
	διαστέλλομαι	5	G	H	—	—	2	5
	διδάσκω	17	—	—	—	G^1	11	15
	διδαχή	5	G	H	—	G^1	4	5
30	δύναμαι	33	G	—	M	—	—	
	δώδεκα	15	G	—	M	G^1	17	13
	εἷς	165	G	—	—	G^1	48	
	εἰσπορεύομαι	8	G	H	—	—	3	4
	ἐκεῖνος	22	—	—	—	G^2	5	

8. In the order of the columns: Mk total (occurrences), G = Gaston (*Mark*); H = Hawkins (* important, † and () less important), H^{add} = additions in *Horae*, p. 14; M = Morgenthaler; G^1 and G^2 = characteristic words of Mk Ed and supplementary list; MK-ED = occurrences in Gaston's "editorial sentences" (cf. pp. 67-84: "Sources and editorial"; completed here for n°s 5, 49, 60, 67, 72, 73, 103, 110, 111, 116); Pr = Pryke (cf. *infra*, n. 14 and 25-26).

The numbers of the occurrences (first column) have been adapted to the N^{26} text (n°s 6, 17, 19, 32, 34, 42, 44, 58, 76, 79, 87, 106, 107, 123). For n°s 1, 4, 11, 17, 19, 25, 32, 34, 38, 41, 46, 58, 61, 68, 69, 70, 81, 90, 96, 99, 101, 102, 109, 124 a different number is found in Aland's *Wortstatistik* because Mk 16,9-20; 16,8 *conclusio brevior* and the verses 7,16; 9,44.46; 11,26; 15,28 are included there. Cf. *La nouvelle Concordance du Nouveau Testament* (ALBO, V/36), 1979, pp. 23-24 and 38 (*ETL*, 54, 1978, pp. 329-330 and 344).

		Mk-Total	*G*	*H*	*M*	*MK-ED*		*Pr*
35	ἐκθαμβέομαι	4	G	H*	—	—	1	
	ἐκπορεύομαι	11	G	H	M	G^2	4	6
	ἐμβαίνω	5	—	—	—	G^1	4	5
	ἐξέρχομαι	38	G	—	—	G^1	14	25
	ἐπερωτάω	25	G	H^{add}	M	G^2	7	14
40	ἐπιτιμάω	9	G	—	—	—	3	
	ἑπτά	8	G	—	—	—	2	
	ἔρχομαι	85	G	—	—	G^2	20	
	ἐσθίω	27	G	—	—	—	4	
	εὐαγγέλιον	7	G	H	—	—	3	7
45	εὐθύς	41	G	H*	M	G^2	10	33/43
	ἔχω	69	G	—	—	G^2	16	
	Ἠλίας	9	G	—	—	—	1	
	θάλασσα	19	G	—	M	G^1	7	12
	θαμβέομαι	3	—	H	—	—	2	
50	Ἰάκωβος	15	G	—	M	—	2	
	ἴδε	9	G	—	—	—	—	
	ἴδιος	8	—	—	—	G^1	5	6[9]
	Ἱεροσόλυμα	10	—	—	—	G^1	5	9
	ἱμάτιον	12	G	—	—	—	1	
55	ἵνα	64	G	H^{add}	M	—	13	
	Ἰωάννης	26	G	—	—	—	3	16
	καθεύδω	8	G	—	—	—	—	
	καί	1077	G	H^{add}	—	G^1	210	
	κατάκειμαι	4	—	H†	—	—	—	
60	κεντυρίων	3	—	H	—	—	—	
	κηρύσσω	12	G	—	M	G^1	6	11
	κλάσμα	4	G	H†	—	—	2	
	κοινόω	5	G	—	—	—	2	
	κοράσιον	5	G	—	—	—	—	3
65	κράβαττος	5	G	H	—	—	1	3
	κρατέω	15	G	H†	M	G^2	4	9
	κύκλῳ	3	—	H	—	—	1	
	λαλέω	19	—	—	—	G^1	7	12
	λέγω	204	G	—	—	—	38	
70	λόγος	23	—	—	—	G^1	15	
	μαθητής	46	G	—	—	G^1	16	35
	μάστιξ	3	—	H	—	—	1	
	μεθερμηνεύομαι	3	—	H	—	—	—	
	μηδείς	9	G	—	—	—	—	8
75	μηκέτι	4	G	—	—	—	2	
	μνῆμα	(4)[10] 10	G	—	—	—	—	
	Ναζαρηνός	4	G	H^{add}	—	—	—	
	ξηραίνω	6	G	H	—	—	1	

9. Pryke : κατ᾽ ἴδιαν 6 (Mk 7).
10. Gaston : N^{25} 15,46; 16,2 (N^{26} μνημεῖον). Cf. Pryke : μνημεῖον 3 (Mk 6).

		Mk-Total	*G*	*H*	*M*	*MK-ED*		*Pr*
	οἶδα	21	G	—	—	—	2	
80	ὅλος	18	—	—	—	G^2	5	
	ὅπου	15	G	—	M	G^2	4	
	ὅριον	5	—	—	—	G^1	4	4
	ὄρος	11	—	—	—	G^2	4	8
	ὅσος	14	—	—	—	G^2	5	
85	ὅτε	12	—	—	—	G^1	5	
	οὐκέτι	7	G	H	—	—	1	
	οὔπω	5	G	H	—	—	2	
	ὄχλος	38	—	—	—	G^1	18	27
	πάλιν	28	G	H	M	G^1	14	25
90	παρά	16	—	—	—	G^2	5	
	παραβολή	13	—	—	—	G^1	9	12
	παραδίδωμι	20	G	—	—	—	1	13
	παράδοσις	5	G	(H)	—	—	1	3
	παραλυτικός	5	G	—	—	—	—	
95	παραπορεύομαι	4	G	—	—	—	2	
	πᾶς	66	—	—	—	G^2	15	
	πάσχα	5	G	—	—	—	—	
	πέραν	7	G	—	—	G^1	6	5[11]
	περί	22	—	—	—	G^2	6	
100	περιβλέπομαι	6	G	H*	—	—	2	4
	Πέτρος	19	G	—	—	—	4	
	πιστεύω	10	—	—	M[12]	—	—	
	πλήρωμα	3	—	H	—	—	—	
	πλοῖον	17	G	—	M	G^1	9	12
105	πόλις	8	—	—	—	G^1	5	5
	πολύς	61	G	—[13]	M	G^1	22	—[13]
	πρός	65	—	—	—	G^1	21	
	προσκαλέομαι	9	G	—	—	G^1	6	8
	πρωΐ	5	G	H	—	—	1	4
110	πωρόω	2	—	H^{add}	—	—	2	
	πώρωσις	1	—	H^{add}	—	—	—	
	σινδών	4	G	—	—	—	—	
	σιωπάω	5	G	H	—	—	1	
	σπείρω	12	G	—	—	G^1	7	
115	σταυρός	4	G	—	—	—	—	
	στάχυς	3	—	(H)	—	—	—	
	συζητέω	6	G	H*	—	—	3	5
	συνάγω	5	—	—	—	G^1	4	5
	τοιοῦτος	6	G	H†	—	—	1	
120	Φαρισαῖος	12	—	—	—	G^2	4	11
	φέρω	15	G	H	M	—	1	
	φοβέομαι	12	—	—	—	G^2	4	8

11. Pryke: εἰς τὸ πέραν 5 (Mk 5).
12. Morgenthaler includes Mk 16,9-20: πιστεύω 14 (= 10)! See also κηρύσσω 14 (= 12).
13. H* πολλά, adverbial Mk 9 (Mk Ed 2). See also n. 17 (Pryke).

		Mk-Total	*G*	*H*	*M*	*MK-ED*		*Pr*
	φωνέω	10	G	—	—	—	—	7
	χείρ	24	G	—	—	—	1	
125	ὥστε	13	—	—	—	G²	4	9

2
Redactional Style and Vocabulary

The main purpose of E. J. Pryke's book on *Redactional Style in the Marcan Gospel* (1978)[14] is to study "syntactical features ... as possible guidelines to the author's style" (32-135). The following features of Markan style are examined :

	R	S→R	S
1. Parenthetical clauses[15]	27	—	1
2. Genitive absolute[16]	24	5	—
3. Participle as a main verb	5	1	—
4. πολλά accusative[17]	8	1	1
5. λέγω ὅτι[18]	32	6	3
6. ἄρχομαι + infinitive[19]	20	6	—
7. εὐθύς	7	3	6
καὶ εὐθύς[20]	16	7	4
8. πάλιν[21]	17	8	3
9. 'Redundant' participle	12	6	4
10. Periphrastic tenses[22]	20	9	1

14. E. J. Pryke, *Redactional Style in the Marcan Gospel. A Study of Syntax and Vocabulary as Guides to Redaction in Mark* (SNTS Monogr. Ser., 33), Cambridge, 1978.

15. Total number : 28 (and not 29 : 7,6-7 is counted in i and iv). Cf. F. Neirynck, *The Minor Agreements*, pp. 220-221 : "Parenthesis and Anacoluthon in Mark". Mk 2,22c; 2,26b and 16,7c are not referred to in Pryke's list. On the other hand, it includes three instances of anacoluthon (4,31b; 11,32; 14,49b); 3,21b (γάρ), 3,30 (ὅτι), 7,6-7 (quotation) and the "translations" (cf. *Duality in Mark*, pp. 106-107). But why not 15,22 (which is mentioned together with 5,41 and 15,34 as "periphrastic tense" = R) and 15,42 (R, cf. p. 175)?

16. Mk 4,17; 5,18; 15,33; 16,1.2 should be added to Pryke's list. Cf. *The Minor Agreements*, pp. 244-245.

17 Curiously enough, no mention is made of the adverbial πολλά (cf. Hawkins : 9 times in Mk) and Mk 1,45; 3,12; 5,43 are redactional but 5,10.38; 6,20; 9,26a; 15,3 are all excluded from R. Hawkins noted : "In all other cases πολλά is more probably an accusative" (p. 35). According to Pryke, πολλά accusative (e.g. 1,34 δαιμόνια πολλὰ ἐξέβαλεν) is Markan usage! Cf. *The Minor Agreements*, p. 278 : "πολλά Adverbial in Mark". Pryke's list of "πολλά accusative" includes 15,3 κατηγόρουν πολλά (Hawkins *et al.* : adverbial); 4,2 ἐδίδασκεν πολλά but not 6,34 διδάσκειν πολλά (both can be interpreted adverbially); 8,31; 9,12 πολλὰ παθεῖν but not 5,26 πολλὰ παθοῦσα. Cf. *The Minor Agreements*, n. 189.

18. Cf. *The Minor Agreements*, pp. 213-216 : "Ὅτι Recitativum in Mark", including λέγω ὅτι in sayings (12,35; 14,30); εἶπον (12,7.32; 14,14.72; 16,7), ἀποκρίνομαι (8,4; 12,29); γράφω (7,6; 11,17); 12,19). Mk 9,13 (Pryke, p. 73) should not be included (cf. GNT).

19. Cf. *The Minor Agreements*, p. 243.

20. *Ibid.*, pp. 274-275.

21. *Ibid.*, pp. 276-277.

22. Including ὅ ἐστιν μεθερμηνευόμενον (5,41; 15,22.34; cf. *supra*, n. 15) and ἐγένετο + participle (1,4; 9,3.7). Mk 6,31 should not be included. Cf. *The Minor Agreements*, pp. 240-241 (additional instances : 1,13?; 7,15).

11. 'Impersonals'	29	8	9
12. ὥστε + infinitive	7	3	3
13. Two or more participles before or after the main verb	11	11	5
14. γάρ explanatory	33	24	6

The list of the redactional verses is presented at the beginning as the result of form-critical and redaction-critical investigations (10-24)[23], and at the end of the book the Greek text of the same verses is produced in Appendix 2 (149-176). For Pryke some of these verses are prima-facie editorial passages and the syntactical features found there are classified as redactional (R). Although no special list of this first category is provided, the author seems particularly to refer to the so-called redactional "seams": "Naturally it is at the beginnings and endings of pericopae where redaction is mainly to be found" (30). In other instances the features are at first view source usage (S) but, after the discussion of the passage, possibly redactional: conversion of S into R. The result of his analysis is not that new material is added to the list of redactional verses but that some 96 of these verses are shown to be redactional "by linguistic method"[24].

Redactional Verses

The text division is that of Pryke's pericopae. The verses S → R are marked by italics.

1,1.2-3.4.*6*.8|9a.*10*-11a.12|14-15|16ac.*18*.20a|21-22.23a.*26*-28|29a.*30b*.*31a*.32-34|35.*37*.38-39|40a.*41a*.*43*.44a.45|

2,1-2.5a.6.8-9.10b.12|13.*14*.15ac.16a.17a|18a|23b.26b.27a.*28*|

3,1a.*5a*.6|7-12|13-16.17b|20-21.22a.23a.28a.30|31.*32*.*33a*.34a.35b|

4,1-2.3a.9|10-12|13|21a.*22a*.24a.*25a*|26a.*29a*|30a.31b|33-34|35-36a.*37-38*.41|

5,1-2a.*5*.8.9c.*11*.*15*.*17*.18-20|21.23a.24.*25*.*26*.28.30-31.*33*.35a.41b.42.43a|

6,1-2a.4a.6a|6b.7.10a.12-13|14-16.*17a*.*18*.*20ac*.*21*.*22*.29|30-34.*35a*.*41*|45.*47*-48.*50a*.52|53-56|

7,1.2b.3-4.5a.8.9a.*10a*.11c.13c.14.16.17.18a.19-20a.*21a*.23|24.*25*.26a.*27a*.31.32a.34c.*35*.36-37|

8,1.9b-10|11a.13|14-21|*22a*.26|27-30|31-33.34a.*35ac*.*36a*.*37a*.*38ac*;9,1ac|

9,2ab.*3*.6.7a.9-13|14-17a.*20*.*26*.28a|30-32|33.35a.36.37a|38a.*39b*.*40a*.41b.*49a*.50c|

23. Cf. pp. 10-24. For each passage he gives a number of references, exceptionally only one (Taylor: 4,31b; 7,25.26a.27a; 15,22b; 16,4b) but mostly five or more (up to 13). Besides Bultmann, Dibelius and Sundwall (and occasionally some older commentator) the following authors are mentioned: Taylor 1952; Marxsen [2]1959; Burkill, Trocmé 1963; Best 1965; Lambrecht, Schreiber 1967; Pesch 1968; Horstmann, Reploh 1969; Kertelge 1970; Kuhn, Schweizer E.T. 1971; Neirynck 1972. He refers to *Duality in Mark* for about 80% of the passages. At the conclusion of the list, the verses are classified under the following headings: Chronology, Command to silence, Editorial, Explanatory comment, Marcan literary construction, Saying link, Summary statement of progress. Topography and chronology, Topography.

24. 98 verses (I counted 96) are converted from S to R (cf. p. 135). Pryke excludes from R 6,4a (λέγω ὅτι); 9,24 (εὐθύς); 12,14.23b (γάρ), which are assigned to Markan redaction by Gnilka (cf. *infra*).

10,1.10-11a|13.15a.16|17a.22b.23a.24ab.26.*27a*c.*28*.29.31|32-33a|35a.41-42a.45b|
46-47a.*49b*-51a.52|
11,1-2b.*3c*.9a.10.11|12.13c.*14*|15a.17a.18-19|20-23a|27.31-32|
12,1a.12|13.17c|18a|28ab.34c|35a.37b|38a.40a|*41*-42.43a.*44ac*|
13,1-2|3-4.5a.6b.7c.8c.*9a*.10.*11a*.b.*13*|14b.*19a*.23|24b|28a.29.30a|*33*.34a.*35a*.37|
14,1a.2a|3a.*4a*.*5a*.*7a*.8.9|10.11.12a.17-21|22a.*25a*.26|27-30b.31ac|32a.33.38.*39*.40.
41.42|43a.47a.*48a*.49.50|51-52|53a.57-59.*61*.*65*|66a.*67a*.*69-70a*.*71a*.*72*|
15,*1*.2|*7-8*.10.*12-13a*.*14b*.15c|16b.*18*.20c|22b.25.26.*27*.29-32|33.34b.*36a*.39.*40a*|42.
43b.46|
16,2a.4b.7.8c|

As a by-product a list of the words "most frequently used by the author" is added to the study of Markan style (136-138). The requirements for inclusion are: at least five occurrences in Mark with 50% of these occurrences being in the redactional verses[25]. The statistical list contains 97 words[26]. In addition to the 50 words listed in our comparative Table (last column) the following words are included (the words marked * are referred to in our list of Redactional Vocabulary; cf. *infra*, pp. 153-156):

		Mk	*R*
126	ἀμήν	13	11
	ἀναβαίνω	9	5
	*ἀνίστημι	16	11
	ἅπτομαι	11	7
130	*βλέπω	15	10
	*γάρ	63	57
	γράφω	10	6
	δεῖ	6	4
	ἐγείρω	18	9
135	ἐκεῖ	11	6
	*ἐκπλήσσομαι	5	5
	ἔξω	10	5
	*ἔρημος	8	8
	ζητέω	10	6
140	*ἤδη	8	6
	Ἡρῴδης	8	8
	*θύρα	6	4
	ἰδού	7	6
	*ἱερόν	9	6
145	*κάθημαι	11	8
	καθώς	8	6
	καιρός	5	3
	καλῶς	5	3
	καρδία	11	6
150	καταβαίνω	6	4
	*κράζω	10	7
	*κώμη	7	5
	λίθος	8	6
	μνημεῖον	6	3
155	οἰκία	18	10
	οἶκος	12	6
	ὄνομα	14	8
	οὕτως	10	9
	*ὄψιος	5	5
160	*παραλαμβάνω	6	5
	*προάγω	5	5
	προφήτης	6	5
	πρῶτον	6	3
	πῶς	15	8
165	συναγωγή	8	6
	*συνίημι	5	4
	σῴζω	14	8
	*τόπος	9	6
	*ὑπάγω	15	8
170	φωνή	7	4
	Χριστός	7	4
172	ὥρα	12	6

25. It is rather confusing that peculiar words which occur less than five times are placed in the same list (marked †), even when they are not in redactional verses. Thus, ἄμφοδον † 1/1, although 11,4 is not redactional (p. 167). For words peculiar to Mark, see Hawkins' list (pp. 200-201).

26. The phrases ἐκβάλλω δαιμόνια 7/4, Ἰάκωβος ὁ τ. Ζ. 11/5, Ἰωάννης ὁ Β. 16/9, Ἰωάννης ὁ τ. Ζ. 10/7, λέγω ὅτι 41/38 (cf. *supra*, n. 18), πνεῦμα ἀκάθαρτον 11/7, πολλά (cf. *supra*, n. 17; the number of occurrences for πολλά [57/36] should be corrected), υἱὸς τ. ἀνθρ. 15/8.

Since Gaston's editorial verses are mostly accepted as redactional, the G[1] words normally appear in Pryke's list (cf. Table I). Two omissions resulted from the exclusion of 4,14-20:

		Mk	*R*	*Mk Ed*	4,14-20
λόγος	G[1]	23	8[27]	15	8
σπείρω	G[1]	12	—	7	7

Other omissions, however, are due to a lack of precision. The following words are included in our list of Redactional Vocabulary:

			Mk	*R*			*Mk*	*R*
173	ἐκεῖθεν	—	6	4	ὅτε	G[1]	12	8
	ἐπιτιμάω	G	9	5	οὔπω	H G	5	(5)[29]
174	θεραπεύω	—	5	(3)[28]	παρά	G[2]	16	8
	ὅσος	G[2]	14	(9)[28]	πᾶς	G[2]	66	40
					περί	G[2]	22	13

Of course, Pryke's list will remain a subjective tool, and the user will have to adapt the statistics to his own judgment on the extent of the redactional text in Mark. But it can serve as a supplementary detector of characteristic words not yet found in the lists of Hawkins, Morgenthaler and Gaston. E.g. among the words marked as "Lieblingsausdrücke" by W. Larfeld[30]: κράζω, ὑπάγω and ἀνίστημι; as "Vorzugswörter" by J. Gnilka[31]: ἐκπλήσσομαι, κάθημαι, and n°s 173-174: ἐκεῖθεν, θεραπεύω.

27. 1,45; 2,2*; 4,33*; 8,32*.38; 10,24; 12,13; 14,39 (* λαλεῖν τὸν λόγον: cf. 5,36).

28. Mk 3,10 is not ascribed to R in the presentation of the summary statement: 3,7.9R.12 (p. 12); 3,7(incl. ἠκολούθησεν).8.9.11-12 (p. 140); 3,7(om. ἠκολ.).9.11-12 (pp. 154-155). But see p. 115 and 117: ὥστε + infinitive (cf. p. 138: ὥστε R 9 should be 10); p. 126 and 127 (n. 6): *γάρ* explanatory!

29. Mk 4,40 (οὔπω not in N[25]: cf. Gaston Mk 4, Mk Ed 2) is not listed as R on p. 13, 141, 157 and assigned to S on p. 133, n. 3; but see p. 73, n. 4: 4,40 R (rhetorical question), and p. 93: "11,2 as Taylor observes 'contains familiar Markan words'" (note: οὔπω 4,40); ἐφ' ὃν οὐδεὶς οὔπω ἀνθρώπων ἐκάθισεν "may be an expansion by Mark in the light of Zech. 9,9" (πῶλον νέον), though he excludes 11,2 from R on p. 19, 145 and 167.

Mk 8,17 is also excluded from R (p. 16: 8,17-18 S; cf. p. 143 and 162), but see p. 131: ἄρτος, a key R word, in 8,17 R; p. 133, n. 3: example of tautology in 8,17(!), and p. 104: "6,52 is Mark's explanation of the disciples' obtuseness, and is linguistically close to 8,17, which belongs to a Marcan literary construction".

30. W. LARFELD, *Die neutestamentlichen Evangelien nach ihrer Eigenart und Abhängigkeit*, Gütersloh, 1925, pp. 269-270: δύναμαι, ἐπερωτάω, εὐαγγέλιον, κράζω, προσκαλέομαι, ὑπάγω, φέρω. Compare also pp. 217-232 (pp. 225-227: ἀνίστημι).

31 Cf. *supra*, n. 6. See also I, p. 147, n. 16 (κάθημαι) and II, p. 85, n. 5 (ἐκπλήσσομαι).

Redactional Vocabulary

* Redactional according to Pryke
The exponent [c] indicates a correction of Pryke's counting.
† Redactional according to Gnilka

2 ἀκάθαρτος 11 *7 †4
1,23.26*.27*; 3,11*†.30*†; 5,2.8*†.13; 6,7*†; 7,25*; 9,25

3 ἀκολουθέω 18 *11 †7
1,18*; 2,14*.14*.15*†; 3,7*†; 5,24*†; 6,1*†; 8,34.34; 9,38; 10,21.28*.32*†.52*†; 11,9*; 14,13.54; 15,41†

4 ἀκούω 43 *30 †19
2,1*†.17*; 3,8*†.21*†; 4,3*.9*.9*.12*.12*.15.16.18.20.23*†.23*†.24*†.33*; 5,27; 6,2*†.11†.14*†.16*†.20.20*†.29*.55*†; 7,14*.25*†.37*; 8,18†; 9,7; 10,41*†.47*; 11,14*†.18*; 12,28*†.29.37*†; 13,7; 14,11*†.58.64; 15,35

128 ἀνίστημι 16 *9[c] †6
1,35*†; 2,14*; 3,26; 5,42*; 7,24*†; 8,31*; 9,9*†.10†.27.31; 10,1*†.34†; 12,23.25; 14,57*.60

11 ἀπέρχομαι 22 *11 †8
1,20.35*†.42; 3,13*; 5,17*.20*†.24*; 6,27.32*†.36.37.46; 7,24*†.30; 8,13*†; 9,43; 10,22, 11,4†; 12,12*†; 14,10*†12.39*

15 ἄρχω 27 *26 †14
1,45*†; 2,23*; 4,1*†; 5,17*.20*†; 6,2*†.7*†.34*†.55*†; 8,11*.31*†.32*†; 10,28*†.32*†.41*†.42.47*; 11,15; 12,1*†; 13,5*†; 14,19*.33*.65*.69*.71*; 15,8*.18*

130 βλέπω 15 *11[c] †10
4,12*.12*.24*†; 5,31*†; 8,15*.18†.23.24; 12,14†.38*†; 13,2*†.5*†.9*†.23*†.23*†

21 Γαλιλαία 12 *10 †11
1,9†.14*†.16*†.28*†.39*†; 3,7*†; 6,21*; 7,31*†; 9,30*†; 14,28*†; 15,41†; 16,7*†

131 γάρ 63 *57 †35
1,16*.22*†.38*†; 2,15*†; 3,10*†.21*†; 4,22*†.25*†; 5,8*†.28*†.42*; 6,14*†.17*†.18*.20*.31*†.48*.50*†.52*†; 7,3*†.10*.21*.27*†; 8,35*.36*†.37*†.38*†; 9,6*†.6*†.31*†.34*†.39*.40*.41*.49*†; 10,14.22*.27*†.45*; 11,13*†.18*.18*†.32*†; 12,12*†.14†.23†.25.44*; 13,11*.19*.33*†.35*; 14.2*†.5*.7*.40*†.56.70; 15,10*.14*; 16,4*.8*.8*†

22 γινώσκω 12 *7 †7
4,13*†; 5,29.43*†; 6,38; 7,24*†; 8,17†; 9,30*†; 12,12*†; 13,28.29*; 15,10*.45†

23 γραμματεύς 21 *13[c] †13
1,22*†; 2,6*.16*; 3,22*†; 7,1*.5*†; 8,31*†; 9,11.14*†; 10,33†; 11,18*.27*†; 12,28*.32.35†.38†; 14,1†.43†.53; 15,1*†.31*†

24 γρηγορέω 6 *3 †2
13,34*.35†.37*†; 14,34.37.38*

26 διαλογίζομαι 7 *6 †3
2,6*.8*.8*; 8,26*†.27*†; 9,33*†; 11,31*

27 διαστέλλομαι 5 *5 †5
5,43*†; 7,36*†.36*†; 8,15*†; 9,9*†

28 διδάσκω 17 *15 †15
1,21*†.22*†; 2,13*†; 4,1*†.2*†; 6,2*†. 6*†.30*†.34*†; 7,7; 8,31*†; 9,31*†; 10,1*†; 11,17*†; 12,14.35*†; 14,49*†

29 διδαχή 5 *5 †4
1,22*†.27*; 4,2*†; 11,18*†; 12,38*†

31 δώδεκα 15 *13 †11
3,14*.16*†; 4,10*†; 5,25*.42*; 6.7*†.43; 8,19*†; 9,35*†; 10,32*†; 11,11*†; 14,10*†.17*†.20*†.43†

33 εἰσπορεύομαι 8 *4 †2
1,21*†; 4,19; 5,40; 6,56*†; 7,15.18.19*; 11,2*

173 ἐκεῖθεν 6 *4 †4
6,1*†.10.11; 7,24*†; 9,30*†; 10,1*†

136 ἐκπλήσσομαι 5 *5 †4
1,22*†; 6,2*†; 7,37*; 10,26*†; 11,18*†

36 ἐκπορεύομαι 11 *6 †5
1,5; 6,11; 7,15.19*.20.21.23*†; 10,17*†.46*†; 11,19*†; 13,1*†

37 ἐμβαίνω 5 *5 †4
4,1*†; 5,18*†; 6,45*; 8,10*†.13*†

38 ἐξέρχομαι 38 *25 †16
1,25.26*.28*.29*†.35*†.38*†.45*†; 2,12*.13*†; 3,6*†.21*; 4,3*; 5,2*†.8*†.13.30*; 6,1*†.10.12*†.24.34*.54*†; 7,29.30.31*†; 8,11*†.27*; 9,25.26*.29.30*†; 11,11*†.12*†; 14,16.26*.48.68; 16,8

39 ἐπερωτάω 25 *14 †7
5,9*; 7,5*.17*; 8,23.27.29; 9,11†.16*†.21.28*.32*†.33*†; 10,2.10*.17*; 11,29; 12,18.28*.34*†; 13,3*†; 14,60.61*; 15,2*.4.44†

40 ἐπιτιμάω 9 *5 †3
1,25; 3,12*†; 4,39; 8,30*†.32*†.33*; 9,25; 10,13*.48

138 ἔρημος 8 *7ᶜ †4
1,3*.4*.12*.13.35*†.45*†; 6,31*†.32*†.35

44 εὐαγγέλιον 7 *7 †6
1,1*†.14*†.15*; 8,35*†; 10,29*†; 13,10*†; 14,9*†

45 εὐθύς 41 *31ᶜ †13
1,10*.12*.18*.20*.21*.23*†.28*.29*†.30*.42.43*; 2,8*.12*; 3,6*†; 4,5.15.16.17.29*; 5,2*†.29.30*.42*.42*; 6,25.27.45*†.50*.54*†; 7,25*†; 8,10*†; 9,15*†.20*.24†; 10,52*; 11,2*.3*; 14,43*†.45.72*†; 15,1*†

140 ἤδη 8 *5ᶜ †4
4,37*†; 6,35*.35; 8,2; 11,11*†; 13,28*; 15,42*†.44†

48 θάλασσα 19 *12 †9
1,16*†.16*; 2,13*†; 3,7*†; 4,1*†.1*†.1*†.39.41*; 5,1*†.13.13.21*†; 6,47*.48*.49; 7,31*†; 9,42; 11,23

174 θεραπεύω 5 *3ᶜ †3
1,34*†; 3,2.10*†; 6,5.13*†

142 θύρα 6 *4 †3
1,33*†; 2,2*†; 11,4; 13,29*†; 15,46*; 16,3

52 ἴδιος 8 *7ᶜ †4
4,34*.34*; 6,31*†.32*†; 7,33; 9,2*†.28*; 13,3*†

144 ἱερόν 9 *6 †5
11,11*†.15.15.16.27*†; 12,35*†; 13,1*.3*†; 14,49*†

53 Ἱεροσόλυμα 10 *9 †8
3,8†.22*†; 7,1*; 10,32*†.33*†; 11,1*†.11*.15*†.27*†; 15,41†

145 κάθημαι 11 *8 †4
2,6*.14*; 3,32*†.34*†; 4,1*†; 5,15*; 10,46*; 12,36; 13,3*†; 14,62; 16,5

61 κηρύσσω 12 *11 †12
1,4*†.7†.14*†.38*†.39*†.45*†; 3,14*†; 5,20*†; 6,12*†; 7,36*†; 13,10*†; 14,9*†

64 κοράσιον 5 *3 †0
5,41*.42*; 6,22*.28.28

65 κράβαττος 5 *3 †1
2,4.9*.11.12*; 6,55*†

151 κράζω 10 *5ᶜ †2
3,11*†; 5,5*.7; 9,24†.26*; 10,47*.48; 11,9*; 15,13.14

66 κρατέω 15 *9 †8
1,31*; 3,21*†; 5,41; 6,17*; 7,3*†.4*†.8*†; 9,10†.27; 12,12*†.14,1†.44.46.49*†.51

152 κώμη 7 *5 †4
6,6*†.36†.56*†; 8,23.26*†.27*; 11,2*

68 λαλέω 19 *13[c] †7
1,34*†; 2,2*†.7; 4,33*.34*†; 5,35*†.36; 6,50*; 7,35*.37*; 8,32†; 11,23; 12,1*†; 13,11.11.11*; 14,9*.31*.43*†

71 μαθητής 46 *35 †18
2,15†.16†.18†.18.18*.18.23*; 3,7*†.9*†; 4,34; 5,13*†; 6,1*†.29*.35*.41*.45*; 7,2.5. 17*; 8,1*.4.6.10*†.27*†.27.33*†.34*†; 9,14*.18.28*.31*†; 10,10*.13*.23*.24*†.46*†; 11,1*.14*†; 12,43*†; 13,1*†; 14,12*.13.14.16.32*; 16,7*†

74 μηδείς 9 *8 †4
1,44*.44*; 5,26*.43*†; 6,8; 7,36*†; 8,30*†; 9,9*†; 11,14*

82 ὅριον 5 *4 †4
5,17*; 7,24*†.31*†.31*†; 10,1*†

83 ὄρος 11 *8 †2
3,13*; 5,5*.11*; 6,46; 9,2*.9*†; 11,1*.23; 13,3*†.14; 14,26*

84 ὅσος 14 *9[c] †7
2,19; 3,8*†.10*†.28; 5,19*.20*†; 6,30*†.30*†.56*; 7,36*†; 9,13*; 10,21; 11,24; 12,44

85 ὅτε 12 *8 †5
1,32*†; 2,25; 4,6.10*; 6,21*; 7,17*; 8,19*†.20*†; 11,1*; 14,12*†; 15,20.41†

87 οὔπω 5 *5[c] †3
4,40*; 8,17*†.21*†; 11,2*; 13,7*†

88 ὄχλος 38 *27 †21
2,4†.13*†; 3,9*†.20*†.32*†; 4,1*†.1*†.36*†; 5,21*.24*†.27.30*.31*†; 6,34*.45*†; 7,14*†.17*.33; 8,1*†.2.6.6.34*†; 9,14*†.15*†.17.25; 10,1*†.46*†; 11,18*†.32*; 12,12*†.37*†.41; 14,43; 15,8*.11.15

159 ὄψιος/ὀψία 6 *6 †5
1,32*†; 4,35*†; 6,47*; 11,11*†; 14,17*†; 15,42*†

89 πάλιν 28 *25 †15
2,1*†.13*†; 3,1*†.20*†; 4,1*†; 5,21*†; 7,14*†.31*†; 8,1*†.13*†.25; 10,1*†.1*†.10*. 24*†.32*†; 11,3*.27*†; 12,4; 14,39*.40.61.69.70.70; 15,4.12*.13*

90 παρά 16 *8 †7
1,16*†; 2,13*†; 3,21*†; 4,1*.4.15; 5,21*†.26*; 8,11; 10,27†.27†.27*†.46*; 12,2.11; 14,43

91 παραβολή 13 *12 †17
3,23*†; 4,2*†.10*.11*.13*.13*†.30.33*.34*†; 7,17*; 12,1*†.12*†; 13,28*†

92 παραδίδωμι 20 *13 †6
1,14*†; 3,19†; 4,29*; 7,13; 9,31*; 10,33†.33†; 13,9*.11.12; 14,10*†.11*†.18*.21*. 41*.42*.44; 15,1*.10*.15*

93 παράδοσις 5 *3 †2
7,3*†.5.8*†.9.13

160 παραλαμβάνω 6 *5 †3
4,36*; 5,40; 7,4*†; 9,2*; 10,32*†; 14,33*†

96 πᾶς 66 *40 †23
1,5.5.32*†.37*†; 2,12*.12*.13*†; 3,28; 4,1*†.11*.13*†.31*.32.34*; 5,5*.20*†.26*. 33*.40; 6,30*†.33*†.39.41*.42.50*†; 7,3*†.14*.18.19*†.23*†.37*; 9,12*.15*†.23†.35. 35.49*†; 10,20.27*†.28*.44; 11,11*†.17†.18*†.24; 12,22.28.33.43.44*.44; 13,4*†. 10*†.13*.20.23*†.30†.37*†; 14,23.27*.29*.31*.36.50*.53.64

98 πέραν 7 *6[c] †7
3,8†; 4,35*†; 5,1*†.21*†; 6,45*†; 8,13*†; 10,1*†

99 περί 22 *13 †7
1,6*.30*.44; 3,8*†.32*†.34*†; 4,10*.19; 5,16.27; 6,48*; 7,6.25*†; 8,30*†; 9,14*†.42; 10,10*.41*†; 12,14.26; 13,32; 14,21*

100 περιβλέπομαι 6 *4 †5
3,5*†.34*†; 5,32; 9,8†; 10,23*†; 11,11*†

104 πλοῖον 17 *13[c] †8
1,19.20; 4,1*†.36*.37*.37*†; 5,2*†.18*†.21*†; 6,32*†.45*.47*.51.54*; 8,10*†.14*†

105 πόλις 8 *5 †5
1,33*†.45*†; 5,14; 6,33*†.56*†; 11,19*†; 14,13.16

161 προάγω 5 *5 †3
6,45*; 10,32*†; 11,9*; 14,28*†; 16,7*†

108 προσκαλέομαι 9 *8 †7
3,13*.23*†; 6,7*†; 7,14*†; 8,1*†.34*†; 10,42*; 12,43*†; 15,44†

109 πρωΐ 5 *4 †4
1,35*†; 11,20*†; 13,35†; 15,1*; 16,2*†

117 συζητέω 6 *5 †4
1,27*; 8,11*; 9,10†.14*†.16*†; 12,28*†

118 συνάγω 5 *5 †4
2,2*†; 4,1*†; 5,21*; 6,30*†; 7,1*†

166 συνίημι 5 *4 †3
4,12*; 6,52*†; 7,14*; 8,17†.21*†

168 τόπος 9 *6 †4
1,35*†.45*†; 6,11.31*†.32*†.35; 15,22*.22*

169 ὑπάγω 15 *8 †3
1,44; 2,11; 5,19*.34; 6,31*†.33*†.38; 7,29; 8,33*; 10,21.52*; 11,2*; 14,13.21*; 16,7*†

120 Φαρισαῖος 12 *10[c] †5
2,16*.18*†.18*.24; 3,6*†; 7,1*.3*†.5*†; 8,11*†15*; 10,2; 12,13*

122 φοβέομαι 12 *8 †4
4,41*; 5,15*.33*.36; 6,20*.50; 9,32*†; 10,32*†; 11,18*.32; 12,12*†; 16,8*†

123 φωνέω 10 *6[c] †2
1,26*; 9,35*†; 10,49.49*.49*; 14,30.68.72*.72*†, 15,35

125 ὥστε 13 *10[c] †6
1,27*.45*†; 2,2*†.12*.28*; 3,10*†.20*†; 4,1*†.32.37*†; 9,26*; 10,8; 15,5

3
The Redactional Text

As a tool for further study a survey will be given of the redactional verses of Mark according to Pesch and Schmithals and a full description of the redactional text according to the commentary of Gnilka.

1. For Pesch's commentary I refer to *L'évangile de Marc* where the editorial text has been reproduced in Greek[32]. The following verses are redactional: 1,1.22; 2,13-14; 3,13.15; 4,23.34.40; 6,30-31.52; 8,13.17b-21; 10,28; 13,6.10.23.37. Redactional phrases (at least three words) are added in 1,27.29.32.34.38.39.45; 2,2.15.16; 3,7.16.19; 4,2.11.21.24; 5,37.40; 6,1.5.13; 7,17.18; 8,9.10.14.34.35; 9,1;

32. F. Neirynck, *L'évangile de Marc. À propos du Commentaire de R. Pesch* (ALBO, V/42), Leuven, 1979, pp. 9-10 and 36; = *ETL* 53 (1977), p. 161-162; 55 (1979), p. 6. See also *ETL* 56 (1980) 442-445 (on vol. I, [3]1980).

10,21; 12,38; 13,2.3.4.19.32.33.34.35; minor changes (one or two words): 1,9. 16.20.21.23.28; 2,1; 3,1.20.23; 4,1.10.36; 5,21; 6,2.45; 7,14.24; 8,1; 9,14.36.49; 10,1.10; 11,24; 12,40; 13,29.

2. W. Schmithals clearly indicates his distinction between the *Grundschrift* (GS) and the Markan redaction by printing the GS text in italics (in the German translation)[33]. I give here the list of the redactional verses.

Redactional interventions in traditional verses are marked by an asterisk. The references in italics indicate passages in which Marks depends on Q.

1,1.2-3 | 16-20 | 29* | 34b | 36* | 45ab | 2,1*.10a | 18*.19b-20 | 28 | 3,2.6 | 11-12 | 14b-15.16a.19c | *22-30* | 4,1 | 10*.11-12 | *21-25* | *26-29.30-32*.34 | 35*.36.41b | 5,1*.8 | 21. 37.43a | 6,*7-11*.12-13 | 14b.15-16 | 30-31 | 52 | 7,17-23 | 36 | 8,1-10 | *11-13* | 14-21 | (22-26) | 27-30 | 31 | 32-33 | *34-9,1* | 9,2*-10* | 11-13 | 28-29 | 30-32 | *33-50* | 10,1*.*10-12* | *24-27.28-31* | 32b-34 | 41.45 | 11,1*.11-14.18-22.*23-26* | 27ab | 12,35-37a | *37b-40* | 13,*3-29.32-37* | 14,1-2 | 3-9 | 10-11 | 12 | 17-*21* | 28.29a | 32c-34a.37*.41*.42 | 43*.44-45.47.51-52 | 53b.54*.55-65.66a; 15,1* | 15,2.12-14 | 16-20 | 25-26.28.29b-30.31*. 32a | 33.38-39 | 42* | 16,7.

3. J. Gnilka's observations on the Markan redaction are mainly found in the section *Analyse* preceding the verse-by-verse commentary of each pericope. His observations have been collected into the following reconstruction[34].

References to full redactional verses are in heavy print. In all other instances the Greek text will be given. His pericope division is indicated in the margin. Pre-Markan groupings of pericopes are connected by a vertical line.

1,1-8	**1** 3 αὐτοῦ (loco τοῦ θεοῦ ἡμῶν) 4 ὁ (ante βαπτίζων) | κηρύσσων 7 Καὶ ἐκήρυσσεν λέγων | ἔρχεται (loco ἐρχόμενος cf. Q) 8 ἐβάπτισα (loco βαπτίζω cf. Q)
| 1,9-11	9 τῆς Γαλιλαίας
| 1,12-13	
1,14-15	**14** 15 om αὐτοῦ (post εὐαγγελίῳ)
1,16-20	16 παρὰ τὴν θάλασσαν τῆς Γαλιλαίας
1,21-28	21 Καὶ εἰσπορεύονται | εἰσελθὼν (loco εἰσῆλθεν) | ἐδίδασκεν **22** 23 εὐθὺς 28 τῆς Γαλιλαίας
1,29-31	29 εὐθὺς ἐκ τῆς συναγωγῆς ἐξελθόντες | ἦλθον (loco ἦλθεν) | καὶ Ἀνδρέου μετὰ Ἰακώβου καὶ Ἰωάννου 31 αὐτοῖς (loco αὐτῷ)
1,32-34	
1,35-39	
1,40-45	**45**
2,1-12	1 πάλιν | δι' ἡμερῶν | ἠκούσθη ὅτι **2** 4 διὰ τὸν ὄχλον | ἀπεστέγασαν τὴν στέγην
| 2,13-17	**13** 15 αὐτοῦ (post οἰκίᾳ) | καὶ τοῖς μαθηταῖς αὐτοῦ | ἦσαν γὰρ πολλοὶ καὶ ἠκολούθουν αὐτῷ 16 ἰδόντες ὅτι ἠσθίει μετὰ τῶν ἁμαρτωλῶν καὶ τελωνῶν | τοῖς μαθηταῖς αὐτοῦ

33. W. SCHMITHALS, *Das Evangelium nach Markus. Kapitel 1-9,1; Kapitel 9,2-16,18* (ÖTKNT 2/1-2), 2 vol., Gütersloh & Würzburg, 1979. For a presentation of Schmithals' commentary, see *ETL* 57 (1981) 167-171.

34. J. GNILKA, *Das Evangelium nach Markus (Mk 1-8,26); (Mk 8,27-16,20)* (EKK, 2/1-2), 2 vol., Zürich-Einsiedeln-Köln & Neukirchen, 1978/1979. On Gnilka's commentary, see *ETL* 57 (1981) 163-167.

2,18-22	18a Καὶ ἦσαν οἱ μαθηταὶ Ἰωάννου καὶ οἱ Φαρισαῖοι νηστεύοντες 21 τὸ καινὸν τοῦ παλαιοῦ
2,23-28	25 καὶ οἱ μετ᾿ αὐτοῦ
3,1-6	1 πάλιν 2 ἵνα κατηγορήσωσιν αὐτοῦ 5 περιβλεψάμενος αὐτοὺς | συλλυπούμενος ἐπὶ τῇ πωρώσει τῆς καρδίας αὐτῶν **6**
3,7-12	
3,13-19	14 καὶ ἵνα ἀποστέλλῃ αὐτοὺς κηρύσσειν **15** καὶ ἔχειν ἐξουσίαν ἐκβάλλειν τὰ δαιμόνια· 16a καὶ ἐποίησεν τοὺς δώδεκα 17 ὅ ἐστιν υἱοὶ βροντῆς 19 ὃς καὶ παρέδωκεν αὐτόν
3,20-35	20 καὶ συνέρχεται πάλιν ὁ ὄχλος, ὥστε μὴ δύνασθαι αὐτοὺς μηδὲ ἄρτον φαγεῖν. **21** 22 οἱ γραμματεῖς οἱ ἀπὸ Ἱεροσολύμων καταβάντες | ὅτι (Βεελζεβοὺλ) ἔχει καί 23a Καὶ προσκαλεσάμενος αὐτοὺς | ἐν παραβολαῖς | πῶς δύναται σατανᾶς σατανᾶν ἐκβάλλειν; 28a ἀμὴν λέγω ὑμῖν ὅτι(?) **30** 32a καὶ ἐκάθητο περὶ αὐτὸν ὄχλος 34 καὶ περιβλεψάμενος τοὺς περὶ αὐτὸν κύκλῳ καθημένους λέγει
4,1-9	**1-2**
4,10-12	10 σὺν τοῖς δώδεκα | τὰς παραβολάς (loco τὴν -ήν) 11 καὶ ἔλεγεν αὐτοῖς
4,13-20	13b καὶ πῶς πάσας τὰς παραβολὰς γνώσεσθε;
4,21-25	21a Καὶ ἔλεγεν αὐτοῖς ὅτι | μήτι ...; (loco μὴ ...) 22 γάρ | ἵνα | ἵνα **23** 24a Καὶ ἔλεγεν αὐτοῖς· | βλέπετε τί ἀκούετε | καὶ προστεθήσεται ὑμῖν 25 γάρ
4,26-29	
4,30-32	
4,33-34	34a χωρὶς δὲ παραβολῆς οὐκ ἐλάλει αὐτοῖς
4,35-41	**35** 36 ἀφέντες τὸν ὄχλον 37c ὥστε ἤδη γεμίζεσθαι τὸ πλοῖον 38c καὶ λέγουσιν αὐτῷ· διδάσκαλε, οὐ μέλει σοι ὅτι ἀπολλύμεθα; **40**
5,1-20	1 ἦλθον (loco ἦλθεν) | εἰς τὸ πέραν τῆς θαλάσσης 2 ἐξελθόντος αὐτοῦ ἐκ τοῦ πλοίου | εὐθὺς ὑπήντησεν αὐτῷ ἐκ τῶν μνημείων (loco ἦν ἐκεῖ) **8** 18a ἐμβαίνοντος αὐτοῦ εἰς τὸ πλοῖον **20**
5,21-43	21 Καὶ διαπεράσαντος τοῦ Ἰησοῦ ἐν τῷ πλοίῳ πάλιν εἰς τὸ πέραν | καὶ ἦν παρὰ τὴν θάλασσαν 24b καὶ ἠκολούθει αὐτῷ ὄχλος πολὺς καὶ συνέθλιβον αὐτόν. (25 οὖσα 26 παθοῦσα, δαπανήσασα, ὠφεληθεῖσα, ἐλθοῦσα, 27 ἀκούσασα, ἐλθοῦσα: part. loco verbi finiti) **28** **31** 34 ἡ πίστις σου σέσωκέν σε 35a Ἔτι αὐτοῦ λαλοῦντος **37** 40 καὶ τοὺς μετ᾿ αὐτοῦ 43 καὶ διεστείλατο αὐτοῖς πολλὰ ἵνα μηδεὶς γνοῖ τοῦτο
6,1-6a	1 Καὶ ἐξῆλθεν ἐκεῖθεν | om ὁ Ἰησοῦς | τὴν πατρίδα αὐτοῦ (loco Ναζαρὲτ) | καὶ ἀκολουθοῦσιν αὐτῷ οἱ μαθηταὶ αὐτοῦ 2 καὶ γενομένου σαββάτου | ἤρξατο διδάσκειν | καὶ ʿοἱ πολλοὶ ἀκούοντες ἐξεπλήσσοντο λέγοντες 4 καὶ ἔλεγεν αὐτοῖς ὁ Ἰησοῦς ὅτι | καὶ ἐν τοῖς συγγενεῦσιν αὐτοῦ καὶ ἐν τῇ οἰκίᾳ αὐτοῦ 5b εἰ μὴ ὀλίγοις ἀρρώστοις ἐπιθεὶς τὰς χεῖρας ἐθεράπευσεν
6,6b-13	6b Καὶ περιῆγεν τὰς κώμας κύκλῳ διδάσκων. **7** 8a Καὶ παρήγγειλεν αὐτοῖς ἵνα ... 10 καὶ ἔλεγεν αὐτοῖς 11 μηδὲ ἀκούσωσιν ὑμῶν **12-13**

6,14-29 14 Καὶ ἤκουσεν ὁ βασιλεὺς Ἡρῴδης, φανερὸν γὰρ ἐγένετο τὸ ὄνομα αὐτοῦ **16** 17 γὰρ | διὰ ... 18 τῷ Ἡρῴδῃ (loco αὐτῷ) 20e καὶ ἡδέως αὐτοῦ ἤκουεν. 24 τοῦ βαπτίζοντος

6,30-44 **30-31 32-33**
34c καὶ ἤρξατο διδάσκειν αὐτοὺς πολλά 36 εἰς τοὺς κύκλῳ ἀγροὺς καὶ κώμας

6,45-52 45 εὐθὺς | εἰς τὸ πέραν | ἕως αὐτὸς ἀπελύει τὸν ὄχλον 50a πάντες γὰρ αὐτὸν εἶδον 51c καὶ λίαν ἐκ περισσοῦ ἐν ἑαυτοῖς ἐξίσταντο(?) **52**

6,53-56

7,1-23 1 συνάγονται 2 τοῦτ᾿ ἔστιν ἀνίπτοις **3-4** 5 οἱ Φαρισαῖοι καὶ οἱ γραμματεῖς **8** 9a καὶ ἔλεγον αὐτοῖς 11 ὅ ἐστιν δῶρον 13b καὶ παρόμοια τοιαῦτα πολλὰ ποιεῖτε.
14a Καὶ προσκαλεσάμενος πάλιν τὸν ὄχλον 18b οὕτως καὶ ὑμεῖς ἀσύνετοί ἐστε; οὐ νοεῖτε ὅτι 19c καθαρίζων πάντα τὰ βρώματα; **23**

7,24-30 **24** 25 ἀλλ᾿ εὐθὺς ἀκούσασα ... περὶ αὐτοῦ 27b ἄφες πρῶτον χορτασθῆναι τὰ τέκνα | γὰρ

7,31-37 **31 36**

8,1-9 1 πάλιν πολλοῦ ὄχλου ὄντος καὶ μὴ ἐχόντων τί φάγωσιν | προσκαλεσάμενος τοὺς μαθητάς 9b καὶ ἀπέλυσεν αὐτούς

8,10-13 10a Καὶ εὐθὺς ἐμβὰς εἰς τὸ πλοῖον μετὰ τῶν μαθητῶν αὐτοῦ 11a Καὶ ἐξῆλθον οἱ Φαρισαῖοι | πειράζοντες αὐτόν **13**

8,14-21 (trad. 15b βλέπετε ἀπὸ τῆς ζύμης τῶν Φαρισαίων)

8,22-26 22a Καὶ ἔρχονται εἰς Βηθσαϊδάν. 26b λέγων· μηδὲ εἰς τὴν κώμην εἰσέλθῃς.

8,27-33 27 οἱ μαθηταὶ αὐτοῦ | ἐν τῇ ὁδῷ(?) **30** 31 ἤρξατο διδάσκειν αὐτοὺς ὅτι | ὑπὸ τῶν πρεσβυτέρων καὶ τῶν ἀρχιερέων καὶ τῶν γραμματέων **32** 33 καὶ ἰδὼν τοὺς μαθητὰς αὐτοῦ | ἀλλὰ τὰ τῶν ἀνθρώπων(?)

8,34-9,1 34a Καὶ προσκαλεσάμενος τὸν ὄχλον σὺν τοῖς μαθηταῖς αὐτοῦ 35 καὶ τοῦ εὐαγγελίου 36 γὰρ 37 γὰρ 38 γὰρ | καὶ τοὺς ἐμοὺς λόγους | ἐν τῇ δόξῃ τοῦ πατρὸς αὐτοῦ 9,1a Καὶ ἔλεγεν αὐτοῖς | ἐληλυθυῖαν ἐν δυνάμει.

9,2-8 2 κατ᾿ ἰδίαν 4 σὺν (loco Μ. καὶ) **6** 8 περιβλεψάμενοι

9,9-13 **9-10** 11a Καὶ ἐπηρώτων αὐτὸν λέγοντες

9,14-29 14 ⸂ἐλθὼν | ⸂εἶδεν ὄχλον πολὺν περὶ αὐτοὺς καὶ γραμματεῖς συζητοῦντας πρὸς αὐτούς. **15-16 23-24**

9,30-32 (trad. 31b ὁ υἱὸς τοῦ ἀνθρώπου παραδίδοται εἰς χεῖρας ἀνθρώπων)

9,33-37 **33-34** 35a καὶ καθίσας ἐφώνησεν τοὺς δώδεκα καὶ λέγει αὐτοῖς **36**

9,38-41 41 ὑμᾶς (loco ἕνα τῶν μικρῶν τούτων)

9,42-50 **48 49** 50a καλὸν τὸ ἅλας | καὶ εἰρηνεύετε ἐν ἀλλήλοις.

10,1-12 **1**

10,13-16 14 τῶν τοιούτων (loco τούτων) 15 δέξηται ...

10,17-27 17a Καὶ ἐκπορευομένου αὐτοῦ εἰς ὁδὸν 23a περιβλεψάμενος **24 26-27**

10,28-31 28a Ἤρξατο ... 29 καὶ ἕνεκεν τοῦ εὐαγγελίου 30 μετὰ διωγμῶν

10,32-34

10,35-45 **41** 42 προσκαλεσάμενος αὐτοὺς

10,46-52	46b Καὶ ἐκπορευομένου αὐτοῦ ἀπὸ Ἰεριχὼ καὶ τῶν μαθητῶν αὐτοῦ καὶ ὄχλου ἱκανοῦ | ὁ υἱὸς Τιμαίου 52b καὶ ἠκολούθει αὐτῷ ἐν τῇ ὁδῷ.
‖11,1-11	1 εἰς Ἱεροσόλυμα 11 εἰς τὸ ἱερὸν καὶ περιβλεψάμενος πάντα, ὀψίας ἤδη οὔσης τῆς ὥρας, ἐξῆλθεν εἰς Βηθανίαν μετὰ τῶν δώδεκα.
11,12-14	12a Καὶ τῇ ἐπαύριον ἐξελθόντων αὐτῶν ἀπὸ Βηθανίας 13c ὁ γὰρ καιρὸς οὐκ ἦν σύκων. 14b καὶ ἤκουον οἱ μαθηταὶ αὐτοῦ
‖11,15-19	15a Καὶ ἔρχονται εἰς Ἱεροσόλυμα. **17** 18 καὶ οἱ γραμματεῖς | πᾶς γὰρ ὁ ὄχλος ἐξεπλήσσετο ἐπὶ τῇ διδαχῇ αὐτοῦ **19**
11,20-25	20a παραπορευόμενοι πρωῒ εἶδον τὴν ... **21** 22a καὶ ἀποκριθεὶς ὁ Ἰησοῦς λέγει αὐτοῖς
11,27-33	27a Καὶ ἔρχονται πάλιν εἰς Ἱεροσόλυμα. καὶ ἐν τῷ ἱερῷ περιπατοῦντος αὐτοῦ | καὶ οἱ γραμματεῖς καὶ οἱ πρεσβύτεροι(?) 32b ἅπαντες γὰρ εἶχον τὸν Ἰωάννην ὄντως ὅτι προφήτης ἦν.
12,1-12	1a Καὶ ἤρξατο αὐτοῖς ἐν παραβολαῖς λαλεῖν· **12**
12,13-17	13 ἀποστέλλουσιν ... τινας (loco ἔρχονται) | καὶ τῶν Ἡρωδιανῶν(?) 14b οὐ γὰρ βλέπεις εἰς πρόσωπον ἀνθρώπων, ἀλλ᾽ ἐπ᾽ ἀληθείας τὴν ὁδὸν τοῦ θεοῦ διδάσκεις(?)
12,18-27	18b οἵτινες λέγουσιν ἀνάστασιν μὴ εἶναι 23b οἱ γὰρ ἑπτὰ ἔσχον αὐτὴν γυναῖκα
12,28-34	28 τῶν γραμματέων (loco γραμματεύς) | ἀκούσας αὐτῶν συζητούντων, ἰδὼν ὅτι καλῶς ἀπεκρίθη αὐτοῖς 34c καὶ οὐδεὶς οὐκέτι ἐτόλμα αὐτὸν ἐπερωτῆσαι.
12,35-37	35a Καὶ ἀποκριθεὶς ὁ Ἰησοῦς ἔλεγεν διδάσκων ἐν τῷ ἱερῷ· | οἱ γραμματεῖς 37b Καὶ ὁ πολὺς ὄχλος ἤκουεν αὐτοῦ ἡδέως.
12,38-40	38a Καὶ ἐν τῇ διδαχῇ αὐτοῦ ἔλεγεν· | βλέπετε | ἀπὸ τῶν γραμματέων(?)
12,41-44	41 καθίσας κατέναντι τοῦ γαζοφυλακίου 42 ὅ ἐστιν κοδράντης 43a καὶ προσκαλεσάμενος τοὺς μαθητὰς αὐτοῦ 44 ὅλον τὸν βίον αὐτῆς.
13,1-4	1 ἐκπορευομένου αὐτοῦ (part.) | τῶν μαθητῶν αὐτοῦ | διδάσκαλε **3-4**
|13,5-8	**5** 6 ἐπὶ τῷ ὀνόματί μου 7 μὴ ... | ἀλλ᾽ οὔπω τὸ τέλος 8c ἀρχὴ ὠδίνων ταῦτα.
|13,9-13	9a Βλέπετε δὲ ὑμεῖς ἑαυτούς· **10**
|13,14-23	14 Ὅταν δὲ ἴδητε 18 προσεύχεσθε (loco -έσθωσαν) 19 ἣν ἔκτισεν ὁ θεὸς 20 οὓς ἐξελέξατο **23**
|13,24-27	24 ἐν ἐκείναις ταῖς ἡμέραις
13,28-32	28a Ἀπὸ δὲ τῆς συκῆς μάθετε τὴν παραβολήν· 29b ὅταν ἴδητε ταῦτα γινόμενα | ἐπὶ θύραις 30 πάντα 32 ἢ τῆς ὥρας
13,33-37	33a Βλέπετε | οὐκ οἴδατε γὰρ πότε ὁ καιρός ἐστιν 35b γρηγορεῖτε οὖν ⌊ἢ ὀψὲ ἢ μεσονύκτιον ἢ ἀλεκτοροφωνίας ἢ πρωΐ **37**
14,1-2	
‖14,3-9	3a Καὶ ὄντος αὐτοῦ 7b καὶ ὅταν θέλητε δύνασθε αὐτοῖς εὖ ποιῆσαι 9 ὅπου ἐὰν κηρυχθῇ τὸ εὐαγγέλιον εἰς ὅλον τὸν κόσμον
14,10-11	
‖14,12-16	12a Καὶ τῇ πρώτῃ ἡμέρᾳ τῶν ἀζύμων, ὅτε τὸ πάσχα ἔθυον **17** 18 καὶ ἐσθιόντων(?) | ὁ ἐσθίων μετ᾽ ἐμοῦ(?) 20 εἷς τῶν δώδεκα
‖14,22-26	

14,27-31	27 ὅτι γέγραπται· πατάξω τὸν ποιμένα, καὶ τὰ πρόβατα διασκορπισθήσονται **28** 30 ἀμὴν λέγω σοι ὅτι | δὶς
14,32-42	32 καθίσατε ὧδε ἕως προσεύξωμαι. 33a καὶ παραλαμβάνει τὸν Πέτρον καὶ τὸν Ἰάκωβον καὶ τὸν Ἰωάννην μετ᾽ αὐτοῦ 40b ἦσαν γὰρ αὐτῶν οἱ ὀφθαλμοὶ καταβαρυνόμενοι, καὶ οὐκ ᾔδεισαν τί ἀποκριθῶσιν αὐτῷ.
14,43-53a	43 εὐθὺς ἔτι αὐτοῦ λαλοῦντος | εἷς τῶν δώδεκα | καὶ τῶν γραμματέων καὶ τῶν πρεσβυτέρων 49a καθ᾽ ἡμέραν ἤμην πρὸς ὑμᾶς ἐν τῷ ἱερῷ διδάσκων καὶ οὐκ ἐκρατήσατέ με·
14,53b-65	54 ἀπὸ μακρόθεν 55 οἱ δὲ ἀρχιερεῖς καὶ ὅλον τὸ συνέδριον
14,66-72	66 ὄντος τοῦ Πέτρου κάτω ἐν τῇ αὐλῇ 67a ἰδοῦσα τὸν Πέτρον θερμαινόμενον 72 εὐθὺς ἐκ δευτέρου | καὶ ἀνεμνήσθη ὁ Πέτρος τὸ ῥῆμα ὡς εἶπεν αὐτῷ ὁ Ἰησοῦς ὅτι πρὶν ἀλέκτορα φωνῆσαι δὶς τρίς με ἀπαρνήσῃ
15,1-15	1 εὐθὺς | συμβούλιον ἑτοιμάσαντες/ποιήσαντες(?) | μετὰ τῶν πρεσβυτέρων καὶ γραμματέων
15,16-20a	16 ὅ ἐστιν πραιτώριον 19a καὶ ἔτυπτον αὐτοῦ τὴν κεφαλὴν καλάμῳ καὶ ἐνέπτυον αὐτῷ 20a καὶ ἐνέδυσαν αὐτὸν τὰ ἱμάτια αὐτοῦ(?)
15,20b-41	**23** 31 πρὸς ἀλλήλους | μετὰ τῶν γραμματέων 32 ἵνα ἴδωμεν καὶ πιστεύσωμεν **39** 40 ἦσαν δὲ ... **41**
15,42-47	42a Καὶ ἤδη ὀψίας γενομένης | ὅ ἐστιν προσάββατον 43 ἐλθὼν | τολμήσας **44** 45 γνοὺς ἀπὸ τοῦ κεντυρίωνος
16,1-8	1 Μαρία ἡ Μαγδαληνὴ καὶ Μαρία ἡ τοῦ Ἰακώβου καὶ Σαλώμη(?) 2 λίαν πρωῒ **7** 8 καὶ οὐδενὶ οὐδὲν εἶπαν· ἐφοβοῦντο γάρ.

Gnilka is far from accepting as redactional all verses listed as such by Pryke. He even refuses a number of Gaston's editorial sentences[35]: 1,2a.21b*.28*; 2,1*; 3,13-14a.16b; 4,12.13a.14-20^{Pr}.33.34b.36*; 5,21b; 6,1*.34ab.45*.46^{Pr}; 7,17.20-22 (Pr 20a.21a); 8,1bc.11bc^{Pr}.12a^{Pr}.27a*.33*; 9,11b^{Pr}.14a; 10,10.23a*.28*; 11,11a.12b.18ab.20b; 12,9b-10a^{Pr}; 14,9b. (The asterisk indicates that some redactional intervention is accepted by Gnilka.)[36].

35. Verses excluded from R by Pryke are marked Pr. In a few instances Pryke's Appendix 1 ("Redactional verses classified with their main syntactical features and most frequently used vocabulary listed", pp. 139-148) is more complete than his presentation of the "Redactional text of Mark" in Appendix 2 (pp. 149-176): 3,7 ἀκολουθεῖν. 8 ἀκούειν, Ἱεροσόλυμα; 4,24a ἀκούειν, βλέπειν. 36a παραλαμβάνειν; 7,9a καλῶς; 11,15 ἤρξατο + inf.; 13,28a ἤδη, ὅταν. 35a γρηγορεῖν, οἰκία; 14,1 ζητεῖν. Cf. *supra*, n. 28 (3,10).

36. In some cases Gnilka's formulation of the argument from vocabulary ("Nach Gaston von Mk in Editorial sentences bevorzugt") should be qualified. E.g. p. 91, n. 10: λόγος. Gaston: Total Mk 23, Mk Ed 15. For Gnilka 10 of the 15 instances are traditional: 1,45†; 2,2†; 4,14.15.15.16.17.18.19.20.33; 8,32†; 9,10†; 10,24†; 12,13. Cf. *supra*, n. 27.

The verb δύναμαι is cited as characteristic of Mark (*ibid.*). Cf. *supra*, Table I: Morgenthaler and Gaston (G). The references are: 1,40.*45**†; 2,4.7.19.19; 3,20*†.23†.24.25.26.27; 4,32.*33**; 5,3; 6,5.19; 7,15.18.*24**†; 8,4; 9,3*.22.23†.28.29.39; 10,*26**†.38.39; 14,5*.7†; 15,31*. Total Mk 33, *8, †7. For 3,23†, cf. 3,24-27 (trad.); for 9,23†, cf. 9,22 (trad.). Of the four occurrences in Gaston's Mk Ed (references in italics), 4,33 is not accepted as redactional by Gnilka.

As a first comment on this reconstruction of Mark's redactional text it can suffice here to quote Ulrich Luz: "So ganz falsch und abseitig ist das, was in jahrzehntelanger Markusforschung geleistet wurde, vielleicht doch nicht; ... es (gibt) auch heute einen recht viele Forscher umfassenden Konsens in der Markusforschung. Es wird m. E. am ehesten durch Gnilka repräsentiert"[37].

STUDIES ON MK 2,23-28 SINCE 1975 (cf. p. 637-680)

H. AICHINGER, *Quellenkritische Untersuchung der Perikope vom Ährenraufen am Sabbat. Mk 2,23-28 par. Mt 12,1-8 par Lk 6,1-5*, in *SNTU* 1 (1976) 110-153. Cf. *infra*, p. 769 and 773-774.

R. PESCH, *Markus I* (cf. *supra*, p. 491), 1977, p. 178-187.

W. THISSEN, *Erzählung der Befreiung. Eine exegetische Untersuchung zu Mk 2,1-3,6* (Forschung zur Bibel, 21), Würzburg, 1976 (Diss. Münster 1974), p. 70-74.

G.G. GAMBA, *Struttura letteraria e significato dottrinale di Mc. 2,23-28 e 3,1-6*, in *Salesianum* 40 (1978) 529-582.

J. GNILKA, *Markus I* (cf. *supra*, p. 609), 1978, p. 118-124.

A.J. HULTGREN, *Jesus and His Adversaries. The Form and Function of the Conflict Stories in the Synoptic Tradition*, Minneapolis, 1979 (Diss. Union Theol. Sem., N. Y., 1971), p. 111-115. Cf. *infra*, p. 647, n. 33.

R. KERNAGHAN, *History and Redaction in the Controversy Stories in Mark 2:1-3:6*, in *Studia Biblica et Theologica* 9 (1979) 23-47, pp. 35-36.

A. LINDEMANN, «*Der Sabbat ist um des Menschen willen geworden...*». *Historische und theologische Erwägungen zur Traditionsgeschichte der Sabbatperikope Mk 2,23-28 parr.*, in *Wort und Dienst* 15 (1979) 79-105.(2,23-24.27 + 28 + 25-26).

C.S. MORGAN, «*When Abiathar was High Priest*» (*Mark 2:26*), in *JBL* 98 (1979) 409-410.

W. SCHMITHALS, *Markus I* (cf. *supra*, p. 609), 1979, p. 182-191.

L. SCHOTTROFF - W. STEGEMANN, *Der Sabbat ist um des Menschen willen da. Auslegung von Markus 2,23-28*, in *Der Gott der kleinen Leute. Band 2: Neues Testament*, München-Gelnhausen, 1979, p. 58-70.

J. DEWEY, *Markan Public Debate. Literary Technique, Concentric Structure and Theology in Mark 2:1-3:6* (SBL Diss. Ser., 48), Chico (Calif.), 1980, p. 94-100. Cf. *infra*, p. 678, n. 153.

37. U. LUZ, *Markusforschung in der Sackgasse?*, in *TLZ* 105 (1980) 641-655, c. 648.

BETL 40 (1975) 227-270

JESUS AND THE SABBATH

SOME OBSERVATIONS ON MARK II, 27

When the chairman of the Colloquium invited me to give a conference he suggested a few topics that could possibly be treated in connection with the general theme of 'Jesus at the Beginning of Christology'. One of them was : Jesus and the Sabbath. The suggestion looked attractive, because in New Testament studies, and especially in the most controversial questions regarding Jesus' *ipsissima verba, ipsissima facta,* or *ipsissima intentio,* [1] agreement of scholarly opinion is rather a rare phenomenon, and it is a pleasant chance to be able to deal with a subject which, at first view, seems to unite different scholarly approaches.

Jesus' attitude to the Sabbath commandment is indeed one of the common topics in the historical Jesus research. In E. Käsemann's lecture of 1953 the Sabbath saying of Mk II, 27 : *τὸ σάββατον διὰ τὸν ἄνθρωπον ἐγένετο καὶ οὐχ ὁ ἄνθρωπος διὰ τὸ σάββατον,* is quoted as the expression of Jesus' spirit of freedom and unforced responsibility to God. The following verse, the Son of Man saying, is understood as a limitation and weakening, due to a community that was not prepared to allow to all men the radical freedom Jesus had assumed. [2] It is one of the clearest applications of what has been called the criterion of distinctiveness, or dissimilarity, or even the criterion of modification, the realisation of the conditions of authenticity which were stipulated

1. Comp. R. PESCH, *Jesu ureigene Taten. Ein Beitrag zur Wunderfrage* (Quaestiones Disputatae, 52), Freiburg i. B., 1970, p. 31 : " Dass Jesus am Sabbat geheilt hat, scheint durch Mk 3,1-6 glaubwürdig belegt zu sein. Doch gibt dieser Beleg kein Recht dazu, 'alle Sabbatheilungen' als 'ipsissima facta Jesu' anzugeben. Jesu Stellung zum Sabbat ist ihm unverwechselbar eigentümlich (vgl. vor allem auch Mk 2,27) ; Jesu Heilen am Sabbat gehört — sofern es bewusst anstössig geschieht — in diesen Horizont ". For *ipsissima intentio,* see K. KERTELGE, *Die Rückfrage nach dem historischen Jesus,* in *Herder Korrespondenz* 27 (1973) 299-304, p. 300.

2. E. KÄSEMANN, *Das Problem des historischen Jesus,* ZTK 51 (1954) 125-153, p. 145-146 = *Exegetische Versuche und Besinnungen,* I, Göttingen, 1960, p. 187-214, espec. p. 206-207 ; E. T. : *The Problem of the Historical Jesus,* in *Essays on New Testament Themes* (Studies in Biblical Theology, 41), London, 1964, p. 15-47, espec. p. 38-39.

by E. Käsemann as follows : " when there are no grounds either for deriving a tradition from Judaism or for ascribing it to primitive Christianity and especially when Jewish Christianity has mitigated or modified the received tradition, as having found it too bold for its taste ". [3] For other authors who are more impressed by multiple attestation, Jesus' " clashes with his contemporaries over sabbath observance " are to be included within the motifs " supported by all strands of the synoptics ". [4] " Dass bereits Jesus selbst und nicht erst die Gemeinde mit den jüdischen Sabbatvorschriften in Konflikt geraten ist, gehört zu den sichersten Zügen der Jesusüberlieferung ". [5]

This quotation is taken from E. Lohse, now bishop of Hannover, who contributed to the Jeremias Festschrift of 1960 with a paper on " Jesu Worte über den Sabbat ". It is a comprehensive treatment of our topic which, together with his article *σάββατον* in *Theologisches Wörterbuch* (of the same year), [6] became a common reference in all later studies. We will have to consider divergent approaches but we can take Lohse's contribution as a valuable starting-point for our exposition.

1. The Position of E. Lohse

The confrontation of Jesus and his disciples with the Sabbath commandment is widely attested in the four Gospels, but, as a first statement, Lohse observes that what may appear as a broad stream

3. *Ib.*, p. 207 ; E. T., p. 37. — On the criterion of distinctiveness (Fuller) or dissimilarity (Perrin), see R. H. FULLER, *A Critical Introduction to the New Testament*, Naperville, 1966, p. 91-104 ; N. PERRIN, *Rediscovering the Teaching of Jesus*, New York, 1967, p. 15-49. Comp. C. E. CARLSTON, *A " Positive " Criterion of Authenticity ?*, in *Bibl. Research* 7 (1962) 33-44 ; H. K. MCARTHUR, *Basic Issues : A Survey of Recent Research*, in *Interpretation* 18 (1964) 39-55 ; M. D. HOOKER, *Christology and Methodology*, NTS 17 (1970-71) 480-487 (with a critique of Perrin) ; D. G. A. CALVERT, *An Examination of the Criteria for Distinguishing the Authentic Words of Jesus*, NTS 18 (1971-72) 209-219 ; N. J. MCELENEY, *Authenticating Criteria and Mark 7, 1-23*, CBQ 34 (1972) 431-460 (for 'dissimilarity' the author proposes to use 'discontinuity', p. 440) ; D. LÜHRMANN, *Liebet eure Feinde (Lk 6, 27-36 / Mt 5, 39-48)*, ZTK 69 (1972) 412-438, p. 427-436. — The criterion of 'modification' is mentioned by Walker as a specific criterion. Cfr W. O. WALKER, *The Quest for the Historical Jesus : A Discussion of Methodology*, in *Angl. Theol. Rev.* 51 (1969) 38-56, p. 48-49 (see also MCELENEY, *art. cit.*, p. 442).

4. H. K. MCARTHUR, *The Burden of Proof in Historical Jesus Research*, in *Exp. Tim.* 81 (1970-71) 116-119, p. 118.

5. E. LOHSE, *Jesu Worte über den Sabbat*, in *Judentum, Urchristentum, Kirche, Fs. für J. Jeremias* (ed. W. ELTESTER ; Beihefte ZNW, 26), Berlin, 1960, ²1964, p. 80-89, espec. p. 84 ; reprinted in *Die Einheit des Neuen Testaments. Exegetische Studien zur Theologie des Neuen Testaments*, Göttingen, 1973, p. 63-71.

6. E. LOHSE, art. *σάββατον*, in TWNT, VII, Stuttgart, 1964 (= fasc. 1, January 1960), p. 1-35. See espec. p. 21-29 : " Die Sabbatkonflikte Jesu ".

of tradition, can be greatly reduced, since most of the Sabbath pericopes are formations of the Christian community or are created by the evangelist. Thus in John V and IX there is nothing in the healing story itself that refers to the Sabbath but the observation ἦν δὲ σάββατον (V, 9b ; IX, 14) is an addition from the evangelist who transformed the narrative into a controversy. So it reflects the situation of the Christian community at the end of the first century, when the Church was already definitely separated from Judaism. In John VII, 23 the evangelist employs the argument of the conflict between two commandments, the Sabbath and the circumcision, a motif which may be borrowed from more archaic controversies. The *Sondergut* of Luke contains two Sabbath pericopes, the healing of the cripple woman in XIII, 10-17 and the healing of the man with dropsy in XIV, 1-6. In this last pericope the saying of Jesus in v. 5, about the saving of an animal on a Sabbath day, has its parallel in Mt XII, 11(-12), and it deserves further consideration, but the story itself is *Gemeindebildung* and was used by Luke to introduce his composition of dinner-table discourses (XIV, 1-24). The pericope of Lk XIII, 10-17, too, is " eine jüngere Bildung ". Luke gives it here as an illustration of the impenitence of the Jews (cfr XIII, 1-9). The fact that the Sabbath controversy begins only after the act of healing, together with the more literary orientation of the saying of Jesus in v. 15 (when compared with Lk XIV, 5), are indications of its secondary character. Then the author comes to Mk II, 23-28 and III, 1-6, the plucking of the corn and the healing of the man with the withered hand. The two pericopes are part of a pre-Marcan collection in which the Sabbath conflicts were the culmination of the confrontation between Jesus and the scribes and Pharisees (II, 1 — III, 6). Mk II, 27 and 28, at the end of the plucking of the corn, are two independent preaching-sayings which were added here by Mark with the help of his linking formula καὶ ἔλεγεν αὐτοῖς. The pericope itself is *Gemeindebildung*, since the Pharisees are objecting against an action of the disciples and not of Jesus, and because the form of the debate is that of the controversies with the Jews in primitive Christianity. On the contrary, the healing story in Mk III, 1-5 is the pericope among the Sabbath stories which can most likely reflect the situation of the historical Jesus. Detailed reconstruction, however, is made impossible because of the community interest in transmitting and transforming the conflicts about the Sabbath.

The second part of Lohse's article is devoted to the sayings in Mk II, 27 ; III, 4 ; Mt XII, 11(-12) (and the parallel in Lk XIV, 5). The author defends the authenticity of the three logia. In fact, his argumentation consists in the application of several criteria. Firstly, the dissimilarity with Judaism : according to rabbinical prescriptions it was only in a case of acute danger to life that a man could be healed on the Sabbath day; otherwise the cure had to be postponed. To legalistic casuistry Jesus opposes the commandment of love. Second criterion: the dissimilarity with primitive Christianity. There is no evidence of healing on the Sabbath in the community of early Christians; they observed the Sabbath in deep respect for the Law. Thirdly, the criterion of coherence: the message of love is consistent with a large part of the parable teaching. The argumentation becomes more precise with regard to Mt XII, 11, par. Lk XIV, 5. The translation variants in the two versions point to an original saying in Aramaic (linguistic criterion). The saying refers to the rescue of an animal on the Sabbath as to an established usage. Such a practice was unthinkable in orthodox Jewish circles of Jerusalem but it corresponds well to what we know about the situation in Galilee (the environmental criterion). The introduction with τίς ἐξ ὑμῶν is a characteristic feature of the sayings of Jesus (the criterion of Jesus' style). And finally, there is the criterion of multiple attestation: Mk II, 27 is an independent logion, the sentence of Mk III, 4 is transmitted in a pre-Marcan collection which had its origin in oral tradition, and the Matthew-Luke parallel is assigned to the core of the sayings tradition, "zum ältesten Bestand der Logienüberlieferung". The attitude of Jesus is also indirectly attested in a variety of arguments proposed by Mark, Matthew, Luke, Paul and John: "Dieser vielstimmige Chor der Gemeinde gibt auf den Ruf Jesu die Antwort gehorsamen Glaubens" (p. 89).

Those are the main lines of Lohse's exposition. Although some authors have called it a too critical reduction of the authentic material, it should be agreed at least that the passages in John, the Lukan *Sondergut* and the peculiar verses in Matthew are not of direct relevance for the study of the attitude of the earthly Jesus. In fact, the difficulty for the study of 'Jesus and the Sabbath' is that even the word Sabbath is absent from the Q texts and that the primary material is only to be found in Mark. There should be no doubt about the secondary character of the two healing stories in Lk XIII and XIV. In my view they are almost completely due to Lukan redaction. The dependence of Lk XIV upon Mk III, 1-6 is especially relevant and attempts to reconstruct a Q passage are based on a false evaluation of the similarities with the Matthean redaction of the pericope of the man with the withered hand (XII, 9-14). In the corn-plucking story, too, the parallel texts of Matthew and Luke show some minor agreements, positive and negative, but again they are significant only for the editorial activity of Matthew and Luke. The omission of v. 27 is much more than a common negative reaction. Luke rewrites the passage in a more Messianic (or Christological) sense when he connects immediately the Son of Man saying with the example of David. Matthew is more sensitive to rabbinic argumentation where he adds to the example of David that of the Sabbath work of the priests.

It is in accordance with his general tendency that he specifies the superiority of Christ over the Temple in the teaching of mercy, and, in so doing, he prepares for the following account of the healing on a Sabbath.

Three logia are considered by Lohse as authentic : the sayings of Jesus in the two Sabbath pericopes in Mk II, 23-28 ; III, 1-6 : " The Sabbath was made for the sake of man and not man for the Sabbath " (II, 27) ; " Is it permitted to do good or to do evil on the Sabbath, to save life or to kill ? " (III, 4) ; and the sentence of Mt XII, 11 par. Lk XIV, 5 on the animal falling into the pit on the Sabbath. It is on the first of these logia that the exegetical literature on 'Jesus and the Sabbath' is most concentrated and it will be the main topic of our examination.

2. Mk II, 27 in Literary Criticism

E. Lohse considers Mk II, 27-28 as sentences which were appended by the evangelist to the preexistent pericope of the plucking of the corn (II, 23-26). [7] That is certainly the most common opinion, at least since it was proposed by R. Bultmann in *Die Geschichte der synoptischen Tradition.* [8] The two sayings are called by Lohse independent *Predigt-*

7. E. LOHSE, *Jesu Worte über den Sabbat,* p. 82 ; TWNT, VII, p. 22.

8. R. BULTMANN, *Die Geschichte der synoptischen Tradition* (FRLANT 29), Göttingen, 1921, p. 7 ; ²1931, p. 14-15 ; E. T., ²1968, p. 16-17. Cfr V. TAYLOR, *The Formation of the Gospel Tradition,* London, 1933, p. 33 and 81 ; J. SUNDWALL, *Die Zusammensetzung des Markusevangeliums* (Acta Academiae Aboensis, Humaniora IX, 2), Abo, 1934, p. 18-19. See the commentaries on Mark : F. HAUCK, *Das Evangelium des Markus* (Theologischer Handkommentar zum Neuen Testament mit Text und Paraphrase, 2), Leipzig, 1931, p. 39 ; E. LOHMEYER, *Das Evangelium nach Markus* (Kritisch-exegetischer Kommentar über das Neue Testament I, 2), Göttingen, ¹⁰1937 ; = ¹⁵1959, p. 65 ; V. TAYLOR, *The Gospel according to St. Mark,* London-New York, 1952, p. 218-219 ; J. SCHMID, *Das Evangelium nach Markus* (Regensburger Neues Testament, 2), Regensburg, ⁴1958, p. 70 ; E. SCHWEIZER, *Das Evangelium nach Markus* (Das Neue Testament Deutsch, 1), Göttingen, 1967, p. 39 ; and the special studies : H. E. TÖDT, *Der Menschensohn in der synoptischen Überlieferung,* Gütersloh, 1959, p. 121 ; A. SUHL, *Die Funktion der alttestamentlichen Zitate und Anspielungen im Markusevangelium,* Gütersloh, 1965, p. 82-83 ; J. DUPONT, see n. 13 ; J. ROLOFF, *Das Kerygma und der irdische Jesus. Historische Motive in den Jesus-Erzählungen der Evangelien,* Göttingen, 1970, p. 74. — There is a double error in Roloff's statement : " Diese Möglichkeit wurde *erstmals* von Bultmann... zur Diskussion gestellt, jedoch *von ihm selbst verworfen* " (*op. cit.,* p. 54, n. 11 ; the italics are ours). Cfr already K. L. SCHMIDT, *Der Rahmen der Geschichte Jesu,* Berlin, 1919 ; = Darmstadt, 1964, p. 97 : " Mk 2,27 hebt noch einmal neu an : *καὶ ἔλεγεν.* Es folgen zwei Sprüche. Mit dem vorher gebrachten Davidspruch kann das Sabbatgespräch sein Ende erreicht haben " ; M. ALBERTZ, *Die synoptischen Streitgespräche. Ein Beitrag zur Formengeschichte des Urchristentums,*

sprüche.[9] Others reckon with the possibility that they were detached from a more original context.[10] The first sentence was added to the pericope together with, or followed by, the Son of Man saying (v. 28), but it is agreed that v. 27 most probably is an authentic saying of Jesus.[11]

The secondary character of v. 27 in the context of the plucking of the corn is defended also in a quite different approach. Although the

Berlin, 1921, p. 10 : " Das zweite, nur Mk 2,27 überlieferte Herrenwort sieht von der Frage ab und darf wieder in seiner verallgemeinernden Grundsätzlichkeit als Zusatz zu dem Streitgespräch gelten " ; (on vv. 27-28 :) " zwei gegeneinander selbständige Sprüche ungeschickt verbunden " ; p. 14 : " das Bedürfnis nach grundsätzlichen Normen... das insbesondere das erste Sabbatgespräch zu einem kleinen Katechismus über die Sabbatfrage erweitert ". Comp. R. BULTMANN, *op. cit.*, p. 14 : " Mit der Gegenfrage müsste die Debatte stilgemäss zu Ende sein, und die typische Aufreihungsformel *καὶ ἔλεγεν αὐτοῖς* zeigt auch deutlich, dass mit Mk 2,27f. ein ursprünglich isoliertes Logion angefügt ist ". The observation of Roloff apparently refers to Bultmann's discussion of the authenticity of v. 27 (*ibid.*) !

9. The expression *Predigt-Spruch* was used by M. Dibelius with reference to v. 28 only : " einen Predigt-Spruch..., d.h. eine Deutung der Gemeinde zur Antwort Jesu : daraus könnt ihr Hörer sehen, dass der Menschensohn, d.h. Jesus, auch über den Sabbat Herr ist " (*Die Formgeschichte des Evangeliums*, Tübingen, 1919 ; [2]1933, p. 62). Compare E. LOHMEYER, *Markus* (see n. 8), p. 66 : " ein Kommentar der Urgemeinde zu dem heiligen Text seiner Geschichte ".

10. V. TAYLOR, *The Formation* (see n. 8), p. 81 : " It may be that the saying was current as an isolated word of Jesus, and was simply appended to the Cornfields story ; but it is also possible that it formed the climax of a lost Pronouncement-Story " ; C. E. B. CRANFIELD, *The Gospel according to Saint Mark*, Cambridge, 1959, p. 117 : " If, however, it is independent of vv. 23-6, it may originally have been connected with a healing ". Comp. J. ROLOFF, *Das Kerygma* (see n. 8), p. 58 (less probable).

11. The authenticity of II, 27 is generally accepted by authors who, like Lohse, consider vv. 27-28 as independent sentences appended to the pericope. Cfr C. COLPE, *ὁ υἱὸς τοῦ ἀνθρώπου*, TWNT, VIII, Stuttgart, 1967, p. 455 : " über dessen Echtheit ein gewisser Konsensus hergestellt ist " (in n. 368 he refers to Lohse, Braun, Lohmeyer). Comp. C. HINZ, *Jesus und der Sabbat*, in *Kerygma und Dogma* 19 (1973) 91-108, p. 95-96 : " Die Traditionsgeschichte sagt allgemein, Mk 2, 27 sei ein altes Jesuslogion ". The author seems to understand " altes Jesuslogion " as authentic saying of Jesus. He is perhaps too optimistic when he refers to Bultmann (*Die Geschichte*, p. 14). Surely, for Bultmann it is an archaic logion (p. 88) and it is not impossible that Jesus used the saying (cfr p. 109 : " Warum könnte er sich nicht mit dem auch von Rabbinen gesprochenen Wort vom Sabbat, der um des Menschen willen da ist (Mk 2, 27), verteidigt haben ? ". Curiously enough in the English translation of J. Marsh, [2]1968, this phrase is omitted.) But it is not one of those sayings that can be ascribed to Jesus with confidence (p. 110). — This question of the authenticity of v. 27 is intimately connected with that of its relationship to v. 28 (the Son of Man saying : originally an independent sentence or a conclusion drawn from v. 27). Compare, however, the interpretation of A. Suhl (cfr *infra*, n. 65).

textual authenticity of the verse is no longer put in question,[12] it is understood as a redactional gloss, an insertion before the traditional conclusion of the pericope in v. 28. This hypothesis is supported by some upholders of an Urmarcus theory[13] and, with more emphasis,

12. V. 27 (and ὥστε in v. 28) is omitted by codex D and some Old Latin mss. (a c e ff i) ; the second half of the verse (καὶ οὐχ...) is lacking in W and sy^{s}. These text-critical data and the omission of v. 27 by Matthew and Luke have led to the view that the verse is a post-Marcan interpolation. Cfr C. G. WILKE, *Der Urevangelist*, Dresden, 1838, p. 190 and p. 464 ; P. WERNLE, *Die synoptische Frage*, Freiburg i.B., 1899, p. 55 : " Hier liesse sich sagen, dass die Rücksicht auf die Parallelen schwerlich die Auslassung veranlasst habe, der Schluss von David auf den Menschensohn scheint vielmehr ursprünglich " ; V. H. STANTON, *The Gospels as Historical Documents. II. The Synoptic Gospels*, Cambridge, 1909, p. 142-143 : " The saying... has the appearance of being an insertion. There does not seem to be any good reason why it should have been passed over in both the other gospels, and especially in St Luke, if it was in the original document. And the connexion between it and the following saying, suggested by the ὥστε at the beginning of the next sentence, is somewhat forced and not in accordance with the usual style of this gospel ". See B. W. BACON, *Is Mark a Roman Gospel ?* (Harvard Theological Studies, 7), Cambridge (Mass.), 1919, p. 70, n. 3 ; E. MEYER, *Ursprung und Anfänge des Christentums*, I, Stuttgart-Berlin, 1924, p. 106, n. 1 : " dieser Vers (ist) also vielleicht eher ein nachträglicher Einschub bei Marcus " ; B. H. BRANSCOMB, *The Gospel of Mark* (The Moffatt New Testament Commentary), London, 1937, p. 58 ('Western non-interpolation'). — Glasson's hypothesis is a different one : Mk II, 27 is one of the 20 common omissions in Matthew-Luke and in D, and " all the facts would be explained if we supposed that Matthew and Luke used copies of Mark which shared a number of corruptions — corruptions which have been retained, with many others of course, in the Western authorities ". See T. F. GLASSON, *Did Matthew and Luke Use a 'Western' Text of Mark*, in *Exp. Tim.* 55 (1943-44) 180-184, espec. p. 180. Comp. J. P. BROWN, *An Early Revision of the Gospel of Mark*, JBL 78 (1959) 215-227, p. 225.

13. W. BUSSMANN, *Synoptische Studien*, I, Halle, 1925, p. 92. Less affirmative : H. E. TÖDT, *Der Menschensohn* (see n. 8), p. 122, n. 64 ; G. BARTH, *Das Gesetzesverständnis des Evangelisten Matthäus*, in G. BORNKAMM, G. BARTH, H. J. HELD, *Überlieferung und Auslegung im Matthäusevangelium* (WMANT 1), Neukirchen, 1960, p. 85, n. 1. Comp. H. J. HOLTZMANN, *Die synoptischen Evangelien*, Leipzig, 1863, p. 110 (cfr *infra*, n. 23) ; C. WEIZSÄCKER, *Untersuchungen über die evangelische Geschichte, ihre Quellen und den Gang ihrer Entwicklung*, Tübingen-Leipzig, ^{2}1901, p. 38 : " Unter allen Modifikationen der synoptischen Quelle aber ist der Zusatz in der Sabbathgeschichte 2,27, dass der Sabbath um des Menschen willen da sei und nicht umgekehrt, wohl der einzige der eine eigene spätere Reflexion in die Quelle getragen hat. Von allen anderen Veränderungen des Textes durch Markus lässt sich leicht zeigen, dass sie nur formeller Art sind " ; J. WEISS, *Das älteste Evangelium. Ein Beitrag zum Verständnis des Markus-Evangeliums und der ältesten evangelischen Überlieferung*, Göttingen, 1903, p. 91-92 : " ... der (vielleicht erst vom Bearbeiter eingefügte) Gedanke aus 2,27 ". Cfr *Die Schriften des Neuen Testaments*, I, Göttingen, 1905 ; = ^{3}1917 (ed. W. BOUSSET), p. 97-98 : " ... steht nur bei Markus, und auch nicht einmal in allen guten Handschriften, ist daher vielleicht erst später eingefügt. Auch hat es im Talmud fast wörtliche Anklänge...

by those who maintain the priority of Matthew. [14] In a Louvain conference one could hardly remain silent about this last hypothesis. All Cerfaux students will have noted that v. 27 is a Marcan addition : " moins digne d'ailleurs du Christ et en contradiction avec 'le verset suivant ... Le caractère secondaire de ce v. 27 de Mc est évident. Mt et Lc n'ont même pas eu à l'omettre, il ne se trouvait pas dans la source " [15]. In a concise note on Marcan redaction (in his dissertation on *Gnosis*), [16] J. Dupont defended the priority of the Matthean parallel. The author later retracted, [17] but in 1962 the same approach was expounded in a well documented article of *Revue Biblique* by a Louvain alumnus, F. Gils [18] and, shortly after, with a reconsideration of the whole pericope of the plucking of corn, in an influential study of P.

So ist die Möglichkeit vorhanden, dass es erst später Jesus in den Mund gelegt ist ".

14. Compare B. C. BUTLER, *The Originality of St Matthew*, Cambridge, 1951, p. 89-90 : " The same phrase (*kal rçe?eç*) is used at Mark ii. 27, where it interrupts our Lord's words quite unnecessarily, but at a point where St Mark — if secondary — has broken away from Matthew by omission (cf. Matt. xii. 5-7) ". Certainly, this interpretation is much older : e.g., W. M. L. DE WETTE, *Kurze Erklärung der Evangelien des Lukas und Markus* (Kurzgefasstes exegetisches Handbuch zum Neuen Testament, I, 2), Leipzig, [3]1846, p. 179 ; P. SCHANZ, *Commentar über das Evangelium des heiligen Marcus*, Freiburg i.B., 1881, p. 142 : " dem Matthäus gegenüber liegt eine Erweiterung vor ".

15. Cfr the 1952-53 course of L. Cerfaux on the Synoptic Gospels (Student Notes, p. 89). Comp. L. VAGANAY, *Le problème synoptique*, Tournai, 1954, p. 167 : " Dans l'épisode des épis froissés les trois versets propres à Mt. (12, 5-7) complètent l'argumentation du Christ chez Mc. (2, 23-28) et Lc. (6, 1-5), non pas seulement d'une façon très naturelle, mais avec une profusion de mots-crochet, où se révèle un arrière-fond sémitique, tandis que chez Mc. 2, 27 la reprise : 'Et il leur disait' indique suffisamment une interruption ". The position of L. Vaganay, however, is rather hesitant : see p. 194 (" les motifs de leur omission par Mt.-Lc. ne sont pas trop difficiles à deviner"), and p. 211 (again on the omission : " le trait a dû paraître... trop difficile à entendre ").

16. J. DUPONT, *Gnosis. La connaissance religieuse dans les épîtres de saint Paul* (Universitas Catholica Lovaniensis. Dissertationes ad gradum magistri, II, 40), Louvain-Paris, 1949, p. 196, n. 2.

17. J. DUPONT, *Les Béatitudes. Tome II. La bonne nouvelle* (Études Bibliques), Paris, [2]1969, p. 222, n. 6. Comp. p. 227 : " On peut donc supposer qu'il s'agit d'un logion isolé, qui aurait été rattaché à l'épisode du festin comme, plus loin, les sentences de 2, 21-22 et 2, 27-28 ont été jointes à des récits auxquels elles n'appartenaient probablement pas ".

18. F. GILS, « *Le sabbat a été fait pour l'homme et non l'homme pour le sabbat* » *(Mc, II, 27). Réflexions* à *propos de Mc, II, 27-28*, RB 69 (1962) 506-523. — Comp. E. J. MALLY, *The Gospel according to Mark*, in *The Jerome Biblical Commentary*, London, 1969, II, p. 27-28 : " Probably Mk 2 : 23-28 is a secondary redaction of the Sabbath controversy as found in Mt and Lk, rather than Mk having been used as their source... Mark has added it (2 : 27) to the common tradition with a Gentile church in mind ".

Benoit. [19] More recently, it received a wider divulgation with the Commentary of M.-E. Boismard, although it is proposed by this author in combination with the prevailing view that verses 27 *and* 28 were added by Mark : the redactor used a proto-Marcan story (vv. 23-26), borrowed v. 28 from Matthew and added v. 27. [20]

In the two main options already mentioned Mk II, 27 is an additional element in the pericope. Recently, however, there is a growing tendency in favour of the reintegration of v. 27 in the conflict-story of the plucking of corn. The view that v. 27 was the original conclusion is certainly not uncommon in older exegesis. It was proposed by authors like B. Weiss, [21] A. Loisy, [22] E. Wendling, [23] who maintain that v. 28

19. P. BENOIT, *Les épis arrachés (Mt. 12, 1-8 et par.)*, in *Studii Biblici Franciscani Liber Annuus*, XIII (1962-63) 76-92 ; = *Exégèse et Théologie*, III (Cogitatio Fidei, 30), Paris, 1968, p. 228-242.

20. P. BENOIT-M.-E. BOISMARD, *Synopse des quatre évangiles en français. Tome II. Commentaire par M.-E. Boismard*, Paris, 1972, p. 115-117. In clear dependence upon Boismard : A. DUPREZ, *Deux affrontements un jour de sabbat. Mc 2,23-3,6*, in *Assemblées du Seigneur*, 40, Paris, 1972, p. 43-53, espec. p. 45-49. On p. 46 : "La plupart des critiques le (= *v. 27*) considèrent comme une addition de Marc" (!) (compare with the statement of C. Hinz, *supra*, n. 11).

21. The opinion of B. Weiss should be quoted here. V. 27 was the original answer of Jesus in the incident of the corn-plucking as it came to Mark from the Petrine tradition. Vv. 25-26.28 are borrowed from the Apostolic Source, which is better preserved in Mt XII, 3-8 (although combined with the text of Mark). Originally these sayings were the reply of Jesus to the objection of the Pharisees (v. 2 : *ἰδού, οἱ μαθηταί σου, ἐν σαββάτῳ* are from the non-Markan tradition) and the action of the disciples (cfr Lk XIII, 14 : *ἐργάζεσθαι*) was not the plucking of the corn but their healing activity on the Sabbath according the instructions of Jesus (Mt X, 8 ; comp. the service of the priests in vv. 5-6). — On the Apostolic Source in Mt XII, 1 ss., cfr B. WEISS, *Die Erzählungsstücke des apostolischen Matthäus*, in *Jahrbücher für deutsche Theologie*, 10 (1865) 319-376, p. 324-325 ; *Das Marcusevangelium und seine synoptischen Parallelen*, Berlin, 1872, p. 101 ; *Das Matthäusevangelium und seine Lucas-Parallelen*, Halle, 1876, p. 310, n. 1 ; 312 ; *Das Matthäus-Evangelium* (Kritisch-exegetischer Kommentar über das Neue Testament, I, 1), Göttingen, [8]1890, p. 226, n. 1 ; p. 227, n. 1. — On Mk II, 27, see *Die Evangelien des Markus und Lukas* (Kritisch-exegetischer Kommentar über das Neue Testament, I, 2), Göttingen, 1878, p. 43 (and n. 1) : " Allein der Spruch (V. 27) stammt aus petrinischer Überlieferung und enthält wohl die ursprüngliche Antwort Jesu bei Gelegenheit des Vorwurfs wegen des Ährenraufens, zu dem er ungleich besser passt, als die von Markus damit verbundenen der älteren Quelle " ; comp. *ibid.*, [9]1901, p. 43(-44), n. 1.

22. A. LOISY, *Les évangiles synoptiques*, I, Ceffonds, 1907, p. 511-512.

23. E. WENDLING, *Die Entstehung des Marcus-Evangeliums. Philologische Untersuchungen*, Tübingen, 1908, p. 210-211 ; see also p. 238 (correction of *Ur-Marcus*, Tübingen, 1905, p. 45, where Mk II, 28 is assigned to the " Urbericht "). *Ibid.*, p. 211, n. 1 : " Der Gedanke 2 28 knüpft über 27 weg neu an 25 f an, indem er dem David den Messias gegenüberstellt (den David ja selber 12 37 *κύριος* nennt !). Hierauf beruht wohl der Eindruck, dass 27 ein Einschub sei ". The author refers to H. J. HOLTZMANN, *Das messianische Bewusstsein Jesu. Ein Beitrag zur Leben-*

was added by Mark, and (with some hesitation) also by M.-J. Lagrange [24] who considers v. 28 as an early interpolation. E. Klostermann [25] first formulated the possibility that the original framework of the pericope was formed by vv. 23, 24 and 27. As the example of David in vv. 25-26 and the Sabbath saying in v. 27 are a double answer of Jesus to the objection of the Pharisees (v. 24), the counterquestion with the proof from Scripture could be an intrusive element and v. 27 the original answer and the conclusion of the pericope. Klostermann's hypothesis was mentioned in a foot-note of the second edition of Bultmann's *Geschichte der synoptischen Tradition.* [26] Its success is undeniable : the Urmarcus of J. M. C. Crum [27] and E. Hirsch [28] is reconstructed accord-

Jesu-Forschung, Tübingen, 1907, p. 60 : " Mc 2,27 ... ein die Auffassung des Evangelisten bekundendes Einschiebsel " (cfr *supra*, n. 13).

24. M.-J. LAGRANGE, *Évangile selon saint Matthieu* (Études Bibliques), Paris, 1923 ; = 1948, p. 234 : " Dans Mc. l'épisode des épis donnait lieu, au v. 27, à une conclusion très naturelle. ... Mais la conclusion de Mt. placée au v. 28 dans Mc. n'y est pas préparée. Elle a tout à fait l'aspect d'une addition, addition très ancienne, puisqu'elle est dans Lc. ... Ce passage est très fort pour indiquer une certaine dépendance du Mc. actuel vis-à-vis de Mt. ". See also p. CXLV : " des additions dont les mss. n'ont pas conservé la trace " ; note 1 : " Peut-être avant même que Luc ait écrit ". According to Lagrange both conclusions, Mt XII, 8 (= Mk II, 28) as well as Mk II, 27, can be authentic sayings of Jesus : " rien ne s'oppose à ce que les paroles de Jésus aient contenu les deux éléments, en plaçant ... la conclusion de Mc. où il l'a placée, avant le second degré de la discussion " (p. 234). The author introduces the same supposition in the fourth edition of *Evangile selon saint Marc* (Études Bibliques), Paris, 1929 ; = 1947, p. 56 : " il resterait à supposer que le v. 28 a été inséré très anciennement dans Mc. d'après Mt. XII, 8 ". — For the opinion that Mk II, 28 is a later interpolation : J. V. BARTLET, *St. Mark* (Century Bible), Edinburgh, 1922, p. 140 ; A. E. J. RAWLINSON, *The Gospel according to St. Mark* (Westminster Commentaries), London, 1949, p. 33.

25. E. KLOSTERMANN, *Das Markusevangelium* (Handbuch zum Neuen Testament, 3), Tübingen, ²1926 ; = ⁵1971, p. 29 : " Meist betrachtet man v. 23-25 (*!*) als ein ursprünglich in sich abgeschlossenes Streitgespräch... Möglicherweise bildeten aber ursprünglich v. 23 f. + 27 eine Einheit, dagegen die rabbinische Beweisführung 25 f. eine Einschaltung und v. 28 eine ungeschickte Anfügung ". (Compare with B. Weiss' Petrine tradition, cfr *supra*, n. 21.) The suggestion appears in the second edition of 1926. The first edition (*Markus*, 1907 ; = *Die Synoptiker*, 1919) has only the common opinion : " Der Ausspruch Jesu zerfällt auch hier in zwei Teile, v. 25 f. und v. 27 f., und wieder fragt sich, ob beide ursprünglich neben einander ihren Platz haben " (p. 24) ; " Mit *καὶ ἔλεγεν αὐτοῖς* wird ein zweites, vielleicht ursprünglich selbständiges Stück der Antwort Jesu noch besonders eingeführt " (p. 26).

26. R. BULTMANN, *Die Geschichte*, p. 14, n. 2 ; E.T., p. 16, n. 2. Cfr *supra*, n. 8.

27. J. M. C. CRUM, *St. Mark's Gospel. Two Stages of Its Making*, Cambridge, 1936, p. 19-20 and 103-104. Mk II, 25-26 and 28 are added by Mark II.

28. E. HIRSCH, *Frühgeschichte des Evangeliums*. I. *Das Werden des Markusevangeliums*, Tübingen, 1941 ; = ²1951, p. 14-15 and 221-222. Mk I : vv. 23-24.27. In Mk II the original answer of Jesus was replaced by vv. 25-26.28, into which the Redactor has inserted the primitive conclusion (v. 27). Compare, again, the position of B. Weiss (cf. *supra*, n. 21).

ingly and verses 23.24.27 are proposed as the original pericope by the commentators W. Grundmann, [29] E. Haenchen [30] and H. Schürmann [31] and more recently by H.-W. Kuhn [32] and A. J. Hultgren [33]. It is also held, by F. W. Beare [34] and W. Rordorf [35] that the saying about David and the shewbread is a secondary accretion to vv. 23-24.27-28.

The spectrum of opinions becomes somewhat more complicated when we concentrate now upon Mk II, 27 in its connection with v. 28 : *ὥστε κύριός ἐστιν ὁ υἱὸς τοῦ ἀνθρώπου καὶ τοῦ σαββάτου*. Because of its relation with the preceding *ἄνθρωπος* sentence, v. 28 played an important role in the Son of Man debate. The theory of the misunderstanding of *bar nasha* used generically found here its best illustration. [36] It is still

29. W. GRUNDMANN, *Das Evangelium nach Markus* (Theol. Handkomm. z. N.T., 2), Berlin, 1959, p. 67 : with reference to the opinion of Klostermann. Cfr TLZ 86 (1961), col. 433 : " Kann nicht 2,23.24.27 die älteste Form des Streitgesprächs sein, aufgefüllt durch schriftgelehrte Arbeit in 2,25.26 und mit einem Schlusswort 2,28 versehen ? " (contra Tödt).

30. E. HAENCHEN, *Der Weg Jesu. Eine Erklärung des Markus-Evangeliums und der kanonischen Parallelen* (Sammlung Töpelmann, II, 6), Berlin, 1966, p. 121 : " Ein sehr schriftkundiger Mann hat vor Jesu überlieferter kühner Antwort noch V. 25f. eingefügt und dann V. 27 mit den Worten 'und er sagte ihnen' folgen lassen ". *Ibid.* : " schon jene Überlieferung der Mk hier folgt, (hat) V. 27 begrenzt durch den Zusatz von V. 28 ". Comp. H. MERKEL, *Jesus und die Pharisäer*, NTS 14 (1967-68) 194-208, p. 203-205.

31. H. SCHÜRMANN, *Das Lukasevangelium* (Herders Theologischer Kommentar zum N.T., 3), I, Freiburg i.B., 1969, p. 305.

32. H.-W. KUHN, *Ältere Sammlungen im Markusevangelium* (Studien zur Umwelt des Neuen Testaments, 8), Göttingen, 1971, p. 76 (much influenced by Haenchen).

33. A. J. HULTGREN, *The Formation of the Sabbath Pericope in Mark 2,23-28*, JBL 91 (1972) 38-43. The author, mainly indebted to Beare, does not mention the position of Haenchen (reference to Klostermann, p. 40, n. 11). Comp. *Jesus and His Adversaries. A Study of the Form and Function of the Conflict Stories in the Synoptic Tradition* (Dissertation at Union Theological Seminary), New York, 1971.

34. F. W. BEARE, " *The Sabbath was Made for Man ?* ", JBL 79 (1960) 130-136, espec. p. 133-134 ; *The Earliest Records of Jesus*, Oxford, 1962, p. 90-93.

35. W. RORDORF, *Der Sonntag. Geschichte des Ruhe- und Gottesdiensttages im ältesten Christentum* (ATANT, 43), Zürich, 1962, p. 61. See also *Sabbat und Sonntag in der alten Kirche* (Traditio Christiana, 2), Zürich, 1971, p. 7, n. 1 ; in French translation : *Sabbat et Dimanche dans l'Église ancienne* (Traditio Christiana, 2), Neuchâtel, 1972, p. 7, n. 1.

36. J. WELLHAUSEN, *Das Evangelium Marci übersetzt und erklärt*, Berlin, 1903 ; [2]1909, p. 20 : " Der Schluss 2,28 ist nicht aus dem Beispiel Davids gefolgert, sondern hat eine neue Prämisse. Wenn er bündig sein soll, so muss das Hauptwort der Aussage in ihm das selbe sein, wie in der Prämisse : der Sabbat ist wegen *des Menschen* da und nicht *der Mensch* wegen des Sabbats, also ist *der Mensch* Herr über den Sabbat. Auch hier wie in 2,10 ist der Mensch, wie schon Hugo Grotius erkannt hat, fälschlich zum Menschensohn erhöht, und aus dem selben Grunde : ein solche *ἐξουσία* kann nur der Messias haben. Jesus hat ja aber gar nicht den Sabbat

a widespread opinion that mistranslation for 'man' is a valid explanation of the origin of ὁ υἱὸς τοῦ ἀνθρώπου in sayings with reference to the earthly ministry of Jesus, [37] and some authors who are opposed to that theory are willing to make an exception for Mk II, 28. [38] The two sentences then make up a double saying or even one single saying: the Sabbath is made for man and the man is master of the Sabbath. [39]

gebrochen, sondern seine Jünger, und deren Verhalten soll gerechtfertigt werden". — Cfr H. GROTIUS, *Annotationes in libros Evangeliorum*, Amsterdam, 1641; see *Critici Sacri*, Vol. 6, Amsterdam, 1698, c. 445-446: "Est ergo hic υἱὸς ἀνθρώπου (filius hominis) homo quivis; quod ita apertum facit Marcus ut contradici nequeat... Neque obstat hic articulus nam ὁ υἱὸς τοῦ ἀνθρώπου recte dicitur cum de generis humani universitate agitur. Saepe enim articulus notat τὸ καθόλον (totum genus)". — Comp. H. J. HOLTZMANN, *Lehrbuch der neutestamentlichen Theologie*, Freiburg i.B.-Leipzig, 1897, p. 256: "Hiernach ergibt sich für die Sabbathstelle, zumal angesichts des Sondergutes Mc 2 27, ein Sinn, der insofern allein allen Regeln der Logik entspricht, als das Subject der Aussage in Folgesatz wirklich dasselbe ist wie im Vordersatze. (*Note* 4: So nach Hugo Grotius, Wellhausen, Pfleiderer, A. Meyer, Joh. Weiss, Meinhold)". The author's personal position is different: cfr *Die Synoptiker* (Hand-Commentar z. N.T., 1), Freiburg i.B., ²1892, p. 92. In the third edition, however, the argument of the identity of the subject is mentioned and the hypothesis of mistranslation is treated more favorably: "wenn er nicht einfach den Menschen bezeichnen sollte" (1901, p. 124).

37. Cfr R. BULTMANN, *Die Theologie des Neuen Testaments*, Tübingen, 1948; = ³1958, p. 31: "Die synoptischen Menschensohnworte zerfallen in drei Gruppen: sie reden 1. vom kommenden, 2. vom leidenden und auferstehenden, 3. vom gegenwärtig wirkenden 'Menschensohn'. Die dritte Gruppe (Mk 2,10.28; Mt 8,20 par.; 11,19 par.; 12,32 par.) verdankt ihre Entstehung nur einem Missverständnis der Übersetzung ins Griechische. Im Aramäischen war in diesen Worten das 'der Sohn des Menschen' überhaupt nicht messianischer Titel, sondern hatte den Sinn von 'Mensch' oder von 'ich'. Diese Gruppe scheidet also aus". Comp. *Die Geschichte*, ²1931, p. 163 (-164), n. 2; on Mk II, 28 ('Mensch'): p. 14-15 and 87-88. — J. JEREMIAS, *Neutestamentliche Theologie*. I. *Die Verkündigung Jesu*, Gütersloh, 1971, p. 250: "An allen diesen Stellen (= the same five references) war vermutlich *bar 'änaša* im alltäglichen Sinn von der 'Mensch' bzw. 'ein Mensch' gemeint, und erst die urkirchliche Überlieferung hat in ihnen den apokalyptischen Titel 'Menschensohn' gefunden". On Mk II, 28: "V. 27 redet zweimal von Menschen im generischen Sinn, also wohl auch der Nachsatz V. 28" (p. 249); see also *Die aramäische Vorgeschichte unserer Evangelien*, TLZ 74 (1949) 528; *Die älteste Schicht der Menschensohn-Logien*, ZNW 58 (1967) 159-172, p. 165. — Compare among others: F. J. FOAKES JACKSON and K. LAKE, *The Beginnings of Christianity*, I, London, 1920, p. 368-384; on Mk II, 28, p. 378-379; T. W. MANSON, *The Teaching of Jesus*, Cambridge, 1931, p. 211 ff.; on Mk II, 28, p. 214.

38. O. CULLMANN, *Christologie du Nouveau Testament* (Bibliothèque Théologique), Neuchâtel-Paris, 1958, p. 131-132: "Sur un point seulement, il est possible de faire une concession à la thèse de Lietzmann... On peut admettre que ce mot a le même sens dans les deux versets, c'est-à-dire qu'il s'applique à l'homme en général, et non au 'Fils de l'homme' Jésus".

39. Other defenders of that opinion are: J. D. DRUMMOND, *The Use and Meaning of the Phrase 'The Son of Man' in the Synoptic Gospels*, JTS 2 (1901) 350-358. 539-

As such, that is without the Son of Man title, it is ascribed to Jesus. [40] In fact, it is most exceptional in modern literature that this passage is advanced as evidence for the Son of Man in a titular sense used by Jesus. [41] T. W. Manson who understands both ἄνθρωπος in v. 27 and

571, espec. 549-550 ; J. M. CREED, *The Gospel according to St. Luke*, London, 1930, p. 84-85 ; B. S. EASTON, *Christ in the Gospels*, New York-London, 1930, p. 116-117 ; C. C. TORREY, *The Four Gospels. A New Translation*, London, s.d. ; New York, 1933, p. 73 ; C. J. CADOUX, *The Historic Mission of Jesus*, London, 1941, p. 75-76 ; G. S. DUNCAN, *Jesus, Son of Man*, London, 1948, p. 147-148 ; M. BLACK, *An Aramaic Approach to the Gospels and Acts*, Oxford, [2]1954, p. 246-247 ; cfr *The 'Son of Man' in the Teaching of Jesus*, in *Exp. Tim.* 60 (1948-49) 32-36, espec. p. 33. — It is widely assumed that on the level of the Marcan redaction the term Son of Man has already taken a Christian titular sense. Cfr A. SCHWEITZER, *Geschichte der Leben Jesu Forschung* (1906), Tübingen, 1951, p. 273 : " Im Sabbatspruch, Mk 2 28, ... stand wohl Menschensohn generell für 'Mensch', wurde aber, wenigstens von unsern Evangelisten, als auf den Menschensohn-Jesus gehend verstanden " ; J. WELLHAUSEN, *Das Evangelium Marci*, p. 20 : " Auch hier wie in 2,10 ist der Mensch ... fälschlich zum Menschensohn erhöht, und aus dem selben Grunde : eine solche ἐξουσία kann nur der Messias haben " ; *Des Menschen Sohn*, in *Skizzen und Vorarbeiten*, VI, Berlin, 1899, p. 187-215, espec. p. 202 : " Die Unterscheidung zwischen ὁ ἄνθρωπος und ὁ υἱὸς τοῦ ἀνθρώπου und die dadurch beabsichte Beziehung des letzteren Ausdrucks auf Jesus ist also falsch. Sie entspringt sichtlich der Meinung, dem Menschen als solchem könne Jesus nicht die Gewalt, den Sabbath zu brechen, zuschreiben, sondern nur sich selber, weil er mehr war als Mensch " ; W. RORDORF, *Der Sonntag* (see n. 35), p. 65 ; cfr *infra*, n. 53. — Some authors, however, maintain that in Mark Son of Man still means 'man', not the Messiah, in view of the parallel in v. 27 (absent in Matthew and Luke). Cfr e.g. J. H. SCHOLTEN, *Das älteste Evangelium*, Elberfeld, 1869, p. 69 : " In diesem Falle verstand jedoch Matthäus den Ausdruck ὁ υἱὸς τοῦ ἀνθρώπου, womit Marcus hier im allgemeinen *den Menschen* bezeichnet (vergl. Marc. 3, 28), irrig vom Messias " ; A. H. M'NEILE, *The Gospel according to St. Matthew*, London, 1915, p. 170, and (with special emphasis on this Marcan understanding) L. S. HAY, *The Son of Man in Mark 2 10 and 2 28*, JBL 89 (1970) 69-75, p. 75 : " They have the same origin ; they have the same meaning — i.e., 'man' ; both are side remarks addressed to the reader, designed to underscore the sense of the narrative ". He bases his conclusion on the distribution in the gospel (before VIII, 31), the meaning of the pericope (not he but the disciples) and the preceding v. 27 (placed here by Mark).

40. P. VIELHAUER, *Jesus und der Menschensohn. Zur Diskussion mit Heinz Eduard Tödt und Eduard Schweizer*, ZTK 60 (1963) 133-177, p. 161 ; = *Aufsätze zum Neuen Testament* (Theologische Bücherei, 31), Munich, 1965, p. 92-140, espec. p. 122-123 : " Aber es ist fraglich, ob 'Menschensohn' hier ursprünglich Bezeichnung Jesu oder generisch Bezeichnung des Menschen überhaupt ist. Gegenüber *Schweizers* These : 'Gegenüber dem gut bezeugten Wort ist nichts einzuwenden, wenn man es nicht grundsätzlich für gegeben ansieht dass Jesus sich nicht als Menschensohn bezeichnete' (199) stellt sich vom sprachlichen und terminologischen Befund her die Alternative : entweder christologische Titulatur — dann sicher unecht, oder generischer Gebrauch — dann (hinsichtlich der Freiheit von Sabbat) wahrscheinlich echt, aber ohne Belang für die Frage, ob Jesus sich als Menschensohn bezeichnet hat ".

41. E. TROCMÉ, *La formation de l'évangile selon Marc*, Paris, 1963, p. 136, n. 98 : " L'authenticité du v. 28 n'est pas très souvent affirmée : sur ce point, M.-J. La-

ὁ υἱὸς τοῦ ἀνθρώπου in v. 28 as Son of Man with a collective nuance ('the people of the saints of the Most High') to denote Jesus and his disciples, is frequently quoted but rarely supported, [42] with the exception of F. W. Beare who, however, understands the title as an individual designation for Jesus himself and ascribes the saying to the Palestinian community. [43] The position of E. Schweizer in the discussion about the Son of Man sayings is well-known: Jesus identifies himself with the Son of Man and the words about the earthly Son of Man seem to be the most certain ones; [44] Mk II, 28 is well attested and there is no reason to deny its authenticity. [45] The secondary character of v. 27,

grange est isolé parmi les commentateurs modernes de Marc". Cfr *supra*, n. 24. — As a representative of the older interpretation we may quote here E. P. GOULD, *A Critical and Exegetical Commentary on the Gospel according to St. Mark* (Intern. Crit. Comm.), Edinburgh, 1896, p. 50: "This early statement of Jesus' lordship, and its use of the term *Son of Man* as his official title, is a good specimen of the way in which he tacitly assumed his Messianic character under this title, while the doubt in which the whole nation stood of his claim shows that he was not understood to make it formally".

42. T. W. MANSON, *Mark ii. 27 f.*, in *Coniectanea Neotestamentica, 11. In honorem A. Fridrichsen*, Lund, 1947, p. 138-146; *The Son of Man in Daniel, Enoch and the Gospels*, BJRL 32 (1949-50) 171-193; = *Studies in the Gospels and the Epistles* (ed. M. BLACK), Manchester, 1962, p. 123-145, espec. p. 143. In fact, it can be seen as an inversion of his former interpretation in *The Teaching of Jesus* (Cambridge, 1931) (mistranslation for 'man' in v. 28, cfr n. 39): "It is clear that the term bar nāshā could be misunderstood and taken to mean 'man' when actually 'Son of Man' was intended just as easily as the other way about" (*Mark ii, 27 f.*, p. 146). — Comp. Th. PREISS, *Le Fils de l'homme*, Montpellier, 1951, p. 28-29. The saying is based upon the double meaning of *bar nasha*: "Si l'*homme* en général est le but du sabbat, à combien plus forte raison l'*Homme* sera-t-il maître du sabbat, lui qui est venu pour sauver les hommes". Compare also Meyer (see n. 67), p. 37: "als das vertretende Haupt der Menschheit".

43. Cfr n. 34. *Ibid.*, p. 131: "It is to me utterly inconceivable that Jesus should have used the term in any such sense, or that anyone should have understood him if he had done so. But the validity of Manson's proposal to render 'Son of Man' consistently throughout the two verses holds quite as firm when we interpret 'Son of Man' as an individual designation for Jesus himself"; p. 135: "the saying originated not with Jesus, but with the apostolic church of Palestine".

44. E. SCHWEIZER, *Der Menschensohn (Zur eschatologischen Erwartung Jesu)*, ZNW 50 (1959) 185-205; = *Neotestamentica. Deutsche und Englische Aufsätze 1951-1963*, Zürich-Stuttgart, 1963, p. 56-84; *The Son of Man again*, NTS 9 (1962-63) 256-261; = *Neotestamentica*, p. 85-92; *The Son of Man*, JBL 79 (1960) 119-129.

45. See the quotation in n. 40. The saying was originally not connected with v. 27: "Ich halte V. 27 für sekundär, V. 28 für ein Einzelwort, dessen ursprüngliche Situation nicht mehr feststellbar ist, angefügt wie Mt 12,11 f (vgl. Lc 14,5) oder Lc 14,3 (vgl. 6,9)" (*Der Menschensohn*, p. 199, n. 47a). — Comp. E. BAMMEL, *Erwägungen zur Eschatologie Jesu*, in *Studia Evangelica* III (TU 88), Berlin, 1964, p. 3-32; p. 19-20: "... das Grundgesetz der Leben-Jesu-Forschung ... die Norm nämlich, dass diejenigen Züge als die echtesten zu gelten haben, die am wenigsten ableitbar sind. Geht man nach diesem Prinzip vor, dann treten gerade die Aussagen

which he maintained in his former contribution, is abandoned in his commentary on Mark (1967). He defends now the authenticity of the combined verses 27 and 28. The new freedom Jesus proclaims in v. 27 is justified by his coming as Son of Man : " Weil der Menschensohn da ist, *darum* ist solche Freiheit möglich ". Originally, v. 28 formed the *Begründung* and it is only the Aramaic particle which has been mistranslated into Mark's ὥστε (denoting a conclusion drawn from what precedes).[46] The interpretation of J. Roloff rejoins — not without special nuances — that of E. Schweizer.[47] He explains the term Son of Man in v. 28 as a first person circumlocution, with reference to the argument of G. Vermes.[48]

über den gegenwärtigen Menschensohn in den Vordergrund. Denn sie haben keine religionsgeschichtlichen Parallelen. Damit besteht das Präjudiz der Echtheit, soweit nicht spezielle Gründe dagegen sprechen... ". *Ibid.*, p. 21 : " Auch Mk 2,28 wird als echt anzusehen sein. Vers 27 und 28 sind voneinander unabhängige Überlieferungsvarianten der Antwort Jesu, die erst vom Redaktor aneinander geklebt worden sind ". See further n. 47.

46. E. SCHWEIZER, *Das Evangelium nach Markus* (see n. 8), p. 39-40. *Ibid.*, p. 39 : " Beide Worte können auf Jesus zurückgehen, der mit dem verhaltenen Hinweis auf das völlig Neue, das in seiner Person angebrochen ist, den fast erschreckend freien Satz V. 27 begründete ".

47. J. ROLOFF, *Das Kerygma* (see n. 8), p. 58-62 : verses 27 and 28 are authentic words of Jesus (" mit hoher Wahrscheinlichkeit "), they are intimately related (" *Weil* der Sabbat um des *Menschen* willen geschaffen ist, *darum* ist der *Menschensohn* auch Herr über den Sabbat ") and the saying about the *exousia* of the Son of Man is " ein verhülltes Selbstzeugnis Jesu " (comp. Mk II, 10 ; Mt VIII, 20 ; XI, 19 ; XII, 32). — On Mk II, 27, cfr *infra*.

48. *Ibid.*, p. 62, n. 38. — C. VERMES, *The Use of* בר נש/בר נשא *in Jewish Aramaic*, in M. BLACK, *An Aramaic Approach to the Gospels and Acts*, Oxford, ^{3}1967, p. 310-328 (Appendix E). From the same author : *Jesus the Jew. A Historian's Reading of the Gospels*, London, 1973, p. 160-191 (" Jesus the Son of Man "). His general conclusion runs as follows : " There is no evidence whatever, either inside or outside the Gospels, to imply, let alone demonstrate, that 'the *son of man*' was used as a title. There is, in addition, no valid argument to prove that any of the Gospel passages directly or indirectly referring to Daniel 7 : 13 may be traced back to Jesus. The only possible, indeed probable, genuine utterances are sayings independent of Daniel 7 in which, in accordance with Aramaic usage, the speaker refers to himself as the *son of man* out of awe, reserve, or humility. It is this neutral speech-form that the apocalyptically-minded Galilean disciples of Jesus appear to have 'eschatologized' by means of a midrash based on Daniel 7 : 13 " (p. 185-186). (Compare the conclusion of Bammel : " [Die Menschensohn-Bezeichnung] enthält im Munde Jesu, soweit ich sehe, kein eschatologisches Ingrediens ", p. 28 ; see note 45.) On Mk II, 28 : " The separate, existence of a proverb 'The *son of man* is lord of the Sabbath', cannot be proved positively, but if it was used, its meaning was generic. Be this as it may, in the context of the Gospels, and especially in Mark's formulation, a circumlocutional reference to the speaker affords the best sense " (p. 181). — Comp. R. E. C. FORMESYN, *Was there a Pronominal Connection for the Bar Nasha Selfdesignation ?*, NT 8 (1966) 1-35, p. 27, n. 1 :

Among the authors who recently studied the passage it is a much more common view that only v. 27 can be assigned to Jesus. V. 28 is seen as a Christian comment and usually the employment of the Son of Man title is one of the reasons.[49] Some attempt to define more precisely how the Son of Man saying is related to v. 27. In this connection M. Dibelius made an observation which proved most influential: the Christian preacher could not transmit such an answer of Jesus "ohne Einschränkung oder Erläuterung".[50] Interpretation, correction, limitation and weakening are now the terms used by E. Käsemann,[51] H. Braun,[52]

"For Mk. ii 28 one may say that the immediate underlying meaning seems to be that of the first person, referring to Jesus, although most experts will agree that the original underlying בר נש meant 'man' in general". — For criticism comp. J. A. FITZMYER, *The Contribution of Qumran Aramaic to the Study of the New Testament* (paper read at the SNTS meeting of Southampton, 31th August 1973).

49. Cfr H. CONZELMANN, *Grundriss der Theologie des Neuen Testaments*, Munich, 1967, p. 154: "Bultmann nimmt nach wie vor an, diese Gruppe von Worten (*Das Wirken des Menschensohnes auf Erden*) spreche ursprünglich allgemein vom 'Menschen'. Aber der titulare Sinn ist nicht zu bestreiten. Es handelt sich also durchweg um Formulierungen der Gemeindedogmatik". On Mk II, 10 and 28: "Ob es sich um ein ursprüngliches Einzellogion handelt oder nicht: in jedem Fall liegt eine dogmatische Aussage vor, die in der Gemeinde formuliert ist" (p. 153).

50. M. DIBELIUS, *Die Formgeschichte* (see n. 9), p. 62. *Ibid.*: "Dieser Gedanke verrät wenig Anteil an der inneren Freiheit Jesu".

51. E. KÄSEMANN, *Das Problem* (see n. 2), p. 207: "das Wort von der Freiheit des Menschensohnes eine deutliche Einschränkung und Abschwächung des ersten... Dann liegt jedoch die Annahme nahe, dass die Gemeinde solche Abschwächung vorgenommen hat, weil sie wohl ihrem Herrn, nicht aber jedermann die von ihm ergriffene Freiheit zubilligen konnte. Sie fühlte sich durch das Gesetz stärker gebunden als er und nahm ihre Freiheit... nur in Ausnahmefällen in Anspruch, nicht in der von ihm geschenkten Grundsätzlichkeit und uneingeschänkten Verantwortung". Comp. *Begründet der neutestamentliche Kanon die Einheit der Kirche?*, in *Evangelische Theologie* 11 (1951-52) 13-21, p. 18; = *Exegetische Versuche*, I, p. 214-223, espec. p. 219; *Das Neue Testament als Kanon*, Göttingen, 1970, p. 124-133, espec. p. 129: "Ihrem Meister konnte die Gemeinde zubilligen, was sie für sich selbst nicht in Anspruch zu nehmen wagte. Ihr einschränkender Zusatz beweist, dass sie vor der durch ihn gegebenen Freiheit erschrak und in ein christianisiertes Judentum zurückflüchtete". — This approach can be seen as an adaptation of the position of Wellhausen who explained in a similar way the transition from 'man' to the messianic 'Son of Man' (see n. 39; comp. the opinion of W. Rordorf, n. 53). Compare also the explanation of the omission of Mk II, 27 by Matthew and Luke in n. 57.

52. H. BRAUN, *Spätjüdisch-häretischer und frühchristlicher Radikalismus*, II (Beiträge zur historischen Theologie, 24), Tübingen, 1957, p. 70, n. 1: "Die sekundäre christologische Argumentation entschärft die primäre Sabbatkritik"; *Jesus. Der Mann aus Nazareth und seine Zeit* (Themen der Theologie, 1), Stuttgart-Berlin, 1969, p. 82: "Das gewichtigste Argument zur Entlastung Jesu aber lautet: er verfügt über den Sabbat, weil er der Menschensohn ist (Mark. 2, 28 Par.)... Diese nachösterliche Beweisführung erklärt Jesu Sabbatfreiheit mit seiner Messiaswürde und mindert so die Radikalität der ursprünglichen Aussage, die nicht den

W. Rordorf, [53] E. Haenchen, [54] P. Vielhauer, [55] H.-W. Kuhn and others. [56] The radicalism of v. 27 is toned down: not every man, only the Son of Man is the lord of the Sabbath. The omission of the verse by Matthew and Luke is a reaction in the same line. [57] But there

Messias speziell, sondern den Menschen und seine Not generell über den Sabbat stellt (Mark. 2, 27) ".

53. W. RORDORF, *Der Sonntag* (see n. 35), p. 65: " Mk. 2, 28... ist also im Vergleich zu Mk. 2, 27 und zum ursprünglichen Vers 28, wenn wir ein solchen voraussetzen dürfen, eine deutliche Abschwächung, Einschränkung, wie das E. Käsemann gesehen hat...; sie (*die Urgemeinde*) anerkannte wohl Jesu Freiheit dem Sabbat gegenüber, die sie messianisch deutete, aber sie nahm sie nicht für sich selber in Anspruch ". On v. 28 (originally 'man'), see n. 39.

54. E. HAENCHEN, *Die frühe Christologie*, ZTK 63 (1966) 145-159, p. 147-148: " Es fragt sich nur, ob es uns möglich ist, solche Traditionen über Worte und Taten des 'historischen' Jesu innerhalb der Fülle des synoptischen Stoffes mit Gewissheit zu erkennen. Das halten wir in gewissem Grade für möglich... Nehmen wir z. B. Jesu Wort über den Sabbat in Mk. 2, 27... Es ist darum nicht verwunderlich, dass Markus selbst dem Menschen schlechthin nicht eine solche Verfügungsgewalt über den Sabbat einräumte, sondern diese in 2, 28 auf den Menschensohn beschränkte, und dass Matthäus und Lukas den anstössig gewordenen Vers 27 lieber ganz ausgelassen haben "; *Der Weg Jesu* (see n. 30), p. 121: " V. 28 hat freilich einen ganz anderen Sinn und einen anderen Ursprung. Bereits zur Zeit des Mk hat man das Jesuswort als zu kühn empfunden, das den Menschen über den Sabbat setzte. Darum hat schon jene Überlieferung, der Mk hier folgt, V. 27 begrenzt durch den Zusatz von V. 28 ".

55. P. VIELHAUER, *Aufsätze* (see n. 40), p. 122: " Zweifellos ist v. 28 im heutigen Kontext eine christologische Korrektur oder Interpretation des v. 27 ".

56. H.-W. KUHN, *Ältere Sammlungen* (see n. 32), p. 74: " Ferner ist V. 27 in V. 28 christologisch eingeschränkt worden ". But cfr *infra*, n. 132; compare with the double aspect of the logion according to Lohmeyer (*infra*, n. 59). — The judgment of other authors is less balanced: F. HAHN, *Christologische Hoheitstitel. Ihre Geschichte im frühen Christentum* (FRLANT, 83), Göttingen, 1963, p. 43: " In Mk 2, 28 ist der vorausgehende, in seiner grundsätzlichen Gültigkeit offensichtlich früh beanstandete, von Matthäus und Lukas dann sogar gestrichene Satz (V. 27)... christologisch umgedeutet worden ". In n. 2 he refers to Käsemann (see n. 51), but mentions also Lohse's position (see n. 58). — H. MERKEL, *Jesus und die Pharisäer* (see n. 30), p. 205: " die beiden umrahmenden Logien (= *vv. 25-26 and 28*) dienen der Abschwächung und Verwässerung dieses kühnen und streng antipharisäischen Jesuswortes ". The opinion of Lohse is mentioned in n. 1. — H. THYEN, *Studien zur Sündenvergebung im Neuen Testament und seinen alttestamentlichen und jüdischen Voraussetzungen* (FRLANT, 96), Göttingen, 1970, p. 256: " Sie (die Gemeinde) versteht die königliche Freiheit nicht mehr, in die Jesus sie berufen hatte; sie wagt es nicht mehr, die 'Herrschaft über den Sabbat' für sich in Anspruch zu nehmen und räumt sie deshalb exzeptionell dem 'Menschensohn' ein. Vers 28 ist ... sekundäre Bildung seiner in den Nomismus zurückgesunkenen Gemeinde ".

57. E. HAENCHEN, *Der Weg Jesu* (see n. 30), p. 121: " Mt und Lk sind noch weitergegangen — entsprechend ihrer Zeit. Sie haben das gefährliche Wort (Mk 2,27) ganz ausgelassen und nur den späteren Begrenzungswort 28 stehenlassen. Damit folgten sie nicht einer gemeinsamen Überlieferung, sondern einfach dem gemeinsamen Empfinden ihrer Zeit ". See also n. 54 (Haenchen) and 56 (F. Hahn).

is also a different way of understanding : v. 27 says that the Sabbath is subordinate to the needs of men, not that the Sabbath is abrogated ; the saying about the Son of Man is then the more radical : he is the lord of the Sabbath, he decides on its confirmation or its abrogation. That is the interpretation of E. Lohse [58] who depends on Lohmeyer [59] (and Tödt) [60], W. G. Kümmel (who called it an intensification), [61]

— Comp. E. WENDLING, *Die Entstehung* (see n. 23), p. 211 : " so konnte ihm (= Evangelist) 2 27 das Bedenken erwecken, dass der Mensch hier in ein etwas zu freies Verhältnis zur Sabbatpflicht gebracht wurde (*Note 2* : Aus demselben Bedenken lassen später Mt 12 8 Lc 6 5 den Satz Mc 2 27 ganz weg.) ". More particularly, the observation was made with reference to the ' Jewish-christian ' gospel of Matthew : cfr G. D. KILPATRICK, *The Origins of the Gospel according to St. Matthew*, Oxford, 1946, p. 116 : " Mark ii. 27, which might have inspired an excessive laxity, disappears " ; followed by G. BORNKAMM, *Enderwartung und Kirche im Matthäusevangelium*, in *Überlieferung und Auslegung* (see n. 13), p. 29, n. 1 : " Mk. 2 27, das einer laxen Haltung dem Gesetze gegenüber Vorschub leisten könnte, streicht Matth. ". — See also E. SIMONS, *Hat der dritte Evangelist den kanonischen Matthäus benutzt ?*, Bonn, 1880, p. 35 : Luke depends on Matthew who abbreviated the text of Mark, " an der Kühnheit von v. 27 Anstoss nehmend " ; comp. J. SCHMID, *Matthäus und Lukas*, Freiburg i. B., 1930, p. 96 : " Jedenfalls wird es aber niemand einfallen, die Auslassung des Wortes bei Lk durch das Beispiel des Mt zu begründen " ; *ibid.* : " diesem ' kühnen und für judenchristlichen Ohren anstössigen ', für die Heidenchristen des Lk aber bedeutungslosen Worte ".

58. E. LOHSE, *Jesu Worte* (see n. 5), p. 83 : " ... in diesem ursprünglich selbständig überlieferten Spruch bekennt sich die christliche Gemeinde zum Menschensohn Jesus, der als der κύριος auch über Gültigkeit oder Aufhebung des Sabbats zu befinden hat " ; art. σάββατον, p. 22-23 : " Über die Aussage von v. 27 geht nun v. 28 wesentlich hinaus... An seiner Herrschaft findet die Sabbatkasuistik ihr Ende, so dass die Gemeinde im abschliessenden Satz zugleich das Ergebnis formuliert, das sie aus dem überlieferten Sabbatkonflikt gewinnt ".

59. E. LOHMEYER, *Markus* (see n. 8), p. 66 : " Es (= Mk II, 28) sagt in einer Hinsicht mehr aus als das vorige ; denn mit dem Wort ' Herr ' ist gemeint, dass die Sabbatordnung durch diesen Menschensohn erst ihre Gültigkeit empfange. Er kann sie bestätigen und kann sie auch verwerfen... So ist auch das ' Daher ' gerechtfertigt ; es bezeichnet den Schluss, den die Gemeinde aus Geschehnissen und Worten Jesu zieht ". See also n. 9. However, Lohmeyer underlines also the other aspect : " Aber das Wort sagt in anderer Hinsicht auch weniger ; denn es macht nicht mehr den Menschen zum Richtungspunkt der Ordnung, sondern schweigt über die Bedeutung, die sie für ihn hat " (*ibid.*). Verses 27 and 28 are two different sayings (p. 65).

60. H. E. TÖDT, *Der Menschensohn* (see n. 8), p. 122-123 : " Die Gemeinde sieht ihr Verhalten durch die *Vollmacht Jesu* zureichend begründet und nennt Jesus als den Herrn über den Sabbat Menschensohn. Diese einschneidenden inhaltlichen Differenzen *(with v. 27, cfr Lohmeyer)* nötigen dazu, Mk 2,28 als einen *unabhängigen* Spruch auszulegen, der mit 2,10 sachlich eng zusammengehört... 2,28 ist eine Gemeindebildung, ein Bruchstück der urchristlichen Predigt ". Comp. W. MANSON, *Jesus the Messiah*, London, 1943, p. 116 : " The sayings are official statements about the Church's Lord. They are fragments of early Christian preaching ".

61. W. G. KÜMMEL, *Verheissung und Erfüllung. Untersuchungen zur eschatologischen Verkündigung Jesu* (ATANT, 6) Zürich, ^{3}1956, p. 40, n. 93 : " ... Mk 2,28

C. Colpe [62] and H. Schürmann : " eine spätere Tradition, die die Christen gänzlich vom Sabbat lösen will ". [63] Or to say it with R. H. Fuller : " It justifies the early church's claim to freedom from the sabbath laws, and Jesus' authority for doing so ". [64] A. Suhl gives the same meaning to the two individual sentences, but he inverts their traditio-historical order : v. 28 was a first addition to the Sabbath pericope and it expresses " grundsätzliche Freiheit vom Sabbatgebot " ; v. 27 was a later Marcan addition and it contains a weakening because it does not consider the possibility of abrogation but only justifies the breach of the Sabbath whenever anyone is in need. [65] As we noted before, on the hypothesis of Matthean priority, v. 27 is also the secondary addition, as it is for Suhl, but it is understood quite differently, not as an " Einschränkung " but as a humanitarian principle of liberalism and complete freedom

deutlich eine Steigerung über 2,27 hinaus " ; *Promise and Fulfilment* : *The Eschatological Message of Jesus* (Studies in Biblical Theology, 23), London, [2]1961, p. 46, n. 93.

62. C. COLPE, *art. ὁ υἱὸς τοῦ ἀνθρώπου* (see n. 11), p. 455 : " ... hier (hat) die Gemeinde... das Ährenraufen am Sabbat nicht mit den Rücksicht auf die *χρεία* des Menschen... sondern durch die Vollmacht des Menschensohns legitimiert. Sie hat damit zugleich Jesu Stellung zum Sabbat weitergeführt und mit Hilfe des Menschensohntitels für sich verbündlich definiert ". The saying is probably added (in the conflict-stories) " nachdem und weil der Titel in 2,10 eingeführt war " (*ibid.*, n. 371 ; Mk II, 10 ; Mt VIII, 20 par. ; XI, 19 par. are authentic sayings of Jesus, with 'a man' as a substitution for 'I', p. 433-435).

63. H. SCHÜRMANN, *Das Lukasevangelium* (see n. 31), p. 305, n. 42 : " Während V. 27 das Sabbatfeiern grundsätzlich noch bejaht wird, stellt V. 28 es wohl gänzlich in Frage ". Compare also A. J. HULTGREN, *The Formation of the Sabbath Pericope* (see n. 33), p. 41 : " The final saying in 2 : 28 serves a complementary function, for it shows that the radical statement of 2 : 27 is valid for the church on the grounds that the Son of Man, being Lord of the sabbath, and to whom the church gives its loyalty, allows it ".

64. R. H. FULLER, *The Foundations of the New Testament Christology* (= 1965) (The Fontana Library), London-Glasgow, 1969, p. 149-150.

65. A. SUHL, *Die Funktion der alttestamentlichen Zitate* (see n. 8), p. 84 : " Den Sinn einer grundsätzlichen Freiheit vom Sabbatgebot, den Käsemann in V. 27 finden will, liegt also eher in V. 28, aber eindeutig nur auf den Menschensohn bezogen ". — See also G. MINETTE DE TILLESSE, *Le secret messianique dans l'évangile de Marc* (Lectio divina, 47), Paris, 1968, p. 138-139 : " ... au fond la vraie pointe de l'épisode réside en II, 28. ... Le v. 27, intercalé avant le v. 28, ne fait que camoufler un peu ce que cette affirmation aurait de trop brutal ". — Compare Strecker's interpretation of the omission in Matthew : " Es lässt sich aber auch umgekehrt argumentieren : Die Streichung erfolgte, da darin die Sabbatbeobachtung wohl relativiert ist, aber immerhin noch als selbstverständlich vorausgestezt erscheint. Der Vers fehlt auch bei Lukas. Das spricht nicht für den zuerst genannten Vorschlag " (he refers to the view of Kilpatrick and Bornkamm, see n. 57) ; cfr G. STRECKER, *Der Weg der Gerechtigkeit. Untersuchung zur Theologie des Matthäusevangeliums* (FRLANT, 82), Göttingen, 1962 ; [3]1971, p. 33, n. 1.

with regard to the Sabbath commandment. [66] Here it is clearly the understanding of the content of Mk II, 27 which orientated in different directions the literary-critical solution.

3. The Content of Mk II, 27

Obviously, the meaning of the saying (more or less radical) is of direct influence on the problem of authenticity. The discussion is about similarity or dissimilarity with Judaism. Since Wettstein almost all commentators quote a rabbinic saying of R. Simon b. Menasya (*c.* A.D. 180) in *Mekhilta* on Exodus XXXI, 13 and 14 : " Unto you the Sabbath is delivered, and you are not delivered to the Sabbath ". [67] The formal similarity with Mk II, 27 is striking enough. Grotius did not hesitate to conclude to the identity of the saying : " ergo hic etiam notam inter

66. F. Gils, *Le sabbat* (see n. 18), p. 520 : " A la conclusion qui présentait le Fils de l'homme comme maître du sabbat (*Mc*, II, 28 et par.), conclusion sans doute déjà traditionnelle, avant *Mc*, dans le récit des épis arrachés, le second évangéliste aurait personnellement ajouté une réflexion qui n'était pas pour déplaire aux destinataires de son évangile : ils pourront hardiment embrasser la foi chrétienne sans s'exposer à être liés par une réglementation minutieuse du sabbat " ; P. Benoit, *Les épis arrachés* (see n. 19), p. 235 : " Mc sur ce point est secondaire. Il a introduit dans son texte un axiome d'accent libérateur et universaliste, qu'il savait authentiquement chrétien et qui devait intéresser ses lecteurs romains " ; M.-É. Boismard, *Commentaire* (see n. 20), p. 117 : " Assez remarquable est l'addition du logion du v. 27 (par l'ultime Rédacteur marcien) ; bien que pouvant se recommander de certains parallèles rabbiniques, il les dépasse par son libéralisme antilégaliste... Un tel logion n'a pu prendre naissance que dans des milieux chrétiens issus du paganisme, ce qui correspond bien à la tradition marcienne ".

67. לָכֶם שַׁבָּת מְסוּרָה וְאֵי אַתֶּם מְסוּרִין לְשַׁבָּת, ed. Friedmann, 103b and 104a ; ed. Horovitz, 341, 4 and 14-15. The same comment on Exodus XXXI, 14 (לָכֶם) is given in Talmud, *Yoma* 85b, under the name of R. Jonathan b. Joseph. On the two rabbis and the sayings attributed to them see W. Bacher, *Die Agada der Tannaiten*, II, Strassburg, 1890, p. 362, n. 2 ; 493, n. 2. — Cfr J. J. Wettstein, *Novum Testamentum Graecum*, Amsterdam, 1751 (anast. Graz, 1962), p. 562 (he quotes *Mekhilta* on Ex. XXXI, 13 and *Yoma* 85b). — Some commentators give simply the text of the rabbinical parallel without any comment : *e.g.* H. A. W. Meyer, *Kritisch-exegetisches Handbuch über die Evangelien des Markus und Lukas*, Göttingen, [4]1864, p. 37, n. 1 ; B. Weiss, *Markus und Lukas* (see n. 21), p. 43, n. 1. H. J. Holtzmann compares Mk II, 27 with I Cor XI, 9 (form), II Macc V, 19 (content) and the rabbinical saying (" Noch genauer entspricht... ") ; cfr *Die Synoptiker* (see n. 36), p. 123 ; followed by A. Loisy, *Les évangiles synoptiques* (see n. 22), [3]1901, p. 511, n. 3 and G. Beer, *Schabbath. Der Mischnatractat 'Sabbat'* (Ausgewählte Mischnatractate in deutschen Übersetzung, 5), Tübingen, 1908, p. 26, n. 3.

Judaeos regulam Christus usurpavit ". [68] Wellhausen says that such a sentence would not be unworthy of Jesus : " Es würde Jesus keinen Eintrag tun, wenn er ihn sich angeeignet hätte ". [69] And Bultmann poses the question : why could Jesus not have used a word that was said also by the rabbis ? [70] More recently, D. E. Nineham expressed the opinion that Jesus reminds the rabbis the principle recognized by themselves : the words of Jesus in v. 27 are meant as a variant of the rabbinic commonplace. [71] While for Nineham v. 27 serves to make explicit the principle that is implied in the action of David (vv. 25-26), J. Roloff assumes that v. 27 is a new start in the argumentation taking as a basis of discussion the general principle accepted by Jesus' opponents : " nicht anders als der Grundsatz Mekh. Ex. 31, 14 ". [72] According to this author, however, v. 27 only prepares for the statement of v. 28 in which then the authority of the Son of Man is opposed to the Sabbath casuistry of the scribes. Thus, while Roloff agrees with Nineham in identifying the rabbinic saying in the Gospel text, he has an interpretation of the function of v. 27 different from Nineham's and from that of some Jewish writers who quote the saying as a parallel of Jesus' own teaching. [73] Johannes Weiss too made the observation that the rabbinic saying was in harmony with the teaching of Jesus (the *man* is master of the Sabbath), but for v. 27 he raised the question of authenticity. He reckoned with the possibility that it was the community which ascribed to Jesus a well-known Jewish saying. [74] The exposition of

68. Cfr *supra*, n. 36. *Ibid.*, c. 446 : "Sensus igitur Christi verborum, quae plenius aliquando sunt a Marco expressa, hic est (= *Mk II, 27*). Plane idem est quod dixit Rabbi Jonathan (= *Yoma 85b*)... ".

69. J. WELLHAUSEN, *Das Evangelium Marci* (see n. 36), p. 21. He adds however : " Indessen die Priorität ist zweifelhaft ".

70. R. BULTMANN, *Die Geschichte* (see n. 8). Comp. p. 88 : " Dagegen wird V. 27 als gesonderten Spruch für sich existiert haben, wie denn auch ein rabbinischer Spruch überliefert ist : 'Euch ist der Sabbat...' ". The passage quoted here was added in the second edition ; comp. first edition, 1921, p. 49. See also *Jesus*, Tübingen, 1926, p. 62-63.

71. D. E. NINEHAM, *Saint Mark* (The Pelican Gospel Commentaries), Harmondsworth, 1963, p. 116 (and note 1).

72. J. ROLOFF, *Das Kerygma* (see n. 8), p. 60-61.

73. D. FLUSSER, *Jesus in Selbstzeugnissen und Bilddokumenten*, Reinbek bei Hamburg, 1968, p. 47 ; S. BEN CHORIN, *Bruder Jesus*, Munich, 1967, Dutch translation, p. 50. Comp. J. KLAUSNER, *Jesus of Nazareth. His Life, Times and Teaching*, London, 1925, p. 122 : " In his practical manner of life Jesus also conducted himself like a Pharisee... " ; and on p. 278 : " The Sabbath was made for man, and not man for Sabbath. This is quite in accordance with the Pharisaic point of view... ". However, the author continues : " Yet no Pharisee would consent to the conclusion that it was permissible to pluck corn on the Sabbath ".

74. J. WEISS, *Die Schriften* (see n. 13), p. 63 : " Zu dem Worte Mk. 2, 27... gibt es mehrere ähnliche Stellen im Talmud. Natürlich ist es trotzdem möglich, dass

J. Weiss was an early attempt to discuss the problem of the *ipsissima verba* with the help of criteria. His position is also noteworthy because it is in direct contrast with the grounds brought forward more recently for denying the authenticity of v. 27. We can compare it, for instance, with a statement of Beare: " The sentiment that 'the sabbath was made for man, not man for sabbath', and that 'man is master of the sabbath' is wholly inconceivable in any Jewish teacher, including Jesus; it sounds more like Protagoras of Abdera ". [75] P. Benoit is no less assertive: " Une telle attitude étonne au temps et dans le milieu de l'évangile. Les parallèles qu'on a cru lui trouver dans la littérature juive... ont en réalité une autre portée " [76]. Not the similarity with the rabbinic saying (as it was for Weiss) but the lack of similarity serves here as an indication against the authenticity.

In fact, it is the prevailing tendency, also among the defenders of the authenticity of Mk II, 27, to emphasize the differences with the rabbinic saying. This is presented as an exception, " as a lonely bird on the roof " (H. Braun), [77] unable to modify the general system of the rabbinical Sabbath regulations, uninfluential and thus historically unimportant. [78] G. Bornkamm quotes the parallel but nevertheless he continues: " Das grundlegende Wort (Mk 2, 27) ist ... im Munde eines sonstigen Rabbis ... beispiellos ". [79] A closer examination leads to the conclusion that the rabbinic principle in question is applicable only

auch Jesus diesen Gedanken von sich aus formuliert habe; es ist aber auch sehr denkbar, dass die Gemeinde diesen schon vor Jesus geläufigen Spruch, der so ganz zu den Anschauungen Jesu passt, ihm in gutem Glauben zugeschrieben hat... ". Comp. *ib.*, p. 97.

75. F. W. BEARE, " *The Sabbath was made for Man ?* " (see n. 34), p. 132. See in contrast to Beare: M. D. HOOKER, *The Son of Man*, London, 1967, p. 94: " On this view, we are left with a saying which is little more than a general application of the principle given in the Midrash ".

76. P. BENOIT, *Les épis arrachés* (see n. 19), p. 233.

77. H. BRAUN, *Jesus* (see n. 52), p. 81: " In jüdischen Texten ist das Wort... ein einsamer Vogel auf dem Dach und hat nie ein sabbatkritisches Verhalten gezeitigt. Erdrückend zahlreich dagegen sind die jüdischen Zeugnisse für die religiöse Hochschätzung des Sabbatgebotes ".

78. F. HAUCK, *Das Evangelium des Markus* (see n. 8), p. 40: " Dass auch von rabbinischer Seite gelegentlich ein ähnlicher Gedanke gefasst wurde..., hat gleichwohl nicht zur Überwindung des ganzen jüdischen gesetzlichen Denksystems geführt und ist wie andere schöne Rabbinenworte deshalb geschichtlich belanglos geblieben "; W. GRUNDMANN, *Markus* (see n. 29), p. 70: " Wirksam geworden aber ist es in der rabbinischen Diskussion um den Sabbat kaum "; J. BOWMAN, *The Gospel of Mark. The New Christian Jewish Passover Haggadah* (Studia Post-Biblica, 8), Leiden, 1965, p. 118; " Even if it were known... not all Rabbis would necessarily have agreed ".

79. G. BORNKAMM, *Jesus von Nazareth* (Urban-Bücher, 19), Stuttgart, 1956, p. 89.

in cases of danger to life. Thus I. Abrahams attempted to trace the prehistory of the second century saying back to the decision of Mattathias in Maccabees.[80] Although the author is followed by E. Lohmeyer, C. Cranfield, W. Grundmann and J. Roloff,[81] others prefer to argue from the context of the rabbinic Sabbath considerations, and they conclude that the general principle was : when a human life is in danger the Sabbath laws are set aside by the higher obligation.[82]

80. I Macc II, 39 : Mattathias established the principle that self-defence was lawful on the Sabbath day. Cfr I. ABRAHAMS, *Studies in Pharisaism and the Gospel*, I, Cambridge, 1917, p. 130 : " The maxim seems to go back to Mattathias ". He refers to *Cambridge Biblical Essays*, p. 186. His argument : the use of *masar* (= to deliver up) for (" the Sabbath is *given over* "). For a more modest hypothesis see R. T. HERFORD, *Talmud and Apocrypha. A Comparative Study of the Jewish Ethical Teaching in the Rabbinical and Non-Rabbinical Sources in the Early Centuries*, New York, 1971 (= 1933), p. 116 : " It seems natural to suppose, although there is no direct evidence on the point, that the principle, 'the Sabbath must give way to the saving of life', was formulated as a generalisation from what had happened during the Revolt ". — The older origin of the saying was suggested by several authors on the basis of the double attestation in *Yoma* 85b (R. Jonathan b. Joseph) and *Mekhilta* on Exodus XXXI, 13 (R. Simeon b. Menasya). Cfr I. ABRAHAMS, *loc. cit.* : " Both these authorities were Tannaim, the later belonging to the beginning, the former to the end of the second century. The variation in assigned authorship suggests that the saying originated with neither, but was an older tradition " ; H. LOEWE, *Judaism and Christianity*, I, London, 1937, p. 167 : " Both Mark and Simeon are repeating ancient Pharisaic exegesis of Exod. XXXI, 14 which was directed against the strict Sadducean observance of the Sabbath " ; J. BOWMAN, *The Gospel of Mark* (see n. 78), p. 118 : " True there is a similar saying... ascribed to R. Hillel by the beginning of the second century " ; and in n. 1 the author continues : " Hillel was slightly earlier in time than Jesus, but the saying ascribed to Hillel is first cited by a Rabbi living a century later and appears in Mekhilta which was not codified till the third century at the earliest " ; D. E. NINEHAM, *Mark* (see n. 71), p. 106, n. 1 : " This appears to have been a rabbinical commonplace ; it is ascribed in different contexts to two different rabbis. Presumably the words of Jesus in v. 27 are meant as a variant of it " ; M. D. HOOKER, *The Son of Man* (see n. 75), p. 94, n. 4 : " This is given as the opinion of Rabbi Simeon b. Menssya (*sic*) (*c.* A.D. 180) but probably represents earlier tradition ". — The question of priority was posed by J. Wellhausen (cfr *supra*, n. 69) and J. Weiss (cfr *supra*, n. 74). According to F. HAUCK, *Markus* (see n. 8), p. 40 : " Jesu Wort... (ist) zeitlich das ältere ".

81. The genealogy is as follows : J. Roloff (*Das Kerygma*, see n. 8, p. 60 : " wahrscheinlich "), who refers to W. Grundmann (*Markus*, see n. 27, p. 70 : " Mattathias has *mit diesem Wort* [*sic*] die Verteidigung mit der Waffe gegenüber dem Kampfverbot für den Sabbat gestattet "), who refers to E. Lohmeyer (*Markus*, see n. 8, p. 63 : " Das Wort scheint auf Matathias... zurückzugehen... und die Selbstverteidigung am Sabbat zu gestatten "), who refers to I. Abrahams (cfr *supra*, n. 80). See also C. E. B. CRANFIELD, *The Gospel according to Saint Mark* (see n. 10), p. 117 : " perhaps ".

82. H. L. STRACK-P. BILLERBECK, *Das Evangelium nach Markus, Lukas und Johannes* (Kommentar zum N. T. aus Talmud und Midrasch, 2), Munich, 1924,

E. Lohmeyer was the first to emphasize that the saying " the Sabbath is given to you " did not refer to man, to mankind, but to the people, to Israel. [83] This observation has been further developed by T. W. Manson [84] who compared the rabbinic saying with parallels from II Macc V, 19 (on the temple) and the Apocalypse of Baruch XIV, 18 (on the creation of the world), parallels which were quoted earlier by some commentators [85] but never brought together, and to which he added new materials from rabbinic and apocryphal sources, now recently supplemented by P. Bogaert in his edition of the Apocalypse of Baruch. [86] Manson concludes that there were two views about the Sabbath : *a*) that

p. 5 : " Aber dieser Grundsatz hat nicht allgemeine Gültigkeit, sondern besagt nur, dass der Sabbat lediglich zur Rettung eines Menschenslebens entweiht werden dürfe " (see also p. 821 ; for the context, cfr *Das Evangelium nach Matthäus*, p. 623) ; G. F. MOORE, *Judaism in the First Centuries of the Christian Era. The Age of the Tannaim*, II, Cambridge (Mass.), 1927, p. 30 ; B. MURMELSTEIN, *Jesu Gang durch die Saatfelder*, in *Angelos* 3 (1930) 111-120, p. 115 ; E. LOHSE, *Jesu Worte über den Sabbat* (see n. 5), p. 85 ; H. BIETENHARDT, *Sabbatvorschriften von Qumrān im Lichte des rabbinischen Rechts und der Evangelien*, in H. BARDTKE (ed.), *Qumrān-Probleme. Vorträge des Leipziger Symposions* (Deutsche Akademie der Wissenschaften zu Berlin, 42), Berlin, 1963, p. 53-74, espec. p. 62.

83. E. LOHMEYER, *Markus* (see n. 8), p. 66 : " So klärt sich der Ùnterschied zu dem früher angeführten rabbinischen Wort : Dort ist der Sabbat 'euch übergeben', d. h. das Volk ist der Beziehungspunkt dieser Gottesordnung ; hier ist es 'der Mensch' in seiner Einsamkeit und Freiheit vor Gott " ; W. GRUNDMANN, *Markus* (see n. 29), p. 70 ; H.-W. KUHN, *Ältere Sammlungen* (see n. 32), p. 75, n. 134 (he observes that this distinction was not noticed by Bultmann and Braun). — Decidedly opposed is J. Roloff, *Das Kerygma* (see n. 8), p. 60, n. 33 : " Ganz im Sinne eines protestantischen Individualismus sieht Lohmeyer den Unterscheid zwischen dem Wort Mekh. Ex. 31, 14 und Mk. 2, 27 darin, dass ersteres noch das Volk als Beziehungspunkt der Gottesordnung des Sabbats festhalte, während das Jesuslogion den Menschen 'in seiner Einsamkeit und Freiheit vor Gott' im Auge habe ".

84. T. W. MANSON, *Mark ii. 27 f.* (see n. 42). On p. 140-141 : " It is quite clear that the word 'you' in this context means 'Israel' and not mankind in general ".

85. II Macc V, 19 is quoted by J. A. BENGEL, *Gnomon Novi Testamenti*, Tübingen, 1742 (ed. J. STEUDEL, London, 1862), p. 161 ; for H. J. Holtzmann, A. Loisy and G. Beer, cfr *supra* n. 67 ; G. WOHLENBERG, *Das Markusevangelium* (Kommentar zum Neuen Testament, 2), Leipzig, 1910, [3]1930, p. 95, n. 61 ; E. LOHMEYER, *Markus* (see n. 8), p. 66, n. 1. — Apoc. Baruch XIV, 18 : E. KLOSTERMANN, *Markus* (see n. 23), p. 26 ; [3]1936, p. 31 ; H. L. STRACK-P. BILLERBECK, *Das Evangelium nach Markus, Lukas und Johannes* (see n. 82), p. 5.

86. Cfr P. BOGAERT, *Apocalypse de Baruch* (Sources Chrétiennes, 145), II, Paris, 1969, p. 42 : " Aux citations qu'il (*Manson*) propose il est permis d'en ajouter quelques-unes : *Aboth de R. Nathan* XXXI (trad. Goldin, p. 126 ; éd. Schechter, p. 91, texte A) : 'Tu as appris que (la vie d') un seul homme vaut autant que toute la création.' (cette sentence est donnée sans nom d'auteur) ; *T Sanhedrin* VIII, 4-6, 9 (éd. Zuckermandel, p. 427-428 ; trad. Bonsirven, *Textes Rabbiniques*, p. 523, § 1927) ; *Pirqé de Rabbi Eliézer* IX, p. 63 ; XI, p. 76 ; XII, p. 86-87 ; *Ass. Mos.* I, 12 ".

the Sabbath was created for the sake of Israel, and not Israel for the sake of the Sabbath ; and *b*) that the Sabbath was created for the sake of Israel, and not for the sake of anyone else.[87] In the light of this saying, and of other texts on " the elect people for whose sake God's creative activity is exercised ", Manson has proposed his collective interpretation of *man* and *son of Man* in verses 27 and 28. P. Benoit, examining the same evidence, puts the accent somewhat differently : " En tout cela point question de diminuer la valeur du sabbat ou du Temple : la pensée est au contraire de partir de ces institutions divines indiscutables pour rehausser l'élection d'Israel dont elles sont le privilège "[88].

Most certainly it cannot be my intention to contest the importance, for Jewish theology, of the doctrine of creation, of the chosen people and of the Sabbath as the privilege of Israel. The question is, however, if that theology is expressed in the rabbinical saying that comments the לָכֶם (for you) of the Exodus text. I have the impression that Lohmeyer's view has been influenced by the similarity with the sentence of II Macc V, 19, which is a similarity of form but not necessarily of content :

οὐ διὰ τὸν τόπον τὸ ἔθνος
ἀλλὰ διὰ τὸ ἔθνος τὸν τόπον ὁ κύριος ἐξελέξατο.

The suggestion of Manson that the Sabbath saying tends to emphasize the privilege of the elect people (the Sabbath is created for Israel) is attractive, because it is so well in harmony with Jewish theology, but it is still an unproven hypothesis. The parallels he brings forward are interesting evidence for the theology of creation and election but there is no cogency in the mere formal similarity with the Sabbath saying. In fact, the overwhelming number of rabbinic Sabbath sayings are concentrated on problems of infringement of the Sabbath law and on the justification of possible relaxations and the permission of acts which have to do with the preservation of human life. In any case, there can be no doubt that in *Mekhilta* and also in the Talmud, Tractate *Yoma* 85b, where it is given under the name of Rabbi Jonathan ben Joseph, the saying is quoted with no other purpose than to mention the possibil-

87. T. W. MANSON, *Mark ii, 27 f.* (see n. 42), p. 142.

88. P. BENOIT, *Les épis arrachés* (see n. 19), p. 233. — Comp. R. HUMMEL, *Die Auseinandersetzung zwischen Kirche und Judentum im Matthäusevangelium*, Munich, 1963 ; [2]1966, p. 41 : " diesen Vers..., der zwar rabbinische Parallelen hat, dessen Zitierung in diesem Zusammenhang, in dem es um die Geltung des Sabbatgebotes geht, dem jüdischen Geist jedoch widerspricht. Denn der Satz, dass der Sabbat eine Wohltat Gottes für den Menschen ist, dient in den rabbinischen Quellen nicht der Aufhebung, sondern der Bekräftigung des Sabbatgebotes ".

ity of exception to the Sabbath observances [89]. In this context it is highly probable that, although the word 'you' (*lakem*) may refer to Israel and not to mankind in general, the point of the saying is not on the gift of the Sabbath to the chosen people. It seems to me that the more common opinion is correct when it sees the point of the saying in the relaxation of the Sabbath law within the limits of saving human life. [90]

Because of this uncertainty the comparison with the rabbinic saying has not been very helpful for the interpretation of Mk II, 27. New Testament scholars who quote the saying refer to quite different things: a rabbinical commonplace or an individual utterance of a second century rabbi; the theological theme of election and the Sabbath as a gift of God, the principle that the Sabbatical regulations might be waived in order to save life, or an isolated cry for human freedom. There is undoubtedly a formal similarity between the rabbinical saying and the gospel logion, but on both sides we are confronted with a variety of interpretations. The Marcan verse is understood as an expression of the freedom of man, which has no other parallels in the Gospels, too humanitarian to be attributed to Jesus or precisely in its radical abrogation of the Sabbath the unaltered voice of the historical Jesus; or, it is considered as the principle that human need can excuse from Sabbath observances, without abolishing the Sabbath but tending to restore the original institution, with reference to the Sabbath created by God (τὸ σάββατον ἐγένετο); [91] and again, it is the teaching of Jesus, or, for others, it reflects the practice of the Jewish Christians.

89. The context of the saying in *Mekhilta* can easily be found in P. Billerbeck's *Kommentar* (I, p. 623): " R. Jose, der Galiläer sagte: Wenn es heisst: 'Nur, אך, meine Sabbate sollt ihr beobachten!' Ex 31, 13, so will dieses 'nur' einen Unterschied machen: es gibt Sabbate, die du verdrängen darfst, und es gibt Sabbate, an denen du ruhen musst. R. Schim'on b. Mᵉnasja sagte: Siehe, es heisst: 'Beobachtet den Sabbat, denn er ist heilig für euch' Ex 31, 14, d. h. euch ist der Sabbat übergeben (ausgeliefert) und nicht seid ihr dem Sabbat übergeben (ausgeliefert) ". The context is similar in *Yoma* 85b: " R. Jose b. R. Jehuda erklärte: 'Nur meine Sabbathe sollt ihr beobachten'; man könnte glauben, in jedem Falle, so heisst es: *nur*, teilend. R. Jonathan b. Joseph erklärte... "; cfr *Der Babylonische Talmud neu übertragen durch L. Goldschmidt*, Berlin, 1930, p. 250. It is noticeable that in Wettstein's footnote on Mk II, 27 (see n. 67) the saying was quoted with its context: " R. Jose f. Judae dixit Ex. XXXI. 14 Sabbata mea servate, forte per omnia. dissentit R. Jonatha f. Josephi, quia illud vobis sanctum est... ".

90. In these questions we have, as far as I see, to limit ourselves to guess-work, in view of what was recently called by Ben Zion Wacholder of Hebrew Union College the " chaotic conditions of Talmudic scholarschip ". Cfr B. Z. WACHOLDER, JBL 91 (1972) 124; 92 (1973) 115.

91. E. LOHMEYER, *Markus* (see n. 8), p. 65: " ein auf Gen. 1f. gegründetes, gläubig geschichtliches Urteil, wie der Sabbat 'wurde', d. h. geschaffen wurde "; E. HAENCHEN, *Der Weg Jesu* (see n. 30), p. 120-121, n. 3: ... ἐγένετο heisst wört-

The comparison with primitive Christianity too has influenced the definition of the authentic teaching of Jesus in more than one direction. Some maintain that it is not understandable that the Christians could abandon the Sabbath observance if Jesus had not proclaimed the abrogation of the Sabbath law. [92] On the contrary, Käsemann argues with the principle of dissimilarity: the radical attitude of Jesus is weakened in early Christian compromises, [93] but a similar principle of dissimilarity leads also to the conclusion of Benoit: the liberalism of Mk II, 27 is not that of Jesus. [94]

More nuances, and more names, could be added to this survey on Mk II, 27 in order to give more faithful expression to exegetical opinion. However, from what has already been said, it should at least be clear that there is no consensus, either with regard to the content of the

lich 'er ist geworden'. Aber die Wendung meint — unter Vermeidung des Gottesnamens — dass Gott den Sabbat geschaffen hat" ; J. JEREMIAS, *Neutestamentliche Theologie* (see n. 37), p. 201 : " *Γίνεσθαι* umschreibt wie so oft das Handeln Gottes. Mk 2, 27a besagt also : '*Gott* ordnete den Sabbat um des Menschen willen an'. Das Logion redet von der Schöpfung, und zwar wird auf die Reihenfolge der Schöpfungsakte geachtet. Dass die Erschaffung des Menschen am 6., die Anordnung des Ruhetages dagegen am 7. Tage erfolgte, lässt erkennen, dass es Gottes Schöpferwille war, dass der Ruhetag dem Menschen dienen und zum Segen gereichen sollte. Jesus sieht im Sabbatgebot, das im antiken Judentum als das Unterscheidungsmerkmal Israels gegenüber der Völkerwelt galt..., eine Gabe Gottes an den Menschen" ; E. NEUHÄUSLER, *Jesu Stellung zum Sabbat. Versuch einer Interpretation*, in *Bibel und Leben* 12 (1971) 1-16, p. 9 : " Das Jesuswort setzt tiefer an. Es heisst ja nicht : Der Sabbat ist um des Menschen willen da. Vielmehr lautet der Satz : Der Sabbat ward, er ist geschaffen (ἐγένετο) um des Menschen willen. Dadurch wird die Sabbatordnung auf die Schöpfungsordnung zurückgeführt ".

92. E. STAUFFER, *Die Botschaft Jesu damals und heute* (Dalp-Taschenbücher, 333), Bern-Munich, 1959, p. 159, n. 10 : " Aber Jesus muss auch die mosaischen Sabbatgebote selber gebrochen haben, sonst hätte die christliche Kirche schwerlich gewagt, den alttestamentlichen Sabbath zu ignorieren und statt dessen den Sonntag zu feiern " ; D. E. NINEHAM, *Mark* (see n. 71), p. 106 : " no doubt it was on the basis of it that the early (gentile) Christians felt justified in ceasing to observe the sabbath and observing Sunday instead " ; J. SCHNIEWIND, *Das Evangelium nach Markus* (Neue Testament Deutsch, 1), Göttingen, [10]1963, p. 65.

93. Cfr *supra*, n. 51-55.

94. Cfr *supra*, n. 66. — Comp. W. RORDORF, *Der Sonntag* (see n. 35), p. 72, n. 58 : " Die Fragwürdigkeit einer Kritik, die von einer (vorausgesetzten) Sabbatpraxis der Urgemeinde ausgeht, lässt sich veranschaulichen an den in diesem Punkt sich widersprechenden Urteilen *H. Riesenfelds* und *L. Goppelts*. Sie beide sind (gegenüber *Bultmann*) der Meinung, dass die Perikope Mk. 2,23-28par auf eine Episode des Lebens Jesu zurückgehe, begründen diese Ansicht aber verschieden. *H. Riesenfeld*, Jésus transfiguré (1947), S. 319, sagt, die Geschichte hätte keinen Platz im Leben der Urgemeinde « qui avait tout simplement remplacé le sabbat juif et toutes ses prescriptions par le dimanche chrétien ». *L. Goppelt* : TWNT VI, S. 19, Anm. 53, fragt : " Wie käme die noch dazu um das Gesetz eifernde palästinische Gemeinde (Ag. 21, 20f.) zur Erfinding dieser Situation ? "

sentence, or regarding the literary connections of the verse, or regarding its origin. In present-day criticism it becomes difficult to imagine a possible solution which had not yet been defended, and with due respect to my audience I should say, defended by most serious authors. This statement is not unimportant for the historical Jesus problem. I may be wrong, but it is my impression that even in the most critical expositions there appears to be a tendency to overlook a number of uncertainties on preliminary problems. This has to do with the synthetic character of the discussion and it is in some sense unavoidable, but it also has to do with a desire to reach conclusions in that matter. The goal should remain, however, to come to conclusions with a wider acceptability, and therefore literary criticism, including form-history and redaction-criticism, is still an indispensable preliminary of historical Jesus research.

4. Mk II, 27 and the Plucking of Corn

In studying Jesus' attitude to the Sabbath, we cannot pass over the divergent interpretations of Mk II, 27, especially when it is agreed that the traditional material is much better preserved in the sayings than it was in the stories. This was a guiding principle in Lohse's analysis of the Sabbath pericopes.[95] With regard to Mk II, 27 the independence of the saying (or of the double saying 27-28) is now a widely accepted view. We mentioned, however, the reaction of E. Haenchen and others who now reintegrate v. 27 in the original pericope (vv. 23.24.27). In this hypothesis v. 27 is part of the pericope and one could expect that the incident of the corn-plucking would throw light on the saying.

Since the article of P. Benoit the discussion of the meaning of the incident has once again become unavoidable. The action of the disciples as it is described in v. 23 : *ἤρξαντο ὁδὸν ποιεῖν τίλλοντες τοὺς στάχυας*, can be translated : they began to make a road by plucking the ears, and the objection of the Pharisees in v. 24 : *ἴδε τί ποιοῦσιν τοῖς σάββασιν ὃ οὐκ ἔξεστιν* can be understood as referring to an action that is unlawful (*ὃ οὐκ ἔξεστιν*), and of which it is said, as an aggravating

95. Cfr J. JEREMIAS, *Neutestamentliche Theologie* (see n. 37), p. 201, n. 26 : " Lohse zeigte, dass die Worte Jesu über den Sabbat in geringerem Masse redigierender Bearbeitung unterlegen haben als die Sabbatgeschichten der Evangelien " ; (compare with Kümmel's reaction in TR 27 (1961) 185 : " den wohl allzu kritisch reduzierten Sabbatworten Jesu "). See already H. J. HOLTZMANN, *Die Synoptiker* (see n. 36), p. 56 : " Uebrigens erhellt aus der Vergleichung dieser neuen Stücke mit den alten, wie beweglich die äussere Umrahmung solcher Heilungsgeschichten war, wie sehr daher der Accent geschichtlicher Treue nur auf den, bei solchen Gelegenheiten gefallenen, Aeusserungen Jesu ruht ".

circumstance, that it happened on a Sabbath day. This was the interpretation proposed in Meyer's commentary (^{1}1832-^{5}1867),[96] but since its refutation by B. Weiss[97] later commentators refer to it as a possible but unacceptable reading of the Greek text of Mark.[98] It has been defended again by B. Murmelstein in 1930 : *Jesu Gang durch die Saatfelder*.[99] Thirty years later, Murmelstein's exegesis is adopted by P.

96. H. A. W. MEYER, *Markus und Lukas* (see n. 67), p. 35-36 : " Nach Mark. ... besteht die That derselben darin, dass sie durch das Aehrenausraufen *einen Weg durch das Feld bahnen* ; und die Pharisäer V. 24 tadeln, dass sie das *an sich schon Unerlaubte* am Sabbath thun " ; *ibid.*, n. 1 : " bei Mark. (ist) der Zweck des Aehrenraufens das *ὁδὸν ποιεῖν*, bei Matth. aber das *Essen wegen Hungers*. Das sind *verschiedene* Pointen der Nothwendigkeit, in welcher die Jünger waren, dort die *ὁδοποΐα*, hier der Hunger ". Meyer calls attention to the lexical usage *ὁδὸν ποιεῖν* = to make a path and to the fact that the other interpretation finds the leading idea expressed in the participle. Comp. G. B. WINER, *Grammatik des neutestamentlichen Sprachidioms*, Leipzig, 1855, p. 228, n. 3 : " man wird ganz eig. übersetzen dürfen : sie machten Aehren ausraufend einen Weg (eine Bahn) im Acker " (see also p. 316). Meyer is supported by H. J. HOLTZMANN, *Die synoptischen Evangelien* (see n. 13), p. 73 (cfr n. 4 : " Die richtige Auslegung bei Meyer "), and p. 184 ; J. H. SCHOLTEN, *Das älteste Evangelium*, Elberfeld, 1869, p. 68-69. Like Meyer (p. 36), they admit that the incident has been misunderstood by Matthew and Luke under the influence of Mk II, 25-26. C. L. W. Grimm inverts the order and formulates the objection : " Quam interpretationem si probaremus, *Marcum* non veram rem tradere, sed narrationem ab aliis acceptam *misere corrupisse* statuendum est " (*Lexicon Graeco-Latinum in libros Novi Testamenti*, Leipzig, 1868, *s.v.* *ποιέω* I, 1, a). — Other authors who defend the meaning " to make a path " are less conscious of the discordance between Mark's presentation and that of Matthew and Luke. See J MORISON, *Mark's Memoirs of Jesus Christ : or A Commentary on the Gospel according to Mark*, London-Glasgow, 1873 ; ^{2}1876, p. 64-67. Compare Euthymius (12th c.) who combined the texts of Mark and Luke : *ἐπεὶ γὰρ μέσον τῶν σπορίμων διήρχοντο, ἅμα μὲν ἀνέσπωαν τοὺς στάχυας ἵνα προβαίνειν ἔχοιεν· ἅμα δὲ ἤσθιον τοὺς ἀνασπωμένους ψώχοντες ταῖς χερσίν* (PG, 129, c. 364).

97. B. WEISS, *Das Marcusevangelium* (see n. 21), 1872, p. 100 ; *Markus und Lukas* (see n. 21), ^{6}1878, p. 40-41. In 1872, he observed that " die Erklärung Meyer's ... bei den Kritikern vielfach Beifall gefunden hat " (with reference to G. Volkmar).

98. P. SCHANZ, *Commentar über das Evangelium des heiligen Marcus* (see n. 14), p. 136-137, with reference to B. Weiss, H. Ewald, A. Klostermann and W. Grimm (see n. 96). — The retractation of Holtzmann is especially noticeable, cfr *Die Synoptiker*, ^{2}1892, p. 90 : " Also nur der Sabbat steht, wie anerkanntermaassen bei den Seitenreferenten, so auch bei Mc in Frage " (cfr ^{3}1901, p. 122). — Compare the commentaries (in chronological order of the first edition) : E. P. Gould, H. B. Swete, J. Wellhausen, J. Weiss, E. Klostermann, A. Loisy, C. G. Montefiore, G. Wohlenberg, M.-J. Lagrange, A. Plummer, F. Hauck, J. Schniewind, J. Schmid, J. Keulers, V. Taylor, W. Grundmann, C. E. B. Cranfield, D. E. Nineham, E. Haenchen, F. M. Uricchio-G. M. Stano, R. Schnackenburg, E. Schweizer. On E. Lohmeyer, cfr *infra*, n. 106. B. W. Bacon is an exception, cfr *The Beginnings of Gospel Story*, New Haven, 1909, p. 30-31.

99. B. MURMELSTEIN, *Jesu Gang durch die Saatfelder* (see n. 82), p. 116-120. He refers to the interpretation of Meyer (and Weiss's reaction) on p. 117. Like Meyer he distinguishes two parts in the objection of the Pharisees, but he inter-

Benoit. [100] It is proposed now as a later interpretation given to the incident by Mark. [101] In the original Gospel story the disciples plucked the grain to satisfy their hunger : it was regarded as reaping and therefore, according to the Pharisees, not permissible on the Sabbath. In contrast to Matthew and Luke, Mark does not say that the disciples eat the ears of corn : they break a path through the fields (it is an act of vandalism !). Boismard, in his recent commentary, presents it as the reinterpretation of the proto-Marcan story by the final redactor. [102] Proto-Mark and Proto-Matthew depend on a common source (Document A) in which the story appears as a Sabbath controversy. This, however, was already a modified form of a more primitive tradition, and the motif of the Sabbath was introduced by the Document A. Originally the disciples were reproached, not for breaking the Sabbath law, but for picking the corn to eat and the account was designed to illustrate Jesus' spirit of magnanimity in contrast to Pharisaic rigorism : law must acquiesce in face of genuine human need.

The non-Sabbatical interpretation which is supposed to be that of the Marcan redaction reappears here (in a somewhat different form) as the original meaning of the story. On that more hypothetical level it may be less objectionable, or at least less submitted to verification. On the level of the Marcan redaction, however, it is hardly conceivable that the Sabbath was only preserved as an aggravating circumstance, by the Marcan redactor who is supposed to be responsible for the addition of the Sabbath saying in v. 27. Benoit is opposing his interpretation to what he calls the harmonistic exegesis of Lagrange, Osty, Crampon,

prets differently the answer of Jesus. The example of David is more to the point than it is for Meyer (see n. 112) : according to a rabbinic tradition the action of David occurred on a Sabbath and by Jewish law the king is allowed to make a road and none may protest against him (Sanh. II, 4). The description of the disciples' action is also somewhat different : " einen Weg machen (bahnen) durch Ausraufen der Aehren " (Meyer) and " Abrupfen der Ähren, um einen Weg zu bahnen " (Murmelstein) ; the objection is about corn-plucking and still relates to Deut. XXIII, 25 : " In unserem Falle handelt es sich um ein Ausrupfen in grosser Menge " (p. 118).

100. P. Benoit, *Les épis arrachés* (see n. 19), espec. p. 236-238. — Comp. also W. Rordorf, *Der Sonntag* (see n. 35), 1962, p. 61 (apparently under the influence of Murmelstein's article : cfr his criticism on p. 60, n. 18) : " Hier wird offensichtlich vorausgesetzt, dass die Jünger angefangen haben, 'einen Weg zu bahnen', also Ähren in grosser Menge ausgerauft haben ". He refers to the *v.l.* ὁδοποιεῖν (cfr n. 106) and in v. 20 he adds that this could explain the immediate reaction against the disciples and that this explanation avoids the pleonasm with παραπορεύεσθαι (cfr n. 96 and 105).

101. In contrast to Murmelstein (p. 119) and Rordorf (for Holtzmann and others, cfr n. 96).

102. M.-E. Boismard, *Commentaire* (see n. 20), p. 116-117.

Huby. [103] In fact, he is in conflict with almost all modern commentators and translators, [104] with the paraphrase commonly accepted since Erasmus, [105] with ancient Bible versions and some variant readings in the manuscripts : the difficulty of Mark's ἤρξαντο ὁδὸν ποιεῖν τίλλοντες is corrected by writing plainly ὁδοιποροῦντες τίλλειν. [106] Are they all harmonizing or are they right in understanding the Marcan text as it has been understood by its first interpreters, Matthew and Luke, who both have omitted that ὁδὸν ποιεῖν ? The grammatical problem : the active voice instead of the middle ὁδὸν ποιεῖσθαι [107]

103. P. BENOIT, *Les épis arrachés* (see n. 19), p. 236, n. 2.

104. For the commentaries, cfr *supra*, n. 98. For the translation (P. BENOIT-M.-E. BOISMARD, *Synopse des quatre évangiles en français. Tome I. Textes*, Paris, 1965, p. 38 : "ses disciples se mirent à se frayer un chemin en arrachant les épis"), comp. with "chemin faisant" (Segond, Bible de Jérusalem, Osty-Trinquet, Tricot, Leconte, Deiss, Traduction œcuménique), "tout en s'avançant" (Crampon), "en marchant" (Ostervald), "en cheminant" (Joüon), and the more litteral translation by H. Pernot : "ses disciples se mirent à marcher en égrenant les épis". An inquiry into English, German and Dutch translations gave the same result : "as they went", etc.

105. "Inter eundum coeperunt vellere spicas" (Erasmus), "inter viam" (Vatablus), cfr *Critici Sacri* (see n. 36), VI, c. 20. Comp. P. SCHANZ, *Marcus* (see n. 14), p. 136 : "ὁδὸν ποιεῖν wird seit Erasmus und Grotius gewöhnlich mit τίλλοντες in der Bedeutung von ὁδὸν ποιούμενοι ἔτιλλον = während des Gehens (unterwegs) plückten sie erklärt".

106. οδοιπορουντες (iter facientes) τιλλειν : fam. 13 a f q arm ; τιλλειν : D W c e b ff[2] ; comp. Vulg. : coeperunt progredi et vellere spicas. Cfr W. Grundmann : "(daran) erweist sich, dass gerade die Versionen diese Parataxe auflösen, weil sie sie als solche erkennen" (*Markus*, see n. 29, p. 69, n. 5). — Lohmeyer defends even the originality of the short text ; cfr *Markus* (see n. 8), p. 63-64 : "der gallische, afrikanische, syrische und altlateinische Text in nicht häufigem Verein". The passage in Lohmeyer's commentary is somewhat inaccurate : the omission of the verb in sy[s] can hardly be counted, since the ms. shows a larger gap at v. 23b ; Judg XVII, 8 LXX is erroneously cited for ὁδὸν ποιεῖν = to make a road : "das wäre ein Hebraismus" (!). The difficulty he raises against the ordinary interpretation, the tautology : "Jesus wanderte, und seine Jünger begannen zu wandern", has been cancelled by the author (within brackets in the 1951 edition). — P. Benoit adds the following observation on the *v.l.* of the Vaticanus (printed by Lachmann and in the margin by Tregelles and Westcott-Hort) : « Déjà la variante ὁδοποιεῖν (B G H 565*) suppose le sens affaibli de 'faire route', 'itinérer' (lat. *iter facere*), au lieu du sens fort 'faire, frayer un chemin' » (p. 236, n. 3 ; cfr also de Wette's commentary, [3]1846, p. 178). Compare Benoit-Boismard's *Synopse*, 1965, p. 38 : ὁδὸν ποιεῖν = se frayer un chemin (*rel.*), ὁδοποιεῖν = cheminer (B G H T Cés). But in the Septuagint as well as in classical Greek ὁδοποιεῖν means 'to make a road' (Liddell-Scott, Bauer, etc.). Cfr W. RORDORF, *Der Sonntag* (see n. 35), p. 61 ; *Sabbat und Sonntag* (see n. 35), p. 3, n. 4.

107. Cfr P. SCHANZ, *Marcus* (see n. 14), p. 137 : "aber doch findet sich bei den LXX Judd. 17,8 ὁδὸν ποιεῖν in diesem Sinne und wird auch sonst im N.T. mitunder das Activ für das Medium gebracht... Das Medium von ποιέω kommt überhaupt im N.T. selten vor." — For instances of ποιέω (active) used with a noun

and the participle, instead of the finite verb, expressing the principal thought, [108] is well treated in grammars and commentaries. Much has been said also about the unintelligible action of making a path by plucking the ears of corn. [109] There is another inconsistency in that hypothesis. The action is described as an action of the disciples, not of Jesus, and the opponents' grievance is about the disciples' action. Certainly, Jesus is held accountable for the doings of his followers, but the idea of responsibility of the Master, recently emphasized by D. Daube, [110] implies an action of the disciples and not that of Jesus. If, however,

as a periphrasis of the verbal idea, cfr W. BAUER, *Wörterbuch, s.v.* ποιέω, I 1 b δ (for the middle, see under II 1) ; in Mk : φόνον, XV, 7 ; συμβούλιον, III, 6 *v.l.* Comp. BLASS-DEBRUNNER, § 310 ; N. TURNER, *Syntax* (Moulton's *Grammar*, 3), Edinburgh, 1963, p. 56. The middle ποιοῦμαι is not used in Mk and in Mk III, 6 εποιουντο (W) is " a variant correcting to the middle of ποιέω where the active appears in the stronger text ". — The explanation of ὁδὸν ποιεῖν as " one of Mark's latinisms " (cfr B. Weiss, H. J. Holtzmann, M.-J. Lagrange : with hesitation) is no longer supported in recent commentaries (with the exception of E. Haenchen, *Der Weg Jesu*, see n. 30, p. 119, n. 1). In earlier exegesis it was a much more common solution : cfr J. T. KREBSIUS, *Observationes in Novum Testamentum e Flavio Josepho*, Leipzig, 1755, p. 80-82.

108. The usage is frequent in classical Greek, as both Meyer and Winer admit. On Mk II, 23 : E. KLOSTERMANN, *Das Markusevangelium* (see n. 25), p. 30 : " dürfte ungeschickte Wiedergabe (1st ed. : Periodisierung) einer aramäischen Parataxe sein " ; comp. J. WELLHAUSEN, *Einleitung in die drei ersten Evangelien*, Berlin, 1905 ; [2]1911, p. 14 ; F. HAUCK, *Markus* (see n. 8), p. 39 ; W. GRUNDMANN, cfr *supra*, n. 106 ; M. ZERWICK, *Graecitas Biblica*, Rome, [4]1960, p. 120, n° 376 (with reservation on p. 70, n. 1). — But B. Weiss maintains that the construction is quite regular : " Es soll eben nicht gesagt werden, dass sie im Gehen Aehren rupften, sondern dass sie nicht wie Jesus einfach an den Kornfeldern vorüberwanderten, dass sie vielmehr ihren Weg machten, indem sie dabei die in den Kornfeldern stehenden Aehren abrupften " (*Marcusevangelium*, see n. 21, p. 100 ; *Markus und Lukas*, p. 40). P. Schanz replies that the distinction between Jesus and the disciples is not " ein Unterschied im Gehen " but " den Unterschied zwischen dem Nichtabpflücken Jesu und dem Abpflücken der Jünger " (*Marcus*, see n. 14, p. 137). The phrase becomes also less tautologous with παραπορεύεσθαι when τίλλοντες is the principal thought (*ibid.*). Compare, however, the wise observation of E. P. Gould : " And as for making the principal and subordinate clauses exchange places, in this case the peculiarity is not so great. *They began to go along, plucking the ears* is not so very different from *they began, going along, to pluck* " (*Mark*, see n. 41, p. 48). — On the view of G. Wohlenberg, cfr *infra*, n. 120.

109. E. P. GOULD, *Mark* (see n. 41), p. 48 : " ... an absurd way of making a road. You can make a path by plucking the stalks of grain, but you would make little headway, if you picked only the ears or heads of the grain ". Comp. B. WEISS, *Marcusevangelium* (see n. 21), p. 100 : " στάχυς ist bei Marc. 4,28 die Aehre im Gegensatz zum Halm, es kann also nur ein Abrupfen derselben vom Halm gemeint sein, wodurch natürlich kein Weg gebahnt wird " ; cfr *Markus und Lukas* (see n. 21), p. 41. The same remark is made by most commentators : " das Niedertreten der Halme lag doch näher " (Schanz).

110. D. DAUBE, *Responsibilities of Master and Disciples in the Gospels*, NTS 19

we read : Jesus went through the grainfields the disciples making the path, [111] it becomes much more an unified action so that the part of the disciples can hardly be separated from Jesus' going through the fields.

What is amazing in the interpretation of Benoit is that the only element which is apparently non-Sabbatical (I mean vv. 25-26) plays no role in Mark's adaptation of the story. It has long been observed that the example of David eating the shewbread contains no allusion to the Sabbath, either in the Gospel text or in the O.T. passage of 1 Sam XXI, 2-7. Meyer's explication was that Jesus first answered in vv. 25-26 the objection about ὃ οὐκ ἔξεστιν (*das an sich Unerlaubte*) and then in vv. 27-28 the second part of the objection (ἐν τοῖς σάββασιν). [112] For Benoit the example of David has not been integrated in the Marcan transformation. The argument is a traditional element in the story : not unlike the disciples David was pressed by hunger to eat what is forbidden and that on a Sabbath day. [113] That the action of David took place on a Sabbath can be found in some rabbinic traditions, first referred to by I. Abrahams (1917) [114] and quoted by P. Biller-

(1972-73) 1-16, p. 4-8. " I take it that he did not do so (= *pluck corn*), not only because all three evangelists definitely confine the action to his disciples, but also because, had he been guilty of it, alone or in company, his opponents would have gone for him, not for the lesser fry " (p. 6).

111. It does not seem that such is the presentation of Mark. " Allein da nach der Darstellung des Evangelisten offenbar Jesus voranging (vgl. auch 10, 32), so muss der Pfad wohl nicht so unwegsam gewesen sein " (B. WEISS, *Marcusevangelium*, p. 100 ; cfr *Markus und Lukas*, p. 41).

112. H. A. W. MEYER, *Markus und Lukas* (see n. 67), p. 37 : " Hat Jesus bisher den mit ὃ οὐκ ἔξεστι V. 24 gemachten Vorwurf widerlegt (= *vv. 25-26* ; cfr p. 36 : 'der *Sabbath* mache dabei keinen Unterschied'), so widerlegt er nun (= *vv. 27-28*) auch den mit ἐν τοῖς σάββασιν V. 24 ausgesprochenen Tadel ". — In the view of B. Murmelstein τοῖς σάββασιν in v. 24 is also a second part of the objection (p. 118 : " der Vorwurf zerfällt ja eigentlich in zwei Teile "), but the example of David already responds to it (see n. 116). The distinction of the two parts in v. 24 is suggested by the word order : ποιοῦσιν τοῖς σάββασιν ὃ οὐκ ἔξεστιν. In the translation of P. Benoit : "— et cela un jour de sabbat ! —" (p. 237 : "comme une sorte d'incise"). On this point Meyer was followed by Holtzmann (1863) but not by Scholten who maintains that the evangelist " τοῖς σάββασιν, was mit ὃ οὐκ ἔξεστιν zu verbinden ist, des Nachdrucks halber voranstellte " (*Das älteste Evangelium*, p. 98 ; comp. A. Klostermann, J. C. von Hofmann). E. Klostermann does not consider it strictly as a grammatical construction (p. 30 : " *am Sabbat* gehört logisch in den Relativsatz ") and it is generally held that the meaning of a breach of the Sabbath is evident enough. If there is a special nuance in Mark, it might be in the sense of B. Weiss's comment (*Marcusevangelium*, p. 101 : " das gleich zu ποιοῦσιν gestellte τοῖς σάββασιν wird dadurch nur stärker als der Hauptpunkt, auf den es hier ankommt, hervorgehoben ").

113. P. BENOIT, *Les épis arrachés* (see n. 19), p. 137-138.

114. I. ABRAHAMS, *Studies in Pharisaism and the Gospels*, I (see n. 80), p. 134 : " It may be remarked incidentally that the midrash (*Yalqut ad loc.*) supposes the

beck (1924) [115] and then proposed by B. Murmelstein (1930) as the clue for the understanding of the Gospel text. [116] The rabbinic parallel is mostly treated with much more reservation than it is done by Benoit. [117] Boismard did not hesitate to reconstruct the original tradition of the corn plucking on the basis of the non-Sabbatical character of vv. 25-26. His inference is that also the action of the disciples had originally no connection with the Sabbath. [118] Previously, A. Suhl had emphasized the non-Sabbatical answer of Jesus in the original pericope : by their action the disciples had profaned the Sabbath (that was the objection of the Pharisees) but, in his counterquestion, Jesus enlarges the debate

David incident to have occurred on a Sabbath, and this would make the Synoptic citation of the parallel more pointed ".

115. H. L. STRACK-P. BILLERBECK, *Das Evangelium nach Matthäus* (see n. 82), p. 618-619 : quotations from Babyl. Talmud, *Menahoth* 95b and from Midrash *Yalqut* § 130 (Midrash *J^{e}lamm^{e}denu*).

116. B. MURMELSTEIN, *Jesu Gang durch die Saatfelder* (see n. 82), p. 112-113. Cfr p. 113, n. 2 : " Der Hinweis, dass erst durch diese Stellen, die annehmen, das David die Schaubrote am Sabbat ass, das Beispiel Jesu verständlich wird, fehlt bei Str.-B. überhaupt ". (As it appears from the same n. 2, *initio*, the author was not acquainted with the study of I. Abrahams.)

117. The point of the Midrash that the action of David was performed on a Sabbath is irrelevant to the text of Mark : E. LOHMEYER, *Markus* (see n. 8), p. 64 : " Aber das Jesus-Wort betont diesen Punkt nicht, auch liegt das David Vergehen nicht in der Entheiligung der Sabbat " ; J. SCHMID, *Markus* (see n. 8), p. 70 ; W. GRUNDMANN, *Markus* (see n. 29), p. 70 ; F. W. BEARE, " *The Sabbath was made for Man ?* " (see n. 34), p. 133, n. 10 ; M. D. HOOKER, *The Son of Man* (see n. 75), p. 97, n. 3 ; W. RORDORF, *Der Sonntag* (see n. 35), p. 60, n. 18 ; E. HAENCHEN, *Der Weg Jesu* (see n. 30), p. 119, n. 2 ; J. ROLOFF, *Das Kerygma* (see n. 8), p. 53, n. 10 ; A. SUHL, *Die Funktion der alttestamentlichen Zitate* (see n. 8), p. 85, n. 77 ; H.-W. KUHN, *Ältere Sammlungen* (see n. 32), p. 74, n. 129. Compare also W. G. KÜMMEL, *Jesus and die jüdische Traditionsgedanke*, ZNW 33 (1934) 105-130 ; = *Heilsgeschehen und Geschichte*, Marburg, 1965, p. 15-35, espec. p. 28, n. 59 : " Aber das Alter dieser Tradition ist unsicher " ; also H.-J. SCHOEPS, *Jesus und das jüdische Gesetz* (1953), in *Studien zur unbekannten Religions- und Geistesgeschichte*, Göttingen, 1963, p. 41-61, espec. p. 48, n. 18 : " ist die Tradition alt genug " (question). — For a more positive reaction see E. LOHSE, *Jesu Worte über den Sabbat* (see n. 5), p. 82, n. 11 ; art. σάββατον (see n. 6), p. 22 : " Der Vergleichspunkt tritt jedoch noch deutlicher heraus, wenn beachtet wird dass das Beispiel Davids auch in den Diskussionen der Schriftgelehrten über den Sabbat herangezogen worden ist " (in n. 169 he refers to Murmelstein, but on p. 21, n. 164, Murmelstein's interpretation of the pericope is called " recht eigenwillig ") ; J. JEREMIAS, *Neutestamentliche Theologie* (see n. 37), p. 202, n. 29 ; D. E. NINEHAM, *Mark* (see n. 71), p. 107, n. 3 ; R. HUMMEL, Die *Auseinandersetzung* (see n. 88), p. 41, n. 43 : " vielleicht war sie den Synoptikern bekannt " ; and others (L. Goppelt, D. Daube). — Unrestricted adherence to Murmelstein is found only in G. MINETTE DE TILLESSE, *Le secret messianique dans l'évangile de Marc* (Lectio divina, 47), Paris, 1968, p. 137-139 ; cfr p. 138 : " On peut sans doute accepter les grandes lignes de l'étude de B. Murmelstein ", without reference to Benoit.

118. M.-E. BOISMARD, *Commentaire* (see n. 20), p. 116.

from the concrete case of Sabbath observance to the principle that even the Law can be transgressed. The limitation to the Sabbath commandment came later with the addition of v. 28 and was adopted by Mark who inserted v. 27. [119] In this hypothesis, when compared with that of Benoit and Boismard, I see at least one advantage : the evangelist who supposedly added v. 27 has consequently interpreted the pericope as a Sabbath controversy.

Suhl may be right too when he maintains, in distinction to Boismard, that the original conflict was a Sabbath incident. This is the more generally accepted view and it is the firm conviction of those authors who, like E. Haenchen, consider v. 27 as the original answer of Jesus. Their reconstruction of the pericope (vv. 23.24.27) is based upon the absence of the Sabbath motif in the example of David : for that reason vv. 25-26 are eliminated from the original pericope as disturbing the unity of the composition. The addition of those verses gave a new orientation to the incident of the plucking of the corn. It was no longer understood as a work of reaping, forbidden on a Sabbath day, but the grievance became that the disciples ate from the corn belonging to other people. [120] This interpretation comes close to what Boismard proposed as the original meaning of the conflict. Haenchen attributes it vaguely to Mark's community, but Kuhn adds the precision that Mark is to be held responsible for the insertion here, because of the formula *καὶ ἔλεγεν αὐτοῖς* in v. 27a. [121]

Haenchen's description of the original incident is that of Mark, without clear motivation of the disciples' action ; that they ate (Matthew and Luke) and that they were hungry (Matthew) are part of a secondary rewriting, probably under the influence of the example of David. The objection raised by the Pharisees implies that the plucking of the corn was understood as reaping. In fact, I do not see how we could reach an earlier tradition with a presentation of the incident different from that of Mark. That the incident was not on a Sabbath (as in Boismard's hypothesis) or that the Sabbath work was not corn-plucking but for instance, as it was suggested by B. Weiss, the healing activity of the disciples, are suppositions too unsupported in Mark to be taken in consideration. [122]

119. A. SUHL, *Die Funktion der alttestamentlichen Zitate* (see n. 8), p. 86 : " Dann ging es hier aber ursprünglich gar nicht nur um die Geltung des Sabbatgebotes, sondern ganz allgemein um die des Gesetzes überhaupt, wobei sich der Disput allerdings an diesem konkreten Gebot entzündet ".

120. E. HAENCHEN, *Der Weg Jesu* (see n. 30), p. 121-122.

121. H.-W. KUHN, *Ältere Sammlungen* (see n. 32), p. 74.

122. As far as I know, the hypothesis of Boismard who radically eliminates *ἐν τοῖς σάββασιν* (v. 23) and *τοῖς σάββασιν* (v. 24) from the original story is unique.

According to Haenchen the primitive story cannot be *Gemeindebildung*. His defence of the historicity of the incident has made some impression. [123] The argumentation, however, is not wholly consistent. He makes the supposition that the objection originally did not exclude Jesus and has been limited to the disciples by the Christian community, which could not tolerate criticism of Jesus. [124] On the other hand, in that same community, not the Christians but only the Son of Man is entrusted with freedom in Sabbath regulations and for that reason Haenchen rejects the possibility that the disciples story could be a community creation. [125] I will not insist here on the argument of the historical likelihood of the incident in the life of Jesus. I was only surprised to see how Haenchen identifies the Pharisees as Galilean Pharisaic-minded peasants. [126] In the Marcan presentation, the incident of the plucking of corn gives the impression of being much more a theoretical case than a reminiscence of an actual event in the grainfields of Galilee. [127] Haenchen's final argument in favour of the historicity

In the explanation of Meyer (and Murmelstein) the action of the disciples occurred on a Sabbath and that is at least an aggravating circumstance. In the ordinary interpretation the objection is raised by the Pharisees directly about the breach of the Sabbath by corn plucking (= reaping). B. Weiss' suggestion (see n. 21) that the tradition of the Apostolic Source (the healing activity of the disciples) has been rejected by the Petrine tradition in Mark (the plucking of corn) is too hypothetical and G. Wohlenberg overemphasizes ὁδὸν ποιεῖν when he understands the plucking of corn as the disciples' meal in preparation for a long trip (more than a Sabbath's journey) (*Markus*, p. 92).

123. Cfr H. SCHÜRMANN, *Das Lukasevangelium* (see n. 31), p. 305 : " ... sie ist aus dem 'Sitz im Leben' der Gemeinde kaum verständlich zu machen, so dass man an echte Jesuserinnerung glauben möchte " ; H.-W. KUHN, *Ältere Sammlungen*, p. 75-76 : " Auch V. 23f. ist nicht allein aus der Situation der Gemeinde zu erklären " (p. 75). (Both with reference to Haenchen).

124. *Der Weg Jesu*, p. 122, n. 4.

125. *Ibid.*, p. 122 ; cfr *supra*, n. 54.

126. *Ibid.*, p. 119 and 122.

127. F. W. BEARE, " *The Sabbath was Made for Man ?* " (see n. 34), p. 136 : " Perhaps the pericope may indicate that the Palestinian church found that it was attacked not only for doing good on the sabbath day, but for triffling contraventions of individuals, technical breaches of no more significance than the plucking of a few ears of grain. " Comp. G. THEISSEN, in *Ergänzungsheft* (Bultmann, *Die Geschichte*), Göttingen, 1971, p. 19 : " Ährenraufen sei nur ein Beispiel. " — On the presence of the Pharisees see F. W. Beare : " Are we to suppose that they kept company with the disciples on their sabbath afternoon strolls, as a regular practice ; or that some of them just happened to be passing by the very fields in which the disciples were plucking the grain ? As Lohmeyer puts it, we are not to ask where the Pharisees have come from. Their presence is as unexpected as that of the shocked scribes in the crowded house at Capernaum, where Jesus healed the paralytic (Mark 2 6). They are lay figures, brought in to voice the criticism which Jesus will answer. " (*art. cit.*, p. 133).

is again the principle of dissimilarity : it rests on the supposedly limitative function of v. 28 (and vv. 25-26) and the provocative radicalism of v. 27 and, finally, on the supposition that the Christian community faithfully observed the Sabbath. [128] Thus the argument brought forward in defence of the historicity of the setting in vv. 23-24 is the same as for the authenticity of the saying in v. 27. However, an important correction to Haenchen's hypothesis has been proposed more recently by H.-W. Kuhn. He defines the purpose of the pre-Marcan apophthegm [129] as a criticism of the Jewish Sabbath theology, rather than the radical abrogation of the Sabbath observance [130] and he remarks that it corresponds to what we know about the situation of the early Christians. [131] Regarding v. 28 the author still employs an expression of limitation, but he enlarges the notion to " die christologische bzw. kirchliche Einschränkung " : with the Son of Man, the Christian community is 'master' of the Sabbath. [132] In his view it is meaningful (as it was for Bultmann and Lohse) that in the pericope the disciples, and not Jesus, are criticized by the Pharisees : " die Gemeinde beruft sich wegen ihrer Praxis auf Jesus ". [133] It should be clear that in such approach Haenchen's argument of dissimilarity can no more be appealed to and it becomes a pointless remark that it was not customary among the Christians to walk through the grainfields and to eat of the ears

128. *Der Weg Jesu*, p. 122 : " Viel wichtiger und u.E. entscheidend ist etwas anderes : die Gemeinde hat ja keineswegs für sich eine solche Freiheit von Sabbatgeboten beansprucht, sondern sie, wie gezeigt, nur für Jesus reserviert. Die frühe Gemeinde ist durchaus sabbattreu gewesen. "

129. Mk II, 23-24.27-28, as part of the pre-Marcan collection (II, 1-28).

130. H.-W. KUHN, *Ältere Sammlungen* (see n. 32), p. 76-77 : " Aufgehoben wird jedoch die Sabbatobservanz nicht schlechthin, wohl aber ihre allgemeine Verbindlichkeit. Auch das Wort in V. 27, das sicherlich Jesus selber gebraucht hat, sprengt die jüdische Sabbattheologie, ohne freilich die Sabbatobservanz überhaupt zu verwerfen. "

131. *Ibid.*, p. 77-81.

132. *Ibid.*, p. 90 ; " Die christologische bzw. kirchliche Einschränkung in V. 28 gegenüber V. 27 ist jedenfalls *auch* eine noch grundsätzlichere Infragestellung der jüdischen Sabbatpraxis : Der in der Gemeinde in Vollmacht wirkende Menschensohn, d.h. zugleich die Gemeinde, ist '*Herr*' über den Sabbat ". Comp. p. 76 : " Die Begründung, die sich am weitesten von der jüdischen Sabbattheologie entfernt, gibt V. 28 : Hier ist die Verbindlichkeit der jüdischen Sabbatobservanz spezifisch 'christlichen' Massstäben unterworfen, nämlich dem Anspruch der Gemeinde, dass Jesus der in ihr vollmächtig wirkende Menschensohn ist und dass sie dementsprechend das Recht hat, Sabbatfreiheit zu praktizieren " ; p. 81 : " Obgleich die Sabbatobservanz nicht einfach für abgeschafft erklärt wird, wird ihre allgemeine Verbindlichkeit nicht nur 'um des Menschen willen' zurückgestellt (V. 27), sondern sie wird — spezifisch christlich — im Namen des in der Gemeinde in Vollmacht wirkenden Menschensohnes anfgehoben (V. 28). "

133. *Ibid.*, p. 76.

of corn on the Sabbath. [134] If the reconstruction of the original pericope, Mk II, 23-24.27.(28), remains true, we have to reckon with the possibility that vv. 23-24 were added to the free-floating logion [135] and the narrative can hardly provide complementary evidence in a discussion of the Jesus saying of v. 27.

Yet, the reconstruction of the original form of the apophthegm is not without difficulties. Kuhn considers *καὶ ἔλεγεν αὐτοῖς* in v. 27a as Mark's transition from the insertion (vv. 25-26) to the traditional conclusion in v. 27, [136] but is it not more in line with Marcan usage that the formula introduces the logia of vv. 27-28 appended by Mark to the argument from the example of David ? [137] And can we readily

134. *Ibid*, p. 75 ; cfr E. HAENCHEN, *Der Weg Jesu* (see n. 30), p. 112.

135. Cfr A. J. HULTGREN, *The Formation of the Sabbath Pericope* (see n. 33), p. 41. Comp. E. SCHWEIZER, *Das Evangelium nach Markus* (see n. 8), p. 38-39 : " Es ist also damit zu rechnen, dass ein Wort Jesu nachträglich in eine Situation hineingestellt wurde, die dazu passte, wobei die Pharisäer als die häufigsten Gesprächspartner Jesu auftauchen. Das Ährenraufen wäre dann gerügt, weil es besser zu V. 25f. passt als das Wandern oder weil dieser Vorwurf eine besonders kleinliche Gesetzlichkeit offenbart. " — Less convincing is D. Daube's description of the plucking of corn on a Sabbath as " a revolutionary action " ; cfr *The New Testament and Rabbinic Judaism*, London, 1956, p. 182 : " To modern readers, the healing of a person on a Sabbath or the plucking of corn on a Sabbath seems a small affair... But at the time, those actions, far from irrelevant, were striking, unheard of, a new way of life " ; p. 173 : " In New Testament times the effect must have been comparable to that a Lutheran author would intend by starting a life of his hero thus : 'On the 20th of December 1520, Martin Luther publicly consigned to the flames a Papal Bull condemning his errors.' The narrative opens with a shock. " D. Daube has some excellent remarks on the tripartite form of the narrative, but it seems to me that he distinguishes too sharply between " revolutionary action, protest, silencing of the remonstrants " and " mystifying gesture, question, interpretation ". If Mk II, 23.24.27 was the original form of the pericope (this is not Daube's opinion !), we could paraphrase his definition of 'significant gesture' (cfr p. 176 and 182) : Here the opening action is performed not so much for its own sake, as in order to provoke part (2), the protest of the Pharisees, and thus to furnish an opportunity for what really matters, namely, part (3), the pronouncement of v. 27. What he says about the healings : " the principal purpose... is, not the ensuing controversies, but the cures, the realization of the kingdom... " (p. 181), is hardly applicable to the plucking of corn. Moreover, Daube himself observes about a healing in public that " it is arguable that, *as seen by the author of this pericope*, one aim of the action was to provoke opposition in order that it might be demolished " (p. 181). In a sabbath controversy the revolutionary action is not the cure " for its own sake " (" in the first place addressed to the sick ", p. 182), but the fact that the action took place on a Sabbath.

136. Cfr *supra*, n. 121. See also H.-W. KUHN, *Zum Problem des Verhältnisses der markinischen Redaktion zur israelitisch-jüdischen Tradition*, in G. JEREMIAS, H.-W. KUHN, H. STEGEMANN (ed.), *Tradition und Glaube*. Fs. K. G. Kuhn, Göttingen, 1971, p. 307, n. 30.

137. Cfr *καὶ ἔλεγεν αὐτοῖς* in Mk IV, 2.11.21.24 ; VI, 10 ; VII, 9 ; VIII, 21 ; IX, 1 ; comp. also VI, 4 ; IX, 31 ; XI, 17. Cfr H.-W. KUHN, *Ältere Sammlungen*,

assign to Mark such an insertion of Jewish *haggada* ? It is formulated as a counterquestion and Bultmann's assertion still holds : " Mit der Gegenfrage müsste die Debatte stilgemäss zu Ende sein ". [138] True, the action of David has nothing to do with Sabbath. [139] It is said that David was driven by hunger (χρείαν ἔσχεν καὶ ἐπείνασεν) and in v. 23 no such justification is indicated for the disciples who pluck the corn. Moreover, the role of David who ate of the shewbread and gave also to his companions is quite different from the attitude of Jesus in v. 23. On the other hand, there are notable discrepancies with the Old Testament episode. [140] The presence of David's companions is an obvious one. In a recent study D. Daube has suggested that the original version of the argument did accord with 1 Sam XXI and mentioned David only. As the references to David's men give the impression of detachable appendices (αὐτὸς καὶ οἱ μετ' αὐτοῦ in v. 25 and καὶ ἔδωκεν καὶ τοῖς σὺν αὐτῷ οὖσιν in v. 26), he assumed that in the original version David was alone. [141] Prior to Daube, A. Suhl made a similar suggestion : those references are " reine Ausmalung " and were added by Mark who assimilates " David and his men " to " Jesus and his disciples ". [142] For Daube's study of the master-disciple relationship

p. 74 and 130-131 ; comp. J. JEREMIAS, *Die Gleichnisse Jesu*, Göttingen, [4]1956, p. 8 (= 1965, p. 10) : " eine für Markus typische Anreihungsformel " ; n. 4 (= n. 5) : " Mit καὶ ἔλεγεν αὐτοῖς (V. 11.21.24) hat Markus V. 11f. ad vocem παραβολή eine zweite Antwort auf die Frage von V. 10 eingeschoben und zwei weitere Gleichnisse in die Gleichnissammlung eingefügt ". The pre-Marcan character of καὶ ἔλεγεν (without αὐτοῖς) in Mk IV, 9.26.30 (cfr J. JEREMIAS, *ibid.*), is accepted by W. Marxsen, J. Dupont, A. Suhl, H.-W. Kuhn, etc. (For a different opinion, comp. M. Zerwick, J. Gnilka, J. Lambrecht.)

— In Mk II, 27 the Marcan character of the connecting link is emphasized by many authors who consider vv. 27-28 as a Marcan addition (Lohse, Roloff, etc.) but also by those who attribute to Mark the insertion of v. 27 before v. 28 (F. GILS, *Le sabbat*, see n. 14, p. 514-515 : in reaction against Vaganay's " formule archaïque " ; P. BENOIT, *Les épis arrachés*, see n. 19, p. 235 ; A. SUHL, *Die Funktion der alttestamentlichen Zitate*, see n. 8, p. 84 and 73).

138. R. BULTMANN, *Die Geschichte* (see n. 8), p. 14. Comp. D. DAUBE, *The New Testament* (see n. 135), p. 170ff. (on the tripartite form) ; p. 174, on the third member of the form, the silencing of the remonstrants : " Jesus justifies the action impugned by adducing a piece of teaching which his opponents also recognize as valid : ... a passage of Scripture ('David did eat the shewbread') ".

139. Cfr *supra*, n. 117.

140. Cfr 1 Sam XXI, 2-10. Comp. D. NINEHAM, *Mark* (see n. 71), p. 107 : " In so far as these (discrepancies) are not simply due to the condensing of the original narrative, they probably arise from its being quoted from memory ; or possibly there were still current variant traditions of the event besides that of 1 Sam. 21. "

141. D. DAUBE, *Responsibilities* (see n. 110), p. 4-7.

142. A. SUHL, *Die Funktion der alttestamentlichen Zitate* (see n. 8), p. 85. The *Uneigennützigkeit* of David's action (sharing the meal with his companions)

the additions are of particular interest : " a positive handing out of bread by David to his men is offered as the model of Jesus tolerating the plucking of corn by his disciples. So powerful is a master's position that an action he condones may be imputed to him just as much as one he initiates ".[143] According to the new version the disciples do not directly imitate David who ate the shewbread but, less presumptuously, they are merely imitating the companions of David.[144] In a reaction to Suhl's hypothesis (and previously to Daube's paper) J. Roloff proposed the same interpretation, not as a later development but as the original meaning of the argument.[145] In his opinion the veiled allusion to the David-Jesus typology, with the inference *a minori ad maius*, is to be assigned to Jesus.[146] It should be agreed that " the

could also be considered as an excuse by the evangelist who is responsible for v. 27 (cfr *supra*).

143. D. DAUBE, *Responsibilities*, p. 5.

144. *Ibid.*, p. 6. Daube admits that the change was made in order to meet an objection in the debate with the Pharisees : Jesus' disciples cannot arrogate the liberty assumed by David. — He explains further changes in Mt XII, 3-4 by Matthew's consultation of the O.T. passage (the suppression of ἐπὶ Ἀβιαθὰρ ἀρχιερέως, of καὶ ἔδωκεν καὶ τοῖς σὺν αὐτῷ, but see the plural ἔφαγον) and by the opposition of the Pharisees who invalidate Jesus' answer with the assumption that David's procedure was licit (v. 4 : " not lawful *for him* [David] to eat *neither for those around him*, but only for the priests ") (*ibid.*, p. 7). Still, the argument from David's conduct was " anything but conclusive from the scholarly, legal point of view " and therefore Matthew added the argument from the Temple service (XII, 5-6) which provides a correct parallel to the action of the disciples on a Sabbath ; it rests on a definite precept (v. 5 ἐν τῷ νόμῳ, cfr Num XXVIII, 9-10), and the hermeneutical norm of the inference *a fortiori* (the *qal waḥomer*) is employed. " The argument is of a kind which no student of *halakha* could lightly dismiss. " Cfr *The New Testament* (see n. 135), p. 67-71.

145. J. ROLOFF, *Das Kerygma* (see n. 8), p. 55-58. He refuses the observation of Bultmann, Lohse and Colpe that the scene of the disciples reflects the situation of the christian community : " denn gerade in diesem Fall hätte man sich wesentlich wirkungsvoller auf die Sabbatverletzungen Jesu selbst berufen können " (p. 55). Compare, however, Daube's remark with reference to the example of David : " The defence... is too easily countered by *quod licet Jovi non licet bovi* : how can they arrogate his standing ? " (*Responsibilities*, p. 5). The infringement of the Sabbath by Jesus himself does not exceed the limits of the " christologische Einschränkung " (cfr *supra*) !

146. *Ibid.*, p. 58. Cfr *supra*, n. 47, on v. 28 : " in gleicher Weise wie in V. 25f. ein verhülltes Selbstzeugnis Jesu " (p. 61). — On the David-Christ typology in this text, comp. J. SCHNIEWIND, *Markus* (see n. 92), p. 65 ; L. GOPPELT, *Typos. Die typologische Deutung des Alten Testaments im Neuen* (BFchTh, II, 43), Gütersloh, 1939, p. 101-102 ; cfr TWNT, VI, p. 19 ; H. RIESENFELD, *Jésus transfiguré*, Copenhagen, 1947, p. 318-330 : « Appendice III. Quelques notes à propos de *Mc.* II, 1-III, 6 » ; p. 321 : « Jésus, donnant à sa replique un sens caché, fait accomplir à David, prototype du Messie, un acte préfigurant la communion chrétienne » (comp. Roloff's criticism of the eucharistic interpretation, *op. cit.*, p. 58, n. 27).

responsibility of the master " is essential to the pericope of the plucking of the corn : the disciples commit the transgression and the Pharisees address Jesus who retorts to their attack. But it is a more difficult question to decide if David's giving his companions to eat is conceived as a parallel to Jesus' tolerating the plucking of the corn. We should not give overweight to the mention of David's companions in the answer of Jesus. In vv. 25-26 τί ἐποίησεν Δαυίδ... ἔφαγεν, οὓς οὐκ ἔξεστιν... (*David's* notorious infringement of the Law) is the reply to the grievance of the Pharisees : τί ποιοῦσιν... ὃ οὐκ ἔξεστιν (the *disciples'* break of the Sabbath). [147] The text before us does not allow a clear differentiation between David (= Jesus) and his companions (= the disciples). Daube at least recognizes that there is still an awkwardness : " Jesus, not having yielded to hunger and plucked corn, does not quite correspond to David ". [148] Thus, the " responsibility of the master " understood as an assimilation of Jesus' attitude to the positive intervention of David, may appear as an exegete's fill-in of the parallel unsufficiently warranted by the text of Mark. [149]

Kuhn argues that vv. 25-26 are secondarily added by Mark because in the other controversies of II,1ff. the argument is a christological one. [150] I do not suppose that he can accept Roloff's christological interpretation of vv. 25-26 as a valid solution for his difficulty. [151] But is it not methodologically unsound, in a discussion of the original form

147. Quite differently, in the presentation of Roloff the reference to the companions becomes the central affirmation of the text : " Er (David) wird als der gezeigt, der in das Heiligtum eindringt (εἰσῆλθεν εἰς τὸν οἶκον τοῦ θεοῦ), sich des heiligen Brotes bemächtigt und es an seine Gefährten verteilt (καὶ ἔδωκεν καὶ τοῖς σὺν αὐτῷ οὖσιν), der also um deren Not willen das im Gesetz Verbotene tut " (*Das Kerygma*, p. 56). The point of the answer concerns directly Jesus who " sich als der die Handlung der Jünger eigentlich Ermöglichende und Begründende zu erkennen gibt " (p. 57).

148. D. DAUBE, *Responsibilities* (see n. 110), p. 6-7.

149. The pericope of Mk II, 23-26 serves to illustrate the responsibility of the master : in the defence of his disciples (and their infringement of the Sabbath) Jesus refers to the precedent of David's transgression of the Law. Cfr E. LOHMEYER, *Markus* (see n. 8), p. 64 : " Es scheint zu genügen, dass ein exemplarischer Frommer etwas Verbotenes ass... So bleibt allein die allgemeine Ähnlichkeit : beide Male geschieht Verbotenes " ; A. SUHL, *Die Funktion der alttestamentlichen Zitate* (see n. 8), p. 86 : " Die Gegenfrage will die Pharisäer blossstellen, indem sie ihnen die Möglichkeit nimmt, sich auf den exemplarischen Frommen David zu berufen, und sie zeigt zugleich, dass das Gesetz schlechthin nicht immer und überall im Sinne der Pharisäer gehalten wurde. " The author gives no clear argumentation for the transition from Lohmeyer's " das Gesetz *nicht in allem* verbindlich " to his own formulation of the (possible) meaning of Mk II, 23-26 : " die Geltung des Gesetzes *schlechthin* bestritten » (*ibid.*).

150. H.-W. KUHN, *Ältere Sammlungen* (see n. 32), p. 74 and 84.

151. Comp. *ibid.*, p. 10.

of the pericope, to give too much consideration to the common characteristics of the other passages in the collection ? In Mk II, 1 — III, 6 the pericope of the plucking of corn receives a christological conclusion (II, 27-28) and the re-opening of the discussion on Mk II, 1 — III, 6 [152] will possibly further the study of the part of the evangelist in the composition of the collection. [153]

Conclusion

It was the purpose of this lecture to give a description of the exegetical situation and to point out some consequences for the historical Jesus problem. The authenticity of the Sabbath saying is widely accepted. This is frequently presented as a common assumption, here and there with no other canon of authenticity than a reference to Bultmann or Käsemann. This last author is indeed very explicit in his exposition of the criterion of dissimilarity (and modification). The dissimilarity with Judaism is stressed by most exegetes, but when it comes to the evaluation of a concrete parallel saying the term of comparison can scarcely be fixed. Similarity also, although it has not always been formulated so stringently, served as an argument in the question of authenticity. More discipline, however, is needed in the use of rabbinic

152. In *Ältere Sammlungen*, 1971 (presented as Habilitationsschrift at Heidelberg in 1969) Kuhn studied the hypothesis of the pre-Marcan collection with a form-critical approach and proposed to confine the collection to Mk II, 1-28, without vv. 1-2.13.14.21-22.25-26. *Ibid.*, p. 18-24 and 53-98.

153. Cfr P. Mourlon Beernaert, *Jésus controversé. Structure et théologie de Marc 2,1-3,6*, NRT 105 (1973) 129-149 ; Joanna Dewey, *The Literary Structure of the Controversy Stories in Mark 2 : 1 — 3 : 6*, JBL 92 (1973) 394-401. Comp. Ingrid Maisch, *Die Heilung des Gelähmten. Eine exegetisch-traditionsgeschichtliche Untersuchung zu Mk 2,1-12* (SBS, 52), Stuttgart, 1971, p. 111-120. The author defends as a pre-Marcan collection : II, 15-III,5 ; Mark inserted the logia of II,27-28 and added II,1-12 ; II,13-14 and III,6. *Ibid.*, p. 112 : " Die mehrfach vorgetragene These, die Sammlung habe mit Mk 2,1 bzw. der Heilung des Gelähmten begonnen, wurde *erstmals* von E. Schweizer erschüttert, der die durch die Tradition vorgegebene Sammlung mit Mk 2,15 (bzw. 18) beginnen lässt (*Mk* 32). Er nennt allerdings keine Argumente für diese von der allgemeine Überzeugung der Exegeten abweichende Meinung. " See, however, already B. S. Easton, *A Primitive Tradition in Mark*, in *Studies in Early Christianity* (ed. S. J. Case), New-York-London, 1928, p. 85-101, espec. p. 92 : Mk II,13-III,6 and XII,13-27 ; comp. *Christ in the Gospels*, New York-London, 1930, p. 35 : " Now it is a critical commonplace that the first of these dialogues (Mark 2 : 1-12) stands apart from the others ; its form is distinct, and its treats of Jesus' personal authority, not of his attitude toward legalistic observance. " Easton's solution is adopted by T. W. Manson, *The Foundation of the Synoptic Tradition : The Gospel of Mark*, BJRL 28 (1944) ; = *Studies in the Gospels and Epistles* (ed. M. Black), Manchester, 1962, p. 28-45, espec. p. 44 : " The only reservation that needs to be made is in favour of ii. 13-14, the call of Levi. (*Note 4* :) I very much doubt whether ii. 15-17 has anything at all to do with ii. 13-14. " In his view the collection starts with II, 15 (*ibid.*, p. 29).

texts and Gospel study could profit from further progress to be made in that field. Dissimilarity with early Christianity plays a more important role in the discussion of authenticity. Here the teaching of Jesus is compared with the attitude of the primitive community which is supposed to observe faithfully the Sabbath. Still, this conclusion is largely based upon the argument from silence and it seems to me that it hides a most puzzling question : apart from the Gospel tradition evidence is lacking about the Christian practice of keeping the Sabbath as well as about conflicts with the Jews or disputes within the community. We can assume that the Christian attitude was in continuity with the historical Jesus, at least in the general terms in which it is put by F. W. Beare : " The one thing that is clear is that the Christians did not keep the sabbath... This radical break with Jewish religious praxis must go back to Jesus in some sense ". [154] It has been too easily taken for granted that the Sabbath observance of the early Christians was not greatly different from that of their Jewish contemporaries. In fact, they could have observed the Sabbath, but without subscribing to the Jewish theology of the Sabbath and such an observance needs not to have been experienced as conflicting with the freedom expressed in a Gospel saying like Mk II,27. In this question the use of the criterion of modification is not without the danger of prejudging the meaning of the Gospel text. [155] For an originally free-floating logion — as Mk II,27 probably was — it is especially difficult to define its content. It has been shown that the radical meaning is not the only possible and that the logion could function in more than one direction. This reservation remains true with regard to objections raised against the authenticity of Mk II,27. [156] By putting the logion in the centre of the problem

154. F. W. BEARE, " *The Sabbath was Made for Man ?* " (see n. 34), p. 136. Comp. H.-W. KUHN, *Ältere Sammlungen* (see n. 32), p. 81 : " Warum lag der Gemeinde so viel daran, ihre freiheitlichere Auffassung gegenüber dem jüdischen Brauch durchzusetzen ? Man erkennt darin jedenfalls auch eine Aufnahme des Wirkens des historischen Jesus. "

155. Compare the hesitation of W. Rordorf : " Wo die Jesusüberlieferung christologisch eingeschränkt und damit in ihrer Bedeutung für die Gemeinde abgeschwächt ist, wie in Mk. 2,28 par..., da könnten wir die Vermutung hegen, dass die Tradition mit einer daneben parallel laufenden Sabbatpraxis in Beziehung stand, die nicht wagte, an der wörtlichen Auffassung des Sabbatgebotes zu rütteln. Doch die Situation wird sofort komplex, wenn wir uns vor Augen halten, dass diese christologischen Einschränkungen sich in heidenchristlichen Evangelien (Markus und Lukas) finden. Die heidenchristlichen Gemeinden waren aber frei von der Bindung an das Sabbatgebot. Es ist darum erstaunlich, dass auch sie diese christologische Einschränkungen bewahrt haben, ohne sie wieder zu 'entschränken' " (*Der Sonntag*, see n. 35, p. 117-118).

156. Cfr *supra*, n. 12-20 and 65-66. According to F. W. Beare, the saying originated " with the apostolic church of Palestine in controversy with the Pharisees ". For K. Berger the origin of Mk II, 27 (and other gnomic sentences such as

about Jesus and the Sabbath the discussion of its authenticity has been narrowed into that of the canon of dissimilarity. Mk II,27 should also be studied in its coherence with other sayings of Jesus and it is still a more urgent task that we come to a better understanding of the saying as it came to us : in the context of the Gospel of Mark. [157]

NOTE : See the bibliographical addendum on page 636.

II, 17a. 19 ; III,4b ; VII,15 ; X,9 ; XII,17) is " frühnachösterlich-hellenistisch ". For both authors the logion received a biographical setting and the example of David is a later insertion. Cfr F. W. BEARE, " *The Sabbath was Made for Man ?* " (see n. 34), p. 135 ; K. BERGER, *Die Gesetzesauslegung Jesu. Ihr historischer Hintergrund im Judentum und im Alten Testament. Teil I : Markus und Parallelen* (WMANT, 40), Neukirchen, 1972, p. 576-580.

157. Additional Note on H. HÜBNER, *Das Gesetz in der synoptischen Tradition. Studien zur These einer progressiven Qumramisierung und Judaisierung innerhalb der synoptischen Tradition*, Witten, 1973 (Habilitationsschrift Bochum 1971). Espec. p. 113-141 : " Der Sabbat " (on Mk II,23-28 : p. 113-123). For the author of this anti-Stauffer book the original form of the pericope was Mk II,23-24.27-28 ; v. 27 as well as v. 28 are authentic words of Jesus : " Gott hat seine Thora für den Menschen gemacht ". The common omission of v. 27 in Matthew and Luke and other minor agreements (cfr p. 115-119) should point to a tradition variant (Q ?) and the following development is proposed :
(A) 23-24.27-28 : *bar nasha* = man ;
(B) omission of the non-christological v. 27 ; and titular Son of Man ;
(C) addition of the exegetical argument : David typology (vv. 25-26) ;
(D) 23-28 : combination of A + C.

The form (C) probably belongs to Q ; the form (D) becomes part of Mark (+ *καί* in v. 28) ; Matthew and Luke combine Mark and Q. " Irgendeine Hypothese ist also unumgänglich " (!) (p. 121). Hübner critically examines Roloff's interpretation of vv. 25-26 and 27-28 (p. 114-115) ; the influence of Roloff can be seen in the misunderstanding of Bultmann's position (p. 113 ; cfr *supra*, n. 8) and in the survey of exegetical opinions. There is clearly a lack of information about the older literature : his literary theory is a typically B. Weiss solution, but there is only one second-hand reference (p. 119, cfr Haenchen). On p. 131-134 he rightly refutes Stauffer's hypothesis of the historical sequence of Mk II,1-12 ; II,23-28 ; III,1-6 ; cfr E. STAUFFER, *Neue Wege der Jesusforschung*, in *Gottes ist der Orient*, Fs. O. Eissfeldt (ed. A. LEHMANN), Berlin, 1959, p. 161-186, espec. p. 165-168 ; *Jesus war ganz anders*, Hamburg, 1967, p. 111-121 ; but he seems to be unaware of other studies on the practice of warning people before putting them on trial for a repetition of their offence : K. BORNHÄUSER, *Zur Perikope vom Bruch des Sabbats (Matth. 12,1ff. ; Mark. 2,23-3,6 ; Luk. 6,1ff.)*, in *Neue kirchl. Zeitschr.*, 33 (1922) 325-334 ; *Studien zur Apostelgeschichte*, Gütersloh, 1934, p. 58 ; J. JEREMIAS, *Zum Quellenproblem der Apostelgeschichte*, ZNW 36 (1937) 205-221, p. 209-213 ; = *Abba. Studien zur neutestamentlichen Theologie und Zeitgeschichte*, Göttingen, 1966, p. 238-255, espec. p. 243-247 (on Mk II,23-III,6 : p. 245) ; J. D. M. DERRETT, *Law in the New Testament: The Story of the Woman Taken in Adultery*, NTS 10 (1963-64) 1-26, p. 15 ; = *Law in the New Testament*, London, 1970, p. 156-188, espec. p. 174.

IV
MATTHEW AND LUKE
MATTHIEU ET LUC

ETL 54 (1978) 119-125

THE SYMBOL Q (= QUELLE)

German scholars of the 19th century designated "the second source of Matthew and Luke" as *Logia* (or *Logiensammlung*), *Spruchsammlung*, *Redensammlung*, and in more recent studies the hypothetical sayings source is called *Logienquelle*, *Spruchquelle* or *Redequelle* [1], but on the international scene none of these names can compete with Q (the Q Document; the Q source; even in German: *die Q-Quelle*) [2]. "Q" is usually explained as an abbreviation of the German word *Quelle*. Two points, however, require clarification. First, who invented the symbol Q for the sayings source? In his recent book on Q, S. Schulz still maintains: "Wernle war es..., der zuerst diese Quelle mit Q bezeichnete" [3]. Second, is it true that "the *reason* for the choice of the symbol still need not be assumed to be (the rather improbable one) that it stands for Quelle" (Moule) [4]?

* This note was written when I came across a Short Comment on the same topic: H.K. McArthur, *The Origin of the 'Q' Symbol*, in *ExpT* 87 (1976-77) 119-120. The author's conclusion concurs with mine: J. Weiss first used the term in his 1890 article (already referred to by M. Devisch in 1968: cf. *infra*, n. 16), and: "The evidence suggests that the father borrowed from his son, and not *vice versa*" (p. 120).

1. D. Lührmann, *Die Redaktion der Logienquelle* (WMANT, 33), Neukirchen, 1969; P. Hoffmann, *Studien zur Theologie der Logienquelle* (Neutest. Abh., NF 8), Münster, 1972; A. Polag, *Die Christologie der Logienquelle* (WMANT, 45), Neukirchen, 1977. — S. Schulz, *Q. Die Spruchquelle der Evangelisten*, Zürich, 1972. — H. Schürmann, *Traditionsgeschichtliche Untersuchungen zu den synoptischen Evangelien*, Düsseldorf, 1968, pp. 111-125: *Sprachliche Reminiszenzen an abgeänderte oder ausgelassene Bestandteile der Redequelle im Lukas- und Matthäusevangelium*; = *NTS* 6 (1959-60) 193-220. Cf. p. 111, note *: "In der vorliegenden Wiedergabe ist im Titel der ursprüngliche Terminus 'Spruchsammlung' sachentsprechender in 'Redequelle' geändert, da wir uns Q nicht als Logiensammlung, sondern als Komposition von 'Redekomplexen' vorstellen müssen". The emphasis on composition and redaction is typical for the new trend in the study of Q. Compare the 19th century terminology: *Logia* (Holtzmann 1863), *Spruchsammlung* (Weisse, Holtzmann 1885, Wernle), *Redensammlung* (Weizsäcker, cf. Schleiermacher). The name *Redenquelle* is used by P. Feine (1891), J. Weiss (cf. *infra*) and occasionally also by Holtzmann (e.g. *Die Synoptiker*, [3]1901, p. 16); W. Bussmann used the siglum R (cf. vol. II: *Zur Redequelle*, 1929).

2. Q is also used as the neutral designation of the non-Marcan materials common to Matthew and Luke ("the double tradition"). Cf. B.W. Bacon, *Studies in Matthew*, London, 1930, p. xxv: "Q = 'Double-Tradition' material (not in Mk)" (class of material) and "S = Second Source (based on Q)" (conjectural source).

3. S. Schulz, p. 15. See also D. Lührmann, p. 11, n. 1; and, implicitly, P. Hoffmann, p. 2, n. 2 (reference to Dibelius).

4. C.F.D. Moule, *The Birth of the New Testament*, London, 1962, p. 84, n. 1.

1

A footnote in Lightfoot's *History and Interpretation* (1935) gave rise to a minor controversy on the origin of the symbol Q. He reported that J.A. Robinson claimed that the symbol was first used by himself lecturing in Cambridge in the 'nineties: he would have chosen Q for the sayings document because he was in habit of alluding to Mark's Gospel as P (reminiscences of Peter) and the letter Q follows P in the alphabet. Lightfoot added the consideration that no designation of the sayings document by the symbol Q appeared in German writings before 1903 (Wellhausen)[5]. A first reaction came from M. Dibelius in 1937: "In Deutschland erschien es [das Zeichen Q] zwischen 1898 und 1901, und das erste Buch, in dem ich es fand, war Professor *Wernles* Werk '*Die synoptische Frage*', das 1899 erschien"[6]. Quite independently of Dibelius, W.F. Howard published a note on *The Origin of the Symbol Q* (May 1939) in which he was able to trace the use of the symbol Q as far back as 1892 (and 1891?) in the writings of J. Weiss[7]. This seems to confirm Dibelius's own suspicion: "Es wurde wahrscheinlich zuerst in dem Kreis junger Theologen in Göttingen gebraucht, zu dem *Johannes Weiss*, *Wilhelm Bousset* und *Paul Wernle* selbst gehörten"[8]. Howard's further questions remained unanswered until now[9]: Can someone carry this title farther back than 1891? Did Johannes Weiss borrow it from his father, Bernhard Weiss?

For the opinion that Wellhausen was the first to use the symbol Q in Germany, Lightfoot relied on Burkitt. Howard relates how in 1903

5. R.H. LIGHTFOOT, *History and Interpretation in the Gospels*, London, 1935, p. 27, note. Lightfoot conjectured that Q = *Quelle* is a secondary rationalization of the symbol invented by Robinson. Cf. *infra*, n. 22.

6. M. DIBELIUS, *The Sermon on the Mount*, New York, 1940 (Shaffer Lectures, Yale University, 1937); = *Die Bergpredigt*, in *Botschaft und Geschichte*, vol. 1, Tübingen, 1953, pp. 79-174, esp. pp. 96-97.

7. W.F. HOWARD, *The Origin of the Symbol Q*, in *ExpT* 50 (1938-39) 379-380.

8. *Die Bergpredigt*, p. 96. Note also: "Ich schrieb an Professor *Wernle* in Basel, der mir antwortete, dass er sich kaum des Ursprungs des Zeichens Q entsinnen könne".

9. C.F.D. Moule has drawn attention to Howard's contribution in 1962 (cf. *supra*, n. 4). Cf. M. DEVISCH, *De geschiedenis van de Quelle-hypothese* (*van J.G. Eichhorn tot B.H. Streeter*), Leuven, 1968, p. 122, n. 145; W.G. KÜMMEL, *Einleitung in das Neue Testament*, Heidelberg, 1973, p. 37, n. 47; P. VASSILIADIS, *The Q-Document Hypothesis* (Η ΠΕΡΙ ΤΗΣ ΠΗΓΗΣ ΤΩΝ ΛΟΓΙΩΝ ΘΕΩΡΙΑ), Athens, 1977, p. 13, n. 5. Compare also S. NEILL, *The Interpretation of the New Testament 1861-1961*, London, 1964, p. 119, n. 2: "a delightful critical tale. ... an awful warning to scholars. If it is so hard to arrive at certainty concerning a matter so near our own time, how careful must we be not to assume certainty about much more distant matters, on which our information is so much more limited!". Reference to Howard's article is found also in J.A. FITZMYER, *The Priority of Mark and the "Q" Source in Luke*, in *Jesus and Man's Hope*, vol. I = *Perspective* 11 (1970) 131-170, p. 166, n. 53. Lührmann, Hoffmann and Schulz are unaware of it (cf. *supra*, n. 3).

J.H. Moulton lecturing on Matthew at first referred to "the Matthaean Logia" and then also mentioned "Wellhausen's Q"[10]. Thus, F.C. Burkitt was probably not the only Cambridge scholar to get the impression that the original use of the symbol Q should be attributed to Wellhausen. But he was perhaps the first to adopt this usage in England[11].

P. Wernle (1899) who referred to the source as *Spruchsammlung*[12] expressly introduced the symbol Q at the first mention of it in his book: "Die – hypothetische – Quelle sei mit Q bezeichnet"[13]. This is, however, not the first use of the symbol, and therefore we can hardly call it "die Umbenennung und Umwandlung der Logienquelle zu 'Q'"[14].

W.F. Howard pointed out that Johannes Weiss used the symbol Q in *Die Predigt Jesu* (1892) on p. 8. He added also a reference to *TSK* (1891), p. 248[15], but the text he quotes is found in *TSK* 65 (1892). Thus, Howard's evidence does not go farther than 1892. On the other

10. *The Origin*, p. 379. See there also on Wellhausen: "in *Das Evangelium Marci* [1903] the symbol Q is only used twice (pp. 69 and 82) and then quite casually, as though readers are acquainted with it". The readers of Wernle's book, not mentioned by Howard, certainly were (cf. *infra*, n. 12 and 30).

11. F.C. BURKITT, *The Gospel History and Its Transmission*, Edinburgh, 1906, p. 122: "the so-called *Logia* Document"; 130: "that document which I will *not* call 'the Logia'", [n. 1] Wellhausen calls it Q"; 133: "which (following Wellhausen and others) I shall call Q for convenience"; 136: "the unknown source Q"; 147: "the source called Q"; 208: "the lost Document which we have called Q"; 342-343: "which I have called Q". Compare W. SANDAY, *Professor Burkitt on the Gospel History*, in *ExpT* 18 (1906-07) 249-255, p. 251: "the second document, which we will agree to call Q". Cf. B.W. BACON, *A Turning Point in Synoptic Criticism*, in *HTR* 1 (1908) 48-69, p. 55: "We must substitute the more strictly algebraic symbol Q (*Quelle*) of Wellhausen and Harnack for the question-begging Λ (Λόγια) of Holtzmann's *Synoptische Evangelien* and the older school"; J.C. HAWKINS, *Horae Synopticae*, Oxford, ²1909, p. 107: "In the first edition of this book (1899) the title of the present Section was 'The Logia of Matthew as a probable source'. Since then the scholars of England and America have largely followed those of Germany in designating this source as Q (= *Quelle*)"; V.H. STANTON, *The Gospels as Historical Documents, Part II: The Synoptic Gospels*, Cambridge, 1909, p. 49: "in accordance with the fashion which has recently come in, I will call it 'Q'"; K. LAKE, *The Date of Q*, in *The Expositor*, Seventh Series, Vol. VII (1909) 494-507, p. 494: "To this document the name of Q is usually given".

12. P. WERNLE, *Die synoptische Frage*, Freiburg, 1899, pp. 224-233: "IV. Die Spruchsammlung" (cf. pp. 80-91: Lk; pp. 178-188: Mt). He mentions also other names: *Redesammlung* (p. III); *Spruchsammlung* (p. IV); *Logia* (p. 1).

13. *Ibid.*, p. 44. Cf. p. 45: "Redequelle (Q)".

14. H.-H. STOLDT, *Geschichte und Kritik der Markushypothese*, Göttingen, 1977, p. 226: «Nun wurde Q dominant, ...; die Geschichtsquelle Markus dagegen ... trat auf der Stelle und wurde konstant" (*ibid.*: "qualitative Schwergewichtsverschiebung von Mk zu Q").

15. This reference (1891) was accepted by Moule, obviously without being checked. Kümmel and Vassiliadis only refer to *Die Predigt Jesu* (1892); Kümmel calls J. Weiss "die erste Zeuge für die Bezeichnung".

hand, the 1892 references are less isolated in Weiss's work than Howard gave the impression, and the use of the symbol Q for "die Redenquelle, die aus Matthäus und Lukas zu rekonstruieren ist (Q)" is found already two years earlier in another contribution by Weiss to *TSK* (1890)[16]. In a study on Lk 11,14-26 and Mt 12,22-32, Weiss noted: "eine Abhängigkeit vom Urmarkus (A) ist ausgeschlossen, weil Lukas hier auf Markus gar nicht reflektiert; weithin folgen beide einer andern gemeinsamen Quelle, nämlich Q"[17]. Throughout the article he refers to the two gospel sources as A and Q. And this is also the case in two further contributions to *TSK* in 1891 and 1892[18], in his revision of the Meyer-Weiss commentary on Luke (^{8}1892)[19], and, finally, in the introduction to *Die Predigt Jesu*[20].

2

There is still the question: what does "Q" mean for J. Weiss? In Schulz's book on Q we read that "Q ist nicht eine Abkürzung des deutschen Wortes Quelle"[21]. For Moule, too, a derivation of Q from *Quelle* is improbable: "It would not be specially natural in English to designate an unknown source 'S', merely because it was a source"[22]. Such an argument, however, is highly subjective. Was it

16. J. WEISS, *Die Verteidigung Jesu gegen den Vorwurf des Bündnisses mit Beelzebul*, in *TSK* 63 (1890) 555-569, esp. p. 557. The reference is noted by M. Devisch (cf. *supra*, n. 9).

17. *Ibid.*, p. 557.

18. *Die Parabelrede bei Markus*, in *TSK* 64 (1891) 289-321; *Die Komposition der synoptischen Wiederkunftsrede*, in *TSK* 65 (1892) 246-270.

19. B. WEISS & J. WEISS, *Die Evangelien des Markus und Lukas* (KEK 1/2), Göttingen, 1892, pp. 271-666. See esp. p. IV (*Vorwort*).

20. J. WEISS, *Die Predigt Jesu vom Reiche Gottes*, Göttingen, 1892, p. 8. Cf. E.T. (by R.H. HIERS & D.L. HOLLAND) *Jesus' Proclamation of the Kingdom of God*, Philadelphia, 1971, p. 60. The original text of the section on the sources (pp. 8-11) has been revised in ^{2}1900; = ^{3}1964 (ed. F. HAHN).

21. S. SCHULZ, p. 15, n. 13. This is presented as Dibelius's opinion, but it may be an overinterpretation of Dibelius's observation on a designation which is "frei von literarischer und historischer Anwendung und Voraussetzung, wie sie in den Ausdrücken Apostolische Quelle, Spruchquelle, zweite Quelle, usw. enthalten waren". This can be understood as Q = *Quelle* without further qualification. Dibelius himself emphasized: "Das ist in der Tat der grosse Vorzug des Zeichens Q, dass er völlig unbelastet ist" (cf. *supra*, n. 6). This has been contested: "In the German the symbol is not strictly algebraic; it assumes a single document"; cf. B.W. BACON, *A Turning Point* (1908), p. 55, n. 17; J.C. HAWKINS, in *Oxford Studies*, 1911, p. 97, n. 3.

22. Cf. *supra*, n. 4. Since Howard's article, J.A. Robinson's claim (Lightfoot) has no longer been taken seriously. There is in fact no allusion to Q in Robinson's own book : *The Study of the Gospels*, London, 1902 (lectures delivered in 1900). Cf. Chapter IV (The Non-Marcan Document) and the "digression" on the name Logia (pp. 69-70; cf. *infra*, n. 30). But Howard could have quoted a passage from G. SALMON, *The Human Element in the Gospels* (ed. N.J.D. WHITE), London, 1907, p. 24:

so unnatural for Bacon to use the symbol S (Source) for the non-Marcan Source[23]? Kümmel replied to Moule: "dieser Sinn der Abkürzung ergibt sich daraus als wahrscheinlich, dass... J. Weiss... 'Mk und Q' und 'LQ' (= 'Sondergut des Lk', d.h. 'Lukasquelle') nebeneinander nennt"[24]. Unfortunately, this is not Weiss's definition of LQ! A first reference to LQ is found in 1891: "die Spezialquelle des Lukas (L-Q). Möglicherweise ist dies ja allerdings nur eine umgearbeitete und vermehrte Gestalt von Q"[25]; and this Proto-Luke theory is clearly formulated in the preface to his commentary on Luke: "Lukas (hat) diese beiden Überlieferungen schon in eine Schrift zusammengearbeitet (LQ) benutzt", and in the introduction: "Diese Form der Logia, welche wir nach ihren beiden Bestandtheilen als LQ bezeichnen"[26]. The sigla used by Weiss are: A (*Urmarcus*), Q (*Redenquelle*), L (*dem Lk eigenthümliche Überlieferung*), and LQ (*eine Bearbeitung derselben* [*Q*], *die einerseits eine Umgestaltung im Geiste von L, anderseits eine Erweiterung durch Stoffe aus L war*). The LQ hypothesis is not Weiss's personal invention: he borrowed it from P. Feine[27]. But the designation of the source by LQ is to be attributed to Weiss: "der Kürze wegen bediene ich mich der Sigle LQ"[28]. His special interest in the use of symbols also appears in the commentary on Luke where he carefully indicates the symbols for *Urmarcus*: "(Sigle: A)", and *Redenquelle*: "(Sigle: Q)"[29]. A and Q are clearly modeled on Holtzmann's A and Λ and it seems to be a fair conclusion that he substituted Q (= *Quelle*) for Λ (= Λόγια). Although J. Weiss, as far as I know, never explained his choice of Q, there can be no doubt that J.A. Robinson was not the first to observe that "*Logia* is a question-begging name"[30]. Holtzmann himself

"I find it convenient then, if I use the letter P to denote the common authority used in the sections which all three Synoptics have in common, to use the letter Q to denote the common authority of the sections common to Matthew and Luke. This notation binds us to nothing" (on P = Peter, see p. 22). Cf. *ibid.*, p. x (the editor's preface), on Salmon's contact with J.A. Robinson; see also p. 126.

23. Cf. *supra*, n. 2.

24. Cf. *supra*, n. 9.

25. In *TSK* 64 (1891), p. 294.

26. *Markus und Lukas*, pp. III and 280. For a critical reaction, cf. M.-J. LAGRANGE, in *RB* 5 (1896), pp. 8-9; the symbols Q (Logia) and LQ are referred to (p. 9).

27. *Ibid.*; see also his book-review in *TLZ* 17 (1892) 273-276: P. FEINE, *Eine vorkanonische Überlieferung des Lukas in Evangelium und Apostelgeschichte*, Gotha, 1891. (Weiss referred to Feine when he first mentioned LQ in 1891; cf. *supra*, n. 25.)

28. In *TLZ* 17 (1892), col. 273.

29. *Markus und Lukas*, pp. 278 and 279.

30. In his well-known "digression" in *The Study of the Gospels* (cf. *supra*, n. 22), p. 70. *Ibid.*: "to apply this name to the document which we are considering is to beg the question and prejudice our study" (pp. 69-70). For the influence of this passage, compare B.W. BACON, *A Turning Point* (1908), p. 55: "the question-begging Λ

seems to be conscious of this difficulty when he introduces the name of "die zweite Hauptquelle" in 1863: "die wir *vorbehältlich des Erweises ihres näheren Charakters* im Folgenden mit dem Zeichen Λ (λόγια) andeuten wollen" (italics mine)[31]. The use of Q has no such a disadvantage: "eine beiden gemeinsame schriftliche Quelle (Sigle: Q)..., die meist mit der von Papias erwähnten Schrift des Apostels Mt, einer Aufzeichnung der λόγια κυριακά, identificirt wird"[32].

3

C.F.D. Moule, following Howard, noted that "there is a hint (though not a demonstration) that he borrowed it from his father Bernhard Weiss"[33]. It would be more correct, I think, to say that Bernhard Weiss borrowed the symbol Q from his son. Of course, the manifold references to *die apostolische Quelle*, *die älteste Quelle* and (in abbreviated form) *die Quelle* in the writings of B. Weiss prepared for the use of Q (= *Quelle*), but no attestation of the siglum Q that could have influenced Johannes Weiss is known to me. Moreover, J. Weiss in 1890-92 had a different view on the two principal sources of the synoptic gospels: *Urmarcus* (and not Mark) and *Redenquelle* (and not the Apostolic Source), and these differences are conveniently indicated by the use of A and Q which were most probably not his father's symbols. There is still no use of "Q" in the third edition of Bernhard Weiss's *Einleitung* (1897). Johannes Weiss's commentary on Luke ([8]1892) is mentioned in a footnote and the hypothesis "dass ihm [Lk] die Quelle in einer anderen

(λόγια)..."; and J.C. HAWKINS, *Horae Synopticae*, [2]1909, p. 107 (with reference to Robinson in note 3): "unfairly 'question-begging'"; and in *Oxford Studies*, 1911, p. 107 (see also pp. 96-97).

Robinson's objection to the use of the name *Logia* ("I would wish that we might hear no more of it in this connexion", p. 70) can be compared with that of W.C. Allen: "But it is greatly to be hoped that the term Logia, as a title for the supposed Greek source of Mt and Lk, may cease to haunt the writings of serious students"; in *Did St. Matthew and St. Luke Use the Logia?*, in *ExpT* 11 (1899-1900) 424-426, p. 425. It is noteworthy that in Allen's contribution (June 1900), though it is written as a critique of Wernle's *Die synoptische Frage*, the source is always designated as "the second source" or "the (so-called) Logia", without any reference to the use of other names or the symbol Q. Compare *ExpT* 20 (1908-09), p. 445: "recent writers have preferred to adopt for it [*Logia*] a colourless symbol Q (= *Quelle*)" (July 1909, with reference to Harnack); = *Oxford Studies*, p. 235. In his commentary on Matthew (ICC, 1907) Allen uses the letter L to denote the source of "the Matthaean Logia" (in *Oxford Studies*: the Book of Sayings).

31. H.J. HOLTZMANN, *Die synoptischen Evangelien*, Leipzig, 1863, p. 128.

32. *Markus und Lukas*, p. 279.

33. Cf. *supra*, n. 4. The text quoted by Howard from *TSK* (1892), as it appears to be one of the many references to Q, hardly proves anything.

Bearbeitung wie dem ersten Evangelisten vorgelegen habe" is rejected[34]. A more thoroughgoing confrontation with the LQ hypothesis is found in the revision of the commentary on Luke (⁹1901). Of course, no room is left either for A (*Urmarcus*) or for LQ, but the symbols Q and L, which were introduced by J. Weiss in the eighth edition, are preserved in the introduction and frequently used in the commentary[35]. In his later works B. Weiss used, "wie herkömmlich", the siglum Q to denote the *Matthäusquelle*[36].

ETL 55 (1979) 382-383

ONCE MORE: THE SYMBOL Q

In the June issue of *JBL*, Lou H. Silberman (Vanderbilt University) proposes a new conjecture regarding the origin of the siglum Q. He quotes from Wellhausen's *Geschichte Israels* I (1878): "für den Kern der Grundschrift... wende ich die Sigle Q und die Bezeichnung Vierbundesbuch an". His suggestion is that "to anyone who knew only Q from *Geschichte* (= *Prolegomena*) it would appear to be a purely arbitrary sign for '[*der*] *Kern der Grundschrift*', which is the way in which Wernle used it... to designate a similar source in the synoptics. One can only surmise that young theologians at Göttingen... picked up the *siglum* and either consciously or unconsciously began to use it"[1].

In April 1978 I published an article on the symbol Q in which I concluded: the first use of Q for the source of Matthew and Luke is found in the writings of J. Weiss from 1890 on; Weiss replaced Holtzmann's A and Λ (Λόγια) by A and Q (*Quelle*)[2]. Silberman refers to the article in an additional note. Obviously his contribution was written before the article was brought to his attention by his colleague J. Donahue[3].

34. B. WEISS, *Lehrbuch der Einleitung in das Neue Testament*, Berlin, ³1897, p. (517-)518, n. 4. Cf. §45: "Die älteste Quelle" (pp. 465-479).

35. B. WEISS, *Die Evangelien des Markus und Lukas* (KEK 1/2), Göttingen, ⁹1901. Cf. p. 255: "Sigle: Q"; and *passim*. See the *Vorwort*, on the continuity in the edition of the Meyer series. Compare J. WEISS, in *TR* 6 (1903) 199-211, p. 201. J. Weiss continued to defend LQ as a probable hypothesis: cf. *Die drei älteren Evangelien* (Die Schriften des NT, 1), Göttingen, 1906, p. 34 (LQ); ³1917, p. 37 (L-Q).

36. B. WEISS, *Die Quellen des Lukasevangeliums*, Stuttgart, 1907, p. 63; *Die Quellen der synoptischen Überlieferung*, Leipzig, 1908.

1. L. H. SILBERMAN, *Whence* Siglum *Q? A Conjecture*, in *JBL* 98 (1979) 287-288.

2. F. NEIRYNCK, *The Symbol Q (= Quelle)*, in *ETL* 54 (1978) 119-125 (= *ALBO* V/31).

3. Cf. n. 7. The phrase he quotes is extracted from the passage on Bernhard Weiss (p. 124) and should be read in that context: "no attestation of the siglum Q [*i.e. in the writings of B. Weiss*] that could have influenced Johannes Weiss is known to me". It does not mean that Wellhausen's Pentateuchal Q was unknown to me.

Silberman compares Wellhausen's "der Kern der Grundschrift" with a sentence written by P. Wernle: "Es ist schließlich der ganze Grundstock dieser Reden, der den Kern des Evangeliums in ungetrübter Reinheit und Freiheit uns überliefert". The quotation is taken from *Die Quellen des Lebens Jesu* (p. 73), published in 1904 in the series *Religionsgeschichtliche Volksbücher*. It is hard to see in this incidental formula a reminiscence of Wellhausen's phrase. The reader should know, however, that Wernle's *Die synoptische Frage* as well as the earlier writings of J. Weiss were unavailable to Silberman[4].

J. Wellhausen introduced and explained the use of the siglum Q in the first paragraph of *Die Composition des Hexateuchs* (1876): "Ich habe für die s.g. Grundschrift das Zeichen Q gewählt, als Abkürzung für Vierbundesbuch (quatuor), welchen Namen ich als den passendsten für sie vorschlage"[5]. The text remained unchanged in later editions (Berlin, 1885, ^{2}1889, ^{3}1899). In the *Nachträge* to the third edition[6], the siglum Q is still used (e.g. p. 314, 316, 322, 326-8). P. Wernle published *Die synoptische Frage* in the same year (1899), and it is far from evident that to him the siglum "would have appeared... to be readily available"!

In *Prolegomena zur Geschichte Israels*, from 1886 on, J. Wellhausen no longer used the siglum Q (^{3}1886-^{6}1905). The sign had been criticized rather severely by A. Kuenen in 1885. "Keineswegs sofort verständlich und wohl etwas weit hergeholt": *Vierbundsbuch* refers to the four covenants with Adam, Noach, Abraham and Moses, but Gen 1,28-30 is not a covenant; in addition, Q in no way expresses the relationship with the *Priestercodex*. Kuenen therefore preferred to use P^2 (instead of Q)[7]. Nevertheless Q did not disappear with its omission in *Prolegomena*. In 1893 A. Klostermann still attacks "die fragwürdige Hieroglyphe Q"[8].

Silberman's conjecture that the use of Q for the gospel source was influenced by Wellhausen's Pentateuchal siglum Q is far from plausible. The Pentateuchal signs Q, E, J and P are all initial letters, and Johannes Weiss most probably used Q as the initial letter of *Quelle*.

4. He refers to the second edition of *Die Predigt Jesu* and notes: "one wonders whether Q without a modifier is indeed its [*Quelle's*] abbreviation" (n. 4). But the siglum LQ should be understood as L + Q! Cf. *The Symbol Q (= Quelle)*, p. 123.

5. In *Jahrbuch für Deutsche Theologie* 21 (1876), p. 392.

6. *Die Composition des Hexateuchs und der historischen Bücher des Alten Testaments*, Berlin, ^{3}1899, pp. 303-373.

7. A. KUENEN, *Historisch-critisch onderzoek naar het ontstaan en de verzameling van de Boeken des Ouden Verbonds* I/1, Leiden, ^{2}1885; *Historisch-kritische Untersuchungen über die Entstehung und Sammlung der alttestamentlichen Schriften* I/1, 1886, p. 62.

8. A. KLOSTERMANN, *Der Pentateuch*, Leipzig, 1893, p. 9.

BETL 29 (1971) 37-69

THE GOSPEL OF MATTHEW AND LITERARY CRITICISM

A CRITICAL ANALYSIS OF A. GABOURY'S HYPOTHESIS

During the Louvain Colloquium, W. R. Farmer reported on recent synoptic studies in America calling special attention to "The Pittsburgh Festival on the Gospels" (April 6-10, 1970) [1] and to the new approach on the synoptic problem as displayed in a contribution by D. L. Dungan *(Mark — The Abridgement of Matthew and Luke)* [2] and in X. Léon-Dufour's adherence to the thesis of A. Gaboury *(Redaktionsgeschichte of Matthew and Literary Criticism)* [3]. This report contrasted sharply with the working hypothesis of the papers read during the Louvain meeting in which nearly all the participants viewed the Matthean redaction on the basis of literary dependence upon Mark and the Q source. A friendly debate followed, and it is the purpose of this paper to continue the discussion by focusing attention on the newly published study of A. Gaboury [4].

1. The Festival formed part of the celebration of the 175th Anniversary of the Pittsburgh Theological Seminary. The contributions on the Gospels (X. Léon-Dufour and G. Bornkamm on Matthew, D. L. Dungan and J. M. Robinson on Mark, J. A. Fitzmyer and C. H. Talbert on Luke and R. Schnackenburg and J. L. Martyn on John) have been published under the title *Jesus and Man's Hope*, Part I, in *Perspective*, vol. XI (1970). The *Foreword*, written by D.G. Miller, the president of the Seminary, deserves to be quoted here : " In a day when all accepted conclusions are open to challenge, suggestions have come from more than one quarter lately proposing that the time has come to take another hard look at formerly accepted judgments, to make a concerted effort to assess the present state of Gospel study, and to seek to propose lines of research for future study which might break new ground in the effort to understand the Gospels. Is the priority of Mark, for example, a conclusion too solid to be challenged, or is it a question open to reexamination ?... " (pp. 7-8).

2. *Ib.*, pp. 51-97.

3. *Ib.*, pp. 9-35.

4. A. GABOURY, *La structure des évangiles synoptiques. La structure-type à l'origine des Synoptiques* (Supplements to Novum Testamentum, 22), Leyden, 1970.

The book, a 226-page volume in the monograph series " Supplements to Novum Testamentum " (1970), was originally presented as a doctoral dissertation before the Pontifical Biblical Commission in 1962 [5]. The first mention I heard of it was made during the Louvain debate of 1965 when the forthcoming publication was announced by X. Léon-Dufour as a fundamental work on the synoptic problem [6]. This recommendation has been repeated in 1970 : " The light which this hypothesis throws on the Synoptic fact can enlighten all critics who have not yet burned their boats and who remain free with regard to systems... " [7].

A. The Presentation of A. Gaboury's Hypothesis

1. The Argument from the Order of Incidents [8]

Gaboury's work concerns itself with the order of the pericopes in the three synoptic gospels. Neither the internal coherence of materials (oral tradition) nor some external framework (midrashim, calendar), the

5. Comp. the bibliographical reference in *Biblica* 44 (1963), under no. 1512 : *La structure-type à l'origine des Synoptiques*, Diss. ... 1963 (sic), and the author's own remark : « La première forme de cette thèse a été présentée à la Commission Biblique en 1962 pour l'obtention de mon doctorat en Écriture Sainte. De cette forme initiale, seule la seconde partie reste intacte dans cette publication ; la première partie a été substantiellement reprise ; la troisième est complètement neuve et révèle l'état de ma recherche depuis ce temps » (Avant-propos). The author is presently preparing a new publication on the method of *Strukturgeschichte* (p. 225, and letter of 28.11.70).

Antonio Gaboury, from Marquette University (Milwaukee, U.S.), presented a short paper at the Third Oxford Congress : *Deux fils uniques : Isaac et Jésus. Connexions vétéro-testamentaires de Mc 1, 11 (et parallèles)*, in *Studia Evangelica* IV, 1, Berlin, 1968, pp. 198-204.

Other references to his name have not been met in New Testament bibliographies.

6. Comp. I. De la Potterie (ed.), *De Jésus aux Évangiles. Tradition et rédaction dans les évangiles synoptiques* (*Bibl. Ephem. Theol. Lov.*, 25), Gembloux-Paris, 1967, p. 11 : " ... nous voudrions indiquer quelques avenues dans la forêt du problème synoptique. L'ouverture a été faite par Antonio Gaboury dans une thèse passée devant la Commission Biblique Pontificale de Rome ; elle sera précisée prochainement dans un ouvrage fondamental " (X. Léon-Dufour, *Interprétation des évangiles et problème synoptique*, pp. 5-16).

7. *Redaktionsgeschichte of Matthew and Literary Criticism*, p. 11. See also on p. 23 : " it is permissible to hope that the hypothesis proposed, more faithful to the evidence than the Two-Source system and firmer than the simple denial of this system, has aroused some interest, even on the part of veterans of Synoptic criticism. " (Comp. p. 10 : " up until now, I have been content in various publications to reject most of the existing systems... ").

8. Cfr « Première partie : A quel moment dans la formation synoptique a pris naissance le fait synoptique ? » (pp. 5-40).

author maintains, can be accepted as a satisfactory explanation of this phenomenon. The common order, in his opinion, had its origin in a " structure-type ", i.e., in one of the synoptic gospels or in a pre-synoptic gospel source. In a further step, the author quotes Streeter's formulation of the argument : " The relative order of the incidents and sections in Mark is in general supported by both Matthew and Luke ; where either of them deserts Mark, the other is usually found supporting him ". But, as has been shown by B. C. Butler (followed by W. R. Farmer), this evidence does not support exclusively the priority of Mark. It only implies that Mark is the middle term, the connecting link between Matthew and Luke. Thus, the Augustinian hypothesis (Butler) or the Griesbachian theory (Farmer) could serve as good alternatives, although both exhibit their own weaknesses.

Several questions remain unanswered in Butler's solution : How to explain Luke's omissions in the triple tradition and his changes of order in the double tradition ? Why did he follow Matthew for the double tradition and Mark for the triple tradition ? Farmer's hypothesis involves a number of unsettled questions concerning Mark : Why did he agree with the order of Luke (against Matthew) in the first part of the gospel, when he is so close to Matthew from VI, 14 on, disregarding here Luke's omission in VI, 45 — VIII, 26 and Luke's peculiar material and double tradition texts in the central section as well as the Lukan order in the passion narrative ?

Gaboury concludes that there is a common fault in all these theories of Markan or Matthean priority : They all ignore the presence of archaic and original elements in each of the synoptic gospels. Consequently, they are to be considered as unsuitable solutions, and to admit a hypothetical influence of an enlarged Q source upon Matthew and Luke (as postulated by some double source theorists) or the influence of Peter's preaching upon Mark (as claimed by Butler) is not a satisfactory correction of these theories. The " structure-type " which lies at the origin of the common order is to be found in a primitive gospel source previous to Matthew, Mark and Luke.

Gaboury's own approach is proposed in connection with the (traditional) hypothesis of a gospel archetype. Three forms of primitive gospel theories are discussed, namely, those of L. Vaganay, P. Parker and X. Léon-Dufour. For all these authors, the canonical gospel of Matthew reflects in general the original *structure* of the primitive gospel. Léon-Dufour distinguishes two main parts in the gospel : the first, a more didactic one, containing the three discourses of *Mt.*, V-VII, X and XIII ; the second, a more kerygmatic one, presenting the departure from Galilee, Peter's confession and the orientation towards the passion. According to Vaganay, a primitive structure of five booklets (consisting of narrative and discourse) is recognizable in our Matthew ; nevertheless, the original sequence of the pericopes and the order of the parable and mission discourses are preserved in Mark and have been disarranged by Matthew. Some transpositions in Matthew are also assumed by Parker : IX, 2-17 comes from IV, 24/25 and X, 2-4 had its original place in V, 1/2. As far as the *extent* of the primitive gospel is concerned, it would cover the whole triple tradition, supplemented by the peculiar texts of Matthew (Parker), by some texts of the double tradition like the Sermon on the Mount (Vaganay), or by the whole double tradition (Léon-Dufour ; the author admits an intermediate stage of " multiple documentation " between the primitive gospel and the synoptics). Here, however, a problem is raised by Gaboury : If the disagreements in order between the three synoptics are concentrated in chapters I-VI of Mark, as it appears from the discussion of the above mentioned authors, it seems more reasonable not to extend the primitive source to the whole of the triple tradition and especially to leave out from that source (or structure) the section *Mk.*, I-VI.

2. Two Gospel Sections : C and D [9]

The author starts with Cerfaux's article on the pre-synoptic literary units [10] and with his distinction between the Galilee and the passion phases. Cerfaux offers a topical division for the materials differently arranged in the first part : *a.* John the Baptist ; *b.* the miracles of Jesus ; *c.* the controversies ; *d.* the three great discourses. The division of the second part simply follows the sequence of the narrative which is found in parallel in the three gospels : *a. Mt.*, XIV, 13 — XVI, 12 ; *b.* XVI, 13 — XVII, 23 ; *c.* XVII, 24 — XX, 16 ; *d.* XX, 17 — XXII, 14 ; *e.* XXII, 15 — XXV, 46 ; *f.* XXVI-XXVII. A. Gaboury comes to the conclusion that the disagreements in order found in the first part of the gospels, i.e., *Mk.*, I, 14 — VI, 13 and parallels, deserve special consideration.

In fact, the order of the triple tradition texts in Mark and Luke is completely identical in *Mk.*, I, 1-13 and from *Mk.*, VI, 14 on. Exceptions are met only in the passion narrative and Gaboury feels that they are to be credited to a special tradition, just as he admits a common tradition for *Lk.*, XXII, 24-27 (comp. *Mk.*, X, 41-45) and *Jn.*, XIII, 15. The Matthean passion narrative follows faithfully the order of Mark. The

9. Cfr « Deuxième partie : Étendue de l'ordonnance primitive » (pp. 47-139).

10. Cfr p. 50 : « Une division suggérée. L. Cerfaux, dans un article récent... ». Cerfaux's contribution dates from the 1955 Colloquium on the synoptic gospels : *En marge de la question synoptique. Les unités littéraires antérieures aux trois premiers évangiles*, in *La Formation des Évangiles. Problème synoptique et Formgeschichte* (Recherches Bibliques, 2), Bruges-Paris, 1957, pp. 24-33 (in *Recueil Lucien Cerfaux*, t. 3, Gembloux, 1962, pp. 99-110).

only exception to the order of *Mk.*, VI, 14 — XVI, 8 is the passage on persecution found in *Mt.*, X, 17-22 (comp. *Mk.*, XIII, 9-13) ; *Mt.*, XXI, 12-13 (comp. *Mk.*, XI, 15-17) being merely an inversion of order in the same context and not a transposition to another place in the gospel.

The situation looks quite different for *Mk.*, I, 14 — VI, 13. In this portion, Luke disagrees with the order of Mark (and Matthew) on several points : IV, 16-30 (comp. *Mk.*, VI, 1-6), V, 1-11 (comp. *Mk.*, I, 16-20), VI, 12-16, 17-19 (comp. *Mk.*, III, 13-19, 7-12), VIII, 19-21 (comp. *Mk.*, III, 31-35). On the other hand, Markan blocks such as *a.* the Day at Capernaum (I, 21-39), *b.* the controversies (II, 1 — III, 6 ; together with the cure of the leper in I, 40-45), *c.* the parables (IV, 1-25), *d.* the miracles at the sea (IV, 35 — V, 43) and finally *e.* the mission pericope (VI, 6b-13) are kept in the Markan order in *Lk.*, IV, 31-44 ; V, 12 — VI, 11 ; VIII, 4-18 ; VIII, 22-56 ; IX, 1-6, whereas three of them have been disarranged in Matthew : *a.* IV, 23-24 ; V, 2 ; VII, 28-29 and VIII, 14-16 ; *b.* IX, 1-17 and XII, 1-14 ; and *d.* VIII, 23-34 and IX, 18-26.

How to explain this divergent order ? The hypothesis of redactional transpositions is to be rejected (" solution simpliste ") because, in the author's view, the distinction between *Mk.*, I, 1-13 ; VI, 14 — XVI, 8 (agreement of order) and *Mk.*, I, 14 — VI, 13 (divergence of order) remains still an unsolved problem, especially if Matthew and Luke are supposed to be mutually independent. Nor can the influence of a second source (Q or Proto-Matthew or Proto-Luke), he believes, account for the bipartite division of the gospels. *Lk.*, IV, 16-30 constitutes the only one of the Lukan transpositions (outside the passion narrative) for which Proto-Luke might offer a valid solution, and the Matthean source-criticism would rather strengthen the impression that the division had already affected the pre-redactional state of the triple tradition. In the first part, Matthew presents some blocks of Q in the order they appear in Luke (*Mt.*, V-VII and VIII, 5-13 ; XI, 2-19 ; XII, 22-45), but in the second part the Q texts are given in the form of individual pericopes inserted in the triple tradition and according to an order that departs from Luke (the author mentions *Mt.*, XX, 1-14 ; XXIII, 37-39 ; XXIV, 45-51 ; XXV, 1-13 ; XXV, 14-30), and nothing allows the conclusion that the second source itself had reached Matthew in a double form, larger blocks first and, then, individual pericopes. The Matthean use of the formula quotations would point in the same direction. Five such quotations are met in sections peculiar to Matthew (I-II and XXVII, 3-10) and five of them are introduced in the triple tradition : four in the first (IV, 14-16 ; VIII, 17 ; XII, 17-21 ; XIII, 35) and only one in the second part (XXI, 4-5). These facts lead A. Gaboury to the conclusion that the first part of the triple tradition (*Mk.*, I, 14 — VI, 13) has come down to the evangelist in a less settled form ; hence, Matthew felt more free to introduce in it Old Testament quotations and to combine it with the double tradition. The divergences of order among the three synoptics would make it clear that " the structure-type at the origin of the gospels " should be limited to *Mk.*, I, 1-13 ; VI, 14 — XVI, 8 (part " C ", i.e., " Constance dans l'ordonnance " = constant order) and that *Mk.*, I, 14 — VI, 13 (part " D ", i.e., " Différence dans l'ordonnance " = divergent order) reveals a condition of the gospel tradition which had not yet reached the same degree of stability.

A fresh examination of D brings the author to the conviction that this part is to be considered a later insertion in C. It breaks the literary and theological unity of C where the message presenting Jesus as the humble Servant of God and Son of Man in his passion and resurrection is gradually developed. In D, Jesus himself is the messenger, and the glory of the risen Lord shines through his earthly ministry. The composite character of the section can be seen from inconsequences present in the narrative. When Jesus leaves Capernaum, he decides to announce the gospel to Galilee but in the following pericope he withraws to the desert (I, 45). At the closing of the controversies Mark describes the plot against Jesus, surprisingly early in the life of Jesus (III, 6). And so on. There is no unity in the narrative, but rather groupings of pericopes woven together by summaries (I, 14-15, 39, 45 ; III, 7-12 ; IV, 1-2, 33-34).

Two " structures " are particularly characteristic of the redaction of Mark. The first presents the crowds gathering around Jesus (*Mk.*, II, 1-2 ; III, 20 ; IV, 1-2) :

καὶ εἰσελθὼν ... εἰς Καφαρναοὺμ ... ἐν οἴκῳ ...
καὶ συνήχθησαν πολλοί, ὥστε ...
καὶ ἐλάλει αὐτοῖς.

In the second one, Jesus is found by the sea and the people come to him (*Mk.*, II, 13 ; III, 7 ; IV, 1-2 ; comp. X, 1) :

καὶ ἐξῆλθεν (πάλιν) παρὰ τὴν θάλασσαν
καὶ πᾶς ὁ ὄχλος ἤρχετο πρὸς αὐτόν
καὶ ἐδίδασκεν αὐτούς.

The presentation of Jesus teaching at the seaside (I, 16 ; II, 13 ; III, 7-8) or speaking to a limited audience in the synagogue or in a house (I, 21 ; II, 1 ; III, 1, 20, 31) prepares for the distinction between those to whom the mystery is revealed and those outside, so that the combination of the two structures in IV, 1-2 serves as a introduction to the climax of the parable discourse (IV, 10).

Luke has preserved the blocks of pericopes. Owing to his " transpositions " (cf. *supra*), they are even more definite than in Mark where the series of the controversies has been broken by the summary of II, 13 and has been reintegrated in a new division (I, 14 — II, 12 ; II, 13 — III, 6 ; III, 7-19). From this Gaboury infers that Luke must have been acquainted with D in the pre-Markan phase of its formation.

Matthew's use of sources is manifest from his combination of Q with the triple tradition :

IV, 12 — V, 2	
	V, 3 — VII, 27
VII, 28-29 VIII, 2-4	
	VIII, 5-13

These sources are interlaced alternately, still their original sequence has been kept. An identical method seems to be applied in D to the pericopes recognizable as groups in Mark and Luke but divided in Matthew :

B	A
the miracles at the sea	the controversies
VIII, 23-34	
	IX, 1-17
IX, 18-25	
	XII, 1-14

This provides the key to the Matthean composition. *Mk.*, II, 1 — III, 6 (A) and IV, 35 — V, 43 (B) are treated by Matthew as separate sources. In fact, they were separate and were known to Matthew not as sections of the Markan gospel but as parts of two independent larger series of pericopes :

B = the Day at Capernaum (IV, 23-24 ; V, 2 ; VII, 28-29 ; VIII, 2-4 and VIII, 14-16), the miracles at the sea (VIII, 23-34 and IX, 18-25) and the mission discourse (X) ;

A = the controversies (IX, 1-17 and XII, 1-16), the pericope on the real brethren (XII, 46-50), the parable discourse (XIII, 1-35) and the visit to Nazareth (XIII, 53-58).

The original mutual independence of the context of the Day at Capernaum (*Mk.*, I, 14-45 = B) and of the block of controversies (II, 1 — III, 6 = A) can still be perceived in Mark. Here, the active ministry of Jesus in II, 1ff. stands in contradiction with the concluding verse I, 45 (Jesus in the desert). Although Matthew offers no parallel for *Mk.*, I, 45, it is significant that the agreement in order with Mark is interrupted after *Mt.*, VIII, 2-4. In fact, the agreement is limited to the context of the Day at Capernaum, from the call of the disciples to the cure of the leper. Thus, the gospel of Matthew, as far as the order of pericopes is concerned, is based upon a pre-Markan state of the triple tradition. Even the original content of the Day at Capernaum can be clarified by the study of Matthew. Only the summaries of *Mk.*, I, 21, 22, 28, 32-34, 39 find their parallel in Matthew between IV, 18-22 and VIII, 2-4 (in the order of Mark : *Mt.*, V, 2 ; VII, 28b-29 ; IV, 24a, 24bc, 23). The artificial composition of *Mk.*, I, 21-39 suggests that those summaries formed the original framework and that Mark has added to them the concrete accounts of I, 23-27 (not in *Mt.*), 29-31 (*Mt.*, VIII, 14-16) and 35-38 (not in *Mt.*). The divergence of order of those summaries in Matthew and Mark and the presence of a supplementary motif in *Mt.*, IV, 25 forces A. Gaboury to assume a common " structure " behind the summaries of Matthew and Mark :

	Matthew	*Mark*
a.	ἀνεχώρησεν εἰς τὴν Γαλιλαίαν (IV, 12) [IV, 23. 24a. bc]	εἰς τὴν Γαλιλαίαν (I, 14)
b.	καὶ ἠκολούθησαν αὐτῷ (IV, 25)	(not in *Mk.*)
c.	ἐδίδασκεν (V, 2) [Sermon on the Mount]	ἐδίδασκεν (I, 21c)
d.	ἐξεπλήσσοντο (VII, 28b-29)	ἐξεπλήσσοντο (I, 22) [Day at Capernaum]

3. The History of the Formation of D [11]

In the third part of his study, A. Gaboury proceeds to the verification of the Matthean sources A and B in the other gospels. First, the source B becomes apparent as a homogeneous unity in Mark (and Luke). Each of the two blocks, *Mk.*, I, 21-39 [12] and IV, 35 — V, 43, exhibits an

11. Cfr « Troisième partie : Histoire de la formation de la partie D » (pp. 141-218).

12. Comp. pp. 148-150. The cure of the leper (*Mk.*, I, 40-45) does not receive special attention in this connection. Elsewhere, the pericope is presented as the conclusion of the day at Capernaum (I, 14-44), to be clearly distinguished from the following context of the controversies (pp. 134-136). It belongs to source B and on p. 218 it is displayed in the Markan order (I, 29-34 /I, 40-45) in the tables of the sources of Mark and Luke and in the Matthean order in the table of Matthew (VIII, 2-4 /VIII, 14-17). The question of an original sequence " a-b-c-leper " is raised on p. 197, but answered negatively in favor of " a-b-c-mission ". X. Léon-Dufour, in his Pittsburgh contribution, presents Gaboury's tables under the title : " Hypothesis : A Gaboury modified XLD " (p. 28, p. 30, p. 32). In reality, there is only one modification in Léon-Dufour's presentation : the cleansing of the leper belongs not to A-1, but to B (before *Mk.*, II, 1 - III, 6). The author argues : " it has the flavor of A, that is, the source which contains the discussions with the

uninterrupted sequence and the thematic unity can be discerned from the use of the expression ἐκβάλλειν τὰ δαιμόνια as a description for the ministry of Jesus (I, 34 ; also I, 39) and for that of the disciples (VI, 13 ; also III, 15). The striking parallelism between the expulsion of the demon in I, 23-27 and the stilling of the storm in IV, 35-41, followed by a series of pericopes ending with a concluding summary (I, 28-38, 39 and V, 1-43 ; VI, 6b) renders it probable that the composition of the Day at Capernaum has been influenced by *Mk.*, IV, 35ff. (comp. *Mk.*, I, 24 with *Mt.*, VIII, 29). The source came down to Matthew in a less advanced state, but the place of the mission sermon in *Mt.*, X as in *Mk.*, VI, 6b-13 (after the miracles at the sea) reflects the order of B which comes to a climax in the mission of the disciples.

The characteristic feature of the source A is the teaching activity of Jesus and the study of the double Markan structure (*e. g.* II, 2 and 13) has already shown the progression towards the parable discourse. A, however, is not homogeneous and compels a further distinction of two independent sources. [Throughout the discussion, the term " independent " is to be understood in the sense of mutually independent, for the sources B, A-1 and A-2 do not constitute disconnected fragments but enlargements or insertions in the source C].

The source A-1 is built upon the threefold repetition of the scheme (" structure ") which lies at the origin of the Day at Capernaum :

α) ἀνεχώρησεν
β) καὶ ἠκολούθησαν αὐτῷ
γ) καὶ ἐδίδασκεν αὐτούς / καὶ ἐθεράπευσεν αὐτούς
δ) καὶ ... ἐξεπλήσσοντο / καὶ ἐπετίμησεν αὐτοῖς

Mt., IV, 12a, 25a ; V, 2 ; VII, 28b-29 (*Mk.*, I, 14a, 21, 22)
Mt., XII, 15-16 (*Mk.*, III, 7-12)
Mt., XIII, 53-54 (*Mk.*, VI, 1-2).

From the very beginning the visit to Nazareth (*Mk.*, VI, 1-6a) formed the conclusion of this source, whereas the series of the controversies (*Mk.*, II, 1-III, 6) was inserted in a later phase of development. A-1 and B are not unrelated. The summary of *Mk.*, I, 21-22 (A-1) contributed much to the formation of the Day at Capernaum (B). On the other hand, *Mk.*, III, 7-12 (A-1) contains some reminiscences of B (*Mk.*, III, 9-10 : comp. V, 24, 29-31 ; *Mk.*, III, 11 : comp. *Lk.*, IV, 41 and *Mk.*, I, 24-25 ; V, 7).

Jews " (p. 20). Moreover, the inconsistency present in Gaboury's tables would be thus avoided : " For, belonging to a different series from that in which we find the cures at Capernaum, it has been neither anticipated by Matthew before these verses, nor placed after them by Mark " (*ib.*).

The source A-2 consists of the texts in D offering a Lukan version clearly different from Mt-Mk : three summaries and four other elements, three of which are far more developed in Luke and the fourth being shorter in Luke than Mt-Mk :

a. *εἰς τὴν Γαλιλαίαν*
   Lk., IV, 14a (*Mk.*, I, 14 = *Mt.*, IV, 12b)
b. *καὶ φήμη (ἡ ἀκοὴ αὐτοῦ) ἐξῆλθεν*
   Lk., IV, 14b (*Mk.*, I, 28 = *Mt.*, IV, 24a)
c. *ἐδίδασκεν ἐν ταῖς συναγωγαῖς αὐτῶν*
   Lk., IV, 15 (*Mk.*, I, 39 = *Mt.*, IV, 23a).

1. Jesus' departure for Nazara (*Lk.*, IV, 16 = *Mt.*, IV, 13a)
2. the proclamation of his mission (*Lk.*, IV, 16-22 = *Mk.*, I, 14b-15 ; *Mt.*, IV, 17)
3. the call of the first disciples (*Lk.*, V, 1-11 = *Mk.*, I, 16-20 ; *Mt.*, IV, 18-22)
4. the parable discourse (*Lk.*, VIII, 4-18 = *Mk.*, IV, 1-34 ; *Mt.*, XIII, 1-35).

A. Gaboury discusses Schürmann's hypothesis concerning these texts [13] and concludes that Luke depends here upon a triple tradition source in which the *Mt.-Mk.* order (a-1-2-3-b-c-4) is the more original one. The contact existing between *Lk.*, VIII, 1 and *Mk.*, I, 39 (*Lk.*, IV, 43-44) is a vestige of this stage of the tradition (c-4). The Lukan order (3-4) might explain the reminiscences of *Mk.*, IV, 1-2 present in *Lk.*, V, 1-3. Finally, in a more advanced stage, the Mt-Mk form has been enlarged by *Mk.*, III, 20-35.

Thus, it becomes clear that Matthew was not the only one to use more than one source of the triple tradition in D. Three sources or, more precisely, three independent insertions in C were at the disposal of Matthew, Mark and Luke, and Matthew's method of combining sources without changing their order has been the method of each of the evangelists.

13. H. Schürmann, *Der Bericht von Anfang. Ein Rekonstruktionsversuch auf Grund von Lk 4, 14-16*, in *Studia Evangelica* II, Berlin, 1964, pp. 242-258 (in *Traditionsgeschichtliche Untersuchungen zu den synoptischen Evangelien*, Düsseldorf, 1968, pp. 69-80, with *Nachtrag*, pp. 79-80).

According to H. Schürmann, *Lk.*, IV, 14-30 constitutes the "Bericht von Anfang" consisting in a description of the beginning of Jesus' ministry in Galilee, first in Capernaum (*Lk.*, IV, 14a, 14b, 15 : the fragments of a full account in parallel with *Mk.*, I, 14 (23-27) 28, (32-38) 39) and then in Nazareth (*Lk.*, IV, 16-30 : see v. 23 !). Luke's non-Markan source was known by Matthew ; cf. *Lk.*, IV, 14b = *Mt.*, IX, 26 (in parallel with *Mk.*, V, 43, *i.e.*, before the visit to Nazareth) ; *Lk.*, IV, 43 = *Mt.*, IV, 23b (a vestige of the non-Markan parallel to *Mk.*, I, 32-38).

Mark (and *Luke*)

Summary	*B*	*A-1*	*A-2*
a) I, 14a			*a*) (*Lk*., IV, 14a)
			b) (*Lk*., IV, 14b)
			c) (*Lk*., IV, 15)
			(*Lk*., IV, 16a)
			I, 14b-15 (*Lk*., IV, 16-22a)
			(*Lk*., IV, 22b-30)
			I, 16-20
		α) I, 21a	
		γ) I, 21b	
		δ) I, 22	
	I, 23-27**		
b) I, 28			
	I, 29-31		
	I, 32-34		
	I, 35-38**		
c) I, 39*			
			(*Lk*., V, 1-11)
	I, 40-45*		
		II, 1-12	
		II, 13-14	
		II, 15-17	
		II, 18-22	
		II, 23-28	
		III, 1-6	
		III, 7-12 (*Lk*., VI, 17-19)	
		α) 7a	
		β) 7b	
		γ) 10	
		δ) 12	
		III, 13-19** (*Lk*., VI, 12-16)	
			III, 20-21**
			III, 22-30
			III, 31-35
			IV, 1-34 (*Lk*., VIII, 1-18)
			Parables
			(*Lk*., VIII, 19-21)
	IV, 35-41		
	V, 1-20		
	V, 21-43		
		VI, 1-6	
c) VI, 6b		*Nazareth*	
	VI, 7-13		
	Mission		

The texts of Mark without a Lukan parallel in D and the texts of Luke without a parallel in Mark are underlined (full line). The « transpositions » are indicated by an interrupted line. Matthean « transpositions » in the sequence of a particular source are indicated by an asterisk and Matthean « omissions » by a double asterisk.

Matthew

	Triple tradition			*Double tradition*	
Summary	*B*	*A-1*	*A-2*	*I*	*II*
		α) IV, 12a			
a) IV, 12			IV, 13		
			IV, 17		
			IV, 18-22		
c) IV, 23a*					
b) IV, 24a					
		IV, 24b			
		β) IV, 25			
		γ) V, 2			
				V, 3-VII, 27	
		δ) VII, 28-29			
	VIII, 2-4*				
				VIII, 5-13	
	VIII, 14-15				
	VIII, 16				
					VIII, 18-22
	VIII, 23-27				
	VIII, 28-34				
		IX, 1-8			
		IX, 9			
		IX, 10-13			
		IX, 14-17			
	IX, 18-25				
b) IX, 26					
b) IX, 31					
c) IX, 35a					
	X				X
	Mission			XI, 2-15	
				XI, 16-19	
					XI, 20-24
					XI, 25-27
		XII, 1-8			
		XII, 9-14			
		XII, 15-16			
		α) 15a			
		β) 15*b*			
		γ) 15c			
		δ) 16			
			XII, 22-30		XII, 22-30
					XII, 38-42
					XII, 43-45
			XII, 46-50		
			XIII, 1-52		
		XIII, 53-58	*Parables*		
		α) 1a			
		β) 1b			
		γ) 2a			
		δ) 2b			
		Nazareth			

The texts of the triple tradition in Matthew having no parallel in Mark are underlined (full line). The « transpositions » in the sequence of a particular source are indicated by an asterisk. For Matthew's omissions, see the double asterisk in the table of Mark.

Having reconstructed the sources, A. Gaboury makes a further regressive step to the more hypothetical question about the common origin of the three sources, about the starting point of the section D in the synoptic gospels. In the preceding tables, the column on the left refers to the summary :

a. *εἰς τὴν Γαλιλαίαν* (*Mk.*, I, 14a)
b. *καὶ ἐξῆλθεν ἡ ἀκοὴ αὐτοῦ* (*Mk.*, I, 28)
c. *καὶ ἦλθεν κηρύσσων εἰς τὰς συναγωγὰς αὐτῶν* (*Mk.*, I, 39).

This summary, followed by the *parable* discourse, constitutes the basic element of the source A-2 (comp. *Lk.*, IV, 14a, 14b, 15). The same summary is, perhaps, at the origin of the source B. The repetition of the element c in *Mk.*, VI, 6b (par. *Mt.*, IX, 35a) and the traces of b in *Mt.*, IX, 26 and 31 could, therefore, be significant. One might suppose that originally the scheme a-b-c was followed by the *mission* of the disciples. Later on, the insertion of the pericope of the leper (*Mk.*, I, 40-44) between a-b-c and the mission has necessitated the repetition of b-c (I, 45 : in the Markan source ; only b has remained in Mark ; comp. *Lk.*, V, 15a) and, finally, following the introduction of the miracles (IV, 35 — V, 43), the element c has been transferred to *Mk.*, VI, 6b. As far as the source A-1 is concerned, the original sequence " a-b-c-Nazareth " can be deduced from *Lk.*, IV, 14-15, 16-30 (inversion of the order of A-2 under the influence of the A-1 sequence). Thus, the scheme a-b-c formed the original nucleus of the insertion in C. Joined to the visit to Nazareth, to the parable discourse and to the mission of the disciples, it gradually developed into the sources A-1, A-2 and B respectively.

B. The Evaluation of the Method

1. The Phenomenon of Order

The exposition of the source-critical hypothesis of A. Gaboury may show the author's faithfulness to a methodological standpoint he has enunciated at the very start of his investigation. The order of incidents, he states in the introduction to his book, can be distinguished from other literary phenomena and it is justified to concentrate upon it. Moreover, while the argument of order deals with the whole of the gospel material in a more advanced stage of its formation (and not merely with the composition of individual pericopes), no definite result in synoptic source-criticism can be obtained without considering the phenomenon of order [14]. The author presents his reconsideration of the phenomenon as a disclosure opening a new perspective for synoptic criticism [15].

Such an optimistic view brings undoubtedly a new voice in the chorus of synoptic studies. Since Butler's critique of the so-called " Lachmann fallacy " (1951), the Markan priorists have dismissed more and more the argument of order as insecure and inconclusive. They acknowledge that " Butler is correct... in saying that the formal relationships do not by themselves compel one solution to the synoptic problem. The texts of the Gospels must be carefully studied side by side before we can decide on the question of priority. With this we agree " [16]. Thus, the force of the argument of order has been reduced to a rather negative one. The oral tradition hypothesis and the fragment theory are excluded as valuable solutions to the synoptic problem, but all the diagrams that show Mark as the linking middle term as well as the common source hypothesis are acceptable [17]. On this point nothing new is said in A. Gaboury's work. The author is right when he states that a common source (or structure-type) can explain the common order of the synoptics. But, in eliminating the Markan (and Matthean) priority, he himself goes beyond the phenomenon of order and has recourse to the primitive elements found in each of the synoptic gospels. Here, the *rôle décisif* is taken over by the " literary phenomena " [18] and it is regrettable that for this decisive step to the common source hypothesis no more justification is given than a general statement, without further discussion or concrete illustrations. In his *Méthode de travail*, the author writes : " il appartient à l'ordonnance d'établir le stade de formation où ont pris naissance ces phénomènes littéraires " [19]. In fact, the real guideline in the first part of Gaboury's book seems to be the opposite one : " les phénomènes littéraires établissent le stade de formation où a pris naissance l'ordonnance commune ". Thereupon, his subsequent investigations on the order of pericopes take place within the limits of the common source hypothesis.

14. « L'ordonnance jouera le rôle décisif qui donne ou refuse son dernier appui aux résultats de la recherche sur les phénomènes littéraires » (p. 3).

15. « Nous croyons avoir découvert, après une analyse littéraire de plusieurs années, des aspects nouveaux qui donnent une nouvelle perspective au problème en question. Une de ces perspectives, et certes pas l'unique, est la place toute particulière que doit jouer l'ordonnance des péricopes dans la solution de ce problème » (p. 1).

16. G. M. STYLER, in *The Priority of Mark*, Excursus IV in C. F. D. MOULE, *The Birth of the New Testament*, London, 1962, pp. 223-232, esp. p. 225.

17. Comp. F. NEIRYNCK, *Synoptica. Het argument van de acoloethie in de synoptische kwestie* (*Studiorum Novi Testamenti Auxilia*, 5), Leuven, 1967, esp. pp. 5-21.

18. « Dans tout ce travail, nous prenons l'expression ' phénomènes littéraires ' en un sens restreint : tous les faits synoptiques autres que celui de l'ordonnance des péricopes » (p. 2, note 1).

19. *Ib.*, p. 3.

2. Part D in the Synoptic Gospels

The second conclusion of the author has to do with the delimitation of *Mk.*, I, 14 — VI, 13 as part D. Undeniably, there exist important disagreements of order between Mark and Matthew within this section. It is questionable, however, if this divergence refers to the condition of the common sources of the three gospels. First, as far as Mark is concerned, the structure of his gospel does not coincide with such a division. The author is apparently aware of this difficulty where he follows the traditional view extending the first part of the gospel up to VIII, 26. He notices explicitly that *Mk.*, VI, 14 — VIII, 26 relates to the teaching activity of Jesus and appears closer to *Mk.*, I-VI than to the passion phase of the gospel (VIII, 27ff.). Furthermore, the separation effected after VI, 13 is not particularly recommendable from the point of view of Markan composition : the return of the disciples in VI, 30 echoes the sending out and includes VI, 7-30 into a special structure [20].

Secondly, with regard to the gospel of Luke, there is no indication whatsoever in favor of any separation after *Mk.*, VI, 13. *Lk.*, IX, 1-6, 7-9 is strictly parallel to *Mk.*, VI, 7-13, 14-16, in continuation of the parallel sequence of the Markan blocks in Luke : *Mk.*, I, 21-39 ; I, 40 — III, 6 ; IV, 1-25 ; IV, 35 — V, 43 and VI, 7-16. The omission of the Nazareth pericope constitutes the only break in the Markan sequence of *Lk.*, VIII, 22 — IX, 9, and a great number of exegetes feel that we are confronted here with a redactional omission from the Markan source, either Luke transferred the pericope to *Lk.*, IV, 16-30 or, according to the Proto-Lukan hypothesis, he avoided the doublet with the Nazareth pericope of his peculiar tradition. There is undoubtedly a common opinion in modern studies regarding the Lukan dependence upon Mark for the so-called Markan blocks. Even those who mitigate this position by the acceptance of some traces of non-Markan traditions do not con-

20. The division proposed by E. Schweizer seems to be the best expression of the Markan structure in the first part of the gospel : *Mk.*, I, 14 — III, 6 ; III, 7 — VI, 6a ; VI, 6b — VIII, 26. *Mk.*, VI, 6b is considered as the introduction to a new section by G. Wohlenberg, F. Hauck, J. Schmid, A. Wikenhauser, I. de la Potterie and others. Not only the separation VI, 13/14 (V. Taylor, C. E. B. Cranfield, G. Dehn) but also VI, 29/30 (E. Lohmeyer, A. Kuby, G. Hartmann, R. Pesch) do not take into account the inclusion in *Mk.*, VI, 7-13, 30.

The mention of the name of Jesus in VI, 30 (πρὸς τὸν Ἰησοῦν) is rather normal after the digression on John the Baptist (comp. the mention of the name of Peter in XIV, 66 after vv. 55-65) and differs from the use of the nominative in *Mk.*, I, 9, 14 ; III, 7 and VIII, 27.

Contra R. Pesch, *Naherwartungen, Tradition und Redaktion in Mk 13*, Düsseldorf, 1968, p. 53 (note 46 on G. Hartmann), p. 59 (note 79), p. 60 (note 80). For a useful survey of the divisions of *Mk.*, see pp. 50-53.

test the fundamental dependence upon Mark [21]. The revival of the Griesbachian theory with W. R. Farmer (and with D. L. Dungan's recent article on Mark as the combination and abridgment of Matthew and Luke) is still an isolated and exceptional movement. It might be remarked that Gaboury's denial (without serious discussion !) of the Lukan dependence upon Mark does not constitute his only contact with the position of W. R. Farmer. He, too, views the composition of Mark as the result of a combination, not of Matthew and Luke, but of three presynoptic sources.

Thirdly, can the divergences existing between Matthew and Mark justify the delimitation of the section D ? Here lies the real issue. In Luke, the divergent order is restricted to some individual displacements (*Lk.*, IV, 16-30 ; V, 1-11 ; VI, 12-16 and 17-19 ; VIII, 19-21). The disagreements between Matthew and Mark are far more radical. Moreover, at first sight, one could get the impression that the Matthean division in *Mt.*, IV, 12 — XIII and XIV, 1ff. depends upon the nature of his sources. Finally, comparison with Mark might suggest that Matthew has interlaced two different sources :

	B	A
Mt., VIII, 23-34	*Mk.*, IV, 35-41	
IX, 1-17		II, 1-22
IX, 18-25	V, 1-43	
XII, 1-14		II, 23 — III, 6

For Gaboury, A and B have reached Matthew in the form of two separate sources. On this point, the author is nearer to the hypothesis of the Markan priority than to the thesis of the originality of Matthew (Butler, Farmer) [22]. Originally, *Mt.*, VIII, 23-34 ; IX, 18-25 (the miracles) as well as IX, 1-17 ; XII, 1-14 (the controversies) formed consistent blocks of pericopes. The only question to be discussed concerns the form under which these blocks were known to Matthew. Were they known to him as separate sources A and B or as two sections of one source (Mark or Gaboury's C) ? Consequently, did Matthew combine two sources or did he make some transpositions within his unique source ?

In Gaboury's reconstruction, the series of controversies (*Mk.*, II, 1 — III, 6) preceded by the summary of *Mk.*, I, 21-22 and followed by *Mk.*,

21. Cfr T. SCHRAMM, *Der Markus-Stoff bei Lukas. Eine literarkritische und redaktionsgeschichtliche Untersuchung*, Diss., Hamburg, 1966. Now published in the S.N.T.S. Monograph Series, Cambridge, 1971.

22. And also the Proto-Matthew of P. Parker and L. Cerfaux. L. Vaganay's view is different : the Markan blocks II, 1 — III, 6 and IV, 35 — V, 43 belong to the primitive gospel (in booklet I and III of Mg) and the transpositions are due to the canonical Matthew. Cf. *Le problème synoptique*, Tournai, 1954, p. 202.

III, 7-12, 13-19 and VI, 1-6 constitutes the source A-1. *Mk.*, I 23-39, 40-45 (source B) and *Mk.*, I, 14-15, 16-20 ; III, 20-35 and IV, 1-34 (source A-2) are eliminated from A-1, elimination which is based much more upon hypothetical suppositions about the content of the pre-existing sources than upon the phenomenon of order.

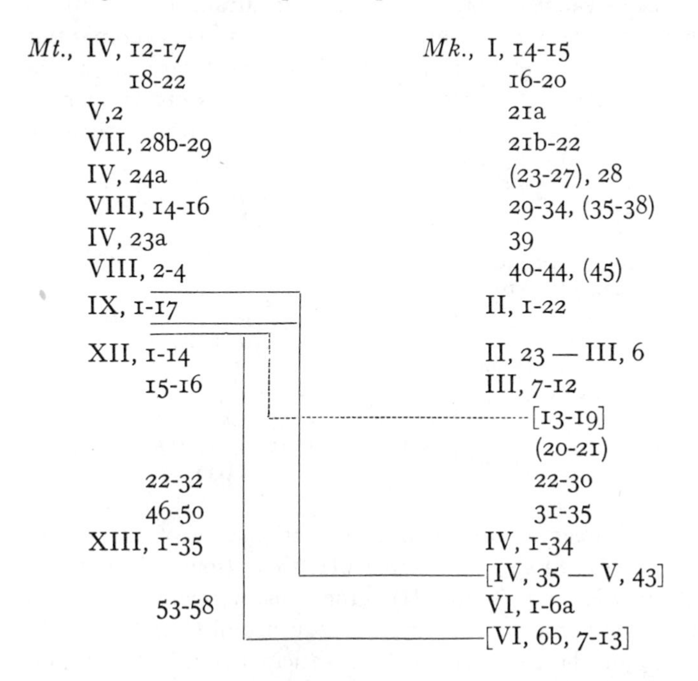

Mt.	*Mk.*
Mt., IV, 12-17	*Mk.*, I, 14-15
18-22	16-20
V,2	21a
VII, 28b-29	21b-22
IV, 24a	(23-27), 28
VIII, 14-16	29-34, (35-38)
IV, 23a	39
VIII, 2-4	40-44, (45)
IX, 1-17	II, 1-22
XII, 1-14	II, 23 — III, 6
15-16	III, 7-12
	[13-19]
	(20-21)
22-32	22-30
46-50	31-35
XIII, 1-35	IV, 1-34
	[IV, 35 — V, 43]
53-58	VI, 1-6a
	[VI, 6b, 7-13]

As it is possible to see from the preceding synopsis, there are only two real exceptions to the common order of Matthew and Mark, namely, the miracles at the sea (*Mk.*, IV, 35 — V, 43) and the mission of the disciples (*Mk.*, VI, 7-13), both belonging to Gaboury's source B. The Matthean parallels to the Day at Capernaum are certainly fragmentary and appear in a slightly inversed order, but they are given in the place they occupy in Mark, between I, 16-20 and II, 1ff. So we can say that the common order not only reappears in *Mk.*, VI, 14ff., but also is apparent throughout the whole section. The phenomenon of order does not suggest any distinction of two sources A-1 and A-2 and the alternative mentioned above, second source B or transpositions within the source A, must be limited to the miracles and the mission passages [23].

23. Cfr F. NEIRYNCK, *La rédaction matthéenne et la structure du premier évangile*, in *Ephem, Theol. Lovan.*, XLIII, 1967, pp. 41-73, esp. 63-71 (= *De Jésus aux Évangiles*, 1967, same pagination).

On the Day at Capernaum and the summaries, see part C of this paper.

3. The Q Source in Matthew

In Gaboury's opinion, the method of the three synoptics in composing the section D has been entirely identical. They have interlaced A-1, A-2 and B, each evangelist presenting his own arrangement without changing, however, the internal order of the sources. This composition theory is based upon the description of Matthew's treatment of the triple tradition and the Q source. Surely, the author's observation on the use of Q in Matthew is partly correct, but here, too, it may be asked if Matthew did not really change the original order of Q.

I		*II*	
V, 3 - VII, 27	(*Lk.*, VI, 20-49)		
VIII, 5-13	(*Lk.*, VII, 1-10)		
		VIII, 19-22	(*Lk.*, IX, 57-62)
		X	(*Lk.*, X, 1-12)
XI, 2-15	(*Lk.*, VII, 18-30)		
XI, 16-19	(*Lk.*, VII, 31-35)		
		XI, 20-24, 25-27	(*Lk.*, X, 13-15, 21-22)
		XII, 22-32, 38-42, 43-45	(*Lk.*, XI, 14-22, 24-26, 29-32)

We agree with Gaboury's admission of the originality of the Lukan sequences in *Lk.*, VI, 20-49 ; VII, 1-10 / VII, 18-35 (source I) and *Lk.*, IX, 57 — X, 12 / X, 13ff. (source II). From this, normally, one could infer that Luke has preserved the original sequence of Q and that *Lk.*, IX, 57 — X, 12 (on the disciples) has been anticipated in Matthew. But here intervenes the author's general principle according to which the evangelist did not change the order of his source and thus he is forced to maintain that Matthew had two sources at his disposal.

If we admit the possibility, as most authors do [24], that Matthew has modified the original (Lukan) order of Q in VIII, 19-22 and X, then the contrast between the two parts of the gospel is only a relative one. In the author's view, not only the order of Q when compared to Luke, but also the form under which the Q-materials are inserted (larger blocks first, then individual pericopes) offers a difference between the two parts of the gospel. But perhaps also this difference has been overemphasized. In *Mt.*, XXIV-XXV, Q-materials have been added to the apocalyptic discourse of *Mk.*, XIII, just as the mission discourse of *Mk.*, VI has been supplemented with Q-texts in *Mt.*, X. Even if we cannot agree with those authors who consider a fivefold division as the

24. Contra P. Wernle and A. Harnack who maintain that the original order of Q is preserved in Matthew (cfr *La rédaction matthéenne*, p. 65, note 100).

fundamental structure of the gospel of Matthew, it is undeniable that the greater discourses result from an intentional redaction of the evangelist. On this point too, it seems difficult to admit a difference between the two parts. On both sides, Markan rudimentary discourses have provided the occasion for important conglomerations of sermons (*Mt.*, X, XIII / XVIII, XXIV-XXV). Even outside those discourses, Q-materials are found to be connected with Markan texts (*Mk.*, III, 22-30; XII, 37b-40). Only two important Q-blocks in Matthew, the Sermon on the Mount and the sayings on the Baptist, have no connection with a Markan discourse.

Certainly, a valuable remark is made by the author when he notes that the introduction of greater blocks of Q in the first part manifests here, in some way, the preservation of Q in its own integrity [25]. This is especially true in regard to the Sermon on the Mount and the passage on the Baptist. In his famous article of 1835 K. Lachmann made the observation that the disarrangement of the Markan order in Matthew is due to the influence of the second source. The answer of Jesus to the Baptist (*Mt.*, XI, 4-6) is prepared for by the description of his miracle working in *Mt.*, VIII-IX [26]. In a former contribution on the structure of the gospel of Matthew, we have tried to show how the activity of Jesus and the mission of the disciples are interrelated. The larger complex from the Sermon on the Mount to Jesus' answer to the Baptist (IV, 23 — XI, 6) constitutes the most typical construction in the whole gospel of Matthew [27]. It illustrates how the Gospel composition is the result of a

25. *Op. cit.*, p. 80.

26. K. LACHMANN, *De ordine narrationum in evangeliis synopticis*, in *Theologische Studien und Kritiken*, VIII, 1835, pp. 570-590 : « ... evangelii secundum Matthaeum conditores, hunc ordinem (= *the logia source*) immutare veriti, maluerunt narrationes (= *the gospel source in the Markan order*) alia quam qua ipsis traditae erant ratione disponere. [...] audebo ... dicere caput Marci sextum, in quo inest principis filia suscitata (= *Mk., V, 21-43*), eo consilio eos, additis duobus caecis et muto (= *Mt., IX, 27-34*), capiti octavo (quod est Matthaei sextum) (= *Mt., X-XI*) praemisisse, ne in hoc frustra, hoc est sine exemplis, Iohanni renuntiatum esse videretur (Matth. 11, 5) τυφλοὶ ἀναβλέπουσιν καὶ κωφοὶ ἀκούουσιν καὶ νεκροὶ ἐγείρονται » (p. 578).

In this discussion with A. Gaboury, the wise admonition of Lachmann deserves also to be quoted : « In qua re exploranda quamquam ne forte nimiae curiositatis poenas demus cavendum est... » (p. 578) ; « sed in hoc ita quisque ut voluerit existimabit : satis est enim si hic in quibusdam ordinis immutandi necessitatem fuisse agnoscas, cui mirandum non est aliquando etiam adiunctum fuisse evangelistarum arbitrium » (p. 579).

For an English translation of Lachmann's article, see N. H. PALMER, *Lachmann's Argument*, in *New Testament Studies*, XIII, 1966-67, pp. 368-378 (translation on pp. 370-376 corresponding to pp. 573-584 of the article).

27. *La rédaction matthéenne*, esp. pp. 63-72. The conclusion may be quoted here: « Si cette analyse peut se défendre, l'on devra conclure que la section IV, 23 - XI, 1

combination of the second source with the triple tradition and of the shaping power of a creative evangelist. The negative answer of A. Gaboury to the double question : " La divergence dans l'ordonnance des évangiles synoptiques vient-elle des évangélistes eux-mêmes ? — viendrait-elle en partie de l'influence d'une seconde source ? " is surely not the most convincing part of his work [28].

C. The Summaries in Matthew

1. Exposition

The work of A. Gaboury reminds us of a well-known thesis of C. H. Dodd according to which the summaries in *Mk.*, I-VI form an original

est la seule de tout l'évangile à laquelle Matthieu a donné une ordonnance vraiment originale. Encore faut-il rappeler que, dans ce remaniement même, le rédacteur pouvait s'inspirer de ses sources. D'abord, le grand diptyque *Jesus docens et sanans*. Déjà dans la *Quelle*, le premier sermon de Jésus fut suivi de miracles (cfr *Lc.*, VII, 1-10, 18-23), et dans Mc, il devait retrouver le même schème : dès la journée de Capharnaüm, enseignement (*Mc.*, I, 21-22) et activité thaumaturgique (I, 23-26) se juxtaposent (cfr I, 27b). Ce double aspect est clairement souligné par le sommaire de I, 39. Matthieu le reprend, avec une insistance particulière sur les guérisons (*Mt.*, IV, 23 ; IX, 35). *Secundo*, à la présentation de l'enseignement et des miracles de Jésus, Matthieu fait suivre la mission des disciples (IX, 35 - XI, 1). Si en cela il ne reste que partiellement fidèle à l'ordre de la *Quelle* (où cette deuxième instruction *suivait* probablement la section du Baptiste), cette disposition rédactionnelle n'est pas sans lien avec Mc. Nous avons déjà remarqué que l'ensemble de *Mt.*, IV, 23 - XI, 1 est précédé d'une double péricope : le début de la prédication de Jésus et la vocation des disciples (IV, 12-17, 18-22). Cette association Jésus - disciples est reprise à *Mc.*, I, 14-15, 16-20, et E. Schweizer a justement observé que, dans Mc, l'institution des Douze et l'envoi en mission des disciples sont également précédés d'un sommaire sur Jésus : III, 7-12, 13-19 et VI, 6b, 7-11. Dans Mt, ces deux contextes sur les disciples sont combinés au chap. X et introduits par le sommaire de IX, 35, qui résume le développement solennel sur l'activité de Jésus (IV, 23 - IX, 34). Cette activité messianique de Jésus sera aussi celle des disciples (X, 1b, 7-8 !).

Pour conclure ces remarques sur IV, 23 - XI, 1, disons que les idées directrices de cette structure sont parfaitement traditionnelles. Le rédacteur a réalisé ici une composition très systématique : l'enseignement de Jésus (V-VII) et puis ses miracles, d'abord avec un intérêt plutôt christologique (VIII, 1-17), puis avec une tendance nettement catéchétique (VIII, 18 - IX, 34) préparant ainsi dès VIII, 18ss. la mission des disciples (IX, 35 - XI, 1). Ce n'est qu'après avoir associé les disciples à l'œuvre de Jésus que la question sera posée sur τὰ ἔργα τοῦ χριστοῦ (XI, 2). Cette anticipation (et combinaison) des textes sur les disciples, tant d'après l'ordre de Q que d'après celui de Mc, donne ici à l'intention catéchétique du rédacteur son expression dans la structure même de l'évangile. »

28. *Op. cit.*, pp. 73-74 and 75-83.

framework underlying the gospel [29]. Certainly, the approach is different. Gaboury's study is not limited to the gospel of Mark and to the Markan form of the summaries, but it includes the history of their formation and deals with their influence upon the composition of each of the synoptic gospels. His detailed analysis might be of interest for the study of the gospel of Mark. The author is uncommonly productive in inventing hypotheses ; his neglect, however, of the redactional intervention of Matthew and Luke renders some of them liable to question.

The gospel of Matthew is particularly important for A. Gaboury's theory. In the first gospel, the basic summaries of the three sources are preserved ; moreover, only in Matthew the summaries still manifest the original groundwork of the Day at Capernaum (source B) ; furthermore, the first use of the summary of source A-1 is kept in its complete form (element β in IV, 25) and the summary a-b-c of the source A-1 is clearly repeated before the mission discourse (IX, 26, 31, 35). The question, however, is if the author is right when he considers Matthew as an independent witness.

The summary preceding the Sermon on the Mount may serve as a good illustration of A. Gaboury's approach. Hence, we believe it is useful to recapitulate and to present systematically the author's interpretation of *Mt.*, IV, 23 — V, 2 ; VII, 28b-29.

Mt., IV, 23ab [30].

Mt., IV, 23a constitutes the third element (c) of the original summary : comp. *Lk.*, IV, 15 ; *Mk.*, I, 39 (par. *Lk.*, IV, 44) ; *Mk.*, VI, 6b and *Mt.*, IX, 35a. The Matthean expression *καὶ περιῆγεν ἐν ὅλῃ τῇ Γαλιλαίᾳ διδάσκων ἐν ταῖς συναγωγαῖς αὐτῶν* seems to be the original one. The verb *περιῆγεν* is replaced by *ἦλθεν* in *Mk.*, I, 39 (unlike VI, 6b) ; comp. also I, 14. Instead of *διδάσκων Mk.*, I, 39 has *κηρύσσων*. In the gospels, the verb *κηρύσσω* for the preaching in the synagogue is used only here (and par. *Lk.*, IV, 44). This usage may be a vestige of the motif of the proclamation of the kingdom present in that context in view of the testimony of *Mt.*, IV, 23b (= IX, 35b) and *Lk.*, IV, 43b. Mark has probably transferred the motif to I, 14 and placed it in connection with the first element (a) of the summary, *Mk.*, I, 14b corresponding to *Mt.*, IV, 23b (IX, 35b) :

29. Comp. C. H. Dodd, *The Framework of the Gospel Narrative*, in *Expository Times*, XL, 1931-32, pp. 300-400 (in *New Testament Studies*, Manchester, 1954, pp. 1-11) ; also in *Historical Tradition in the Fourth Gospel*, Cambridge, 1963, p. 233, note 2. For a critique, see D. E. Nineham, *The Order of Events in St. Mark's Gospel — an Examination of Dr. Dodd's Hypothesis*, in *Studies in the Gospels, Essays in Memory of R. H. Lightfoot*, Oxford, 1955, pp. 223-239 ; E. Güttgemanns, *Offene Fragen zur Formgeschichte des Evangeliums* (Beiträge evang. Theol. 54), Munich, 1970, pp. 201-208.

30. *Op. cit.*, pp. 169-170, 178-180.

κηρύσσω + τὸ εὐαγγέλιον (comp. *Mk.*, XIII, 10 = *Mt.*, XXIV, 14; *Mk.*, XIV, 9 = *Mt.*, XXVI, 13). — On θεραπεύων in IV, 23c (and IX, 35c) see IV, 24.

Mt., IV, 24a [31].

Mt., IV, 24a is the second element (b) of the original summary and it is presented here in the inversed order a-c-b (IV, 12a, 23a, 24a) and supplemented with the motif of multiple healings in IV, 24bc. It forms an intermediate stage between the primitive sequence a-b-c in *Lk.*, IV, 14a, 14b, 15 and the final development in *Mk.*, I, 14a (14a-15, 16-20, 23-27), 28 (29-31, 32-34), 39.

Mt., IX, 26 and *Lk.*, IV, 14b (comp. περίχωρος in *Mk.*, I, 28) are triple tradition variants of *Mt.*, IV, 24a. Against H. Schürmann, the author argues from *Mt.*, IX, 26 = IV, 24a : εἰς ὅλην τὴν (= *Mk.*, I, 28; comp. I, 39; XIV, 9). Normally, Matthew puts it in the dative (IV, 23 diff. *Mk.*; IX, 31; XXII, 37; XXIV, 14; XXVI, 13 diff. *Mk.*); only three exceptions are met in IV, 24a; IX, 26 and XIV, 35. — The scheme b-c in IX, 26, 35 (unlike IV, 24a, 23a) is given in the original order b-c :

Lk., IV, 14b	*Mk.*, I, 28	*Mt.*, IX, 26 (comp. IV, 24a)
15	39	35 (comp. IV, 23a)

Mt., IV, 24bc [32].

The subsequent stages of development were the following : *a*. *Mt.*, IV, 24bc : the original summary with προσφέρω αὐτῷ and θεραπεύω (comp. XII, 22; XV, 30; XIV, 35b-36; XXI, 14); *b*. *Mt.*, VIII, 16 connected with the cure of Peter's mother-in-law and supplemented with the mention of the evening time and the unclean spirits; *c*. *Mk.*, I, 32-34 : fusion of a and b, as it appears from κακῶς ἔχοντες linked with θεραπεύω (comp. *Mt.*, VIII, 16) and with φέρω πρὸς αὐτόν (comp. προσφέρω αὐτῷ in *Mt.*, IV, 24). Further signs of its secondary character would be : ὀψίας δὲ γενομένης in *Mk.*, I, 32 (comp. *Mt.*, VIII, 16; XIV, 15, 23; XX, 8; XXVI, 20; XXVII, 57; without δέ in *Mk.*, IV, 35; VI, 47; XIV, 17; XV, 42) and πάντας τοὺς κακῶς ἔχοντας in *Mk.*, I, 32 (comp. *Mt.*, IV, 24; VIII, 16; XIV, 35) are Matthean expressions.

Mt., IV, 25 [33].

καὶ ἠκολούθησαν αὐτῷ ὄχλοι πολλοί. The indication of the place of origin of the crowds (ἀπὸ τῆς Γαλιλαίας... : comp. *Mk.*, III, 7-8; not in par. *Mt.*, XII, 15) is a " parasitic complement ". In the Markan parallel to the scheme of *Mt.*, IV, 12 (α), 25 (β); V, 2 (γ); VII, 28-29 (δ) there is no

31. *Ib.*, pp. 167, 176-8.
32. *Ib.*, pp. 173-174.
33. *Ib.*, pp. 127-134, 206.

correspondence to *Mt.*, IV, 25a : comp. *Mk.*, I, 14 (α) ; 21c (γ), 22 (δ) ; see, however, *Mk.*, III, 7 (ἠκολούθησεν, par. *Mt.*, XII, 15) ; VI, 1 (ἀκολουθοῦσιν αὐτῷ, omitted in *Mt.*, XIII, 53) ; *Mt.*, XIV, 13 and XIX, 2.

Mt., V, 1 [34].

Mt., V, 1 forms a stereotyped structure inserted between the second and the third member (IV, 25 and V, 2) of the summary α-β-γ-δ. Comp. with XV, 29-30 ;

ἀνέβη εἰς τὸ ὄρος καὶ καθίσαντος αὐτοῦ	XV, 29 καὶ ἀναβὰς εἰς τὸ ὄρος ἐκάθητο ἐκεῖ
προσῆλθον αὐτῷ οἱ μαθηταὶ αὐτοῦ	30 καὶ προσῆλθον αὐτῷ ὄχλοι πολλοί

Mt., V, 2 [35].

Mt., V, 2 constitutes the third member of the summary α-β-γ-δ. Matthew's dependence upon a pre-existent scheme becomes apparent from the use of διδάσκω (also XIII, 54 ; par. *Mk.*, VI, 2) against his habitual preference for θεραπεύω (XIV, 14 and XIX, 2 ; diff. *Mk.*, VI, 34 and X, 1 : διδάσκω). Developments of the theme are perceived in *a.* the juxtaposition with ἐθεράπευσεν in IV, 24, perhaps a first evolution ; *b.* *Mt.*, XII, 15-16 : ἐθεράπευσεν instead of ἐδίδασκεν ; *c.* *Mt.*, IV, 25 and *Mk.*, III, 7-8 : a structure around θεραπεύω ; *d.* *Mk.*, III, 10-12 and I, 32-34 : the expulsion of the demon and the injunction to silence ; *e.* *Mk.*, III, 13 and *Mt.*, V, 1 with the motif of the ascent to the mount.

Originally the summary about the ministry of Jesus had its place after *Mt.*, IV, 12 (*Mk.*, I, 14). As a result of the insertion of the group of controversies (*Mk.*, II, 1 — III, 6) Matthew kept the summary at the beginning (IV, 25 — V, 2) and repeated it schematically at the end of the series (XII, 15-16). Mark transferred it entirely to the end (III, 7-13 ; only remnants in I, 21-22).

Mt., VII, 28b-29 [36].

Mt., VII, 28b-29 forms the fourth member of the scheme α-β-γ-δ (par. *Mk.*, I, 22). The Sermon on the Mount has been inserted between the elements γ and δ (*Mt.*, V, 2 and VII, 28b-29 ; par. *Mk.*, I, 21 and 22). The scheme is repeated in *Mt.*, XII, 15-16 : καὶ ἐπετίμησεν αὐτοῖς (v. 16) ; par. *Mk.*, III, 7-12 : καὶ πολλὰ ἐπετίμα αὐτοῖς (v. 12) and again with ἐκπλήσσεσθαι in *Mt.*, XIII, 54, par. *Mk.*, VI, 2.

34. *Ib.*, pp. 130-131.
35. *Ib.*, pp. 132-133, 204-207.
36. *Ib.*, pp. 129-134, 156-157, 204.

2. Criticism

In regard to the analysis of the summaries, the reader may find himself in partial agreement with the author. To begin with, the summaries belong to the triple tradition, this being the case even for *Mt.*, IV, 23b (*Lk.*, IV, 43) ; IX, 35 and *Lk.*, IV, 14-15. Secondly, the author manifests here, at least, some awareness, still elementary, of the style and tendency of the evangelist. This aspect, present only in initial form, requires greater elaboration and refinement. Thirdly, the careful study of the relationship among the different summaries is certainly a valuable point. The author's readiness to multiply the gospel sources does not preclude the validity of a number of his observations when transferred to the level of the gospel redaction. It may be retained, for instance, that *Mt.*, IV, 25 — V, 2 constitutes the important summary in Matthew and that *Mt.*, XII, 15-16 is no more than its schematic repetition. Fourthly, a special remark deserves our attention : the Sermon on the Mount has been introduced within the summary V, 2 /VII, 28b-29. The Markan priorist could not say it better. In fact, *Mk.*, I, 21 /22 (and not I, 39 /40 or III, 19 /20) is the place in the Markan order where the Q discourse has been inserted [37].

As stated by Gaboury, the summary would be mainly a pre-Matthean composition which came to the evangelist as part of source A-1 : *Mt.*, IV, 12 (= a and α), 23a (= c), 23b, 24a (= b), 24b, 25 (= β) ; II, 1, 2 (= γ) ; VII, 28-29 (= δ), followed by the series of controversies and, in XII, 15-16, by its schematic repetition (α, β, γ, δ). We can fully agree with the author's view about the compositional character of the summary, but the question to be raised here concerns the level of that composition. On the whole, the triple tradition source C (of which A-1 is a part) is very close to our gospel of Mark. For Gaboury, it is a sort of Proto-Mark which Matthew has combined with the double tradition. To conclude, however, that the " literary phenomena " demand a presynoptic common source is a point which must be established on the analysis of the materials. It seems to us methodologically unsound to admit such a conclusion before it has been settled whether or not the gospel of Mark can be the source of Matthew, or from the viewpoint of our interlocutor : how far should the gospel source be divergent from Mark. This is particularly true concerning the parallels to the Markan summaries, generally accepted as the least unsafe basis for the study of the Markan *Redaktionsgeschichte* [38]. To maintain, as the author does, that the Matthean

37. Cfr *La rédaction matthéenne*, p. 66, note 102.

38. Cfr R. H. Stein, *The Proper Methodology for Ascertaining a Marcan Redaktionsgeschichte*, Diss., Princeton, 1968, p. 168 : " The summaries are... especially important for our investigation because even if they contain traditional material

parallels reveal the traditional character of those summaries is a new perspective indeed, but many critics may feel reluctant until the Markan text is proven to be inadequate as an explanation of the Matthean redaction. Here the general affirmation of the presence of original elements in each of the gospels is not very impressive : it needs to be demonstrated.

The " secondary " character of the Day at Capernaum in Mark is less probable than the author would suggest. It is not proven that *Mk.*, I, 21, 22, 28, 32-34, 39 were known to Matthew in a pre-Markan form. If Matthew has inserted the Sermon on the Mount in *Mk.*, I, 21/22, he could well have prepared this insertion with a solemn summary. In fact, *Mt.*, IV, 23-25 serves as an introduction to the whole complex of the sermon and the miracles (V-VII, VIII-IX). Supposing that Matthew was acquainted with the Markan gospel and its summaries, he could have been aware of their appropriateness to be transferred from the Markan context into that general description of Jesus' ministry.

The indications advanced by the author in favor of the secondary character of the Markan expressions are hardly convincing.

Mk., I, 39.

καὶ ἦλθεν κηρύσσων, par. *Mt.*, IV, 23 : *περιῆγεν... διδάσκων ... κηρύσσων*. The parallelism between *Mt.*, IV, 23 and IX, 35 suggests that Matthew has brought together *Mk.*, I, 39 and VI, 6b (*περιῆγεν ... διδάσκων*). The Matthean *κηρύσσων τὸ εὐαγγέλιον τῆς βασιλείας* [39] may betray a reminiscence of *Mk.*, I, 14-15 :

Mark had to create or compose these summaries. They did not exist before him. " Comp. Id., *The " Redaktionsgeschichtlich " Investigation of a Markan Seam (Mc I 21f.)*, in *Zeitschr. Neutest. Wiss.*, XLI, 1970, pp. 70-94.

39. A. Gaboury and H. Schürmann both emphasize the agreement between *Mt.*, IV, 23b and *Lk.*, IV, 43 : *εὐαγγελίσασθαι... τὴν βασιλείαν τοῦ θεοῦ*. H. Schürmann (also in *Das Lukasevangelium*, Fribourg, 1969, p. 256) notices another agreement in the same context : *οἱ ὄχλοι* (*Lk.*, IV, 42 and *Mt.*, IV, 25). *Mt.*, IV, 25, however, corresponds to *Mk.*, III, 7-8, with *πολὺ πλῆθος* (cf. *infra*) and *Lk.*, IV, 42 is parallel to *Mk.*, I, 35-37. In Mark *καὶ κατεδίωξεν αὐτόν...* (narrative) is repeated in *πάντες ζητοῦσίν σε* (discourse) and Luke has united the two expressions in *καὶ οἱ ὄχλοι ἐπεζήτουν αὐτόν*. For the introduction of *οἱ ὄχλοι*, comp. III, 7 (*Mk.*, I, 5 : *πάντες*) ; V, 15 (*Mk.*, I, 45 : *πάντοθεν*) ; V, 29 (*Mk.*, II, 15 : *πολλοί*) ; IX, 11 (*Mk.*, VI, 33 : *πολλοί*). The Lukan interpretation of *πάντες* and the omission of *Σίμων καὶ οἱ μετ' αὐτοῦ* is not surprising previous to *Lk.*, V, 1-11 and after the omissions of *Mk.*, I, 16-20 and *Mk.*, I, 38b (*καὶ 'Ανδρέου μετὰ 'Ιακώβου καὶ 'Ιωάννου* : " die Mk-Differenzen lassen sich gut als luk Redaktion verständlich machen ", H. Schürmann, *op. cit.*, p. 252, note 240). — *Lk.*, IV, 43 (unlike *Mt.*, IV, 23b) is strictly parallel with *Mk.*, I, 38 and the expression *εὐαγγελίζεσθαι τὴν βασιλείαν τοῦ θεοῦ* (comp. VIII, 1 ; XVI, 16 ; *Act.*, VIII, 12) stands for *κηρύξω* in Mark. Cfr J. Delobel, *L'onction de Jésus par la pécheresse*, in *Ephem. Theol. Lovan.*, XLII, 1966, pp. 415-475, esp. p. 446.

A. Gaboury argues from the use of the verb *εὐαγγελίζεσθαι* in Luke (*op. cit.*, p. 161, note 1). See, however, P. Stuhlmacher, *Das paulinische Evangelium, I*,

ἦλθεν... comp. I, 39 : ἦλθεν
εἰς τὴν Γαλιλαίαν κηρύσσων...
κηρύσσων τὸ εὐαγγέλιον τοῦ θεοῦ εἰς ὅλην τὴν Γαλιλαίαν
... ἤγγικεν ἡ βασιλεία τοῦ θεοῦ

Ἐκβάλλων τὰ δαιμόνια, as Gaboury has underlined, is characteristic of Mark and θεραπεύω for Matthew. The Markan expression κηρύσσων ... καὶ τὰ δαιμόνια ἐκβάλλων (I, 39) has become in the interpretation of Matthew : κηρύσσων ... καὶ θεραπεύων (IV, 23c).

Mk., I, 28.

καὶ ἐξῆλθεν ἡ ἀκοὴ αὐτοῦ ... εἰς ὅλην τὴν περίχωρον τῆς Γαλιλαίας, par. *Mt.*, IV, 24a. Matthew did not understand the genitive epexegetically (the region = Galilee) and translated *ad sensum* : εἰς ὅλην τὴν Συρίαν (the region adjacent to Galilee). The omission of the pleonastic πανταχοῦ is not surprising and in regard to the use of ἀπῆλθεν *loco* ἐξῆλθεν, comp. IX, 7 and XXVIII, 8. The distinction between the preposition εἰς + accusative (here and in IX, 26) and ἐν + dative (diff. *Mk.* in IV, 23 and elsewhere) corresponds to the general usage of Matthew [40].

Mk., I, 32-34.

Mk., I, 32-34 finds its parallel in *Mt.*, IV, 24 and VIII, 16. These two verses, in Gaboury's view, form the first and the second stages before Mark. The order, however, due to a progressive abstraction, could be the inverse one : *Mk.*, I, 32-34 ; *Mt.*, VIII, 16 ; IV, 24. In Mark, the pericope is intimately connected with the Day at Capernaum (the evening, v. 32a ; the house of Peter, v. 33). The omission of v. 33 joined together v. 32 and v. 34, with the resulting repetition of πάντας τοὺς / πολλοὺς κακῶς ἔχοντας. Normally, Matthew avoids Markan redundancies, combining sometimes the two expressions of Mark :

Mk. :	ἔφερον πρὸς αὐτὸν	πάντας τοὺς	κακῶς ἔχοντας
	ἐθεράπευσεν	πολλοὺς	κακῶς ἔχοντας ποικίλαις νόσοις
IV, 24 :	προσήνεγκαν αὐτῷ	πάντας τοὺς	κακῶς ἔχοντας ποικίλαις νόσοις
VIII, 16 :		πάντας τοὺς	κακῶς ἔχοντας
	ἐθεράπευσεν.		

Vorgeschichte (FRLANT 95), Göttingen, 1968 : " wo Lukas selbst formuliert (4, 43 ; 8, 1 ; 9, 6 ; 16, 16 und 20, 1 sowie in der Apostelgeschichte) fusst er auf diesem alten, ihm überkommenen Sprachgebrauch " (p. 234) ; " Lk. 4, 43 ist das auf den ersten Blick altertümlich erscheinende εὐαγγελίζεσθαι τὴν βασιλείαν τοῦ θεοῦ wiederum sogar höchst reflektierte lukanische Formulierung " (p. 229).

40. Cfr C. H. TURNER, *Marcan Usage*, in *Journ. Theol. Studies*, XXVI, 1925, pp. 14-20 ; and BLASS-DEBRUNNER, § 205.

For Matthew's use of προσήνεγκαν αὐτῷ, comp. IV, 24 ; VIII, 16 ; IX, 2 (cf. II, 3, but see also v. 4) ; XVII, 16 (cf. *Mk.*, IX, 17) (diff. *Mk.* φέρω πρός) ; IX, 32 and XII, 22.

The first member of the double temporal statement in *Mk.*, I, 32a is preserved in *Mt.*, VIII, 16. The desire to avoid repetitions might have been the reason for the omission of the second member (the sunset) ; in addition, in *Mt.* it is not the evening of a Sabbath as in *Mk.* (and *Lk.*, IV, 40). Only here in Mark we read : ὀψίας δὲ γενομένης.

I, 32	ὀψίας δὲ γενομένης, ὅτε ἔδυσεν ὁ ἥλιος	VIII, 16	ὀψίας δὲ γενομένης
IV, 35	καὶ ... ἐν ἐκείνῃ τῇ ἡμέρᾳ ὀψίας γενομένης	VIII, 18 om. (but see VIII, 16)	
VI, 35	καὶ ἤδη ὥρας πολλῆς γενομένης (... καὶ ἤδη ὥρα πολλή)	XIV, 15	ὀψίας δὲ γενομένης (καὶ ἡ ὥρα ἤδη παρῆλθεν)
VI, 47	καὶ ὀψίας γενομένης	XIV, 23	ὀψίας δὲ γενομένης
		XX, 8	ὀψίας δὲ γενομένης
XIV, 17	καὶ ὀψίας γενομένης	XXVI, 20	ὀψίας δὲ γενομένης
XV, 42	καὶ ἤδη ὀψίας γενομένης, ἐπεὶ ἦν παρασκευή	XXVII, 57	ὀψίας δὲ γενομένης

The use of the phrase is less stereotyped in Mark : not always at the beginning of a sentence ; sometimes in a double temporal statement ; with ἤδη and, as normal in Mark, mostly with καί. The stereotyped usage could be the secondary one [41].

3. The First Day of Jesus' Ministry in *Mt*

From the comparison between *Mk.*, I, 28, 32-34, 39 and the Matthean parallels, it seems justified to assume that Matthew was acquainted with the Markan text of the Day at Capernaum. It may be difficult to find the reason for his omission of *Mk.*, I, 23-27. Yet, for the Markan priorist there is an indication of Matthew's acquaintance with the pericope :

41. Even W. R. Farmer is not too affirmative on this point : " Either of these explanations is possible... " (*The Synoptic Problem*, New York, 1964, p. 156). He adds : " It is easier to explain the phenomena in Matthew as a stylistically fixed introductory formula, which has been freely altered in Mark, than vice versa ". Certainly, Matthew uses the expression in a peculiar text (XX, 8), but Matthew's habitual preference for δέ instead of the Markan καί accounts for his changes of *Mk.*, VI, 47 ; XIV, 17 and, partly, VI, 35 ; XV, 42. Perhaps the formulalike character should not be overemphasized.

Mk., I, 24	*Mt.*, VIII, 29	*Mk.*, V, 7
ἀνέκραξεν λέγων	ἔκραξαν λέγοντες	κράξας φωνῇ μεγάλῃ λέγει
τί ἡμῖν καὶ σοί,	τί ἡμῖν καὶ σοί,	τί ἐμοὶ καὶ σοί,
Ἰησοῦ Ναζαρηνέ ;	υἱὲ τοῦ θεοῦ ;	Ἰησοῦ υἱὲ τοῦ θεοῦ τοῦ ὑψίστου ;
ἦλθες	ἦλθες ὧδε πρὸ καιροῦ	ὁρκίζω σε τὸν θεόν,
ἀπολέσαι ἡμᾶς.	βασανίσαι ἡμᾶς ;	μή με βασανίσῃς.

In fact, *Mk.*, I, 23-27 is not the only Matthean omission of the motif of the demons' knowledge. *Mk.*, I, 34b is omitted in *Mt.*, VIII, 16, where the postposition of ἐθεράπευσεν and the following quotation from *Is.*, LIII, 4 emphasize the healing activity. This is even clearer in regard to *Mk.*, III, 11, simply omitted in *Mt.*, XII, 15b, the motif of the injunction to silence (v. 12) being transferred to the one healed in *Mt.*, XII, 16. We have already remarked above the transition from ἐκβάλλω τὰ δαιμόνια to θεραπεύω in *Mt.*, IV, 23c, par. *Mk.*, I, 39.

After all, it is not unreasonable to assume that Matthew has disarranged the Markan Day at Capernaum. It might be more correct to view his order as a new arrangement of the motifs.

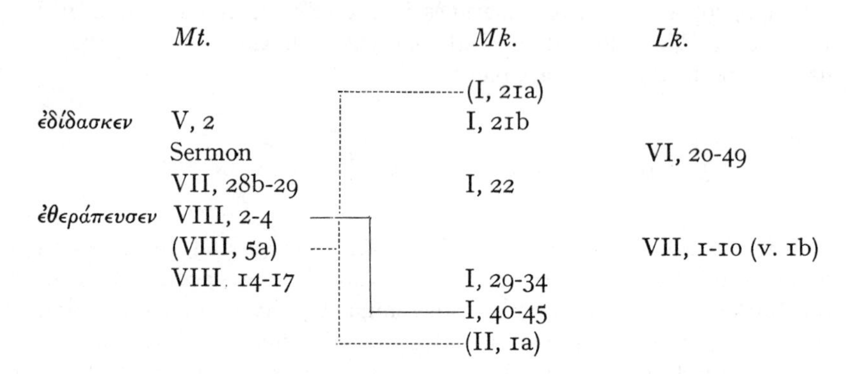

The Markan duality of διδάσκω (κηρύσσω) and ἐκβάλλω τὰ δαιμόνια reappears here in a new and even clearer distinction. Jesus' double activity in *Mt.*, V, 1 — VIII, 17 constitutes the Matthean first day of the ministry : ἰδὼν δὲ τοὺς ὄχλους (cf. IV, 25), ἀνέβη εἰς τὸ ὄρος καὶ καθίσαντος... (V, 1), καὶ... ἐδίδασκεν αὐτοὺς λέγων... (V, 2), καὶ ἐγένετο ὅτε ἐτέλεσεν... (VII, 28-29), καταβάντος δὲ αὐτοῦ... (VIII, 1), vv. 2-4, εἰσελθόντος δὲ αὐτοῦ εἰς Καφαρναοὺμ... (v. 5a), vv. 5-13, καὶ ἐλθὼν ὁ Ἰησοῦς εἰς τὴν οἰκίαν Πέτρου... (v. 14a), vv. 14-15, ὀψίας δὲ γενομένης (v. 16a), vv. 16-

17. Matthew concludes the literary unit with the quotation from *Is.*, LIII, 4 [42].

For the introduction (*Mt.*, IV, 23-25), Matthew's motifs are borrowed from the Markan summaries [43] :

Mt., IV, 23a	*Mk.*, I, 39a	VI, 6b
23b	I, 14-15	
23c	I, 39b	
24a	I, 28	
24b	I, 32, 34	
25		III, 7-8
V, 1a		III, 13
2	I, 21	

Mt., IV, 25 (and V, 1) refers to *Mk.*, III, 7-8 (and III, 13) and is much closer to it than the immediate parallel in *Mt.*, XII, 15. Only in IV, 25b is the list of geographical names taken over : Galilee, Judea, Jerusalem, (Idumea), beyond the Jordan, (about Tyre and Sidon). The mention of Syria in IV, 24a may explain the omission of Tyre and Sidon. Instead of Idumea (hapaxlegomenon in the N.T.) Matthew has Decapolis. For the inversion of the order in *Mt.* (Jerusalem, Judea, beyond the Jordan) there exists a parallel in *Mt.*, III, 5 (diff. *Mk.*, I, 4). *Mt.*, IV, 25a (*καὶ ἠκολούθησαν αὐτῷ ὄχλοι πολλοί*) depends upon *Mk.*, III, 7b and is nearer to it than *Mt.*, XII, 15. *Ὄχλοι πολλοί* (in XII, 15 : *πολλοί*) renders the Markan *πολὺ πλῆθος* (v. 7 ; comp. *πλῆθος πολύ* in v. 8 and *διὰ τὸν ὄχλον* in v. 9) [44].

In *Mt.*, XII, 15, the expression is followed by *καὶ ἐθεράπευσεν αὐτοὺς πάντας*. In IV, 25, it is only loosely connected with *καὶ ἐθεράπευσεν αὐτούς*

42. In A. Gaboury's opinion the formula quotations present in *Mt.*, IV-XIII reveal the fluid form in which part D reached the evangelist. In fact, four quotations belong to part D : *Mt.*, IV, 15-16 ; VIII, 17 ; XII, 17-21 (quotations from Isaiah) and XIII, 35. This last one is taken from *Ps.* LVII, 2, but the *διὰ Ἠσαΐου* in the introductory formula could be original ; comp. F. Van Segbroeck, *Le scandale de l'incroyance. La signification de Mt., XIII, 35*, in *Ephem. Theol. Lovan.*, XLI, 1965, pp. 344-372 ; cfr *De formulecitaten in het Matteusevangelie. Bijdrage tot de christologie van Mt., 4-13*, Diss., Leuven, 1964.

The presence of the quotations in " part D " is not unrelated to the phenomenon of the summaries especially characteristic for *Mk.*, I-VI. The generalizing statements of *Mk.*, I, 14-15 ; I, 32-34 ; III, 7-12 and IV, 33-34 were particularly appropriate for the insertion of *Reflexionszitate*. See the contribution of F. Van Segbroeck.

43. On *Mt.*, V, 1 and XV, 29-30, cfr *supra*, p. 59 and in regard to Gaboury's presentation of this " stereotyped structure ", cfr *op. cit.*, p. 130, note 2.

44. *Πλῆθος* : only here in Mark (III, 7, 8) and never in Matthew. *Ὄχλος* : 33 times in Mark, always singular (the variant *ὄχλοι* in X, 1 is suspicious) ; 49 times in Matthew, 16 singular and 33 plural (frequently in parallel to a Markan singular). Cfr *Synoptica* (see n. 17), p. 33, note 2.

(found in the preceding v. 24b) and serves as starting point for the continuous account of *Mt.*, IV, 25 — VIII, 17. Comp. ἰδὼν δὲ τοὺς ὄχλους in V, 1 ; (ἐξεπλήσσοντο) οἱ ὄχλοι in VII, 28 (diff. *Mk.*, I, 22) ; ἠκολούθησαν αὐτῷ ὄχλοι πολλοί in VIII, 1b and τοῖς ἀκολουθοῦσιν in VIII, 10 (cf. *Lk.*, VII, 9). In *Mk.*, III, 7b-9, the orientation is different, but here too, the motif shows its own consistency (comp. v. 10 : πολλοὺς γὰρ ἐθεράπευσεν [45].

We have noticed already, in connection with IV, 24b (and VIII, 16), the Matthean avoidance of the Markan duplication of κακῶς ἔχοντας. Matthew's omission, it must be added, is largely compensated in IV, 24 : καὶ βασάνοις συνεχομένους... καὶ σεληνιαζομένους καὶ παραλυτικούς. The Matthean color of this addition is undeniable. Only one other instance of the use of the term σεληνιάζομαι is met in the Bible : σεληνιάζεται καὶ κακῶς ἔχει in *Mt.*, XVII, 15 (diff. *Mk.*). In Mark, the term παραλυτικός appears exclusively in II, 1-12 (comp. *Mt.*, IX, 2[bis] and 6). The Markan pericope might have influenced the Matthean redaction of the Q-text in *Mt.*, VIII, 6 (diff. *Lk.*, VII, 2 : κακῶς ἔχων...) : παραλυτικός, δεινῶς βασανιζόμενος, a striking parallel to καὶ βασάνοις συνεχομένους... καὶ παραλυτικούς in IV, 24 [46]. Thus exemplifying κακῶς ἔχοντας Matthew reinforces the impression that IV, 24 is re-echoed in VIII, 1-17 (ἐθεράπευσεν) and that the Matthean " Day of Jesus' Teaching and Healing Ministry " is included within the double parallel of *Mk.*, I, 32-34 in *Mt.*, IV, 24 and VIII, 16. The conclusion of the section is provided by the quotation from *Is.*, LIII, 4 (... τὰς νόσους ἐβάστασεν) which completes and interprets the Matthean summary of IV, 23 (θεραπεύων πᾶσαν νόσον καὶ πᾶσαν μαλακίαν ἐν τῷ λαῷ) [47].

45. Cfr W. Egger, *Die Verborgenheit Jesu in Mk 3, 7-12*, in *Biblica*, L, 1969, pp. 466-490 : " Die syntaktische Struktur von Vers 10 zeigt nämlich, dass Mk hier kein Heilungssummarium geben will " (p. 468) ; " Mt (XII, 15-16) gibt ein Heilungssummarium (anders als Mk) " (p. 474).

46. Βάσανος/βασανίζω only here in the N. T. used for disease. — Comp. βασανίζω : *Mk.*, V, 7, par. *Mt.* and *Lk.* ; VI, 48, par. *Mt.* ; 2 *Petr.*, II, 8 ; *Apoc.* (5 times) ; βάσανος : *Lk.*, XV, 23, 28 ; βασανισμός : *Apoc.* (5 times) ; βασανιστής : *Mt.*, XVIII, 34.

Συνέχω is used only here, in Matthew (never in Mark), comp. *Lk.*, IV, 38 : συνεχομένη πυρετῷ μεγάλῳ (par. *Mt.*, VIII, 14 = *Mk.* : πυρέσσουσα), also in *Act.*, XXVIII, 8 : πυρετοῖς καὶ δυσεντερίῳ συνεχόμενον.

47. A new section begins in *Mt.*, VIII, 18, with the theme of discipleship (vv. 19-22). The disciples are to be associated to the ministry of Jesus. *Mt.*, IV, 23 is repeated at the end of the miracle cycle in IX, 35, and in X, 1 the healing ministry is entrusted to the disciples : καὶ θεραπεύειν πᾶσαν νόσον καὶ πᾶσαν μαλακίαν (comp. IV, 23c = IX, 35c). Comp. also X, 7 and 8 (κηρύσσετε... ἤγγικεν ἡ βασιλεία τῶν οὐρανῶν. ἀσθενοῦντας θεραπεύετε) with the brief summary on Jesus' ministry in XI, 1 (διδάσκειν καὶ κηρύσσειν ἐν ταῖς πόλεσιν αὐτῶν ; cf. IX, 35) and Jesus' answer to the Baptist in XI, 5-6.

The Q-block on the Baptist in XI, 2-13 serves as a conclusion of the whole first part of *Mt.*, IV, 23 - XI, 1 dealing with " The works of the Messiah " (XI, 2 with the inclusion in v. 19 ἀπὸ τῶν ἔργων αὐτῆς).

IV, 23 καὶ περιῆγεν ἐν ὅλῃ τῇ Γαλιλαίᾳ,
διδάσκων ... κηρύσσων ...
θεραπεύων πᾶσαν νόσον καὶ πᾶσαν μαλακίαν

IV, 24 πάντας τοὺς κακῶς ἔχοντας ... ἐθεράπευσεν αὐτούς

IV, 25 ἠκολούθησαν αὐτῷ ὄχλοι πολλοί

V, 1 ἀνέβη εἰς τὸ ὄρος

V, 2 ἐδίδασκεν αὐτούς

V, 3-VII, 27

VII, 28-29 ἐπὶ τῇ διδαχῇ αὐτοῦ

VIII, 1a καταβάντος δὲ αὐτοῦ ἀπὸ τοῦ ὄρους

VIII, 1b ἠκολούθησαν αὐτῷ ὄχλοι πολλοί

VIII, 2-4 (λεπρός)

VIII, 5-13 (παραλυτικός)
5a εἰσελθόντος δὲ αὐτοῦ εἰς Καφαρναούμ

VIII, 14-15 (πυρέσσουσα)
14a ἐλθὼν... εἰς τὴν οἰκίαν Πέτρου

VIII, 16 πάντας τοὺς κακῶς ἔχοντας ἐθεράπευσεν
16a ὀψίας δὲ γενομένης

VIII, 17 αὐτὸς τὰς ἀσθενείας ἡμῶν ἔλαβεν καὶ τὰς νόσους ἐβάστασεν

D. Conclusion

" I have an incurable preference for simple solutions of literary problems ". These words were quoted by B. C. Butler at the beginning of his test of the Q hypothesis, and he added : " It is a fundamental principle of critical method that sources and their relations are not to be multiplied unnecessarily " [48]. This very principle has been censured by

48. B. C. Butler, *The Originality of St Matthew*, Cambridge, 1951, p. 1. We may quote here the reaction of Styler : " Butler rightly asserts the principle that sources should not be multiplied needlessly. But there is no objection to postulating such a source ; and it may be necessitated by other reasons, viz. the argument for the priority of Mk, if they prove to be sound " (*op. cit.*, p. 226).
Comp. W. R. Farmer, *The Synoptic Problem*, p. 203.

A. Gaboury as an uncritical and unacceptable a priori. After all, he stated, the simplicity of the theories of direct utilization of one gospel in another is only a fictitious one, while, in such a theory, hypotheses have to be multiplied to explain omissions, transpositions, semitisms, etc. [49]. The author's plea for a frank and open literary analysis, free from preconceived theories, deserves our uncontested approval. His book, however, might show that a common source theorist could also have a preference for simplicity. One guiding principle pervades the whole study of the phenomenon of order : the evangelists never altered the order of incidents they found in their sources. This principle is extremely simple indeed, but it forces the author to an unnecessary multiplication of sources.

Surely, the author rightly observes that Matthew has preserved, to some extent, the original order of the double tradition (V-VII, VIII, 5-13) when combining it with the triple tradition [50]. But it is not justified to generalize the application to other parts of the gospel and to other gospels. The principle involved here is sacrosanct in the Griesbachian hypothesis : Mark whilst combining Matthew and Luke did not deviate from the order of his sources. Gaboury's criticism of this combination theory (" Marc n'est qu'un simple compilateur ") [51] could be a self-destructive one for his own hypothesis.

During the Pittsburgh Festival on the Gospels, the hope was expressed " that the hypothesis proposed... has aroused some interest, even on the part of veterans of Synoptic criticism " [52]. Having considered the

49. *Op. cit.*, p. 13.

50. Cfr V. TAYLOR, *The Order of Q*, in *Journ. Theol. Studies*, IV, 1953, pp. 27-31 ; *The Original Order of Q*, in A. J. B. HIGGINS (ed.), *New Testament Essays, Studies in Memory of T. W. Manson*, Manchester, 1959, pp. 246-269. On the Sermon on the Mount, see p. 249. Perhaps V, 17 could be added to the sequence V, 18, 32 (Schürmann's hypothesis). The double sequence of *Mt.*, VIII, 5-13 with the Q-texts of the Sermon should not have been neglected (comp. pp. 249, 264, 266 and 268) :

Mt.		*Lk.*	
	VII, 13-14		XIII, 23-24
VII, 16-20		VI, 43-44	
VII, 21		VI, 46	
	VII, 22-23		XIII, 26-27
VII, 24-27		VI, 47-49	
VIII, 5-10		VII, 1-9	
	VIII, 11-12		XIII, 28-29
VIII, 13		VII, 10	

Cfr F. NEIRYNCK, *Synoptica* (see n. 17), pp. 46-51. On the Q hypothesis, see M. DEVISCH, *De geschiedenis van de Quelle-hypothese* (cf. *infra*, p. 728).

51. *Op. cit.*, p. 29.

52. Cfr *supra*, note 7.

hypothesis, perhaps some of those " veterans " would feel more in agreement with another contributor to the Festival who has stated: " In a generation in which the Synoptic problem has been largely dormant, the success of *Redaktionsgeschichte* in clarifying the theologies of Matthew and Luke on the assumption of dependence upon Mark is perhaps the most important new argument for Marcan priority " [53].

ADDITIONAL NOTES

The article appeared in *L'évangile selon Matthieu*, 1972 (Colloquium Biblicum Lovaniense, 1970) and was reprinted in *SBL Seminar Papers 1972* (ed. L.C. McGaughy), vol. I, pp. 147-179, following Gaboury's contribution: *Christological Implications Resulting from a Study of the Structure of the Synoptic Gospels*, pp. 97-146. Only twelve lines are spent on so-called christological implications (p. 142). The paper gives an extended summary in English of *La structure des évangiles* (pp. 102-142): the author's position remained unchanged and no real new evidence is produced. In his introductory remarks on source criticism (p. 98) he referred to A. Fuchs (*Deutero-Markus*: cf. *infra*, pp. 769-780) and to T. Schramm (*Nebenquelle*: cf. *supra*, pp. 37-81).

See also E. López, *Nueva solución al problema sinoptico. La teoría de Antonio Gaboury: hipótesis, argumentos y crítica*, in *Estudios Biblicos* 30 (1971) 313-343; 31 (1972) 43-81.

Note 7 (X. Léon-Dufour): cf. *infra*, pp. 724-728. — Note 13 (H. Schürmann): cf. *supra*, pp. 42-46. — Note 20 (R. Pesch): cf. *supra*, p. 508. — Note 50 (M. Devisch): cf. *infra*, p. 728.

53. J. M. Robinson, *On the Gattung of Mark (and John)*, pp. 99-129, esp. 101-102. See also J. A. Fitzmyer, *The Priority of Mark and the " Q " Source in Luke*, pp. 131-170.

— The evaluation of the method of A. Gaboury can be supplemented by A. Vanhoye's observations on «le manque de rigueur dans l'observation et la présentation des faits» (*Biblica*, LII, 1971, pp. 284-288).

ETL 55 (1979) 405-409

LES ÉVANGILES SYNOPTIQUES

X. LÉON-DUFOUR

Augustin GEORGE & Pierre GRELOT (éd.), *Introduction critique au Nouveau Testament* (Introduction à la Bible. Edition nouvelle. Tome III.) Tournai-Paris, Desclée, 5 volumes, 1976-1977.

X. LÉON-DUFOUR & C. PERROT, *L'annonce de l'Evangile*. 1976, 320 p.

La nouvelle Introduction doit remplacer les deux tomes de l'*Introduction à la Bible*, parue en 1959 sous la direction de A. Robert et A. Feuillet. Dans les volumes 2, 3 et 4, certains collaborateurs de 1959 ont pu présenter une révision de leur introduction : X. Léon-Dufour pour les Synoptiques, J. Cantinat pour les épîtres catholiques (à l'exception des épîtres johanniques) et M.-É. Boismard pour l'Apocalypse. L. Cerfaux et J. Cambier (Actes et Paul) sont remplacés par C. Perrot (Actes, Vie de Paul), M. Carrez, de la Faculté de théologie protestante de Paris (Épîtres pauliniennes, à l'exception de Thess. et Rom. présentées par Cambier) et A. Vanhoye (Hébreux). A. Feuillet est remplacé par E. Cothenet (Évangile et épîtres johanniques).

Les lecteurs qui se souviennent d'une dissertation défendue à Louvain par S. McLoughlin en 1965 (*The Synoptic Theory of Xavier Léon-Dufour. An Analysis and Evaluation*) comprendront que j'ai parcouru avec une attention particulière la section sur *Les évangiles synoptiques* (vol. 2, p. 11-237; comparer L'Introduction de 1959, p. 143-334). Un Avertissement l'annonce comme «tantôt mise à jour et tantôt refondue» (p. 3), mais laisse au lecteur le soin de découvrir quelles sont les parties refondues, mises à jour ou simplement reprises de l'exposé de 1959. La mise à jour est évidente en ce qui concerne la Bibliographie (pp. 296-299). Quelques titres anciens ont disparu pour faire place aux publications des années 1959-75. (Une absence notoire : S. SCHULZ, *Q-Die Spruchquelle der Evangelisten*, Zürich, 1972.) Malgré cette longue liste de nouvelles études X. Léon-Dufour n'a pas jugé nécessaire de remanier profondément son exposé de 1959. Il l'a complété au chapitre I par une section sur «L'attitude herméneutique» (p. 27-32) et au chapitre VI, «La lecture critique des évangiles», par quelques pages qui s'inspirent surtout de l'étude de G. Theissen (p. 208-214 : Perspective synchronique, diachronique, fonctionnelle). Dans le chapitre VII, «Les évangiles et l'histoire», on notera un passage sur les critères d'authenticité (p. 217-219 : la différence et la cohérence) et, en finale, une critique épistémologique : «qu'est-ce que connaître 'l'événement' de Jésus?» (p. 228-237).

Dans le corps même de l'exposé (les chapitres II-V : Marc, Matthieu, Luc, Le fait synoptique), les changements sont moins apparents. On y retrouve même les coquilles du texte de 1959 (p. 154 : Mt 12,27 = 29; Mc 3,29 = 27; Mt 24 = 25; p. 161, 167, 173 : H.G. Holtzmann = H.J.). Par endroits une nouvelle alinéa a été ajoutée suite à une étude récente (voir les notes p. 118, 123, 124, 145, 203). À propos de Mc 16,9-20, on notera un glissement de «*Telle est* la plus ancienne 'harmonie évangélique' qui existe» (1959, p. 228) à «Aussi a-t-on souvent conclu qu'il y avait là...» (p. 72). Léon-Dufour se rallie maintenant à la thèse de l'originalité (J. Hug), fort peu probable à mes yeux. P. Grelot, directeur de l'*Introduction*, le corrigera d'ailleurs dans le volume 5 : «Elle est en effet tissée d'allusions qui renvoient à Matthieu (), à Luc (), à Jean () et aux Actes ()» (p. 153). Autre changement silencieux à propos de «identité substantielle» entre Mt et l'original araméen (1959, p. 195) : «Aujourd'hui on est en droit de se demander pourquoi parler ainsi» (p. 103). Pour sa part, P. Grelot semble vouloir revenir au Matthieu araméen (vol. 5, p. 85, 113, 120) : n'est-ce pas, comme l'écrit Léon-Dufour (p. 103), «se livrer à des hypothèses invérifiables»?

La question de la date des évangiles reçoit une attention spéciale. Il considère les évangiles «selon l'ordre présumé de leur parution», c.-à.d. Mc, Mt, Lc (en 1959 : Mt, Mc; l'inversion de l'ordre des chapitres II et III entraîne d'ailleurs d'autres transpositions dans le texte : cf. p. 63-64). Il maintient la date de Mc : «avant l'an 70», «entre 65 et 70» (p. 70). Il date Mt «d'entre 80 et 90» (p. 107; corriger p. 106 : «terminus *post* quem»); en 1959 il se contentait de parler de l'adaptation d'un original araméen (cf. p. 195). Lc daterait de 70-90, selon l'opinion «généralement partagée par les critiques» (p. 141). Il signale les objections de «certains auteurs», mais ne mentionne pas l'Introduction de 1959 où l'on peut encore lire que dater Lc d'après 19,43s.; 21,20.24 «serait de mauvaise méthode critique» (p. 257). Ce qui était en 1959 «l'opinion défendue par la grande majorité des catholiques et de nombreux non catholiques» (c.-à-d. avant 70) est devenue «l'opinion défendue par un certain nombre d'auteurs, surtout catholiques» (p. 140). Dans tout cela, une chose nous étonne : l'exposé de Léon-Dufour ne contient pas la moindre allusion à l'opinion qui date aussi l'évangile de Marc après 70. Sur ce point encore il sera complété par P. Grelot qui rapporte l'opinion de «certains critiques» qui situent Mc en 71. Il cite G. Minette de Tillesse (p. 115). C'est le point de vue également d'autres auteurs qui ont écrit sur Mc 13 et de commentateurs catholiques récents : R. Pesch, 1976 (t. 1, p. 14) et J. Gnilka, 1978 (t. 1, p. 34 : «bald nach dem Jahr 70, veilleicht in den ersten drei Jahren danach...»).

Dans le chapitre sur la question synoptique, la mise à jour se limite à une présentation des ouvrages de M.-É. Boismard (1972) et A. Gaboury (1970). Le lecteur y trouvera une description de la théorie de Boismard (p. 180-181) mais aucune indication sur la discussion qu'elle a suscitée. Je me permets de signaler que, entre autres, j'ai publié déjà en 1974 un article de 42 pages : *Urmarcus redivivus? Examen critique de l'hypothèse des insertions matthéennes dans Marc*, dans *L'évangile selon Marc*, éd. M. SABBE (BETL, 34); réimprimé dans *Jean et les Synoptiques. Examen critique de l'exégèse de M.-É. Boismard* (BETL, 49), 1979, p. 319-361. Le P. Boismard s'étonnera sans doute du précurseur que Léon-Dufour lui prête dans la personne de H. Marsh (p. 180). Il semble bien qu'il l'a découvert par le livre de Farmer (cf. n. 87) et qu'il a cherché à le caser quelque part. Marsh aurait été à sa place dans la section sur la seconde source (cf. p. 173), car H. U. Meyboom l'écrit déjà en 1872 : «zoo sprak Heribert Marsh bijna veertig jaren vóórdat Schleiermacher met zijn nieuwe ontdekking te voorschijn kwam» (*Logia-hypothese*, p. 308). Autre correction d'ordre historique : C. G. Wilke défend la priorité de Mc (*Der Urevangelist*, 1838) mais il n'est pas un défenseur de cette «seconde source» (p. 173; 1959, p. 289). À qui reproche-t-on «une connaissance insuffisante du fait synoptique» (p. 172)?

Toute la sympathie de Léon-Dufour va vers l'hypothèse de A. Gaboury (p. 181-183). Il l'avait annoncée déjà en 1967 ici même (cf. *ETL* 43, 1967, p. 11-12) et il l'a défendue comme sa propre solution au *Festival* de Pittsburgh en 1970. Il la présente maintenant d'abord comme la solution du désespoir : «Si aucune réponse ne satisfait pleinement, peut-être devrait-on retenir l'hypothèse de A. Gaboury» (p. 61), puis comme «un grand pas [qui] a été fait pour l'intelligence du fait synoptique» (p. 185) et finalement comme l'hypothèse dans laquelle «la sécurité du travail critique est plus grande que dans l'hypothèse qui place Mc à la source de la triple tradition» (p. 206). Ce qu'il y a à dire sur cette hypothèse, je l'ai écrit dans *The Gospel of Matthew and Literary Criticism. A Critical Analysis of A. Gaboury's Hypothesis*, dans *L'évangile selon Matthieu*, éd. M. Didier (BETL, 29), 1972, p. 37-69 (voir surtout p. 49ss.). Léon-Dufour a préféré ne pas en parler aux lecteurs de l'*Introduction*.

Le décalage entre une Bibliographie mise à jour (en appendice) et la réimpression d'un exposé qui date de 1959 est frappante surtout à propos de la «seconde source» (p. 173-175) : il n'a ajouté pas un mot sur les nombreuses études qui ont paru depuis 1959!

Dans sa critique de la priorité de Marc Léon-Dufour attache beaucoup d'importance à ce qu'il appelle «les phénomènes littéraires microscopiques», les menues *transformations* et les *glissements dans l'expression* qui seraient «irréductibles à une explication stylistique», «les moins explicables par une activité littéraire de l'évangéliste» (p. 168, cf. 154-155; 1959, p. 282-283, cf. 268-271). Une note signale que l'affirmation est contestée par S. McLoughlin (p. 168, n. 47). On corrigera cependant le renvoi à l'article sur *Les accords mineurs* (*ETL* 43, 1967) par une référence à la dissertation (cf. *supra*). Voir aussi *The Gospels and the Jesus of History*, dans *Downside Review* 87 (1969) 183-200, en particulier p. 192 sur le recours à la tradition orale : «Certainly such phenomena show memory at work. But who is to say it is not just the memory of the evangelist who is doing the editing? ... In fact it is possible to prove *by experiment* that a redactor's memory plays just such tricks. Ideal material for a search would be furnished by a writer who is rewriting freely a source he knows well, for both these conditions favour verbal slips». Une comparaison du texte de l'Introduction avec l'adaptation qu'on en trouve dans *Les évangiles et l'histoire de Jésus* (Paris, 1963) lui fournit des exemples de tels glissements dans l'expression (dans la dissertation, p. 337-380). Dans le même ouvrage, le chapitre sur *Le fait synoptique* a été résumé (p. 225-241). Il nous pose devant une nouvelle question synoptique. Qui, dans ce cas, pourrait nier «l'intervention active d'un rédacteur littéraire» (cf. p. 153)?

1959, p. 268-271	1963, p. 232-233	1976, p. 154-155
Mots fixes, structure variée	Parfois c'est le phénomène	**Mots fixes, structure variée**
	inverse qui apparaît :	
Dans un même épisode	dans un même épisode,	Dans un même épisode
les mots sont demeurés	les mots demeurent	les mots sont demeurés
identiques, mais ils ont	identiques, mais ils ont	identiques, mais ils ont
changé de place,	changé de place,	changé de place,
de sens même,	voir même de sens.	de sens même,
de situation, de fonction.		de situation, de fonction.
Ce sont ces glissements qui	Ces «glissements»	Ce sont ces glissements qui
semblent les moins expli-	paraissent des plus diffi-	semblent les moins expli-
cables par une	ciles à expliquer par la	cables par une
activité littéraire	seule activité littéraire	activité littéraire
de l'évangéliste.	de l'évangéliste.	de l'évangéliste.
Voici d'abord les glisse-	En voici d'abord	Ainsi parfois
ments les plus simples	de fort simples,	
où les mots conservent	où les mots conservent	les mots conservent
le même sens.	le même sens tout en ex-	le même sens, tout en ex-
	primant des réalités dif-	primant des réalités dif-
	férentes.	férentes.
Parfois, en glissant, le	Parfois, en glissant,	Parfois, en glissant,
le mot a acquis	le mot acquiert	le mot acquiert
une autre signification	une signification	une signification
ou une autre fonction	différente.	différenteouuneautrefonction
dans la phrase.		dans la phrase. Le même mot
Λόγος signifie «miracle»	*Logos* signifie «événement,	grec λόγος signifie «événe-
	nouvelle» ...	ment, nouvelle» ...
dans Mc., 1,45, «renommée»	dans Mc 1,45, «renommée»	dans Mc 1,45, et «renommée»
dans Lc. 5,15.	dans Lc 5,15, dans le con-	dans 5,15, au sein
[*19 lignes*]	texte d'un même épisode.	d'un même épisode.
À lire	Qui se douterait, en lisant	Qui se douterait, en lisant
une traduction du récit de	une traduction,	une traduction
la tempête..., on ne remar-		
querait sans doute pas		
qu'un même mot	qu'un même mot	qu'un même mot
a changé de sens :		
βασανίζω signifie...	*basanizô* signifie...	βασανίζω signifie...
... (une virgule de dépla-	... (une virgule de dépla-	... (un déplacement de vir-
cée, dirions-nous),	cée, dirions-nous),	gule, dirions-nous),
et le sens a changé...	et le sens change...	et le sens change...
Les Pharisiens évoquent la	Lors de la controverse sur	[*7 lignes diff.*]
loi de Moïse	le mariage et le divorce,	
lors de la controverse sur	les pharisiens évoquent la	
le mariage et le divorce,	loi de Moïse,	
mais... citation.	mais... citation. On pourrait	On pourrait
[*5 lignes*]	multiplier les exemples, et	multiplier les exemples, et
Enfin le même	noter enfin que le même	noter que le même
mot, la même phrase peuvent	mot, la même phrase peuvent	mot, la même phrase peuvent
se trouver dans des bouches	se trouver dans des bouches	se trouver dans des bouches.
différentes, d'où un chan-	différentes et s'y charger	différentes et s'y charger
gement de sens.	d'un sens nouveau :	d'un sens nouveau :

Son identique, mots variés	des mots variés... pouvaient s'exprimer par des sons presque identiques...	des mots variés... pouvaient s'exprimer par des sons presque identiques...
... ils exigent considération.	... ils exigent qu'on en tienne compte.	... ils exigent considération.

NOTE

LE DOCUMENT Q

Dans l'exposé de X. Léon-Dufour, même le titre «Le document Q» (1959, p. 289) a disparu en 1976 (cf. p. 173). Notons ici, par manière de complément à l'*Introduction critique au Nouveau Testament*, quelques références bibliographiques :

F. NEIRYNCK, *Studies on Q since 1972*, dans *ETL* 56 (1980) 409-413.
— *Q*, dans *IDB*, *Suppl. Vol.*, 1976, col. 715-716; *Synoptic Problem*, *ibid.*, 845-848.
M. DEVISCH, *De geschiedenis van de Quelle-hypothese. 1. Van J.G. Eichhorn tot B.H. Streeter. 2. De recente exegese*, Leuven (Diss.), 1975. — Cf. *ETL* 51 (1975) 82-89.
— *Le document Q, source de Matthieu. Problématique actuelle*, dans M. DIDIER (éd.), *L'évangile selon Matthieu* (BETL, 29), Gembloux, 1972, p. 71-97.
— *La relation entre l'évangile de Marc et le document Q*, dans M. SABBE (éd.), *L'évangile selon Marc* (BETL, 34), Gembloux-Leuven, 1974, p. 59-91.
P. VASSILIADIS, Η ΠΕΡΙ ΤΗΣ ΠΗΓΗΣ ΤΩΝ ΛΟΓΙΩΝ ΘΕΩΡΙΑ. *The Q-Document Hypothesis. A Critical Examination of Today's Literary and Theological Problems concerning the Q-Document*, Athènes (Diss.), 1977. — Cf. *ETL* 55 (1979) 410-411.
R. LAUFEN, *Die Doppelüberlieferungen der Logienquelle und des Markusevangeliums* (BBB, 54), Bonn, 1980 (Diss. Bonn 1978). — Cf. *ETL* 57 (1981) 181-183.
A. POLAG, *Fragmenta Q. Textheft zur Logienquelle*, Neukirchen, 1979. — Cf. *ETL* 55 (1979) 373-381. Voir *infra*, pp. 925-933.
J. DELOBEL (éd.), ΛΟΓΙΑ. *Les paroles de Jésus. The Sayings of Jesus in Early Christian Tradition.* Colloquium Biblicum Lovaniense XXXII, 1981 (à paraître en 1982).

ETL 52 (1976) 350-357

THE SERMON ON THE MOUNT IN THE GOSPEL SYNOPSIS

In Aland's *Synopsis*,[1] the Sermon on the Mount (Mt 5-7) immediately precedes the Sermon of Lk 6,20-49, at the same place in the relative order of Mark (after Mk 3,19). Huck's *Synopse*[2] has a different arrangement: the text of Mt 5-7 is printed after Mk 1,39. The purpose of this paper is to evaluate both options and to present a third and more satisfactory solution for the place of the Sermon on the Mount in the Synopsis.[3]

I

Initially, it may be surprising that this problem still exists in modern synopses, their basic principle being to present the text of each gospel in its consecutive order and to repeat gospel sections out of order as often as the parallelization with the other gospels may require. This principle is clear enough and it should normally result in an objective tool for the comparative study of the gospels. Thus, for instance, in the sections on the Trial and Peter's Denial in Mk 14,53-72 and parallels, the arrangement would be as follows:

1. K. ALAND, *Synopsis quattuor evangeliorum locis parallelis evangeliorum apocryphorum et patrum adhibitis*, Stuttgart, [9]1976 ("Editio nona et recognita ad textum editionum [26]Nestle-Aland et [3]Greek New Testament aptata"). The synoptic arrangement of the gospel sections is still that of the first edition (1964). The revised edition of the Synopsis is the first partial publication of the text of the 26th edition of Nestle-Aland, *Novum Testamentum graece*. The text is identical with [3]GNT, apart from the arrangement of paragraphs, the capitalization and the (revised!) punctuation. I noted a mistake in Lk 15,13 ἅπαντα (= [1.2]GNT) instead of πάντα, the reading of P[75]B D *pc*, adopted by Westcott-Hort, Nestle, [3]GNT and [26]Nestle-Aland (see also *Konkordanz*, p. 68). See also Jn 4,54 [δὲ] in GNT (=[25]N and [26]N): the brackets are omitted in the Synopsis ([9]1976 = 1964).

2. A. HUCK & H. LIETZMANN, *Synopse der drei ersten Evangelien*, Tübingen, [12]1975 (= [9]1936). Huck's own arrangement of the gospel sections dates from [3]1906, with some revision in [4]1910 (new numbering). In the earlier editions (1892, [2]1898) he simply adopted the *Parallelenregister* of Holtzmann's *Hand-Commentar* (1889, [2]1892), which had Mt 5-7 // Lk 6,20-49 after Mk 3,19. The new edition of the Synopsis, which is now being prepared by H. Greeven (Bochum), will follow Huck's order of pericopes.

3. For this suggestion, which I recently proposed at the Griesbach Colloquium (Münster, 26-30 July 1976), see F. NEIRYNCK, *Synoptica. Het argument van de acoloethie in de synoptische kwestie* (S.N.T. Auxilia, 5), Leuven, 1967, pp. 22-40; *La rédaction matthéenne et la structure du premier évangile*, in *ETL* 43 (1967) 41-73; = *De Jésus aux évangiles* (ed. I. DE LA POTTERIE; BETL, 25), Gembloux-Paris, 1967, pp. 41-73, esp. p. 66, n. 102.

Matthew	Mark	Luke
26,57-58	14,53-54	22,54-55
(26,69-75)	*(14,66-72)*	22,56-62
(26,67-68)	*(14,65)*	22,63-65
26,59-66	14,55-64	22,66-71
26,67-68	14,65	*(22,63-65)*
26,69-75	14,66-72	*(22,56-62)*

In his presentation of this section, however, Huck repeats only the text of Luke, while the Matthean and Marcan parallels are referred to but not printed alongside of Lk 22,56-62.63-65.[4] A similar distinction between primary and secondary parallels is applied in Aland's Synopsis: the texts of Matthew and Mark are repeated but only in smaller print and without critical apparatus.[5] A more satisfactory treatment of this passage can be found in the Synopsis of Benoit and Boismard,[6] although they omit the texts of Mt 27,1 and Mk 15,1 in parallel with Lk 22,66. But even then, the question of the order of the pericopes still remains. Although the sequence which is indicated above is generally accepted, a different arrangement is still possible and is, perhaps, preferable:

Matthew	Mark	Luke
26,57-58	14,53-54	22,54-55
26,59-66	14,55-64	*(22,66-71)*
26,67-68	14,65	*(22,63-65)*
26,69-75	14,66-72	22,56-62
(26,67-68)	*(14,65)*	22,63-65
27,1	15,1a	22,66a
(26,59-66)	*(14,55-64)*	22,66b-71
27,2	15,1b	23,1

Another example can be taken from the Cleansing of the Temple. Two locations are possible for Lk 19,45-46, in parallel either with Matthew or with Mark:

4. Since ⁴1910; in ³1906, the text of Lk 22,56-62 was also printed only once, in parallel with Mt and Mk.

5. The same system was adopted by Huck from ³1906 on for the distinction between leading text and parallels, but was unfortunately abandoned by H. Lietzmann in 1935. This system was already used in Roediger's Synopsis, published in 1829 (cf. n. 11, below).

6. P. Benoit & M. E. Boismard, *Synopse des quatre évangiles en français avec parallèles des apocryphes et des pères, Tome I Textes*, Paris, 1965, ²1973. Cf. §§ 339-344. On this Synopsis see F. Neirynck, *Une synopse johannique*, in *ETL* 43 (1967) 259-267. In other sections the arrangement is less satisfactory; see n. 7. For Lk 22,66 (§ 342, but see § 345) compare Huck's no. 241 (references) and Aland's no. 332 (secondary parallels).

Matthew	Mark	Luke: Huck	Aland
21,12-13	*(11,15-17)*	19,45-46	*(19,45-46)*
21,18-19	11,12-14	—	—
(21,12-13)	11,15-17	*(19,45-46)*	19,45-46

In this case a more unusual but no less justifiable solution would be to rearrange the Matthew-Mark parallelism:[7]

Matthew	Mark		Luke
21,10-11	11,11a	*(11,15a)*	
(21,12a)	11,11b	*(11,15b)*	
(21,17)	11,11c		
(21,18-19)	11,12-14		
21,12-13	11,15-17	*(11,11ab)*	19,45-46
21,14-16	11,18		19,47-48
21,17	11,19	*(11,11c)*	
21,18-19	*(11,12-14)*		
21,20-22	11,20-25		

In both instances, Mk 11,11-25 and 14,53-15,1, the problem of order is restricted to the section itself and has to do with the phenomenon of intercalation in Mark, avoided by (or, in neutral language, absent in) Matthew in Mt 21 and by Luke in Lk 22. The placement of the Sermon on the Mount following Mk 1,39 or 3,19 is in fact the only real problem of parallelization in the synoptic gospels which extends to a larger group of sections. As it can be seen from a comparison of Aland's *Conspectus locorum parallelorum* with Huck's *Parallelenregister zur Synopse*, the relative order of pericopes in Mt 4,23-12,21; Mk 1,21-3, 19; Lk 4,31-7,50 is involved in this option.

ALAND's No.	Matthew	Mark	Luke
35-39	—	1,21-38	4,31-43
40	4,23	1,39	4,44
41	—	—	5,1-11
42-47	—	1,40-3,6	5,12-6,11
48	—	3,7-12	—
49	—	3,13-19	6,12-16
50	4,24-5,2	—	—
51-76	5,3-7,29	—	—
77	—	—	6,17-20a
78-83	—	—	6,20b-49
84	8,1-4	—	—
85	8,5-13	—	7,1-10
86	—	—	7,11-17

7. The Synopsis of Benoit-Boismard gives a rather complete description of the parallels in § 275, but the leading text of Mk 11,15-19 (§ 277) is printed without parallels.

87-105	8,14-11,1	—	—
106-107	11,2-19	—	7,18-35
108-113	11,20-12,21	—	—
114	—	—	7,36-50

HUCK's No.

12-15	—	1,21-38	4,31-43
16	4,23-25	1,39	4,44
17	—	—	5,1-11
18-44	5,1-7,29	—	—
45	8,1-4	1,40-45	5,12-16
46-51	8,5-34	—	—
52-54	9,1-17	2,1-22	5,17-39
55-68	9,18-11,30	—	—
69-70	12,1-14	2,23-3,6	6,1-11
71	12,15-21	3,7-12	6,17-19 (!)
72	—	3,13-19	6,12-16
73-78	—	—	6,20-49
79-83	—	—	7,1-50

In Aland's Synopsis "The Sermon on the Mount (According to Matthew)" and "The Sermon on the Plain (According to Luke)" are printed one after another (nos. 50-76 and 77-83), but in this system the two Sermons are easily put in parallel, as is done by Benoit-Boismard,[8] following the example of the Greek synopses of

8. Besides the parallelization of the two Sermons, this Synopsis differs from Aland's in some minor points:

§§	Matthew	Mark	Luke
46	—	—	6,12-16
47	4,25	3,7-12	6,17-19
48	5,1-2	3,13	6,20a
49	—	3,14-19	—
50-76	5,3-7,29	—	6,20b-7,1a

Mt 4,25 is twice printed as a primary parallel, in § 47 and § 37 (Mt 4,23-25; Mk 1,39; Lk 4,44). In addition, Lk 7,11-17 is not connected with the preceding pericope (7,1-10) but with the following (§ 105).

Compare X. Léon-Dufour's contribution to the Griesbach Colloquium, *The Gospel Synopsis of the Future*, p. 8: "Aussi estimons-nous préférable de situer le Sermon après Mc 3,19.... A considérer les choses de près, il n'y a pas, semble-t-il, de raison qui oblige à reproduire séparément les deux discours, et cela économiserait chez Aland dix bonnes pages!" See, however, my reaction in *Une synopse johannique* (cf. n. 6 above), p. 262: "les sections de la double tradition sont unifiées (par. Lc 6,20-7,10.18-35) et celles qui sont parallèles à Mc 1,21-3,6 sont redoublées, tout comme les parallèles à Mc 4,35-5,43; 6,6b-11. Est-ce là peut-être un choix purement 'objectif', guidé par quelque souci pratique de présenter en parallèle un nombre plus grand de sections? Chez K. Aland, qui avait déjà fait le même choix, cette économie ne peut intervenir: il imprime successivement les deux discours. D'ailleurs, à y regarder de plus près, le nombre des versets à redoubler est à peu près égal. Le seul avantage qu'il peut y avoir est que les unités littéraires de Mc 1,21-39.40-45; 2,1-3,6 (par. Lc) restent groupées, mais chercher des avantages pareils revient à renoncer à la tâche de dresser une synopse."

Tischendorf, Larfeld, Burton-Goodspeed, and Lagrange.[9]

Huck's solution has been imitated in a considerable number of synopses in modern translation.[10] The same scheme had already been used by Griesbach in the first "Synopsis" (1774)[11] and, in fact, its

9. C. TISCHENDORF, *Synopsis evangelica ex quatuor evangeliis ordine chronologico concinnavit praetexto brevi commentario illustravit apposito apparatu critico recensuit*, Leipzig, 1851, [7]1898; W. LARFELD, *Griechische Synopse der vier neutestamentlichen Evangelien nach literarkritischen Gesichtspunkten und mit textkritischem Apparat*, Tübingen, 1911 (also published in German translation); E. D. BURTON & E. J. GOODSPEED, *A Harmony of the Synoptic Gospels in Greek*, Chicago-London, 1920 (in English version: *A Harmony of the Synoptic Gospels for Historical and Critical Study*, New York-Chicago-Boston, 1917); M.-J. LAGRANGE & C. LAVERGNE, *Synopsis evangelica. Textum graecum quattuor evangeliorum recensuit et iuxta ordinem chronologicum Lucae praesertim et Johannis concinnavit*, Barcelona-Paris, 1926 (in French translation: C. Lavergne, 1927). All agree in placing the Sermon on the Mount after Mk 3,19 in the Lucan order; comp. Tischendorf: "Quo vero tempore oratio habita est, magis ex Luca quam ex Matthaeo disci puto ... quod Lucae studium chronologici ordinis manifestum est" (p. XXX).

10. Cf. J. SCHMID, *Synopse der drei ersten Evangelien mit Beifügung der Johannes-Parallelen*, Regensburg, 1949, [2]1956, [3]1960, [6]1971 (translations: Stockholm, 1967; Brescia, 1970); J. KEULERS, *Synopsis van de eerste drie evangeliën*, Roermond-Maaseik, 1958; L. DEISS, *Synopse de Matthieu, Marc et Luc avec les parallèles de Jean, 2. Texte*, Bruges, 1963; Paris, [2]1976; H. F. D. SPARKS, *A Synopsis of the Gospels. Part I. The Synoptic Gospels with the Johannine Parallels*, London, 1964.

11. J. J. GRIESBACH, *Libri historici Novi Testamenti Graece. Pars prior, sistens synopsin Evangeliorum Matthaei, Marci et Lucae. Textum ad fidem codicum, versionum et patrum emendavit et lectionis varietatem adiecit*, Halle, 1774; published separately: *Synopsis Evangeliorum Matthaei, Marci et Lucae*, Halle, 1776; [2]1797 ("una cum iis Joannis pericopis quae historiam passionis et resurrectionis Jesu Christi complectuntur"); [3]1809 ("una cum iis Joannis pericopis quae omnino cum caeterorum evangelistarum narrationibus conferendae sunt"); [4]1822 (posthumously). The influence of the "Griesbachii ordo" can be seen in: R. ANGER, *Synopsis evangeliorum Matthaei Marci Lucae cum locis qui supersunt parallelis litterarum et traditionum evangelicarum Irenaeo antiquiorum. ad Griesbachii ordinem concinnavit, prolegomena, selectam scripturae varietatem, notas, indices adiecit*, Leipzig, 1851, [2]1877: "*eam* secutus sum *dispositionem*, quae a Griesbachio profecta atque a Roedigero recepta quinque editionibus, tribus libri Griesbachiani, duabus Roedigeriani, omnium maxime divulgata est" (*Prologomena*, p. II). (Cf. M. ROEDIGER, *Synopsis evangeliorum Matthaei Marci et Lucae cum Joannis pericopis parallelis. Textum ex ordine Griesbachii dispertitum cum varia scriptura selecta*, Halle, 1829, [2]1839.)

Huck's system agrees with the "Griesbach order" in the location of the Sermon, but not in the parallelization of Matthew with Lk 7,1-10 instead of with Mk 2,1-3,12 (cf. Aland):

Anger/Griesbach No.	Matthew	Mark	Luke
20-22	—	1,21-39	4,31-44
23	—	—	5,1-11
24	4,23-7,29	—	—
25	8,1-4	1,40-45	5,12-16
26-29	—	2,1-3,6	5,17-6,11
30	—	3,7-19	6,12-16
31	—	—	6,17-49
32	8,5-13	—	7,1-10

prehistory can be traced back to some of the gospel harmonies.[12] The difference from Aland's presentation is clear. The double tradition sections of Mt 5-7 // Lk 6,20-49; Mt 8,5-13 // Lk 7,1-10; Mt 11,2-19 // Lk 7,18-35 are not put in parallel. They are at the same place in Luke, after Mk 3,19, in continuous Lucan order, and are no longer interrupted by Matthean sections (Aland's nos. 84, 87-105, 108-113). In Matthew they are dispersed throughout the Marcan outline: Mk 1,39/40; 1,45/2,1; 2,22/23. On the other hand, whereas there is only one Matthean verse placed in parallel with Mk 1,21-3,19 in Aland's Synopsis (no. 40: Mt 4,23; Mk 1,39; Lk 4,44), Huck has also in parallel the Matthean sections which correspond to Mk 1,40-45; 2,1-22; 2,23-3,6.7-12.

II

In both solutions the introduction to the Sermon on the Mount (Mt 4,23-5,2) has some connection with Mark. Aland, who separates Mt 4,23 from 4,24-5,2, finds it in Mt 4,25; 5,1 // Mk 3,7-8a.13, and Huck in Mt 4,23(-25) // Mk 1,39. *Sed tertium datur*: Mk 1,21. It cannot be denied that the content of Mt 4,25 is parallel with Mk 3,7-8, and Mt 4,23 with Mk 1,39, but the parallel of *order* is with Mk 1,21. All agree on Mt 4,18-22 // Mk 1,16-20, and the conclusion of the Sermon in Mt 7,28b-29 clearly corresponds with Mk 1,22. The Sermon of Jesus' teaching (cf. διδάσκων in 4,23 and ἐδίδασκεν in 5,2) is located in between Mk 1,20 and 1,22, as the Matthean parallel to the first mention of Jesus' teaching in the gospel of Mark: ἐδίδασκεν (1,21)[13]. For the solemn introduction of the Sermon, Matthew's motifs are borrowed from the Marcan summaries in 1,39 (cf. 6,6b) and 3,7-8.13, but also from 1,28 (Mt 4,24a) and 1,32.34 (Mt 4,24b). Matthew extends Mark's Day at Capernaum to a First Day of Jesus' Teaching and Healing Ministry (4,23-8,17)[14]. Thus, Huck's arrangement of the gospel parallels needs further correction in this section:

12. The order of Griesbach's *Sectiones* xx-xxxii can be found in G. MERCATOR, *Evangelicae historiae quadripartita Monas, sive Harmonia quatuor Evangelistarum, in qua singuli integri, inconfusi, impermixti et soli legi possunt, et rursum ex omnibus una universalis et continua historia ex tempore formari digesta et demonstrata*, Duisburg, 1592, pp. 12-16. Of course, the Lucan order, with Mt 5-7 in parallel with Lk 6,20-49 (cf. Aland), is much more common in the Harmonies; cf. J. CLERICUS, *Harmonia evangelica, cui subjecta est Historia Christi ex quatuor evangeliis concinnata*, Amsterdam, 1699, pp. 104-128.

13. Cf. *Rédaction et structure de Matthieu* (n. 3, above), pp. 66-67.

14. Cf. F. NEIRYNCK, *The Gospel of Matthew and Literary Criticism*, in M. DIDIER (ed.), *L'Évangile selon Matthieu. Rédaction et théologie* (BETL, 29), Gembloux, 1972, pp. 37-69, esp. 63-67.

Matthew		Mark	Luke	
4,23-5,2		1,21	4,31	
5,3-7,27		—	—	*(6,20-49)*
7,28-29; 8,1		1,22	4,32	
—		1,23-28	4,33-37	
8,2-4		—	—	
8,5-13		—	—	*(7,1-10)*
8,14-17		1,29-34	4,38-41	
—		1,35-39	4,42-44	
—		—	5,1-11	
—	*(8,2-4)*	1,40-45	5,12-16	

In this presentation, Mt 8,2-4 and Mk 1,40-45 are no longer in parallel, but a more significant parallelism is indicated between Mt 8,14-17 and Mk 1,29-34,[15] and it is made clear that, on the hypothesis of Matthean dependence, Matthew anticipated the Healing of the Leper in the Marcan order as well as with regard to his second source. It could be objected that in the text of Mark (and par. Luke) 1,21 is separated from 1,22 by three chapters of Matthew. Such an objection, however, seems to neglect the proper purpose of a gospel synopsis. And the secondary advantages of the new arrangement cannot be overlooked. In Mark, the Healing of the Leper is no longer separated from Mk 1,23-39 by the Sermon and the Matthean parallel to this grouping in Mt 8,2-4.14-17 can be seen more clearly. In Luke the sequence at 5,11/12 is no longer interrupted by the Sermon. Moreover, Luke's peculiar section (5,1-11) no longer forms a separation between Mt 4,25 and 5,1, but is placed at a real break after Mt 8,17.

The location of the Sermon on the Mount in parallel with Lk 6,20-49 after Mk 3,19 presumes that both Sermons are identical either historically, as in the Gospel Harmonies, or source-critically, as in the hypothesis of the originality of Matthew or, more typically, in a primitive gospel hypothesis. This arrangement illustrates perfectly the theory of a Proto-Mark in which Mk 3,19 was followed by Lk 6,20-49 and 7,1-10 (Ewald, Holtzmann and, more recently, Vaganay who also adds Lk 7,18-35).[16] But a gospel synopsis cannot be bound to one particular theory.

15. Cf. n. 13, above. In the new edition of his *Einleitung in das Neue Testament* (Heidelberg, 1973, p. 33), W.G. Kümmel maintains Huck's arrangement (Mt 8,1-4 in Marcan order). However, the three authors to whom he refers in this connection (Barr, Morgenthaler, Neirynck) all defend the other point of view.

16. Cf. L. VAGANAY, *Le problème synoptique*, Paris-Tournai, 1954; see the survey on p. 60. After the publication of the Synopsis of Benoit-Boismard, L. Vaganay could not have repeated his compaint: "dans les synopses on écarte le plus possible tout ce qui pourrait faire croire à un lien de parenté entre la montée de Jésus sur la montagne, signalée par *Mt.-Lc.* avant le grand discours inaugural, et la montée de Jésus sur la montagne, telle qu'elle est racontée par *Mc.* avant le choix des apôtres"; cf. *L'absence du sermon sur la montagne chez Marc*, in *RB* 58 (1951) 5-46, p. 16.

The two source hypothesis, with its emphasis on the fact that the Q passages are inserted at different places in the Marcan outline, is well served by a synopsis which has the Sermon at Mk 1,21.[17] And the same can be said for the Griesbach hypothesis. Griesbach's basic argument on the order of the gospels was that Mark followed Matthew up to Mt 4,22 // Mk 1,20; then, in order to avoid the Sermon on the Mount, he went over to Luke at Lk 4,31 //Mk 1,21; and, finally, when approaching the Sermon of Lk 6,20-49 in Lk 6,12ff., he came back to Matthew at Mt 12,15 // Mk 3,7.[18] However divergent the explanations may be, the two hypotheses concur in their statement on the place of the Sermon on the Mount in the relative order of the gospels.[19]

17. Although J. Schmid has contributed a great deal to the popularization of Huck's arrangement of the Synopsis with the Sermon at Mk 1,39 (cf. n. 10, above), there can be no doubt about his personal position in this matter: "Auch Mt hat dies Stück [Mk 1,21-28] gekannt, davon aber nur den Schlusssatz, der den Eindruck der Predigt Jesu beschreibt, übernommen, und zwar als passenden Schluss seiner Bergpredigt (7,28). Von Mk 1,21 aber gab ihm ἐδίδασκεν das Stichwort für die Einfügung seiner ersten grossen Rede. Während Mk nur erwähnt, *dass* Jesus predigte, aber nichts vom Inhalt der Predigt erzählt, liegt Mt daran, sogleich ein Beispiel der Predigt Jesu zu bringen .... dann kann man nicht mehr bestreiten, dass die Bergpredigt bei Mt wirklich den Platz einnimmt, an dem bei Mk 1,21 die erste Synagogenpredigt Jesu steht. Sie steht dann nicht an der Parallelstelle zu Mk 3,13". Cf. *Markus und der aramäische Matthäus*, in *Synoptische Studien Alfred Wikenhauser*, München, 1953, pp. 148-183, esp. 156-157. In this study, however, and in his Synopsis (nos. 25, 27, and 29), Schmid did not mention Mk 1,28 and 32.34 as parallels with Mt 4,24.

18. J. J. GRIESBACH, *Commentatio qua Marci Evangelium totum e Matthaei et Lucae commentariis decerptum esse monstratur* (Jena, 1789, 1790; enlarged edition, 1794), in *Opuscula academica* (ed. J. P. GABLER), Jena, 1825, Vol. II, pp. 358-425, pp. 371-372.

19. As far as I know, no synopsis has been published in which the Sermon on the Mount is located at Mk 1,21. In their *Evangeliorum secundum Matthaeum, Marcum et Lucam Synopsis juxta Vulgatam editionem cum Introductione de quaestione synoptica et Appendice de harmonia quatuor Evangeliorum* (Bruges, 1908), A. Camerlynck and H. Coppieters came close to such an arrangement of the text. The authors, who acknowledge their dependence "*in dispositione et ordine*" on Huck's Synopsis, [3]1906 (*Praefatio*, p. VIII, n. 1), depart from Huck in placing the Sermon at Mk 3,19 (p. 24, n. 1: "Ita procedunt auctores catholici Evangelicae synopsis: Fillion [1882], Bruneau [1898] etc") and in dividing Mt 4,23.24-25 over Mk 1,39 and 3,7-12. But Mt 4,23-25 is also printed in § 21, just before Mk 1,21-22 and the parallel text of Mt 7,28-29. The following comment is added: "Ordo hic systematicus a primo Evangelista inductus postulabat ut auctor aliquam *introductionem* (4,23-25) et aliquam *conclusionem* (7,28-29) daret: quae, cum similitudinem, non vero perfectum parallelismum praebeant cum *Mc* 1,21-22; 1,39 et 3,7-12, hic apponuntur et in aliis locis etiam adjicientur" (p. 14, n. 1). In the revised fourth edition (1932) the text of Mt 4,23-25 is printed in normal type in § 21 (Mk 1,21-22) and in smaller print, as secondary parallels, 4,23 in § 26 (Mk 1,39) and 4,24-25 in § 35 (Mk 3,7-12).

ETL 49 (1973) 784-815

THE ARGUMENT FROM ORDER AND ST. LUKE'S TRANSPOSITIONS [1]

" One of the principal arguments for the two-document hypothesis has always been the phenomenon of order. As has been previously observed, this argument does not logically prove what it is thought to prove ". The quotation is taken from E. P. Sanders who, in a previous observa-

1. This paper was prepared for the SNTS Seminar on the Synoptic Problem (Southampton, August 1973), in view of a discussion of E. P. Sanders's article : *The Argument from the Order and the Relationship between Matthew and Luke*, in *NTS* 15 (1968-69) 249-261. — Ed Parish Sanders (McMaster University, Hamilton, Ont.) is the author of a doctoral dissertation on *The Tendencies of the Synoptic Tradition*, prepared at Union Theological Seminary during the years 1964-66, under the supervision of W. D. Davies, and published in 1969 (SNTS Monograph Series 9 ; Cambridge, 1969, XIV-328 pp.). Although a positive definition of the author's synoptic hypothesis can hardly be given, his work has clear connections with the views of W. R. Farmer, who introduced him to the study of the synoptic problem. He agrees with him in a rather radical critique of the two-source theory. Butler's challenge of the argument from order and the importance of the Matthew-Luke agreements are common assumptions. It was the work of Farmer that drew his attention to the question of the criteria required for distinguishing the relative antiquity of the texts. His conclusion, however, moved him away from all ' simple ' solutions, from Marcan priority and also from the Griesbach hypothesis defended by Farmer. He believes that the study of the synoptic gospels " would profit from a period of withholding judgements on the Synoptic problem " (*Tendencies*, p. 279 ; this idea of an ' interim period ' was also suggested by Farmer in 1966). Nevertheless, his article on *The Argument from Order* ends with the suggestion that " we must ( ) become more open to the possibility that there was more contact between Matthew and Luke than their independent employment of the same two sources. The simplest explanation is that one knew the other ; evidence not discussed here makes it likely that Luke used Matthew " (p. 261). In more recent contributions he becomes extremely hesitant, but still maintains his opposition to " any rigid and simple solution of the Synoptic problem " and pleads for a theory which takes into account multiple and overlapping sources. Cf. *Priorités et dépendances dans la tradition synoptique*, in *RSR* 60 (1972) 519-540, p. 539 ; *The Overlaps of Mark and Q and the Synoptic Problem*, in *NTS* 19 (1972-73) 453-465, p. 464 : " While there are doubtless direct literary relationships among the Synoptic Gospels, these relationships were probably complicated by the Evangelists' knowledge of overlapping traditions. ( ) A theory which takes into account multiple sources would also account for the fact that sometimes Matthew or Luke, rather than Mark, is the middle term. "

tion, is referring to Butler and Farmer [2]. In fact, Butler's chapter on *The Lachmann Fallacy* (1951) has become a *locus classicus* in recent synoptic studies. Sanders's personal contribution, however, is a much more radical critique of the argument. He maintains that the usual description of the phenomenon of order is inadequate : " the facts of order as they are usually stated are misleading ". This goes far beyond the positions of Butler (and Farmer) [3].

1. THE AGREEMENTS MATTHEW-LUKE AGAINST MARK

The argument from order discussed by Sanders is the one which depends upon the absence of agreement between Matthew and Luke against Mark. As a first observation he remarks that the usual statement is true " only if one limits one's view to complete pericopes as they are set forth in Tischendorf's synopsis " [4]. In his NTS article (January 1969), he adds a second preliminary remark : the statement that both Matthew and Luke generally support Mark's order is a great over-simplification. It is true only in a most general sense, but to speak more specifically, of the total 101 pericopes of Mark (following Huck's arrangement), only 58 are supported in order by both Matthew and Luke (28 of the 61 pericopes in Mk I-X and 30 of the 40 pericopes in Mk XI-XVI) [5]. Then he presents four groups of exceptions to the traditional claim about order. We give them here in the following list. The continuous numbering is ours ; the asterisk in the margin indicates that, in the author's view, the agreements cannot be attributed to the influence of Q [6].

(a) Matthew and Luke agree against Mark's order :

1.	Mk IV, 24*c*	: Mt VII, 2*b*	// Lk VI, 38*b*	(Q)
2.	Mk I, 2*b*	: Mt XI, 10*b*	// Lk VII, 27*b*	(Q)
* 3.	Mk I, 4	: Mt III, 1	// Lk III, 3	
4.	Mk I, 7*b*	: Mt III, 11*b*	// Lk III, 16*c*	(Q)
* 5.	Mk XI, 15-19	: Mt XXI, 10-17	// Lk XIX, 45-46	
* 6.	Mk XIII, 34	: Mt XXV, 14	// Lk XIX, 12-13	
7.	Mk IV, 24*d*	: Mt VII, 33*b*	// Lk XII, 31*b*	(Q)

2. *Tendencies*, p. 277 ; comp. p. 7.

3. Comp. N. B. STONEHOUSE, *Origins of the Synoptic Gospels*, Grand Rapids, 1963, p. 63 : " But it is important to add that apparently no one challenges the accuracy of the observations concerning order as such. B. C. Butler, for example, admits their accuracy ; it is the inference relating to the dependence of Matthew upon Mark to which he objects ".

4. *Tendencies*, p. 277, n. 2 ; *The Argument from Order*, p. 253, n. 2.

5. *The Argument from Order*, pp. 254-255. In fact the synopsis has 103 pericopes.

6. In nos. 1, 2, 4, 7 and 8 a more precise biblical reference is used (*e.g.* no. 1 : IV, 24*c* instead of 24*b*).

(b) Passages differently placed by each of the three evangelists :

8.	Mk IX, 50*a*	: Mt V, 13*b* ;	Lk XIV, 34	(Q)
* 9.	Mk III, 13-19	: Mt X, 2-4 ;	Lk VI, 13-16	
*10.	Mk VI, 1-6*a*	: Mt XIII, 53-58 ;	Lk IV, 16-30	
*11.	Mk IV, 23	: Mt XI, 15 ; XIII, 43 ;	Lk XIV, 35	
*12.	Mk XII, 34*c*	: Mt XXII, 46 ;	Lk XX, 40	

(c) Either Matthew or Luke has a different order from that of Mark while the other omits :

*13.	Mk XI, 25	: Mt VI, 14*b* ;	Lk om.
*14.	Mk I, 4-6	: Mt III, 4-6 ;	Lk om.
*15.	Mk IX, 41	: Mt X, 42 ;	Lk om.
*16.	Mk VI, 34*b*	: Mt IX, 36*b* ;	Lk om.

(d) Matthew and Luke agree in placing the same common (Q) material at the same place relative to the Marcan outline :

	(verbatim agreement)			
17.	Mk I, 1-6	// Mt III, 1-6	Lk III, 1-6	
		7-10	7-9	(Q)
*18.	Mk IV, 30-32	// Mt XIII, 31-32	Lk XIII, 18-19	
		33	20-21	
19.	Mk III, 23-30	// Mt XII, 25-37	Lk XI, 17-23	
		38-42.43-45	24-26.29-32	(Q)
*20.	Mk IX, 42-48	// Mt XVIII, 6-9	Lk XVII, 1-2	
		15-20.21-22	3.4	
	(approximately the same)			
21.	Mk XIV, 21	: Mt XXVI, 25	Lk XXI, 23	
22.	Mk XIV, 45	: Mt XXVI, 50	Lk XXII, 48	
	(different material)			
23.	Mk I, 39	: Mt V-VII	Lk V, 1-11	
24.	Mk IV, 26-29	: Mt XIII, 24-30	Lk VIII, 19-21	
	(expansions of a Marcan passage)			
25.	Mk I, 7-8	: Mt III, 11-12	Lk III, 15-18	(Q)
26.	Mk I, 12-13	: Mt IV, 1-11	Lk IV, 1-13	(Q)
27.	Mk III, 20-30	: Mt XII, 22-37	Lk XI, 14-23	(Q)
28.	Mk VI, 7-13	: Mt X, 1-16	Lk X, 1-12	(Q)
29.	Mk XIII, 21-23	: Mt XXIV, 23-28	Lk XVII, 21-37	(Q)

His conclusion : " The assurance with which it is usually said that Matthew and Luke were independent of each other rests on the assertion that they *never* agree together in such a way that it cannot be explained by reference to their independent use of Mark and Q. When we note the number of instances where they do, the assurance we have felt in the traditional hypothesis must be correspondingly weakened " [7].

In fact, a number of Marcan passages are presented as ' inexplicably unsupported ' : nos. 3, 5, (6), 9, 10, 11, 12, 13, 14, 15, 16, (18), (20). Mt XXV, 14 = Lk XIX, 12-13 ; Mt XIII, 33 = Lk XIII, 20-21 and Mt XVIII, 15.21-22 = Lk XVII, 3-4 are commonly assigned to the Q material [8] and therefore nos. 6, 18 and 20 should be placed in the category of the Q texts and the overlaps between Mark and Q. Sanders also mentions passages in which Matthew and Luke break the Marcan order at the same point with different material (nos. 23 and 24). The statement is not quite adequate. No. 23 : the Miraculous Draught of Fishes is placed after Mk I, 39 (= Lk IV, 44), but the Sermon on the Mount is inserted in the Marcan outline at Mk I, 21 (Mt IV, 18-22 / VII, 28-29 = Mk I, 16-20 / 22) [9]. No. 24 : the Parable of the Tares is the Matthean parallel of Mark's Parable of the Seed Growing Secretly, both followed by the Parable of the Mustard Seed and the Conclusion of the Parable Teaching (Mk IV, 30-32.33-34 = Mt XIII, 31-32.34). Luke omits Mk IV, 26-34 and Christ's Real Brethren is appended to the preceding verses of IV, 21-25 (omitted in Matthew). Perhaps Lk VIII, 19-21 has connections with the omitted section of Mk IV, 26-34, but the ending verse on Jesus' own disciples (v. 34*b*) is a much better ' parallel ' than IV, 26-29. Finally, nos. 21 and 22 should not be in a list of agreements in order. If they are taken as such, other ' minor agreements ' should also be cited (*e.g.* Mt XXI, 43 (44) // Lk XX, 18 : the words of Jesus added after the Scripture text of Mk XII, 10-11). But these additions or omissions (' add-omissions ') are generally not treated in the category of agreements of order.

The third category gives a list of passages " in which either Matthew or Luke has a different order from that of Mark, while the other omits ". These instances are understood as exceptions to the general assertion : where Matthew or Luke disagrees with Mark's relative order, the other supports it. " The claim is that one *always supports Mark's order* except where both omit " [10]. Sanders refers to Woods's third statement and Streeter's use of it as a proof for the priority of Mark. I wonder, however, if he understands the assertion on the alternating support *in sensu auctoris*. Streeter's expression is clear enough : " there is no case where Matthew

7. *Ib.*, p. 261.

8. Cf. S. SCHULZ, *Q - Die Spruchquelle der Evangelisten*, Zurich, 1972, pp. 288-298, 307-309 and 320-322.

9. Cf. F. NEIRYNCK, *La rédaction matthéenne et la structure du premier évangile*, in I. DE LA POTTERIE (ed.), *De Jésus aux Évangiles* (Bibl. Eph. Theol. Lov. 25), Gembloux-Paris, 1967, pp. 41-73 ; = *Eph. Theol. Lov.* 43 (1967), same pagination ; espec. p. 66, n. 102.

10. *The Argument from Order*, pp. 251-252.

and Luke agree together against Mark in a point of arrangement ", " they practically never agree together against Mark " [11]. The argument is that of the absence of agreement and " wherever Matthew (or Luke) *departs* from Mark's order " is apparently understood of a different placement, not of an omission of the material. The curious mention of Mk III, 31-35 as the only exception (" which occurs in a different context in each gospel ") [12] at least does not contradicts this interpretation. The formulation of Burkitt is not ambiguous : " Matthew and Luke never agree against Mark in *transposing* a narrative " [13]. Sanders is perfectly conscious that he is innovating with the extension given to Woods's statement on the order [14]. He is right that the text of Woods lends itself to that understanding [15], but how influential Woods's essay may have been, the argument from order was not commonly proposed with the corollary formulated now by Sanders.

In spite of the general title given to the third category (" either Matthew or Luke ") it is always Luke who omits and Matthew who rearranges the Marcan passage. The order of Mk I, (5).6 is inverted in Mt III, 4.(5-6), but both parts are omitted by Luke ; Mk IX, 41 is omitted together with the subsequent section (IX, 42-50 — X, 1-12) and Mk XI, 25 is also part of a much larger omission (XI, 11-14.20-25) (nos. 13, 14, 15). Because in the three instances the Lucan omissions by no means coincide with the Matthean transpositions, it is hard to see how this evidence has anything to do with the possibility of Luke's use of Matthew (Sanders's final conclusion). In the fourth case the difference of order is rather dubious, while Mt IX, 36*a* is a doublet of Mt XIV, 14*a*, par. Mk VI, 34*a* (no. 16). The author observes that no. 5 (now in the first category) should ' perhaps ' be placed in this third category. Luke omits Mk XI, 11-14, but he does not depart from Mark's order for the Cleansing of the Temple (Lk XIX, 45-48 = Mk XI, 15-18). In fact, he could have mentioned more instances of a Marcan passage which is omitted in Luke and

11. B. H. STREETER, *The Four Gospels*, London, 1924, p. 161 and 162.

12. *Ib.*, p. 161. Comp. *The Synoptic Problem*, in *Peake's Commentary on the Bible*, London, 1920, pp. 672-680, espec. p. 673.

13. F. C. BURKITT, *The Gospel Tradition and its Transmission*, Cambridge, 1906, p. 36.

14. Cf. *The Argument from Order*, p. 251 : " It is not usually recognized that this last is a corollary to Woods's point three, but it is ".

15. At least in the passage on p. 63 : " When we say that the order of St. Mark is maintained either by St. Matthew or St. Luke, we mean the relative order, without taking into account the insertions by either of what is not in St. Mark at all, or the omissions from St. Mark by both ". Cf. F. H. WOODS, *The Origin and Mutual Relation of the Synoptic Gospels*, in *Studia Biblica et Ecclesiastica*. Vol. II, Oxford, 1890, pp. 59-104. With regard to the instances of Sanders's third category : for Mk IX, 41 and XI, 25, omitted in Lk, the author notes the ' omission ' in Mt and the ' quasi-parallel ' in Mt X, 42 and VI, 14 (pp. 65 and 101-102).

differently placed in Matthew (Mt XV, 3-6.7-9, par. Mk VII, 9-13.6-8 ; Mt XIX, 4-6.7-8, par. Mk X, 6-9.3-5)[16].

Let us now examine briefly the instances listed in the first and second category (passages differently placed by Matthew-Luke and Mark or by each of them).

No. 3 : Both evangelists inverted the Marcan order of Mk I, 2-3.4 and placed the presentation of the Baptist before the quotation from Isaiah. They agree against Mark indeed, but it is a rearrangement within the pericope and I can hardly see in it any indication against their independent use of Mark[17].

No. 5 : We noted already that Mk XI, 15-19 should not be listed here, because of the Lucan omission.

No. 9 : Mark has the Call of the Twelve after the Healing of the Multitude, while Matthew (X, 2-4) and Luke (VI, 12-16) put it before the Healing in different places. Matthew has the summary in the Marcan order (XII, 15-16 = Mk III, 7-12), but he anticipates the Call and combines it with the Mission (Mk VI, 6*b*-11) in Mt X. In Luke there is only an inversion within the same section of Mk III, 7-12.13-19[18].

No. 10 : The text of Mt XIII, 53-58 is in Marcan order.

Mk	Mt	
III, 31-35	XII, 46-50	
IV, 1-34	XIII, 1-35.(36-52)	
IV, 35-V, 20		VIII, 18-34
V, 21-43		IX, 18-26
VI, 1-6*a*	XIII, 53-58	
VI, 6*b*-11.(12-13)		IX, 35*a* ; X, 1.9-14
VI, 14-16	XIV, 1-2	
VI, 17-29	XIV, 3-12	
etc.	etc.	

16. The transpositions in Mt XV, XIX and XXI are the only three of some importance in the second half of Matthew (XIV-XXVIII). In each of them it is within the pericope that some verses are replaced and, more exactly, anticipated. Cf. *La rédaction matthéenne*, pp. 59-60 ; comp. J. SCHMID, *Markus und der aramäische Matthäus*, in *Synoptische Studien. Fs. A. Wikenhauser*, Munich, 1953, pp. 148-183, espec. 168-183.

17. Cf. F. NEIRYNCK, *Une nouvelle théorie synoptique (à propos de Mc., I, 2-6 et par.). Notes critiques*, in *Eph. Theol. Lov.* 44 (1968) 141-153, espec. p. 148 : " (L'ordonnance matthéenne) est plus logique, parce que ' tout est dit sur Jean avant que l'on ne parle des foules qui viennent à lui '. Cette logique a fait avancer la description du vêtement et de la nourriture de Jean (*Mt.*, III, 4) ".

18. On the anticipation of Mk III, 7*b*-8 in Mt IV, 25 and of Mk III, 11-12 in Lk IV, 41, see F. NEIRYNCK, *Urmarcus redivivus ? Examen critique de l'hypothèse des insertions matthéennes dans Mc* [1974; in *Jean et les Synoptiques*, pp. 348-360].

No. 11 : The saying " he who has ears ... " (Mk IV, 23) is omitted in the parallel text but Mt has omitted the whole passage of Mk IV, 21-25. Since both have the same saying in parallel with Mk IV, 9 (Mt XIII, 9 = Lk VIII, 8), the use of it in Mt XI, 15 and XIII, 43 and Lk XIV, 35 may be due to redactional repetition, without any significance for the problem of order [19].

No. 12 : Matthew who made an intimate connection between the pericopes of the Great Commandment and the Question about David's Son (cf. v. 41*a*) has transferred Mk XII, 34*c* to the end (XXII, 46), but Luke simply omitted here the Great Commandment pericope (cf. the doublet in X, 25-28) and preserved Mk XII, 32*a* and 34*c* in the parallel place, now after the Question of the Sadducees (XX, 39-40).

It appears from this brief survey that the author's attempt to contribute to an adequate description of the phenomenon of order is not satisfactory in all aspects. He has made an effort at clarification by distinguishing four categories of differences from Mark, but still more distinctions are desirable. The author is perhaps too much inclined to count the instances and not to weigh them. Differences in order are listed indiscriminately : transferences to a distant context and inversions within the same section, transpositions of a full pericope and replacements of a single sentence. The author does not have a high esteem for the argument from order dealing only with full pericopes. He opposes his strictly literary approach to a biographical one which is concerned with the sequence of events in the life of Jesus. This also is an over-simplification. The relative place of individual phrases is one thing, but no less important is the phenomenon of the order of pericopes (*Perikopenfolge, ordo narrationum*). The fact that former discussions were motivated by interest in the ' precise chronology of the history of Jesus ' should not prevent us from studying the relative order of the gospel sections as a literary phenomenon.

2. The Absence of Agreement and its Significance

For too long the discussion of the argument from order has been characterized by abstract reasoning [20]. This is still the case in the post-Butlerian time. W. R. Farmer, for instance, continues to argue on the basis of the absence of agreement. " The problem of Marcan order can

19. Compare the judgement on the scribal gloss in Mk VII, 16 : " derived perhaps from 4.9 or 4.23 " ; cf. B. M. Metzger, *A Textual Commentary on the Greekl New Testament*, London-New York, 1971, p. 95.

20. One has the impression that Sanders in counting the exceptions is stil arguing in the line of the argument he attacks. To the ' absence of agreement ' he opposes the new assertion on the number of agreements, " too large to attribute to chance " (*The Argument from Order*, p. 261, n. 3).

be posed this way : It is as if Matthew and Luke each knew what the other was doing, and that each had agreed to support Mark whenever the other departed from Mark. Such concerted action is excluded by the adherents of Marcan priority in their insistence that Matthew and Luke were completely independent of one another. ( ) This fact of alternating support (the order in Mark, when unsupported by both Matthew and Luke, is almost always supported either by one or the other) suggests some kind of conscious intention for which the Marcan hypothesis offers no ready explanation on either the terms of Lachmann or Streeter ". On the Griesbach hypothesis the phenomenon is readily explicable : " Where his sources departed from one another in order, so that there was no longer a common order to follow, he (Mark) tended to follow the order of one or the other of his sources, rather than depart from both " [21]. Thus the argument from order is brought back to the Griesbach hypothesis where it originated [22]. The absence of agreement is presumed to be a significant literary fact, explainable only by deliberate intention of a writer.

The significance of the phenomenon, however, may become questionable with a more concrete approach. The basic statement remains the common order Mark-Matthew and Mark-Luke. In Luke the alterations

21. W. R. FARMER, *The Synoptic Problem*, New York-London, 1964, pp. 212-214. For the Augustinian hypothesis the " unresolved difficulty " is in the " rather erratic redactional procedure " it would suppose for Luke (pp. 214-215).

22. Cf. J. J. GRIESBACH, *Commentatio qua Marci Evangelium totum e Matthaei et Lucae commentariis decerptum esse monstratur*, Jena, 1789-90 ; in P. GABLER (ed.), *Griesbachii Opuscula Academica*, vol. 8, Jena, 1825, pp. 358-425, espec. p. 370 : "(Marcus) ordinem a Matthaeo observatum ita retinuit, ut, sicubi ab eo recederet, Lucae vestigiis insisteret et hunc ordinemque narrationis eius κατα ποδα sequeretur". This is, as far as I know, the earliest description of ' the fact of alternating support ' or ' absence of agreement against Mark '. The combination hypothesis was based upon " die Erscheinung, dass das erste und dritte Evangelium *abwechslungsweise* sowohl hinsichtlich der Anordnung, als in Hinsicht auf den Text in dem zweiten Evangelium sich wiederfinden " (cf. F. J. SCHWARZ, *Neue Untersuchungen über das Verwandschaft-Verhältniss der synoptischen Evangelien mit besonderer Berücksichtigung der Hypothese vom schöpferischen Urevangelisten*, Tübingen, 1844, p. 310). Comp. H. U. MEIJBOOM, *Geschiedenis en kritiek der Marcus-hypothese*, Amsterdam, 1866, pp. 157-187, espec. p. 162 ("dit feit is ten allen tijde het punt geweest, waarop de volgelingen van Griesbach met nadruk hebben gewezen") and p. 182 ("Maar was het opmerkelijk, zonderling zelfs, dat de beide bewerkers ten naastenbij nooit tegelijk iets invoegden of uitlieten, maar veeleer den schijn op zich laadden, als waren zij in nauwkeurig overleg getreden : datzelfde is weer eveneens bij de verplaatsingen het geval"). The ' concerted action ' and ' conscious intention ' (cf. Farmer) is a traditional motif in the objection against the Marcan hypothesis : " ihre Selbständigkeit, resp. ihre gegenseitige Abweichung von Marcus, um mit ihm und durch ihn ja nicht in gegenseitige Gemeinschaft unter einander zu treten, müsste eine auf Verabredung beruhende seyn " (SCHWARZ, *op. cit.*, p. 308).

of the Marcan order are limited in number and the transpositions in Matthew are confined to Mt IV, 23-XI, 1. Emphasis on the alternating support seems to imply that agreements and disagreements with the relative order of Mark are treated as comparable quantities. In fact, the disagreement against Mark is the exception and the absence of concurrence between Matthew and Luke is less surprising than the somewhat misleading formulation 'whenever the other departs' may suggest.

In this question we have to go back to the original statement of Lachmann [23]. We all know about a Lachmann Fallacy which was not Lachmann's fallacy, but there is also the Lachmann argument which was not Lachmann's. Kümmel presents the contribution of Lachmann as follows: "er führte den Nachweis, dass die Übereinstimmung der drei Synoptiker in der *Reihenfolge* der Erzählungen nur so weit geht, als Matthäus und Lukas mit der Reihenfolge des Markus übereinstimmen; wo sie von dieser Reihenfolge abweichen, weichen sie auch von einander ab" [24]. Whoever checks this description with the text of Lachmann will notice that a precision was added which first appeared some years later in the formulation given by Weisse. The much quoted passage to which Kümmel also refers is not so explicit: "Sed narrationum evangelicarum ordinis non tanta est quanta plerisque videtur diversitas; maxima sane si aut hos scriptores eadem conplexione omnes aut Lucan cum Matthaeo conposueris, exigua si Marcum cum utroque seorsum" [25]. It is true that in discussing the differences Matthew-Mark Lachmann maintains that no good reason can be found by which we could suppose that Mark altered the order of Matthew: "praesertim cum Lucas quoque hic paene in omnibus cum Marco consentiat" [26]. This last sentence looks like a corollary; it is not the point of his argumentation [27].

23. K. Lachmann, *De ordine narrationum in evangeliis synopticis*, in *Theologische Studien und Kritiken* 8 (1835) 570-590. For an English translation, cf. N. H. Palmer, *Lachmann's Argument*, in *NTS* 13 (1966-67) 368-378.

24. W. G. Kümmel, *Das Neue Testament. Geschichte der Erforschung seiner Probleme*, Munich, 1958, p. 180.

25. K. Lachmann, *De ordine narrationum*, p. 574.

26. *Ib.*, p. 577.

27. This is well stated by H. Palmer. He indicates the concern of Lachmann as follows: "The transpositions in the gospels were not to be explained by chance and mechanical means, but by finding reasons which could have influenced one or another evangelist in altering the order that he found" (cf. *Lachmann's Argument*, p. 377). The author comes back to the question in his *The Logic of Gospel Criticism*, Edinburgh, 1968, espec. pp. 132-135. — The reader should notice that the passage on 'majority-voting' is the author's own reflection: "Lachmann's carefully restricted conclusion, that Mark's *order* is most nearly original, could also be shown (on Lachmann's assumptions) by majority-voting; for, if all three derived independently from one Grundschrift (G-M, K, L), the agreement of two against

The attention to the absence of agreement Matthew-Luke against Mark was an essential ingredient of the Griesbach hypothesis from the very beginning. It appears in the Marcan hypothesis with C. H. Weisse in 1838 [28] and from that time it became a common feature of the two theories. In fact, Butler was not the first critic to note that Marcan priority is not the only solution for the usual statement on the relative order of the gospels. Nineteenth-century authors had already proposed Mark as the middle-term in the two alternatives : either as the source or as the combination of both gospels [29]. In the article that has been marked as " the earliest evidence of an error that B. C. Butler sixty-

the third could be held to reconstitute that original. Now in questions of order, Mark always votes in the majority (i.e. the others never agree against him). So in most passages (i.e. except where all three differ) Mark's order must be attributed to G. This argument, however, requires the assumption that the gospels are 'Brothers-All' in a three-branched family " (p. 133). — With regard to the author's assertion that Lachmann " first tried arguing from the phenomenon of order " (*Lachmann's Argument*, p. 377), see our note on Griesbach (n. 22).

28. Cf. *Die evangelische Geschichte*, Leipzig, 1838, vol. I, pp. 72-73 : " Auch in denjenigen Partien, welche alle drei Synoptiker gemeinschaftlich haben, ist die Einstimmung der beiden andern immer eine durch Marcus vermittelte : das heisst, die beiden andern stimmen in diesen Partien, sowohl was die Anordnung im Ganzen, als was die Wortfügung im Einzelnen betrifft, immer nur in so weit unter sich zusammen, als sie auch mit Marcus zusammenstimmen, so oft sie aber von Marcus abweichen, weichen sie (einige unbedeutende Weglassungen ausgenommen, wo das Zusammentreffen als zufällig angesehen werden kann) jederzeit auch gegenseitig von einander ab ". It appears clearly from the context of this quotation that Weisse extends here to the phenomenon of order a statement which was already made before with regard to the formal similarities. Comp. H. MARSH, *A Dissertation on the Origin and Composition of the First Three Gospels*, in his translation of J. D. MICHAELIS, *Introduction to the New Testament*, London, [2]1802 (the dissertation was finished in 1798 and first published in 1801), pp. 382-383 : " St. Matthew's Greek text never agrees in ℵ (= *triple tradition*) with that of St. Luke, except where both agree with that of St. Mark, because the translator had no recourse to St. Luke, where St. Mark had matter in common with St. Matthew. Consequently, throughout all ℵ the Greek translation of St. Matthew's Gospel could harmonize with St. Luke's Gospel through no other means than through the medium of St. Mark's Gospel ".

29. Cf. F. J. SCHWARZ, *Neue Untersuchungen* (see n. 22), p. 307 : " Schon der Augenschein lehrt, dass Markus mehr ist, als das chronologische Mittelglied zwischen Matthäus und Lukas ; nicht er, der Schriftsteller und die Zeit der Abfassung, sondern der Text ist es, der in der Mitte liegt, an dessen Stamm, wie ersichtlich ist, entweder Matthäus und Lukas sich abwechselnd angehängt haben, oder der stückweise aus ihnen, bald aus diesem, bald aus jenem entstanden ist. Er ist also das Bindeglied, und zwar bestimmter entweder die Quell- oder Schlusseinheit seiner Mitreferenten. So viel darf also auch jetzt als ausgemacht angesehen werden, dass Markus entweder der Urevangelist ist, oder dass er seine beiden Vorgänger benützt hat. Diese Alternative ist gestellt, und wir haben uns nun für die eine oder die andere Seite derselben zu entscheiden ".

five years later was to term the Lachmann fallacy " [30] the two alternatives were still envisaged. It was on other grounds than that of absence of agreement Matthew-Luke that Woods abandoned the Griesbach hypothesis [31]. After the dismissal of that alternative the argument from order easily developed into the fallacious proof of Marcan priority. It should be observed, however, that the logical inference from the absence of agreement in order between Matthew and Luke was never the whole argument from order. Sanders distinguishes two arguments : the one which is based upon the absence of agreement and another one which is the argument of Lachmann [32]. Kümmel tries not to separate the two approaches when he maintains that there is no fallacy " falls sich die Abweichung der Mt. und Lk. von Mk. in der Reihenfolge verständlich machen lässt, die Abweichung des Mk. von Mt. und Lk. aber nicht " [33]. For others this is a different argument, for " it is not the failure of Matthew and Luke to agree as such that would prove the point " [34]. It was, however, the background behind the argument from order and it forms the real excuse for those authors who committed the so execrated logical error. It should be clear for us that an ' argument ' from the failure of Matthew and Luke to agree in order is only the first step, a sort of preliminary : an adequate discussion on the relative order of the gospels should take place in the larger context of a redaction-critical examination of each gospel.

30. W. R. FARMER, *The Synoptic Problem*, p. 66.

31. F. H. WOODS, *The Origin*, pp. 66-67.

32. E. P. SANDERS, *The Argument from Order*, p. 249, n. 2 (with reference to Palmer's article).

33. W. G. KÜMMEL, *Einleitung in das Neue Testament* (Feine and Behm's 12th ed.), Heidelberg, 1963, p. 28. Farmer observes that Kümmel's demonstration does not provide decisive evidence for Marcan priority, since Luke's changes of Mark's sequence are no less understandable on the hypothesis that Luke changed the sequence of Matthew. Cf. W. R. FARMER, *The Two-Document Hypothesis as a Methodological Criterion in Synoptic Research*, in *Anglican Theological Review* 48 (1966) 380-396, espec. p. 389, n. 23. A similar objection can easily be raised against the Griesbach hypothesis : Mark where he is said to leave the order of Matthew for that of Luke could be held responsible himself for the change of the Matthean order and Luke could depend upon him for the alteration. This inconclusiveness was precisely Butler's statement on the argument from order. It means for us that the phenomenon cannot be taken in isolation from the general comparative study of the gospels. That was also the view of Butler who for other reasons definitely rejected the priority of Luke.

34. Cf. D. WENHAM, *The Synoptic Problem Revisited : Some New Suggestions about the Composition of Mark 4 : 1-34*, in *Tyndale Bulletin* 23 (1972) 3-38, espec. p. 8, n. 12.

The merely logical argument came to its end with Butler's book [35].

35. Cf. G. M. STYLER, *The Priority of Mark*, in C. F. D. MOULE, *The Birth of the New Testament*, London, 1962, pp. 223-232 (Excursus IV), p. 225 : " Now it is obvious that the priority of Mk will satisfactorily *explain* these phenomena. But its advocates have made a serious mistake in arguing (or assuming) that no *other* hypothesis will explain them. Butler is correct in claiming that they are guilty of a fallacy in reasoning " (comp. p. 224 : " it came as a shock "). — On Butler's triple-comparison argument, see the studies of Palmer already mentioned (n. 27). " The precise application of [Quentin's] technique of triple comparison to the Synoptic problem is probably due to Butler himself " (*Lachmann's Argument*, p. 377). Due perhaps to a lack of historical information the author does not mention here the name of J. Chapman. Cf. *Matthew, Mark and Luke. A Study in the Order and Interrelation of the Synoptic Gospels.* Edited by J. M. R. BARTON, London, 1937. Evidence for ' the precise application of this technique ' can already be found in Chapman's biographical notice (pp. 1-8 ; written in 1926, cf. p. 8). His ' conversion ' dates from 1915 : " All this egotistical account of my Synoptic opinions is given to show how rooted I was in my self-sufficiency. My sudden conversion, by a regular knock-down blow, took place during the war... " (p. 3). For the conversion motif compare also Butler (*Originality*, p. 70, n. 2) and Farmer (*Synoptic Problem*, p. VIII) ; it is less exceptional in this literature than Palmer seems to suggest (p. 136 : " in this profession, conversions in middle life are rather rare "). If there is any probability for Palmer's supposition about the influence of Quentin upon Butler, I guess that there is a middle term in the linear pedigree : Chapman who has been busy at the Vulgate together with Quentin, from 1918 to 1922 at Rome. Chapman's work was published posthumously and B. C. Butler was one of the collaborators of the editor (cf. p. VII). Surprisingly enough, the name of Chapman is not mentioned in Butler's chapter on the Lachmann fallacy (pp. 62-71 ; see also pp. 2-6 ; only for the essay on Aramaisms, p. 147, he refers to ' Chapman's *Matthew, Mark and Luke* ', as to a well known book. — H. G. JAMESON, *The Origin of the Synoptic Gospels*, Oxford, 1922, is frequently cited by Farmer for his critique of the argument from order ; cf. *Synoptic Problem*, pp. 113-114 ; 127, n. 9 ; 152-153 ; 287-293 (Appendix B : with extracts). Comp. p. 196 : " (Chapman) pointed out the logical fallacy of the conventional argument from order as did Jameson in 1922 ". There is, however, an important divergence between the two authors, both defenders of the Augustinian hypothesis. Chapman accepts the *significance* of the absence of agreement in order between Matthew-Luke ; comp. p. 114 : " Mt. and Lk. virtually never agree against Mk. I call attention to this well-known fact, because it is significant " (see also p. 4). For Jameson, on the contrary, " these are really quite *insignificant* facts " (p. 10). The passage on the relative order deserves to be quoted here : " This state of things, again, is the natural result of the two familiar facts, (1) that Matthew and Mark, after the dislocations of order in the early chapters, agree throughout the rest of their course, and (2) that Luke, when he is following Mark, scarcely ever deserts his order at all except towards the close. It is evidently very unlikely, under these conditions, that variations in order in (1) and (2) should coincide. ( ) Here the only thing with which we are really concerned is the relative order of Matthew and Mark, and any light which it may throw on the question as to the priority of one or the other. But it is evident that, while the *nature* of the dislocations of order found in the early chapters might give some hint as to which was the earlier of the two, the mere fact of their *existence* (which is all that we are concerned with here) leaves the question quite open " (pp. 10-11).

The inconclusiveness of the proof for Marcan priority has been widely recognized. But after correction of the logical error the argument in its revised form now works as a criterion for distinguishing 'orthodox' and 'unorthodox' solutions of the Synoptic problem (*i.e.* with or without Mark as the middle-term) [36]. It was one of the results of Butler's inter-

36. The oral tradition hypothesis and the fragment theory (multiple sources) are excluded and the possible solutions are reduced to:

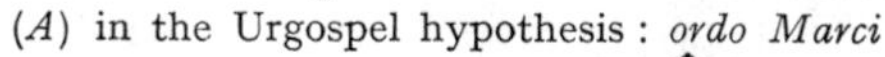
(*A*) in the Urgospel hypothesis: *ordo Marci*

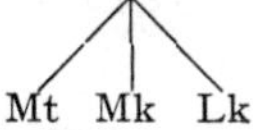

(*B*) in the hypothesis of interdependence:

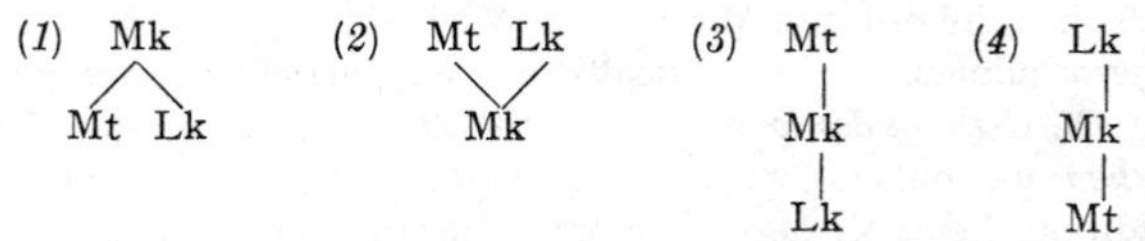

For Chapman the conflation (*2*) is one of the possibilities. For Butler "the absurd theory" (p. 171) is "a surrender of critical principles" (p. 5): "the so-called 'solution' does not explain why A and C ever agree together at all" (pp. 2-3, end of note 1). In the Griesbachian theory the objection is answered with the supposed dependence of Luke upon Matthew (which is Butler's solution for the Q passages):

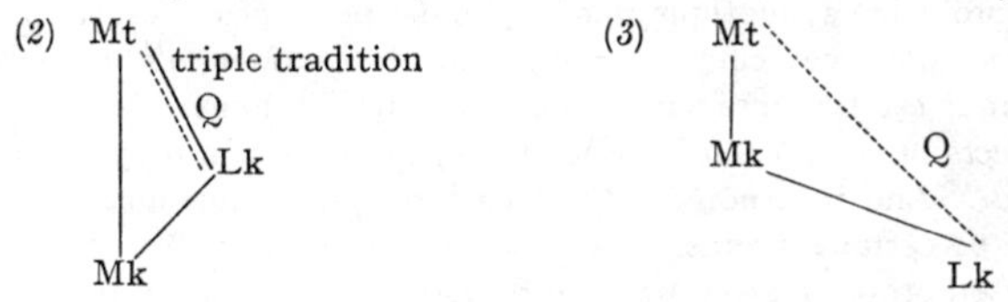

The diagram regards the triple tradition and the hypotheses about the double tradition Mt-Lk (*e.g.* Q source or Lucan dependence upon Mt) are not concerned:

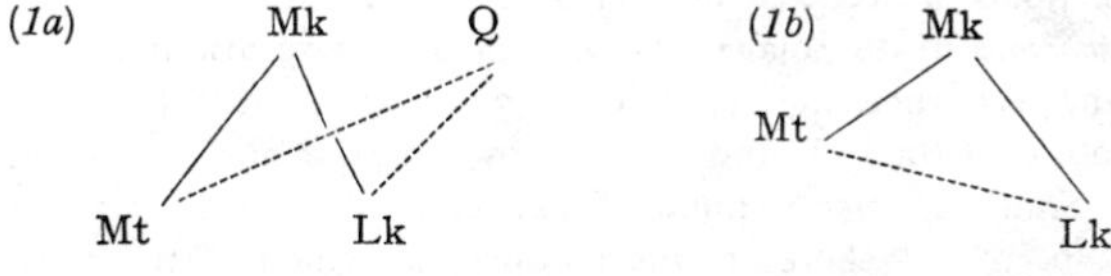

In the hypothesis of interdependence (*B*) the insertion of intermediary stages does not modify the diagram. For instance:

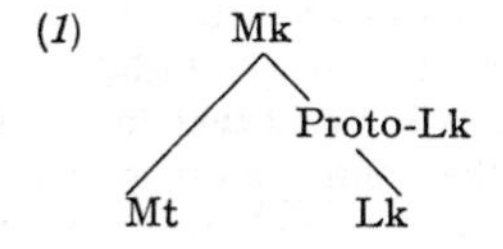

There is no modification of the fundamental diagram in the following variations:

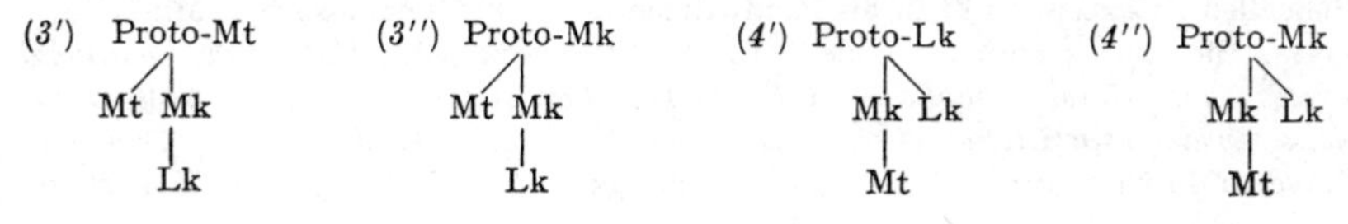

vention that the absence of agreements in order between Matthew and Luke against Mark is explicitly acknowledged by adherents of the Augustinian and the Griesbachian hypothesis as well as by Marcan priorists [37]. Only occasionally one or another instance is noted as a possible exception [38],

In some sense the hypothesis of the primitive gospel (*A*) forms a variation on *B1* :

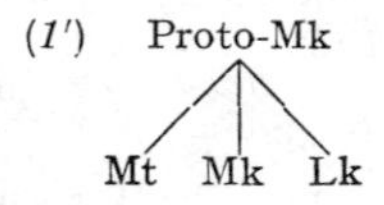

The middle term is an *Urmarcus, i. e.* a gospel with the Marcan sequence. Thus, for instance, in the solution of L. Vaganay : the common gospel source (*Mg = Matthieu grec*) has the order of Mark.

37. On the argument in a statistical dress see particularly the publications of B. de Solages. Cf. *Critique des évangiles et méthode historique. L'exégèse des synoptiques selon R. Bultmann*, Toulouse, 1972, p. 14 : " J'ai démontré que, dans les passages de triple tradition, Lc et Mt ne sont jamais d'accord contre Mc quant à l'ordre des péricopes. Cette seule constatation suffit à éliminer tout autre schème généalogique des Évangiles synoptiques, que les cinq schèmes mentionnés (*Synopse*, p. 1068). Il s'agit là d'une certitude mathématique. Toute exégèse qui ne veut pas en tenir compte mérite d'être qualifiée d'exégèse pré-pythagoricienne ". Comp. *La composition des évangiles de Luc et de Matthieu et leurs sources*, Leiden, 1973, pp. 11-31 : " La solution du problème synoptique par l'ordre des péricopes ", espec. p. 19 : " On remarquera que, dans ces cinq schèmes, Luc et Matthieu n'ont de rapport qu'à travers Mc (qui est toujours sur les parcours qui les joint). C'est le zéro (pas de rapports directs propres à Luc et à Matthieu) qui impose à tous ces schèmes, cette configuration ". And in a note : " C'est ce zéro qui élimine aussi les schèmes plus compliqués que certains tiennent à envisager. En effet, ce zéro étant incompatible avec une liaison propre à Lc et Mt, il l'est *a fortiori* avec deux ou plusieurs liaisons ". By the same author : *Synopse grecque des évangiles. Méthode nouvelle pour résoudre le problème synoptique*, Leiden, 1959, pp. 1087-1118 : « Solution du problème synoptique », espec. pp. 1108-1109. The diagrams *B1, B3* and *B4* (not *B2*) are among the possible *schèmes* of de Solages. He comes to five solutions by adding the diagrams with the hypothetical source Y (= 3′ or 3″) and Z (= 4′ or 4″) ; comp. *Synopse*, p. 1066 and 1068 : U and Y. See, however, our note 36 ! — A. M. HONORÉ, *A Statistical Study of the Synoptic Problem*, in *Novum Testamentum* 10 (1968) 95-147, espec. p. 107 : " there are no instances in which Matthew and Luke have the same sequence (= two sections in the same sequence) but not Mark. This is in itself strong evidence that the double-link hypothesis is correct. On the triple-link hypothesis the triple agreements and sequences are accounted for by Luke's use of both Matthew and Mark. But, when the sequences of Matthew and Mark diverge, Luke, if he follows either, always follows Mark. If therefore seems unlikely that Luke used Matthew and probable that the double-link is correct ".

38. Comp. J. C. HAWKINS, *Horae Synopticae*, Oxford, [2]1909, p. 114 : " The different placing of a quotation in Mk I, 2 and in Mt XI, 10, Lk XI, 27 can hardly be called an exception ". In his handwritten notes, he refers also to " Mk III, 31-35 as the one exception to rule ". Cf. F. NEIRYNCK (ed.), *Hawkins's Additional Notes to his ' Horae Synopticae '*, in *Eph. Theol. Lov.* 46 (1970) 78-111, p. 94 (= *Analecta Lovaniensia Biblica et Orientalia.* Ser. V, fasc. 2, Leiden, 1970). This may have to do with Streeter's unexplained mistake : Mk III, 31-35 // Mt XII, 46-50,

unable to modify the general statement [39]. The absence of agreement Matthew-Luke continued to be quoted as unambiguous evidence against Luke's use of Matthew, and authors who accepted Luke's dependence upon Matthew or a common dependence upon a non-Marcan source expressly noticed that their conclusion was based on other grounds [40]. Sanders has a divergent opinion : " The number of agreements in order between Luke and Matthew is too large to attribute to chance " [41]. But Sanders does not say how large would be the number of agreements to attribute to chance [42]. Farmer could be right when he maintains that chance should produce a number of coincidences [43] and,

comp. Lk VIII, 19-21 (see our n. 12 ; comp. also Sanders's observation in *Argument from Order*, p. 256). — Authors who refer to exceptions do not seem to make a distinction between dislocated texts placed at the same place or at a different place in Matthew and Luke. Chapman notes an exception for " one single verse, Mk. 3: 10 " (p. 114 ; see on p. 111 : Mt IV, 24 ; XII, 15*b* // Mk III, 10.11 // Lk VI, 17*b*-19). The editor, J. M. T. Barton, adds a further instance : Mk IX, 50, comp. Mt V, 13 and Lk XIV, 34 (p. 14, n. 1). The diagram of Barr points out Mk III, 13-19, comp. Mt X, 1-4 and Lk VI, 12-16 ; cf. A. BARR, *A Diagram of the Synoptic Relationships*, Edinburgh, 1938. According to De Solages are differently placed in the three gospels : Mk III, 7*b*-8, comp. Mt IV, 24-25 and Lk VI, 17*b*-18 ; Mk IX, 50, comp. Mt V, 13 and Lk XIV, 34 ; cf. *Composition*, p. 18. See also L. VAGANAY, *Le problème synoptique* (Bibliothèque de Théologie. Série III. Théologie Biblique. Vol. I), Tournai, 1954, p. 59 : " Il existe, il est vrai, des très rares accords de Mt.-Lc. contre Mc. dans l'ordonnance particulière des péricopes. Un seul exemple. L'expulsion des vendeurs du temple est placée chez Mc. (*11*, 11-18) le lendemain de l'entrée à Jérusalem. Au contraire, chez Mt. (*21*, 12) et, autant qu'on peut le conjecturer, chez Lc. (*19*, 45-46), la scène semble avoir lieu le jour même" (cf. too on p. 282).

39. A typical example of the ' bagatellization ' : " On the Griesbach hypothesis it simply entails the recognition that Mark did not slavishly adhere to the order common to Matthew and Luke " (about Mk XI, 11-18 : the instance quoted also by Vaganay, see n. 38) ; cf. W. R. FARMER, *The Synoptic Problem*, p. 212.

40. Cf. L. VAGANAY, *Le problème synoptique*, p. 282 : "Péricopes à une place différente chez Mt.-Lc. et chez Mc. — On n'en peut citer qu'un petit nombre et avec une certaine réserve. ( ) Quoi qu'il en soit, ce n'est pas sur cette ressemblance entre Mt. et Lc. que l'on peut établir entre eux un rapport de dépendance". See also A. M. FARRER, *On Dispensing with Q*, in *Studies in the Gospels. Essays in Memory of R. H. Lightfoot* (ed. D. E. NINEHAM), Oxford, 1955, pp. 55-86, p. 65 : " Anyone who holds that St. Luke knew St. Matthew is bound to say that he threw over St. Matthew's order (where it diverged) in favour of St. Mark's. He made a Marcan, not a Matthean, skeleton for his book ".

41. *The Argument from Order*, p. 261, n. 3.

42. Sanders's expression is characteristic of his proclivity for statistics. In *Tendencies* he employs the same approach : see our remarks on his treatment of the duplicate expressions, in *Duality in Mark. Contributions to the Study of the Markan Redaction* (Bibl. Eph. Theol. Lov. 31), Louvain, 1972, pp. 40-44.

43. He indicates as ' a serious problem ' for the Marcan hypothesis : " why do not their desertions of Mark coincide more frequently ? " (cf. *supra*, n. 21). His question concerns not only alterations of order but also common omissions. —

as R. Morgenthaler observed about such ' statistical ' evaluation, it is a question of proportion [44]. But more important is this author's statement: "Alles hängt auch hier von der Erklärbarkeit der Umstellungen ab " [45].

3. The Position of R. Morgenthaler

Morgenthaler's partial endorsement of Sanders's new argument from order still deserves our attention [46]. In *Statistische Synopse* the article

On the omissions of whole pericopes in Matthew and Luke, see the reaction of S. McLoughlin : " By our count Mark has 100 pericopes, of which Matthew omits four and Luke twenty-five. How many would one expect Matthew and Luke to coincide in omitting *together* ? The calculation, given in the next paragraph, is elementary. Luke copies 75/100 of the Marcan pericopes, i. e. three-quarters of them. Since (on Two Source assumptions) he is acting independently of Matthew, we may suppose he will treat in the same way the four pericopes Matthew has selected for omission : he will copy three-quarters of these four, i. e. three. Thus of the four Matthew omits three will be copied by Luke, and one omitted. So we expect to find *one* pericope out of the Marcan 100 not copied by either Matthew or Luke. In fact, consulting the synopsis, we find not one but three pericopes not copied by either Matthew or Luke. Thus Matthew and Luke coincide in diverging from Mark *more* than expected, and not less as suggested by Farmer. The new discrepancy, however, is readily explained by the rigidity of the above arithmetic : we assumed it was just as likely that Luke would copy a pericope whether Matthew had copied it or not. But, in fact, if Matthew omits something it is unattractive to him for some reason, and what is unattractive to one Christian author has by that very fact an *increased* chance of being unattractive to another. Refining the argument in this way, therefore, we may improve on the expected number of *one* common omission suggested by the above calculation, and say we expect more than one, but not too many : say, between one and four. This, of course, fits the data perfectly ". Cf. *A Reply* (to H. Meynell, *A Note on the Synoptic Problem*), *The Downside Review* 90 (1972) 201-206, pp. 201-202. — Comp. R. Morgenthaler, *Statistische Synopse*, Zurich-Stuttgart, 1971, pp. 282-283. On the theoretical (statistical) level he espouses Farmer's opinion. In the supposition that there are three texts of 100 pericopes and that two of them disagree in order against the third in 25 instances : " Hätten sie einander wirklich nicht gekannt, dann wäre es ganz von selber bei 25 Abweichungen von der Mk-Ordnung zu einigen Überschneidungen der Verschiebungen gekommen ! " (p. 283). His description of the concrete situation, however, entirely differs from Farmer's statement in *The Synoptic Problem*, p. 213 : " Since both *frequently* desert Mark, either by departing from his order or by omitting his material... " ; comp. with *Statistische Synopse*, p. 283 : " In Wirklichkeit stellt sich nun heraus, dass Mt und Lk *fast nie* von der Mk-Folge abweichen ".

44. *Ib.*, p. 303.

45. *Ib.* — According to Morgenthaler the valid argument from order is not statistical but it should be based upon the redactional explanation of the divergences between the gospels. For the order of pericopes he refers to Lachmann (pp. 283-284) and for the order of sentences he considers three phenomena in Matthew : the (redactional) doublets, the compositions of sayings and the interpolations (*Perikopenintarsien*), as demonstrating Marcan priority (vis-à-vis Matthew).

46. *Ib.*, pp. 303-305.

of Sanders is quoted favorably, but with reservations in regard to the broad acceptation of ' agreement ' (including texts differently placed in Matthew and Luke or omitted by one of them) and to the appropriateness of the examples. Morgenthaler clearly distinguishes between sentences and pericopes and more particularly Sanders's instances of dislocated pericopes are found unconvincing [47]. For him the agreements in order between Matthew and Luke against Mark are only *' minor* agreements ' and they cannot challenge the existence of Q [48]. In that connection he discusses Sanders's no. 18 : the Parable of the Mustard Seed (Mk IV, 30-32) followed by the Parable of the Leaven in Mt XIII, 31-32.33 and Lk XIII, 18-19.20-21. According to Sanders we cannot assign the Mustard Seed to Q : the argument from context (the Mustard Seed together with the Leaven in Q) is irrelevant and the Matthew-Luke agreements (the most striking is ' tree ' against Mark's ' shrubs ') are unsufficient evidence. Thus the sequence of the two parables is counted as an agreement in order against Mark which cannot be attributed to Q [49]. Morgenthaler rightly observes that this is hardly reconcilable with Luke's use of Matthew (Sanders's own conclusion). If Luke was acquainted with Matthew and had read the Mustard Seed in Mt XIII, 31-32, strictly parallel with Mk IV, 30-32, the question remains why Luke omitted the parable, together with the Leaven, in Lk VIII and transferred them to Lk XIII [50].

47. *Ib.*, p. 303 : " Die Belege, die Sanders vorbringt, sind freilich wenig überzeugend " ; compare note 183 (p. 311) on the examples of replaced sentences : " eine Belegserie von sehr unterschiedlichem Wert ".

48. *Ib.*, p. 305. — For Morgenthaler Mark and Q are the main sources used by Matthew and Luke (Two Sources) but he admits that Luke had occasionally some subsidiary contact with Matthew as with a third source (*Dreiquellentheorie*, cf. p. 301 ; compare Simons and Larfeld). The evidence for this direct relationship Matthew-Luke is provided by " die kleineren Übereinstimmungen in Wort-, Satz- und Abschnittfolgen ". The second and third category concern the agreements in order ; they are associated with the phenomena which are commonly understood as ' minor agreements ' (first category). As far as the triple tradition is concerned, his position can be compared with Farrer's treatment of the minor agreements : " Now this is just what one would expect, on the supposition that St. Luke had read St. Matthew, but decided to work direct upon the more ancient narrative of St. Mark for himself. He does his own work of adaptation, but small Matthean echoes keep appearing, because St. Luke is after all acquainted with St. Matthew " (*On Dispensing with Q*, p. 61). Comp. *Statistische Synopse*, p. 312, n. 196.

49. *The Argument from Order*, pp. 257, 260 (note 3), 261.

50. *Statistische Synopse*, p. 304. In a predominantly ' Matthean ' wording : *ὁμοία ἐστίν,ὃν λαβὼν ἄνθρωπος*, om. *ἐπὶ τῆς γῆς* (bis), *ηὔξησεν, δένδρον, ἐν τοῖς κλάδοις αὐτοῦ* (after *κατεσκήνωσεν*). — Sanders mentions only ' the most striking agreement ' (tree) and cites, as an objection against the conflation of Mark and Q in Matthew, the analogy of Mk III, 8 : ' beyond the Jordan ' (Mt) and ' Tyre and Sidon ' (Lk) (p. 260, n. 3 ; comp. *Tendencies*, p. 271 : " The arguments for

Morgenthaler's *Synopse* is a valuable tool of study, especially for the careful description of the sequences of words, sentences and pericopes. He presents two exhaustive lists of dislocations in Matthew and in Luke. Only four instances of displaced Marcan texts are in both lists [51] :

Mk I, 4 : Mt III, 1.2*a* // Lk III, 2*b*.3
Mk I, 7*b* : Mt III, 11*b* // Lk III, 16*c*
Mk IV, 24*c* : Mt VII, 2*b* // Lk VI, 38*b*
Mk IX, 50*a* : Mt V, 13*b* ; Lk XIV, 34

In the parallels of the saying about Salt (Mk IX, 50*a*), differently placed in the two gospels, the influence of Q is apparent (compare Sanders's no. 8) [52]. He reckons evidently with Q influence for the inverted order of the sentence of Mk I, 7*b* (Sanders's no. 4), and, more objectionably, for Mk I, 4 (no. 3) [53]. On this point Sanders may be right [54], but the common inversion in Matthew and Luke is no less understandable without Q influence [55].

For the saying about Measuring of Mk IV, 24*c* (no. 1) Morgenthaler joins Sanders in protesting " that they are improperly assigned to Q, apparently on the basis of context alone "[56]. He considers Mt VII, 2*b* as an insertion of Marcan material in the saying composition. It is strictly identical in wording with Mk IV, 24*c* and even the Marcan sequence can be detected in the Matthean transpositions : Mt V, 15 ; VII, 2*b* ; XIII, 12 (comp. Mk IV, 21*b* ; IV, 24*c* ; IV, 25) [57]. In Luke the sentence is omitted in VIII, 16-18, par. Mk IV, 21-25, and placed in

conflation in one Gospel are not appreciably stronger than they are in another Gospel"). However, in the Lucan parallel the omission of ' beyond the Jordan ' has to do with the meaning of ' Judea ' (including ' beyond the Jordan ') and in Mt the omission of ' Tyre and Sidon ' is understandable after the mention of Syria in IV, 24*a* (compare also the sequence ' Jerusalem-Judea-beyond the Jordan ' in III, 5, diff. Mk).

51. *Statistische Synopse*, pp. 188-189.

52. *Ib.*, p. 169 : μωρανθῇ. In addition : the passive form ἁλισθήσεται/ἀρτυθήσεται (Mk : ἀρτύσετε), together with the second part of the logion (Mt V, 13*b* ; Lk XIV, 35 : ἔξω βάλλειν).

53. *Ib.*, p. 189.

54. *The Argument from Order*, p. 261, n. 1. He follows Hawkins and Harnack (against Streeter).

55. See n. 17. — Morgenthaler refers to Mt III, 1.2*a* = Mk I, 4. In fact, λέγων (= 2*a*, cf. p. 33 and 129) is part of the doublet III, 2 = IV, 17 (cf. Mk I, 14*b* !).

56. *The Argument from Order*, p. 260, n. 1. Nevertheless, Sanders left the passage in the list of " sayings usually assigned to Q ".

57. *Statistische Synopse*, pp. 169 (on Mk IV, 24*c*), 172-173 (Mk IV, 21-25), 192 (Mt VII, 1-5), 197, 202, 219 (Marcan insertions). Only on p. 299 the author shows some hesitation : Q ?

VI, 37*b*, in parallel with Mt VII, 2*b*. Because of the identical vocabulary [58] the logion must have its origin in one written source. The common omission (in parallel with Mk IV, 24*c*) and the common insertion (at the same place in the sermon) demand an explanation and here Luke's use of Matthew is one of the possibilities [59]. Morgenthaler also signals Vaganay's treatment of Mk IV, 24*c*. In fact, the examples quoted by Morgenthaler are the nos. 1 and 2 of Sanders's list but correspond exactly to the instances emphasized by Vaganay : Mk IV, 24*c* and Mk I, 2*b* (comp. Mt XI, 10*b* // Lk VII, 27*b*) [60]. According to Vaganay Matthew and Luke preserved the logia in their original context (common gospel source) from where they are removed by Mark. Morgenthaler agrees that there is only one form of the saying but he inverts the order : the original form is Mark's, Matthew replaced the saying and was, most probably, followed by Luke. More examples of such inverted re-employment of Vaganay's arguments can be seen where he treats the *Perikopenfolge* : the coincidences in Birth Stories and Resurrection Narratives and the agreement with regard to the Sermon on the Mount are understood as evidence not for a common source but for Luke's use of Matthew [61].

There is something curious about Morgenthaler's exposition. About agreements in sentences he writes : " Ähnliche Beispiele (*as Mk IV, 24c*) gibt es eine ganze Anzahl ", but he dismisses the instances of Sanders's article [62]. Concerning agreements in sections he mentions Mt I-II, XXVIII and V-VII (par. Lk) and then refers to Larfeld for " wertvolle weitere Hinweise auf Übereinstimmungen Mt-Lk gegen Mk in Perikopenfolgen ... " [63]. This last author, however, does not provide complementary examples except the common sections of Mt VIII, 5-13 ; VIII, 19-22 ; XI, 2-6 (par. Lk) [64]. Since the prologue and the epilogue of the gospels are too speculative a basis for establishing either a common gospel

58. Comp. S. SCHULZ, *Q - Die Spruchquelle der Evangelisten* (see n. 8), pp. 146-147 : " Das dem Verbum angefügte ἀντί geht auf Lk zurück, der Komposita liebt. Lk wird auch hellenisierend ἐν vor dem Dativ weggelassen haben ".

59. *Statistische Synopse*, p. 303.

60. Cf. L. VAGANAY, *Existe-t-il chez Marc quelques traces du Sermon sur la Montagne ?*, *NTS* 1 (1954-55) 192-200. The article concentrates upon the saying as a trace of the Sermon in Mk. On Mk I, 2*b*, see p. 192 ; cf. *Le problème synoptique*, pp. 353-355.

61. Comp. p. 311, n. 187 : " Lange vor Vaganay hat zB Larfeld dieses Argument verwendet (S 74f) ". For the question of Luke's use of Matthew Morgenthaler is heavily indebted to W. Larfeld's *Die neutestamentlichen Evangelien nach ihrer Eigenart und Abhängigkeit*, Gütersloh, 1925.

62. *Statistische Synopse*, p. 303. Comp. n. 47.

63. *Ib.*, p. 312, n. 195.

64. W. LARFELD, *Die neutestamentlichen Evangelien*, pp. 85-86. Comp. also p. 84 (Mt XXVI, 50 par. Lk : Sanders's no. 22) and pp. 43 and 58 (the inversion of Mk I, 1-6 : Sanders's no. 3).

source or Luke's acquaintance with Matthew, the point at issue in a discussion with Morgenthaler is the Sermon on the Mount (compare Sanders's no. 23). He follows Vaganay in the description of the Matthew-Luke agreement : the localisation on the mountain (comp. Mk III, 13), the presence of the multitude, the thematically identical conclusion and the sequence of the Sermon and the Capernaum pericope. Then he simply declares his preference for the solution of Larfeld and Argyle [65]. No other reason is given than Farrer's argument for omissions in Luke : " St. Luke was not interested in the detail of the anti-Pharisaic controversy " [66]. This is most certainly not a valid reason against Vaganay who similarly explains the omission from the common source : " Il (*Luke*) a écourté d'une façon notable le corps du discours, en supprimant le plan, les oppositions entre la Loi ancienne et la Loi nouvelle, la supériorité de la justice chrétienne sur la justice pharisaïque, thèmes qui devaient moins intéresser ses lecteurs venus de la gentilité " [67]. For Morgenthaler who considers Lk VI, 20-VII, 10 as almost exclusively Q material there should be no need for such an explanation : the Lucan ' omissions ' could be Matthean ' additions '. About Mt VII, 1-2 // Lk VI, 37-38 the author agrees with Vaganay about the Lucan expansion of the text in Lk VI, 37*c*-38*a* [68], but he departs from him (and from the common opinion) [69] when he takes away the saying about Measuring from the Q form of Mt VII, 1. True, the vocabulary of Mt VII, 2*b* is identical with Mk IV, 24*c* but because of the proverbial character of this short saying it is not a sufficient evidence for the Marcan origin [70].

The instances in Sanders's list where Matthew transposes a Marcan passage while Luke omits it are not accepted by Morgenthaler as agreements in order. The transposition and the omission constitute, however, a negative minor agreement which Morgenthaler employs as such as evidence for Luke's dependence upon Matthew. He refers explicitly to Mt XIV, 14 / Lk IX, 11*b*, diff. Mk VI, 34*b* (cf. no. 16). Luke would have omitted the quotation from Mk VI, 34*b* because, besides Mark, he used also the parallel text of Mt XIV, 14 [71]. In the line of the author's

65. *Statistische Synopse*, pp. 304-305 ; cf. p. 312, n. 192.

66. *Ib.*, p. 305 ; cf. p. 312, n. 193.

67. *Le problème synoptique*, p. 255.

68. *Statistische Synopse*, p. 192.

69. There is some hesitation in the reconstruction of the common source : Mt VII, 1-2 is mostly considered as more archaic than Lk VI, 37-38 ; but among others H. Schürmann is in favour of the longer version of Luke. Nevertheless, at least Mt VII, 1.2*b* (par. Lk VI, 37*a*.38*b*) is commonly assigned to Q, to the common gospel source or to the two variant sayings (for authors like H. Th. Wrege who are opposed to a common source).

70. Comp. Sanders's remark : " The sayings ( ) are too short to admit much variation in any case " (p. 260, n. 1).

own reasoning, however, a double objection can be raised. If Luke's indebtedness to his sources is the explanation for the omission, how can we explain that he omitted εἶδεν ... ἐσπλαγχνίσθη, attested here by both Mark and Matthew and used elsewhere by Luke in VII, 13 ; X, 33 and XV, 20 ? According to the author πρόβατα μὴ ἔχοντα ποιμένα in Mt IX, 36 forms an excellent introduction to the saying of IX, 37-38 and in the hypothesis of Mark's dependence upon Matthew the omission would be unexplainable ; but if Luke had read Matthew, is then the omission from the side of Luke, who cites the saying in X, 2, not more unexplainable than it would be for Mark who does not have any parallel ?

The titles given by Morgenthaler to his treatment of the question were very promising for the topic of Sanders's study : " Indizien für eine Bekanntschaft Mt→Lk : Die kleineren Übereinstimmungen Mt→Lk in den Satzfolgen, — in den Perikopenfolgen ". In fact, he formulates a thesis but no valuable instances of agreements in order are put forward. Surely, minor agreements Matthew-Luke require an explanation and Luke's use of Matthew is a possible (although unnecessary [72]) solution ; agreements in order, however, do not constitute a valid argument.

4. The Transpositions in Luke

The concentration of dislocations in the first part of the Gospel is the principal problem of order in Matthew [73]. The very existence of such transpositions in Luke is questioned by R. Morgenthaler : " Wir haben also zu schliessen, dass Lk praktisch kein einziges Mal die Perikopenfolgen des Mk verändert " ; " so fehlen bei Lk überhaupt Perikopenumstellungen " [74].

In the recent literature the history of Morgenthaler's assertion starts with J. Jeremias's argument about Lk XXII, 15-18 [75] : Deviation in order must be regarded as an indication that Luke is not following Mark. Luke dislikes transpositions : whenever he follows Mark, he keeps to

71. *Statistische Synopse*, p. 285.

72. Comp. F. Neirynck, *Minor Agreements Matthew-Luke in the Transfiguration Story*, in *Orientierung an Jesus. Zur Theologie der Synoptiker. Fs. J. Schmid* (ed. P. Hoffmann, N. Brox, W. Pesch), Freiburg i. Br., 1973, pp. 253-266.

73. For Matthew I refer to previous studies dealing with the composition of Mt IV, 23 - XI, 1. Cf. F. Neirynck, *La rédaction matthéenne et la structure du premier évangile* (see n. 9) ; *The Gospel of Matthew and Literary Criticism. A Critical Analysis of A. Gaboury's Hypothesis*, in M. Didier (ed.), *L'Évangile selon Matthieu*. Rédaction et théologie (Bibl. Eph. Theol. Lov., 29), Gembloux, 1972, pp. 37-69.

74. *Statistische Synopse*, pp. 232 and 283.

75. J. Jeremias, *Die Abendmahlsworte Jesu*, Göttingen, ²1949, pp. 56 and 87 ; E. T. by A. Ehrhardt : *The Eucharistic Words of Jesus*, Oxford, 1955, pp. 69 and 116.

Mark's order of the sections most faithfully, and thus we find only two insignificant deviations, Lk VI, 17-19 ; VIII, 19-21, until we come to the Passion narrative. The expression used in this paraphrase : ' order of the sections ' is Jeremias's own translation for *Reihenfolge der Perikopen*. The somewhat inaccurate first English translation, " arrangement of the material ", gave rise to misunderstanding and to the well-known reaction of H. F. D. Sparks in NTS (May 1957) [76]. In the meantime Jeremias's argument had been repeated by H. Schürmann [77], who added an important precision : in Lk VI, 17-19 and VIII, 19-21 there is not *Umstellung* but *Nachtrag* of the Marcan passage. Luke followed Mk I, 21-III, 6 in IV, 31-VI, 11, then he left Mark for the ' interpolation ' of VI, 12-VIII, 3 and came back to Mark in Lk VIII, 4 (= Mk IV, 1). Thus Luke omitted Mk III, 7-35, but two passages of this section (III, 7-11*a* and III, 31-35) were re-introduced where he found a suitable place : in VI, 17-19, as an introduction to the Sermon on the Plain, and in VIII, 19-21, after the Parable section (" nachgetragen, nicht aber eigentlich umgestellt ") [78]. The same scheme of *Nachtrag* (or postposition) applies for Lk XXII, 21-23 and 33-34 (comp. Mk XIV, 18*b*-21 and 29-31), where Mk XIV, 18*b*-31 has been omitted for the non-Marcan section of Lk XXII, 15-38 [79]. Jeremias sanctioned this explanation in his reply to Sparks, at least for Lk VI, 17-19 and VIII, 19-21 : " Er (*Luke*) hat an keiner Stelle eine Perikopenumstellung vorgenommen, nur zweimal

76. H. F. D. SPARKS, *St Luke's Transpositions*, in *NTS* 3 (1956-57) 219-223. The author reproduces a list of Lucan transpositions, including instances from the Passion narrative : words, phrases, or subject-matter transposed (*a*) within a sentence, (*b*) within a section, (*c*) from one section to another, (*d*) transpositions of sections, or the subject-matter of sections. He concludes : Luke's dislike of transpositions is unsupported by the evidence which tends in opposite direction.

77. H. SCHÜRMANN, *Der Paschamahlbericht Lk 22, (7-14.)15-18* (Neutest. Abh. 19,5), Münster, 1953, p. 2, n. 9 (with reference to Jeremias) ; *Die Dubletten im Lukasevangelium*, in *ZKTh* 75 (1953) 338-345, p. 339, n. 9 ; = *Traditionsgeschichtliche Untersuchungen zu den synoptischen Evangelien*, Düsseldorf, 1968, pp. 272-278, p. 273, n. 9 ; comp. also *Die Dublettenvermeidungen im Lukasevangelium*, in *ZKTh* 76 (1954) 83-93 ; = *Traditionsgeschichtliche Untersuchungen*, pp. 279-289, espec. p. 280.

78. *Ib.* : Lk IV, 41, par. Mk I, 34, is not a true transposition but merely a reminiscence of Mk III, 11*b*-12 or another similar exorcism story ; this should explain its omission in Lk VI, 19.

79. For a full discussion see *Jesu Abschiedsrede Lk 22, 21-38* (Neutest. Abh. 20, 5), Münster, 1957, pp. 3-35. — The author signals another instance of *Nachtrag* in Lk XIX, 45-48 = Mk XI, 15-19, after the non-Marcan insertion of Lk XIX, 39-44 and the omission of Mk XI, 11-25. He gives a similar treatment of the Marcan materials in Lk III, 1-6.19-20.21-22, in the non-Marcan section of Lk III, 1-IV, 30. Cf. *Die Dubletten*, pp. 273-274 (n. 8, 9, 10, 11 and 14) ; *Die Dublettenvermeidungen*, p. 280 (n. 5, 6, 9, 11, 12, 13) ; *Jesu Abschiedsrede*, p. 35.

je eine kurze Markus-Perikope an späterer Stelle nachgeholt " [80]. Transpositions of pericopes only appear in the Passion narrative : Lk XXII, 15-18.21-23.24-27.33-34.56-62.63-65.66-71 ; XXIII, 26-49 : *passim* ; they are unmistakable evidence for Luke's use of a non-Marcan source in Lk XXII, 14ff. [81]. The view of Jeremias (and Rehkopf) that there is an undeniable contrast between Luke's Passion narrative and the pre-Passion chapters, was contested from different viewpoints, by Sparks who presents the list of the transpositions in Lk III-XXI and by Morgenthaler who observes that the transposed passages in the Passion narrative are not really pericopes [82].

With regard to the Passion the position of Jeremias is also different from that of Schürmann. The latter considers Lk XXII, 21-23 and 33-34 as Marcan insertions in the non-Marcan source. His conclusion is based on content analysis but has its *confirmatur* in the analogy of other examples of *Nachtrag* [83]. Jeremias does not consider the phenomenon of *Nachtrag* in the Passion narrative and simply refers to transpositions as evidence for the non-Marcan character. F. Rehkopf explicitly notes the deviation from the Marcan order as one of the indications against Schürmann's exegesis of Lk XXII, 21-23 and 33-34 [84]. The Proto-Luke hypothesis of Jeremias and Rehkopf is clearly more radical than the theory of Streeter and Taylor. Both British scholars accepted an impor-

80. J. JEREMIAS, *Perikopen-Umstellungen bei Lukas ?*, in *NTS* 4 (1957-58) 115-119 ; = *Abba*, Göttingen, 1966, pp. 93-97, espec. 95-96. Jeremias's approval is noted by Schürmann in his commentary, *Das Lukasevangelium*, t. 1, Freiburg i. Br., 1969, p. 323, n. 30 (about Lk VI, 17-19) ; see also p. 471, on Lk VIII, 19-21 (" nicht ' umgestellt ' — wie das landläufige Urteil lautet ").

81. Comp. also the third edition of *Die Abendmahlsworte Jesu*, Göttingen, 1960, pp. 91-93 (E. T. by N. Perrin : London, 1966). — See p. 93, n. 3, for another inference from Luke's dislike of transpositions : the proto-Lucan setting (i. e. before Luke was acquainted with Mark) of Lk IV, 16-30 (cf. Mk VI, 1-6a) ; V, 1-11 (cf. Mk I, 16-20) ; VII, 36-50 (cf. Mk XIV, 3-9) ; X, 25-28 (cf. Mk XII, 28-34) ; XIII, 6-9 (cf. Mk XI, 12-14). Luke's dislike of transpositions becomes an argument for the Proto-Luke hypothesis. Comp. F. REHKOPF, *Die lukanische Sonderquelle* (Wiss. Unters. N. T. 5), Tübingen, 1959, p. 89 : " Die Art der Verarbeitung des MkSt (Blöcke, Einhaltung der Reihenfolge) macht wahrscheinlich, dass jedenfalls Sondergut und Redenquelle bereits zusammengestellt waren, ehe Lukas diese Zusammenstellung durch MkSt bereicherte ". See also pp. 1-2 and 88 (cf. n. 5, on Lk VI, 17-19 ; VIII, 19-21) ; on Lk XXII, 21-23 : pp. 7-30 (espec. 29-30, comp. 3-4).

82. *Statistische Synopse*, p. 283. The author seems to make a distinction between Lk VI, 17-19 ; VIII, 19-21 (" als Perikopennachtragungen gewertet ") and XXII, 21-23 and 33-34 (" wegen besonderer Verhältnisse ausgeklammert ").

83. Cf. *Jesu Abschiedsrede*, p. 35.

84. Cf. *Die lukanische Sonderquelle*, pp. 29 and 88 (for XXII, 21-23) and p. 84, n. 1, g (for XXII, 33-34).

tant number of Marcan 'insertions' in the Lucan Passion narrative [85]. Taylor compared them with Hawkins's list of the twelve inversions of order and he concluded that in five instances the difference of order is due to preference for another source and that the remaining seven insertions "are found in a different sequence because they are inserted by Luke" [86]. Thus for those 'Marcan insertions' in inverted order (Lk XX, 19*a*, 22.34.54*b*-61; XXIII, 38.44-45.54) his solution is not that of Jeremias but rather a solution of the Schürmann-type. It sounds like Schürmann's description of *Nachtrag* when Taylor concludes: "We are left with the impression that, coming to the Markan story with his special source in mind, the evangelist has noted features which he desires to incorporate in his Gospel and has introduced these borrowings (...) at such points as the special source permitted" [87]. The words omitted in this quotation are: "in their original Markan order". Taylor observed that if a list be made of all Marcan elements in the Passion narrative, they would occur in Luke in the same relative order in which they stand in Mark [88]. The Marcan elements are 'insertions' in an existing document,

85. For a survey of the Marcan insertions in the Passion narrative compare F. Neirynck, *La matière marcienne dans l'Évangile de Luc*, in *L'Évangile de Luc. Mémorial L. Cerfaux* (Bibl. Eph. Theol. Lov. 32), Gembloux, 1973, pp. 157-201, espec. 196-197. For Rehkopf only Lk XXII, 20*b*.52*b*-53*a*; XXIII, 26*b* are Marcan material. Possible Marcan influences are not excluded by Jeremias in *Neutestamentliche Theologie. I. Die Verkündigung Jesu*, Gütersloh, 1971, p. 48: "Lediglich bei dem letzten *(non-Marcan block)*, der Passionsgeschichte (22,14-24,53), kann man an einigen Stellen fragen, ob gemein-urchristliche Tradition vorliegt oder Markuseinfluss". But the argument from order is still the same: "Mit der Feststellung, dass Lukas in der Akoluthie unentwegt Markus folgt, ist auch das Urteil über die Passionsgeschichte Lk 22,14-24,53 gefällt. Sie weicht so stark in der Reihefolge der Perikopen von Markus ab, dass sie dem neuen Stoff zugerechnet werden muss."

86. V. Taylor, *The Passion Narrative of St Luke* (SNTS Mon. Ser. 19), Cambridge, 1972, p. 123. Comp. *Behind the Third Gospel*, Oxford, 1926, p. 72.

87. *The Passion Narrative*, p. 124.

88. Taylor gives the following table:

Lk	Mk
Lk XXII, 1-13	Mk XIV, 1-2.10-16
22	21
34	30
46*b*	38
50*b*	47*b*
52*b*-53*a*	48*b*-49
54*b*-61	54.66-72
XXIII, 3	XV, 2
25	15
26	21
34*b*	24*b*
38	26
44-45	33.38

but Luke's relation to Mark's order in XXII-XXIV is not so radically different from what happened in III-XXI : " wherever and however he uses Mark he observes its order " [89]. Schürmann's exegesis of Lk XXII, 21-23 and 33-34 is also supported by G. Schneider. His analysis of XXII, 54-71 leads to the conclusion that Peter's denial (XXII, 56-62) is a Marcan insertion in the non-Marcan source, and only in the pericope of the mocking (XXII, 63-65) is the inverted order that of the special source [90].

It appears from this survey that three types of solution are proposed for the ' transpositions ' in Luke : (1) a non-Marcan section transmitted by Luke in the original sequence of the special source ; (2) an extract from Mark displaced under the influence of the non-Marcan source and inserted by Luke in a different non-Marcan (or Marcan) context ; (3) an editorial inversion of the Marcan order, a genuine transposition to another place in the Marcan sequence. Jeremias and Schürmann agree in arguing that all transpositions of pericopes are deviations of type (1) or (2), explainable only by the influence of a non-Marcan source.

Let us examine Lk VI, 17-19 and VIII, 19-21. Schürmann considers both passages as *Nachtrag* from the omitted section, Mk III, 7-35. In the more common interpretation the omission is limited to Mk III, 20-30 and the two preceding pericopes, Mk III, 7-12.13-19, are presented in inverted order in Lk VI, 12-16.17-19. For Schürmann, however, the non-Marcan source already begins with Lk VI, 12-16 (and not in VI, 20, i.e. after Mk III, 19) and Lk VI, 17-19, although it depends on Mk III, 7-8.10, contains in v. 17 the following traces of the Q source : ὄχλος πολύς, the descent from the mountain (the presentation of the sermon as " Predigt am Berge ") and probably the Semitic form of Ἰερουσαλήμ [91].

However, this last evidence is extremely weak and Schürmann immediately adds that it is a mere suspicion, a possibility that cannot be proven : " Luk schreibt in Lk — anders in Apg — immer die semitische

49	40
50-54	42-47
XXIV, 10*a*	XVI, 1

" The passages, xxii. 47, 69, 71, and xxiv. 1-3, which may reflect the influence of Mark linguistically, stand in a different order because of their non-Markan contents " (p. 124).

89. *Ib.*, p. 125.

90. G. SCHNEIDER, *Verleugnung, Verspottung und Verhör Jesu nach Lukas 22, 54-71* (StANT 22), Munich, 1969, pp. 144-151. The author, who reckons *Perikopenakoluthie* as source-critical criterion, makes a clear distinction between pericopes and sentences : " Akoluthieabweichungen von einem lk Vers und weniger können in lk Quellenfragen keinen Ausschlag geben " (p. 151).

91. *Lukasevangelium*, p. 323 ; comp. *Die Warnung des Lukas vor der Falschlehre in der " Predigt am Berge " Lk 6, 20-49*, in *Traditionsgeschichtliche Untersuchungen*, pp. 291-293.

Form (auch 5, 17; 18, 31; 21, 20.24 diff Mk und 4, 9 diff Mt), wenn er es nicht vergisst (wie 2, 22; 13, 22 v. l.; 19, 28; 23, 7), weil er hier ' sacred prose ' schreiben will " [92]. It is also less convincing that already in a pre-Lucan form Lk VI, 17 should have referred to the scene of Sinai. The descent from the mountain after the transfiguration in Mk IX, 9.14 (par. Lk IX, 37) is a more probable model for Luke. In Mk III, 7 Jesus is accompanied by this disciples and in III, 13 he calls the twelve. Is that not enough to suggest the distinction between the disciples and the group of the twelve? In parallel with Mk III, 13-14 Jesus calls his disciples to him and from among them he chooses twelve (Lk VI, 13). Then, Jesus comes down with them (the twelve ' apostles ') and stands on level ground where also are *ὄχλος πολὺς τῶν μαθητῶν αὐτοῦ* and *πλῆθος πολὺ τοῦ λαοῦ* (VI, 17). This is a striking parallel with Mk IX, 9.14: Jesus comes down with Peter, John and James, and they rejoin the other disciples and see that they are surrounded by a *ὄχλος πολύς*. Is it really necessary to have recourse to the Q source with *ὄχλος πολύς* designating the audience of the sermon (cf. Lk VII, 1 = Mt VII, 28)? There is the double expression *πολὺ πλῆθος* and *πλῆθος πολύ* in Mk III, 7-8 and " the combination of similarity and *variation* " (Cadbury) is a well known feature of Lucan style. Schürmann compares it with *τὸ πλῆθος τῶν μαθητῶν* in XIX, 37 and although he notes very well the distinction between the disciples (the inner circle) and the crowd, he emphasizes the ' *Massiertheit* ' of the disciples in Lk VI, 17 [93]. It should not be overlooked, however, that the only other employment of *ὄχλος πολύς* + genitive in Lk designates the guests at the dinner of Levi (V, 29, par. Mk II, 15: *πολλοί*). Finally, once we admit with Schürmann that Mt IV, 25 depends on Mk III, 7-8, it is hardly provable that recourse to Q is still needed for the explanation of the term *ὄχλοι* in Mt IV, 25; V, 1 and VII, 28 [94].

The hypothesis of a non-Marcan source for Lk VI, 12-16 is mainly based upon the agreements Matthew-Luke against Mark: vv. 12-13*a*, comp. Mt V, 1; vv. 13*b*-16, comp. Mt X, 2-4 [95]. However, the motif of the mountain and the approach of the disciples in Mt V, 1 are borrowed from Mk III, 13:

ἰδὼν δὲ τοὺς ὄχλους	(cf. IV, 25; comp. VIII, 18*a*)
ἀνέβη εἰς τὸ ὄρος	*καὶ ἀναβαίνει εἰς τὸ ὄρος* (Mk)
καὶ καθίσαντος αὐτοῦ	(comp. XV, 29*b*)
προσῆλθαν αὐτῷ οἱ μαθηταὶ αὐτοῦ	*καὶ ἀπῆλθον πρὸς αὐτόν* (Mk)

92. *Lukasevangelium*, p. 323, n. 37; comp. *Die Sprache des Christus*, in *Traditionsgeschichtliche Untersuchungen*, pp. 85-86.

93. *Lukasevangelium*, pp. 320-321.

94. Cf. F. Neirynck, *The Gospel of Matthew and Literary Criticism* (see n. 73), pp. 65-67. On Lk IV, 42 and Mt IV, 25, see p. 61, n. 39.

95. *Lukasevangelium*, pp. 318-319.

How can we appeal to Mt V, 1, against Mk III, 13, for *εἰς τὸ ὄρος* in Luke [96] ? For *προσεφώνησεν* (comp. Mk III, 13 : *προσκαλεῖται*) Schürmann refers to Mt V, 1 and X, 1*a* : *καὶ προσκαλεσάμενος τοὺς δώδεκα μαθητὰς αὐτοῦ* [97]. Still, this last sentence has its basis in Mk VI, 7 : *καὶ προσκαλεῖται τοὺς δώδεκα*. The author seems to explain more particularly Luke's *τοὺς μαθητὰς αὐτοῦ* (diff. Mk) by Mt V, 1 and X, 1. But the composition of Lk VI, 12-13*a* follows immediately after VI, 11 = Mk III, 6, that means, that it is parallel to Mk III, 7*a* : *καὶ ὁ Ἰησοῦς μετὰ τῶν μαθητῶν αὐτοῦ ἀνεχώρησεν*. For the remaining elements in Lk VI, 12-13 which have no parallel in Mk III, 13, there is no need to emphasize here their Lucan character [98]. Only the term *ἀποστόλους* can cause difficulty in view of Mt X, 2*a* :

δώδεκα, οὓς καὶ	*τῶν δὲ δώδεκα*
ἀποστόλους	*ἀποστόλων*
ὠνόμασεν	*τὰ ὀνόματά ἐστιν ταῦτα.*

In addition to this agreement there are some resemblances in the list of the apostles (VI, 14-16, cf. Mt X, 2*b*-4). Yet, it should be accepted that some contact of Luke and Matthew with a traditional list which is independent from Mk III, 16-19, does not necessarily imply that such a list was part of an account like Lk VI, 12ff. (cf. Acts I, 13). But even here the indications are not convincing. *Καὶ Ἀνδρέαν τὸν ἀδελφὸν αὐτοῦ*, cited after Peter, has its model in Mk I, 16. The mere mention of James and John is but a partial agreement with Matthew, who omits as well the imposition of the name of Boanerges but who retains " son of Zebedee " and " his brother ". The enumeration two by two, which is clear in Matthew, has only slight correspondence in Luke, at the beginning

96. *Ib.*, p. 318, n. 52 : " Vgl. V. 12 *εἰς τὸ ὄρος* = Mt 5, 1 (freilich auch Mk 3, 13 ; aber Matth schiebt die Rede bei Mk 1, 21 ein, nicht hinter Mk 3, 13-19) ". However, the insertion of the sermon in Mk I, 21/22 does not dispense one from the search of the sources of the introduction in Mt IV, 23-25 ; V, 1. The author himself refers to Mk I, 28.32.34*a*.39 ; III, 7-8 (p. 323). In addition : Mk VI, 6*b* (for IV, 23*a*) ; Mk I, 14-15 (for IV, 23*b* : rather than " Q vgl. Lk IV, 43 " ; cf. *The Gospel of Matthew*, p. 61, n. 39) and Mk III, 13 (for Mt V, 1). If one admits that the sermon is inserted at Mk I, 21, it becomes difficult to conclude to a traditional introduction : V, 1 (*ἐδίδασκεν* = Mk I, 21) ; VII, 27*b*-28 (= Mk I, 22). Finally, only *καθίσαντος αὐτοῦ* (v. 1) and *ἀνοίξας τὸ στόμα αὐτοῦ* (v. 2) do not have their origin in Mk : Matthean solemnization ?

97. *Ib.*, p. 318, n. 53.

98. On the construction *ἐγένετο* (comp. Lk XI, 1), cf. F. NEIRYNCK, *La matière marcienne dans l'évangile de Luc* (see n. 85), pp. 157-201, espec. pp. 184-193. On Jesus' prayer on the mountain, see Mk VI, 46 (and Lk IX, 18.28 ; cf. *ib.*, p. 171, n. 66) ; *ὅτε ἐγένετο* : II, 42 ; XXII, 14 (*ἡ ὥρα*) ; Acts XXI, 5.35 ; XXVII, 39 (*ἡμέρα*) ; *ἐγένετο ἡμέρα* : XXII, 66 ; Acts XXVII, 39 (!). On *ἐκλεξάμενος* (cf. Acts I, 2), *οὓς καί, ὠνόμασεν*, cf. H. SCHÜRMANN, *Lukasevangelium*, p. 318, n. 55.

(Peter and Andrew, cf. Mk I, 16) and perhaps at the end. The last pair, Judas son of James and Judas Iscariot, might explain an inversion of order, since *Judas Jacobi*, cited after Simon, replaces Thaddaeus of Mk/Mt (before Simon). Simon's surname, the Zealot, may be a translation of *καναναῖος* which cannot be attributed to Luke [99], but the use of a traditional name does not imply a traditional account, not even a traditional list of the twelve. The agreement with Acts I, 13, " Simon the Zealot and Judas son of James ", is not very helpful, since Luke can copy Luke ; on the other hand, it should be noted that the list of Acts gives the name of Andrew in the order of Mk. Finally, the title *ἀπόστολοι* in Luke and Matthew : in Lk VI, 13 the redactional character is recommended by the very Lucan context of vv. 12-13 in parallel with Mk III, 13-14 (*ἵνα ἀποστέλλῃ αὐτοὺς*...) and by the general use of the term *ἀπόστολος* in Luke and Acts (for *ὠνόμασεν*, cf. v. 14, diff. Mk). The Matthean expression, ' the twelve apostles ' (X, 2 : unique in Mt) can be understood in the light of Mk VI, 7 : " the twelve, to send them out two by two " (cf. Mt X, 1*a*.5*a*) and Mk VI, 30 : the return of the ' apostles ' [100]. In these conditions, it becomes difficult to see valuable reasons for assigning Lk VI, 12-13 to a non-Marcan source. " Irgendeine szenische Bemerkung wird man für die Redequelle vor 6, 20 ansetzen müssen " [101] : this is a supposition which is hardly verifiable in the analysis of the text of Lk VI, 12ff. It is more prudent to see the beginning of the non-Marcan source in Lk VI, 20, after Mk III, 19, and to treat VI, 12-16.17-19 as a Lucan transposition. In this case, ' anticipation ' is perhaps a more appropriate definition. The opening pericope in the section of Lk V, 1-VI, 11 (= Mk I, 40-III, 6) was the call of Peter (V, 1-11), due to the transposition of the motifs of Mk I, 16-20. The new section in Lk VI, 12ff. opens now with the choice of the twelve disciples, slightly anticipated from Mk III, (7-12).13-19.

The second passage is Lk VIII, 19-21. The commentary of H. Schürmann has some excellent observations on the significance of the pericope [102]. Although the text greatly differs from Mk III, 31-35, there are no traces of a non-Marcan tradition [103]. The Marcan parallel is placed before the Parables (IV, 1-34), but in Luke the pericope is postponed

99. *Lukasevangelium*, p. 318.

100. Comp. J. Dupont, *Le nom d'apôtres a-t-il été donné aux douze par Jésus*, Bruges-Louvain, 1956, p. 26: " il ne peut évidemment pas être question de faire remonter cet emploi d'*ἀπόστολοι* à une tradition ancienne. Il a été mis là par l'évangéliste, pour des raisons littéraires qui sautent aux yeux " ; on Lk VI, 13, see pp. 38-46.

101. *Lukasevangelium*, p. 318.

102. *Ib.*, pp. 470-471. See especially notes 197 and 198 (versus Conzelmann's interpretation).

103. He signals the same opinion of T. Schramm (p. 471, n. 203).

until after the Parable section (VIII, 4-18). Schürmann considers it as a *Nachtrag* : Luke came back to Mark in VIII, 4 (= Mk IV, 1) and he inserted the passage on the True Relatives (from the omitted section, Mk III, 7-35) as soon as he found a suitable place (after the unit of the Parables). This exegesis presupposes that Lk VIII, 1-3 is part of the non-Marcan source : v. 1 is the end of the Q section (VI, 12-16.20-49 ; VII, 1-10.18-35 ; VIII, 1) and vv. 2-3 pertain to the pre-Lucan account which has been combined with Q (VII, 11-17.36-50 ; VIII, 2-3) [104].

It seems to me that Schürmann correctly understands the redactional intention of Luke in VIII, 1. He writes explicitly : " Mk 3, 14 hatte Luk gelesen (aber par Lk 6, 13 nicht übernommen), dass die Zwölf ausgewählt waren, *ἵνα ὦσιν μετ' αὐτοῦ*. Als solche schildert Luk sie nunmehr " [105]. Nevertheless he maintains that Lk VIII, 1 is attested by Mt XI, 1 and IX, 35 and that the notice of Lk VIII, 1 should be assigned to Q [106]. For Mt IX, 35 he seems to neglect the identity of the verse with Mt IV, 23. He reckons with three Q influences for *κηρύσσων τὸ εὐαγγέλιον τῆς βασιλείας* : Lk IV, 43 ; VIII, 1 and X, 9*b* [107], but Mk I, 14*b*-15 is a much more probable source of Mt IV, 23*b* = IX, 35*b* [108]. In fact, only the expression *τὰς πόλεις πάσας καὶ τὰς κώμας* is different from IV, 23 and the influence of Mk VI, 6*b*, already perceptible in IV, 23*a*, provides a satisfactory explanation (*τὰς κώμας κύκλῳ* in between *περιῆγεν* and *διδάσκων*) [109]. The other parallel in Mt XI, 1 is no more convincing. *Καὶ ἐγένετο ὅτε ἐτέλεσεν ὁ Ἰησοῦς* is the stereotyped redactional formula (VII, 28 ; XI, 1 ; XIII, 53 ; XIX, 1 ; XXVI, 1) ; *διατάσσων τοῖς δώδεκα μαθηταῖς αὐτοῦ* refers to the content of the discourse and repeats the

104. *Lukasevangelium*, pp. 447-449. Luke is held responsible for the combination of the two sources (versus the Proto-Luke hypothesis).

105. *Ib.*, p. 445. On p. 447, however, he has the following comment : " Wenn aber abschliessend die Zwölf genannt werden, die zu Beginn der Q-Abfolge Lk 6, 12-16 ausgewählt wurden, darf man für V 1 zumindest eine gewisse Grundlage in der Redequelle vermuten ".

106. *Ib.*, p. 447. See also the quotation in n. 105.

107. *Ib.*, pp. 323, 448 and note 38.

108. Cf. *supra*, n. 96. — For Mt IV, 23*c* (*θεραπεύων*) he refers to Mk I, 34*a* and for the same expression in Mt IX, 35*c* to Lk VIII, 1, or more exactly to *τεθεραπευμέναι* in v. 2 (!).

109. Comp. Mt X, 11 : *πόλιν ἢ κώμην* (cf. Lk X, 10 : *πόλιν*). In his article on the Mission discourse H. Schürmann considers it as the repetition of IX, 35, which is a combination of Mk VI, 6*b* (*τὰς κώμας*) and Lk X, 1 Q (*πᾶσαν πόλιν*). Cf. *Traditionsgeschichtliche Untersuchungen*, p. 140, n. 12. In *Lukasevangelium* he became more sceptical about the influence of Lk X, 1 : " aber 10, 1 färbt sonst auf Mt 9, 35 nicht ab " (p. 448, n. 37). However, there is no convincing evidence for the influence of Lk VIII, 1. It is more acceptable that Matthew has completed the expression of Mk VI, 6*b* in view of the Mission discourse (cf. X, 11). It is noteworthy that *κύκλῳ* of Mk III, 34 ; VI, 6 and VI, 36 (*τοὺς κύκλῳ ἀγροὺς καὶ κώμας*) never has a correspondent in Matthew.

initial designation of the disciples (X, 1) ; μετέβη ἐκεῖθεν is Matthean redaction [110] ; and διδάσκειν καὶ κηρύσσειν ἐν ταῖς πόλεσιν αὐτῶν echoes the summary of IX, 35 [111]. On the other hand, the question of a Q source for Lk VIII, 1 is highly speculative because of the exceptional density of Lucan characteristics in the verse [112].

Lk VIII, 2-3 appears as Luke's own composition on the basis of Mk XV, 40-41. Schürmann's objection is that nothing is said in Mark on Joanna and Susanna, nor about the healing and the cure of evil spirits [113]. However, the theme of the ministering women in Lk VIII, 3*b* is so close to Mk XV, 41 and so significantly omitted in Lk XXIII, 49.55, that the literary relationship can hardly be denied. In XXIV, 10 Luke inserts the name of Joanna and, moreover, in VIII, 3 the name of Susanna is added, but in a reference to " many other women " some variation in the names is permissible and does not necessarily suggest a different account. In Lk VIII, 2, as well as in Mk XV, 40-41.47 ; XVI, 1 (and par.), Mary of Magdala plays the first role. *Αἳ ἦσαν τεθεραπευμέναι ἀπὸ πνευμάτων πονηρῶν καὶ ἀσθενειῶν* is characteristically Lucan wording and reminds us of Lk VI, 18, in the subsequent context of the Lucan parallel of Mk III, 14 to which Luke refers in VIII, 2*c* (*καὶ οἱ δώδεκα σὺν αὐτῷ*, cf. *καὶ ἐποίησεν δώδεκα ἵνα ὦσιν μετ' αὐτοῦ*).

This somewhat lengthy discussion may suggest that Lk VIII, 1-3 is a redactional composition, the motifs for which were provided by the Gospel of Mark. In this hypothesis it cannot be maintained that only in Lk VIII, 4 Luke comes back to the Marcan source. Lk VIII, 1-3, the Lucan overture of the section VIII, 1-21, deserves our attention in an examination of the relative order of Mark and Luke. Schleiermacher's suggestion on the inclusion of vv. 1-3 and 19-21 is still noteworthy [114]. One of its implications is that Luke has associated Mk III, 31-35 and IV, 1-25(34) more intimately than they were in the Marcan sequence [115]. In some sense, Lk VIII, 1-3 can be regarded as a Lucan

110. Comp. μεταβὰς ἐκεῖθεν in XII, 9 ; XV, 29 (diff. Mk) ; μετάβα ἔνθεν in XVII, 20 (diff. Lk, comp. Mk XI, 23) ; μεταβῇ ἀπό in VIII, 34 (diff. Mk).

111. Schürmann also argues from the relative order : Lk VIII, 1 after VII, 18-35 and Mt XI, 1 before XI, 2-19, the Baptist section ; Mt IX, 35 at the same place as Lk VIII, 1 in the original Q order (Mt's insertion of VIII-IX and transposition of the Baptist section). However, the content analysis does not provide a sufficient basis for the argument, especially in this most hypothetical question of narrative Q elements !

112. Cf. J. Delobel, *L'onction par la pécheresse. La composition littéraire de Lc., VII, 36-50*, in *Eph. Theol. Lov.* 42 (1966) 415-475, espec. pp. 445-449 (on Lk VIII, 1-3). See also F. Neirynck, *La matière marcienne*, pp. 184-193 (on καὶ ἐγένετο).

113. *Lukasevangelium*, p. 448.

114. Cf. J. Delobel, *L'onction par la pécheresse*, pp. 448-449.

115. See also p. 787 (no. 24).

correspondence of Mk III, 31-35 and prepares for the parallel in VIII, 19-21. Here again we have a transposition within the Marcan material and it may be a misleading qualification to call it *Nachtrag* [116].

The examination of Lk VI, 12-16.17-19 and VIII, 4-18.19-21 has shown that we cannot eliminate all transpositions from the Marcan material in Luke. In both instances Luke may have inverted the Marcan order for redactional reasons, and not under the influence of non-Marcan sources. The observation is important in view of the (Proto-Lucan) theory that Luke never changes the sequence of the sections when he copies Mark. This was one of the reasons why Lk IV, 16-30 (cf. Mk VI, 1-6*a*) ; Lk V, 1-11 (cf. Mk I, 16-20) ; Lk VIII, 36-50 (cf. Mk XIV, 3-9) ; Lk X, 25-28 (cf. Mk X, 28-34) were assigned to Luke's peculiar source L (and to Proto-Luke) or to special pre-Lucan sources (Schürmann's hypothesis for IV, 16-30 and VII, 36-50). More especially in the study of the Passion narrative Luke's dislike of the transposition of sections, not of sentences, was employed as a principle of exegesis. It seems to me that it may have withdrawn attention from the potentialities of the Lucan redaction, and in any case it is only in this direction that the argument of analogy with reference to Lk VI and VIII can be used [117].

Conclusion

Luke's divergences from the Marcan order in so far as they supposedly agree with Matthew are attributed by Sanders (and Morgenthaler) to Luke's use of the Gospel of Matthew. Jeremias's and Schürmann's

116. Another example of *Nachtrag* outside the Passion narrative according to Schürmann (cf. n. 79) : Luke has omitted Mk XI, 11-25 for the insertion of the non-Marcan passage in XIX, 45-48 from the omitted Marcan section (cf. Mk XI, 15-19). In fact, there is no dislocation in this case : Mk XI, 12-14.20-25 are omitted but Lk XIX, 45-48 (= Mk XI, 15-19) is in the Marcan order. And can we say that Luke omitted Mk XI, 11-25 as one whole ? Mk XI, 11 is not without correspondence in Luke (v. 41 : *καὶ ὡς ἤγγισεν, ἰδὼν τὴν πόλιν*, cf. *καὶ εἰσῆλθεν εἰς Ἰεροσόλυμα ... καὶ περιβλεψάμενος πάντα*) and for the various elements of the omission there can be more than one reason : " Dass Lukas Mk 11, 12-14, 20-21 in Rückblick auf Lk 13, 6-9 S fortgelassen habe ist möglich (*note* : Wahrscheinlicher hat Lukas hier aber auch einen unverständlichen Zug von Jesus fernhalten wollen) ; wahrscheinlich ist die Auslassung von Mk 11, 22-24 in Rückblick auf Lk 17, 5-6 par Mt erfolgt " (*Traditionsgeschichtliche Untersuchungen*, p. 283). — On the hypothesis of the variant tradition which replaces Mk I, 1-20 in Lk III, 1-IV, 30 (and the Marcan influences in IV, 1-6.19-20.21-22 as *Nachträge*), cf. J. Delobel, *La rédaction de Lc., IV, 14-16a et le " Bericht vom Anfang "*, in F. Neirynck (ed.), *L'évangile de Luc* (see n. 85), pp. 203-223.

117. This examination of Lk VI and VIII serves as a prolegomenon to the study of the transpositions in the Passion narrative. Cf. *La matière marcienne*, pp. 198-199.

denial of transpositions in the Marcan material of Luke is ultimately based on a similar assumption : the dislocations of Marcan sections suggest indebtedness to sources. In both approaches the phenomenon of order is studied with an undue limitation of the creative activity of the evangelist. Thus the argument from order shows us again how interrelated redactional and source-critical study should be.

ADDITIONAL NOTE

Pages 743-752 : cf. C.M. TUCKETT, *The Argument from Order and the Synoptic Problem*, in *Theologische Zeitschrift* 36 (1980) 338-354 (in answer to W.R. Farmer, and H.H. STOLDT, in *Geschichte und Kritik der Markushypothese*, Göttingen, 1977). Cf. p. 353 : «The results of this survey are that the 'Lachmann Fallacy' was by no means as prevalent as has been claimed. In many cases, the argument from order used was not the argument usually known as the 'Lachmann fallacy', but was the quite different argument, used by Lachmann himself, and based on the plausibility of the redactional changes made on any particular source hypothesis". Cf. *supra*, p. 745. The survey includes Weisse, Woods, Sanday, Hawkins, Abbott, Burkitt, Streeter, Jameson.

ETL 56 (1980) 397-408

DEUTEROMARCUS ET LES ACCORDS MATTHIEU-LUC

Dans l'ouvrage sur les *Minor Agreements* (1974), j'ai mentionné, parmi les solutions apportées au problème des accords mineurs, l'hypothèse *sui generis* défendue par A. Fuchs dans un livre de 1971. À la suite de toute une série d'auteurs qui font dépendre Matthieu et Luc d'une recension ou révision de l'évangile de Marc, il croit devoir nuancer dans ce sens la priorité de Marc. Selon lui, la révision de Marc se présente comme une véritable nouvelle rédaction de l'évangile, un *Deuteromarkus* (Dmk), qui contient également bon nombre de textes qu'on attribue généralement à la seconde source (Q) [1].

Depuis 1974, Albert Fuchs, qui est professeur à la *Phil.-Theol. Hochschule* de Linz (Autriche), a repris le sujet dans des articles écrits par lui-même ou, sous sa direction, par Hermann Aichinger et dans une monographie sur Mc 3,22-27 et parallèles. Annoncée déjà en 1973, l'étude fut acceptée comme *Habilitationsschrift* à Regensburg (Prof. F. Mussner) en 1977. Elle vient de paraître sous une forme complétée dans la série SNTU [2]. J'énumère ici ces publications dans l'ordre chronologique de leur parution. Les chiffres romains seront utilisés dans les renvois au cours de l'article.

I. *Sprachliche Untersuchungen zu Matthäus und Lukas. Ein Beitrag zur Quellenkritik. Die Blindenheilung: Mt 9,27-31. Das Zeugnis der Christen in der Verfolgung: Lk 21,14-15* (Analecta Biblica, 49), Rome, 1971.

II. H. AICHINGER, *Quellenkritische Untersuchung der Perikope vom Ährenraufen am Sabbat. Mk 2,23-28 par Mt 12,1-8 par Lk 6,1-5*, dans *SNTU* 1 (1976) 110-153 [3].

III. *Die Behandlung der Mt/Lk Übereinstimmungen gegen Mk durch S. McLoughlin und ihre Bedeutung für die Synoptische Frage*, dans *SNTU* 3 (1978) 24-57 [4].

IV. H. AICHINGER, *Zur Traditionsgeschichte der Epileptiker-Perikope Mk 9,14-29 par Mt 17,14-21 par Lk 9,37-43a*, dans *SNTU* 3 (1978) 114-143.

1. F. NEIRYNCK, avec la collaboration de T. HANSEN et F. VAN SEGBROECK, *The Minor Agreements of Matthew and Luke against Mark with a Cumulative List* (BETL, 37), Leuven, 1974, pp. 11-48: «The Study of the Minor Agreements»; cf. p. 24.

2. À partir de 1976, l'auteur s'est fait connaître par l'édition des *Studien zum Neuen Testament und seiner Umwelt* (chez l'auteur: Harrachstrasse 7, A-4020 Linz). La série A comprend des articles, surtout des traductions d'articles publiés déjà ailleurs en langue non allemande. Trois volumes ont paru: 1. *Jesus in der Verkündigung der Kirche*, 1976; 2. *Theologie aus dem Norden*, 1977; 3. *Probleme der Forschung* (Wien-München), 1978. La série B comprend des monographies, dont les numéros 2, 3 et 4 sont des instruments de travail: 1. B.D. CHILTON, *God in Strength — Jesus' Announcement of the Kingdom*, 1979; 2. A. FUCHS, *Das Petrusevangelium*, 1978; 3. A. FUCHS, *Konkordanz zum Protoevangelium des Jakobus*, 1978; 4. A. FUCHS & F. WEISSENGRUBER, *Konkordanz zum Thomasevangelium*, 1978; 5. A. FUCHS, *Die Entwicklung der Beelzebulkontroverse bei den Synoptikern*, 1980. Voir dans le texte.

3. Cf. p. 110, note *: l'article remonte à un travail de séminaire de 1973-74, sous la direction de A. Fuchs.

4. Cf. S. MCLOUGHLIN, *Les accords mineurs Mt-Lc contre Mc et le problème synoptique. Vers la théorie des deux sources*, dans *ETL* 43 (1967) 17-40; repris dans I. DE LA POTTERIE (éd.), *De Jésus aux Evangiles. Tradition et rédaction des évangiles synoptiques* (BETL, 25), Gembloux-Paris, 1967, pp. 17-40 (traduit en italien: *Da Gesù ai Vangeli*, Assisi, 1971, pp. 32-59).

V. *Die Überschneidungen von Mk und «Q» nach B. H. Streeter und E. P. Sanders und ihre wahre Bedeutung (Mk 1,1-8 par.)*, dans W. HAUBECK & M. BACHMANN, *Wort in der Zeit. Neutestamentliche Studien. Festgabe für Karl Heinrich Rengstorf*, Leiden, 1980, pp. 28-31 [5].

VI. *Die Entwicklung der Beelzebulkontroverse bei den Synoptikern. Traditionsgeschichtliche und redaktionsgeschichtliche Untersuchung von Mk 3,22-27 und Parallelen, verbunden mit der Rückfrage nach Jesus* (SNTU/B,5), Linz, 1980.

A. Fuchs n'entend pas contester les composantes de la théorie des deux sources: la priorité de Marc, l'indépendance réciproque de Matthieu et Luc, l'existence d'une seconde source (Q). Mais il estime que la théorie classique est incapable d'expliquer deux phénomènes littéraires de première importance: d'abord, et surtout, le grand nombre d'accords mineurs entre Matthieu et Luc contre Marc, puis l'insertion de certaines sections de Q à une place identique de l'ordre marcien dans Matthieu et Luc. L'hypothèse d'un Proto-Marc (*Urmarcus*) n'est pas la bonne solution, car elle néglige le fait que les accords contre Marc apparaissent comme des corrections du texte de Marc et témoignent d'une théologie plus développée. Par contre, tout s'explique si cette correction de Marc et la jonction des deux sources s'est faite à un stade antérieur à Matthieu et Luc, au niveau de la rédaction du Deuteromarcus:

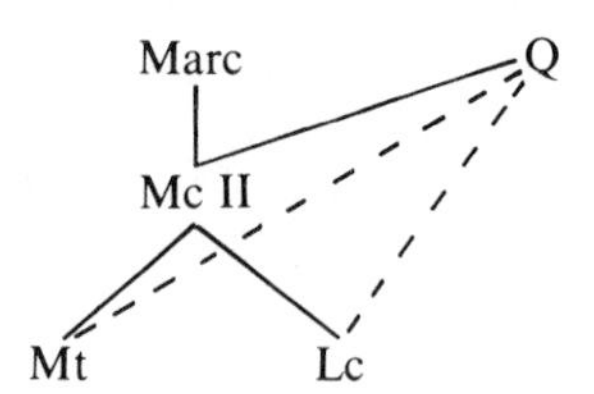

1. *Une question préliminaire: la liste des accords mineurs*

Dans le but de rendre service aux chercheurs qui s'occupent du problème des accords mineurs, j'ai collationné la liste des accords mineurs Matthieu-Luc contre Marc, positifs et négatifs, dans *The Minor Agreements* [6]. Fuchs a pu s'en servir, et je m'en félicite. Aichinger y renvoie dans son premier article: «die Zusammenstellung sämtlicher 'minor agreements'» (II, 149; cf. 143, n. 117).

5. La première partie de l'article (pp. 28-56) fut présentée au *Seminar on the Synoptic Problem* en 1973 (SNTS Meeting, Southampton): *Die Überschneidungen von Mk und «Q» nach B. H. Streeter und E. P. Sanders* (polycopie, 40 pages); en réponse à E. P. SANDERS, *The Overlaps of Mark and Q and the Synoptic Problem*, dans *NTS* 19 (1972-73) 453-465.

La note 5 sur les auteurs «die sich mit diesen agreements beschäftigt haben» (p. 29) s'en tient aux données de 1973 (*Seminar paper*, p. 2, n. 3). On peut la compléter par les listes bibliographiques des notes 1-4 dans *Übereinstimmungen* (III, 24-28). On y retrouve, en ordre chronologique, la plupart des références bibliographiques de mon exposé sur *The Study of the Minor Agreements* (cf. n. 1). On regrette l'absence des articles de C. H. Turner sur *Marcan Usage* (Fuchs ne s'y réfère nulle part). Outre les études de Fuchs et Aichinger, peu de titres récents y sont signalés: E. W. Burrows, 1976 (cf. VI, 110); R. L. Thomas, 1976 (cf. VI, 12).

6. Cf. pp. 49-195: «A Cumulative List of the Minor Agreements of Matthew and Luke against Mark».

Fuchs s'y réfère dans ses études de 1978 et 1980 (III, V, VI), souvent avec une qualification : «obwohl nicht einmal diese neueste Sammlung ... vollständig ist» (V, 64, n. 88; cf. III, 28, n. 5; VI, 111, n. 217). L'on comprend que j'ai parcouru d'un oeil attentif les exposés de Fuchs et Aichinger sur Mc 1,1-8; 2,23-28; 3,22-27; 9,14-29 et parallèles[7]. Résultat : je n'ai trouvé qu'un seul accord Matthieu-Luc qui n'est pas noté dans la liste. On peut en effet ajouter à la page 84, après Mc 3,24 καὶ ἐὰν ..., οὐ δύναται ... (Mt/Lc πᾶσα ... ἐρημοῦται) :

Mt 12,25	καὶ	πᾶσα πόλις ἢ οἰκία	μερισθεῖσα καθ' ἑαυτῆς
Mc 3,25	καὶ ἐὰν	οἰκία ἐφ' ἑαυτὴν μερισθῇ	
Lc 11,17	καὶ	οἶκος ἐπὶ οἶκον	

Mt 12,25	οὐ	σταθήσεται
Mc 3,25	οὐ δυνήσεται ἡ οἰκία ἐκείνη	σταθῆναι.
Lc 11,17		πίπτει

Cette absence ne semble pas avoir été remarquée par Fuchs[8]. En revanche, il signale deux autres «omissions» : Mt 12,22-23; 9,32-33/Lc 11,14, «die gesamte Perikope» (p. 48; n. 53); Mt 12,25/Lc 11,17 δέ (p. 61, n. 87); pour en tirer la conclusion : «die Bemerkung von *Aichinger* ..., dass bei Neirynck S. 49-195 sämtliche minor agreements angeführt seien, (ist) zu revidieren» (*ibid.*). Je veux bien admettre que l'un ou l'autre cas «mineur» m'ait échappé, mais pas ces deux là : le texte de Lc 11,14 et des deux parallèles en Mt est cité *in extenso* (pp. 82-83); la structure identique εἰδώς κτλ. en Mt 12,25/Lc 11,17 y est reproduite, appuyée par douze noms d'auteurs, et le renvoi à la catégorie n°*1* (καί en Mc et δέ en Mt/Lc) attire l'attention sur la particule δέ (p. 83)[9].

7. Voir plus spécialement H. Aichinger sur 2,23-28 (II, 118-119.141-147) et 9,14-29 (IV, 117-126) et A. Fuchs sur 1,1-8 (V, 57-73) et 3,22-27 (III, 49-53; VI, 29-35; 35-121 passim).

8. Fuchs note comme accord Mt/Lc contre Mc 3,25 la suppression de la conditionnelle et l'omission de ἡ οἰκία ἐκείνη (*Beelzebulkontroverse*, pp. 69-73; voir également pp. 32-33, n° 14 ἐάν). Par contre, l'omission de δυνήσεται + infinitif n'est pas notée comme accord négatif! Voir cependant p. 80. Il attribue les accords positifs ἐρημοῦται (Mc 3,24 οὐ δύναται σταθῆναι) et πῶς σταθήσεται (Mc 3,26 οὐ δύναται στῆναι) à *Dmk* (pp. 32-33.69 et 77).

9. Ailleurs, ses reproches sont d'un autre ordre.

1° Mt 12,24 εἶπον (9,34 ἔλεγον) / Lc 11,15 εἶπαν (N^{26} -ον) contre Mc 3,22 ἔλεγον : «der komplizierte Zusammenhang von Mk 3,22 par Lk 11,15 mit den beiden Mt-Stücken, was sprachliche Form und Rahmen betrifft, (wird) nicht beachtet» (p. 53, n. 62). Fuchs fait vraiment preuve de beaucoup de négligence dans l'utilisation de la liste. La synopse horizontale comprend les deux parallèles matthéens : 12,22-24 et (9,32-34), et les parenthèses marquent la péricope «déplacée» (*der Rahmen*; voir également Mt (10,17-22) et 24,9-14 en parallèle à Mc 13,9-13, et plusieurs autres exemples); d'autre part, il suffit de voir les mots qui sont soulignés pour constater une correspondance verbale plus grande avec Mt 9,33 (*sprachliche Form*).

2° Mc 3,23 : «stellt einen unberechtigten Zusammenhang mit Mt 12,26 her» (p. 74, n. 127). Notre liste signale l'omission de la question πῶς ... de Mc 3,23 (Mt 12,25/ Lc 11,27), mais reproduit en même temps le «parallèle» plus éloigné de Mt (12,26) ὁ σατανᾶς τὸν σατανᾶν ἐκβάλλει (p. 84). Fuchs lui-même attribue l'expression de Mt 12,26 (en parallèle à Mc 3,26) à l'évangéliste Mt (p. 75), mais le rapprochement avec Mc 3,23 est déclaré injustifié pour la bonne raison que «von Deuteromarkus die ganze Frage πῶς δύναται σατανᾶς σατανᾶν ἐκβάλλειν gestrichen wurde» (*ibid.*). Mais l'expression de Mt 12,26 n'est-elle pas précisément l'indication que Mt a connu la question de Mc 3,23, qu'il combine avec Mc 3,26 καὶ εἰ ὁ σατανᾶς ...?

3° Mc 3,27 ἀλλ', remplacé par Mt/Lc : «man kann die Auslassung von ἀλλ' nicht

Dans l'introduction à la liste, j'avais écrit qu'elle veut donner «an exhaustive description of the minor agreements» (p. 51). Les études de Fuchs et Aichinger m'ont permis de constater, en dépit de l'affirmation de Fuchs, que la liste est effectivement à peu près exhaustive. Une autre expression, utilisée dans la Préface: «a neutral description of the evidence» (p. 9), fait également difficulté à notre auteur: «die S. 197-288 gebrachte Klassifizierung stilistischer Übereinstimmungen könnte den (vielleicht unbeabsichtigten) Eindruck erwecken, als wären die agreements an sich wenigstens zum Grossteil als unabhängige Redaktion von seiten des Mt und Lk verständlich zu machen und damit abgetan» (III, 28, n. 5). Fuchs fait allusion à la troisième partie: «A Classification of Stylistic Agreements with Comparative Material from the Triple Tradition». Je crois qu'il a raison : cette documentation permet de conclure que les accords mineurs s'expliquent pour une bonne part par la rédaction indépendante de Matthieu et Luc. C'est, je crois, la bonne conclusion à tirer d'une présentation objective, «a neutral description of the evidence». Il y a surtout un mot qui me gêne dans la phrase de Fuchs: «und damit abgetan». C'est le reproche classique à l'égard de la théorie des deux sources: elle ne prend pas suffisamment au sérieux le phénomène des accords mineurs. Mais le problème réel des *minor agreements* pour quelqu'un comme Fuchs qui accepte la priorité de Marc, n'est-il pas celui d'une coexistence de coïncidences et divergences dans les deux rédactions de Matthieu et Luc, et n'est-ce pas plutôt le recours à une solution *quellenkritisch* (dépendance Matthieu-Luc, Proto-Marc, Deutéro-Marc) qui simplifie ce problème en coupant de la rédaction de Lc et (éventuellement) de Matthieu les traits que les deux évangiles ont en commun? Si j'ai publié le volume sur les accords mineurs, ce n'est pas pour m'en débarrasser. Qui s'intéresse à l'étude de la rédaction des Synoptiques trouvera dans les *minor agreements* un double renseignement: les coïncidences entre Matthieu et Luc permettent de dépister les tendances rédactionnelles de ces deux évangiles; elles aident également à mieux saisir la physionomie propre de l'évangile de Marc.

2. *Deutéro-Marc ou Marc*?

Je voudrais commencer par marquer mon accord sur un point essentiel: les *minor agreements* sont des «corrections» de l'évangile de Marc. C'est la double constatation de Fuchs à propos des accords mineurs: «Erstens *hängen* sie eng *mit* dem vorliegenden kanonischen *Mk-Text zusammen*, und zwar im Wortlaut wie in der Struktur des Aufbaus, und zweitens haben sie ausnahmslos Anzeichen einer *sekundären* Überarbeitung und *Verbesserung* des kanonischen Mk an sich, sodass alle Proto-Mk- oder Ur-Mk-Hypothesen von vornherein ausser Betracht bleiben müssen. Aus den gleichen Gründen muss eine rein quellenkritische Interpretation des Phänomens, etwa mit Hilfe von Q, die die Übereinstimmungen auf eine *von Mk unabhängige* Quelle abschieben möchte, von Anfang an ausscheiden» (VI, 34)[10]. La question à débattre est donc bien celle

als agreement werten, da die stark veränderte Lk-Version keine genaue Rekonstruktion von Deuteromarkus zulässt» (p. 103, n. 195). Lc 11,21 commence en effet par ὅταν, mais les deux omettent ἀλλά et il y a lieu de parler d'accord négatif, même si Fuchs incline à penser que Mt 12,29 ἢ πῶς ... remonte à *Dmk* (p. 103).

10. La constatation concerne ici les accords Mt-Lc en parallèle à Mc 3,22-27, mais elle s'applique à l'ensemble des accords mineurs (cf. III, 45: «den *allen agreements ausnahmslos eigenen Verbesserungscharakter*»). Je laisse ici en suspens la question de

du Deuteromarcus. De l'avis de Fuchs, la coïncidence de deux rédactions indépendantes ne suffit pas à expliquer les accords, et Matthieu et Luc doivent dépendre d'une même rédaction de *Dmk*.

Il convient de voir les conséquences d'une telle hypothèse. Comment reconstituer le texte de cet évangile intermédiaire entre Marc et Matthieu-Luc? Si l'on peut se fier aux accords Mc-Mt-Lc, Mc-Mt (contre Lc), Mc-Lc (contre Mt), et même, c'est l'hypothèse, Mt-Lc contre Mc, il s'agit le plus souvent d'accords partiels, de correspondances à l'intérieur de formulations parfois très différentes. Dans ces cas, le texte de *Dmk* peut être celui de Matthieu (changé par Luc), ou celui de Luc (changé par Matthieu), ou celui d'un texte à mi-chemin entre les deux, ou bien, si les rédactions de Matthieu et Luc le permettent, celui de Marc que le rédacteur *Dmk* aurait gardé inchangé. L'on peut facilement s'imaginer un *Deuteromarcus* comme fourre-tout des accords mineurs Matthieu-Luc, mais pour que l'hypothèse devienne vraisemblable, il faudra démontrer que les coïncidences ne puissent trouver leur origine dans les réactions de deux rédacteurs indépendants devant le texte de Marc.

À lire l'exposé de H. Aichinger sur Mc 2,23-28 et parallèles, il semble bien que la preuve ne soit pas facile à fournir (II, 141-147)[11]. Mc 2,23 : «Grammatikalische wie inhaltliche Schwierigkeiten können ... Mt und Lk unabhängig voneinander dazu bewogen haben, ὁδὸν ποιεῖν zu streichen»; 2,24 : «Dass Mt und Lk das mk καί in δέ umändern, kann ihnen als je eigene Redaktion zugeschrieben werden» (144); 2,24 : «Das historische Präsens des Mk ändern Mt und Lk in den Aorist εἶπεν um. Dasselbe Phänomen kann man noch an vielen anderen Stellen beobachten» (145); etc. Cela n'empêche pas l'auteur de repêcher tous ces cas pour en tirer argument : «die grosse Zahl der Gemeinsamkeiten» (148). L'omission de χρείαν ἔσχεν au v. 25 devrait être attribué à *Dmk* à cause de «die Zusammenhang mit den übrigen Übereinstimmungen Mt-Lk gegen Mk in dieser Perikope» (145). De même, l'omission du v. 27. Il signale les hésitations des commentateurs qui ont à définir le motif rédactionnel de Matthieu et Luc, mais il ne fait que reporter le problème au niveau de *Dmk* : «Was ihn dazu bewogen haben mag, ist schwer anzugeben» (147).

L'on trouve rarement un argument plus spécifique. Mc 2,26 : «Mt und Lk schreiben anstelle von σύν die Präposition μετά. Wie bereits bei Mt nachgewiesen werden konnte, lässt sich kein Grund nachweisen, warum er die Präposition geändert haben sollte. Für Lk gilt das noch in besonderer Weise, da dieser die Präposition σύν der anderen an vielen Stellen vorzieht. Beide treffen hier in einer inhaltlich unbedeutenden Änderung zusammen. Gerade dieses Faktum erweist sich aber als ein sehr stichhältiges Argument für die Annahme einer Bearbeitung des Mk-Ev durch einen unbekannten Redaktor, welche Mt und Lk dann benützt hätten» (146; cf. 126 et 137). L'accord mineur est noté dans *The Minor Agreements*, avec la référence : «cf. 25» (283), ignorée par Aichinger. Mc 2,26 καὶ τοῖς σὺν αὐτῷ (οὖσιν) est en effet une reprise de l'expression du v. 25 : καὶ οἱ μετ᾽ αὐτοῦ (Mt 12,3; Lc 6,3), et il n'y a pas lieu de s'étonner du fait que Matthieu et Luc la remplacent par τοῖς μετ᾽ αὐτοῦ en conformité avec le

savoir si l'influence de Q puisse être exclue dans une péricope comme Mt 12,22-30 / Lc 11,14-15.17-23.

11. La bibliographie de l'auteur est à compléter par F. NEIRYNCK, *Jesus and the Sabbath. Some Observations on Mark II,27*, dans J. DUPONT (éd.), *Jésus aux origines de la christologie* (BETL, 40), Gembloux-Leuven, 1975, pp. 227-270.

v. 25. — «Ähnliches gilt vom Weglassen des Partizips οὖσιν. Es kann Mt und Lk überflüssig erschienen sein, weshalb beide es dann gestrichen hätten. Warum aber fügt Lk dann in 6,3 nach μετ' αὐτοῦ das Partizip ὄντες ein? Gerade dieser Hinweis spricht dafür, dass Mt und Lk das mk οὖσιν in ihrer Mk-Vorlage nicht gelesen haben» (146). Dans *The Minor Agreements* (272), j'ai fait le rapprochement entre οὖσιν de Mc 2,26 et ὄντες de Lc 6,3, sans en tirer la même conclusion. L'addition de ὄντες par Luc[12] indique plutôt qu'il doit avoir lu οὖσιν en Mc 2,26 et qu'il a avancé l'emploi du participe à la première mention de οἱ μετ' αὐτοῦ[13].

L'addition de καὶ ἐσθίειν/καὶ ἤσθιον en parallèle à Mc 2,23 s'explique par le souci «die Situation der Jünger der Davids mehr anzugleichen» (144; cf. 134). Mais puisque Matthieu et Luc le font chacun à sa manière (Matthieu ajoute également ἐπείνασαν), cette assimilation pourrait ne pas remonter à une *Vorlage*. — L'omission du nom d'Abiathar (2,26) est mis en rapport avec d'autres omissions de noms par Matthieu et Luc: toutes des corrections qui «von einer einzigen Hand stammen» (145). L'auteur se réfère à J. Schmid, mais ne parle pas des omissions par «Luc seul» que Schmid signale à côté des accords Matthieu-Luc[14]. Le nom de Jaïre (5,22), retenu par Luc, est omis par Matthieu, mais le nom de Gethsémani (14,32), retenu par Matthieu, est omis par Luc. En Mc 3,7b-8, passage cité par Aichinger, Luc reprend Tyr et Sidon, omis par Matthieu, mais la Galilée et πέραν τοῦ Ἰορδάνου, omis par Luc, apparaissent dans le parallèle matthéen (4,25). D'autres exemples peuvent êtres cités. Il arrive qu'un nom est omis par les deux, mais est-ce une raison pour y voir la main d'un rédacteur antérieur?

Aichinger ne nie pas que l'un ou l'autre accord puisse s'expliquer par la rédaction indépendante de Matthieu et Luc, mais c'est là une possibilité purement théorique. «Eine pure Möglichkeit», comme l'écrit Fuchs. «Es ist einfach *unlogisch* ... immer wieder zu argumentieren, eine Reihe von mt/lk Übereinstimmungen sei der Redaktion der Grossevangelien zuzuschreiben, weil diese auch sonst den Mk-text nach ähnlichen Gesichtspunkten bearbeiten wie an den fraglichen Stellen» (III, 46, n. 43). Un tel jugement ne peut que nous étonner, surtout de la part de quelqu'un dont l'œuvre exégétique s'est concentrée jusqu'à présent sur l'étude de la rédaction de Matthieu et Luc. Son premier livre est une «Stilistische Untersuchung», dans laquelle il a fait le relevé des parallèles stylistiques de Mt 9,27-31 (I, 44-170) et Lc 21,14-15 (I, 171-191), pour conclure qu'en Mt 9,27-31 «der gesamte Wortlaut und die Konstruktion in einem solchen Ausmass mt sind, dass kein Platz mehr bleibt für eine nicht-mt Quelle als Vorlage des Evangelisten» (166), et qu'en Lc 21,14-15 «das ganze Stück ... redaktionelle Arbeit des Evangelisten darstellt und kein Fragment einer mk-fremden Überlieferung ist» (191). Son ouvrage sur Mc 3,22-27 contient également une étude des parallèles stylistiques de Mt 12,22-24/9,32-34 et Lc 11,

12. Si du moins ὄντες se lit dans le texte de Luc. Le mot est omis par Wescott-Hort (cf. *The Minor Agreements*, p. 75) et il est mis entre crochets dans N[26] (om. P[4] ℵ B D L W Θ *f*[1] 33 700 892 1241 *pc*). L'absence d'une réelle discussion du problème textuel est une lacune évidente des études de Fuchs et Aichinger. Cela m'étonne, d'autant plus que le *Deuteromarkus* de Fuchs s'est substitué au «Deutéro-Marc» (= recension) de J. P. Brown. Cf. I, 13 n. 147; III, 46, 56 n. 57; VI, 109 n. 217.

13. Aichinger doit exclure cette possibilité (137) en raison de l'absence du participe en Mt-Lc (= *Dmk*) en parallèle à Mc 2,26.

14-15 (VI, 121-169). Là encore je puis souscrire à la plupart de ses conclusions sur l'intervention rédactionnelle des évangélistes. Mais de façon paradoxale, l'argument des parallèles stylistiques n'a plus de valeur pour Fuchs dès qu'il constate le moindre accord entre Matthieu et Luc : «Es ist einfach *unlogisch* ...». Avec une aisance extraordinaire, Fuchs se soustrait ici à l'*onus probandi* : «Solange es wirklich Grund gibt, mit der Existenz eines Dmk zu rechnen, sind *grundsätzlich* zunächst alle agreements *diesem* Redaktor zuzuschreiben, und die Beweispflicht für das Gegenteil liegt bei den eventuellen Bestreitern von Dmk» (III, 52, n. 52).

3. *Deutéro-Marc et Q*

A. Fuchs présente une explication des accords mineurs qui n'est, somme toute, qu'une variante parmi les différentes théories qui font remonter ces accords à une *Vorlage* commune, source de Matthieu et Luc. Il se sépare cependant de la plupart des autres théories par le refus d'accepter la distinction entre *minor agreements* et *major agreements*[15]. Dans l'hypothèse de Fuchs, «die Trennung in *grössere* und *kleinere* agreements» devient «letztlich bedeutungslos» (III,46)[16].

14. Cf. J. Schmid, *Matthäus und Lukas*, p. 75, n. 4.

15. Les partisans de la théorie des deux sources ne sont pas seuls à distinguer entre accords majeurs (la source Q) et accords mineurs (explication rédactionnelle ou autre). Ainsi, dans l'hypothèse de la dépendance de Luc envers Matthieu, sous ses deux formes :

Luc dépend exclusivement de Matthieu pour la double tradition (les accords majeurs), alors que cette dépendance envers Matthieu n'est que subsidiaire pour les sections de la triple tradition où il dépend essentiellement de Marc (les accords mineurs).

16. C'est surtout sur ce point qu'il critique l'article de S. McLoughlin : III, 31-32; 46, n. 42a; VI, 114, n. 225 (cf. *supra*, n. 4). Mais le reproche de Fuchs devrait s'adresser à l'ensemble des études sur les «accords mineurs»!

L'absence des accords Mt/Lc en parallèle à Mc 3,22-27 (III, 31, n. 9; 38, n. 30) s'explique par la décision (légitime, à mes yeux) de ne pas inclure des accords qui sont habituellement attribués à Q, dans une étude qui voulait répondre à la question : existe-t-il dans la triple tradition des accords significatifs contre Mc? Voir p. 20, n.6 (dernier alinea), avec une référence explicite à Mt 12,22-32. Fuchs a bien noté ce point de vue. Il s'y réfère à la page 35, mais suggère néanmoins à la page précédente que McLoughlin ait négligé l'accord de Mt 12,25 / Lc 11,17!

J'ai l'impression que Fuchs lui reproche un peu à la légère «Missachtung seiner eigenen Grundsätze» (34, n. 18). Il cite l'exemple de Mt 14,14 / Lc 9,11b, qui serait un accord purement formel qui n'est pas à sa place dans une liste d'accords matériels (au sens de «*verbal* agreements»). Mais un peu plus loin, dans la même note, il fait observer : «*sprachlich* (wäre) zu beachten, dass beide Evangelisten übereinstimmend von *den* (τοὺς) Kranken bzw. *den* einer Heilung Bedürftigen reden» (35). Depuis Rushbrooke, l'accord est signalé dans cette forme : ἐθεράπευσεν τοὺς ἀρρώστους αὐτῶν / τοὺς χρείαν ἔχοντας θεραπείας ἰᾶτο. Pourquoi McLoughlin ne pouvait-il pas le compter parmi les accords, tout en notant le vocabulaire lucanien (ἰάομαι)? Quant au motif des guérisons et l'absence de «einen sachlichen Anstoss» dans le texte de Marc (*ibid.*; cf. I, 56), il convient de comparer d'une part Mt 14,14 (Mc 6,34) avec 19,1 (Mc 10,1); 21,14 (Mc 11,17a, cf. 18) : Mt θεραπεύω (Mc διδάσκω), et d'autre part, Lc 9,11 ἐλάλει ... ἰᾶτο (Mc 6,34 διδάσκων) avec les associations ἀκούειν καὶ θεραπεύεσθαι... en Lc 5,15 (diff. Mc 1,45 κηρύσσειν ... τὸν λόγον); ἦν διδάσκων et ἰᾶσθαι en Lc 5,17 (Mc 2,2 ἐλάλει ... τὸν λόγον); ἀκοῦσαι αὐτοῦ καὶ ἰαθῆναι ... en Lc 6,18 (Mc 3,8 ἀκούοντες). Luc ajoute chaque fois la guérison. Même M.-É. Boismard (cf. VI, 258) doit admettre

L'auteur reste fidèle, dans une mesure qui est encore à préciser, semble-t-il, à l'hypothèse de Q comme source directe de Matthieu et Luc, mais là où les mêmes textes de Q apparaissent «in *gleicher* Weise am *selben* Platz der mk-Darstellung», il lui paraît plus vraisemblable qu'ils soient parvenus à Matthieu et Luc par l'intermédiaire de *Dmk* (III,56). Le cas typique est celui des paroles du Baptiste insérées dans la péricope de Mc 1,1-8 (V, 66). Selon Aichinger, il s'agit de «ein Grossteil von Q, insbesondere jener, der bei Mt und Lk an paralleler Stelle aufscheint». Il parle de «die Häufigkeit, mit der Mt und Lk einen Stoff aus Q an der gleichen Stelle einfügen». De ces «viele Stoffe aus der Redequelle», il cite deux exemples: Mt 3,7-10/Lc 3,7-9 et Mt 4,24ss./Lc 6,17ss. (II, 150).

Le *Deuteromarkus* de Fuchs et Aichinger n'est donc pas sans ressemblances avec le *Urmarcus* de H. J. Holtzmann qui inclut, lui aussi, les sections communes de Matthieu-Luc qui ont la même place dans l'ordre de Marc: Lc 3,7-9.17 par. (cf. Mc 1,7-8); Lc 4,3-12 par. (cf. Mc 1,12-13); Lc 6,20-49; 7,1-10 par. (après Mc 3,19)[17]. En ce qui concerne le sermon sur la montagne, l'observation n'est pas exacte, car c'est à Mc 1,21/22 (cf. Mt 4,23/7,28-29) qu'il faut situer l'insertion du sermon de Mt 5-7 dans l'ordre marcien[18]. D'ailleurs, Fuchs ne semble pas suivre Aichinger sur ce point[19]. Par contre, il fait mention du récit des tentations

que «Matthew *could have* replaced the teaching theme with that of the healings» et «Luke, who loves to juxtapose the two themes ..., *could have* completed Mark's text by adding the healing theme» (8-9). Boismard est d'avis que Luc ait ajouté le thème de l'enseignement au texte de Matthieu. Cf. *The Two-Source Theory at an Impasse*, dans *NTS* 26 (1979-80) 1-17 (l'article au titre un peu présomptueux contient une étude des accords mineurs Mt-Lc en parallèle à Mc 6,31-34). Seulement, les parallèles cités attestent l'addition du motif des guérisons à celui de l'enseignement, et non pas l'inverse. L'addition de καὶ διδάσκειν en Lc 6,6, après εἰσελθεῖν αὐτὸν εἰς τὴν συναγωγήν, ne permet pas d'en faire une simple juxtaposition des deux thèmes (voir le διδάσκειν dans la synagogue en Lc 4,15.31; cf. Mc 1,21-22 et 6,2). En ce qui concerne l'hypothèse du Proto-Matthieu (Mt I) en Mt 14,13-14, l'auteur s'en tient au commentaire de 1972. Je me permets de renvoyer le lecteur à *Urmarcus redivivus? Examen critique de l'hypothèse des insertions matthéennes dans Marc*, 1974 (BETL, 34), repris dans *Jean et les Synoptiques. Examen critique de l'hypothèse de M.-É. Boismard* (BETL, 49), Leuven, 1979, 319-361, spéc. 348-354 (= 132-138 dans BETL, 34).

17. Une telle solution remonte même au tout premier début de la théorie des deux sources. En la simplifiant quelque peu, l'hypothèse de H. Marsh (1802) présente le diagramme suivant:

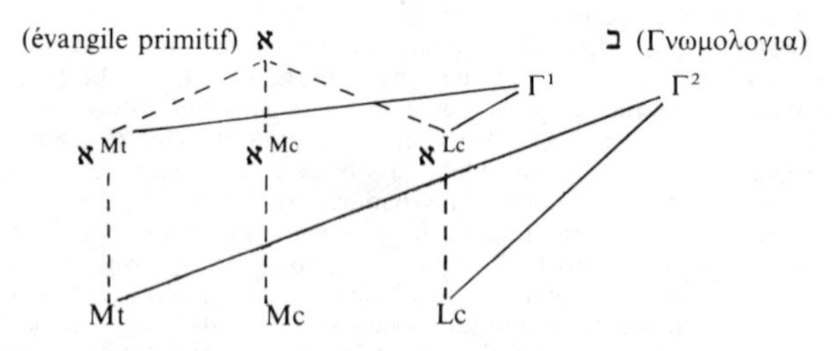

Γ¹ = les sections communes de Mt-Lc qui apparaissent dans un même ordre, y compris Lc 6,20-49; 7,1-10.

18. Cf. F. Neirynck, *The Sermon on the Mount in the Gospel Synopsis*, dans *ETL* 53 (1976) 350-357; repris dans *Jean et les Synoptiques*, pp. 375-383.

19. Cf. VI,22-23: sur Mc 2,23-3,35 par. Mt 12; et Mc 3,7-19, par. Lc 6,12-19.

(cf. Mc 1,12-13) et de la parabole du levain (après Mc 4,30-32) (V, 40; VI, 110)[20]. Il est moins clair s'il considère l'expansion de Mc 3,22-27 par *Dmk* comme un texte de Q (cf. VI, 251). C'est pourtant le passage qu'il a examiné le plus en détail. On y notera, en conclusion de son analyse, la phrase sur les parties de Q utilisées par *Dmk*: «Q bzw. Teile dieser Quelle (man vergleiche hier etwa Mt 12,27-28 par Lk 11,19-20 und Mt 12,30 par Lk 11,23)» (118).

Pour résumer les conclusions de l'ouvrage sur Mc 3,22-27, par. Mt 9,32-34; 12,22-30 et Lc 11,14-23, je reproduis ici le texte du Deuteromarkus reconstitué par Fuchs. Les références sont celles de Lc 11,14-23[21].

14 καὶ (ἦν ἐκβάλλων) δαιμόνιον κωφόν.
καὶ ἐκβληθέντος τοῦ δαιμονίου ἐλάλησεν ὁ κωφός.
καὶ ἐθαύμασαν οἱ ὄχλοι.
15 οἱ δὲ γραμματεῖς εἶπον·
ἐν Βεελζεβοὺλ τῷ ἄρχοντι τῶν δαιμονίων ἐκβάλλει τὰ δαιμόνια.
17-18 εἰδὼς δὲ τὰ διανοήματα αὐτῶν εἶπεν αὐτοῖς·
πᾶσα βασιλεία ἐφ᾿ ἑαυτὴν μερισθεῖσα
ἐρημοῦται,
καὶ πᾶσα οἰκία ἐφ᾿ ἑαυτὴν μερισθεῖσα
οὐ σταθήσεται.
18 καὶ εἰ ὁ σατανᾶς ἐφ᾿ ἑαυτὸν ἐμερίσθη,
πῶς σταθήσεται ἡ βασιλεία αὐτοῦ;
19-20 καὶ εἰ ἐγὼ ἐν Βεελζεβοὺλ ἐκβάλλω τὰ δαιμόνια,
οἱ υἱοὶ ὑμῶν ἐν τίνι ἐκβάλλουσιν;
διὰ τοῦτο αὐτοὶ κριταὶ ἔσονται ὑμῶν.
20 εἰ δὲ ἐν (πνεύματι/δακτύλῳ) θεοῦ ἐγὼ ἐκβάλλω τὰ δαιμόνια,
ἄρα ἔφθασεν ἐφ᾿ ὑμᾶς ἡ βασιλεία τοῦ θεοῦ.

20. L'accord entre Mt 13,31-32.33 et Lc 13,18-19.20-21 ne concerne évidemment que la suite des deux péricopes, et Matthieu est seul à donner la première parabole dans l'ordre de Marc. Une même observation est à faire en ce qui concerne Mt 12,22-23.27-28.30 et Lc 11,14.19-20.23. Cf. F. NEIRYNCK, *The Argument from Order and St. Luke's Transpositions*, dans *ETL* 49 (1973) 784-815; repris dans *The Minor Agreements*, 291-322. La première partie de l'article traite les accords Matthieu-Luc contre Marc allégués par E. P. Sanders et autres. Dans un article récent (V, 40), A. Fuchs se réfère à la phrase de Streeter: «there is not a single case ...», pour noter «die Unrichtigkeit dieser Behauptung» (note 39, ajoutée au *Seminar Paper*, n. 25). Fuchs qui ne précise pas dans quel sens «dies nicht ganz richtig ist» (*ibid.*), se livre à un examen de Mc 1,1-8 et par. (40-41, 52-54, 57-78). Il convient cependant de citer correctement la phrase de Streeter: «subsequent to the Temptation story» (*The Four Gospels*, 183).

Nous aurons bientôt l'occasion de reprendre l'examen de Mc 1,1-8 et par., car A. Fuchs nous promet une monographie sur le sujet (III, 57, n. 59; V, 57, n. 82). Sur les accords Matthieu-Luc en parallèle à Mc 1,1-6, voir F. NEIRYNCK, *Une nouvelle théorie synoptique (à propos de Mc., I, 2-6 et par.). Notes critiques*, dans *ETL* 44 (1968) 141-153; repris dans *Jean et les Synoptiques*, 1979, 299-311.

21. Les accords Matthieu-Luc contre Marc sont soulignés par un trait continu. Le pointillé indique que le texte n'est basé que sur l'un des deux, Matthieu ou Luc. Là où *Dmk* aurait gardé le texte de Marc les mots ne sont pas soulignés. Les hésitations de Fuchs sont marquées par des parenthèses.

Il soit dit en passant que l'exposé de l'auteur aurait gagné en clarté s'il avait lui-même présenté sous cette forme le résultat de ses analyses.

21-22 ἢ πῶς δύναταί τις εἰς τὴν οἰκίαν τοῦ ἰσχυροῦ εἰσελθὼν
τὰ σκεύη αὐτοῦ διαρπάσαι,
ἐὰν μὴ πρῶτον τὸν ἰσχυρὸν δήσῃ;
καὶ τότε τὴν οἰκίαν αὐτοῦ διαρπάσει.
23 ὁ μὴ ὢν μετ᾽ ἐμοῦ κατ᾽ ἐμοῦ ἐστιν,
καὶ ὁ μὴ συνάγων μετ᾽ ἐμοῦ σκορπίζει.

Le texte de Dmk, reconstitué ainsi à partir des parallèles de Matthieu et Luc, ressemble fort bien à une reconstruction de Q, et sans qu'il soit conçu pour cela, le livre de Fuchs peut rendre service à quelqu'un qui étudie l'hypothèse de Q en faisant abstraction de la théorie d'un Deutéro-Marc. Fuchs est en réaction contre ceux qui identifient trop facilement le texte de Q avec celui de Lc 11,14-15.17-23. Je crois qu'il a raison de tenir compte de la rédaction lucanienne plus qu'on ne le fait d'ordinaire. Prenons par exemple la reconstruction du texte dans *Fragmenta Q* de A. Polag[22]. Au v. 14, il lit ἦν ἐκβάλλων (sans hésitation), καὶ αὐτὸ ἦν, τοῦ δαιμονίου ἐξελθόντος. R. Laufen se montre déjà plus prudent (127). Au v. 15, la plupart des reconstructions de Q optent pour τινὲς ἐξ αὐτῶν[23]. On lira avec profit les pages 164-169 sur l'emploi lucanien de la formule (voir déjà I. H. Marshall). Au v. 17, Polag retient l'ordre des mots αὐτῶν τὰ διανοήματα (diff. Mt τὰς ἐνθ. αὐτῶν). D'autres maintiennent dans leur reconstruction la forme lucanienne du v. 17c : καὶ οἶκος ἐπὶ οἶκον πίπτει[24]. Ceux qui font remonter à Q les vv. 21-22 estiment généralement que la formulation très différente par rapport à Mc 3,27 et Mt 12,29 est celle de Q. Selon Polag, Luc aurait ajouté καθωπλισμένος et ἐφ᾽ ᾗ ἐπεποίθει et remplacé οἰκίαν, εἰσελθών et τὰ σκεύη (cf. Mt et Mc) par αὐλήν, ἐπελθών et πανοπλίαν[25]. F. Katz s'oppose à toute combinaison avec le texte de Matthieu et tient la version lucanienne pour la tradition de Q (181-183). Ici encore Fuchs ramène le débat à l'étude de la rédaction lucanienne sur la base de Marc (96-97; cf. I, 182)[26].

Fuchs justifie son hésitation entre πνεύματι (Mt) et δακτύλῳ (Lc) au v. 20, dans une longue note (88-89, n. 156), où il oppose les vues divergentes de A. George (rédaction de Luc) et M. A. Chevallier (rédaction de Matthieu; cf.

22. Cf. F. NEIRYNCK, *L'édition du texte de Q*, dans *ETL* 55 (1979) 357-383. Voir les références bibliographiques dans *Studies on Q since 1972*, dans *ETL* 56 (1980) 409-413.

23. Cf. 165, n. 364. Les auteurs récents tiennent généralement οἱ Φαρισαῖοι en Mt 9,34; 12,24 pour rédactionnel. Une exception : J. D. Crossan, 1973. De son côté, J. Lambrecht (*Marcus Interpretator*, 1969, 73) combine les deux : τινὲς τῶν Φαρισαίων.

24. M. Albertz, J. Schmid 1930, T. W. Manson, P. D. Meyer, E. Schweizer, R. Pesch (au conditionnel), J. Lambrecht (1969, 38). L'opinion de J. Schmid est signalée par Fuchs (72, n. 114). L'on notera cependant qu'il a abandonné cette opinion dans son commentaire sur Luc.

25. οἰκίαν et τὰ σκεύη, qui ne sont pas reproduits dans le texte, sont signalés dans l'apparat (*coni*). Cf. *Die Christologie*, 22-23 : la tradition de Q serait plus ancienne que celle de Mc/Mt (ἐὰν μὴ πρῶτον). Pour sa part, J. Lambrecht introduit ἐὰν μὴ πρῶτον dans une reconstruction conjecturale qui combine Mt et Lc (1969, 43). Il la propose, on le comprend, «onder groot voorbehoud» : ὅταν ὁ ἰσχυρὸς φυλάσσῃ τὸν οἶκον αὐτοῦ, ἐν εἰρήνῃ ἐστὶν τὰ σκεύη αὐτοῦ. ἐὰν μὴ ἰσχυρότερος αὐτοῦ εἰς τὸν οἶκον τοῦ ἰσχυροῦ εἰσελθὼν πρῶτον δήσῃ αὐτόν, πῶς τὰ σκεύη αὐτοῦ ἀρεῖ καὶ τὸν οἶκον διαρπάσει; (les éléments empruntées au texte de Luc sont soulignés).

26. La forme interrogative ἢ πῶς ... τις (Mt) serait le seul changement par *Dmk* qu'on puisse constater (Mc ἀλλ᾽ οὐ ... οὐδείς).

Laufen, Polag)[27]. D'autres traits stylistiques de Luc sont moins discutés: αὐτός (v. 17), διαμερίζω (vv. 17.18), δὲ καί (v. 18), δέ, ὑμῶν devant κριταί (v. 19)[28]. L'addition du v. 18c ὅτι λέγετε ἐν Βεελζεβοὺλ ἐκβάλλειν με τὰ δαιμόνια serait également de la main de Luc, qui s'est servi du v. 19 (ἐν Βεελζεβοὺλ ἐκβάλλω τὰ δαιμόνια) pour créer cette transition (82). Le contact avec le v. 19 est indéniable, mais Fuchs semble ici rester sous l'influence de l'opinion qu'il combat (celle de F. Katz: il attribue le v. 18c au rédacteur de Q qui ajouta les vv. 19-20). Katz suggère même que la phrase de Mt 12,26a (ὁ σατανᾶς) τὸν σατανᾶν ἐκβάλλει pourrait s'inspirer de Lc 11,18c Q (200). Ce n'est évidemment pas l'avis de Fuchs, mais il se rapproche de Katz en voulant expliquer d'une part Mt 12,26a sans se référer à Mc 3,23b πῶς δύναται σατανᾶς σατανᾶν ἐκβάλλειν, et d'autre part Lc 11,18c sans le rapprocher de Mc 3,30. *Dmk* aurait omis 3,23b et je suppose qu'il s'agit de même pour 3,30, également sans parallèle direct dans Matthieu et Luc. (Ce n'est qu'une supposition, car l'étude de Fuchs ne dépasse pas les limites de 3,22-27!). L'inclusion de 3,22a ἔλεγον ὅτι Βεελζεβοὺλ ἔχει et 30 ὅτι ἔλεγον· πνεῦμα ἀκάθαρτον ἔχει ne permet guère d'en douter: si Luc l'a lue dans l'évangile de Marc, son v. 18c ὅτι λέγετε ... doit s'en inspirer (cf. 11,15 εἶπον· ἐν Βεελζεβοὺλ ... ἐκβάλλει τὰ δαιμόνια)[29].

Dans une étude qui veut démontrer que l'auteur de Lc 11,14-23 n'a connu l'évangile de Marc que sous la forme d'un *Deuteromarkus*, on s'attend à un examen sérieux de Lc 11,16. Fuchs le considère comme une insertion de l'évangéliste. C'est également le point de vue de la plupart des partisans de l'utilisation de la source Q en 11,14-15.17ss.: par cette insertion, Luc aurait voulu préparer la péricope de 11,29-32[30]. Fuchs en parle à propos de l'intervention de l'évangéliste aux vv. 15a et 17a: τινὲς δὲ ..., ἕτεροι δὲ ..., αὐτὸς δὲ ... (62, 166-168). Mais, comme c'est le cas pour 11,18c, le lecteur qui se pose des questions sur le rapport avec Marc restera sur sa faim. Même A. Polag admet maintenant[31] l'influence de Mc 8,11: ζητοῦντες παρ' αὐτοῦ σημεῖον ἀπὸ τοῦ οὐρανοῦ, πειράζοντες αὐτόν (cf. Lc 11,16 πειράζοντες σημεῖον ἐξ οὐρανοῦ ἐζήτουν παρ' αὐτοῦ).

4. *Conclusion*

Je m'arrête ici, pour tirer les conclusions. La présence du Deutéro-Marc dans le spectre des théories synoptiques peut avoir un effet salutaire. D'abord, la nouvelle hypothèse est partie d'une observation sur la nature des accords mineurs de Matthieu-Luc contre Marc: ils sont post-marciens et se présentent

27. On y trouve encore une référence à P. Samain qui, dans *ETL* 15 (1938), p. 470, n. 108, proposa de lire ἐν θεῷ dans la source de Matthieu et Luc.

28. Polag lit κριταὶ ὑμῶν ἔσονται (diff. Mt Lc).

29. Cf. M. DEVISCH, *La relation*, 85-87. Sur le discours indirect en Luc, cf. *Duality in Mark*, 68-69, n. 253 (= *ETL* 48, 1972, 205-206).

30. Cf. R. LAUFEN, 429, n. 30, avec référence à J. Schmid, D. Lührmann, S. Schulz et autres; A. POLAG, *Fragmenta Q*, 51. Il signale l'opinion de J. Knox qui l'attribue à la source (Kn 64). On y ajoutera T.W. Manson (Ma 83). Voir, dans le même sens, J. Lambrecht (37) et surtout F. Katz (190-195).

31. *Fragmenta Q*, 53. Sa reconstruction de Q est basée sur Mt 12,38: τινὲς δὲ εἶπαν· θέλομεν ἀπὸ σοῦ σημεῖον ἰδεῖν (comparer Harnack et Schulz). Dans *Die Christologie*, 1968, n. 228; 1977, 62, n. 187, il se réfère encore à Lc 11,16 (diff. Mt 12,38), et plus spécialement ἐξ οὐρανοῦ.

comme des «corrections» de Marc. La constatation n'est pas nouvelle, mais il est bon que Fuchs la rappelle, car l'*Urmarcus* n'a pas cessé de tenter les esprits. Le récent commentaire de W. Schmithals (1979) en est la preuve (cf. p. 58). Ensuite, les partisans de l'hypothèse de Q qui se lancent trop allégrement dans les reconstructions de la seconde source se voient rappelés à l'ordre : l'intervention rédactionnelle de Matthieu et Luc ne peut être négligée, et plus particulièrement ils ont tort de faire remonter à Q des passages comme Lc 11,16.18c. 21-22 qui s'expliquent à partir de Marc.

Mais Fuchs est loin d'avoir démontré sa thèse. Son explication des accords mineurs ne tient pas suffisamment compte de la rédaction globale de Matthieu et Luc. Quant aux accords «majeurs» de Matthieu et Luc, la nouvelle hypothèse ne s'applique pas, semble-t-il, aux sections de Q qui n'apparaissent pas au même endroit «marcien» dans Matthieu et Luc. S'il y a donc une seconde source à côté de Marc, comment exclure qu'il y ait dans certaines sections une *overlapping* des deux sources, Marc et Q? Il reste cependant que Fuchs a mis le doigt sur certaines difficultés[32]. L'insertion de Mt 12,29/Lc 11,21-22 (par. Mc 3,27) entre Mt 12,27-28 et 30/Lc 11,19-20 et 23 en est une. L'attribution de Lc 11,21-22 à Q semble être une échappatoire, mais que dira-t-on de la solution qui fait remonter Lc 11,19-20.23 à un *Deuteromarkus*?

32. Je ne parle pas de la «difficulté» de Lc 11,15 par. Mc 3,22. Notons seulement que Fuchs n'a pas répondu aux objections contre son hypothèse anticipées par Devisch (auquel il se réfère p. 45, n. 47). Dans l'hypothèse de Fuchs, la formulation de Lc 11,15 par. Mt 9,34; 12,24 doit se comprendre à partir de Marc (sans le recours à une seconde source): *Dmk* combine Βεελζεβοὺλ ἔχει et ἐν τῷ ἄρχοντι ... en ἐν Βεελζεβοὺλ τῷ ἄρχοντι ..., que Luc reprend en 11,15. Pour l'utiliser en 9,34, Matthieu en fait disparaître Βεελζεβούλ, et en 12,24 il en donne une nouvelle formulation ἐν τῷ B. ἄρχοντι..., dans une structure οὐκ ... εἰ μή. Le texte de Mc 3,22, tel que nous le connaissons, répondrait beaucoup mieux aux nécessités d'une telle hypothèse : omission de Βεελζεβοὺλ ἔχει en Mt 9,34 et combinaison avec ἐν τῷ ἄρχοντι en Mt 12,24 et Lc 11,15, chacun à sa manière (τῷ B. et B. τῷ), et peut-être une réminiscence du motif en Mt 10,25 (Βεελζεβοὺλ ἐπεκάλεσαν). Fuchs fait mention de ce dernier verset dans l'exposé des opinions de Grundmann (40), Devisch (45) et Nicolardot (171), mais il a jugé que le verset pouvait rester ici «ausser Betracht» (20, n. 1).

ETL 50 (1974) 215-230

LES ACCORDS MINEURS ET LA RÉDACTION DES ÉVANGILES

L'ÉPISODE DU PARALYTIQUE

Dans les discussions récentes, les accords mineurs de Matthieu et Luc contre Marc apparaissent comme l'objection principale contre la dépendance littéraire de Luc par rapport à Marc. Plusieurs exégètes, s'ils n'abandonnent pas pour autant la priorité de Marc, sont d'avis qu'une mitigation de l'hypothèse s'impose. Certains suggèrent que Matthieu et Luc ont connu un texte de Marc différent de celui qui nous est transmis (Proto-Marc ou Deutéro-Marc) ; d'autres font appel à l'influence d'une source commune non-marcienne (tradition orale, fragments évangéliques, évangile primitif) ; d'autres encore expliquent les accords mineurs par une influence subsidiaire de l'évangile de Matthieu sur la rédaction lucanienne. Trop souvent ces conclusions n'ont d'autre base qu'une simple énumération des accords constatés dans quelque passage. On en convient qu'il y a des accords qui ne sont guère significatifs (*δέ* au lieu de *καί*, *εἶπεν* au lieu de *λέγει*), mais c'est l'argument du nombre qui l'emporte : « les accords mineurs (négatifs et positifs) y sont trop nombreux, ils ne peuvent pas être dus au hasard ». Certes, il n'est pas sans mérite de mettre en garde les exégètes contre une *atomisation* ou *fragmentation of the evidence* ; c'est d'ailleurs ce même souci qui m'a inspiré à publier la liste des accords mineurs dans une présentation qui tient compte du contexte de la péricope et des rapports éventuels entre les accords positifs et négatifs [1]. Mais il est moins acceptable de les isoler

1. F. NEIRYNCK (en collaboration avec T. Hansen et F. Van Segbroeck), *The Minor Agreements of Matthew and Luke against Mark with a Cumulative List* (Bibl. ETL, 37), Louvain, 1974. L'ouvrage veut être un instrument de travail pour l'étude des accords mineurs. Il comporte quatre parties : « The Study of the Minor Agreements », un aperçu des études avec références bibliographiques (pp. 11-48) ; « A Cumulative List » : la liste des accords mineurs, positifs et négatifs, dans une présentation synoptique, avec un apparat qui renseigne sur les opinions des auteurs (pp. 49-195) ; « A Classification of the Stylistic Agreements » : les accords mineurs catalogués d'après les catégories stylistiques, avec l'inventaire des mêmes phénomènes dans la Triple Tradition (pp. 197-288) ; « Appendix :

de leur contexte plus vaste. Car ce n'est que l'examen de l'ensemble de l'évangile qui fera apparaître qu'un accord est réellement « significatif », c.-à-d. indicateur d'une source autre que Marc. Il n'aura que peu de signification si le mot ou l'expression en cause n'a rien d'étrange dans la rédaction lucanienne et il deviendra une contre-indication s'il s'avère caractéristique de Luc.

On ne peut nier que l'explication des accords mineurs détermine pour une large part l'idée qu'on se fait du travail du troisième évangéliste. Pour un auteur comme T. Schramm les accords mineurs sont, à côté de la présence d'éléments propres et de sémitismes, le premier indicateur de variantes traditionnelles différentes du texte de Marc [2]. L'enjeu du débat est finalement la créativité de l'évangéliste : tradition ou rédaction ? L'étude de Luc est peut-être la tâche la plus urgente en critique synoptique. Parmi ceux qui refusent l'explication rédactionnelle pour Luc certains le font aussi pour Matthieu et ont recours à la tradition orale ou à une source commune. Mais d'autres prônent la dépendance envers Matthieu et admettent volontiers une origine rédactionnelle matthéenne. Pour eux les accords mineurs restent un problème qui demande une solution de critique littéraire, mais un problème d'exégèse lucanienne seulement.

* * *

Nous avons étudié ailleurs le récit de la transfiguration [3]. Dans la présente étude nous abordons l'examen d'une autre péricope où les accords mineurs entre Matthieu et Luc contre Marc sont nombreux et « difficiles à expliquer » [4].

The Argument from Order », une étude sur les accords dans l'ordre des péricopes publiée dans ETL, 49 (1973), 784-815 (pp. 291-322).

2. T. SCHRAMM, *Der Markus-Stoff bei Lukas. Eine literarkritische und redaktionsgeschichtliche Untersuchung* (SNTS Mon. Ser., 14), Cambridge, 1971 ; voir la critique dans F. NEIRYNCK, *La matière marcienne dans l'évangile de Luc*, dans *L'évangile de Luc. Problèmes littéraires et théologiques. Mémorial Lucien Cerfaux* (Bibl. ETL, 32), Gembloux, 1973, pp. 159-201 ; sur les accords mineurs pp. 193-194. — Un recenseur m'attribue la position suivante : « ne serait-il pas une dépendance subsidiaire de Luc envers Matthieu qui semble se recommander plutôt que l'idée très vague de traditions parallèles à Marc ? » ; J. DRURY, dans JTS, 25 (1974), 165-170, p. 168. Il fallait citer la phrase entière, avec la conditionnelle : « S'il faut recourir, pour les accords mineurs, à une explication de type *literarkritisch* » ; c'est l'opinion de Schramm (et non la mienne) qu'il partage avec les auteurs qui ont recours à une dépendance envers Matthieu.

3. F. NEIRYNCK, *Minor Agreements Matthew-Luke in the Transfiguration Story*, dans P. HOFFMANN (ed.), *Orientierung an Jesus. Zur Theologie der Synoptiker. Für Josef Schmid*, Fribourg, 1972, pp. 253-266.

4. L'étude sur *Mc.*, II, 1-12 et parallèles a été préparée à l'occasion de la session du *Seminar on the Synoptic Problem* de la *SNTS* à Sigtuna (en Suède, du 13e au

Le choix de l'épisode pour une étude des accords mineurs n'a guère besoin d'être justifié. Le grand nombre des accords entre Matthieu et Luc contre Marc dans cette péricope a été suffisamment remarqué. Elle est parmi les sections où T. Schramm a reconnu une influence non-marcienne [5], et c'est la seule avant *Lc.*, VIII, 22ss. signalée par R. Morgenthaler en raison de la fréquence des accords mineurs (l'auteur y voit des réminiscences de Matthieu) [6]. Pour un autre auteur récent, M.-É. Boismard, les accords positifs sont l'indice d'un récit proto-lucanien en dépendance du Matthieu-intermédiaire [7]. Déjà le commentateur B. S. Easton, quoique en général assez réservé dans cette question, fut sous l'impression de la fréquence des accords et se montra attiré par l'hypothèse de B. Weiss (l'existence du récit dans une version de Q) [8]. Et M.-J. Lagrange, lorsqu'il dresse la liste des vingt cas d'accords qu'il juge importants, y insère quatre expressions de notre péricope : *καὶ ἰδού* (*Lc.*, V, 18), *ἐπὶ κλίνης* (V, 18), *ἀπῆλθεν εἰς τὸν οἶκον αὐτοῦ* (V, 25), la crainte des assistants (V, 26) [9]. Pour un relevé plus complet des accords mineurs je renvoie à l'ouvrage *The Minor Agreements*, pp. 67-70 (§ 14).

* * *

15e août 1974). Je tiens à remercier les membres du Séminaire pour leur collaboration, plus spécialement B. Reicke qui a défendu l'hypothèse de la tradition orale (cfr *The Synoptic Reports on the Healing of the Paralytic. Matth. 9 : 1-8 with Parallels*, à paraître dans la Festschrift G. D. Kilpatrick) et M. D. Goulder qui envisage la dépendance de Luc par rapport à Matthieu (cfr *Midrash and Lection in Matthew*, Londres, 1974, pp. 452-471 : « Luke's Use of Mark and Matthew » ; sur les accords mineurs : pp. 8 et 450-451).

5. T. Schramm, *Der Markus-Stoff* (voir n. 2), pp. 99-103 ; sur les accords : « die Häufung ist bemerkenswert und kaum reinem Zufall zuzuschieben » (p. 99 ; voir la liste, pp. 99-100).

6. R. Morgenthaler, *Statistische Synopse*, Zürich-Stuttgart, 1971, p. 303.

7. M.-É. Boismard, *Commentaire*, dans P. Benoit et M.-É. Boismard, *Synopse des quatre évangiles en français*, t. 2, Paris, 1972, p. 110.

8. B. S. Easton, *The Gospel according to S. Luke. A Critical and Exegetical Commentary*, Édimbourg, 1926, p. 67 : « the cumulative effect is certainly impressive ». Pour les ouvrages de B. Weiss, voir n. 24.

9. M.-J. Lagrange, *Évangile selon saint Luc* (Études Bibliques), Paris, 1921 ; 81948, p. LXXII. Les mêmes accords sont signalés dans la liste de V. H. Stanton, *The Gospels as Historical Documents. II. The Synoptic Gospels*, Cambridge, 1909, p. 208. L'auteur ajoute *περιπάτει* (V, 23 ; contre *v. l.* *ὕπαγε* dans Marc) et l'omission de *τῷ πνεύματι αὐτοῦ* en V, 22 (*Mc.*, II, 8) et attribue les accords à l'influence d'un récit parallèle à celui de Marc. Cfr p. 148 : « Here several of the differences from St Mark are not, even individually taken, such as two other writers would have been likely to think of independently. » Voir aussi W. Grundmann, *Das Evangelium nach Matthäus* (ThHNT, 1), Berlin, 1968, p. 266, n. 4 ; E. Schweizer, *Das Evangelium nach Matthäus* (NTD, 2), Gottingue, 1973, p. 40 (sur *Mc.*, I, 40-45 ; II, 1-22 ; IV, 35-41). — Dans son article sur la rédaction matthéenne dans *Mt.*, IX, 1-8, H. Greeven retient deux accords mineurs négatifs dans *Mc.*, II, 9 :

Les premiers accords auxquels on fait appel sont ceux de *Mt.*, IX, 2 / *Lc.*, V, 18, diff. *Mc.*, II, 3 : καὶ ἰδού (*loco* καὶ ἔρχονται), ἐπὶ κλίνης (add.), et l'omission de αἰρόμενον ὑπὸ τεσσάρων. Plus spécialement les deux accords positifs sont signalés comme significatifs puisque seuls les huit mots de *Mt.*, IX, 2a : καὶ ἰδοὺ προσέφερον αὐτῷ παραλυτικὸν ἐπὶ κλίνης βεβλημένον, entrent en ligne de compte comme parallèle matthéen qui pourrait avoir influencé la rédaction lucanienne de *Mc.*, II, 1-4. En effet, l'entrée à Capharnaüm (*Mc.*, II, 1a ; *Mt.*, IX, 1b) n'est pas mentionnée dans Luc et d'autre part le scénario de la maison (*Mc.*, II, 1b-2.4 ; cfr *Lc.*, V, 18b-19) n'a aucun correspondant dans Matthieu.

Mais les divergences de Matthieu et Luc (par. *Mc.*, II, 1-4) ne constituent-elles pas une première indication de l'indépendance des deux évangiles ? Tandis que Luc a repris la séquence de *Mc.*, I, 40-45 ; II, 1ss., Matthieu a fait suivre l'épisode du paralytique à des récits qui ont leur parallèle en *Mc.*, IV, 35-V, 20. La formule de transition de IX, 1a est encore empruntée à *Mc.*, V, 18a et 21a :

καὶ ἐμβαίνοντος αὐτοῦ εἰς τὸ πλοῖον
καὶ ἐμβὰς εἰς πλοῖον

καὶ διαπεράσαντος τοῦ Ἰησοῦ ἐν τῷ πλοίῳ πάλιν εἰς τὸ πέραν
διεπέρασεν [10].

τῷ παραλυτικῷ et καὶ ἆρον τὸν κράβατόν σου qui seraient absents du texte de Marc connu par Matthieu. Cfr H. Greeven, *Die Heilung des Gelähmten nach Matthäus*, dans *Wort und Dienst. Jahrbuch der Theologischen Schule Bethel*, 4 (1955), 65-78, pp. 72-73.

10. La dépendance par rapport à *Mc.*, V, 18a.21a est contestée par M.-É. Boismard en raison des accords mineurs entre *Mt.*, IX, 1a et *Lc.*, VIII, 37c : αὐτὸς δὲ ἐμβὰς εἰς πλοῖον ὑπέστρεψεν (ἐμβάς au lieu du génitif absolu de Marc, absence de l'article devant πλοῖον, verbe indiquant « le retour »). Cfr *Commentaire*, p. 109 (§ 40, III d) et 201 (§ 142, II B). Dans RB, 80 (1973), p. 592, il cite le cas comme un exemple de l'influence de Matthieu (ou de la tradition matthéenne) sur Luc : « un exemple qui me paraît indiscutable » (*ibid.* : « il me semble *évident*... »). Il est important de noter que l'auteur situe la dépendance lucanienne au niveau du proto-Luc (qui dépend du Matthieu-intermédiaire). Boismard ne nie pas la dépendance du rédacteur lucanien par rapport à Marc (le Marc-intermédiaire) et il reconnaît le style lucanien dans *Lc.*, VIII, 37. Dans ces conditions, peut-on affirmer que ὑπέστρεψεν correspond au διεπέρασεν de *Mt.*, IX, 1 ? L'équivalence entre les deux verbes est basée sur *Lc.*, VIII, 40 où le rédacteur lucanien change le διαπεράσαντος de *Mc.*, V, 21 en ὑποστρέφειν. Mais n'est-ce pas le même rédacteur qui l'a introduit en VIII, 37 ? Dans ce verset où il a pris soin d'expliquer la demande des Géraséniens (ὅτι φόβῳ μεγάλῳ συνείχοντο), on comprend facilement cette autre explicitation à propos de « Jésus montant dans la barque » : ὑπέστρεψεν. C'est la réponse à la demande : ἀπελθεῖν ἀπ' αὐτῶν. La correspondance entre les verbes se constate en VIII, 39 : ὑπόστρεφε (Marc : ὕπαγε) εἰς τὸν οἶκόν σου... καὶ ἀπῆλθεν (voir aussi *Lc.*, I, 23 et 56). La traduction de la Synopse de Benoit-Boismard a bien marqué la nuance dans les deux emplois absolus du verbe ὑποστρέφω : « il s'en retourna » (v. 37) et « alors que Jésus revenait » (v. 40) ; le premier emploi

C'est toujours en connexion avec le même contexte qu'on lira IX, 1b : *καὶ ἦλθεν εἰς τὴν ἰδίαν πόλιν* (comp. *Mc.*, II, 1a : *καὶ εἰσελθὼν πάλιν εἰς*

sous-entend la préposition *ἀπό* indiquant l'endroit ou les personnes qu'il quitte (cfr IV, 1 ; XXIV, 9 ; *Act.*, I, 12). Voir d'ailleurs l'explicitation dans les versions syriaques (*ἀπ' αὐτῶν*). Boismard fait remarquer que le texte de Luc est difficile et que les vv. 38ss. suivent mal l'aoriste *ὑπέστρεψεν* ; « la difficulté n'existe pas dans Mc » (*art. cit.*). Mais n'est-ce pas la difficulté de la double finale de l'épisode qui fait conclure l'auteur à une fusion de deux récits par le Marc-intermédiaire ? Luc a séparé plus nettement : d'abord la demande de la foule et la réaction de Jésus (v. 37 *καὶ ἠρώτησεν... ὑπέστρεψεν*), puis celle du démoniaque, avec la réponse de Jésus et la réaction de l'homme (vv. 38-39 *ἐδεῖτο δὲ...* ; sur l'imparfait, voir Blass-Debrunner, § 328). Quant à *διεπέρασεν* en *Mt.*, IX, 1a, on ne peut le considérer comme un « verbe indiquant explicitement le 'retour' de Jésus » (p. 201). Dans *Mc.*, V, 21 l'adverbe *πάλιν* (avant *εἰς τὸ πέραν*) exprime l'idée de retour mais le verbe même n'a d'autre sens que « traverser » et ce n'est qu'à la lumière du contexte qu'on peut parler de retour en *Mt.*, IX, 1 (cfr VIII, 18.23.28). L'expression *ἐμβὰς εἰς πλοῖον* est trop proche de *Mc.*, V, 18a, et les accords sont trop peu significatifs, pour rendre probable l'existence d'une tradition parallèle. Marc emploie toujours l'article devant *πλοῖον* à l'exception de IV, 1, suivi par *Mt.*, XIII, 2 (*εἰς πλοῖον ἐμβάντα*). Matthieu omet l'article encore en XIV, 13 dans l'expression *ἐν τῷ πλοίῳ* (diff. *Mc.*, VI, 32) qui d'après Boismard est un trait emprunté par le rédacteur matthéen au récit du Marc-intermédiaire (p. 223 ; § 151, I A 4). En dehors de *Lc.*, V, 1-11 il n'y a que deux emplois de *πλοῖον* dans le troisième évangile ; ils semblent former une inclusion :

VIII,22 *αὐτὸς ἐνέβη εἰς πλοῖον*
37 *αὐτὸς δὲ ἐμβὰς εἰς πλοῖον*.

Il est vrai que d'après Boismard le récit de la tempête apaisée du proto-Luc dépend également du Matthieu-intermédiaire (p. 198 ; § 141, II 1), mais il faut remarquer les différences entre *Lc.*, VIII, 22 et *Mt.*, VIII, 23 : *ἐνέβη* (P^{75} *ἀνέβη*) contre *ἐμβάντι* et *εἰς πλοῖον* contre *εἰς τὸ πλοῖον* (cfr *Mc.*, IV, 36 *ἐν τῷ πλοίῳ*). Sur l'article dans le texte de Matthieu (omis par Tischendorf et Westcott-Hort et mis entre crochets dans GNT), voir B. M. METZGER, *A Textual Commentary on the Greek New Testament*, Londres-New York, 1971, p. 22.

— Signalons enfin que Boismard tire des conclusions contradictoires du caractère supposé traditionnel de *Mt.*, IX, 1 / *Lc.*, VIII, 37c. Voir p. 208 (§ 143, Introduction) : « dans le Mt-intermédiaire, guérison des possédés de Gadara et *résurrection de la fille de Jaïre* devaient donc se suivre, le lien entre les deux épisodes était assuré par *Mt.*, IX, 1 (// *Lc.*, VIII, 37c) où l'on voit Jésus monter en barque et retraverser le lac ; cette séquence était déjà celle du Document A, source du Mt-intermédiaire » ; à comparer p. 109 (§ 40, III a) : « Dans Mt, *l'épisode du paralytique* fait suite à celui du possédé de Gadara ... Cet enchaînement des deux épisodes existait déjà dans le Mt-intermédiaire puisque, vers la fin de l'épisode du possédé de Gadara, *Lc.*, VIII, 37c a la même formule que *Mt.*, IX, 1a... » ; un peu plus loin (IV, 2), il ajoute que « il est difficile de dire si le v. 1 de Mt (introduction du récit) se lisait déjà dans le Document A ou est du Mt-intermédiaire ». Il émet encore l'hypothèse d'un recueil de miracles, antérieur au Document A, qui donnait à la suite les trois miracles : possédé de Gérasa, guérison du paralytique, résurrection de la fille de Jaïre (p. 107 : I, 2 b ; p. 109 : IV, 1).

Καφαρναούμ) [11]. L'insistance sur « sa propre ville » [12] répond à la demande des gens de la ville des Gadaréniens : *ὅπως μεταβῇ ἀπὸ τῶν ὁρίων αὐτῶν* (VIII, 34). On doit se demander si l'influence de *Mc.*, V s'arrête là. Dans l'épisode de *Mt.*, IX, 1-8 rien ne suggère la situation décrite par *Mc.*, II, 1b-2.4 (« dans la maison ») et en IX, 9 la notice de *Mc.*, II, 13 : *καὶ ἐξῆλθεν πάλιν παρὰ τὴν θάλασσαν...*, est omise : Matthieu ajoute seulement un *ἐκεῖθεν* au *καὶ παράγων* de Mc., II, 14. On peut en conclure que pour Matthieu la scène se joue en cours de route (IX, 1.9), tout comme d'après *Mc.*, V, 21 Jésus est approché par Jaïre lorsqu'il est encore au bord de la mer [13]. Et s'il est vrai que Matthieu n'a pas de parallèle de *Mc.*, II, 1b-2.4, il en retient tout de même la présence de la foule autour de Jésus et c'est là encore un trait commun avec le récit de Jaïre (V, 21.25).

11. Il est clair que pour Matthieu Capharnaüm (*Mc.*, II, 1) est la ville de Jésus : *καὶ καταλιπὼν τὴν Ναζαρὰ ἐλθὼν κατῴκησεν εἰς Καφαρναούμ* (IV, 13 ; cfr II, 23). C'est à Capharnaüm que Jésus payait l'impôt (XVII, 24-27).

12. Cfr J. H. Moulton, *A Grammar of New Testament Greek, Vol. I. Prolegomena*, Édimbourg, 1906 ; ³1908, p. 90. L'auteur réagit contre les exagérations d'une « doctrine of the exhausted *ἴδιος* » (cfr Deissmann) et compte *Mt.*, IX, 1 parmi les passages « where its emphasis is undeniable ». Voir aussi G. B. Winer, *Grammatik des neutestamentlichen Sprachidioms*, Leipzig, ⁶1855, p. 139 (§ 22,7) : « In den bei weiten meisten Stellen liegt eine Antithese offen oder versteckt » (*Mt.*, IX, 1 est un des exemples). *Mt.*, XXII, 5 est un cas plus discutable : *οἱ δὲ ἀμελήσαντες ἀπῆλθον, ὃς μὲν εἰς τὸν ἴδιον ἀγρόν, ὃς δὲ ἐπὶ τὴν ἐμπορίαν αὐτοῦ.* « It is fair to argue that the word suggests the strength of the counter-attraction which is more fully expressed in the companion parable, Lk 14[18] » (Moulton, *ibid.* ; comp. les commentaires de Meyer et B. Weiss).

13. Par contre, Matthieu semble situer l'intervention de Jaïre dans la maison (IX, 18 *ταῦτα αὐτοῦ λαλοῦντος αὐτοῖς*, 19 *ἐγερθείς* ; cfr IX, 10.14). — A. W. Argyle est peut-être un peu trop précis lorsqu'il écrit que « Matthew implies that men came bringing the paralytic to Jesus *as he came to land* » (*Matthew*, Cambridge, 1963, p. 70). On peut encore comparer la manière dont Matthieu a placé l'épisode du lépreux (qui en Marc précède celui du paralytique) entre la descente de la montagne et l'entrée à Capharnaüm (VIII, 1.5). En VIII, 5 on constate un phénomène littéraire identique à celui de IX, 1. Le contexte de Marc que Matthieu abandonne (après *Mc.*, I, 40-45) continue d'influencer sa rédaction : le malade (cfr *Lc.*, VII, 2) devient un paralytique (*βέβληται... παραλυτικός*). L'influence serait-elle réciproque et faut-il situer *Mt.*, IX, 2 à l'entrée de Capharnaüm (cfr VIII, 5) ? Voir encore W. Grundmann, *Matthäus*, p. 266 : « dem Zusammenhang zwischen V. 1 und V. 2 nach (ist) das Zusammentreffen zwischen Jesus und dem Gelähmten mit seinen Trägern auf dem Wege zu denken, während die Schriftgelehrten sich in der ihn begleitenden Menge befinden, eine Vorstellung, die bereits 8,19 vorliegt ». E. Lohmeyer a fortement insisté sur la *Wegsituation* qu'il regarde comme un trait essentiel du récit (« eine Geschichte am Wege ») : elle doit expliquer la présence des scribes (v. 3) et des foules (v. 8) et l'originalité de cette situation apparaît dans la parole de Jésus : « va-t-en dans ta maison » (« sonst immer der segnende Gruss, den man auf dem Wege einem Wanderer nachgibt (Mk. **5** 19 **7** 29 **10** 52) » (*Matthäus*, p. 168). Cfr *infra*.

Par la dernière remarque nous abordons déjà l'étude de *Mt.*, IX, 2a. Cette phrase est plus qu'une version matthéenne de *Mc.*, II, 3. *Προσέφερον αὐτῷ* correspond sans doute à (*ἔρχονται*) *φέροντες πρὸς αὐτόν* de *Mc.*, II, 3 et le verbe composé avec le datif est une formule bien matthéenne [14], mais il est frappant que, dans Marc, le seul emploi de ce verbe à propos d'un malade se trouve en II, 4. En plus, dans Matthieu l'imparfait est exceptionnel et s'explique ici comme imparfait *de conatu* [15] à la lumière de *Mc.*, II, 4 : *καὶ μὴ δυνάμενοι προσενέγκαι αὐτῷ διὰ τὸν ὄχλον*. La présence de la foule est sous-entendue dans le récit de Matthieu : dans le verset final il remplacera *πάντας* par *οἱ ὄχλοι* (IX, 8) [16]. Le verbe (*προσ-*) *φέρω* peut signifier amener une personne, conduire le malade auprès de Jésus, mais dans le cas du paralytique il s'agit de le ' porter ', comme Marc l'explique par (*παραλυτικὸν*) *αἰρόμενον ὑπὸ τεσσάρων*. Matthieu reprend l'idée mais de nouveau il est sous l'influence de *Mc.*, II, 4. En effet, (*παραλυτικὸν*) *ἐπὶ κλίνης βεβλημένον* rappelle *τὸν κράβατον ὅπου ὁ παραλυτικὸς κατέκειτο*. Il y a dans Marc un seul autre emploi du verbe *κατάκειμαι* à propos d'un malade (I, 29) et Matthieu le remplace également par *βεβλημένην* (VIII, 14) [17]. Quant à la substitution de *κράβατος* par *κλίνη*, elle est répétée en IX, 6 : *ἆρόν σου τὴν κλίνην* [18]. D'ailleurs, Matthieu trouvait en *Mc.*, VII, 30 l'expression *βεβλημένον ἐπὶ τὴν κλίνην* (diff. *Mt.*, XV, 28) [19]. Si *ἐπὶ κλίνης βεβλημένον* est ainsi parallèle à *τὸν*

14. Sur *προσφέρω* voir F. NEIRYNCK, *Urmarcus redivivus ? Examen critique de l'hypothèse des insertions matthéennes dans Marc*, dans M. SABBE (ed.), *L'évangile de Marc* (Bibl. ETL, 34), Louvain-Gembloux, 1974, pp. 103-145, spéc. pp. 139-140. A propos de malades : IV, 24 et VIII, 16 (*Mc.*, I, 32 *ἔφερον πρός*) ; IX, 32 et XII, 22 (diff. *Lc.*, XI, 14) ; XIV, 35 (*Mc.*, VI, 55 *περιφέρειν*) ; XVII, 16 (diff. *Mc.*, IX, 18 ; *φέρω πρός* en IX, 17.19.20. A l'exception de IX, 2 Matthieu emploie toujours l'aoriste ; voir aussi XIX, 13 (les enfants ; le passif au lieu du pluriel impersonnel de *Mc.*, X, 13 *προσέφερον αὐτῷ*) ; XXII, 19 (*Mc.*, XII, 16 *ἤνεγκαν* : un denier).

15. Cfr M. ZERWICK, *Analysis Philologica Novi Testamenti Graeci*, Rome, 1953, p. 20. L'auteur renvoie au texte parallèle de *Lc.*, V, 18. Sur l'opinion de B. Weiss et M. Johannessohn, voir n. 24.

16. Sur *οἱ ὄχλοι* dans Matthieu, diff. *Mc.* *ὄχλος*, *πολλοί*, *πάντες* (cfr XIV, 19a), voir *Urmarcus redivivus ?* (voir n. 14), pp. 135-138.

17. Voir aussi VII, 6 (diff. *Lc.*) : *βέβληται... παραλυτικός* (cfr n. 13).

18. Matthieu a omis *καὶ ἆρον τὸν κράβατόν σου* et *ἄρας τὸν κράβατον* de *Mc.*, II, 9.12 ; de même que *ἐπὶ τοῖς κραβάτοις* en *Mc.*, VI, 55.

19. Matthieu put facilement corriger *ἐπί* avec l'accusatif (cfr *Mc.*, II, 14 *καθήμενον ἐπὶ τὸ τελώνιον* ; XIII, 2 *λίθος ἐπὶ λίθον*) par *ἐπὶ κλίνης*. Comp. la variante du *Textus Receptus* (et de l'apparat de Von Soden) : *τὸ δαιμόνιον ἐξεληλυθὸς καὶ τὸ παιδίον βεβλημένον ἐπὶ τῆς κλίνης*. Toutefois, le sens du texte de Marc (« étendue sur le lit ») est discutable. On peut l'entendre comme un passif, la préposition *ἐπί* exprimant le mouvement : jetée sur le lit. Cfr M.-J. Lagange, dans *Marc*, p. 196 : « le démon l'y avait jetée par un dernier coup de méchanceté avant de sortir » ; E. P. Gould, dans *Mark*, p. 137 : « *thrown upon the bed*. Probably the

κράβατον... κατέκειτο, la fin de *Mc.*, II, 4, c'est avec le verset suivant de Marc que Matthieu poursuit son récit : *καὶ ἰδὼν ὁ Ἰησοῦς τὴν πίστιν αὐτῶν*... Mais comment peut-il parler de « leur foi » puisqu'il ne fait pas mention des efforts des porteurs pour entrer dans la maison ? [20] Matthieu suppose-t-il implicitement les données du récit de Marc ? [21] Dans la

cure had been attended by violent convulsions, as in other cases of the same kind in the Gospels. See 1^{26} 9^{26} ». (Voir aussi IX, 22).

20. « Die auffälligste Eigenheit des Matthäus in der Heilung des Gelähmten liegt darin, dass bei ihm die Darstellung des Glaubens fehlt, den die Träger des Kranken beweisen (Mk. **2** 3 u. 4 und Lk. **5** 18 u. 19). Gerade diese höchst anschauliche Szene begründet aufs beste den auch bei Matth. vorhandenen Satz : *καὶ ἰδὼν ὁ Ἰησοῦς τὴν πίστιν αὐτῶν*... (Mk. **2** 5 ; Mt. **9** 2 ; Lk. **5** 20). Und so gehört es — mit dem Worten von J. Weiss — 'zu den grössten Rätseln der Evangelienkritik, wie Matthäus auf diese lebendigen Einzelheiten verzichten konnte' » ; H. J. Held, *Matthäus als Interpret der Wundergeschichten*, dans G. Bornkamm, G. Barth et H. J. Held, *Überlieferung und Auslegung im Matthäusevangelium* (WMANT, 1), Neukirchen, 1960, p. 165. Held l'explique par la tendance de Matthieu qui supprime les éléments du récit de miracle en faveur de la forme de controverse : « Die Auslassung jener lebendigen Einzelheiten (Mk. **2** 3 u. 4) macht den Anfangsvers Mt. **9** 2 zur Einleitung im strengen Sinn, nun freilich nicht einer Wundergeschichte wie bei Markus, sondern zur Einleitung des Streitgesprächs Mt. **9** 3-6 ». (p. 166). De même, le thème de la *Streitgespräch* sera repris dans la conclusion : *ἐξουσίαν τοιαύτην τοῖς ἀνθρώποις* (*ibid.*).

21. L. Vaganay, *Le problème synoptique*, Tournai, 1954, p. 227 : « Il arrive parfois que Mt. supprime une donnée marcienne caractéristique de Pi. Par la suite il y fait quand même allusion. A lui seul, ce petit heurt révèle la dépendance de Mt. à l'égard de Mc. Par exemple, dans l'épisode du paralytique de Capharnaüm, Mt. supprime la scène des quatre porteurs qui pratiquent une ouverture dans le toit pour aborder le Christ (Mc. **2** 3-4) et il ajoute cependant, comme Mc. **2** 5 : 'Jésus, *voyant leur foi*, dit au paralytique', Mt. **9** 1-2 ». Comp. B. W. Bacon, *Studies in Matthew*, Londres, 1930, p. 192 : « deprived (by condensation) of the picturesque Markan feature of the letting down through the roof, with consequent obscuration of the clause 'seing their faith' (another proof of Markan priority) ». Même observation chez A. Schlatter qui en tire la conclusion inverse : « Die Kürze dieses Berichts, der auf irgend einen Vorgang hindeutet, der den Glauben der Träger sichtbar machte, verlangte eine Erklärung und diese fehlt bei Mark. nicht » (*Der Evangelist Matthäus*, Stuttgart, [4]1957, p. 297). Voir aussi J. Dupont, *Le paralytique pardonné (Mt 9,1-8)*, NRT, 82 (1960), 940-958, p. 941 : « Matthieu dit : 'leur' foi, mais comme il n'a pas mentionné les porteurs, le pronom possessif s'explique mal dans son contexte. Ce contexte ne montre d'ailleurs pas en quoi Jésus a pu s'apercevoir de la foi de ces hommes ». Matthieu omet les détails de Marc parce qu'il « va droit à l'essentiel, ... concentre tout son intérêt sur la parole de Jésus. » S'il maintient l'indication sur « leur foi » c'est parce qu'elle « explique et justifie cette parole » (cfr pp. 941-943, sur la connexion entre la foi et le pardon des péchés). Toutefois, les textes cités par l'auteur sont *Lc.*, VII, 48-50 et *Act.*, X, 43 ; XIII, 38 ; XXVI, 18, et il se contente de conclure que « ce thème semble devoir éclairer la pensée de Matthieu » (p. 943). Dans les parallèles matthéens (cfr p. 942) il est question de la foi comme condition d'une guérison et il me semble qu'on ne peut négliger le rapport entre IX, 2a et 2b si on veut rester dans « la pensée de Matthieu ».

logique du récit matthéen il me paraît plus exact de dire que *προσέφερον αὐτῷ* implique la sollicitation d'une guérison et est déjà expression de foi ; la rédaction matthéenne de l'épisode de l'enfant lunatique le suggère clairement [22]. On peut dire avec Lohmeyer : « Eines besonderen Beweises, wie ihn Mk mit wohl malerischen, aber undurchsichtigen Umständen schildert, bedarf es hier nicht » [23]. Mais rien ne permet d'y voir un indice d'originalité matthéenne.

L'expression *καὶ ἰδού* de *Mt.*, IX, 2a demande encore notre attention. On reconnaît généralement l'équivalence entre *καὶ ἰδού* et *καὶ ἔρχονται* (*Mc.*, II, 3) mais l'opinion se maintient, du commentaire sur Marc de B. Weiss (1872) au commentaire récent de M.-E. Boismard (1972), que c'est l'évangéliste Marc qui, par le présent du verbe *ἔρχομαι*, a ' traduit ' le sémitisme de l'évangile primitif. L'expression originale serait fidèlement conservée par Matthieu dont le témoignage est confirmé dans notre texte, ainsi que dans deux autres passages, par l'accord de Luc (diff. *Mc.*, I, 40 *καὶ ἔρχεται* ; II, 3 *καὶ ἔρχονται* ; V, 22 *καὶ ἔρχεται*). Pour Weiss c'est la formule d'introduction *καὶ ἰδού* suivie d'un imparfait qui constitue l'expression caractéristique de la Source Apostolique [24] ; le participe *προσελθών* qui suit le sujet en *Mt.*, VIII, 2 et IX, 18 serait un ajout rédactionnel de Matthieu [25]. Boismard reprend les trois exemples [26] mais il élargit le phénomène à un autre « verbe de mouvement » : *παραγίνεται* (« arriver ») en *Mc.*, XIV, 43 [27]. Il n'insiste pas sur l'emploi de

22. Dans le récit de Marc il est un premier mouvement d'amener l'enfant à Jésus (IX, 17, cfr 19b-20), à compléter par la prière (v. 22b) qui sera suivie d'un dialogue sur la foi (vv. 23-24). Matthieu remplace *ἤνεγκα τὸν υἱόν μου πρὸς σέ* directement par la prière *κύριε, ἐλέησόν μου τὸν υἱόν* (XVII, 15) et d'autre part il substitue *προσήνεγκα αὐτὸν τοῖς μαθηταῖς σου* (v. 16a) à *εἶπα τοῖς μαθηταῖς σου ἵνα αὐτὸ ἐκβάλωσιν* de *Mc.*, IX, 18b.

23. E. LOHMEYER, *Matthäus*, p. 168. Voir aussi W. TRILLING, *Das Evangelium nach Matthäus*, t. 1, Düsseldorf, 1962, p. 197 : « Der Gelähmte wird zu Jesus gebracht, und allein darin bekundet sich ihr Glaube » ; W. GRUNDMANN, *Matthäus*, p. 267.

24. B. WEISS, *Das Marcusevangelium und seine synoptischen Parallelen*, Berlin, 1872, p. 72 ; 79, n. 1 ; p. 184 ; *Das Matthäusevangelium und seine Lucas-Parallelen*, Halle, 1876, p. 227 ; 242-243 ; 250, n. 1 ; voir aussi p. 383 (à propos de XV, 22) : « Die Einführung mit *ἰδού* und dem Imperf. (Vgl. 8,2. 9,2.18) ist der Quelle characteristisch ».

25. *Matthäusevangelium*, p. 250, n. 1 (p. 251) ; cfr p. 46 (« Lieblingsworte des Evangelisten »).

26. M.-É. BOISMARD, *Commentaire*, p. 104 (§ 39, I B 5-6) ; 110 (§ 40, IV 4) ; 209 (§ 143, I A 3b). On s'étonne quelque peu de lire ici : « Mais cette particule est fréquente chez l'un et l'autre évangélistes, et leur accord ici peut être fortuit », et « les contacts positifs Lc /Mt contre Mc sont ténus et sans grande signification ». Aux autres endroits cités dans cette note et dans la note suivante on ne retrouve rien de cette hésitation.

27. *Ibid.*, p. 394 (§ 338, I 2 a) ; voir aussi p. 178 (§ 122, I c 1) ; 432-433 (§ 357, I A 1 a et b). Dans *Mt.*, XXVI, 47 et *Lc.*, XXII, 47 le génitif absolu *ἔτι αὐτοῦ*

l'imparfait ; par contre, il note que le participe προσελθών en *Mt.*, VIII, 2 et IX, 18 (et également en IX, 20 ; XIX, 16) est typique du style du Matthieu-intermédiaire et remonte au Document A [28]. Pour les deux auteurs, l'équivalence entre « il vient » de Marc et καὶ ἰδού apparaît encore en *Mc.*, III, 31 où seul Matthieu a conservé la formule primitive [29] et, d'après Boismard, en *Mc.*, XV, (42-)43 où c'est Luc qui a gardé le début du Matthieu-intermédiaire [30]. On ne peut évidemment pas isoler ces passages de l'emploi plus général de καὶ ἰδού dans Matthieu et Luc. Plus spécialement la fréquence de la formule en Matthieu remonterait à l'évangile primitif. Toutefois, il est à noter que déjà B. Weiss tient compte du style imitatif du rédacteur matthéen [31]. D'après le commen-

λαλοῦντος (cfr *Mc.*) est suivi de ἰδού « ensemble qui se lit encore en *Mt.*, XII, 46 et XVII, 5 » (p. 394).

28. *Ibid.*, p. 433 (§ 357, A 1 b). L'ordre de la phrase : καί ἰδού, le sujet du verbe principal, le participe προσελθών (dans les quatre passages mentionnés) forme une variante de la construction stéréotypée : καί ou τότε, προσελθών, sujet, verbe principal, complément ; cfr IV, 3 ; VIII, 19.25 ; XIII, 10.27 ; XIV, 12 ; XV, 2.23 ; XVI, 1 ; XVII, 19 ; XVIII, 21 ; XXV, 20.22.24 ; XXVI, 50.73 ; XXVIII, 2.16 (les quatre exceptions sont de l'ultime rédacteur matthéen : XXI, 28.30 ; XXVI, 49 ; XXVIII, 9). En XXVII, 58 οὗτος et τῷ Πιλάτῳ sont attribués au rédacteur et on y retrouve aussi la structure de phrase avec καὶ ἰδού (cfr n. 30).

29. B. Weiss, *Marcusevangelium*, p. 133, n. 1 : la formule de *Mt.*, XII, 46 est transformée en *Mc.* (καὶ ἔρχονται) et en *Lc.*, VIII, 19 (παρεγένετο πρὸς αὐτόν) ; en plus, ἰδού en *Mc.*, III, 32 serait encore une réminiscence de la formule d'introduction ; M.-É. Boismard, *Commentaire*, p. 178 (§ 122, I c 1). Voir aussi *Mt.*, XVII, 5 ἰδού, diff. *Mc.*, IX, 7 ἐγένετο (= *Lc.*, IX, 34) : B. Weiss, *Marcusevangelium*, p. 298, n. 1 ; καὶ ἰδού également en XVII, 5b (*Mc.* καὶ ἐγένετο) et III, 17 (*Mc. v.l.* καὶ... ἐγένετο) ; M.-É. Boismard, *Commentaire*, p. 251 (§ 169, IB 2b) : ἐγένετο (*Lc.*, IX, 34-35) dépend de Marc ; cfr n. 27.

30. *Commentaire*, pp. 432-433 (§ 357, I A 1 a-b). *Lc.*, XXIV, 23a καὶ ἰδού cfr *Mc.*, XV, 43a ἐλθών et *Mt.*, XXVII, 57b ἦλθεν. Cfr n. 28.

31. B. Weiss, *Matthäusevangelium*, p. 23 : « So ist das καὶ ἰδού, womit die Quelle das Auftreten neuer Personen oder neue Acte in der Erzählung einführte, vom ersten und dritten Evang. gleich haüfig nachgeahmt » ; comp. p. 91 (*Mt.*, II, 9) ; 553 (*Mt.*, XXVI, 51) ; 573 (*Mt.*, XXVII, 51) ; *Das Matthäus-Evangelium* (Kritisch-exegetischer Kommentar über das Neue Testament I, 1), Gottingue, [8]1890, p. 492 (*Mt.*, XXVIII, 2 : « in der feierlichen Weise der Quelle ») et 493 (*Mt.*, XXVIII, 9) ; *Marcusevangelium*, p. 466 (diff. *Mc.*, XIV, 43). Sur le génitif absolu suivi de ἰδού voir n. 38. D'après Weiss καὶ ἰδού remonte à l'évangile primitif en *Mt.*, III, 16.17 ; IV, 11 ; VIII, 2 (*Lc.*). 24.29.32.34 ; IX, 2 (*Lc.*). 3.18* (*Lc.*). 20 ; XII, 10 (*Lc.*, XIV, 2). 46* ; XV, 22 ; XVII, 3 (*Lc.*). 5* ; XIX, 16 (?) ; XX, 30 (l'astérisque indique un génitif absolu suivi de ἰδού sans καί). Weiss hésite à propos de XIX, 16 (*Marcusevangelium*, p. 339, n. 1, contre *Jahrbücher*, 1865, p. 327 ; comp. ses commentaires sur Matthieu), mais je n'ai pas constaté pareille hésitation à propos de XII, 10 (signalée par E. Simons, *Hat der dritte Evangelist den kanonischen Matthäus benutzt ?*, Bonn, 1880, p. 30) : cfr *Matthäusevangelium*, p. 23, n. 1 : « das die Copula einschliessende ἰδού (scheint) der Quelle ausschliesslich eigentümlich » ; comp. p. 313 ; *Matthäus*, p. 228.

taire de Boismard la part du rédacteur devient plus importante encore [32]. On est donc bien loin de l'affirmation globale par laquelle M. Johannessohn a conclu son étude sur καὶ ἰδού dans Matthieu [33]. Mais quand on accepte l'emploi rédactionnel de la formule dans certains passages, ne doit-on pas se demander si la même explication n'est pas également valable à d'autres endroits ? Le rédacteur peut avoir trouvé son ‘ modèle ’ non pas dans une source évangélique mais, comme il est très largement admis, dans la Bible grecque [34]. D'ailleurs, l'insistance sur le

32. *Commentaire*, p. 81 (§ 24, I B c) : *Mt.*, III, 16.17 « style apocalyptique » ; p. 200 (§ 142, IA 3.5 et 7) : *Mt.*, VIII, 29.32 « suture rédactionnelle » après l'insertion d'une glose, et 34 ; p. 118 (§ 45, II 1) : *Mt.*, XII, 10 « Mt introduit un ‘et voici’ dont il a l'habitude » ; p. 236 (§ 156, III) : *Mt.*, XV, 22 ; p. 441 (§ 359, II A 3a) : *Mt.*, XXVIII, 2 ; p. 446 (§ 362, 3) : *Mt.*, XXVIII, 9. Il n'a pas de commentaire explicite sur la particule en *Mt.*, IV, 11 ; VIII, 24 ; IX, 3.20 ; XIX, 16 ; XXVI, 51 ; XXVII, 51. Nous avons noté un emploi traditionnel en VIII, 2 ; IX, 2.18 ? (cfr n. 26) ; XII, 46 ; XVII, 3.5 (cfr n. 29) ; XX, 30 ; XXVI, 47 (cfr n. 27). Quant à *Mt.*, IX, 10, il constate une « anomalie grammaticale » : καὶ ἰδού se trouve toujours en début de phrase ; il en conclut que les mots καὶ ἐγένετο... οἰκίᾳ sont un ajout au texte primitif ; cfr p. 111 (§ 42, I 1 a).

33. M. Johannessohn, *Das biblische* καὶ ἰδού *in der Erzählung samt seiner hebräischen Vorlage*, dans *Zeitschrift für vergleichende Sprachforschung*, 66 (1939), 145-195 ; 67 (1940), 30-84 (sur Matthieu, pp. 30-44 ; sur Luc, pp. 44-59) ; pp. 59-62 : « Bemerkungen über das Verhältnis des Matthäus zu Markus ». On comprend que Marc aurait supprimé ou remplacé l'expression sémitique de Matthieu ou de la source commune mais la dépendance matthéenne est « très improbable » : « Da aber Mk nicht bloss καί an Stelle von καὶ ἰδού bietet, sondern auch δέ ἀλλ' εὐθύς und noch andere Entsprechungen, so ist schon aus diesem Grunde nicht recht einzusehen, wie Mt mit solcher Regelmässigkeit gerade auf καὶ ἰδού verfallen sein sollte » (p. 61).

34. P. Fiedler, *Die Formel « und siehe » im Neuen Testament* (SANT 20), Munich, 1969, p. 16 : « so besteht für Mt, Lk und AA über die Auffassung von (καὶ) ἰδού als ‘Septuagintismus’ im grossen und ganzen Konsens ». L'auteur reprend la conclusion de Johannessohn (*art. cit.*, p. 44) : « ‘und siehe’ (war), soweit es die Erzählung betrifft, zur Zeit des NT bereits ausgestorben. Demnach beruht das Wiederaufleben des ‘und siehe’ bei Mt in der Hauptsache nur auf einer Nachahmung des LXX-Stils » (pp. 28-29 ; comp. p. 38, sur l'emploi lucanien : « Formelhaftigkeit in der LXX-Anlehnung »). Il écarte comme peu fondée la possibilité envisagée par Johannessohn, que ‘et voici’ aurait survécu dans des cercles prophétiques (*Visionsstil*) qui auraient influencé Matthieu ou sa source (p. 29, n. 128). L'auteur cite la double observation de Lagrange : « La locution καὶ ἰδού est vraiment trop fréquente et trop caractéristique pour n'être pas regardée comme une tournure biblique » (*Luc*, p. XCIX) ; « L'emploi de ἰδού est trop fréquent dans Luc pour qu'on y puisse voir dans Matthieu la preuve d'un écrit en araméen » (*Matthieu*, p. CII). Lagrange ajouta encore ce conseil : « Il ne faut pas oublier cependant que cette tournure est araméenne » (*Luc*, p. XCIX). Comp. J. W. Doeve, *Le rôle de la tradition orale dans la composition des évangiles synoptiques*, dans *La formation des évangiles* (Recherches Bibliques 2), Bruges, 1957, pp. 70-84, voir p. 74 : « Nous rencontrons sept fois dans l'évangile de Luc et, dans l'évangile de Matthieu, quatre fois (*sic*) l'expression καὶ ἰδού en des passages

style imitatif du rédacteur est une reconnaissance implicite de l'unité stylistique dans l'emploi de *καὶ ἰδού* à travers tout l'évangile de Matthieu [35]. Certes, la distinction entre un *καὶ ἰδού* original et un *καὶ ἰδού* d'imitation est une hypothèse possible, mais à défaut d'indices de diversité stylistique on ne peut la rendre probable. À ce propos, il est significatif que Boismard passe sous silence l'emploi typiquement matthéen du génitif absolu suivi de *ἰδού* (sans *καί*) [36] :

I,20 ταῦτα δὲ αὐτοῦ ἐνθυμηθέντος,
ἰδοὺ ἄγγελος κυρίου κατ' ὄναρ ἐφάνη αὐτῷ

II,1 τοῦ δὲ Ἰησοῦ γεννηθέντος ἐν Βηθλέεμ...,
ἰδοὺ μάγοι ἀπὸ ἀνατολῶν παρεγένοντο εἰς Ἱεροσόλυμα

II,13 ἀναχωρησάντων δὲ αὐτῶν,
ἰδοὺ ἄγγελος κυρίου φαίνεται κατ' ὄναρ τῷ Ἰωσήφ

II,19 τελευτήσαντος δὲ τοῦ Ἡρῴδου,
ἰδοὺ ἄγγελος κυρίου φαίνεται κατ' ὄναρ τῷ Ἰωσὴφ ἐν Αἰγύπτῳ

IX,18 ταῦτα αὐτοῦ λαλοῦντος αὐτοῖς,
ἰδοὺ ἄρχων εἷς προσελθὼν προσεκύνει αὐτῷ

IX,32 αὐτῶν δὲ ἐξερχομένων,
ἰδοὺ προσήνεγκαν αὐτῷ κωφὸν δαιμονιζόμενον.

XII,46 ἔτι αὐτοῦ λαλοῦντος τοῖς ὄχλοις,
ἰδοὺ ἡ μήτηρ καὶ οἱ ἀδελφοὶ αὐτοῦ εἱστήκεισαν ἔξω ζητοῦντες αὐτῷ λαλῆσαι.

XVII,5 ἔτι αὐτοῦ λαλοῦντος,
ἰδοὺ νεφέλη φωτεινὴ ἐπεσκίασεν αὐτοῖς,

XXVI,47 καὶ ἔτι αὐτοῦ λαλοῦντος,
ἰδοὺ Ἰούδας εἷς τῶν δώδεκα ἦλθεν, καὶ μετ' αὐτοῦ ὄχλος πολύς

XXVIII,11 πορευομένων δὲ αὐτῶν
ἰδού τινες τῆς κουστωδίας ἐλθόντες εἰς τὴν πόλιν ἀπήγγειλαν

Ce n'est que sur les mots *ἔτι αὐτοῦ λαλοῦντος* en XII, 46 ; XVII, 5 et XXVI, 47 que Boismard a un commentaire explicite : ils remontent

où Marc ne s'en sert pas. Le grec *ἰδού* est l'équivalent de l'araméen *wᵉhâ*. » Voir cependant K. BEYER, *Semitische Syntax im Neuen Testament* I, 1 (SUNT 1), Goettingue, 1962, p. 69 : « das besonders hebräische (und LXX), aber auch in einigen aramäischen Sprachen (aber so wohl nicht im Jüdisch-Palästinischen der Zeit Jesu) vorkommende *καὶ ἰδού* », et en n. 8 : « Im Neuhebr., Jüd.-Pal. und Bab.-Talmud. heisst והא immer 'aber doch' oder 'und hier ist'. » — Dans le livre de Fiedler, voir sur (*καὶ*) *ἰδού* narratif dans Matthieu, pp. 25-29, 53-59, 82.

35. Il est à noter que Boismard parle de style « imitatif » lorsque l'ultime rédacteur matthéen reprend « une formule très matthéenne », c'est-à-dire, typique de la tradition matthéenne (Document A et Matthieu-intermédiaire) (cfr p. 447, § 363), mais il désigne également par style imitatif le rapprochement entre des passages du même rédacteur (cfr p. 410, § 346, I 3).

36. L'auteur a peut-être une excuse : le commentaire sur *Mt.*, I-II est de la main du P. Benoit (*Préface*, p. 10).

au Matthieu-intermédiaire où ils étaient suivis de ἰδού [37]. C'était aussi l'opinion de B. Weiss à propos de XVII, 5, mais cet auteur avait bien remarqué la construction typique du rédacteur matthéen en I, 20; II, 1.13.19 [38] et il défend une position plus ‘réaliste’ sur XII, 46 et XXVI, 47. Dans le dernier passage où le génitif absolu est parallèle à καὶ (εὐθὺς) ἔτι αὐτοῦ λαλοῦντος de *Mc.*, XIV, 43, seul le ἰδού est un ajout du rédacteur matthéen [39]. Par contre, en XII, 46 où ἔτι αὐτοῦ λαλοῦντος τοῖς ὄχλοις est sans parallèle en *Mc.*, III, 31, les mots sont formulés par le rédacteur [40]. Quant à XVII, 5 (ἔτι αὐτοῦ λαλοῦντος) nous avons discuté ailleurs l'accord avec *Lc.*, IX, 34 (ταῦτα δὲ αὐτοῦ λέγοντος) [41]. Ajoutons seulement que le commentaire de Boismard contient tous les éléments qui devraient permettre de conclure ici au caractère rédactionnel de ἰδού [42].

37. De manière implicite, Boismard attribue la formule à l'ultime rédacteur en I, 20; II, 1.13.19, cfr p. 88 (§ 28, I 2) : « l'évangile de l'enfance qui, dans son ensemble, est attribué à l'ultime Rédacteur matthéen »; en XXVIII, 11, cfr p. 447 (§ 363) : « ce récit est tout entier de la main de l'ultime Rédacteur matthéen »; et, semble-t-il, en IX, 32, cfr p. 162 (§ 96) : « le dernier des dix miracles rassemblés par l'ultime Rédacteur matthéen », et p. 117 (§ 116, 2), sur *Mt.*, IX, 32-33 et *Lc.*, XI, 14 : « les divergences s'expliquent par l'activité littéraire des Rédacteurs lucanien et matthéen ». Quant à ἔτι αὐτοῦ λαλοῦντος les mots remontent au Document A en XXVI, 47 (cfr Marc et Luc), ils sont une suture rédactionnelle du Matthieu-intermédiaire en XVII, 5 (cfr Luc) et pour XII, 46 l'auteur hésite entre les deux possibilités, cfr p. 178 (§ 122, I C 1), comp. p. 252 (§ 169, I B 2 b) et p. 394 (§ 338, I 2 a : ἰδού dans Matthieu/Luc). A propos de IX, 18 nous avons signalé comment la position de l'auteur est ambiguë (cfr *supra*, n. 10 fin; voir aussi n. 26 concernant ἰδού); si dans le Matthieu-intermédiaire le récit suivait l'épisode de Gadara, le génitif absolu de IX, 18 devrait être attribué à l'ultime rédacteur.

38. B. Weiss, *Matthäusevangelium*, p. 47 : « eine gewisse Vorliebe für den Gen. Abs. (namentlich vor ἰδού) »; comp. p. 83, n. 2 (I, 20); p. 94 (II, 13). Voir aussi p. 245, n. 1, sur IX, 10 : il maintient καί devant ἰδού (contre Tischendorf). — Sur XVII, 5, cfr p. 400.

39. *Marcusevangelium*, p. 466 : « Beide Parallelen haben dafür (εὐθύς) das ihnen so geläufige ἰδού eingesetzt ».

40. *Matthäusevangelium*, p. 333, n. 1. L'expression remplacerait ἐγένετο δὲ ἐν τῷ λέγειν αὐτόν (cfr *Lc.*, XI, 27) de la source; pour la présence des ὄχλοι, cfr *Lc.*, XI, 14. C'est encore l'opinion de J. Lambrecht, *Marcus Interpretator*, Bruges-Utrecht, 1969, p. 29; voir cependant M. Devisch, *La relation entre l'évangile de Marc et le document Q*, dans M. Sabbe (éd.), *L'évangile de Marc* (Bibl. ETL, 34), Louvain-Gembloux, 1974, pp. 59-91, voir p. 87. — En *Mt.*, IX, 18 Weiss considère ταῦτα αὐτοῦ λαλοῦντος αὐτοῖς comme une formule de transition rédactionnelle, qui contient peut-être une réminiscence de *Mc.*, V, 35 (*Matthäusevangelium*, p. 250, n. 1).

41. Cfr F. Neirynck, *Minor Agreements Matthew-Luke in the Transfiguration Story* (voir n. 3), pp. 260-264.

42. Cfr p. 250 (§ 169, I A 1) : l'ultime rédacteur a voulu accentuer le caractère ‘apocalyptique’ du récit, comme il le fait pour le récit du baptême de Jésus;

L'expression ἔτι αὐτοῦ λαλοῦντος suivie de ἰδού est ajoutée par Matthieu en XII, 46 (*Mc.*, III, 31 ἔρχονται) et XVII, 5 (*Mc.*, IX, 7 ἐγένετο). En XXVI, 47 Matthieu peut avoir repris le génitif absolu à *Mc.*, XIV, 43 (suivi de παραγίνεται) et en IX, 18 on peut voir l'influence de *Mc.*, V, 35 (avec ἔρχονται, comp. ἔρχεται en V, 22). Est-ce donc le verbe « venir, arriver » qui a suggéré à Matthieu l'emploi de ἰδού ? Il est une observation plus importante, me semble-t-il, que « comme il parlait encore » est en Marc le seul génitif absolu qui résume simplement la situation antérieure pour souligner une connexion chronologique immédiate. Partout ailleurs le génitif absolu indique une circonstance de temps ou une action nouvelle [43]. Pour Matthieu ἔτι αὐτοῦ λαλοῦντος n'est qu'un moyen parmi d'autres [44] pour exprimer la connexion entre les épisodes ou les péripéties du récit. Dans les passages qui lui sont propres il emploie encore six fois ἰδού après un génitif absolu et on peut constater que jamais le génitif absolu n'indique un fait nouveau : il ne fait que rappeler l'événement qui vient d'être raconté [45]. Puisque cet usage est limité au cas où le génitif absolu est suivi de ἰδού [46], il me paraît justifié d'y voir

il s'est inspiré de *Dan.*, X (et VIII) et il a harmonisé XVII, 5b avec *Mt.*, III, 17. Comp. p. 81 (§ 24, I B c) : les deux καὶ ἰδού en III, 16 et 17, « typiques du style apocalyptique », sont ajoutés par le rédacteur. Cfr *Dan.*, VIII, 16 ; X, 5.10.13.16. Voir aussi *Dan.*, IX, 21 καὶ ἔτι ἐμοῦ λαλοῦντος... καὶ ἰδού ; comp. καὶ ἐν τῷ λαλῆσαι αὐτὸν μετ' ἐμοῦ dans X, 11.15 et VIII, 18 (Théod. λαλεῖν, LXX καὶ λαλοῦντος αὐτοῦ μετ' ἐμοῦ).

43. Dans deux cas seulement (sur les 34 emplois du génitif absolu en Marc), le génitif absolu reprend une situation qui a été décrite antérieurement. On les explique généralement par l'artifice littéraire de la « Verschachtelung » : *Mc.*, XIV, 66 καὶ ὄντος τοῦ Πέτρου κάτω ἐν τῇ αὐλῇ qui reprend l'indication du v. 54 (*Mt.*, XXVI, 69 répète ἐκάθητο), et le cas plus difficile de *Mc.*, XIV, 22 où καὶ ἐσθιόντων αὐτῶν est une reprise du v. 18a (cfr Mt., XXVI, 26).

44. Voir l'emploi caractéristique de τότε, les expressions ἐν ἐκείνῃ τῇ ὥρᾳ, — ἡμέρᾳ, ἐν ἐκείνῳ τῷ καιρῷ et certaines constructions participiales (comme ἀκούσας).

45. *Mt.*, I, 20 (ταῦτα, comp. IX, 18), cfr v. 19b ; II, 1, cfr I, 25b ; II, 13, cfr v. 12b (ἀνεχώρησαν) ; II, 19, cfr v. 15a (ἕως τῆς τελευτῆς 'Ηρῴδου) ; IX, 32, cfr v. 31 (οἱ δὲ ἐξελθόντες) ; XXVII, 11, cfr v. 10 (l'ordre de Jésus ὑπάγετε, comp. *Mc.*, XVI, 7, par. *Mt.*, XXVIII, 7 πορευθεῖσαι, et le v. 8).

46. Dans les autres cas, la fonction du génitif absolu dans Matthieu n'est pas différente de celle qu'il a dans Marc : cfr *Mt.*, VIII, 16 ; XIII, 21 ; XIV, 15.23 ; XVII, 9 ; XXIV, 3 ; XXVI, 6.20.21.26 (cfr *infra*) ; XXVII, 57 (par. Mc.) ; IX, 33 ; XI, 7 (par Lc.) ; V, 1 ; VIII, 28 ; IX, 10 (cfr n. 47) ; XIII, 6.19 ; XIV, 32 ; XVII, 14.22.24 ; XXI, 10.23 ; XXII, 41 (cfr *infra*) ; XXVI, 60 ; XXVII, 1.17 (diff. Mc.) ; VIII, 5 (diff. Lc.) ; I, 18 ; VI, 3 ; VIII, 1 ; [XVI, 2] ; XVII, 26 ; XVIII, 24.25 ; XX, 8 ; XXV, 5.10 ; XXVII, 19 (cfr *infra*) ; XXVIII, 13 (propres à Mt.). — En XXII, 41 συνηγμένων δὲ τῶν Φαρισαίων reprend συνήχθησαν du v. 34, comme en XXVI, 26 ἐσθιόντων δὲ αὐτῶν est la reprise du v. 21a (voir n. 43 sur Marc). On peut hésiter à propos de XXVII, 19 : καθημένου δὲ αὐτοῦ ἐπὶ τοῦ βήματος (« tandis qu'il siégeait en tribunal », cfr v. 17), mais la traduction n'est pas certaine :

une formule matthéenne de transition exprimant une connexion immédiate entre les événements. Le fait que ἰδού « remplace » un verbe de mouvement ou est suivi d'un tel verbe s'explique par le contenu des récits évangéliques mais ce n'est pas l'équivalence entre ἔρχεται et ἰδού qui régit l'emploi matthéen de ἰδού.

Il est moins facile de décrire exactement la fonction rédactionnelle du καὶ ἰδού narratif en Matthieu. Récemment, A. Vargas-Machuca a cru pouvoir ajouter une précision importante à la conception assez répandue que καὶ ἰδού sert à introduire dans le récit un élément nouveau d'une certaine importance. Dans 17 cas des 23 emplois matthéens, il retrouve un schème stylistique identique, toujours en début de péricope ou par manière de reprise du récit après la citation d'un discours direct : participe — verbe fini — καὶ ἰδού [47]. Il l'appelle un procédé stylistique de Matthieu qui n'a pas de parallèle dans les autres évangiles [48]. On peut en retenir l'observation valable que καὶ ἰδού n'est jamais le début absolu d'un récit et qu'il est utile de ne pas négliger le rapport éventuel de la formule avec la sentence qui précède. Mais il y a trop de variation dans ces sentences et le participe précédant le verbe fini est une construction trop peu spécifique pour qu'on puisse parler d'une « formule matthéenne plus complète » [49]. Mais il reste le καὶ ἰδού en début des récits de miracles. Sans adopter le point de vue formel de Vargas-

voir par ex. Grundmann : « Die dritte Szene beginnt damit, dass sich Pilatus auf den Richtstuhl setzt. Die Angelegenheit kommt zur Entscheidung, nachdem das Volk vor die Wahl gestellt ist » (*Matthäus*, pp. 553-554) ; cfr κάθημαι en *Mt.*, XIII, 1.2 ; XV, 29 ; XXII, 44 ; XXVI, 58 ; XXVIII, 2 (Grimm-Thayer, Bauer).

47. A. Vargas-Machuca, *(Καὶ) ἰδού en el estilo narrativo de Mateo*, dans *Biblica*, 50 (1969), 233-244 ; *El paralítico perdonado, en la redacción de Mateo (Mt 9,1-8)*, dans *Estudios Eclesiásticos*, 44 (1969), 15-43, spéc. p. 25. L'auteur attribue à καὶ ἰδού un rôle important dans la structure littéraire du récit : dans les trois parties un fait nouveau est introduit par καὶ ἰδού (2a), καὶ ἰδού (3a), καὶ (ἐγερθείς) (7a) suivi de la constatation : καὶ ἰδών (2b), καὶ εἰδώς [ἰδών] (4), ἰδοντες δέ (8a), cfr pp. 29-30. Comp. E. Lohmeyer, *Matthäus*, p. 167.

48. *Ibid.*, p. 237 : « un procedimiento estilistico proprio de Mateo, un modo estereotipedo de relater hechos de importancia ». L'auteur élimine les cas de *Lc.*, VII, 37 et XIX, 2 pour des raisons qui sont discutables (le *participium graphicum* et l'emploi de ἦν).

49. L'auteur distingue trois formules : le schéma A, au début d'un récit (cfr la note suivante ; comp. XXVIII, 9) ; le schéma B, après un discours direct (II, 9 ; III, 16 ; XIX, 16 ; XXVII, 51) ; le schéma C, c.-à-d. un schéma B quelque peu modifié dans une péricope qui s'ouvre par le schéma A (VIII, 32.34 ; IX, 3 ; XXVI, 51 ; comp. III, 17). Il est surtout difficile de faire une catégorie stylistique de l'emploi de καὶ ἰδού après un discours direct (schéma B et C). Ainsi, par exemple, en II, 9 et VIII, 32 la proposition qui suit les paroles contient l'exécution immédiate d'un ordre (II, 9 ἐπορεύθησαν, cfr v. 8 : πορευθέντες... ; VIII, 32 ἀπῆλθον, cfr v. 32a ὑπάγετε) mais dans la plupart des cas l'action exprimée par le verbe fini est entièrement indépendante du discours qui précède.

Machuca[50], l'étude de P. Fiedler, publiée également en 1969, propose d'y voir un motif typiquement matthéen. Dans le cycle des miracles de *Mt.*, VIII-IX, l'emploi de (καὶ) ἰδού devrait s'expliquer par référence à la parole de XI, 5 : la particule sert à désigner les actes de Jésus qui réalisent la prophétie[51] ; elle a un but « catéchétique »[52]. C'est avec raison que l'auteur soutient l'exégèse traditionnelle qui donne aux miracles de *Mt.*, VIII-IX une signification christologique[53], mais Matthieu est peut-être moins systématique dans l'emploi de (καὶ) ἰδού qu'il ne le prétend.

50. Les exemples du schéma A de Vargàs-Machuca : VIII, 2.24.29 ; IX, 2.(10). 21 ; XII, 10 ; XV, 22 ; XX, 30 (à l'exception de IX, 10 il s'agit d'un miracle). *Ibid.*, p. 235.

51. P. FIEDLER, *Die Formel « und siehe »* (voir n. 34), pp. 55-56. D'après l'auteur il ne s'agit pas simplement de l'emploi schématique d'une formule d'introduction (la particule fait défaut en VIII, 5 et 14 !) mais d'un « Erfüllungshinweis » : « der Schriftsteller habe durch diese ' Deutepartikel '... das Moment der ' vorweggenommenen Erfüllung ' ausgedrückt sehen wollen » (p. 55). Ainsi il comprend le repas avec les πολλοὶ τελῶναι καὶ ἁμαρτωλοί (cfr καὶ ἰδού en IX, 10) dans le sens du πτωχοὶ εὐαγγελίζονται de XI, 5 et les malades introduits avec (καὶ) ἰδού en VIII, 2 (λεπρός) ; IX, 2 (παραλυτικός) ; IX, 18 (ἄρχων : dont la fille vient de mourir) ; IX, 20 (γυνὴ αἱμορροοῦσα) ; IX, 32 (κωφὸς δαιμονιζόμενος) correspondent aux τυφλοί, χωλοί, λεπροί, κωφοί et νεκροί de XI, 5. L'auteur a une explication pour toute irrégularité : « Das Nichtgenanntwerden der Frauen Mt 11,5 birgt ja von den historischen Gegebenheiten her keine Schwierigkeit zur Erklärung », et d'autre part, pour la guérison des aveugles (IX, 27-31, sans ἰδού) il renvoie au doublet de XX, 29-34 (avec καὶ ἰδού au v. 30). Matthieu n'aurait introduit par (καὶ) ἰδού qu'un seul exemple dans chaque catégorie de miracles : d'où l'absence de la particule en VIII, 5 (cfr IX, 2 : un paralytique), VIII, 14 (cfr IX, 20 : une femme), et encore VIII, 5 (cfr XV, 22 : « Frage von Heilungen zugunsten von Heiden »). Quant à XII, 10 ; XV, 21 et XX, 30 (en dehors du cycle des miracles), l'auteur souligne que le récit de miracle y est au service de la doctrine (p. 56), comme la particule est employée encore dans d'autres péricopes à thème doctrinal (IX, 3 ; XII, 46 ; XIX, 16). Par contre, l'emploi en VIII, 24 et VIII, 29.32.34 (« Epiphanie-Wundergeschichten ») se rapproche des manifestations du surnaturel en I, 20 ; II, 13.19 ; IV, 11 ; XXVIII, 2 (apparitions angéliques) ; II, 9 ; III, 16.17 ; XVII, 3.5 ; XXVII, 51 ; XXVIII, 9 ; auxquels l'auteur associe encore II, 1 ; XXVI, 47.51 ; XXVIII, 11. — L'explication de P. Fiedler est adoptée par R. Pesch à propos de *Mt.*, VIII, 2 ; cfr R. PESCH, *Jesu ureigene Taten ? Ein Beitrag zur Wunderfrage* (Quaestiones Disputatae, 52), Fribourg, 1970, pp. 90-91.

52. *Ibid.*, p. 59. L'auteur y voit un élément du style qui est propre à l'enseignement oral (cfr *ibid.*, n. 73).

53. C. Burger a sans doute raison de réagir et de souligner *aussi* la dimension « ecclésiastique » de la composition matthéenne mais la présentation qu'il en donne demande à son tour d'être corrigée (voir *infra*). Cfr C. BURGER, *Jesu Taten nach Matthäus 8 und 9*, dans ZTK, 30 (1973), 272-287.

Fs. J. Schmid, 1972, 253-266

MINOR AGREEMENTS MATTHEW – LUKE IN THE TRANSFIGURATION STORY

The exegetical career of Prof. J. Schmid had its debut, more than forty years ago, in a careful investigation of the relationship between Matthew and Luke. His *Habilitationsschrift* constitutes a forceful defense of the independence of the Third Gospel. The author's thorough and systematic study of the phenomenon of the minor agreements, with the aid of the linguistic characteristics of each evangelist, has not as such been superseded in later research[1]. With this modest paper, I would like to show that the approach followed by the Jubilar Professor remains valid in comparison with some recent reconsiderations of the problem.

In fact, present-day publications tend to reopen the question. The dissertation of T. Schramm (Hamburg, 1966), published in 1971, appeals to literary criticism as a corrective for the redaction-history of Luke. Agreements Matthew–Luke against Mark, Lukan peculiar elements and semitisms form the evidence put forward by the author in favour of the hypothesis that a significant part of the Markan material in Luke was influenced by non-Markan tradition-variants[2]. E. Simons' thesis on subsidiary Lukan indebtedness to Matthew, discussed at length by Schmid, is revived in R. Morgenthaler's *Statistische Synopse* (1971)[3]. In another tool for synoptic studies, *Synopse des quatre évangiles*, vol. II, *Commentaire* (1972), M.-É. Boismard situates the Lukan dependence on a pre-redactional level: Proto-Luke would be acquainted with the Intermediate Matthew, and this on the basis of the minor agreements[4]. It is a well known 254 fact that, as distinct from the previous authors, a number of British scholars would dispense with Q and, consequently, explain the minor agreements in

1. J. SCHMID, *Matthäus und Lukas. Eine Untersuchung des Verhältnisses ihrer Evangelien* (Biblische Studien 23/2-4), Freiburg i. Br., 1930, esp. p. 22-182.

2. T. SCHRAMM, *Der Markus-Stoff bei Lukas. Eine literarkritische und redaktionsgeschichtliche Untersuchung* (SNTS Monograph Series 14), Cambridge, 1971. His conclusion: "Unter dem Einfluß von Traditionsvarianten... stehen die folgenden Einheiten: Lk 5,12-16. 17-26. 33-39; 6,12-19; 8,4-8. (9f.). 16-18. 22-25; 9,1-6. 10-17. 18-22. (23-27). 28-36. 37-43a. 43b-45; 18,31-34. (35a); 19,28-38; 20,(1a). 9-19. 27-40. (46); 21,5-36; (22,3)" (p. 186).

3. R. MORGENTHALER, *Statistische Synopse*, Zürich-Stuttgart, 1971, p. 300-305: "Indizien für die Bekanntschaft Mt-Lk: Die kleineren Übereinstimmungen im Wortlaut, — in den Satzfolgen, — in den Perikopenfolgen."

4. M.-É. BOISMARD, in P. BENOIT — M.-É. BOISMARD, *Synopse des quatre évangiles en français*, Vol. II. *Commentaire*, Paris, 1972, p. 30-32: "L'existence d'un Mt-intermédiaire: Les accords Mt/Lc contre Mc."

connection with a broader hypothesis of direct dependence of Luke upon Matthew[5].

J. Schmid himself, referring to some sixteen agreements Matthew–Luke, admits that the explanation by an independent redaction might appear less convincing as long as they are not examined in the light of the whole evidence. Mk 9, 2–3 is one of those instances[6]. For E. de Witt Burton also, τὸ πρόσωπον αὐτοῦ / τοῦ προσώπου αὐτοῦ (par. Mk 9, 2b) is among the fifteen cases of "unexplained remainder"[7]. J. C. Hawkins listed twenty cases in which "the changes seem to be owing to some influence, direct or indirect, of a common source, and not to the independent judgement of two compilers"[8]. For him, as well as for M.-J. Lagrange[9], the genitive absolute ἔτι αὐτοῦ λαλοῦντος / ταῦτα δὲ αὐτοῦ λέγοντος, in parallel to Mk 9, 7a, is one of them. More recently, B. de Solages considers the agreements against Mk 9, 2b and 7a as "verba quae probabilius ex alio communi fonte fluere videntur"[10].

The two important agreements in the Transfiguration story are accompanied by a number of small alterations. Mk 9,2: τόν (om.), μόνους (om.); v. 3: στίλβοντα (var.), λίαν (om.), οἷα γναφεὺς ἐπὶ τῆς γῆς οὐ δύναται

5. Either following B.C. Butler (priority of Matthew) or A.M. Farrer (priority of Mark). Farrer on the minor agreements: "Now this is just what one could expect, on the supposition that St. Luke had read St. Matthew, but decided to work direct upon the more ancient narrative of St. Mark for himself. He does his own work of adaptation, but small Matthean echoes keep appearing, because St. Luke is after all acquainted with St. Matthew" (A.M. FARRER, *On Dispensing with Q*. in *Studies in the Gospels. Essays in Memory of R.H. Lightfoot*, Oxford, 1955, 55-88, p. 61). — For a historical survey on the minor agreements, see T. HANSEN, *De overeenkomsten Mt-Lc tegen Mc in de drievoudige traditie* (Doct. Diss.), Leuven, 1969, Vol. I, p. 1-79.

6 SCHMID, *Matthäus u. Lukas*, p. 179 n. 1: Mk 2,21-22; 4,11; 5,27; 6,33.43; 9,2-3. 19; 10,30; 11,27.29; 12,28; 14,62; 15,46; 16,1.5.8.

7. E. DE WITT BURTON, *Some Principles of Literary Criticism and their Application to the Synoptic Problem*, Chicago, 1904, p. 17. Comp. S. MCLOUGHLIN, *Les accords mineurs Mt-Lc contre Mc et le problème synoptique. Vers la théorie des deux sources*, in *De Jésus aux Evangiles. Tradition et Rédaction dans les Evangiles synoptiques* (BETL, 25; ed. I. de la Potterie), Gembloux-Paris, 1967, 17-39, p. 28: Mk 2,12; 5,27; 9,2.19; 14,65.72.

8. J.C. HAWKINS, *Horae Synopticae. Contributions to the Study of the Synoptic Problem*, Oxford, 21909 (repr. 1968; 1st ed. 1898), p. 210. See n. 17.

9. M.-J. LAGRANGE, *Évangile selon saint Luc* (Études Bibliques), Paris, 81948 (1st ed. 1921), p. LXXI. On p. LXXIII, with reference to Lk 9,34 (and 9,7): "Si notre Mt. est une traduction, ... le traducteur obligé de s'en tenir au texte, et par conséquent à limiter ses emprunts, n'aurait-il pas pu se servir, pour des menus détails, du texte de Lc., déjà existant? Nous ne voyons pas ce qu'on pourrait objecter à cette hypothèse, qui paraît suggérée par nos nos 4 et 6." Comp. M.-J. LAGRANGE, *Évangile selon saint Matthieu* (Études Bibliques), Paris, 81948, p. 335 (on Mt 17,5a): "La coïncidence..., si elle peut être une rencontre non intentionnelle, pourrait aussi suggérer un récit ancien indépendant de Mc."

10. B. DE SOLAGES, *Synopse grecque des Évangiles*, Leiden, 1959, p. 1065: Mk 1,38b-39; 3,7b-8a.10; 9,2b.7a; 14,61b.62.63.

οὕτως λευκᾶναι (om.); v. 4: ἰδού add., Ἠλίας σὺν Μωϋσεῖ (Μωϋσῆς καὶ Ἠλίας), ἦσαν + participle (var.), τοῦ Ἰησοῦ (pronoun); v. 5: λέγει (εἶπεν), ῥαββί (var.); v. 6: ἔκφοβοι γὰρ ἐγένοντο (ἐφοβήθησαν: transferred); v. 7: ἐπισκιάζουσα (finite verb), αὐτοῖς (αὐτούς), λέγουσα add., ἐν ᾧ εὐδόκησα / ὁ ἐκλελεγμένος add.; v. 8: ἐξάπινα (om.), οὐκέτι (om), μεθ' ἑαυτῶν (om.); v. 9: ἃ εἶδον / διηγήσωνται (inversion); v. 10: συζητοῦντες τί ἐστιν τὸ ἐκ νεκρῶν ἀναστῆναι (om.). 255

Thus, it is not surprising that T. Schramm admits the influence of a tradition-variant in the Transfiguration pericope[11]. According to R. Morgenthaler, the Markan tradition, after the "triplex traditio Marciana pura" in Mk 8, 34–9, 1 par., desintegrates from 9, 2 on, presumably under the influence of other traditions[12]. For M.-E. Boismard, the contacts Matthew-Luke justify the hypothesis that Lk 9, 28b and 33b–35 are a proto-Lukan insertion borrowed from the Intermediate Matthew[13]. Obviously, this emphasis on the minor agreements in the Transfiguration story is not new. The statement was already made by B. Weiß[14], and repeated by E. Dabrowski: "Les divergences existant entre Matthieu et Luc d'une part et Marc de l'autre ne peuvent pas être expliquées comme corrections de simple rédaction."[15]

In fact, the minor agreements Matthew-Luke in the Markan material are taken as objection by those authors who look upon both gospels as independent redactions on Mark. Many were tempted to take refuge in the conjectural reconstruction of a common source behind Matthew and Luke. Some presumed a non-Markan source (oral tradition, primitive gospel, Q or a special document); others postulated a proto-Markan text (the "original" Mark) or a deutero-Markan redaction (or recension). In the last case, the agreements are not the result of an accidental coincidence

11. SCHRAMM, *Markus-Stoff*, p. 136-139.

12. MORGENTHALER, *Synopse*, p. 174. He finds particularly impressive the frequency (*Häufung*) of minor agreements in some pericopes: Mk 2,1-12; 4,35-41; 6,30-44; 9,2-8. 14-29; 10,17-31; 11,1-10.27-33; 14,66-72; 15,42-47 (p. 303).

13. BOISMARD, *Commentaire*, p. 252. Proto-Luke: 9,28ac.29.30a.31-33a.36b (source) + 9,28b.33b.35 (from the Intermediate Matthew) + 9,36a (link). The redactor added τοὺς λόγους τούτους ὡσεί (v. 28a) and συνελάλουν — οἵ (v. 30-31a: from Intermediate Mark). The agreements Matthew-Luke in 9,28c. 29. 30. 36 are not considered!

14. B. WEIß, *Das Marcusevangelium und seine synoptischen Parallelen*, Berlin, 1872, p. 296-298. See the notes on the agreements Matthew-Luke as an attestation of the primitive source (*Urrelation*) behind Mark. In the same line, E. Hirsch ("auffallend starke Berührung in Kleinvarianten"), cf. *Frühgeschichte des Evangeliums*, Vol. II, Tübingen, ²1941, p. 94-96; and W. Grundmann ("wegen mancherlei Berührungen mit Matthäus"), cf. *Das Evangelium nach Lukas* (Theologischer Handkommentar zum Neuen Testament 3), Berlin, 1961, p. 191. These authors attribute the Lukan non-Markan source to Q (Hirsch's Lu I).

15. E. DABROWSKI, *La Transfiguration de Jésus* (Scripta Pontificii Instituti Biblici 85). Rome, 1939 (Polish ed. 1931), p. 21. On the genitive absolute par. Mk 9,7a: "un des plus forts arguments contre le texte de S. Marc comme forme primitive du récit" (with reference to Allen's comment on that case).

of two independent corrections, but Mark was already corrected in the common source. It was suggested in 1884 by E. A. Abbott: "When Mat-
256 thew and Luke agree in slight deviations from Mark, they probably used some 'similar edition' of the Original Tradition, *from which there had been removed* some of the abruptnesses perceptible in Mark's form of the Tradition"[16]. When formulated by W. Sanday, the hypothesis became highly attractive[17]. In more recent times, textual support was sought in the Western (T. F. Glasson) and the Caesarean (J. P. Brown) texts. Actually, some of those readings are comparable to the editorial work of Matthew and Luke, but is it not a mere supposition that both evangelists borrowed from one revision of Mark?[18] No more convincing are the attempts of B. H. Streeter to reconstruct the original gospel text and to replace some instances of "accidental coincidence" by the accidental corruption of the text of Mark. He proposes the reading καὶ ἐγένετο στίλβον τὸ πρόσωπον, καὶ τὰ ἱμάτια αὐτοῦ λευκὰ λίαν in Mk 9, 2b and the genitive absolute ἔτι λαλοῦντος αὐτοῦ (comp. 14, 43) in 9, 7a[19]. T. Schramm is right when he states that there is no cogent basis for those emendations[20]. However, the author's own approach in this matter is rather similar. For Schramm, as well as for Streeter, the "residual" agreements find their explanation in a common source, non-Markan for him, proto-Markan for Streeter. To both authors, the question can be asked: Is the redactional interpretation not too soon abandoned in favour of the search for a source-critical solution?

Mt 17,2: τὸ πρόσωπον αὐτοῦ; Lk 9, 29: τοῦ προσώπου αὐτοῦ.

In the Gospel of Matthew καὶ ἔλαμψεν τὸ πρόσωπον αὐτοῦ ὡς ὁ ἥλιος is the first notable divergence vis-à-vis Mark. Only two minor omissions can be observed in 17, 1: τόν (before the name of James) and μόνους. Obviously, Matthew avoided Mark's use of synonyms in the duplicate expression κατ' ἰδίαν μόνους[21]. The article before the name of James, not repeated before John, associates somewhat the two disciples (cf. "James

16. E.A. ABBOTT, in E.A. ABBOTT - W.G. RUSHBROOKE, *The Common Tradition of the Synoptic Gospels*, London, 1884, p. VII n. 2.

17. W. SANDAY, *The Conditions under which the Gospels were written in their bearing upon some Difficulties of the Synoptic Problem*, in *Studies in the Synoptic Problem*, Oxford, 1911, 3-26.

18. Cf. F. NEIRYNCK, *Duplicate Expressions in the Gospel of Mark*, in *ETL* 48 (1972) 150-209, p. 174-176.

19. B.H. STREETER, *The Four Gospels. A Study of Origins*, London, 1924, p. 315-316. His suggestion is taken over by E. LOHMEYER, *Markus*, p. 175, n. 1, and V. TAYLOR, *Mark*, p. 389.

20. SCHRAMM, *Markus-Stoff*, p. 137. Comp. SCHMID, *Matthäus u. Lukas*, p. 122 n. 3; 3; J. BLINZLER, *Die neutestamentlichen Berichte über die Verklärung Jesu* (NTA 17/4), Münster, 1937, p. 48 n. 53.

21. F. NEIRYNCK, *Duplicate Expressions*, p. 159-161.

and John the brother of James" in Mk 1, 19; 3, 17; 5, 37)[22]. In Matthew, the association is rendered explicit by the addition of "his brother"[23]. 257 This makes the omission of the article meaningless and even conforms with Markan usage (Mk 5, 37!).

In Mt 17, 2, the whole sentence "as no fuller on earth could bleach them" is omitted, together with στίλβοντα (λευκὰ) λίαν, and replaced by (λευκὰ) ὡς τὸ φῶς.

The notice about his face is added:

καὶ ἔλαμψεν τὸ πρόσωπον αὐτοῦ ὡς ὁ ἥλιος,
τὰ δὲ ἱμάτια αὐτοῦ ἐγένετο λευκὰ ὡς τὸ φῶς.

Matthew's reduplication of the motif of the white clothes finds a close parallel in 28, 3:

ἦν δὲ ἡ εἰδέα[24] αὐτοῦ ὡς ἀστραπή,
καὶ τὸ ἔνδυμα αὐτοῦ λευκὸν ὡς χιών.

Again, this description of the angel's appearance is clearly suggested by the Markan text: "a young man... dressed in a white robe (στολὴν λευκήν)" (16, 5b). Reduplications, as well as the clauses with ὡς, in 17, 2 and 28, 3, may reveal the hand of the same evangelist. In both cases, the Markan motif of the white clothes (or robe) provided the opportunity[25]. For the expression used in 17, 2 (ἔλαμψεν ὡς ὁ ἥλιος), Mt 13, 43 presents an uncontested Matthean parallel: τότε οἱ δίκαιοι ἐκλάμψουσιν ὡς ὁ ἥλιος[26].

Boismard correctly observes that the redactor of Matthew is responsible for the introduction of apocalyptic motifs in the Baptism, Transfiguration and Resurrection pericopes[27]. Parallels like Dn 7, 9 καὶ τὸ ἔνδυμα αὐτοῦ ὡσεὶ χιὼν λευκόν (Theod.) and Dn 10,6 καὶ τὸ πρόσωπον αὐτοῦ ὡσεὶ ὅρασις ἀστραπῆς (Theod.) are particularly relevant. Matthew's significant enlargement in 17, 6–7 refers to the same context of Dn 10. It should not be neglected, however, that the Gospel itself presents a more immediate parallel in 28, 16ff., and this is a valid indication of the identity of the author employing and adapting apocalyptic imagery:[28]

22. Comp. H.A.W. Meyer, *Kritisch exegetisches Handbuch über die Evangelien des Markus und Lukas* (Kritisch exegetischer Kommentar über das Neue Testament 1/2), Göttingen, ⁴1864, p. 113 (= B. Weiß, *Markus*, ⁶1878, p. 125): "Der Eine Artikel faßt das Brüderpaar zusammen." Comp. Lohmeyer, *Markus*, p. 174 n. 3.

23. Cf. Mt 4,21 (= Mk); 10,2 (Mk: the brother of James); comp. 26,37: "the two sons of Zebedee" (Mk: James and John).

24. εἰδέα (ἰδέα t. r.): countenance (King James), face (NEB), rather than "appearance".

25. For Mt 28,3, see F. Neirynck, *Les femmes au tombeau: Étude de rédaction matthéene (Matt. xxviii.1-10)*, in *NTS* 15 (1968-69) 168-190, p. 171-172.

26. Comp. Dn 12,3 (Theod.).

27. Boismard, *Commentaire*, p. 81, 250, 440-441.

28. For the comparison Mt 17 and 28 (προσκυνεῖν, φοβεῖσθαι / διστάζειν, προσελθὼν said of Jesus), see F. Neirynck, *La rédaction matthéenne et la structure du premier*

258

Mt 17	Mt 28
	16 οἱ δὲ ἕνδεκα μαθηταὶ . . .
6 καὶ ἀκούσαντες οἱ μαθηταὶ	17 καὶ ἰδόντες αὐτὸν
ἔπεσαν ἐπὶ πρόσωπον αὐτῶν	προσεκύνησαν,
καὶ ἐφοβήθησαν σφόδρα.	οἱ δὲ ἐδίστασαν.
7 καὶ προσῆλθεν ὁ Ἰησοῦς	18 καὶ προσελθὼν ὁ Ἰησοῦς
καὶ ἁψάμενος αὐτῶν εἶπεν·	ἐλάλησεν αὐτοῖς λέγων·
ἐγέρθητε	
καὶ μὴ φοβεῖσθε.	20 ...καὶ ἰδοὺ ἐγὼ μεθ'ὑμῶν εἰμι...

Luke imposes his own orientation from the very beginning of the pericope. The Septuagintal construction with ἐγένετο is the way he usually introduces sections (or pericopes) manifesting some independence. Luke replaced μετὰ ἡμέρας ἕξ by μετὰ τοὺς λόγους τούτους ὡσεὶ ἡμέραι ὀκτώ. The connection with the preceding words on the Passion can be understood as a preparation to v. 31[29].

Two small agreements have been noted in Lk 9, 28. The article before James is omitted, but here the name of Peter is also without the article and the names of the other two disciples are given in the "Lukan" order (Lk 8, 51; Acts 1, 13)[30]. The elimination of μόνους is a part of a four word omission: instead of (ὄρος) ὑψηλὸν κατ'ἰδίαν μόνους Luke has the verb προσεύξασθαι.

It becomes clear from v. 29 (ἐν τῷ προσεύχεσθαι αὐτόν) that the prayer of Jesus is meant, and not that of the disciples. In fact, not ἀναφέρει αὐτοὺς ...μόνους (he leads them up) but ἀνέβη (he went up) is the verb employed by Luke and thus the separation between the disciples and the Jesus of the Transfiguration (in Mk 9, 2b–7) seems to be anticipated already in the prayer of Jesus. The well known Lukan motif of Jesus' prayer[31] is not necessarily an indication of a special source: it was suggested by Mk 1,35 (in the solitude: cf. Lk 5,16) and Mk 6,46 (on the mountain). Following the omission of Mk 6, 45 - 8, 26, the motif is taken over in Lk 9, 18: ἐν τῷ εἶναι προσευχόμενον κατὰ μόνας (cf. μόνος in Mk 6, 47). One might suppose in 9,28 a repeated reminiscence of Mk 6, 46 (prayer on the mountain; also, n. b., Lk 6, 12), but the reference to another passage may be predominant here.

In Lk 22, 40, the Gethsemane scene of Mk 14, 32–42 is situated on the Mount of Olives and here also the separation of Jesus and the dis-

évangile, in *De Jésus aux Evangiles* (BETL, 25; ed. I. de la Potterie), Gembloux-Paris, 1967, 40-73, p. 50; *Les femmes au tombeau*, p. 180.

29. H. SCHÜRMANN, *Das Lukasevangelium. I* (Herders theologischer Kommentar zum Neuen Testament, 3), Freiburg i. Br., 1969, p. 555.

30. Comp. "Peter and John" in Acts 3,1.3; 4,13.19; 8,14; and "James the brother of John" in Acts 12,1.

31. Lk 3,21; 5,16; 6,12; 9,18.28; 11,1; 22,41 (par. Mk 14,35).

ciples is anticipated in v. 39: Jesus went up to the Mount of Olives and the disciples followed (diff. Mk 14, 26 and 32). It is in Mk 14, 32–42 that Luke found inspiration for additional elements in the Transfiguration story. The parallelism is clearly suggested by Mark: Jesus with the three disciples, the intervention of Peter, and the strikingly similar observation in 9, 6a and 14, 40b. In Lk 9,31, the theme of the Gethsemane prayer provides the content for the conversation with Moses and Elijah (comp. also Mk 9, 11–13, omitted in Luke), and Lk 9, 32 recalls the sleep of Peter and his companions (ἦσαν βεβαρημένοι: cf. καταβαρυνόμενοι in Mk 14, 40 and the par. in Mt 26, 43; διαγρηγορήσαντες: cf. γρηγορεῖν in Mk 14, 34. 37. 38). Thus, the mention of the prayer of Jesus on the mountain ist not an isolated motif inserted here, but it inaugurates Luke's interpretation of Mk 9, 2–8. According to Lk 6, 12, Jesus spent the night in prayer on the mountain, previous to the election of the disciples. After the transfiguration, too, Luke placed the descent from the mountain on the following day (9, 37). Exegesis of the Transfiguration story generally relates the prayer of Jesus to the revelation scene of his baptism (3, 21). The association prayer-mountain (6, 12; 22, 40) allows the supposition that the prayer of Jesus was suggested here by the theme of the isolation on the mountain (Mk 9, 2; cf. 6, 46). 259

It is a widely accepted view that Luke avoided in v. 29 Mark's μετεμορφώθη, "which might be understood of the heathen deities"[32]. Consequently, J. Schmid noted that the agreement Matthew-Luke here is only apparent. Matthew added the motif of the shining face as an explanation of μετεμορφώθη and in Luke the same verb is replaced by the paraphrase τὸ εἶδος τοῦ προσώπου ἐγένετο ἕτερον[33]. In fact, the avoidance of the idea of metamorphosis (of deities in an earthly form) is hardly provable. H. Schürmann finds it incredible and suggests that Luke (as well as Matthew) introduced the motif under the inspiration of Ex 34, 29ff[34]. Still, the formulation of v. 29 deserves further attention. Καὶ ἐγένετο, followed by ἐν τῷ + infinitive, recalls the construction of v. 28, used again in v. 33. The initial position of ἐγένετο shows perhaps the influence of that pattern. Here, the verb comes from the phrase in Mk 9, 3a, rewritten in a Lukan wording (καὶ ἐγένετο ... ὁ ἱματισμὸς αὐτοῦ

32. A. PLUMMER, *A Critical and Exegetical Commentary on the Gospel according to S. Luke* (ICC), Edinburgh, [5]1922 (1st ed. 1896), p. 251; cf. KLOSTERMANN, *Lukas*, p. 469; LAGRANGE, *Luc*, p. 272; CREED, *Luke*, p. 134; BLINZLER, *Verklärung*, p. 46; LEANEY, *Luke*, p. 167; A. FEUILLET, *Les perspectives propres à chaque évangéliste dans le récit de la Transfiguration*, in *Bibl* 39 (1958) 281-301, p. 289; M. SABBE, *La rédaction du récit de la Transfiguration*, in *La venue du Messie. Messianisme et eschatologie* (Recherches Bibliques, 6), Bruges, 1962, 65-100, p. 72; MCLOUGHLIN, *Les accords mineurs*, p. 29.

33. SCHMID, *Matthäus u. Lukas*, p. 122.

34. Δεδόξασται ἡ ὄψις τοῦ χρώματος τοῦ προσώπου αὐτοῦ. Cf. SCHÜRMANN, *Lukas*, p. 556.

λευκὸς ἐξαστράπτων)[35], from which ἐγένετο was brought forward to the
260 beginning of the phrase and supplemented with a parallel subject (τὸ εἶδος τοῦ προσώπου αὐτοῦ ἕτερον). In doing so, Luke has conflated Mk 9, 2b and 3a into one construction, ἐγένετο... ἕτερον being the rendering of Mark's μετεμορφώθη.

In the Greek Bible the verb μεταμορφοῦν is used (besides Mk 9, 2 and Mt 17, 2) only in Rom 12, 2 and 2 Cor 3, 18. It is a new formation of Koine Greek, only rarely attested before Luke[36]. Perhaps we have to reckon here with Luke's biblical background. The expression ἡ μορφὴ αὐτοῦ ἠλλοιώθη, of the change of facial expression, is used in Hermas (Mand 12, 4, 1) and it has biblical roots. Dn 7, 28: οἱ διαλογισμοί μου συνετάρασσόν με, καὶ ἡ μορφή μου ἠλλοιώθη, comp. also 5, 6. 9. 10 (Theod.). The LXX text of Dn 3, 19 has καὶ ἡ μορφὴ (Theod.: ὄψις) τοῦ προσώπου αὐτοῦ ἠλλοιώθη and there are a number of texts with the association πρόσωπον — ἀλλοιοῦν[37]. In Lk 9, 29, the Codex Bezae reads ἡ ἰδέα τοῦ προσώπου αὐτοῦ ἠλλοιώθη[38]. It is hard to defend this reading as preserving the original text of Luke, but could it not be that the underlying expression is at the basis of the Lukan formulation: μετεμορφώθη = μετεβλήθη εἰς ἄλλην μορφήν = ἡ μορφὴ / τὸ πρόσωπον αὐτοῦ ἠλλοιώθη? In fact, it is not very helpful to point out that the phrase of Luke could be a translation from the Aramaic[39]. The *Vorlage* can be provided by Mark. The use of τὸ εἶδος reflects Lukan usage (cf. 3,22) and it is well known that Luke has some preference for ἕτερος[40]: here ἠλλοιώθη is substituted by ἐγένετο ἕτερον (cf. Mk: ἐγένετο λευκά). Thus, I would conclude with Schmid: it is only an apparent agreement (with Matthew). Whereas in the First Gospel the shining face and the white clothes form the double aspect of μετεμορφώθη, Luke understood this verb as alluding directly to the change of his face and "translated" it accordingly.

Mt 17, 5: ἔτι αὐτοῦ λαλοῦντος; Lk 9, 34: ταῦτα δὲ αὐτοῦ λέγοντος.

As a first remark in the discussion of the agreement we have to observe the Matthean characteristics in the formulation of Mt 17, 5. The genitive

35. ἱματισμός: cf. Lk 7,25 (diff. Mt); Acts 20,23; ἐξαστράπτων: cf. ἀστράπτων in Lk 24,4; comp. ἀστραπή: 10,18 (S); 11,36 (diff. Mt); 17,24 (par. Mt, + ἀστράπτουσα); περιαστράπτειν: Acts 9,3; 22,6.

36. "Ein erst der Koine geläufiges Synonymum von ἀλλοιόω, ἑτεροιόω, μεταβάλλω usw.", J. Behm, *ThW* 4, p. 763.

37. Ps 33,1 title (Symm: μεταμορφοῦν) = 1 Sam 21,14; Jdt 10,7; Sir 12,18; 13,25; 1 Macc 12,12 (A); comp. μεταβάλλειν in Is 13,8; 29,22.

38. Comp. Hermas, *Vis.* 5, 4: ἠλλοιώθη ἡ εἰδέα αὐτοῦ (in a recognition scene).

39. J.W. Doeve, *Le rôle de la tradition orale dans la composition des évangiles synoptiques*, in *La formation des Evangiles. Problème synoptique et Formgeschichte* (Recherches Bibliques 2), Bruges, 1957, 70-84, p. 73.

40. Frequency: Mt 9; Mk 0; Lk 33; Jn 1; Acts 17. In Lk: 4,43 (Mk ἀλλαχοῦ); 8,3 (comp. Mk 15,41 ἄλλαι). 6.7.8 (ἄλλο); 16,18 (comp. Mk 10, 11); 20,11 (Mk ἄλλον).

absolute is followed by ἰδού in Mt 1, 20; 2, 1. 13. 19 (aorist); 9, 32; 28, 11 261
(present); 9, 18; 12, 46; 17, 5; 26, 47 (αὐτοῦ λαλοῦντος)[41]. The insertion of ἰδού here (for ἐγένετο), repeated in v. 5b, as well as in v. 3 (add.), can be part of the apocalyptic style[42]. Ἔτι αὐτοῦ λαλοῦντος is used twice in Mark: 5, 35 and 14, 43 (par. Mt 26, 47: om. εὐθύς). Mk 5, 35 has no parallel in the abbreviated version of Matthew, but there is a reminiscence of it in the opening sentence of the pericope: ταῦτα αὐτοῦ λαλοῦντος αὐτοῖς (Mt 9, 18). In Mt 12, 46 and 17, 5, the construction ἔτι αὐτοῦ λαλοῦντος (τοῖς ὄχλοις) ἰδού is added to the text of Mark.

It is difficult to conceive how Lagrange could come to the conviction that Mt 17, 5 is an exceptional case of Matthean indebtedness to Luke[43]. The construction ἔτι αὐτοῦ λαλοῦντος of Mk 5, 35 and 14, 43 is adopted in Lk 8, 49 and 22, 47, and used again in 22, 60, where Mark's εὐθύς is replaced and reinforced by παραχρῆμα ἔτι λαλοῦντος αὐτοῦ. The same word order (ἔτι + participle + noun or pronoun) appears also in Acts 10, 44 (ἔτι λαλοῦντος τοῦ Πέτρου τὰ ῥήματα ταῦτα)[44]. The genitive absolute ἔτι αὐτοῦ λαλοῦντος is used also in the LXX, sometimes followed by καὶ ἰδού[45]. Only one of the four Matthean instances with ἰδού has its parallel in Luke (diff. Mk 14, 43: παραγίνεται). F. Rehkopf rightly notes the appropriateness of this usage[46]. The expression of Lk 9, 34 is much more uncommon: ταῦτα δὲ αὐτοῦ λέγοντος reappears in 13, 17 (καὶ ταῦτα λέγοντος αὐτοῦ), and in a variant reading of 11, 53 (λέγοντος δὲ αὐτοῦ ταῦτα πρὸς αὐτούς) (comp. Lk 21, 5: in plural and followed with ὅτι-clause).

The literary function of the genitive absolute is also somewhat different. In Matthew ἔτι αὐτοῦ λαλοῦντος, as it is usual, follows immediately the direct speech. The motif of the fear (Mk 9, 6b) is postponed as the disciples' reaction to the voice (17, 6) and the observation that Peter

41. Mt 9, 10 (καὶ ἰδού: after καὶ ἐγένετο + genitive absolute). Cf. P. FIEDLER, *Die Formel "und siehe" im Neuen Testament* (StANT 20), Münster, 1969, p. 23-29; A. VARGAS-MACHUCA, (Καὶ) ἰδού *en el estilo narrativo de Mateo*, in *Bibl* 50 (1969) 233-244, p. 241-242.

42. Comp. Mt 3, 16. 17; 28, 2. 7. 9.

43. See n. 9.

44. With another verb: Lk 9, 42 (diff. Mk); 24, 41 (S); cf. G. SCHNEIDER, *Verleugung, Verspottung und Verhör Jesu nach Lukas 22, 54-71. Studien zur lukanischen Darstellung der Passion* (StANT, 22), München, 1969, p. 90. Genitive absolute with λαλοῦν (without ἔτι): Lk 24, 36; Acts 4, 1; 23, 7 (v. l.).

45. 1 Kg 1, 42; 2 Kg 6, 33; Dn 9, 21 (Theod.); καὶ ἰδού before ἔτι: 1 Kg 1, 22; other examples of genitive absolute + καὶ ἰδού: 1 Sam 9. 14; Jud 19, 22.

46. F. REHKOPF, *Die lukanische Sonderquelle. Ihr Umfang und Sprachgebrauch* (Wissenschaftliche Untersuchungen zum Neuen Testament, 5), Tübingen, 1959, p. 34: "Wie treffend Lk 22, 47 ἰδού nach der Formel ἔτι αὐτοῦ λαλοῦντος steht, zeigt nicht nur die Einfügung des Matthäus (Mt 26, 47), sondern auch der gleiche Sprachgebrauch im AT: ἰδού führt das Neue, nicht Vorhergesehene, das die Situation völlig Verändernde ein." On Mt 8, 2; 9, 2. 18; 17, 3 and the parallel in Luke: "das zeigt die Vorliebe beider für ἰδού einerseits und die passende Verwendung von ἰδού an diesen Stellen andererseits" (p. 5).

did not know what to say (Mk 9, 6a) is omitted, or rather, Matthew made Peter's intervention itself seem less foolish: κύριε... εἰ θέλεις, ποιήσω. 262 Thus, ἔτι αὐτοῦ λαλοῦντος replaces the reflection of Mk 9, 6 and aptly expresses the abruptness of the coming of the cloud. Matthew's representation of the cloud follows the same line as Mark: The cloud covers them with a shadow and the voice comes out of the cloud.

In Luke the cloud and the voice are separated by the motif of the fear. It is uncontested that the unexpressed subject of ἐφοβήθησαν are the three disciples (comp. Mk: ἔκφοβοι γὰρ ἐγένοντο), but the referent of the double αὐτούς in Lk 9, 34 is a much debated question. The reading ἐκείνους εἰσελθεῖν (t. r.) excludes the disciples and, although modern editions since Tischendorf and Westcott-Hort reject that reading (Vogels being an exception), it represents the common interpretation given to εἰσελθεῖν αὐτούς[47]. Two indications are proposed: the voice coming ἐκ τῆς νεφέλης (v. 35) and διαχωρίζεσθαι αὐτούς, i. e., Moses and Elijah (v. 33). But even when Luke gives a new orientation to the scene, some traces of the Markan description (ἐκ) may remain uncorrected. Still, the expression ἐκ τῆς νεφέλης is not inappropriate to designate a voice which comes from above in the cloud enveloping them. Lk 9, 33 mentions the departure of Moses and Elijah and, in fact, with v. 33 they apparently disappear. Luke not only inserted that motif as the occasion of the speech of Peter, but the departure forms the "exit" of the conversation-scene (9, 30-33)[48].

Some are inclined to make a distinction between (ἐπεσκίαζεν) αὐτούς and (εἰσελθεῖν) αὐτούς[49]. However, the construction ἐν τῷ + infinitive is a

47. Common opinion in the commentaries: Moses and Elijah, e.g. Meyer, B. Weiß, Klostermann. Hauck, Grundmann; with Jesus: Knabenbauer, Schanz, Lagrange, Creed, Keulers, Schmid; also H. RIESENFELD, *Jésus transfiguré. L'arrière-plan du récit évangélique de la transfiguration de Notre-Seigneur* (ASNU, 16). Lund, 1947, p. 249; H. BALTENSWEILER, *Die Verklärung Jesu* (AThANT 33), Zürich, 1959, p. 84 (see, however, p. 127). — Per contra, see T. ZAHN, *Das Evangelium des Lucas* (Kommentar zum Neuen Testament 3), Leipzig-Erlangen, [4]1920 (1st ed. 1913), p. 384, n. 98: "Können Subject von ἐφοβήθησαν selbstverständlich nur die Jünger sein, so muß auch das αὐτούς hinter ἐπεσκίαζεν sie bezeichnen... Auf diese drei bezieht sich dann auch das zweite, gut genug bezeugte αὐτούς hinter εἰσελθεῖν (א B C L, 157, Kop, Arm)." A. LOISY, *Les évangiles synoptiques*, 2 vols., Ceffonds, 1907-08, Vol. II, p. 37-38; *L'évangile selon Luc*, Paris, 1924, p. 274-275; A. SUHL, *Die Funktion der alttestamentlichen Zitate und Anspielungen im Markusevangelium*, Gütersloh, 1965, p. 106: "Diese (die Wolke) kann bei Lk nicht mehr Elia, Mose und den verklärten Jesu umhüllen, wie Mk/Mt zu denken sein dürften, da Lukas die ganze Szene deutlich in zwei Abschnitte teilt" (with reference to Conzelmann, cf. n. 53).

48. Cf. G. LOHFINK, *Die Himmelfahrt Jesu. Untersuchungen zu den Himmelfahrts- und Erhöhungstexten bei Lukas* (StANT 26), München, 1971, p. 150: "Lukas liebt es, das Entschwinden des Erscheinenden eigens zu vermerken. Außer den Himmelfahrtserzählungen ist hier zu nennen: Lk 1, 38; 2, 15; 9, 33; 24, 31; Apg 10, 7; 12, 10."

49. J. HÖLLER, *Die Verklärung Jesu. Eine Auslegung der neutestamentlichen Berichte*, Freiburg i. Br., 1937, p. 123-126.

favorite Lukan mannerism to resume the previous statement[50]. In this pericope: ἐν τῷ προσεύχεσθαι in v. 29 (cf. v. 28b). In 9, 34 and 36 Luke has repeated the two statements taken over from Mk 9, 7ab: φωνὴ ἐγένετο is resumed in ἐν τῷ γενέσθαι τὴν φωνήν and ἐγένετο νεφέλη καὶ ἐπεσκίαζεν αὐτούς in ἐν τῷ εἰσελθεῖν αὐτοὺς εἰς τὴν νεφέλην. The unexpressed subject of ἐφοβήθησαν argues for a reference to the disciples in αὐτούς. Peter and his companions remained in the background of the scene with Moses and Elijah (vv. 30–33). Their role there was preparatory to the scene of revelation now addressed to them in vv. 34–36a.

263

Plummer says that "we cannot be sure whether the αὐτούς includes the Apostles or not"[51]. This might be applicable to the αὐτοῖς of Mark (and to the αὐτούς in Matthew), although Lohmeyer rightly observes that it is difficult to exclude the disciples[52]. In relation to the text of Luke, Plummer's hesitation and the firm rejection by many authors can only be attributed to a lack of consideration of Luke's own tendency. Ταῦτα δὲ αὐτοῦ λέγοντος is not simply the linking formula of Mt 17, 5a. It marks the beginning of the second section[53].

The genitive absolute is normally translated: While he said these things (Mt: While he was yet speaking). In fact, the present participle most naturally denotes an action simultaneous with that of the principal verb. In some instances, however, the present participle is used to describe what takes place before the main verb. C. F. D. Moule collected some of those occurrences in the New Testament and H. G. Meecham added other examples[54]. N. Turner remarks that the prior action which is thus indicated is usually continued action, so that the participle amounts to an imperfect[55]. Moule seems to agree ("a frequentative or durative (a 'linear') sense"). Cf., for instance, Acts 4, 34: πωλοῦντες ἔφερον (comp. v. 31: πωλήσας ἤνεγκεν)[56]. Luke 2, 42 and 23, 43 are quoted. A brief examination of λέγων reaches the following result: Lk 8, 8, after the parable of the sower: ταῦτα λέγων ἐφώνει — "And when he had said these things" (King James Version). Lk 13, 17, at the conclusion of the healing of the crippled woman: καὶ ταῦτα λέγοντος αὐτοῦ κατῃσχύνοντο — "And when he had said these things". In Luke's usage, the present participle λέγων ist not so

50. E.g., Lk 24, 15. 30. 51.

51. PLUMMER, *Luke*, p. 252.

52. LOHMEYER, *Markus*, p. 177 n. 1.

53. H. CONZELMANN, *Die Mitte der Zeit. Studien zur Theologie des Lukas* (BHTh 17), Tübingen, ³1960 (1st ed. 1954), p. 51: "Die ganze Szene erhält doppelten Sinn und entsprechend einen zweigliedrigen Aufbau: a) himmlische Leidenskundgabe an Jesus; b) Wesenskundgabe an die Jünger."

54. C.F.D. MOULE, *An Idiom Book of the New Testament*, Cambridge, ²1959 (1st ed. 1953), p. 100-101; H.G. MEECHAM, *The Present Participle of Antecedent Action — Some New Testament Instances*, in *ExpT* 64 (1952-1953) 285-286.

55. N. TURNER, *Syntax*, in J.H. MOULTON, *A Grammar of the New Testament Greek*, Vol. III, Edinburgh, 1963, p. 81.

56. MOULE, *Idiom Book*, p. 206.

different from the aorist εἰπών. Thus Lk 19, 28: καὶ εἰπὼν ταῦτα ἐπορεύετο — "And when he had thus spoken". Comp. also 23, 46. The observation can be extended to other verbs: Lk 19, 11: ἀκουόντων δὲ αὐτῶν ταῦτα προσθεὶς εἶπεν παραβολήν — "And as they heard these things he added a parable". Comp. 4, 28. In short, in 9, 34, not only the particle of simul-
264 taneity (ἔτι) is absent, but also Luke's use of the present participle λέγων in 8, 8 and 13, 17 moves us further away from Matthew's expression.

So the offending abruptness of Mk 9, 7a was corrected by Matthew and Luke with a similar construction. In itself, the use of the genitive absolute as connecting link (and opening formula) at the beginning of a section is not surprising[57]. Still, the dissimilarities surrounding the employment of the genitive absolute are rather impressive: In Luke, the genitive absolute is not followed by ἰδού; instead of λαλοῦντος the verb used is λέγοντος, preceded by ταῦτα δέ; the linking particle ἔτι is omitted; the connection with the preceding speech of Peter is interrupted by the remark μὴ εἰδὼς ὃ λέγει (v. 33b; par. Mk 9, 6). The examination of these data enlighten us more about the tendencies of the two gospels than about any source-critical relationship.

The argument of the concurrence of agreements in the same passage does not seem modify this conclusion. Even T. Schramm did not mention the substitution of εἶπεν for the historic present λέγει (Mk 9, 5), the replacement of ῥαββί by κύριε and ἐπιστάτα (Mk 9, 5), the omission of ἐξάπινα (hapax), οὐκέτι (double negative) and μεθ' ἑαυτῶν (Mk 9, 8). The addition of λέγουσα in Mt 17, 5 is only one element of the assimilation of Baptism and Transfiguration pericopes: (καὶ) ἰδού... καὶ ἰδού... λέγουσα· (οὗτός ἐστιν)... ἐν ᾧ εὐδόκησα. The fact that Luke adds here λέγουσα, as Matthew did in 3, 17 and 17, 5, is in accordance with the frequent introduction of λέγων / λέγοντες before direct discourse[58]. The avoidance of the periphrastic construction ἐγένετο... ἐπισκιάζουσα αὐτοῖς is a further agreement in the same passage. In particular, the joint substitution of the accusative αὐτούς for αὐτοῖς looks rather peculiar, since the dative is used by Luke in Lk 1, 35 and Acts 5,15[59]. The fact that Luke prefers here the accusative, as the verb is more commonly employed in non-biblical texts, is linked with his representation of the cloud, not hanging over

57. On Luke: H.J. CADBURY, *The Style and Literary Method of Luke* (Harvard Theological Studies, 6), Cambridge (Mass.), 1920, p. 133-134.

58. CADBURY, *Style*, p. 135: Lk 5, 13; 8, 24. 25; 18, 16. 38; 19, 30. 46; 22, 19. 20. 42. H. SCHÜRMANN, *Der Einsetzungsbericht. Lk 22,19-20. II. Teil einer quellenkritischen Untersuchung des lukanischen Abendmahlsberichtes Lk 22, 7-38* (NTA 20/4), Münster, 1955, p. 60. See also Lk 5, 30; 8, 38. 54; 20, 2. 14. 21; 22, 59. 64. 67; 23, 21. 35. 47 (Mk: ἔλεγεν or other finite verb).

59. In LXX, dative: Ps 90 (91), 4; ἐπί + accusative: Ex 40, 29 (35); Ps 139 (140), 8. Cf. R. HELBING, *Die Kasussyntax der Verba bei den Septuaginta*, Göttingen, 1928, p. 284: "sonst meist c. a."

the disciples and overshadowing them, but an involving reality in which they enter. It is also this new representation of the cloud which explains the transference of the motif of the frightening of the disciples.

A more detailed treatment of each particular instance of agreement Matthew-Luke in the Transfiguration story would go beyond the limits of this paper. As a final remark I would adopt, within the limited scale 265 of this pericope, the conclusion of J. Schmid: "So bleibt als einzig gangbarer Weg zur Lösung des Problems noch die Annahme, die meisten Anklänge des Lk an Mt gegen Mk seien ebenso wie die gemeinsamen Kürzungen auf das Konto *unabhängiger Bearbeitung* der Mk-Vorlage zu setzen."[60]

ADDITIONAL NOTE
THE STUDY OF THE MINOR AGREEMENTS

Cf. F. NEIRYNCK in collaboration with T. HANSEN and F. VAN SEGBROECK, *The Minor Agreements of Matthew and Luke against Mark, with a Cumulative List* (BETL, 37), Leuven, 1974 (here referred to as *M.A.*). Part I contains a survey of "The Study of the Minor Agreements", with bibliographical references, from 1838 (Wilke) to 1973 (pp. 11-48). Some more recent contributions should be added:

E. W. BURROWS, *The Use of Textual Theories to Explain Agreements of Matthew and Luke against Mark*, in J.K. ELLIOTT (ed.), *Studies in New Testament Language and Text*. Fs. G.D. Kilpatrick (SupplNT, 44), Leiden, 1976, pp. 86-99. I quote from the conclusion: "The attempts of Glasson and Brown [*M.A.*, 22-23] to discover in our witnesses evidence for the use by Matthew and Luke of a different text of Mark are not satisfactory. The approach of Streeter [*M.A.*, 31-32] is sound, although he gives a misleading impression of the scope of the problem, but the researches of Turner [*M.A.*, 29-30, cf. 22] with their detailed stylistic investigations still point in the right direction. ... An eclectic approach such as Turner pioneered is likely to show that the right explanation for the agreements is still independent stylistic improvement and textual corruption" (p. 99). Some of the Caesarean variants listed by Brown "are likely to be original", for stylistic reasons: Mk 1,41 αὐτοῦ (after ἥψατο); 3,1 τήν (before συναγωγήν) N[26]; 8,31 ἀπό (for ὑπό); 9,7 λέγουσα; 11,29 ἀποκριθείς; 12,17 ἀπόδοτε τὰ Καίσαρος (order); 13,31 μή (after οὐ) N[26]; 14,38 εἰσέλθητε (for ἔλθητε); 14,54 ἠκολούθει (for -ησεν); 14,62 σὺ εἶπας ὅτι; 15,1 ἀπήγαγον (for ἀπήνεγκαν); "because accidental change or omission may easily have taken place": 4,11 γνῶναι; 12,23 οὖν; 14,65 τίς ἐστιν ὁ παίσας σε; 15,25 ἐφύλασσον; and, from Glasson's list of Western readings, 5,14 ἐξῆλθον (4,11 and 15,25 are also in Glasson's list). In Luke 8,44 τοῦ κρασπέδου and 9,41 καὶ διεστραμμένη "may be omitted" (p. 92, cf. 90). Compare Kilpatrick's *Diglot* at Mk 1,41; 3,1; 4,11; 8,31; 9,7; 11,29; 12,17; 13,31; 14,38; Lk [8,44]; [9,41].

H. AICHINGER (1976, 1978) and A. FUCHS (*M.A.*, 24; 1978, 1980, 1980): cf. *supra*, pp. 769-780: *Deuteromarcus et les accords Matthieu-Luc*.

W. SCHMITHALS (1979): cf. *supra*, p. 614 and 617.

M.-É. BOISMARD, *The Two-Source Theory at an Impasse*, in *NTS* 26 (1979-80) 1-17. The author examines Mk 6,31-34 and par., "with particular consideration being given to the problem of the minor agreements...". In the introduction (pp. 2-5) he raises objections against the "misleading" approach of Streeter, Schmid and McLoughlin

60. SCHMID, *Matthäus u. Lukas*, p. 179.

(*M.A.*, 31-32, 33-35, 47-48). For Boismard the summary of Mt 14,13-14 (comp. 12,15 and 19,1-2) is an illustration of his main thesis that the agreements Matthew/Luke have the characteristics of "a typically Matthean redaction" which is "older than the one we now have" (12). See, however, our critique in *Urmarcus redivivus?* (cf. *supra*, p. 776, note 17).

M. D. GOULDER, *On Putting Q to the Test*, in *NTS* 24 (1977-78) 218-234; *Mark xvi.1-8 and Parallels*, *ibid.*, 235-240. In the first article he proposes twelve cases where Luke agrees with Matthew against Mark, "in expressions which he, Luke, never uses elsewhere, or to which he shows a marked aversion, or which are unnatural; or in matters of order", agreements that are typical of Matthew (redacted by Matthew): Lk 4,15-16; 4,16-5,11 (order); 5,18; 6,14; 7,27; 6,7; 9,34; 22,63-64; 22,62; 22,66; 23,53; 23,54; (24,1). "I do not see how we are to avoid the conclusion that Luke knew Matthew: and that conclusion entails the end of Q" (p. 234). If, however, in the triple tradition passages Luke's subsidiary dependence on Matthew can be combined with a more fundamental dependence on Mark (Goulder, in the line of A. Farrer: cf. *M.A.*, 38), Luke's use of Q in combination with some Matthean reminiscences is still a possibility (Simons, Morgenthaler: *M.A.*, 15-16. 39).

Concilium 2 (1966) nr. 10, 62-73

MC 9,33-50
EN DE OVERLEVERING VAN DE JEZUSWOORDEN

Het is stilaan doorgedrongen tot het besef van elke bijbellezer dat aan de canonische evangeliën een lange voorgeschiedenis voorafging en dat de redes van Jezus veelal verzamelingen zijn van logia die een zelfstandig bestaan gekend hebben. In vele gevallen is er tussen de Jezuswoorden geen innerlijke, logische samenhang, maar louter *ad vocem*-verbinding, wat erop zou wijzen dat de associatie gebeurd is in het vroege stadium van de (nog Arameese) mondelinge overlevering. Op dit terrein mag Mc 9,33-50 wel als schoolvoorbeeld gelden, vooral sinds het artikel van L. Vaganay in 1953[1]. Die studie biedt een uitstekend vertrekpunt voor verder onderzoek, al mag dan blijken dat de opzet van de auteur wat vermetel was. Niet voor elke tekst laat de *Stichwort*-associatie ons toe de stap te zetten van de Griekse tekst naar de Arameese overlevering en het is zeker betekenisvol dat zelfs de redacteurs van de evangeliën er niet ongevoelig voor waren. Ook in zijn reconstructie van het basisdocument, waarbij hij zich bedient van de drie synoptische versies, zullen velen Vaganay niet kunnen volgen. Toch zij hier aanstonds toegevoegd dat het hypothetische document van Vaganay slechts in geringe mate afwijkt van de tekst van Marcus. Benevens de weglatingen van Lc 9,48c (na v. 35a) en Mt 18,10.14 (na v. 41) zou Mc enkel lichte wijzigingen hebben aangebracht in v. 35c (vgl. Mt 23,11), v. 36b (add.), v. 41a (vgl. Mt 10,42) en v. 42 (vgl. Mt 18,6). Wij zelf nemen de tekst van Mc als uitgangspunt van onze bespreking. Dat is natuurlijk niet los te maken van een bepaald inzicht in de algemene synoptische problematiek. Het wil ons inderdaad voorkomen dat de vernieuwde studie van de redactie van Mt en Lc nu een steviger uitbouw van de gangbare opvatting van de prioriteit van Marcus toelaat.

1. L. Vaganay, *Le schématisme du discours communautaire à la lumière de la critique des sources*, in *Revue Biblique* 60 (1953) 203-244; hernomen in *Le problème synoptique* (Bibliothèque de Théologie III/1), Parijs-Doornik, 1954, pp. 361-425 (*Excursus IV*). Vgl. R. Schnackenburg, *Mk 9,33-50*, in *Synoptische Studien. Festschrift A. Wikenhauser*, München, 1953, pp. 184-206 (de auteur verdedigt de prioriteit van Mc en acht redactie van de evangelist niet uitgesloten: vgl. 13,33-37; 8,34-37.38; 4,21-25): A. Descamps, *Du discours de Marc., IX,33-50 aux paroles de Jésus*, in *La formation des Évangiles. Problème synoptique et Formgeschichte* (Recherches bibliques, 2), Brugge-Leuven, 1957, pp. 152-177 (traditiegeschiedenis van de logia). Voor Mt: W. Pesch, *Die sogenannte Gemeindeordnung Mt 18*, in *Biblische Zeitschrift* 7 (1963) 220-235; W. Trilling, *Das wahre Israel. Studien zur Theologie des Matthäus-Evangeliums* (StANT, 10), München, 1964, pp. 106-123. Deze en andere studies verdienen een diepgaande bespreking die wij in deze vluchtige uiteenzetting alleen kunnen inleiden.

33 Καὶ ἦλθον εἰς Καφαρναούμ.
καὶ ἐν τῇ οἰκίᾳ γενόμενος ἐπηρώτα αὐτούς·
τί ἐν τῇ ὁδῷ διελογίζεσθε;
34 οἱ δὲ ἐσιώπων·
πρὸς ἀλλήλους γὰρ διελέχθησαν ἐν τῇ ὁδῷ τίς μείζων.
35 καὶ καθίσας ἐφώνησεν τοὺς δώδεκα
καὶ λέγει αὐτοῖς· εἴ τις θέλει πρῶτος εἶναι,
ἔσται πάντων ἔσχατος
καὶ πάντων διάκονος.
36 καὶ λαβὼν παιδίον
ἔστησεν αὐτὸ ἐν μέσῳ αὐτῶν,·
καὶ ἐναγκαλισάμενος αὐτὸ εἶπεν αὐτοῖς·
37 ὃς ἂν ἓν τῶν τοιούτων παιδίων δέξηται ἐπὶ τῷ ὀνόματί μου,
ἐμὲ δέχεται·
καὶ ὃς ἂν ἐμὲ δέχηται,
οὐκ ἐμὲ δέχεται
ἀλλὰ τὸν ἀποστείλαντά με.
38 Ἔφη αὐτῷ ὁ Ἰωάννης·
διδάσκαλε, εἴδομέν τινα ἐν τῷ ὀνόματί σου ἐκβάλλοντα δαιμόνια,
ὃς οὐκ ἀκολουθεῖ ἡμῖν, om. N[26]
καὶ ἐκωλύομεν αὐτόν, ὅτι οὐκ ἠκολούθει ἡμῖν.
39 ὁ δὲ Ἰησοῦς εἶπεν·
μὴ κωλύετε αὐτόν·
οὐδεὶς γάρ ἐστιν ὃς ποιήσει δύναμιν ἐπὶ τῷ ὀνόματί μου
καὶ δυνήσεται ταχὺ κακολογῆσαί με·
40 ὃς γὰρ οὐκ ἔστιν καθ' ἡμῶν,
ὑπὲρ ἡμῶν ἐστιν.
41 ὃς γὰρ ἂν ποτίσῃ ὑμᾶς ποτήριον ὕδατος ἐν ὀνόματι,
ὅτι Χριστοῦ ἐστε,
ἀμὴν λέγω ὑμῖν ὅτι οὐ μὴ ἀπολέσῃ τὸν μισθὸν αὐτοῦ.
42 καὶ ὃς ἂν σκανδαλίσῃ ἕνα τῶν μικρῶν τούτων
τῶν πιστευόντων, [εἰς ἐμέ] N[26]
καλόν ἐστιν αὐτῷ μᾶλλον
εἰ περίκειται μύλος ὀνικὸς περὶ τὸν τράχηλον αὐτοῦ
καὶ βέβληται εἰς τὴν θάλασσαν.
43 καὶ ἐὰν σκανδαλίσῃ σε ἡ χείρ σου, –ίζῃ N[26]
ἀπόκοψον αὐτήν·
καλόν ἐστίν σε
κυλλὸν εἰσελθεῖν εἰς τὴν ζωήν,
ἢ τὰς δύο χεῖρας ἔχοντα ἀπελθεῖν εἰς τὴν γέενναν,
εἰς τὸ πῦρ τὸ ἄσβεστον.
45 καὶ ἐὰν ὁ πούς σου σκανδαλίζῃ σε,
ἀπόκοψον αὐτόν·
καλόν ἐστίν σε
εἰσελθεῖν εἰς τὴν ζωὴν χωλόν,
ἢ τοὺς δύο πόδας ἔχοντα βληθῆναι εἰς τὴν γέενναν.
47 καὶ ἐὰν ὁ ὀφθαλμός σου σκανδαλίζῃ σε,
ἔκβαλε αὐτόν·
καλόν σέ ἐστιν
μονόφθαλμον εἰσελθεῖν εἰς τὴν βασιλείαν τοῦ θεοῦ,
ἢ δύο ὀφθαλμοὺς ἔχοντα βληθῆναι εἰς τὴν γέενναν,
48 ὅπου ὁ σκώληξ αὐτῶν οὐ τελευτᾷ
καὶ τὸ πῦρ οὐ σβέννυται.
49 πᾶς γὰρ πυρὶ ἁλισθήσεται.
50 καλὸν τὸ ἅλας·
ἐὰν δὲ τὸ ἅλας ἄναλον γένηται,
ἐν τίνι αὐτὸ ἀρτύσετε;
ἔχετε ἐν ἑαυτοῖς ἅλα
καὶ εἰρηνεύετε ἐν ἀλλήλοις.

Het is wellicht nuttig er even op te wijzen dat deze passus, welke problemen zijn innerlijke samenhang ook moge stellen, door de evangelist als een literaire eenheid opgevat werd. Dat blijkt uit v. 50: het motief van de onderlinge vrede vormt een inclusio met het uitgangspunt, de twist omtrent de voorrang onder de leerlingen. Het wordt nog duidelijker wanneer wij de tekst situeren in het kader van het evangelie. Mc 9,33-50 maakt deel uit van een bredere samenhang die Jezus van Galilea naar Jeruzalem brengt. De Petrusbelijdenis, voorafgegaan en voorbereid door de sectie der broden (6,31-8,26), vormt de inzet ervan, terwijl met het optreden van Jezus te Jeruzalem in 11,1 vv. een volgende fase begint. De opbouw van die sectie (8,27-10, 52) is kennelijk beheerst door de drie lijdensvoorzeggingen (8,31-33; 9,30-32; 10,32-34), telkens gevolgd door een onderricht van de leerlingen (8,34-9,1; 9,33-50; 10,35-45), waarbij dan individuele perikopen aansluiten: de transfiguratie en de genezing van de epileptische knaap (9,2-29), de echtscheidingsperikoop, de zegening van de kinderen en het gesprek met de rijke (10,1-31), en tenslotte de genezing van de blinde Bartimeüs (10,46-52). Die structurering plaatst de uitspraak over de voorrang onder de leerlingen op één lijn met de woorden over "zijn kruis opnemen" en "zijn ziel verliezen" (8,34-35), over de kelk en de doop en over het dienaar zijn (10,38-40.43-44). Het thema van de lijdensnavolging verbindt aldus de drie contexten. Εἴ τις θέλει in 9,35 evoceert εἴ τις θέλει, (ὃς ἐὰν θέλῃ) van 8,34-35 en ὃς ἂν θέλῃ van 10,43-44. Wij kunnen aannemen dat de evangelist zich bewust was van dit parallelisme. In ieder geval Lucas, de eerste exegeet van het Marcusevangelie, lijkt Mc 9,33-35 en 10,42-45 bij elkaar te brengen: vgl. Lc 22,24-27. 64

In dat licht gezien is v. 35 zeker niet het onbelangrijkste vers in deze passus. Het biedt het antwoord van Jezus op de kwestie van de voorrang en is tevens de inzet van een onderrichting: "hij ging zitten..." (vgl. 10,1: na dat onderricht staat hij op). Er volgt de scène met het kind en het logion: "wie een van zulke kinderen opneemt in mijn naam..." (v. 37). Bij dat vers knoopt een dubbele reeks Jezuswoorden aan. "In mijn naam" is de agrafe voor de ὄνομα-logia van vv. 38-41. Het laatste logion herneemt, bij wijze van inclusio, niet enkel de term ὄνομα maar ten dele ook de gedachte van v. 37. "Een van zulke kinderen" in datzelfde vers biedt dan het aanknopingspunt voor het ergernis-logion van v. 42 ("een van deze kleinen"). De verzen die dan nog volgen, haken duidelijk op elkaar in: vv. 42.43-48 (σκανδαλίζειν) en vv. 49-50 (ἅλας), onderling verbonden in v. 48 en 49 (πῦρ). Met het motief van v. 50c wordt het geheel afgerond (vgl. vv. 33-34). 65

Waar de logia van vv. 35, 37 en 39 aan een narratieve inleiding beantwoorden, wordt het van v. 39 tot v. 50 een ononderbroken rede van Jezus die de tussenkomst van Johannes in v. 38 ver achter zich laat. Dat is opvallend, want in het evangelie van Mc is de apocalypse van c. 13 de enige grote rede van Jezus. De parabels van 4,1-34 zijn onderbroken door korte narratieve notities die wijzen op een verzameling van losse elementen (vv. 1-2.9a.10-11a.13a.21a.24a. 26a.30a.33-34). Hetzelfde kan men constateren in de tekst over de rituele reinheid van 7,6-23 (vv. 6a.9a.14a.17-18a.20a). De zendingsrede van 6,7-11 gaat eerst in v. 9 over tot de directe rede en heeft ook in v. 10a een καὶ ἔλεγεν αὐτοῖς. Naast kortere teksten als het antwoord op de vraag over het vasten in 2,19-22 en de reeds vermelde 8,34-9,1 (ook hier 9,1a!) en 10,42-45 blijft enkel nog de verdedigingsrede van 3,23-29. Maar wellicht moeten wij daar rekening houden met de inleidingsformule van v. 28a (ἀμὴν λέγω ὑμῖν: vgl. 9,1; 10,15.29; 11,23; 14,9, eveneens "addities") die, samen met de commentaar van de evangelist in v. 30, de spreuk over de laster tegen de heilige Geest enigszins losmaakt van vv. 23-27. Overigens zij hier bemerkt dat de parallellen in Mt en Lc (11,17-23!) een *major agreement* uitmaken, wat ons, met de meeste exegeten, een Quelle-tekst laat vermoeden. Zonder in te gaan op het probleem van de relatie Mc – Quelle kan dit volstaan om van een archaïsche traditie te spreken. Voor Mc 9,39-50 ligt de zaak anders, daar Quelle-parallellen enkel gegeven zijn voor v. 50a (Lc 14,34-35; vgl. Mt 5,13).

Wat de parallellen *in loco* betreft, Lc 9,46-50 blijft beperkt tot de vv. 33-41 en daarbij ontbreken nog vv. 33a, 35 (vgl. Lc 9,48c), 39b en 41. De logia over de ergernis en de woorden over het zout missen wij in deze context. Nadat Lc vanaf de Petrusbelijdenis de tekst van Mc gevolgd heeft, gaat hij hier over tot zijn eigen centrale sectie van het zgn. reisverhaal (9,51-18,14), om dan het verhaal van Mc weer op te nemen met de zegening van de kinderen (Mc 10,13 vv.). Mt van zijn kant houdt zich vanaf 14,1 (Mc 6,14) strikt aan de stof en de vorgorde van Mc (na de opvallende transposities in het eerste deel van zijn evangelie). Wel zijn er enkele weglatingen en een aantal kleinere addities, waaronder vooral de Petrusteksten van 14,28-31 (het meerwonder), 16,17-19 (de Petrusbelofte) en 17,24-27 (de tempelbelasting).
66 Deze laatste perikoop gaat onmiddellijk vooraf aan onze tekst en biedt in v. 24 en 25 het parallel van de inleidende notitie die het gebeuren situeert te Kafarnaüm, in het huis (Mc 9,33a). Dan volgt Mt 18,1-9 wat beantwoordt aan Mc 9,33b-37.42-48 (de passus over de wonderen "in zijn naam" en de woorden over het zout ontbreken), maar dan met afwijkingen die wij nog dienen te bespreken, en opgenomen in het groter geheel van de *sermo ecclesiasticus* van Mt 18,1-35.

Ten overstaan van die kortere versies van Mt en Lc verdedigt men meestal de prioriteit van Mc 9,33-50. Sommigen temperen die stelling met de hypothese van een gemeenschappelijke bron of met de onderstelling van een (relatieve) onafhankelijkheid van de evangelisten. Anderen aarzelen niet de prioriteit aan de canonieke Matteüs toe te kennen... Ook wil men soms de studie van de Jezuswoorden bevrijden van die hopeloze (zo meent men) bronnenkritische problematiek. Men maakt het Jezuswoord los van zijn context in de drie evangeliën en zoekt het onmiddellijk te begrijpen in het kader van Jezus' prediking en van het anonieme levensmilieu van de christenen. Vergeten wij echter niet dat de laatste etappe van de overlevering van de Jezuswoorden, namelijk het gebruik ervan door de evangelisten, voor ons steeds de minst hypothetische zal moeten blijven. En hoe verlokkelijk voor sommige geesten die directe methode ook moge wezen, de enige verantwoorde weg naar het historische Jezuswoord moet beginnen bij een vergelijkende analyse van de redacties. Als dan moet blijken dat Mt 18,1-9 en Lc 9,46-50, met hun meer gebondene samenhang van de Jezuswoorden, secundaire verwerkingen van Mc zijn, dan wordt het een hachelijke onderneming die woorden, buiten Mc om, in een vroegere overlevering te willen terugplaatsen. Vervalt het onafhankelijk getuigenis van Mt en Lc, dan is ook het bewijs moeilijk te leveren dat wij in Mc 9,33-50 een premarciaanse verzameling van logia mogen zien. Als men ernst maakt met de prioriteit van Mc, dan wordt inderdaad scheiding tussen traditie en redactie een delicate taak. Dit geldt voor onze tekst even goed als voor de groeperingen van narratieve stof, zoals bijvoorbeeld de dag te Kafarnaüm (1,21-39), de reeks twistgesprekken (2,1 - 3,6), de wonderencyclus (4,35 - 5,43), de brodensectie (6,31 - 8,26). De "rede" van Jezus in Mc 9 is in zekere mate een uniek geval in het evangelie van Mc. Dat betekent dat vergelijkingsmateriaal ontbreekt om de *Stichwort*-dispositie te onttrekken aan de redactie van de evangelist. Is het procédé in feite wel zo verschillend van zijn manier om parabels aan elkaar te rijgen met een καὶ ἔλεγεν? Een beroep op een Aramees overleveringsstadium kan zich hier niet opdringen, aangezien elk verband in Mc afdoende verklaard kan worden op het plan van de Griekse tekst. Zo reikt de literaire overleveringsgeschiedenis van deze "rede" van Jezus niet verder dan Mc die een aantal losse Jezuswoorden heeft samengebracht: vv. 33-35.36-37.38-39.40.41.42.43-45-47.48.49.50a.50b. Redactionele tussenkomst in de formulering kan men vermoeden in v. 50b (inclusio) en in vv. 33-34 en 36, inleidingen tot logia die in elk geval op zichzelf leefbaar zijn (vgl. Mc 10,43-44 en Mt 10,40; Lc 10,16). Toch ware het niet wijs elke voorgeschiedenis uit te sluiten. De sterk parallelle spreuken over de ergernis van hand, voet en oog (vv. 43.45.47) vormen een klein ensemble waarin men het ritme van het gesproken woord kan aanvoelen. Wellicht is het de primitieve kern die werd uitgebreid naar voren met een inleiding, het logion over de ergernis aan de kleinen (niet de "subjectieve" ergernis van een eigen lidmaat), en naar achteren met agglutinatie van woorden over vuur en zout (vv. 42-50). Doch hiermee zijn wij vooruitgelopen op het onderzoek van de parallellen in Mt en Lc.

67

Mt 18,1-4

Dat Mt geen vrede kon nemen met de compositie van Mc 9,33-37 begrijpt men best. De twist omtrent de voorrang onder de leerlingen wordt er beantwoord met de spreuk over de laatste en de dienaar (vv. 33-35), maar de samenhang met de volgende vv. 36-37 is op zijn minst weinig doorzichtig. Mt heeft beide elementen verwerkt tot een sluitend geheel. In een stereotiepe inleiding stellen de leerlingen hem de vraag, in directe rede (v. 1), en het antwoord van Jezus wordt gegeven in een strikt verbale correspondentie (v. 4). Het τίς μείζων/διάκονος van Mc 9,34-35 roept bij Mt een logion op dat ook Lc op twee plaatsen heeft aangewend (14,11; 18,14). Zowel in 23,11-12 als in 18,4 maakt Mt die verbinding, telkens in eigen formulering: ὅστις ταπεινώσει ἑαυτόν... De losstaande scène met het kind wordt in het gesprek ingewerkt. Bij Mc moeten wij wellicht denken aan een weeskind, gezien de spreuk over het opnemen in v. 37, maar Mt maakt de associatie met de zegening van de kinderen in Mc 10,13-16 (vgl. 9,36 en 10,16: omhelzing; 9,37 en 10,15: het δέχεσθαι van het kind, van het rijk Gods *als* een kind). Mc 10,15 wordt opgenomen in 18,3 en geeft de hoofdgedachte aan de korte perikoop: ὡς τὰ παιδία, ὡς τὸ παιδίον τοῦτο. Bij Mt 68 symboliseert het kleine kind de gesteltenis van de christenen die moeten worden als kinderen: het rijk der hemelen komt toe aan de nederigen (vgl. 5,3).

Mt 18,5-6.7

Bij de analyse van Mc hebben wij aangestipt dat 9,42 aanknoopt bij v. 37: één van zulke kinderen, één van deze kleinen. Mt gaat een stap verder en laat beide verzen op elkaar aansluiten: wie opneemt, wie ergernis geeft (18,5.6). In vv. 1-4 was sprake van een reëel kind, symbool van de geestelijke kleinheid van de christenen. Sommigen willen aan ἓν παιδίον τοιοῦτο in v. 5 nog dezelfde betekenis geven, maar na vv. 3-4 is "zulk een kind" veeleer de christen die geworden is als een kind. Het parallel van 10,40 is formeel: wie u opneemt. Van Mc 9,37a gaat Mt over naar 9,42 waar de directe aanduiding van christenen geen twijfel toelaat: die geloven; Mt voegt er nog aan toe: in mij. Het is een van die kleine afwijkingen die wijzen op een redacteur die nauwkeurigheid nastreeft, maar die meteen de enge samenhang met Mc 9,43-48 (καλόν ἐστιν, βληθῆναι; vgl. Mt 18,8-9) heeft verwaarloosd: εἰς ἐμέ (vgl. 27,42: ἐπ' αὐτόν), συμφέρει ἵνα (vgl. 5,29-30; ook 19,10), κρεμασθῇ, καταποντισθῇ (vgl. 14,30), ἐν τῷ πελάγει. Wie ergernis geeft aan de kleinen, wordt bedreigd met een verwensing. De ingekorte weergave van Mc 9,37 in v. 5 is parallel te begrijpen: wie zulk een kind opneemt, neemt mij op. In het licht van 25,34-40 mogen wij daarin een belofte van beloning lezen. Aldus blijft Mt in de lijn van de compositie van Mc, waar het ergernislogion is voorafgegaan door v. 41 dat de spreuk van v. 37 duidelijk in die zin commentarieert.

Nieuw tegenover Mc is Mt 18,7 (vgl. Lc 17,1b). Dat Mt logia over de ergernis uit Mc en Quelle samenbrengt, kan geen verwondering wekken. Zelfs conflatie van zijn twee bronnen is hem niet vreemd: 12,31-32 en 13,31-32 zijn wellicht de duidelijkste voorbeelden. Maar in ons geval gaat het eigenlijk niet om conflatie (of gecondenseerd doublet). Veelal citeert men Lc 17,1-2 zonder meer als een tekst van de dubbele traditie waarvan Mt 18,6-7 afhankelijk zou zijn (met omkering van de volgorde der logia). Lc 17,2 vertoont evenwel geen enkele specifieke gelijkenis met Mt 18,6 en negatieve overeenkomsten contra Mc (καλόν ἐστιν, βέβληται) confirmeren alleen de zelfstandigheid van de twee verwerkingen van Mc 9,42. Het inleidingsvers (v. 1a: εἶπεν πρός) verraadt de hand van de evangelist. Voor de verbinding van Mc 9,42 met v. 1b (Q) kan het woord over de verrader in Mc 14,21 hem geïnspireerd hebben. Het schema is identiek: het moet (zoals geschreven staat) — wee de mens door wie — het ware beter voor hem... Hoe dan ook, in 17,1-2 kan men moeilijk een primitieve samenhang zien, want v. 2b geeft aan deze verzen een al te duidelijk composiet karakter: het achterna hinkende "of dat hij ergernis geeft" werd uit zijn passende plaats verdrongen door v. 1c. Zo hebben dan Mt en Lc, elk op zijn manier, het logion van Mc 9,42 met de apocalyptische Quelle-spreuk over de onvermijdelijkheid van de ergernissen verbonden. Mt deed het met een redactionele overgang die wij nog even moeten bespreken (v. 7a). 69

Mt 18,7-9

Mt 18,8-9 (par. Mc 9,43.45.47) zou, naar de mening van velen, beïnvloed zijn door het doublet 5,29-30, afkomstig uit de dubbele traditie. In de voorstelling van B.C. Butler is 18,8-9 een herhaling van 5,29-30 en tevens bron van Mc.[2] Dat dwingt ons tot een rechtzetting. De trilogie van Mc, hand – voet – oog, is in beide versies van Mt een dubbelspreuk, telkens ingeleid door εἰ met indicatief, en met identieke beschrijving van het afhouwen/uitrukken en wegwerpen van de ledematen. De overeenkomsten zijn onloochenbaar, maar zijn ze meer dan parallelle reactie vanwege dezelfde redacteur op de tekst van Mc? In de bergrede werd 5,29-30 toegevoegd aan de antithese over de overspelige begeerte. Na de uitspraak over de begeerlijke blik komt het woord over het oog vanzelfsprekend op de eerste plaats, en het is niet uitgesloten

2. B.C. BUTLER, *M. Vaganay and the "Community Discourse"*, in *NTS* 1 (1954-55) 283-290, spec. p. 288.

dat een ander logion over het oog (6,22-23) op de formulering van 5,29-30 heeft ingewerkt: ἓν τῶν μελῶν σου — ὅλον τὸ σῶμά σου. Andere particulariteiten: rechteroog en -hand (vgl. 5,39), συμφέρει ἵνα (vgl. 18,6). In de matteaanse beschrijving van de mutilatie kan men een explicitatie zien van Mc: ἀπόκοψον, ἔκβαλε (Mc) — ἔξελε/ἔκκοψον, βάλε ἀπὸ σοῦ (Mt 5 en 18). Met βληθῇ/ἀπέλθῃ εἰς γέενναν houdt Mt 5,29-39 zich letterlijk aan Mc. Mt 18,8-9 van zijn kant combineert hand en voet in één spreuk, maar sluit overigens nauw bij Mc aan, met enkele verklaarbare verschillen: καλόν σοι (datief meer gewoon), en in v. 9: het *leven* binnengaan (par. met v. 8), de hel *van het vuur* (resumeert Mc 9,48).

Op zichzelf genomen handelen de logia ongetwijfeld over de ergernis die de mens zichzelf aandoet. Nopens hun oorspronkelijke zin kunnen 70 wij in elk geval dit zeggen: zij wijzen op de grote offers waartoe de mens moet bereid zijn om "het leven binnen te gaan". In de lijn van hun primitieve betekenis heeft Mt ze toegepast op de seksuele zonden (5,29-30). In Mt 18 is de context anders. Men kan zich afvragen of de spreuken niet met die context werden geharmoniseerd, reeds in Mc, en begrepen als een vermaning tegen de ergernis aan de anderen. Toch laat Mt 18,7 een nieuwe nuance vermoeden. De σκάνδαλα in het redactionele v. 7a moeten wij wellicht in een personele betekenis verstaan (vgl. vooral 13,41; ook 16,23; 24,10-12) en in verband brengen met de dringende waarschuwingen van Mt tegen de valse leraars (vgl. 7,15-23). Het zijn de "ledematen" die de communiteit bedreigen en waartegen de christenen zich moeten beveiligen.

Mt 18,10-14

Het wordt tijd dat wij terugkeren tot de hypothese van L. Vaganay, en vooral tot dat wat haar particulier is: de reconstructie van een concatenatie "een van deze kleinen", bestaande uit Mt 10,42 (= Mc 9,41); 18,10; 18,14; 18,6 (= Mc 9,42). De evangelist zou daaraan 18,10 en 14 hebben ontleend om de parabel van het verloren schaap in te kaderen. Het is nu echter zeer de vraag of die verzen ooit hebben bestaan los van die context. Beide delen van Mt 18 worden met een parabel besloten, telkens met een toepassingsvers, ingeleid door οὕτως (vgl. 12, 45b; 13,40.49; 20,16), dat het motiefwoord van de sectie opneemt: ἓν τῶν μικρῶν τούτων — τῷ ἀδελφῷ αὐτοῦ (18,14 en 35). Mt 18,14 verdringt blijkbaar de oorspronkelijke conclusie van de parabel (vgl. v. 13b met Lc 15,7). De redacteur herneemt er in zijn karakteristieke terminologie het Quelle-logion van 11,26, maar in het tweede versdeel verraadt hij nog de invloed van de parabel: ἀπόληται ἕν (אB). Het verrassende neutrum (vgl. vv. 6.10) is te verklaren vanuit ἓν ἐξ αὐτῶν (v. 12) en het werkwoord kan erop wijzen dat hij de parabel kende in de versie van Lc (in Mt driemaal vervangen door πλανᾶσθαι).

Op Mt 18,10 kan diezelfde context hebben ingewerkt: het besluit van de parallelle parabel van de verloren drachme (Lc 15,10). Mt 18,10 is eigenlijk een overgangsvers waarmee het thema van de ergernis wordt verlaten voor dat van de positieve houding ten overstaan van "de kleinen". Bij wijze van inclusio herneemt v. 10a het motiefwoord van v. 6. Wanneer wij tenslotte aannemen met L. Vaganay dat de evangelist Mc 9,41 heeft overgeplaatst naar de zendingsrede (10,42), dan kan dat ook gebeurd zijn met een verduidelijking, ingegeven door Mc 9,42. Noteren wij terloops in Mt 10,40-42 een model van redactionele *Stichwort*-verbinding. 71

Lc 9,46-50

Om te eindigen nog een woord over de redactie van Lc. Ook hij neemt geen vrede met de losse samenhang van Mc. Het *Stichwort* ὄνομα doet het bij hem niet meer (Mc 9,39b om.), maar op zijn manier legt hij een nauwe verbinding: ἀποκριθείς (v. 49). Hij betrekt eveneens Mc 9,37 in de voorrangskwestie. Dit maakt het moeilijk om een bevredigende verklaring te geven aan v. 48c (vgl. Mc 9,35; 10,43-44; Lc 22,24-27; 7,28). Laten wij deze aanhouden: in de kleinheid van de dienst (aan dit kind) ligt de grootheid van de leerling. Ook thematisch is Lc 9,46-50 een eenheid: twist en naijver van de Jezusleerlingen onderling (add.: αὐτῶν, v. 46; ἐν πᾶσιν ὑμῖν, v. 48) en tegenover vreemden (μεθ' ἡμῶν, καθ' ὑμῶν, ὑπὲρ ὑμῶν, vv. 49-50). Het perspectief is er meer historisch en minder direct catechetisch dan in Mt 18.

Ter verklaring van omissies kunnen wij meestal slechts gissingen maken. Mt heeft Mc 9,38-39 weggelaten: ter wille van de terechtwijzing van de leerling die hij wil sparen? Omdat hij die verzen reeds gebruikte in 7,22? Of omdat ze minder geschikt leken voor de actualisering die hij wilde geven in Mt 18? Voor de omissie van Mc 9,42-50 in Lc denkt men aan inkorting met het oog op het reisverhaal, aan doublettenvrees of vermijding van te harde, te brutale woorden. Wellicht is ook hier een associatie in het spel die het *Stichwort* benadert: de Samaritanen in 9,51-56 "ontvangen" Jezus niet (vgl. v. 48), Johannes (en Jacobus) reageert en wordt terechtgewezen (vgl. vv. 49-50).

Overlevering en redactie

Deze al te summiere overwegingen vragen ongetwijfeld een confrontatie met andere benaderingswijzen. Hoewel wij die hier niet kunnen doorvoeren, moge toch reeds duidelijk geworden zijn dat de versies van Mt en Lc begrepen kunnen worden als "verbeteringen" en aanpassingen van Mc, die weinig licht werpen op de voorgeschiedenis van Mc 9,33-50. Weliswaar beschikken wij over parallellen en doubletten 72 van de individuele logia: voor v. 35 (Mc 10,43-44; 10,31), v. 37 (Lc 10,16 = Mt 10,40), v. 40 (Mt 12,30), v. 50 (Lc 13,34-35 = Mt 5,13); twijfelachtig leken ons Mt 10,42 voor v. 41 en Lc 17,1-2 voor v. 42. Maar voor de samenhang tussen de logia missen wij positieve aanduidingen van premarciaanse traditie. De zuivere *Stichwort*-verbindingen van vv. 42-50 komen daartoe allereerst in aanmerking. Voor vv. 33-41 ligt het enigszins anders. Er is natuurlijk de ὄνομα-verbinding van vv. 38-39 met v. 37, maar een asyndeton als v. 38a is zeker niet ongewoon in de redactie van Mc. Nogmaals ὄνομα in v. 41 (na v. 40: bij wijze van besluit, niet *ad vocem*), maar een verbinding met v. 42 is er niet. Dat wettigt het vermoeden dat beide verzen op hun manier terugkeren op v. 37: een procédé van redactionele compositie, en niet de *Stichwort*-concatenatie van de mondelinge overlevering. Brengt een Arameese versie ons verder? Misschien op één punt: het verband tussen vv. 35 en 36-37, met behulp van het *Stichwort ṭalyā'* in διάκονος/παιδίον. Toch ware het minder ongewoon dat διάκονος op een *'abda'* teruggaat, en ook de diversiteit van de parallelle situaties, respectievelijk in 10,42-45 en 10,13-16, pleit niet voor een zeer eng samengaan van v. 35 met vv. 36-37. Ook op dat punt kunnen wij dus het aandeel van de evangelist niet zo maar ter zijde schuiven.

NOOT

De Nederlandse vertaling van Mc 9,33-50 (in *Concilium*, december 1966: cf. *supra*, p. XVII) werd hier vervangen door een presentatie van de Griekse tekst die ontleend is aan *Mark in Greek* (*Duality in Mark*, p. 167-168).

Dat Mt 5,29-30 een meer oorspronkelijke Q-versie zou zijn (cf. p. 817) wordt verdedigd in de drie recente Marcuscommentaren (Pesch, p. 115; Gnilka, p. 65; Schmithals, p. 433). Ten onrechte. Vgl. ook H. FLEDDERMANN, *The Discipleship Discourse* (*Mark 9:33-50*), in *CBQ* 43 (1981) 57-75, p. 69, n. 59. Deze auteur aanvaardt afhankelijkheid van Q in Mc 9,37.40.42.50a (p. 74, n. 80); vgl. ook Schmithals (Q^1). Dat het logion van Mc 9,41 in een oudere vorm voorkomt in Mt 10,42 (Gnilka, p. 59) wordt met reden afgewezen door Pesch (p. 111). Dat de samenhang van Mc 9,37.41.42 op een *Vorlage* zou teruggaan (Gnilka, p. 67: vgl. de trias van 9,43.45.47) blijft onbewezen.

Over het doublet Mc 9,35 en 10,43-44, cf. *supra*, p. 530, 531 (contra Pesch). In dezelfde zin: Fleddermann (*art. cit.*, p. 60); Schmithals (p. 429). Vgl. ook Gnilka: "in 10,43f in ursprünglicherer Form" (p. 55).

Sociologische Verkenningen 2 (1972) 127-141

DE JEZUSWOORDEN OVER ECHTSCHEIDING

Mc 10,11-12
ὃς ἂν ἀπολύσῃ τὴν γυναῖκα αὐτοῦ
καὶ γαγήσῃ ἄλλην
μοιχᾶται ἐπ᾽αὐτήν·
καὶ ἐὰν αὐτὴ ἀπολύσασα τὸν ἄνδρα αὐτῆς
γαμήσῃ ἄλλον
μοιχᾶται.

Mt 19,9
ὃς ἐὰν ἀπολύσῃ τὴν γυναῖκα αὐτοῦ
μὴ ἐπὶ πορνείᾳ
καὶ γαμήσῃ ἄλλην
μοιχᾶται.

Mt 5,32
πᾶς ὁ ἀπολύων τὴν γυναῖκα αὐτοῦ
παρεκτὸς λόγου πορνείας
ποιεῖ αὐτὴν μοιχευθῆναι,
καὶ ὃς ἐὰν ἀπολελυμένην
γαμήσῃ
μοιχᾶται.

Lc 16,18
πᾶς ὁ ἀπολύων τὴν γυναῖκα αὐτοῦ
καὶ γαμῶν ἑτέραν
μοιχεύει,
καὶ ὁ ἀπολελυμένην ἀπὸ ἀνδρὸς
γαμῶν
μοιχεύει.

De katholieke exegeten hebben steeds een bijzondere belangstelling betoond voor het evangelisch echtscheidingsverbod. Eigenlijk was het niet zozeer het absolute verbod zelf dat daarbij de aandacht trok dan wel de *crux interpretum* van de ontuchtclausules in Mt 5,32 en 19,9. In de traditionele exegese werden ze opgevat als uitzonderingen voor het geval van echtbreuk van de vrouw, maar de scheiding die aldus werd voorzien zou slechts een *separatio tori* geweest zijn, niet de verbreking van de huwelijksband met het recht op een nieuw huwelijk. Sommigen maakten bezwaar tegen die dubbele betekenis van "scheiding" (ἀπολύω) en trachtten de parenthesen te verstaan in een niet-exclusieve zin. Niet zonder vindingrijkheid werden argumenten aangebracht voor een preteritieve ("buiten beschouwing gelaten") of inclusieve ("zelfs in het geval van") betekenis van de partikels παρεκτός en μή. In 1948 bracht J. Bonsirven een nieuwe verklaring, die een onmiskenbaar sukses gekend heeft. Zoals elders in het Nieuwe Testament (voornamelijk in Hand 15,20.29; 21, 25; vgl. de term *zenut* in de rabbijnse teksten) zou πορνεία hier gebruikt zijn in de betekenis van een nietig of ongeldig huwelijk tussen verwanten. In de recente literatuur hebben die verschillende interpretaties nog wel hun verdedigers, maar het is 130 tekenend voor de evolutie van de exegese dat de discussie zich nu heeft verplaatst van het niveau van het oorspronkelijk logion naar dat van zijn traditiegeschiedenis. In 1958 kon het nog enig opzien baren dat een katholiek exegeet alle beroep op een oneigenlijke betekenis van ἀπολύω, παρεκτός (en μή) of πορνεία afwees en de uitzonderingsclausules toeschreef aan de redactie van de evangelist en de praxis van zijn eigen kerk [1]. Het is vandaag in ruime kring een verworven standpunt [2]. Voor het ogenblik is de vraag aan de orde naar de oorspronkelijke betekenis van het Jezuswoord en zijn "applicatie" in het Nieuwe Testament.

I

Het echtscheidingsverbod is met zekere variaties betuigd in Lc 16,18; Mt 5,32; Mc 10,11-12; Mt 19,9 en 1 Kor 7,10-11 en men neemt aan dat dit logion, dat zowel door Q en Mc als door Paulus is overgeleverd, op een authentisch Jezuswoord teruggaat. Ook wordt meestal niet betwijfeld dat het logion een uitspraak inhield over de onontbindbaarheid van het huwelijk, maar in de recente jaren werden nu pogingen opgezet om aan het oorspronkelijk Jezuswoord een andere zin te geven. — B.K. Diderichsen vindt de oorspronkelijke versie van het logion in Lc 16,18. Hij verstaat ἀπολύω in de geest van de navolgingslogia

1. F. NEIRYNCK, *Het evangelisch echtscheidingsverbod*, in *Collationes Brugenses et Gandavenses* 4 (1958) 25-46. Vgl. J. DUPONT, *Mariage et divorce dans l'Evangile. Matthieu 19,3-12 et parallèles*. Brugge, 1959, p. 128-130. J. Dupont verdedigt de traditionele uitleg ("divorce sans possibilité de se remarier") op het niveau van de redactie; zie F. NEIRYNCK, *Huwelijk en echtscheiding in het evangelie*, in *Collationes Brug. Gand.* 6 (1960) 123-130.

2. Voorbeelden uit de jongere Duitse katholieke exegese : R. PESCH, *Die neutestamentliche Weisung für die Ehe*, in *Bibel und Leben* 9 (1968) 208-221; A. SAND, *Die Unzuchtsklausel in Mt. 5,31.32 und 19,3-9*, in *Münchener Theol. Zeitschr.* 20 (1969) 118-129; P. HOFFMANN, *Jesu Wort von der Ehescheidung und seine Auslegung in der neutestamentlichen Ueberlieferung*, in *Concilium* 6 (1970) 326-332; G. SCHNEIDER, *Jesu Wort über die Ehescheidung in der Ueberlieferung des Neuen Testaments*, in *Trierer Theol. Zeitschr.* 80 (1971) 65-87. Er blijft een zekere aarzeling bij de bepaling van "ontucht" : "Richtig ist auf jeden Fall, daß "Unzucht" sich auf ein sexuelles Fehlverhalten in der Ehe bezieht, vielleicht auf Hurerei (Prostitution) im engeren Sinn. Vgl. Sand, a.a.O. 125-127" (p. 81). — Nu ook M.-É. BOISMARD, *Synopse des quatre évangiles en français. II. Commentaire*, Parijs, 1972, p. 308. De uitleg van Bonsirven wordt nu vooral verdedigd, op het niveau van Mt, door H. BALTENSWEILER, *Die Ehebruchsklauseln bei Matthäus*, in *Theol. Zeitschr.* (Basel) 15 (1959) 340-356; *Die Ehe im Neuen Testament. Exegetische Untersuchungen über Ehe, Ehelosigkeit und Ehescheidung*, Zürich, 1967, p. 92-102.

over het verlaten van vrouw en kinderen (vgl. 14,26; 18,29). Het woord van Lc 16,18 wil waarschuwen tegen misbruiken: Wie zijn vrouw (ter wille van de navolging) verlaten (of weggezonden) heeft, mag geen andere vrouw huwen, want dat ware echtbreuk aangezien het eerste huwelijk niet ontbonden is. Marcus heeft het logion een nieuwe betekenis gegeven door het in verband te brengen met het (secundaire) debat over de echtscheiding (10,2-9). Eerst in die samenhang (v. 9: het huwelijk mag niet ontbonden worden) wordt het logion in v. 11 een uitspraak over de onontbindbaarheid (het huwelijk *kan* niet ontbonden worden)[3]. — B.M.F. van Iersel ziet het anders[4]. De oorspronkelijke vorm van het logion leest hij in Mc 10,11: Wie zijn vrouw verstoot en een ander huwt, maakt zich schuldig aan echtbreuk tegen haar. In zijn huidige context (in het bijzonder door de ingelaste motivering van vv. 4-9 en de combinatie met v. 12) is het betrokken op de onontbindbaarheid van het huwelijk, maar die context is secundair. Men moet rekening houden met de mogelijkheid van een andere (oorspronkelijke) context voor het logion. Uit talrijke plaatsen van de evangelies blijkt dat Jezus is opgekomen voor allerlei personen die als *underdogs* beschouwd kunnen worden in de toenmalige joodse gemeenschap, zoals tollenaars, publieke vrouwen, 'zondaars' enz. Zo kan men Mc 10,11 "heel goed verstaan als een waardeoordeel van Jezus aangaande de betrekkelijke rechteloosheid van de gehuwde vrouw. In dat geval spreekt hij zich naar mijn mening niet rechtstreeks uit over de (on)ontbindbaarheid van het huwelijk"[5]. De formule van het logion "hij pleegt echtbreuk *tegen haar*" zou een indicatie zijn dat het Jezus inderdaad eerder gaat om wat misdaan wordt tegenover de vrouw dan om de onontbindbaarheid van het huwelijk als zodanig. De vraag van v. 2a "is het een man geoorloofd zijn vrouw weg te zenden" (en niet: is een scheiding van man en vrouw geoorloofd) zou erop wijzen dat het logion in die zin begrepen werd alvorens het verbonden werd met het gesprek van vv. 3-9. — Van zijn kant aanziet J.H.A. van Tilborg[6] het "tegen haar" als een secundaire toevoeging in Mc 10,11, "een eerste explicitering van de verantwoordelijkheid van de plichten van de man ten opzichte van zijn eerste vrouw". Overigens staat het oorspronkelijk logion "niet tegen de achtergrond van de gelijke rechten van man en vrouw, van de onontbind-

131

3. B.K. Diderichsen, *Den markianske skilsmisseperikope. Dens genesis og historiske placering* (Doct. diss. Kopenhagen 1961), Gyldendal, 1962. Voordien reeds in *Festskrift til Jens Norregaard*, 1947, p. 31-50.

4. B.M.F. van Iersel, *Heeft Jezus in Marcus 10,2-12 de onontbindbaarheid van het huwelijk uitgesproken?*, in *(On)ontbindbaarheid van het huwelijk* (Annalen van het Thijmgenootschap 58/1; ed. T.A.G. van Eupen), Hilversum, 1970, p. 11-22.

5. T.a.p., p. 18.

6. J.H.A. van Tilborg, *Mattheüs 19,3-12 en het onontbindbare huwelijk*, in *(On)ontbindbaarheid van het huwelijk*, p. 23-24.

baarheid van het huwelijk of van de monogamie. Het logion verbiedt niet een tweede vrouw te nemen, maar het beperkt wel de vrijheid van de man ten opzichte van zijn eerste vrouw... Het wordt hem verboden zijn vrouw te verstoten *om een ander te huwen*"[7]. — Dat het logion van Mc 10,11 aldus verklaard wordt "tegen de achtergrond van een door de tora toegestane polygamie" is eerder verrassend. Het is minder ongewoon Mt 5,32, waar juist de formule "en een ander huwt" ontbreekt, in dat perspectief te lezen. Om die reden beschouwt H. Greeven Mt 5,32 (zonder de clausule) als de oorspronkelijke versie. Het beantwoordt aan de situatie van het palestijnse jodendom: in de polygame huwelijksvorm kan de man geen echtbreuk plegen tegen het eigen huwelijk; echtbreuk wordt begaan door de echtgenote en door de vreemde man (als een schending van eigendomsrecht). "Wie zijn vrouw verstoot brengt haar ertoe echtbreuk te plegen; en wie een verstoten vrouw huwt pleegt echtbreuk". Daarbij komt nog een formeel argument: de retroversie in het Aramees verleent aan het tweeledig logion een perfect parallellisme. Het tweede lid van het logion "en wie huwt (een verstotene)" kon gelezen worden als "en wanneer hij huwt", hetgeen aanleiding zou gegeven hebben tot het ontstaan van de versie van Mk 10,11 (en Lc 16,18): "en een ander huwt", d.i. een nieuw huwelijk aangaat, wat in het monogaam stelsel de scheiding onherroepelijk maakt[8].

Hoe verschillend de opvattingen van deze auteurs ook mogen zijn, zij behandelen allen het echtscheidingsverbod als een isoleerbare uitspraak van Jezus die slechts secundair met het gesprek over de echtscheiding van Mc 10,2-9, par. Mt 19,3-9, verbonden werd. Er is echter ook een negatieve overeenkomst: in het oorspronkelijk logion, hetzij Lc 16,18; Mc 10,11 of Mt 5,32, wordt het strikte beginsel van het onontbindbare monogame huwelijk nog niet geformuleerd. Nu is het zeer de vraag of onze documentatie de reconstructie van dergelijke oervorm toelaat.

Van Iersel en van Tilborg vertrekken van de onderstelling dat het oorspronkelijk logion bestond uit de enkelvoudige uitspraak: wie zijn vrouw verstoot en een ander huwt pleegt echtbreuk (Mc 10,11). Het lijkt evenwel moeilijk daartoe het bewijs te leveren. De versie van Q brengt ontegensprekelijk een dubbellogion. Zowel Lc 16,18 als Mt 5,32 hebben beide een tweede lid: wie een (door haar man) verstoten vrouw huwt

7. T.a.p., p. 26.

8. H. GREEVEN, *Ehe nach dem Neuen Testament*, in *New Testament Studies* 15 (1968-69) 365-388, spec. 382-4; — *Ehe nach dem Neuen Testament*, in *Theologie der Ehe* (ed. H. GREEVEN, J. RATZINGER, R. SCHNACKENBURG, H.-D. WENDLAND), Regensburg/Göttingen, 1969, p. 37-79; vgl. *Zu den Aussagen des Neuen Testaments über die Ehe*, in *Zeitschrift für evang. Ethik* 1 (1957) 109-125.

pleegt echtbreuk. Een verwijzing naar Mt 19,9[9] is hier niet ter zake, eens dat men aanneemt dat Mt secundair is ten overstaan van Mc. Ook Mc 10,11 maakt deel uit van een dubbellogion, waarbij v. 12 evenwel handelt over de vrouw die haar man verstoot. De parallelle uitspraak "de man die verstoot — de vrouw die verstoot" zou een verwerking kunnen zijn van een meer oorspronkelijk dubbellogion "wie verstoot en huwt — wie een verstotene huwt". De toevoeging "tegen haar" in v. 11 kan best behoren tot dezelfde fase van redactie die het standpunt van de vrouw formuleerde in v. 12. Of daarbij het etiket "hellenistisch" moet gehandhaafd blijven, laten wij hier in het midden[10]. Mc heeft een bewuste voorkeur voor dubbelspreuken[11], en de vergelijking met de Q-teksten lijkt het vermoeden van E. Wendling te bevestigen dat Mc van het oorspronkelijk dubbellogion een element bewaarde en het opnam in een nieuwe dubbele formatie (4,21 en 22; 4,24 en 25; 4,26-29 en 30-32; 6,4 en 5; 8,34 en 35; 10,11 en 12)[12]. De archaïsche samenhang van Lc 16,18 (cf. *infra*) moet in alle geval ons ervan weerhouden om louter vanuit Mk 10,11 de draagwijdte van het logion "in de mond van Jezus" te bepalen. Dat het tweede logion (Lc 16,18b; Mt 5,32b) ooit onafhankelijk van het eerste logion zou bestaan hebben, mag men inderdaad niet onderstellen[13], maar men mag evenmin uit het oog verliezen dat het eerste alleen in de secundaire redactie van Mt 19,9 als een onafhankelijk logion voorkomt[14]. Mocht men niet bereid zijn om de oorspronkelijkheid van het dubbellogion aan te nemen, dan dient men Lc 16,18b ten minste te aanvaarden als (oudste) interpretatie van Lc 16,18a = Mc 10,11. Van de uitspraak

9. T.a.p., p. 25: "omdat anderzijds logion 1 wel onafhandelijk van logion 2 bestaan heeft (zie Mt. 19,9 en Mc. 10,11)". Zie ook n. 14!

10. Meestal wordt Mc 10,12 opgevat als een toepassing van Jezus' echtscheidingsverbod op de situatie van de heidenchristenen uit de Grieks-Romeinse wereld, waar echtscheiding ook van de vrouw kon uitgaan. E. Bammel acht het ook mogelijk in het hellenistisch jodendom op grond van Flavius Josephus, *Ant.* 15, § 259, en twee papyri van Elephantine; cf. *Markus 10,11f. und das jüdische Eherecht*, in *Zeitschr. Neutest. Wiss.* 61 (1970) 263-274.

11. Vgl. F. NEIRYNCK, *Duplicate Expressions in the Gospel of Mark*, in *Ephem. Theol. Lovan.* 48 (1972) 150-209, spec. p. 163.

12. E. WENDLING, *Die Entstehung des Marcus-Evangeliums*, Tübingen, 1908, p. 126 (vgl. p. 34, 36, 54-55, 110). Vgl. nu ook H.-W. KUHN, *Aeltere Sammlungen im Markusevangelium*, Göttingen, 1971, p. 190, n. 83: "V. 12 ist nicht einfach die unjüdische und sekundäre Fortführung von V. 11, sondern V. 12 ist wohl die Umgestaltung der zweiten Hälfte der entsprechenden Wendung in Q (Lk 16,18b par Mt 5,32b)".

13. T.a.p., p. 25.

14. Mt 19,9b: "En wie een verstotene huwt pleegt echtbreuk" is afwezig in enkele tekstgetuigen en wordt meestal aangezien als een latere harmonisatie met Mt 5,32 of Lc 16,18. Von Soden (tussen haakjes) en Vogels nemen de tekst op in hun uitgave. H. Greeven (*Ehe*, p. 383, n. 3) verdedigt de authenticiteit en J. Dupont (*Mariage*, p. 51, n. 3) besluit: "Il n'est donc pas certain que ces mots sont inauthentiques, mais leur authenticité est douteuse". De weglating ware te verklaren door homoioteleuton.

"wie een verstoten vrouw huwt pleegt echtbreuk", kan men echter moeilijk beweren dat het gaat om "de bevrijding van mensen die ten onrechte in de knel zijn geraakt" [15]. En als dat logion nooit onafhankelijk heeft bestaan, hoe dan nog beweren dat het een rechtstreekse reactie is tegen de rabbijnse uitleg van het zesde gebod [16] veeleer dan een conclusie of een toepassing van het eerste logion waarmee het samenhoort?

De uiteenzetting van H. Greeven kunnen wij volgen tot op zekere hoogte [17]. Hij heeft echter ongelijk Mt 5,32 als oervorm te poneren. Volgens Mt 5,32 geeft de man die zijn vrouw verstoot aanleiding tot echtbreuk, terwijl de overige vormen van het logion de verstoting zelf direct als echtbreuk bestempelen. Dit laatste acht H. Greeven een vanzelfsprekende ontwikkeling in een buiten-joods milieu. Maar die evolutie was wel niet zo "unausweichlich" als wordt voorgesteld, aangezien het ook bij niet-joodse christenen een zinvolle uitspraak bleef dat een verstoten vrouw tot echtbreuk gedreven wordt en dat de man daarvoor verantwoordelijkheid draagt. Is het niet veeleer omgekeerd dat het voor jodenchristenen, vanuit het joodse huwelijksrecht, moeilijk valt de man te beschuldigen van echtbreuk tegen zijn eigen huwelijk (Lc 16,18)? De wijze waarop in Mt 5,32 de verstoting veroordeeld wordt, kan daarom best een verjoodsing van de oorspronkelijke uitspraak zijn, in eenklank met de context (de antithese met Deut. 24,1) en de inlassing van de ontuchtclausule. Ook het tweede lid van het logion (v. 32b) heeft, althans literair, enige bewerking ondergaan (vgl. Lc 16,18b : lidwoord en participium zoals in v. 18a = Mt 5,32a) [18].

Lc 16,18 vertoont ook wel secundaire trekken : ἀπὸ ἀνδρός in v. 18b kan een toevoeging zijn en ἑτέραν (voor ἄλλην) in v. 18a verraadt lucaans taalgebruik. Maar het is een gratuite bewering dat Lk 16,18a tegenover Mk 10,11 een latere vorm van het logion brengt (B. Schaller). Dat de formule "en een ander huwt" een inlassing is (H. Baltensweiler) en uit Mk stammen zou (G. Schneider) is niet bewezen. Wel raken wij hier een punt dat, naar ik meen, aanleiding heeft gegeven tot vele misvattingen. Velen lezen inderdaad in "zijn vrouw verstoten en een ander huwen" twee duidelijk gescheiden handelingen. Voor Diderichsen was het aanleiding om aan ἀπολύω (verstoting of echtscheiding) een andere betekenis te geven : de "scheiding" van de echtgenoten om

15. T.a.p., p. 19.

16. T.a.p., p. 24.

17. Hij onderstelt eveneens dat Mc 10,11-12 een oudere dubbelspreuk vervangt, maar zijn te precieze verklaring komt wel wat gekunsteld voor. T.a.p., p. 384.

18. Vgl. B. SCHALLER, *Die Sprüche über Ehescheidung und Wiederheirat in der synoptischen Ueberlieferung*, in *Der Ruf Jesu und die Antwort der Gemeinde. Fs. J. Jeremias* (ed. E. LOHSE), Göttingen, 1970, p. 226-246, spec. 233-236.

geestelijke motieven (het wegzenden of verlaten van de navolgingslogia). Ook Greeven houdt met die nuance rekening[19]. Onafhankelijk van Diderichsen maakt J. Dupont daarvan het kernstuk van zijn verklaring[20]. Jezus zou aan de term ἀπολύω een nieuwe inhoud gegeven hebben. Dergelijke betekeniswijziging is karakteristiek voor vele Jezuswoorden. Het is duidelijk in Mc 7,1-23, waar Jezus de term "onreinheid" van het rituele plan transponeert op het geestelijk-morele vlak. In het logion van de eunuchen en in de ergernis-spreuken is er een transpositie van de lichamelijke mutilatie naar het geestelijk offer en in Mt 5,28 is spraak van echtbreuk "in het hart". Een zelfde pedagogisch procédé ontdekt hij in de echtscheidingslogia. "Wie een *verstoten* vrouw huwt pleegt echtbreuk" : de vrouw die verstoten werd blijft dus, hoewel gescheiden, in de echt verbonden. "Wie zijn vrouw *verstoot* en een ander huwt pleegt echtbreuk" : niet de verstoting is overspelig, maar wel het nieuw huwelijk. In alle vormen van het Jezuswoord wordt de term ἀπολύω gebruikt voor een scheiding zonder het normale gevolg van verbreking van de huwelijksband en recht op een nieuw huwelijk. Wij dienen hier rekening te houden met de semitische zinsbouw. Waar in de Griekse syntactische constructie de omstandigheid in een bijzin aangegeven zou zijn, leest men twee nevengeschikte werkwoorden waarvan het tweede hoofdwerkwoord is en het eerste een omstandigheid aangeeft. Een paar voorbeelden. "Mozes heeft toegelaten een scheidingsbrief te geven en te verstoten" (Mk 10,3). Wat hij toegelaten heeft is de verstoting; omstandigheid: daarbij was de scheidingsbrief voorgeschreven. "Waarom vasten wij en de Farizeeërs en vasten uw leerlingen niet?" (Mt 9,13) : alleen voor het tweede element vragen zij een verklaring. Vgl. nog Mt 5,29; 11,25; 18,21. Zo ook: wie zijn vrouw verstoot (omstandigheid) en een ander huwt pleegt echtbreuk (tweede huwelijk is overspelig). Het nieuwe van Jezus' huwelijksleer is uitgedrukt in een manier van spreken die aan de term ἀπολύω een nieuwe inhoud geeft, die van een scheiding die geen echtscheiding is. Dupont heeft daarmee de ontuchtclausules van Mt 5,32 en 19,9 op het oog. In het geval van ontucht is scheiding toegelaten, maar door die scheiding is het huwelijk niet ontbonden : Mt gebruikt ἀπολύω met de nieuwe inhoud die Jezus eraan gegeven heeft. — B. Schaller geeft in feite een zelfde lezing van de formulering van Mc 10,11[21], zij het dan in een heel ander perspectief dan J. Dupont[22]. Alleen het apodictisch echt-

134

19. *Ehe*, p. 382, n. 2.

20. *Mariage*, p. 63, 76, 145-6, 167, 197.

21. *Die Sprüche* (zie n. 18), spec. p. 238-245.

22. J. Dupont verdedigt integendeel de oorspronkelijke eenheid van het logion en de echtscheidingsperikoop : "Elle en est la conclusion naturelle. Avec toute la clarté et la précision désirables, elle explicite, à l'intention des disciples, le sens de la réponse que Jésus avait faite à ses adversaires" (*Mariage*, p. 45). Vergelijk daarentegen M.-É.

scheidingsverbod van Mc 10,9 zou op Jezus zelf teruggaan. De casuïstisch geformuleerde spreuk van Mc 10,11 stamt van de christelijke gemeenten in Syrië en is te begrijpen "als Wort gegen eine nach vollzogener Scheidung beabsichtigte Wiederheirat". Dit blijkt uit de conditionele zin "zijn vrouw verstoot en een ander huwt", waarbij de nadruk normaal valt op het laatste element, alsook uit de toevoeging van Lc 16,18b, die ontegensprekelijk gericht is op het nieuwe huwelijk van de gescheidene. Het zou ook verkeerd zijn in Mc 10,11 te lezen: hij pleegt echtbreuk *tegen* haar (d.i. tegen de verstoten vrouw), want de voorzetseluitdrukking is een semitisme en betekent: hij pleegt echtbreuk *met* haar (d.i. met de tweede vrouw). In de formulering van 135 Mc 10,11 wordt dus met *de facto* scheiding rekening gehouden en het verbod slaat op het tweede huwelijk[23].

Nu wil het me voorkomen dat de uitdrukking "en een ander huwt" ten onrechte zo benadrukt wordt. Dat het logion, althans formeel, gelijkenis vertoont met de casuïstische rechtsregels valt niet te ontkennen, maar de conditionele voorzin "wie zijn vrouw verstoot en een ander huwt" is dan ook op te vatten als de beschrijving van de casus. In overeenstemming met de joodse opvattingen gebeurt dit vanuit het standpunt van de man: wie zijn vrouw verstoot en een ander huwt. Verstoting (ἀπολύω) betekent ontbinding van het huwelijk: de verstotene krijgt de vrijheid een nieuw huwelijk aan te gaan (scheidingsbrief). Van de kant van de man wordt de verstoting normaal gevolgd door een nieuw huwelijk en dat is de casus die beschreven wordt: wie zijn vrouw verstoot en een ander huwt. Als in de gegeven zinsbouw het eerste werkwoord een omstandigheid uitdrukt, dan is het nog niet uitgemaakt of dit louter uiterlijke, begeleidende omstandigheid is (die dan ook apart beschouwd kan worden) ofwel een omstandigheid die inherent met het hoofdwerkwoord samenhangt en als één handeling opgevat wordt. Ter illustratie: wie zijn vrouw een scheidingsbrief geeft en ze wegzendt, pleegt onrecht. Met deze spreuk wordt het onrecht van de wegzending aangeklaagd. Het eerste lid drukt een omstandigheid uit, maar kan men zeggen dat dit een nieuwe notie van scheidingsbrief zou impliceren? Het echtscheidingslogion verklaart de afschaffing van de verstoting (d.i. scheiding met recht op een nieuw huwelijk)

Boismard (zie n. 2): "Cette différence de tonalité permet de se demander si ce logion annexe remonte bien à Jésus; on a plutôt l'impression qu'il ne fait qu'exprimer, sous forme juridique, le logion donné par Mt *19* 6b et Mc *10* 9" (p. 307).

23. *De iure* wordt de onontbindbaarheid van het eerste huwelijk gehandhaafd. Het tweede huwelijk na scheiding wordt als echtbreuk bestempeld: dit betekent dat aan het eerste huwelijk een *character indelebilis* toegekend wordt ("setzt voraus, daß die erste Ehe faktisch noch als (vor Gott) bestehend angesehen wird"). De gevolgtrekking m.b.t. het tweede huwelijk wijst erop dat de vroegchristelijke gemeente Mc 10,9 verstond als "*kan* de mens niet scheiden"; of dat ook de oorspronkelijke zin van de spreuk is (*kan* i.p.v. *mag*) acht de auteur twijfelachtig. Zie p. 244, n. 75.

door het nieuwe huwelijk te bestempelen als echtbreuk. Dit gebeurt in een concrete, casuïstische taal en er is geen reden om het eerste lid te isoleren en aan ἀπολύω een nieuwe betekenis te geven. Overigens zou dergelijke notie de uitspraak van Jezus in sterke mate relativeren: aan de scheiding wordt het effect van recht op een nieuw huwelijk ontzegd, maar de scheiding zelf wordt niet uitgesloten. B. Schaller heeft gelijk wanneer hij stelt dat het logion, aldus begrepen, het apodictisch echtscheidingsverbod van Jezus in Mc 10,9 "erleichternd in ein Verbot der zweiten Ehe abgeändert" zou hebben[24]. Dat had J. Dupont blijkbaar over het hoofd gezien. Zijn verwijzing naar de betekeniswijziging als pedagogisch procédé in de verkondiging van Jezus overtuigt niet. In de geciteerde voorbeelden geschiedt de overgang van een juridische, rituele of materieel-stoffelijke zin naar een geestelijk-morele betekenis; het gaat om de spiritualisering van een alledaags begrip. In de echtscheidingslogia zou ἀπολύω wel een nieuwe betekenis krijgen, maar dan op een zelfde juridisch vlak van scheiding met of zonder ontbinding van het huwelijk. 136

Ook gaat het niet op "en een ander huwt" te beschouwen als secundaire toevoeging en casuïstische afzwakking van het oorspronkelijk logion "wie zijn vrouw verstoot, pleegt echtbreuk" (H. Baltensweiler). Terecht wordt door P. Hoffmann opgemerkt dat dan ook Lc 16,18b (over het huwelijk met een verstotene) als secundair geschrapt zou moeten worden. Daartegen pleit dat de uitspraak "pleegt echtbreuk" in haar beeldwaarde verstoting en nieuw huwelijk onderstelt. Aangezien volgens joodse opvatting verstoting en huwelijk bij elkaar horen, ziet de auteur ook niet in dat de "toevoeging" (en een ander huwt) de oorspronkelijke uitspraak zou belasten[25]. Op zijn manier gaf ook van Tilborg een overbelichting aan "een ander huwt" wanneer hij onderscheid maakt tussen een (niet verboden) scheiding en de (verboden) "scheiding om een ander te huwen"[26].

II

Wij menen dus te mogen aannemen dat de oorspronkelijke vorm van het logion het beste bewaard is in Lc 16,18. Ook het onderzoek van de context waarin de evangeliën het logion brengen wijst in die richting.

24. T.a.p., p. 244.

25. *Jesu Wort* (zie n. 2), noot 3. Vgl. H.-W. KUHN, *Aeltere Sammlungen* (zie n. 12), p. 164: (contra Haenchen) "Aber ist dieser die Scheidung als solche indirekt legitimierende Sinn wirklich in dem Logion beabsichtigt? Ist nicht vielmehr nur eine Scheidung ohne Wiederverheiratung gar nicht im Blick? In dieser Richtung wird der ursprüngliche Sinn im Munde Jesu zu suchen sein".

26. Over ἀπολύω als echtscheidingsterminologie (contra Diderichsen) zie E. LOEVESTAM, in *Svensk Exegetisk Årsbok* 27 (1962) 132-135; H. BALTENSWEILER, *Die Ehe* (zie n. 2), p. 64, n. 63.

In Mk is het logion toegevoegd aan het twistgesprek over de echtscheiding (Mc 10,2-9). Dit wordt besloten met de uitspraak van Jezus : Wat God verbonden heeft, zal de mens niet scheiden. En dan : "En thuis ondervroegen de leerlingen hem nogmaals daarover" (v. 10), Dit behoort tot de literaire schematiek van Mc (vgl. 4,10; 7,17; 9,28). Dat de samenhang tussen het gesprek met de Farizeeërs en het onderricht aan de leerlingen premarkiaans zou zijn (H.-W. Kuhn)[27] of zelfs een oorspronkelijke eenheid zou uitmaken (J. Dupont)[28] is niet verdedigbaar[29]. Eerst in Mt werd het logion in het gesprek zelf ingewerkt (Mt 19,9)[30]. Daar wordt het duidelijk in antithese met de toelating van Mozes gebracht, zoals het ook in 5,32 gesteld wordt tegenover Deut 24,1, geciteerd in v. 31. De context van Mt 5 vertoont echter ook de resten van een meer archaïsche sequentie: Lc 16,16 (vgl. Mt 5,17: "wet en profeten"); 16,17 (vgl. Mt 5,18); 16,18 (vgl. Mt 5,32).

Het *Stichwort* "wet" verbindt Lc 16,16 en 17. Een rabbijns parallel lijkt erop te wijzen dat ook v. 17 ("Het is gemakkelijker dat hemel en aarde vergaan dan dat een streep (Mt : iota of streep) van de wet wegvalt") 137 en v. 18 (het echtscheidingslogion) niet onverbonden zijn. "Wie heeft Salomon beschuldigd? R. Jehoshua ben Levi zegt: De yod in *yarbeh*. R. Simeon ben Jokai leert : het boek Deuteronomium steeg ten hemel, wierp zich neer voor God en sprak : Heer van de wereld, gij hebt in uw Wet geschreven : Elk verbond waarvan een deel verkracht wordt, is geheel ontkracht. En zie Salomon zoekt een yod van mij te vernietigen. Daarop antwoordde God : Salomon en duizend hem gelijk zullen vergaan, maar er zal geen woord van u vergaan" (*Pal. Sanh.* 2,20c). Bedoeld is hier de yod in Deut 17,17 over de vrouwen van de koning (*lo' yarbeh*, letterlijk : dat hij voor zich de vrouwen niet vermenigvuldige). Door zijn polygamie heeft Salomon dit voorschrift vernietigd : hij heeft de yod ervan weggenomen (*le'arbeh* : om te vermenigvuldigen). Diezelfde tekst van Deut 17,17 wordt ook in een (voorchristelijk) geschrift van de joodse secte van Qumran (Damascusdocument 5,2) geciteerd : "Gedurende al die jaren zal Belial losgelaten worden in Israël... De drie valstrikken van Belial zijn : ontucht, winstbejag, profanatie van de tempel, ... ontucht door twee vrouwen te nemen

27. H.-W. KUHN, *Aeltere Sammlungen* (zie n. 12), p. 165-168, vgl. 113-114 en 189 (alleen het motief van het huis zou van Mk stammen).

28. Zie n. 22. De auteur naar het schema van de dubbele openbaring in apocalyptiek (L. Cerfaux) en in het rabbinisme (D. Daube : "public retort - private explanation").

29. Voor verdere literatuur zie *Duplicate Expressions* (n. 11), p. 150.

30. De afhankelijkheid van Mt 19 tegenover Mk 10 is in zeer ruime kring aanvaard. Nog in andere zin : A. ISAKSSON, *Marriage and Ministry in the New Temple. A Study with Special Reference to Mt. XIX,3-12 and 1. Cor. XI,3-16*, Lund, 1965, p. 96-104. Hij wil de perikoop bevrijden "from the Babylonian captivity of the Two Document Hypothesis" (sic).

tijdens hun leven, hoewel het principe der schepping is : *Man en vrouw schiep hij hen;* diegene die in de ark zijn binnengegaan : *Twee aan twee zijn ze binnengegaan*; nopens de koning is geschreven : *Hij zal voor zich de vrouwen niet vermenigvuldigen.*" In deze passage die blijkbaar gericht is tegen de polygamie[31] worden Gen 1,27 (vergelijk Mk 10,6), Gen 7,9 en ook Deut 17,17 aangehaald. Het is dus niet uitgesloten dat de rabbijnse exegese van Deut 17,17 op een oudere traditie teruggaat. In dat geval wint een archaïsche verbinding tussen het logion over de iota van de wet (Lc 16,17, vgl. Mt 5,18) en het echtscheidingslogion (Lc 16,18) aan waarschijnlijkheid. De sequentie Lc 16,16.17.18 wordt dan wel de oudste samenhang die wij langs literairkritische weg kunnen achterhalen. De algemene spreuk over de handhaving van de wet (v. 17) wordt er aangevuld met een toepassing: het verbod "gij zult geen echtbreuk plegen" in christelijke interpretatie (v. 18). De man die zijn vrouw verstoot, begaat echtbreuk. Dit betekent in feite de absolute verwerping van de joodse praktijk van de echtscheiding : verstoting is echtbreuk, overtreding van de dekaloog.

Wat in Lc 16,16-18 ligt uitgedrukt in een concatenatie van logia wordt geëxpliciteerd in Mt 5. De passus over vergelding en liefde tot de vijanden (5,38-48 ; uit de Quelle, vgl. Lc 6,27-36) wordt er opgenomen in een breed uitgewerkt complex over de "vervulling" van de wet en de "overvloediger" gerechtigheid van de christenen (5,17-20.21-48). Het lijkt me duidelijk dat de sequentie Lc 16,16-18 de redactor daartoe geinspireerd heeft[32]. Uiteraard is hij ook onder invloed van andere teksten. 138 Zo herinneren de antithesen over echtbreuk en echtscheiding (5,27-30.31-32) blijkbaar aan Mc 9-10 (vgl. Mt 18-19) : Mc 9,43-48, de ergernislogia ; 10,2-9 : Jezus' oordeel over het voorschrift van Mozes ; 10,11-12 : het echtscheidingslogion ; 10,19 : de geboden "gij zult niet doden, gij zult geen echtbreuk plegen...".

Sommige exegeten menen dat ook Mc het Quelle-document heeft

31. Zo wordt de tekst meestal verklaard. Contra van Tilborg, *art. cit.*, p. 27 ("de context van toegestane polygamie", met in n. 11 een verwijzing naar het werk van H. Braun); deze laatste en de meeste auteurs beweren het tegendeel! — Wel stelt de tekst een probleem. "Tijdens hun leven" (met mannelijk suffix) is wellicht niet te urgeren. Krijgt het wel nadruk, dan wordt ook successieve monogamie voorgestaan. Vat men het suffix op als een verwijzing naar de vrouwen (grammaticaal zijn er analogieën), dan wordt het een verbod van echtscheiding (d.i. van tweede huwelijk tijdens het leven van de eerste vrouw). De nog niet gepubliceerde Tempelrol (57,17-19) bevat een ondubbelzinnige uitspraak : "Hij zal naast haar (= de eerste vrouw) geen andere vrouw nemen, want zij zal alleen met hem zijn al de dagen van zijn leven ; en indien zij sterft, zal hij zich een andere nemen". Vgl. Y. Yadin, *L'attitude essénienne envers la polygamie et le divorce*, in *Revue Biblique* 79 (1972) 98-99.

32. Vgl. H. Schürmann, "*Wer daher eines dieser geringsten Gebote auflöst...*" *Wo fand Matthäus das Logion Mt 5,19?*, in *Biblische Zeitschrift*, 4 (1960), 238-250 ; = *Traditionsgeschichtliche Untersuchungen zu den synoptischen Evangelien*, Düsseldorf, 1968, p. 126-136.

gekend en gebruikt. Die stelling is moeilijk waar te maken en in elk geval met betrekking tot Mc 10,11-12 zijn er geen aanduidingen. Ook niet voor de mogelijkheid dat het echtscheidingslogion door Mk gekend was in de sequentie Lc 16,16-18. Dat hij het kende onder de vorm van een dubbellogion lijkt wel waarschijnlijk (cfr. *supra*), maar het kan tot hem gekomen zijn in een context die niet meer te achterhalen is of als zelfstandige spreuk. Ook Lc 16,16-18 is tenslotte een presynoptische verbinding van spreuken die een zelfstandig bestaan gekend moeten hebben.

Lc 16,18 kunnen wij als volgt weergeven :

Wie zijn vrouw verstoot en een ander huwt, pleegt echtbreuk;
En wie een verstotene huwt, pleegt echtbreuk.

Inhoudelijk verschilt het niet van de versie zonder "en een ander huwt" die door sommigen verdedigd wordt. Echtscheiding is echtbreuk. Diezelfde inhoud wordt uitgedrukt in een apodictische formulering, en zonder referentie naar de dekaloog in wat anderen als het oorspronkelijk Jezuswoord aannemen : wat God verbonden heeft, zal de mens niet scheiden (Mc 10,9). Er is dan ook een ruime consensus van exegeten die in het radicale echtscheidingsverbod het eigen woord van Jezus erkennen[33].

In de recente tijd is nadrukkelijk de vraag gesteld of de uitspraak van Jezus op te vatten is als een wetsvoorschrift. Daarbij denkt men aan de legitimatie van eigen kerkelijk handelen en stelt men de wet-die-geen-uitzondering-toelaat tegenover het ideaal-dat-de-christen-nastreeft. In het Nieuw Testament wordt het echtscheidingsverbod toegepast in verschillende situaties. In Mk gaat de aandacht naar de positie van de vrouw, in Mt vermoeden wij toestanden onder jodenchristenen en in 1 Kor vinden wij de weerslag van een missionaire situatie. Nu is het zo dat juist het feit dat in het Nieuw Testament uitzonderingen worden toegestaan (1 Kor 7,15; Mt 5,32; 19,9) erop wijst dat het Jezuswoord als "wet" begrepen wordt en casuïstisch toegepast[34]. De formulering van het logion zelf (Lc 16,18) is die van een casuïstische rechtsregel,

33. In verband met de Jezuswoorden wordt wel eens beweerd : "Zonder de situationele context van een gezegde (tenzij bij parabels) kan men er alle kanten mee uit en is de betekenis ervan niet te bepalen". Vgl. E. SCHILLEBEECKX, *De toegang tot Jezus van Nazaret*, in *Tijdschrift voor Theologie* 12 (1972) 28-60, spec. p. 41. Maar ook al stelt men dan nog dat "Jezus zich niet heeft uitgesproken over de eis tot monogamie", toch zal men erkennen : "Indirect wordt hier een grondinspiratie geformuleerd van verstrekkende betekenis". Vgl. E. SCHILLEBEECKX, *Het christelijk huwelijk en de menselijke realiteit van volkomen huwelijksontwrichting*, in *(On)ontbindbaarheid van het huwelijk*, p. 184-214, spec. p. 184. Toch biedt Mc 10,6-9 reeds een ontwikkelde leer over het monogame huwelijk. De auteur gaat uit van Mc 10,11, "naar wetenschappelijke hypothese een logion van Jezus zelf" (t.a.p., vgl. eerste citaat).

34. G. SCHNEIDER, *art. cit.*

maar wij mogen niet uit het oog verliezen dat ook sapientiële spreuken in een gelijkaardige stijl gesteld zijn[35] en vooral dat het logion, spijt die wetstaal, inhoudelijk het wetsniveau doorbreekt[36]. 139

NOTE

Le point de vue défendu ici et dans deux articles antérieurs (cf. n. 1) a été repris et développé par A.-L. DESCAMPS, *Les textes évangéliques sur le mariage*, dans *RTL* 9 (1978) 259-286; 11 (1980) 5-50. Nous y renvoyons le lecteur.

Les clausules de Mt 5,32 et 19,9 continuent d'intriguer, sans qu'on arrive à renouveler vraiment le dossier. Voir par exemple J.J. KILGALLEN, *To what are the Matthean Exception-Texts (5,32 and 19,9) an Exception?, dans Biblica* 61 (1980) 102-105; B.N. WAMBACQ, *Matthieu 5,31-32. Possibilité de divorce ou obligation de rompre une union illégitime*, dans *NRT* 104 (1982) 34-49. Selon Kilgallen, "the 'exception clauses' refer only to the fact that in *some cases* divorce is not adulterous" (p. 102), ce qui, dit-il (sans le prouver), diffère de l'interprétation habituelle ("is morally wrong" au lieu de "is adulterous"). L'idée est reprise par Wambacq qui précise : les nouvelles noces ne sont pas adultères dans les cas de porneia, c.-à-d. d'union illégitime.

Cette interprétation de πορνεία vient d'être relancée par J.A. Fitzmyer, et sur ce point, je suis obligé à revoir mon jugement de 1960 : "Het werk van Dom J. Dupont brengt wellicht de stille dood van deze exegetische eendagsvlieg" (*Coll. Brug. Gand.*, p. 126). Cf. J.A. FITZMYER, *The Matthean Divorce Texts and Some New Palestinian Evidence*, dans *Theological Studies* 37 (1976) 197-226; *Divorce among First-Century Palestinian Jews*, dans *Eretz-Israel* 14 (1978) 103-110.

Contre l'interprétation courante de πορνεία en Mt 5,32 et 19,9, Fitzmyer fait valoir qu'elle est "open to the obvious objection that if Matthew had meant that, he would have written *moicheia*, a word that he otherwise knows and uses. It has also been pointed out on several occasions that Matthew keeps *moicheia* and *porneia* distinct (15:19). There is the further difficulty that Matthew is obviously speaking about something that he would in effect be equating with adultery; so it seems that he is speaking about something different from adultery" (*The Matthean Divorce Texts*, pp. 209-210). Notons tout d'abord qu'au seul endroit où Matthieu emploie encore le mot πορνεία, il n'a nullement le sens spécifique de mariage illégitime. Matthieu l'emprunte au texte parallèle de Mc, et tout ce qu'on peut y constater c'est qu'il avance φόνοι, μοιχεῖαι de la liste de Mc 7,21-22 et rapproche ainsi μοιχεῖαι, πορνεῖαι (15,19). L'assonance des deux mots en -εῖαι (P. Gaechter) n'est sans doute pas la seule raison du rapprochement, mais dira-t-on que Matthieu a accentué la différence entre les deux? Fitzmyer ne met pas en doute la dépendance matthéenne vis-à-vis de Q en 5,32 et vis-à-vis de Marc en 19,9 (pour les deux passages, il se réfère à notre article : cf. notes 17-19 et 36), mais l'on peut se demander s'il en tire toutes les conséquences. Pour interdire le divorce, d'autres formules sont pensables (cf. Mc 10,9), mais le logion évangélique le fait par la déclaration que celui qui répudie sa femme et en épouse une autre commet l'adultère (μοιχεύει Lc, μοιχᾶται Mc). Matthieu reprend cette apodose traditionnelle (en la transformant en 5,32) : l'obliger à employer dans la clausule insérée le mot μοιχεία (plutôt que le "synonyme" πορνεία) serait lui imposer une inélégance de style. En plus, on aurait tort de négliger les références à Deut 24,1 dans le contexte de 5,32 (cf. v. 31) et 19,9 (cf. v. 7) : "les incises de Matthieu ... se rattachent à une

35. Vgl. K. BERGER, *Zu den sogenannten Sätzen heiligen Rechts*, in *New Test. Studies* 17 (1970-71) 10-40.

36. Vgl. P. HOFFMANN, *art. cit.*

discussion relative à l'expression *'erwat dabar* de Deut., 24,1. Le mot πορνεία rend ici le terme biblique *'erwah*, au sens précis que les Shammaïtes lui donnaient. ... Il s'agit d'une manière de faire par laquelle la femme porte atteinte à la fidélité conjugale, qu'il y ait ou non adultère proprement dit" (J. DUPONT, *Mariage*, pp. 111-112).

Fitzmyer prétend pouvoir compléter le dossier de Bonsirven par "*missing-link* evidence" : l'emploi de *zĕnût* au sens de mariage illégitime attesté dans le Document de Damas (4,20). Mais ce qu'il appelle "a clear instance" est pour le moins fort discutable. D'abord, il traduit : "have been caught in unchastity in two ways : by taking ...". La traduction qu'il proposa en 1961 respecte mieux l'ordre des mots du texte hébreu : "are caught in two ways : in harlotry, by marrying ..." (*Essays*, p. 37). Le mot *bštym*, qui précède *bznwt*, peut se référer aux deux filets de Bélial : la *zĕnût* (4,20b-5,6a) et la profanation du sanctuaire (5,6b-7a). Ensuite, Fitzmyer doit reconnaître que le texte "is not perfectly constructed, because of the digression about David in 5,2b-6a and the insertion of the explanation about defilement in 6b-7a before the explanation of the second form of *zĕnût*" (*Divorce*, p. 108*). La construction est plus satisfaisante dans l'autre interprétation, qui explique 5,6b-7a (introduit par וגם) comme le second filet. Fitzmyer admet que "it may seem that 'regulation for incest' (5,8-10) is a further source of defilement of the sanctuary (5,6b-7)". La *zĕnût* dont parle le Document de Damas (4,20-5,6) est donc la polygamie (ou polygamie et remariage après le divorce : cf. Fitzmyer).

Une remarque encore à propos de Mt 5,32 : "the Matthean form regards divorce itself as the cause of adultery ('makes her to be adultered')" (p. 203). Je crois qu'il faut traduire "*he causes her to commit adultery* (by contracting a subsequent marriage)" (BAGD) : c'est une transformation du logion plus primitif qui parle du remariage du mari (Lc 16,18a).

BETL 48 (1979) 169-213

THE MIRACLE STORIES IN THE ACTS OF THE APOSTLES

AN INTRODUCTION

In his recent survey of the *Acta-Forschung* since 1970, Erich Gräßer observed with some surprise that no special studies have been devoted to the miracles in Acts [1]. There is no monograph available on the miracle stories in the Acts of the Apostles and this topic is seldom treated in the periodical literature [2]. Therefore, this paper will be a tentative description of the place of the miracle stories in the interpretation of Acts:

1. E. GRÄSSER, *Acta-Forschung seit 1960*, *TR* 41 (1976) 141-194.259-290; 42 (1977) 1-68, esp. 15-16: " *6. Die Wunder in der Apg* ". Cf. 15-16: " Die Wundererzählungen nehmen in der Apg einen verhältnismässig breiten Raum ein. Sie sind ein wichtiges Mittel zur Darstellung der grossen Taten Gottes, die durch die Hand der Apostel geschehen. Um so verblüffter stellt man als Reporter der Acta-Literatur fest, dass es zum Thema fast nichts gibt. Selbst zu den einzelnen Wunderberichten weiss Mattill in seiner Bibliographie nur wenige, aber schon länger zurückliegende Aufsätze zu nennen, G. Wagner gar keine ". By the same author: *Die Apostelgeschichte in der Forschung der Gegenwart*, in *TR* 26 (1960) 93-167 (no comment on the miracles in Acts). Compare also: P. J. ACHTEMEIER, *The Lucan Perspective on the Miracles of Jesus: A Preliminary Sketch*, *JBL* 94 (1975) 547-562, 547: " The problem of the way Luke viewed and used the miracles of Jesus is a subject that has remained remarkably innocent of systematic treatment in recent biblical scholarship... The few articles that have been written deal primarily with the way in which miracles function within the narrative of Acts " (in n. 2 he refers to Fenton, Ferguson, and Hardon; cf. *infra*, n. 2). Besides Achtemeier's article on Luke, compare now: Ulrich BUSSE, *Die Wunder des Propheten Jesus. Die Rezeption, Komposition und Interpretation der Wundertradition im Evangelium des Lukas* (Forschung zur Bibel, 24), Stuttgart. 1977 (presented as a doctoral dissertation under the title: *ΙΗΣΟΥΣ ΕΥΕΡΓΕΤΩΝ. Zur Rezeption, Komposition und Interpretation der Wundertradition bei Lukas. Eine redaktionsgeschichtliche Untersuchung*, Münster, 1976).

2. In chronological order: T. W. CRAFER, *The Healing Miracles in the Book of Acts*, London 1939; J. A. HARDON, *The Miracle Narratives in the Acts of the Apostles*, *CBQ* 16 (1954) 303-318; J. FERGUSON, *Thoughts on Acts*, *Congr. Qu.* 35 (1957) 117-133 (referred to by Achtemeier); G. W. H. LAMPE, *Miracles in the Acts of the Apostles*, in C. F. D. MOULE (ed.), *Miracles. Cambridge Studies in Their Philosophy and History*, London 1965, 165-178; J. FENTON, *The Order of the Miracles Performed by Peter and Paul in Acts*, *ExpT* 77 (1965-66) 381-383; R. L. HAMBLIN, *Miracles*

1. The Peter-Paul Parallels
2. The Jesus-Peter/Paul Parallels
3. The Miracles and Source Criticism
4. The Form-Critical Approach
5. The Miracles in the Lucan Redaction
6. Note on Acts 3, 16.

Oecumenius' *Hypothesis* presents a brief description of the content of the Book of Acts: The Ascension, the Pentecost, Matthias, the seven deacons, Paul's election and ὅσα ἔπαθε, and finally, καὶ ὅσα οἱ ἀπόστολοι διὰ προσευχῆς καὶ τῆς εἰς αὐτὸν τὸν Χριστὸν πίστεως ἐθαυματούργησαν. It also gives a list of the twenty-one σημεῖα of the Apostles [3]. From this list of miracles in the manuscripts to the classifications of miracles in some recent articles, the first step in studying this topic has always been to make a catalogue. In my turn, I would propose the following list of miracle stories, including healings (H), raisings of the dead (R), exorcisms (E), a nature miracle (N), punishments (P) and liberations from prison (L) as well as summary reports (S). The marginal numbers indicate the Peter-Paul parallels.

(15)	S	*1.*	2, 43	Many signs and wonders performed by the Apostles
(16)	H	*2.*	3, 1-10	Peter heals the lame man at the Temple gate
(14)	P	*3.*	5, 1-11	The death of Ananias and Sapphira
	S	*4.*	5, 12	Many signs and wonders by the Apostles
(19)	S	*5.*	5, 15	Peter's shadow
(17.24)	S	*6.*	5, 16	Healing of the multitudes
(18)	L	*7.*	5, 17-21	Apostles delivered from prison

in the Book of Acts, *Southw. J. Th. 71* (1974) 19-34 ; and three recent dissertations : M. H. MILLER, *The Character of Miracles in Luke-Acts*, Graduate Theol. Union, Berkeley (Calif.), Th. D., 1971 (cf. Busse, 35-38 ; Achtemeier, 561, n. 26) ; S. H. KANDA, *The Form and Function of the Petrine and Pauline Miracle Stories in the Acts of the Apostles*, Claremont Graduate School (Calif.), Ph. D., 1973 ; M. D. HAMM, *This Sign of Healing, Acts 3:1-10: A Study in Lucan Theology*, St. Louis University (Missouri), Ph. D., 1975.

The topic is treated in a chapter of J. Roloff's book on *Das Kerygma und der irdische Jesus*, 1970 (cf. *infra*, n. 167), and some special studies can be mentioned (cf. *infra*, nn. 163, 167 and 196) ; on 5, 15, see W. BIEDER, *Der Petrusschatten, Apg 5, 15*, *TZ* 16 (1960) 407-409 ; and a more important contribution by P. W. VAN DER HORST, *Peter's Shadow : The Religio-Historical Background of Acts v. 15*, *NTS* 23 (1976-77) 204-212.

3. *Argumentum libri Actorum*, PG 118, cc. 25-28 (Oecumenius) ; PG 125, cc. 483-494 (Theophylact). See also H. VON SODEN, *Die Schriften des Neuen Testaments*, I/1, Göttingen, 1901, 330 : [127] (content) ; 332-333 : [132] (list of miracles).

	S	*8.*	6, 8	Signs and wonders by Stephen
	S	*9.*	8, 6-7.13	Signs and wonders by Philip
(14.17.20)		[*10.*]	8, 18-24	Peter and Simon Magus
(23)	H	*11.*	9, 32-35	Peter heals Aeneas
(21)	R	*12.*	9, 36-42	Peter raises Tabitha
(18)	L	*13.*	12, 3-17	Peter delivered from prison
(3.10)	P	*14.*	13, 9-12	Paul blinds Elymas the Magician
(1)	S	*15.*	14, 3	Signs and wonders by Paul and Barnabas
(2)	H	*16.*	14, 8-10	Paul heals the lame man at Lystra
(6.10)	E	*17.*	16, 16-18	Paul exorcises the Pythoness
(7.13)	L	*18.*	16, 25-34	Paul and Silas delivered from prison
(5)	S	*19.*	19, 11-12	Paul's handkerchiefs and aprons
(10)	E	[*20.*]	19, 13-19	The sons of Sceva
(12)	R	*21.*	20, 7-12	Paul raises Eutychus
	N	*22.*	28, 3-6	Paul shakes off viper from his arm
(11)	H	*23.*	28, 7-8	Paul heals Publius' father of dysentery
(6)	S	*24.*	28, 9	Paul heals the sick on Malta

Only nos. *10* and *20* are not on the lists of John A. Hardon and Paul J. Achtemeier [4]. Although they are not miracle narratives, both the story of Simon Magus (8, 9-24) and the unsuccessful attempt of the Jewish exorcists (19, 13-19) tend to enhance the reputation of the Christian miracle-worker.

Hardon distinguished between the different types of miraculous phenomena [5]:

4. See also S. H. Kanda, *The Form and Function* (cf. *supra*, n. 2). His list of miracles does not include the summaries of 2, 43 ; 6, 8 ; 14, 3 (nos. *1, 8, 15*), nor the Simon Magus story (no. *10*). The summaries of 5, 15 and 16 (nos. 4 and *5*) are grouped together with 5, 12 (5, 12-16), and 28, 9 (no. *24*) with the preceding healing story (28, 7-10). The nature miracle in 28, 3-6 is called " a miraculous display of power over the animal world " ; the other categories are identical with mine : healing stories, exorcism narratives, punishment miracles, miracles of liberation, miracles of the raising of the dead. Cf. *infra*, n. 200.

5. J. A. Hardon, *The Miracle Narratives* (cf. *supra*, n. 2), 303-305. The additional instances are :

2, 2-6	(I D)	Violent wind at the Cenacle in Jerusalem
4, 31	(I D)	Shaking of the assembly building in Jerusalem
8, 39	(I D)	Philip snatched by the Spirit of the Lord (cf. Achtemeier)
9, 8-9	(I C)	Paul struck blind on the road to Damascus
9, 17-18	(I B)	Ananias cures Saul of his blindness
12, 23	(I C)	Herod suddenly slain by an angel
14, 19	(I B)	Paul stoned and miraculously healed at Lystra
15, 12	(II)	Great signs and wonders among the Gentiles (cf. Achtemeier)

In the *Hypothesis* (cf. n. 3) neither nos. *10* and *20* nor *1, 4, 6, 15* (all summaries) are mentioned. The omission of *7* (5, 17-21) can perhaps be explained by conflation with 12, 3-17 ; cf. Theophylact's order : (*6*) 5, 15 ; (*7*) 12, 3ff. (PG 125, c. 485 ; von Soden, 333). On the other hand, this list includes 8, 26-40 (baptism of the eunuch) ;

I. Individual phenomena:
  A. Resuscitations from the dead: nos. *12, 21*
  B. Cures and exorcisms: nos. *2, 11, 16, 17, 23* (and 9, 17-18; 14, 19)
  C. Penalties and afflictions: nos. *3, 14* (and 9, 8-9; 12, 23)
  D. Nature or cosmic miracles: *7, 13, 18, 22* (and 2, 2-6; 4, 31; 8, 39)

II. Collective phenomena: *1, 4, 5, 6, 8, 9, 15, 19, 24* (and 15, 12) [6].

Achtemeier distinguished between acts performed by the Apostles in general (nos. *1, 4, 6,* and 4, 30), by Peter (nos. *2, 3, 5, 11, 12*), Stephen (no. *8*), Philip (no. *9* and 8, 39), Paul (nos. *14, 16, 17, 19, 21, 22, 23, 24*), Paul and Barnabas (no. *15* and 15, 12) and releases from bondage (nos. *7, 13, 18*) [7]. A similar systematization can be found in Theophylact's list: Peter, Stephen, Philip, Paul [8].

1. The Peter-Paul Parallels

With the *Tendenzkritik* of the 19th century [9] the miracles were central in the discussion of the apologetic purpose of Acts. Karl Schrader noted

9, 1-19 (vision of Paul); 10, 9-16 (vision of Peter); 12, 23 (death of Herod); 16, 9-10 (vision of Paul); 27, 9-44 (the shipwreck).

6. For the distinction between I and II, compare the distinction between stories and summaries (= S on my list); see also A. GEORGE, *L'emploi chez Luc du vocabulaire de salut*, *NTS* 23 (1976-77) 308-320, 313, n. 1. Nos. 3, [*10*], *14*, *17* [*20*] are not on his list.

7. P. J. ACHTEMEIER, *The Lucan Perspective* (cf. *supra*, n. 1), 559, n. 22. For the additional cases of 8, 39 and 15, 12, see also Hardon (cf. *supra*, n. 5). The other instance (4, 30: signs and wonders) is part of the prayer of the Apostles (4, 24-30). Compare 15, 12: " they [Barnabas and Paul] told of all the signs and miracles... " In fact, Achtemeier's list comprises all miracles reported or " mentioned " (also 2, 22; 10, 38: Jesus).

8. Whereas Oecumenius' list enumerated the miracles in the order of Acts, the list that is transmitted with the works of Theophylact (see also VON SODEN, 332-333) grouped the miracles of Peter together by anticipating 9, 32-35; 9, 36-42; 12, 3-17 before those of Stephen and Philip and Paul's vision (9, 1ff.).

9. For an historical survey of the criticism of Acts, see especially A. C. MCGIFFERT, *The Historical Criticism of Acts in Germany*, in *The Beginnings of Christianity, Part I: The Acts of the Apostles* (eds. F. J. F. JACKSON & K. LAKE), vol. 2, London 1922, 363-395; E. HAENCHEN, *Die Apostelgeschichte* (KEK, 3), Göttingen 1956 (= Meyer[10]), 11-41: *Übersicht über die historisch-kritische Actaforschung*; [2-11]1957; cf. [3-12]1959, 13-47; with the same pagination and the appendix, § 9. *Die Arbeit geht weiter*, 669-689, in [4-13]1961; [5-14]1965; [6-15]1968 (my page references are to the 4th-6th editions); [7-16]1977, 29-63 (with some changes on 62-63) and 124-141 (§ 9); J. DUPONT, *Les sources du Livre des Actes. État de la question*, Bruges 1960; and more recently, W. GASQUE, *A History of the Criticism of the Acts of the Apostles* (Beiträge zur Geschichte der biblischen Exegese, 17), Tübingen 1975. For a critical review of Gasque's work, which is a dissertation directed by F. F. Bruce (Manchester, 1969), cf. M. RESE, *Theol. Rev.* 72 (1976) 375-377. Compare also the unpublished dissertation of A. J. MATTILL, Jr., *Luke as a Historian in Criticism since 1840,*

in 1836 that the Paul of Acts, in contrast to the Paul of the Epistles, is presented as a miracle-worker, with no other intention than to give him the same rank as Peter and the other Apostles. In his comments on 13, 6-12; 14, 9-10; 16, 16-28; 19, 11-12; 20, 9-10, Schrader repeatedly observes: " ähnlich dem Petrus " [10]. Matthias Schneckenburger, who himself wrote in defense of the Paul of Acts against the view of Schrader (and Baur) [11], further developed this parallelism between Peter and Paul: " der Verfasser [hat] wirklich in bewusster Absicht jene Parallele gegeben. Vor Allem sind es die Wunder des Paulus, welche uns diese Ueberzeugung verschaffen können... Es bleibt nämlich... kein Grad gesteigerter Wunderwirkung, der von Petrus erzählt wird, ohne entsprechende Analogie von Paulus " [12]. These words are followed by a list of parallel miracles:

3, 2.9-10 ‖ 14,8.10	*Wunderheilung: Lahme*
9, 33 ‖ 28, 8	*Paralytische/Fieberkranke*
5, 15 ‖ 19, 12	*actio in distans*

Vanderbilt University 1959; by the same author: *The Purpose of Acts: Schneckenburger Reconsidered*, in W. W. Gasque & R. P. Martin (eds.), *Apostolic History and the Gospel*, Fs. F. F. Bruce, Exeter 1970, 108-122; *The Jesus-Paul Parallels and the Purpose of Luke-Acts: H. H. Evans Reconsidered, NT* 17 (1975) 15-46.

10. K. Schrader, *Der Apostel Paulus. Fünfter Teil, oder Uebersetzung und Erklärung der Briefe des Paulus... und der Apostelgeschichte* Leipzig 1836, 508-574: " Erklärung der Apostelgeschichte "; esp. 539, 542, 549, 553-554, 556; see also 520. This viewpoint was not yet expressed in vol. II (*Das Leben des Apostels Paulus*, 1832), With a more historical approach, he noted there: " So wie Petrus in Samarien einen Magier traf und denselben zu Schanden machte, so fand auch Paulus einen solchen in Paphos, an dem er *für die Juden* seine Meisterschaft zeigte " (170; italics mine). But see the distinction between the Jewish miracles and Paul's " miracles in a Christian sense ", " Ausdruck seines höheren Geistesleben ": Paul was not " ein gemeiner Wunderthäter " (185-189, *ad* Acts 14, 3; cf. 2 Cor 12, 11-12).

11. Matthias Schneckenburger, *Ueber den Zweck der Apostelgeschichte. Zugleich eine Ergänzung der neueren Commentare*, Bern 1841. For his association of Schrader's interpretation of Acts with F. C. Baur (*Römerbrief*, 1836; *Episcopat*, 1836), see 4 and 222 (" nach der Baur-Schraderschen Ansicht "). In this respect, one can neglect Haenchen's warning: " Trotzdem sollte man ihn [Schrader] nicht, wie McGiffert, mit Ferdinand Christian Baur in eine Atem nennen " (15). In fact, Schneckenburger did do so, as did Bruno Bauer (cf. *infra*, n. 17), III.

12. *Ibid.*, 52. After the presentation of the parallels (52-55) he concludes: " die Schilderungen von des Paulus Wunderthätigkeit und von der ihm gewordenen Anerkennung (sollten) seine Person und Würde dem Petrus und den alten Aposteln möglichst adäquiren " (55). On this question, Schneckenburger is heavily dependent on Schrader (see the references on 53, n. 1: 19, 11-12; and 54: 20, 9). He also mentions " Wunder und göttliche Interventionen " in the section on parallel suffering: " Wie die alten Apostel Schützlinge der Engel waren (8, 26), von Gefangenschaft durch göttliche Vermittlung befreit (5, 20; 12, 7ff.) [!] und gegen giftige Thiere gesichert (Marc. 16, 18): so ist alles diese Paulus nicht minder ". Compare 27, 23; 16, 26 [!]; 19, 15; 28, 5; 20, 23; 21, 11 (60).

8, 7ff. ‖	13, 6ff.; 16, 16	*Sieg über alles goetische Wesen*
	19, 13-19	
5, 1ff. ‖	13, 6-12	*Strafwunder*
9, 36ff. ‖	20, 9	*Todtenerweckung*

He also compares the impression on the people and the recognition of the miracle-worker:

5, 13; 10, 25-26 ‖ 28, 7; 14, 15

and the summaries (" allgemeine Angaben über Wunderheilungen überhaupt und Dämonen-Austreibungen insbesondere "):

5, 16; 8, 6-7 ‖ 28, 9; 19, 11; [16, 18].

For Schneckenburger the parallelism of the miracles in Acts was the result of the author's selection of similar traditional material. He did not agree when Baur and others drew from this apologetic parallelization the conclusion that these stories were the author's free composition [13]. In fact, Schneckenburger's description of the parallelism was adopted by Ferdinand Christian Baur [14], Albert Schwegler [15], Eduard Zeller [16], Bruno Bauer [17], and, some years later, by Franz Overbeck [18], and Hein-

13. His reaction to Baur was published posthumously († 1848) : R. Rüetschi, *Beiträge zur Erklärung und Kritik der Apostelgeschichte aus dem Nachlasse von D. M. Schneckenburger*, *TSK* 28 (1855) 498-570, esp. 550-551 (*ad* 14, 8ff.) : " Die Gleichheit mit einem frühern [Wunder] mag zum Theil der parallelisirenden Tradition angehören, oder der Schilderung des Verfassers, der natürlich für seinen parallelisirenden Zweck auch die gleichartigen Thatsachen wählte ".

14. F. C. Baur, *Paulus, der Apostel Jesu Christi. Sein Leben und Wirken, seine Briefe und seine Lehre*, 2 vol., Stuttgart 1845 (vol. 1) ; Leipzig ²1866-67 (" nach dem Tode des Verfassers besorgt von Eduard Zeller "), vol. 1, 104-115 (Acts 13-14) ; 179.188-189 (16, 25-34) ; and 218-220 (19, 11-12 ; 20, 7-8 ; 28, 8-10).

15. A. Schwegler, *Das nachapostolische Zeitalter in den Hauptmomenten seiner Entwicklung*, 2 vol., Tübingen 1846 ; vol. 2, 76-77 (cf. 76, n. 1 : " das folgende nach Schneckenburger S. 52 f. " ; see also 75, n. 1).

16. E. Zeller, *Die Apostelgeschichte nach ihrem Inhalt und Ursprung kritisch untersucht*, Stuttgart 1854. Published previously in *Theologische Jahrbücher* 7 (1848) 528-573 ; 8 (1849) 1-84.371-454.535-594 ; 9 (1850) 303-385 ; 10 (1851) 95-124.253-290.329-388.433-469. See especially 1854, 320-322 = 9 (1850), 322-325 (with reference to Schneckenburger and Schwegler) ; see also 326 (= 329) (16, 25-34).

17. B. Bauer, *Die Apostelgeschichte. Eine Ausgleichung des Paulinismus und des Judentums innerhalb der christlichen Kirche*, Berlin 1850, 9-10. On Schneckenburger, see III (and the references on 7, 11, 12).

18. F. Overbeck, *Kurze Erklärung der Apostelgeschichte* (Kurzgefasstes exegetisches Handbuch zum N. T., 1/4 ; = 4th edition of W. M. L. de Wette's commentary), Leipzig 1870, esp. 195, n. 1 (cf. Schneckenburger, Zeller, Renan). See also 189 ; 195 (13, 10-12) ; 211 (14, 8-20a) ; 261-264 (16, 25-34) ; 312 (19, 6) ; 314 (19, 12) ; 316 (19, 13-16) ; 332 (20, 7-12).

rich Julius Holtzmann [19]. Of course, some precisions have been proposed that should be noted here.

Although general references to miracle-working are mentioned by Schneckenburger and Zeller [20], the basic observation on which all these authors agree concerns the Peter-Paul parallelism in the different categories of miracles, from a healing of a lame man to a resurrection from the dead [21]. Thus, Schneckenburger's reference to the parallel of the paralytic and the man with fever (9, 33 || 28, 8) is not accepted by Zeller, because the healing of the paralytic " gehört in die allgemeine Kategorie der Lahmenheilungen [3, 1-10 || 14, 8-10], brauchte daher keine besondere Parallele zu haben " [22]. On the other hand, the same narrative of 13, 9-12 can be compared with two Petrine stories, with 5, 1-11 as a *Strafwunder* and with 8, 9-24 as the Apostle's *Sieg über die Zauberei* [23].

19. H. J. HOLTZMANN, *Die Synoptiker — Die Apostelgeschichte* (Hand-Commentar zum N. T., 1), Freiburg 1889, 305-427 ; ²1892 ; *Die Apostelgeschichte* (Hand-Commentar zum N. T., 1/2), Tübingen ³1901, esp. 18-19 (= 319-320) : " Der Parallelismus der Darstellung ". Cf. *Lehrbuch der historisch-kritischen Einleitung in das Neue Testament*, Freiburg 1885 ; ²1886, 410-411. See also in the commentary, 87 = 372 (13, 9-11) ; 93 = 377 (14, 8-10) ; 94 = 378 (14, 15) ; 109 = 389 (16, 25-34) ; 121 = 398 (19, 12 ; 19, 13-19) ; 122 (19, 15) ; 126 = 402 (20, 9-12), cf. 74 = 362. Cf. H. FLENDER, *Heil und Geschichte in der Theologie des Lukas* (B. ev. Th. 41), München 1965, 117, n. 191 : he simply refers to Holtzmann for this topic.

20. SCHNECKENBURGER, 52 (quoted above) : 5, 16 ; 8, 6.7 || 28, 9 ; 19, 11 ; 16, 18 ; this is a mixed list of " summaries " and the category " exorcism " : cf. 16, 18 (not a summary), par. 5, 16 ; 8, 7 ; ZELLER, 320 : " im Allgemeinen durch die Schilderung ihrer Wunderthätigkeit (c. 2, 43. 5, 16. 8, 6f. Vgl. 18, 12. 19, 11. 28, 9) gleichgestellt ". He rightly omits 16, 18 and adds 2, 43 ; but what about 18, 12 ? He also mentions 5, 16 ; 8, 7 in the category of the exorcism (par. 19, 15 ; 16, 18 ; 19, 11 ; 28, 9). Neither Mattill (110-111) nor Gasque (34 and 51, n. 63) referred to the summaries in their descriptions of Schneckenburger's theory.

21. There is some evolution in the formulation of this principle. SCHNECKENBURGER, 52 : " kein *Grad* gesteigerter Wunderwirkung... " (cf. Mattill, 110-111 : " There is no *degree* of miracle told of Peter without its Pauline analogy ") ; SCHWEGLER, 76 : " durch alle *Stufen* der Wunderthätigkeit... " ; ZELLER, 320 : " keine *Art* petrinischer Wunderwirkung... " and " die höchste Spitze der Wunderwirkung " (9, 36ff.) ; and finally OVERBECK, 195, n. 1 : " kein einziges durch und an Petrus geschehenes Wunder..., das nicht *seiner allgem. Kategorie nach* unter den Wundern des Paulus seine Parallele hätte " (formulation adopted by Holtzmann, 19).

22. ZELLER, 320, n. 2 : " nur halb passend zusammengestellt " ; = 9 (1850), 322, n. 2. The parallel 9, 33 || 28, 8 is noted by Schneckenburger, Schwegler, Bauer (cf. *infra*, n. 28), Holtzmann, and more recently, Easton (*infra*, n. 44), Hardon (*infra*, n. 40), Fenton (*infra*, n. 50 ; ctr. George, *infra*, n. 51).

23. The double parallel of 13, 9-12 is noted by Schneckenburger, Schwegler, Zeller, Bauer, Overbeck, Holtzmann. See especially OVERBECK, 195 : " Theils als Strafwunder, theils als Züchtigung eines mit dem Apostelamte rivalisirenden Zauberers (vgl. auch Vs. 10 mit 8, 21) ". Baur compares 13, 9-12 with 8, 9-24 (the *Strafwunder* is part of the " steigernde Nachbildung ") and Mt 16, 16 (the namegiving, cf. 13, 9) : " So sind zwei verschiedene Momente aus dem Leben des Petrus in einem Akt vereinigt " (105-107).

The parallels of miracles are not based on a similar form of the stories, with the exception only of 3, 1-10 ‖ 14, 8-10 [24]. For this healing miracle, too, a consideration of order is made: the " first " miracle of Paul corresponds with the first miracle of Peter [25]. The formal similarities between 3, 1-10 and 14, 8-10(11) are noted as follows:

	3, 1-10	14, 8-10(11)
a	2 καί τις ἀνὴρ	8 καί τις ἀνὴρ
a^1		ἐκάθητο
A	χωλὸς ἐκ κοιλίας μητρὸς αὐτοῦ	χωλὸς ἐκ κοιλίας μητρὸς αὐτοῦ
a^1	ἐβαστάζετο	
b	3 ὃς ἰδὼν	9 οὗτος ἤκουεν
B	4 ἀτενίσας δὲ... εἰς αὐτὸν εἶπεν	ὃς ἀτενίσας αὐτῷ 10 εἶπεν
C	8 καὶ ἐξαλλόμενος ἔστη καὶ περιεπάτει περιπατῶν καὶ ἀλλόμενος	καὶ ἥλατο καὶ περιεπάτει
D	9 καὶ εἶδεν πᾶς ὁ λαὸς	11 οἵ τε ὄχλοι ἰδόντες

Schwegler simply indicated the category of a healing of " a lame from birth " (A), but Schrader had already noted the similarity with 3, 8 (AC), Schneckenburger added to 3, 8 the reaction of the crowd witnessing the reality of the miracle in 3, 9-10 (ACD), and Baur insisted on the parallel in 3, 4 (B). To these four common elements ABCD (also noted by Bruno Bauer), Zeller added the minor correspondences a a^1 b [26]. In one other instance Bruno Bauer indicated a formal similarity: ὥστε... ἐκφέρειν and ὥστε... ἐπιφέρεσθαι in 5, 15 ‖ 19, 12, which he compared with the ὥστε in

24. It should be noted that Bruno Bauer has a more literary approach ; cf. *infra*, nn. 27-28. Verbal similarities are also noted by Zeller, 321, n. 1 (19, 11-12.17), n. 3 (14, 15).

25. SCHNECKENBURGER, 52 : " So haben wir an dem ersten ausführlich berichteten Wunder des Paulus... einen Pendant zu dem ersten Wunder des Petrus " ; ZELLER, 320 (" das erste Heilungswunder des Paulus "). But compare Baur, 108 : " Ein zweites Wunder, 14, 8f. " (Paul's first miracle is 13, 9-12). Thus, 14, 8-10 is the first *healing* miracle (Zeller), or the first *extensively reported* miracle (Schneckenburger), and Bludau's observation, in *Paulus in Lystra* (cf. *infra*, n. 36), 103, that neither for Peter (cf. 2, 43 !) nor for Paul (cf. 13, 9ff.) is the healing of a lame man the first miracle, is not really an objection against the Peter-Paul parallelism.

26. SCHWEGLER, 76 ; SCHRADER, 542 ; SCHNECKENBURGER, 52-53 ; BAUR, 108 (= 1845, 95) : he notes also the difference between the " beggar " in 3, 1-10 and the man who has πίστιν τοῦ σωθῆναι in 14, 9 ; BAUER, 9 ; ZELLER, 214 ; = 8 (1849) 421 : " Die Verwandtschaft der beiden Erzählungen is wirklich überraschend ; nicht nur der Haupterfolg ist in beiden Fällen der gleiche, sondern auch die Nebenumstände stimmen auf's Vollständigste überein, und sogar die Ausdrücke sind grossentheils dieselben " (cf. his synopsis in n. 1) ; see also 322 : both stories correspond " in der Sache und im Ausdruck... Zug für Zug. " He could also have noted the word καθήμενος in 3, 10 in correspondence with (a^1) ἐκάθητο in 14, 8 ; cf. G. A. VAN DEN BERGH VAN EYSINGA (*infra*, n. 59), 216.

Mk 3, 10 [27]. He also tried to reinforce the parallel of 9, 32-33 ‖ 28, 8, rejected by Zeller, by noting common elements in both stories: the names of the persons (Aeneas and Publius' father) and the theme of hospitality. Here again he referred to Mark (1, 29-31) [28]. With these references to the Gospel, Bauer introduced an important new element into the discussion of the Peter-Paul parallels (cf. Section 2).

From these striking correspondences in the miracle-stories F. C. Baur (1845) drew the conclusion that the author of Acts is responsible for the parallelization and that he modeled Paul's miracles after the Petrine stories with an apologetic purpose: " der Apostel Paulus dürfte auch in Ansehung der Wunder den übrigen Aposteln und insbesondere dem Apostel Petrus nicht nachstehen " [29]. In a prompt reaction, W. M. L. de Wette referred, in the third edition of his commentary, to Baur's interpretation, which he summarized in this manner: 13, 10-12 " eine apologetische Fiction und Seitenstück zu der Geschichte von Simon Magus Cap. 8 "; 14, 8-20 " ein fingirtes Seitenstück zu 3, 1ff. "; 19, 12 " ein erdichtetes Seitenstück zu 5, 15 ". Baur's thesis on the non-historicity of the Pauline miracles even had the negative effect of causing de Wette to omit his own notes on the correspondences between the miracle stories [30].

The 19th century critics of Baur and Zeller, from Eduard Lekebusch [31] to Bernhard Weiss, tried to minimize the parallelism. Zeller's own observation on 9, 33 ‖ 28, 8 was particularly welcome to Lekebusch. He counted two healings of a paralytic for Peter against one for Paul [32]. For B. Weiss the stories of 3, 1ff. and 9, 33ff. indicate that such healings were rather frequent (cf. 8, 7) and therefore 14, 8-10 cannot be meant as

27. BAUER, 10 (and n. 1); cf. 16, n. 2; ἐπιφέρεσθαι in 19, 12 is TR reading for ἀποφ. Cf. *infra*, n. 51.

28. *Ibid.*, 10 and 13-14. He does not mention 9, 33 κατακείμενον and 28, 8 κατακεῖσθαι; comp. RACKHAM (cf. *infra*, n. 37), xlviii, and FENTON (cf. *infra*, n. 50), 382.

29. BAUR, 219. Comp. ZELLER, 214: " Nachbildung der früheren petrinischen Wundererzählung " (see also 322)

30. W. M. L. DE WETTE, *Kurze Erklärung der Apostelgeschichte* (Kurzgefasstes exegetisches Handbuch zum N. T., 1/4), Leipzig [3]1848, 109 (13, 10-12), cf. [2]1841, 97: " ein Strafwunder wie das des Petrus 5, 5.10. "; 117, cf. [2]1841, 104-105: " 14, 8.10 Zusatz aus 3, 2,... 3, 6 "; 147 (19, 12), cf. [2]1841, 131: " Vgl. 5, 15. "

De Wette's second edition (1841; Preface: Basel, 29 Dec. 1840) contains a fresh reaction (in a negative sense) to Schneckenburger's book (Bern, 1841). The text of [3]1848 was republished in [4]1870, but supplemented with Overbeck's personal commentary and, of course, numerous references to Schneckenburger and Zeller (cf. *supra*, n. 18).

31. E. LEKEBUSCH, *Die Composition und Entstehung der Apostelgeschichte von Neuem untersucht*, Gotha 1854, 258-261. (The author frequently reacted to Zeller's articles, 1848-1851, and in his turn, Zeller replied in the notes of his 1854 edition).

32. *Ibid.*, 258.

a *Gegenbild*. On the other hand, neither the healing of the man with fever (28, 8) nor the exorcism at Philippi (16, 16-18) [33] has a Petrine counterpart; Paul's blinding of Elymas (13, 9-12) cannot be compared with Peter's not even hostile confrontation with Simon; and there is too little emphasis on the resuscitation in 20, 7-12 to see it as a *Gegenbild* to the resurrection story of 9, 36ff [34]. Of course, some similarities between 14, 8-10 and 3, 1-10 could hardly be denied, and B. Weiss assigned them to the redactor [35]. But the negative attitude towards the Peter-Paul parallels went so far as to declare these similarities insignificant or even non-existent [36].

Source criticism and, in this century, form criticism concurred with the traditional interpretation of Acts by not giving exegetical attention to the Peter-Paul parallelism in the miracles of Acts. Commentators like Richard B. Rackham still emphasized the parallelism between Peter and Paul, but the miracles lost their special status in the description of the parallel [37]. The true explanation of the parallelism is that it " arises out of the facts ", and " the coincidences occur in the narrative in a most

33. B. WEISS, *Lehrbuch der Einleitung in das Neue Testament*, Berlin ³1897, 540, n. 2 : " da Dämonenaustreibungen nur 5, 16 ganz allgemein (und zwar nach v. 12 wohl von den Aposteln überhaupt, wie 8, 7 von Philippus) erwähnt werden. " Cf. *supra*, Schneckenburger's parallels. Compare also Overbeck's critique of Schnekkenburger's association of 19, 13-19 with 8, 9-24 : " Schwerlich... hat... den Sinn eines Gegenstücks... " (316).

34. A similar observation can be found in a great number of studies on the historicity of Acts. F. Overbeck (195, n. 1) refers especially to C. J. TRIP, *Paulus nach der Apostelgeschichte. Historische Werth dieser Berichte*, Leiden 1866, 162ff. ; J. R. OERTEL, *Paulus in der Apostelgeschichte. Der historische Charakter dieser Schrift an den paulinischer Stücken nachgewiesen*, Halle 1868, 189-194. Compare, more recently, W. GASQUE, *A History* 51 : " This may have been overdone. For example, the parallels are not exact parallels, and the material has to be rearranged considerably to show the parallelism " (see also *ibid.*, n. 63).

35. Cf. *Lehrbuch der Einleitung*, 1886, 576, n. 3 : " in 14, 8.10 scheiden sich die Ausmalungen nach Cap. 3 noch deutlich von einem zu Grunde liegenden Texte. " (The section on source criticism, 570-584, is omitted in the third edition, 1897.)

36. E. LEKEBUSCH, *Die Composition*, 261 : " der einzige factische Berührungspunct zwischen beiden... dass jeder von ihnen einen Lahmen geheilt habe " ; August BLUDAU, *Paulus in Lystra Apg 14, 7-21*, in *Der Katholik* 36 (1907) 91-113. 161-183 ; esp. 102-104. Bludau begins by admitting some similarities (" eine gewisse Ähnlichkeit in untergeordneten Dingen,... Ähnlichkeit der Wortlaut ") which he explains by " die Ähnlichkeit der erzählten Vorgänge " and " die Identität des Verfassers ". Then, quoting Lekebusch, he indicates the differences between both stories and concludes : " Man wird nicht einmal Wendt [cf. *infra*, n. 120] zugeben können, dass die Detailzeichnung ähnlich sei und auf eine freie Ausführung durch den Schreiber der Apg. hinweise " (104).

37. R. B. RACKHAM, *The Acts of the Apostles. An Exposition* (Westminster Commentaries), London 1901, xlvii-xlix. The miracles are mentioned among other parallels on xlviii.

natural way: nothing could appear less artificial". The author of Acts had no "deliberate intention of magnifying his favourite apostle into a position of equality with S. Peter "[38]. A. Camerlynck and A. Vander Heeren prudently noted that Luke had a secondary purpose: "non sine quadam probabilitate dici possit Lucam, tamquam scopum secundarium operis sui, intendisse ut in lucem poneret duos illos magnos Apostolos, Petrum et Paulum, tum sub respectu doctrinae tum sub respectu disciplinae, fuisse inter se perfecte concordes "[39]. This suggestion of a secondary purpose against the Judaizers has been taken up by John A. Hardon in 1954[40]. In his opinion, "St. Luke may have deliberately introduced a parallelism between the miracles of Peter and Paul; ... the correlation is too close to be a matter of chance "[41]. For K. Lake and H. J. Cadbury, too, there are instances "in which the writer [of Acts] is conscious of the parallelism between Peter and Paul "[42]. And for C. S. C. Williams, "Luke consciously compared the two apostles "[43]. In 1936 B. S. Easton noted as a "familiar" statement that "most of these signs that are concretely described are arranged in two groups of remarkable similarity, one attached to Peter, the other to Paul "[44]. He gives a list of "sixteen miracles, in two series of eight", which can be compared with the lists of Schneckenburger (S) and Hardon (H):

S	5, 16 ‖ 16, 18		S H(*6*)	9, 34	‖ 28, 8
S H(*2*)	3, 7 ‖ 14, 8		S H(*7*)	9, 37	‖ 20, 9
S	5, 16 ‖ 28, 9		S H(*3*)	5, 5-10	‖ 13, 11
S H(*2*)	5, 15 ‖ 19, 12		H(*8*)	12, 10	‖ 16, 26

38. *Ibid.*, xlix.

39. A. CAMERLYNCK & A. VANDER HEEREN, *Commentarius in Actus Apostolorum*, Brugge [7]1923 ([6]1910: J. A. VAN STEENKISTE & A. CAMERLYNCK), 38, n. 3. The authors are more hesitant regarding the theory of the conscious selection of parallel miracles, attributed to J.-B. SEMERIA, *RB* 4 (1895) 313-339 (comp. Schneckenburger).

40. J. A. HARDON, *The Miracle Narratives* (cf. *supra*, n. 2), esp. 307-310: "Comparison between the miracles of St. Peter and St. Paul". The author is largely dependent upon Camerlynck-vander Heeren; see the quotation on 10, the common reference to Semeria (309, n. 6; comp. *supra*, n. 39), and the common error about Schneckenburger (308: "the first to develop the theory that the Acts were written about 150 A.D...."; comp. CAMERLYNCK-VANDER HEEREN 37).

41. *Ibid.*, 309-310. The parallel classification is "adequate und almost numerically inclusive" (covers all miracles of Peter and Paul in Acts). The example of correspondence in details is, of course, 3, 1-10‖14, 8-10.

42. K. LAKE & H. J. CADBURY, *The Acts of the Apostles* (The Beginnings of Christianity, 1/4), London 1932, 55 (5, 15 ‖ 19, 12); 163 (3, 2-8 ‖ 14, 8-10).

43. C. S. C. WILLIAMS, *A Commentary on the Acts of the Apostles* (Black's N. T. Commentaries), London 1957, 89 (5, 15 ‖ 19, 12); 157 (8, 14ff. ‖ 13, 7); 170 (3, 2-8 ‖ 14, 8ff.).

44. B. S. EASTON, *The Purpose of Acts*, London 1936, 7; = *Early Christianity. The Purpose of Acts and Other Papers* (ed. F. C. GRANT), London 1955, 31-118, esp. 38.

Hardon also refers to (*4*) 4, 31 ‖ 16, 25ff. and, more correctly, to the summaries (*1*) 2, 43 ‖ 14, 3. Two instances in Schneckenburger's list were not miracles performed by Peter: 8, 6-7 (Philip) and 8, 18-24 (not a miracle). On the other hand, the deliverances from prison in chs. 12 and 16 are mentioned by both Easton and Hardon. This parallel was already noted by Baur, Zeller, and others, but it was not mentioned in Schneckenburger's specific list of Apostles' miracles [45].

The lack of chronological order in the parallel stories has often been cited as an objection against deliberate parallelization. However, this has been reconsidered in some recent studies. Michael D. Goulder defends a cyclical arrangement in Acts [46]. In his division of the Peter section the " raising " of the cripple (3, 1) and the " raising " of Aeneas and Dorcas (9, 32) are in parallel at the beginning of the cycle [47]. In the Pauline section there is a healing in each journey (14, 8; 16, 16; 20, 7; 28, 8). Seven healings [48] are done by Peter and Paul:

3, 1	Temple cripple	(I)	14, 8	Lystrean cripple
9, 32	Aeneas	(II)	16, 16	Girl with python
9, 36	Dorcas raised	(III)	20, 7	Eutychus raised
		(IV)	28, 8	Publius' father

The striking similarity in the parallel stories I and III demonstrates the principle of continuity in the Church's healing ministry [49]. John Fenton suggests chiastic correspondences:

3, 1ff.	*A*	*a*	13, 6ff.	5, 14ff.	*C*	*c*	16, 16ff,	9, 32ff.	*E*	*e*	20, 7ff.
	×				×				×		
5, 1ff.	*B*	*b*	14, 8ff.	5, 16	*D*	*d*	19, 11	9, 36ff.	*F*	*f*	28, 7ff.

As Fenton himself notes, the general reference in 5, 16 is put in parallel with an individual exorcism, and the general reference in 28, 9 is not

45. See the references to 16, 25-34, *supra*, in nn. 14 (Baur), 16 (Zeller), 18 (Overbeck), 19 (Holtzmann), and for Schneckenburger, the text from 60 quoted above in n. 12. Compare also Zeller's rewriting of this passage, with a clear parallelization of 5, 19; 12, 7ff. ‖ 16, 25-34 (324). Schwegler and Bauer only give Schneckenburger's list of the parallel miracles (without 16, 25-34).

46. M. D. Goulder, *Type and History in Acts*, London 1964.

47. *Ibid.*, 25. Note also the conclusion of each cycle by a recurrent theme : Peter strikes Ananias dead (5, 1), Peter confounds Simon Magus (8, 18) ; Angel strikes Herod dead (12, 20).

48. Goulder (like Hardon, cf. *supra*, n. 5) also mentions the healing of Saul's blindness by Ananias (9, 17-18). There are healing miracles in each section of Acts : 1, 1—6, 7; 6, 1—9, 31; 9, 32—12, 24; 12, 25—end; and there is a healing in each cycle of the Pauline section : 13—15 (14, 8) ; 15—18, 22 (16, 16) ; 18, 23—20 (20, 7) ; 21—28 (28, 8).

49. *Ibid.*, 106-107. On the parallel 3, 1-10 ‖ 14, 8-10, see also 27 and 85; on 5, 15 ‖ 19, 12, cf. 31.

included [50]. The pattern of three chiasmuses is perhaps too simple. Augustin George adds the parallels 8, 18-24 || 13, 6-12 and 12, 3-11 || 16, 22-26; furthermore, he suggests correcting *C — d* (5, 15-16!) and omittings *D — c* and *E — f* [51]. More recently, Charles H. Talbert studied the parallelism of Acts 1-12 and 13-28 in what he calls " architecture analysis ". He presented the following list of correspondences:

2, 1-4; 2, 14-40; *3, 1-10*; 3, 12-26; 6, 8-8, 4; 10-11; 12
13, 1-3; 13, 16-40; *14, 8-13*; 13, 15-17; 14, 19-23; 13-21; 21-28

Besides 3, 1-10 || 14, 8-13 other parallel miracles do not occur in any specific order:

8, 9-24 || 13, 6-12 9, 36-43 || 20, 9-12 12, 6-11 || 16, 24-26 [52].

It can be said of all these authors (and this is certainly also true for Mattill) that they are closer to Schneckenburger than to Baur and Zeller. " Without endorsing the Tübingen view... " is a much used introductory formula [53]. But they differ from Schneckenburger in studying the Peter-Paul parallelism in connection with Lucan composition in Acts *and* the Gospel. Goulder stressed the continuity of Gospel and Acts; George compared it with the John the Baptist-Jesus *synkrisis* in Lk 1-2; Talbert saw the Peter-Paul parallels in the broader context of Lucan patterns, as did Robert Morgenthaler who, some years ago, in answer to Schneckenburger's list of parallels, referred to the Lucan pattern of duality *(Zweiheitsgesetz)* [54], and Gustav Stählin who emphasized a " double "

50. J. FENTON, *The Order of Miracles* (cf. *supra*, n. 2) in *ExpT*, September 1966. For 9, 33-34 || 28, 8 he notes the verbal similarities κατακεῖσθαι, nowhere else in Acts (cf. *supra*, n. 28), and ἰᾶσθαι, only twice elsewhere in Acts (382).

51. A. GEORGE, *Le parallèle entre Jean-Baptiste et Jésus en Luc 1-2*, in A. DESCAMPS & A. DE HALLEUX (eds.), *Mélanges bibliques B. Rigaux*, Gembloux 1970, 147-171; esp. 159-164: " Un parallèle chez Luc : Pierre et Paul dans les Actes ". On Fenton's article, cf. 159, n. 2; 160, n. 1; 162, n. 1; 163, n. 1. For 5, 15-16 || 19, 11-12, verbal similarities are noted : διὰ τῶν χειρῶν (5, 12), ὥστε, -φέρειν, ἀσθεν-, πνεύματα (p. 162, n. 1); cf. *supra*, n. 27.

52. C. H. TALBERT, *Literary Patterns, Theological Themes, and the Genre of Luke-Acts* (SBL Monogr. Ser., 20), Missoula 1975, 23-26.

53. Cf. WILLIAMS, *Acts* (cf. *supra*, n. 43), 89; GEORGE, 164: " Sans aller jusqu'aux excès de l'école de Tubingue "; TALBERT, 23: " without drawing the same conclusions about Acts' historicity that Baur's followers had drawn. "

54. R. MORGENTHALER, *Die lukanische Geschichtsschreibung als Zeugnis. Gestalt und Gehalt der Kunst des Lukas* (ATANT, 14), vol. 1, Zürich 1949, 129 (list of parallels); cf. 130: " Peter und Paul stehen in einer gewissen Parallele. Dass sie aber darin stehen, das ist eine sekundäre Erscheinung der lk. Kompositionstechnik. "

parallelism in the miracle stories, Gospel-Acts and Peter-Paul [55], and A. J. Mattill who, after his " Schneckenburger Reconsidered ", wrote on " The Jesus-Paul Parallels " [56].

2. The Jesus-Peter/Paul Parallels

As can be seen in recent studies, the Peter-Paul parallels in the miracles of Acts most naturally bring to mind the Tübingen thesis that Paul's miracles are modeled after the Petrine stories. But already in 1850 a new orientation had been given to this study of the parallelism by Bruno Bauer's statement that the Jesus of the Synoptic Gospels is the " original " of the Peter and the Paul of Acts [57]. E. Zeller acknowledged the demonstration of the gospel parallels to the narratives of Acts as an important contribution of Bauer's book [58]. And when in 1918 G. A. van den Bergh van Eysinga examined " the Gospel story as the source of Acts ", he could do no better than paraphrase, with some variation, Bauer's presentation of the evidence [59]. More recent studies, too, still refer to Bauer on this topic [60].

It should be noted, however, that Bauer was not the first to compare the stories of Acts with the Gospels. In 1838, August F. Gfrörer suggested that, in the miracles of 3, 1-10 (cf. Jn 5 and 9); 9, 32-35 (cf. Mt 9, 6 par.); and 9, 36-43 (cf. Mk 5, 41; Lk 7, 15), Gospel stories have been transferred to Peter: " evangelische Sagen [sind] auf Petrum übergetra-

55. G. Stählin, *Die Apostelgeschichte* (NTD, 5), Göttingen 1962, 5 (list of parallels) ; cf. 58 (3, 1ff.) : " lässt besonders eindrucksvoll den doppelten Parallelismus erkennen " ; 143-144, etc.

56. Cf. *supra*, n. 9. See also *infra*, nn. 60 and 85.

57. *Die Apostelgeschichte* (cf. *supra*, n. 17), 12. Cf. *infra*, n. 69.

58. E. Zeller, *Ueber B. Bauer's Kritik der Apostelgeschichte*, in *Theologische Jahrbücher* 11 (1852) 145-154, esp. 145 : " Manche von ihren [dieser Schrift] Ausführungen verdienen immerhin Beachtung. Wir bemerken in dieser Beziehung namentlich die Parallelen, durch welche der Verf. darzuthun sucht, dass manche Erzählungen der Apostelgeschichte evangelischen nachgebildet sind. " See also *infra*, n. 72.

59. G. A. van den Bergh van Eysinga, *De evangeliegeschiedenis als bron der Handelingen*, in *Nieuw Theologisch Tijdschrift* 7 (1918) 212-222. He concludes that " Bruno Bauer sterk heeft overdreven, toen hij Petrus en Paulus copieën van Jezus noemde ; maar dat Lukas niettemin de eigenaardigheid vertoont om uit de Evangeliën bekende motieven, trekjes en verhalen aan te wenden ter verheerlijking van de helden uit den oudsten Apostolischen Tijd. "

60. Cf. W. Gasque, *A History*, 75-76, with n. 9 : Bauer's list of verbal similarities. (note : nowhere else in Gasque's *History* could I find a reference to the problem of the relationship of Mark and Acts) ; A. J. Mattill, *The Jesus-Paul Parallels* (cf. *supra*, n. 9), 1975, 18 (historical survey). Mattill's own list of parallels (" Signs and wonders ", 28-29) is limited to Acts-Luke (not Mark !) and Jesus-Paul (not Peter !) ; cf *infra*, n. 85 (W. Radl).

gen " [61]. F. C. Baur, in 1845, compared 9, 32-35 with Mk 2, 1ff. and 9, 36-43 with Mk 5, 22ff. (" besonders in der Relation des Marcus "): " was die Evangelien von verschiedenen Wunder Jesu erzählen, [ist] summarisch zusammengefasst " [62]. For E. Zeller (1849) " the analogy of similar Gospel stories " may indicate the non-historical character of 3, 1-10 [63], and, with reference to Baur, he noted some Gospel parallels for 9, 32-35.36-43 [64]. The parallel of Mk 5, 39 was also quoted for 20, 7ff. [65]. Because 9, 36-43 is closer to Mk 5, 22ff. than to the parallel text in Luke, he concluded that the story is not from the author of Acts but from someone else who was familiar with Mark or with the source of Mark [66]. In a later article (1851) he noted the special similarity with peculiar elements of the text of Luke: Acts 5, 15-16; 19, 12, comp. Lk 6, 19; 8, 46; Acts 28, 8, comp. Lk 4, 38 (par. Mk 1, 30) [67]. This is natural, he said, if the story is " eine Nachbildung der evangelischen " [68].

61. A. F. GFRÖRER, *Die heilige Sage* (Geschichte des Urchristenthums, 2), Stuttgart 1838, 2 vols. ; Chapter 6 : *Zusammensetzung der Apostelgeschichte*, vol. 1, 383-452 ; esp. 390-392 (3, 1-10 : " evangelischen Sagen von Christo nachgebildet ", 392) ; 413-414 (9, 32-43). Although the conclusion of the secondary imitation cannot strictly be proven (" möge daher Jeder von der Sache denken, wie er für gut findet ", 392), it is Gfrörer's personal conviction (" ich bin nichts destoweniger hievon lebhaft überzeugt ", 414). This seems to indicate that he considered his statement novel. Cf. *infra*, n. 72. Overbeck is one of the few authors who refer to Gfrörer. He adopted his indications on the similarities of 3, 1-10 with Jn 5 and 9 (cf. *infra*, n. 73). Compare *Die heilige Sage*, 390-391 (" auffallende Ähnlichkeit ") : " Der Lahme leidet an dem Uebel von der Geburt an, wie der Blinde an dem seinigen nach Johannes IX, 1 *τυφλὸς ἐκ γενετῆς* ; er erwirbt sich seinen Unterhalt durch Betteln, wie der Blinde, Joh. IX, 8 : *οὐχ οὗτός ἐστιν ὁ καθήμενος καὶ προσαιτῶν* ; auf das Wort Petri springt er auf und wandelt, wie der Sieche von Joh. V, 9 auf den Befehl Christi. Selbst zwischen dem Alter des Leztern, der nach der wahrscheinlichsten Erklärung ebenfalls für einen Lahmen gehalten werden muss, und dem des Unsrigen, findet verdächtige Uebereinstimmung Statt. Joh. V, 5... der Kranke war also älter als 38 Jahre. Nun, von unserem Lahmen lesen wir IV, 22, dass er mehr als 40 Jahre zählte, als er durch Petrus seine Gesundheit wieder erhielt. "

62. F. C. BAUR, *Paulus* (cf. *supra*, n. 14), 1845, 192 ; ²1866, 219.

63. E. ZELLER, *Die Apostelgeschichte* (cf. *supra*, n. 16), 1854, 126 ; = 8 (1849), 59. See also *infra*, n. 64.

64. *Ibid.*, 177 and 507-508 ; = 8 (1849), 385, and 10 (1851), 452. The non-historical character of the stories is indicated " durch die ungeschichtlichen Uebertreibungen in der Beschreibung der Wunder und ihrer Wirkung, und durch das Verhältniss unserer Erzählungen zu den verwandten der evangelischen und apostolischen Geschichte " (177).

65. *Ibid.*, 269, n. 1 ; = 8 (1849), 550, n. 1.

66. See the references in n. 64, *supra*.

67. *Ibid.*, 428-429, 430 ; = 10 (1851), 269, 273.

68. *Ibid.*, 430 ; = 10 (1851) 273. This article was published in 1851, after Bauer's book in 1850 (correct Haenchen's mistake, 19, n. 1 : " 1852 "), but see Zeller's remark in 11 (1852), 145 : " Das Manuscript... war schon vollständig an den Druckort abgegangen, als mir die Schrift Bauer's... zukam. "

B. Bauer, in his first section, *Der Wunderthäter*, referred to no other author besides Schneckenburger (for the Peter-Paul parallels). Against Schneckenburger, he objects that the historicity or even the traditional character of the image of Peter as a miracle-worker, pre-existent to the Pauline parallel, is an unwarranted presupposition. The same author of Acts is responsible for both: " *derselbe* Schöpfer, der das Eine Nachbild schuf, (hat) auch das andere verfertigt. Das Original des Petrus und des Paulus der Apostelgeschichte ist der Jesus der synoptischen Evangelien " [69]. The verbal similarities with the healing stories in the Synoptic Gospels, and particularly in Mark [70], constitute the main evidence for Bauer's thesis:

(*a*) 3, 6; 9, 33-34 ‖ Mk 2, 11; 3, 10 ‖ Mk 2, 12
(*b*) 28, 8.9 ‖ Mk 1, 30.32
(*c*) 5, 15-16; 19, 12 ‖ Mk 6, 55-56; 3, 10; 16, 17 ‖ Mk 3, 11
(*d*) 9, 36.40 ‖ Mk 5, 40.41; 9, 40-41 ‖ Lk 7, 15
20, 10b ‖ Mk 5, 39; 20, 10a ‖ 1 Kings 17, 21; 2 Kings 4, 34-35.

E. Zeller accepted all these parallels [71], but in some instances he referred to a closer similarity with the parallel text of Luke [72]:

(*a*) Lk 5, 23.24.25
(*b*) Lk 4, 38
(*c*) Lk 6, 19; 8, 46.

69. Chapter 1 : *Der Wunderthäter*, 7-25, esp. 12. Bauer's radical statements can explain the aversion with which he is treated, and not just by his contemporaries (see GASQUE, *A History* 75-76). Cf. 21 : " Nachdem das evangelische Original der Kritik verfallen und als freie späte Schöpfung erkannt ist, würde auch nur ein Wort über den historischen Charakter der Copie vom Ueberfluss seyn. Statt daher mit den Apologeten über die geschichtliche Glaubwürdigkeit der Wunderberichte der Apostelgeschichte einen unnützen Streit zu führen... ".

70. Or rather Proto-Mark : " das Urevangelium dass in der Schrift des Marcus erhalten ist " (12).

71. Cf. *Ueber B. Bauer's Kritik*, 145-146 : " Die meisten von diesen Parallelen sind zutreffend " (146). He takes exception to the so-called " misunderstandings " of Mark in Acts 19, 13ff. ; 16, 16ff. (*ibid.*). Compare also Zeller's *Die Apostelgeschichte*, 1854 (cf. *infra*, n. 72) ; and the second edition of Baur's *Paulus*, posthumously edited by Zeller (1866).

72. Cf. *supra*, n. 67. In *Die Apostelgeschichte* (1854), obviously under Bauer's influence, Zeller added a few notes to his text. The first addition is in 126, n. 2 : Acts 3, 6 and Lk 5, 23. It should be noted that the parallel (" Vorbild ") is not Mk 2, 1ff. but Lk 5, 18ff. ; cf. *Ueber B. Bauer's Kritik*, 146 : Lk 5, 23.25 rather than Mk 2, 11-12. The second addition is in 192, n. 1 : Acts 9, 36.40-41 and Mk 5, 40ff. ; Lk 7, 15 ; cf. *Ueber B. Bauer's Kritik*, 146 : " (erinnert) neben der... zuerst von Baur beigebrachten Parallele aus Mark. 5, 38ff. auch an Luk. 7, 15. " Zeller seems to have been unaware of Gfrörer's view in this matter (cf. *supra*, n. 61) : in 1838 Gfrörer noted " die gleichlautende Geschichte Marc. V, 41 " (compare Baur, 1845) and Lk 7, 15 : " scheint der Sage vom Jünglinge von Nain nachgebildet " (compare Bauer, 1850).

Later critics, like Overbeck [73] and Holtzmann [74], also referred to the Lucan parallels. For Zeller such contacts prove the identity of the author of Luke and Acts. Therefore, he assigned the story of Tabitha, which clearly shows greater similarity with Mark than with Luke, to a different author who was more familiar with Mark (or its source) [75]. J. H. Scholten reacts quite differently. Because it is an imitation of the Gospel story (Lk 8, 41-42.49-55 and par.), Acts 9, 36-41 — and indeed the entire Book of Acts — cannot be attributed to the evangelist: " Zulk een nabootsing van een hem eigen verhaal zou de evangelist zelf in een ander geschrift niet geleverd hebben. De nabootser is dus een ander dan de evangelist " [76].

According to Bauer, the artificial application of some traits which make good sense only in the Marcan context clearly shows that they are borrowed from Mark [77]. I will examine this in the second part of the paper. But before leaving Bauer it should be noted that the parallelism of two stories has not been weakened by the acceptance of a common original. The parallelism is even strengthened in some instances. The construction ὥστε + infinitive in 5, 15 and 19, 12 cannot be explained away as accidental if its original is Mk 3, 10. The parallelism of 9, 32-35 and 28, 8 becomes less questionable if the motif of hospitality (Mk 1, 29-31) can be seen as a link between them. Finally, the common contact with the story of the daughter of Jairus brings the stories of 9, 36-42 and 20, 7-12 closer together [78]. In Schneckenburger's view the parallelization was operative in one sense only and, with respect to the miracles [79], it

73. *Apostelgeschichte* (cf. *supra*, n. 18), 1870, 50 (Lk 5, 18ff.), 149 (Lk 5, 24). Overbeck also compares Acts 3, 1-10 and 9, 32-35 with Jn 5, 1ff. and 9, 1ff., with reference to Gfrörer : Jn 5, 5, cf. Acts 4, 22 ; Jn 5, 8.9, cf. Acts 3, 6 ; 9, 33-34 ; Jn 9, 1, cf. Acts 3, 1 ; Jn 9, 8 cf. Acts 3, 2.10 (50).

74. *Apostelgeschichte* (cf. *supra* n. 19), ^{3}1901, 40 ; = 1889, 336, with reference to Zeller : 3, 1-10 has its *Vorbild* in Lk 5, 18-26 ; 47, addition in ^{3}1901 : (19, 12) " an Lc 6, 19, wie folgende an Lk 6, 18 erinnernder Zug. "

75. See references in n. 64, *supra*.

76. J. H. Scholten, *Is de derde evangelist de schrijver van het boek der Handelingen ? Critisch onderzoek*, Leiden, 1873, 74, n. 1. According to Scholten, Lk 1-2 and Acts are later than Lk 3-24 : cf. Lk 1, 20.22 and Acts 5, 5.9.10 ; 13, 9-11, " strafwonderen..., hoedanige in de andere wonderformatie ook bij Lucas niet voorkomen. "

77. *Die Apostelgeschichte*, 13 : " Stichworte, die nur in der Schrift des Marcus Sinn und Zusammenhang haben. "

78. *Ibid.*, 16, n. 2 ; 14 ; 19-21.

79. Cf. Zeller, 347 : " Lässt sich nach allem diesen kaum bezweifeln, dass die paulinischen Wunder unserer Schrift den petrinischen angepasst sind, nicht umgekehrt..., so gilt das Gegenteil von den Leiden und Verfolgungen, welche die beiden Theile betreffen... hier [wurde] die Gleichheit der beiderseitigen Erfahrungen nur durch eine auffallende Verminderung der paulinischen und eine ungeschichtliche Verdoppelung urapostolischer Missgeschicke gewonnen. " (Schneckenburger only mentioned the *omission* of Pauline sufferings ; cf. 60-61.)

was still so for Baur and Zeller. After Bauer's observations [80] the inverse position can be taken, and, in fact, it has been so taken with reference to 9, 32-43 by Holtzmann: " Der ganze Parallelismus ist übrigens nur dadurch möglich geworden, dass... von Pt gelegentlich 2 farblose Wunder erzählt werden, welche sich im Ausdruck als Nachbildungen evang. Berichte zu erkennen geben (9, 32-43) " [81].

In 1918 G. A. van den Bergh van Eysinga re-examined the Synoptic parallels and, after a careful description of the evidence, concluded in the line of Bauer, but with a more balanced statement [82]. Since 1918, no real progress has been made in the study of the similarities between individual narratives. K. Lake and H. J. Cadbury mention 5, 15-16 (Mk 6, 56) and 9, 40 (Mk 5, 40 ἐκβαλὼν πάντας) among the " instances in which a motif in Mark is omitted by Luke in his parallel in the Gospel only to reappear in Acts " [83]. And for 28, 8 (ἐπιθεὶς τὰς χεῖρας αὐτῷ, cf. Lk 4, 40)

80. But see *infra*, n. 95, on Gfrörer who already considered the Petrine stories of release from prison in 5, 1ff. and 12, 7ff. as modeled after 16, 25-34.

81. *Die Apostelgeschichte*, 19 (= 320). See also 73 (= 361). Holtzmann refers to O. PFLEIDERER, *Das Urchristentum, seine Schriften und Lehren in geschichtlichem Zusammenhang beschrieben*, Berlin 1887, 570. Cf. [2]1902, vol. 1, 492, on 9, 32-43: " Vorspiel und Seitenstück zu den Taten des Paulus... sind Variationen ähnlicher Wundergeschichten der evangelischen Geschichte. "

82. Cf. *supra*, n. 59. The author examines the Gospel parallels in this order: (*1*) 9, 36-43 ; 20, 9-12 ; (*2*) 3, 2-10 (9, 33-34) ; 14, 8-13 ; (*3*) 5, 12a.15-16 ; 19, 11-12 ; (28, 9) ; (*4*) 16, 16ff., and miscellaneous. The parallels are not only in Luke ; on 9, 36-43 : " Lukas gaat nog meer op de twee andere Synoptici terug dan op zijn eigen bericht in zijn evangelie... Lukas heeft tot tweemalen toe éénzelfde voorbeeld nagevolgd : eerst in zijn Evangelie en daar weinig vrij, gebonden aan zijne bron, eene min of meer vaste, te boek gestelde traditie ; vervolgens in de Hand., volkomen vrij, omdat deze stof — het leven der Apostelen — nieuwer was " (214-215). Van den Bergh van Eysinga's article is partially written in reaction to J. KREYENBÜHL, *Ursprung und Stammbaum eines biblischen Wunders*, *ZNW* 10 (1909) 265-276. " Zijn betoog... geeft bijna van volzin tot volzin aanleiding tot tegenspraak " (p. 213). Kreyenbühl suggested the following genealogy :

Simon's Preaching in Joppe
|
Miracle Story (in Aramaic)
|
Miracle Story (in Greek)
Rabitha — Tabitha — Talitha (variants)

Acts 9 (Tabitha) Mk 5 (Talitha)
|
Mt 9 Lk 8

83. K. LAKE & H. J. CADBURY (cf. *supra*, n. 42), 1932, 54-55 (5, 15-16) : " Mark vi. 56... may be the source of this verse " ; 111 (9, 40), comp. 134. For other cases of a Marcan motif (omitted in Luke), see especially 8 (1, 7 : Mk 13, 32) ; 69 (6, 11-14 : Mk 14, 56ff.64) ; 134 (12, 4 ; Mk 14, 2). Compare G. D. KILPATRICK, *Some Problems in New Testament Text and Language*, in E. E. ELLIS & M. WILCOX (eds.), *Neotestamentica et Semitica. Studies in Honour of Matthew Black*, Edinburgh 1969, 198-

they note that " Luke seems to have had the story of Peter's mother-in-law in his mind in choosing the vocabulary in this story " [84]. Recently, A. J. Mattill made a synthesis of the parallel miracles of Jesus and Paul [85], and C. H. Talbert has compared Lk 4, 31-8, 56 with the Peter section of Acts 2, 41-12, 17. He noted the following correspondences [86]:

208, esp. 199 : " Acts from time to time echoes Mark and Luke. " His list of " relevant... echoes of Mark " includes Acts 1, 7 ; 2, 38 (Mk 1, 4) ; 4, 25 (Mk 2, 12) ; 5, 15-16 ; 9, 40 ; 13, 25 (Mk 1, 7). He refers to Lake and Cadbury for 12, 4 and adds 17, 19 (Mk 1, 27 *v. l*). (The reference to the parallel of Mk 2, 12 must be a mistake. It could be 4, 21 πάντες ἐδόξαζον τὸν θεὸν ἐπὶ τῷ γεγονότι.

On the parallel of 5, 15-16 in Mk 5, 55-56 (Lake-Cadbury : 6, 56 ; Kilpatrick : 6, 55), see also H. J. CADBURY, *The Summaries in Acts*, in *The Beginnings*, vol. 5, London 1933, 392-402, esp. 399, n. 1.

84. *Ibid.*, 343. Compare G. W. H. LAMPE, *Miracles* (cf. *supra*, n. 2), 178 (on Acts 28, 7-9) : " Thus, near the close of his second volume, he reproduces the pattern of the first healings, as distinct from exorcism, which he recorded at the beginning of the first volume (Lk 4.49f.). "

85. A. J. MATTILL, *The Jesus-Paul Parallels*, 28-29 : " Signs and Wonders : each casts out demons (Lk 4, 33-37.41 ; 8, 26-39 ; 11, 20 ; cf. Acts 10, 38 ‖ Acts 16, 16-18), heals a lame man (Lk 5, 17-26 ‖ Acts 14, 8-14) and many sick (Lk 4, 40 ; 6, 17-19 ‖ Acts 28, 9), cures a fever, in consequence of which the sick stream in and are healed (Lk 4, 38-40 ‖ Acts 28, 7-10), raises the dead (Lk 7, 11-17 ; 8, 40-42.49-56 ‖ Acts 20, 9-12), after affirming that the person is not really dead (Lk 8, 52 ‖ Acts 20, 10), and each possesses a healing power imparted physically (Lk 5, 17 ; 6, 19 ; 8, 46 ‖ Acts 19, 6.11-12). Those healed by Jesus and Paul gratefully supply the necessities of life to their healers (Lk 8, 2-3 ‖ Acts 28, 10).... these parallel miracles are grounded in Luke's theological program " (28). Mattill indicates formal similarities in Lk 4, 38b.40b ‖ Acts 28, 8.9 ; Lk 5, 20.25 ‖ Acts 14, 9b.10a ; Lk 8, 35.37 ‖ Acts 16, 38.39 ; Lk 4, 35 ‖ Acts 16, 18 ; Lk 8, 28 ‖ Acts 16, 17 (pp. 28-29 ; cancel αὐτῇ in 16, 17). " Each is recognized by demons (Lk 4, 34-35.41 ; 8, 28 ‖ Acts 16, 17 ; 19, 15) " (29).

On Mattill's interpretation of the apologetic purpose of Acts : " Mattill [verband] das alte Anliegen von Rackham (1901) mit dem noch älteren von Schneckenburger (1841). Er stellte die Typologie in den Dienst der Tendenzkritik und gab so der Parallelisierung zwischen Lk und Apg ein konkretes Ziel. Wenn er dafür die Person des Paulus genannt hat, dann ist das — schon deswegen, weil es nur einen Teil der Apg betrifft — sicher nicht umfassend genug. " Cf. W. RADL, *Paulus und Jesus im lukanischen Doppelwerk. Untersuchungen zu Parallelmotiven im Lukasevangelium und in der Apostelgeschichte* (Europäische Hochschulschriften, 23/49), Bern 1975, 59. Unfortunately, the title of Radl's dissertation does not indicate the limitation of his own investigation to the theme of the passion (" die Aussagen über das Leiden des Paulus bzw. Jesu "). Cf. 61 : " die beiden Personen liessen sich auch noch in ihrer Predigt *und in ihren Wundertaten* vergleichen " (italics mine). One note refers to the miracles : " Wie sehr dieser Bericht [28, 7-10] Mk 1, 29-34 par Lk 4, 38-41 nachgestaltet ist, zeigt Bauer, Apostelgeschichte 15 " (241, n. 3 ; for Bauer on 28, 7-10 and 20, 9-12, see also 47).

86. C. H. TALBERT, *Literary Patterns* (cf. *supra*, n. 52), 16.

Luke		Acts	
5, 17-26	A lame man is healed by the authority of Jesus	3, 1-10	A lame man is healed by the name of Jesus (cf. 9, 32-35)
5, 29-6, 11	Conflicts	4, 1-8, 3	Conflicts
7, 1-10	A centurion	10	A centurion
7, 11-17	A story involving a widow and a resurrection	9, 36-43	A story involving widows and a resurrection
7, 36-50	A Pharisee criticizes Jesus	11, 1-18	The Pharisaic party criticizes Peter

In Lk 5, 17, Luke's own introduction to the tradition of Mk 2, 1-12, the emphasis is on the divine power in the healing and this emphasis is also found in Peter's interpretation of the previous healing in Acts 3, 12-26 [87]. For Lk 7, 11-17 correspondence in sequence and verbal similarities " point to the presence of the Lucan hand in creating the parallel " [88].

3. The Miracles and Source Criticism

The Peter-Paul parallelism as well as the Gospel analogies raise further questions about the author's redaction and his tradition or sources [89]. But the miracles also have a more direct impact on source criticism. Our survey can start once more with A. F. Gfrörer (1838). In his opinion, the author of Acts has combined two sources, the legendary Petrine source of chs. 1-12 and the more historical source of chs. 13-28, with a sharp contrast between *Sagen* on the one hand and eyewitness report on the other [90]. More precisely, Gfrörer distinguished in chs. 13-28 a first class of passages, where the author of the source uses the first person and records the events at which he was himself present, and a second class, the sections in the third person, where he is relying on the witness of

87. *Ibid.*, 19.

88. *Ibid.*, 19-20.

89. The Petrine miracles are normally considered as the model and, accordingly, assigned to tradition (Schneckenburger, *et al.*). The opposite position is suggested by Holtzmann for the stories of 9, 32-42 because of their dependence on the Gospel narratives. Zeller distinguished between the contacts with Luke (the author of Acts) and those with Mark (tradition).

90. *Die heilige Sage*, vol. 1 (cf. *supra*, n. 61), esp. 421ff. See also vol. 2, 1838, 244-247 (on the author of Luke-Acts), esp. 244. Gfrörer is mentioned by McGiffert (*The Historical Criticism*, p. 387) but he is not found either in Haenchen's *Übersicht* or in Gasque's *History*. J. Dupont refers to Gfrörer only indirectly, when speaking of Zeller's interpretation of the we-sections (p. 79) ; correct the bibliographical reference in n. 2 : A. F.... *Urchristenthums*).

other persons [91]. Gfrörer's source-critical position has its basis, or at least its confirmation, in his interpretation of the miracle stories. The first-hand account of the we-sections presents no miracles at all, since 28, 3-6 (the viper shaken off), 28, 8-9 (the healings at Malta) and 20, 7-12 (Eutychus) cannot be considered as miracles [92]. All miracles recorded in chs. 13-28 are found in sections of the second class (cf. 13, 11; 14, 8ff.; 16, 19ff.). In these stories, the miraculous element (e. g. the chains unfastened by an earthquake in 16, 26) forms a transition from *Geschichte* to *Sage* [93]. In chs. 1-12, where Peter appears as *vicarius Christi*, the Petrine miracles are " evangelischen Sagen von Christo nachgebildet " (cf. 3, 1-10; 9, 32-35; 9, 36-42) [94], and his miraculous deliverance from prison (12, 7; cf. 5, 19) is an imitation of the Pauline parallel [95].

E. Zeller, while rejecting Gfrörer's two-source division of Acts [96], accepted a Petrine source for some sections of the first part (2, 1-5.14-41; 8, 4-25; 9, 32-42; 12) [97], and he adopted Gfrörer's hypothesis of Luke's eyewitness report for the we-sections (16, 10-18; 20, 4-16; 21, 1-17; 27, 1-28, 16) [98]. Like Gfrörer, he thought that it was impossible to assign miracle stories to the eyewitness. His solution, however, was not to declare to be natural the miraculous elements of the stories but to consider 28, 3-6; 28, 9-10 and 20, 10 as added to the source by the author of

91. *Ibid.*, 438ff.

92. *Ibid.*, 441-442 (28, 3-6.8-9) and 449-450 (20, 7-12).

93. *Ibid.*, 442-448.

94. *Ibid.*, 390-392; 413-414. Cf. *supra*, n. 61. See also 395 (5, 15-16).

95. *Ibid.*, 448: " Wer begreift nicht, dass er [dieser Vorfall, 16, 26] frühe als Vorbild für ähnliche apostolische Erzählungen dienen konnte, die ganz der Sage angehören ? wie Apostelgesch. XII, 7 u. flg. V, 19; IV, 31. Im Gefängniss war wirklich dem Apostel ein ausserordentliches Ereigniss zugestossen, das der fromme Glaube jenes Zeitalters für ein göttliches Wunder zum Zwecke seiner Befreiung ansah. Es wäre gegen den gewöhnlichen Lauf der Dinge, wenn die christliche Sage nicht bald dem Apostelfürsten Petrus, um ihn dem Heidenbekehrer gleichzustellen, und im Allgemeinen anderen Gläubigen ähnliche Ereignisse zugeschrieben hätte. " On 5, 19, compare also p. 401: " Petrus wurde unverhofft aus dem Kerker erlöst, diess erzählte der erste Bericht [4, 1-21] noch mit einfachen Worten; späterhin aber erschien die unerwartete Rettung bereits wunderbar, folglich müssen es Engel seyn, die ihn aus der Haft befreit haben [5, 19, in 5, 12-42, doublet of 4, 1-21.] "

96. E. Zeller, 1854 (cf. *supra*, n. 16), last chapter, 489-524: *Die Quellen der Apostelgeschichte* (= 1851, 433-469). Cf. 490-491 (contra Gfrörer: " nicht einmal in dem Reiserbericht c. 16, 10ff. haben wir reine Geschichte "), and *passim* (with emphasis on the unity of style and vocabulary).

97. *Ibid.*, 509. See also 494-496, in reaction to the source hypothesis of Eugen A. Schwanbeck (1847), who assigned to a Peter source: 1 — 6, 7 (exc. 4, 36-37); 8 (exc. v. 2); 9, 31 — 11, 18.

98. *Ibid.*, 513. The source is assigned to Luke, the companion of Paul (p. 516) and includes only the we-sections (comp. Gfrörer). Contrast the Timothy hypothesis (Schleiermacher, Bleek) and the Silas hypothesis (Schwanbeck).

Acts [99]. For Zeller the Peter-Paul parallelism, understood in Schneckenburger's line, became a source-critical principle that " das Bestreben unserer Schrift, die paulinischen Wunder den petrinischen gleichzustellen, eine petrinische Wundersage schon voraussetzt " [100]. Thus, 20, 7-12 (with verse 10) presupposes 9, 36-42 [101], and 16, 25-34 presupposes 12, 3-17 (and 5, 19) [102]. In these two instances, the Peter parallel is found in the Jewish-Christian Petrine source. Elsewhere, however, the dependence on the Peter parallel is cited as an indication of common authorship: 14, 8ff. (cf. 3, 2ff.) [103]; 19, 12 (cf. 5, 15) [104]. The main difference with Gfrörer and other critics can be seen in the importance given by Zeller to the literary activity the author of Acts. The sources have been rewritten in his own style and vocabulary, and chs. 3-5 (and 6-7) are the author's free composition, not to be assigned to sources [105].

The natural explanation of the miracles in the we-sections (and the contrast with the miracles of the first part), which was accepted even by those who were not at all inclined to source-criticism [106], continued to be considered one of the characteristics of (the special source of) the we-sections [107]. This was contested by Adolf Harnack in 1906: " Vergebens hat

99. *Ibid.*, 515. He adds : " Wirklich sind es auch vorzugsweise die angeführten Stücke, in denen lukanische Spracheigenthümlichkeiten merklicher hervortreten " (Dupont's paraphrase, in *Les sources*, 79, is even more precise : " les épisodes merveilleux... "). But his list of Lucan vocabulary on 515-516 contains only 28, 6 *μηδὲν ἄτοπον*, 7 *ὑπάρχειν*, 8 *συνέχεσθαι* from the passages cited above.

100. *Ibid.*, 508.

101. *Ibid.*, 507-508 : the dependence on Mark (and not on Luke) also indicates a traditional story.

102. *Ibid.*, 520. Contrast Gfrörer (cf. *supra*, n. 95).

103. *Ibid.*, 496 and 517 (against Schwanbeck's Barnabas source in chs. 13-14).

104. *Ibid.*, 521. Cf. 506, where he compares 5, 15 with 19, 12 and Lk 6, 19 ; 8, 46.

105. *Ibid.*, 504-504 : " die ganze Erzählung von der doppelten Verhaftung der Apostel (ist) ungeschichtlich, und nur aus einer Nachbildung der c. 12 mitgetheilten Ueberlieferung entstanden " (cf. *supra*, n. 102) ; 509-512 (chs. 6-7). See also 508-509 (on 10, 1 — 11, 18).

106. Cf. E. Lekebusch, *Die Composition* (cf. *supra*, n. 31), 380-383. " Offenbar haben alle diese Erzählungen etwas höchst Eigenthümliches an sich. Sie wollen Wunderbares melden... Aber der natürliche Hergang leuchtet doch noch überall deutlich genug durch das wunderbare Colorit der Darstellung hindurch, so dass wir ihn uns völlig nachconstruiren können. Wir sehen die Vorstellung von den wunderbaren Charakter der berichteten Ereignisse in dem Geiste des Berichterstatters selbst erst entstehen " (382-383). The miraculous content of the first part came to the author " erst durch das Medium der Tradition " (389).

107. Compare Overbeck's statement that " ihre Wundererzählungen (16, 16f. 20, 7ff. 27, 10.22ff. 28, 3ff.) sich von den übrigen der AG. durch den Ansehen von Natürlichkeit charakteristisch unterscheiden und überhaupt wie kaum andere Erzählungen des N. T. zur natürlichen Wundererklärung auffordern " (XL). This is very much in the line of Gfrörer, but in the commentary itself he espoused Zeller's viewpoint and considered 20, 7-12 (at least v. 10), 28, 3-6 and 28, 7-10 (at least v. 9) as interpolated by the author of Acts (333, 466, 467, with reference to Zeller).

man sich auch bemüht zu zeigen, dass der Verfasser der Wirstücke die Wunder 'minder wunderbar' schildert als der Verfasser der Apostelgeschichte und des Evangeliums " [108]. Two years later, Harnack published a new, and less polemic, special study on the miracles in Acts [109], and corrected his earlier statement: " aber parallelen Erzählungen in c. 1-15 sind *gröber* erzählt. Man vergleiche die summarischen Berichte... mit der Parallelstelle 28, 9... Hier ist nicht mehr gesagt, als was ein 'christlicher Scientist' sagen durfte, dort sind die höchsten Worte gebraucht: man soll sich das denkbar stärkste mirakulöse Wirken vorstellen " [110].

The legendary Petrine source and the historical source of the we-sections were further developed in the source-criticism of Acts at the end of the 19th century. While Bernhard Weiss defended a single source behind ch. 1-15 [111], Martin Sorof accepted a more important intervention of the

108. A. HARNACK, *Lukas der Arzt. Der Verfasser des dritten Evangeliums und der Apostelgeschichte* (Beiträge zur Einleitung in das Neue Testament, 1). Leipzig 1906, 19-85 (chapter 2 : " über den sog. Wir-Berichte "), esp. 24. Harnack tried to show that the author of the *Wirstücke* is no other than the author of Luke-Acts : " Der Verfasser zeigt sich also genau so wundersüchtig... wie der Verfasser des 3. Evangeliums und der Apostelgeschichte " (*ibid.*). Compare B. Weiss (cf. *infra*, n. 112).

109. A. HARNACK, *Die Apostelgeschichte* (Beiträge in das Neue Testament, 3), Leipzig 1908, 111-130 : " Viertes Capitel : Wunder und Geistwirkungen ". Cf. 111-117 : " Ubersicht des Materials ", an exhaustive classification of 11 categories of phenomena, distributed over chs. 1-15, chs. 16-28 (exc. the we-sections), the we-sections. The first three classes are relevant for our study :

I. *Summarische Berichte* : 2, 43 ; (4, 30) ; 5, 12 ; 5, 14-16 ; 6, 8 (5, 10) ; 8, 6f. 13 ; 14, 3 ; 15, 12 ; — 19, 11f. ; — 28, 9.
II. *Wunderbare Heilungen* : 3, 1f. ; 9, 17f. ; 9, 33 ; 9, 36ff. ; 14, 8ff. ; 14, 19f. ; — 19, 15ff. ; — 16, 16ff. ; 20, 9f. ; 28, 3ff. ; 28, 7.
III. *Singuläre Wunder* : 1, 9 ; 2, 4ff. ; 4, 31 ; 5, 1ff. ; 9, 8 ; [12, 23] ; 13, 11 ; — — [16, 26f.].

110. *Ibid.*, 121 ; with a similar observation on 20, 9ff. (cf. 9, 36ff.) ; 28, 3ff. He concludes that Luke's *Gewährsmann* for chs. 1-15 (Philip, Silas ?) " um ein Bedeutendes wundergläubiger und kritikloser war als er selbst " (122). See also 130 : " Die Wunder der Wirstücke sind fast alle Wunder in der ersten Potenz ; die Wunder in c. 1-15 sind zum Teil auch solche, zum Teil aber Wunder in der zweiten Potenz " ; 120 : " [haben] neben dem vielen Gemeinsamen im Pneumatischen,... noch ein grosses Plus. " See also *Neue Untersuchungen zur Apostelgeschichte und zur Abfassungszeit der synoptischen Evangelien* (Beiträge, 4), Leipzig 1911, 18-19.

111. B. WEISS, *Lehrbuch der Einleitung in das Neue Testament*, Berlin 1886, 571-577. The whole second part is written by Paul's companion and no *Reisequelle* has been used (577-584, especially against Overbeck). On the miracle stories he noted that " es in der Natur der Sache liegt, wenn den nach blosser Ueberlieferung dargestellten Heilungsgeschichten der Wundercharakter stärker aufgeprägt ist als den selbsterlebten " (580). But in note 2 he minimizes the argument : " da wohl die Erzählung von den Jüngling in Troas and der Schlange in Malta sich allenfals natürlich erklären lässt, keineswegs aber die unmittelbar damit verbundenen Heilungen (28, 7ff.) ".

redactor (*Ueberarbeiter*) who combined the original *Lukasschrift* with a Peter source (ch. 1-12), a Barnabas source (ch. 13-14) and his own we-sections (16, 10ff.) [112]. The Petrine source is a collection of *Petruslegenden*, which he qualified as " ins Wunderbare gesteigerte Sagenbildung ", in contrast to Luke's " schlichte Geschichtserzählung " [113]. According to Paul Feine the main source behind Acts 1-12 is a continuation of Luke's special Gospel source [114]. Friedrich Spitta divided the whole of Acts over two parallel sources [115]. The source B looks like an expansion of the Petrine source into the second part of Acts (it is a popular tradition, " eine fast ununterbrochene Kette von Wundern..., deren manche bis an die Grenze des Absurden gehen ") [116]. " Wie B die Quelle der Wundererzählungen ist, so A die der Reden " [117]. The source A, which begins with the Ascension (Lk 24, 50-53) in parallel with B (1, 4-14), contains the we-sections (16, 10ff.), the characteristics of which are extended to the whole source: " nirgends begegnet eine übermässige Steigerung des Wunderbaren, welche sich mit einer geschichtlichen Entwicklung der Ereignisse nicht vertrüge und ein Verständnis derselben unmöglich machte " [118]. Besides 16, 16-18; 20, 7-12; 28, 3-9 (we-sections), there is only one miracle story in A, the healing of the lame man in 3, 1ff. [119]:

112. M. SOROF, *Die Entstehung der Apostelgeschichte. Eine kritische Studie*, Berlin 1890. The redactor is identified as Timothy (cf. we-sections).

113. *Ibid.*, 54, when comparing 4, 36-37 (L) and 5, 1-11 (P). The source, with the Peter stories (" welche einen fortgeschrittenen Grad der Legendenbildung zeigen ", 100), includes 1, 3 — 2, 42 ; 3, 1 — 4, 3 ; 4, 5-31 ; 5, 1-11 ; 8, 5-40 ; 9, 32 — 11, 18 ; 12, 3-23. This last story is " eine offenbare Schöpfung der Sage ", in contrast with ch. 16, " nur durch die Ueberlieferung undeutlich gewordene Geschichte " (45). Of our list of miracles in Acts, only 5, 12.15.16 ; 6, 8 ; 13, 9-12 ; 16, 25-34 are assigned to L and the Redactor is responsible for 2, 43 ; 5, 17-21 ; 14, 3.8-10 ; 16, 16-18 ; 19, 11-12.13-19 ; 20, 7-12 ; 28, 3-6.7-8.9.

114. P. FEINE, *Die alte Quelle in der ersten Hälfte der Apostelgeschichte*, in *Jahrbücher für protestantische Theologie* 16 (1890) 84-133 ; *Eine vorkanonische Überlieferung des Lukas in Evangelium und Apostelgeschichte. Eine Untersuchung*, Gotha 1891, esp. 156ff.

115. F. SPITTA, *Die Apostelgeschichte, ihre Quellen und deren geschichtlicher Wert*, Halle 1891.

116. *Ibid.*, 292. See also 293 : " Diese Neigung zum Wunderbaren giebt sich einen besonders charakteristischen Ausdruck darin, dass in B die Fortschritte des Christentums wesentlich auf die Wunderthätigkeit der Apostel und ihrer Genossen zurückgeführt werden, während A dieselben vielmehr auf der Predigt der Evangeliums bewerkt sein lässt ".

117. *Ibid.*, 294.

118. *Ibid.*, 292.

119. *Ibid.*, 76ff. On 4, 1-22 ; 5, 1-42, 80-89. (For the content of A and B, see also the survey on pp. 285-290). Compare Johannes JÜNGST, *Die Quellen der Apostelgeschichte*, Gotha 1895, 47ff. Jüngst restricted the source B to chs. 1-12, plus 13, 40-41 ; 15, 13-20 (cf. his survey on pp. 221-226) and assigned to the Redactor 13, 9-12 ; 14, 3 ; 14, 8-10 ; 16, 25-34 ; 19, 11-12.13-19, and also 2, 43 (all these " miracles " are in Spitta's B source).

A	B
3, 1-11	5, 12a.15-16
3, 12-26	
4, 1-22	5, 17-42
4, 23-33; 5, 12b-14	

The parallel sources, 4, 1-22 and 5, 17-42 [120], reappeared in Harnack's somewhat different arrangement of the parallelism: (A) 3, 1—5, 16 and (B) 2; 5, 17-42 [121]. This context of 3, 1ff. will be examined in more detail in the second part of my paper.

From these brief indications it is clear that the miracle stories, or more precisely the miraculous element in these stories, played an important role in source-criticism. The miracles of Peter and Paul were assigned to different sources, most characteristically to the legendary Petrine source (*Petruslegenden*) and the historical *Wir-Bericht*. The parallelization of individual miracle stories was not the primary interest of the source-critics. I have referred already to the negative attitude of B. Weiss [122]. A few more reactions should be noted here.

According to M. Sorof, all miracle stories were added by the redactor (who took the Petrine miracles from the Petrine source); the section on Paul's miracles in 19, 11-20 reminds us of Peter's miracles (19, 2; cf. 5, 12.15.16) but some historical traits make it different from Petrine *Legendenbildung* [123]; the story of 14, 8-10 is also based on oral tradition and is not a mere imitation of 3, 1ff. (" nicht nur ein Abklatsch...) [124]. P. Feine's commentary deals only with the Petrine miracles (chss. 1-12). For him, the parallelism is no more than unintentional similarity in the story-telling of the canonical author [125]. F. Spitta is less negative on

120. For 4, 1-22 and 5, 17-42 as two parallel sources, see already A. F. Gfrörer (*Die heilige Sage*, 400; not mentioned by Dupont). Compare also H. H. WENDT, *Die Apostelgeschichte* (KEK, 3), [3-8]1899, 30 and 114, n. 3; [4-9]1913, 37 and 109, n. 3 (with reference to Spitta and Jüngst).

121. A. HARNACK, *Die Apostelgeschichte* (cf. *supra*, n. 109), 142-147: source A is " eine folgerichte, in sich geschlossene geschichtliche Darstellung " (144) and source B presents " eine doppelte Darstellung derselben Ereignisse " (145), with " störende Dubletten " (142).

122. Cf. *supra*, n. 31 (and 33, 35).

123. *Die Entstehung*, 31.

124. *Ibid.*, 85-86: " Lystra... die Vaterstadt des Timotheus "!; 86: " Die Aehnlichkeit des Wortlautes scheint durch die Aehnlichkeit der erzählten Vorgänge gefordert zu sein und fällt um so weniger auf, als die Petruserzählung in C. 3 nach unserer Annahme durch denselben Ueberarbeiter eingeschaltet ist ". Cf. *supra*, n. 36 (A. Bludau).

125. *Eine vorkanonische Überlieferung*, 214: " In einzelnen Fällen mag auch die Hand des kanonischen Verfassers ohne bestimmte Absicht eine Ähnlichkeit der Zeichnung herbeigeführt haben ". Compare H. H. WENDT, *Die Apostelgeschichte*

this question of the Peter-Paul parallels, at least as far as the miracles within the same source B are concerned: 5, 12a.15.16 || 19, 11-12 [126]; 5, 19; 12, 7 || 16, 26; 8, 18-19 || 13, 6-7; 19, 13ff. [127]. The healing of the lame man in 3, 1-10 is the unique Petrine miracle in his source A. Spitta noted for 14, 8-10 that imitation of 3, 1ff. is not acceptable, " um so weniger..., als c. 3 aus A, 14, 8ff. dagegen aus B stammt " [128]. This is clearly a source-critical restriction imposed upon the parallelization of the miracle stories in Acts. When A. Harnack compared the healing of 14, 8ff. with 3, 1ff. (and 9, 33), it was not so much as a Peter-Paul parallel but, comparing chs. 13-14 with 1-12.15, as one of the common features of the first part of Acts [129]. The possibility that the Petrine miracles are *Nachbildung* of the Gospel stories is rejected by Harnack [130] as well as by Feine [131]. In Harnack's opinion the miracle stories in chs. 1-15 are all " primary tradition " [132].

The differences between source criticism and the form-critical approach of M. Dibelius and others (cf. Section 4) cannot be overlooked. But in more than one way the form-critical study of the miracle stories in Acts has been prepared for by source-critics. They attempted to reconstruct the original text of the source(s) by eliminating redactional additions, and this was continued by form-critics in search of the primitive form of the individual story [133]. Form-critical isolation of small traditional units (miracle stories) was also not unanticipated in earlier

(cf. *supra*, n. 120), 1880 (= Meyer[5]), 304, n. 1 : " Bei unserer Annahme, dass Lukas das Detail seiner Erzählungen in der Regel selbständig gebildet hat, kann diese Aehnlichkeit nicht befremden " (*ad* 14, 8-10). This same observation was repeated with some variation in subsequent editions : [6-7]1888 (213, n. 1) ; [8]1899 (249, n. 2) ; [9]1913 (220, n. 2).

126. *Die Apostelgeschichte*, 63-64.

127. *Ibid.*, 296. However, Spitta seems to understand " parallelism " in a weak sense : " Die Parallele zu der aus derselben Quelle stammenden Simon-Magus-Geschichte ist offenbar. [n. 2] Dass 13, 10ff. durch 8, 20-24 beeinflusst sei (Zeller, Overbeck, Holtzmann u.), möchte ich nicht sagen : beide Berichte haben nur denselben Verfasser " (177).

128. *Ibid.*, 179. For another illustration of this principle, see 249, n. 2 (18, 24-28 A and 8, 5ff. B).

129. *Die Apostelgeschichte* (cf. *supra*, n. 109), 121-122.

130. *Ibid.*, 125 (on 9, 36-42) : " eine bewusste Nachbildung einer evangelischen Totenerweckung liegt... nicht vor ".

131. *Eine vorkanonische Überlieferung*, 175 (3, 1-10 ; ctr. Holtzmann and Zeller ; 200 (9, 32-42 ; ctr. Holtzmann and Pfleiderer).

132. *Die Apostelgeschichte*, 129 (with exception of the Ascension). Cf. 124 : " primäre Tradition, d.h. Tradition aus dem Kreise der näher oder ferner Beteiligten ".

133. Cf. *infra*, nn. 171-175.

studies [134]. An example can be seen in the " inserted " miracle story of 14, 8-20 (Jacobsen, Weiss, Spitta), or even 14, 8-10 (Sorof) [135]. Other illustrations (e. g. 5, 1-11 ; 12, 3-23) [136] can be given. It is commonly held by source-critics that 3, 1ff has no connection with the preceding context. It is far less common to isolate the miracle story (3, 1-10) from its subsequent context. For Harnack 3, 1ff. is the beginning of the A source and it is impossible to separate 3, 1-10 from the ensuing account (in contrast with the *Einzelanekdote* of 9, 32-35) [137]. But such a separation seems to be implied in Sorof's suggestion that the healing story of 3, 1-11, or its doublet, originally preceded 5, 13.15.16 [138].

4. The Form-Critical Approach

The form-critical study of the miracle stories in Acts is very much like a sequel of the form criticism of the Gospels. Rudolf Bultmann, in his *Die Geschichte der synoptischen Tradition* (1921), included the miracles of Acts in a general description of the style of the miracle stories [139]. He noted, as a characteristic feature of the exposition of the story, the length of the sickness in 3, 2 ; 4, 22 ; 9, 33 ; 14, 8. In the miracle itself, the touching or grasping with the hand is reported in 3, 7 : (9, 41) ; 28, 8 ; the touching of garments in (5, 15) ; 19, 12 ; the use of a miracle-working name in 3, 6ff. ; 9, 34 ; 16, 18 ; 19, 13 ; and, as a special feature, the withdrawal of the public in 9, 40. The instantaneous accomplishment of the

134. Cf. E. Zeller, *Die Apostelgeschichte*, 494 : " Will man geschichtlich verfahren, so genügt es nicht, die Hauptmassen unserer Schrift nach Charakter und Quellen zu unterscheiden, sondern es muss bei jeder Erzählung nach ihrem muthmasslichen Ursprung gefragt werden ".

135. August Jacobsen, *Die Quellen der Apostelgeschichte*, Berlin 1885, 18; B. Weiss, *Lehrbuch der Einleitung*, [3]1897, 551 (cf. 1886, 576, n. 4) ; F. Spitta, *Die Apostelgeschichte*, 179 : from a source B (verses 15b-17 are redactional), inserted by the redactor in source A ; M. Sorof, *Die Entstehung*, 85-86 : 14, 8-10, a Pauline episode inserted in the Barnabas source.

136. Cf. M. Sorof, *Die Entstehung* : 5, 1-11 P inserted after 4, 33-37 L and followed by 5, 12-42 R (54) ; 12, 3-23 P " eingeschobene Erzählung " in L context 11, 19-30 ‖ 12, 25-13, 26 (12, 1-2.24 R) (45).

137. *Die Apostelgeschichte*, 124, n. 1.

138. *Die Entstehung*, 57 : " Es scheint demnach, als habe auch die Erzählung von der Heilung des Lahmen (3, 1ff.) dem Ueberarbeiter doppelt vorgelegen, einmal als Einleitung zu der 3, 12ff. gebrachten Rede Petri, an die sich dann die Gefangennahme ; des Apostels anschloss (C 4), das andere Mal selbständig mit der Petri Wunderthätigkeit überhaupt betreffenden Erweiterung, wie sie 5, 13.15.16 erscheint ".

139. R. Bultmann, *Die Geschichte der synoptischen Tradition* (FRLANT, NF 12), Göttingen 1921, 136-138 (= [2]1931, 236-241, cf. E. T. J. Marsh, 1963, 220-226). See also 139 (= 241, E. T. 226), on the exorcisms in the summaries (5, 16 ; 10, 38).

miracle is emphasized in 3, 7; 5, 10; 12, 23; 13, 12; 16, 26; and the impression it creates upon the public in 3, 9; 9, 35 [140].

In the second edition (1931) a few additions were made. In the exorcisms, the demon senses his master and knows the exorcist's power (16, 17; 19, 15), and the demon defends himself (19, 16) [141]. Characteristic words are used in describing the effect of the miracle: *θαυμάζειν* 2, 7; *φόβος* 5, 11 (cf. 19, 27); *θάμβος* 3, 10; *ἐξίστασθαι* 2, 7; 18, 13 (cf. 8, 9.11; 10, 45); *ἔκστασις* 3, 10; *ἐκπλήττεσθαι* (cf. 13, 12); *διδόναι αἶνον (τῷ θεῷ)* (cf. 3, 9); *χαίρειν* (cf. 8, 9). The acclamation is not found in the miracle stories of the Gospels and is absent from Acts as well [142]. On the other hand, the serpent miracle (28, 3-6) and the miracle of punishment (12, 20-25; cf. 5, 1-11; 13, 11), which are both characteristic of Jewish miracle stories, are absent from the Synoptic tradition [143].

Bultmann's analysis of the miracles in Acts is restricted to this synchronic description of the individual motifs [144]. More important form-critical work has been done by M. Dibelius. Having studied the miracle stories of the Gospels in *Die Formgeschichte des Evangeliums* (1919) without referring to Acts [145], Dibelius published in 1923 his *Stilkritisches zur Apostelgeschichte* [146]. In the third section of this essay, he applied his form-critical method to the small literary units in Acts, " geformte, ursprünglich selbständige Ueberlieferungsstücke, " which can be isolated from the context and are most suitable for comparison with the Gospel

140. The gesture of touching in 9, 41 is " no longer understood here and reported at the wrong place " (137 = 238); in 5, 15: Peter's shadow. For the use of a name, not reported of Jesus himself, he refers to " 3.6ff. " : compare 3, 6.16; 4, 7.10.

141. *Ibid.*, ²1931, 239 (E. T. 223). Cf. O. BAUERNFEIND, *Die Worte der Dämonen im Markusevangelium* (BWANT, 3/8), Stuttgart 1927, 33-34.

142. *Ibid.*, 241 (E. T. 226). Cf. E. PETERSON, *ΕΙΣ ΘΕΟΣ* (FRLANT, 24), Göttingen 1926, 193-195 : " Das Staunen im Wunderbericht ".

143. *Ibid.*, 248, n. 1 (E. T. 232, n. 1).

144. This work is continued in the first part of Theissen's book; cf. *infra*, n. 171. For Bultmann's reaction to Haenchen's commentary, see *Zur Frage nach den Quellen der Apostelgeschichte* in A. J. B. HIGGINS (ed.), *New Testament Essays. Studies in Memory of T. W. Manson*, Manchester, 1959, 68-80 (= *Exegetica*, Tübingen 1967, 412-423). More than Haenchen, Bultmann tends to admit written sources, e. g. for the stories of 20, 7-12 and 14, 8-18 (75-76 and 79).

145. M. DIBELIUS, *Die Formgeschichte des Evangeliums*, Tübingen 1919; ²1933. In the second edition he refers to *Stilkritisches* on 113, n. 1; in the text : " Von Petrus, den Wunder wirkende Apostel, haben die Christen Legenden erzählt... ".

146. M. DIBELIUS, *Stilkritisches zur Apostelgeschichte*, in H. SCHMIDT (ed.), *Eucharisterion für H. Gunkel* (FRLANT, 19), Göttingen 1923, vol. 2, 27-49; = *Aufsätze zur Apostelgeschichte*, ed. H. GREEVEN (FRLANT, NF 42), Göttingen 1951, 9-28 (cf. E. T. *Studies in the Acts of the Apostles*, London 1956). The references which follow are to *Aufsätze*.

material [147]. Most of them are miracle stories: 3, 1-10; 5, 1-11; 8, 9-24; 8, 26-39; 9, 36-42; 10, 1-11, 18; 12, 5-17; 12, 20-23; 13, 8-12; 14, 8-18; 16, 25-34; 19, 14-16; 20, 7-12; (28, 1-6) [148]. The healing miracle in 3, 1-10 is a typical *Wundernovelle* [149]: " die Topik des Wunders wird ausführlich gegeben: lange Krankheit, Blick, Formel (mit dem 'Namen') und Geste, die zusammen das Wunder bewirken, Beschreibung der Genesung. Erfolg... und Konstatierung desselben " [150]. Because of the novelistic technique of the miracle story and the absence of edifying traits and personal details, this kind of narrative is unique in Acts. In other narratives, too, characteristic features of the miracle story can be found (e. g. 9, 36-42; 13, 8-12; 14, 8-18) [151], but there the religious and personal elements of the legendary style predominate: " Aus der Mischung von Erbaulichem, Persönlichem und Wunderbarem erwächst der echte Legendenstil " [152]. The Tabitha story in 9, 36-42 is an example of the

147. *Ibid.*, 17-28. See also M. DIBELIUS, *Zur Formgeschichte des Neuen Testaments (ausserhalb der Evangelien)*, in *TR* NF 3 (1931) 207-242 (on Acts, 233-241), esp. 236; *Wunder: III. Im NT*, in *RGG*², vol. 5, 1931, 2040-2043, esp. 2042.

" The tentative application of form-criticism to Acts by Martin Dibelius has found surprisingly few followers ". Thus, in 1946, M. H. SHEPHERD, Jr., *A Venture in the Source Analysis of Acts*, in M. H. SHEPHERD, Jr. and S. E. JOHNSON, *Munera Studiosa*, Fs. W. H. P. Hatch, Cambridge 1946, 91-105, esp. 91. In note 4, Shepherd refers to Dibelius' *Stilkritisches* (1923), and to an article published by his co-editor J. E. Johnson in 1939 (cf. *infra*, n. 149). J. Dupont mentions no other name before Haenchen except that of Johnson (*Les sources*, 11, n. 4).

148. On 28, 1-6, compare 25 and 15 (n. 1). The healing miracle of 9, 32-35 is not included: " nur... Nachhall einer Wundergeschichte, nicht... ihre getreue Reproduktion " (18). Other references to miracles are found in *Sammelberichte*: 5, 12-16 (cf. 16); 8, 5-8 (cf. 22, n. 1: " eine Art Sammelbericht "); 19, 11-13.17-19 (cf. 23).

149. Cf. *TR* 3 (1931), 240. S. E. Johnson proposed a form-critical classification of the narratives of Acts in paradigms, *Novellen* and legends. The healing narratives are all in the class of the miracle stories or *Novellen*, but 3, 1-10 " may be built out of a paradigm. [Note 5:] Dibelius thinks that some of the gospel 'tales' originated in this way ". Cf. S. E. JOHNSON, *A Proposed Form-Critical Treatment of Acts*, in *ATR* 21 (1939) 22-31. The author shows no acquaintance with works of Dibelius other than *From Tradition to Gospel* (1935)!

150. *Stilkritisches*, 19-20. On the conclusion in 3, 10: " die Grösse des Wunders betonende Abschluss " (20); see also, 77: " mit V. 10 schloss offenbar die alte Erzählung; was V. 10 steht, ist der typische Schluss der Wundergeschichte mit der Feststellung des Erfolges " (from *Der Text der Apostelgeschichte*, 1941). Cf. *infra*, n. 201.

151. In 9, 40: " darin..., dass die Anwesenden hinausgewiesen werden und dass das wunderwirkende Wort ausdrücklich mitgeteilt wird " (18; cf. *infra*, n. 169); 13, 8-12: " Blick... Scheltwort und Bannfluch... plötzliche Blendung... Wirkung der Wunders " (21); 14, 8-18: " Krankengeschichte... Blick... Heilungsformel... Beifall der Menge " (25). See also 18, n. 2: " die Erwähnung der 8 Jahre 9, 33 ".

152. *Ibid.*, 21. Dibelius is less certain about the original form of 13, 8-12 and the predominance of the religious, personal, or novelistic elements (cf. 21: " Die Technik des Wunders ist betont... "!).

pure style of a personal legend (see also 8, 26-39; 12, 5-17) [153]. For 19, 14-16; 20, 7-12; 28, 1-6 Dibelius surmised that in their original form these stories were secular anecdotes [154], and he presumed a Jewish legend to be the tradition behind 12, 20-23 [155].

The parallelism of the miracle stories is examined from this form-critical viewpoint. The healing of the lame man in 3, 1-10 is a *Novelle* but the healing in 14, 8-18 is a *Legende*: " In dem Hervortreten des frommen wie des persönlichen Elements liegt der Unterschied... Es ist der typische Unterschied der 'Legende' von der 'Novelle' " [156]. The raising of Eutychus (20, 7-12) is not a parallel of 9, 36-42: " die man nur unter völliger Nichtachtung stilistischer Gesichtspunkte mit der Tabitha-Legende parallelisieren kann " [157]. The parallel of the Tabitha legend with the Jairus story (9, 40, cf. Mk 5, 40) does not suggest any literary contact: " beruht nur auf der Gemeinsamkeit der Topik " [158]. Moreover, the gesture in Mk 5, 41 differs from that in 9, 41 (after the miracle) [159].

For the correspondences in the miracles of Peter and Paul, this form-critical explanation [160] was adopted in E. Haenchen's commentary (1956) [161]: " die Uebereinstimmungen liegen einfach im Typischen solcher 'Heilungsgeschichten' " [162]. H. Conzelmann holds the same view on

153. *Ibid.*, 18: " der Reichtum der Personalangaben... ; Namensnennung, Charakterschilderung, Beweis ihrer Tugend... vielleicht auch ihres Ansehens... — das alles ergibt eine Art Porträt, wie es den Paradigmen gerade fehlt. Wir haben es mit einer an Petrus und Tabitha persönlich interessierten 'Legende' zu tun ". On 8, 26-39, cf. 20-21 ; on 12, 5-17, cf. 25-26.

154. *Ibid.*, 22-23.25. For 28, 1-6, cf. *supra*, n. 158 ; see also *Aufsätze*, 173, n. 1 ; 180.

155. *Ibid.*, 24. On the variety in Acts, see *TR* 3 (1931), 236 : " in den Evangelien kreist alles um die eine Gestalt Jesu ; in den Acta werden ganz verschiedene — heilige und unheilige — Männer zu Helden von Erzählung ".

156. *Ibid.*, 25, n. 3.

157. *Ibid.*, 22.

158. *Ibid.*, 18, n. 2.

159. *Ibid.* See also 22-23, on the differences between 20, 9-10 and Mk 5, 39-40.

160. In later studies, M. Dibelius († 1947) refers to his essay of 1923 and there are no indications of any new development in his views on the miracle stories in Acts. Cf. *supra*, nn. 155-156. See also *Aufsätze*, 76-77, 109, 168 ; and on the Peter-Paul parallels, 116.

161. E. HAENCHEN, *Die Apostelgeschichte* (cf. *supra*, n. 9), 1956 ; $^{2-11}$1957 ; $^{3-12}$1959 (revised edition, with new pagination), $^{7-16}$1977 (new pagination). We refer to the pagination of 1959 = 1968. Unless otherwise indicated, the text quoted is identical with the first edition (1956), and the seventh (1977).

162. *Ibid.*, 371, also 366, n. 4 (14, 8 = 3, 2) : " Aber die Heilungsgeschichten lieben diesen Zug " ; n. 7 (14, 9 = 3, 16) : " beruht auf lauter typischen Zügen " ; 367 (14, 10) : " Auch das ist ein typischer Zug und nicht Angleichung an 3 8 ". Compare 347, on 13, 8-12 and 8, 9-24 : " Die Übereinstimmungen kommen dadurch zustande, dass es nur wenige Typen von Wundergeschichten gibt " ; 520, on 20, 7-12 and 9, 36-43.

14, 8-18 (cf. 3, 1-10) [163]. In contrast to Dibelius, neither Haenchen nor Conzelmann excludes the possibility of some contact with the Gospel stories, especially for 9, 36-42 [164].

Dibelius' distinction between *Novelle* and *Legende* was taken up by O. Bauernfeind (1939). The healing story of 3, 1-10 is " echte Wundergeschichte im engeren Sinn: Der Geheilte interessiert sie nur als Objekt der Wundertat, kaum als Person ", whereas 9, 36-42 is a *Legende*, and " Gegenstand ihres Interesses ist — neben der Tatsache des Wunders — durchaus auch die Persönlichkeit, sowohl die aktive wie auch die passive (36b; 39b; 38f) " [165]. Haenchen also used the word *Legende* with reference to 9, 36-42, but not in the technical sense of personal legend [166].

For Haenchen and Conzelmann and, more recently, J. Roloff [167], the traditional stories in 9, 33-35.36-42 and 14, 8-18 can be described as miracle stories (*Wundergeschichten*). The edifying element is only a secon-

163. H. CONZELMANN, *Die Apostelgeschichte* (Handbuch zum N. T., 7), Tübingen 1963; ²1972. Cf. 79: " Dibelius Aufs 25 hat sie [14, 8-18] als Einzelgeschichte bestimmt... Zur Heilung eines Lahmen vgl 3 1ff. Die Ähnlichkeit beider Vorgänge ergibt sich durch den durchschnittlichen Stil der Wundergeschichten ". Cf. J. BEUTLER, *Die paulinische Heidenmission am Vorabend des Apostelkonzils. Zur Redaktionsgeschichte von Apg 14, 1-20*, in *Theologie und Philosophie* 43 (1968) 360-383, 375: " Seit *Dibelius* herrscht die Ansicht vor, es handle sich um eine selbständig umlaufende Wundererzählung, deren sprachliche Übereinstimmungen mit Apg 3, 1ff. nur zufällig seien ". But for Beutler, the correspondences are too striking and he concludes that " für die Formulierung der Lahmenheilung in Lystra die Wunderheilung durch Petrus in Jerusalem Pate gestanden hat " (376). On the miracle, see 373-378: " Die Bekräftigung "; unfortunately, " ohne auf die Einzelheiten des Wunderberichtes... hier näher eingehen zu können " (365).

164. Cf. E. HAENCHEN, 73: " Wundergeschichten... die den synoptischen ähneln und wohl von ihnen nicht unbeeinflusst sind " (in note 4: the parallel of the Tabitha story in Mk 5, 41); H. CONZELMANN, 61.

165. O. BAUERNFEIND, *Die Apostelgeschichte* (Theologisches Handkommentar zum N. T., 5), Leipzig 1939, 59 and 138. Compare M. DIBELIUS, *Aufsätze*, 18: " ... einer an Petrus und Tabitha persönlich interessierten 'Legende' "; *TR* 3 (1931) 236: " *Personallegende* ".

166. *Op. cit.*, 287. Compare A. HARNACK, *Die Apostelgeschichte* (cf. *supra*, n. 109), 1908, 124-125. The stories of 9, 32-35.36-43 are called *Ortslegende* by Haenchen (288) and Conzelmann (42), in contrast to Dibelius' qualification of personal legend. With reference to the " (von Dibelius oft als 'Legenden' charakterisierten) kleinen Einheiten " (33). Haenchen occasionally uses the term legend in a non-technical sense (e. g. 79).

167. J. ROLOFF, *Das Kerygma und der irdische Jesus. Historische Motive in den Jesus-Erzählungen der Evangelien*, Göttingen 1970, 188-202: " Die Apostelwunder der Acta "; esp. 189, n. 284: " Es scheint m. E. kaum gerechtigt, wenn Dibelius (Aufsätze 5.18) die Perikope [9, 36-41] als Personallegende klassifiziert. Denn dazu sind die typisch legendenhaften Züge zu schwach ausgeprägt ". See, however, 189: " Trotz des unbestreitbaren Interesses an der Person des Wundertäters... ". For 14, 8-18, compare B. GÄRTNER, *Paulus und Barnabas in Lystra. Zu Apg. 14, 8-15*, in *Svensk Exegetisk Årsbok 27* (1962) 83-88, esp. 83-84.

dary feature [168]. Some characteristics of the miracle story are not clearly expressed but still recognizable [169], and these are more important than Dibelius suggested [170]. Of course, these stories do not preserve the original miracle story in its pure style, and elements that are *stilfremd* can be presumed to be editorial alterations or additions. The healing of the lame man in 3, 1-10, the first and most typical miracle story in Acts, can serve as an illustration. (Cf. Section 6).

The inventory of the motifs and themes of the miracle stories is an essential part of Gerd Theissen's book, *Urchristliche Wundergeschichten* (1974) [171]. He included the miracle stories of Acts, which he considered as " synchronic in the strict sense " with the Synoptic miracle stories [172]. He proposed the following division within the genre of the miracle story [173]: *Exorcismen* (16, 16ff.; 19, 13-17); *Therapien* [3, 1-10; 9, 32-35; 9, 36-43; 14, 8-18; 20, 7-12; 28, 8]; *Epiphanien* (the accessory phenomena of the epiphany are found in the stories of deliverance from prison) [174]; *Rettungswunder: Seerettungsgeschichte* (27, 6-44) and *Gefangenenbefreiung* [15, 17-25] (12, 3-19; 16, 23-40); *Geschenkwunder* (e. g. the feeding miracles); *Normenwunder: Begründende* (e. g. the Sabbath con-

168. Cf. H. CONZELMANN, 61 : " die erbauliche Charakteristik der Tabitha ". Haenchen connects it more directly with the miracle : " ihre Mildtätigkeit soll den Apostel zum Wunder bewegen " (286). The mention of the name (9, 33.36) is also a secondary feature : cf. CONZELMANN, 61 ; HAENCHEN, 284, n. 6 : " ein jüngerer Zug "; see also 287 (Wellhausen).

169. H. CONZELMANN, 79 : " nur angedeutet " (14, 10 : " Heilungserfolg und Demonstration ") ; 74 (13, 9-12) : " zT nur angedeutet ".

170. *Ibid.*, 61 (9, 33-35) : " Die alten Topoi schimmern noch durch : *Länge* der Krankheit, heilendes *Wort,... Demonstration...* die stilgemässe Wirkung auf die Zuschauer ". Compare DIBELIUS, *Aufsätze*, 18, n. 2 : he noted only the motif of the 8 years in 9, 33.

171. G. THEISSEN, *Urchristliche Wundergeschichten. Ein Beitrag zur formgeschichtlichen Erforschung der synoptischen Evangelien* (STNT 8), Gütersloh 1974.

172. *Ibid.*, 57 : " Bei der Analyse gattungsspezifischer Strukturen soll dagegen ein strengerer Begriff von Synchronie zugrunde gelegt werden und als synchron nur die synoptischen Wundergeschichten (einschliesslich der Apg) gelten ". For his reaction to Bultmann's classification of parallel motifs " aus allen möglichen volkstümlichen Überlieferungen ", see 12, n. 3 ; 57, n. 2.

173. *Ibid.*, 94-120 : " Das Inventar der Themen ". The references to the pericopes are taken from the *Stellenregister*, 318-319 ; references of pericopes referred to in the analysis but not found in the Index are put within brackets. The misleading *Stellenregister* seems to be the source of Grässer's incomplete information : " zieht... Acta-Texte heran (12, 3-11 16, 16ff. 16, 23-40 19, 13-17 27, 6-44) " ; in *Acta-Forschung* (cf. *supra*, n. 1), 16.

174. *Ibid.*, 103 : " Hier erscheinen nur die typischen Begleitzeichen einer Epiphanie : Türen springen von selbst auf, die Erde bebt, Schrecken verbreitet sich — das Erscheinen der epiphanen Person wird nur vorausgesetzt, nicht aber erzählt ". Compare 109 : " die rettende Epiphanie ".

flicts), *Belohnende* (28, 1-6), *Bestrafende* [5, 1-11] [175]. His classification of the motifs of the miracle stories comprises 33 items divided over the introduction, the exposition, the central part, and the conclusion [176]. Although the stories of Acts are studied only subsidiarily, this synchronic survey and the subsequent examination (diachronic and functional) contain a number of valuable observations. Some of them, however, are redactional rather than form-critical.

G. Schille's interpretation of the miracles in Acts as *Ortslegenden* or *Gründungslegenden* is rejected by Theissen [177], and also by J. Roloff who holds a quite different view on the miracles in Acts [178]. For him, the traditional stories of 3, 1-8; 9, 36-41; 14, 8-18 represent a type of miracle story that differs from that of the Synoptic miracles of Jesus and contain nothing that corresponds with the motif of faith characteristic of the

175. *Ibid.*, 117: " Um so auffallender ist, dass im N. T. Strafwunder fast völlig fehlen. Zu nennen ist nur die Geschichte von Ananias und Saphira (Apg 5, 1-11), in der ein Schuldspruch durch ein Wunder bestätigt wird ". On the notion of *Normenwunder*, and its relation with Dibelius' (rabbinic) *Theodizeelegenden*, see 119.

176. *Ibid.*, 57-81: " Das Inventar der Motive ". Only the references to Acts indicated in the following list are noted by the author.

A. *Einleitende Motive*: 1. *Das Kommen des Wundertäters;* 2. *Das Auftreten der Menge;* 3. — *des Hilfebedürftigen;* 4. — *von Stellvertretern;* 5. — *von Gesandtschaften*: 9, 38 (59); 6. — *von Gegnern;* 7. *Motivierung des Auftretens von Gegenspielern*: 9, 38 (61).

B. *Expositionelle Motive*: 8. *Charakterisierung der Not*: 3, 2 (cf. 3, 10); 4, 22; 9, 33; 14, 8 (61); 27, 20 (62); see also 108-109: 27, 20; n. 66: 5, 17ff.; 12, 3ff.; 16, 9ff.; 9. *Erschwerung der Annäherung* (cf. 62-63: he refers to Roloff for the connection between the theme of faith and the *Widerstandsmotiv*, e. g. Mk 2, 5; no reference to Acts); 10. *Niederfallen;* 11. *Hilferufe, Abwehr*: 16, 17 (63); 12. *Bitten und Vertrauensäusserung;* 13. *Missverständnis*: 3, 5 (65); 14. *Skepsis und Spott;* 15. *Kritik durch Gegner;* 16. *Gegenwehr und Unterwerfung des Dämons*: 19, 16 (66; cf. 97); 17. *Pneumatische Erregung;* 18. *Zuspruch*: 3, 6; 20, 10; 27, 22 (68); 19. *Argumente;* 20. *Sich-Entziehen des Wundertäters.*

C. *Zentrale Motive*: 21. *Szenische Vorbereitung*: 3, 4; 9, 40 (70); 22. *Berührung*: 3, 7; 9, 40; 28, 8; cf. 5, 15; 19, 12 (71); see also 100: " in Verbindung mit dem Ausfahren von Dämonen " in Lk 4, 40-41 (*Handauflegung*) and Acts 18, 11-12 (*Berührung*); 23. *Heilende Mittel;* 24. *Wunderwirkendes Wort;* 25. *Gebet*: 9, 40, 28, 8 (74); see also 109: 16, 25; 26. *Konstatierung des Wunders*: 9, 40; 14, 10; 20, 12; 28, 8; cf. 9, 34; 16, 18 (75);

D. *Finale Motive*: 27. *Dokumentation;* 28. *Entlassung;* 29. *Geheimhaltungsgebot;* 30. *Admiration;* 31. *Akklamation*: 3, 9; 14, 12; 28, 6 (80); see also 163 and 167-168; 32. *Ablehnende Reaktion*: 16, 19ff.; 14, 11ff. (81); 33. *Ausbreitung des Rufes*: 9, 42; 19, 17 (81).

177. *Ibid.*, 246: " Die Wundergeschichten 9, 32ff. 9, 36ff. setzen jedoch schon existierende Gemeinden voraus (vgl. V. 32.36), in 16, 11ff. geschieht die Gemeindegründung vor dem Wunder "). Cf. G. SCHILLE, *Anfänge der Kirche. Erwägungen zur apostolischen Frühgeschichte* (BevTh 43), München 1966.

178. J. ROLOFF, *Das Kerygma* (cf. *supra*, n. 167). For his reaction against Schille's interpretation, see 200, n. 330.

Gospel stories [179]. An analogy of the miracles of the Apostles can be found in the Jewish miracle stories, in which much emphasis is laid on the prayer of the miracle worker [180]. The divergences between the miracles of Jesus in the Gospels (in which the motif of Jesus' prayer is almost absent) and the miracles of the Apostles in Acts (in which the motif of faith is wholly absent) have been overlooked, because form critics were too much involved in noting the general traits of the *Wundertopik* [181].

S. H. Kanda, too, compared the form and function of the miracle stories in Acts with those of the Gospels [182]. The use of the *nomen sacrum* and prayer distinguishes an apostle or a missionary from Jesus as the divine-man. These features " are traditional and pre-Lucan in character ". The miracles of liberation and the punishment miracles have no parallel in the Gospels; 19, 13-17 also refers to a punishment miracle and cannot be classified as an exorcism, and 16, 16-18 merely contains some vestiges of an old exorcism account. The miracles of healing and the raising of the dead originally depicted the apostle or the missionary as a divine-man in continuity with Jesus, but they were transformed " in pre-Lucan and Lucan times " into legends, personal legends and place-legends. Kanda frequently noted the similarities with the stylistic features of the divine-man stories of the Gospels as a criterion for reconstructing the *Vorlage* of the miracle stories in Acts.

5. The Miracles in the Lucan Redaction

In his article on the Lucan perspective on the miracles of Jesus, P. J. Achtemeier cited Acts, " with its regular and frequent mention of the miraculous acts of the disciples ", to illustrate the prominence of the miracles for Luke's understanding of the origin of faith. " It is rather clear in Acts that miracles were an effective device for turning people to faith " [183]. Cf. 9, 35; 9, 42; 13, 12; 16, 30.33; 19, 17. He quoted Hardon: " at every point where the Gospel was first established among certain people, the foundation was made in a miraculous context, with manifest

179. *Ibid.*, 188-191 : " Das vorlukanische Material ". On πίστις in 14, 9b, see 191 and n. 295. He concludes : " Von einer Parallelisierung der Apostel mit dem synoptischen Jesus kann in diesem Material schon darum keine Rede sein, weil das dort zentrale Strukturmerkmal des in der Begegnung mit Jesus erweckten Glaubens hier keine Entsprechung hat " (191).

180. *Ibid.*, 200-202.

181. *Ibid.*, 201, n. 333.

182. S. H. Kanda, *The Form and Function* (cf. *supra*, n. 2).

183. *The Lucan Perspective* (cf. *supra*, n. 1), 559, and 553. For his list of miracles (*ibid.*, n. 22), cf. *supra*, n. 7.

showing of signs and powers worked by the hand of the Apostles " [184]. He referred to Acts when asking the question whether, in the Gospel of Luke, the miracles of Jesus can serve as a basis of faith. " It would be surprising, given the way in which Acts is written, if the answer were to the negative " [185].

Though many critics would agree with these observations, the Lucan perspective on the miracles in Acts is understood quite differently by J. Roloff. Already in 1954, H. Conzelmann made a distinction between the miracles of Jesus in the Gospel of Luke and the miracles of the Apostles in Acts. He explained Luke's conscious treatment of the miracles as part of " die Abstufung zwischen Jesus und die Kirche " [186]. For Luke, " der Wunderbeweis hat volle, legitimierende Funktion... Die Taten Jesu sind ihm das Indiz der Heilszeit, die mit Christus 'erschienen ' ist " [187]. " Es [das Wunder] besitzt... hervorragende Bedeutung als Charakteristikum einer ganzen Zeit ". But in the time of the Church, it had no longer this primary importance. " Es is zu bedenken, dass seit der Auferstehung diese der Faktor ist, welcher die Botschaft legitimiert. Damit kommt dem Wunder jetzt nur noch sekundäre Bedeutung zu " [188]. Instances of the so-called Lucan *Wundersucht* (cf. 5, 15; 19, 11-12; 28, 6) should be seen in connection with this christological *kritisches Regulativ*. Another correcting element is found in the confrontation of Christian miracles with Jewish and heathen magic (cf. 8, 9ff.; 13, 6ff.; 16, 16ff.; 19, 13ff.). [189]

J. Roloff further developed this view [190]. In his opinion, the order of " things they saw (first) and heard " (Lk 7, 22; Acts 4, 20) is applicable only to the acts of Jesus [191], and the inversion of the words in Acts

184. Cf. J. A. HARDON, *The Miracle Narratives* (cf. *supra*, n. 2), 311. It should be noted, however, that Hardon's own approach, in the section " Miracles in Acts and the Growth of the Apostolic Church " (310-316), is a (traditionally) historical rather than a redaction-critical one.

185. *Ibid.*, 553.

186. H. CONZELMANN, *Die Mitte der Zeit. Studien zur Theologie des Lukas* (BhTh 17), Tübingen 1954, 165-167: " Wort und Tat Jesu "; [3]1960 (=[5]1964), 177-180, esp. 180.

187. *Ibid.*, 179.

188. *Ibid.*, 180, n. 3.

189. *Ibid.*, 180, n. 3 end (added in [3]1960).

190. *Das Kerygma* (cf. *supra*, n. 167) 191-200: " Die lukanische Interpretation ". For Roloff, the Lucan conception is very much in line with the contrast he noted between the miracles of Jesus and the miracles of the Apostles in the pre-Lucan traditional stories (cf. *supra*, n. 185).

191. *Ibid.*, 192-194. On the significance of the order " Sehen und Hören ", see H. CONZELMANN, *Die Mitte der Zeit*, 179. However, Conzelmann did not note such a contrast between Jesus and the Apostles and warned against overemphasis on that order of the two verbs because of the inversion in 8, 6 and the more general Lucan use of verbs of seeing (*ibid.*, n. 3). P. J. Achtemeier does not suggest any contrast

8, 6 (they heard and saw) indicates subordination of the miraculous activity to the preaching. The miracle has no missionary purpose — 9, 35 and 9, 42 notwithstanding [192]. Sometimes it provides a mere occasion for preaching. In 3, 1ff. and 14, 8ff., a sermon is linked with the reaction to the miracle, but by a connection *e contrario*, as the correction of a misunderstanding [193]. Roloff would not deny the importance of the miracles in Acts, particularly in the Lucan description of the early Church in chs. 1-6. The miraculous power of the Apostles takes its origin in their faith in the risen Lord (cf. 3, 16), and the miracle is a " Zeichen des in der Kirche lebendigen Glaubens " rather than a " Ruf zum Glauben " [194]. He referred also to the four passages in which the miracles of the Apostles are confronted with magic and concluded: " Nicht das Wunder legitimiert die Botschaft — die Botschaft muss vielmehr das Wunder legitimieren, d. h. aus der Zweideutigkeit herausführen " [195].

These passages have been grouped together ever since Schneckenburger's description of the Peter-Paul parallels. More recently, Conzelmann cited them as paradigms of the contrast with the Christian miracles. A more penetrating redaction-critical study was devoted to 8, 6-24; 13, 6-12 and 19, 11-20 by Günter Klein [196]. He interpreted the stories of Simon Magus, Elymas/Bar-Jesus, and the sons of Sceva as almost entirely Lucan compositions. The intention of Luke was not to show the superiority of the Christian miracle (he could have made the contrast much sharper) but to warn against syncretism. This same problem is treated in the three texts, which are interrelated by this topic and by a gradual intensification of the punishment [197].

between the Gospel and Acts in this regard. He prefers to speak of the " balancing of proclamation and miracle-working... rather than subordination one to another " (*The Lucan Perspective*, 550-551). Thus, both Roloff and Achtemeier correct Conzelmann, but in different directions.

192. *Ibid.*, 198, n. 322. Acts 9, 35 and 42 were the first references quoted by Achtemeier in this connection. For Roloff, these notices constitute " an exception " in Acts.

193. *Ibid.*, 198-199.

194. *Ibid.*, 199.

195. *Ibid.*, 200.

196. G. Klein, *Der Synkretismus als theologisches Problem in der ältesten christlichen Apologetik*, *ZTK* 64 (1967) 40-82, esp. 49ff.

197. *Ibid.*, 77 : " Darin reflektiert sich im Sinne des Lukas eine ständige Zuspitzung der synkretistischen Gefahr : Handelt es sich im ersten Fall um die verdeckte Aneignung christlicher Gehalte durch eine sich selber christlich gebärdende Konkurrenz, so im zweiten um die offene Usurpation durch den ausgemachten Gegner, im dritten aber gar um den Versuch, mit der Berufung auf die das Kerygma sanktionierende apostolische Tradition die einzige Instanz zu überspielen, die gemäss der Konzeption des Lukas die Identität des Christentums mit sich selbst gegen alle synkretistische Entfremdung zu verbürgen vermag ".

In a more traditional line of thinking, a number of recent contributions [198] have emphasized Luke's intentional placement of the miracle stories at the beginning of a new period of the Christian mission [199], and have interpreted the double parallelism in Luke-Acts, Jesus-Peter-Paul, in relation with the Lucan concept of continuity in the history of Christian salvation [200].

6. Note on Acts 3, 16

The historical survey of the studies on the miracles in Acts has shown that the story of 3, 1-10 has always been in the foreground. It is the first miracle performed by Peter, and it is comparable with Paul's " first " miracle at Lystra (14, 8-10). Because of the high degree of formal similarity between both stories, the parallelism of 3, 1-10 and 14, 8-10 has a special place among the Peter-Paul analogies. Much attention has also been given to the contacts of 3, 1-10 with Lk 5, 17-26 (Mk 2, 1-12) and to their role in the " architecture " of the Gospel and Acts. In Harnack's source-critical hypothesis, the miracle of 3, 1ff. became the overture of Christian history. On the other hand, for Dibelius the story of 3, 1-10 was the unique example of a *Novelle* in the Acts of the Apostles. In recent studies, especially since the commentaries of Haenchen and Conzelmann, it is widely accepted that 3, 1-10 is a traditional miracle story.

Both Haenchen and Conzelmann accepted without hesitation Dibelius' delimitation of the traditional unit in 3, 1-10: verses 9-10 form the conclusion of the primitive story, " die in solchen Heilungsgeschichten übliche Schlussformel " [201]. No room is left for the doubts expressed by Bauernfeind [202]. In 1961, U. Wilckens proposed extending the story

198. Cf. *supra*, nn. 40, 46, 51-55, 212.

199. Cf. J. BEUTLER, *Die paulinische Heidenmission* (cf. *supra*, n. 163), 377-378 : 14, 8ff., cf. 3, 1ff. and 8, 7 : " an einem wichtigen Übergang in der Missionsgeschichte " ; G. W. H. LAMPE, *Miracles* (cf. *supra*, n. 2), 174 : " The miracle [3, 1ff.] is a major sign to Israel, just as the parallel healing of a paralytic by Paul at Lystra attests the mission to the Gentiles ". (For other parallel stories, see 174-178).

200. Cf. A. GEORGE, *Les miracles dans l'œuvre de Luc*, in X. LÉON-DUFOUR, *Les miracles de Jésus selon le Nouveau Testament*, Paris 1977, 249-268, esp. 255-257 (Acts). On 389 the editor presents a list of miracles in Acts (compare our list, 174-175): nos. 2G, 7S, 11G, 12G, 13S, 16G, 17E, 18S, 21G, 22L, 23G; + 27, 9-44S (E = *exorcisme*; G = *guérison*; L = *légitimation*; S = *sauvetage*; no example of D = *miracle-don* in Acts).

201. HAENCHEN, 161 ; see also 162 : " V. 10 gehört als typischer Abschluss einer Heilungsgeschichte zur alten Wundererzählung " ; cf. CONZELMANN, 39 : " Mit der Wirkung auf die Zuschauer ist die ursprüngliche Erzählung stilgemäss abgeschlossen. " Cf. *supra*, n. 150 (Dibelius).

202. BAUERNFEIND, 60 : " Man wird auch nicht ganz ausser Acht lassen dürfen, dass die Rundung und Geschlossenheit einer Geschichte unter Umständen einmal auf einen geschickter Nacherzähler zurückgehen kann. " However, he continues :

beyond v. 10 to include 3, 16 as the final saying of Peter [203]. In his opinion, the faith mentioned in v. 16 is that of the cripple (and not of the miracle-working apostle) and " eine Erwähnung des Glaubens [gehört] zur Topik von Wundererzählungen dieser Art " [204]. This form-critical argument has at least two weak points. First, there is not the slightest allusion to the faith of the cripple in the story of 3, 1-10. On the contrary, he is presented as a beggar asking for alms and expecting nothing else from the Apostles (cf. 3, 6a) [205]. Second, Wilckens has been unable to adduce any parallel of a healing story with, as a conclusion, a saying of the miracle-worker that is comparable with 3, 16 [206].

Wilckens' position is not unrelated to that of A. Loisy, though he rejects Loisy's literary-critical distinction between the original saying and the redactor's additions. Loisy retains only 3, 16b as the original

" jedoch das Wahrscheinlichste bleibt immer, dass die einheitliche, leicht behältliche und zum Weitererzählen einladende Form der Geschichte durch die mündliche Tradition bedingt ist. "

203. U. WILCKENS, *Die Missionsreden der Apostelgeschichte. Form- und traditionsgeschichtliche Untersuchungen* (WMANT, 5), Neukirchen 1961 (²1963, ³1974), 40-42 (see also 60); 42: " So erweist sich die Annahme als wahrscheinlich, dass 3, 6 ursprünglich zu der ehemals selbständigen Legende von der Heilung des Gelähmten 3, 1ff. gehörte und in Zuge der Konzeption des jetzigen Zusammenhangs von Act 3f. in die Predige eingeschoben worden ist. "

204. *Ibid.*, 41, n. 2; cf. 42. He refers to E. SCHICK, *Formgeschichte und Synoptikerexegese* (Neutest. Abh. 18/2-3), Münster 1940, 131-132; and R. BULTMANN, art. πιστεύω κ.τ.λ. in *TWNT* 6 (1955), esp. 206-207: " In diesem Sinne [= Vertrauen] ist bei den Synoptikern vom Glauben an Jesu Wunderkraft die Rede. In der christlichen Mission tritt an seine Stelle der Glaube an das wunderwirkende ὄνομα Jesu (Ag 3, 16) oder an die Kraft des Apostels zum Wunder (Ag 14, 9) " (206).

J. Roloff incorrectly noted: " im Anschluss an Bultmann (Tradition, S. 237f.) und Dibelius (Formgeschichte, S. 83) " (*Das Kerygma*, 197, n. 318); these references are taken from p. 41, n. 2 (concerning the gesture of grasping with the hand): " Petrus hält den Geheilten an der Hand [n. 2: ... für die Topik von Wundererzählungen typische Geste], die Menge läuft staunend zusammen (3, 11) — ein für die Wundererzählung typischer Zug — und der Apostel gibt in einem abschliessenden kurzen Satz eine Erklärung des geschehenen Wunders (3, 16). " The phrase, " Petrus hält den Geheilten an der Hand " seems to be an inaccurate rendition of 3, 11a, perhaps a confusion of κρατοῦντος δὲ αὐτοῦ τὸν Πέτρον with καὶ πιάσας αὐτὸν τῆς δεξιᾶς χειρός (3, 7a). Wilckens' reference to Bultmann and Dibelius is misleading, since they mention *das Bei-der-Hand-Fassen* as a miracle-working gesture (Bultmann: *Handergreifung* in Acts 3, 7), and also the touching of the garments of the miracle-worker, but give no information about such a κρατεῖν as a typical reaction after the miracle.

205. Cf. O. BAUERNFEIND, 64: " ein so betontes Glaubenswort würde die Pointe der einfachen — von der Gesinnung des Lahmen zunächst ganz absehenden — Geschichte ja gespalten haben ". (Bauernfeind considers 3, 16 as pre-Lucan but secondary to the healing story). See also J. ROLOFF, *Das Kerygma*, 190.

206. Cf. J. ROLOFF, *ibid.*, 197, n. 318: " Vollends hätte eine deutende Kurzansprache des Petrus... keinen Anhalt an der 'Wundertopik' ".

sentence (τοῦτον ὃν θεωρεῖτε καὶ οἴδατε ἐστερέωσεν τὸ ὄνομα αὐτοῦ) [207]; the addition of 3, 16a.c is very much like a theological correction, " pour que la foi eût sa part dans le miracle et que la guérison ne parut point opérée par l'effet magique du nom " [208]. This faith, τῇ πίστει τοῦ ὀνόματος αὐτοῦ and ἡ πίστις ἡ δι' αὐτοῦ, is that of the cripple and the faith motif was added here " précisément parce que le récit n'en disait rien ". In its original form the sentence of 3, 16b was Peter's explanation to the crowd surrounding him after the miracle. The speech of 3, 12-26 has been grafted onto this nucleus [209].

For Wilckens, the whole of verse 16, and not just 16b, is traditional. The formulation is too awkward to be Luke's own writing: the author of Peter's speech cannot be held responsible for " eine solche Verunstaltung des Satzes " [210]. He supposes that Luke received the text as we read it:

(*a*) καὶ ἐπὶ [211] τῇ πίστει τοῦ ὀνόματος αὐτοῦ
(*b*) τοῦτον ὃν θεωρεῖτε καὶ οἴδατε ἐστερέωσεν τὸ ὄνομα αὐτοῦ,
(*c*) καὶ ἡ πίστις ἡ δι' αὐτοῦ
ἔδωκεν αὐτῷ τὴν ὁλοκληρίαν ταύτην ἀπέναντι πάντων ὑμῶν.

The difficulty resides in the tautologous doublets of the sentence *ab* and *c*: " by faith in his name " and " the faith which is through him "; " whom you see and know " and " in the presence of you all "; " has strengthened him " and " has made him completely well "; and in the repetition of τοῦ ὀνόματος αὐτοῦ in τὸ ὄνομα αὐτοῦ as the subject of the preceding verb ἐστερέωσεν. One attempt to avoid this harsh construction is to take the subject of v. 15b (ὁ θεός) as the subject of the first sentence, to place a colon after the verb ἐστερέωσεν, and to associate τὸ

207. A. Loisy, *Les Actes des Apôtres*, Paris 1920, 231.

208. *Ibid.*, 232: " le rédacteur tient à dire itérativement, en dépit de l'assertion principale, que ce n'est pas le nom, mais 'la foi du nom', qui a guéri le paralytique ".

209. *Ibid.*, 231-232: " Dans la relation originale, la foule qui s'attroupait autour de Pierre après le miracle recevait une explication plus simple que notre discours [cf. 3, 16b] et sur laquelle le discours a été greffé ". In Loisy's reconstruction the original source comprises 3, 1-8a.11.16; 4, 1 (3, 8b-10 are redactional, cf. p. 227; on the continuation in 4, 1, see p. 239). Compare, however, his later work: *Les actes des apôtres. Traduction nouvelle avec introduction et notes*, Paris 1925, 37, n. 1: " Le récit de Luc touchant la guérison du paralytique ne comportait ni discours de Pierre ni comparution devant le sanhédrin, mais une simple intervention de la police du temple pour interdire de parler au nom de Jésus ". He uses italics in the text of his translation for 3, 1-8a.11; 4, 1.7.10.18, but 3, 16b is in normal print!

210. *Die Missionsreden*, 40. See also 44, n. 2.

211. *'Επί* is omitted by Westcott-Hort, with ℵ* B 4.60.61.103. arm. (cf. Tischendorf's apparatus). See also n. 214 (Burkitt).

ὄνομα αὐτοῦ with καὶ ἡ πίστις (Blass) [212]. In this solution, however, the asyndeton creates a new difficulty [213]. Still less acceptable is the punctuation suggested by Burkitt: by placing a colon before τοῦτον, he connects the phrase καὶ τῇ πίστει τοῦ ὀνόματος αὐτοῦ with 15c οὗ ἡμεῖς μάρτυρές ἐσμεν. But the dative dependent on μάρτυς is unusual and after the genitive οὗ one would expect τῆς πίστεως [214]. Burkitt made this suggestion in reaction to Torrey's mistranslation hypothesis. The retranslation into Aramaic of ἐστερέωσεν τὸ ὄνομα αὐτοῦ is תַּקֵּף שְׁמֵהּ. According to Torrey, these letters were meant to be read as תַּקֵּף שְׁמֵהּ = ὑγιῆ ἐποίησεν (or κατέστησεν) αὐτόν, with ὁ θεός (of v. 15b) as the subject of the verb, but the translator understood שמה as " his name ", a very natural mistake after שמה = τοῦ ὀνόματος αὐτοῦ in v. 16a [215]. This solution may seem attractive [216], but only to those who accept a hypothetical Aramaic original of 3, 16 [217]. Thus, for Jackson and Lake, Torrey's suggestion " seems convincing; ... it gives an admirable sense while the Greek is unintelligible as it stands " [218]. Nevertheless, the commentary of Lake

212. F. BLASS, *Acta Apostolorum, sive Lucae ad Theophilum liber alter, editio philologica*, Leipzig 1896, 9. For this punctuation Blass refers to Lachmann's edition (εστερεωσεν·). This possibility is already mentioned by Erasmus: " *Deus* consolidavit hunc..., ob fiduciam quam habuit *vel ipse vel Petrus* in nomine Jesu " (cf. *Critici sacri*, vol. 7, col. 90).

213. Cf. HOLTZMANN, [3]1901, 41: " schafft ein unnöthig hartes Asyndeton ". See also Tischendorf's apparatus: " Contra quam distinctionem [Lachmann] praeter codd est etiam Chr com 9, 34: ἐπήγαγε· και το ονομα αυτου εστερεωσεν αυτον ". But see B. M. METZGER, *Textual Commentary*, 313: " much can be said in favor of punctuating (with Lachmann, followed by Blass)... ".

214. F. C. BURKITT, *Professor Torrey on 'Acts'*, in *JTS* 20 (1919) 320-329, pp. 324-325. See the reactions of Jackson and Lake, Bruce, and others (references in n. 216).

215. C. C. TORREY, *The Composition and Date of Acts* (Harvard Theological Studies, 1), Cambridge (Mass.) 1916, 14-16.

216. Cf. J. DE ZWAAN, *The Use of the Greek Language in Acts*, in *Beginnings*, vol. II, 1922, 30-65, esp. 50; F. J. F. JACKSON and K. LAKE, *The Internal Evidence of Acts, ibid.*, 121-204, esp. 141-142; W. L. KNOX, *The Acts of the Apostles*, Cambridge, 1948, 20; F. F. BRUCE, *The Acts of the Apostles*, London 1951, 110: " the most attractive solution of the difficulty ". In Bruce's *Commentary on the Book of Acts* (The New International Commentary on the N. T.), Grand Rapids (Mich.) 1954, Torrey's suggestion is only mentioned in a note (86, n. 21).

Wilckens' reference to C. H. Dodd, *Apostolic Preaching*, 35 (cf. 40, n. 3), should be corrected. Wilckens, followed by Roloff (*Das Kerygma*, 197, n. 318), obviously depends on a note of W. L. Knox referring to the general theory of an Aramaic original (*op. cit.*, 20, n. 1). Cf. *The Apostolic Preaching and Its Developments*, London (1933), [2]1944 (and later impressions), 20, n. 1.

217. For criticism, see M. WILCOX, *The Semitisms of Acts*, Oxford 1965, 144-146. See also HAENCHEN, 166, n. 7: for ἐστερέωσεν, compare 3, 7.

218. *Art. cit.* (n. 64), 142.

and Cadbury proposes as new solution: τὸ ὄνομα αὐτοῦ may have been an early marginal note explaining δι' αὐτοῦ [219]. The three principal types of solution — Blass' punctuation, Torrey's mistranslation, and Lake and Cadbury's textual corruption — agree in taking ὁ θεός as the real subject of 16ab instead of τὸ ὄνομα αὐτοῦ. On the other hand, Burkitt maintained the sentence τοῦτον... ἐστερέωσεν τὸ ὄνομα αὐτοῦ (16b). And so does C. F. D. Moule, who suggests that 3, 16 not only combines (*b*) and (*c*) but also a third alternative of the same sentence: (*a*) τῇ πίστει τοῦ ὀνόματος αὐτοῦ [οὗτος ἐσώθη] [220]. Already in 1893, J. Weiss proposed a literary-critical solution along the same lines: the double sentence (*b*) and (*c*) comes from the source and ἐπὶ τῇ πίστει τοῦ ὀνόματος αὐτοῦ was added by the redactor [221]. For E. Preuschen the redactor was responsible for the sentence (*c*) καὶ ἡ πίστις... [222]. A. Loisy seems to combine both opinions when he retains only (*b*) as the original sentence. For him, not only ἐπὶ τῇ πίστει τοῦ ὀνόματος αὐτοῦ (J. Weiss) but also ἡ πίστις... in (*c*) refer to the faith of the cripple [223].

This is also Wilckens' interpretation of πίστις in 3, 16: " eindeutig auf den Glauben des Geheilten zu beziehen ". And for this view, he refers to Haenchen [224]. In fact, Haenchen defends this interpretation, and Conzelmann agrees: " gemeint ist der Glaube des *Kranken*...; es handelt sich ja um einen Missionsappell " [225]. This last argument, however, is formally denied by Wilckens himself who determines the meaning of πίστις in

219. K. LAKE and H. J. CADBURY, in *Beginnings* (1933), vol. IV, pp. 36-37. Cf. J. RENIÉ, *Actes des Apôtres* (La Sainte Bible, 11/1), Paris 1949, 75: " bien que sans appui dans la tradition manuscrite, cette suggestion nous paraît satisfaisante ".

220. C. F. D. MOULE, *H. W. Moule on Acts iv. 25*, in *ExpT* 65 (1953-1954) 220-221, 220. In this passage the text of Acts would contain the author's (!) three alternative drafts. Cf. C. S. C. WILLIAMS, *A Commentary on the Acts of the Apostles* (Black's N. T. Comm.), London 1957, 79.

221. J. WEISS, *Das Judenchristentum in der Apostelgeschichte und das sogenannte Apostelkonzil*, in *TSK* 66 (1893) 480-540, 493.

222. E. PREUSCHEN, *Die Apostelgeschichte* (Handbuch zum N. T., 4/1), Tübingen 1912, 20.

223. J. Weiss' interpretation of 16a has been applied by Loisy to 16c as well: ἡ πίστις ἡ δι' αὐτοῦ is " encore la même foi, la foi opérée par le Christ dans l'âme de l'infirme ", and it is not " aufseiten der Apostel zu suchen " (J. WEISS, *loc. cit.*). Loisy finds it unnatural that Peter would refer to his own faith.

224. *Die Missionsreden*, 41, n. 1 (end).

225. H. CONZELMANN, 34. The same formulation is used by Haenchen: faith is emphasized " weil es sich hier ja um einen 'Appel der Missionspredigt' (Bauernfeind 65) handelt ". Comp. BAUERNFEIND, 64: " für den Lahmen spricht die Analogie vieler anderer Wundergeschichten und *der Zweck der Missionsrede*, die doch die Hörer nicht so sehr zu Wundertätern, als vielmehr zu Empfängern der Wundergnade machen will " (italics are mine). However, Bauernfeind maintains the *Unklarheit der Person*: " Für Pt spricht der Verlauf der Geschichte selbst und der Anfang der Rede ".

3, 16, in contrast to its context, on the basis of its connection with the healing story, and not as part of the *Missionspredigt*. His own analysis of 3, 12-16 seems to recommend the more common interpretation of *πίστις* as the faith of the apostles [226]. He rightly notes that the meaning of *ἐδόξασεν* in 3, 13 is not that God has glorified his servant Jesus in making the man walk. Such an assertion would be unparalleled in the Lucan writings, and it is excluded by 3, 16, in which the miracle-working is not assigned directly to God but to the name of Jesus. Since the verb *δοξάζω* in a meaning other than " to praise God " is unusual for Luke, *ἐδόξασεν τὸν παῖδα αὐτοῦ* would allude to Is 52, 13 LXX (*ὁ παῖς μου... δοξασθήσεται*) and refer to the glorification of Jesus in the resurrection [227]. The kerygmatic section of 3, 13-15 ends with *οὗ ἡμεῖς μάρτυρές ἐσμεν*, and v. 16 answers the problem of 3, 12: it is not *ἰδίᾳ δυνάμει ἢ εὐσεβείᾳ* that the apostles made this man walk but by faith in the name of the *glorified* Jesus [228]. Peter's question in v. 12 refers to the healing miracle:

τί θαυμάζετε ἐπὶ τούτῳ, (cf. v. 10b... *ἐπὶ τῷ συμβεβηκότι αὐτῷ*)
ἢ ἡμῖν τί ἀτενίζετε ὡς ἰδίᾳ δυνάμει ἢ εὐσεβείᾳ πεποιηκόσιν τοῦ περιπατεῖν αὐτόν (cf. v. 6b... *περιπάτει*).

V. 16 again refers back to 3, 1-10: *τοῦτον ὃν θεωρεῖτε καὶ οἴδατε* (cf. vv. 9-10 *εἶδεν αὐτόν, ἐπεγίνωσκον αὐτόν*), *ἐστερέωσεν* (cf. v. 7 *ἐστερεώθησαν*), *ἀπέναντι πάντων ὑμῶν* (cf. v. 9 *πᾶς ὁ λαός*, see also vv. 11-12), and Peter's reply to the misunderstanding makes explicit what is meant by the words of

226. Cf. OVERBECK, 53; HOLTZMANN, 41; WENDT, 105; JACQUIER, 107 (ctr. Loisy), *et al.* For J. Weiss (v. 16c) and E. Preuschen (Redactor), cf. *supra*, nn. 221 and 222.

227. *Op. cit.*, 38-39. See also F. HAHN, *Christologische Hoheitstitel* (FRLANT, 83), 1963, 386, n. 1. He adds the observation that " V. 13-15 im Schema der Rede den Abschnitt 'Kerygma' darstellt, der nicht auf die Situation zurückbezogen ist "; in 3, 13-15 the death of Jesus is mentioned three times and the resurrection in vv. 13a and 15b. Contrast HAENCHEN, 165, n. 3: " Von der Auferstehung wird erst in V. 15 gesprochen; übrigens wäre es sinnlos, wenn auf den Satz 'nicht wir haben diesen geheilt', der andere folgte 'sondern Gott hat Jesus auferweckt ". However, 3, 13a cannot be isolated from 3, 13-15 and this whole kerygmatic section, with the inclusion of 13a and 15b (resurrection), forms the christological antecedent of 3, 16.

228. For those who explain 3, 13a as referring to God's action in the miracle, in contrast to the apostle as miracle-worker (cf. Haenchen), it would be less difficult to understand *πίστις* in 3, 16 as the faith of the sick, and not of the apostles. Compare the treatment of 3, 13 and 16 by M. D. Hamm, in *This Sign* (cf. *supra*, n. 2): on the one hand, " in the argument of the speech [3, 13] it is the healing which is interpreted as God's glorification of Jesus " (145); on the other hand, concerning the *pistis* in 3, 16: " The immediate context offers no clarification " (148); finally, he refers to 14, 9, and concludes: " Perhaps Luke is making a cryptic reference to such a judgment regarding the faith of the temple beggar in his references to the gazing in Acts 3:4 " (149).

v. 6b: ἐν τῷ ὀνόματι 'Ι. Χ. τ. Ν. The same answer will be given in 4, 10 [229]. For Wilckens, the contrast with the style of 3, 16 clearly indicates that 4, 10 is Luke's own formulation and 3, 16 is traditional [230]. But 3, 16 and 4, 10 cannot be compared with one another in isolation from their contexts. The short form of Peter's answer in 4, 10: " by the name of Jesus... this man stands before you well " corresponds to the concise formulation of the christological kerygma: " whom you crucified, whom God raised from the dead ". To the contrary, the kerygma in 3, 13-15 is formulated, as Wilckens observes, " mit erstaunlichem rhetorischen Geschick " [231], and 3, 16 continues in this same style: " Die Heilung wird in einer im *parallelismus membrorum* stehenden Doppelansage feierlich beschrieben " (Haenchen) [232]. The peculiar construction of the first sentence [233] is almost an anacolouthon, with v. 16a introducing an original construction like that of 4, 10:

ἐν τῷ ὀνόματι	ἐπὶ τῇ πίστει		
'Ι. Χ. τ. Ν....	τοῦ ὀνόματος αὐτοῦ		
οὗτος	τοῦτον...	cf. 2, 32	τοῦτον...
παρέστηκεν	ἐστερέωσεν		ἀνέστησεν
... ὑγιής	τὸ ὄνομα αὐτοῦ		ὁ θεός

But have we to conclude for that reason, as does Wilckens, that 3, 16 is not from the same author as 3, 13-15? There also, because of the emphasis on the accusation of the Jewish audience (παρεδώκατε καὶ ἠρνήσασθε..., ἠρνήσασθε, καὶ ᾐτήσασθε..., ἀπεκτείνατε), ὃν ὑμεῖς μέν of 3, 13b is left without a correlative δέ!

The effect of Wilckens' theory is rather a negative one. By drawing our attention anew to the connection between 3, 9-10 and 3, 11ff., he has shown that the delimitation of the healing story, with its typical conclu-

229. In 3, 16 τοῦτον ὃν θεωρεῖτε καὶ οἴδατε can be compared with τοῦτο ὃ ὑμεῖς [καὶ] βλέπετε καὶ ἀκούετε in 2, 33. Cf. WILCKENS, *op. cit.*, 60, who assigns to 3, 16 " die Funktion, den Bezug zur Situation auch innerhalb des Predigtzusammenhangs ausdrücklich festzuhalten ". But if 3, 16 has such a role, Wilckens' observation, " in der Predigt (hat) der 'Name' Jesu sonst keine Bedeutung " (41), is no longer a convincing argument.

230. *Ibid.*, 44, n. 2.

231. *Ibid.*, 40.

232, HAENCHEN, 166. Wilckens simply notes: " Es überzeugt keineswegs... " (40, n. 1)!

233. It should be noted that in modern translations the construction becomes more clumsy than it is in Greek. Cf. *KJV* and *RSV*: " And his name, through/by faith in his name,... ". Compare Wilckens' translation: " Und weil dieser Mann hier, den ihr seht und kennt, an seinen Namen glaubte, hat dieser Name... " (*Das Neue Testament*, [3]1971, 403).

sion in v. 10 [234], may be less certain than some form-critics maintained. On the one hand, it could be suggested, in the line of Wilckens' hypothesis, that the saying of 3, 16 is perhaps not the only " displaced element " of the healing story. The healed man is supposed to be present with the apostles at the trial scene of 4, 5-22 [235], and the conclusion in vv. 21b-22 contains a *Chorschluss* and a reference to the age of the man, both of which are typical motifs of a miracle story: 21... *διὰ τὸν λαόν, ὅτι πάντες ἐδόξαζον τὸν θεὸν ἐπὶ τῷ γεγονότι. 22 ἐτῶν γὰρ ἦν πλειόνων τεσσεράκοντα ὁ ἄνθρωπος ἐφ' ὃν γεγόνει τὸ σημεῖον τοῦτο τῆς ἰάσεως.* On the other hand, it should be recalled that Dibelius' form-critical evaluation of verses 3, 9-10 contradicts the position held by the source-critics, B. Weiss, P. Feine, F. Spitta, and J. Jüngst, who all considered these verses as editorial additions between 3, 8 and 11ff [236]. This is still the opinion of J. Roloff who, in reaction to Dibelius' analysis, restricts the original story to 3, 1-8 [237].

In fact, the form-critical analysis raised a number of questions about tradition and redaction within the miracle story of 3, 1-10. Dibelius, " schon aus Gründen der Wundertopik ", eliminated Peter's companion in: 1 *καὶ Ἰωάννης*, 3 *καὶ Ἰωάννην*, 4 *σὺν τῷ Ἰωάννῃ* (and the plural form in 1 *ἀνέβαινον*, 3 *μέλλοντας*, 4 *ἡμᾶς*, 5 *αὐτοῖς*, *αὐτῶν*, 8 *αὐτοῖς*) [238]. Haenchen

234. In contrast to Loisy who connects 3, 11 with 3, 8a, Wilckens considers 3, 9-10 as part of the original story (p. 60), as well as 3, 11 (p. 41). Wilckens reaffirmed his view on 3, 16 in *Das Neue Testament* (³1971), 404. It was accepted by R. Dillon and J. A. Fitzmyer, in *The Jerome Biblical Commentary*, London 1969, 177. See also W. DIETRICH, *Das Petrusbild der lukanischen Schriften* (BWANT, 94), Stuttgart 1972, 226: " wegen seiner sachlichen (und ursprünglichen?) Zugehörigkeit zur Wundergeschichte " (cf. 227, n. 138: " Die kaum auflösbare Konstruktion macht wahrscheinlich, dass hier ungeglättetes, tradiertes Material vorliegt ").

235. Besides 4, 10 compare also *ἐπὶ εὐεργεσίᾳ ἀνθρώπου ἀσθενοῦς, ἐν τίνι οὗτος σέσωται*) and 4, 14 (*τόν τε ἄνθρωπον βλέποντες σὺν αὐτοῖς ἑστῶτα τὸν τεθεραπευμένον*).

236. B. WEISS, *Lehrbuch der Einleitung*, 1886, 273, n. 3; P. FEINE, *Eine vorlukanische Überlieferung*, 174; F. SPITTA, *Die Apostelgeschichte*, 78-79; J. JÜNGST, *Die Quellen*, 39-40. (Compare also A. Loisy, 227). They agree on the additional character of verses 9-10. There is less agreement about v. 8.

237. J. ROLOFF, *Das Kerygma* (cf. *supra*, n. 167), 1970, 189, n. 286.

238. *Stilkritisches*, 20. Cf. n. 2: " Die wunderwirkende gegenseitige Fixierung mit den Augen V. 4-5 ist natürlich nur zwischen zwei, nicht zwischen drei Personen denkbar ". (See also, *Aufsatze*, 164, n. 1, on the *Statist* John in 3, 1.4-5.11; 4, 13.19; 8, 14). The same observation was made (without reference to Dibelius) by BAUERNFEIND, 59; HAENCHEN, 160, n. 5 (quotation, from Bauernfeind); 162; CONZELMANN, 32 (see also 33). On the secondary character of the mention of John, compare B. WEISS, *Lehbuch der Einleitung*, 1886, 572, n. 3 (ctr. P. FEINE, 173; F. SPITTA, 76-77; J. JÜNGST, 38); A. HARNACK, *Die Apostelgeschichte*, 1908), 185 (see also 166); J. WELLHAUSEN, *Kritische Analyse der Apostelgeschichte* (Abhandlung der königlichen Gesellschaft der Wissenschaften zu Göttingen, Philologisch-historische Klasse N. F. 15/2), Berlin 1914, 7: " Johannes ist bloss Statist und z. B. in 3, 4; 4, 13 mit den Haaren herbeigezogen ".

proceeded more radically by cutting off, besides the mention of John, 1 ἐπὶ τὴν ὥραν τῆς προσευχῆς τὴν ἐνάτην, 4-5 ἀτενίσας δὲ Πέτρος εἰς αὐτὸν σὺν τῷ Ἰωάννῃ εἶπεν· βλέψον εἰς ἡμᾶς. ὁ δὲ ἐπεῖχεν αὐτοῖς προσδοκῶν τι παρ' αὐτῶν λαβεῖν, 6 ἀργύριον καὶ χρυσίον οὐχ ὑπάρχει μοι· ὃ δὲ ἔχω, τοῦτό σοι δίδωμι, 8 καὶ εἰσῆλθεν σὺν αὐτοῖς εἰς τὸ ἱερὸν περιπατῶν καὶ ἀλλόμενος καὶ αἰνῶν τὸν θεόν [239]. Without these Lucan additions the traditional pericope of 3, 1-10 becomes a much shorter healing story which " dem von Apg 9, 32-35 sehr ähnlich ist " [240]. Conzelmann agreed on the Lucan character of v. 6a (" stilfremd und lukanisch ") [241], but he disagreed with the elimination of verses 4-5 : " die Vorlage wird zu dürftig " [242].

ADDITIONAL NOTE

This report has been presented at the Louvain Colloquium of 1977 as an introduction to the Seminar on the Miracle Stories in Acts, which was devoted more especially to the problem of tradition and redaction in Acts 3,1-10. In his recent commentary G. Schneider espoused Haenchen's position regarding the pre-Lukan story : 3,1-3.6b-8a. 9-10. "Auf Lukas gehen demnach höchst wahrscheinlich zurück : Die Einführung der Person des Johannes; die VV 4f; V 8b; V 11; vielleicht auch V 6a" (p. 298, n. 12). Wilckens' hypothesis concerning 3,16 is rejected (p. 298). Cf. G. SCHNEIDER, *Die Apostelgeschichte. 1. Teil. Einleitung. Kommentar zu Kap. 1,1-8,40* (HTKNT, 5/1), Freiburg, 1980, "Exkurs 7 : die Wundererzählungen" (pp. 304-310; see p. 307 : a synopsis of Lk 5,17-26; Acts 3,1-10; 14,8-11).

239. HAENCHEN, 162. For vv. 4-5, cf. *infra*, n. 242. For v. 6 he refers to Bauernfeind, 60 (cf. *infra*, n. 241), but see there also for v. 1.

240. *Ibid.*, 162. Curiously enough, Haenchen assumes that in 3, 1-10 Luke is responsible for all these accretions to the traditional short form of the story, whereas he suggests for 9, 33-35 that the short form is the result of Lucan intervention: " Lukas (der an Nebensächliches nicht gern Zeit und Raum verschwendet...) hat alles Entbehrliche an ihr gestrichen und sie ganz mit eigenen Wörter erzählt " (288). For Haenchen's first suggestion (162), compare Boismard's hypothesis: the pattern of the healing of a paralytic is preserved in its primitive form in Acts 9, 33-35 and, with the Johannine addition of v. 7 in Jn 5, 5-9 (cf. Mk 2, 1-12; Mt 9, 1-8: vv. 2c-6a is a later insertion). Boismard even suggests that the sequence of the two miracles of Acts 9, 32-43 is found in an archaic gospel source, a collection of three miracles:

Mt 8, 28-34	Mk 5, 1-20	(*1*) exorcism	Acts
9, 1-8	——	(*2*) paralytic	9, 33-35
	5, 21-43	(*3*) resurrection	9, 36-43

Cf. M.-É. BOISMARD, *Synopse des quatre évangiles en français. Tome II: Commentaire*, Paris 1972, 106-108 (paragraphe 40, 1).

241. CONZELMANN, p. 33; cf. HAENCHEN, 162; " ein der Heilungsgeschichte ganz fremdes Motiv ". Haenchen refers to Bauernfeind (" hält es für möglich, dass Lukas selbst... "), but see BAUERNFEIND, 60: " Veilleicht ist es Lk..., aber wahrscheinlicher noch ist es wohl, dass schon die Gemeinde von Jerusalem... ".

242. *Ibid.* 33. For the redactional addition of verses 4-5, see B. WEISS, *Lehrbuch der Einleitung*, 1886, 573, n. 3 (verses 3-4) (ctr. P. FEINE, 173; F. SPITTA, 77); J. JÜNGST, 38-39: vv. 3b-5a inserted between εἰς τὸ ἱερὸν/ἐπεῖχεν (but: " Immerhin mag die Sache in dubio sein ").

J. Roloff (cf. *supra*, p. 878) attributes to Luke the *Übergangswendung* in v. 1 and the transition to Peter's discourse in the Temple "durch eine entsprechende Umformulierung des Erzählschlusses (V 9f.) gegenüber der Tradition". Cf. J. ROLOFF, *Die Apostelgeschichte* (NTD, 5), Göttingen, 1981, p. 69 (the commentary has no excursus on the miracle stories).

BIBLIOGRAPHICAL SUPPLEMENT (cf. p. 835, n. 2):

R.W. FUNK, *The Form of the New Testament Healing Miracle Story*, in *Semeia* 12 (1978) 57-96 (esp. pp. 61-69: "The Lame Man at the Gate Beautiful as Model: The Rudiments of a Narrative Grammar"; see also p. 88); Gudrun MUHLACK, *Die Parallelen von Lucas-Evangelium und Apostelgeschichte* (Theologie und Wirklichkeit, 8), Frankfurt-Bern-Las Vegas, 1979; J. ECKERT, *Zeichen und Wunder in der Sicht des Paulus und der Apostelgeschichte*, in *Trierer Theologische Zeitschrift* 88 (1979) 19-33; J. JERVELL, *Die Zeichen der Apostels. Die Wunder beim lukanischen und paulinischen Paulus*, in *SNTU* 4 (1979) 54-75; S.J. NOORDA, *Scene and Summary. A Proposal for Reading Acts 4,32-5,16*, in J. KREMER (ed.), *Les Actes des Apôtres* (BETL, 48), Gembloux-Leuven, 1979, pp. 475-483; A. WEISER, *Das Gottesurteil über Hananias und Saphira. Apg 5,1-11*, in *Theologie und Glaube* 69 (1979) 148-158; R. KRATZ, *Rettungswunder. Motiv-, traditions- und formkritische Aufarbeitung einer biblischen Gattung* (Europäische Hochschulschriften, 23/123), Frankfurt-Bern, 1979; B. TRÉMEL, *À propos d'Actes 20,7-12: puissance du thaumaturge ou du témoin?*, in *Revue de théologie et de philosophie* 30 (1980) 359-369; W. KIRCHSCHLÄGER, *Fieberheilung in Apg 28 und Lk 4*, in J. KREMER (ed.), *Les Actes des Apôtres*, 1979, pp. 509-521; A. SUHL (ed.), *Der Wunderbegriff im Neuen Testament* (Wege der Forschung, 295), Darmstadt, 1980: cf. index, p. 512 (*Apostel* ...) and 521-522 (*Apg.*); O. BAUERNFEIND (ed. V. METELMANN), *Kommentar und Studien zur Apostelgeschichte* (WUNT, 22), Tübingen, 1980. Cf. *supra*, p. 865, n. 165 (reprinted, pp. 1-282).

V

THE TEXT OF THE GOSPELS
LE TEXTE DES ÉVANGILES

ETL 52 (1976) 364-379

THE SYNOPTIC GOSPELS ACCORDING TO THE NEW TEXTUS RECEPTUS

In the course of this year the new standard text of the New Testament has been made available in the third edition of the United Bible Societies' *Greek New Testament* and, for the gospels, in the ninth edition of Aland's *Synopsis quattuor evangeliorum*, "... ad eum textum aptatam, qui unus et idem ubique recipiatur" (p. IX). In the previous editions of the *Synopsis* the text was taken from Nestle-Aland *Novum Testamentum Graece*, ^{25}1963, with only a few minor alterations. In Mark, for instance, square brackets were omitted in 1,7.15.25; 2,22.26; 3,20; 5,2; 10,21; 14,31; 15,4.12.29; 16,2. Although the 26th edition of Nestle-Aland is not yet published, a comparison with *The Greek New Testament*, ^{3}1975, shows that such minor changes of the Nestle-Aland text are no longer admitted in the ninth edition of the *Synopsis*, since the brackets used by N^{25} and N^{26} = GNT^{3} are reintroduced in the text of Mk 3,20 and 10,21.

In my *Mark in Greek*, first published in *ETL* 42 (1971), pp. 144-198, and then in *Duality in Mark*, 1972, pp. 137-191, I used the text of N^{25} according to the *Synopsis* and referred to the Synopsis itself for the critical apparatus. In the "Appendix to 'Mark in Greek'" an exhaustive list of the differences between N^{25} and $GNT^{1.2}$ has been added (*Duality in Mark*, pp. 194-197). In Metzger's *Textual Commentary* (1971), mentioned there (p. 198, n. 2), a great number of readings adopted in GNT^{3} are referred to and discussed, but this Companion Volume to the third edition was not available before September 1972. It has been utilized in *The Minor Agreements of Matthew and Luke against Mark* (1974), where, on that basis, references to GNT^{3} are inserted in the critical notes. After the final publication of GNT^{3} = N^{26} a collation of the new text of the synoptic gospels can now be provided as a supplement to both *Duality in Mark* and *The Minor Agreements*. For Matthew a list of the differences between N^{25} and N^{26} was published by the *Institut für neutestamentliche Textforschung* at Münster,[1] and a list of new readings adopted in

1. Cf. *Bericht der Stiftung zur Förderung der neutestamentlichen Textforschung für die Jahre 1972 bis 1974*, Münster, 1974, pp. 24-31. The reading παῖς αὐτοῦ in Mt 8,13 (p. 25) has been corrected to παῖς [αὐτοῦ]. The collation of the new text is made on the basis of the editions: *The Greek New Testament*. Edited by K. ALAND, M. BLACK, C. M. MARTINI, B. M. METZGER, and A. WIKGREN, in cooperation with the Institute for New Testament Textual Research, Münster/Westphalia, Third edition (United Bible Societies), 1975; K. ALAND, *Synopsis quattuor evangeliorum*. Editio nona

GNT^{3} against GNT^{2} has been graciously provided by Professor B. M. Metzger. Our list contains only the differences between N^{26} = GNT^{3} and N^{25}. In most of these instances GNT^{3} is identical with GNT 1966 and ^{2}1968. Where a different text was printed in these former editions, the reference "GNT" is added. The obelus before the N^{25} text indicates that the brackets are omitted in *Mark in Greek* (and in Aland's *Synopsis*$^{1-8}$). The asterisk before the N^{26} text indicates that the new reading is quoted as variant reading in *The Minor Agreements*. For additional readings which influence minor agreements, positive or negative, the asterisk is put within parentheses. The letter t before N^{26} readings refers to the apparatus of *Greek New Testament*, third edition, and to Metzger's *Textual Commentary* (exceptionally t^{m}, when the apparatus is supplied only by Metzger and not in the text-volume). [G = Greeven 1981 : see Additional Note, p. 898.]

	N^{25}			N^{26} = GNT^{3}	
	Matthew				
1,15	`Ελεαζάρ, `Ελεαζάρ			`Ελεάζαρ, `Ελεάζαρ	
	Μαθθάν, Μαθθάν	G*		Ματθάν, Ματθάν	
19	λάθρα			λάθρᾳ	
24	† [ὁ] `Ιωσήφ (GNT)	G om.		ὁ `Ιωσήφ	
25	† ἕως [οὗ]			ἕως οὗ	
2, 7	λάθρα			λάθρᾳ	
23	Ναζαρέθ			Ναζαρέτ	
3, 2	λέγων			[καὶ] λέγων	
7	βάπτισμα		t^{m}	βάπτισμα αὐτοῦ	
14	διεκώλυεν			`Ιωάννης διεκώλυεν	
	πρὸς μέ;			πρός με;	
15	εἶπεν αὐτῷ			εἶπεν πρὸς αὐτόν	
16	ἠνεῴχθησαν		t	* ἠνεῴχθησαν [αὐτῷ]	
	πνεῦμα			* [τὸ] πνεῦμα [τοῦ]	
	ἐρχόμενον	G		* [καὶ] ἐρχόμενον (GNT^{2})	GNT^{1} καὶ ἐ.
4, 2	τεσσεράκοντα νύκτας	G		νύκτας τεσσεράκοντα	
16	σκοτίᾳ	G		σκότει	
18	ἁλεεῖς	G		ἁλιεῖς	
19	ἁλεεῖς	G		ἁλιεῖς	
24	δαιμονιζομένους	G		[καὶ] δαιμονιζομένους	GNT καὶ δ.
5, 9	† [αὐτοὶ] υἱοί (GNT)	G om.		αὐτοὶ υἱοί	
11	ψευδόμενοι (GNT^{1})		t	[ψευδόμενοι] (GNT^{2})	

et recognita ad textum editionum ^{26}Nestle-Aland et ^{3}Greek New Testament aptata, Stuttgart, 1976; [*additional note*: and Nestle-Aland^{26}, 1979; cf. *infra*, pp. 889-924.]

Corrigenda in the *Synopsis*: Lk 7,41 δανειστῇ (N^{26} -ιστῇ); Lk 15,13 ἅπαντα (N^{26} πάντα); Jn 4,54 δέ (N^{26} [δέ]).

Corrigenda in GNT^{3} : Lk 13,28 ὄψεσθε (N^{26} -ησθε); Lk 20,9 ἐξέδοτο (N^{26} -ετο).

Mt	N²⁵			N²⁶	
28	ἐπιθυμῆσαι [αὐτήν]			ἐπιθυμῆσαι αὐτήν	
42	δανείσασθαι			δανίσασθαι	
6, 1	προσέχετε δέ			προσέχετε [δέ]	
6	ταμιεῖόν σου	G		ταμεῖόν σου	
8	[ὁ θεὸς] ὁ πατήρ		t	ὁ πατήρ	
10	ἐλθάτω			ἐλθέτω	
33	βασιλείαν (GNT)		t	βασιλείαν [τοῦ θεοῦ]	
7, 4	ὀφθαλμῷ σου			ὀφθαλμῷ σοῦ (but see Lk 6,42!)	
5	ὀφθαλμοῦ σου	G		ὀφθαλμοῦ σοῦ (but see 7,4a!)	
13	† [ἡ πύλη]		t	ἡ πύλη	
14	ὅτι		t	τί	
15	ἐνδύμασι	G		ἐνδύμασιν	
18	πονηροὺς ἐνεγκεῖν		t	πονηροὺς ποιεῖν	
	καλοὺς ἐνεγκεῖν		t	καλοὺς ποιεῖν	
8, 7	λέγει			καὶ λέγει	
8	ἀποκριθεὶς δέ			καὶ ἀποκριθείς	
13	παῖς	G		παῖς [αὐτοῦ]	
21	μαθητῶν	G	t	μαθητῶν [αὐτοῦ]	
9, 4	εἰδώς (GNT)	G	t	* ἰδών	
6	ἔγειρε			ἐγερθείς	
14	νηστεύομεν		t	νηστεύομεν [πολλά]	GNT v. πολλά
18	† [εἷς] προσελθών		tᵐ	* εἷς ἐλθών	
19	ἠκολούθει			ἠκολούθησεν	
27	ἠκολούθησαν			ἠκολούθησαν [αὐτῷ]	
32	κωφόν			ἄνθρωπον κωφόν	
10,23	† [τοῦ] Ἰσραήλ			τοῦ Ἰσραήλ	
	ἕως			ἕως ἄν (GNT ἕως [ἄν])	
25	Βεεζεβούλ			Βεελζεβούλ	G*
32	ἐν τοῖς οὐρανοῖς			ἐν [τοῖς] οὐρανοῖς	G om.
33	ἐν τοῖς οὐρανοῖς			ἐν [τοῖς] οὐρανοῖς	G om.
42	ἐάν	G		ἄν	
11, 8	βασιλέων			βασιλέων εἰσίν	
9	τί ἐξήλθατε;		t	τί ἐξήλθατε ἰδεῖν;	
	προφήτην ἰδεῖν;	G	t	προφήτην;	
12,15	πολλοί (GNT)	G	t	* [ὄχλοι] πολλοί	
18	ὃν εὐδόκησεν			εἰς ὃν εὐδόκησεν	
24	Βεεζεβούλ			Βεελζεβούλ	G*
27	Βεεζεβούλ			Βεελζεβούλ	G*
44	[καὶ] σεσαρωμένον			σεσαρωμένον	
49	† χεῖρα [αὐτοῦ]			χεῖρα αὐτοῦ	
13, 7	ἀπέπνιξαν			* ἔπνιξαν	
11	εἶπεν			* εἶπεν αὐτοῖς (GNT ε. [αὐτοῖς])	
16	† ὦτα [ὑμῶν]			ὦτα ὑμῶν	
28	αὐτῷ λέγουσιν	G		λέγουσιν αὐτῷ	
35	καταβολῆς	G	t	καταβολῆς [κόσμου]	
40	κατακαίεται			[κατα]καίεται	G GNT καίεται
44	ὅσα		t	πάντα ὅσα	
45	ἐμπόρῳ			ἀνθρώπῳ ἐμπόρῳ	

Mt	N^{25}			N^{26}	
14, 3	ἔδησεν			ἔδησεν [αὐτόν]	
10	Ἰωάννην			[τὸν] Ἰωάννην	GNT τὸν Ἰ.
12	αὐτόν		t^{m}	αὐτό[ν]	GNT αὐτό
15	ἀπόλυσον οὖν			ἀπόλυσον	
16	Ἰησοῦς			[Ἰησοῦς]	
22	† [εὐθέως]		t	εὐθέως	
28	πρὸς σέ (GNT)			πρός σε	
29	Πέτρος	G		[ὁ] Πέτρος	GNT ὁ Π.
30	ἄνεμον (GNT)		t	ἄνεμον [ἰσχυρόν]	
15, 2	χεῖρας			χεῖρας [αὐτῶν]	GNT αὐτῶν
5	ὠφελήθης			ὠφεληθῇς	
6	τὸν πατέρα αὐτοῦ ἢ τὴν μητέρα αὐτοῦ	G	t	τὸν πατέρα αὐτοῦ	
14	τυφλῶν		t	[τυφλῶν]	GNT om.
15	παραβολήν (GNT)		t	παραβολὴν [ταύτην]	
23	ἠρώτων			ἠρώτουν	
30	κυλλούς, τυφλούς			τυφλούς, κυλλούς	G*
16,12	† [τῶν ἄρτων] (GNT)		t	τῶν ἄρτων	
17	Βαριωνά			Βαριωνᾶ	
20	ἐπετίμησεν			* διεστείλατο	
21	Ἰησοῦς Χριστός		t	ὁ Ἰησοῦς	
17,12	ἀλλ᾽			ἀλλά	
15	ἔχει		t	πάσχει	
24	δίδραχμα^{2}			[τὰ] δίδραχμα	GNT τὰ δ.
18,15	ἁμαρτήσῃ		t	ἁμαρτήσῃ [εἰς σέ]	
17	εἰπόν			εἰπέ	
24	προσήχθη εἷς αὐτῷ			προσηνέχθη αὐτῷ εἷς	
34	ὀφειλόμενον αὐτῷ	G	t	ὀφειλόμενον	
19, 3	ἔξεστιν	G	t	ἔξεστιν ἀνθρώπῳ	
7	ἀπολῦσαι		t	ἀπολῦσαι [αὐτήν]	
10	μαθηταί	G	t	μαθηταὶ [αὐτοῦ]	
11	τοῦτον		t	[τοῦτον]	
17	τήρει			τήρησον	
18	ἔφη			εἶπεν	
20	ταῦτα πάντα			πάντα ταῦτα	
21	πτωχοῖς	G		* [τοῖς] πτωχοῖς	GNT τοῖς πτ.
22	λόγον [τοῦτον] (GNT^{1})		t	* λόγον (GNT^{2})	
24	τρήματος			τρυπήματος	
	εἰσελθεῖν	G		* διελθεῖν	
	πλούσιον	G		* πλούσιον εἰσελθεῖν	
28	καὶ αὐτοί	G		καὶ ὑμεῖς	
29	ἐμοῦ ὀνόματος			ὀνόματός μου	
	πολλαπλασίονα		t	* ἑκατονταπλασίονα	
20, 8	ἀπόδος			ἀπόδος αὐτοῖς	
9	ἐλθόντες δέ			καὶ ἐλθόντες	
10	ἔλαβον τό			ἔλαβεν [τό]	
12	αὐτοὺς ἡμῖν	G		ἡμῖν αὐτούς	

Mt	N^{25}			N^{26}	
17	μέλλων δὲ ἀναβαίνειν		t	* καὶ ἀναβαίνων ὁ	
	δώδεκα		t	δώδεκα [μαθητάς]	
18	εἰς θάνατον			θανάτῳ	
21	δεξιῶν			δεξιῶν σου	
23	τοῦτο δοῦναι (GNT)			[τοῦτο] δοῦναι	
26	ἐστίν		t	ἔσται	
30[a]	κύριε, ἐλέησον ἡμᾶς (GNT [κύριε,] ἐ. ἡ.)	G	t	ἐλέησον ἡμᾶς, [κύριε]	
31[a]	κύριε, ἐλέησον ἡμᾶς (GNT)	G	t^m	ἐλέησον ἡμᾶς, κύριε	
21, 2	εὐθύς			* εὐθέως	
9	ὡσαννά, ὡσαννά			ὡσαννά, ὡσαννά	
15	ὡσαννά			ὡσαννα	
18	ἐπαναγαγών			ἐπανάγων	
19	οὐ μηκέτι			μηκέτι	
28	προσελθών	G		καὶ προσελθών	
29	ἐγὼ κύριε, καὶ οὐκ ἀπῆλθεν		t	οὐ θέλω, ὕστερον δὲ μεταμεληθεὶς ἀπῆλθεν	
30	δευτέρῳ	G	t	ἑτέρῳ	
	οὐ θέλω, ὕστερον μεταμεληθεὶς ἀπῆλθεν		t	ἐγώ, κύριε, καὶ οὐκ ἀπῆλθεν	
31	ὕστερος		t	πρῶτος	
33	ἐξέδοτο (GNT)	G		ἐξέδετο	
22,10	νυμφών	G	t	γάμος	
16	λέγοντας			* λέγοντες	
17	εἰπόν			εἰπέ	
21	λέγουσιν			* λέγουσιν αὐτῷ	
35	νομικός		t	* [νομικός]	
39	δευτέρα			δευτέρα δέ	
23, 4	βαρέα καί (GNT)	G	t	βαρέα [καὶ δυσβάστακτα] καί	
23	ταῦτα δέ			ταῦτα [δέ]	G om
	ἀφεῖναι			ἀφιέναι	
37	† [αὐτῆς]			αὐτῆς	
38	ὑμῶν		t	ὑμῶν ἔρημος	
24,26	ταμιείοις	G		ταμείοις	
39	ἔσται καί			ἔσται [καί]	
40	ἔσονται δύο			δύο ἔσονται	
25, 3	λαμπάδας	G		λαμπάδας αὐτῶν	
6	ἀπάντησιν			ἀπάντησιν [αὐτοῦ]	GNT ἀπ. αὐτοῦ
22	προσελθών			προσελθὼν [δέ]	GNT πρ. δέ
39	πρὸς σέ			πρός σε	
41	κατηραμένοι			[οἱ] κατηραμένοι	
26, 3	Καϊαφᾶ			Καϊάφα	
20	δώδεκα [μαθητῶν]	G	t	* δώδεκα	
36	ἕως οὗ			ἕως [οὗ]	GNT ἕως ἄν
45	λοιπόν			[τὸ] λοιπόν	GNT τὸ λ.
57	Καϊαφᾶν			Καϊάφαν	
58	† [ἀπὸ] μακρόθεν			* ἀπὸ μακρόθεν	
67	ἐρράπισαν	G		ἐράπισαν	

Mt	N^{25}			N^{26}	
74	εὐθύς			* εὐθέως	
27, 3	παραδούς			παραδιδούς	
16	Βαραββᾶν	G	t	[Ἰησοῦν] Βαραββᾶν	
17	[τὸν] Βαραββᾶν	G*	t	[Ἰησοῦν τὸν] Βαραββᾶν	
22	χριστόν			Χριστόν	
24	κατέναντι			ἀπέναντι	
33	Γολγοθά			Γολγοθᾶ	
40	καὶ κατάβηθι		t	[καὶ] κατάβηθι	
41	† ὁμοίως [καί]			ὁμοίως καί	
49	εἶπαν			ἔλεγον	
51	† [ἀπ᾽] ἄνωθεν			ἀπ᾽ ἄνωθεν	
54	γινόμενα	G		γενόμενα	
64	μαθηταί			μαθηταὶ αὐτοῦ	
28,14	πείσομεν	G		πείσομεν [αὐτόν]	GNT π. αὐτόν
15	ἀργύρια			τὰ ἀργύρια	
	Mark				
1, 1	Χριστοῦ	G	t	* Χριστοῦ [υἱοῦ θεοῦ]	
4	ὁ βαπτίζων		t	* [ὁ] βαπτίζων	G GNT ὁ om.
	κηρύσσων		t	* καὶ κηρύσσων	
6	ἔσθων	G		ἐσθίων	
7	† ὀπίσω [μου]			ὀπίσω μου	
8	πνεύματι		t	* ἐν πνεύματι	
9	Ναζαρέθ			Ναζαρέτ	
11	[ἐγένετο]		t	ἐγένετο	
14	καὶ μετά			μετὰ δέ	
15	† [καὶ λέγων]	G*		καὶ λέγων	
16	ἁλεεῖς	G		ἁλιεῖς	
17	ἁλεεῖς	G		ἁλιεις	
25	† [λέγων]			λέγων	
27	αὐτούς			πρὸς ἑαυτούς	
32	ἔδυσεν			ἔδυ	
40	καὶ γονυπετῶν		t	* [καὶ γονυπετῶν]	
	λέγων	G		(*) καὶ λέγων	
2,4.9.11.12	κράβατον			κράβαττον	
12	εἴδαμεν			εἴδομεν	
22	† [ἀλλὰ … καινούς]		t	* ἀλλὰ … καινούς	
26	† [πῶς]			πῶς	
3, 1	συναγωγήν			* τὴν συναγωγήν	
3	χεῖρα ἔχοντι ξηράν			ξηρὰν χεῖρα ἔχοντι	
7	ἠκολούθησεν (GNT)		t	* [ἠκολούθησεν]	
8	ποιεῖ			ἐποίει	
11	λέγοντα	G		λέγοντες	
14	δώδεκα	G	t	* δώδεκα, [οὓς καὶ ἀποστόλους ὠνόμασεν]	
16	καὶ ἐποίησεν τοὺς δώδεκα		t	* [καὶ ἐποίησεν τοὺς δώδεκα]	G om.
17	ὄνομα			ὀνόμα[τα]	GNT ὀνόματα
22	Βεεζεβούλ			Βεελζεβούλ	G*
25	στῆναι	G		σταθῆναι	

Mk	N[25]			N[26]	
31	ἔρχονται	G		* ἔρχεται	
32	καὶ αἱ ἀδελφαί σου		t	* [καὶ αἱ ἀδελφαί σου]	GNT om.
33	ἀδελφοί			ἀδελφοί [μου]	
35	ὅς			ὃς [γάρ]	
4, 8	εἰς … ἐν … ἐν		t	* ἓν (ter)	
16	εἰσιν ὁμοίως	G	t	* εἰσιν	
20	ἐν (ter)		t	ἓν (ter)	
21	ὅτι μήτι			* μήτι	
22	τι κρυπτόν	G		* κρυπτόν	
28	εἶτεν … εἶτεν (GNT)	G		εἶτα … εἶτα	
	πλήρης σῖτος			πλήρη[ς] σῖτον	G GNT -η σῖτον
40	ἐστε οὕτως;	G	t	* ἐστε;	
	πῶς οὐκ		t	* οὔπω	
5, 2	† [εὐθύς] (GNT)			* εὐθύς	
6	αὐτόν	G		αὐτῷ	
21	ἐν τῷ πλοίῳ		t	* [ἐν τῷ πλοίῳ]	GNT om.
27	τὰ περί	G	t	περί	
42	εὐθύς² (GNT)		t	[εὐθύς]	G om.
6, 2	οἱ πολλοί	G	t	* πολλοί	
6	ἐθαύμασεν			* ἐθαύμαζεν	
22	αὐτῆς τῆς	G	t	αὐτοῦ	
	ὁ δὲ βασιλεὺς εἶπεν			εἶπεν ὁ βασιλεύς	
23	αὐτῇ	G	t	αὐτῇ [πολλά]	
	ὅτι ὅ	G	t	ὅ τι	
	αἰτήσῃς			με αἰτήσῃς	
29	ἦλθαν	G		ἦλθον	
38	ἔχετε ἄρτους			* ἄρτους ἔχετε	
39	ἀνακλιθῆναι		t	ἀνακλῖναι	
41	μαθηταῖς		t	* μαθηταῖς [αὐτοῦ]	
44	τοὺς ἄρτους		t	* [τοὺς ἄρτους]	
50	εἶδαν			εἶδον	
51	ἐκ περισσοῦ			[ἐκ περισσοῦ]	
55	κραβάτοις			κραβάττοις	
7, 4	ῥαντίσωνται		t	βαπτίσωνται	
	χαλκίων		t	χαλκίων [καὶ κλινῶν]	
6	ὅτι (GNT)			[ὅτι]	G om.
9	τηρήσητε	G	t	στήσητε	
11	ὠφελήθῃς			ὠφεληθῇς	
24	ἠδυνάσθη	G		ἠδυνήθη	
28	ναί, κύριε	G	t	κύριε	
35	ἠνοίγησαν	G*	t	[εὐθέως] ἠνοίγησαν	
	εὐθὺς ἐλύθη		t	ἐλύθη	
37	ἀλάλους		t	[τοὺς] ἀλάλους	
8, 3	εἰσίν			ἥκασιν	
20	λέγουσιν	G*		λέγουσιν [αὐτῳ]	
28	ὅτι¹			* [ὅτι]	G om.
34	ἐλθεῖν (GNT)			* ἀκολουθεῖν	
9, 2	Ἰωάννην	G		* τὸν Ἰωάννην	
8	εἰ μή			* ἀλλά	

Mk	N^{25}			N^{26}	
38	δαιμόνια, ὅς οὐκ ἀκολουθεῖ ἡμῖν,	G*	t	δαιμόνια,	
42	πιστευόντων	G	t	πιστευόντων [εἰς ἐμέ]	
43	σκανδαλίσῃ			σκανδαλίζῃ	
10, 1	καὶ πέραν		t	[καὶ] πέραν	
7	μητέρα		t	μητέρα [καὶ προσκολληθήσεται πρὸς τὴν γυναῖκα αὐτοῦ]	
25	τῆς τρυμαλιᾶς τῆς			(*) [τῆς] τρυμαλιᾶς [τῆς]	GNT bis om.
31	οἱ ἔσχατοι			* [οἱ] ἔσχατοι	
35	[δύο] υἱοί			υἱοί	
36	θέλετέ με			θέλετέ [με]	
11,11	ὀψέ	G		ὀψίας	
31	οὖν			[οὖν]	
12, 1	ἐξέδοτο	G		ἐξέδετο	
4	ἐκεφαλαίωσαν	G		ἐκεφαλίωσαν	
9	τί			* τί [οὖν]	
23	ὅταν ἀναστῶσιν		t	* [ὅταν ἀναστῶσιν]	
26	θεὸς Ἰσαάκ			[ὁ] θεὸς Ἰσαάκ	
	θεὸς Ἰακώβ			[ὁ] θεὸς Ἰακώβ	
28	εἰδώς	G		ἰδών	
34	αὐτόν			[αὐτόν]	
37	ὁ πολύς			* [ὁ] πολύς	
40	κατέσθοντες			κατεσθίοντες	
41	γαζοφυλακείου	G		γαζοφυλακίου	
41.43	γαζοφυλακεῖον	G		γαζοφυλάκιον	
13, 2	λίθος	G	t	ὧδε λίθος	
15	ὁ ἐπί			* ὁ [δὲ] ἐπί	
	τι ἆραι	G		* ἆραί τι	
22	ἐγερθήσονται δέ			ἐγερθήσονται γάρ	
	ποιήσουσιν	G	t	δώσουσιν	
31	οὐ			* οὐ μή	
14,20	[ἓν] τρύβλιον		t	τρύβλιον	
31	† ὡσαύτως [δέ]			ὡσαύτως δέ	
33	τὸν Ἰάκωβον καὶ τὸν Ἰωάννην			[τὸν] Ἰάκωβον καὶ [τὸν] Ἰωάννην	G om.
43	[ὁ] Ἰούδας			Ἰούδας	
47	τις			[τις]	
63	διαρήξας			διαρρήξας	
68	προαύλιον		t	* προαύλιον [· καὶ ἀλέκτωρ ἐφώνησεν]	
72	δὶς φωνῆσαι		t	φωνῆσαι δίς	
15, 1	ἑτοιμάσαντες		t	ποιήσαντες	
4	† [λέγων]			* λέγων	
12	ποιήσω	G	t	* [θέλετε] ποιήσω	
	† [ὃν] λέγετε		t	[ὃν λέγετε]	
22	μεθερμηνευόμενος			μεθερμηνευόμενον	
29	† [ἐν] τρισίν			ἐν τρισίν	
34	λαμά	G*	t[m]	λεμα	
36	γεμίσας	G		[καὶ] γεμίσας	GNT καί
43	ὁ ἀπό			* [ὁ] ἀπό	

Mk	N[25]			N[26]	
46	κατέθηκεν	G	*	ἔθηκεν	
	μνήματι			μνημείῳ	
16, 1	[ἡ] Μαρία ἡ Μαγδαληνή		*	Μαρία ἡ Μαγδαληνή	
2	† [τῇ] μιᾷ			τῇ μιᾷ	
	μνῆμα			μνημεῖον	
4	ἀνακεκύλισται		(*)	ἀποκεκύλισται	
	Luke				
1,15	κυρίου			[τοῦ] κυρίου	
2,12	σημεῖον	G		τὸ σημεῖον	
19	Μαρία	G		Μαριάμ	
26	πρὶν ἤ			πρὶν [ἤ]	
35	καὶ σοῦ δέ			καὶ σοῦ [δέ]	
48	ζητοῦμέν σε			ἐζητοῦμέν σε	
52	ἐν τῇ σοφίᾳ			[ἐν τῇ] σοφίᾳ	G om.
3, 2	Καϊαφᾶ			Καϊάφα	
3	τὴν περίχωρον		(*)	[τὴν] περίχωρον	G om.
5	εὐθείας			εὐθείαν	
20	κατέκλεισεν (GNT)	G		[καὶ] κατέκλεισεν	
24	Ματθάτ (GNT)	G*		Μαθθάτ	
35	Σάλα			Σαλά	
4, 8	προσκυνήσεις			κύριον τ. θ. σου προσκυνήσεις	
	κύριον τὸν θεόν σου	G			
17	ἀνοίξας		t	ἀναπτύξας	
	† [τὸν] τόπον	G om.		τὸν τόπον	
41	κραυγάζοντα (GNT)			κρ[αυγ]άζοντα	
5, 2	πλοιάρια	G		πλοῖα	
	ἁλεεῖς	G		ἁλιεῖς	
9	ἰχθύων ᾗ	G		ἰχθύων ὧν	
39	καὶ οὐδείς			[καὶ] οὐδείς	
6, 3	ὁπότε	G	*	ὅτε	
	ὄντες		*	[ὄντες]	
4	ὡς			[ὡς]	
15	† [καὶ] Ἰάκωβον			καὶ Ἰάκωβον	
26	καλῶς ὑμᾶς	G		ὑμᾶς καλῶς	
33	καὶ γάρ			καὶ [γάρ]	G om.
34	δανείσητε	G		δανίσητε	
	δανείζουσιν (GNT)	G		δανίζουσιν	
35	δανείζετε (GNT)	G		δανίζετε	
36	καθὼς			καθὼς [καί]	
48	προσέρρηξεν	G		προσέρηξεν	
49	προσέρρηξεν	G		προσέρηξεν	
7,12	καὶ αὔτη	G		καὶ αὐτή	
39	[ὁ] προφήτης		t	προφήτης	
41	δανειστῇ (GNT)	G		δανιστῇ	
45	διέλειπεν	G		διέλιπεν	
8,29	παρήγγελλεν	G		παρήγγειλεν	
	διαρησσων			διαρρήσσων	
	ἀπὸ τοῦ δαιμονίου			ὑπὸ τοῦ δαιμονίου	

Lk	N^{25}			N^{26}	
8,41	Ἰησοῦ	G		[τοῦ] Ἰησοῦ	GNT τοῦ
42	αὕτη			αὐτή	
43	ἥτις		t	*ἥτις [ἰατροῖς προσαναλώσασα ὅλον τὸν βίον]	
52	οὐκ	G		οὐ γάρ	
9, 2	ἰᾶσθαι		t	*ἰᾶσθαι [τοὺς ἀσθενεῖς]	
3	ἀνὰ δύο		t	[ἀνὰ] δύο	
9	[ὁ] Ἡρῴδης	G		Ἡρῴδης	
13	φαγεῖν ὑμεῖς			ὑμεῖς φαγεῖν	
14	ὡσεί			[ὡσεί]	
18	οἱ ὄχλοι λέγουσιν	G		λέγουσιν οἱ ὄχλοι	
24	ὃς γὰρ ἐάν			ὃς γὰρ ἄν	
28	καὶ παραλαβών			[καὶ] παραλαβών	
32	εἶδαν			εἶδον	
39	μόλις			μόγις	
49	ὁ Ἰωάννης (GNT [ὁ])			Ἰωάννης	
50	Ἰησοῦς			ὁ Ἰησοῦς	
52	ὥστε ἑτοιμάσαι	G		ὡς ἑτοιμάσαι	
59	ἐπίτρεψόν μοι	G		[κύριε,] ἐπίτρεψόν μοι	
	πρῶτον ἀπελθόντι			ἀπελθόντι πρῶτον	
10, 1	ἀνὰ δύο			ἀνὰ δύο [δύο]	
7	ἔσθοντες	G		ἐσθίοντες	
19	ἀδικήσει	G		ἀδικήσῃ	
21	τῷ πνεύματι	G		[ἐν] τῷ πνεύματι	
27	τῆς καρδίας			[τῆς] καρδίας	
32	κατὰ τὸν τόπον	G	t^m	[γενόμενος] κατὰ τὸν τόπον	
35	δύο δηνάρια ἔδωκεν	G		ἔδωκεν δύο δηνάρια	
38	αὐτὸν εἰς τὴν οἰκίαν	G*	t	αὐτόν	
39	Μαριάμ, ἥ			Μαριάμ, [ἥ]	
40	κατέλειπεν	G		κατέλιπεν	
	εἰπὸν οὖν			εἰπὲ οὖν	
42	ὀλίγων ... ἢ ἑνός	G	t	ἑνός ...	
11, 2	ἐλθάτω			ἐλθέτω	
10	ἀνοιγήσεται		t	ἀνοιγ[ήσ]εται	GNT ἀνοίγεται
11	μὴ ἀντὶ ἰχθύος	G	t	καὶ ἀντὶ ἰχθύος	
13	ὁ ἐξ οὐρανοῦ		t	[ὁ] ἐξ οὐρανοῦ	
14	καὶ αὐτὸ ἦν κωφόν		t	[, καὶ αὐτὸ ἦν] κωφόν	
15	εἶπαν (GNT)			*εἶπον	
15b.18.19	Βεεζεβούλ			Βεελζεβούλ	G*
24	λέγει (GNT)	G	t	[τότε] λέγει	
30	[ὁ] Ἰωνᾶς			Ἰωνᾶς	
33	οὐδὲ ὑπὸ τὸν μόδιον		t	*[οὐδὲ ὑπὸ τὸν μόδιον]	
	φέγγος	G		φῶς	
44	οἱ περιπατοῦντες			[οἱ] περιπατοῦντες	
12, 3	ταμιείοις	G		ταμείοις	
4	ἀποκτεννόντων			ἀποκτεινόντων	
21	αὑτῷ			ἑαυτῷ	
22	τῷ σώματι [ὑμῶν]			τῷ σώματι	
24	οὔτε σπείρουσιν οὔτε	G		οὐ σπείρουσιν οὐδέ	
	ταμιεῖον	G		ταμεῖον	
27	οὔτε νήθει οὔτε ὑφαίνει		t	αὐξάνει· οὐ κοπιᾷ οὐδὲ νήθει	

Lk	N^{25}			N^{26}	
28	ἀμφιάζει (GNT)			ἀμφιέζει	
53	θυγατέρα	G		τὴν θυγατέρα	
54	νεφέλην	G		[τὴν] νεφέλην	
56	οὐ δοκιμάζετε	G	t	οὐκ οἴδατε δοκιμάζειν	
13, 5	μετανοήσητε	G		μετανοῆτε	
7	ἔκκοψον	G	t	ἔκκοψον [οὖν]	
11	ἀνακῦψαι			ἀνακύψαι	
21	ἔκρυψεν			[ἐν]έκρυψεν	GNT ἐνέκρυψεν
27	οἶδα	G	t	οἶδα [ὑμᾶς]	
35	ἥξει ὅτε		t	[ἥξει ὅτε]	
14, 1	τῶν Φαρισαίων			[τῶν] Φαρισαίων	
13.21	ἀναπήρους	G		ἀναπείρους	
26	πατέρα αὐτοῦ	G		πατέρα ἑαυτοῦ	
29	μή ποτε			μήποτε	
15,16	γεμίσαι τὴν κοιλίαν αὐτοῦ	G	t	χορτασθῆναι	
29	πατρί	G		πατρὶ αὐτοῦ	
16, 4	οἴκους ἑαυτῶν (GNT)	G		οἴκους αὐτῶν	
12	ἡμέτερον		t	ὑμέτερον	
	δώσει ὑμῖν (GNT)	G		ὑμῖν δώσει	
17, 1	οὐαὶ δέ	G		* πλὴν οὐαί	
6	συκαμίνῳ ταύτῃ			συκαμίνῳ [ταύτῃ] G om.	
12	ἀπήντησαν	G		ἀπήντησαν [αὐτῷ]	
17	οὐχ οἱ	G		οὐχὶ οἱ	
	† οἱ [δὲ] ἐννέα			οἱ δὲ ἐννέα	
23	ἰδοὺ ὧδε	G	t	* [ἢ] ἰδοὺ ὧδε	
24	ἐν τῇ ἡμέρᾳ αὐτοῦ		t	[ἐν τῇ ἡμέρᾳ αὐτοῦ]	
33	καὶ ὃς ἂν ἀπολέσει	G		* ὃς δ᾽ ἂν ἀπολέσῃ	
18, 4	μετὰ ταῦτα δέ	G		μετὰ δὲ ταῦτα	
11	ταῦτα πρὸς ἑαυτόν	G	t	πρὸς ἑαυτὸν ταῦτα	
12	ἀποδεκατεύω			ἀποδεκατῶ	
19	† εἷς [ὁ] θεός			εἷς ὁ θεός	
24	αὐτὸν ὁ Ἰησοῦς	G	t	αὐτὸν ὁ Ἰησοῦς [περίλυπον γενόμενον]	
29	εἵνεκεν	G		ἕνεκεν	
30	λάβῃ			[ἀπο]λάβῃ	GNT ἀπολάβῃ
19, 8	ἡμίση μου			ἡμίσιά μου (GNT ἡμίσειά μου)	
9	† Ἀβραάμ [ἐστιν]			Ἀβραάμ ἐστιν	
15	τίς τί διεπραγματεύσατο		t	τί διεπραγματεύσαντο	
17	εὖ γε			εὖγε	
29	Βηθανίαν			Βηθανία[ν]	GNT Βηθανιά
	ἐλαιών			ἐλαιῶν	
36	ἱμάτια ἑαυτῶν	G		* ἱμάτια αὐτῶν	
20, 9	ἄνθρωπος	G	t	* ἄνθρωπός [τις]	
	ἐξέδοτο	G		ἐξέδετο	
27	ἀντιλέγοντες (GNT)		t	* [ἀντι]λέγοντες	
44	αὐτὸν κύριον	G		κύριον αὐτόν	
45	μαθηταῖς	G	t	* μαθηταῖς [αὐτοῦ]	
21, 1	γαζοφυλακεῖον	G		γαζοφυλάκιον	
11	λοιμοὶ καὶ λιμοί			* λιμοὶ καὶ λοιμοί	
19	κτήσεσθε		t	κτήσασθε	

Lk	N^{25}			N^{26}	
37	ἐλαιών	G		ἐλαιῶν	
22, 7	ᾗ ἔδει	G		[ἐν] ᾗ ἔδει	
16	οὐκέτι οὐ μή	G	t	* οὐ μή	
18	λέγω γὰρ ὑμῖν			* λέγω γὰρ ὑμῖν [ὅτι]	
19-20	† ⟦τὸ ὑπὲρ ὑμῶν… ἐκχυννόμενον⟧ (GNT)		t	*sine* ⟦ ⟧	
34	μὴ εἰδέναι			* εἰδέναι	
61	λόγου	G		* ῥήματος	
23,11	ὁ Ἡρῴδης		t	[καὶ] ὁ Ἡρῴδης	
12	πρὸς αὐτούς (GNT)		t^m	πρὸς αὑτούς	
28	Ἰησοῦς			[ὁ] Ἰησοῦς	
31	ἐν ὑγρῷ			ἐν τῷ ὑγρῷ	
39	ἐβλασφήμει αὐτόν			ἐβλασφήμει αὐτὸν λέγων	
50	ἀνήρ^2			[καὶ] ἀνήρ	
24, 6	† ⟦οὐκ ἔστιν ὧδε, ἀλλὰ ἠγέρθη⟧		t	* *sine* ⟦ ⟧ (GNT^2)	[GNT^1]
12	*vers. in apparatu*		t	*vers. in textu* (GNT^2)	[GNT^1]
	πρὸς αὑτόν			πρὸς ἑαυτόν	
27	διηρμήνευσεν	G		διερμήνευσεν	
32	ἐν ἡμῖν		t	[ἐν ἡμῖν]	
36	*app.*	G	t	καὶ λέγει αὐτοῖς· εἰρήνη ὑμῖν (GNT^2)	[GNT^1]
40	*app.*	G	t	*vers. in textu* (GNT^2)	[GNT^1]
49	καὶ ἰδού		t	καὶ [ἰδού]	
	ἐξαποστέλλω	G		ἀποστέλλω	
50	ἕως	G		[ἔξω] ἕως	
51	*app.*	G	t	καὶ ἀνεφέρετο εἰς τὸν οὐρανόν (GNT^2)	[GNT^1]
52	*app.*	G	t	προσκυνήσαντες αὐτόν (GNT^2)	[GNT^1]

As can be seen from the list, the new text sometimes differs from both N^{25} and GNT^2. The common reading of N^{25} and GNT^2 is abandoned in Mt 1,24; 5,9; 6,33; 9,4; 12,15; 14,28.30; 15,15; 16,12; 20,23.30^a.31^a; 21,33; 23,4; Mk 3,7; 4,28^a; 5,2.42; 7,6; 8,34; Lk 3,20.24.35; 4,41; 6,34^b.35; 7,41; 9,49!; 11,15.24; 12,28; 16,4.12^b; 20,27; 22,19-20; 23,12. Brackets are used for «mean» readings between N^{25} and GNT^2 in Mt 4,24; 9,14; 13,40; 14,10.12.29; 15,2.14; 17,24; 19,21; 25,6.22; 26,36!.45; 28,14; Mk 1,4; 3,17.32; 4, 28^b; 5,21; 10,25; 15,36; Lk 11,10; 13,21; 18,30; 19,29. And besides the GNT readings adopted against N^{25} (listed above) the reading of N^{25} has been preferred against GNT^2 in the following instances (not referred to in our list): Mt 1,20; 3,12*; 4,(2.)5.9; 5,13; 6,(1.)4; 7,5; 8,23*; 9,(17.)27; 10,14*; 13,22; 18,19; 20, 30^b.31^b; (21,33); 23,9; 24,31.33.37.38; 25,9; 26,36; 27,59*.61; 28,1.18; Mk 1,(13.)21; 2,16*; 3,20; 4,28^b; 5,10; 6,2*.8.9*.20.35*.37; 8,16.35*; (9,16); 10,2.46*; 11,22*; 13,1*; 14,10*.20*; 15,2*.20$^{a.b}$.35; 16,1*; Lk 5,2; 7,47; 8,26*.37;

9,48*.62; 10,15; 11,11.20; 12,11*.22; (13,4.9.11); (14,32); 15,13; 18,25*; 19,22.25; (20,9); 21,35; 22,43-44; 23,34^{a.b}.42; 24,3.47. (The parentheses indicate some minor changes, not mentioned in Metzger's list. The asterisk refers to *The Minor Agreements.*)

In the apparatus of the *Synopsis*[9] (and in *Novum Testamentum Graece*[26]: cf. the specimen page) the obelus (†) indicates N^{25} readings which are no longer printed in the text. (For information about readings included in the apparatus of GNT^3 and in the *Textual Commentary*, see our list above.) It should be noted that already in the 25th edition the insertion of variation-signs indicated less certainty of the given text and a few new readings were marked there in the apparatus as "solche Lesarten, welche ernstlichen Anspruch auf Ursprünglichkeit haben" (p. 31*; cf. Mt 21,29-31; Mk 1,4; 7,4; Lk 10,42; 24,51.52).[2] It can be expected that the practical advantages of the new Textus Receptus will not preclude consultation of the critical apparatus.[3] [See Additional Note, p. 898.]

* * *

N^{26} Readings in *Duality in Mark* and *The Minor Agreements*

I. Duality in Mark

4. *Cognate Verbs*

p. 79	8,34	ἀκολουθεῖν ... ἀκολουθείτω
p. 81	15,9.12	θέλετε ... θέλετε
	15,46; 16,3.4	προσεκύλισεν ... ἀποκολίσει ... ἀποκεκύλισται

5. *Double Participle*

p. 82	1,4	[ὁ] βαπτίζων ... καὶ κηρύσσων
	1,40	παρακαλῶν ... [καὶ γονυπετῶν] καὶ λέγων
p. 83	15,36	δραμὼν ... [καὶ] γεμίσας ... περιθείς

8. *Double Negative*

p. 88	9,8	οὐκέτι οὐδένα ... ἀλλά
	13,31	οὐ μὴ παρελεύσονται

9. *Negative-Positive*

p. 92	9,8	οὐκέτι οὐδένα ... ἀλλά

2 The sign ! is added in Nestle's edition from [20]1950 on (for Lk 24,51.52 from [21]1951 on).

3. R. Pesch who in preparing his commentary on Mark (vol. I, 1976) was acquainted with Metzger's supplementary volume to GNT^3, retained the N^{25} reading in Mk 1,1.4.40; 3,14.32; 6,2.22.41; 7,4.28.35; see also 3,1.8; 4,22; and, differing from both $N^{25.26}$ and GNT^{1-3}, 1,41 (ὀργισθείς) and 6,47 (πάλαι). [Cf. *supra*, pp. 495-497 and 521-523.]

12. *Double Statement: Repetition of the Motif*

p. 97 3,7.8 [ἠκολούθησεν]... ἦλθον πρὸς αὐτόν
3,14.16 καὶ ἐποίησεν δώδεκα... [καὶ ἐποίησεν τοὺς δώδεκα]
p. 99 9,38 om. ὃς οὐκ ἀκολουθεῖ ἡμῖν
p. 100 14,68.72 [καὶ ἀλέκτωρ ἐφώνησεν]... ἀλέκτωρ ἐφώνησεν

13. *Synonymous Expression*

p. 105 12,23 ἐν τῇ ἀναστάσει [ὅταν ἀναστῶσιν]

15. *Apposition*

p. 107 1,1 Ἰησοῦ Χριστοῦ [υἱοῦ θεοῦ]

18. *Correspondence in Narrative*

p. 113 15,46.47 ἔθηκεν αὐτὸν ἐν μνημείῳ
ἐθεώρουν ποῦ τέθειται (cf. 16,6)

20. *Narrative and Discourse*

p. 119 15,46-47; 16,6 ἔθηκεν αὐτὸν ... ἐθεώρουν ποῦ τέθειται
ἴδε ὁ τόπος ὅπου ἔθηκαν αὐτόν

25. *Double Question*

p. 125 4,40 τί δειλοί ἐστε;
οὔπω ἔχετε πίστιν;

II. The Minor Agreements

(See the readings marked by an asterisk in the list above.)

1. καί *in Mark*

p. 205 Mk 1,14* δέ Lk 4,14 καί (N[25] Mk 1,14* καί, p. 204)

4. *Asyndeton in Mark*

p. 211 Mk 12,9 τί [οὖν]

5. ὅτι *recitative*

p. 215 Mk 4,21 om. (5c)

9. ἀλλά *in Mark*

p. 222 Mk 9,8 οὐδένα... ἀλλά (9B)

11. *Imperfect*

p. 230 Mk 3,8 ἐποίει
p. 231 Mk 5,8 diff.: Lk 8,29 (παρήγγειλεν)
Mk 5,24 diff.: Mt 9,19 (ἠκολούθησεν)
Mk 6,6 ἐθαύμαζεν

p. 236 Mk 10,19 diff.: Mt 19,18 (εἶπεν)
Mk 15,36 diff.: Mt 27,49 ἔλεγον
p. 237 Lk 2,48 ἐζητοῦμεν
p. 238 Lk 7,45 (διέλιπεν)
Lk 10,40 (κατέλιπεν)

14n. *Use of the Substantive*

p. 246 Mk 3,14 [... ἀποστόλους ...]

15. λέγων *in Matthew and Luke*

p. 247 Mk 12,14 diff.: Mt 22,16 λέγοντες
p. 248 Mk 1,15 καὶ λέγων 1,25 λέγων 15,4 λέγων
p. 249 Mk 15,29 (but see Lk 22,39)

18. *Compound Verb in Matthew and Luke*

p. 252 Mk 15,46 ἔθηκεν
p. 253 Mk 4,7 diff.: Mt 13,7 ἔπνιξαν
Mk 5,22 diff.: Mt 9,18 ἐλθών
p. 254 Mk 10,30 diff.: Lk 18,30 [ἀπο]λάβῃ
Mk 12,18 diff.: Lk 20,27 [ἀντι]λέγοντες

22. *Defining the Subject*

p. 263 Mk 6,37 diff.: Mt 14,16 ὁ δὲ Ἰησοῦς

23. *Defining the Object*

p. 268 Mk 4,11 par.: Mt 13,11 αὐτοῖς
Mk 12,16 par.: Mt 22,21 αὐτῷ
p. 270 Mk 6,44 [τοὺς ἄρτους]

24. *Verb Supplied in Matthew and Luke*

p. 272 Mk 2,25 diff.: Lk 6,3 [ὄντες]

26. εὐθύς *in Mark*

p. 275 Mk 5,2 εὐθύς
Mk 5,42[b] [εὐθύς]
Mk 7,35 [εὐθέως] ἠνοίγησαν (om. before ἐλύθη)
Mk 11,2 diff.: Mt 21,2 εὐθέως
Mk 14,72 diff.: Mt 26,74 εὐθέως
p. 276 Mk 6,45 diff.: Mt 14,22 εὐθέως

28. πολλά *in Mark*

p. 278 Mk 2,18 diff.: Mt 9,14 νηστεύομεν [πολλά]
Mk 6,23 ὤμοσεν αὐτῇ [πολλά]

30. *Titles*

p. 280 Mk 10,47 diff.: Mt 20,30 [κύριε]

31. *Prepositions*

p. 281 Mk 1,8 ἐν πνεύματι
Mk 10,25 diff.: Mt 19,24 διελθεῖν (... εἰσελθεῖν)
p. 282 Mk 16,4 ἀποκεκύλισται
p. 283 Mk 4,7 diff.: Mt 13,7 ἔπνιξαν

32. *Vocabulary*

p. 284 Mk 8,34 ἀκολουθεῖν Mt ἐλθεῖν Lk ἔρχεσθαι
Mk 10,25 diff.: Mt 19,24 τρυπήματος
Mk 10,30 par.: Mt 19,29 ἑκατονταπλασίονα

33b. *Use of the Article*

p. 287 Mk 3,1 εἰς τὴν συναγωγήν
Mk 9,2 τὸν Ἰωάννην
Mk 10,21 diff.: Mt 19,21 [τοῖς] πτωχοῖς
Mk 10,25 [τῆς] τρυμαλιᾶς [τῆς] ῥαφίδος
Mk 10,31 [οἱ] ἔσχατοι

ADDITIONAL NOTE

A quite new recension of the text of the Synoptic Gospels is found now in Greeven's Synopsis: Heinrich GREEVEN, *Albert Huck — Synopse der drei ersten Evangelien mit Beigabe der johanneischen Parallelstellen, 13. Auflage, völlig neu bearbeitet — Synopsis of the First Three Gospels with the Addition of the Johannine Parallels, 13th edition, fundamentally revised*, Tübingen, 1981. Cf. F. NEIRYNCK & F. VAN SEGBROECK, *Greeven's Text of the Synoptic Gospels*, in *ETL* 58 (1982) 127-138; J. DELOBEL, *Greeven's Critical Apparatus*, *ibid.*, 139-143.

In our comparative list of N^{25}/N^{26} the letter G indicates that Greeven's reading differs from N^{26} (and, in most instances, agrees with N^{25}). The asterisk denotes incomplete agreement.

Cf. *infra*, pp. 899-924: *The New Nestle-Aland. The Text of Mark in* N^{26}; and G. VAN BELLE, *The Text of John in* N^{26}, in *ETL* 56 (1980) 417-425. See also *infra*, p. 934, n. 3, the references to T. BAARDA (*GTT*, 1980), J. DELOBEL (*Bijdragen*, 1980), and H.J. DE JONGE (*NTT*, 1980). Compare now J.K. ELLIOTT, in *JTS* (1981) and S. LARSON, in *JSNT* (1981): cf. *ETL* 57 (1981) 359-360.

ETL 55 (1979) 331-356

THE NEW NESTLE-ALAND

THE TEXT OF MARK IN N^{26}

The 26th edition of Nestle-Aland (September 1979)[1] is undoubtedly one of the major publications in the field of New Testament scholarship. As a first contribution to the study of the new edition some observations will be made here on the basis of an examination of the text of Mark[2].

1. NESTLE-ALAND, *Novum Testamentum Graece post Eberhard Nestle et Erwin Nestle communiter ediderunt Kurt Aland Matthew Black Carlo M. Martini Bruce M. Metzger Allen Wikgren, apparatum criticum recensuerunt et editionem novis curis elaboraverunt Kurt Aland et Barbara Aland una cum Instituto studiorum textus Novi Testamenti Monasteriensi (Westphalia)*, Stuttgart, Deutsche Bibelstiftung, 1979. In-16°, 11 × 15,5, [IX]-78-779 p., DM 18. Cf. p. IV : "Novum Testamentum Graece 26. neu bearbeitete Auflage".

The volume includes *Novi Testamenti textus* (1-680) and four *Appendices* (683-779): I. *Codices Graeci et Latini* (684-716 : a list of the manuscripts used in the edition with a description of their contents); II. *Textuum differentiae* (717-738 : a collation of the variants in the modern editions T H S V M B N); III. *Loci citati vel allegati* (739-775 : a list of the Old Testament quotations and allusions, referred to in the outer margin of the text); IV. *Signa, sigla et abbreviationes* (776-779). The Introduction is printed in German (*Einführung*, 1*-38*) and in an English translation by E. F. Rhodes (*Introduction*, 39*-72*). *Eusebii epistula ad Carpianum et Canones I-X* are added (73*-78*).

The Introduction is available in French and Spanish in a separate leaflet. In French : *Nestle-Aland Novum Testamentum Graece Editio XXVI^a, Introduction en français*, 40 p.

The Preface (in German) is written by Kurt Aland and Barbara Aland : "Auf die unterzeichneten Herausgeber geht außer dem Text der Einführung das zurück, was den Nestle-Aland vom Greek New Testament unterscheidet : die Gesamtanlage, die Absatzgliederung, die Orthographie und die Interpunktion, die Auswahl der Stellen, zu denen ein kritischer Apparat gegeben wird, wie der herangezogenen Handschriften. Allerdings ist dabei der Charakter der Ausgabe wie der Arbeit des Instituts für neutestamentliche Textforschung, Münster/Westf., zu berücksichtigen" (p. [V]).

2. In *Mark in Greek* (*ETL*, 47, 1971, 144-198) the text of the Gospel of Mark was printed in a typographical arrangement that should "render repetitions and duplications more easily recognizable". The text used there was that of Nestle-Aland ^{25}1963 and Aland's *Synopsis* 1964.

The same text is found in *Duality in Mark* (BETL, 31; 1972), pp. 137-191. The *Appendix to "Mark in Greek"* (pp. 193-201) comprises (besides a division of the Gospel of Mark, p. 193) a complete list of the differences between the text of N^{25} (adopted in *Mark in Greek*) and the United Bible Societies' GNT 1966, ^{2}1968, compared with ς T H h S V M B (pp. 194-198); a complete list of the differences in the punctuation of N^{25} and GNT, compared with H (pp. 198-200); and the differences in text and punctuation in Huck-Lietzmann's *Synopse* (pp. 200-201).

1. *The Changes to the N^{25} Text*

As the N^{26} text is identical to GNT^3, a good number of the new readings were known from Metzger's *Textual Commentary* (1971, available in September 1972), and a full collation could be made from *The Greek New Testament*, Third edition (1975). As far as the text of the four gospels is concerned, N^{26} was already used in 1976 in the 9th edition of Aland's *Synopsis*. In *ETL* 1976 I presented a complete list of the changes of the N^{25} text in the Synoptic Gospels[3].

In the new edition of Nestle-Aland (as well as in *Synopsis* ^{9}1976, ^{10}1978) N^{25} readings which are now in the apparatus are marked with the sign †. This reference system, however, has two limitations. First, changes in orthography are introduced in the text and no variants are noted in the apparatus. In Mark: 1,6 ἐσθίων 1,16.17 ἁλιεῖς *2,4.9.11.12; 6,55 κράβαττος 2,12 εἴδομεν 6,29 ἦλθον 6, 50 εἶδον *7,11 ὠφεληθῇς *12,1 ἐξέδετο *12,4 ἐκεφαλίωσαν 12, 40 κατεσθίοντες *12,41a.b.43 γαζοφυλάκιον 14,63 διαρρήξας. But see *1,9 Ναζαρέτ, with † -ρεθ in the apparatus. (In the instances marked with an asterisk, N^{26} returns to the orthography of the earlier Nestle editions, against Erwin Nestle's "correction" in ^{13}1927-^{25}1963.) Second, the use of brackets is not referred to in the Apparatus. No differences between N and N^{26} are noted for [N] ctr. N^{26}, or N ctr. [N^{26}][4], and bracketed words in N which are omitted in N^{26} are marked with † without distinguishing between N and [N] (cf. Mk 10, 35; 14,20.43; 16,1). In these cases a more accurate description of the N text is supplied in Appendix II.

Of a total of 117 new readings in Mark (changes to the orthography not included) there are 44 cases of texts enclosed within brackets: 1,1.4*.40*; 3,7*.14.16*.17.32*.33.35; 4,28*; 5,21.42*; 6,23. 41.44*.51*; 7,4.6*.35.37; 8,20.28*; 9,42; 10,1*.7.25bis*.31*.36*; 11, 31*; 12,9.23*.26bis.34*.37*; 13,15*.33*.47*.68; 15,12^a.12^b*.36.43*. (The readings are quoted in *ETL* 1976, pp. 369-372. The asterisk in this list indicates that the reading is printed in N^{25} without brackets; the other readings are additions to N^{25}.) The function of square brackets is to

3. *The Synoptic Gospels according to the New Textus Receptus*, in *ETL* 52 (1976) 364-379. On p. 369 Mk 1,9 N^{25} Ναραρέθ, N^{26} Ναραρέτ should be added, and on p. 373 Lk 10,19 N^{25} ἀδικήσει, N^{26} ἀδικήσῃ. On p. 367 read Mt 19,17 τήρει.

4. [N] ctr. N^{26}: Mk 1,7.15.25; 2,22.26; 5,2; 14,31; 15,4.29; 16,2; N ctr. [N^{26}]: (1,4); (1,40); 3,7.16.32; 5,21.42; 6,44.51; 7,6; 8,28; 10,1.25.31.36; 11,31; 12,23.34.37; 14,47; 15,12.43.

indicate that a word "in seiner Zugehörigkeit zum ursprünglichen Text nicht gesichert [ist]" (p. 6*). This means that the N^{25} text is not simply abandoned, but remains an alternative reading in N^{26} = GNT^{3}. Fifteen other readings were enclosed within brachets in N^{25} and are now printed in the text without brackets: 1,7.11.15.25; 2,22.26; 5,2; 14,31; 15,4.29; 16,2; or are omitted: 10,35; 14,20.43; 16,1.

Only 58 readings are "new" in the sense of being completely different from the N^{25} text. But with only three exceptions (4,28; $6,22^{b}$; 7,24; complemented in *Synopsis* 1964), these readings are quoted in the apparatus of N^{25}. Two variants are even marked with! (i.e. probably the original text), at 1,4 and 7,4. The Nestle apparatus refers to the editions THW. In the following list I have added the references to Textus Receptus (ς) and von Soden, and, in a third column, Vogels, Merk, Bover.

Almost all these readings were already adopted in GNT, first edition 1966. Only two are new in the third edition (1975): 4,28 εἶτα bis ($GNT^{1.2}$ N εἶτεν bis); 8,34 ἀκολουθεῖν ($GNT^{1.2}$ N ἐλθεῖν).

1,4	+ καί (!)	T	ς S	VM
8	+ ἐν	T	ς S	VMB
14	δέ	T	ς S	VM
27	πρὸς ἑαυτούς	h	ς (αὑ-) S	VMB (αὑ-)
32	ἔδυ	T	ς S	V
40	+ καί		ς [S]	V
3,1	+ τήν		ς S	VMB
3	ξηρὰν χ. ἐχ.	T	s (S ἐξ-)	V
8	ἐποίει	Th	ς S	VMB
11	λέγοντες	Th		
22	Βεελζεβούλ	T	ς S	VMB
25	σταθῆναι	T	ς	
31	ἔρχεται	T		
4,8	ἕν (ter)	h (2.3)	ς	V B
16	— ὁμοίως			
20	ἕν (ter)	h	ς	V B
21	— ὅτι		ς S	VM
22	— τι	(H)		B
28	εἶτα, εἶτα		ς S	V B
	σῖτον	H	ς S	VMB
40	— οὕτως	H		B
	οὔπω	H	S	B
5,6	αὐτῷ	T	ς s	V
27	— τά		ς S	V B
6,2	— οἱ		S	V
6	ἐθαύμαζεν	h	ς S	VMB

22	αὐτοῦ		H	s	
	εἶπεν ὁ β.			ς S	V B
23	ὅ τι (— ὅ)	ὅτι	H	s	
	+ με		(H)W	ς S	VMB
38	ἄρτους ἐχ.		T	ς S	VMB
39	ἀνακλῖναι		Th	ς S	VMB
7,4	βαπτίσωνται (!)		Th	ς (S)	B
9	στήσητε		⊣h⊢		
24	ἠδυνήθη		W	ς S	VMB
28	— ναί		⊣h⊢		
35	— εὐθύς²		H	ς S	VMB
8,3	ἥκασιν		T	ς (-ου-) S	VMB
34	ἀκολουθεῖν		T	S	V B
9,2	+ τόν		Th	ς S	V B
8	ἀλλά		Th	ς S	VMB
38	— ὃς οὐκ ἀκ. ἡμ.		(H)	s	V
43	σκανδαλίζῃ		hW	ς S	VMB
11,11	ὀψίας		hW	ς	V
12,28	ἰδών		T	s	B
13,2	ὧδε		H	S	V B
15	ἆραί τι		T	ς s	B
22	γάρ		H	ς s	VMB
	δώσουσιν		H	ς S	VM
31	+ μή		Th	ς S	VMB
14,72	φωνῆσαι δίς		T	ς S	V
15,1	ποιήσαντες		(H)	ς s	V B
22	μεθερμηνευόμενον		Th	ς S	B
34	λεμα		T	S	
46	ἔθηκεν		H		B
	μνημείῳ			ς S	VMB
16,2	μνημεῖον		H	ς S	VMB
4	ἀποκεκύλισται			ς s	

Three readings are not found in one of the other editions:

4,16 — ὁμοίως D W Θ $f^{1.13}$ 28 565 700 *pc* it $sy^{s.p}$

N[25] εισιν ομοιως | var. ομοιως εισιν

Cf. Tregelles^{marg} [ομοιως]

7,9 στήσητε D W Θ f^{1} 28 565 it $sy^{s.p}$; Cyp

N[25] τηρησητε

Cf. ⊣h⊢ (rejected reading); Griesbach (*valde commendata*).

7,28 — ναί P^{45} W Θ f^{13} 565 700 sy^{s} κυριε· και | D it κυριε, αλλα και

N[25] ναι, κυριε, και | var. + γαρ

Cf. ⊣h⊢ (= D).

As is indicated in Metzger's *Textual Commentary* (pp. 83, 94, 95), the Committee decided to retain these readings at 4,16 (rate B), 7,9 (rate D) and 7,28 (rate B) because of respectable external support (representatives of the Western and the Caesarean types of text), transcriptional probability (ὁμοίως introduced at several places; στήσητε replaced with τηρήσητε, perhaps under the influence of the preceding phrase) and the author's style (ναί being found nowhere else in Mark). "Apparently, the word ναί was introduced here from the parallel passage in Mt 15.27." The variant is marked with *p*) as *lectio e loco parallelo invasa* in the apparatus of *Synopsis*[9.10], though not in N[26].

The sign *p*) is used in N[26], and *Synopsis*[9.10], at 8,34 var. ἐλθεῖν (cf. Tischendorf and Soden: see there also 6,39 ἀνακλιθῆναι; 9,2 om τόν; 9,8 εἰ μή). Ten readings which are now adopted in N[26] were marked as harmonizing variants in N[25] (Tischendorf's remarks on 4,8 and 9,38 are added here):

1,8	ἐν	Mt Lk		13,22[a]	γάρ	Mt	TS
3,1	τήν	Mt Lk	T	22[b]	δώσουσιν	Mt	T
*4,8	ἓν ter	Mt (ὃ μέν)	T	31	μή	Mt Lk	
22	om τι	Lk	TS	15,46[a]	ἔθηκεν	Mt	TS
*9,38	om ὅς...	Lk	TS	46[b]	μνημείῳ	Mt	T
13,2	ὧδε	Mt	T	16,4	ἀποκ.	Mt Lk	TS

The apparatus of GNT[3] refers to the synoptic parallels at 1,8; 9,38; 13,2.22[b]. And in *Textual Commentary* at 13,22[b], the possibility "that δώσουσιν originated through assimilation to the Matthean parallel" is mentioned as a minority opinion. Elsewhere, the "harmonistic" reading is preferred by the Committee on the basis of "the overwhelming weight of Greek manuscript evidence" (1,8), "superior witnesses" (9,38), "preponderant manuscript evidence" (13,2).

The remaining 55 readings can be compared with the text of the editions T H W. N[26] agrees with

Tischendorf	24	
Westcott-Hort	15 † + 14 h	† 4 (H) included
Weiss	4	

Compare

Textus Receptus	41	
von Soden	36† + 9 s	(18 = T; 7 = H; 3 = W) † 1 [S] and 1 (S) included.

and the more recent manual editions:

Vogels	40	(32 = S)
Merk	23	(22 = S)
Bover	35	(26 = S)

These figures give, on the limited scale of the new readings in Mark, an illustration of two conclusions drawn by K. Aland from a more general comparison of the modern editions: "Die Ausgabe von Sodens besitzt eine sehr viel grössere Nähe zu Tischendorf als zu Westcott-

Hort"; and : "die Ausgabe von Sodens hat auf die Handausgaben des 20. Jahrhunderts die stärksten Auswirkungen gehabt".

For the editor of Nestle-Aland[26] there can be no doubt "dass der neue 'Standard-Text' dieser Grundhaltung von Sodens, welcher dem Koine-Text einen grossen Einfluss auf seine Textgestaltung einräumte, entgegenläuft"[5]. In fact the apparatus to the new readings in Mark indicates a decision against the Koine text (𝔐) *and* against von Soden at 4,16; 7,9.28 (the three "new" readings) and in a few other instances (3,31 T; 4,8.20 ς′; 4,40[a]; 15,46[a] H). Agreements of N[26] and S against 𝔐 are rather exceptional (3,3[order]; 4,40[b]; 15,34; and the marginal readings: 6,22[a].23[a]; 9,38; 12,28; 15,1). But in 38 other instances where the sign 𝔐 is used in the apparatus (not at 3,11; 4,22; 9,2; 13,2) N[26] adopts the Koine reading and agrees with S (1,4.8.14.27.32. 40; 3,1.8.22; 4,21.28[a].28[b]; 5,27; 6,6.22[b].23[b].38.39; 7,4.24.35; 8,3-ου-.34; 9,8.43; 13,22[b].31; 14,72; 15,22.46[b]; 16,2), or at least with s (5,6; 13, 15.22[a]; 16,4), or even prefers the Koine reading against S (3,25; 6,2; 11,11).

In addition to the changes in orthography mentioned above, it should be noted that Semitic words are printed without breathings and accents in N[26] (ctr. N) and in GNT[3] (= [1]1966). Cf. Mk 5,41; 7,34; 14,36; 15,34 (all in direct discourse). The "name" Golgotha has the accent at 15,22: Γολγοθάν in N[26] (= N[13-25]) but Γολγοθᾶν in GNT (= N[1-12]). The "translation in Hebrew" at Jn. 19,17 is not accented. In the same context, however, another "translation in Hebrew", Gabbatha at 19,13, without the accent in GNT, is printed with the accent in N[26]: Γαββαθά. Both Gabbatha (19,13) and Golgotha (19,17) are printed with the accent in *Synopsis* [9]1976 (= [10]1978) and *Vollständige Konkordanz* (p. 165a, 190c): Γαββαθά (= N[13-26], ctr. N[1-12]-ᾶ) and Γολγοθᾶ (= N[1-12], ctr. N[13-25]-ά and N[26] -α). A similar confusion is shown with *rabbouni* at Mk 10,51; Jn 20,16: ραββουνι in GNT but ῥαββουνί in N[26] (= N) and *Konkordanz*; the *Synopsis* has ῥαββουνί at Mk 10,51 and ραββουνι at Jn 20,16. The word ῥαββί (9,5; 11,21; 14,45), which is printed as a Semitic word in spaced type in N (= H), takes the normal breathing and accent in N[26] and GNT. Cf. Jn 1,39 ῥαββί, ὃ λέγεται μεθερμηνευόμενον διδάσκαλε!

Another contrast between GNT and N[26] (= N[13-25]) is found with regard to the word χριστός: in GNT (= N[1-12]) it is always printed with a capital, whereas N[26] observes Erwin Nestle's distinction between Χριστός used as a proper name (Mk 1,1; 9,41) and χριστός = the messiah (8,29; 12,35; 13,21; 14,61; 15,32). In GNT Υἱοὶ Βροντῆς (3,17) is also printed as a name (ctr. N[26] N υἱοὶ βροντῆς).

5. K. ALAND, *Die heutigen Ausgaben des griechischen Neuen Testaments*, in *Neutestamentliche Entwürfe* (Theologische Bücherei, 63), München, 1979, pp. 403-413, esp. 412-413.

2. *The Critical Apparatus in N*[26]

The new edition has its *raison d'être* in the critical apparatus: "... von den früheren Ausgaben des Nestle [ist] nichts an Material übernommen, sondern alles neu erarbeitet worden, so daß jetzt — im Gegensatz zu anderen Editionen — nichts mehr aus zweiter Hand, sondern alles aus den originalen Quellen stammt ..." (Preface). The editors can repeat this declaration with respect to the early versions and the Church Fathers[6]. A second characteristic of the critical apparatus concerns the Greek witnesses. Significant Greek manuscripts are cited consistently for each variant: the so-called "constant witnesses" ("*ständige Zeugen*"). When extant for the passage, they are cited *in each instance for each variant*[7]. For Mark the list of constant witnesses includes the papyri P^{45} (!), P^{88}; the uncials ℵ A B C D L W Θ Ψ 059 067 069 072 074 090 092b 099 0103 0104 0107 0112 0126 0130 0131 0132 0133 0134 0135 0143 0146 0167 0184 0187 0188 0213 0214 0215 0235 0250 0263 0269 0274; and among the minuscules the groups f^1 and f^{13} (in N^{25}: λ and φ). Other constant witnesses (for Mark: the uncials K N P Γ Δ and the minuscules 28 33 565 700 892 1010 1241 1424) are cited explicitly only when they differ from 𝔐, i.e. the majority text (*Mehrheitstext*) including the Byzantine manuscripts (in N^{25}: 𝔎) and the constant witnesses which are in agreement with the majority text[8].

The critical apparatus does not include references to the modern editions (in N^{25}: T H W and S)[9]. "Decisions on the original text of the New Testament can be based only on the evidence of the manuscript tradition" (p. 70*). A survey of *variants in the modern editions*, T H S V M B N, is provided in Appendix II: "This summarizes the range of readings which have either been identified as the text, or

6. "All the information in the apparatus about the readings in each of the variants is based on fresh collations, making use of microfilms when critical editions of the version in question were lacking or inadequate" (p. 54*). "All the material from the writings of the Fathers in the following list [p. 62*] has been cited from modern editions. This has not been true of earlier editions" (p. 61).

7. Compare the content analysis of the *Codices Graeci et Latini* in Appendix I.

8. In the new edition "Nestle's group signs 𝔥 (= Hesychian or Egyptian text) and 𝔎 (Koine or Byzantine text) have been discarded... Each of the important witnesses [of the Egyptian text] is now indicated individually so that the reader may have a reliable foundation for making a decision" (p. 46*). "For practical purposes 𝔐 corresponds to Nestle's 𝔎" (p. 47*).

9. With the exception of the references to Nestle-Aland[25] (†): cf. *supra*, p. 332.

considered seriously as possibilities for the text, during the past hundred years" (p. 71*; cf. *infra*, 5b).

Let us take one example: the critical apparatus at Mk 1,8 ἐν before πνεύματι ἁγίῳ in N^{25}, GNT^{3}, *Synopsis* ^{9}1976 (= ^{10} 1978) and N^{26}.

N^{25} εν ℵ ℜ D Θ *pl*; T | *txt* B *pc* | και πυρι P *pc*

GNT^{3} ἐν πνεύματι ἁγίῳ ℵ A D K W Δ Θ Π *f*^{1} *f*^{13} 28 33 565 700 892 1009 1010 1071 1079 1216 1230 1242 1253 1344 1365 1546 1646 2148 2174 *Byz Lect*^{m} it$^{(a),c,d,ff^2,l,q,(r^1)}$ syr$^{p?h?pal?}$ cop^{sa,bo} goth eth Hippolytus Origen // πνεύματι ἁγίῳ B L it$^{aur,b^6}$ vg sy$^{p?h?pal?}$ arm geo Augustine // ἐν πνεύματι ἁγίῳ καὶ πυρί P 1195 1241 *l*^{44m} syr$^{h\ with*}$.

Syn$^{9.10}$ ○ † B *pc* | *txt* ℵ ℜ A D W Θ 0133 *pl* it; Hipp | και πυρι P *pc* sa^{pt}; Hipp.

N^{26} ○ † B L b t vg | *txt* ℵ A D W Θ 0133 f$^{1.13}$ 𝔐 it vg^{mss}; Or.

In addition to ℵ B D Θ (cf. N^{25}) the apparatus of the new edition refers to the constant witnesses A W 0133 (cf. *Synopsis*) and L *f*^{1} *f*^{13} (not indicated in *Synopsis*)[10]. In the other "constant witnesses" (cf. *supra*) the text of Mk 1,8 is lacking, as can be verified in Appendix I.

The manuscripts K P Δ 28 33 565 700 892 1010 1241, which are indicated in GNT (in agreement with *Byz*), are included in 𝔐. According to Appendix I, Γ and 1424 should be added to this list (N: vac. Mc 1,1-5,20...).

The minuscules which "ad 𝔐 pertinent" are carefully listed on p. 711. But neither the Introduction nor the Appendix I gives a list of the uncials which represent the 𝔐 text. For the gospels, the list of ℜ in *Synopsis* (p. XXVIII) includes E F G H S V Y Ω (cf. N^{25}, p. 13*: e.g. E F G H). Metzger adds A K P Π[11]. Three of them, *A (*)K (*)P, are referred to as constant witnesses in N^{26}. At Mk 1,8 Π (cf. GNT) and the other manuscripts are, I suppose, to be included in 𝔐 (compare H and Π in Tischendorf).

At Mk 1,8, GNT also refers to 14 minuscules which are not mentioned as representatives of 𝔐 and, of course, are not constant witnesses in N^{26}: 1071 1195 1216 1230 1242 1253 2148, listed in Appendix I, and 1009 1079 1344 1365 1546 1646 2174, which are not on the list[12]. In this connection, a passage of the Introduction should

10. They are all referred to in GNT with one exception: the uncial 0133, not mentioned in the list of manuscripts (*Introduction*, p. xviii). In *Synopsis* it has been added in the 9th edition (cf. p. XX; compare ^{1}1964, p. XIX).

11. And partially, but not in Mark, W and Ψ. He does not mention Y (omitted also in the list of N^{26}, p. 692). Cf. *Introduction*, p. 213; *Textual Commentary*, p. xxx.

12. One of them (1365) is mentioned in *Synopsis*, p. XXVI (= 1964, p. XXIV). Cf. *infra*, p. 352.

be quoted: "... now we are entering the age of the minuscules ... But we should remember that the selection of minuscules to be included in the number of constant witnesses was made at the beginning of the collations for this edition — for the Gospels before the Acts of the Apostles and the Pauline letters. Subsequently the continuing collation of minuscules ... has led to further discoveries. These results will be duly presented in future editions" (pp. 47*-48*).

In the apparatus at Mk 1,8, N^{26} does not refer to ancient versions other than *it* and *vg* (compare with GNT). Once more, the Introduction can be quoted: "If any versional evidence is found cited elsewhere which is not adduced for a reading in this edition, it may be assumed that its omission here is not only justifiable, but necessary" (p. 55*). In N^{26}, *it* indicates the support of all Old Latin witnesses or of a majority of them. In this case the exceptions are explicitly mentioned (*b t*). But elsewhere the abbreviation *it* is used without any reference to the exceptions. A typical example is the "Western" omission of Lk 24,12[13]. In N^{26}: "D it | *txt* 𝔓^{75} *rell*». What does *it* mean: *omnes vel plerique*? It would be less confusing if a reference to the witnesses in support of the text had been added: *aur c f ff*^{2}.

A last observation regarding the apparatus at Mk 1,8 concerns the variant καὶ πυρί P *pc*, which is noted in the earlier editions of Nestle, in *Synopsis* and in GNT^3, but not in N^{26}. In the same context, compare the variants at 1,5 πάντες καὶ ἐβαπτίζοντο in the Nestle editions (2 3 1 𝔎 *pm* | 2 1 3 φ | 2 3 Θ *pc* | 1 3 א* *pc* | *txt* 𝔖 D *pc*) and adopted in *Synopsis*, with the addition of the witnesses A W $it^{a\ aur\ f}$ sa, but omitted in N^{26}. From the Preface to the new edition we know that the editors are responsible for "die Auswahl der Stellen, zu denen ein kritischer Apparat gegeben wird", and it is said in the Introduction that the different readings accepted in the text editions of T H S V M B N are referred to in the apparatus of N^{26}. But nothing is said about other passages where variants are noted in N^{25}, and in the critical apparatus to the gospel text of N^{26} in *Synopsis* ^{9}1976 (= ^{10}1978), which are now omitted in N^{26}.

*

* *

13. Cf. F. NEIRYNCK, *Lc xxiv 12. Les témoins du texte occidental*, in T. BAARDA, A.F.J. KLIJN, W.C. VAN UNNIK, *Miscellanea Neotestamentica*, vol. I (Suppl. NT, 47), Leiden, 1978, pp. 45-60. Cf. p. 47, n. 14.

The list of "constant witnesses" includes "all available papyri". For Mark this list is extremely short: P[45] (fragm. Mk 4,36-12,28), which is marked with (!) as a very significant witness (third century), and P[88] (Mk 2,1-26; fourth century)[14], not yet mentioned in *Synopsis* [10]1978 (cf. p. xv) and cited here for the first time in the critical apparatus. P[88] is cited as a witness for the reading printed in the text at 2,1.3.4.5.7.12bis.14.16.17.18bis.19.22bis.23.25, and for the following variant readings: 2,5 αφεωνται 9 υπαγε 10 επι της γης/αφ. αμαρτιας 15-16 αυτω και οι γρ. τ. Φαρισαιων. και 16 ησθιεν, + και πινει 17 om. αυτοις 22 + βλητεον. A reference to the "constant" witness P[88] = *txt* could be expected at 2,2 (var. εὐθέως) 4 ὅπου 9 καὶ ἄρον τὸν κράβαττόν σου, and perhaps the insertion of a new variant at 2,11 σοὶ λέγω, ἔγειρε] 3 1 2 P[88] ℵ | 3 W 1093 b c e[15].

In addition, the critical apparatus refers to another papyrus at 2,4.8: P[84vid]. This third papyrus has been used for the first time in *Synopsis* [9]1976. P[84vid] is cited there as a witness for nine Koine readings: 2,4[a] προσεγγισαι, 4[b] εφ ω, 8 αυτοι; 6,31[a] ειπεν, 31[b] αναπαυεσθε, 33 + και συνηλθεν προς αυτον, 34[a] + ο Ιησους. 34[b] αυτοις. 36 αρτους· τι γαρ φαγωσιν ουκ εχουσιν, and P[84], without *videtur*, for Mk 6,40 ανα (bis). In N[26] no variants are noted at 6,31[a].31[b].34[a].36; in four instances (2,4[a]; 6,33.34[b].40) the variant is noted with no reference to P[84]; and only at 2,4[a].8 the witness of P[84vid] is indicated. P[83] and P[84] are the only papyri which are not accepted as constant witnesses in N[26] (cf. p. 688: not marked with an asterisk)[16], but there is no obvious reason for a special treatment of P[84] at 2,4[a].8.

14. Edited by S. DARIS, in *Aegyptus* 52 (1972) 80-88. Cf. K. ALAND, *Repertorium, I Biblische Papyri*, 1976, p. 322.

15. The commentary by the editor of the papyrus (p. 87: σοι λεγω εγειρε *omnes*) should be corrected. His collation was made on the basis of Tischendorf (1869) and von Soden (1913). The reading of ℵ is not mentioned in these editions, but see Tischendorf's edition of the codex (1862 and 1863)!

16. P[83] and P[84] (sixth century; Louvain, University Library, P.A.M. Kh. Mird) were found at Khirbet Mird (Castellion) in 1953. On the expedition under the leadership of Professor R. De Langhe († 1963), cf. J. COPPENS, *La carrière et l'œuvre scientifique de Monseigneur Robert De Langhe*, in *ETL* 40 (1964) 104-125, p. 115: "Ils [les papyri grecs] ont été remis pour examen au professeur Reekmans et à M. l'abbé Van Haelst. Ce dernier est disposé en principe à se charger de la publication, mais jusqu'a présent rien n'a été décidé ou entrepris définitivement". In 1970 both papyri were accepted in the list of N.T. papyri as P[83] and P[84]. Cf. *Bericht (1969)*, Münster, 1970, p. 7: "die Genehmigung zur näheren Untersuchung und Publikation der Texte durch Prof. Aland (sie erfolgt im Muséon) wurde erst 1969 erteilt". Compare *Bericht (1975 und 1976)*, 1977, p. 11: "Immerhin kann jetzt die Publikation eines düsten Markus-Papyrus (mit Versen aus Kapitel 2 und 6) mit einiger Aussicht auf baldige Realisierung angekündigt werden. Allerdings ist er spät (6. Jahrhundert)". The papyrus is, as far as I know,

3. *A Comparison with the Apparatus of Aland's Synopsis*

For a first comparison of Nestle-Aland[26] with the *Synopsis*, in which "an effort has been made to include every significant reading" (*Preface*), we choose the pericope of Mt 14,13-21; Mk 6,30-44; Lk 6, 10-17; Jn 6,1-15. In each of the four gospels there are some passages in which variant readings are noted in the *Synopsis* and not in N[26]:

4 in Mt: 14,14(*2*). 17(*1*). 19(*1*)
28 in Mk: 6,30(*1*). 31(*4'*). 33(*2*). 34(*2*). 35(*2*). 36(*5'*). 37(*3'*). 38(*3*). 39(*1*). 40(*1'*). 41(*2*). 42(*1*). 43(*1*)
12 in Lk: 9,10(*3'*). 11(*2*). 12(*1*). 13(*4'*). 14(*1*). 17(*1*)
13 in Jn: 6,2(*1*). 4(*2'*). 5(*2*). 6(*1*). 7(*2*). 8(*1*). 11(*1*). 13(*1*). 14(*2'*).

In a few instances (8:57) the variants which are now omitted were noted in N[25] (see the exponents added to the numbers), and in four of them the variants are from D (Mk 6,31.36.41; Jn 6,14)[17]. A more systematic examination of the D variants referred to in *Synopsis* has shown that in the following passages of Mk 1 the variant was not accepted in the apparatus of N[26]:

1,2 καθώς] ως ℜ A D W 118 131 *pm*; Or Epiph
7 ἐκήρυσσεν λέγων] ελεγεν αυτοις D (a r¹)
8 ἐβάπτισα] βαπτιζω D it sa
10 σχιζομένους] *p*) ηνοιγμενους D latt georg [cf. app. N[25], N³] (D ηνυγ-)
12 τὸ πνεῦμα] + το αγιον D
18 εὐθύς] ευθεως B C ℜ A D W 074 0135 λ φ *pl* | *txt* ℵ L Θ *pc*
20 εὐθύς] ευθεως C ℜ A D 074 0135 *pm* | — W Θ [→ *20*b]
21 εὐθύς] ευθεως B C ℜ A W Θ φ *pl*; Or^pt [add D] | *txt* ℵ L λ *al*
22 καί²] — D* Θ it

not yet published (cf. *Repertorium*, 1976, p. 318: no description of the content). But some readings at least are known from the *Synopsis* (cf. *supra*). The description of the contents is given there (p. XV) and now in Nestle-Aland[26], p. 688.

Cf. J. VAN HAELST, *Catalogue des papyrus littéraires juifs et chrétiens*, Paris, 1976, p. 136 (nº 370 = P⁸³) and pp. 141-142 (nº 387 = P⁸⁴): "Inédit; J. Van Haelst en prépare la publication." The description of the contents slightly differs from N[26]:

nº 370 PAM 16, recto	P⁸³ P.A.M. 16.29
Mt 20,23-25	Mt 20,23-25.30-31; 23,39-24,1.6

"Fragment d'un feuillet d'un codex: 12 × 10 cm; à pleine page; sur l'un des côtés, restes de 8 lignes; sur l'autre, texte illisible".

nº 387 PAM 26 et 27	P⁸⁴ P.A.M. 4.11.26.27
Mk 2,4-5.8-9	Mk 2,4-5.8-9 (in *Synopsis*: 2,2...)
6,2-31.34.36-37.39-41	6,30-31.33-34.36-37.39-41
Jn 17,5.7	Jn 5,5; 17,3.7-8 (not in *Synopsis*)

"6 fragments d'un codex; le plus grand fragment: 13,5 × 7,5 cm; traces d'une seconde colonne sur 2 fragments. Primitivement environ 30 lignes par colonne".

17. D is one of the witnesses in Mt 14,14; Mk 6,30².34.35.36.37.38².39.41; Lk 9, 13.14.17; Jn 6,4.5.6.7.14.

23 αὐτῶν] *p*) — D *pc* it
24 ὁ Ἰησοῦς] — D W b
30 ἡ ... κατέκειτο] 5 2 1 3 4 D W lat
33 θύραν] + αυτου D it
34 λ. τὰ δαιμόνια] αυτα λ. D it
35 ἀναστάς] — D a c[1] sy[s]
38 ἀλλαχοῦ] — C[3] ℜ A D W Θ 090 0104 0130 λ φ *pl* latt sy[s.p] | *txt* ℌ *pc* [cf. app. N[25], N[3]]
40 αὐτῷ] — D W *al* it sa bo[pt]
ὅτι] — D W
42 εὐθύς] ευθεως C ℜ A D W 090 0130 0133 λ φ *pm*
45 αὐτόν[1]] — D W
ἐπ'] εν C ℜ A D Θ 090 λ φ *pm* latt

Some of these variants are Koine readings and were printed in the Textus Receptus (and Lachmann): εὐθέως in 1,18.20.21.42; ὡς in 1,2; om. ἀλλαχοῦ in 1,28 and ἐν in 1,45. In 1,18 where "the evidence for εὐθύς (against εὐθέως) drops to its lowest", C. H. Turner accepted εὐθέως in the margin[18]. In 1,22 Lk omits καί: "the asyndeton before οὐχ is in Mc's jerky style (cf. x.14), and the addition of καί with Mt. is easier to explain than its omission"[19]. He will be followed by V. Taylor[20]. In 1,34 Turner reads τὰ δαιμόνια λαλεῖν (in the margin λ. τ. δ.) and observes that the order of B is "supported by D Θ and the Latins and syr-sin" αὐτὰ λαλεῖν (cf. Lk)[21]. In Turner's text αὐτόν in 1,45 is enclosed by brackets: "αὐτόν is omitted by D W, and, if omission is right, we can understand why ℵ inserts αὐτόν after δύνασθαι and the rest before δύνασθαι"[22]. More recently, the reading ἔλεγεν αὐτοῖς (against ἐκήρυσσεν λέγων) in 1,7 has been defended by L. Vaganay and M.-É. Boismard[23]. The critics who would discuss these readings will have to use the critical apparatus of the *Synopsis*. In none of these cases the D variant is found in the new Nestle-Aland.

Special attention has been given to the "Western" readings in Mark in the discussion of the minor agreements of Matthew and Luke[24].

18. C.H. TURNER, *A Textual Commentary on Mark I*, in *JTS* 28 (1927) 145-158, p. 153.
19. *Ibid.*, p. 154. Cf. *JTS* 28 (1927), p. 15.
20. V. TAYLOR, *Mark*, p. 173.
21. *Art. cit.*, p. 155.
22. *Ibid.*, p. 158.
23. L. VAGANAY, *Le problème synoptique*, Paris-Tournai, 1954, p. 358; M.-É. BOISMARD, in *Revue Biblique* 73 (1966), p. 340; *Synopse des quatre évangiles en français*, t. 2, Paris, 1972, p. 72. Cf. F. NEIRYNCK, in *ETL* 44 (1968), p. 153; = *Jean et les Synoptiques*, 1979, p. 311.
24. Cf. F. NEIRYNCK, *The Minor Agreements of Matthew and Luke against Mark* (BETL, 37), Leuven, 1974, pp. 21-23. See n. 54, on C.H. Turner and P. Wernle; n. 55:

T. F. Glasson has drawn up a list of D variants in Mark which, in his opinion, could be early corruptions in the copies of Mark used by Matthew and Luke. For J. P. Brown there existed an early revision of Mark, which accounts for the agreements of Matthew and Luke against Mark; and from an examination of 71 readings he concludes that the "Caesarean" text is the best witness to this recension. A cumulative list of the examples cited by Glasson and Brown includes 108 different passages[25]. Some 44 of these variant readings are not referred to in N[26]. With only a few exceptions[26] the readings are found in *Synopsis* (and in eight instances in N)[27]:

N	g	1,10	ηνοιγμενους *p*) D latt georg (cf. *supra*)
N		1,14	+ της βασιλειας ℜ A D W 074 0133 0135 *pm* lat sy^p
N		1,40	+ κυριε *p*) C W Θ *pc* it
		1,42	ευθεως C ℜ A D W 090 0130 0133 λ φ *pm* (cf. *supra*)
	g	2,23[28]	— οδον ποιειν D W it
N		3,1	ξηραν *p*) D (W)
N		3,7	οχλος D lat (sy^s)
N		4,1	πολυς ℜ A D Θ 074 0133 λ φ *pl*
		4,9	ο εχων ℜ A W Θ 0133 λ φ *pm*
	g*	4,11	+ γνωναι *p*) C² ℜ D Θ 0133 *pm* lat sy^p
		4,41	οι ανεμοι ℵ² D W Θ λ *pc* it
		5,27	+ του κρασπεδου *p*) λ *al*
		5,38	ερχεται ℜ W Θ *pm*
		6,33[29]	+ οι οχλοι W φ *pc* sa
		8,4	— ωδε D *pc* it
	g	8,27	— αυτοις ℵ^corr D L Δ *al* lat
		8,31	απο ℜ A W* Γ Δ Θ *pm*
		8,31	τη τριτη ημερα *p*) W λ φ 33 579 *pc* sy^s.p
N	g	9,3	— γναφευς D b

T.F. GLASSON, in *ExpT* 55 (1943-44) 180-184; 57 (1945-46) 53-54; 77 (1965-66) 120-121; n. 56: J. P. BROWN, in *JBL* 78 (1959) 215-227.

25. There is a partial overlapping of the two lists at 2,16; 4,10; 5,12; 14,30; 15,25. Glasson's list includes 41 passages: 20 cases where Matthew and Luke agree with the D reading in Mark (in 1966 he adds four other passages) and 17 cases where Mark and Matthew alone are concerned.

26. 1,41 λεγων; 3,35^g μου αδελφος; 5,1^g — της θαλασσης; 5,14^g* εξηλθον; 5,38 την οικιαν; 12,7^g — εκεινοι; 13,2 καταλυθησεται; 14,20 την χειρα. Compare Tischendorf's apparatus (and for 1,41, cf. HUCK's *Synopse*, ⁸1934, p. 35; for 13,2, cf. W. LARFELD, 1911; for 14,20, cf. HUCK, ⁹1935, p. 185).

27. In the margin: N = Nestle[25]; g = Glasson; g* = Glasson and Brown (at 4,11; see also n. 26: at 5,14).

28. The reading of the *constant* witnesses D and W should be added to the apparatus (var. οδοποιειν...). In addition, since the variant reading οδοιπορουντές (f^{13}) is referred to, τιλλειν (f^{13} and D W; *txt* τιλλοντες) could have been included as well.

29. The omission of πολλοί in f^{13} is mentioned in the apparatus, but not the addition of οι οχλοι after ὑπάγοντες in f^{13}!

9,4 + ιδου *p)* W φ
9,7 + λεγουσα *p)* A D W Θ λ φ 33 *al* lat sy^{p}
9,18 ηδυνηθησαν *p)* W *pc*
N g 10,6 — κτισεως D *pc* b ff^{2} q sy
g 10,7 + και ειπεν *p)* D W Θ φ 565 *al* it
11,2 αγαγετε *p)* Я A D W Γ Θ Φ λ φ 157 *pm*
12,17 αποδοτε τα Καισαρος Я A Γ Φ *pm* lat sy^{h}
12,17 εθαυμαζον D^{corr} L Δ Θ 565 892 *pc* | -ασαν C Я A W Γ Φ λ φ *pl*
12,23 + ουν *p)* D G W Φ λ 565 700 892 *pc* lat
12,37 πως *p)* ℵ* W Θ Ψ λ φ 33 *al* sy$^{s.p}$ sa bo^{pt}
13,30 εως D W Θ λ φ *al*
g 14,12 — αυτου D *pc* lat
g 14,48 — αποκριθεις D it
14,54 ηκολουθει G W Θ Ψ λ φ 565 700 *pc*
g 14,71 — τουτον ℵ D K *pc*
14,72 του ρηματος M W λ φ 700 *pm*
g 15,12 — παλιν D W 13 *pc*
15,14 κακον εποιησεν ℵ Я A D Γ λ φ 33 700 *pm*

There can be no doubt that, in comparison with the critical apparatus of the new Nestle-Aland, the *Synopsis* displays a much wider range of variant readings. This is clearly the case with the harmonistic variants in the synoptic gospels, but not only there[30]. In many instances the apparatus of the new edition has grouped two or more variants of the *Synopsis* into one set of variants. This less atomistic treatment of the readings has made them more "readable". Cf. Mk 1,11.40; 2,27; 3,25; 4,1.40; 6,14; 7,28; 8,2.20.28.29; 9,43; 13,5.25; 14,46.50.61. 72; 15,4.36. Thus at Mk 9,23, N^{26} combines in one note the variants which are dispersed over three notes in *Synopsis*: ⸂τὸ εἰ⸃ ⸀δύνῃ⸆. At closer examination, however, the indication of the subvariants is not always sufficiently clear. At 9,23, for instance, the distinction δυνη/δυνασαι is not made for the groups D *et al.* (f^{13}!) and ℵ *et al.* (L!). Moreover, it should be noted that the variant readings of the constant witnesses within larger ad-omissions are not mentioned:

10,32 οἱ δὲ ἀκολουθοῦντες ἐφοβοῦντο] om D... Compare the variants in *Synopsis*: και (οι δε), + αυτον/αυτω, — εφοβ.
10,34 μαστιγώσουσιν αὐτὸν καὶ ἀποκτενοῦσιν] om. D... Compare the inversion of εμπτυσουσιν and μαστιγωσουσιν in *Synopsis*.
14,3 νάρδου πιστικῆς πολυτελοῦς] om. D. Compare var. πολυτιμου in *Synopsis*.

30. An examination of the variant readings which are suggested by M.-É. Boismard in his commentary on John (1977) leads to the conclusion that at least some of these variants are found in the *Synopsis* and not in N^{26}:
6,23 ἐγγύς] ουσης εγγυς : εγγυς ουσης (om του τοπου) ℵ*
14,30 τοῦ κόσμου ἄρχων] 3 1 2 τουτου : 1 13 565 *al* | 1 2 τουτου 3 : 1093 *pc*
19,20 ὁ τόπος τῆς πόλεως] 3 4 1 2 : W 1 69 565 *pc* lat
Cf. F. Neirynck, *Jean et les Synoptiques*, 1979, pp. 25-27; on 6,23, cf. p. 37.

In other passages the immediately preceding (or following) word is left out of the combination:

3,25 ἡ οἰκία ἐκείνη σταθῆναι. But see δυνήσεται in *Synopsis*. The omission of δυνησ. in 1241 is mentioned as a subvariant in N^{26}.

6,33 πολλοί] αυτους πολλοι | αυτον πολλοι | αυτον.
These variants cannot be isolated from the preceding context: καὶ εἶδεν αὐτοὺς ὑπάγοντας καὶ ἐπέγνωσαν πολλοί. Cf. *Synopsis*. W Θ 700 read πολλοί (without αὐτόν) but have αὐτόν after εἶδον; and f^{13} omits πολλοι but adds οἱ ὄχλοι (with εἶδον).

14,61 πάλιν ὁ ἀρχιερεὺς ἐπήρωτα αὐτόν. N^{26} gives a precise indication of the omission of ὁ ἀρχ. in W. But the addition of ὁ ἀρχ. after καὶ λέγει αὐτῷ in D is not mentioned (cf. *Synopsis*: see the variant λέγων).

16,7 προάγει] ηγερθη απο νεκων και ιδου προαγει f^1 *pc* | ιδου προαγω D k. Compare *Synopsis*: ὅτι προάγει] *p*) ιδου πρ- Θ | οτι ιδου πρ- (W λ) 565 $sy^{s.p}$ | ιδου προαγω D k. The information concerning (λ) is indicated more completely in N^{26} (+ ηγ. απο ν. και) and the text of D is rendered more correctly (the *Synopsis* should add οτι before ιδου). But W Θ and 565 (diff. 𝔐) are "constant witnesses" and should be mentioned here:
Θ ιδου προαγει
565 οτι ιδου προαγει (f^1 οτι... ιδ. πρ.)
W οτι ιδου προαγω (D... με ... ειρηκα)

Besides a typical combination of variants, the critical apparatus of N^{26} also presents new variants which are not yet in the *Synopsis*. Not all these readings have been selected because of their intrinsic value. In Appendix II the survey of the readings adopted in the editions T H S V M B N uses the reference system of the apparatus in order to avoid as much as possible the quotation of the Greek text. The presence of some variant readings can be explained, I presume, by this new function of the critical apparatus:

1,37	ζητοῦσίν σε] ʃ	V	6,2	διδάσκειν ἐν τ. σ.] ʃ	SV
2,5	καὶ ἰδών] ιδ. δε	S	7,27	ἐστιν καλόν] ʃ	S
12	οὕτως οὐδέποτε] ʃ	V	9,5	τρεῖς σκηνάς] ʃ	S
3,11	ἐθεώρουν... λέγοντες] εθεωρει...	V	25	ἐπιτάσσω σοι] ʃ	S
12	αὐτὸν φανερόν] ʃ	V	11,18	ἀρχ. καὶ οἱ γραμμ.] ʃ	S
20	ἔρχεται] ερχονται	SV	30	τό] —	[S]
27	εἰς... σκεύη] ʃ	S	12,28	ἀπεκρίθη αὐτοῖς] ʃ	V
35	ἀδελφή] + μου	V	13,10	πρῶτον δεῖ] ʃ	V
4,8	ἄλλα] αλλο	SV	14,5	ἐνεβριμῶντο] -ουντο	T
32	μεῖζον] μειζων	S	14,11	παραδοῖ] -δω	SV
5,15	τὸν ἐσχ. τὸν λεγιῶνα] —	SV	36	παρένεγκε] -γκαι	S
19	ὁ κύριός σοι] ʃ	SV			

Similar variants, which are not supported by one of the editions, are not found in the apparatus[31]:

31. Compare also 7,5 + λεγοντες; 7,28 + λεγουσα; 8,18 + ουπω νοειτε, ουδε; 9,19 και (instead of ο δε); 9,28 προσηλθον. Cf. V. TAYLOR, *Mark*, p. 42.

10,32 οἱ δέ] καί C2 𝔎 A Φ φ 118 892 *pm*
14,11 αὐτὸν εὐκαίρως] ~ 𝔎 D Γ Φ λ φ 157 565 700 *pm*.

To sum up: the broad spectrum of variant readings in the critical apparatus of the *Synopsis* has not been superseded by the edition of N26. Of course, after the publication of Nestle-Aland26, a revision of the *Synopsis* is needed in which the citation of the witnesses can be adapted to the new system. The apparatus can be complemented from N26 with a number of noteworthy readings (cf. 1,5.42-43; 4,4...) and it can be corrected in many ways[32].

As a contribution to a more accurate apparatus I published in *ETL* 1976 a list of corrigenda concerning the use of the Codex Bezae[33]. A new edition of the *Synopsis* has been published in 101978, but I find no change or correction in this "durchgesehene Ausgabe". In Nestle-Aland26 the references to D are less frequent than in the *Synopsis*[34]. The citation has rightly been deleted at Mt 6,14 and a more specific indication D* is now used at Mt 5,12. But there are still problems with the normalization of the Bezan text (itacistic αι = ε):

		D	D in N26	Compare d
Mt 10,27	κηρύξατε	κηρυσσεται	κηρυσσεται	*praedicate*
Mt 13,30	συναγάγετε	συνλεγεται	συλλεγετε	*colligite*
Mk 13,28	γινώσκετε	γεινωσκεται	(*ex itac.?*) γινωσκεται	*cognoscetis*
Lk 21,31	γινώσκετε	γεινωσκεται	γινωσκεται	*scitote*
Mt 27,65	ἀσφαλίσασθε	ασφαλισασθαι	ασφαλισασθαι	*munite*
Lk 14,17	ἔρχεσθε	ερχεσθαι	ερχεσθαι	*venite*
Lk 19,13	πραγματεύσασθε	πραγματευεσθαι	-εσθαι	*negotiamini*

4. *The Divisions of the Gospel Text*

a. *The Main Sections of Mark*

The Nestle editions indicate the main sections of the Gospel by a space of some lines at 1,9; 6,30; 8,27; 14,1; 16,1. The new edition has somewhat corrected this general division of Mark:

32. Some corrigenda in the citation of D: at 12,21 ὁ τρίτος should be included in the omission; at 14,65 καί is not omitted in D. In both cases N26 is correct. But see 14,58 in N26: put the sign before ἀχειρ., and not before ἄλλον which is read in D.

33. F. NEIRYNCK, *Note on the Codex Bezae in the Textual Apparatus of the Synopsis*, in *ETL* 52 (1976) 358-363. On p. 361, line 1: read D*. See also p. 363, on N26 (Mt 3,16).

34. D is not cited at Mt 12,25; 15,20; 23,4; 24,32; 25,6; Mk 2,13; 3,21; 6,4.21; 7,36; 9,50; 10,5; 11,2.11; 12,17; 14,56.68; Lk 5,26 (ctr. *Synopsis*).

N^{26}		N^{1-25}	
	1,1-13		1,1-8
	1,14–5,43		1,9–6,29
	6,1–8,26		6,30–8,26
	8,27–10,52		8,27–13,37
	11,1–13,37		
	14,1-72		14,1–15,47
	15,1-47		
	16,1-8		16,1-8

Nestle's description of the Prologue as 1,1-8, which clearly depends on Westcott-Hort (1,1-8 John the Baptist, 1,14ff. Jesus' ministry, 14,1 ff. the Passion), is only rarely defended in the studies on Mark (G. Hartmann 1936) and is now replaced by 1,1-13. The alternative solution would be to take 1,14-15 as the conclusion of the Prologue (Keck, Pesch, Gnilka), though N^{26} rightly presents the more common position.

The Nestle division at 6,30 (cf. H. J. Holtzmann : 6,30–8,26; adopted by G. Hartmann and, more recently, R. Pesch) is now abandoned (rightly, I think) and replaced by a division at 6,1. A tripartite structure of 1,14–8,26, with a division at 3,7 and 6,6b, would be a better solution [35].

The divisions at 8,27 and 14,1 are, of course, very common. A division at 11,1 is also generally accepted (though some would prefer to place it at 10,46). But a division at 15,1 is a less acceptable one, because of the unity of 14–15 and the tripartite structure of the second half of the Gospel :

1,1-13	1,14–3,6	8,27–10,52	
	3,7–6,6a	11,1–13,37	
	6,6b–8,26	14,1–15,47	16,1-8

b. *The Paragraph Divisions*

The Introduction of the new edition draws special attention to the system of paragraph division (*Absatzgliederung*) : it "has been developed much more extensively than before, and not simply for greater clarity. It is designed to aid the reader's understanding of the writings by clarifying their structure, e.g., in the Gospels distin-

35. Cf. *ETL* 53 (1977), p. 170, n. 46. The division at 3,7 and 6,6b is adopted by J. Gnilka (1978). In the new edition 6,6b is not even the beginning of a new paragraph : 6,1-13 forms one unit, with vv. 1-6a.6b.7-11.12-13 as subparagraphs (cf. *infra*). Although the connection of the mission of the Twelve with the Nazareth pericope has its defenders (but there are serious objections against it : cf. E. HAENCHEN, *Der Weg Jesu*, p. 221), it is most exceptional not to divide 6,1-13 into two pericopes (at 6,6b or 6,7).

TABLE I: THE PARAGRAPHS IN MARK

Passage	
1, 1	
*2-6	
*7-8	
9-11	
12-13	
14-15	
16-20	19
21-22	
23-28	
29-31	
32-34	
35-38	
*39-45	40!
2, 1-12	
13-14	14
15-17	
18-22	21
23-28	
3, 1-6	
7-12	
13-19	
20-21	
*22	
*23-27	
28-30	
31-35	
4, 1-2	
*3-9	
10-12	
*13-20	
21-25	24
26-29	
30-32	
33-34	
35-41	
5, 1-13	
*14-17	
*18-20	
21-24	22
25-34	
35-43	
6, 1-13	6b.7.12
14-16	
17-20	
*21-29	
30-31	
*32-33	
34	
35-44	
45-52	
53-56	
7, 1-5	
*6-13	
14-15	
17-23	
24-30	
31-37	32
8, 1-9	
10	
11-13	
14-21	
22-26	22b
27-30	
31-33	
34-38	
9, *1	
2-8	
9-10	
11-13	
14-27	
*28-29	
30-32	
33-37	33b
38-40	
41	
42-48	43
49-50	
10, 1	
2-9	
*10-12	
13-16	
17-22	
23-27	
28-31	
32-34	
35-40	
41-45	
46-52	46b
11, 1-10	
11	
12-14	
15-17	
*18	
19	
20-25	*25
27-33	
12, 1-12	12
13-17	
18-27	
28-34	
35-37a	
37b	
38-40	
41-44	
13, 1-2	
3-8	
9-13	
14-17	
18-20	π!
*21-23	
24-27	
28-29	
*30-31	
32	
33-37	*34
14, 1-2	
3-9	
10-11	
12-16	
17-21	
22-25	
26-31	
32-42	
43-47	
*48-52	*50
53-54	
55-64	
65	
66-68	
*69-72	
15, 1	
*2-5	
6-14	
*15	
16-20a	
20b-21	
*22-26	*24
27	
29-32	
33-37	
38-39	39
40-41	
42-47	
16, 1-4	
*5-7	
*8	

guishing the primitive units" (p. 44*). The paragraphs are indicated by indentation and the use of capitals. The text of Mark is divided into 146 such smaller units. At first glance this is in sharp contrast with the 52 paragraphs of the Nestle editions. In fact N^{26} adopted the paragraphs of N (with one exception: 6,6b) and 71 other new paragraphs were indicated in the Nestle editions as subparagraphs (by some space and the use of a capital). Only 23 units are "new" in N^{26}; they are marked with an asterisk in the survey (see Table I)[36].

The new paragraph division has the undeniable advantage of typographical clarity. The synoptic references in the outer margin are much more readable with a paragraph starting on a new line with indentation (see for instance at Mk 1,29). But in 27 instances the synoptic section includes two (or more) paragraphs, and the one paragraph of 6,1-13 comprises two synoptic sections (see the dotted vertical lines in Table I). It also happens that the numbers of the 233 Eusebian sections in the inner margin coincide with a paragraph division, but there are numerous exceptions[37]. On the other hand the promotion of subparagraphs into paragraphs has the effect of making the new edition uncapable of indicating larger sections, pericopes or groups of pericopes, which are of the greatest importance for the study of the composition of the Gospel. See Table I: the heavy vertical line indicates larger sections which were printed as paragraphs in N. The light line refers to GNT pericopes which include more than one paragraph in N^{26} (or subparagraphs in N).

c. *The Punctuation*

The punctuation in the new edition "seeks to follow Greek usage in contrast to the earlier Nestle which was dominated by German usage, and *The Greek New Testament* where the influence is English" (p. 44*). The typical difference in the introduction of direct discourse will remain: a comma followed by a capital in GNT and a colon in the (Tischendorf-)Nestle tradition[38]. The abundant use of German

36. Perhaps 13,18 should be added, though no capital is used in N^{26} (as in N). In the new edition there are 21 instances of a subdivision within a paragraph (the use of a capital and some space). With a few exceptions (marked with*) they are found in N as paragraphs (1,40; 6,7) or as subparagraphs (14,50 in N^{26} for 14,51 in N).

37. The numbers of the *Kephalaia* are also found in the inner margin. The division of the Codex Vaticanus (cf. $N^{13\text{-}25}$) is not reproduced in the new edition.

38. N^{26} differs from GNT at 8,28 ἄλλοι and 7,11.34 ὅ ἐστιν, not followed by a colon. On the contrary, a colon is used with ὅ ἐστιν μεθερμηνευόμενον at 5,41 and

commas was another characteristic of the Nestle text. The comma is now omitted in agreement with GNT in some 80 instances[39], but also in about the same number of instances where the comma is still employed in GNT[40]. A similar proportion is seen where N^{26} has a comma in place of a colon (23 times)[41]. Other changes in punctuation are less frequent (total: about 20) and, as far as I can now tell, not very significant. The general tendency is to prefer a less strong punctuation[42]. The question mark is omitted in 2,25 (ctr. GNT) and in 6,2 (τούτῳ;). Compare also the question mark in GNT at 14,41 and 14,60 (ctr. N and N^{26}) and in N^{26} at 13,4 (ctr. GNT)[43]. At 12,39-40 δείπνοις· οἱ... προσευχόμενοι, οὗτοι... is changed to δείπνοις, οἱ... προσευχόμενοι· οὗτοι..., without any indication of the alternative punctuation in N and GNT[44].

The punctuation apparatus has been reduced to a minimum. Punctuation variants are extremely rare in Appedix II, *Textuum dif-*

15,34, but not at 15,22. In these three passages only a capital, and no comma, is printed in GNT. (See also 3,17, with a proper name; compare 15,22.) At 12,1 the period of N is rightly replaced by a colon in N^{26} (cf. GNT). In this connection it should be noted that in GNT the capital letter is used also when ὅτι introduces direct discourse (cf. 1,15.37.40 etc.). In the Nestle editions there is no such distinction between direct discourse and indirect discourse with ὅτι.

39. Compare the list in *Duality*, pp. 198-200: at Mk 1,15.22.35; 2,2.8.10.19ter.27; 3,6 (Syn).8 (ἐποίει). 9.13.14.28.31; 4,22ª.24.26bis.32.41; 5,2.4.22.23.25.26.28.30.38; 6,27. 37.41.55; 7,2.4; 8,8.18.22.31.34.35bis; 9,12.18.36.41.43.45.47; 10,9.11.12.39; 11,8.27; 12, 26.28.33.34bis; 13,3.9.11.13.19; 14,10bis.14.43.49; 15,7.24.39.43; 16,2.

40. Cf. Mk 1,23.27.34bis; 2,25; 3,5.8bis.17.22; 4,6.19.28bis.30.32.33.37.41bis; 5,3.6. 19.24.29.34.40; 6,7bis.14.22.30.33.34.56; 7,7.18.32.34.35; 8,14.23bis.24.25; 9,2.15; 10,32. 38.43.44.52; 11,4.7.18.29; 12,1ter.2.9.20.21.23bis.28.39; 13,3.4.34bis.37; 14,7.13.16.18.32. 33bis.35.54.66; 15,19.36.42.44.46.

In the earlier Nestle text instances of no punctuation mark in N^{25} and a comma in GNT were exceptional (1,19; 3,28ª; 4,8bis; 6,35; 8,25; 9,50), in contrast with the use of a comma where GNT had none in about 100 instances (cf. n. 39; the comma has been preserved in N^{26} at 3,27.29; 4,15ᶜ.22ᶜ; 6,9; 7,1.20; 8,2.6.8.38; 9,25.35; 10,7. 27.46bis; 12,5ᵇ; 13,4.33; 14,3.38; 15,1). Other differences N^{26}/GNT, not yet mentioned, are found in the list of N^{25}/GNT (= 1966): 1,3.7.21.22; 2,19.22; 3,21.29; 4,1.17.38; 5,3.40.42; 6,5.7.35.42.51; 7,10.19.20.37; 9,12.23.34.48; 10,11.27; 11,29.32; 12,5.14; 13,11. 20.28.35; 14,24.27.45.58.68; 15,23; 16,4.8.

41. In agreement with GNT: 3,16; 4,22; 6,27; 9,6; 10,14.39; 12,12; 13,35; 14,21.22.70; ctr. GNT: 3,7bis; 6,2.50.51 (period); 7,15; 10,43; 11,6.11; 12,39; 14,3.44.

42. In agreement with GNT: period → colon 1,41; 2,22 (GNT dash); 6,26; 12,27; 13,5; 14,1; period → comma 1,19; 13,8. Changes in the opposite direction are in contrast with GNT (* two exceptions): colon → period *1,20; 3,1; 9,39; 12,41; *13,13; comma → colon 4,15; 10,22; 12,39. At 6,34 a comma is added before a causal ὅτι (rightly, cf. GNT, p. xliii).

43. On the double questions in Mark, cf. *ETL* 53 (1977), p. 178; 47 (1971), p. 445; 48 (1972), pp. 191-200 (= *Duality*, pp. 125 and 54-63).

44. Cf. W. BAUER, *Wörterbuch*, art. οὗτος 1, a, ε (col. 1183).

ferentiae (cf. Jn 1,3). At Mk 1,1.3 the critical apparatus refers to the punctuation of *(Ir) Or Epiph* (cf. *Synopsis*, since 1964), but neither the apparatus nor the Appendix refers to T. References to editors are normally excluded from the apparatus. In Mark, I found only two other notes on punctuation: 2,15 (*cf mss*); 13,9 (cf W Θ *pc* ...). As far as the text of the four gospels is concerned, the traditional punctuation apparatus of the Nestle editions, in an adaptation to the N^{26} text, can be found in *Synopsis* ^{9}1976 (^{10}1978)[45].

With respect to the punctuation the editors note that "further revision is always possible" (p. 44*). In a few instances the reviser of N^{26} may prefer to return to the punctuation of N^{25}: cf. 5,(14-)15; 8,23; 11,13. Elsewhere a more consistent correction seems to be advisable. For example, although the colon of 3,16 (Πέτρον·) has been changed into a comma, a colon remains in 3,17 (βροντῆς·), and the comma after Ἰακώβου has been deleted. It would be a better solution to place within commas the parenthetical καὶ ἐπέθηκεν... βροντῆς (within parenthesis marks in Westcott-Hort).

45. Since ^{3}1901 the critical apparatus of the Nestle editions has included puntuation variants of T H h W. Erwin Nestle introduced a special reference system (˙) and other variants were added, some from the *commentatores* (comm.). In the apparatus of the *Synopsis* (1964) the references to the editors are enclosed by square brackets. In Mark: 1,1. 3T. 24TW. 27H; 2,16. 26W; 3,16. 17; 4,15comm; 4,21H; 4,28W; $6,2^1$H. 2^2. 37W; 7,1. 2. 19H; 8,18T. 23Th; 9,10. 11W. 12^1comm. 12^2. 23T. 28W; 10,30comm. 33T; 11,3H. 16. 28W; 12,6T. 39-40ℋ; $13,4^1$T. 4^2H. 9comm; 14,3h. 41comm. 48TW. 60. 64H. 68h; 15,2h. 31-32comm; 16,6comm. 8H. (At 12,29 read h instead of H!) In *Synopsis* the reference at 8,23 (Th) and the variants at 10,33; 11,16; 14,3.41 are omitted (by accident?). At 11,16 and 14,3 the variant was adopted in the text of N^{26}. This also happened at 4,15; $6,2^1$; 11,16; 12,6 and 12,39-40. In 4,15 ὅδον, has been changed into ὅδον· and the apparatus [·comm] into [, comm]. The reference should be corrected: comma W (= $N^{16\text{-}25}$), none T H (= $N^{1\text{-}15}$, GNT). At $6,2^1$, too, the adaptation of the reference (; W) is not correct (; T W). At 12,6 and 39-40 *Synopsis*$^{9\text{-}10}$ has simply deleted the note in the apparatus, although an adaptation of the note would have been useful: 12,6 comma H W N = GNT; 12,39-40 comma colon T h W N = GNT.

Still other variants are mentioned in the punctuation apparatus of the GNT edition, on the basis of H N and ς′ B BF^2 (not T W) and some translations. The two lists are only partially overlapping: 4,28; $6,2^{1.2}$.37; 8,23; $9,12^{1.2}$.23; 10,30.33; 11,16; 12,29; 14,68; 16,6.8 (cf. N^{25}) are not in GNT, and 1,11.19.19-20.44; 2,15; 3,7-8.9-10; 4,13; 6,26.53; 7,3-4; 11,32; 13,34-35; $14,38.41^2$ are added.

5. *The Appendices*

a. *Greek and Latin Manuscripts* (Appendix I)

The list of manuscripts is especially important for those who use the edition because of its precise description of the contents of the "constant witnesses"[46].

A similar list of gospel manuscripts is provided in *Synopsis* ^{9}1976, ^{10}1978 (pp. XIV-XXIX)[47]. The new list adds one papyrus, P^{88} (Mk 2,1-26)[48] and four uncials with gospel fragments: 0271 (Mt), 0272 (Lk), 0273 (Jn) and 0274 (Mk). The list supplies the following information: *0274 | V (century) | inventus: Qasr Ibrim (Nubiae), hodie (?) | Mc 6,56–7,4.6-9.13-17.19-23.28-34-35; 8,3-4.8-11; 9,20-22.26-41; 9,43–10,1.17-22. Nothing is said in the list concerning textual affinities (text-type or family). In the apparatus there are about twenty references to 0274 and its reading is always in support of B L or of one of these manuscripts.

Besides the groups f^1 and f^{13} and the 32 minuscules which have been cited as constant witnesses, the Appendix supplies a long list of minuscules (total: about 200)[49]. The *Synopsis* gives a list of 136 gospel manuscripts, but on the one hand 62 mss. mentioned in *Synopsis* are not on the list of N^{26} and on the other hand 33 gospel mss. of the new list are not in *Synopsis*. The editor's Introduction makes no comment on these differences. At least 1689 and 1709 (cf. p. 13* and 711 : f^{13}) should be listed. And why not 2 (ε 1214) and 7 (ε 287)?

The check-list of the manuscripts would be more useful if some information could be supplied concerning the date of the *availability* of the manuscripts (edition, collation). I am fully aware of the difficulty of compressing an intricate history into one date. But a simple indication concerning the year of the acceptance of the manuscript in the official *Handschriftenliste* would be helpful for many students. It would prepare one for a better understanding of Appendix II in which the text of N^{26} is compared with the text-critical decisions of Tischendorf and Westcott-Hort.

46. Cf. *supra* (section 2), p. 337.

47. In *Kurzgefasste Liste* (1963) the detailed description of the contents (as for the constant witnesses in N^{26}) is supplied for the papyri only (see also *Repertorium*, 1976), and not for uncials and minuscules.

48. Cf. *supra*, p. 340.

49. In addition 623 minuscules ("et permulti alii") of the Koine text are enumerated on p. 711. As I noted above (p. 338) the list of the 𝔐 uncials should be added.

b. *A Collation of T H S V M B N* (Appendix II)

Textuum differentiae is in the strictest sense of the word an "appendix" to the text edition. By making an intelligent use of the Nestle reference signs it has been possible to condense into 22 pages the history of the New Testament text from 1869 to 1979. Nestle-Aland^{26} "not only surveys the results of critical textual studies over the past century, but also permits their assessment (precisely because it provides a critical apparatus for each of the readings in which the seven editions compared differ from the 'standard text'" (p. 71*-72*).

The N^{25} text, already referred to in the critical apparatus with the sign †, is noted again in the Appendix, now with a distinction made between N and [N]. And, to our great satisfaction, the alternative marginal readings of Westcott-Hort are not excluded[50]. In the Appendix the signs h and (H) are used (compare Nestle: h and $\mathcal{H}$; Gregory: h and $H^{\S}$).

"Die Resultate der textkritischen Arbeit der letzten 100 Jahren" (p. 37*), with this limitation however: in so far as laid down in the text editions. There is no reference to the textual studies in commentaries, and decisions on the original text made by a great number of commentators are not retained in the Appendix (cf. Mk 1,41; 8,26; Lk 3,22)[51].

There is another limitation in the fact that the presentation of the Nestle editions has been reduced to a confrontation of N^{26} with N^{25}. In fact, many readings of Nestle have a very simple history: they have been kept as majority texts (THW) in ^{3}1901 through ^{25}1963. But there are noteworthy exceptions. Mk 6,23 με] om. ThN (p. 721): all Nestle editions before 1941 read με on the basis of (H)W, and N stands here for $N^{17\text{-}25}$. Mk 9,8 ἀλλά] ει μη (H)N (p. 721): the reading of $N^{1\text{-}12}$ was ἀλλά and has been corrected by Erwin Nestle in 1927 into εἰ μή on the basis of (H)W against T; N stands here for $N^{13\text{-}25}$. See also Mk 1,25; 10,35; 14,20; 16,1. For the more recent history of the Nestle-Aland text it might have been indicated that the majority of the new readings in N^{26} were already printed in GNT ^{1}1966. In some other instances the GNT reading could clarify some-

50. Cf. F. Neirynck, *La nouvelle Concordance du Nouveau Testament* (ALBO, V/36), Leuven, 1979, pp. 8-9.30-31.42-44. Cf. *ETL* 52 (1976) 135-136; 54 (1978) 336-337; 55 (1979) 42-44.

51. *Ibid.*, p. 8; 30-31, n. 45-47; 43.

what the differences between N and N^{26}. Cf. Mk 5,21 [ἐν τῷ πλοίῳ]: the Appendix does not refer to variant readings. In fact all other editions read ἐν τ. πλ. without brackets. But see GNT: ἐν τ. πλ. is omitted!

At Mk 14,33 ° bis, the indication (H) M N should be corrected: *ut txt* (τον τον om rl). At Mk 1,33 the verse reference is lacking.

c. *The Old Testament Quotations* (Appendix III)

In the text of N^{26} the Old Testament Quotations are not printed in bold face, as in N and GNT, but less conspicuously in italics. "They have also been completely revised" (p. 44*). N^{26} agrees with N regarding the quotations at Mk 1,2.3; 4,12; 7,6-7.10; 10,6.7-8.19; 11,9-10.17; 12,10-11.19.26.29.30-31.32.33a.36; 13,26; 14,27.62; 15,34. On the other hand, allusions to O.T. passages which are indicated in N are referred to in the margin of N^{26} but are not printed as such in the text at 1,44; 2,26; 4,29; 10,27; 12,1.33b; 13,7.8.12.19.22.27; 14, 18.24; 15,29.36. In all these passages N^{26} is in complete agreement with GNT^3 (ctr. GNT^1 at 12,1; 13,19; 15,28), though with some small variations:

10,19 μὴ ἀποστερήσῃς is printed in italics (ctr. N H GNT)
11,10 ἐν τοῖς ὑψίστοις in italics (ctr. N H GNT)
11,17 σπήλαιον λῃστῶν in italics, cf. N H GNT^1 (ctr. GNT^3)
12,26 [ὁ] [ὁ] not in italics (ctr. GNT; not in the text of N H)
12,30 καὶ ἐξ ὅλης διανοίας σου in italics cf. H (ctr. N and GNT)
14,62 ὄψεσθε not in italics, cf. N (ctr. H GNT)
ἐκ δεξιῶν καθήμενον τῆς δυνάμεως not in italics (ctr. N H GNT).

One Old Testament allusion is printed in GNT, and not in N^{26}: 10,4 βιβλίον ἀποστασίου γράψαι καὶ ἀπολῦσαι (= N H). But Old Testament allusions are printed in italics in N^{26} (= N H), and not in GNT^3, at 4,32; 6,34; 8,18; 9,(11).48; 13,14.24-25; 14,34; 15,24 (but see GNT^1 at 8,18; 9,48; 13,14.24-25; 15,24). Some minor changes to the N text should be noted[52]:

4,32 τὰ πετεινὰ τοῦ οὐρανοῦ κατασκηνοῦν, but not ὑπὸ τὴν σκιὰν αὐτοῦ (N H)
9,11 Ἠλίαν δεῖ ἐλθεῖν πρῶτον (not in bold face in N H), and not 9,12 Ἠλίας ἀποκαθιστάνει (N H)
13,25 without σαλευθήσονται (cf. GNT^1), ctr. N (σαλευθήσονται) and H
15,24 αὐτοῦ in italics, ctr. N H GNT^1.

52. The strophic printing of the Old Testament quotations has been expanded to 11,17; 13,24-25; 14,27 in GNT and N^{26}; and 8,18; 15,34 in N^{26}; 14,62; 15,24 in GNT (15,24 and 13,24-25 are not in bold face). The inscription at 15,26, in capital letters in N (= H), is printed in N^{26} in normal type (cf. GNT), but with indentation.

Appendix III contains a list of quotations and allusions in the order of the Old Testament books, with the references of direct quotations indicated in italics as is done in the outer margin of the text. Because of the differences between N^{26} and GNT^{3} a second list of the quotations (in italics) in the New Testament order would be helpful (cf. GNT^{3}, pp. 900-903). Of course, N^{26} provides a much expanded list of allusions. A few figures may suffice here:

	GNT	N^{25}	N^{26}
passages in Genesis	29	77	235
Isaiah	54	185	344
Malachi	2	7	19

A small list B *e scriptoribus graecis* is also included (p. 775). The title *A. Ex Vetere Testamento* is to be understood in a very large sense: the Hebrew Bible (Genesis-Malachi: cf. GNT and N^{25}) but also the books of the Septuagint and the apocryphal litterature (Jub, Ps Sal, Hen, Bar Ap, Ass Mos, Test XII Patr, Vit Ad, Mart Is, Apc Eliae)[53].

6. *The Text-Critical Method*

I would not conclude this presentation of Nestle-Aland[26] without drawing the attention of the reader to the methodological principles underlying this edition of the New Testament text which are clearly expressed by the editors in the Introduction[54].

a. *Die lokal-genealogische Methode*[55]

[Die neutestamentliche Textkritik] kann nicht von einem Stemma der Handschriften und einer vollständigen Übersicht über die Abhängigkeiten der vielfach verzweigten Überlieferung voneinander ausgehen und dementsprechend eine recensio vornehmen, wie das bei anderen griechischen Texten möglich ist, sondern muß von Fall zu Fall neu entscheiden.

Nach einer sorgfältigen Feststellung des äußeren Befundes und seiner Wertigkeit wird ( ) unter den festgestellten (oft sehr zahlreichen) Lesarten die nach äußeren wie inneren Kriterien ursprüngliche, von der alle anderen abhängen, immer von neuem festgelegt.

53. At 1 Cor 2,9: "*Apc Eliae* (sec. Or)". Cf. N^{25} (with question mark); not mentioned in GNT.

54. Cf. p. 5*, 12*, 17*, 25*. I quote here the original German text. The English translation found on p. 43* and 49* can be improved.

55. For the proposal to replace "'eclectic' method" by "local-genealogical method", see K. ALAND, *The twentieth-century interlude in New Testament textual criticism*, in E. BEST & R. McL. WILSON (eds.), *Text and Interpretation. Fs. M. Black*, Cambridge, 1979, pp. 1-14, esp. 9-11. Reprinted in *Bericht 1977-1979*, Münster, 1979, pp. 37-39.

b. *Materialbasis*

Wir haben heute in den frühen Papyri den Text um 200 in breitem Umfang zur Verfügung, und zwar im griechischen Wortlaut.

... unter den Papyri [kommt] 𝔓^{75} eine vorrangige Bedeutung zu. 𝔓^{45} und 𝔓^{66} folgen wertmäßig erst danach.

Die alten Übersetzungen ( ) werden oft ungerechtfertigt überschätzt. Die alten Übersetzungen werden oft ungerechtfertigt in Anspruch genommen.

Neben den Handschriften kommt den Zitaten aus dem Neuen Testament bei den Kirchenvätern () eine besondere, oft unterschätzte, *Bedeutung* zu. () Denn sie erlauben uns, vorausgesetzt, daß der von ihnen benutzte Text genau festgestellt werden kann, die lokale Festlegung bestimmter Lesarten für eine bestimmte Zeit, was die Texthandschriften in der Regel nicht hergeben.

For a more detailed introduction to the theory and practice of New Testament criticism, the reader is referred to the editor's (forthcoming) companion volume[56].

NOTE

NESTLE-ALAND[26], 4. revidierter Druck, 1981.

Dans la nouvelle impression, dont la préface est datée le 1er janvier 1981, des erreurs typographiques («Druckfehler und Versehen») ont été corrigées. Toutes ces corrections, ne sont cependant pas purement typographiques. Dans le texte, l'accent est corrigé en Lc 21,32 ἕως; Ac 16,12 μέριδος; 18,8 Κρίσπος; 1 Jn 2,27 χρῖσμα. Dans l'apparat, la citation des témoins : Mt 1,6 sy^{h} (loco sy^{p}); 1 Co 15,12 + 0270^{vid}; et des conjectures : Ac 16,12 Clericus (loco Turner); Gal 1,10 *J.* Cramer (= Jac.); 1 Tim 6,19 *P.* Junius. Dans l'introduction, p. 27* = 62* : Porphyrius (*Tyrius*?) (loco *Gazensis*); p. 34* = 69* : Mill (loco Mill*s*); p. 37* = 71* : *Wir* glauben, *We* believe; p. 72* : abbr*e*viations. Dans les Appendices, p. 702 : 0270 GX (loco CX); p. 776 : occur*r*entia; p. 777 : occur*r*entes; p. 777 ms(s) codex... (loco singuli...).

Certaines corrections restent des demi-mesures. Ainsi, la mention du prénom des auteurs de conjectures : P. Junius en 1 Tm 6,19 mais Junius en He 12,1; P. Schmiedel en Jn 1,24, 12,7; Rm 9,21 mais Schmiedel en Lc 8,37; Col 2,14. L'omission du trait d'union dans *Liber-Commicus* à la page 715 mais pas à la page 714 (pourquoi pas Liber Comicus?). La forme allemande des noms classiques remplacée par la forme latine : p. 400, *Bak-chen* (= Bacchai) remplacé par Bak-chai; p. 385 : Thu*k*yd; p. 612 : Hera*k*lit. — Cf. *ETL* 57 (1981) 359-360.

56. K. & B. ALAND, *Der Text des griechischen Neuen Testaments* (for students); K. ALAND, *Überlieferung und Text des Neuen Testaments. Ein Handbuch der modernen neutestamentlichen Textkritik* (for advanced scholars).

ETL 55 (1979) 373-381

L'ÉDITION DU TEXTE DE Q

Athanasius Polag vient de publier un petit livre qui mérite notre attention : *Fragmenta Q. Textheft zur Logienquelle*[1]. Il s'agit d'une édition du texte grec de Q, d'une conception assez originale. La reconstruction de Q est présentée sur la page de gauche et, en face du texte, la page de droite comporte un apparat des variantes avec l'inventaire des opinions critiques. Le texte de Q est divisé en 75 sections et imprimé, en caractères fort lisibles, dans un arrangement stichométrique. Les lignes de texte sont numérotées pour faciliter la consultation de l'apparat. Au premier abord, on a l'impression d'avoir en main l'instrument de travail dont se servira désormais tout étudiant de Q. Le *Textheft* de Polag se distingue de la *Q-Synopse* de S. Schulz (1972)[2], et de la *Concordance to Q* de R. A. Edwards (1975)[3],

1. A. POLAG, *Fragmenta Q : Textheft zur Logienquelle*, Neukirchen, 1979, 102 p. A. Polag, depuis 1969 abbé de l'abbaye bénédictine de St Matthias à Trèves, est l'auteur d'une dissertation doctorale sur *Die Christologie der Logienquelle* (Trèves, 1968), précédée en 1966 d'un mémoire de licence sur *Der Umfang der Logienquelle*. Il a publié sa dissertation, légèrement remaniée, en 1977 : *Die Christologie der Logienquelle* (WMANT, 45), Neukirchen, 1977 (IX-213 pages). Une autre publication est annoncée : *Sprache und Gestalt der Logienquelle Q*, dans laquelle on trouvera la justification de sa reconstruction de Q.

Déjà avant cette publication, l'auteur a eu l'amabilité de mettre son travail à la disposition des collègues ; voir H. Schürmann (*Das Lukasevangelium*, 1969) ; D. Lührmann (*Die Redaktion der Logienquelle*, 1969) ; P. Hoffmann (*Studien zur Theologie der Logienquelle*, 1972 ; cf. p. 7-9) ; S. Schulz (*Q-Die Spruchquelle der Evangelisten*, 1972 ; cf. p. 41, n. 191) ; M. Devisch (*De geschiedenis van de Quelle-hypothese*, 1975 ; cf. t. 3, p. 184ss.).

2. S. SCHULZ, *Griechisch-deutsche Synopse der Q-Überlieferungen*, Zürich, 1972 (106 pages ; en supplément à *Q-Die Spruchquelle der Evangelisten*). Il est dit dans la préface (p. 7) que le travail fut rédigé par Roland Gayer, un assistant de Schulz. On y trouve en synopse (deux colonnes : Mt/Lc) le texte grec de Huck-Lietzmann (à gauche) et la traduction allemande du N.T. de U. Wilckens (à droite). L'ordre est celui de l'exposé de Schulz (voir la liste des péricopes dans l'ordre de Mt et de Lc aux pages 102 et 103, les seules pages qui complètent vraiment le livre de Schulz). Le texte de la Synopse, en *scriptio continua* et sans le moindre apparat, n'ajoute rien à celui de Huck-Lietzmann.

3. R.A. EDWARDS, *A Concordance to Q* (Sources for Biblical Study, 7), Missoula (Montana), 1975 (in-4, 186 pages). Seul le vocabulaire commun de Mt et Lc est analysé dans la Concordance, d'abord pour l'ensemble, puis par péricope. L'ordre est chaque fois strictement alphabétique, avec l'inconvénient que οὐρανοῖς en Mt 5,12 est séparé de son parallèle synoptique, οὐρανῷ en Lc 6,23, par 14 lignes de textes (-οις, -ον, -ος, -ου), et qu'il faut tourner la page pour rapprocher les parallèles de οὐ en Lc 7,6 et οὐκ en Mt 8,8. Il serait souhaitable qu'on ne publie pas ainsi en vrac les données de l'ordinateur ! Le texte de base semble être celui de la première édition de GNT. On consultera la Concordance non sans précaution : Lc 6,31 y est analysé mais son parallèle Mt 7,12 a été oublié ; par contre, les mots de Lc 10,12 y figurent deux fois (par Mt 10,15 et par Mt 11,24 !) ; les versets Mt 5,32/Lc 16,18 n'y sont pas.

par une plus grande technicité. Il est sans doute utile de savoir avec précision ce qu'on peut y trouver et dans quelle mésure on peut s'y fier. Cet examen sera en même temps l'occasion de s'interroger sur les principes d'une édition du texte de Q.

1. *La reconstruction de Q*

L'auteur présente son *Textheft zur Logienquelle* comme un instrument de travail pour servir à l'étude de Q. Il veut montrer quelles sont «les possibilités de reconstruction» (p. 6). Il ne se contente pas de la description des différentes hypothèses mais fait connaître aussi son opinion personnelle en la matière. Dans la plupart des cas, il se prononce pour l'appartenance à Q «mit sehr hoher Wahrscheinlichkeit». Des crochets doivent noter les degrés de probabilité inférieurs: (*wahrscheinlich*), [*vermutlich*], ⟨*möglich*⟩. En gros, il suit l'ordre de l'évangile de Luc[4] : [3,2b-4]; 3,7-9.16-17; [3,21b-22]; 4,1-13; 6,12.20-24. 27-49; 7,1-10.18-20.22-28.31-35; 9,57-62; 10,⟨1⟩.2-3; (Mt 10,5b-6); 10,4-16.21-24; 11,2-4.9-26.29-36.39b-44.46-52; 12,2-12; [Mt 10,23]; 12,22-31.(32).33-34.35-36.(37).⟨38⟩. 39-40.42-46.49-53.[54-55]. 56.57-59; 13,18-21.23-30.34-35; 14,[5]*.(15-24).26-27.34-35*; 15,3-7.(8-10); 16, 13*.16-18; 17,1-6.22-24.26-35.37*; [19,12-27]; [22,28-30]*. Les astérisques indiquent ici des passages qui ont été déplacés dans la reconstruction de Polag. On notera également 11,16 qu'il place avant 11,29 (comme il convient), et 6,31 pour lequel il suit l'ordonnance matthéenne (à tort, car la position de Mt 7,12 est très probablement rédactionnelle).

L'Appendice I contient une liste des textes incertains: Lc 4,14-16 (Mt4,12b.13.23.24a); 6,24-26; 11,5-8; 12,1b.47-48; 14,11 = 18,14 (Mt 23, 12); Mt 5,19; Lc 17,7-10 (pp. 84-87). Sur ce point, le jugement de l'auteur semble être un peu plus réservé que dans sa publication de 1977, où il signale tous ces textes (à l'exception de Lc 6,24-26) sous la rubrique d'appartenance possible à Q[5]. On y trouve aussi sous la même rubrique Lc 14,28-30, qu'il ne mentionne plus maintenant, et les formules d'introduction et de transition en Lc 11,1.37-39a.45; 12, 41-42a, qu'il présente maintenant parmi les 21 *Einleitungswendungen* qui sont d'appartenance incertaine (Appendice II, pp. 88-91 : Lc 10,23a; 11,1-2a.37-39a.45-46a; 12,1a.22a.41-42a.54a; 13,18a.20a.23; 14,5a.15-16a.25; 17,11.5-6a.22a.37a; 19,11; Mt 19,28a; Lc 11,5). D'autres textes que Polag avait pris en considération dans ses études antérieures (1966, 1968) sont passés sous silence : Lc 10,17-20; 11,27-28; 16,14-15; Mt 13,44-48; 23,15. Il ne parle pas non plus de Lc 7,29-30 (Mt 21,32) qu'il a toujours refusé (contre Schürmann et autres).

4. Pour les crochets de [3,2b-4], (14,15-24) et (15,8-10), voir pp. 23, 25 et 26. Leur omission aux pages 28, 70 et 72 doit être une erreur.

5. Cf. pp. 1-6 : *Die Gestalt von Q*.

Beaucoup de critiques accepteront de citer Lc 14,15-24; 19,12-27; 22,28-30, entre parenthèses ou crochets dans une reconstruction de Q. Il est moins acceptable de donner une place à Lc 3,2b-4; 3,21b-22 (par Mc); Lc 12,32; 15,8-10 (Sondergut lucanien); Mt 10,5b-6; 10,23 (Sondergut matthéen). On peut exprimer une même réserve à propos de textes qui ne sont même pas mis entre parenthèses: Lc 9,61-62; 17,28-29 (Sondergut). Mais on ne lira pas le Texte sans consulter l'Apparat, et celui-ci indique fort bien que les avis des critiques sont partagés. Du moins, il le fait normalement. Car je l'ai trouvé en défaut à propos de Lc 3,2b-4; 6,12a.17.20a; 11,21-22; 12,11-12; 13,32 (sections nos 1, 5, 30, 41, 43 fin): l'absence de l'indication «*non in Q*...; *in Q*...» donne l'impression que l'ensemble des auteurs accepte leur attribution à Q!

2. *Le Texte*

Le choix personnel de Polag concerne surtout la définition du texte: pour chaque section et chaque phrase qu'il attribue à Q, il détermine la forme du texte qui semble être celle de Q. Il l'imprime comme *Haupttext*, et les variantes du texte de Mt ou/et de Lc sont citées dans l'Apparat. Là où il hésite, il l'indique par l'emploi de crochets dans le texte principal.

On constatera que les cas de doute sont plutôt rares. J'ai noté des crochets aux endroits suivants[6]:

n° 5* (Mt 5,1)
6 (Mt 5,41 vs.) [Lc 6,35]
9 [Mt 10,25a]
12 ⟨Lc 6,47⟩
13* [Mt 8,5b-8a.10.13b]
14* ⟨Mt 11,2⟩ [Lc 7,19]
15* [Mt 11,7]
17* ⟨Lc 9,57⟩
24* ⟨Lc 10,21a⟩
30 [Lc 11,22]
36 [Lc 11,48b]
45 (Lc 12,37) ⟨12,38⟩
54 [Lc 13,25]
55 ⟨Mt 8,11⟩
59 ⟨Lc 14,35b⟩
61 ⟨Lc 15,7b⟩
64 Lc 16,18
66 [Lc 17,2 vs.]
71 [Lc 17,32 vs.]

Il importe cependant de bien lire l'introduction: «Es gibt Stellen, an denen... vermutet werden kann, dass keine der uns vorliegenden Textformen den ursprünglichen Text wiedergibt. Im allgemeinen wird dann derjenigen Textfassung gefolgt, die auch im übrigen Teil der Spruchеinheit den ursprünglichen Text bringt» (p. 9). La déclaration est assez déconcertante: quels sont ces endroits, et comment le lecteur saura-t-il où commence (et finit) *der übrige Teil* de la péricope?

6. L'astérisque indique des sections narratives. Nous ne reprenons pas ici la liste des sections mises entre crochets; voir encore dans ces péricopes: Lc 3,3 ⟨βάπτισμα μετανοίας⟩; Mt 3,3 (διὰ 'Ησ. τ. π.); Lc 3,22 ⟨ὡς περιστεράν⟩ (à corriger en -ά après κατέβη!). Comme on peut le voir, il ne s'agit généralement que de deux, trois mots.

Deux observations sont à faire à propos de la présentation du texte. Les éléments du texte qui ne sont pas attestés par les deux évangiles, Mt et Lc, sont imprimés en caractères plus petits. Le procédé est excellent en soi, mais il est appliqué ici d'une façon très peu satisfaisante : non seulement les différentes formes du même mot mais encore les différences entre le mot et son composé, synonyme ou équivalent ne sont pas marquées. Une équivalence de contenu suffit pour imprimer le mot en gros caractères. Ainsi, dans la section n° 4 (Lc 4,1 ss. et par.) : οὐκ ἔφαγεν (cf. νηστεύσας), ὕστερον (cf. συντελεσθεισῶν αὐτῶν), διάβολος (cf. πειράζων), ἀποκριθεὶς εἶπεν (cf. ἀπεκρίθη), παραλαμβάνει (cf. ἤγαγεν), Ἰερουσαλήμ (cf. τὴν ἁγίαν πόλιν), γέγραπται (cf. εἴρηται); dans la section n° 5 : καὶ ἰδών (Mt 5,1 ἰδὼν δέ / Lc 6,20 καὶ ἐπάρας τοὺς ὀφθαλμοὺς αὐτοῦ εἰς), Lc 6,21 νῦν, νῦν (om. Mt).... Est-ce par erreur que d'autres synonymes ont été imprimés en petit : Mt 13,31 ἐν τῷ ἀγρῷ αὐτοῦ (Lc 13,19 εἰς κῆπον ἑαυτοῦ), Lc 15,4 ἐν τῇ ἐρήμῳ (Mt ἐπὶ τὰ ὄρη), Mt 24,28 τὸ πτῶμα (Lc 17,37 τὸ σῶμα)? On corrigera Mt 5,11 πονηρόν et ὑμῶν (Lc 6,22); Mt 5,25 μετ' (Lc 12,58); et selon les principes de l'édition : Mt 4,1 ἀνήχθη (Lc 4,1 ἤγετο); Lc 10,5 λέγετε· εἰρήνη (Mt 10,12 ἀσπάσασθε)... En Mt 4,8 ὁ διάβολος et καὶ τὴν δόξαν αὐτῶν sont imprimés en gros malgré leur transposition en Lc 4,6, mais les mots ἀκολούθει μοι en Mt 8,22 sont en petit (cf. Lc 9,59). Ailleurs l'identification des parallèles manque de précision. En Mt 7,27 ἡ πτῶσις est imprimé en gros (cf. Lc 6,49 τὸ ῥῆγμα), mais la correspondance entre Mt 7,25 προσέπεσαν et Lc 6,48 προσέρηξεν n'a pas été reconnue (voir aussi Mt 7,27 προσέκοψαν et Lc 7,49 προσέρηξεν). En Lc 11,14 il imprime ἦν ἐκβάλλων en petit et τ. δ. ἐξελθόντος en gros en raison du parallèle ἐθεράπευσεν αὐτόν en Mt 12,22 et ἐκβληθέντος τ. δ. en Mt 9,33!

Les petits caractères ont un autre inconvénient : le texte ne distingue en rien entre les mots attestés par Mt ou Lc et les conjectures de Polag. Ainsi en Mt 4,5 (τότε)/Lc 4,9 (δέ) il propose de lire καί (voir aussi Mt 9,37/Lc 10,2); en Mc 5,1/Lc 6,12 il lit καὶ ὁ Ἰησοῦς; en Mt 5,47/ Lc 6,33 : τίνα μισθὸν ἔχετε; en Lc 6,35 (πλήν) : λέγω ὑμῖν.... On comprend encore moins qu'il imprime des conjectures en gros caractères :

θεοῦ en Luc 6,35 (ὑψίστου) et Mt 5,45 (τοῦ πατρὸς ὑμῶν...);
ὡς en Lc 11,30 (καθώς) et Mt 12,40 (ὥσπερ);
ὅς en Lc 12,9 (ὁ) et Mt 10,33 (ὅστις);
μεμερισμένοι en Lc 12,52 (δια-).

D'autres conjectures reçoivent une place plus modeste dans l'apparat (cf. Lc 9,59; 10,12; 11,24; 13,24).

Une deuxième remarque à propos du texte : il le cite d'après l'édition de GNT[3], toutefois sans tenir compte des crochets (p. 11).

Mais dans les Appendices on retrouve le texte de N^{25}. Voir p. 84 (Lc 6,20) et surtout pp. 92-98 où, dans les passages parallèles en Mc (Appendice III), il ne signale même pas les leçons de GNT^3 (N^{26}) qui sont d'un intérêt évident dans la discussion sur les rapports entre Q et Mc (Mc 1,8 ἐν; 3,25 σταθῆναι; 4,22 τι om.; 8,34 ἀκολουθεῖν). Le texte de Q garde aussi quelques traces de N^{25} (p. 50: Lc 11,15 εἶπαν, 11,15.19 Βεεζεβούλ) ou peut-être de Huck-Lietzmann (cf. p. 46: Mt 10,14 ἐκ). L'Apparat reste parfois fidèle à l'orthographe de N^{25} (cf. Lc 6,48.49; 12,3.24.28; 14,21; Mt 5,42; 24,26; l'ordre des mots en Mt 4,2; Lc 9,59), mais pour les variantes plus importantes il cite le texte de GNT^3 (N^{26}). Il y a une exception notoire à la page 61: Lc 12,27 οὔτε νήθει οὔτε ὑφαίνει, d'après N^{25}, sans faire mention de la leçon de N^{26} αὐξάνει· οὐ κοπιᾷ οὐδὲ νήθει (voir aussi 12,24 οὐ... οὐδέ, ταμεῖον, 28 ἀμφιέζει; 17,23 [ἤ]).

Un apparat critique élémentaire signale des variantes textuelles en Mt 6,33*; 11,12; Lc 3,22 (il adopte la leçon de D it); 4,8*; 7,1.32.35; 10,1.21*; 11,11*.13.20.21.24*.35.48; 12,56*; 13,35*; 17,1*.3. L'astérisque indique des leçons de N^{25}. Il aurait dû noter également

p. 41 Mt 11,8 εἰσίν	N^{25} om.	(Q: Harnack 15, Schulz 229)
p. 69 Lc 31,21 [ἐν]έκρυψεν	N^{25} ἔκρυψεν	(Q: Schmid 300, Schulz 307)
p. 69 Lc 13,27 [ὑμᾶς]	N^{25} om.	(Q: Schulz 426)
p. 71 Lc 14,26 ἑαυτοῦ	N^{25} αὐτοῦ	(Q: Bussmann 80)

Pour les variantes qu'il cite, Polag fait mention des principaux témoins du texte, mais sans jamais se référer aux éditions du N.T. (ni même à N^{25}). L'absence de tels renseignements se fait sentir. Prenons l'exemple de Lc 10,21a. Polag cite Easton et Schmid en tant qu'auteurs qui défendent comme texte de Q: ἠγαλλιάσατο τῷ πνεύματι, sans ἐν (p. 47). En fait, Easton défend au contraire la leçon ἐν contre WH et Weiss (p. 163, n. 1). Et il n'en doute pas: «Lk has added ἐν τῷ πνεύματι τῷ ἁγίῳ» (p. 166). Quant à Schmid, il tient ἠγαλλιάσατο... pour prélucanien, mais il ne parle pas de ἐν (p. 289). La préposition est absente du texte de WH, Weiss et Nestle, mais Tischendorf et von Soden l'ont imprimée, et Schmid doit l'avoir lue dans la Synopse de A. Huck (1892-^{8}1934). Je ne vois pas pourquoi on supposerait qu'il ait prôné l'omission de ἐν dans le texte de Lc (ou de sa source).

3. *L'Apparat*

L'Apparat, reproduit en face du Texte, contient en premier lieu le texte parallèle de Mt et Lc, c.-à-d. tous les éléments qui n'ont pas été utilisés dans la reconstruction de Q ou qui en diffèrent d'une manière ou d'une autre. Les *add*, *praem*, *om*, *mut* et *transp* par rapport à «Q» y sont cités avec précision. En second lieu, l'Apparat nous informe sur les reconstructions du texte de Q proposées par d'autres. On y trouve le résultat d'une analyse des ouvrages classiques sur Q, allemands (Wernle, Wellhausen, B. Weiss, Harnack, Müller, Bussmann, Schmid) et anglais (Hawkins, Streeter, Taylor, Manson), des études plus récentes de Schürmann, Hoffmann, Lührmann et Schulz, de commentaires sur Lc (Easton, Creed, Grundmann, Conzelmann), des auteurs de la Formgeschichte (Bultmann, Dibelius) et d'un certain nombre d'études plus particulières (Hahn, Hengel, Hasler, Kilpatrick, Knox, Mussner, Steck, Strecker, Tödt, Trilling, Weiser). L'éventail aurait pu être plus complet (on s'étonne quelque peu que le moine bénédictin n'ait pas dépouillé les publications de J. Dupont), mais il est suffisant pour donner une idée des différents types de reconstructions. Dans l'Apparat, les auteurs sont cités dans un ordre chronologique, en abréviation, avec une référence précise à la page de la publication, l'astérisque indiquant le cas échéant une certaine réserve dans l'attribution à Q. Sauf quelques exceptions, désignées par *txt*, seuls les noms des auteurs qui s'écartent de la reconstruction proposée par Polag y sont notés.

Pour être utile, un tel inventaire doit être exact et complet. J'ai fait un premier contrôle de la manière dont il représente les positions de S. Schulz (1972, postérieur à la dissertation doctorale de Polag). Le nombre des renvois à *Schu* est une indication que la reconstruction de Polag s'écarte sur plusieurs points de celle de Schulz. On ajoutera quelques cas qu'il ne signale pas :

p. 31	Mt	4,1	εἰς τὴν ἔρημον Schu 178
	Lc	4,9	δέ Schu 180 (n. 32 : H 37, Schm 211)
	Mt	4,7	πάλιν réd. Schu 180 (n. 37 : Schnackenburg)
p. 33	Lc	4,5	ἔδειξεν (aor.) Schu 180
	Lc	6,21	νῦν réd. Schu 77
			γελάσετε Schu 78
p. 35	Lc	6,32	εἰ + ind. Schu 129
	Mt	5,48	ὑμεῖς réd. Schu 130
p. 37	Mt	7,4	ἤ réd. Schu 147 (n. 40 : Schü 1,371)
p. 39	Mt	7,21	verbe λέγειν Schu 428 (n. 181 : Schm 244)
		8,10	ἀμήν réd. Schu 239 (n. 424 : Stre 124; Has 61)
p. 41	Lc	7,18	καί Schu 191 (n. 118)
	Mt	11,8	εἰσίν] *v.l.* om. Schu 229 (n. 345 : Jeremias)
p. 53	Mt	12,44	τότε] coni. Q= καί Schu 477
p. 61	Lc	12,24	πόσῳ réd. Schu 150 (n. 75 : H 9, Buss 81)
	Lc	12,28	πόσῳ] οὐ πολλῷ Mt Schu 151 (n. 90 : H 9)
p. 69	Lc	13,27	ἀδικίας réd. Schu 426 (n. 169)
p. 79	Mt	24,39b	τοῦ υἱοῦ Schu 280

Quelques indications sont à corriger :

p. 49	Mt	11,27	τὸν πατέρα] τις ἐπιγινώσκει Schu 214

Comparer Schulz : «das Simplex γινώσκειν (scheint) ursprünglicher» (*ibid.*).

p. 73 Mt 18,13 καὶ ἐὰν γένηται ʼεὑρεῖν αὐτόʼ Schu 388
Comparer Schulz : «Lk folgte am Anfang des V 5 noch der Q-Vorlage und gibt sie mit καὶ εὑρών möglicherweise korrekter wieder als Mt, der wieder im Rechtsstil formuliert» (*ibid.*).

Il est sans doute plus gênant de constater que Polag n'a pas inséré dans son apparat les cas indécis où Schulz déclare ne pas pouvoir trancher : «ist kaum noch zu entscheiden»; «eine Entscheidung ist nicht mehr möglich»... J'en donne quelques exemples :

p. 41 Mt 11,3 ἕτερον / Lc 7,19 ἄλλον Schu 191
p. 45 Mt 10,13 ἐλθάτω / Lc 10,6 ἐπαναπαήσεται Schu 406
p. 53 Lc 11,25 om. / Mt 12,44 σχολάζοντα Schu 477
p. 55 Lc 11,34 ἐστιν / Mt 6,22 ἔσται Schu 469
p. 59 Lc 12,6 πέντε, ἀσσαρίων δύο / Mt 10,29 δύο, ἀσσαρίου Schu 159
p. 61 Mt 6,30 ἀμφιέννυσιν / Lc 12,28 ἀμφιέζει Schu 151
p. 63 Mt 6,31 τί περιβαλώμεθα / Lc 12,29 μετεωρίζεσθε Schu 151
Lc 12,39 ἀφῆκεν / Mt 24,43 εἴασεν Schu 268
Mt 24,43 τὴν οἰκίαν / Lc 12,39 τὸν οἶκον Schu 268
p. 65 Lc 12,51 λέγω ὑμῖν / Mt 10,34 om. Schu 258
Lc 12,51 om. / Mt 10,34 ἦλθον βαλεῖν Schu 258
p. 67 Mt 5,26 ἄν / Lc 12,59 καί Schu 422
p. 69 Lc 13,27 ἐργάται / Mt 7,23 οἱ ἐργαζόμενοι Schu 426

Dans tous ces cas, le lecteur aura l'impression que Schulz confirme la leçon adoptée par Polag ! Les inconvénients sont plus graves encore lorsqu'il s'agit d'un auteur comme W. Bussmann qui explique nombre de divergences entre Mt et Lc comme des variantes de traduction (double tradition).

Le nom de W. Bussmann (1929) apparaît seulement lorsqu'il est en formelle contradiction avec le texte proposé par Polag, et là encore l'Apparat est parfois en défaut. Ainsi dans la section n° 4 (Lc 4,1-13) : Lc 4,1 ἐν τῷ πνεύματι; Mt 4,2 νηστεύσας; Lc 4,3 δέ; Mt 4,8 εἰς ὄρος ὑψηλόν réd.; Lc 4,5 ἐν στιγμῇ χρόνου; Lc 4,6 ὅτι ἐμοὶ παραδίδοται καὶ ᾧ ἐὰν θέλω δίδωμι αὐτήν; Lc 4,13 ἀνέστη ἀπ' αὐτοῦ (Bussmann 40-42). L'unique référence à Bussmann dans cette section concerne la transposition de Mt 4,5-7/Lc 4,9-12 où il défend l'ordre lucanien : «Buss 39s Schm 210s Ma 42s Schü 1,218» (p. 31). Les mêmes références sont données par Schulz (p. 177, n. 2) et, comme chez Polag, c'est pratiquement la seule référence à Bussmann à propos de Lc 4,1-13 (voir encore n. 10). Polag nous livre-t-il donc une information de seconde main? C'est l'impression qu'on a dès le premier renvoi à Bussmann : Mt 3,9 δόξητε (p. 29). L'information est sans doute reprise à Schulz (p. 367, n. 297), car Bussmann lui-même est plus nuancé : «Aber hier wie zuletzt bei dem L v. 10 stehenden καί nach δέ wird es non liquet heissen» (p. 37). À propos de Lc 12,24, Polag reprend même à Schulz une référence fautive : Bussmann 89 au lieu de 81 (p. 61 ; cf. Schulz, p. 150, n. 68). Cette dépendance envers Schulz se constate encore ailleurs. À propos de Mt 12,45 :· «μεθ' ἑαυτοῦ] om Lk ; H 22 Buss 68» (p. 53). Cela résume bien une note de Schulz qui fait observer que Jülicher, Harnack et Bussmann «mit Hinzufügung rechnen» (p. 477, n. 570). En fait, Harnack écrit plutôt : «Die Weglassung begreift man, nicht aber die Hinzufügung» (p. 22 ; cf. p. 95).

S'il y a un auteur dont la collation doit être précise et complète c'est bien Harnack. Sa reconstruction du texte de Q (1907), qui a exercé une influence considérable, est relativement facile à collationner. On pouvait donc s'attendre à voir le sigle H à côté d'un bon nombre de variantes matthéennes, mais il y manque trop souvent. Dans les seules sections n°s 4-7, j'ai pu noter (dans l'ordre des pages 31, 33, 35) : Mt 4,2 νηστεύσας ; 4,6 λέγει ; 4,7 ἔφη ; 4,8 πάλιν, λίαν ; 4,10 λέγει ; 5,6 om νῦν, αὐτοί ; 5,4 πενθοῦντες, αὐτοί ; 5,11 διώξωσιν, πᾶν, ψευδόμενοι ; 5,12 οὕτως, ἐδίωξαν, τοῖς πρὸ ὑμῶν ; 5,44 ἐγώ, om καλῶς... ; 5,39.41 ὅστις ; 5,45 τοῦ πατρὸς ὑμῶν, [καὶ βρέχει...] ; 5,48 οὖν, om ὑμεῖς ; 7,1 om καί, ἵνα ; 7,2b καί, om γάρ. Polag reprocha à Harnack la préférence qu'il accorde au texte matthéen (*Vorwort*, p. 5). Cela ne l'empêche cependant pas de choisir lui-même parfois le texte de Mt sans faire mention de l'avis opposé de Harnack : Lc 4,4 ἀπεκρίθη ; 4,9 δέ, om ὁ διάβολος ; 4,13 καί (p. 31) ; 7,22.24 om ὁ Ἰησοῦς (p. 41) ; 9,59 om κύριε (p. 43) ; 10,8 ἐσθίετε τὰ παρατιθέμενα ὑμῖν (p. 47) ; 11,30 καί (p. 53) ; 11,39 νῦν ὑμεῖς οἱ ; 13,28 ἔξω (p. 69). À l'occasion, Polag fait connaître les hésitations de Harnack entre Mt et Lc (H* en Lc 3,7 ; 12,24.30), mais il le néglige trop souvent. Au n° 63 (Mt 5,18/Lc 16,17), il imprime l'introduction ἀμὴν λέγω ὑμῖν dans le texte, avec la note «om Lk ; Tri 169» (p. 75). Sans contester l'utilité d'un renvoi à Trilling, on aurait souhaité ici une référence à Harnack qui utilise des crochets : «Bei Matth. ist vielleicht die Einführung... sekundär» (p. 43 et 101). La référence, il est vrai, n'est pas donnée par Schulz (p. 114) ! Et il y a d'autres exemples où l'on devrait ajouter une référence à H* ; voir par exemple Lc 10,12.14 : om ἀμήν, ἐκείνῃ, Σολόμοις, λέγω ὑμῖν, τῇ κρίσει (p. 47).

Je m'arrête ici. Les échantillons ont suffisamment montré quelles sont les imperfections de la collation des reconstructions critiques de Q. Il reste cependant que cet Apparat condense une masse de références bibliographiques qui, à n'en pas douter, rendront beaucoup de service[7].

7. Corrigenda : p. 29, n° 1, ligne 4 : Schu → Schü 1 ; p. 47, n° 21, ligne 16 : H → Ho 2,283 ; p. 63, n° 46, ligne 2 : H 328 → 28. Ajouter ou corriger les références : Lc 7,35 (p. 23) ; Mt 10,6 (p. 44) ; Lc 12,58 (p. 66) ; Lc 11,46a (p. 88). Dans l'apparat du n° 2, ajouter les numéros des lignes 5 et 9, et dans le texte, ligne 13, la particule δέ.

4. *Une édition de Q?*

Fragmenta Q veut être la synthèse de trois démarches : la comparaison synoptique des traditions parallèles de Mt et Lc, la reconstruction du texte de Q dans une présentation stichométrique, l'inventaire des opinions critiques. On aurait avantage, me semble-t-il, à les séparer.

1. La *Synopse verticale*, qui imprime en deux colonnes les textes parallèles de Mt et Lc, reste indispensable. Une répartition des textes entre Texte et Apparat ne peut la remplacer. La synopse classique (cf. S. Schulz) pourrait cependant profiter de trois améliorations que suggère le livre de Polag : l'emploi de caractères plus grands (ou plus gras) pour les éléments strictement identiques ; la disposition stichométrique du texte ; un apparat critique spécialisé intéressé surtout aux variantes textuelles «synoptiques».

2. La méthode de la *Synopse horizontale*, telle que nous l'avons appliquée dans l'ouvrage sur les *Minor Agreements*, semble se recommander pour présenter les opinions des auteurs.

3. Il est souhaitable qu'une *nouvelle reconstruction* du texte de Q soit publiée dans un ouvrage qui en donne en même temps la justification. C'est aussi le sentiment de A. Polag qui annonce déjà la parution d'un livre sur *Sprache und Gestalt der Logienquelle Q*.

NOTE ADDITIONNELLE

Une nouvelle Synopse de Q en langue allemande (cf. p. 925, n. 2) vient de paraître : Wolfgang SCHENK, *Synopse zur Redenquelle der Evangelien. Q-Synopse und Rekonstruktion in deutscher Übersetzung mit kurzen Erläuterungen*, Düsseldorf, 1981 (Patmos), 138 p. Pour chaque section, la Synopse présente d'abord les textes en deux colonnes (Lc à gauche et Mt à droite), puis la reconstruction du texte de Q, suivie d'une *Erläuterung*. Les éléments rédactionnels sont soulignés : dans les textes de Mt et Lc, ce qu'il attribue à la rédaction des évangélistes ; et dans la reconstruction du texte de Q, ce qu'il attribue à la rédaction finale de Q.

Schenk distingue donc, comme nous l'avions souhaité (cf. *supra*), synopse et reconstruction de Q. Mais une Synopse en langue allemande reste forcément peu précise, surtout si le traducteur ne s'en tient pas à la *Oberflächengestalt* du texte : μακάριοι = *Zukunft haben* ; ἡ βασιλεία τῶν οὐρανῶν = *die Herrschaft der Liebe Gottes* ; ὁ πατὴρ ὑμῶν ὁ οὐράνιος = *euer grenzenlos liebender Vater* ; πάντα τὰ ῥήματα αὐτοῦ = *seine ganze Grundsatzrede* ...

ETL 56 (1980) 390-396

L'ÉDITION DES ELZEVIER ET LE TEXTUS RECEPTUS DU NOUVEAU TESTAMENT

Les éditeurs de Nestle-Aland[26] présentent le texte de GNT[3]/N[26] comme le «texte standard»[1]. K. Aland, dans la Préface à la Synopse, l'appelle «den 'Standardtext' der Zukunft»; en traduction latine: «textum qui unus et idem ubique recipiatur»[2], avec une allusion à peine voilée à l'édition des Elzevier: «textum nunc ab omnibus receptum»[3].

1. *Nestle-Aland Novum Testamentum Graece*, 26e édition, Stuttgart, 1979, p. 5* (cf. 36*, 37*): «*Standard-Text*» (en allemand; p. 37*: «Standardtext»); p. 43*: *Standard Text* (en anglais; p. 70*, 71*: «standard text»); *Introduction en français*, p. 6, 38, 39: «texte standard». Cf. K. ALAND, *Ein neuer «Standard-Text» des griechischen Neuen Testaments*, dans S. MEURER (éd.), *Die Bibel in der Welt*, Stuttgart, 1976, pp. 157-165; *Bericht der Stiftung zur Förderung der neutestamentlichen Textforschung für die Jahre 1975 und 1976*, Münster, 1977, p. 22: «Der neue 'Standard-Text'» (titre repris à la page 5; voir également p. 21); *Die heutigen Ausgaben des griechischen Neuen Testaments*, dans *Neutestamentliche Entwürfe*, München, 1979, pp. 403-413, p. 403: «Es ist bezeichnend, dass von dem neuen Text in der Presse bereits als 'Standard-Text' gesprochen wird» (cf. p. 403, 407, 408, 413: «der neue 'Standard-Text'»).

2. K. ALAND, *Synopsis quattuor evangeliorum*, Stuttgart, [9]1976 (=[10]1978), p. VII et IX. Cf. p. XI: «the 'Standard Text' of the future».

Signalons ici la nouvelle édition de la Synopse: *Editio undecima*, sans autre indication: *s.d.* [1980?]. La liste des *Codices graeci* est complétée par P[88] et 0271, 0272, 0273, 0274. J'ai noté des corrections dans la description du contenu de P[1], P[36] et P[84] (cf. *ETL*, 55, 1979, p. 341, n. 16) et dans la nomenclature des bibliothèques (P[59], P[60], Φ; l'addition de *Österr.* devant la *Nationalbibliothek* de Vienne: passim). Dans la synopse même, je n'ai pu trouver des changements. Le témoignage de P[84] (cf. *ibid.*, p. 340) n'a pas encore été introduit dans l'apparat critique. Les corrections dans l'utilisation du Codex Bezae que j'avais proposées à l'occasion de la parution de la neuvième édition (dans *ETL*, 52, 1976, p. 360-362) restent à faire. Sur ce point, l'apparat de Nestle-Aland[26] fournit une information plus correcte (cf. Mt 5,12; 10,27; 11,28; 13,30; Mc 14,47; 16,4; Lc 5,19.24; 11,11; 12,31; 19,24). Depuis 1963, dix nouvelles éditions ont paru, dont la quatrième est une «revidierte» (1976), la neuvième une «erneut revidierte» (1976) et la dixième une «durchgesehene Auflage» (1978), mais une faute comme Mc 16,4 D ευρισκονται est réimprimée maintenant pour la onzième fois. Et après la publication de N[26], ne fallait-il pas revoir des indications comme celles de Mt 28,3 «(*potius*) ιδεα» et Lc 24,1 «(*rectius*) βαθεος»?

3. Cf. *Bericht der Stiftung zur Förderung der neutestamentlichen Textforschung für die Jahre 1970 und 1971*, Münster, 1972, p. 43: «Der neue Text wird mit Sicherheit ein moderner 'Textus ab omnibus receptus'» (*ibid.*: «den modernen Textus receptus»); extrait de H. KUNST, *Der deutsche Beitrag zur Arbeit am Text des Neuen Testaments* (dans FS Ludwig Erhard), 1972. Comparer, sur le texte de Nestle, K. ALAND, dans *Studia Evangelica* (TU, 73), Berlin, 1959, p. 729: «to some extent the modern *textus receptus*»; dans *NTS* 6 (1959-60), p. 180: «Soon after its appearance in 1898 it secured for itself the position of a modern *textus receptus*» (p. 183: «In view of the position held by the Nestle edition in the past sixty years any change in the text is a matter of importance and not to be undertaken lightly», à rapprocher de *Die heutigen Ausgaben*, p. 408: «an einem solchen 'Standard-Text' darf nicht kurzatmig herumgeflickt werden».

Sur l'édition de N[26], voir F. NEIRYNCK, *The New Nestle-Aland. The Text of Mark in N[26]*, dans *ETL* 55 (1979) 331-356; cf. *The Synoptic Gospels according to the New Textus Receptus*, dans *ETL* 52 (1976) 364-379. Voir également H.J. DE JONGE, *De nieuwe Nestle: N[26]*, dans *Nederlands theologisch tijdschrift* 34 (1980), 307-322; J. DELO-

À lire L. Vaganay, l'origine du nom de texte «reçu» ne semble pas faire problème: «On n'ignore pas d'où vient ce nom. En 1624, les frères Elzevier, établis d'abord à Leyde, puis à Amsterdam, publièrent un Nouveau Testament grec 'd'après les éditions royales et d'autres qui comptent parmi les meilleures'. Le livre eut un certain succès. Pour favoriser la vente les éditeurs forcèrent la note. 'Il a été accepté par tous', peut-on lire dans la préface latine de la seconde édition (1633). Et un peu plus loin: 'On a donc maintenant le texte reçu par tout le monde; nous le donnons sans changement ni corruption'. Une réclame de librairie, telle est l'origine du soi-disant texte reçu»[4]. Ce passage, d'une belle assurance, contient au moins deux erreurs et cache le problème de l'auteur responsable de la préface des typographes. C'est encore la même information qu'on trouve dans le *Textual Commentary* de B. M. Metzger: il s'agit d'une «expression used by the Elzevir brothers» en 1633, qu'il traduit en anglais: «Therefore you [dear reader] now have the text received by all, in which we give nothing changed or corrupted»[5]. Plus proche de nous, J. Delobel, dans une note sur le Textus Receptus «waarvan de geschiedenis voldoende bekend is»[6], parle de «de gebroeders Abraham en Bonaventura Elzevir», «hun pocketedities vanaf 1624», «de wellicht argeloze opmerking van de gebroeders Elzevir» dans l'édition de 1633[7].

On s'étonne quelque peu de n'y trouver aucune référence aux conclusions des recherches entreprises par H. J. de Jonge au cours des dix dernières années[8].

BEL, *Een nieuwe standaardtekst van het Nieuwe Testament*, dans *Bijdragen* 41 (1980) 34-46; T. BAARDA, *Op weg naar een standaardtekst van het Nieuwe Testament. Enkele opmerkingen bij het verschijnen van de 26ste druk van 'Nestle'*, dans *Gereformeerd theologisch tijdschrift* 80 (1980) 83-137. Cf. p. 116, n. 118: «Overigens ben ik de naam [standaardtekst] voor het eerst tegengekomen in genoemd *Bericht*» (= 1977; cf. *supra*, n. 1). L'appellation apparaît déjà dans la *Synopsis* de 1976 (cf. n. 2), comme la «traduction» de *Textus receptus*. Elle est d'origine anglaise: cf. F. H. A. SCRIVENER, *A Plain Introduction to the Criticism of the New Testament*, Cambridge, 31883, p. 442: «the standard or *Received* text»; F. G. KENYON, *Handbook to the Textual Criticism of the New Testament*, London, 21912, p. 272: «a standard or generally accepted text».

4. L. VAGANAY, *Initiation à la critique textuelle néotestamentaire*, Paris, 1934, p. 127.

5. B. M. METZGER, *A Textual Commentary on the Greek New Testament*, London-New York, 1971, p. xxiii. Du même auteur: *The Text of the New Testament*, Oxford, 1964 (= 21968), pp. 105-106: «In 1624 the brothers Bonaventure and Abraham Elzevir...». Cf. *infra*, n. 10.

6. J. DELOBEL, *Een nieuwe standaardtekst* (cf. *supra*, n. 3), pp. 35-38: «Het einde van de Textus Receptus».

7. *Ibid.*, p. 35, n. 8, et 37. La note 14 est à corriger: cf. *infra*, n. 12.

8. H. J. DE JONGE, *Daniel Heinsius and the Textus Receptus of the New Testament. A study of his Contributions to the Editions of the Greek Testament printed by the Elzeviers at Leiden in 1624 and 1633*, Leiden, 1971; *The 'Manuscriptus Evangeliorum Antiquissimus' of Daniel Heinsius (Vatic. Reg. gr. 79)*, dans *NTS* 21 (1974-75) 286-294; *The Study of the New Testament*, dans Th. H. LUNSINGH SCHEURLEER & G. H. M. POSTHUMUS MEYJES (éd.), *Leiden University in the Seventeenth Century. An Exchange of Learning*, Leiden, 1975, pp. 65-109, spéc. 89-93; *Jeremias Hoelzlin: Editor of the «Textus Receptus» printed by the Elzeviers Leiden 1633*, dans T. BAARDA, A. F. J. KLIJN, W. C. VAN UNNIK (éd.), *Miscellanea Neotestamentica*, t. 1 (Supplements to Novum Testamentum, 47), Leiden, 1978, pp. 108-128; *De bestudering van het Nieuwe Testament aan de Noordnederlandse universiteiten en het Remonstrants Seminarie van 1575 tot 1700* (Verhandelingen der Kon. Ned. Akademie van Wetenschappen, Afd. Letterkunde, N.R., dl. 106), Amsterdam, 1980 (cf. p. 22). Du même auteur: *Joseph Scaliger's Greek-Arabic Lectionary (Leiden, U. L., MS. Or. 243 = Lectionary 6 of the Greek New Testament)*, dans *Quaerendo* 5 (1975) 143-172.

Il a pu identifier et l'auteur de la Préface et le réviseur du texte grec de l'édition de 1633. Mais il ne fallait nullement attendre les études de H.J. de Jonge pour citer correctement la phrase de la Préface : «Textum ergo habes, nunc ab omnibus receptum»[9]. Le texte est souvent cité sans la virgule après *habes* : voir le *Handbook* de F.G. Kenyon (^{2}1912, p. 272, n. 1) et les Introductions plus récentes de J. Schmid (1973, p. 163) et W.G. Kümmel (1973, p. 480). Il en résulte facilement la fausse lecture des traductions de Vaganay («On a donc maintenant...») et de Metzger («Therefore you now have...»)[10].

Une autre erreur à corriger concerne les Elzevier[11] : Bonaventure et Abraham Elzevier sont les *Typographi* de 1633, mais il ne sont pas des frères, ni les typographes de l'édition de 1624. Bonaventure est l'oncle d'Abraham, et c'est Isaac Elzevier, un frère d'Abraham, qui fut l'imprimeur de la première édition[12].

Mais venons-en aux découvertes de H.J. de Jonge.

1. *Daniel Heinsius, l'auteur de la Préface de 1633 et 1641*

L'auteur de la Préface *Typographi lectoribus de hac editione* qui contient l'expression «textum ... nunc ab omnibus receptum» est resté dans l'anonymat. Certains avaient avancé le nom de D. Heinsius qui est l'auteur du panégyrique *In Novi Foederis Libros*, reproduit en grec à la dernière page de l'introduction. Ce qui n'était qu'un soupçon est devenu une certitude en 1971 quand H.J. de Jonge a découvert à la Bibliothèque de l'Université de Leiden le brouillon de la Préface et du panégyrique[13].

Les photos du manuscrit montrent clairement que le passage qui nous intéresse ici plus directement («Textum ergo habes ... sapit.») n'apparaît pas encore dans une première rédaction de la Préface. Il a été inséré avant «Formam vides...» (dans le texte imprimé : «Formam habes...») et il a lui-même passé par plusieurs stades rédactionnels. J'en donne ici une reproduction aussi fidèle que possible[14]. Les crochets indiquent des mots de la première rédaction (I) qui ont été barrés. L'auteur semble avoir hésité dans l'application de l'image de la nourriture et des mouches (I,6ss.). À trois reprises, il recommence avec *ita* (lignes 7, 9, 10). Finalement, il abandonne l'image et remplace le texte de I,6-12 par une nouvelle comparaison (II,1-6 : «qui ut... ita...»). On la retrouve dans le texte imprimé sous une forme encore une fois retravaillée et complétée.

9. Cf. H.J. DE JONGE, *Daniel Heinsius*, p. 3, n. 2; *Jeremias Hoelzlin*, p. 125, n. 48.

10. Dans *The Text of the New Testament* (1964), Metzger cite le texte latin, avec la virgule après *habes* et il traduit correctement le *nunc* : «the text which is now received by all» (p. 106, n. 2; = ^{2}1968).

11. H.J. DE JONGE, *Jeremias Hoelzlin*, p. 125, n. 48. Cf. A. WILLEMS, *Les Elzevier. Histoire et annales typographiques*, Bruxelles, 1880.

12. En 1624 : *Ex Officinâ Elzeviriana*; en ^{2}1633 : ... *Elzeviriorum* (^{3}1641 : *Elsevirio-rum*).

13. Pour plus de détails, je renvoie à H.J. DE JONGE, *Daniel Heinsius*, pp. 5-28.

14. *Ibid.*, pp. 32-33, et la photographie en face de la page 32. Sur l'ensemble de la Préface et sur le panégyrique, voir le chapitre 2 : texte latin, traduction (en anglais) et notes (pp. 29-47).

Les points sous les lettres signalent une lecture incertaine, ⟨⟩ indique une addition de l'éditeur. La disposition en lignes est celle du manuscrit (j'ai ajouté la numérotation; de Jonge sépare les lignes par un trait vertical : à la page 32 le trait après *datum* est à rayer). Dans le texte imprimé, j'ai mis en italiques les mots ajoutés ou changés par rapport au texte du manuscrit.

Texte du manuscrit	*Texte imprimé*
I	
1 Textum habes, iam ⟦recep-	Textum *ergo* habes, *nunc*
2 tum,⟧ ab omnibus receptum,	ab omnibus receptum :
3 in quo nihil immutatum,	in quo nihil immutatum,
4 aut ⟦pe⟧ corruptum, nihil	aut corruptum
5 curiositati, nihil novita-	
6 ti * ⟦datum. Quẹṃạdṃodụṃ a cibis	
7 muscae ṃẹṛito arcentur, ita	
8 istas ad họṣc⟨e⟩non admittimus,	
9 quos contactu.⟧ ⟦ita ad-	
10 mi :·⟧ ita ab his sacris,	
11 qui vel optimio successu,	
12 aliquid eṣụị dant.	
II	
1 *dedimus. qui ut lapides	*damus.* Qui, cum lapides
2 & monumenta veterum,	
	ac monumenta *antiquorum*
	quidam venerentur ac
	religiose *repraesentent,*
3 ita chartas has, religiose	*multo magis* chartas has,
	ab argumento θεοπνεύστους,
4 vindicandas arbitramur.	vindicandas *a mutatione*
	ac corruptela judicamus.
5 Et nobiscum quisquis ad	& nobiscum quisquis ad
6 relligionem sapit.	re*l*igionem sapit.

Le conservatisme textuel du passage correspond bien aux principes de critique textuelle de Heinsius. Il en parle dans les Prolegomena de ses *Exercitationes Sacrae ad Novum Testamentum* (Leiden, 1639) : «caveatur, ne vel uni codici vel pluribus plus aequo tribuatur, aut, quod jam receptum, facile immutetur : ante omnia, ne quisquam ex ingenio id sibi sumat, et hanc histrioniam exerceat, ut propriam editionem nobis donet»; à rapprocher de la Préface de Th. Bèze (1588) : «hunc modum tenuimus, ut... ex ingenio aut simplici coniectura ne apicem quidem mutaremus»[15].

2. *Jeremias Hoelzlin, l'éditeur du texte grec de 1633*

Après avoir identifié l'auteur de la Préface, H. J. de Jonge a émis l'hypothèse que le même Daniel Heinsius pourrait être l'*editor* du texte grec publié par les Elzevier en 1633 («in the highest degree probable») et même de celui de 1624 («very possible»)[16]. Depuis lors, une lettre de Johannes Cloppenburg du

15. *The Study of the New Testament*, p. 93 (et note 304 et 312). Voir également p. 94 : Heinsius est d'avis que «aetate nostra, optimos atque antiquissimos jam pridem codices collatos».

16. *Daniel Heinsius*, pp. 48-64 (cf. p. 65); *The Study of the New Testament*, pp. 91-93 : aux raisons déjà invoquées en 1971, il ajoute un texte de J. H. Hottinger (1664).

1er octobre 1632 l'a amené à revoir ces conclusions[17]. Cloppenburg écrit à Louis de Dieu à propos des leçons ἑστός et ἑστώς en Mt 24,15 : «Poteris super hoc monere D. Holtzlinum; ut hoc enucleet in Graeca quam parat Grammatica, si ante non observavit; & eligat cum judicio quod potius videbitur in correctione novae editionis, in qua ipsum ad praelum Elzevirianum laborare indicavit D. Rivetus»[18]. La lettre de Rivet n'a pas été retrouvée, mais rien ne permet de contester le témoignage contemporain de Cloppenburg. Jeremias Hoelzlin (1583-1641) avait été nommé professeur de grec à Leiden en novembre 1631, et la lecture du texte grec du Nouveau Testament était au programme des cours. D'après la lettre de Cloppenburg, les imprimeurs Elzevier lui avaient confié la *correctio* de la nouvelle édition et cette révision semble inclure le choix des variantes («eligat cum judicio quod potius videbitur...»), peut-être seulement des variantes textuelles imprimées dans les éditions antérieures.

L'analyse des leçons qui sont nouvelles par rapport à l'édition de 1624[19] permet de se faire une idée de l'activité de J. Hoelzlin. Mises à part erreurs typographiques et variantes insignifiantes d'orthographe et de ponctuation, 26 leçons variantes seraient à retenir, dont 15 seraient reprises d'éditions antérieures, 6 seraient des incorrections et 3 seraient des innovations de Hoelzlin (sans être des améliorations). Comme sur les 15 leçons imprimées dans des éditions antérieures, 13 se trouvent dans celle d'Henri Estienne (Stephanus) de Genève 1587, il semble bien que la collation d'Elzevier 1624 avec H. Stephanus 1587 (et R. Stephanus 1550) a été le principal travail de Hoelzlin[20].

La nouvelle hypothèse ne dit rien sur l'édition de 1624. Ne serait-il pas hasardeux de l'attribuer encore à Heinsius s'il n'est pas l'*editor* du texte de 1633? S'il en parle dans la Préface de 1633, c'est au nom des *typographi*: «dedimus expressimusque»; et plus loin : «editionem, omnibus acceptam, denuo doctorum oculis subjecimus». En 1626, Laurentius l'attribue à «non pauci viri, eruditione & pietate praestantes», mais, comme les «docti» de 1633, une telle expression est à lire dans le style propre d'une Préface[21].

3. *Stephanus 1550 et Elzevier*

Ajoutons encore un mot sur les différences entre Stephanus 1550 et Elzevier. En Angleterre c'est le texte grec de Stephanus 1550, reproduit par Walton

17. W. G. Kümmel avait déjà entériné la conclusion : «das Vorwort ebenso wie der Text der Elsevierausgabe von 1633» (*Einleitung*, 1973, p. 480, n. 3). Voir la rectification dans ²⁰1980, p. 580.

18. *Jeremias Hoelzlin*, pp. 106-113, spéc. p. 108. La correspondance entre Cloppenburg et L. de Dieu, *Deliciae Biblicae Brielenses*, a été publiée, et même incorporée dans *Critici Sacri* (London, 1660, t. 9, col. 3967-4004; cf. col. 3994), mais le témoignage sur l'édition des Elzevier n'avait pas encore été remarqué.

19. À la suite de H. C. Hoskier : «Collation of Elzevir 1624 with Elzevir 1633», dans H. C. HOSKIER, *A Full Account and Collation of the Greek Cursive Codex Evangelium 604*, London, 1890, Appendix C, pp. 1-26.

20. *Jeremias Hoelzlin*, pp. 113-126. Sur plusieurs points, le jugement de Hoskier serait à nuancer : cf. pp. 114-116 (sur αὑτοῦ).

Voir la liste des 15 leçons dans l'*Appendix* I (pp. 126-127). Dans 7 cas (sur les 15) Elzevier 1633 revient au texte de 1550 (ς), deux fois contre H. Stephanus 1587 (Jn 20,15; Ac 27,13).

21. *Daniel Heinsius*, pp. 10 et 57-58. — Corriger, p. 11, ligne 19 : 1624 → 1626. Autre correction : la date du *Handbook* de Kenyon est ²1912 (p. 56, 62, 63).

(1657) et Mills (1707), qui devient «the standard or *Received* text» (Scrivener). Au 19e siècle, on s'est rendu compte du grand nombre de variantes entre le texte «reçu» en Angleterre et celui du continent (Elzevier)[22]. Tischendorf distingue soigneusement entre ς et ςe. Bruder utilise le sigle *R* («textus vulgo *receptus* seu Elseviriorum»), mais signale aussi des leçons de *St.* De son côté, Alford se sert de *rec* seulement «when elz and Steph agree». Cette distinction semble avoir disparu dans les instruments de travail récents. *The Greek New Testament*,³1975, reste dans la tradition anglaise : *TR* renvoie à l'édition d'Oxford de 1889, *Novum Testamentum*, «a corrected reprint of Lloyd's 1828 edition of Mill's 1707 edition of the Stephanus 1550 'Textus Receptus'» (p. lii et lx). Plus curieusement, la *Vollständige Konkordanz* de K. Aland, 1975ss., se contente également de citer le Textus Receptus d'après l'édition d'Oxford de 1873 sans faire mention des variantes d'Elzevier. Parfois il s'agit d'une leçon de ς qui n'est imprimée dans aucune des éditions T H N S V M B N²⁶ :

Mt 10,4 * ὁ² (— ς)	Mc 16,20 * ἀμήν (+ ς)
Mt 25,2 * αἱ (+ ς)	Lc 11,12 αἰτήσει (-σῃ ς)
Mc 6,29 * τῷ (+ ς)	Lc 11,33 * κρυπτόν (ς; κρύπτην rl)
Mc 9,38 ἐν (— ς)	Lc 13,8 * κοπρίαν (ς; κόπρια rl)
Mc 9,40 * ἡμῶν (ὑμῶν ς) bis	Lc 15,26 * αὐτοῦ (+ ς)
Mc 10,25 * εἰσελθεῖν¹ (ς; δι rl)	etc.

On se fait une idée plus exacte de l'histoire du texte si l'on sait que, dans tous ces cas, le texte courant des éditions modernes était déjà le texte «reçu» des éditions Elzevier[23]. Ailleurs le texte courant est celui de Stephanus 1550 et aucune variante n'est signalée :

Mt 21,7 ἐπεκάθισεν | Elz ἐπεκάθισαν
Mc 13,9 εἰς συναγωγὰς δαρήσεσθε | Elz εἰς συναγωγάς· δαρήσεσθε
Lc 2,22 αὐτῶν | Elz αὐτῆς
Lc 17,36 om. v. | Elz habet v.

ou seulement la variante de l'une ou l'autre édition moderne :

Mc 6,9 ἐνδύσησθε (-σασθαι H) || Elz ἐνδύσασθαι
Mc 8,3 ἥκασιν (ἥκουσιν V; εἰσίν NH) | Elz ἥκουσι

22. Voir la liste des variantes de Stephanus 1550 et Elzevier 1624 établie par Tischendorf (⁷1859, p. LXXXV, n. 1 : 150 variantes), la collation de Scrivener (*A Plain Introduction*, 1861, pp. 304-311 : 287 variantes), revue par Hoskier en 1890 (*A Full Account*, Appendix B, pp. 1-14), et la liste de Gregory (*Prolegomena*, 1894, p. 218). Voir également l'apparat des éditions de Scrivener (*Novum Testamentum Textûs Stephanici A. D. 1550*, Cambridge-London, ²1867) et R.F. Weymouth (*The Resultant Greek Testament*, London, 1886).

Tous ces auteurs citent, pour la corriger, l'opinion de Mills qui n'avait constaté que douze différences entre Stephanus 1550 et Elzevier 1624 (*Prolegomena*, § 1307). Il convient cependant de noter que Wettstein avait écrit déjà en 1751 : «Reperi tamen (praeter ea quae Millius attulit) paulo plura loca». Il en cite 27 (*Prolegomena*, p. 152 : «v. gr.»), et les indications qu'il fournit dans l'apparat de son édition devraient permettre d'en faire un catalogue à peu près complet.

23. Et même, dans certains cas, la leçon marginale de Stephanus 1550 : Mc 9,38; 10,25; Lc 11,33 -ήν (= Elz 1624, 1641); 13,8 (Elz -ία); 15,26. Voir également Mc 8,3; Lc 2,22; 17,36.

Rappelons enfin que le sigle ς (= Stephanus) de la Concordance désigne le texte de Stephanus 1550 tel qu'il a été édité par Mills et, dans certains cas, assimilé au texte des Elzevier :

Mt 24,15	ἑστὸς (ἑστὼς ς)	| Steph ἑστός	Elz ἑστώς
Lc 10,6 *	ὁ (+ ς)	| Steph om.	Elz ὁ
Lc 17,1	τοῦ (— ς)	| Steph τοῦ	Elz om.

Voir encore Mt 20,15; Lc 7,12bis; Jn 8,25; 13,31.

ETL 52 (1976) 358-363

NOTE ON THE CODEX BEZAE IN THE TEXTUAL APPARATUS OF THE SYNOPSIS

I

In a short study published in *NTS* (October 1973), I.A. Moir has drawn our attention to an indication which "would appear to be wrong" in the apparatus to Mk 9,1 in the Huck-Lietzmann Synopsis.[1] Moir noted the correct reading, ωδε των D* / των ωδε D², and suggested that in the Codex Bezae ωδε was originally written before των as οδε. This suggestion as well as Lietzmann's error deserves further comment.

The reading τῶν ὧδε (= Mt 16,28), which is supported by the majority of the manuscripts, was adopted by the Textus Receptus and, more recently, by von Soden, Vogels, and Bover. The other reading was mentioned for the first time in the apparatus by Wettstein: "ὧδε τῶν D a prima manu" (1751). In ²1796, Griesbach added the witness of the Codex Vaticanus (B D*) and, finally, Tischendorf preferred this reading for the text of his *Editio Lipsiensis secunda* (1849) on the basis of B D* *k** *c*. Tischendorf (⁷1859, ⁸1869) was followed by Tregelles, Westcott and Hort, Weiss, Nestle (all editions), Souter (Revisers, 1881), Merk, and also GNT (1966-³1975).

In Huck's Synopsis (1892-⁸1931) ὧδε τῶν was printed in the text without any indication of variant readings in the apparatus. In Lietzmann's adaptation of the Synopsis (⁹1936), No. 123 became one of the sections which was «mit reicherem Apparat ausgestattet." Four variant readings are referred to: ὧδε τῶν ἑστηκότων B, τῶν ὧδε ἑστηκότων (ἑστώτων S) S A C W Θ φ Ϡ *sa bo*, τῶν ἑστηκότων ὧδε P⁴⁵ λ, τῶν (+ ὧδε *it*) ἑστηκότων μετ' ἐμοῦ D *it*. In this apparatus, *sa bo* should be transferred to the reading τῶν ἑστ. ὧδε P⁴⁵. Codex 1 (λ) does have ὧδε after ἑστ. (written as οδε), but its allies 118 209 read ὧδε ἑστ. (cf. Lake). The indication of *it* is misleading as the reading of B is attested by *k* and *c*, the witness of *a ff² d q n* is uncertain, and *hic* is absent in *b i r¹* (cf. Jülicher, ²1970):[2]

1. I.A. Moir, *The Reading of Codex Bezae (D-05) at Mark ix.1*, in *NTS* 20 (1973-74) 105.

2. Although Tischendorf presented a good description of the evidence, there is much

B	εἰσίν	τινες	ὧδε τῶν	ἑστηκότων	(D* μετ' ἐμοῦ)
Koine	εἰσίν	τινες	τῶν ὧδε	ἑστηκότων	(D^2 μετ' ἐμοῦ)
P^{45} 1	εἰσίν	τινες	τῶν	ἑστηκότων ὧδε	
k	sunt hic	quidam	ex eis, qui	adstans	
c	sunt hic	quidam	de hic	stantibus	
a q ⟨*n*⟩	sunt	quidam	hic	stantes	mecum
*ff*²	sunt	quidam	hic	circumstantium	me
d	sunt	quidam	hic	circumstantium	mecum
aur f l vg	sunt	quidam	de hic	circumstantibus	
b	sunt	quidam	de	circumstantibus	mecum
i	sunt	quidam		circumstantes	
*r*¹	sunt	quidam		circumstantium	

Lietzmann's treatment of D is difficult to understand. The readings of D* / D^2 (cf. Wetstein, Griesbach, Tischendorf, Tregelles) are correctly indicated in Nestle's *Collatio* of the Codex Bezae and in the apparatus of von Soden's New Testament. The origin of Lietzmann's error can perhaps be found in Scrivener's edition of the Codex Bezae (1864). In his transcription, the text of Mk 9,1 is printed as τινεσ δε, with some space in between.[3] Obviously, Scrivener was faced with the same problem which Moir raises: the space between τινε and δε is insufficient for CⲰ ("the Codex Bezae scribe's omega normally occupies 5-6 mm"). Moir proposes to read CO. But Scrivener's solution was different: "Primò τινε ωδε (*sic*) potius quam τινεσ δε, sed δε eras. s. m.: ω in σ mutato per H: B habet ωδε supra lineam ante εστηκοτων" (*Adnotationes editoris*, p. 438). This possibility is not mentioned by Moir. Of course, there are other instances of ο for ω in the Codex Bezae (e.g., Mt 26,13 ολο, Mk 6,31 ευκαιρος D*; compare Codex 1) and Scrivener's conjectures are not always the most probable (cf. below, Mt 27,66), but when he writes "ω in σ mutato per H" (not even with a *forsan*) his argument seems to be not simply "from considerations of space."

II

In Aland's Synopsis the apparatus rightly separates the two entries: the placement of ὧδε and the additional μετ' ἐμοῦ. In the 1st-8th edi-

confusion about the Old Latin witnesses to Mk 9,1. The reading ὧδε τῶν B D* is found in *a ff*² by Tregelles ("ut videtur") and in *a ff n q* by Swete and Lagrange. On the other hand, no Old Latin witness for ὧδε τῶν is noted by Lietzmann, Legg, and Aland (in his Synopsis; no apparatus is provided in the editions of Nestle-Aland and GNT). Von Soden transcribes the Latin word order in Greek: "ωδε ρ εισιν af".

3. There can be no doubt that Scrivener accepted the reading ωδε των in D* but it is important to note that in his opinion "the almost impossible reading of B D* *c. k**" was a scribal error. Cf. F. H. SCRIVENER, *A Plain Introduction to the Criticism of the New Testament*, Cambridge, ³1883, p. 545.

tions, D was cited with B attesting the reading ὧδε τῶν. In the 9th edition (1976),[4] this has been corrected to D* ὧδε τῶν and D[2] τῶν ὧδε. And other similar corrections are found in the new edition (e.g., Mt 2,16; Lk 2,8; 5,6).

However, the references to Codex Bezae can still be improved. I noted a number of corrigenda regarding the distinction between D* and D[2], a few inaccurate quotations, and some inconsistencies in the normalization of the Bezan text.[5] A list of them may be helpful for the user of the Synopsis. The indication of the Synopsis (first line) has been compared with Scrivener's edition (second line).[6] The references to Nestle are taken from his *Codicis Cantabrigiensis collatio* (1896). In a few cases, not yet mentioned in ²⁵Nestle-Aland(†), Nestle's *collatio* clarifies Aland's apparatus (especially in Mt 13,30, and also Mt 10,27; Mk 9,50; 16,6), but more often the Synopsis (and ²⁵Nestle-Aland) can be corrected by a comparison with this collation.

Matthew

† 5,12 τοὺς πρὸ ὑμῶν: + υπαρχοντας D
υπαρχοντων D*, -τας D[d]

6,14 αὐτῶν: om. D
αυτων D

10,27 κηρύξατε: κηρυσσετε (-αι) D
κηρυσσεται (-ε) D, *praedicate* d
cf. Nestle: κηρυσσεται

11,28 πεφορτισμένοι: + εστε D
εσται (-ε) D* (Nestle: "ergo οι = οἳ qui"), eras. D[2]

†12,25 σταθήσεται: στησεται D
στησεται D*, σταθησεται D[c]

13,30 συναγάγετε: συνλεγεται (*sic*) D
συνλεγεται (συλλεγετε) D, *colligite* d
cf. Nestle: "συνλεγεται (sic -νλ- fere semper, non not[atur])"

†15,11 (*bis*).18.20 κοινοῖ: κοινωνει D
11a κοινωνι 11b.18.20 κοινωνει D*[k], κοινοι D[d]

4. K. ALAND, *Synopsis quattuor evangeliorum*, Stuttgart, ⁹1976. For the synoptic arrangement of the gospel sections, see F. NEIRYNCK, *The Sermon on the Mount in the Gospel Synopsis*, in *ETL* 52 (1976) 350-357.

5. Usually, the itacistic confusion of the vowels is corrected in Aland's quotation of Codex Bezae. Deviations from this practice (e.g., for αι in -εται and -σθαι) seem to indicate variant readings and not misspellings.

6. The text is quoted in the Bezan spelling, and the corrected Greek text is added in parenthesis. D*, *prima manus* (*primo, dein*); D[2], *secunda manus*; D[a], *secunda manus* identified by Scrivener as corrector A, etc.; d, the Latin text of Codex Bezae. The obelus in the margin refers to Nestle-Aland ²⁵1963 (= ¹³1927, with exception of Mt 27,65.66; Lk 12,31; 14,12; 19,13 [= ¹⁶1936] and Lk 21,31 [= ²¹1952]).

†18,20 οὐ γάρ εἰσιν: ουκ εισιν γαρ D
ουκ εισιν γαρ D*, ου (= οὐ) γαρ εισιν D^{d}, *non enim sunt* d
23,4 δέ: γαρ D, om. D^{corr}
γαρ D*, om. D^{g}
†24,32 γινώσκετε: -εται D
γεινωσκεται (γινωσκετε) D, *cognoscitis* d
25,6 ὁ νυμφίος, ἐξέρχεσθε: txt D
εξερχεσθαι (-ε) D*, εξερχεται D^{*primo}
26,40 τοὺς μαθητάς: + αυτου D^{corr}, αυτους D*
αυτους D^{*primo}, τους μαθητας αυτου Ḍ^{*dein}
†27,65 ἀσφαλίσασθε: -σθαι D
ασφαλισασθαι (-ε) D, *munite* d
†27,66 τῆς κουστωδίας: των φυλακων D*
τ ν φυλακ¯ D, cf. Scrivener της φυλακης ("η et η p. m. prorsus eras."), Nestle των φυλακων ("nonne ω et ω.?");
της κουστουδιας (-ωδ-) D^{m}
Cf. v. 65 κουστωδίαν: φυλακας D*

Mark
1,21 εὐθύς: ευθεως B . . .
ευθεως D
2,13 ὁ: om. D
om. D*, ο D^{a}
3,17 τοῦ Ἰακώβου: αυτου Θ . . .
αυτου D^{*primo}, του ιακωβου D^{*dein}
† 3,21 ἐξέστη: εξεσταται αυτους D
εξεσταται αυτους D*, εξεσται αυτους D^{2}
6,4 τοῖς συγγενεῦσιν: τοις συγγενεσιν D*
ταις συνγενεσιν (-γγ-) D*, τοις συνγενευσιν (-γγ-) D^{a}
6,21 καὶ γενομένης: γεν. δε D
και γενομενης δε D*, και γενομενης D^{2}
7,36 ὅσον δὲ . . . : οι δε . . . D
οι δε D*, om. D^{2}
9,50 ἀρτύσετε: αρτυσεται D (cf. Nestle)
αρτυσεται (-ε) D, *condietur* d (cf. Lk 14,34)
10,5 ἔγραψεν: + Μωσης D
+ Μωυσης D
11,2 λύσατε αὐτὸν καί: λυσαντες αυτον και αγαγετε D
λυσαντες αυτον και αγαγετε D*, om. και D^{2}
11,11 εἰσῆλθεν: ελθων D
εισελθων D
12,17 ἐξεθαύμαζον: εθ- D^{corr}
εθαυμαζοντο D*, εθα̣υμαζον D^{2}

†13,28 γινώσκετε: -σκεται D
γεινωσκεται (γινωσκετε) D, *cognoscetis* d

14,47 εἷς δέ [τις]: και εις D
και τις D

14,56 ἐψευδομαρτύρουν: + και ελεγον D
+ ελεγον D*, και ελεγον D^{b}

14,68 τὸ προαύλιον: την προαυλην D
την προσαυλην D

16,4 θεωροῦσιν: ευρισκονται D
ευρισκουσιν D

16,6 ἴδε ὁ τόπος: ειδετε εκει τον (-D*) τοπον αυτου D (cf. Nestle)
ειδετε (ιδ-) ... D

Luke

† 5,19.24 κλινιδίῳ ... κλινίδιον: κραβατον (*bis*) D
κραβαττον (*bis*) D

† 5,26 φόβου: θαμβου D*
θαμβου D*, θαμβους D^{b}

10,26 τί: om. D*
om. D*, τι D^{a}, cf. Scrivener: "τι supra lineam A, forsan etiam p. m. (cf. vers. Latin.)"

†11,11 υἱός: + ... επιδωσει αυτω ... D
... αυτω επιδωσει ... D

†12,31 αὐτοῦ: του θεου P^{45} ...
αυτου D^{*primo}, + θεου D^{*dein}, του θεου D^{2}

†14,12 μηδὲ τοὺς συγγενεῖς σου μηδὲ ⸀γείτονας πλουσίους: ⸀τους γ. μηδε τους D
γειτονας *pro* συγγενεις σου, τους *pro* γειτονας D

†14,17 ·ἔρχεσθε: ερχεσθαι D (cf. Nestle)
ερχεσθαι (-ε) D, *venite* d

†19,13 ·πραγματεύσασθε: -ευεσθαι D (cf. Nestle)
πραγματευεσθαι (-ε) D, *negotiamini* d

†19,14 ἀπέστειλαν: ενεπεμψαν D*
ενεπεμψαν D*, επεμψαν D^{2}

†21,30 ⸀ἤδη ... γινώσκετε: ⸀... γινωσκεται D
... γεινωσκεται (γινωσκετε) D, *scitote* d

21,31 γινώσκετε: -ται D (cf. ^{25}Nestle-Aland: B*)
γεινωσκεται (γινωσκετε) D, *scitote* d

Of course, the editor may feel that some doubt exists (cf. ^{25}Nestle-Aland, p. 69*) for -σθαι in Lk 14,17 (hort, von Soden) and 19,13 (Hort), and -ται in Mk 13,28 (Fritzsche, Tischendorf ^{7}1859, Alford, Klostermann, Turner; cf. Nestle ^{13}1927-^{16}1936: ♦), but in that case the two possible readings of the Codex, αι and ε, should be mentioned.[7] And in other ambiguous places one would have expected the alternative reading -αι for -ε. Thus, in Lk 22,42 παρένεγκε, the apparatus mentions D (txt) but παρενεγκε in D can be read with *d* (*transferre*) and ℵ etc. as -έγκαι (cf. Tischendorf), and so also in the parallel text of Mk 14,42 (cf. von Soden).

In some instances where the Synopsis supplies no apparatus, the variant reading of the Codex Bezae could be added. I take one example: Mt 3,16 ἐπ' αὐτόν. The reading of D* (εις) is not referred to. Such an omission is regrettable in a Synopsis which, on the same page, provides the following apparatus for the parallel in Lk 3,22, ἐπ' αὐτόν: "εις D (ex lat?)"; and for Mk 1,10, εἰς αὐτόν: "p) επ ℵ ℜ A W Θ λ *pl*; Or | txt B D φ." On the specimen page of [26]Nestle-Aland, the reading εἰς in Mt 3,16 is not noted,[8] although the new apparatus to Mt 3,10-4,4 shows a careful enumeration of witnesses which is most promising for the future Nestle-Aland.

ADDITIONAL NOTE

Mk 9,1 : cf. H. GREEVEN, *Nochmals Mk ix 1 in Codex Bezae (D, 05)*, in *NTS* 23 (1976-77) 305-308. The author reexamined the Cambridge manuscript and concluded (with Scrivener, though without referring to him) that originally ΤΙΝΕϢΔΕ was written (cf. *supra*, p. 359). The correction by erasing ΔΕ and by changing the letter ϣ in c (Scrivener : *secunda manu* and H) is explained by Greeven as a first hand correction. Like Scrivener (cf. *supra*, n. 3), Greeven does not receive the reading ωδε των (D*) as the original text of Mark : cf. p. 307, and *Synopse*, 1981, p. 134 (τῶν ὧde).

On the Codex Bezae in the Synopsis : cf. *supra*, p. 914 and 934, n. 2.

7. For Lk 19,13 Nestle reads D as -σθε in [13]1927-[15]1932 and -σθαι in [16]1936-[25]1963.

8. Cf. *Bericht der Stiftung zur Förderung der neutestamentlichen Textforschung für die Jahre 1972 bis 1974*, Münster, 1974, p. 20.

— *Additional Note to Section I (p. 359) :*

A more recent illustration of Scrivener's influence on the presentation of the Bezae reading at Mk 9,1 can be found in J. D. YODER, *Concordance to the Distinctive Greek Text of Codex Bezae* (NTTS, 2), Leiden, 1961. Yoder's collation of D is made on the basis of Scrivener's transcription (cf. p. v). He quotes εἰσίν τινες δὲ τῶν ἑστηκότων μετ' ἐμοῦ on p. 18 (ἐμοῦ) and 44 (μετά) and indicates μετ' ἐμοῦ as the Bezae substitute for ὧδε (W-H text added within brackets). He does not refer to Scrivener's own position regarding [ω]δε. On the other hand, the reference to Mk 9,1 is lacking in the article on δέ, but there are a few omissions in this article (cf. Mk 10,49; 15,46).

ETL 55 (1979) 366-372

LA CONCORDANCE DE FRANCISCUS LUCAS BRUGENSIS (1617)

Dans la Préface de la Nouvelle Concordance de la Vulgate, B. Fischer rend hommage au «savant François Lucas Brugensis» qui donna à la Concordance «sa forme actuelle». «The first edition of his *Sacrorum Bibliorum vulgatae editionis concordantiae* was printed at Antwerp by Plantin in 1606 (second edition 1617, etc.)»[1]. Imprimée en quatre langues en tête d'un ouvrage remarquable par sa précision, la Préface est censée livrer une information historique exacte, et le lecteur non averti retiendra 1606 comme l'année de la première édition de la Concordance de Lucas Brugensis[2]. D'autant plus qu'un renseignement identique est fourni par J. Schmid: «Mit den *S. Bibliorum vulgatae ed. Concordantiae* (An 1606, ²1612 u. ö.) schuf er die erste brauchbare u. für alle Späteren Vorbild gewordene Bibelkonkordanz»[3].

Précisons tout de suite: la Concordance de Lucas de Bruges n'a pas paru avant 1617. Il est vrai qu'avant 1617 des concordances de la Vulgate ont été publiées qui contiennent en appendice la liste des «corrections romaines» établie par Lucas[4]. J. Le Long les signale dans sa *Bibliotheca Sacra*: «Concordantiae Bibliorum una cum annotationibus Francisci Lucae Brugensis, fol. Antverpiae 1606. In 4° Antverpiae, Lugduni, Venetiis 1612. Lugduni 1615»[5]. C'est, semble-t-il, cette indication qui est à l'origine de la confusion sur la date de la Concordance de Lucas. Dans l'article *Concordances de la Bible* du *Dictionnaire de la Bible* (1899), E. Mangenot s'y réfère avec beaucoup

1. *Novae Concordantiae Bibliorum Sacrorum iuxta Vulgatam versionem critice editam quas digessit Bonifatius Fischer OSB*, Stuttgart-Bad Cannstatt, 5 vol., 1977. Voir la Préface en latin (t. 1, p. V), en allemand (p. VII), en français (p. IX) et en anglais (p. XI). La Nouvelle Concordance, préparée à l'aide d'un ordinateur, est basée sur le texte de l'édition de Stuttgart: *Biblia sacra iuxta Vulgatam editionem adiuvantibus Bonif. Fischer, J. Gribomont, H.F.D. Sparks, W. Thiele recensuit et brevi apparatu instruxit* R. WEBER, 2 vol., Stuttgart, 1969, ²1975.

2. Par contre, il n'est guère pardonnable de «traduire» la Préface de Fischer comme le fait D. Parry: «Subsequent [*c.-à-d. après Hugues de Saint-Cher*] concordances to the Vulgate (such as the first printed one — Antwerp: Plantin: 1606)...». Cf. *Latin Vulgate - Computer Concordance*, dans *Bulletin of the Association of British Theological and Philosophical Libraries*, n.s., n° 14, Edinburgh, 1979 (mars), pp. 7-10, spéc. p. 7.

3. J. SCHMID, art. *Lucas, Franz, gen. Brugensis*, dans *LTK* 6 (1961) 1169-1170, col. 1170.

4. Préparée en 1601-02 et publiée pour la première fois en 1603: *Romanae correctionis in latinis Bibliis editionis vulgatae, iussu Sixti V. Pont. Max. recognitis, loca insigniora.* Lucas l'appelle aussi *Libellus de Romana Bibliorum correctione* ou *Correctorium.*

5. Paris, 1709, t. 2, p. 335; ³1723, t. 1, p. 458.

de réserve : «Si nous en croyons Le Long, *op. cit.*, p. 458, d'autres éditions parurent en diverses villes, en 1606, 1612 et 1615, avec les annotations de François Luc de Bruges. Quoi qu'il en soit,...» (t. 2, col. 898). Dans *Realencyclopädie für protestantische Theologie und Kirche* (1901), C. R. Gregory ajoute aux données déjà connues : Antwerpen und Venedig 1618, fol. (Mangenot schreibt Antwerpen 1617)» (t. 10, p. 700). Et à propos de *Lyon 1615*, il se demande : «ob mit Leiden 1615 verwechselt?» (À tort, car c'est bien à Lyon que parurent en 1615 les «*Concordantiae Bibliorum utriusque Testamenti veteris et novi quas merito maximas et absolutissimas licet appellare. ... Addita sunt ad calcem Correctionis Romanae loca insigniora, a* Franc. Luca *Brugensi annotata.* Sumptibus Iohannis Pillehotte»). La confusion sera complète avec J. Schmid qui, dans *Lexikon für Theologie und Kirche* (1958), identifie les concordances parues en 1606 et 1612 avec la *berühmte Konkordanz* de Franciscus Lucas Brugensis (t. 2, col. 361).

Nos savants auteurs d'articles spécialisés sur les concordances de la Bible auraient pu faire leur profit d'une lecture des *Documents relatifs à la biographie de François Lucas* publiés par A. C. De Schrevel en 1889 [6]. Plusieurs lettres échangées entre Balthasar Moretus et Lucas de Bruges ont trait à la Concordance [7] :

57.	Moretus	2 août	1606	102.	Lucas	22 octobre	1614
58.	Lucas	22 août	1606	103.	Moretus	10 novembre	1614
59.	Moretus	5 octobre	1606	116.	Lucas	14 décembre	1616
72.	Lucas	7 avril	1610	120.	Moretus	1 février	1617
88.	Lucas	20 octobre	1611	121.	Lucas	16 février	1617
89.	Lucas	8 décembre	1611	122.	Moretus	25 février	1617
96.	Lucas	26 juillet	1612	123.	Moretus	27 février	1617
97.	Lucas	8 février	1613	124.	Lucas	2 mars	1617
98.	Moretus	9 octobre	1613	125.	Moretus	15 avril	1617
100.	Moretus	4 septembre	1614	126.	Lucas	26 avril	1617
101.	Lucas	11 septembre	1614	130.	Lucas	15 juin	1617

6. *Documents pour servir à la biographie de François Lucas – dit Lucas Brugensis – Luc de Bruges*, dans *Annales de la Société d'émulation pour l'étude de l'histoire et des antiquités de la Flandre* 39 (1889) 191-400 (volume 39 de la collection = 5e série, tome II, Bruges, 1890). Reproduit en tiré à part sous le titre : *Documents relatifs à la biographie de François Lucas*, pp. [1]-[210] (sans autre indication). À compléter par : A. PONCELET, *Dix lettres inédites relatives à François Lucas de Bruges*, dans *Annales... 53* (1903) 225-259; A. FAYEN, *Lettres Plantiniennes (1574-1581)*, dans *Revue des Bibliothèques et Archives de Belgique* 3 (1905) 433-461, pp. 447-454 : *François Lucas à Balthasar Ansidei, bibliothécaire de la Vaticane – 23 novembre 1576*. Voir aussi la notice : A. C. DE SCHREVEL, *Lucas (François), dit Lucas Brugensis*, dans *Biographie nationale de Belgique* 12 (1892-93), col. 550-563.

7. Les numéros sont ceux de DE SCHREVEL, *Documents.* Les lettres en question sont écrites par ou adressées à Balthasar Moretus, à l'exception des nos 58 et 72, lettres adressées à son père Jean Moretus I († 1610); no 118, à son frère Jean Moretus II;

Nous apprenons par cette correspondance que la suggestion est venue de l'imprimeur : «At modo in Concordantiis ad Clementinam seu Sixtinam editionem emendandis versari ipsam [R.V.] malimus» (n° 57), en 1606, après l'achèvement du commentaire sur les évangiles. Lucas estime qu'il suffit de consacrer un semestre à ce travail (n° 58 : «ut... adhibito Correctorio meo, huic operi semestre impendam»). Il ne l'a vraisemblablement pas commencé avant l'hiver de 1607-08 (cf. n° 59). Mais nous savons que le manuscrit était dans les mains de l'imprimeur en 1610 (n° 72). L'impression a tardé quelque peu, et Lucas s'en est énervé (n°s 88 et 96). En septembre 1614, il reçoit un spécimen, qu'il approuve (n°s 100 et 101). Le livre est finalement imprimé en 1617. Par sa lettre du 15 avril, Balthasar Moretus annonce la nouvelle : «Concordantias (Deo gratia esto) iam tandem absolvimus : quarum duodecim exempla R.V. transmittimus» (n° 125).

À deux reprises, il est question d'autres concordances qui ont paru dans l'entretemps. En octobre 1611, Lucas reçoit le catalogue de la bourse de Francfort, et il s'alarme : «Video excusas Concordantias maiores utriusque Testamenti quibus adiunctae sunt correctiones Romanae a F. Luca, editae Antverpiae, apud Keerbergium in 4°. Miror an Concordantias a me correctas, vos tradideritis Keerbergio excudendas...» (n° 88). Le 8 décembre 1611, il est rassuré. Moretus lui a fait cadeau d'un exemplaire de la Concordance de Keerbergius : «Perlustravi illas, nec quidquam inveni novi aut diversi a prioribus editionibus similis formae, nisi quod adiungatur libellus correctionum Romanarum a me observatarum. Ad quas si Concordantiae ipsae correctae essent, egregie serviret libellus hic additus[8], ubi iam ad nihil aliud servit quam ut testetur Concordantias multiplicibus locis esse incorrectas» (n° 89). À cette occasion, Lucas insiste pour qu'on n'ajourne plus l'édition (n° 88). Dans une lettre de Moretus (1614), par contre, il s'agit d'un facteur qui a retardé l'impression de la Concordance : «In primis duplex Gallorum editio, altera in 4°, altera in maiori folio, cum quibus statim concurrere, non una nobis ratio dissuasit» (n° 100).

* * *

n° 126, aux deux Moreti, Balthasar et Jean. Les lettres n°s 57 et 59 (1606) sont écrites par Balthasar au nom de son père («cuius nomine haec scripsi»). La correspondance est conservée aux archives du Musée Plantin-Moretus à Anvers (les lettres de Lucas : Reg. 87).

Dans les n°s 139-150, De Schrevel reproduit le texte des *Épîtres dédicatoires et préfaces des ouvrages publiés par François Lucas*. Voir n° 149 : le titre de la Concordance, la dédicace des imprimeurs à J. Blasaeus, évêque de St-Omer (datée du 10 avril 1617) et la préface de Lucas «de iis quae ipse in hac Concordantiarum editione praestitit» (1 mars 1617).

8. Lucas avait lui-même l'intention d'ajouter le *Libellus* en appendice à la Concordance, mais l'imprimeur ne l'a pas suivi (n° 124).

La Concordance de 1617 est toujours citée comme l'œuvre de Lucas de Bruges, et le rôle qu'a joué l'imprimeur Moretus est passé sous silence. C'est pourtant lui qui a proposé de corriger la Concordance «ad Sixtina Biblia» (cf. nº 57). Sans l'intervention de Moretus, Lucas n'aurait certainement pas entrepris ce travail: «iamdiu ego animo illud opus reieceram, ut quod fere non nisi laborem requirat, possitque facile a quovis fieri, me interim maioribus vacante» (nº 58; cf. nº 59)[9]. Il semble d'ailleurs qu'il s'est fait aider. La *Praefatio* fait mention de «quorumdam qui nos adiuverunt». Un de ses collaborateurs recevra un exemplaire de la Concordance: «Alterum quoque exemplar misi Brugas, tradendum M. Guidoni Stassart, pastori Ostendano, qui sub dicto M. N. Estio, secundum instructionem meam correctioni intenderat» (nº 130; cf. nº 126: «qui mihi in eo opere auxilio fuerat»).

Quant à la réalisation du projet, Moretus semble avoir eu des exigences plus strictes que Lucas. Celui-ci décide d'alléger la Concordance: «resectis tamen prius non solum pronominibus, coniunctionibus, et praepositionibus, verum etiam verbis et nominibus quae frequentissime occurrunt, ut *Dominus*, *Deus*, *dixit*, *facere* etc. Rursus etiam nominibus propriis ubi propria eorum tractatur historia etc.» (nº 58)[10]. La réaction de Moretus: «At de tot vocibus e Concordantiis tollendis, dubito num quis improbet; et aliquam vim subesse dicat nominibus aut verbis omissis, quorum variam interpretationem operae pretium sit agnoscere, Concordantiarum adiumento. Nam si quis scire desideret, quoties *facere* pro *sacrificare* S. Scriptura usurpet, commodius se id cogniturum existimet Concordantiis inspectis, ac singulis deinde Bibliorum locis, ubi verbum istud intercurrat, examinatis» (nº 59). Lucas cède sur ce point particulier (la Concordance comporte un article *facio* de 47 colonnes), mais il maintient la décision d'éliminer les *voces minus necessariae*: «ut et eae voces quae quaeruntur facilius inveniri, et Concordantiarum liber minus gravis, commodius circumferri possit» (*Praefatio*). Il a pris soin de se couvrir: «suffragantibus compluribus viris doctrina celebribus» (*ibid.*)[11].

9. A. C. De Schrevel affirme: «Déjà autrefois Lucas et son conseiller Jean Harlemius avaient songé à remanier la concordance de la Bible, en partie avec l'intention de favoriser les intérêts de la maison Plantin» (*Lucas*, col. 560). Il ne dit pas d'où il a tiré ce renseignement.

10. Le passage est repris dans la *Praefatio* (avec *sum*, *dico* au lieu de *dixit*, *facere*), à l'exception de la phrase sur les *nomina propria* (voir cependant nº 124).

11. Dans la rédaction primitive, il se réfère à quatre *viri docti*: les évêques de St-Omer et de Roermond, Estius et le Père Schondonchus (nº 122); la Préface imprimée ne mentionne plus que l'évêque de St-Omer (cf. nº 149, B).

Plus tard, Lucas dira cependant: «immo etiam monosyllaba ad longum expressa aliquando prodesse posse eis qui bene Concordantiis norunt uti (expertus loquor)» (nº 121). Les anciennes *Concordantiae maiores* contiennent tous les mots, y compris les indéclinables et les monosyllabes. Voir par exemple la Concordance de 1567,

Dans la Préface, Lucas s'explique aussi sur sa manière de travailler: «sumto in manus exemplari Concordantiarum..., contulimus et correximus illud ad libellum nostrum Correctorium». Quoiqu'il ajoute qu'il a consulté la Bible même «plerisque occasionibus», c'est surtout indirectement qu'il a corrigé le texte de la Concordance, à l'aide de *Romanae correctionis... loca insigniora*. Les imperfections de son travail se sont progressivement révélées à Moretus. D'abord, par une lettre de 1610, nous apprenons que Lucas a travaillé sur une concordance de 1567[12]: «recte monetis, ut... correctiones a nobis adhibitae ad exemplar anni 1567 transferantur in exemplar anni 1585, et ex eo deinde fiat impressio» (n° 72). Il se défend en disant que l'édition de 1585, si elle peut être «emendatior quod ad typographicam curam», a sans doute le même texte biblique, celui de la Bible de Louvain. Lorsqu'il dit dans la Préface: «exemplari Concordantiarum quam copiosissimo et recentissimo, quale invenire potuimus», il parle de cette Concordance de 1585[13], mais c'est Moretus qui l'avait «trouvée» (n° 72: «quandoquidem inveneritis editionem posteriorem et emendatiorem»). Puis, en 1613, Moretus fait une autre constatation: «Numeros versuum in Sixtina Bibliorum editione plurimis locis immutatos, his diebus observabam: itaque collata veteri Lovaniensium recognitione cum Romana in versuum numeris distinguendis, omnes in Concordantiis ad Romanam restitui curavi» (n° 98; cf. n° 102: «bene habet»). Finalement, en 1617, Moretus prendra une mesure radicale: «Nam cum sub impressionis initium crebra nimis dubia vel in numeris versuum

utilisée par Lucas (cf. n. 12), et la Concordance publiée par Plantin en 1585 (cf. n. 13): l'article du mot *ad* y occupe 43 colonnes et celui de *sum* s'étend sur 51 colonnes.

Notons ici que même la Nouvelle Concordance de 1977 (cf. *supra*, n. 1) n'est pas «complète»: «pour maintenir l'étendue et le prix... dans des limites supportables», elle n'a pas repris les 22 mots suivants: *ad, de, ego, et, hic, ille, in, ipse, is, iste, meus, non, nos, noster, qui, sui, sum, suus, tu, tuus, vester, vos.* D'autre part, on y trouve plusieurs mots que Lucas (et Dutripon, 1838) avait omis: *a, ab, ac, at, atque, aut, autem, cum, cur, Deus, dico, e, enim, ex, ita, itaque, nam, ne, -ne, nec, neque, nonne, nosmet, nunc, ob, per, post, prae, pro, quam, quasi, -que, quia, quicumque, quidam, quidem, quis, quod, quoniam, quoque, sed, si, sic, sicut, sub, super, tam, trans, tumet, tunc, ubi, unde, usque, ut, -ve, vel, vero, vosmet* (voir la *Préface*).

12. Il s'agit sans doute de *Concordantiae Bibliorum Utriusque Testamenti Veteris et Novi, novae et integrae, quas re vera maiores appellare possis*, in-4°, Antverpiae, Apud Haeredes Arnoldi Birckmanni, 1567 («Antverpiae excudebat Amatus Tavernerius Anno M.D.LXVI»).

13. *Concordantiae Bibliorum Utriusque Testamenti, Veteris et Novi, perfectae et integrae; quas revera maiores appellare possis: opus post omnes quae praecesserunt editiones, multis depravatis locis commode restitutis et castigatis, summo studio ac labore illustratum*, in-4°, Anvers, 1585 (Chr. Plantin). Comparer la rédaction antérieure de la Préface: «excuso Antverpiae anno 1585 [per Christophorum Plantinum (piae memoriae)], quo non aliud exstare arbitramur aut copiosius aut exactius», en 1610 (n° 72) et encore en 1617 (n° 122: sans les mots mis entre crochets). Les derniers mots «quo non aliud...» semblent remonter à la rédaction primitive (avant la correction de 1610: cf. n° 72), où ils s'appliquaient à l'édition de 1567!

vel in ipsis vocibus occurrerent, ut inter corrigendum sacer textus saepissime consulendus esset, operae pretium fore videbatur, si extraordinaria mercede correctores nostros inducerem, ut successivis horis singulas voces cum sacro textu conferrent, quo emendatissima haec tandem atque omnium perfectissima concordantiarum prodiret editio. Atque hanc operam praestare coeperunt ab ipsa dictione CONTRA» (nº 120). Que peut lui répondre Lucas, si ce n'est : «Dolendum est quod ab ipso initio operis non venerit in mentem haec cura : immo occurrit quidem semper menti meae, sed, cum mihi non vacaret ei rei intendere, nesciebam cui possem committere» (nº 121).

Une dernière difficulté surgit à propos des mots qui sont fréquemment employés dans un même chapître et pour lesquels Lucas s'était contenté de la formule *saepe hoc capite*, sans donner les références (voir la Concordance, s.v. *Aaron*, etc.). À partir de *benedico*, Moretus décide de supprimer cette formule et de citer tous les textes (nº 120). Lucas fait valoir que ces textes n'ont pas été corrigés d'après la correction Romaine (nº 121), mais Moretus lui répond que cette difficulté «nullo aut exigua esse potest, nam a verbo BENEDICO reponere primum coepimus, et a praepositione CONTRA singulas voces cum sacro textu conferre» (nº 122).

Dans ces conditions, on comprend que Moretus a voulu compléter le titre de l'ouvrage (*Concordantiae... opera et studio Francisci Lucae Brugensis...*)[14] par un sous-titre : *Accessit Correctorum Plantinianorum industria; qui singulis cum sacro Textu collatis sententiis, innumeros vocum et numerorum errores sustulere, qui in omnes hactenus Concordantiarum editiones irrepserant* (nº 120, 121 ; cf. nº 124), et qu'il a fait précéder la Préface de Lucas par une dédicace à l'évêque de Saint-Omer (nº 123, 125; cf. 100) dans laquelle les imprimeurs Balthasar et Jean

14. *Concordantiae Bibliorum Sacrorum Vulgatae editionis, ad recognitionem iussu Sixti V. Pont. Max. Bibliis adhibitam recensitae atque emendatae, Opera et studio Francisci Lucae Brugensis Theologi et Decani Audomaropolitano. Accessit...*, In folio, Antverpiae, Ex Officina Plantiniana, Apud Balthasarem et Ioannem Moretos, M.DC.XVII. (en abrégé *Concordantiae Bibliorum Sacrorum emendatae* : p. 1 ; cf. nº 101 et 100).

Dans le titre cité par B. Fischer (et J. Schmid), l'ordre des mots est à corriger : 3 2 4 5 1 (le titre de 1642; cf. *infra*, n. 15). On corrigera aussi l'abréviation qu'en donne J. Coppens : *Concordantiae Scripturarum*; cf. art. *Lucas*, dans *Enciclopedia Cattolica* 7 (1951) 1608.

J. Le Long le cite correctement si ce n'est qu'il insère après «editionis» : *Hugone Cardinali authore*. Lucas n'a certainement pas écrit cela. Il entend parler de *Hugo Cardinalis* comme *primus Concordantiarum auctor* pour la première fois dans une lettre de Barth. Peeters du 11 décembre 1616 (nº 119). Il le communique à Moretus (nº 12[1]), qui veut en savoir plus (nº 122). Le 2 mars 1617, Lucas lui promet : «De primo Concordantiarum auctore exactius inquiram» (nº 124). Dans la Dédicace, Moretus parle d'une manière fort vague (et fort prudente) du *primus Auctor* (cf. nº 149 A). Sur ce point, il trouvera plus tard une plus ample information (que Lucas, qui mourut en 1619, n'a probablement pas pu lui donner) dans le *Praeambulum quartum* de Phalesius : *De Auctore Concordantiarum* (p. XIV-XV ; cf. *infra*, n. 15).

Moretus expliquent la part qu'ont eue dans cette édition les *Typographiae nostrae Correctores*. Ce travail supplémentaire est aussi une bonne excuse : «facile, ut speramus, longiorem moram maior editionis accuratio compensabit»[15].

Le sous-titre et la dédicace originelle ont disparu dans l'édition de 1642[16]. Mais ce fut encore le même Balthasar Moretus qui la fit imprimer et qui avait confié le travail de révision à un moine d'Affligem, Hubertus Phalesius († 1638)[17]. Il mourut le 8 juillet 1641, et l'ouvrage posthume fut publié par son neveu Balthasar II Moretus.

15. Cf. n° 120 : «Quae opera haud exiguam fateor editioni moram iniecit, sed maiori lectoris commodo haud dubie compensandam. Nam dictu pene incredibile, quot errorum millia sustulerint ...».

16. *Sacrorum Bibliorum Vulgatae editionis Concordantiae, ad recognitionem iussu Sixtu V. Pont. Max. Bibliis adhibitam recensitae atque emendatae, Primum a Francisco Luca Theologo et Decano Audomaropolitano, Nunc denuo variis locis expurgatae ac locupletatae cura et studio V.D. Huberti Phalesii, Coenobij Affligeniensis Ordinis S. Benedicti sub-prioris*, Antverpiae, Ex Officina Plantiniana Balthasaris Moreti, M.DC.XLII. L'introduction comporte la dédicace de l'imprimeur à l'archévêque de Malines (p. V-IX), la Préface de Lucas (p. X) et cinq *Praeambula* de Phalesius (p. XIXX).

17. Voir *Praeambulum primum* (p. XI) et la référence au *patruus* dans la Dédicace (p. VII). Cf. F. DONNET, *Phalèse (Hubert) ou Phalesius*, dans *Biographie nationale de Belgique* 17 (1903), col. 152-154.

La «révision» de Phalèse ne s'étend guère au delà de la correction de certaines références et citations. Il réintroduit les mots que Lucas avait écartés (cf. *supra*, n. 10), mais il n'en donne qu'une seule référence («deinceps consulto omittitur») ou une sélection («deinceps omittitur, exceptis locis notabilioribus» : cf. *Deus*, *dico*, *sum*).

ETL 52 (1976) 134-142

LA NOUVELLE CONCORDANCE DU NOUVEAU TESTAMENT (I)*

La publication de la *Vollständige Konkordanz* peut être saluée comme un événement pour les études néotestamentaires. Jusqu'à présent, la seule concordance qu'un étudiant du Nouveau Testament avait à sa disposition était celle de Moulton-Geden. Publiée en 1897, et plusieurs fois réimprimée, elle a rendu d'excellents services, mais on ne peut l'appeler «a *complete* Concordance to the Greek Testament» (*Preface*, p. v). Elle omet δέ et καί et, pour d'autres particules comme ἀλλά, γάρ, ἤ, ὅτι, οὐ, οὖν, τε, les prépositions ἀπό, εἰς, ἐκ, ἐν, σύν, et la copule ἐστίν, elle donne simplement les références, sans citer le texte; de même, pour l'article et pour les formes déclinées des prénoms personnels ἐγώ, σύ, αὐτός et du démonstratif οὗτος. Dans tous ces cas, il fallait recourir directement au texte du Nouveau Testament ou consulter le *Tamieion* de Bruder (1842; [4]1888), qui est une concordance «complète» mais composée à partir du Textus receptus. Dans l'ouvrage de Moulton-Geden, le Textus receptus est remplacé par le texte des éditions de Westcott-Hort et Tischendorf (et celui des *Revisers*). C'est un excellent travail du 19e siècle mais depuis longtemps le besoin se fait sentir de substituer à Moulton-Geden une concordance qui tient compte de l'évolution qui s'est manifestée en critique textuelle depuis 1881.

Le caractère exhaustif est sans doute le premier objectif de la nouvelle Concordance: signaler tous les mots et citer le texte pour chaque attestation. Les deux fascicules qui ont paru permettent déjà d'en juger dans les articles ἀλλά, ἀπό, αὐτός (etc.), γάρ, ainsi que ἀμήν dans Jn, où Moulton-Geden s'était contenté de donner les références. Mais cette volonté d'être exhaustif est plus caractéristique encore dans le relevé complet de toutes les variantes textuelles imprimées dans les éditions modernes: à côté du Textus receptus (cf. Bruder) et des éditions de Tischendorf et Westcott-Hort (cf. Moulton-Geden), celles de von Soden, Vogels, Merk, Bover et

* Kurt ALAND (éd.), *Vollständige Konkordanz zum griechischen Neuen Testament.* Unter Zugrundelegung aller modernen kritischen Textausgaben und des Textus receptus in Verbindung met H. Riesenfeld, H.-U. Rosenbaum, Chr. Hannick neu zusammengestellt unter der Leitung von K. ALAND. Band I, Lieferung 1: A — ἀσθενέω (Arbeiten zur neutestamentlichen Textforschung, 4). Berlin-New York, 1975, Walter de Gruyter & Co, in-4° (23 × 31), pp. II-96, kartoniert, DM 98. — Lieferung 2: ἀσθένημα — γράφω, 1976, pp. 97-192.

Nestle-Aland. Le texte qui sera imprimé dans la 26e édition de Nestle-Aland est pris comme texte de base, mais en cas d'une variante imprimée dans une des éditions, le choix de chacune de celles-ci est indiqué. La possibilité a été envisagée de donner aussi le témoignage des plus importants manuscrits et papyrus mais les difficultés techniques n'ont pas permis de réaliser ce projet (cf. Avant-propos, fasc. 1).

La publication d'une telle Concordance est un programme ambitieux. Après environ vingt années de préparation, le premier fascicule est sorti en mai 1975, rapidement suivi par un deuxième. Pour 1976, on prévoit encore un double fascicule 3-4, de γράφω à ε. *Herausgeber* et *Verlag* se proposent de maintenir ce rythme de deux fascicules par an. La Concordance *complète*, en deux tomes, n'est donc pas attendue avant 1980, mais déjà on peut la compter parmi les plus brillantes réalisations de l'*Institut für neutestamentliche Textforschung*, dirigé par le professeur Aland.

* * *

L'ouvrage est destiné à s'imposer à des générations d'exégètes comme un instrument de travail indispensable. Dans l'avant-propos du premier fascicule, K. Aland, se référant aux éditions du Nouveau Testament analysées, n'hésite pas à écrire: «der Benutzer erhält dadurch eine vollständige Übersicht über alle Stellen, an denen in bezug auf den neutestamentlichen Text in den letzten hundert Jahren ernsthafte Meinungsverschiedenheiten bestanden». Qu'il me soit permis d'exprimer ici une certaine réserve. Je le ferai à partir d'un exemple concret: le texte 'occidental' de Lc 3, 22. On peut être d'avis qu'il s'agit d'une leçon secondaire mais la thèse de l'authenticité a été défendue par Usener, Hillmann, Zahn, Blass, Holsten, Wernle, Holtzmann, Spitta, J. Weiss, Harnack, Voelter, Moffatt, Streeter, Dibelius (1911), Klostermann, Loisy, Goguel, Hauck, Sahlin, W. Manson, Leaney, Beare, Bundy, Grundmann, Braun, Chevallier, Wilckens, Rese, et autres, y compris, parmi les partisans récents, un nombre croissant d'exégètes catholiques: Benoit, Feuillet, Sabbe, Voss, Legrand, George, Polag, Schürmann, Boismard. Cette discussion n'aura aucun écho dans la Concordance (cf. p. 5C ἀγαπητός et p. 177B γεννάω), parce qu'aucune des éditions citées n'a imprimé le texte 'occidental'! Et pourtant, on aurait pu suivre l'exemple de Moulton-Geden et introduire les leçons marginales de Westcott-Hort (h). Les variantes de h qui ne sont pas imprimées dans une des neuf éditions, n'ont pas toutes l'importance de Lc 3, 22, mais l'on doit constater que Moulton-Geden restera la seule concordance qui les signale. Ainsi on cherche vainement dans l'article ἀγαπάω de la nouvelle Concordance

(p. 3B) la leçon ἀγαπᾷ de Mc 7, 6, qui, d'après T. W. Manson, pourrait être «the true text of Mark»; cf. *BJRL* 34 (1951-52), pp. 317-318. En plus, la mention d'une leçon h apporte une nuance au choix de Westcott-Hort. J'emprunte un exemple à l'article γάρ: Mc 3, 35 [N^{26}]; — NTH (p. 167C). En effet, γάρ est omis dans le texte de Westcott-Hort (— H), mais il y est imprimé en marge (h), un choix qui est pratiquement identique à celui de Nestle-Aland^{26} qui, suivant l'exemple de GNT, met le mot entre crochets. Pour revenir à Lc 3, 22, H. Lietzmann a imprimé le texte 'occidental' dans la 9e édition de la Synopse de Huck (1935; ^{10}1950), la seule Synopse grecque en usage jusqu'à 1964 (date de la publication de la *Synopsis* de Aland). Du point de vue des études synoptiques, on aurait souhaité retrouver dans la Concordance la leçon imprimée dans Huck-Lietzmann. Il aurait été possible d'utiliser le sigle L pour les leçons de la Synopse où elle diffère de N^{25}, car, il faut en convenir, pour la critique synoptique, le texte de Huck-Lietzmann a été autrement important que celui d'une édition comme celle de Bover.

Sans doute, il sera rare qu'un gros poisson comme Lc 3, 22 puisse glisser entre les mailles d'un filet formé par neuf éditions: N^{26} (Nestle-Aland^{26} = Greek New Testament^{3}, à paraître); N (Nestle-Aland, ^{25}1963); M (Merk, ^{9}1964); V (Vogels, ^{3}1949-50); B (Bover, ^{5}1958); S (von Soden, 1913); T (Tischendorf, ^{8}1869-72); H (Westcott-Hort, 1881); ς (Textus receptus, éd. Oxford, 1873). En gros, l'ordre des éditions adopté dans la Concordance est chronologique et régressif, mais on s'étonne quelque peu devant la suite de V/B et de T/H. Quant au sigle ς, on comprend la difficulté pratique que posent les deux lettres de TR, mais ς (Stephanus), qui a l'avantage de bien mettre à part le Textus receptus par rapport aux éditions modernes, se distingue moins nettement quand le sigle fait suite à un mot grec. La présentation deviendrait plus lisible si on pouvait se mettre d'accord sur une nouvelle convention: R (cf. *Duality in Mark*, p. 194). Le texte de base de la Concordance est donc celui des nouvelles éditions, N^{26} et GNT^{3}, qui, d'après la formule consacrée, «beide im Erscheinen begriffen sind» (Avant-propos). Après le *Textual Commentary* de B. M. Metzger, qui date de 1971, nous disposons ainsi d'un second ouvrage qui est fait sur ce texte-fantôme dont on sait qu'il existe mais ne se montre pas. Les fascicules publiés permettent de se faire une idée du texte nouveau. Pour l'évangile de Marc, j'avais moi-même dressé une liste des différences entre N^{25} et GNT (cf. *Duality in Mark*, pp. 194-197). L'édition de N^{26} = GNT^{3} suivra l'orthographe de GNT pour ἁλιεῖς (1, 16.17), Βεελζεβούλ (3, 22), γαζοφυλάκιον (12, 41.43), διαρρήξας (14, 63), κράβαττος (2, 4.9.11.12; 6, 55) et elle adoptera la leçon de GNT en 1, 4b.6.8.11.27.32.40a.b; 3, 3.8.14.

31.33.35; 4, 21.22; 5, 6.27; 6, 2a.6.22a.b.23a.b.c.29.38.39.41.44.50; 7, 4a.b.24.35a.b.37; 8, 3.20.28; 9, 38.43; 10, 7; 12, 1.4.9.23.26a.b. 34.37; 13, 2.15b; 14, 43.68.72; 15, 1.12a.b.43.46a.b; 16, 1a,2. Elle se rapproche de GNT en recourant au compromis des crochets en 1, 4a; 3, 17.32; 5, 21*; 15, 36. Par contre, le texte de N^{25} est maintenu en 2, 16*; 5, 10; 6, 2b*.8.20.35.37; 8, 16.35*; 9, 16; 10, 2.46*; 11, 22*; 12, 1; 14, 10; 15, 2.20.35; 16, 1b. (L'astérisque indique les passages qui sont annotés dans le *Textual Commentary* de Metzger.) Il reste environ 40 cas qui n'ont pu être vérifiés, mais le grand nombre de leçons de GNT qui seront imprimées dans N^{26} = GNT^3 est évident. Devant cette constatation, on se demande pourquoi GNT (1966, ^{2}1968) ne figure pas parmi les éditions dont les leçons sont signalées! La plupart des variantes qui seront introduites dans le nouveau texte de Nestle-Aland, se trouvent déjà depuis 1966 dans l'édition des *Bible Societies* et, on le sait, les *traducteurs* de la Bible ne sont pas les seuls à l'utiliser. GNT a été la première édition à introduire des crochets en 3, 33.35; 6, 23a.41.44; 12, 9.23.26.34.37; 15, 43: ils seront repris dans N^{26} = GNT^3, mais ce ne sera pas le cas en 6, 35; 13, 1; 14, 10. La nouvelle édition reprend en 6, 23 la leçon ὅ τι qu'on ne trouve dans aucune des autres éditions, mais ἵνα... γίνωνται en 6, 2b, εἰ en 11, 22 et ἐπηρώτα en 15, 2 sont rejétés. Les étudiants qui utilisent la première ou la deuxième édition de GNT (et ils ne la brûleront pas après la parution de GNT^3) ne pourront trouver dans la Concordance les leçons de 6,2b.35; 11, 22; 13, 1; 14, 10; 15, 2. Et un examen attentif des autres livres du Nouveau Testament risque d'allonger la liste. Un exemple dans Luc: διελθεῖν (loco εἰσελθεῖν) en 18, 25a. L'absence de GNT^1 fait donc échapper certaines variantes et la Concordance ne nous renseigne pas sur le fait que la date réelle de l'introduction de plusieurs leçons de N^{26} = GNT^3 est 1966. Pour d'autres variantes, où la Concordance ne peut signaler aucune édition récente (p. ex. p. 84C, Mc 6, 20: ἐποίει ς; p. 11B, Mc 16, 1: om. τοῦ T; p. 20A, Mc 6, 8: ἄρωσιν S), il ne serait pas inutile de savoir que ces leçons ont été imprimées dans GNT de 1966 (et 1968). On pourrait citer encore le cas de Mc 15, 39 κράξας ς, supprimé déjà dans la deuxième édition. La dimension historique a également été négligée dans la pratique de ne signaler que la dernière des autres éditions, p. ex. pour Nestle-Aland celle de 1963. Quand on lit dans l'Avant-propos que le texte du 20e siècle s'est éloigné du texte de base de Moulton-Geden, «und zwar schon seit der ersten Ausgabe Nestles von 1892», ne peut-on pas s'attendre à ce que la Concordance nous renseigne sur le développement du texte de Nestle (1898!) à Nestle-Aland (1963)?

Avant de quitter le domaine de la critique textuelle, je tiens encore à dire que j'ai contrôlé l'exactitude des renseignements sur les éditions en les comparant avec l'apparat des variantes de Marc (*op. cit.*), que j'avais établi directement sur les mêmes éditions (dans l'ordre de Aland: NMVBSTHς): j'ai pu constater une «concordance» parfaite (jusque dans la correction de l'apparat de N^{25}, p. ex. 6, 23 ὅτι H)! Une petite réserve tout de même quand il s'agit de transpositions: les éditions qui ont un ordre des mots différent sont signalées sans indication des variations entre elles. Voir p. ex. p. 57C, Mc 3, 3 τὴν ξηρὰν χεῖρα ἔχοντι: 1 3 4 2 dans NMBH mais 2 4 1 3 dans ς. Autre exemple, p. 5B, 1 Jn 4, 12 ἐν ἡμῖν τετελειωμένη ἐστίν: 3 1 2 4 dans NVTH (et GNT!) mais 3 4 1 2 dans ς.

L'astérisque au début des citations marque fort bien les attestations qui n'appartiennent pas au texte de base (N^{26}). D'autre part, les parenthèses dans le texte cité, avec la masse de variantes et de sigles-témoins, risque de dérouter tel ou tel utilisateur. Lorsque ces variantes affectent l'emploi grammatical ou le sens du mot étudié, l'apparat est d'intérêt évident pour tout le monde. La décision de donner *toutes* les variantes qui se présentent dans la fraction du texte cité peut sembler discutable, mais on doit réaliser qu'un choix dans cette matière devient facilement subjectif et contestable. Somme toute, une décision en fonction de l'ordinateur est encore la meilleure solution. Elle évite en tout cas le danger d'inconséquences et de contradictions dans la Concordance.

* * *

La nouvelle Concordance réalise un progrès réel dans la présentation. Quand il y a plusieurs attestations du mot dans un même verset, elles ne sont jamais groupées dans un seul *lemma* mais forment autant de lignes de texte, avec répétition du numéro du verset. Le signe ↔ indique que le texte continue dans la ligne suivante. S'il y a lieu, le fragment est complété par un élément du contexte, séparé par ... ou, s'il appartient à un verset voisin, par < >. Toutefois, la critique des Synoptiques, qui en cette matière a ses exigences propres, aurait pu être mieux servie. J'emprunte un exemple à la p. 1B, *sub voce* Ἀβραάμ, les textes parallèles de Mt 22, 32; Mc 12, 26 et Lc 20, 37 (j'omets le début des citations):

ὁ θεὸς Ἀβραάμ
ὁ θεὸς Ἀβραὰμ καὶ ὁ (+ [N^{26}]NTς) θεὸς Ἰσαάκ
τὸν θεὸν Ἀβραὰμ καὶ θεὸν Ἰσαὰκ καὶ θεὸν Ἰακώβ.

Rien ne suggère qu'on lit dans les trois textes «le Dieu d'Abraham et le Dieu d'Isaac et le Dieu de Jacob» (voir aussi Ac 3, 13, comp. 7, 32!). Et il n'y a aucune raison pour donner au problème textuel de l'article devant «Dieu d'Isaac» en Mc un traitement différent de celui de l'article devant « Dieu de Jacob ». Autre exemple : p. 5B, *sub voce* ἀγαπητός. La citation de la voix céleste inclut ἐν ᾧ εὐδόκησα en Mt 17, 5 (voir aussi Mt 12, 18), mais l'omet en Mt 3, 17, ainsi que ἐν σοὶ εὐδόκησα dans les parallèles de Mc 1, 11 et Lc 3, 22. Une reproduction plus fidèle des passages parallèles n'est pas notre seul *desideratum*. Pour bien étudier le vocabulaire des Synoptiques à l'aide de la Concordance, il sera nécessaire d'ajouter en marge du texte imprimé des renvois intersynoptiques indiquant la référence du parallèle qui a le même mot. Il aurait été beaucoup plus pratique de trouver ces références imprimées dans l'ouvrage. C'est une information élémentaire qui, d'un point de vue typographique, n'est certainement pas si difficile à réaliser. Ces références auraient été utiles déjà dans la confection même de la Concordance, car elles auraient permis d'éviter certaines imperfections dans la citation des parallèles.

Il est dans la tradition des concordances du N.T. de compléter, pour les mots qui s'y prêtent, la liste des citations par des indications sur des groupes de mots spécifiques, certaines caractéristiques grammaticales ou linguistiques, des notions théologiques, etc. Sur certains points, la nouvelle Concordance rejoint ici *ad litteram* celle de Bruder, p. ex. dans l'attribution des noms de personnes (cf. p. 30A Ἀλέξανδρος, p. 165A Γάϊος). Ce ne peut être le but d'une Concordance de remplacer le Lexique du N.T. (voir l'Avant-propos du 2ᵉ fascicule, où l'éditeur renvoie au *Wörterbuch* de Bauer), mais on aurait tort de sous-estimer l'influence qu'une Concordance peut exercer sur l'exégèse par les catégories qu'elle introduit dans l'emploi des mots. Les indications de la nouvelle Concordance sont beaucoup plus nombreuses et plus détaillées que celles de Moulton-Geden. Pour le mot γάρ par exemple, ἢ γάρ et μὴ γάρ ne sont pas repris mais ἰδοὺ γάρ et καὶ γάρ y sont complétés par douze nouvelles catégories ; en plus, on doit se rappeler que, pour le mot γάρ, Moulton-Geden n'a pas de citations de texte ! Examinons brièvement le cas de γίνομαι. Trois catégories de Moulton-Geden sont omises : (*1*) γ. ὡς, ὡσεί, (*2*) γ. *seq. dat.*, (*5*) γ. ἐπί ; trois autres, (*3*) *seq.* ἵνα, (*4*) γ. εἰς, (*6*) μὴ γένοιτο, sont reprises telles quelles (*g*, *e*, *m*), et (*7*) τὸ γεγονός est devenu plus général, le participe γεγονώς (*1*), à côté d'autres formes participiales : γενόμενος (*h*), γινόμενος (*j*), γεγενημένος (*k*), et l'impératif γενηθήτω (*n*). Mais il y a surtout l'addition de : ἐγένετο *seq. indic.* (*a*), — ἐν τῷ *c. inf.* (*b*), — *inf.* (*c*), — *part.* (*d*), γ. *seq.* ὡς *c. verb. fin.* (*f*). Par ce complément, la Concordance facilitera l'étude de la formule biblique ἐγένετο dans les évangiles et les Actes. Mais la présentation est loin d'être parfaite. En Lc 3, 21 la Concordance indique à juste titre les catégories *b* et *c* (seulement il serait plus précis de continuer la citation avec le v. 22: καταβῆναι… γενέσθαι, et d'ajouter la catégorie *d* pour le génitif absolu qui suit ἐν τῷ + inf.), mais en Ac 19, 1, où l'infinitif [κατ]ἐλθεῖν est pourtant cité, la lettre *c* est omise. L'omission systématique de la combinaison de *a* avec *b*, *d* ou *f* est plus gênante: elle signifie que l'expression biblique, — ἐγένετο + expression temporelle (ἐν τῷ + inf., gén. abs., une forme prépositionnelle ou autre) + (καί) verbe fini, — n'a pas été saisie dans sa totalité. On ajoutera la lettre *a*: à côté de *b* en Mc 4, 4; Lc 1, 8; 2, 6; 5, 1.12; 9, 18.33; 11, 1.27; 14, 1; 17, 11.14; 18, 35; 19, 15; 24, 4.15.30.31; (en Mc 2, 15 la lettre *b* est à remplacer par *a* et *c*); à côté de *d* en Mt 9, 10 (par contre, ajouter *d* en Lc 11, 14); à côté de *f* en Lc 1, 23.41; 2, 15; 19, 29; ajouter *a* encore en Lc 19, 28. Cf. *La matière marcienne dans l'évangile de Luc* (*L'évangile de Luc*, 1973), pp. 184-193. Il serait nécessaire de revoir l'énumération des catégories et de bien distinguer entre *seq. verb. fin.* (avec καί, καὶ αὐτός, καὶ ἰδού, ou sans καί) et *seq. inf.* d'une part, et les différentes formes de l'expression temporelle (ἐν τῷ + inf., gén. abs., ὡς, mais également ὅτε [Mt!] et les prépositions ἐν, μετά etc.) de l'autre.

La plus substantielle nouveauté par rapport à Moulton-Geden est un long article sur αὐτός (pp. 100C-146B). Le principe de la division de cet article, qui occupe 138 colonnes, est simple et clair: αὐτός, -ή, -ό, -οῦ, -ῆς, -ῷ, -ῇ, -όν, -ήν, -οί, -ά, -ῶν, -οῖς, -αῖς, -ούς, -άς (cf. p. 100C). Une seule remarque: puisque la forme neutre n'est donnée qu'une fois, sans distinction entre le nominatif et l'accusatif, il aurait été souhaitable que les nominatifs, perdus dans la masse des accusatifs, soient signalés de quelque manière: *a* τὸ αὐτό 1 Co 11, 5; 12, 4.11; 2 Co 3, 14; 1 Jn 2, 27*; *b* αὐτὸ τό Rm 8, 16.26; *c* καὶ αὐτό Lc 11, 14; *d* αὐτὸ τοῦτο 2 Co 7, 11; et le pluriel *b* αὐτὰ τά Jn 5, 36. En tout cas, l'unicité du cas de καὶ αὐτό n'est pas une raison pour omettre l'indication de cette catégorie; cf. καὶ αὐτός, -ή, -οί. (Notons que Lc 11, 14 est un autre exemple d'une leçon h [GNT, N[26]].) Autre inconséquence: *post praepositionem* est une des catégories pour chaque forme déclinée de αὐτός, mais l'accusatif αὐτό a seulement *c* ἐπὶ τὸ αὐτό. Ajouter p. 102B: *post praepositionem* διά 1 Co 4, 17*[d]; εἰς Ac 27, 6; Rm 9, 17; 13, 6; 2 Co 5, 5; Ep 6, 18.22; Col 4, 8[d]; ἐπί Lc 2, 40; Jn 12, 14; κατά Ac 14, 1[a]; 1 Co 12, 8[a]. Bruder et Moulton-Geden signalent l'emploi pléonastique οὗ… αὐτοῦ dans Mt 3, 12 = Lc 3, 17; Mc 1, 7 = Lc 3, 16 = Jn 1, 27; 1 P 2, 24* (-οῦ); Mc 7, 25 (-ῆς); Ac 15, 17 (-ούς) et surtout dans Ap 3, 7 (-ήν); 7, 2 (-οῖς); 7, 9 (-όν); 9, 11* (-ῷ); 13, 8.12 (-οῦ); 20, 8 (-ῶν; M.-G. moins correctement: Lc 13, 1; 2 Co 11, 15). Dans la nouvelle Concordance, l'oubli de la catégorie va jusqu'à omettre οὗ dans la citation de Mc 1, 7 (p. 105B). Ailleurs aussi on ne trouve pas toujours la catégorie qu'on y attend: p. ex. οὐκ ... ἀλλά dans l'article ἀλλά, ou ἀπὸ ... ἕως dans l'article ἀπό.

Les citations de l'Ancien Testament posent un problème délicat. La nouvelle Concordance ne contient aucune indication à ce propos. Faut-il en conclure que les citations ne sont plus imprimées en gras dans le texte de base (N^{26})? Ou a-t-on jugé ne pas devoir les reprendre dans la Concordance? Aucune explication n'est donnée, ni dans les Avant-propos des deux fascicules ni dans les «Hinweise zur Benutzung». Il est vraì que le procédé de Moulton-Geden qui indique la référence des citations et reproduit même le texte hébreu, est maintenant dépassé: il néglige les allusions et, à l'encontre de Bruder, ne tient pas compte de la Septante. Mais les éditions récentes ont suivi l'exemple de Westcott-Hort en signalant aussi les citations implicites (contre von Soden et Vogels), et à l'occasion la référence biblique y est précisée par l'addition de: LXX (cf. N^{25} et GNT). Ne fallait-il donc pas inclure ces données dans l'inventaire des éditions de la Concordance? L'absence de toute indication de ce genre se fait vite sentir. Dans les articles ἀκοή et ἀκούω par exemple, ἀκοῇ ἀκούειν est noté dans deux passages, Mt 13, 14 et Ac 28, 26, sans remarquer qu'il s'agit de la citation de Is 6, 9-10; de même, pour le dislegomenon βαρέως en Mt 13, 15 et Ac 28, 27. La Concordance qui avait été annoncée comme «so angelegt, dass sie ohne gleichzeitiges Aufschlagen des Neuen Testaments benutzt werden kann», aurait-t-elle, sur ce point, renoncé à l'idéal de l'*autarkeia*?

La Concordance nous renseigne amplement sur l'orthographe des mots dans les neuf éditions. Sur les problèmes de ponctuation, elle se tient à un minimum (cf. p. 184A: Jn 1, 3-4). En Mc 14, 60 par exemple, où N^{26} reprend le texte de N^{25}, la Concordance (cf. p. 80B) ne regarde même pas la leçon οὐδέν; de ϛHB et GNT (cf. les versions AV RV ASV RSV TT Jer Seg) et de beaucoup de commentateurs: Meyer, Swete, Plummer, Wohlenberg, Lagrange, Lohmeyer, Nineham, Schweizer, etc.

L'impression de l'ouvrage, très technique et difficile, est exemplaire, dans la bonne tradition des éditions Walter de Gruyter. Notons toutefois quelques corrections: p. 4B 1 Jn 3, 18: ajouter *a* (abs., cf. Bauer, *s.v.* ἀγαπάω 1c); p. 19A Col 1, 14: ajouter *; p. 13B Mt 28, 10: ajouter *a* (*fratres Jesu*, cf. Jn 20, 17); p. 26A Mc 6, 20 ἠπόρει: ajouter variante (comp. p. 84C); p. 105C, l. 5: ἐποίουν ϛ; p. 132B: avancer «Jo» (5ᵉ ligne); p. 144C Lc 23, 12: supprimer *; p. 181A: la lettre *i* est absente (contre p. 166C).

* * *

Par ces observations, j'ai voulu répondre à l'invitation de l'éditeur qui demande une collaboration venant de la pratique en vue des *corrigenda*. La *Vollständige Konkordanz* sera la Concordance du vingtième siècle. Étant donné son caractère 'provisoirement définitif', il est précieux qu'en cours de publication on envisage encore de l'améliorer. Pour terminer, formulons une suggestion. Puisqu'il est souhaitable que la Concordance soit *complète* encore à un autre point de vue, dispensant de recourir à un *companion volume*, l'ouvrage, ce me semble, devrait contenir un Appendice avec:
(1) la liste 'statistique' du vocabulaire du N.T.: je pense à celle du *Wortschatz* de R. Morgenthaler, mais composée sur la base de N^{26};
(2) un index des mots apparentés, qui peut s'inspirer du travail de X. Jacques, tout en l'améliorant; la Concordance oriente déjà, fort modestement, dans cette direction en donnant les listes des prépositions pour les verbes composés;
(3) une table synoptique du vocabulaire des évangiles, qui pourrait combler une lacune déjà signalée.
Et pourquoi ne pas donner aussi les variantes adoptées dans l'édition de GNT (1966) et les leçons marginales de Westcott-Hort? Je m'excuse d'y insister, mais il s'agit de la *Vollständigkeit* de la Concordance, et aussi d'une inconséquence à corriger: la Concordance renvoie fréquemment à [H] mais jamais à h. Pour Hort, les variantes «placed without accompanying marks in margin, or indicated by simple brackets in text» sont deux types de la même première classe de «alternative readings in the proper sense» (*Introduction*, pp. 291-2).

Addendum: Je puis encore signaler, sur les épreuves, la parution de *The Greek New Testament*, 3e édition (1975). La liste des leçons reprises à N^{25} (cf. *supra*, p. 137) peut être complétée par Mc 1, 13; 1, 21 (!); 3, 20; 6, 9; 14, 20; voir aussi les crochets dans 4, 28. Pour toute autre différence entre N^{25} et GNT dans l'évangile de Marc, le texte de GNT a été maintenu. La ponctuation (cf. *Duality in Mark*, pp. 198-200) est également celle de GNT (une seule exception dans Mc: 2, 15-16). Sur ce point, les textes de GNT^3 et N^{26} (= la Concordance) ne seront pas harmonisés. On peut le regretter, du moins pour certains passages (cf. *supra*, p. 141, à propos de Mc 14, 60). Dans la nouvelle édition, les citations de l'Ancien Testament sont imprimées en gras, mais les «allusions» ne le sont plus (cf. Mc 8, 18; 9, 48; 12, 1; 13, 14.19.24.25; 14, 18; 15, 24.29.36). (mai 1976)

ETL 54 (1978) 323-345

LA NOUVELLE CONCORDANCE DU NOUVEAU TESTAMENT (II)

Depuis la présentation des fascicules 1 et 2 du premier tome [1], les livraisons de la *Vollständige Konkordanz* se suivent à un rythme fort régulier. Sept fascicules de la Concordance elle-même ont déjà paru (672 pages : de A à κατά) [2] ainsi que le volume annexe de la *Computer-Konkordanz* (1977) [3] et le deuxième tome : *Spezialübersichten* (1978) [4]. La nouvelle Concordance est, on le sait, basée sur le texte de la 26e édition du *Novum Testamentum Graece* de Nestle-Aland (N^{26}), dont la parution est prévue pour la fin de 1978 [5]. Pour les évangiles, nous disposons déjà du *texte* de N^{26} dans la neuvième édition de la *Synopsis quattuor evangeliorum* (1976) [6]. Pour l'ensemble du Nouveau Testament, nous avons, également depuis 1976, la *Third Edition* de *Greek New*

1. Cf. *La nouvelle Concordance du Nouveau Testament*, dans *ETL* 52 (1976) 134-142. Sur Moulton-Geden, cf. p. 134. Signalons ici la parution d'une nouvelle édition de W.F. MOULTON-A.S. GEDEN, *A Concordance to the Greek Testament*, 5e édition révisée par H.K. MOULTON, Edinburgh, 1978. H.K. Moulton qui fut déjà responsable de la 4e édition (1973) l'a complétée maintenant d'un *Supplement* de 76 pages (p. 1035-1110) : les articles ἀπό, εἰς, ἐκ, ἐν, ὅτι, οὖν et σύν avec citation du texte d'après GNT^{3}.

2. K. ALAND (éd.), *Vollständige Konkordanz zum griechischen Neuen Testament*. Unter Zugrundelegung aller modernen kritischen Textausgaben und des Textus Receptus in Verbindung mit H. Riesenfeld, H.-U. Rosenbaum, Chr. Hannick neu zusammengestellt unter der Leitung von K. Aland (Arbeiten zur neutestamentlichen Textforschung, 4), Berlin-New York, 1975ss., Walter de Gruyter, in -4° (23 × 31). Band I — Lieferung 3/4 : γράφω—ἐν, pp. 193-384, 1977; Lieferung 5 : ἐν—ζηλωτής, pp. 385-480, 1977; Lieferung 6/7 : ζημία—κατά, pp. 481-672, 1978. À partir du dernier fascicule, le nom du collaborateur B. Bonsack est ajouté à ceux des coéditeurs (cf. *Vorwort*).

3. *Computer-Konkordanz zum Novum Testamentum Graece von Nestle-Aland, 26. Auflage und zum Greek New Testament, 3rd edition* : Ζαβουλών—ὠφέλιμος. Herausgegeben vom Institut für neutestamentliche Textforschung und vom Rechenzentrum der Universität Münster als Begleitexemplar zur «Vollständigen Konkordanz zum griechischen Neuen Testament» unter besonderer Mitwerkung von H. Bachmann und W.A. Slaby, Berlin-New York, 1977, in-4° (24 × 34), col. 709-1820 + *Appendix*, col. 1-66, kartoniert («Kein Gegenstand des Buchhandels»).

4. *Vollständige Konkordanz zum Griechischen Neuen Testament* in Verbindung mit H. Bachmann und W.A. Slaby herausgegeben von K. ALAND. Band II : *Spezialübersichten*, Berlin-New York, 1978, in-4° (23 × 31), pp. VII-557.

5. Cf. *Bericht der Stiftung zur Förderung der neutestamentlichen Textforschung für die Jahre 1975 und 1976*, Münster, 1977, p. 21. [Cf. *supra*, pp. 899-924.]

6. Cf. *The Synoptic Gospels according to the New Textus Receptus*, dans *ETL* 52 (1976) 364-379. [Cf. *supra*, pp. 883-898.]

Testament (GNT³) dont le texte est identique à celui de N²⁶ «à part quelques détails orthographiques, la ponctuation etc.»[7].

1. La statistique du vocabulaire

Le deuxième tome comporte cinq *Spezialübersichten*, désignées ici par les titres courants qu'utilise la Concordance : 1. *Wortstatistik* (pp. 1-305); 2. *Wörter und Formen* (pp. 307-404); 3. *Häufigkeitsindex* (pp. 405-446); 4. *Hapaxlegomena* (pp. 447-460); 5. *Rückläufiges Wörterbuch* (pp. 461-557). L'instrument principal est évidemment la liste de la *Wortstatistik*, qui remplacera dorénavant celle de Morgenthaler[8]. Le nouveau «Textus Receptus» (N²⁶) vient à la place de Nestle²¹ comme texte de base, et, de plus, un travail d'équipe et le travail de l'ordinateur se sont substitués à celui d'un chercheur individuel[9]. La liste se contente de donner le nombre des attestations de chaque mot par livre (sans globaliser 1-3 Jn et sans faire le total des épîtres pauliniennes) et pour l'ensemble du Nouveau Testament, sans ajouter des indications supplémentaires, et d'ailleurs peu précises, sur l'emploi du mot dans la LXX ou sur son absence dans la littérature grecque profane. Par rapport au *Wortschatz* de Morgenthaler, la nouvelle liste a encore l'avantage d'être parfaitement contrôlable dans la *Vollständige Konkordanz* (jusqu'à κατά) et dans la *Computer-Konkordanz* (à partir de Ζαβουλών).

Pour se faire une idée des différences entre les deux listes (et les deux éditions du texte), on peut comparer par exemple les mots qui commencent par α. On en compte 890 dans la liste de Morgenthaler, dont 884 se retrouvent chez Aland. Le texte de N²⁶ n'a pas les leçons avec ἀνακυλίω, ἀποδεκατεύω, αὑτοῦ et ἀφυστερέω[10], tandis que la Concordance et la *Wortstatistik* comptent le neutre (τὸ) αἴτιον (3 fois en Lc-Ac) sous l'adjectif αἴτιος (cf. Bauer), et le verbe ἀντεῖπον (2 fois en Lc-Ac) sous ἀντιλέγω (contre Bauer qui a un article spécial pour ἀντεῖπον). On notera d'ailleurs l'hésitation à propos de ἀπεῖπον : la

7. L'édition est datée : 1975. Elle a effectivement paru «im Frühjahr 1976» (cf. *Bericht*, p. 17). J'y réfère dans l'*Addendum* de mai 1976, dans *ETL* 52 (1976), p. 142. J'ai noté une variante en He 12,15 : πολλοί (= ςGNT¹·²) en GNT³ et οἱ πολλοί (= THSVMBN²⁵) dans *Konkordanz* (p. 236c et 649c). [N²⁶ πολλοί, cf. *Konkordanz*, p. 936c.]

8. R. Morgenthaler, *Statistik des neutestamentlichen Wortschatzes*, Zürich-Frankfurt, 1958, pp. 66-157 : «Statistische Tabellen : § 1. Das statistische Vokabular».

9. Cf. R. Morgenthaler, *Statistische Synopse*, Zürich-Frankfurt, 1971, p. 5 : «Leider hatte ich aber schon damals, wie auch jetzt wieder, die gestellte Aufgabe im Alleingang zu bewältigen, und zwar als Freizeit- und Ferienbeschäftigung : in der Tat ein strapaziöses Unternehmen».

10. Cf. Mc 16,4 ἀποκυλίω *loco* ἀνα- ; Lc 18,12 ἀποδεκατῶ *loco* -εύω ; Jc 5,4 ἀπεστερημένος *loco* ἀφυστ-. Quant à αὑτοῦ, cf. Lc 12,21 ἑαυτῷ ; 23,12 ἑαυτούς ; Jn 2,24 αὐτόν ; 20,10 αὐτούς ; Ac 14,17 αὐτόν ; Ap 8,6 αὐτούς ; voir B. M. Metzger, *Textual Commentary*, p. 254; F. Neirynck, ΑΠΗΛΘΕΝ ΠΡΟΣ ΕΑΥΤΟΝ. *Lc 24,12 et Jn 20,10*, dans *ETL* 54 (1978) 104-118, p. 107.

Concordance renvoie à ἀπολέγω, où le seul cas de 2 Co 4,2 est cité (p. 69a et 82c), mais la *Wortstatistik* qui ne signale pas le verbe ἀπολέγω compte le passage comme ἀπεῖπον, en accord avec Bauer et Morgenthaler. De son côté, Aland introduit le mot ἀναπτύσσω (Lc 4,17 ἀναπτύξας *loco* ἀνοίξας), et quatre autres mots : d'une part, ἀναμάρτητος (Jn 8,7) et αὐτόφωρος (Jn 8,4), parce qu'il n'exclut plus la *pericopa de adultera*, et d'autre part, ἄππιος et ἄρειος. Morgenthaler avait prévenu les lecteurs qu'il comptait les noms Ἀππίου φόρον et Ἄρειος πάγος comme un seul mot (p. 10). La *Wortstatistik* de Aland utilise la même référence de Ac 28,15 pour trois mots : ἀππιος, ἀππιουφορον et φορον (cf. *Computer-Konkordanz*), à l'encontre de la Concordance elle-même qui ne l'imprime qu'une seule fois suivant l'orthographe de N^{26} : Ἀππίου φόρον (p. 88a). L'orthographe de ς'HMB y est signalée (Φ.), mais, ici comme partout ailleurs dans la Concordance, il n'est pas dit que GNT^3 suit également cette variante orthographique. Aucune mention n'est faite de ἀππιουφορον, sans séparation, tel qu'il est écrit dans la *Wortstatistik* (= *Computer-Konkordanz*). La même observation est à faire à propos de Ἄρειος πάγος dans la Concordance (Ἄρειος Πάγος en GNT^3) et ἀρειος, ἀρειοσπαγος et παγος dans la Statistique du vocabulaire. Mis à part ces changements et les conséquences qu'ils impliquent pour d'autres mots[11], et en faisant abstraction pour l'instant de αὐτός, l'on constate encore pour 60 mots une différence dans le nombre total des attestations (sur les 877 mots en α que les listes de Morgenthaler et de Aland ont en commun). Pour la plupart, il s'agit d'une seule attestation en plus ou en moins, parfois deux (10 fois), et rarement trois ou plus[12]. Au total, on compte pour ces mêmes mots 94 différences par rapport à Morgenthaler : 78 attestations en plus et 16 en moins.

Première constatation : dans une vingtaine de cas, des erreurs caractéristiques de Morgenthaler ont été corrigées. Morgenthaler n'avait pas à sa disposition un instrument de travail aussi parfait que la *Vollständige Konkordanz* où chaque mot reçoit un lemme spécial, avec la répétition du numéro du verset. Il semble avoir compté les lignes de la Concordance de Moulton-Geden, au risque de négliger une deuxième attestation du même mot se trouvant dans la même ligne de texte[13]. De 1958 à 1978, beaucoup d'étudiants du Nouveau Testament

11. αἴτιος (+ 3), ἀνοίγω (— 1), ἀντιλέγω (+ 2), ἀποκυλίω (+ 1), ἀποστερέω (+ 1).

12. ἀκούω (+ 3), ἀλλά (+ 3), ἀμήν (+ 4), ἄν (+ 2, — 1), ἄνθρωπος (+ 4, — 1), ἀπό (+ 5, — 4), ἀφίημι (+ 3).

13. Cf. ἀγαθοποιέω Lc 6,33; ἀγαπάω Jn 14,21b; 2 Co 12,15; ἁγιάζω He 2,11; ἀγνοέω 1 Co 14,38; ἀγρός Mt 27,8; ἀδικέω Ap 21,11; ἀθετέω 1 Th 4,8; ἄκρον Mt 24,31; Mc 13,27; ἀνομία Rm 6,19; ἄνομος 1 Co 9,21a; ἀποδίδωμι Ap 18,6; ἀπολύω Lc 6,37; ἀρνέομαι 2 Tm 2,12; ἀροτριάω 1 Co 9,10; ἀστήρ 1 Co 15,41b; ἀφίημι Jn 20,23; ἀφορμή 2 Co 11,12. Autres erreurs qui s'expliquent par l'utilisation de Moulton-Geden : ἀλλά en Mc 14,36 (*bis* manque); ἁμάρτημα en 2 P 1,9 (N ἁμαρτία); ἀποθνῄσκω en

se sont fiés à la liste de Morgenthaler, et on aurait tort d'être trop ingrat pour les services qu'elle a rendus. Si j'en rappelle ici les défauts, ce n'est que pour faire apprécier à sa juste valeur l'exactitude des données qu'on trouvera maintenant dans la nouvelle *Wortstatistik*.

Deuxième observation : comme on pouvait s'y attendre, c'est surtout le choix du texte de base qui explique les différences entre Morgenthaler et Aland. Dans 36 cas, il s'agit d'une variante qui en N^{26} remplace la leçon de N (= Morgenthaler)[14], ou d'un texte que l'édition de N^{26} a transféré de l'apparat critique dans le texte imprimé[15]. Treize autres références proviennent de la péricope de la femme adultère et de la conclusion brève de Marc, dont le vocabulaire n'avait pas été repris par Morgenthaler[16].

Troisième observation : la nouvelle *Wortstatistik* ne s'en tient pas au seul texte de N^{26}, mais signale aussi les mots des versets qu'on ne trouve que dans l'apparat. «Der Wortbestand von Versen, die hier aus textkritischen Gründen nur im Apparat erscheinen... wurde mitberücksichtigt»[17]. Cela est en contradiction formelle avec le point de vue de Morgenthaler qui ne voulait donner que le vocabulaire de Nestle et rien d'autre[18].

L'introduction du tome 2 signale que de tels versets sont comptés dans la statistique, mais ne donne aucune justification. Cependant, ce n'est pas un usage qui aille de soi! Puisque la *Wortstatistik* a été présentée comme «eine Zusammenfassung des ersten Bandes der 'Vollständigen Konkordanz'»[19], l'on ne s'attend pas à un tel décalage entre les deux tomes. La *Vollständige Konkordanz* distingue clairement

Mc 15,44a (τέθνηκεν!). Cette influence de Moulton-Geden ne se constate pas uniquement au début de l'alphabet; cf. ᾠδή en Ap 15,3b! D'autres erreurs de Morgenthaler s'expliquent moins facilement : ἀγαθός 18 fois en Mt (au lieu de 16); ἀπό 9 fois en 2 Th (au lieu de 8).

14. ἁγιότης (→ ἁπλότης) 2 Co 1,12; αἰών Rm 16,27 om.; ἀκάθαρτος Ap 18,2; ἀλλά Mc 9,8; Jn 11,22; ἀμήν 1 Th 3,13; 2 P 3,18; ἄν Mt 10,23.42; Jn 13,24 om.; ἀναβαίνω Ac 21,6; ἀναγγέλλω Jn 5,15; ἄνθρωπος Mt 9,32; 13,45; 19,3; Jn 7,46b om.; ἀπαγγέλλω Ac 17,20 om.; ἅπας Ac 2,7; ἀπείθεια Col 3,6; ἀπέναντι Mt 27,24; ἀπό (→ ὑπό) Lc 8,29b; Rm 15,15; ἀποθνήσκω 1 P 3,18 om.; ἀπολαμβάνω Lc 18,30; ἀποπνίγω Mt 13,7; ἀποστέλλω Lc 24,49; ἀργύριον → -ρος 1 Co 3,12; ἀσθενής Lc 9,2; αὐξάνω Lc 12,27;

15. Mc 3,14b (ἀπόστολος); 14,68c (ἀλέκτωρ); Lc 24,12 (ἀνίστημι, ἀπέρχομαι); 24,51b (ἀναφέρω).

16. Jn : ἄγω (8,3); ἀκούω (8,9); ἁμαρτάνω (8,11); ἀνακύπτω (8,7.10); ἀπό (8,9.11); ἄρχω (8,9); Mc 16br : ἀμήν, ἀνατόλη, ἀπό, ἄφθαρτος, ἄχρι.

17. Cf. *Hinweise zur Benutzung*, p. VI. Voir aussi *Anweisung* dans *Computer-Konkordanz*, p. IV. Il aurait été pratique d'en donner aussi les références. Cf. *infra*, p. 329.

18. Cf. p. 9 : «Grundsätzlich ist alles, was bei Nestle im kritischen Apparat steht, aus der Statistik ausgeschieden». Voir aussi la note sur Jn 7,53-8,11 et la conclusion brève de Mc (*ibid.*, n. 3).

19. *Bericht* (1977), p. 32.

entre le vocabulaire du texte de N^{26} et celui de textes qui ne sont pas dans N^{26} mais se trouvent imprimés dans une ou plusieurs des autres éditions (ςTHSVMBN). Pour les mots d'une autre édition, le lemme est précédé d'un astérisque. Les versets qui sont rejetés dans l'apparat de N^{26} y figurent aussi, si du moins ils ont été imprimés dans une des autres éditions. Lc 17,36, qu'on ne trouve même pas dans le Textus Receptus, n'est jamais cité[20]. Cette distinction entre N^{26} et les autres éditions est en principe maintenue dans la *Computer-Konkordanz*. Le titre l'indique : c'est une Concordance «zum Novum Testamentum Graece von Nestle-Aland, 26. Auflage und zum Greek New Testament, 3rd edition». Seulement, on y trouve aussi, marqués par un astérisque, les versets que N^{26} ne donne que dans l'apparat, même celui de Lc 17,36 qui n'est imprimé dans aucune des éditions et n'a pas été retenu dans la *Vollständige Konkordanz*[21]. (On corrigera cependant la *Computer-Konkordanz* là où elle compte aussi Lc 24,40 parmi ces versets[22].) Les mots de ces versets sont retenus dans la *Wortstatistik* : ils y sont comptés dans le nombre des attestations, et il n'y a plus aucune distinction entre les mots du texte de N^{26} et ceux de ces versets rejetés dans l'apparat. On regrettera d'ailleurs d'une manière générale que la *Wortstatistik* traite tous les textes sur un même pied. L'ordinateur semble avoir effacé les distinctions qu'on trouve dans l'édition du texte et dans la Concordance (voir le tableau à la page 328).

Aucune leçon variante n'est retenue dans la *Wortstatistik* (et dans la *Computer-Konkordanz*) si ce n'est les versets Mt 17,21; 18,11; 23,14; Mc 7,16; 9,44.46; 11,26; 15,28; Lc 17,36; 23,17; Jn 5,4; Ac 8,37; 15,34; 24,7(6a-8b); 28,29; Rm 16,24. Ce traitement de faveur accordé aux versets entiers est assez déconcertant. Ainsi, les mots de Jn 5,4 ont été retenus, mais le v.3b παραλυτικῶν ἐκδεχομένων τὴν τοῦ ὕδατος κίνησιν ne l'est pas. La *Vollständige Konkordanz* avait pourtant bien noté que l'ensemble de 5,3b-4 se trouve dans les éditions de ςVMB

20. On ajoutera cependant la citation de Rm 16,24 dans l'article ἀμήν (p. 44a), car c'est un verset du Textus Receptus qui est cité ailleurs (cf. p. 495c et 552a). Le cas de Ac 15,34 est plus complexe : la *Vollständige Konkordanz* cite, comme il est normal, Ac 15,34 d'après le Textus Receptus : ἔδοξε δὲ τῷ Σίλᾳ ἐπιμεῖναι αὐτοῦ (p. 146b, 214a, 255c, 440a), mais la *Computer-Konkordanz* cite la leçon longue du Codex Bezae : avec αὐτούς (*loco* αὐτοῦ adv.) et μόνος δὲ Ἰούδας ἐπορεύθη (col. 868, 1187, 1493; App. col. 11). La *Wortstatistik* a repris la leçon αὐτούς et tous les mots qu'imprime la *Computer-Konkordanz*.

21. Voir les articles ἀγρός, ἀφίημι, δύο, εἷς, ἐν, ἕτερος, καί; à comparer avec la *Computer-Konkordanz*, les articles καί (Appendice, col. 24) et παραλαμβάνω (col. 1357).

22. Cf. col. 1063, 1502, 1765; Appendix, col. 7, 24, 44bis, 52. Autres corrections : art. Φίλιππος, col. 1734, ajouter Ac 8,37* εἶπεν δὲ ὁ Φίλιππος (et corriger la *Wortstatistik*, p. 292 : Ac 16 → 17; p. 293 : 36 → 37; cf. p. 410); art. καί (Appendix, col. 22), Mt 17,21* : ajouter (2). Corriger la référence Ac 24,7 en 24,6b : col. 738, 754, 923, 1209; Appendix, col. 25, 29; et Ac 24,7 en 24,8a : col. 949, 955; Appendix, col. 3, 44, 60. Dans *Vollständige Konkordanz*, p. 49a, Lc 23,17; p. 231a, Jn 5,4 : ajouter l'astérisque.

N^{26} (= GNT^3)		*Vollst. Konk.*	*Comp.-Konk.*	*Wortstatistik*	*Morg.*
Lc	⟦22,43-44⟧	⟦N[26]⟧ ou [N[26]][23]	[texte]	+	+
Mc	⟦16,9-20⟧	[16,9]	texte[24]	+	+
Mc 16	⟦concl. brev.⟧	[16 br]	16,8*	+	—
Jn	⟦7,53-8,11⟧	[7,53]	7,53*	+	—
app. :	Lc 23,17	*texte	23,17*	+	—
app. :	Lc 17,36	néant	17,36*	+	—
app. :	variantes	*texte	néant	—	—

(cf. p. 364b). Les vv. 6b et 8a de Ac 24 ont été retenus, mais ils sont désignés (dans ce but?) avec le v. 7 sous une même référence : 24,7[25]. Mais pourquoi repêcher de l'apparat des versets entiers, et non pas un bout de phrase comme par exemple τοὺς πεποιθότας ἐπὶ (τοῖς) χρήμασιν (Mc 10,24), qui fut imprimé dans le texte des éditions ς'[S]VMB? Les éditeurs de GNT l'ont rejeté (cote C), mais s'il y a quelque hésitation à propos de Ac 24,6b-8a (cote D), toutes les autres omissions de versets entiers ont reçu au moins la cote B. Pour Mc 9,44.46; 11,26; 15,28; Jn 5,4 et Ac 8,37, le comité est même pratiquement certain (cote A)[26]. Suite à l'insertion de ces versets dans la *Wortstatistik*, celle-ci devient aussi moins facilement contrôlable par la *Vollständige Konkordanz* où les versets sont marqués par un astérique comme des leçons d'autres éditions, et où Lc 17,36 et Ac 15,34b ne sont même pas retenus du tout[27].

La *Wortstatistik* est un instrument de travail, et pour en faire un bon usage, il sera nécessaire de la compléter par une liste statistique subsidiaire. Les versets précités n'appartiennent pas au texte de N^{26}, et l'on devra faire le décompte. Certes, il est fort peu impressionnant que le total des emplois de καί dans le Nouveau Testament change de 9164^{-11} en 9153, mais la proportion est différente lorsqu'il s'agit d'étudier le vocabulaire d'un seul évangile : Mt γένος 2^{-1}, κατεσθίω 2^{-1}, κρίμα 2^{-1}, προσευχή 2^{-1}, πρόφασις 1^{-1}, χήρα 1^{-1}; Mc ἄνομος 1^{-1}, γραφή 4^{-1}, λογίζομαι 1^{-1}, παράπτωμα 2^{-1}; Lc ἀνάγκη 3^{-1}; etc. Aux trop rares étudiants qui ont les moyens de se procurer cet ouvrage fort coûteux,

23. La Concordance emploie normalement les doubles crochets, mais on y trouve aussi des crochets simples : p. 12c, 183a, 373b, 389c; et surtout p. 614c, où le lemme suivant a des crochets doubles. Voir aussi Lc ⟦23,34a⟧ dans N^{26} et (N^{26}) dans la Concordance. Inutile de dire qu'on aurait pu souhaiter, à travers les différents ouvrages, une plus grande unité dans l'emploi des crochets et des astérisques.

24. Dans la *Computer-Konkordanz*, la conclusion brève (16,8*) précède Mc 16,9-20.

25. Cf. *supra*, n. 22. Il est à noter que la *Vollständige Konkordanz* lit κρίνειν en Ac 24,6b, et non κρῖναι (*Computer-Konkordanz*, cf. GNT^3 app.).

26. Sur Jn 5,3b-4, voir cependant M.-É. BOISMARD & A. LAMOUILLE, *L'évangile de Jean*, Paris, 1977, p. 152-153.

27. Cf. *supra*, n. 21. La section A-ἕως (col. 1-708) de la *Computer-Konkordanz* n'étant pas publiée, il est impossible de contrôler les chiffres de la *Wortstatistik* quant à l'emploi lucanien des mots ἀγρός, ἀφίημι, δύο, εἷς, ἕτερος.

j'ai suggéré d'ajouter les petits exposants aux chiffres de la Statistique du vocabulaire. Dans le tableau, reproduit ici (pages 329-330), on trouvera le relevé complet du vocabulaire des versets en question. (Sur les mots marqués par †, voir *infra*, n. 40.)

La statistique du vocabulaire

Mt	Mc	Lc	Jn	Ac	Rm
17,21	7,16	17,36	5,4	8,37	16,24
18,11	9,44.46	23,17		15,34	
23,14	11,26			24,6b-8a	
	15,28			28,29	

	Mt	Mc	Lc	Jn	Ac	Rm
ἄγγελος				1		
ἀγρός			1			
ἀκούω		2				
ἀμήν						1
ἀνάγκη			1			
ἄνθρωπος	1					
ἄνομος		1				
ἀπάγω					1	
ἀπέρχομαι					1	
ἀποκρίνομαι					1	
ἀπόλλυμι	1					
ἀπολύω			1			
αὐτός		2	1		3	
αὐτοῦ					2	
αὐτῶν		2				
αὐτοῖς			1			
αὐτούς					1	
ἀφίημι		2	1			
βία					1	
γάρ	1					
γένος	1					
γίνομαι				1		
γραμματεύς	1					
γραφή		1				
δέ †	1	1	1	1	5	
δήποτε †				1		
διά	1					
δοκέω					1	
δύο			1			
ἑαυτοῦ					1	
εἰ	1	2			1	
εἰμί					1	
εἷς			2			
ἐκ					2	

	Mt	Mc	Lc	Jn	Ac	Rm
ἐκπορεύομαι	1					
ἐμβαίνω				1		
ἐν	1	1	1	1	1	
ἔξεστιν					1	
ἑορτή			1			
ἐπί					1	
ἐπιμένω					1	
ἔρχομαι	1				1	
ἕτερος			1			
ἔχω		1	1		1	
ἡμεῖς : ἡμῶν					1	1
ἡμέτερος					1	
θέλω					1	
θεός					1	
Ἰησοῦς					1	1
Ἰουδαῖος					1	
Ἰούδας					1	
καί	3	4	1	1	2	
καιρός				1		
καρδία					1	
κατά			1	1	1	
καταβαίνω				1		
κατεσθίω	1					
κατέχω				1		
κατήγορος					1	
κελεύω					1	
κολυμβήθρα				1		
κρίμα	1					
κρίνω					1	
κύριος				1		1
λαμβάνω	1					
λέγω		1			3	
λογίζομαι		1				
Λυσίας					1	

	Mt	Mc	Lc	Jn	Ac	Rm		Mt	Mc	Lc	Jn	Ac	Rm
μακρός	1						παράπτωμα		1				
μετά		1		1	1	1	παρέρχομαι					1	
μή	1						πᾶς						1
μόνος					1		πατήρ		1				
νηστεία	1						περισσότερος	1					
νόμος					1		πιστεύω					2	
νόσημα				1			πληρόω		1				
ὁ, ἡ, τό	6	10	1	5	10	2	πολύς					2	
ὁ	1	4	1	1	2		πορεύομαι					1	
ἡ		2				1	προσευχή	1					
τό	2	2		1			προσεύχομαι	1					
τοῦ	1			1	1	1	πρόφασις	1					
τῆς					1		πρῶτος				1		
τῷ					1		πῦρ		2				
τῇ				1			σβέννυμι		2				
τόν					3		Σίλας					1	
τήν				1			σκώληξ		2				
οἱ					1		σύ : σέ					1	
τῶν	1				1		συζήτησις					1	
τοῖς		1					σῴζω	1					
τούς					1		ταράσσω				1		
τάς	1						ταραχή				1		
τά		1					τελευτάω		2				
οἰκία	1						τις		1				
οἷος †				1			ὑγιής				1		
οἱωδηποτοῦν †				1			ὕδωρ				2		
ὅλος					1		υἱός	1				1	
ὅπου		2					ὑμεῖς	1	3				1
ὅτι	1						ὑμεῖς		1				
οὐ	1	5					ὑμῖν	1					
οὐαί	1						ὑμῶν		2				1
οὐδέ		1					ὑποκριτής	1					
οὖν †				2			Φαρισαῖος	1					
οὐρανός		1					χάρις						1
οὖς		1					χείρ					1	
οὗτος	2				1		χήρα	1					
τοῦτο	2						χιλίαρχος					1	
ταῦτα					1		χριστός					1	1
παραλαμβάνω			1										

Mais ce n'est pas le seul problème que pose la *Wortstatistik*. Citons une phrase de l'auteur de *Horae Synopticae*, à propos de l'absence de πορεύομαι en Mc: «The omission... is remarkable, since it occurs in Matthew *28*, Luke *50*, Acts *37*, John *13*; also in Appendix to Mark *3*, and in Pericope de adultera *3*»[28]. Hawkins ne comptait donc pas

28. *Horae Synopticae*, ²1909, p. 14.

les emplois de Mc 16,9-20 dans le vocabulaire de Mc, ni ceux de Jn 7, 53-8,11 dans celui de Jn[29]. Peu de critiques des évangiles contesteront aujourd'hui le bien-fondé de ces distinctions[30]. Il seront cependant obligés de constater que la nouvelle *Wortstatistik* se contente de donner le nombre total des attestations en Mc (y compris 16,9-20 et la conclusion brève) et en Jn (sans exclure 7,53-8,11). Les chiffres pour πορεύομαι sont : Mt 29, Mc 3, Lc 51, Jn 16, Ac 38 (p. 228)[31]. Il aurait été plus pratique pour les usagers de la *Wortstatistik* d'y trouver aussi un renseignement sur les emplois, inclus dans le nombre total, attestés dans des passages que l'édition de N[26] a mis en doubles crochets :

	Mt	Mc	Lc	Jn	Ac
πορεύομαι	29	3[3]	51	16[3]	38

En voici encore quelques exemples :

	Mt	Mc	Lc	Jn	Ac
ἕτερος	10	1[1]	35^{-1}	1	17
εὐαγγέλιον	4	8[1]	–	–	2
πρωΐ	3	6[1]	–	2	1
ὕστερος	7	1[1]	1	1	–
ἄγω	4	3	13	13[1]	26
ἐρωτάω	4	3	15	28[1]	7
λαός	14	2	36	3[1]	48
πάλιν	17	28	3	45[2]	5
παραγίνομαι	3	1	13	13[1]	26
οὖν	56	6[1]	33	202^{-2}[1]	61

Dans les trois listes qui suivent ici, le lecteur trouvera la statistique du vocabulaire des trois péricopes : Mc 16,9-20; Mc 16 *conclusio brevior* et Jn 7,53-8,11.

29. C'est la manière habituelle de Hawkins : il donne la fréquence des mots en Mc ou en Jn, et, s'il y a lieu, il ajoute note («Also in...») les attestations en Mc 16,9-20 (cf. p. 8 n. *c*, 12 n. *l*, 13 n. *t*, 16 n. *f*, 19 n. *g*, 34, 35, 44) ou en Jn 7,53-8,11 (p. 13 n. *p*, 18 n. *e*, 20 n. *b*, 21 n. *l*, 27 n. *b*, 36, 39, 41, 45).

30. Sur Mc 16,9-20, cf. K. ALAND, dans *L'évangile selon Marc* (éd. M. SABBE), Leuven-Gembloux, 1974, p. 455 : «Tatsächlich findet sich auch kein ernstzunehmender Verteidiger der Ursprünglichkeit des längeren oder gar des kürzeren Markusschlusses»; G.D. KILPATRICK, dans *NT* 19 (1977), p. 277 (après une référence à l'étude de Farmer) : «particularly on grounds of language I still think that xvi 9-20 do not belong with the Gospel».

31. Sur Ac 15,34, cf. *supra*, n. 20. Les chiffres de Hawkins pour Mt (28) et Lc (50) avaient déjà été corrigés par Morgenthaler en Mt (29) et Lc (51). L'origine de l'erreur de Hawkins ne fait pas de doute : il a lu πορεύθητι καὶ πορεύεται comme un seul emploi (Mt 8,9; Lc 7,8). Ce fut, dans d'autres cas, aussi l'erreur de Morgenthaler (cf. *supra*, n. 13).

1. *Mc 16,9-20* ⟦N[26]⟧

ἀγρός	1	εἷς	3	κατακρίνω	1	οὗτος	2		
αἴρω	1	ἐκ	2	κηρύσσω	2	ὄφις	1		
ἀκούω	1	ἐκβάλλω	2	κλαίω	1	πανταχοῦ	1		
ἀνάκειμαι	1	ἐκεῖνος	3	κόσμος	1	παρά	1		
ἀναλαμβάνω	1	ἐν	3	κτίσις	1	παρακολουθέω	1		
ἀνίστημι	1	ἕνδεκα	1	κύριος	2	πᾶς	1		
ἀπαγγέλλω	2	ἐξέρχομαι	1	λαλέω	2	πενθέω	1		
ἅπας	1	ἐπακολουθέω	1	λέγω	1	περιπατέω	1		
ἀπέρχομαι	1	ἐπί	1	λόγος	1	πίνω	1		
ἀπιστέω	2	ἐπιτίθημι	1	λοιπός	1	πιστεύω	4		
ἀπιστία	1	ἑπτά	1	Μαγδαληνή	1	πορεύομαι	3		
ἄρρωστος	1	ἕτερος	1	Μαρία	1	πρωΐ	1		
αὐτός	9	εὐαγγέλιον	1	μέν	1	πρῶτος	2		
βαπτίζω	1	ἔχω	1	μετά	3	σάββατον	1		
βεβαιόω	1	ζῶ (ζάω)	1	μή	1	σημεῖον	2		
βλάπτω	1	θανάσιμος	1	μορφή	1	σκληροκαρδία	1		
γίνομαι	1	θεάομαι	2	ὁ	21	συνεργέω	1		
γλῶσσα	1	θεός	1	ὀνειδίζω	1	σῴζω	1		
δαιμόνιον	2	Ἰησοῦς	1	ὄνομα	1	τις	1		
δέ	6	καθίζω	1	ὅς	1	ὑπό	1		
δεξιός	1	καί	10	ὅτι	2	ὕστερος	1		
διά	1	καινός	1	οὐ	2	φαίνω	1		
δύο	1	κἀκεῖνος	2	οὐδέ	1	φανερόω	2		
ἐγείρω	1	καλός (-ῶς)	1	οὖν	1	χείρ	2		
ἐγώ	1	κἄν	1	οὐρανός	1				

2. *Mc 16 conclusio brevior* ⟦N[26]⟧

αἰώνιος	1	δέ	2	Ἰησοῦς	1	παραγγέλλω	1
ἀμήν	1	διά	1	καί	3	πᾶς	1
ἀνατολή	1	δύσις	1	κήρυγμα	1	περί	1
ἀπό	1	ἐξαγγέλλω	1	μετά	1	Πέτρος	1
αὐτός	2	ἐξαποστέλλω	1	ὁ	6	συντόμως	1
ἄφθαρτος	1	ἱερός	1	οὗτος	1	σωτηρία	1
ἄχρι	1						

3. *Jn 7,53-8,11* ⟦N^{26}⟧

ἄγω	1	εἷς	2	κατακύπτω	1	ὄρθρος	1
ἀκούω	1	ἕκαστος	1	καταλαμβάνω	2	ὄρος	1
ἁμαρτάνω	1	ἐλαία	1	καταλείπω	1	οὐδέ	1
ἀνακύπτω	2	ἐν	3	κατηγορέω	1	οὐδείς	2
ἀναμάρτητος	1	ἐντέλλομαι	1	κάτω	1	οὖν	1
ἀπό	2	ἐξέρχομαι	1	κύπτω	1	οὗτος	2
ἄρχω	1	ἐπί	3	κύριος	1	πάλιν	2
αὐτός	11	ἐπιμένω	1	λαός	1	παραγίνομαι	1
αὐτόφωρος	1	ἔρχομαι	1	λέγω	7	πᾶς	1
βάλλω	1	ἐρωτάω	1	λιθάζω	1	πειράζω	1
γῆ	2	ἔχω	1	λίθος	1	πορεύομαι	3
γραμματεύς	1	ἡμεῖς	1	μέσος	2	ποῦ	1
γράφω	1	ἱερόν	1	μηκέτι	1	πρεσβύτερος	1
γυνή	4	Ἰησοῦς	4	μοιχεία	1	πρός	1
δάκτυλος	1	ἵνα	1	μοιχεύω	1	πρῶτος	1
δέ	11	ἵστημι	1	μόνος	1	σύ	3
διδάσκαλος	1	καθίζω	1	Μωϋσῆς	1	τίς	1
διδάσκω	1	καί	10	νόμος	1	τοιοῦτος	1
ἐγώ	1	κατά	1	νῦν	1	ὑμεῖς	1
εἰμί	2	καταγράφω	1	ὁ	22	Φαρισαῖος	1
εἰς	5	κατακρίνω	2	οἶκος	1	ὡς	1

Chacun pourra donner à son exemplaire une note personnelle en y insérant ces renseignements. Ils sont cependant tellement indispensables qu'on ose regretter leur absence dans le volume imprimé. Sans nuire à la lisibilité de l'ensemble, ces quelques chiffres supplémentaires, imprimés en moins gras et plus petit, auraient pu se faire une place dans les colonnes qui s'étalent spacieusement sur les deux pages de la *Wortstatistik*[32].

32. Largeur : 46 cm. La deuxième page contient les colonnes de 1 Tm à Ap, évidemment avec fort peu d'attestations (cf. p. 269 : six fois *1* sur 36 lignes; voir aussi p. 261, 263, etc.). Malgré la répétition du mot-vedette, la ligne horizontale qui n'est appuyée par aucun trait est difficile à suivre, ce qui est surtout gênant parce que le nombre total est placé à l'extrême droite. Il y aurait un double remède à cette difficulté : tracer une ligne horizontale tous les cinq mots, comme l'a fait Morgenthaler, et inscrire le total en première colonne de chaque page, près du mot grec.

La liste statistique du vocabulaire cite les mots dans l'ordre alphabétique[33]. Tous les mots du Nouveau Testament sont encore repris dans un *Häufigkeitsindex*, par ordre décroissant du nombre total des attestations (pp. 405-446). Le mot y est cité, suivi du nombre, à commencer par : ὁ [19904][34]. À la fin, on trouve les hapaxlegomena, pour lesquels le chiffre [1] est remplacé par le sigle du livre : [Mt]... Puis, ces mêmes *Hapaxlegomena*, dans une section qui porte ce titre, sont encore classés par livre (pp. 447-460).

Un tel classement n'est certainement pas sans intérêt, mais ne risque-t-il pas d'attirer l'attention trop exclusivement sur les hapaxlegomena du Nouveau Testament? Du point de vue de la critique littéraire, la liste devrait être élargie dans un double sens. D'abord, les hapaxlegomena ne sont qu'une sous-catégorie des mots attestés dans un seul livre du Nouveau Testament. On aurait tort de traiter différemment ἀγρεύω, qui est un hapax du N.T. (Mc 12,13), et le mot ἄγρα, attesté deux fois (Lc 5,4.9). On pourrait donner d'autres exemples : ἆσσον (Ac 27,13) et Ἆσσος (Ac 20,13.14); ἄτακτος (1 Th 5,14) et ἀτάκτως (2 Th 3,6.11); etc. En second lieu, en plus des hapaxlegomena du Nouveau Testament, il y a les hapaxlegomena de chaque livre. Le Nouveau Testament n'est pas une unité linguistique homogène, et il est parfois peu significatif que tel ou tel mot soit ou non encore attesté ailleurs dans le Nouveau Testament. Une liste statistique que nous n'avons toujours pas est celle du vocabulaire de chaque livre, en ordre décroissant de fréquence, et signalant, le cas échéant, comme pour les *Hapaxlegomena* du tome 2, que le mot n'est pas attesté ailleurs dans le Nouveau Testament. Puisque le nombre des attestations ne change rien au caractère objectif du critère, on ne dira pas : «Zusammenstellungen darüber hinaus müssen subjektive Kriterien zu Hilfe nehmen» (*Vorwort*, p. v). Et encore, dira-t-on qu'une liste qui présente par exemple le vocabulaire commun de Lc-Ac ne procède pas «von objektiven Voraussetzungen»?

33. Les verbes sont cités à l'indicatif présent, première personne (cf. Bauer).

34. Dans cette liste, les mots sont numérotés par dizaine : 10, 20, 30 ..., mais, assez curieusement, cette numérotation s'arrête à 990.

2. Les mots et les formes

La liste intitulée *Wörter und Formen* (pp. 307-404) contient pour chaque mot du Nouveau Testament, en ordre alphabétique, l'énumération de toutes les formes grammaticales sous lesquelles il apparaît, avec, pour chacune des formes, le nombre des attestations. Ainsi, par exemple, ἀγαπη : ἀγαπαις [1], ἀγαπη [36], ἀγαπῃ [28], ἀγαπην [33], ἀγαπης [18]. La liste donne une première information sur la présence des différentes formes. Pour identifier les références de chaque forme, l'on doit se reporter à la Concordance et parcourir les 116 lemmes de l'article ἀγαπή. Le pluriel exceptionnel en Jd 12 y est signalé par la lettre *c*.

Le relevé complet des différentes formes, mais sans indication de la fréquence, est présenté aussi dans un *Rückläufiges Wörterbuch der flektierten Formen* (pp. 461-557), en ordre alphabétique renversé, de ά, ἀναβα, βαρναβα, ... à ... ἐκκοψω, ὑπερωω, πατρωω. Le Lexique rétrograde du grec du Nouveau Testament est une nouveauté. Il rendra service en critique textuelle là où il s'agit d'identifier un bref fragment du texte du Nouveau Testament. Il peut être comparé au *Rückläufiges Hebräisches Wörterbuch* de K.G. Kuhn, qui s'est avéré un instrument de travail indispensable «für die Ergänzung der zahllosen Lücken und Bruchstellen in den Qumrantexten»[35]. Les autres services qu'on peut attendre d'une telle liste sont moins évidents. On nous dit qu'elle a servi pour faire le relevé des verbes composés[36], mais la recherche à faire

35. K.G. Kuhn (en collaboration avec H. Stegemann et G. Klinzing), *Rückläufiges Hebräisches Wörterbuch/Retrograde Hebrew Lexikon*, Göttingen, 1958. Cf. *Vorwort*, p. 5. Pour le grec, voir P. Kretschmer & E. Locker, *Rückläufiges Wörterbuch der griechischen Sprache*, Göttingen, 1944; C.D. Buck & W. Peterson, *A Reverse Index of Greek Nouns and Adjectives*, Chicago, 1944.

36. *Bericht*, p. 32. Voir les listes en tête des articles dans la *Vollständige Konkordanz*. Ajouter p. 151b, art. βάλλω : ἀπο- (cf. p. 77a); p. 225b, art. δείκνυμι : ἐν- (cf. p. 409b); p. 230a, art. δέω : κατα- (Lc 10,34), συν- (He 13,3); p. 245c, art. δίδωμι : ἐκ- (cf. p. 364c). Cf. X. Jacques, *Index des mots apparentés dans le Nouveau Testament. Complément des Concordances et Dictionnaires*, Rome, 1969. Là où la *Vollständige Konkordanz* (fasc. 1-7) signale un verbe composé en plus de ceux qui sont notés par Jacques, il s'agit d'une leçon variante du Textus Receptus (ou de S) qui n'est donc pas reprise dans *Rückläufiges Wörterbuch*. Ainsi : βλαστάνω : ἐκ (S); βοάω : ἐπι-; βουλεύομαι : παρα-; γαμίζω : ἐκ-; γνωρίζω:δια-; ἐλαύνω : συν-; ἐνεδρεύω : προσ-; καθίζω : παρα-.

pour retrouver tous les composés d'un verbe est fort complexe[37]. L'information que la liste peut fournir (et pour laquelle on se félicite de l'avoir) réside dans le fait qu'elle groupe ensemble les formes identiques des mots et de leurs composés. Mais là encore on devra faire attention aux aléas d'une ordonnance alphabétique. Voir par exemple :

καταβησεται	κριται (!)	ἐξεβησαν
μεταβησεται	κεκριται	ἀπεβησαν
συντριβησεται (!)	κατακεκριται	ἠσεβησαν (!)
ἀποβησεται	ὑποκριται (!)	κατεβησαν

La même remarque vaut aussi pour l'étude des suffixes. On y trouve rassemblés sept substantifs en -αριον, mais au milieu d'eux aussi μακαριον; et pour compléter la liste, il sera nécessaire de consulter encore le pluriel en -αρια (γυναικάριον, κυνάριον) et même le génitif en -αριων (ἀσσάριον, κλινάριον). Autre exemple : dix mots en -τηριον se suivent, mais on ne peut oublier d'aller voir le pluriel en -τηρια (αἰσθητήριον, φυλακτήριον)[38]. En principe, il faudrait parcourir toutes les formes possibles en -τηριον (-ου, -ω, -α, -ων, -οις) pour être certain de les avoir repérés tous. Pour pouvoir faire le relevé complet des mots composés et des emplois des suffixes, nous aurons donc besoin, en plus du *Wörterbuch der flektierten Formen*, d'un Lexique rétrograde qui reprend les mots tels qu'ils sont cités dans la liste de la *Wortstatistik* : les substantifs au nominatif singulier (les adjectifs au masculin) et les verbes à l'indicatif présent, première personne du singulier.

Il est sans doute utile d'attirer encore l'attention sur un certain nombre de détails relatifs aux «formes» des mots dans le tome 2.

1. Pour les *accents*, il sera nécessaire de consulter la Concordance. Dans le tome 2, l'emploi des accents est réduit au strict minimum[39]. Comme l'expliquent les *Hinweise zur Benutzung* (p. VI), les accents ne sont mis que pour distinguer entre des formes identiques (par exemple :

37. Prenons l'exemple de ἔρχομαι : la forme ἦλθεν est attestée pour ἀν-, ἀντιπαρ-, ἀπ-, δι-, εἰσ-, ἐξ-, κατ-, παρ-, παρεισ-, προσ-, συν-, συνεισ-; en consultant la forme ἦλθον, on pourra y ajouter περι- et προ-, mais l'on devra encore consulter d'autres formes pour retrouver aussi ἐπ- (attesté sous 8 formes), ἐπαν- (2 formes) et ἐπεισ- (hapax : -ελευσεται).

38. Cf. C. LAVERGNE, *Diagnoses des suffixes grecs du Nouveau Testament*, Paris, 1977. Voir, p. 41 (-άριον) et 356-357 (-τήριον). Sans être un exemple de clarté, l'ouvrage peut rendre des services de ce genre; cf. p. 2 : «chacune de nos listes présente au chercheur la totalité des mots du *Nouveau Testament* ayant même terminaison». Malheureusement, l'auteur ne nous dit même pas sur quel texte du N.T. il base ses analyses. Dans l'exemple cité, il mentionne aussi βιβλιδάριον (variante en Ap 10,2, citée par Bruder dans l'article βιβλαρίδιον; cf. Bauer) et ἀξινάριον (signalé par aucune concordance ou lexique du N.T.; cf. Symmaque 1 S 13,20; LXX ἀξίνη).

39. Corriger p. VI : κἀγῶ en κἀγώ.

ἄρα, ἆρα, ἀρά). Le *Rückläufiges Wörterbuch* y renonce complètement (cf. ἀρα) et n'écrit même pas le iota subscriptum.

2. Les mots qui ne sont même pas différenciés par l'accent sont cités dans la *Wortstatistik* sans aucune indication. On ajoutera une majuscule à la deuxième référence de γαζα, ἠλι, σμυρνα, σταχυς, στεφανος, φοινιξ, ὠ, adv./adj. après εὐθυς, et εἰμι/εἶμι après ἀπειμι et συνειμι. Une telle indication est plus nécessaire encore pour δουλος 124/2 parce que la Concordance elle-même les cite en ordre inversé : adj./ subst. (p. 259).

3. Dans un cas de crase comme κἀγώ, le mot est compté dans la Statistique comme κἀγώ, mais il est compté aussi avec καί et ἐγώ. Voir p. 353b, art. καί : καγω, κακει, κακειθεν, κακεινος, καν; p. 370a, art. ὁ : τουναντιον, τουνομα. Dans la Concordance, tous ces mots ne sont comptés qu'une fois (cf. p. 577a : κἀγώ → καί → ἐγώ). On notera aussi les mots composés, non signalés dans l'introduction : καίτοιγε (καιτοιγε, καιτοι, γε) et οἱῳδηποτοῦν (οἱοσδηποτουν, οἱος, δηποτε, οὐν)[40]. Sur ce point, la *Wortstatistik* semble avoir perdu tout contact avec la *Vollständige Konkordanz*[41].

3. La nouvelle concordance

γράφω – κατά

Dans un survol du contenu des fascicules 3/4, 5 et 6/7, on notera avant tout les deux articles qui n'ont pas de précédent dans Moulton-Geden : δέ (pp. 199a-224a) et καί (pp. 584a-662a), et six articles pour lesquels la Concordance de Moulton-Geden ne donnait que les références : les formes déclinées de ἐγώ (pp. 283a-295b), ἐστίν (pp. 305b-313b), les prépositions εἰς, ἐκ et ἐν (pp. 328a-349a, 352c-361c, 482a-409a) et la particule ἤ (pp. 487a-490c). À elle seule, cette énumération suffit à donner une idée de l'importance des sections publiées au cours de 1977 et 1978. La conception générale de la Concordance ne diffère évidemment pas de celle des fascicules 1 et 2, et les caractéristiques que j'ai indiquées en 1976 se retrouvent dans les fascicules ultérieurs.

40. Il n'est pas dit pourquoi l'analyse s'arrête devant δήποτε; voir Liddell-Scott, art. δήποτε : «better written δή ποτε». Notons d'ailleurs que GNT^{3} imprime οἵῳ δήποτ' οὖν (N^{26} app. ᾧ δήποτε). Autre variante en 5,4 : γάρ GNT^{3} (*loco* δέ N^{26}).

41. Et même avec la *Computer-Konkordanz* : elle signale οἷος et οὖν (col. 1242, et app. col. 51); οἱωδηποτουν est cité en un mot (col. 1242; cf. *Synopsis*^{9}; contre GNT^{3} : οἵῳ δήποτ' οὖν), mais οἱοσδηποτουν ne reçoit pas un article spécial. La *Vollständige Konkordanz* cite Jn 5,4 d'après ςVMB : ᾧ δήποτε (p. 231a; cf. *supra*, n. 22 : ajouter l'astérisque). Sur καίτοιγε (Jn 4,2), voir p. 664b. Dans N^{25} : καίτοι γε, signalé dans l'article καίτοι (p. 664a), mais pas dans l'article γε (p. 175c). Ajouter aussi dans art. καίτοιγε, Ac 17,27 : καίγε ST (p. 664b; cf. p. 175c et 630c); art. γε : Ac 14,17 καί τοι γε ς (p. 175c; cf. p. 629b et 664b).

Revenons encore un instant au problème des *leçons marginales* de Westcott-Hort. Le *Bericht* de 1977 souligne la complexité des leçons h : Nestle en distingue huit catégories. De plus, même si on se tenait aux leçons qui pour Westcott-Hort sont pratiquement équivalentes au texte imprimé[42], on serait obligé de citer aussi les variantes du premier apparat de von Soden...[43]. On peut aussi envisager le problème sous un autre angle. La Concordance de Moulton-Geden a fait un choix : «All the marginal readings in the 1881 edition of WH have been incorporated. To have included the readings of the Appendix would have considerably increased the size of the Concordance without any commensurate gain» (*Preface*, p. vii). La Concordance s'en tient donc aux leçons marginales au sens strict (les variantes citées dans l'Appendice ne sont pas reprises), et sans noter la distinction entre *true alternative readings* (h) et *noteworthy rejected readings : 'Western' interpolations and substitutions* (⊣h⊢). On peut regretter cette «infidélité» envers l'édition de Westcott-Hort, mais beaucoup de critiques se réjouissent de la présence des leçons occidentales dans la Concordance. Et on comprendrait fort bien qu'une nouvelle Concordance s'insère dans la tradition de celle qui était entre les mains des exégètes pendant trois quarts du vingtième siècle. La *Wirklichkeit* exégétique a aussi ses droits. En l'occurrence, elle s'accommode difficilement de l'affirmation que la nouvelle Concordance contient «alles ..., was in Vergangenheit und Gegenwart als 'ursprünglicher Text' angesehen wurde»[44]. J'ai donné l'exemple de la leçon marginale en Lc 3,22 (⊣h⊢)[45]. On peut en citer d'autres. Dans le parallèle johannique de la scène du baptême de Jésus, la leçon ἐκλεκτός de Jn 1,34 (⊣h⊢) n'est pas signalée dans la Concordance (p. 371b; cf. p. 517b). Les critiques qui, à la suite de F. Spitta, T. Zahn et A. Harnack, se déclarent en faveur de cette leçon sont pourtant fort nombreux[46]. Elle est même marquée dans l'apparat de N^{25} par un (!) comme une des leçons qui, d'après la préface de K. Aland et E. Nestle, «ernstlichen Anspruch auf Ursprünglichkeit haben » (p. 31*). La leçon ὀργισθείς en Mc 1,41 (⊣h⊢) ne sera pas mentionnée dans la Concordance (cf. p. 373a, 546c, 595b). Elle n'est en effet pas imprimée dans le texte des éditeurs.

42. Cf. *ETL* 52 (1976), p. 142. C'est-à-dire les leçons h (et non ⊣h⊢ ou h^r) : la seule catégorie que, selon ses propres principes, la Concordance *devait* citer.

43. *Bericht*, p. 28.

44. *Ibid.*

45. Cf. *ETL* 52 (1976), p. 135. Ajouter R.E. Brown (*The Birth of the Messiah*, 1977, p. 310 et 313). Les récents commentaires de G. Schneider et de J. Ernst (1977) et I.H. Marshall (1978) tiennent la leçon occidentale pour secondaire.

46. Cf. R. SCHNACKENBURG, t. 1, 1965, p. 305 (dans la note 2, il renvoie aussi à M.-J. Lagrange, A. Loisy, H. Windisch, O. Cullmann, J. Jeremias, D. Mollat, H. Van den Bussche, M.-É. Boismard, C.K. Barrett, R.H. Lightfoot, C.F. Evans). Voir aussi R.E. Brown, 1966, p. 57; M.-É. Boismard, 1977 (dans *L'évangile de Jean*, p. 80b et 98a).

Mais la plupart des commentateurs la tiennent pour originale[47], et même le comité de GNT[3] qui a opté pour σπλαγχνισθείς l'a fait avec beaucoup d'hésitation (cote D)[48]. D'autres leçons encore qui jouent également un rôle dans le problème des accords mineurs de Mt et Lc contre Mc ne se retrouvent pas dans la Concordance[49]. Trois de ces leçons h ont été imprimées dans le texte de B. Weiss (mais Nestle a préféré TH à hW!) : Mt 17,4 σκηνὰς τρεῖς (*loco* τρ. σκ.); Mc 1,9 om. καί (*ante* ἐγένετο); Lc 20,27 ἐπηρώτων (*loco* -ησαν). Voir aussi : Mt 17,1 τόν (*ante* Ἰάκωβον); Mc 2,23 ὁδοποιεῖν (*loco* ὁδὸν ποιεῖν); 8,36 τόν (*ante* ἄνθρωπον); Lc 9,25 ὠφελεῖ (*loco* -εῖται); 23,26 ἀπῆγον (*loco* -ήγαγον); et deux leçons ⊣h⊢ : Mc 15,25 ἐφύλασσον (*loco* ἐσταύρωσαν); Lc 18,30 ἑπταπλασίονα (*loco* πολλα-). Citons encore deux exemples empruntés au texte de Jn : la leçon βασιλίσκος (*loco* -ικός) en 4,46.49 (⊣h⊢), que défend J.K. Elliott, et celle du nom Βηθσαιδά (*loco* Βηθζαδά) en 5,2 (h), soutenue par C.K. Barrett[50] Il arrive aussi qu'une leçon marginale de Westcott-Hort qui ne se trouve dans aucune des autres éditions est adoptée dans le texte de N[26]. Ainsi, la variante στήσητε en Mc 7,9 (⊣h⊢), imprimée déjà dans GNT[1] (1966). On complétera donc dans ce sens l'information que donne la Concordance : «στήσητε (N[26]; τηρήσητε rl)» (p. 558a). Après la publication de GNT[3] (et, pour les évangiles, de *Synopsis*[9]), je ne peux que répéter mon étonnement sur l'absence de toute référence au texte de GNT[1] (1966) dans la Concordance[51]. On a pu se rendre compte que, dans la grande majorité des changements par rapport à N[25], le texte de N[26] reprend celui de GNT[1.2]. Mais ce n'est pas toujours le cas, et certaines leçons de GNT, non attestées dans les autres éditions, ne sont pas signalées du tout dans la Concordance. Un exemple : ἐπήρωτα (*loco* -ώτησεν) en Mc 15,2 (cf. p. 426b).

Dans les articles sur les *prépositions*, l'apparat des exposants littéraux est composé, semble-t-il, avec un soin particulier. Les articles sur εἰς et ἐν ont épuisé toutes les lettres de l'alphabet pour donner un

47. Cf. V. Taylor, 1952 (qui renvoie à C.H. Turner, B.H. Branscomb, J.M. Creed, J. Moffatt, A.T. Cadoux, E.R. Micklem); R. Pesch, 1976 (cf. *Jesu ureigene Taten*, 1970, p. 55, où il renvoie à J. Schmid, C.E.B. Cranfield, T.A. Burkill, E. Hirsch, E. Bevan, C. Masson, A. Richardson, G. Minette de Tillesse, G. Stählin, et surtout L. Vaganay et H. Zimmermann). Voir aussi D.E. Nineham, 1963 (p. 80); M.-É. Boismard, 1972 (p. 104a); L. Schenke, 1974 (p. 130, n. 415), etc.

48. Cf. B.M. METZGER, *Textual Commentary*, pp. 76-77.

49. Cf. F. NEIRYNCK, *The Minor Agreements of Matthew and Luke against Mark*, 1974. Voir l'apparat (*ad loc.*).

50. *Vollständige Konkordanz*, p. 157c et 159a. Cf. J.K. ELLIOTT, dans *NT* 12 (1970), p. 392; C.K. BARRETT, *John*, 1955, pp. 210-211 : on y ajoutera le témoignage de P[66] (*-αν, [c]-α) et P[75].

51. Cf. *ETL* 52 (1976), p. 137. Le *Bericht* de 1977 n'en parle pas. Sur les rapports entre N[26] et N[25]/GNT[1.2], voir la liste dans *The Synoptic Gospels* (cf. *supra*, n. 6).

maximum de renseignements sur l'emploi des prépositions. Les articles sur διά, ἐπί et κατά (dont seul le début est publié : p. 672c) tiennent compte de la construction avec génitif, datif ou accusatif, mais, fort heureusement, sans en faire autant d'articles indépendants comme c'était le cas chez Moulton-Geden. L'indication du sens temporel de εἰς, ἐκ, ἐν et ἐπί est, nul n'en doutera, une donnée utile[52]; de même, pour les mêmes prépositions, l'indication sur la construction avec un verbe composé du type de εἰσέρχομαι εἰς. On regrette de ne pas retrouver cette catégorie pour toutes les prépositions. Elle est absente dans l'article sur διά (cf. διέρχομαι διά). Et là où elle est signalée, la mention réciproque dans les articles sur les verbes composés fait défaut. On la trouve toutefois pour ἐκβάλλω, ἐξάγω, ἐξέρχομαι ἐκ et pour ἐπιστρέφω et ἐφίστημι ἐπί. Par contre, le relevé des passages où l'on trouve deux prépositions utilisées ensemble est d'un intérêt fort inégal. Il a été développé à l'extrême : 16 catégories pour εἰς, 14 pour ἐκ et 17 pour ἐν. On y trouve certainement des catégories utiles comme «ἐκ et εἰς» (dans les articles εἰς et ἐκ) ou «ἀπό et εἰς» (qui n'a cependant pas de correspondant dans l'article ἀπό). Mais quelle est l'utilité de signaler la présence de deux prépositions, l'une au sens temporel et l'autre au sens local? Ainsi, Jn 2,12 μετὰ τοῦτο... εἰς Καφαρναούμ (comp. 3,22; 13,27); Jn 8,35 ἐν τῇ οἰκίᾳ εἰς τὸν αἰῶνα... Ou encore : Lc 1,39 εἰς τὴν ὀρεινὴν μετὰ σπουδῆς. D'autre part, l'emploi répété de εἰς...εἰς n'a pas été noté (cf. Mc 6,56; 7,19; 11,11; Mt 21,1). L'article ἐκ signale «ἐκ et ἕως» en Mt 26,29 (voir aussi Mc 14,25) où ἕως τῆς ἡμέρας répond à ἀπ' ἄρτι, dont le sépare (οὐ μὴ πίω) ἐκ τούτου τοῦ γενήματος. Bref, la Concordance se contente de signaler la présence d'une autre préposition, et elle laisse à l'utilisateur le soin de faire de ce relevé une liste raisonnée des combinaisons de prépositions.

52. La catégorie *de tempore* (*a*) est la seule que Aland a en commun avec Bruder, Moulton-Geden (M-G) et H.K. Moulton (*Supplement* 1978). Comparer également εἰς (*e*), ἐκ (*h*) et ἐν (*g*) avec M-G n^os^ *8*, *6*, *3* : *sequente infinitivo*.
— La conception de la liste du *Supplement* de H.K. Moulton est assez différente de celle des Concordances. Il a une grande diversité de catégories et il affecte *chaque* attestation de la préposition à une (ou deux) de ces catégories. Sur son traitement de οὖν, cf. *infra*, n. 66. Citons ici l'exemple de ἐν (p. 1067a) : «1. Local; 2. Time [M-G *1*, Aland *a*]; 3. Among; 4. Within; 5. Instrumental [M-G *2*]; 6. Relational; 7. Metaphorical local or temporal; 8. Attendant circumstances or adverbial phrase [cf. M-G *5* : *adv. locut.*]; 9. Clothing; 10. Agent; 11. In Scripture [Aland *d*]; 12. ἐν οὐρανῷ...; 13. ἐν τῇ βασιλείᾳ τ. οὐρανῶν...; 14. Semitism [cf. Bruder *4* : *ex Hebr.*]; 15. ἐν Χριστῷ/κυρίῳ etc. [Aland *c*]; 16. = εἰς; 17. Indirect object; 18. Amounting to». Il n'a pas ἐν τῷ + infin. (M-G *3*, Aland *g*) : il répartit les cas entre les n°s 2 et 8, et parfois 5 (cf. Lc 1,21; 12,15). Cf. p. XII : «I realise that in many instances there are differences of opinion». Le point de vue de Aland n'est pas le même : il ne veut pas «trancher dans les problèmes d'interprétation du texte» (cf. *Hinweise*, n° 4 : «ohne interpretatorische Vorentscheidungen zu treffen»).

«Aber ich möchte meinen, dass mit der vollständigen Verzeichnung der 10486 Vorkommnisse von καί ein wesentlicher Fortschritt erreicht ist». C'est sans réserve que je souscris à ce jugement exprimé par K. Aland dans la préface du fascicule 6/7. Le besoin d'une liste complète des emplois de καί s'est fait sentir depuis longtemps, et je l'ai moi-même éprouvé plus particulièrement lors de la préparation de l'ouvrage sur les *Minor Agreements*[53]. Déjà J.C. Hawkins notait avec regret, à propos de la caractéristique lucanienne δὲ καί : «These references can only be verified in Bruder, for Moulton and Geden's *Concordance* omits δέ and καί» (p. 37). Et pendant les 80 ans qui ont suivi la première édition de *Horae Synopticae*, cette situation n'a pas changé. En ce qui concerne δὲ καί, on s'est tenu aux chiffres de Hawkins[54]. La nouvelle Concordance signale maintenant les emplois de δὲ καί dans l'article sur καί (l'exposant *q* : δέ, μὲν καί), comme l'avait fait Bruder (dans l'article sur δέ : la marque**). Un tableau comparatif des références est reproduit ici à la page 340[55].
Si je compte bien, les fréquences sont les suivantes :

δὲ καί	Mt	Mc	Lc	Jn	Ac	Paul	Reste N.T.
Bruder	4	2	30	9	7	29	5
Hawkins	3	2	25	8	7	22	5
Aland (N^{26})	6	2	29	9	19	32	5
Aland (incl.*)	8	3	35	12	22	39	5

Hawkins avait corrigé les références de Bruder d'après le texte de Westcott-Hort[56]. Devra-t-on maintenant adapter ses chiffres au texte

53. Cf. *The Minor Agreements*, pp. 203-213.

54. *Horae Synopticae*, p. 17 (une des 21 «most distinctive» caractéristiques lucaniennes) et p. 37 (références) : 25 fois en Lc et 7 fois en Ac. Comparer A. PLUMMER, *Luke*, p. lxiii : 26 cas en Lc (il compte 6,6) et 7 en Ac; M.-J LAGRANGE, *Luc*, p. CXIV : 25 cas en Lc (les références de Hawkins) et 9 (!) cas en Ac; H. SCHÜRMANN, *Jesu Abschiedsrede*, Münster, 1957, pp. 65-66 : en plus des références de Hawkins (25 en Lc et 7 en Ac), il cite Lc 14,34 (probablement sous l'influence de Cadbury; cf. *infra*); J. JEREMIAS, dans *ZNW* 62 (1971), p. 174, avec référence à Hawkins : mêmes chiffres, mais 26 pour Lc! Voir aussi H.J. CADBURY, *The Style and Literary Method of Luke*, p. 146. Parmi les exemples de δὲ καί («favorite combination in Luke»), on y trouve aussi δὲ (αὐτῷ) καί en Lc 18,15 et 23,36. Bruder ne le compte pas; il signale cependant Mt 27,44 τὸ δ' αὐτὸ καί; Ac 8,13 ὁ δὲ Σίμων καὶ αὐτός; 1 Tm 3,7 δεῖ δὲ αὐτὸν καί (N^{26} om. αὐτόν); voir encore Ac 11,12 δὲ καὶ σὺν ἐμοί (N^{26} 1342). Hawkins et la Concordance de Aland s'en tiennent strictement à δὲ καί.

55. Les indications entre parenthèses sont celles que donne la Concordance sur le Textus Receptus. Aux références de l'article sur καί j'ai ajouté Lc 20,11 (κἀκεῖνος); 1 Co 7,40 (κἀγώ); (Mt 26,35*) : + δέ Bruder (avec Griesbach e.a.); (He 9,21) : cf. *infra*. Dans la colonne de Bruder, † indique que δὲ καί y est cité dans le texte sans être compté. Les cas de δὲ ... καί (Bruder : Mt 27,44; Ac 8,13) ne sont pas signalés.

56. Cf. Mt 3,10; 27,41; Lc 6,6; 14,26; 18,1; 21,2; 22,68; 23,55; Jn 11,57; Rm 8,34; 1 Co 15,6.14; 2 Co 5,16; 13,9 (H = N^{26}); et 1 Co 7,40 (γάρ H, δέ ϛhN^{26}). Seule l'omission en 1 Co 7,11 ne s'explique pas ainsi. En Mc 14,31 et 1 Co 15,15, le signe (?) se réfère à la leçon [δέ] de H. Il ajoute le cas de Lc 6,39, toujours sur la base du texte de H. Il corrige Bruder sur un point : il compte δὲ καί en Mt 25,24. S'il n'ajoute pas aussi 25,22, c'est encore en raison du texte de H (δέ om.).

δὲ καί

Book	Ref	Variant	Witnesses
Mt	3,10*	(καί)	Br
	10,18		
	10,30		Br Ha
	18,17		Br Ha
	24,49		† (τε)
	25,22	[δέ]	†
	25,24		† Ha
	(26,35*)		† δέ
	27,41*	(δέ)	Br
Mc	14,31		Br Ha (?)
	15,31*	(δέ)	
	15,40		Br Ha
Lc	2,4		Br Ha
	3,9		Br Ha
	3,12		Br Ha
	4,41		Br Ha
	5,10		Br Ha
	5,36		Br Ha
	6,6*	(καί)	Br
	6,39	(–καί)	Ha
	9,61		Br Ha
	10,32		Br Ha
	11,18		Br Ha
	12,54		Br Ha
	12,57		Br Ha
	14,12		Br Ha
	14,26*	τε (δέ)	Br
	14,34	(–καί)	
	15,28		† δέ,
	15,32		†
	16,1		Br Ha
	16,22		Br Ha
	18,1*	(καί)	Br
	18,9		Br Ha
	19,19		Br Ha
	20,11	κἀκεῖνον	Br Ha
	20,12		Br Ha
	20,31		Br Ha
	21,2*	(καί)	Br
	21,16		Br Ha
	22,24		Br Ha
	22,68*	(καί)	Br
	23,32		Br Ha
	23,35		Br Ha
	23,38		Br Ha
	23,55*	αἱ (καί)	Br
	24,37		†
Jn	2,2		Br Ha
	3,23		Br Ha
	9,11*	οὖν (δέ)	†
	10,12*	(δέ)	†
	11,57*	(καί)	Br
	15,24		Br Ha
	18,2		Br Ha
	18,5		Br Ha
	18,18	(–καί)	
	19,19		Br Ha
	19,39		Br Ha
	21,25		Br Ha
Ac	2,7	(+ πάντες	
	2,26		Br Ha
	3,1	(δὲ Π.)	
	5,16		Br Ha
	9,24	(τε)	
	11,7	(–καί)	
	12,25		†
	13,5		Br Ha
	14,27		†
	15,32*	τε (δέ)	†
	15,35		†
	16,1	[καί] (–)	
	17,18	(–καί)	
	19,27*	τε (δέ)	
	19,28		
	19,31		Br Ha
	20,11		†
	21,16		Br Ha
	22,28		Br Ha
	23,34		†
	24,9		Br Ha
	24,26*	(δέ)	
Rm	2,10		†
	3,29*	(δέ)	
	8,26		Br Ha
	8,34*	(καί)	Br
1 Co	1,16		Br Ha
	3,8		†
	4,7		Br Ha
	7,3		Br Ha
	7,4		Br Ha
	7,11		Br
	7,28		Br Ha
	7,40	κἀγώ	Br
	14,15		Br Ha
	14,15		
	15,6*	(καί)	Br
	15,14*	(δέ)	Br
	15,15		Br Ha (?)
2 Co	4,3		Br Ha
	5,11		Br Ha
	5,16*	(δέ)	Br
	6,1		Br Ha
	8,11		Br Ha
	11,6		Br Ha
	13,9*	(δέ)	Br
Ep	5,3		†
	5,11		Br Ha
Ph	1,15		
	3,18		Br Ha
	4,15		Br Ha
1 Tm	1,9		
	3,7	(+ αὐτόν)	Br
	5,13		Br Ha
	5,24		Br Ha
2 Tm	2,5		Br Ha
Tt	3,14		Br Ha
Phm	9		Br Ha
	11	[καί] (–)	
	22		Br Ha
He	(9,21)		
	13,4*	γάρ (δέ)	†
Jc	2,2		Br Ha
	2,25		Br Ha
2 P	1,15		Br Ha
	2,1		Br Ha
Jd	14		Br Ha

de N[26] et, sur la base de la Concordance, noter 29 cas en Lc et 19 en Ac? Ici encore, le relevé de la Concordance, si complet qu'il soit[57], est purement mécanique : il signale tous les cas où les mots δέ et καί se suivent, sans tenir compte de la fonction de καί. S'il convient d'ajouter Lc 14,34, il y a de bonnes raisons de se tenir à l'avis de Bruder et de ne pas compter les cas de Lc 15,28.32; 24,37, où καί introduit un deuxième verbe[58]. C'est le cas aussi en Ac 2,7; 14,27; 19,28; 20,11; 23,34. Ailleurs, καί relie deux personnes qui forment le sujet de la phrase (3,1; 12,25; 15,35), ou il s'agit d'un emploi de καὶ... καὶ... (16,1; 17,18). Les cas de 9,24 et 11,7 sont finalement les seuls en Ac qu'on comptera[59]. Nous retenons donc, mais sans oublier la mise en garde de Lagrange à propos de cette «caractéristique» lucanienne[60], les chiffres de Hawkins, avec une légère adaptation :

δέ καί	Mt	Mc	Lc	Jn	Ac	Paul	Reste N.T.
	4	2	26	9	9	27	5

En Mt 25,22, le texte de H n'avait pas la particule δέ, et en 1 Co 7,40, il lisait γάρ (h δέ). Si Hawkins n'a pas compté non plus Lc 14,34; Jn 18,18; Ac 9,24; 11,7; 1 Co 15,14b; Ph 1,15; 1 Tm 3,7[61], c'est sans doute parce que, à défaut d'une liste des emplois de δέ et καί d'après le texte de Westcott-Hort, ces cas lui ont échappé. Nous sommes mieux servis maintenant, mais le danger est réel qu'on utilise mal les indications de la nouvelle Concordance.

La combinaison δὲ καί est signalée dans l'article sur καί, mais elle n'est pas mentionnée dans l'article sur δέ. Celui-ci ne contient d'ailleurs aucune indication sur le mot qui suit la particule δέ, à l'encontre de l'article sur καί qui distingue entre les emplois où καί vient en tête (les catégories *a* à *n*, selon le mot qui suit) et ceux où καί est précédé d'une conjonction ou d'une autre particule (les catégories *p* à *z*). On y trouve δὲ καί (*q*); on pourrait s'attendre aussi, ici ou dans l'article sur δέ, à une mention de la combinaison καὶ... δέ. On

57. D'après ses propres principes, la Concordance aurait dû signaler aussi He 9,21 δὲ καί, comme elle le fait pour Mt 10,18 (cf. *infra*). Autres corrections : p. 646a, 1 Tm 3,7, entre δέ et καὶ, ajouter: (+ αὐτόν ς); cf. p. 131a; art. δέ, p. 205c, Lc 6,6: (+ καὶ ς); 6,39: καὶ (–ς); p. 208, Lc 21,2: (+ καὶ ς); p. 210c, Jn 11,57: (+ καὶ ς); p. 213a, Ac 11,7: καὶ (–ς); p. 214b, Ac 17,18: καὶ (–ς); p. 217b, Rm 8,34: (+ καί ς); p. 222b, Phm 11 : compléter la citation par : [καὶ] σοί.

58. Cf. J. Jeremias, dans *ZNW* 62 (1971), p. 174 (contre J.T. Sanders): «Aber Lk 15,28 liegt gar nicht die Partikelverbindung vor, vielmehr ist zwischen δέ und καί eine Zäsur, da jede der beiden Partikeln einem anderen Verbum zugeordnet ist; Lk 15,28 wird denn auch von Hawkins [*et, je dirais, Bruder*] mit Recht nicht unter den Lukas-Belegen für die Partikelverbindung aufgeführt».

59: Les cas de Mt 10,18; 24,49; Rm 2,10; 1 Co 3,8; Ep 5,3; 1 Tm 1,9; Phm 11 sont à écarter pour des raisons analogues.

60. Cf. *Luc*, p. cxiv : «il ne semble pas qu'elle [cette alliance des mots] ait de valeur par elle-même».

61. Sur 1 Co 7,11, cf. *supra*, n. 56.

en trouve un soupçon dans deux autres articles : κἀγὼ δέ (Mt 16,18[f])[62] et κἀκεῖνος δέ (Rm 11,23[a]). Sur ce point encore, le vieux Bruder (*Non omnis moriar*!) peut toujours rendre service : il a un article spécial sur καὶ... δέ (pp. 180-181). Je le reproduis ici, en ajoutant Lc 1, 76[63] et en adaptant le texte à celui de la Concordance nouvelle[64].

καὶ ... δέ

Mt	10,18		καὶ ἐπὶ ἡγεμόνας δὲ ∣ καὶ βασιλεῖς
	16,18		κἀγὼ δέ σοι λέγω
Mc	4,36*		καὶ ἄλλα (δὲ) πλοῖα
Lc	1,76	f	καὶ σὺ δέ (-ς)
	2,35	f	καὶ σοῦ [δὲ] αὐτῆς τὴν ψυχὴν
	10,8*		καὶ εἰς ἣν (δ') ἂν πόλιν
Jn	6,51		καὶ ὁ ἄρτος δὲ ὃν ἐγὼ δώσω
	8,16		καὶ ἐὰν κρίνω δὲ ἐγώ
	8,17		καὶ ἐν τῷ νόμῳ δὲ τῷ ὑμετέρῳ
	15,27	g	καὶ ὑμεῖς δέ
Ac	3,24		καὶ πάντες δὲ οἱ προφῆται (22 Μωϋσῆς μὲν...)
	5,32*		καὶ ὑμεῖς... καὶ τὸ πνεῦμα (δὲ) τὸ ἅγιον
	22,29		καὶ ὁ χιλιάρχος δέ
	25,25*	h	(καὶ) αὐτοῦ δὲ...
Rm	11,23	h	κἀκεῖνοι (καὶ ἐκεῖνοι) δέ
1 Tm	3,10	h	καὶ οὗτοι δέ
2 Tm	3,13		καὶ πάντες δὲ οἱ θέλοντες
He	9,21		καὶ τὴν σκηνὴν δὲ ∣ καὶ...
2 P	1,5	h	καὶ αὐτὸ τοῦτο δέ
1 Jn	1,3		καὶ ἡ κοινωνία δὲ ἡ ἡμετέρα
3 Jn	12	g	καὶ ἡμεῖς δέ

C'est à tort que la Concordance a donné au cas de Mt 10,18 l'exposant *q* : δὲ καί (p. 587a), et, comme le trait vertical l'indique, le premier lemme dans l'article sur καί devrait inclure la particule δέ (cf. p. 648c : He 9,21). La combinaison des particules καὶ... δέ, qui a

62. Mais le rapprochement de Mt 16,18 avec Jn 1,31.33 (κἀγὼ οὐκ) indique plutôt que la particularité de καὶ ... δέ n'a pas été reconnue.

63. Le cas de Lc 1,76 est signalé dans le commentaire de H. Alford (note marginale). Il relève d'ailleurs tous les cas signalés par Bruder, à l'exception de Lc 10,8 (om. δέ) et Ac 25,25 (om. καί). Lc 1,76 n'est que rarement noté dans les listes de καὶ ... δέ. Voir les lexiques de Grimm (art. δέ, 9) et de Bauer (art. δέ, 4b) : Mt 10,18; 16,18; Lc 2, 35[g]; Jn 6,51; 8,16; 8,17[b]; 15,27; Ac 3,24; 22,29; Rm 11,23[g]; 1 Tm 3,10[b]; 2 Tm 3,12; 2 P 1,5[g]; 1 Jn 1,3. Assez curieusement, M.-É. Boismard qui y voit une caractéristique johannique (3 + 2/1) retient Lc 1,76 comme l'unique (!) attestation extra-johannique (*L'évangile de Jean*, 1977, cf. *infra*, n. 65).

64. J'ai retenu les exposants *f* (2), *g* (2) et *h* (4) de l'article sur καί : il s'agit de καί suivi d'un pronom, dont on rapprochera κἀγώ (Mt 16,18) et κακεῖνοι (Rm 11,23) et sans doute aussi les pronoms possessifs en Jn 8,17; 1 Jn 1,3 (voir aussi Jn 6,51). Les exposants dans l'article sur δέ indiquent surtout la place de la particule dans la phrase (*k*, *l*, *m* : 3e, 4e, 5e mot). Corriger p. 211c, Ac 3,24 : ajouter [k] καί devant πάντες.

surtout été étudiée à propos de Jn 6,51[65], est en tout cas trop importante pour qu'on lui refuse la faveur d'un exposant dans la Concordance.

Signalons encore, pour terminer, que l'article sur καί semble témoigner d'un certain progrès par rapport à celui sur δέ : les catégories indiquées par les exposants sont plus étudiées, et la citation des éditions-témoins se fait plus correctement. J'ai d'ailleurs, d'une manière plus générale, l'impression que la Concordance traite les choses plus correctement quand elle le fait pour une deuxième fois. En voici quelques exemples à propos de la citation du Textus Receptus. L'article γάρ (p. 168a) oublie de citer Mc 9,6 ἦσαν γὰρ ἔκφοβοι (ς), mais les articles γίνομαι (p. 181c), ἤμην (p. 317a) et ἔκφοβος (p. 374a) le font. La leçon ἐπὶ τὸ αὐτο δέ (ς) comme début de la phrase en Ac 2,47/3,1, n'apparaît pas dans les articles ἀναβαίνω et αὐτό (p. 47c, 102c), mais elle est correctement citée dans l'article δέ (p. 211c). La leçon τοῦ (ς) devant Ἰσραήλ en Mc 15,32 n'est pas signalée dans l'article βασιλεύς (p. 156c), mais on la trouve dans l'article Ἰσραήλ (p. 570a). Le sujet ὁ Ἰησοῦς (ς) en Jn 1,43a qui n'est pas mentionné dans les articles ἐξέρχομαι (p. 418b) et θέλω (p. 513c) est indiqué dans l'article Ἰησοῦς (p. 548b). La particule οὖν (ς) en Jn n'est pas signalée dans les articles ἀκούω (p. 26c : 6,45) et ἀποκρίνομαι (6,43.45), ni encore dans l'article νῦν (p. 355c : 6,42) : il y a donc encore un progrès à réaliser avant la composition de l'article οὖν[66].

Un mot encore sur les lemmes. Ils s'étendent souvent sur trois ou quatre lignes de texte. Mais on regrette parfois qu'ils ne citent pas l'essentiel de la construction. Ainsi, le lemme de Jn 20,2 dans l'article ἔρχομαι aurait pu signaler le double emploi de la préposition πρὸς... καὶ πρὸς... (p. 453b). Et la phrase citée de Jn 12,47 dans l'article ἐάν n'a guère de sens sans le deuxième verbe καὶ μὴ φυλάξῃ (p. 270c; cf. p. 286b)...

Et pour revenir à la *Wortstatistik*, on notera que celle-ci, en accord avec la *Computer-Konkordanz*, traite séparément des mots qui ne forment qu'un seul article dans la *Vollständige Konkordanz* : ζυγός/ζυγόν, θεμέλιος/-ον, Ἱεροσόλυμα/Ἱερουσαλήμ, Ἰσκαριώθ/Ἰσκαριώτης. Pour θεός, ὁ / θεός, ἡ, c'est l'inverse (cf. p. 528c).

Terminons par un souhait. L'éditeur écrit dans le *Vorwort* du tome 2 : «wenn die Erfassung des Textes auf einem Computer-lesbaren Daten-

65. Cf. F. Neirynck (avec la collaboration de J. Delobel, T. Snoy, G. Van Belle, F. Van Segbroeck), *Jean et les Synoptiques. Examen critique de l'exégèse de M.-É. Boismard* (BETL, 49), Leuven, 1979, p. 55, n° 185, note; voir aussi pp. 210-211 (sur Jn 6,51 ; avec une note bibliographique).

66. Voir : *La particule* οὖν *dans la Concordance*, dans *Jean et les Synoptiques* (cf. *supra*, n. 65), pp. 278-282.

träger erst einmal geschehen war, ermöglichte sie die automatische Erstellung von Spezialübersichten unterschiedlichster Art. So hätten die hier vorgelegten Zusammenstellungen leicht vermehrt werden können» (p. v). Nous souhaitons vivement que l'Institut de Münster mette à son programme les *Spezialübersichten* du tome 2 appliquées à chacun des livres du Nouveau Testament.

ETL 55 (1979) 152-155

LA NOUVELLE CONCORDANCE DU NOUVEAU TESTAMENT*

κατά – μέν

Sur la conception générale de *La nouvelle Concordance du Nouveau Testament*, le lecteur peut se renseigner dans *ETL* 52 (1976) 134-142; 54 (1978) 323-345. La huitième livraison contient une innovation qui mérite d'être signalée: l'article λέγω comprend deux sous-articles, εἶπον et ἐρῶ (pp. 724b-743a). C'est une nouveauté par rapport aux concordances de Bruder et de Moulton-Geden, et une exception à la règle «dass die Konkordanz z.B. bei den Verweisen, aber auch sonst, auf das Wörterbuch zum Neuen Testament von Walter Bauer zurückgeht» (préface du fascicule 2). La nouvelle disposition a pour l'instant un avantage pratique: on peut étudier les *verba dicendi* dans le même fascicule 8, qui contient aussi l'article λαλέω (pp. 716b-719b). Mais fallait-il abandonner pour cela la disposition traditionnelle en trois articles distincts, dans l'ordre de l'alphabet: εἶπον, ἐρῶ, λέγω (cf. Passow, Liddell-Scott)? Le lexique de Grimm (et Thayer) et la concordance de la LXX de Hatch-Redpath n'ont que deux articles et les formes de ἐρῶ sont comptées dans l'article εἶπον. Le tome II de la nouvelle Concordance, dont on attend pourtant qu'il soit «gewissermassen eine Zusammenfassung des ersten Bandes» (*Bericht*, 1977, p. 32), opte également pour deux articles, mais il s'agit ici de ἐρῶ et λέγω (qui inclut les formes de εἶπον). On nous dit maintenant que «Band I und Band II jeweils einen selbständigen, einander ergänzenden Charakter besitzen» (préface du fascicule 8). En fait, c'est surtout la *Computer-Konkordanz* qui complète les données du tome I: les deux listes de λέγω (pp. 724b-735a) et εἶπον (pp. 735a-742a) y sont présentées dans une liste unique qui permet d'étudier plus facilement l'alternance des formes λέγω et εἶπον (col. 1034-1085). Un seul regret: pour les formes de ἐρῶ, il faut se référer au tome I, tandis que les formes du composé προείρηκα sont reprises dans l'article προλέγω (col. 1515; t. II, p. 383). On regrette aussi l'absence d'un signe diacritique qui signale les formes de εἶπον. Cette dernière observation vise l'article λέγω de la *Computer-Konkordanz*, mais également les articles ἀντιλέγω (p. 64c), ἀπολέγω (p. 82c) et προλέγω du tome I.

* K. ALAND (éd.), *Vollständige Konkordanz zum griechischen Neuen Testament*. Band 1, Lieferung 8 : κατά-μέν, pp. 673-768, 1979.

Dans l'article λέγω (p. 724b), les 24 lettres sont utilisées comme exposants littéraux qui signalent les formes du verbe et l'emploi des prépositions (*a-h*), les combinaisons avec d'autres verbes (*j-u*) et avec des substantifs (*v-z*). Il fallait y ajouter un renvoi à la catégorie *m* de εἶπον (εἶ. *et* λέγω) et à la catégorie *g* de ἐρῶ (ἐρ. et λέγω).

La combinaison avec λέγω est signalée également dans les articles κράζω, κραυγάζω et λαλέω, mais les 14 autres verbes des fascicules 1-8 dont l'article λέγω fait mention ne signalent pas la combinaison avec λέγω. L'article ἀποκρίνομαι n'a d'ailleurs qu'un seul exposant: ἀποκριθείς, sans distinguer entre λέγει, ἔλεγεν et εἶπεν, et sans signaler ἀπεκρίθη καὶ εἶπεν (cf. Jn). Dans le fascicule 8, l'article κηρύσσω semble négliger complètement la combinaison avec λέγω: la citation de Mt 3,1 est à compléter par [καὶ] λέγων du v. 2 et celle de Mc 1,14 par καὶ λέγων du v. 15 (p. 690c).

L'on constate d'autre part dans l'article λέγω une tendance générale à donner des citations très brèves. Ainsi par exemple Jn 9,12: λέγει. Le discours direct sans ὅτι n'est jamais cité, et pour faire le rapprochement entre Jn 18,17 λέγει ἐκεῖνος et 18,25 ἠρνήσατο ἐκεῖνος καὶ εἶπεν, il faut consulter la *Computer-Konkordanz* qui donne aussi les réponses de Pierre: οὐκ εἰμί. En principe, la particule καί qui précède λέγει, ἔλεγεν, εἶπεν etc. n'a pas été reprise dans la citation, et la Concordance n'est d'aucune utilité pour étudier par exemple l'asyndète λέγει en Jn (cf. 1,51; 2,8; 4,28: sans καί). Sur ce point encore, il faut se référer à la *Computer-Konkordanz*.

Dans l'article λέγω/εἶπον, la catégorie (*b*) εἶπον πρός τινα est nouvelle. La Concordance de Moulton-Geden se contente de noter «μετά, πρός» dans les articles λαλέω et λέγω, et pour étudier la caractéristique lucanienne, il fallait recourir à la liste de Hawkins: «πρός, used of speaking to», qui englobe tous les *verba dicendi* (*Horae Synopticae*, pp. 45-46). Hawkins signale spécialement l'expression πρὸς ἑαυτούς/ἀλλήλους (cf. Mc): elle aurait pu constituer une catégorie spéciale dans la Concordance. Dans un article intitulé *The Construction with a Verb of Saying as an Indication of Sources in Luke*, dans *NTS* 21 (1974-75) 221-223, J.J. O'Rourke croit pouvoir montrer que la caractéristique lucanienne ne résiste pas à l'examen critique. La donnée essentielle relevée par l'auteur est la proportion de 11 emplois de πρός + accusatif contre 50 emplois du simple datif dans Q (matière commune de Matthieu et Luc). La conclusion que l'auteur en tire est fausse parce qu'il néglige de distinguer entre les parties narratives et les discours. On pourrait éviter une telle méprise par une Concordance qui signale la tournure λέγω ὑμῖν (Lc 3,8; 6,27; 7,9.26.28; 10,12.24; 11,9.51; 12,4.5.8.22.27.44.51.59 σοι; 13,24.27.35; 14,24; 15,7; 17,34; 19,26 = Q). Mais l'article λέγω ne signale même pas l'expression plus caractéristique ἀμὴν λέγω ὑμῖν. Les citations de la Concordance ne permettent pas de distinguer entre un λέγω ὑμῖν parenthétique et la même expression en début d'une phrase. L'article λαλέω fait mention de λαλέω (ἐν) παραβολαῖς, mais pour λέγω ou εἶπον παραβολήν (cf. Lc), l'on doit se référer à Hawkins (*Horae Synopticae*, p. 39 et 42). De même, pour εἶπεν δέ (p. 39: ajouter Lc 10,37) et ἔλεγεν δέ (*ibid.*).

Dans *ETL* 52 (1976), p. 142, j'avais noté qu'il serait utile de dresser la liste des leçons marginales de Westcott-Hort qui ne sont pas reprises dans la Concordance. On nous répond que le texte des neuf éditions ςTHSVMBNN[26] reprend «in der Regel auch die von Westcott-Hort am Rande als fast mit ihrem Text gleichwertig bezeichneten Lesarten» (*Bericht*, 1977, p. 28). En parcourant le fascicule 8, j'ai noté un certain nombre d'exceptions à cette règle, dont voici la liste. J'y ajoute cinq leçons ⊣h⊢ (cf. *ETL* 54, 1978, p. 336), dont celle de Mc 8,26, imprimée dans le texte grec du commentaire de V. Taylor (p. 372: cf. C.H. Turner, W.C. Allen, A.E.J. Rawlinson, R.H. Lightfoot, P.L. Couchoud, E. Lohmeyer; ajouter entre autres C.E.B. Cranfield 1959, D.E. Nineham 1963, E. Schweizer 1967). C'est également la leçon de *NEB* (cf. R.V.G. Tasker).

Mt	13,52	λέγει	p. 725b, 735b
	14,19	ἐκέλευσεν ... καί	688a
	15,31	ἀκούοντας	716b
	16,5	λαβεῖν ἄρτους	719b
	16,22	λέγει αὐτῷ ἐπιτιμῶν	725b
	20,21	ἡ δὲ εἶπεν	725b, 736a
	26,56	add. αὐτοῦ	754a
Mc	4,6	ἐκαυματίσθησαν	686c
	7,6	ὁ λαὸς οὗτος	722c
	8,26	⊣μηδενὶ εἴπῃς εἰς τὴν κώμην⊢	714c
	10,51	⊣κύριε ῥαββεί⊢	707c
	12,14	⊣ἐπικεφάλαιον⊢	690b
	12,41	ἀπέναντι	684a
	14,49	ἐκρατεῖτε	701b
Lc	8,23	εἰς τὴν λίμνην ἀνέμου	745c
	11,52	⊣ἐκρύψατε⊢	705a
	13,8	⊣κόφινον κοπρίων⊢	700b
	16,17	κερέαν μίαν	688c
	22,11	add. λέγοντες	730a
Jn	10,24	ἐκύκλευσαν	706a
	11,21	om. κύριε	709a
	13,37	om. κύριε	709a
	18,2	μ. τ. μ. α. ἐκεῖ	714c
Ac	12,15	εἶπαν	732c, 741b
	18,25	om. τοῦ	710a
	21,32	λαβών	721a
	26,7	καταντήσειν	681c
Rm	5,3	καυχώμενοι	687a
	13,9	τούτῳ τῷ λόγῳ	748c
1 Co	6,2	κρίνουσιν	703c
	13,8	προφητεία, καταργηθήσεται	682c
2 Co	12,1	δὲ οὐ	687a
1 Tm	2,9	κοσμίως	698b
2 Tm	4,1	κρῖναι	703c
Jc	5,11	om. ὁ	713b
Ap	1,10	φ. μ. ὄπισθέν μου	764c
	7,2	ἔκραζεν	701a
	18,4	ἐξ αὐτῆς, ὁ λαός μου	723c
	19,6	λέγοντες	735a
	21,3	λαός	723c

Toutes ces variantes sont signalées dans la Concordance de Moulton-Geden et dans l'apparat de l'édition de Nestle. Quelques-unes sont mentionnées dans l'apparat de GNT[3] et dans le *Textual Commentary* de B.M. Metzger (Mt 15,31; Mc 8,26; 12,41; Jn 13,37; 2Co 12,1; Ap 21,3). Douze de ces leçons furent adoptées dans le texte de B. Weiss: Mt 16,5.22; 26,56; Mc 12,41; Lc 16,17; Jn 10,24; 18,2; Ac 26,7; Ap 1,10 (~); 7,2; 19,6; 21,3. Le dernier cas est peut-être le plus frappant, car, selon l'avis de Metzger, «It is extremely difficult to decide between the reading λαοί, ... and the reading λαός, which is supported by E P almost all minuscules and versions and many Fathers» (p. 765). La décision de la majorité a reçu la cote D. La Concordance cite le texte à quatre endroits sans jamais faire mention de la variante λαός (pp. 115b, 133b, 322b, 723c).

ETL 56 (1980) 132-138

LA NOUVELLE CONCORDANCE DU NOUVEAU TESTAMENT*

μέν – ὁ

La *Konkordanz* utilise, on le sait, le texte de N[26], mais assez curieusement, et sans en prévenir le lecteur, elle a gardé la ponctuation de N[25], qui diffère de N[26] et de GNT. C'est le cas encore dans le nouveau fascicule. En voici quelques exemples (cf. p. 771, 785, 798, 810):

Konkordanz (= N[25])	N[26]	GNT
Jn 1,39 μένει,	—	N[25]
5,19 οὐδέν,	—	N[26]
6,27 ἀπολλυμένην,	—	N[26]
8,35 αἰῶνα·	—,	N[25]
15,5 αὐτῷ,	—	N[26]
19,7 ἔχομεν,	—	N[25]
19,41 καινόν	—	N[26]

Voir également Mt 5,34-36 dans l'article μήτε (cf. *infra*).

ὁ – ἡ – τό

Un seul sujet occupe les trois quarts du nouveau fascicule: l'article ὁ-ἡ-τό (pp. 817-960). C'est pour la première fois qu'on publie une concordance des quelque 20.000 emplois de l'article dans le Nouveau Testament. Bruder n'en présente qu'un choix (pp. 580-604), et Moulton-Geden s'est contenté de donner les références (pp. 674-683), à l'exception de certains emplois plus caractéristiques pour lesquels il cite le texte (ὁ μέν, *nom. pro voc.*, *seq. pron. demonstr.*, *in loc. pronom. demonstr.*, τοῦ *c. infin.*, *c. interj.*, *c. sentent.*). Nul ne doutera que le relevé complet de la nouvelle Concordance rendra d'énormes services à l'exégète.

L'article ὁ comprend dix-sept sous-articles: ὁ, ἡ, τό, τοῦ, τῆς, τῷ, τῇ, τόν, τήν, οἱ, αἱ, τά, τῶν, τοῖς ταῖς, τούς, τάς. Les sections τοῖς 2e partie, ταῖς, τούς,

* K. ALAND (éd.), *Vollständige Konkordanz zum griechischen Neuen Testament*. Band 1, Lieferung 9/10: μέν-ὁ, pp. 769-960, 1980.

τάς manquent encore, et on regrette quelque peu qu'il n'a pas été possible de publier l'article entier dans un même fascicule. La division d'après les formes du mot, les genres et les cas, est nouvelle par rapport au traitement de l'article dans les Concordances de Bruder et Moulton-Geden. On peut la comparer avec la division, plus traditionnelle, du mot αὐτός. La répartition des formes αὐτό et αὐτά entre nominatif et accusatif (cf. Bruder et Moulton-Geden) n'a pas été maintenue dans la Concordance de Aland (cf. *supra*, p. 13; *ETL* 52, 1976, p. 140), et la même observation est à faire ici : les sections τό (à côté du nominatif ὁ, ἡ) et τά (à côté de οἱ, αἱ) contiennent également les mêmes formes à l'accusatif. L'on constate d'autre part un progrès dans l'emploi des exposants littéraux. Dans l'article αὐτός, une même catégorie grammaticale pouvait être désignée par des lettres différentes. Ainsi *post praepositionem* prend parfois la lettre *c*, mais également *a* et *b*. Dans l'article ὁ-ἡ-τό, l'apparat a été unifié, et les lettres ont une même signification à travers les sous-articles : ὁ etc. suivi par

a μέν(τοι)	*f* possessivum	*n* inf.
b δέ	*g* demonstrativum	*p* gen. (subst.)
c γάρ	*h* participium	*q* ἦν, ἀμήν sententia
d οὖν	*j* numerale	*r* τοῦ demonstrativum
e καί, τε	*k* nomen proprium	*s* elliptice
	l adverbium	
	m praepositio	

La plupart de ces catégories ont un correspondant dans Bruder et Moulton-Geden. Les lettres *r* (Ac 17,28 τοῦ...) et *s* (ὁ, τῷ, οἱ) sont d'application plutôt restreinte. Les catégories *n* et *q* demandent un mot d'explication.

La catégorie *n* : τό/τοῦ/τῷ *et infinitivum*. Comparer Bruder (V/3) et Moulton-Geden (p. 679) : l'article (neutre) suivi d'un infinitif.

Le génitif τοῦ *c. infin.* est signalé par Bruder (*) et par Moulton-Geden (*1*); celui-ci reprend les cas de τοῦ *c. infin.* dans une liste spéciale, avec l'indication des catégories *post nom.* (*1*) et *post prepos.* (*2*). L'article de la nouvelle Concordance ne procure pas cette information. Pour la trouver, il faut se référer aux articles ἐκ (*h*), ἕως (*f*), ἕνεκεν (*c*) et, sans doute, πρό (à paraître). Les articles ἀντί (Jc 4,15) et διά (He 2,15 διὰ παντὸς τοῦ ζῆν : corriger p. 236b διὰ παντός *f*!) n'indiquent pas la catégorie. Sans l'aide de Moulton-Geden, il ne sera donc pas possible de dresser la liste des prépositions + τοῦ *c. infin.*

Le datif τῷ *c. infin.* est signalé par Aland, comme par Moulton-Geden (*2*), sans renseignement sur la préposition. À l'exception du seul cas de 2 Co 2,13, il s'agit partout, si je ne me trompe, de ἐν τῷ + *infin.* Ne fallait-il pas préciser dans ce sens le libellé de la catégorie «*n* τῷ *et inf.*»? Ou, du moins, ajouter un renvoi à l'article ἐν *g* (ἐν τῷ *seq. inf.*)! De même, on ajoutera à τό (acc.) *et infin.* un renvoi aux prépositions διά (*c*), εἰς (*e*), μετά (*g*) et πρός. Sur ἐν τῷ + inf. et, de façon plus générale, l'emploi d'une préposition + τοῦ/τῷ/τό + inf. en Luc et Actes, voir J. JEREMIAS, *Die Sprache des Lukasevangeliums* (KEK), Göttingen, 1980, p. 28-29.

La liste de Moulton-Geden signale encore l'emploi de μή devant l'infinitif. Dans la Concordance de Aland, l'indication (τὸ) μή *et inf.* est donnée dans l'article μή (*n*). Il aurait été utile de compléter par un renvoi la catégorie τό/τοῦ/τῷ *et inf.* (*n*) de l'article ὁ.

La catégorie *q* : ὁ ἦν, ὁ ἀμήν (p. 817a); τό/τῷ *et sententia* (p. 845b, 889b). La même lettre *q* est employée pour deux catégories de Bruder (V/5 et 7) et Moulton-Geden (p. 683) : *interiectio* et *sententia*. On ajoutera p. 838c : *q* ἡ οὐαί (cf. p. 845 : Ap 9,12; 11,14bis); p. 845b : *q* τὸ ἀμήν, τὸ ναί, τὸ οὔ (cf. p. 854 : 1 Co 14,16; 2 Co 1,17.20; p. 856 : Jc 5,12). Bruder et Moulton-Geden y associent aussi τὸ ἄλφα et τὸ ὦ (Ap 1,8; 21,6; 22,13; contre Aland, p. 857-858; corriger p. 857a : Ap 1,11 Ω). Quant à ὁ ἦν (Ap 1,4.8; 4,8; 11,17; 16,5), Bruder le donne en annexe à ὁ + participe : ὁ ὢν καὶ ὁ ἦν καὶ ὁ ἐρχόμενος. Une telle liste spéciale n'est pas indispensable dans la Concordance de Aland, puisqu'on y trouve 'tous les emplois de ὁ en lecture continue.

Passons aux catégories *a*, *b* et *d*. La catégorie (*d*) ὁ οὖν est nouvelle. Elle permet par exemple de contrôler la liste de l'article-οὖν-substantif (sujet de la phrase) dans Jn (cf. *Jean et les Synoptiques*, p. 235, n. 599). Mais pour le faire, il faut parcourir les différents sous-articles : ὁ (4,6; 5,4; 11,54; 12,1.29; 18,3.19; 19,13), ἡ (9,41*; 11,20.32; 12,3; 18,12), οἱ (6,14; 7,11; 9,8; 11,31; 12,19; 19,23. 31). L'on constatera l'absence de la lettre *d* en 19,24 οἱ μὲν οὖν : la lettre *a* y signale seulement οἱ μέν. L'article ὁ + μὲν οὖν, qui n'est pas compris dans (*d*) ὁ οὖν, n'est pas signalé dans l'article ὁ-ἡ-τό. Ici encore, on ajoutera un renvoi à un autre article de la Concordance : μέν, où l'on trouve tous les μὲν οὖν (*a*). Mais le dépouillement reste à faire pour en isoler les cas de l'article suivi par μὲν οὖν (Mc 16 : 1; Jn : 1; Ac : 17). Et si l'on veut finalement reporter ces données dans l'article ὁ-ἡ-τό, elles s'y trouveront dispersées : ὁ (Mc 16,19; Ac 12,5; 23,22; 25,4; 28,5); ἡ (Ac 9,31); τήν (Ac 26,4); οἱ (Jn 19,24; Ac 1,6; 2,41; 5,41; 8,4.25; 11,19; 15,3.30; 23,31); αἱ (Ac 16,5); τοὺς (Ac 17,30).

La catégorie (*a*) ὁ μέν peut être comparée avec celle de Bruder : ὁ μὲν ... ὁ δέ (II) et de Moulton-Geden : ὁ μὲν... ὁ δέ, ἄλλος δέ (p. 674). Aland ne tient pas compte ici de la structure μὲν... δέ. S'il y a des cas où ὁ μέν (*a*) et ὁ δέ (*b*) se suivent dans la citation (ὁ μὲν... ὁ δέ Mt 13,23*; 22,5*; 1 Co 7,7; οἱ μὲν ... οἱ δέ Ac 14,4; 17,32; 28,24; Phil 1,16-17 τοὺς μὲν... τοὺς δέ Eph 4,11), ou même οἱ μέν et ἄλλοι δέ (Mt 16,14), la structure μὲν... δέ n'a pas été marquée par l'éditeur de la Concordance, et elle disparaît complètement là où οἱ μέν est suivi par un ἄλλοι δέ (Jn 7,12) ou par un ὁ δέ (He 7,20.23; 12,10) qui n'est pas repris dans la citation (p. 933b, 936c). L'on doit se référer à l'article μέν, qui contient la catégorie ὁ μέν *ut pronomen* (*g*) et où le δέ est toujours cité (le μέν *solitarium* y est épinglé par la lettre *f*), ou bien à l'article δέ, qui signale μὲν... δέ par la lettre *a* et ὁ/ἡ/οἱ/αἱ δέ *ut pronomen* par les lettres *c*, *d*, *e*, *f*.

On corrigera Bruder et Moulton-Geden par la suppression de Ga 4,23 (ὁ + ἐκ...). Mais on s'étonne d'autre part de l'absence totale de la catégorie *ut pronomen* dans l'article ὁ/ἡ/τό de Aland. Elle s'y trouve submergée dans les catégories ὁ μέν (*a*) et ὁ δέ (*b*), qui ne sont même pas corrigées par un renvoi à μέν (*g*) et δέ (*c*). Le besoin de consulter les citations plus longues des articles μέν et δέ est évidemment tout aussi réel dans les cas où μὲν... δέ s'ajoute à l'article suivi d'un substantif. Pour ne citer qu'un seul exemple : on lit Mt 9,37 ὁ μὲν θερισμὸς πολύς (sans οἱ δὲ...) à la page 818a et οἱ δὲ ἐργάται ὀλίγοι (sans ὁ μὲν...) à la page 929b (comparer p. 200a et 768c).

L'article ὁ-ἡ-τό, comme partout ailleurs dans la Concordance, ne donne qu'une seule fois le lemme de chaque attestation du mot. Il écarte ainsi l'inconvénient des *overlaps* des Concordances de Bruder et Moulton-Geden qui contiennent des listes complémentaires et où un même emploi de ὁ peut recevoir plusieurs lemmes. Ainsi, la liste *nom. pro voc.* dans Moulton-Geden, p. 676-677 (cf. Bruder, VIII) : Mt 6,9 ὁ ἐν τοῖς οὐρανοῖς, cf. p. 682 : *c. prepos.*; Mt 7,23 οἱ ἐργαζόμενοι, cf. p. 681 : *c. partic.*, etc.; et la liste *seq. pron. demonstr.*, p. 678 (cf. Bruder, IX) : Mt 4,16 τοῖς καθημένοις, cf. p. 680 : *c. partic.* etc.

Il est à noter que *seq. pron. demonstr.* n'a rien à voir avec la catégorie ὁ *et demonstrativum* (*g*) de Aland (ὁ λόγος οὗτος, ἐν αὐτῇ τῇ ὥρα, etc.). Il s'agit d'exemples de *casus pendens* : ὁ + participe et la reprise par αὐτός/ἐκεῖνος/οὗτος. On peut discuter si la liste est bien à sa place dans l'article ὁ-ἡ-τό, car il faut y associer la construction avec une relative (ὅς... αὐτῷ). Mais la Concordance de Aland n'en parle pas non plus dans les articles αὐτός et ἐκεῖνος (κἀκεῖνος). Dans l'article αὐτός, on complétera la citation du texte de Mt 25,29 τοῦ... (p. 105a); Eph 3,20(-21) τῷ... (p. 122c); 1 Jn 3,17 ὅς... 4,15 ὅς...; Ap 2,26 ὁ... (p. 123a). L'article οὗτος paraîtra dans le fascicule 11. Voir Bruder et Moulton-Geden, art. οὗτος, et Bruder, p. 295 : «Ἐκεῖνος additur verbo ad voces antecedentes significantius confirmandas». Sur le *casus pendens* en Jn, voir *Jean et les Synoptiques*, p. 48 (note 68) et 52 (note 128).

La catégorie ὁ *et possessivum* (*f*) est nouvelle dans la Concordance : l'article devant un substantif accompagné du génitif du pronom personnel : μου, σου, αὐτοῦ, ἑαυτοῦ, ἡμῶν, ὑμῶν, αὐτῶν, ἑαυτῶν, ou de l'adjectif possessif : ἐμός, σός, ἡμέτερος, ὑμέτερος. (Les emplois de ἴδιος ne reçoivent pas la lettre *f*.) L'article ὁ-ἡ-τό ne contient aucune indication sur l'ordre des mots : ὁ λόγος μου/μου ὁ λόγος et ὁ ἐμός λόγος/ὁ λόγος ὁ ἐμός. Pour μου ὁ λόγος, on peut se référer aux articles μου et ἡμῶν (*c* = *substantivum praecedit*), αὐτοῦ et αὐτῶν (*c* et *b* = *substantivo postposito*). Une remarque encore à propos de ὁ λόγος μου : puisque l'emploi de l'article est la règle, on voudrait connaître les exceptions. La Concordance ne les a pas marquées (cf. art. αὐτοῦ Mt 19,28; Lc 1,72 : p. 104c, 107c).

En ce qui concerne ὁ λόγος ὁ·ἐμός, on trouvera l'indication *a* = *subst. praeposito* dans l'article ἐμός (Jn : 26 fois), mais pas dans l'article ἡμέτερος (p. 506b : 1 Jn 1,3), et nous ne savons pas si les articles σός (Jn 17,17; 18,35) et ὑμέτερος (Jn 7,6; 8,17) auront cette indication. N'est-ce pas dans l'article ὁ-ἡ-τό qu'il fallait l'indiquer? Quant à la lettre *f* devant ὁ (ἐμός), il serait plus logique de la placer également devant le premier article ὁ (λόγος), comme on la met devant ὁ λόγος μου, et de noter ainsi plus clairement la différence entre 14,27 ᶠεἰρήνην τὴν ἐμήν et 17,24 τὴν δόξαν ↔
17,24 ᶠτὴν ἐμήν.

Et pourquoi ne pas marquer également d'autres répétitions de l'article :

7,18 τὴν δόξαν ↔
7,18 τὴν ἰδίαν ζητεῖ

Ou, d'une manière plus générale, pourquoi ne pas indiquer si, avec ou sans l'article, le substantif précède l'article? La distinction est faite par Bruder (cf. VII : «antecedentibus nominibus»). Elle est reprise par Moulton-Geden à l'intérieur de la catégorie *c. prepos.* (p. 682; cf. p. 680 : *c. partic.*) : (1) *antec. nom.* (cf. Mt 2,16; 5,12); (2) *antec. nom.* anarthr. (cf. Mt 6,9); (3) *seq. nom.* (cf. Mt 7,3b); sans exposant : *sine nom.* (cf. Mt 5,15). Ces distinctions ont disparu dans la Concordance de Aland qui se contente d'une catégorie générale : *et praepositio* (*m*). Deux corrections : on remplacera la lettre *m* par une *l* (adverbe) devant Lc 19,30 τὴν κατέναντι κώμην (p. 920c) et on la supprimera en Mc

5,30 où ἐξ αὐτοῦ dépend de ἐξελθοῦσαν (p. 918c). La catégorie ὁ *et nomen proprium* (*k*) doit se comprendre également au sens strict. Les noms propres suivis par ὁ ἀπὸ..., ὁ λεγόμενος... ne sont pas signalés.

L'éditeur de la Concordance semble exprimer un certain regret à propos de l'article ὁ-ἡ-τό : «Weiter zu gehen als hier gegangen wird, ist nicht gut möglich» (*Vorwort*). Mais il aurait pu utiliser les sept lettres *t-z* qu'il avait encore à sa disposition. À côté de ὁ *et nomen proprium*, il aurait pu donner l'indication de ὁ Ἰησοῦς. Et j'ai cité d'autres exemples au cours de cette note. Ma dernière remarque regarde la division de l'article en dix-sept sous-articles. Une telle subdivision facilitera sans doute la statistique des formes casuelles de ὁ-ἡ-τό, mais j'ai le sentiment que beaucoup la trouveront plutôt gênante. Qui veut étudier la caractéristique johannique ὁ λόγος ὁ ἐμός (cf. *Jean et les Synoptiques*, p. 217-219), la trouvera dans les articles ὁ, ἡ, τό, τῷ, τῇ, τόν, τήν, οἱ, τά, τῶν, τάς, et il devra les replacer dans leur contexte :

8,43a διὰ τί τὴν λαλιὰν τὴν ἐμὴν οὐ γινώσκετε; (p. 921b)
8,43b ὅτι οὐ δύνασθε ἀκούειν τὸν λόγον τὸν ἐμόν (p. 921a).

10,26b οὐκ ἐστὲ ἐκ τῶν προβάτων τῶν ἐμῶν.
10,27a τὰ πρόβατα τὰ ἐμὰ τῆς φωνῆς μου ἀκούουσιν.

L'utilisateur de la Concordance aura à compléter l'article ὁ-ἡ-τό par de nombreux renvois à d'autres articles de la Concordance et sans doute aussi par un certain nombre d'annotations qui différencient les catégories trop générales.

* * *

Les autres articles posent moins de problèmes. Je note encore quelques observations sur des caractéristiques grammaticales et stylistiques.

μέν

Les citations du texte relèvent fort bien la structure μὲν... δέ. Les lemmes sont exceptionnellement longs et complètent ceux de l'article δέ, où la lettre *a* indique parfois que δέ correspond à un μέν qui n'est pas cité dans le lemme : cf. Lc 3,(18-)19; 23,41; Jn 10,41; Ac 2,41 (voir également p. 768c : l'élargissement du lemme de Mt 3,11; pourquoi pas en Lc 3,16?). À la liste des cas de μὲν... δέ de l'article δέ, il ajoute Jn 20,30 et treize cas en Ac. Comme la chose est discutée (N. Turner ne compte que 14 μὲν... δέ en Ac : cf. *Syntax*, p. 332), j'en donne ici la liste. Dans l'article δέ (catégorie *a*) : Ac 1,5; 2,41*; 3,13*; 3,22†; 9,7; 11,16; 13,36; 14,4; 17,32; 18,14; 19,15.38; 21,39*; 22,9; 23,8; 25,4*.11; 27,41.44; 28,5*.24 (dont cinq cas de μὲν οὖν... δέ : 2,41*; 19,38; 25,4*.11; 28,5*); cas de μὲν οὖν... δέ ajoutés dans l'article μέν : 8,4.25*; 9,31*; 11,19*; 12,5; 14,3*; 15,3*.30*; 16,5*; 17,12*.17*; 23,18*.31*. L'astérisque indique l'opinion contraire de Moulton-Geden (μέν *solitarium*). Le cas de 3,22† n'est plus compté dans l'article μέν; voir cependant 3,22 Μωϋσῆς μὲν εἶπεν... 24 καὶ πάντες δὲ οἱ προφῆται... Tous ces μὲν... δέ signalés comme tels par Aland le sont également dans la Concordance de Bruder (à l'exception de Ac 2,41; 3,13 [et 19,15 om. μέν]). Beaucoup feront des réserves, surtout à propos de μὲν οὖν, qu'ils expliquent comme *fortleitend, continuative*. La Concordance de Moulton-Geden avait retenu μὲν οὖν... δέ en Jn 19,24 (ctr. Bruder); 20,30; Ac 8,4; 12,5; 19,38; 25,11; mais pas en Lc 3,18. Les mêmes cas sont retenus par Bauer, mais contestés par N. Turner (*Syntax*, p. 337-338; cf. *Style*, p. 59) et, semble-t-il, par J. Jeremias (*Die Sprache*, p. 110: *ad* Lc 3,18; il ne fait pas mention de Jn 19,24; 20,30). Un nouvel examen, à l'aide de la Concordance, permettra sans doute d'apporter quelques nuances.

μετά

La catégorie μετὰ τοῦτο, ταῦτα (*h*) est une des caractéristiques johanniques. Cf. *Jean et les Synoptiques*, p. 58, note 252, et surtout p. 213-214, sur la leçon καί devant μετὰ ταῦτα en Jn 7,1. Il serait souhaitable d'ajouter ce καὶ au lemme de Jn 7,1 (p. 776b; cf. p. 618b καί, —T), de même qu'en Lc 5,27; 17,8; Ac 7,7; 13,20; Ap 15,5. Et pourquoi ne pas ajouter les mots ταῦτα εἶπεν, καί devant μετὰ τοῦτο en Jn 11,11?

μεταβαίνω

En plus de ἀπό et ἐκ, on pourrait noter une troisième construction : μ. ἐκεῖθεν (Mt 11,1; 12,9; 15,29; Ac 18,7). Dans l'article μεταίρω, sur la même page, et très proche également de μεταβαίνω dans la rédaction de Mt, les constructions ἀπό et ἐκεῖθεν seraient à relever.

μή

Les articles μηδέ (*f*), μηδείς (*g*), μηκέτι (*e*) et μήτε (*d*) ont tous la catégorie : *cum duplici negatione* (p. 792-794). Ils ont d'ailleurs encore d'autres catégories en commun qui auraient pu être harmonisées (ἵνα, ὅπως, inf., part., opt.). Mais dans l'article μή, le même phénomène de la double négation n'a pas été signalé : μὴ... μηδέ (Mc 3,20); οὐκέτι οὐ μή (Mc 14,25); et, d'après p. 794c (!), μὴ... μήτε... (Mt 5,34-35; 1 Tm 1,7; Jc 5,12). On notera cependant que la Concordance cite Mt 5,34-36 d'après N[25]. La double négation disparaît dans la ponctuation de N[26] : 5,34 ... λέγω ... μὴ ὀμόσαι ὅλως· μήτε... θεοῦ, 35 μήτε... αὐτοῦ, μήτε... βασιλέως, 36 μήτε... ὀμόσῃς. Contre Bauer : 5,34 ὅλως, S (p. 1027b). Bauer signale encore Lc 9,3 μηδὲν... μήτε... μήτε (*nichts..., weder... noch...*) et 2 Th 2,2 (μὴ...) μηδὲ... μήτε *ter*, qui ne diffèrent guère de Mt 5,34 S; 1 Tm 1,7; Jc 5,12. Dans tous ces cas, il ne s'agit pas, à strictement partir, d'une double négation, mais la citation du texte dans l'article μή (et μηδείς) est à compléter par les μήτε.

Ναζαρά

L'article groupe les trois formes, Ναζαρά, -ρέθ, -ρέτ, énumérées en tête de l'article comme il est d'usage pour les variantes d'orthographe. Pour plus de clarté sur les éditions, on consultera l'Appendice II de Nestle-Aland[26] :

Mt 2,23 Ναζαρέτ (-ρέθ T B N)
4,13 Ναζαρά (-ρέτ ς V M; -ρέθ B)
21,11 Ναζαρέθ (-ρέτ ς)
Mc 1,9 Ναζαρέτ (-ρέθ N)

Lc 1,26; 2,4.39.51 Ναζαρέθ (-ρέτ ς)
4,16 Ναζαρά (-ρέτ ς V)
Jn 1,45.46 Ναζαρέτ
Ac 10,38 Ναζαρέθ (-ρέτ ς)

L'on notera que Nestle-Aland[26] cite les sept éditions modernes dans l'ordre chronologique : T H S V M B N (p. 36*), et non plus dans l'ordre adopté par la *Konkordanz* : N M V B S T H ς (fort critiquable : cf. *supra*, p. 957; *ETL* 52, 1976, p. 136).

Pour conclure, une remarque sur les lemmes. Dans l'article νόμος, la première citation est celle de Mt 5,17 καταλῦσαι τὸν νόμον ἢ τοὺς προφήτας : on voudrait la voir complétée par ... ἀλλὰ πληρῶσαι. L'article νόσος n'a qu'un seul exposant : *a* νόσος *et* μαλακία. Il n'y a même pas un renvoi à l'article θεραπεύω qui signale θ. *et* νόσος (*d*) (p. 528c). On complétera la citation de Mt 4,24 καὶ ἐθεράπευσεν αὐτούς (p. 811c) et, dans les deux articles, on rapprochera Mt 8,16 ἐθεράπευσεν et 17 ... τὰς νόσους ἐβάστασεν.

ETL 57 (1981) 360-362

LA NOUVELLE CONCORDANCE DU NOUVEAU TESTAMENT*
ὁ – πολύς

Les fascicules antérieurs de la Concordance ont été présentés dans *ETL* 52 (1976) 134-142; 54 (1978) 335-343; 55 (1979) 152-155; 56 (1980) 132-138. Le présent fascicule double achève l'article ὁ (τοῖς - τάς), pour lequel nous renvoyons aux pages 132-136 de la dernière recension. La section de ὁ à πολύς contient cinq mots qui, dans la *Computer-Konkordanz*, sont traités dans l'Appendice : ὅτι (1297 attestations dans N[26]), οὐ (1613), οὖν (501), οὗτος (1391) et πᾶς (1244). Pour ces mots, la *Vollständige Konkordanz* est donc la seule qui donne la citation du texte. Sur la *Computer-Konkordanz* basée sur N[26], cf. *ETL* 56 (1980) 438-442. Par le traitement des mots οὗτος et πᾶς dans des articles uniques, la *Vollständige Konkordanz* se distingue encore, et fort heureusement, de la *Computer-Konkordanz*, où les 17 ou 18 formes déclinées constituent autant de

* K. Aland (éd.), *Vollständige Konkordanz zum griechischen Neuen Testament*. Band I, Lieferung 11/12 : ὁ – πολύς, pp. 961-1152, 1981.

sous-articles. Par contre, ὁράω, εἶδον et ὄψομαι, qui forment un article unique dans la *Computer-Konkordanz*, sont traités ici comme des sous-articles de ὁράω.

L'article ὅτι mérite une attention particulière. L'on sait que l'édition de Nestle-Aland[26] est restée fidèle à la tradition des éditions de Nestle (et Tischendorf) en n'utilisant pas de lettre majuscule au début d'un discours direct. La nature du ὅτι qui précède n'est donc pas définie par les éditeurs, d'où les points d'interrogation dans les références à Nestle dans un apparat de la ponctuation. Cf. *The Greek New Testament*[3] : ὅτι Mt 16,7 *direct* : Nes? / *causal* : Nes? — 28,7 *direct* : Nes? / *indirect* : Nes? — Mc 3,21 *indirect* : Nes? / *direct* : Nes? — 12,32 *indirect* : Nes? / *direct* : Nes? — 16,7 *direct* : Nes? / *indirect* : Nes? — Lc 16,8 *indirect* : Nes? — 22,70 *indirect* : Nes? — 24,46 *direct* : Nes? / *indirect* : Nes? — Jn 4,37 *direct* : Nes? / *indirect* : Nes? — 14,28 *causal* / *indirect* : Nes? — 20,13 *direct* : Nes? / *indirect* : Nes? ... Puisque l'éditeur de la Concordance n'est autre que l'éditeur responsable de N[26], l'article ὅτι devrait nous éclairer sur ce point. La chose est claire dans le texte de GNT[3] : «When ὅτι is used to introduce direct discourse, no mark of punctuation precedes or follows it and the next word begins with a capital letter» (p. xliii); cf. Moulton-Geden (éd. H. K. Moulton), [5]1978, art. ὅτι, pp. 1091b-1104b. L'orthographe de GNT[3] et Nestle-Aland[26] n'est cependant pas identique, et des divergences entre les deux éditions restent possibles. La liste que je viens de citer comporte six cas de discours direct dans GNT[3] : Mt 16,7; 28,7; Mc 16,7; Lc 24,46; Jn 4,37; 20,13. Deux seulement sont marqués par la lettre marginale *d*, qui, dans la Concordance, doit désigner le ὅτι *recitativum* : Mt 16,7 et Jn 20,13. Mais en parcourant le texte des évangiles on se rend compte que beaucoup d'absences de la lettre *d* sont inexplicables et trop fréquentes pour qu'on puisse s'y fier : Mt 14,26; 21,3; 28,7; Mc 1,15; 5,23.28.35; 6,4; 7,20; 14,14.69; 16,7; Lc 7,16b; 9,22; 13,14.31; 14,30; 15,2.27; 17,10; 19,7.9.42; 20,5; 22,61; 24,46; Jn 1,20; 3,28bc; 4,17.35a.37.39.42a.52; 6,14; 7,12; 9,9a.17b. Une telle négligence dans l'application de la catégorie *d* = ὅτι *recitativum* lui enlève toute signification.

Notons toutefois que N[26] maintient le ὅτι causal en Mt 13,11; Lc 19,31.34 (voir l'apparat de N[25]; on ajoutera la lettre *k* à Lc 19,34 : col. 1021b). Par contre, N[26] a abandonné le sens causal en Mt 19,8 et Jn 14,2, mais dans ces cas la Concordance reste fidèle à la ponctuation de N[25] (· ὅτι), contre le texte de Nestle-Aland[26] et GNT[3] ! En Mt 19,8 (col. 1018b), la lettre *d* de la Concordance et la ponctuation (· ὅτι) ne peuvent s'harmoniser. En Jn 16,17, la Concordance se sépare de N[26]-GNT[3] et de N[25] !

Notons que l'article οὗτος signale soigneusement les exemples de *casus pendens* (cf. *ETL* 56, 1980, 135) : *c* ὅς..., οὗτος | *d* ὅστις, ὅσος, τις ..., οὗτος | *e* ὁ et part. ..., οὗτος. L'indication est moins précise dans l'article ὅς : la catégorie *h* ne distingue pas entre οὗτος ..., ὅς (Mt 3,17; 11,10; 13,23; etc.) et le *casus pendens* ὅς ..., οὗτος (Mt 5,19; Mc 3,35; 6,16; 12,10 par.; 13,11; Lc 9,24.26; Jn 1,33; 3,26.32; 5,19.38; 8,26; 10,25). De même, dans l'article ὅστις, où la catégorie *f* οὗτος ..., ὅστις inclut les cas de ὅστις ..., οὗτος (Mt 18,4; Jn 14,13).

Lors de la présentation du tome II de la Concordance, l'observation avait été faite que la *Wortstatistik* a besoin d'être complétée par une liste subsidiaire signalant les mots des versets rejetés dans l'apparat par les éditeurs de N[26], ainsi que les mots des sections de Mc 16,9-20, Mc 16 *conclusio brevior* et Jn 7,53-8,11, mis entre crochets doubles dans N[26]. Cf. *ETL* 54 (1978) 323-345, spéc. 326-332; et les listes des mots : 329-330 et 344-345. Outre les corrections déjà signalées (1980, 132) : δύο, λέγω Ac 3, ὅλος Ac 1, πληρόω Mc 1 (p. 329-330), on corrigera ἀγρός Lc 1 (p. 329) et ὁ 22 (p. 345). Autre correction : ὁ Ac 10, Φιλίππος om (p. 330). L'on notera cependant dans la *Vollständige Konkordanz* : 8,37 ὁ Φιλίππος (= Textus Receptus), contre *Computer-Konkordanz* : om ; cf. l'apparat de N[26] : (+ ο Φιλιππος E).

L'éditeur lui-même insère maintenant dans la dernière livraison une feuille séparée : *Ergänzung zur Wortstatistik in Band II*, 2 pages. Elle contient la liste des mots des versets rejetés dans l'apparat (Mt 17,21 ; etc.), de la *conclusio brevior* de Mc 16 et de Jn 7,53-8,11 : ἄγγελος 1 (Jh) ; ἀγρός 1 (Lc) ; etc. C'est un complément utile, et on se félicite de pouvoir l'ajouter à la *Wortstatistik*. Il reste cependant l'inconvénient que la liste ne distingue pas entre Mc 7,16 ; 9,44.46 ; 11,26 ; 15,28 et la *conclusio brevior* (Mc), entre Jn 5,4 et 7,53-8,11 (Jh). On regrettera surtout l'absence d'une liste du vocabulaire de Mc 16,9-20 : cf. *ETL* 54 (1978) 330-331, et la liste, p. 344.

ETL 56 (1980) 438-442

Computer-Konkordanz zum Novum Testamentum Graece von Nestle-Aland, 26. Auflage und zum Greek New Testament, 3rd Edition. Herausgegeben vom Institut für neutestamentliche Textforschung und vom Rechenzentrum der Universität Münster unter besonderer Mitwirkung von H. BACHMANN und W. A. SLABY. Berlin-New York, W. de Gruyter, 1980. In-4° (24 × 34), x-1016 p.

Nos lecteurs ont pu suivre la publication rapide des fascicules du tome 1 de la *Vollständige Konkordanz zum griechischen Neuen Testament*, 1975ss. (fasc. 1-10, Α-ὁ : cf. *ETL* 52, 1976, 134-142 ; 54, 1978, 335-344 ; 55, 1979, 152-155 ; 56, 1980, 132-138). J'ai signalé également la parution de la *Computer-Konkordanz*, 1977 (Ζαβουλών - ὠφέλιμος), qui a servi à la préparation des *Spezialübersichten* du tome 2 (cf. *ETL* 54, 1978, 323-335). Le présent ouvrage, mis en circulation indépendamment de la *Vollständige Konkordanz*, est une nouvelle édition de la *Computer-Konkordanz* de 1977, complétée par la section Α-Β-Γ-Δ-Ε (col. 1-764). Il s'en distingue aussi par une impression plus lisible. Le mot-vedette en tête des articles y est en caractères plus gras, et à l'intérieur des lemmes, il est imprimé en italiques.

Il est sans doute utile de rappeler quelles sont les caractéristiques propres de la Computer-Konkordanz par rapport à la *Vollständige Konkordanz*.

1. La *Computer-Konkordanz* est une Concordance du seul *texte de N*[26] (= GNT[3]) et ne tient pas compte des leçons variantes du texte imprimé des huit autres éditions analysées dans la *Vollständige Konkordanz* (ς T H N S V M B). On corigera la leçon οἱ (om. N[26]) en Hb 12,15 (col. 36*, cf. 624, 1266, 1600 e.a.). On corrigera également εἵνεκεν Ac 28,20 (N[26] ἕνεκεν), εὖ γε Lc 19,27 (εὖγε), καί Jn 5,5 ([καί]), μήγε Mt-Lc 5 fois (μή γε). Sur trois points, la citation du texte de N[26] manque de précision. D'abord, les crochets doubles à l'intérieur du texte sont rendus par des crochets simples (cf. art. ἄγγελος: Lc 22,43; art. ἀφίημι: Lc 23,34). Puis, les crochets doubles de Mc 16,9-20 n'ont été reproduits d'aucune manière (cf. art. ἀναλαμβάνω), tandis que pour la *pericopa de adultera* (Jn 7,53-8,11) et la *conclusio brevior* de Mc 16,8, également mis entre crochets doubles dans l'édition de N[26], la référence est marquée par un astérisque. Ensuite, les versets Mt 17,21; 18,11; 23,14; Mc 7,16; 9,44.46; 11,26; 15,28; Lc 17,36; 23,17; Jn 5,4; Ac 8,37; 15,34; 26,6b-8a; 28,29; Rm 16,24, qui n'appartiennent pas au texte de N[26] (rejetés dans l'apparat pour des raisons de critique textuelle), ont été repris dans la Concordance et marqués par un astérisque de la même façon que Jn 7,53-8,11 et Mc 16,8*. On y trouve même des versets qui n'apparaissent pas dans la *Vollständige Konkordanz* parce qu'aucune des éditions modernes ni le Textus Receptus (ς = Stephanus) ne les ont imprimés: Lc 17,36 (cf. Elzevier) et Ac 15,34b (Codex D; comp. vg[cl]). La *Computer-Konkordanz* s'éloigne encore de la *Vollständige Konkordanz* (= ς) par les leçons δε (γάρ), κυριου (om.), ἐταρασσετο (-σσε), οἱωδηποτουν (ᾧ δήποτε) en Jn 5,4; om. ὁ Φίλιππος en Ac 8,37; αὐτούς (αὐτοῦ) en Ac 15,34a; κριναι (κρίνειν) en Ac 24,6b. On corrigera également d'après N[26] (et la *Vollständige Konkordanz*) la référence Ac 24,7* en 24,6* pour καὶ ... κρῖναι et en 24,8* pour κέλευσας ... σε.

2. Dans la *Computer-Konkordanz* les références des mots ἀλλά, ἀπό, αὐτός, γάρ, δέ, διά, ἐγώ, εἰς, ἐκ, ἐν, ἐπί, ἤ, ἡμεῖς, καὶ, μή, ὁ ἡ τό, ὅς, ὅτι, οὐ, οὖν, οὗτος, πᾶς, πρός, σύ, σύν, τε, τις, τίς ὑμεῖς sont données dans un *Appendice* (col. 1*-64*), sans citation du texte. La Concordance de Moulton-Geden, qui s'était imposé également une telle restriction, a sans doute été le modèle. Mais Moulton-Geden n'allait pas si loin: διά, ἐπί, μή, πᾶς, πρός, τίς, τις y sont traités normalement, de même que les pronoms au nominatif (ἐγώ, ἡμεῖς, σύ, ὑμεῖς, αὐτός, οὗτος) et certaines catégories de ὅς. Et le Supplément de la nouvelle édition (K. H. Moulton, [5]1978) vient encore de la compléter pour les mots ἀπό, εἰς, ἐκ, ἐν, ὅτι, οὖν et σύν d'après le texte de N[26]/GNT[3]. Le lecteur qui ne dispose pas de la *Vollständige Konkordanz* peut s'y référer.

3. Une autre différence concerne les variantes du même mot qui, dans *Vollständige Konkordanz*, forment un seul article et qui sont réparties sur deux ou trois articles dans *Computer-Konkordanz*. Dans les fasc. 1-10 (Α-ὁ):

Βόες, Βόος	Ἱεροσόλυμα, Ἱερουσάλημ
ἐκχέω, ἐκχύννομαι	Ἰσκαριώθ, Ἰσκαριώτης
ἐλλογάω, ἐλλογέω	Λευί, Λευίς
εἵνεκεν, ἕνεκα, ἕνεκεν	Μαρία, Μαριάμ
εὐθέως, εὐθύς adv.	Ναζαρά, Ναζαρέθ, Ναζαρέτ

Là où les mots ne se suivent pas dans l'ordre alphabétique (par exemple εἵνεκεν et ἕνεκεν), il aurait été souhaitable d'ajouter un renvoi. Une difficulté surgit lorsque la Concordance doit servir de base à la statistique du vocabulaire. Les formes ἑκατοντάρχου (Lc 7,2) et -άρχων (Ac 23,17.23) sont comptées dans l'article ἑκατοντάρχης (total 16) et dans l'article ἑκατόνταρχος (total 7). De même, les formes θεμέλιον (8), -ου (1), -ῳ (1) sont comptées sous θεμέλιον (11) et sous θεμέλιος (15). Le mot θεμέλιον en 1 Co 3,10.11.12 n'est guère ambigu (v. 12 τὸν θ.) et on corrigera col. 814, θεμέλιον: Ac 16,26 (plur.) et 7 cas ambigus. Grâce aux crochets, un mot comme κολλ[ο]ύριον en Ap 3,18 est compté deux fois.

Le mouvement inverse se constate dans l'article εἰμί: les 15 sous-articles de la *Vollständige Konkordanz* (de εἰμί à ἐσόμενος) ont été regroupés dans un seul article. De même, λέγω et εἶπον, qui forment deux articles distincts dans *Vollständige Konkordanz* (sous-articles de λέγω), ont été combinés ici dans un seul article. Dans pareils cas, les deux Concordances se complètent mutuellement.

Les noms de nombre composés qui sont écrits sans liaison dans N^{26} le sont également dans *Vollständige Konkordanz*. On y trouve par exemple ἑκατὸν τεσσεράκοντα τέσσαρες dans les trois articles, signalé chaque fois à l'aide d'un exposant. La *Computer-Konkordanz* écrit ἑκατοντεσσερακοντατεσσαρες et en fait un mot-vedette et un seul article.

En revanche, les cas de crase sont traités différemment. Les deux Concordances présentent par exemple un article κἀγώ, mais la *Computer-Konkordanz* est seule à répéter tous les cas de κἀγώ dans les articles καί et ἐγώ. Et ici encore les chiffres de la *Wortstatistik* du tome 2 se basent sur ces données! Pour la correction qui s'impose je renvoie le lecteur à *New Testament Vocabulary. A Companion Volume to the Concordance.*

4. La *Computer-Konkordanz* renonce à tout emploi d'exposants littéraux qui, à l'intérieur des articles, indiquent des groupements de mots spécifiques, des caractéristiques grammaticales ou linguistiques, des notions théologiques, etc. Comme c'est le cas dans la *Vollständige Konkordanz*, certains articles sont subdivisés d'après les formes casuelles: αὐτός, ἐγώ, ἡμεῖς, ὁ, ὅς, οὗτος, πᾶς, σύ, τις, τίς, ὑμεῖς (tous dans l'Appendice).

5. Le texte grec de la *Computer-Konkordanz* est écrit sans accents. Les auteurs de la Préface, K. Aland et H. Werner, s'en excusent en rappelant la préhistoire de la Concordance. L'accent n'est employé que pour distinguer entre des formes identiques (par exemple: ἄρα, ἆρα, ἀρά). Pour éviter toute confusion, il serait souhaitable d'en faire usage dans l'article ὅς (col. 41*-43*: ἥ, ὅ, ἅ, αἵ). On corrigera l'accent sur τε dans la Préface (τέ, τὶς, τίς). Les mots qui ne sont même pas différenciés par l'accent sont cités sans aucune indication (voir ἄπειμι, δοῦλος, εὐθύς: cf. *ETL* 54, 1978, p. 335). Les noms propres ne prennent même pas une capitale.

6. L'indépendance des deux Concordances est finalement le plus manifeste dans la délimitation des *lemmes*. On regrettera qu'il n'a pas été possible d'utiliser le système ingénieux de la *Vollständige Konkordanz* qui complète le texte cité par des éléments du contexte à l'aide de ... et ⟨ ⟩ et qui fait continuer la citation sur plusieurs lemmes (reliés par ↔). En raison de l'absence de ce signe, il sera

souvent nécessaire de répéter une fraction du lemme précédent. Voir par exemple dans l'article εἰ :

Jn 18,23 εἰ κακῶς ἐλάλησα, μαρτύρησον περὶ τοῦ κακοῦ·
23 εἰ κακῶς ἐλάλησα, μαρτύρησον περὶ τοῦ κακοῦ· εἰ δὲ καλῶς, τί με δέρεις;

Un exemple plus frappant encore : 1 Tm 5,10, où on lit trois fois : εἰ ἐτεκνοτρόφησεν, εἰ ἐξενοδόχησεν, εἰ ἁγίων πόδας ἔνιψεν, et puis deux fois : εἰ θλιβομένοις ἐπήρκασεν, εἰ παντὶ ἔργῳ ἀγαθῷ ἐπηκολούθησεν, mais sans indication du lien entre les deux et sans citation du contexte précédent : ⟨χήρα καταλεγέσθω⟩ ἐν ἔργοις καλοῖς μαρτυρουμένη. Voir également Php 2,1.

Mais la *Computer-Konkordanz* est loin d'avoir choisi la solution facile qu'adoptent trop souvent les concordances préparées à l'aide de l'ordinateur. Dans la Préface, K. Aland et H. Werner font observer que la délimitation des lemmes («deren 'sinnvolle' automatische Abgrenzung») constitue «le problème central» (p. VII ; cf. p. IX : «ein besonders schwieriges Problem»). Le procédé suivi consiste à définir l'unité de texte d'après les signes de ponctuation, mais très souvent il fallait l'étendre au delà de la virgule et du colon, qui ne sont pas toujours *context-separating*, ou couper un passage trop long. Grâce au rôle joué par les signes de ponctuation, les lemmes de la *Computer-Konkordanz* permettent à plusieurs endroits de corriger la *Vollständige Konkordanz*. En voici quelques exemples :

γίνομαι,	Mt 19,1 ἐγένετο ...	*C.-K.* και ἐγενετο
μετά,	Jn 11,11 μετὰ τοῦτο ...	*C.-K.* ταυτα εἶπεν, και μετα τουτο ...
	Jn 7,11 μετὰ ταῦτα	*C.-K.* και μετα ταυτα ...
	Cf. Lc 5,27 ; Ac 7,7 ; 13,20.	
λέγω,	Mc 4,9 ἔλεγεν	*C.-K.* και ἐλεγεν· ὁς ἐχει ...
	Cf. 4,11.13 (λέγει).21.24.26.30.	

En fait, la combinaison de λέγω et εἶπον (cf. *supra*) n'est pas le seul avantage de l'article λέγω par rapport à la *Vollständige Konkordanz*. Celle-ci ne cite normalement pas le discours direct sans ὅτι et n'imprime aucun signe de ponctuation après le verbe λέγω/εἶπον. Ainsi par exemple :

Mt 28,7 ἰδοὺ εἶπον ὑμῖν / *C.-K.* ἰδου εἶπον ὑμιν
Jn 14,28 ἠκούσατε ὅτι ἐγὼ εἶπον ὑμῖν / *C.-K.* ἠκουσατε ὁτι ἐγω εἶπον ὑμιν· ὑπαγω και ἐρχομαι προς ὑμας.

À mon sens, l'article λέγω (col. 1113-1167) est le complément le plus précieux que nous fournit la *Computer-Konkordanz*. J'en cite encore un exemple : Jn 9,12. Dans la *Vollständige Konkordanz*, le verset est cité à deux endroits : art. λέγω, col. 731a : λέγει, et art. εἶπον, col. 740a : καὶ εἶπαν αὐτῷ. L'article unique de la *Computer-Konkordanz* rapproche les deux citations et les complète (col. 1149) :

12 και εἰπαν αὐτῳ· ποῦ ἐστιν ἐκεινος;
12 ποῦ ἐστιν ἐκεινος; λεγει· οὐκ οἶδα.

Il est clair que la bonne solution serait de combiner les systèmes des deux Concordances :

9,12 καὶ εἶπαν αὐτῷ· ποῦ ἐστιν ἐκεῖνος; ↔
9,12 λέγει· οὐκ οἶδα.

7. Une dernière constatation, assez surprenante : la Concordance basée sur le texte de N[26]/GNT[3] cite le texte du Nouveau Testament sans faire usage de la ponctuation de N[26] ni de celle de GNT[3]. C'est en effet la ponctuation de N[25]

qui est usitée et dans la *Vollständige Konkordanz* et dans la *Computer-Konkordanz*. Il suffit de parcourir le texte de Mc (cf. *ETL*, 55, 1979, pp. 349-351) pour s'en rendre compte : art. λέγω 1,27; 2,19; 5,31; 7,34; 9,41; 13,4.5; 14,14.16.18b.44; 15,36,39; art. πολύς 1,34; 2,2.15(!); 3,8; 4,2.33; 5,26; 6,34 etc. À l'occasion, il arrive que la *Computer-Konkordanz* s'éloigne de N^{25} pour adopter la ponctuation de N^{26} (Mt 5,34 ὅλως·).

La *Computer-Konkordanz* est pour l'instant la seule Concordance intégrale du Nouveau Testament basée sur le texte de N^{26}/GNT^{3}. Elle est destinée avant tout à remplacer la *Vollständige Konkordanz* dans les mains de ceux qui ne lisent que le «texte standard» du Nouveau Testament. Elle peut aussi, comme je viens de le montrer, la compléter par l'organisation de certains articles (εἰμι, λέγω) et surtout par la citation plus complète du contexte immédiat du mot. Mais pour tout étudiant du Nouveau Testament, la consultation de la *Vollständige Konkordanz* restera une nécessité s'il veut lire le texte grec tel qu'il est imprimé dans N^{26} (accents, capitales, liaisons des mots) et s'il veut s'informer sur les leçons variantes imprimées dans d'autres éditions, sur le contexte des 29 mots qui sont casés dans l'Appendice et sur les catégories dans l'emploi des mots, indiquées par les exposants littéraux.

Notons encore les mesures : 24 × 34, et le poids : 3,75 kg. À lui seul, le volume couvre une table d'étudiant. On ne peut s'empêcher de faire la comparaison avec la Concordance plus maniable de Moulton-Geden, dont le format a encore été réduit dans la nouvelle édition : 17 × 24.

INDICES

INDEX ONOMASTICUS

The exponent indicates full bibliographical references: the numbers refer to the notes and the asterisk to the text.

If more than one full reference appear in the book, only one is noted as such in this index.

INDEX LOCORUM

Select list of biblical passages

Lucas

Joannes

SELECT INDEX OF SUBJECTS

GREEK WORDS AND PHRASES

BIBLIOTHECA EPHEMERIDUM THEOLOGICARUM LOVANIENSIUM

Published by Leuven University Press & Uitgeverij Peeters Leuven
Krakenstraat 3, B-3000 Leuven / Bondgenotenlaan 153, B-3000 Leuven

* Out of print

1. *Miscellanea dogmatica in honorem Eximii Domini J. Bittremieux*, 1947. 235 p. FB 220.
*2-3. *Miscellanea moralia in honorem Eximii Domini A. Janssen*, 1948.
*4. G. PHILIPS, *La grâce des justes de l'Ancien Testament*, 1948.
*5. G. PHILIPS, *De ratione instituendi tractatum de gratia nostrae sanctificationis*, 1953.
6-7. *Recueil Lucien Cerfaux*, 1954. 504 et 577 p. FB 500 par tome. Cf. *infra*, n° 18.
8. G. THILS, *Histoire doctrinale du mouvement œcuménique*. Nouvelle édition, 1963. 338 p. FB 135.
9. J. COPPENS et al. *Études sur l'Immaculée Conception. Sources et sens de la doctrine*, 1955. 110 p. FB 150.
*10. J.A. O'DONOHOE, *Tridentine Seminary Legislation. Its Sources and its Formation*, 1957.
*11. G. THILS, *Orientations de la théologie*, 1958.
*12-13. J. COPPENS, A. DESCAMPS, É. MASSAUX (éd), *Sacra Pagina, Miscellanea Biblica Congressus Internationalis Catholici de Re Biblica*, 1959.
*14. *Adrien VI, le premier Pape de la contre-réforme. Sa personnalité — sa carrière — son œuvre*, 1959.
*15. F. CLAEYS BOUUAERT, *Les déclarations et serments imposés par la loi civile aux membres du clergé belge sous le Directoire (1795-1801)*, 1960.
*16. G. THILS, *La « Théologie Œcuménique ». Notion-Formes-Démarches*, 1960.
17. G. THILS, *Primauté pontificale et prérogatives épiscopales. « Potestas ordinaria » au Concile du Vatican*, 1961. 104 p. FB 50.
*18. *Recueil Lucien Cerfaux*, t. III, 1961. Cf. *supra*, n°s 6-7.
*19. *Foi et réflexion philosophique. Mélanges F. Grégoire*, 1961.
*20. *Mélanges G. Ryckmans*, 1963.
21. G. THILS, *L'infaillibilité du peuple chrétien « in credendo »*, 1963. 66 p. FB 50.
*22. J. FÉRIN et L. JANSSENS, *Progestogènes et morale conjugale*, 1963.
23. *Collectanea Moralia in honorem Eximii Domini A. Janssen*, 1964. FB 200.
24. H. CAZELLES (éd.), *L'Ancien Testament et son milieu d'après les études récentes. De Mari à Qumrân* (Hommage J. Coppens, I), 1969. 158*-370 p. FB 800.
25. I. DE LA POTTERIE (éd.). *De Jésus aux évangiles. Tradition et rédaction dans les évangiles synoptiques* (Hommage J. Coppens, II), 1967. 272 p. FB 500.

26. G. THILS et R.E. BROWN (éd.), *Exégèse et théologie* (Hommage J. Coppens, III), 1968. 328 p. FB 550.
27. J. COPPENS (éd.), *Ecclesia a Spiritu sancto edocta. Hommage à Mgr G. Philips*, 1970. 640 p. FB 580.
28. J. COPPENS (éd.), *Sacerdoce et Célibat. Études historiques et théologiques*, 1971. 740 p. FB 600.
29. M. DIDIER (éd.), *L'évangile selon Matthieu. Rédaction et théologie*, 1971. 432 p. FB 750.

*30. J. KEMPENEERS, *Le Cardinal van Roey en son temps*, 1971.
*31. F. NEIRYNCK, *Duality in Mark. Contributions to the Study of the Markan Redaction*, 1972.
*32. F. NEIRYNCK (éd.), *L'évangile de Luc. Problèmes littéraires et théologiques. Mémorial Lucien Cerfaux*, 1973.
*33. C. BREKELMANS (éd.), *Questions disputées d'Ancien Testament. Méthode et théologie*, 1974.
*34. M. SABBE (éd.), *L'évangile selon Marc. Tradition et rédaction*, 1974.
*35. *Miscellanea Albert Dondeyne. Godsdienstfilosofie. Philosophie de la religion*, 1974.
*36. G. PHILIPS, *L'union personnelle avec le Dieu vivant*, 1974.

37. F. NEIRYNCK in collaboration with T. HANSEN and F. VAN SEGBROECK, *The Minor Agreements of Matthew and Luke against Mark with a Cumulative List*, 1974. 330 p. FB 800.

*38. J. COPPENS, *Le Messianisme et sa relève prophétique*, 1974.

39. D. SENIOR, *The Passion Narrative according to Matthew. A Redactional Study*, 1975; new impression, 1982. 440 p. FB 1000.

*40. J. DUPONT (éd.), *Jésus aux origines de la christologie*, 1975.
*41. J. COPPENS (éd.), *La notion biblique de Dieu*, 1976.

42. J. LINDEMANS – H. DEMEESTER (éd.), *Liber Amicorum Monseigneur W. Onclin*, 1976. 396 p. FB 900.
43. R.E. HOECKMAN (éd.), *Pluralisme et œcuménisme en recherches théologiques. Mélanges offerts au R.P. Dockx, O.P.*, 1976. 316 p. FB 900.
44. M. DE JONGE (éd.). *L'Évangile de Jean*, 1977. 416 p. FB 950.
45. E.J.M. VAN EIJL (éd.). *Facultas S. Theologiae Lovaniensis 1432-1797. Bijdragen tot haar geschiedenis. Contributions to its History. Contributions à son histoire*, 1977. 570 p. FB 1500.
46. M. DELCOR (éd.). *Qumrân. Sa piété, sa théologie et son milieu*, 1978. 432 p. FB 1550.
47. M. CAUDRON (éd.). *Faith and Society. Foi et Société. Geloof en maatschappij. Acta Congressus Internationalis Theologici Lovaniensis 1976*, 1978. 304 p. FB 1150.
48. J. KREMER (éd.), *Les Actes des Apôtres. Traditions, rédaction, théologie*, 1979. 590 p. FB 1600.
49. F. NEIRYNCK, avec la collaboration de J. DELOBEL, T. SNOY, G. VAN BELLE, F. VAN SEGBROECK, *Jean et les Synoptiques. Examen critique de l'exégèse de M.-É. Boismard*, 1979. XII-428 p. FB 950.
50. J. COPPENS, *La relève apocalyptique du messianisme royal*. I. *La royauté – Le règne – Le royaume de Dieu. Cadre de la relève apocalyptique*, 1979. 325 p. FB 848.

51. M. GILBERT (éd.), *La Sagesse de l'Ancien Testament*, 1979. 420 p. FB 1700.
52. B. DEHANDSCHUTTER, *Martyrium Polycarpi. Een literair-kritische studie*, 1979. 296 p. FB 950.
53. J. LAMBRECHT (éd.), *L'Apocalypse johannique et l'Apocalyptique dans le Nouveau Testament*, 1980. 458 p. FB 1400.
54. P.-M. BOGAERT (éd.), *Le Livre de Jérémie. Le prophète et son milieu. Les oracles et leur transmission*, 1981. 408 p. FB 1500.
55. J. COPPENS, *La relève apocalyptique du messianisme royal.* III. *Le Fils de l'homme néotestamentaire*, 1981. XIV-192 p. FB 800.
56. J. VAN BAVEL & M. SCHRAMA (éd.), *Jansénius et le Jansénisme dans les Pays-Bas. Mélanges Lucien Ceyssens*, 1982. 247 p. FB 1000.
57. J.H. WALGRAVE, *Selected Writings – Thematische geschriften. Thomas Aquinas, J.H. Newman, Theologia Fundamentalis.* Edited by G. DE SCHRIJVER & J.J. KELLY, 1982. XLIII-425 p. FB 1000.
58. F. NEIRYNCK & F. VAN SEGBROECK, avec la collaboration de E. MANNING, *Ephemerides Theologicae Lovanienses 1924-1981. Tables générales. Bibliotheca Ephemeridum Theologicarum Lovaniensium 1947-1981*, 1982. 400 p.
59. J. DELOBEL (éd.), *Logia. Les paroles de Jésus – The Sayings of Jesus. Mémorial Joseph Coppens.* 1982.
60. F. NEIRYNCK, *Evangelica. Gospel Studies – Études d'évangile. Collected Essays.* Edited by F. VAN SEGBROECK, 1982. XIX-1036 p.
61. J. COPPENS, *La relève apocalyptique du messianisme royal.* II. *Le Fils d'homme vétéro- et intertestamentaire.* Édition posthume par J. LUST, 1982.

ORIENTALISTE, P.B. 41 B-3000 Leuven